D1243284

ENCYCLOPÉDIE MONDIALE DU VIN

TOM STEVENSON

ENCYCLOPÉDIE MONDIALE DU VIN

Flammarion

Je dédie ce livre, comme la précédente édition, à ma femme Pat, qui, je suis heureux de le dire, partage ma passion pour les vins du monde entier.

Titre de l'ouvrage original :
The New Sotheby's Wine Encyclopedia

ISBN : 2-08200-667-0
Numéro d'édition : FT 0667-01
Dépôt légal : octobre 1999

Traduit de l'anglais par Michel Beauvais, Claude Dovaz, Barthélemy de Lesseps, Tamara Schakhovskoy.

Suivi éditorial : **e dans l'o**, Paris
Adaptation maquette : Thierry Renard, Paris
Imprimé par Toppan à China

✧ SOMMAIRE ✧

Le Château Gruaud-Larose à Saint-Julien (France)

Étiquette de champagne Louis Roederer

Vignoble de Rieschen, Meersburg (Allemagne)

Domaine Conca d'Oro, Vulture, Basilicate (Italie)

Les VINS *d'*
ESPAGNE *et du* PORTUGAL 346-387

Les VINS *d'*
EUROPE *et du* PROCHE-ORIENT 388-421

Les VINS *d'*
AFRIQUE 422-439

Les VINS *d'*
AMÉRIQUE 440-515

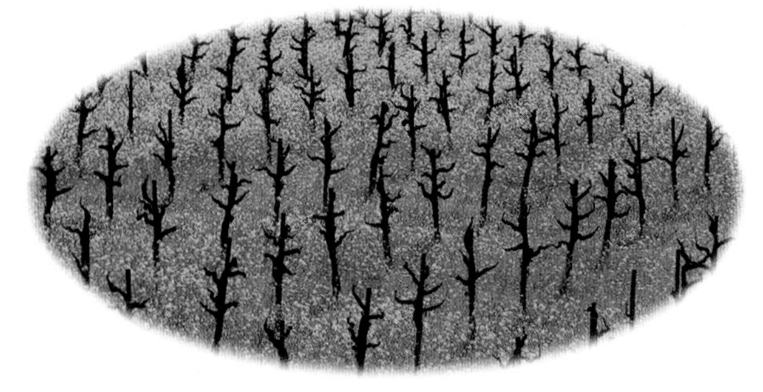

Fleurs de moutarde dans les vignes de Napa Valley en Californie

Cabernet sauvignon au Chili

Les VINS *d'*
AUSTRALIE, NOUVELLE-ZÉLANDE *et* ASIE 516-558

✧ PRÉFACE DE SOTHEBY'S ✧

Préface et introduction de Serena Sutcliffe, Master of Wine,
directeur du département Vin de Sotheby's International

POUR L'AMATEUR DE VIN, la soif de savoir est empreinte d'une signification particulière. Il progresse directement par la dégustation en même temps que par la lecture. En s'instruisant sur les techniques de viticulture et de vinification, il apprécie différemment ce qu'il ressent devant un verre. Même la législation peut devenir intéressante, lorsqu'elle est liée au contenu d'une bouteille. La nouvelle encyclopédie du vin de Tom Stevenson voyage dans le monde du vin et en explore l'immense variété. C'est l'œuvre d'un passionné, basée sur des informations et des faits réels. C'est pourquoi elle déborde de vie. Elle respire le vin et chaque page résonne de l'expérience vécue, associée à un enthousiasme insatiable. Le monde du vin a connu une évolution sans pareille depuis dix ans. Les viticulteurs et les amateurs de vin ont circulé dans le monde comme jamais auparavant. Comme sur une terre fertile, les échanges se sont multipliés. Qu'ils soient buveurs de grands crus ou de vins de pays, les consommateurs en ont cueilli les fruits.

On produit et on boit maintenant du vin de la Chine jusqu'en Uruguay. Cette encyclopédie reflète l'immense diversité de la production viticole mondiale à l'aube du nouveau millénaire.

Le texte de Tom Stevenson est écrit dans un style direct et précis. Riche mais concis, il est passionnant. Depuis le cépage le plus rare au sous-sol le plus exceptionnel, tout est prétexte à voyager et à apprendre. Le rôle d'une encyclopédie est de guider le lecteur dans un voyage d'exploration. Celle-ci vous fait marcher dans le vignoble et descendre dans les caves avant de vous accompagner jusqu'au bord du verre où se retrouvent tous les amateurs de vin. Ce livre deviendra vite indispensable.

Serena Sutcliffe

LE PLAISIR DU VIN

Lorsque je donne des conférences ou que j'anime des séances de dégustation chez Sotheby's, on me pose souvent la même question : « Comment décririez-vous ce vin? » Les personnes qui m'interrogent voudraient connaître les mots pour décrire leurs sensations olfactives. La meilleure façon d'acquérir un vocabulaire utile – en évitant le jargon ésotérique – est d'écouter quelqu'un d'expérimenté, qui fasse bon usage de son nez et de sa bouche, tout en étant doué pour la communication. Il est en effet courant que le seul fait d'employer le même mot suffise à donner une signification claire à une myriade d'odeurs et de goûts émanant d'un même vin. Une description précise du nez ou de la bouche d'un cru peut parfois donner une dimension supplémentaire à un vin, marquer la mémoire et faire qu'on le comprend mieux. On pourrait comparer une telle expérience à une visite dans une galerie de peinture en compagnie d'un expert qui aurait étudié ses œuvres pendant des années. On percevrait des nuances jamais remarquées auparavant.

LA FORME DES VERRES

Que ce soit pour déguster ou pour boire, la forme des verres est importante. À partir du moment où il possède une forme de tulipe et qu'il n'est pas trop petit, tout verre est apte à recevoir du vin. Grâce à sa base arrondie et ses parois courbées vers l'intérieur, il permet aux arômes de se concentrer dans la partie haute du verre. Le buveur profite ainsi du bouquet au maximum. Le verre doit être assez grand, car on ne le remplit qu'à la moitié afin que les arômes circulent. Il faut proscrire les petits verres, ceux aux parois droites ou évasées vers l'extérieur, ainsi que les coupes à champagne, si larges et plates que bulles et parfums s'envolent immédiatement. Jadis, il y avait des formes et même des couleurs traditionnelles dans chaque vignoble. Aujourd'hui la mode est plutôt à trouver une forme et une taille pour chaque type de vin plutôt que pour chaque région. Le fabricant de verres autrichien Georg Riedel, déclare qu'un même vin se goûte différemment dans chacun des verres qu'il a dessinés.

Un verre aux parois renflées muni de longues jambes convient à la dégustation.

T.S.

LA DÉGUSTATION

Ce qui est agréable dans la dégustation du vin, c'est qu'elle ne nécessite pas d'équipement extraordinaire. C'est en quelque sorte un « sport » facile à pratiquer puisqu'il suffit d'un nez et d'une bouche intacts, de quelques bouteilles de vin, d'un tire-bouchon et d'un verre propre. Que le verre soit fin est préférable pour rapprocher le dégustateur et le produit. S'il possède une longue jambe, on pourra le tenir facilement. S'il se rétrécit dans sa partie supérieure, il emprisonnera mieux les arômes du vin. De plus, lorsqu'on fera tourner le vin dans le verre pour l'aérer et faire épanouir ses parfums, on évitera de projeter des gouttelettes hors du verre. Il est utile de disposer d'un bon éclairage, de nappes blanches et d'eau fraîche non chlorée.
Il existe différentes sortes de dégustations, depuis les marathons réservés aux professionnels pour déguster un nouveau millésime jusqu'aux réunions amicales où chacun apporte une bouteille. Ces dernières sont encore plus agréables si elles comportent également un repas, puisque la plupart des vins sont faits pour accompagner voire mettre en valeur les mets. Mais, même à table, vous pouvez toujours faire les choses sérieusement, en goûtant chaque vin avant de toucher au plat. Vous pourrez ainsi comparer les impressions « d'avant » et « d'après ».
De la même façon qu'un pianiste fait des gammes et des exercices pour perfectionner son art, le dégustateur se crée des habitudes pour déguster au mieux. Les miennes sont simples : je regarde la couleur du vin, je le fais tourner dans le verre, je sens puis je goûte avant de cracher, dans un crachoir ou tout autre récipient. Il est évident que d'avaler de nombreux vins tendrait à faire perdre ses esprits. Fort heureusement, on ne crache jamais lorsqu'on déguste à table! Lorsque vous crachez, vous ne perdez aucune des qualités de fin de bouche du vin. Vous évitez seulement la fatigue de l'alcool.
Voici en quelques lignes ce qu'est la dégustation. On pourrait passer sa vie à broder sur ce thème. Quiconque possède l'équipement biologique de base, à savoir un nez et une bouche, est capable de déguster du vin. Aussi loin que je me rappelle, je n'ai rencontré personne qui fasse un véritable blocage à la dégustation. Il existe l'équivalent du sourd et du muet en matière d'odorat et de goût, mais l'immense majorité de la population est munie de tous les outils nécessaires. Elle a seulement besoin qu'on lui apprenne comment s'en servir. C'est l'un des grands plaisirs de la dégustation que l'entraînement perfectionne. Dégustez avec des amis qui apprécient les mêmes choses que vous, et n'hésitez pas à boire avec eux. Vous serez récompensé.

COLLECTIONNER LE VIN

Il est amusant de collectionner les bouteilles. On commence souvent à l'improviste, parce que l'on dispose soudain d'une somme d'argent ou d'un endroit pour entreposer des bouteilles. Un ami peut aussi vous inspirer à force de vous faire profiter de sa collection. La seule condition est d'aimer le vin – une passion que de plus en plus de personnes semblent partager dans le monde.

Où commence une collection de vin? Elle part des quelques douzaines de bouteilles commandées à un caviste, ou à un club de vente par correspondance, ou bien rapportées d'une tournée dans le vignoble, pour arriver à des milliers de bouteilles acquises par l'intermédiaire de courtiers spécialisés ou de ventes aux enchères. Le seul critère pour commencer une collection de vin est de savoir si votre choix correspond à vos besoins. Bien sûr votre collection dépendra de la taille de votre portefeuille, mais le plaisir d'un tel hobby est qu'une collection peut commencer toute petite et devenir très grande.

POUR LE PLAISIR ET POUR L'INVESTISSEMENT

La première question à se poser lorsqu'on commence un collection est simple : que voulez-vous en faire? Souhaitez-vous des vins à boire vite ou à conserver pour les boire à long terme ou bien un mélange des deux? Dans ce cas, vous devez choisir des vins de style, d'origine et de millésimes variés, afin de disposer au fil du temps de bouteilles prêtes à boire. Lorsque vous serez décidé, vous ferez meilleur usage des conseils des experts chez les commissaires-priseurs et chez les cavistes.

Mon premier conseil serait de ne pas stocker les vins de tous les jours, que vous pouvez acheter au dernier moment. Ils n'en seront que plus frais et donc meilleurs. Les vins à encaver, que ce soit pour le court ou le long terme, doivent être plus intéressants et de meilleure qualité. Il faut bien sûr qu'ils soient aptes à vieillir. Lorsque je rencontre un futur collectionneur, je lui demande toujours s'il désire remplir sa cave pour son plaisir, pour l'investissement ou pour les deux à la fois. Ce dernier choix est avisé, sans être irréalisable. Plus le collectionneur est intéressé par l'aspect investissement, plus la sélection doit frapper haut et se cantonner aux classiques.

En fait, la plupart des personnes qui acquièrent des vins le font purement pour le plaisir, le leur et celui de leurs amis. Le partage des idées et des bouteilles avec d'autres amateurs de vins est une de ces activités conviviales qui réjouissent le séjour des humains sur terre. S'il dispose de revenus raisonnables, un amateur enthousiaste peut se construire une collection assez importante pour pouvoir, en vendant de temps à autre les vins choisis pour investissement, financer ceux qu'il voudra pour sa consommation. C'est une solution sage.

QUESTIONS PRATIQUES

À moins que votre cave ne soit un pur investissement, vous préférez bien évidemment acheter les vins que vous aimez. Pour bien acheter, il faut profiter de toutes les occasions pour goûter aussi souvent que possible, que ce soit dans les restaurants, chez les cavistes, dans les magasins, lors des présentations avant les ventes aux enchères, avec des amis et dans les cours de dégustation. Ce n'est qu'en dégustant régulièrement que vous découvrirez quels sont les vignobles et les cépages que vous préférez. Vous pourrez ensuite concentrer vos achats sur ces vins. Il y a plusieurs questions pratiques à vous poser avant de vous rendre dans un magasin ou une salle des ventes. Quel budget pouvez-vous dépenser? De combien de place disposez-vous en cave et celle-ci est-elle suffisamment froide? Plus vous donnerez de renseignements à vos interlocuteurs sur vos besoins et vos goûts, mieux vous serez conseillé. Le plus diplômé des experts ne peut vous guider vers les vins de vos rêves sans connaître vos goûts : vins jeunes ou mûrs, secs ou moelleux, riches et tanniques, légers et parfumés. Il n'est bien sûr pas interdit de les aimer tous. Lisez, informez-vous, parlez mais, par-dessus tout, dégustez autant que vous le pouvez à mesure que vous constituez votre cave. Ne bloquez pas votre horizon car de nouvelles expériences passionnantes vous attendent.

Collection de Domaine de la Romanée-Conti 1985 adjugée chez Sotheby's à Londres en mai 1996 à 148 500 livres sterling.

COMMENT SE CONSTITUER UNE CAVE ?

Vous avez trouvé de la place dans la cave, votre compte en banque est approvisionné. Qu'allez-vous mettre dans les casiers? Si vous êtes de ceux qui aiment varier les plaisirs et si vous aimez les voyages et les vacances dans le vignoble, il est vraisemblable que votre cave va devenir internationale.

Cela peut se traduire par quelques caisses venues de toute l'Europe, des États-Unis, de l'Amérique du Sud, de Nouvelle-Zélande et d'Afrique du sud. Si vos goûts sont plus classiques, vos penchants naturels vous mèneront vers le Bordelais, la Bourgogne et la vallée du Rhône, auxquels vous ajouterez la crème de la Californie. Si vous appréciez les vins moelleux et liquoreux, pensez à Sauternes et aux vendanges tardives d'Alsace. Si les champagnes d'un certain âge ne vous laissent pas indifférent, achetez les cuvées millésimées des grandes maisons dès qu'elles sont commercialisées et faites-les vieillir.

Les bons professionnels comme les cavistes ainsi que les livres, comme celui-ci, vous feront connaître les meilleurs châteaux et domaines. Ils vous indiqueront aussi la qualité des millésimes, ce qui n'est pas négligeable (*voir* Les bons millésimes, pp. 569-570). Lorsque les années sont chaudes, les vins sont riches, pleins et de bonne garde. Au contraire les années pluvieuses donnent des vins maigres et dilués. Si vous vous constituez une cave dans l'espoir qu'elle vous servira pendant des lustres, le choix devra se porter sur les grands vins et les grands millésimes, car ils ont le plus grand potentiel de garde.

Mais si vous cherchez à vous faire plaisir dans les quelques années à venir, mieux vaut vous tourner vers les millésimes assez légers et fruités qui vieilliront plus rapidement ou vers les millésimes déjà mûrs qui sont déjà prêts à boire. C'est dans ce dernier cas que les ventes aux enchères sont particulièrement recommandables.

À mesure que vous dégusterez des vins différents, vous découvrirez le plaisir des vins jeunes, vifs et frais. Vous le comparerez à celui que donnent les vins mûrs, plus complexes. Progressivement, vos préférences se préciseront et vous pourrez développer votre cave dans une direction ou dans l'autre. Les vins de qualité supérieure vieillissent mieux que les vins de prix modeste, faits pour être bus jeunes. Mais il ne faut pas oublier que tous les vins ne s'améliorent pas en vieillissant. Certains deviennent vieux, sans plus.

La cave d'Andrew Lloyd Webber à Sidmonton Court dans le sud de l'Angleterre

CAVE D'INVESTISSEMENT

Si vous décidez de vous constituer une cave dans un but uniquement financier, vous devez faire extrêmement attention à ce que vous choisissez. Faites appel aux conseils de quelqu'un qui connaît parfaitement le marché des grands vins. Celui-ci est dominé par les grands vins rouges de Bordeaux, les crus classés. Ces châteaux du Médoc qui furent classés premiers crus en 1855 sont le summum de l'investissement au niveau mondial, de même que le premier cru des Graves, Château Haut-Brion. D'autres châteaux entrent dans cette catégorie, comme La Mission Haut-Brion, ainsi que les Pessac-Léognan et quelques célèbres deuxièmes crus du Médoc comme Pichon-Longueville-Comtesse-de-Lalande, Cos d'Estournel et Léoville-Las Cases. Il y a aussi quelques autres châteaux dont la valeur commerciale augmente à coup sûr, comme Lynch-Bages. Quoi qu'il en soit, vous aurez toujours besoin de conseils avisés car

la réputation des domaines peut varier : Pichon-Longueville-Baron par exemple est très recherché depuis la fin des années 1980. À Pomerol et Saint-Émilion, entrent dans la catégorie des vins d'investissement Petrus, Cheval Blanc, Latour à Pomerol, Lafleur et, depuis peu, Le Pin.
Une cave d'investissement peut aussi inclure des sauternes, comme Château d'Yquem et Rieussec, ou des portos millésimés de chez Taylor, Fonseca, Graham, Warre et Noval.
En Bourgogne, les vins de ce type sont plus rares car les domaines sont beaucoup plus petits.
Le marché s'est donc fragmenté et complexe.
Il s'agit des sept vins du Domaine de la Romanée Conti, suivis des domaines célèbres, Comtes de Vogüé, Armand Rousseau, Henri Jayer (pour les millésimes anciens) et Leflaive pour les blancs.
Les vins rouges de Californie trouvent aussi leur place : ceux de Caymus, Mondavi, Ridge, Heitz Martha's Vineyard, Stag's Leap et Opus One peuvent figurer en bonne place, en particulier leurs cuvées de réserve. Le seul vin australien qui puisse revendiquer le statut d'investissement international est celui de Grange. En Italie c'est Sassicaia.

La cave Thurn und Taxis (Regensburg), vendue par Sotheby's en octobre 1993.

QUEL EST LE MEILLEUR TYPE DE CAVE ?

Le meilleur endroit pour stocker une cave d'investissement est sans doute dans un chai de vieillissement professionnel. Mais pour une cave privée, le premier plaisir est certainement qu'elle soit facile d'accès. Dans nos contrées au climat frais ou modéré, il est souvent possible d'avoir une vraie cave chez soi. Par contre, pour ceux qui vivent dans un pays où l'été est chaud ou bien là où sévit un climat tropical à longueur d'année, il est indispensable de faire climatiser le lieu où seront rangés les vins. Il y a des amateurs qui condamnent une chambre pour la transformer en cave, qui isolent une pièce à l'extérieur ou au sous-sol, ou encore qui achètent une cave d'appartement, une armoire de type « eurocave » qui garantit fraîcheur et humidité.
De même qu'ils vous conseillent sur le choix des vins, les cavistes et les commissaires priseurs peuvent également vous recommander des fournisseurs et des constructeurs.

LES VENTES EN PRIMEUR

Les collectionneurs aiment souvent acheter les vins les plus jeunes possibles, donc qui possèdent le plus long potentiel de vieillissement. Le meilleur exemple de ce type d'achat est celui dit « en primeur », traditionnel des plus grands vins du Bordelais. On achète ainsi, dès le printemps qui suit la récolte, des vins qui seront mis en bouteilles plus d'un an après et livrés encore plus tard. Étant donné ce délai entre commande et livraison, il ne faut certes traiter qu'avec des fournisseurs à la réputation irréprochable.

UNE BONNE CAVE

Températures de stockage
La température de cave idéale se situe à 11-12 °C, mais tout intermédiaire situé entre 5 et 18 °C est acceptable, à la seule condition que les variations soient limitées. Si la température est plus élevée, l'oxydation – donc le vieillissement du vin – sera accélérée : une bouteille rangée à 18 °C évoluera plus vite que la même bouteille à 11 °C. Une température constante de 18 °C est toutefois plus souhaitable que des variations subites avec un jour à 11 °C et un autre à 3 °C.

L'effet de la lumière
Il faut protéger le vin de la lumière – la plus grand ennemie du vin –, naturelle ou artificielle. Une cave doit être sombre et fraîche.

Le rangement des bouteilles
En caisses ou en casiers, elles doivent être rangées à l'horizontale afin que les bouchons restent en contact avec le vin. Ainsi humidifiés, l'air ne peut pénétrer. Les caves fraîches sont souvent humides, limitant le dessèchement des bouchons et seules les étiquettes risquent de souffrir.

LES VENTES AUX ENCHÈRES

Les ventes aux enchères sont un paradis pour l'amateur de vin, le lieu idéal pour acheter comme pour vendre. Elles constituent un élément vital du marché du vin à l'échelon international. Les plus grands vins du monde sont vendus aux enchères. Les salles des ventes fixent les prix du marché. L'enchère est menée par les consommateurs qui enchérissent les uns contre les autres, que ce soit sur place, par téléphone, ou par fax, avant la vente. L'acheteur est le baromètre. Les ventes de grands vins sont ouvertes à tous. Ce ne sont pas des univers fermés de trésors rares accessibles uniquement à quelques connaisseurs nantis. Tout ce dont vous avez besoin, c'est d'un catalogue afin de suivre le déroulement de la vente et, le cas échéant, d'enchérir. On vend aux enchères des vins jeunes et des vins vieux. Si les prix sont astronomiques pour quelques vins historiques ou de réputation prestigieuse, il y a des centaines de bouteilles à boire dans des conditions normales qui partent à des prix modestes. Les médias font l'écho des prix atteints par certaines bouteilles pour attirer le lecteur. Ils donnent ainsi une fausse idée de ce que sont les ventes aux enchères en faisant croire qu'elles sont hors de portée du commun des mortels. Il suffit de regarder rapidement les statistiques sur les enchérisseurs pour se convaincre du contraire. Les goûts des clients et leur âge sont aussi divers que les crus présentés à la vente. Le seul point commun entre tous ceux qui fréquentent les salles des ventes du monde entier est une passion réelle pour le vin.
Les raisons qui poussent à acheter ou à vendre les vins aux enchères sont de différents ordres. Certains enchérissent uniquement pour le plaisir de remplir leur cave tandis que d'autres envisagent ce geste avec une arrière-pensée spéculative. Les amateurs de grands vins de tout bord fréquentent les salles des ventes, et ce particulièrement depuis la dernière décennie.

La vente de la collection d'Andrew Lloyd Webber, qui eut lieu chez Sotheby's à Londres les 20 et 21 mai 1997, a battu tous les records de vente aux enchères avec un total de 3,7 millions de livres sterling.

Le changement le plus récent et le plus frappant est l'internationalisation du marché des vins aux enchères. Pendant longtemps, les Britanniques avaient un quasi-monopole sur ces activités. Depuis peu, les amateurs du monde entier semblent désormais utiliser les ventes aux enchères pour remplir leurs caves et, certaines fois, les vider. Même l'Asie, en particulier Hong Kong, Singapour et Taiwan et enfin l'Amérique latine ont fait leur apparition sur ce marché.
Il y a une question qui revient régulièrement au sujet des ventes aux enchères : d'où viennent les vins?
On a l'habitude de dire que les ventes ont pour origine les trois « D », à savoir décès, divorce et dette. Ce n'est pas seulement sinistre, c'est faux et incomplet. Il y a d'abord des collectionneurs qui achètent trop ; ils vendent alors lorsqu'ils manquent de place, ou qu'ils craignent de manquer de temps pour boire leur vin. Il arrive qu'un collectionneur veuille vendre des vins vieux pour acheter des millésimes plus récents. Il peut aussi se découvrir un intérêt pour un vignoble qu'il ignorait auparavant. Pour beaucoup d'amateurs, la diversité est une qualité qui donne du piment à la vie. Il n'est pas exceptionnel qu'un même client soit à la fois vendeur et acheteur dans une même vente afin d'apporter plus de variété à la collection. Il existe enfin une catégorie de personnes qui se construit une cave, la laisse s'épanouir puis en vend une partie pour financer ses achats suivants. Cette fluidité du marché est un avantage pour les acheteurs puisqu'elle permet que soient tenues dans le monde entier des dizaines de ventes aux catalogues plus tentants et variés les uns que les autres.
En règle générale, les caves constituées en Europe sont vendues en Europe et celles nées aux États-Unis sont vendues sur le territoire américain. En Asie, la plupart des vins qui passent aux enchères proviennent

d'Europe. Au cours d'une même vente, les lots sont le plus souvent issus de différentes caves, chacune étant identifiée dans le catalogue. Il arrive toutefois qu'une vente entière soit consacrée à une seule collection. Dans ce cas, figurent en bonne place le nom du propriétaire et la qualité des vins. Sotheby's a mené plusieurs ventes exceptionnelles de ce type, que ce soit la collection classique de Lord McAlpine en Angleterre, ou l'immense cave du Prince Thurn und Taxis en Bavière ou enfin, la plus exceptionnelle de toutes, la cave d'Andrew Lloyd Webber qui fut dispersée à Londres en mai 1997.

Lorsqu'un client prend contact avec Sotheby's pour vendre des bouteilles, on lui fournit une double estimation de sa cave, haute et basse, qu'il s'agisse d'une collection complète ou de quelques caisses. Si le vendeur se décide, les experts du département Vin de Sotheby's inspectent les bouteilles, les regroupent par lots et les inscrivent dans un catalogue. Ils vérifient l'état des vins et mentionnent tous les éléments significatifs possibles, comme le niveau de vin dans la bouteille, l'état de l'étiquette et l'emballage, caisse ou coffret d'origine ou carton de Sotheby's. Lorsque le catalogue fait état de taches d'humidité sur l'étiquette, cela veut dire que le vin a été stocké dans une cave humide, de bonnes conditions qui réjouissent l'amateur plus soucieux du contenu de la bouteille que de l'aspect des étiquettes.

Lorsque l'on rencontre des bouteilles anciennes, très précieuses et chères, il faut faire particulièrement attention à leur origine et vérifier leur authenticité. De même qu'aux grands tableaux se rattache une histoire, les grands flacons ne naissent pas du néant. On doit avoir la possibilité de trouver leurs ancêtres et retracer leur vie. Les commissaires priseurs se doivent d'établir des catalogues exacts et leurs experts doivent pouvoir renseigner les acheteurs potentiels. Chez Sotheby's, les vins à la vente sont enlevés de chez les vendeurs et mis en cave avant les ventes. Dans certains pays, ils peuvent être entreposés dans des locaux sous douane hors taxes.

Les catalogues sont généralement disponibles trois semaines avant les ventes, ce qui donne assez de temps pour prévoir ses achats et passer des ordres par écrit ou par fax si l'on ne peut assister à la vente. Les ordres ainsi passés d'avance constituent une part importante des ventes, lorsque les clients ont confiance dans des vins qu'ils connaissent ou qui leur ont été recommandés. Les enchères par téléphone sont acceptées pour les lots importants et de la part des clients réguliers.

Lorsque vous assistez à une vente, soyez attentif : les enchères vont très vite. Un bon commissaire priseur peut adjuger plus de 200 lots à l'heure (un lot peut être aussi bien une caisse de 12 bouteilles qu'un seul flacon ou un assortiment de 6 demi-bouteilles). Dans certaines ventes, on vous donne un panneau à montrer pour signifier une enchère. Mais la plupart du temps, un geste de la main ou de la tête suffit à faire savoir au commissaire-priseur que vous enchérissez.

Les enchères montent par paliers successifs jusqu'à ce que le marteau tombe et adjuge au meilleur offrant. Lorsqu'il y a beaucoup de bouteilles d'un même vin, il arrive qu'elles soient réparties en plusieurs lots identiques. Dans ce cas, le commissaire priseur peut proposer à la personne qui achète le premier lot d'acquérir les lots suivants au même prix. Si vous tenez absolument à l'un de ces lots, vous êtes donc obligé d'enchérir dès le premier.

Lorsqu'un lot a été adjugé en votre faveur et que vous l'avez payé, vous pouvez emporter les bouteilles ou les faire livrer. Si d'aventure la marchandise ne s'avérait pas conforme aux indications du catalogue, faites-le savoir immédiatement au commissaire priseur qui prendra les mesures nécessaires. Mais attention, ne faites pas de réclamation juste parce qu'une bouteille n'est pas à votre goût !

Les ventes de vins possèdent un charme unique, d'autant plus que les achats peuvent être consommés le jour même. La fréquentation assidue des salles des ventes peut devenir une drogue ! Les ventes aux enchères de vins existent depuis des siècles. Elles ont été source de bien des plaisirs chez les amateurs de vins de tout crin. Aujourd'hui, Sotheby's présente ses catalogues sur Internet, il n'y a aucun doute que l'avenir est plein d'espoir.

Serena Sutcliffe MW

Un double magnum de Château Mouton-Rothschild 1975, dont l'étiquette est ornée d'une œuvre signée par Andy Warhol, vendu chez Sotheby's à New York pour 3 738 dollars.

✧ PRÉFACE DE L'AUTEUR ✧

J'aime les encyclopédies. Rien de ce que j'ai écrit avant ou que j'écrirai jamais ne représentera un tel défi. J'avais prévu deux ans pour rédiger la première édition. Il m'en a fallu trois. Je pensais donc qu'il me serait aisé de mettre à jour cette encyclopédie dans les mêmes délais. Il a fallu cinq ans! En effet, il y a eu tant de changements ces dix dernières années que la refonte de tout le livre était devenue indispensable. Et malgré une augmentation de 480 à 600 pages, les coupes ont été sombres. Rien que pour l'Italie, mes 25 pages sont devenues 40. Dans ce chapitre, je rêvais d'ajouter des portraits de vignerons mais, en fait, la croissance n'est due qu'à l'explosion de nouvelles appellations. Si vous possédez l'édition d'origine de l'encyclopédie, contentez-vous de comparer les cartes et vous aurez aussitôt une idée de l'ampleur du changement. L'ambition de ce livre n'a toutefois pas changé. Je souhaite toujours offrir à l'amateur un livre bien illustré qui éclaire chaque vignoble d'une lumière nouvelle. Je l'ai voulu dense en informations et facile à utiliser, afin qu'en use avec plaisir le novice comme l'amateur averti.

Tom Stevenson, juillet 1997

COMMENT SE SERVIR DE CE LIVRE ?

Le plan de cette encyclopédie est simple. Elle aborde les pays un par un et, à l'intérieur de chaque pays, les régions viticoles les unes après les autres. Chaque vignoble et chaque appellation est étudié. Dans tous les chapitres, vous trouverez deux types de pages : un texte d'introduction générale puis un guide de dégustation. Le premier comprend toujours deux rubriques, « Comment lire les étiquettes » et « Les facteurs de qualité », qui peuvent être traitées à l'échelle nationale ou régionale, selon le pays (*voir* ci-dessous). Les guides de dégustation sont adaptés à chaque vignoble et vous retrouverez les titres comme « Les appellations de… », « Les vins et les cépages de… » et « Les vignerons de… ». Lorsque les appellations sont nombreuses, à Bordeaux par exemple, vous trouverez d'abord une liste des appellations génériques puis une liste des appellations régionales et sous-régionales. Dans ce guide, les informations sont traitées à différents niveaux en fonction de l'importance du vin ou du producteur. La couleur des vins est indiquée par des symboles. Lorsque vous voulez trouver rapidement une information sur un vin précis, regardez si le producteur ou le château figurent dans l'index. Si vous ne les trouvez pas, poursuivez votre recherche par appellation puis par type de vin (à l'intérieur de chaque pays puis de chaque vignoble).

PAGES D'INTRODUCTION : PAYS ET RÉGIONS

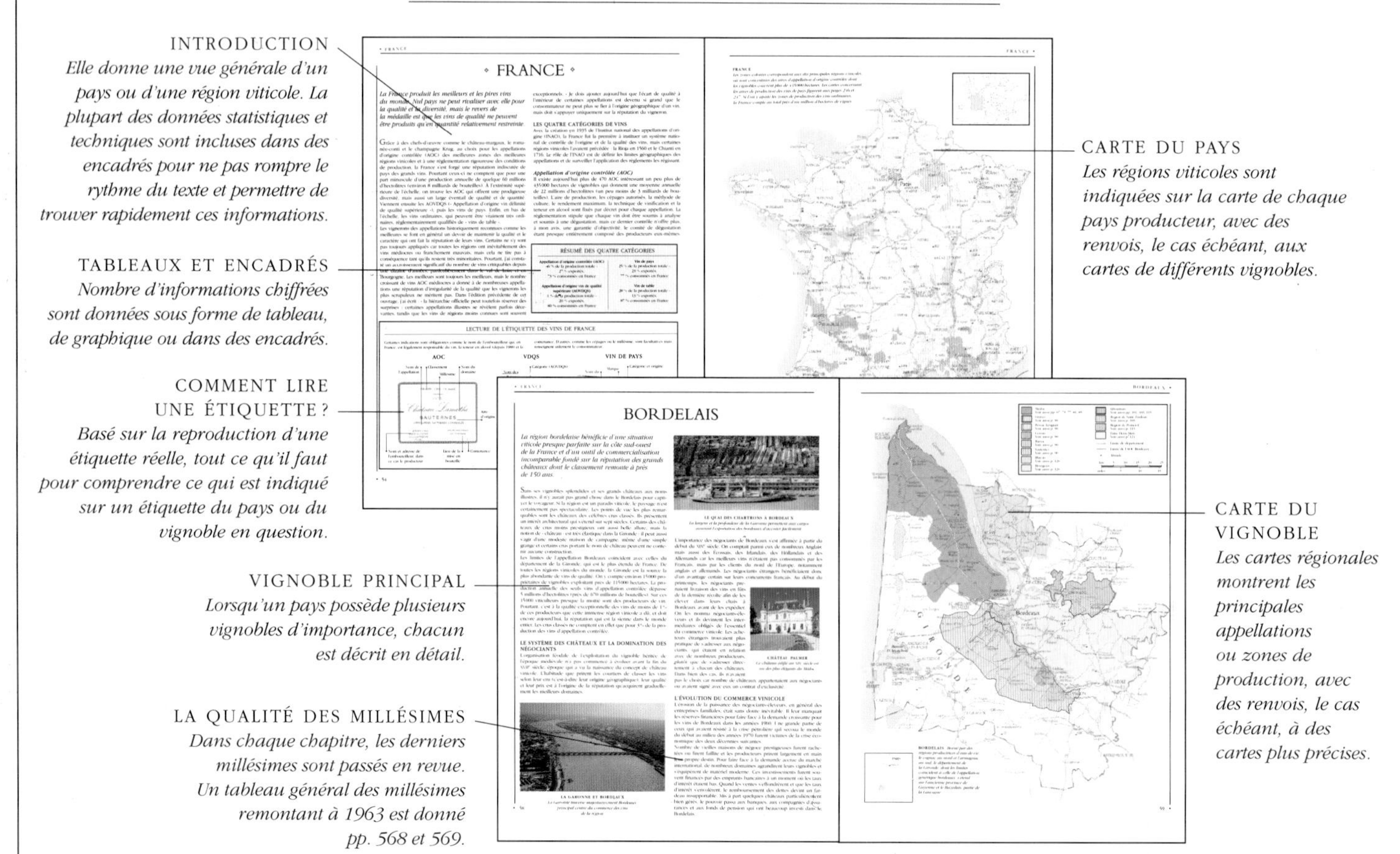

GUIDE DES VIGNOBLES

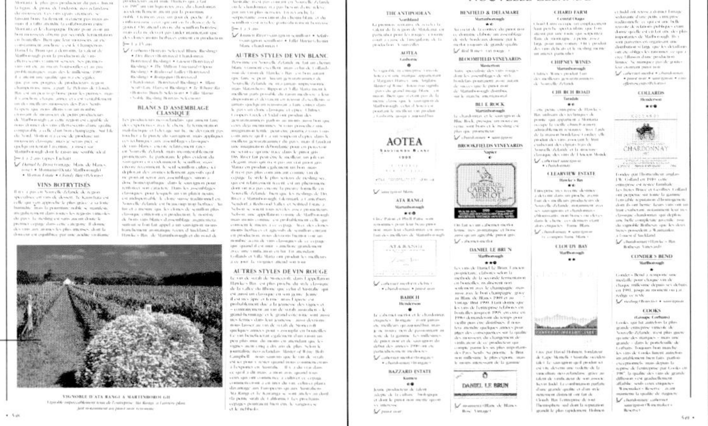

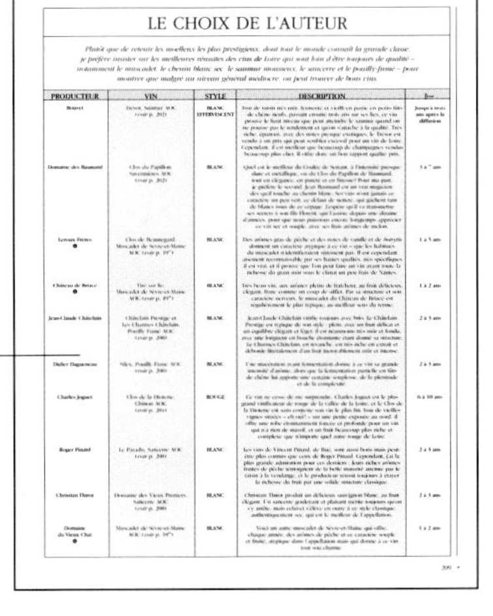

VIGNOBLE
En France et en Californie, chaque appellation et chaque district fait l'objet d'une description propre.

CARTE DU VIGNOBLE
Ces cartes indiquent les appellations régionales, communales et les crus. Les meilleurs producteurs sont localisés.

DESCRIPTION DES APPELLATIONS
Chaque appellation ou chaque zone de production spécifique, qu'elle soit définie par la loi ou non, complétée par une liste des meilleurs producteurs et enrichie par des symboles (définis ci-dessous).

VINS ET CÉPAGES
Lorsque le système d'appellation est entièrement basé sur un découpage géographique, les vins sont décrits sous le titre général : « Vins et cépages de… ». Une liste des meilleurs producteurs complète le chapitre.

ILLUSTRATIONS
Des photographies en couleur sont choisies pour évoquer l'atmosphère propre à chaque vignoble.

LES FACTEURS DE QUALITÉ
Dans les textes d'introduction des pays ou des vignobles, des encadrés en couleur attirent l'attention sur les points primordiaux qui déterminent la qualité des produits. Voir les symboles ci-dessous.

PRODUCTEURS
Le portrait des meilleurs vignerons, des meilleurs caves, des meilleures châteaux et domaines, complété par une notation par étoiles et des recommandations sur les meilleures cuvées de chacun.

LES CHOIX DE L'AUTEUR
Dans chaque chapitre, Tom Stevenson transporte le lecteur dans sa salle de dégustation et illustre pour lui l'actualité du vignoble.

SYMBOLES

Des encadrés sur les facteurs de qualité sont placés en tête des introduction sur les pays et les vignobles, avant les guides de dégustation (appellations, producteurs et types de vins)

FACTEURS DE QUALITÉ

- Aspect
- Climat
- Localisation
- Sol
- Viticulture
-  Cépage principal

GUIDE DE DÉGUSTATION

Date d'apogée du vin, généralement donnée sous la forme : de 3 à 5 ans, à partir de l'année de récolte.
• Ne pas conserver : pour les vins qui doivent être achetés à mesure de la consommation • Aussitôt débouché : pour les vins mutés qui se gardent en cave pendant des lustres mais qui, contrairement à la légende, doivent être bus aussitôt la bouteille entamée.

Cépages

✓ Les meilleurs vins, vignobles et producteurs connus de l'auteur.

SYSTÈME DE NOTATION

Les étoiles correspondent à la qualité habituelle d'un producteur ou d'un domaine, mais ne s'appliquent pas obligatoirement à la qualité intrinsèque de chaque vin. Lorsqu'aucune indication n'est donnée, le niveau est correct, sans être exceptionnel.

★ Bons vins dans leur catégorie.

★★ Excellents vins, l'équivalent des super-seconds du classement bordelais (*voir* glossaire).

★★★ Vins exceptionnels, ce qu'on peut rêver de mieux, toutes régions et tous types confondus.

Ⓥ Rapport qualité/prix exceptionnel, quelle que soit la gamme de prix.

❓ Qualité irrégulière, vin grossier ou opinion réservée.

⊗ Qualité insuffisante.

LE GOÛT DU VIN

Entre l'action de boire et celle de déguster, il y a autant de différences qu'entre conduire une voiture pour le plaisir et faire les essais avant de l'acheter. L'attention n'est pas la même selon que vous recherchez les qualités et les défauts ou que vous vous contentez de passer un moment agréable au volant. La dégustation est avant tout une question de concentration : c'est une technique que pratiquement tout le monde peut acquérir.

Lorsque vous goûtez un vin, il est important d'éviter tout ce qui pourrait vous distraire, en particulier les commentaires des autres personnes présentes. On est si vite influencé. Il est bon de goûter le vin et de se faire une opinion personnelle avant d'engager la moindre discussion. Même dans une dégustation professionnelle, le rôle de l'expert ou de l'animateur n'est pas de dicter mais d'éduquer. Il le fera en guidant les dégustateurs et en leur expliquant ce à quoi correspondent les impressions qu'ils ressentent. Les trois sens les plus impliqués dans la dégustation sont la vue, l'odorat et le goût, auxquels on fait souvent référence par les mots, œil, nez et bouche.

LA VUE ET L'ASPECT DU VIN

La première étape consiste à juger la limpidité du vin : il doit être parfaitement transparent. La présence d'un dépôt est sans gravité, à condition que celui-ci reste au fond de la bouteille. Un vin qui est trouble et le reste après un moment de repos est à éliminer. Si vous voyez de minuscules bulles s'accrocher aux bords du verre, c'est tout à fait normal pour certains vins comme le muscadet sur lie, le vinho verde portugais ou le beaujolais primeur. Mais pour la plupart des vins tranquilles, surtout les rouges, cette légère effervescence sera un défaut.

La seconde étape vous engage à faire tourner doucement le vin dans le verre. Vous verrez sans doute des traces de vin couler plus ou moins lentement le long des parois intérieures du verre. Ces « larmes » ou « jambes » ne révèlent pas une présence de glycérol importante, comme on l'a longtemps dit. La viscosité du vin, sa façon d'adhérer aux parois, n'est en fait due qu'à l'alcool. Plus le vin est alcoolisé, plus il adhère au verre en formant ces « larmes ».

La couleur du vin

La lumière naturelle est idéale pour observer la couleur d'un vin : c'est le premier indice pour deviner son identité. Regardez le vin du dessus devant un fond blanc, en tenant le verre par le bas de la jambe et en le penchant un peu. Les vins rouges varient depuis le clairet, presque rosé, jusqu'à des teintes si sombres et opaques qu'elles en paraissent noires. Quant aux vins blancs, ils peuvent être presque aussi pâles que de l'eau ou au contraire d'un doré profond, mais la plupart sont jaune paille claire. Les rosés adoptent toutes les variations, depuis le rose bleuté jusqu'au rose orangé. Ne tenez pas compte de la couleur d'un vin éclairé artificiellement car elle sera toujours fausse. La lumière des néons par exemple brunit tous les vins rouges.

Les facteurs affectant la couleur

Les nuances de couleur du vin varient à l'infini. Qu'il soit blanc, rouge ou rosé, elle dépend avant tout du cépage, mais le degré de maturité des raisins, l'origine géographique, la méthode de vinification et l'âge des vignes ont aussi leur influence. Les vins secs et légers des régions tempérées sont les plus pâles, alors que les vignobles chauds donnent plutôt des vins riches, puissants, éventuellement moelleux et plus colorés, les vins rouges ont des reflets violacés et les blancs en ont des verts, surtout lorsqu'ils viennent de régions au climat frais. Le vieillissement s'accompagne d'une lente oxydation : le vin brunit, comme le fait à l'air une pomme épluchée.

L'ODORAT OU LE NEZ DU VIN

Il y a des experts qui déclarent être capables de déceler et de reconnaître plus de mille parfums différents tandis que les amateurs abandonnent tout espoir d'acquérir la moindre connaissance œnologique. Il ne faut pas se décourager : tout être humain est capable

REGARDER

L'aspect du vin n'est pas le point le plus important de la dégustation, à moins que la couleur ne soit exceptionnelle. Les notes de dégustation le concernant sont généralement brèves. L'œil est toutefois, pour le dégustateur professionnel, l'organe le plus important, puisqu'un reflet ou une nuance subtile peut renseigner de façon déterminante sur l'identité d'un vin.

HUMER

Puisque les parfums sont plus nombreux que les goûts, c'est par le nez qu'on en apprend le plus sur un vin. Il ne faut pas sentir trop longtemps, car cela anéantit votre perception. Prenez une bonne inspiration au-dessus du verre et arrêtez-vous pour réfléchir. Rappelez-vous qu'aucune odeur n'est spécifique au vin. Tous les parfums sont dans la nature, il faut du temps pour les reconnaître.

de distinguer plus d'un millier d'odeurs différentes, dans la vie quotidienne. Si vous demandez à n'importe qui de noter toutes les odeurs qu'il connaît, sa liste dépassera sans effort plusieurs centaines de mots. Et bien plus grand est le nombre d'arômes enfermés dans notre cerveau attendant d'être rappelés à la surface.
Pour bien sentir un vin, il suffit de le faire tourner dans le verre, de placer son nez au-dessus et d'inspirer. Le volume de l'inspiration est important pour éveiller l'odorat mais il ne faut pas sentir le même vin pendant plus de deux minutes : chaque vin met en action un ensemble de terminaisons nerveuses du bulbe olfactif qui sont comme des petites bougies qui s'éteindraient et demanderaient un peu de temps avant de pouvoir être rallumées. Méfiez-vous donc : plus vous sentirez le même verre, moins vous percevrez. Mais on peut sentir différentes odeurs l'une après l'autre, donc différents vins.

LE GOÛT OU LA BOUCHE DU VIN

Dès qu'on a senti un vin, on a aussitôt envie de le mettre en bouche, mais il est bon de se poser auparavant toutes les questions possibles au sujet du nez. La dégustation est une chose simple, même si elle peut paraître un peu étrange au non-initié. Mettez une bonne quantité de vin dans votre bouche et aspirez un peu d'air (par la bouche à peine entrouverte) Cela fait un bruit de gargarisme, mais il faut absolument le faire pour que se développent les caractères volatils du vin au fond de la bouche.
La langue elle-même est peu révélatrice : le goût sucré est perçu à son extrémité, l'acidité sur les côtés, l'amertume à l'arrière et le salé sur le devant et les côtés. Hormis ces quatre goûts, tout le reste est de l'ordre de l'odorat. De toute nourriture ou boisson mise en bouche émanent des vapeurs odorantes qui transitent par le canal rétro-nasal pour être analysées dans le bulbe olfactif qui, à son tour, dénombre, analyse et catalogue les odeurs. C'est parce qu'elles apparaissent dans la bouche que les odeurs sont souvent appelées à tort « goûts ». Pour beaucoup d'entre nous, il est difficile de se faire à l'idée qu'on déguste grâce à un organe situé en haut du nez, derrière les yeux, mais lorsque l'on mange une glace un peu trop vite, on se rend bien compte de son emplacement, puisque l'on ressent quelque chose de glacé à cet endroit précis. La texture du vin influence aussi son goût : le gaz carbonique qui picote légèrement la langue, par exemple, renforce la perception de l'acidité tandis que la viscosité aurait tendance à l'adoucir.

ET CRACHER

Lorsque l'on goûte un grand nombre de vins, on doit cracher chaque gorgée dès que l'on s'est fait une opinion sur le produit, pour éviter les effets indésirables de l'alcool. Une petite quantité d'alcool reste tout de même sur les parois de la bouche et pénètre dans le système sanguin. Contrairement à ce que l'on pourrait penser, le dégustateur goûte mieux après plusieurs vins, mais il s'engage dans une course poursuite entre le vin qui aiguise le palais et l'alcool qui affaiblit le cerveau.

GOÛTER

La langue perçoit seulement le sucré, l'acide, l'amer et le salé. Tous les autres « goûts » sont en fait des arômes. Lorsque vous avez mis le vin dans votre bouche, inspirez légèrement : les arômes entraînés vers l'arrière-bouche sont perçus par le bulbe olfactif, qui les analyse et transmet au cerveau les informations sur les prétendus « goûts ».

GOÛT ET QUALITÉ : LA DIVERSITÉ DES AVIS

Les dégustateurs professionnels sont capables de parler pendant des heures des qualités ou des défauts d'une seule bouteille. Mais, novice ou expert, votre goût personnel sera toujours l'arbitre suprême. Le plus souvent nous choisissons les mêmes vins en fonction d'un critère : la qualité et pourtant, nous ne sommes pas capables de la définir précisément. La plupart des dégustateurs accepteraient volontiers la définition suivante d'un bon vin : il doit avoir de l'équilibre et une certaine finesse, un caractère affirmé et typé de son appellation ou de sa catégorie. Il arrive que l'on soit en désaccord sur la qualité d'un vin, mais est-il possible qu'on ne soit pas d'accord sur sa description? Que l'on aime ou que l'on déteste, ne perçoit-on pas tous les mêmes choses?
Il est toujours difficile de transmettre les impressions qu'on ressent sur un vin, que ce soit dans un livre ou dans une dégustation commentée. Une grande partie de cette difficulté réside dans le choix des mots, mais le problème n'est pas que sémantique. Même dans un monde de communication parfaite, il ne serait jamais simple de transmettre ses impressions gustatives puisque les seuils de perception des arômes et des goûts diffèrent d'une personne à l'autre, de même que les niveaux auxquels on les apprécie. Puisqu'il faut à différents individus des quantités différentes de sucre, d'acidité ou d'aldéhydes avant qu'ils ne les perçoivent dans un vin, cela signifie que le même vin possède un goût différent pour chacun. Dans le cas peu vraisemblable où plusieurs personnes auraient le même seuil de perception pour chaque composant, le désaccord naîtrait sans doute des différents niveaux de tolérance : certains apprécieraient précisément dans un vin ce que d'autres y détesteraient. C'est pourquoi certains préfèrent les vins jeunes aux vins épanouis, les vins doux aux secs, les vins tendres aux tanniques. Le monde est peuplé d'individus dont les seuils de perception et de tolérance diffèrent.

COMMENT DÉCRIRE LE VIN ?

Il serait difficile de répondre à la plupart des questions qui suivent sans un minimum d'expérience. De la même façon il serait difficile d'identifier un vin spécifique si on ne l'avait jamais goûté auparavant. Ne vous inquiétez pas malgré tout, vos connaissances augmenteront rapidement à chaque dégustation.

LA VUE

Regardez la couleur. Est-elle pâle ou profonde? Présente-t-elle des caractéristiques qui évoquent un cépage, un climat ou un vignoble? Est-elle vive et jeune ou suggère-t-elle au contraire un certain âge par ses reflets bruns? Qu'indique le disque? La robe est-elle colorée jusqu'aux bords du verre, signe de qualité, ou va-t-elle en s'éclaircissant sur les côtés?

L'ODORAT

La première impression est-elle puissante et capiteuse, s'agit-il d'un vin muté? Le vin présente-t-il des parfums originaux ou sont-ils neutres ou discrets? Vous paraît-il jeune ou au même stade d'évolution qu'à l'œil? Est-il tendre et harmonieux, comme prêt à boire? Sinon, quand pensez-vous qu'il atteindra son apogée? Un cépage

UN EXEMPLE DE DÉGUSTATION

Ce tableau donne un aperçu des nombreuses possibilités offertes par l'univers de la dégustation. Il s'attache surtout à démontrer comment avoir une approche systématique et rationnelle de la dégustation. Lorsque vous dégustez, il est important de garder l'esprit ouvert jusqu'à ce que vous ayez terminé les examens visuels, olfactifs et gustatifs, tout en cherchant, à chaque étape, à confirmer au moins l'une des possibilités envisagées à l'étape précédente. Ayez confiance en vous et sachez justifier vos opinions.

L'ŒIL

La robe grenat, brillante et bien définie, d'intensité moyenne, est l'indice d'un climat modéré. La nuance de violet sur le disque indique sans doute la jeunesse.

LE NEZ

Il est dominé par l'arôme de bonbon anglais dû à la macération carbonique que subissent la plupart des vins du Beaujolais et non au parfum du cépage gamay. S'il s'agit d'un beaujolais, la couleur fait envisager un vin plus sérieux qu'un beaujolais simple ou un primeur.

LA BOUCHE

L'équilibre entre fruit, acidité et alcool confirme qu'il s'agit d'un vin du Beaujolais. La profondeur de saveur dépasse la première impression fruitée et indique un niveau qualitatif supérieur à la moyenne.

CONCLUSION

Cépage : gamay
Région : Beaujolais
Âge : 2 à 3 ans
Commentaire : Beaujolais-villages

L'ŒIL

Ce vin à peine coloré provient manifestement d'une région fraîche. Les minuscules bulles qui s'accrochent aux bords du verre font penser à un vinho verde, mais ce vin portugais présente toujours une nuance jaune paille révélatrice. Sans doute un Qualitätswein de Moselle-Sarre-Ruhr.

LE NEZ

Confirmation que ce n'est pas un vinho verde : parfum vif et jeune typique du riesling de la Moselle. Après la robe pâle, le nez confirme que c'est un Qualitätswein ou tout au plus un Kabinett d'un millésime modeste, mais venant d'un très bon producteur, sans doute de la Sarre.

LA BOUCHE

Vin jeune et vif, parfums floraux du riesling encore en évidence. Plus de caractère que prévu, avec une belle finale bien sèche, sans mollesse, parfumée d'un soupçon de pêche.

CONCLUSION

Cépage : riesling
Région : Moselle-Sarre-Ruhr
Âge : 1,5 à 2 ans
Commentaire : Kabinett, grand producteur.

L'ŒIL

Robe profonde, presque noire, pratiquement opaque. Certainement un cépage à peau épaisse, comme la syrah, ayant mûri sous un soleil chaud : vallée du Rhône, Swann Valley en Australie ou Californie.

LE NEZ

Aussi intense que la robe. Incontestablement de la syrah et, à en juger par son parfum épicé et ses nuances végétales, certainement du nord de la vallée du Rhône. Plus massif que complexe à ce stade, ce doit être un millésime exceptionnel.

LA BOUCHE

Puissante et tannique, cette bouche riche est marquée par le fruit et les épices : cassis, mûre, prune, cannelle. Le vin commence à s'épanouir, mais il a des années devant lui. Grand vin du Rhône, mais sans la classe d'un Hermitage ou la finesse d'une Côte-Rôtie.

CONCLUSION

Cépage : syrah
Région : Cornas, vallée du Rhône
Âge : 5 ans environ
Commentaire : grand vigneron, grande année.

L'ŒIL

La couleur rouge brique et les bords clairs font aussitôt penser à un vin jeune issu d'un petit château de Bordeaux. Mais attention, il faut plus d'éléments pour se faire une opinion.

LE NEZ

Un séduisant parfum de violette se mêle à un fruité tendre et un rien épicé. Rien ne contredit l'impression due à l'aspect, sauf que si nous sommes dans le Bordelais, l'absence de cassis annonce la présence de merlot plutôt que de cabernet sauvignon.

LA BOUCHE

C'est l'exact prolongement du nez. Il s'agit d'un bordeaux modeste, au volume modéré, pas très âgé. Le fruit arrondi et les tanins souples indiquent qu'il sera à son apogée dans moins de trois ans.

CONCLUSION

Cépage : assemblage dominé par le merlot.
Région : Bordelais
Âge : 2 ans
Commentaire : petit château ou bon générique.

est-il facile à identifier? Distinguez-vous des arômes de crème et de vanille qui suggèrent une vinification ou un élevage en chêne neuf? Si c'est le cas, dans quelles régions utilise-t-on le bois? Est-ce un vin simple ou plutôt complexe? Trouvez-vous des indices sur son vignoble d'origine? Sa qualité est-elle évidente ou doit-elle se confirmer en bouche?

LE GOÛT

La bouche doit être un prolongement du nez et confirmer ainsi les jugements déjà portés. Mais comme les organes sensoriels et le cerveau sont également faillibles, il faut rester vigilant et s'attendre à d'éventuelles contradictions. Commencez par interroger votre langue sur l'acidité, le sucre et l'alcool, puis répétez-vous les questions que vous vous êtes posées pour le nez.

S'il s'agit d'un vin rouge, le tanin peut être révélateur. Il provient de la peau des raisins : plus la peau est colorée et épaisse et plus le moût reste en contact avec cette peau, plus le vin contient de tanin. Un grand vin rouge de garde est si tannique dans sa jeunesse qu'il agresse véritablement le palais. Un vin de primeur contient peu de tanin.

Si vous dégustez un vin effervescent, la mousse fournit des indications. Le degré d'effervescence détermine le style du vin – mousseux, pétillant, perlant – tandis que la qualité du vin est inversement proportionnelle à la taille des bulles.

CONCLUSION

Essayez de localiser le vignoble d'origine, de reconnaître le(s) cépage(s), d'envisager l'âge et d'apprécier le niveau qualitatif du vin. Aucun dégustateur raisonnable ne risquera sa réputation en avançant le nom du producteur ou l'appellation exacte s'il n'est pas sûr à 100 %. Dans le cadre d'un entraînement à la dégustation, la bonne réponse importe moins que la logique du raisonnement. C'est en se trompant qu'on progresse, et non en essayant de deviner à tout prix.

L'ŒIL
Cette couleur jaune d'or caractéristique conserve toute son intensité jusqu'aux bords du verre. Nombreuses possibilités : vin sec riche, ou moelleux, ou d'un certain âge ou même peut-être un retsina, voire un gewurztraminer.

LE NEZ
C'est un gewurztraminer! Plein, riche, épicé, le parfum est frappant. On pense instinctivement à l'Alsace. Mais pourquoi pas une réussite de Rhénanie-Palatinat ou d'Autriche? Avec un parfum moins violent, il pourrait venir d'Italie; plus exotique, de Californie ou d'Australie. Mais il semble que ce soit un classique alsacien, issu d'un bon millésime épanoui, peut-être de 3 ou 4 ans.

LA BOUCHE
Vin riche et savoureux, ample et gras, son fruit épanoui, ses parfums épicés, sa finale tendre et succulente. On devine une belle maturité de récolte.

CONCLUSION
Cépage : gewurztraminer
Région : Alsace
Âge : 4 à 5 ans
Commentaire : très belle qualité

L'ŒIL
Robe remarquable, encore plus frappante que le gewurztraminer. Le vieil or évoque aussitôt un vin riche et plein, peut-être un liquoreux. On pense d'abord à Sauternes, mais pourquoi pas l'Autriche ou une curiosité d'Australie?

LE NEZ
C'est le parfum étonnant des vins botrytisés, ample, généreux, opulent même. Quiconque dit ne pas aimer les vins moelleux devrait sentir une telle richesse! La nuance crémeuse et épicée du chêne permet d'éliminer l'Autriche. La grande maturité, sans doute entre 10 et 15 ans, fait de même avec l'Australie.

LA BOUCHE
Pêche, ananas, crème, miel : quelle richesse! C'est un vin épanoui qui a bien vieilli. Seul un grand sauternes classique peut posséder une saveur aussi intense sans perdre une once de sa finesse.

CONCLUSION
Cépage : dominante de sémillon
Région : Sauternes
Âge : environ 15 ans
Commentaire : Premier cru dans un grand millésime.

L'ŒIL
Le rose orangé dirige les pensées vers la Provence ou Tavel, encore que, si la teinte orangée ne reflète pas le style de vinification du vin, il pourrait pratiquement s'agir de n'importe quel rosé.

LE NEZ
Erreur totale! Le nez révèle un parfum caractéristique de pinot noir qui élimine toute origine provençale ou rhodanienne. Le vin n'est pas oxydé, ce n'est pas une bouteille passée. La nuance orangée est-elle un indice de l'origine géographique? Pour en savoir plus, une seule solution : il faut le déguster.

LA BOUCHE
Elle est incontestablement bourguignonne, mais le pinot noir présente ici une caractéristique particulière. Loin de décliner, cette bouteille est à son apogée. Après élimination de toutes les autres possibilités, il ne peut s'agir que d'un marsannay.

CONCLUSION
Cépage : pinot noir
Région : Bourgogne
Âge : 4 à 5 ans
Commentaire : qualité moyenne

L'ŒIL
Ce vin effervescent possède une jolie robe citron clair. Ni jeune ni vieux. La mousse est bien présente, sa puissance et la qualité des bulles ne peuvent être jugées qu'en bouche. Sa parfaite limpidité fait penser qu'il s'agit d'un vin de qualité.

LE NEZ
La qualité est manifeste. On retrouve les parfums issus de l'autolyse des levures, typiques d'un vin resté plusieurs années sur ses lies fines avant d'être dégorgé. Ce ne peut être qu'un grand champagne. Il a toute la vitalité du chardonnay mûr. Probablement un Champagne blanc de blancs, issu en grande partie de la Côte des Blancs.

LA BOUCHE
Mousse délicatement persistante de bulles très fines. La saveur fraîche et vive se prolonge agréablement, mais il faudra encore cinq ans pour atteindre la perfection.

CONCLUSION
Cépage : chardonnay
Région : Champagne
Âge : environ 5 ans
Commentaire : très grand Champagne

FACTEURS DE GOÛT ET DE QUALITÉ

Les mêmes raisins cultivés dans la même région peuvent donner deux vins totalement différents, uniquement parce que l'aspect du sol change. À l'inverse, il arrive parfois que deux cépages différents cultivés en deux points opposés du globe produisent des vins assez semblables.

Les facteurs qui déterminent le goût et la qualité du vin sont toujours les mêmes : le cépage, sans doute l'élément le plus important ; la situation géographique et le climat, dont dépend la possibilité même de cultiver la vigne ; le site, qui peut renforcer ou atténuer les conditions locales ; le sol (*voir* pp. 28-29) ; les pratiques culturales qui soulignent ou atténuent les caractères du cépage ; les techniques de vinification, qui sont un peu comme la cuisine – on peut préparer des plats entièrement différents à partir des mêmes ingrédients (*voir* les techniques de vinification, pp. 32-35) ; le millésime, dont les caprices peuvent sublimer ou anéantir une récolte ; enfin le vigneron qui signe le vin de sa personnalité.

LE CÉPAGE

Le cépage utilisé pour faire un vin est le facteur qui influe le plus sur son goût. Les facteurs qui déterminent les caractéristiques organoleptiques d'un cépage sont les mêmes que pour tout autre fruit. Leur incidence sur le goût du vin est décrite ci-dessous (*voir aussi* le glossaire des cépages, pp. 42-49)

LA TAILLE DES BAIES

Plus le fruit est petit, plus la saveur est concentrée. C'est pourquoi la plupart des cépages classiques, le cabernet sauvignon ou le riesling par exemple, portent de petites baies, encore que certains cépages, dont les qualités sont plus d'élégance que de concentration, puissent donner d'assez gros fruits, comme le pinot noir. De nombreux cépages possèdent une « petite » et une « grosse » version et c'est généralement la première qui est la plus prisée.

LA STRUCTURE DE LA PEAU

C'est dans la peau que se trouvent la plupart des caractères aromatiques qu'on associe à une variété de fruit, raisin ou autre. Sa constitution et son épaisseur sont d'une importance primordiale. Le sauvignon par exemple possède une peau épaisse qui donne un vin aromatique, dont les caractéristiques vont de la pêche dans un climat chaud à la groseille à maquereaux dans un climat frais, en passant par des nuances herbacées rappelant la fleur de sureau ou même le « pipi de chat ». D'un autre côté, le sémillon à peau fine donne un vin plutôt neutre, mais qui se prête admirablement à la pourriture noble et donne ainsi naissance à des vins fabuleusement parfumés, parmi les plus grands liquoreux du monde.

LA COULEUR ET L'ÉPAISSEUR DE LA PEAU

Un raisin très coloré, à la peau épaisse comme le cabernet sauvignon, produit un vin à la robe profonde, tandis que le merlot, plus pâle et à la peau plus fine, donne un vin moins coloré.

LE RAPPORT SUCRE/ACIDE ET LES AUTRES CONSTITUANTS

C'est la teneur en sucre du raisin qui détermine le degré d'alcool du vin, et qui donne aussi la possibilité d'obtenir naturellement un vin moelleux. Associée au taux d'acidité, elle définit l'équilibre final du vin. Selon les proportions des autres constituants du vin, ou de

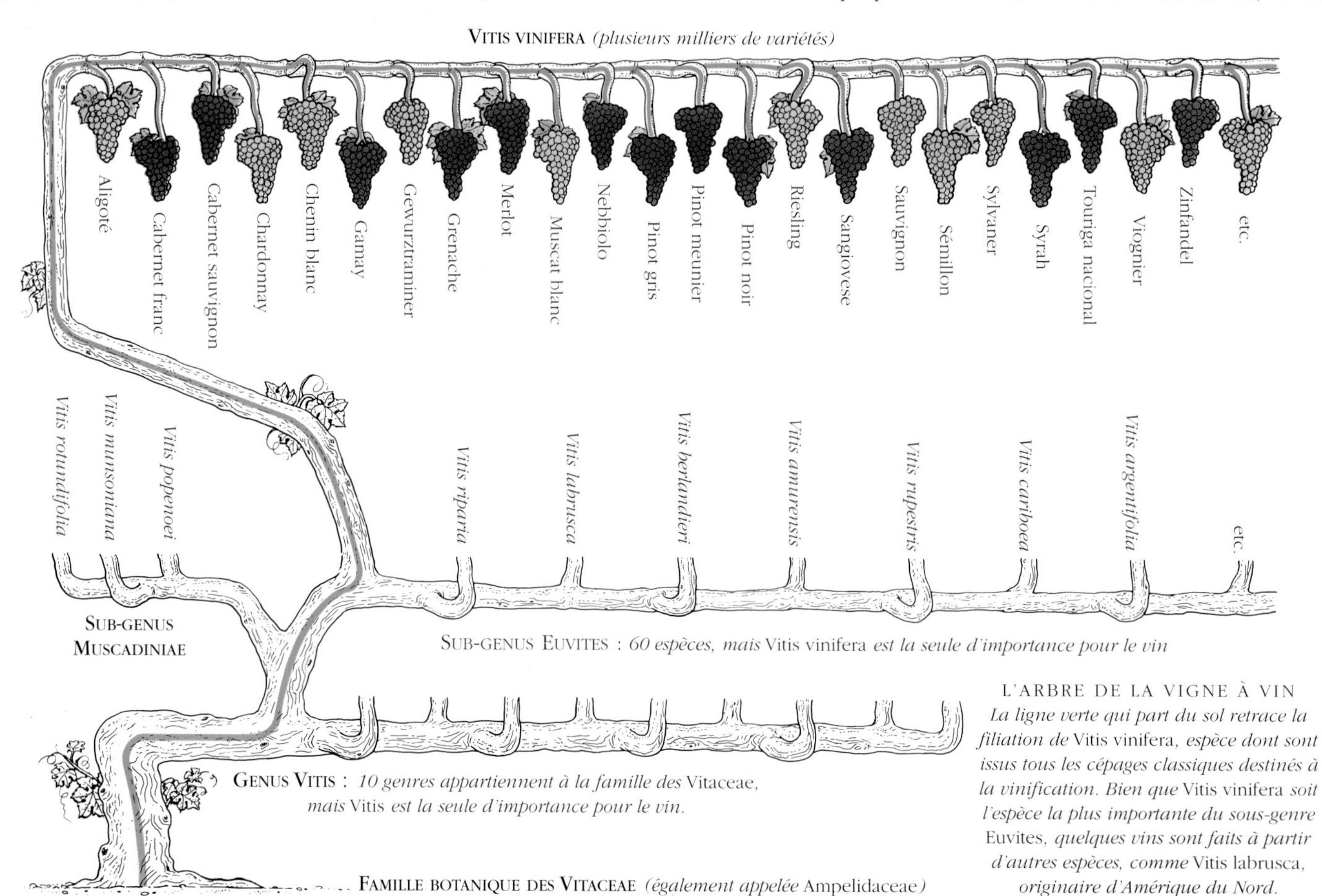

L'ARBRE DE LA VIGNE À VIN
La ligne verte qui part du sol retrace la filiation de Vitis vinifera, *espèce dont sont issus tous les cépages classiques destinés à la vinification. Bien que* Vitis vinifera *soit l'espèce la plus importante du sous-genre* Euvites, *quelques vins sont faits à partir d'autres espèces, comme* Vitis labrusca, *originaire d'Amérique du Nord.*

leurs produits après fermentation, on obtient toutes sortes de nuances qui font la différence entre les cépages. Même si le sol, le porte-greffe et le climat jouent un grand rôle, la recette de base est dictée par le patrimoine génétique de la vigne.

LA FAMILLE *VITIS*

La vigne est une grande famille qui regroupe des plantes allant de la vigne miniature dite « kangourou » à la vigne vierge. L'arbre de la vigne à vin (*voir* ci-contre) montre la place de *Vitis vinifera* dans la famille des vignes. *Vitis vinifera*, ou simplement *vinifera*, l'espèce botanique dont font partie la plupart des cépages à vin, est l'une des nombreuses espèces appartenant au sous-genre *Euvites*. D'autres espèces de ce sous-genre servent à faire des porte-greffes.

LE PHYLLOXÉRA : PLAIE OU BÉNÉDICTION ?

Le puceron de la vigne *Phylloxera vastatrix* qui a dévasté les vignobles européens à la fin du XIXe siècle continue d'infester les sols de la plupart des vignobles du monde. Cette invasion fut à l'époque considérée comme le plus grand désastre de l'histoire du vin, mais aujourd'hui, avec le recul, on peut voir ses conséquences positives. Avant l'arrivée du phylloxéra, la qualité de bon nombre des plus grands vignobles européens avait baissé, du fait de la demande croissante en vin, qui avait conduit à l'implantation de cépages productifs et à l'extension du vignoble en-dehors des terroirs adaptés. Le fléau se répandit et l'on comprit que la seule solution serait de greffer chaque vigne sur un porte-greffe américain résistant au puceron. L'indispensable rationalisation qui s'ensuivit fut telle qu'on ne replanta que les meilleurs terroirs et uniquement avec des cépages nobles. Les vignobles médiocres furent abandonnés. Il fallut en France cinquante ans pour replanter sur des porte-greffes américains. Le système des appellations contrôlées est né de cette restructuration. On a peine à imaginer ce que serait le paysage viticole actuel s'il n'y avait pas eu le phylloxéra!

LES PORTE-GREFFES

Des centaines de porte-greffes ont été mises au point à partir de différentes espèces de vignes, généralement *berlandieri, ripari ou rupestris*, parce que ce sont les plus résistantes au phylloxéra. Le choix du porte-greffe est bien sûr déterminé par sa compatibilité avec le greffon. Mais il doit aussi s'adapter à la situation géographique et la nature du sol. Le choix peut augmenter ou réduire le rendement de la vigne et a donc une incidence profonde sur la qualité du vin, puisque, en règle générale, quantité et qualité ne vont pas de pair.

LA SITUATION GÉOGRAPHIQUE

L'implantation d'un vignoble n'est possible que si le climat convient à la culture de la vigne. Pratiquement tous les vignobles du monde, dans les deux hémisphères, sont situés entre 30° et 50° de latitude, dans des zones tempérées où la température annuelle oscille entre 10 et 20 °C. Le vignoble le plus septentrional d'Allemagne se trouve à la limite de cette zone, entre 50 et 51° de latitude. Il survit grâce aux étés chauds de son climat continental et aux jours courts qui diminuent la croissance du bois au profit de la maturation des fruits.

Il est intéressant de constater que les plus grands vignobles sont situés sur les côtes occidentales des continents, qui sont généralement plus fraîches et moins humides que les côtes orientales.

Les forêts et les chaînes de montagnes protègent les vignes du vent et de la pluie. La proximité des bois et des vastes étendues d'eau influencent le climat. Elle peut apporter une humidité bienfaisante en période de sécheresse mais risque également d'encourager la pourriture. Les mêmes facteurs peuvent donc avoir des effets positifs ou négatifs.

POMMIERS EN NORMANDIE

Les méthodes de conduite de la vigne peuvent être appliquées à d'autres fruits, comme ce pommier dans le Calvados.

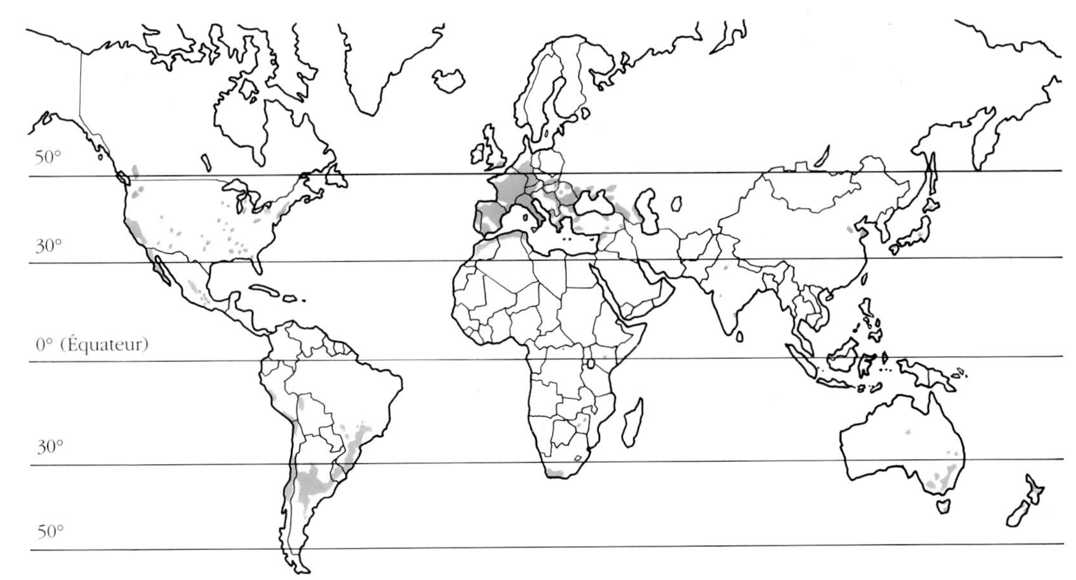

LE MONDE DU VIN

Les plus grandes zones de culture de la vigne se trouvent pour la plupart entre 30° et 50° de latitude, dans les deux hémisphères. Il existe toutefois quelques petits vignobles situés plus près de l'équateur, notamment au Kenya et en Équateur.

LE CLIMAT

Le climat détermine la croissance de la vigne et représente à ce titre l'un des facteurs les plus importants pour la qualité des vins. Le climat dépend de la situation géographique mais chaque jour le temps qu'il fait vient infléchir les grandes lignes climatiques dans un sens ou dans un autre. Le vigneron doit choisir une région où le climat est propice et espérer que la nature se montrera clémente et ne lui infligera pas trop de conditions exceptionnelles.
Si quelques espèces de vigne survivent dans des conditions extrêmes, la plupart des vignes vinifères sont plantées dans deux bandes climatiques relativement étroites, entre 30° et 50° de latitude, où elles jouissent d'un bon cocktail de chaleur, d'ensoleillement, de pluie et de gel.

LA CHALEUR

La vigne ne produit des raisins aptes à la vinification que si la température moyenne est supérieure à 10 °C. L'idéal est de 14 à 15 °C, avec une moyenne d'au moins 19 °C en été et -1 °C en hiver. Pour obtenir un volume raisonnable de raisins mûrs, la somme des températures actives minimum est de 1 000, chiffre calculé en additionnant pour chaque jour de la période de croissance de la vigne le nombre de degrés au-dessus de 10 °C. Le tableau ci-dessous indique les sommes des températures actives (STA) pour quatre vignobles différents.

RÉGION	STA
Trier (Moselle, Allemagne)	945 (1700)
Bordeaux (France)	1320 (2375)
McLaren Vale (Australie méridionale)	1350 (2425)
Russian River (Californie, États-Unis)	2000 (3600)

L'ENSOLEILLEMENT

La photosynthèse est un processus biologique indispensable à la vie des plantes. Elle nécessite de la lumière mais se fait également par temps nuageux. En viticulture, le soleil est plus utile pour sa chaleur que pour sa lumière. Il faut un minimum de 1 300 heures d'ensoleillement par saison mais 1 500 sont préférables.

LES PRÉCIPITATIONS

La vigne a besoin de 675 mm d'eau par an. L'idéal est que la plus grande partie de la pluie tombe au printemps et en hiver, le reste en été. La vigne survit avec moins d'eau si la température est élevée, mais la pluie par temps chaud est souvent plus dangereuse que la pluie par temps frais. Une averse suivie d'un peu de soleil et de vent est idéale pour rincer les raisins juste avant les vendanges. Une forte pluie peut au contraire faire éclater les baies et favoriser l'apparition de la pourriture.
Le tableau ci-dessous donne la somme des précipitations pour les mêmes vignobles.

RÉGION	PRÉCIPITATIONS
McLaren Vale (Australie méridionale)	600 mm
Trier (Moselle, Allemagne)	650 mm
Bordeaux (France)	900 mm
Russian River (Californie, États-Unis)	1350 mm

LES GELÉES

Le gel d'hiver est bénéfique car il durcit le bois et tue les insectes indésirables. En revanche une gelée qui arrive sur les bourgeons ou les fleurs au printemps peut anéantir une récolte (*voir* p. 30).

EN CAS DE PLUIE
Dans le sud de l'Espagne, on creuse des sillons horizontaux pour diriger les rares eaux de pluie et limiter l'érosion.

LES CONDITIONS CLIMATIQUES

Positives

• Un été chaud et long, avec un soleil chaud sans être brûlant, permet aux raisins de mûrir lentement et assure un bon équilibre sucre/acidité des baies.
• Un automne sec et ensoleillé est indispensable pour une bonne maturation des raisins sans pourriture. Lui non plus ne doit pas être excessivement chaud.
• Les mois d'hiver sont moins importants puisque la vigne peut supporter une température de -20 °C, le seul risque étant la sécheresse totale ou l'inondation prolongée.
• Le climat doit en outre satisfaire aux exigences spécifiques de chaque cépage, fraîcheur relative pour le riesling, chaleur pour la syrah, etc.

Négatives

• Les principaux dangers sont le gel, la grêle, et la tempête qui peuvent dénuder la vigne et sont particulièrement redoutables au moment de la floraison et de la maturation finale du raisin.
• La pluie et le froid pendant la floraison peuvent entraver la fécondation et provoquer un phénomène physiologique appelé « millerandage ». Les baies atteintes n'ont pas de pépins, se développent mal et restent petites tandis que le reste de la grappe mûrit parfaitement.
• Les pluies persistantes pendant les vendanges ou juste avant peuvent diluer la récolte et/ou provoquer de la pourriture, ce qui pose des problèmes de vinification.
• On ne pense pas au soleil comme à un danger potentiel. Pourtant, trop de soleil encourage la sève à aller directement dans les branches et les feuilles, au détriment des raisins au stade embryonnaire. Ce phénomène appelé « coulure » est souvent confondu avec le millerandage car il peut apparaître en même temps. La plupart des grains touchés tombent et ceux qui restent ne se développent pas.
• Un excès de chaleur pendant les vendanges fait rapidement chuter l'acidité et perturbe la vinification, puisque les raisins sont ramassés à une température élevée.
Il est particulièrement difficile de récolter à bonne température dans les régions très chaudes, comme en Afrique du Sud. Dans certaines exploitations, les vendanges ont lieu la nuit afin que les raisins soient le plus frais possible.

LE SITE

L'orientation du vignoble, son altitude et son inclinaison conditionnent la qualité du vin au même titre que le climat.
Il y a finalement peu d'endroits au monde où l'on peut cultiver le raisin de cuve à la seule faveur du climat dominant. La plupart du temps, il faut aussi exploiter habilement le détail des conditions locales et les microclimats.

L'ORIENTATION

Les coteaux orientés au sud (au nord dans l'hémisphère Sud) reçoivent le soleil plus longtemps. Dans les régions chaudes, il arrive que l'on préfère une exposition au nord.

LE SOLEIL ET LE DRAINAGE

En raison de son inclinaison, une vigne en pente absorbe davantage d'ensoleillement. Dans les zones tempérées, le soleil ne se trouve jamais à la verticale, même à midi, de sorte que ses rayons sont plus ou moins perpendiculaires à la pente. Le contraire se produit en plaine, où les rayons du soleil sont répartis sur une plus grande surface, avec une intensité réduite. Les plaines présentent d'autres inconvénients : elles sont trop fertiles et inondables, produisent des récoltes trop importantes au détriment de la qualité. Les vallées fluviales et les bords de lacs sont particulièrement propices à la vigne car l'eau reflète les rayons du soleil.
L'autre avantage du vignoble de coteau est qu'il bénéficie d'un drainage naturel. Toutefois, les vignes cultivées tout en haut d'une pente sont trop exposées au vent et à la pluie. Les sommets boisés constituent des réserves d'humidité utiles en période de sécheresse. Lors de fortes pluies, elles protègent de l'érosion les coteaux en contrebas.

LA TEMPÉRATURE

Si les sites en pente sont des lieux propices, il ne faut pas oublier que la température baisse d'un degré par cent mètres d'altitude, ce qui peut se traduire par un retard de maturation de dix ou quinze jours et une acidité plus élevée. L'altitude peut donc être un élément décisif dans l'implantation d'un vignoble. Les bords de fleuve et de lac bénéficient non seulement de la réflexion du soleil, mais aussi d'un réservoir de chaleur, l'eau emmagasinant la chaleur pour la restituer la nuit. Les chutes brutales de température, dangereuses, s'en trouvent réduites, de même que les gelées. Les fonds de vallées et les cuvettes des coteaux retiennent toutefois l'air froid : la croissance y est retardée et le gel fréquent.

LE SOL

Le sol est de première importance puisque s'y trouve une grande partie du système racinaire qui nourrit la vigne. Le sous-sol possède un profil géologique stable. Les racines le pénètrent à travers différentes couches dont la structure influe sur le drainage, la profondeur du système radiculaire et sa faculté d'absorption des substances minérales.
Le métabolisme de la vigne est bien connu, de même que l'interaction entre le sol et elle. Le sol idéal pour la vigne est composé d'une couche arable fine et d'un sous-sol aisément pénétrable (pour assurer un bon drainage) mais capable de retenir une certaine quantité d'eau.
La température potentielle du sol, sa capacité à conserver la chaleur et à la renvoyer ont une grande influence sur la maturation du raisin. Les sols chauds (graves, sable) accélèrent la maturité tandis que les sols froids (argile) la retardent. Le calcaire se situe entre les deux. Les sols sombres et secs sont évidemment plus chauds que les sols humides de couleur claire.
Les sols alcalins au pH élevé (comme le calcaire), favorisent la production de sève et favorisent l'acidité des raisins. L'emploi répété d'engrais a baissé le pH naturel de certaines régions viticoles françaises, qui produisent aujourd'hui des vins moins acides (au pH plus élevé).

LES BESOINS EN MINÉRAUX

De même que les fleurs et les arbres se comportent différemment selon les endroits où ils sont plantés, les vignes ne se plaisent pas de la même façon selon les terroirs et les minéraux qu'ils contiennent.
Hormis l'oxygène et l'hydrogène, qui sont fournis par l'eau, les principaux élément nutritifs obligatoires sont : l'azote qui sert à la production des feuilles; le phosphate qui encourage le développement des racines et accélère la maturation du raisin (mais en excès, il inhibe l'assimilation du magnésium) ; le potassium, qui améliore le métabolisme général, enrichit la sève et contribue au développement de la récolte de l'année suivante; le fer, indispensable à la photosynthèse (dont la carence entraîne la chlorose) ; le magnésium, le seul composant minéral de la molécule de chlorophylle (un manque de magnésium entraîne aussi la chlorose) ; le calcium, qui nourrit le système radiculaire, neutralise l'acidité et contribue à la friabilité du sol (en excès, il empêche la vigne d'absorber le fer et provoque ainsi la chlorose). Un chapitre est consacré aux différents types de sols (*voir* pp. 28-29).

VIGNOBLES EN TERRASSE SUR LE RHIN
Les vignobles situés en bordure d'un cours d'eau reçoivent les rayons solaires réfléchis par l'eau : un supplément appréciable dans un climat froid.

COTEAUX DU SANCERROIS
Au début du printemps, les parcelles de vignes quadrillent le paysage de la vallée de la Loire. Ici, la plupart des sols sont argilo-calcaires.

LE MILLÉSIME

Les intempéries subies par un millésime peuvent provoquer des désastres dans un vignoble sûr et produire des miracles dans des vignes imprévisibles. Un millésime résulte des conditions atmosphériques, qu'il ne faut pas confondre avec le climat car, même lorsque ce dernier est clément, il peut être perturbé par le mauvais temps. De plus, un millésime s'adapte aux conditions météorologiques d'une manière sélective : une grêle estivale, par exemple, ravagera certaines vignes, qui ne produiront rien, tandis que d'autres, peu atteintes, donneront du bon vin. Toutes celles présentant une situation intermédiaire pourront offrir en partie des vins de qualité exceptionnelle, si les raisins préservés bénéficient encore de deux ou trois mois d'ensoleillement avant les vendanges, les rendements réduits permettant d'obtenir des moûts concentrés.

LE VINIFICATEUR

Le vinificateur, qui élabore et élève le vin, peut, selon son talent, tirer le meilleur parti des fruits de la nature comme le moins bon. On observe sans cesse que des vinificateurs voisins obtiennent des résultats totalement différents en traitant une même matière première et en employant les mêmes méthodes. L'analyse chimique de ces vins ne les distingue pas non plus, et pourtant l'un d'eux présentera des qualités d'expression, de caractère et de vitalité qui manqueront à l'autre. Comment est-ce possible? Nul doute que la science ne parvienne un jour à rendre compte de ces différences, mais, pour l'instant, force est de constater que ce sont les vinificateurs les plus passionnés qui produisent les meilleurs vins. Si bien des vins inférieurs sont dus à un mauvais usage des techniques de pointe, il en est aussi d'ébouriffants, élaborés avec un matériel que l'on pourrait juger totalement inadapté ou de piètre qualité. On rencontre même des vinificateurs qui dorment auprès de leurs cuves pendant une phase délicate de la fermentation pour être à pied d'œuvre en cas de coup dur.

Du vigneron qui n'hésite pas à tailler sa vigne pour en baisser le rendement, et souffre mille morts avant de fixer la date des vendanges, au vinificateur qui dorlote littéralement ses vins à tous les stades de fermentation et de maturation, qui met en bouteilles au moment précis où il le faut et à la bonne température, le facteur humain est bien le plus impondérable de ceux qui affectent le goût et la qualité du vin.

LA MATURATION DU VIN
Auguste Clape, un grand vinificateur du nord de la vallée du Rhône, surveille les progrès de son vin élevé en fût.

LA VITICULTURE

Si le cépage détermine l'arôme fondamental d'un vin, c'est la façon dont la vigne est cultivée qui influe le plus sur la qualité du vin.

CONDUITE ET TAILLE DE LA VIGNE

Quels que soient le mode de conduite et la taille de la vigne, il est essentiel qu'aucun rameau ne touche le sol, faute de quoi les vrilles à son contact s'enracineront. En deux ou trois ans, le réseau aérien de la plante deviendrait majoritairement dépendant, non des racines greffées, mais du système racinaire régénéré. Non seulement la vigne serait la proie du phylloxéra mais, par une ironie botanique, la partie de la plante encore nourrie par les racines greffées produirait des rameaux qui, en l'absence de taille sélective, donneraient des raisins hybrides. La raison essentielle de conduire et de tailler une vigne est donc d'éviter le phylloxéra et de veiller à la pureté fructifère du plant.

LES DEUX TYPES DE TAILLE DE LA VIGNE

Il existe deux grands principes de taille de la vigne : la taille à coursons et la taille longue, donnant lieu à de nombreuses variantes locales. Les vignes conduites en taille longue ne présentent pas de sarment définitif sur le tronc, car tous les rameaux sont taillés sauf un, qui deviendra à son tour l'année suivante la branche principale, ou cordon, portant les rameaux fructifères. Le sarment le plus vieux de ces vignes n'a donc jamais plus d'un an. Ce système donne une grande surface fructifère et permet une bonne maîtrise des rendements grâce au nombre d'yeux que l'on décide de laisser. Dans la taille courte à coursons, le sarment principal est laissé en place, formant une structure robuste. Il est donc facile de savoir quel type de taille a été appliqué à une vigne en observant la branche principale partant du tronc. Même si l'on ne reconnaît pas le mode de conduite précis qui a été retenu, un cordon mince au bois jeune indique une taille longue, tandis qu'un sarment bien lignifié, sombre et tortueux, révèle une taille à coursons.

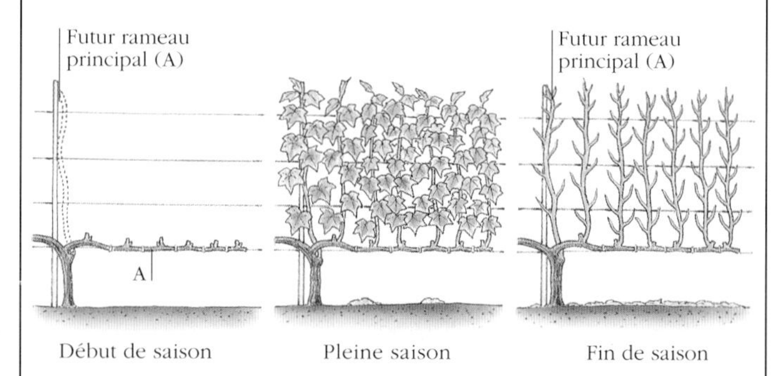

EXEMPLE DE TAILLE LONGUE (GUYOT)
En hiver, le cordon horizontal est taillé; le rameau conservé (A) est courbé en position horizontale et lié au fil inférieur du palissage, où il deviendra le cordon de l'année suivante, tandis qu'une nouvelle pousse laissée à la tête du tronc grandira pour devenir à son tour le cordon de la saison suivante.

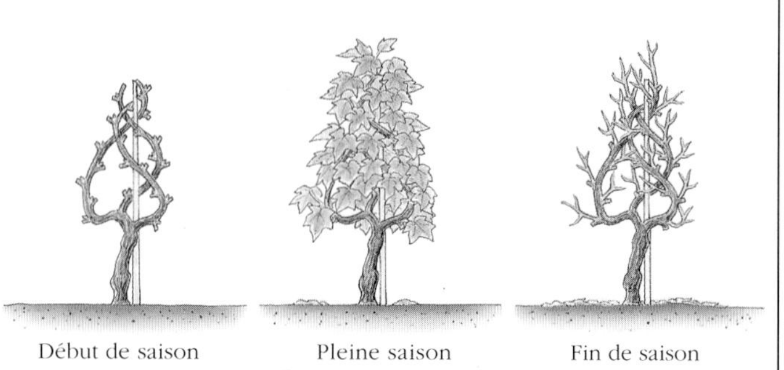

EXEMPLE DE TAILLE À COURSONS (GOBELET)
Les sarments principaux d'une vigne taillée à coursons sont laissés définitivement en place. On ne les remplacera que s'ils sont endommagés. Seuls les rameaux d'un an sont taillés.

La manière dont une vigne est conduite a pour but d'en tirer le meilleur parti dans un environnement et sous un climat donnés en déterminant son volume végétal, sa forme et sa hauteur. Une vigne haute réduit le risque de gelée tandis qu'une vigne basse tire du sol le maximum de chaleur réverbérée. On peut ménager de larges espaces entre les rangs pour favoriser l'ensoleillement et éviter l'humidité ou, au contraire, développer le couvert végétal en charmille pour protéger ainsi les grappes d'un soleil ardent.

LES MODES DE CONDUITE

Les deux systèmes principaux de conduite de la vigne correspondent à la taille courte à coursons (ou éperons) et à la taille longue. Ces deux méthodes se prêtent à des centaines de variantes, conçues pour une raison particulière, et offrant chacune ses avantages et ses limites. Pour reconnaître le mode de conduite employé, il suffit d'observer la vigne dénudée entre la fin de l'automne et le début du printemps. Les illustrations de ces pages (dessinées à des échelles différentes) montrent les plants dans leur état de dormance hivernale, les rameaux fructifères de la saison suivante apparaissant en vert. Sur les vignes à taille longue, une teinte brun-vert indique le rameau d'un an qui deviendra le sarment principal.

Gobelet *(taille à coursons)*

La conduite en gobelet (*voir* page ci-contre) se pratique couramment en France dans le Beaujolais (où les rameaux peuvent être palissés ou non) et dans le Midi, ainsi que dans les pays méditerranéens. Non soutenus, les rameaux chargés de fruits touchent parfois le sol, donnant à la vigne un port rampant.
Dans les crus du Beaujolais, les règles de l'appellation autorisent la présence de trois à cinq branches. Dans d'autres régions où le contrôle est moins strict, le gobelet peut compter jusqu'à dix rameaux. En Australie, ce système, appelé « *bush vine* », est encore appliqué à quelques vieilles vignes plantées de grenache. Cette conduite basse de la vigne ne convient qu'à des variétés peu vigoureuses.

Chablis ou éventail *(taille à coursons)*

Comme son nom l'indique, ce mode de conduite est né dans la région de Chablis, où l'on applique maintenant le Guyot double. C'est en Champagne que l'on pratique le plus couramment le système en éventail, employé pour conduire 90 % des vignes de chardonnay.
La réglementation autorise de trois à cinq sarments définitifs, chacun correspondant à une année de conduite. C'est ainsi qu'une vigne de trois ans (l'âge minimum en Champagne) compte trois branches, une vigne de quatre ans quatre branches, et ainsi de suite. C'est la distance entre deux pieds de vigne qui détermine la durée de vie du sarment le plus ancien : lorsque celui-ci atteint le pied voisin, on le coupe et une nouvelle branche naît de l'œil d'un courson. Ce mode de conduite n'est en effet rien d'autre qu'un gobelet incliné sans le soutien d'un tronc central.

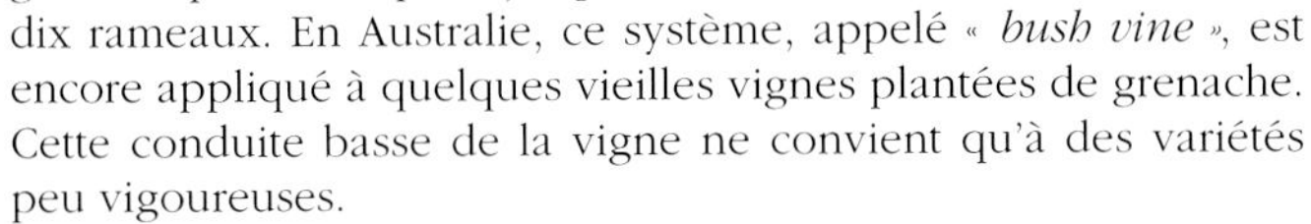

Cordon de Royat *(taille à coursons)*

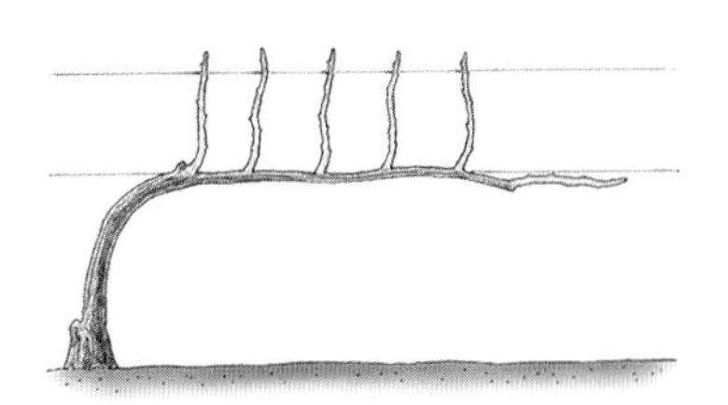

Ce mode de conduite est au pinot noir de Champagne ce que l'éventail est au chardonnay de Chablis ; il s'agit ni plus ni moins d'un Guyot simple (*voir* ci-dessous) taillé à coursons. Il en existe même une variante double, rarement pratiquée, sa seule raison d'être étant de remplacer un pied manquant de l'autre côté. Après la taille d'hiver, les vignes conduites en cordon de Royat ressemblent à des silhouettes de vieillards courbés, un bras dans le dos et l'autre cherchant le soutien d'une canne.

Geneva double curtain *(taille à coursons)*

Le Geneva double curtain, ou GDC, consiste à répartir la vigne en deux plans retombants (*double curtain* signifie « double rideau »). Ce mode de conduite a été créé dans les années 1960 par le Pr Nelson Shaulis, de la station de recherche de Geneva, dans l'État de New York, pour améliorer le rendement et la maturité du cépage concord. Depuis, le GDC a été adopté un peu partout dans le monde, notamment en Italie. Toutefois, contrairement au concord, les cépages classiques de *Vitis vinifera* ont tendance à croître en hauteur, ce qui rend difficile l'application de ce système. On obtient de bons résultats en conduisant les rameaux par un palissage de fil de fer amovible, comme dans le système Scott Henry (*voir* p. 26), actionné à la main ou à la machine. Les rendements sont de 50 % supérieurs à ceux du treillis VSP (*voir* p. 27) et ce mode de conduite assure une protection accrue contre le gel, grâce à la hauteur de la vigne. Le GDC se prête particulièrement bien à la mécanisation de vignes vigoureuses plantées dans un sol fertile. Une vigne peu vigoureuse n'en tirera aucun profit.

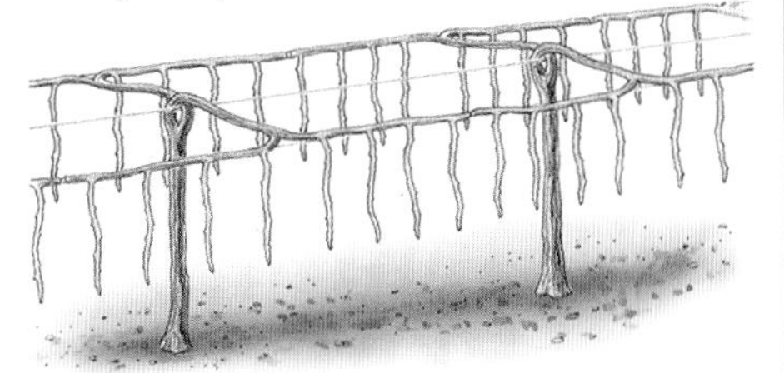

Guyot *(taille longue)*

Développé par Jules Guyot en 1860, le système de taille longue qui porte son nom, dont les variantes simple et double sont illustrées ici, est le plus traditionaliste. Facile à maîtriser grâce à sa conception élémentaire, ce mode de conduite réduit les rendements le plus efficacement possible pourvu que le nombre de rameaux fructifères et de bourgeons soit fixé. Même si l'on en abuse, le système Guyot reste le plus difficile à pratiquer lorsque l'on cherche à augmenter le volume de la récolte. Couramment appliqué dans le Bordelais, où le nombre de rameaux et d'yeux est fixé par l'appellation (encore que la réglementation française autorise une latitude certaine, car on n'a jamais vu d'inspection de l'INAO venir vérifier dans un vignoble le cépage cultivé, et encore moins compter le nombre de rameaux et d'yeux autorisés!), ce mode de conduite est également pratiqué un peu partout dans les vignobles de vins fins.

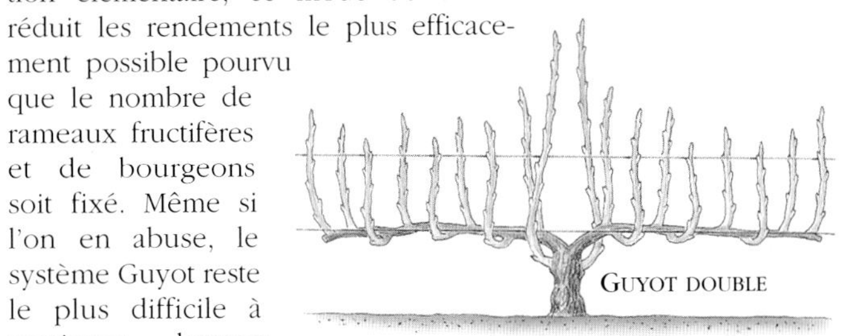

Guyot simple

Lyre *(taille à coursons)*
Dans ce mode de conduite, la division du couvert végétal en deux plans affectant la forme d'une lyre permet une meilleure exposition à la lumière (facilitant la maturation des fruits) et une meilleure aération (réduisant les risques de maladies cryptogamiques). Bien que développé dans le Bordelais, ce système est surtout pratiqué dans le Nouveau Monde où la vigueur de la vigne pose parfois problème. Comme tous les types de palissage double, la conduite en lyre n'est utile que pour les vignes vigoureuses. On peut aussi la pratiquer en taille longue.

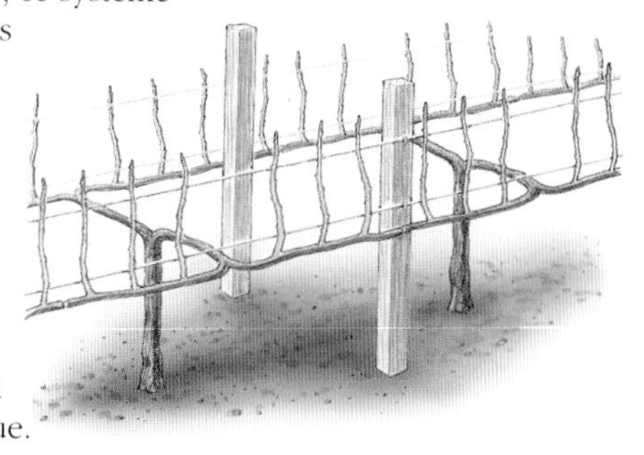

Taille minimale *(taille à coursons)*
Les vignes auxquelles on applique la taille minimale présentent une masse végétale désordonnée se développant autour d'un nœud de vieux bois; il est donc impossible de les illustrer. Ce cœur peut être en partie taillé mécaniquement l'hiver mais reste buissonnant. Au départ, on entrelace lâchement les rameaux de part et d'autre du tronc autour d'un fil de fer, à 1,50 mètre ou 2 mètres du sol. On laisse ensuite la vigne à elle-même, en se contentant le cas échéant d'éclaircir les rameaux inférieurs pour que les fruits ne touchent pas terre. Certains viticulteurs abandonnent vite cette méthode car, les premiers temps, le rendement augmentant avec le volume végétal de façon alarmante, la qualité s'en ressent aussitôt. Néanmoins, avec un peu de patience on constate que la vigne atteint naturellement son équilibre en interrompant la croissance des rameaux, et donc en réduisant le nombre de nœuds fructifères. Bien que ces vignes continuent à donner de hauts rendements, la qualité commence à s'améliorer en deux ou trois ans et, la sixième ou la septième année, elle est déjà supérieure à celle atteinte avant l'introduction de la taille minimale; quant au volume récolté, il a bien augmenté. En même temps, le temps de maturation des raisins s'allonge, ce qui est un avantage sous les climats chauds, mais peut conduire au désastre sous les climats frais, surtout par temps humide. Enfin, au bout de quelques années, la masse de vieux bois au centre du buisson et les extrémités des rameaux taillés mécaniquement rendent la vigne sujette aux maladies et aux parasites, dont la pourriture et le mildiou. Ainsi on taille davantage les vignes dans les régions humides comme la Nouvelle-Zélande que dans les zones plus sèches d'Australie (Coonawarra ou Padthaway), où ce mode de conduite est né et appliqué avec succès.

Pendelbogen *(taille longue)*
Ce système d'arcure est une variante du Guyot double (*voir* p. 25) pratiquée en Suisse et dans les aires viticoles en terrain plat d'Allemagne et d'Alsace. On le rencontre encore dans le Mâconnais, en Colombie britannique et dans l'Oregon. Grâce à la forme en arc de ses sarments, le pendelbogen (« arc de pendule ») donne plus de rameaux fructifères que le Guyot double et donc des rendements supérieurs. L'arçonnage améliore la circulation de sève, et donc la fructification, mais il peut également ralentir la maturation. Le choix de ce mode de conduite est donc davantage dicté par un souci d'économie que de qualité.

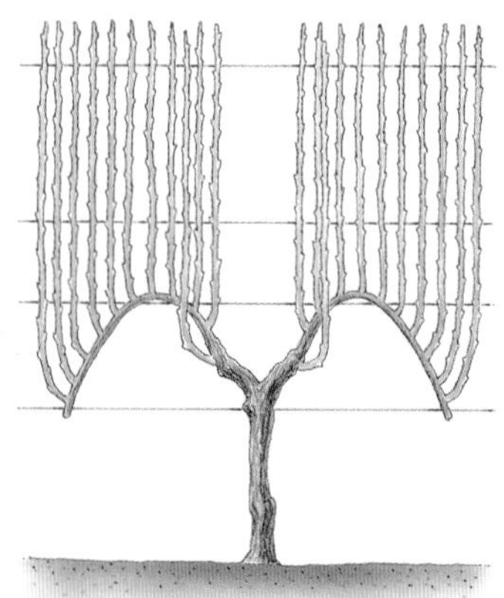

Scott-Henry *(taille longue)*
Conçu par Scott Henry, viticulteur de l'Oregon, ce système double le volume de fruits produit par le Guyot double et augmente la surface fructifère de 60 % par rapport au palissage VSP (*voir* ci-contre). Ce mode de conduite offre non seulement un volume de vendange accru, mais des raisins plus mûrs et de meilleure qualité. Le couvert végétal, divisé en deux plans verticaux, étant moins dense, les vins produits sont moins herbacés et leurs tanins plus fondus. Une augmentation et des rendements et de la qualité a de quoi surprendre, pourtant le Néo-Zélandais Kim Goldwater, qui élabore dans l'île Waiheke son Goldwater Estate, l'un des meilleurs vins rouges du pays, peut en avancer les preuves. Lorsque l'on demande aux viticulteurs pourquoi ils ont abandonné le Scott-Henry, ils répondent invariablement qu'il est impossible de faire pousser des rameaux de vignes vers le bas. Il est vrai que les bras du plan inférieur se développent en hauteur pendant presque toute leur période de croissance, mais on les sépare de ceux du plan supérieur par un fil de fer amovible qui dirige la moitié du couvert végétal vers le bas. La clé du succès consiste à n'abaisser ce plan que deux ou trois semaines avant les vendanges, sans laisser aux rameaux le temps de se redresser, lesquels, grâce au poids croissant des fruits, se maintiennent à la verticale. Dans les régions où la vigne voisine avec les pâtures – c'est le cas des ovins en Nouvelle-Zélande –, le fait que les deux plans du couvert végétal croissent la grande majorité du temps à environ un mètre du sol permet de maîtriser le développement des plantes adventices sans le recours aux herbicides ou au sarclage manuel, et sans craindre que la récolte ne soit broutée en même temps. Ce mode de conduite se pratique surtout dans le Nouveau Monde, où il rencontre un succès croissant.

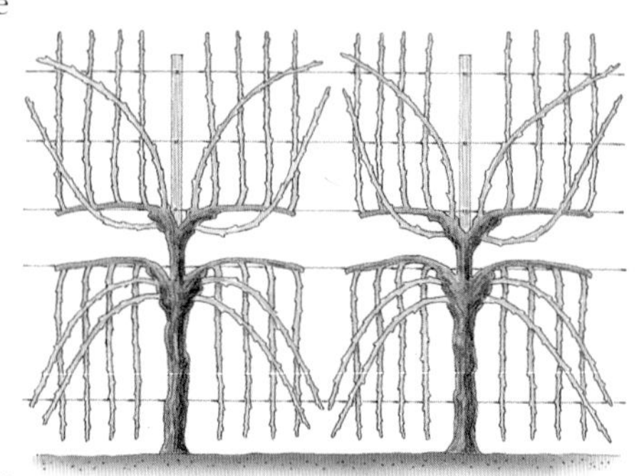

Scott-Henry *(taille à coursons)*
Dans le mode de conduite Scott-Henry adapté à la taille courte à coursons, chaque plant de vigne développe deux sarments permanents au lieu de quatre cordons annuels et un couvert végétal conduit en position soit basse, soit haute. La vigne est donc taillée alternativement pour reproduire l'aspect du Scott-Henry en taille longue, et tout le couvert végétal croît en hauteur jusqu'à ce que celui du niveau inférieur soit abaissé. En pleine croissance, ce système est quasi impossible à reconnaître.

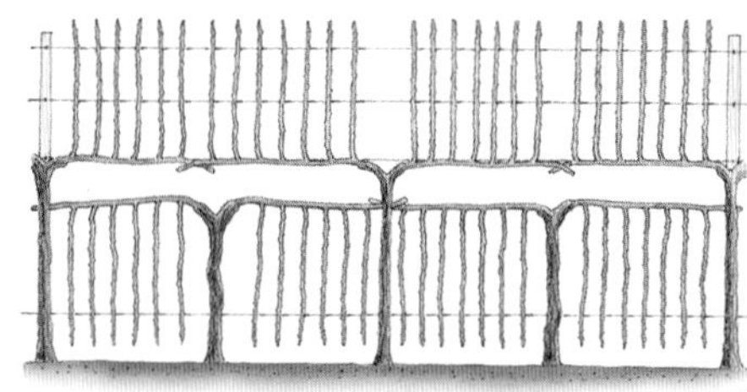

Sylvoz *(taille à coursons)*
Dans cette variante du Guyot double, les troncs, beaucoup plus hauts, peuvent atteindre deux mètres, et les sarments portent des rameaux conduits vers le bas. Le Sylvoz ne réclame qu'un entretien minime et se prête à la mécanisation, mais les rendements restent bas, à moins que l'on taille la vigne le moins possible. Les variétés de *Vitis vinifera* sont rétives à la conduite retombante, mais on a mis au point en Australie et en Nouvelle-Zélande

des techniques de palissage vertical. Ce mode de conduite est dû au viticulteur italien Carlo Sylvoz ; il reste apprécié en Italie, où l'on se passe parfois du fil inférieur en laissant pendre les rameaux de tout leur poids. Le défaut principal du système Sylvoz est la densité du couvert végétal, qui rend la vigne sujette à la pourriture de la grappe.

Sylvoz, variante Hawke's Bay *(taille à coursons)*

Cette variante a été appliquée au début des années 1980 dans un vignoble australien de Hawke's Bay. Elle se distingue du système Scott-Henry par la présence de deux cordons au lieu de quatre, qui portent des rameaux alternativement conduits vers le haut et vers le bas. Grâce à un couvert végétal plus ouvert et des fruits mieux répartis, les risques de pourriture de la grappe diminuent notablement et les pulvérisations sont plus efficaces, car elles pénètrent mieux. Quant aux rendements, ils augmentent de 100 %. En fait, le seul inconvénient de ce mode de conduite est l'allongement de la période de maturation du raisin.

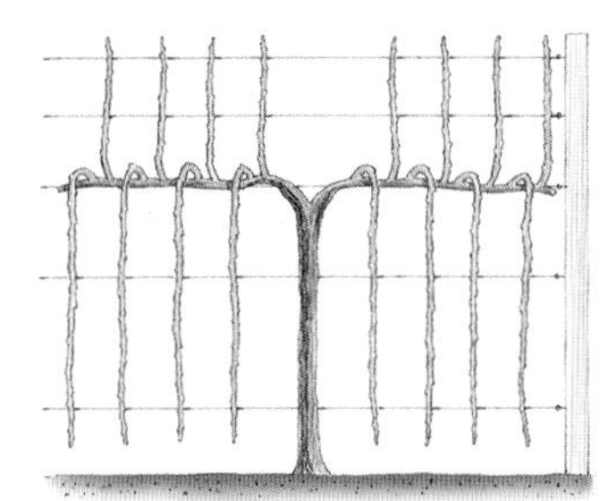

VSP Trellis ou Vertical Shoot Positioned Trellis *(taille longue)*

Ce mode de conduite est très répandu, notamment en Nouvelle-Zélande, où on le considère comme le système de palissage classique. Une zone fructifère dense rassemblée sur un treillis serré se prête idéalement à tous les stades de la culture mécanisée, taille, éclaircissage, effeuillage, pulvérisations, mais la contrepartie peut être un excès de vigueur et d'ombrage. Il s'agit néanmoins d'un mode économique donnant, à défaut de grands vins, des vins de qualité. Le VSP ne convient qu'à des vignes peu vigoureuses. En France et en Allemagne, on pratique aussi la taille à coursons.

PULVÉRISATIONS

L'emploi de produits phytosanitaires en pulvérisations, naguère réservé à la lutte contre les maladies, les parasites et les mauvaises herbes, s'est diversifié. L'engrais foliaire, par exemple, alimente directement la plante, tandis que les substances limitant la croissance du feuillage rendent la taille estivale inutile ; enfin, certains composants provoquent délibérément des anomalies de la vigne, telles que le millerandage et la coulure, induites pour réduire les rendements et donc, c'est du moins ce que l'on escompte, augmenter la qualité.

TAILLE

Élément important de la maîtrise des rendements, la taille permet aussi d'obtenir les meilleurs fruits. Comme il en est de toute récolte, qu'il s'agisse de roses de concours ou de raisin, une diminution de volume se traduit par une amélioration de la qualité. C'est en réduisant le nombre d'yeux que l'on abaisse le rendement.

FLORAISON

La floraison est la phase la plus critique du cycle de la vigne. C'est à cette période que le gel, la grêle, la pluie, le vent et les écarts importants de température peuvent compromettre les vendanges avant même que la croissance n'ait réellement commencé. Même les viticulteurs les plus attachés à la réduction des rendements laisseront un ou deux yeux supplémentaires sur chaque pied au cas où la floraison pâtirait du mauvais temps. D'où il résulte que, si les conditions météorologiques permettent une floraison parfaite, même les meilleurs vignobles produiront trop de grappes. Le temps n'est pas toujours clément dans les grandes régions viticoles mais, lorsqu'il l'est, la solution consiste à retirer un certain nombre de grappes. La plupart des viticulteurs attendent la véraison, cette période où les raisins commencent à mûrir et à se colorer, pour éclaircir la vigne. Celle-ci a déjà dépensé une grande énergie à produire ces grappes, mais l'éclaircissage favorisera le mûrissement de celles qui restent.

DATE DES VENDANGES

Quand vendanger? C'est là l'une des questions les plus cruciales que le viticulteur est amené à se poser chaque année. La maturation du raisin se traduit par une réduction de leur acidité (ainsi l'acide malique se transforme partiellement en acide tartrique) et une concentration des sucres, de la couleur, de divers minéraux et composés aromatiques fondamentaux. La décision d'arrêter la date des vendanges sera prise en fonction du cépage, de la situation du vignoble et du style de vin à venir. Le blanc tire en général un meilleur profit du surcroît d'acidité de vendanges précoces, mais seule une bonne maturation du raisin donnera au vin son fruité et sa concentration. Il est donc essentiel de parvenir à un équilibre. Les vins rouges supportent une acidité moindre mais bénéficient de l'intensité de couleur, du sucre et des tanins apportés par un fruit mûr. Le viticulteur doit aussi tenir compte des caprices du temps. S'il est résolu à attendre une maturation idéale, il produira du vin exceptionnel même les petites années, mais s'exposera davantage aux dangers du gel, de la pourriture ou de la grêle. Ce ne sont pas seulement les vendanges qui peuvent être ainsi totalement compromises, mais aussi le revenu. En revanche, en ne prenant jamais de risques on est assuré de récolter des fruits sains, mais, les mauvaises années, la vendange sera verte et le vin médiocre.

TRANSPORT DES VENDANGES

Dans cette course contre le temps qu'est le transfert du raisin vers le pressoir, tout doit être fait pour garder les fruits intacts. L'idéal consiste à rapprocher les installations le plus possible du vignoble et à transporter les grappes dans de petites caisses de plastique empilables pour que les fruits ne s'écrasent pas sous leur propre poids. Le fait que certains des vins les plus intéressants d'Europe centrale proviennent de vendanges entassées dans d'immenses bennes mettant plusieurs heures à rejoindre leur destination nuit moins aux vins rouges qu'aux blancs car, dans ce dernier cas, les raisins écrasés subissent un début d'oxydation et ont perdu une partie de leurs arômes.

VENDANGES MÉCANIQUES

Les vendanges mécaniques sont un sujet de controverse. La mécanisation permet une diminution considérable des coûts de production et de vendanger rapidement au moment le plus opportun ; mais il faut adapter le vignoble aux machines et agrandir les installations qui devront traiter sans attendre des volumes importants ou des investissements élevés. Quant aux désavantages, ils tiennent à l'efficacité des machines et à la qualité du vin. Le couvert végétal étant battu par des fléaux de caoutchouc, un tapis roulant recueille les grains et les grappes détachés en même temps que le feuillage et d'autres résidus, dont la plus grande part est éliminée au tri. En dehors de ces déchets qui restent mêlés aux fruits – toujours mieux éliminés à mesure que les machines évoluent –, l'inconvénient majeur réside dans l'impossibilité de distinguer entre les raisins mûrs et ceux qui ne le sont pas, entre les grappes saines et celles atteintes de maladie, voire pourries (et qui sont toujours les premières à tomber).

Malgré ces limites, d'excellents vins ont pu être élaborés à partir de cette méthode semble qui mieux convenir au vin rouge qu'au vin blanc, surtout effervescent, car les grains endommagés favorisent l'oxydation et la perte des arômes ; lorsqu'il s'agit de raisin noir destiné à ce type de vin, le jus prend une coloration indésirable.

LA COMPOSITION DES SOLS

La formation des roches ne constitue pas un objet d'études majeur pour l'amateur de vin. Qu'importe après tout pour la vigne si deux sols argileux ont été formés à deux périodes géologiques différentes? Rien n'est moins sûr. Que l'un de ces sols soit plus lourd, plus limoneux, sableux ou calcaire ne compte pas pour rien, et l'on emploie déjà assez de jargon en matière de vin pour qu'il convienne de préciser certains termes géologiques.

Albariza Sol blanc formé de dépôts de diatomite, typique du sud de l'Espagne.

Alluvial Type de sol sédimentaire formé de matériaux, les alluvions, déposés par les eaux courantes. Les sols alluviaux, composés pour la plupart de limon, de sable et de gravier, sont très fertiles.

Arénites Roches sédimentaires formées de grains de la taille du sable, en général siliceuses et souvent dérivées de roches plus anciennes décomposées (par exemple le grès).

Argile Roche sédimentaire meuble cristallisée en particules très fines, aux propriétés plastiques dues à sa capacité à retenir l'eau. Froide et acide, l'argile offre des sols mal drainés, que sa cohésion rend difficile à travailler. En excès, l'argile peut étouffer le système racinaire de la vigne, mais, mêlée dans une certaine proportion à d'autres roches, elle présente des avantages.

Argile calcaire Terre argileuse contenant du carbonate de calcium qui neutralise l'acidité naturelle de l'argile. Sa température basse contribuant à ralentir la maturation du raisin, les vins produits sur ce type de sol présentent une acidité assez élevée.

Argile ferrugineuse Argile riche en fer.

Argileuses Sont dites argileuses les terres contenant de l'argile ou des minéraux argileux, telles que l'argilite, le shale ou argile litée, les marnes, le schiste argileux, le limon.

Argilite Roche sédimentaire argileuse mais ne présentant pas les propriétés plastiques de l'argile.

Argillique Se dit d'une strate sous-jacente, ou horizon, caractérisée par une accumulation d'argile compactée imperméable et résistant à la pénétration des racines. Cette argile indurée est un inconvénient à faible profondeur, mais devient un avantage lorsque la couche s'étend loin de la surface, où elle constitue une réserve d'eau accessible.

Basalte Le basalte constitue jusqu'à 90 % des roches volcaniques éruptives. Il est riche notamment en calcaire et en soude, mais pauvre en potasse et ne contient pas de quartz, le plus abondant de tous les minéraux.

CRAIE
La craie blanche des Côtes des Blancs (Champagne)

Bâtard Se dit dans le Bordelais d'un sol argilo-sableux modérément lourd, d'une fertilité variable.

Bloc Voir Granulométrie.

Boulbène Sol fin du Bassin aquitain constitué d'un mélange assez équilibré d'argile, de limon et de sable. Les boulbènes légères de pentes douces, pauvres, se cultivent facilement. Les boulbènes siliceuses ont tendance à se compacter; on rencontre ce type de « terre battue », difficile à travailler, sur le plateau de l'Entre-Deux-Mers.

Caillou Voir Granulométrie.

Calcaire Toute roche sédimentaire constituée essentiellement de carbonate de calcium. À l'exception des sols crayeux, les terres viticoles calcaires présentent rarement une teinte blanche; elles ont plus souvent un aspect gris ou chamois. La dureté et la porosité du calcaire varient, mais son alcalinité favorise la production de raisins acides. Les sols calcaires sont frais et retiennent relativement bien l'eau; s'il ne s'agit pas d'argile calcaire (*voir* plus haut), ils permettent une pénétration profonde des racines et offrent un excellent drainage.

Carbonées Se dit des roches formées de matières fossiles, telles que la tourbe, le lignite, la houille et l'anthracite.

Colluvion Matériau déposé par érosion au pied d'un versant (par exemple les éboulis).

Craie Roche calcaire très blanche, tendre, poreuse et alcaline. La craie favorise la croissance de raisin acide, permet la pénétration des racines et offre un excellent drainage, tout en retenant suffisamment l'eau pour nourrir la vigne. Elle se distingue en cela de la plupart des autres sols calcaires qui ne présentent pas les mêmes propriétés physiques.

Crasse de fer Nom donné à une strate sous-jacente compactée riche en fer, typique du Libournais.

Cristallines Roches formées de cristaux de type magmatique (granit) ou métamorphique.

Dolomite Carbonate naturel de calcium et de magnésium. De nombreuses roches calcaires contiennent de la dolomite.

Éboulis Accumulation de blocs au pied d'un versant, fréquent dans les régions calcaires (*voir aussi* Colluvion).

Éoliens Se dit de sédiments déposés par le vent (par exemple le lœss).

Feldspath Le feldspath est un aluminosilicate de potassium, de sodium ou de calcium, de couleur blanche ou rosée, présent dans de nombreuses roches, notamment le granit et le basalte.

Galestro Nom italien d'un type de sol schisteux rencontré dans les meilleurs vignobles toscans.

Galet Voir Granulométrie.

Gneiss Roche métamorphique constituée de mica, de quartz et de feldspath en lits alternés, de grain plus gros que le granit.

GRAVES
Le Château de France, à Léognan, en Gironde.

Granit Le granit contient de 40 à 60 % de quartz, de 30 à 40 % de feldspath, du mica ou de la hornblende, et divers autres minéraux. Cette roche dure se réchauffe rapidement et conserve la chaleur; son pH élevé réduit l'acidité du vin. Le sol granitique du Beaujolais convient donc parfaitement au cépage acide de gamay. Il est important de noter que ce type de terrain est constitué de sable (issu pour partie de la décomposition du quartz et du feldspath, avec du mica ou de la hornblende), d'argile, de divers carbonates et silicates dus à l'érosion du feldspath, du mica ou de la hornblende.

Granulométrie C'est la taille des particules élémentaires entrant dans la composition d'un sol qui détermine les catégories de la granulométrie. Cette description ne peut être qu'approximative, aucun mélange naturel ne présentant une texture uniforme. L'échelle de Wentworth-Udden distingue les catégories de diamètres suivantes : bloc (au-dessus de 256 mm), caillou (64 mm-256 mm), galet (4 mm-64 mm), gravier (2 mm-4 mm), sable (20 µm-2 mm), limon (2 µm-20 µm), argile (2 µm-0 µm). La précision de ces mesures n'en autorise pas moins un chevauchement (un grain de 20 µm peut appartenir à la catégorie du limon ou à celle du sable) et une sous-classification, car il existe des grains de sable fins, moyens ou gros, voire du limon granuleux.

Gravier Matériau composé de cailloux siliceux de différentes tailles. Les sols de gravier, non consolidés, aérés, acides et infertiles, offrent un excellent drainage. Ils favorisent la pénétration des racines qui vont chercher en profondeur leurs éléments nutritifs. Les lits de gravier situés en sols calcaires produisent des vins plus acides que ceux assis sur des argiles. Les graves du Bordelais sont caractéristiques de ce type de terrain.

Grès Roche sédimentaire siliceuse essentiellement constituée de grains de quartz, formée par pression ou agrégée par divers minéraux ferreux.

Gypse Sulfate de calcium hydraté, hautement absorbant, formé par l'évaporation d'eau de mer.

Hornblende Aluminosilicate de calcium, de fer et de magnésium, du groupe des amphiboles, constituant de roches cristallines telles que le basalte, le granit et le gneiss.

Humus Matériau organique résultant de la décomposition des matières végétales et animales sous l'action des bactéries et d'autres micro-organismes. L'humus est un élément fertilisant essentiel, sans lequel les sols ne seraient que de la poudre de roche inerte.

Keuper Terme de stratigraphie souvent mentionné à propos des vins d'Alsace. Il désigne un étage du trias supérieur correspondant à des marnes (bigarrées, gris salifère ou gypsifère) ou à du calcaire (à ammonoïdes).

Kimmeridgien Étage du jurassique supérieur correspondant à des calcaires gris repérés en Angleterre à Kimmeridge, dans le Dorset. On donne le même nom à une argile collante contenant ce calcaire.

Lehm Terrain sédimentaire constitué d'argile silteuse, résultant de la décalcification du lœss. Ce sol chaud et très fertile peut convenir à la production de vins ordinaires en grande quantité, mais non aux vins fins.

Lignite Le « charbon brun » d'Allemagne et l'« or noir » de Champagne, le lignite est une roche d'origine organique intermédiaire entre la tourbe et la houille. Chaud et très fertile, on l'utilise en Champagne comme engrais naturel.

Limon Dépôt alluvial très fin retenant bien l'eau, plus fertile que le sable, mais froid et n'offrant qu'un drainage médiocre.

Lœss Sédiment très fertile d'origine éolienne composé essentiellement de limons, parfois de calcaire, mais généralement décalcifié en surface (*voir* Lehm). Le lœss se réchauffe assez vite et retient bien l'eau.

Magmatiques Se dit des roches formées par cristallisation du magma.

Marne Sol argilo-calcaire froid qui retarde la maturation du raisin et donne des vins acides. La marne gypseuse de keuper ou de muschelkalk présente des qualités supérieures en conduction de la chaleur et circulation de l'eau.

Métamorphiques Se dit des roches de la croûte terrestre transformées sous l'effet de la pression, de la température, ou des deux.

Mica Famille de silicates ayant la propriété de se diviser en lamelles ou en paillettes minces, présente dans de nombreuses roches cristallines.

Moraine glaciaire Dépôt transporté par le mouvement des glaciers.

POUDINGUE
Le sol de galets du Château de Beaucastel, à Châteauneuf-du-Pape.

Muschelkalk Terme de stratigraphie souvent mentionné à propos des vins d'Alsace. Il désigne une subdivision du trias moyen correspondant tantôt à des grès (à coquillages, dolomitique, calcaire, argileux, rose ou jaune), tantôt à des marnes (bigarrée ou fissile), de la dolomite, du calcaire (gris ou à entroques), des galets roulés.

Oolithe Petite concrétion sphérique formée autour d'un noyau; désigne également le calcaire à oolithes.

Palus Sol très fertile du Bordelais formé d'alluvions récentes, donnant des vins robustes et colorés de qualité moyenne.

Perlite Substance d'origine volcanique, pulvérulente, légère et brillante, aux propriétés semblables à celles de la terre à infusoires.

Porphyre Roche magmatique colorée au pH élevé.

Poudingue Terme utilisé pour désigner un conglomérat de galets retenant bien la chaleur.

Quartz Minéral abondant de textures variées présent dans presque tous les sols; ce sont le sable et le limon granuleux qui en contiennent le plus. Le pH élevé du quartz diminue l'acidité du vin; lorsque ce minéral atteint la dimension du galet ou plus, il retient et diffuse la chaleur, ce qui augmente le taux d'alcool.

Roches On distingue trois grandes catégories de roches : les roches sédimentaires, les roches métamorphiques et les roches magmatiques.

Sable Roche meuble formée de petites particules de quartz et d'autres minéraux. Le sable retient peu l'eau mais forme des sols aérés bien drainés, censés protéger la vigne contre le phylloxéra.

Schiste Roche cristalline à grain fin d'aspect feuilleté, dure et gris-bleu, formée par métamorphisme de l'argile, du shale et d'autres sédiments. Riche en potassium et en magnésium, mais pauvre en azote et en substances organiques, le schiste est bon conducteur de la chaleur et donne des vins fins, notamment en Moselle.

Sédimentaires Terme désignant les roches formées par les dépôts de matériaux transportées par les eaux courantes ou par le vent. Elles comprennent les roches arénacées (grès), argileuses, siliceuses (quartz), calcaires, carbonatées (tourbe, lignite, houille) ainsi que les sels précipités (oxydes, carbonates, sulfates, phosphates et chlorures).

Sels précipités Dépôts sédimentaires. L'eau chargée en matériaux acides ou alcalins contient des minéraux dissous à haute pression; lorsqu'elle se déplace dans des lits moins profonds ou s'évapore, la pression réduite précipite ces sels en suspension à des profondeurs variant de quelques centimètres à plusieurs milliers de mètres. On en distingue cinq catégories : les oxydes, les carbonates, les sulfates, les phosphates et les chlorures.

Shale Argile litée retenant bien la chaleur et modérément fertile. À grande pression, le shale peut se transformer en ardoise.

Silex Roche siliceuse se présentant en rognons dans les sols calcaires. Le silex réverbère la chaleur; il est souvent associé à un type de vin dit « minéral », au goût de « pierre à fusil » ou de « silex », mais la présence de ce dernier n'est pas avérée et dénote plutôt une sensation subjective, à moins qu'il ne soit détecté dans une dégustation à l'aveugle.

SCHISTE
Sol schisteux dans la vallée de la Moselle.

Siliceux Se dit d'un sol acide formé de roches cristallines, d'origine organique (silex et kieselguhr) ou inorganique (quartz). Bon conducteur de la chaleur, mais offrant une mauvaise rétention d'eau, à moins qu'il ne s'agisse d'une terre sédimentaire fine, limoneuse ou argileuse. La moitié du vignoble bordelais se situe en terrain siliceux.

Steige Type de schiste présent au nord de la région d'Andlau en Alsace. Métamorphose du granit d'Andlau, cette roche est particulièrement dure et ardoisée. Associée aux sables granitiques du grand cru de Kastelberg, elle forme un sol sombre et caillouteux.

Terra rossa Terre rouge argileuse, parfois à silex, qui s'est formée après une décarbonatation du sol.

Tuf Il s'agit soit d'une roche volcanique, soit d'une roche formée par la concrétion du calcaire à l'émergence de certaines sources. Quant à la pierre calcaire, crayeuse et tendre, répandue dans les régions viticoles du Val de Loire et de Touraine, on le nomme plutôt « tuffeau ».

Volcaniques Type de sols formés par les volcans de deux manières : soit par les coulées de lave, soit par les projections éruptives. Quelque 90 % des premiers sont constitués de roches basaltiques, le reste d'andésite, de rhyolite et de trachyte notamment. Les matières éruptives ont été projetées en fusion, puis refroidies et sont retombées au sol à l'état solide (pierre ponce), ou expulsées à l'état solide et pulvérisées par les forces explosives (tuf).

TERRA ROSSA
La terre rouge de Wynns, à Coonawarra (Australie)

LE CYCLE VÉGÉTATIF DE LA VIGNE

Le cycle végétatif de la vigne commence et finit respectivement vers la fin et l'approche de l'hiver. Le viticulteur ne cesse d'intervenir pendant cette période pour favoriser la production du meilleur raisin de cuve possible, mais il ne reste pas inactif pendant l'hiver car il doit poursuivre l'entretien du vignoble. Le calendrier de ces activités est résumé ci-dessous.

FÉVRIER : hémisphère Nord
AOÛT : hémisphère Sud

Les pleurs

Les pleurs sont le premier signe extérieur du réveil de la vigne après la dormance hivernale. Lorsque la température du sol, à une profondeur de 25 cm, atteint 10,2 °C, les racines commencent à puiser l'eau et la sève parvient à l'extrémité des sarments taillés en hiver, qui se mettent à « pleurer ». Les pleurs apparaissent soudain, leur intensité augmente vite, puis diminue peu à peu. Chaque cep perd ainsi de un litre et demi à cinq litres et demi de sève. Les pleurs donnent au viticulteur le signal de la taille de printemps, mais le moment exact pour la faire est difficile à choisir car c'est lorsqu'elle a été taillée que la vigne est le plus sensible aux gelées. Toutefois, on ne peut attendre que le risque de gelées printanières ait disparu car ce serait gaspiller l'énergie de la vigne, freiner sa croissance et retarder le mûrissement du raisin, parfois d'une dizaine de jours, ce qui l'exposerait au danger des gelées automnales.

Des pleurs se forment à l'extrémité des rameaux quand la vigne se réveille.

MARS-AVRIL : hémisphère Nord
SEPTEMBRE-OCTOBRE : hémisphère Sud

Le débourrement

Quelque vingt ou trente jours après le début des pleurs, les bourgeons s'ouvrent et sortent de la bourre. La vigne débourre à différents moments selon le cépage et les variations climatiques d'une année à l'autre. La nature du sol joue aussi un rôle : un sol argileux, qui est froid, retarde le débourrement tandis qu'un sol sableux, plus chaud, l'accélère. Les cépages au débourrement précoce sont exposés aux gelées dans les vignobles septentrionaux (ou méridionaux dans l'hémisphère Sud) alors que les cépages tardifs courent le risque d'être exposés aux gelées automnales. On poursuit la taille jusqu'en mars (septembre dans l'hémisphère Sud). On palisse alors les vignes, on retire la motte de terre que l'on avait mise au pied de chaque cep à l'emplacement de la greffe pour la protéger du froid hivernal, on laboure le sol afin de l'aérer et on le nivelle entre les rangs.

C'est au printemps que les bourgeons commencent à s'ouvrir.

AVRIL-MAI : hémisphère Nord
OCTOBRE-NOVEMBRE : hémisphère Sud

Émergence des rameaux, des feuilles et des inflorescences

Ces petites grappes vertes sont les bourgeons des fleurs de la vigne.

Le débourrement est suivi par le développement du feuillage et des rameaux. À la mi-avril (mi-octobre dans l'hémisphère Sud), après la pousse de la quatrième ou de la cinquième feuille, de petites grappes vertes se forment : ce sont les boutons des futures fleurs dont chacune se transformera en grain de raisin. Ces inflorescences sont la première indication sur l'importance probable de la récolte. Dans le vignoble, les traitements préventifs et curatifs contre les maladies et les parasites commencent en mai (novembre dans l'hémisphère Sud) et seront poursuivis jusqu'aux vendanges. En général associés à des engrais systémiques qui nourrissent la vigne directement à travers le feuillage, ils sont appliqués par pulvérisations, normalement à la main ou à l'aide d'un tracteur, mais parfois par hélicoptère dans les vignobles escarpés ou trop boueux. C'est à cette époque que la vigne peut souffrir de la coulure ou du millerandage (*voir* p. 22).

MAI-JUIN : hémisphère Nord
NOVEMBRE-DÉCEMBRE : hémisphère Sud

La floraison

La floraison de la vigne ne dure qu'une dizaine de jours.

Les fleurs s'épanouissent après la sortie de la 15e ou de la 16e feuille, normalement huit semaines environ après le débourrement. La floraison dure une dizaine de jours pendant lesquels ont lieu la pollinisation et la fécondation. Il faut alors que le temps soit sec et qu'il ne gèle pas, mais la température est le facteur critique. La température moyenne ne doit pas être inférieure à 15 °C, l'idéal étant 20 à 25 °C. La sommation des températures a plus d'importance que la température proprement dite ; c'est pourquoi le longueur des jours a une grande incidence sur la durée de la floraison. La capacité de rétention de la chaleur du sol a encore plus d'importance, aussi la température du sol exerce-t-elle une influence encore plus grande que celle de l'air. Les gelées étant le plus grand danger pendant la floraison, nombre de vignobles sont équipés de chaufferettes ou de systèmes d'aspersion.

JUIN-JUILLET : hémisphère Nord
DÉCEMBRE-JANVIER : hémisphère Sud

La nouaison

Après la floraison vient la nouaison : les inflorescences se transforment rapidement en grappes, chaque fleur fécondée engendrant une baie de raisin. Le nombre de baies par inflorescence varie de cépage à cépage ainsi que le pourcentage de baies qui grossiront suffisamment pour devenir des grains utiles. L'encadré ci-dessous illustre ces différences entre les cépages les plus courants dans le vignoble alsacien. Dans le vignoble, les traitements par pulvérisations sont poursuivis et l'on pratique la taille d'été, c'est-à-dire l'élimination d'un certain nombre de grappes afin de concentrer l'énergie de la vigne sur les autres. Dans certains vignobles, on désherbe le sol, dans d'autres on laisse pousser la mauvaise herbe jusqu'à environ 50 cm avant de l'enfouir dans le sol par binage afin de l'aérer et de l'engraisser.

Les baies commencent à former de véritables grappes.

CÉPAGE	BAIES PAR GRAPPE	GRAINS PAR GRAPPE	POURCENTAGE DE NOUAISON
Chasselas	164	48	29 %
Gewurztraminer	100	40	40 %
Pinot gris	149	41	28 %
Riesling	189	61	32 %
Sylvaner	95	50	53 %

AOÛT : hémisphère Nord
JANVIER : hémisphère Sud

La maturation

Pendant que les grains grossissent et jusqu'à la véraison (moment où le raisin commence à changer de couleur), leur composition chimique varie peu. Tant que le raisin reste vert, ses taux de sucre et d'acidité restent identiques. Le mûrissement commence au mois d'août (janvier dans l'hémisphère Sud) : la couleur change, le taux de sucre augmente de manière spectaculaire, celui d'acide malique diminue au fur et à mesure que celui d'acide tartrique augmente. Bien que le taux d'acide tartrique commence à diminuer à son tour après deux semaines environ, il restera toujours le plus important. C'est à cette étape du cycle végétatif de la vigne que les tanins du raisin s'hydrolysent progressivement. C'est un moment crucial pour la qualité future du vin car seuls les tanins hydrolysés seront à même de s'assouplir pendant son élevage. Dans le vignoble, le travail de pulvérisation et de désherbage se poursuit. Le feuillage est éclairci pour faciliter la circulation de l'air et réduire le risque de pourriture. Il ne faut pas éliminer trop de feuilles car c'est l'action du soleil sur celles-ci qui fait mûrir le raisin.

Un changement de couleur marque le début du mûrissement.

AOÛT-OCTOBRE : hémisphère Nord
FÉVRIER-MARS : hémisphère Sud

Les vendanges

Les vignobles prestigieux sont vendangés à la main.

Les vendanges commencent en général entre la moitié et la fin du mois de septembre (février dans l'hémisphère Sud), pouvant durer un mois ou plus. Comme tout travail dans le vignoble, plus on s'approche de l'équateur, plus elles débutent tôt. Il arrive donc que les vendanges commencent dès lors d'août (février) et ne soient terminées qu'en novembre (avril). Le raisin blanc mûrit plus tôt que le raisin noir et il faut en tout état de cause le récolter assez tôt pour que son acidité reste suffisante.

NOVEMBRE-DÉCEMBRE : hémisphère Nord
AVRIL-MAI : hémisphère Sud

La pourriture noble

Tous les grains ne sont pas atteints par la pourriture noble.

En novembre (avril), la sève cesse de monter et reste à l'abri du froid dans le système radiculaire. Les rameaux de l'année commencent à durcir et tous les raisins qui restent, coupés du système métabolique de la vigne, se déshydratent et se ratatinent. La pulpe ainsi concentrée est le siège de transformations chimiques complexes. Dans les régions aux vins moelleux et liquoreux, les grappes sont délibérément laissées sur la vigne pour que le sucre se concentre dans les grains. Dans les vignobles où les conditions sont favorables à *Botrytis cirenea*, les vignerons prient pour que la pourriture noble se développe sur le raisin.

DÉCEMBRE-JANVIER : hémisphère Nord
MAI-JUIN : hémisphère Sud

Vin de glace, eiswein, icewine

Le raisin gelé peut engendrer un vin extraordinaire.

En Allemagne, on peut encore voir du raisin sur des vignes en plein hiver. C'est en général parce que la pourriture noble qu'espérait le vigneron ne s'est pas manifestée. Si les grains gèlent, ils peuvent servir à l'élaboration du vin de glace, un des vins les plus extraordinaires du monde, très riche en sucre et en acidité. Ils sont pressés immédiatement afin que les cristaux de glace restent dans le pressoir alors que le jus le plus sucré, dont le point de congélation est inférieur à celui de l'eau, est seul à s'écouler. L'icewine canadien est aussi très réputé.

COMMENT ON ÉLABORE LE VIN

Bien que les techniques vinicoles se soient, sans conteste, de plus en plus mondialisées depuis quelques décennies, elles varient encore d'un continent à l'autre, d'un pays à l'autre, d'une région à l'autre et même, à l'intérieur d'une même commune, d'un vigneron à l'autre.

Les méthodes d'élaboration du vin diffèrent selon que le producteur reste fidèle aux valeurs traditionnelles ou qu'il cherche à innover et, dans le second cas, s'il a accès ou non aux techniques modernes. Quel que soit son choix, certains principes de base resteront, pour l'essentiel, analogues.

DU VIGNOBLE À LA CAVE DE VINIFICATION

La qualité réelle du raisin porté par la vigne au moment de la vendange définit la qualité virtuelle maximale que pourrait atteindre le vin qui en sera tiré. Toutefois, quels que soient le talent, l'habileté et les efforts du vigneron, celui-ci ne pourra jamais en tirer parti à 100 %, car la qualité du raisin commence à se dégrader dès l'instant où il n'est plus nourri par le cep. Qui plus est, les étapes de la transformation du raisin en vin contribuent l'une après l'autre à éroder la qualité théorique de la matière première. C'est pourquoi le mieux que puisse faire le vigneron est de limiter dans la mesure du possible l'importance de cette érosion.

Il est relativement facile de préserver environ 80 % de la qualité virtuelle d'un vin, mais la difficulté s'accroît très vite lorsque l'on tente d'aller au-delà. Il est aussi relativement facile de doubler ou même de tripler la qualité intrinsèque du raisin par un meilleur choix du site, une meilleure conduite de la vigne, l'utilisation de meilleurs clones, de porte-greffes bien adapté, et la limitation du rendement. C'est pourquoi l'essentiel de la recherche vitivinicole est repassé de la cave de vinification au vignoble. Cela dit, la méthode d'élaboration est toujours un facteur majeur non seulement de la qualité du vin, mais aussi de son style.

LES PRINCIPES DE LA VINIFICATION

Grâce aux techniques modernes, il est maintenant possible de faire de bons vins de consommation courante partout où l'on peut cultiver la vigne. Quand ce n'est pas le cas, il faut chercher la cause dans un matériel inadéquat et un manque de savoir-faire. L'élaboration d'un grand vin exige un raisin, partant d'un vignoble, de qualité, et un maître de chai talentueux. Lorsque l'on ne réussit pas à tirer d'un bon vignoble un vin courant de qualité acceptable, un rendement excessif et des techniques vitivinicoles imparfaites sont en cause. Ni l'un ni l'autre ne sont excusables.

LA FERMENTATION

Le processus biochimique qui transforme le jus de raisin en vin s'appelle « la fermentation ». Les cellules des levures sécrètent des enzymes qui convertissent le sucre du fruit en alcool et en gaz carbonique. Ce processus s'arrête naturellement lorsque toute la réserve de sucre est épuisée ou lorsque la teneur en alcool atteint un niveau tel qu'il est devenu toxique pour les enzymes (en général 15 à 16 % vol., encore que certaines souches puissent survivre jusqu'à 20 à 22 %). Traditionnellement, le maître de chai soutire son vin de fût en fût (*voir* p. 34) jusqu'à ce qu'il soit certain que la fermentation a cessé, mais il existe d'autres méthodes pour arrêter artificiellement la fermentation : jouer sur la température, la pression, utiliser de l'anhydride sulfureux ou du gaz carbonique ou recourir à la filtration centrifuge.

• **Température** Il existe différents procédés de stabilisation du vin : la pasteurisation (pour les vins courants), la flash-pasteurisation (pour les vins un peu meilleurs) et la réfrigération. Tous sont fondés sur le fait que les levures cessent d'agir au-dessus de 36 °C ou au-dessous de – 3°C et que les enzymes sont détruits au-dessus de 65 °C. La flash-pasteurisation expose le vin à une température d'environ 80 °C pendant 30 secondes à une minute, la pasteurisation à une température de 50 °C à 60 °C pendant plus longtemps.

• **Anhydride sulfureux ou d'acide ascorbique** L'addition d'une ou plusieurs substances antiseptiques détruit les levures.

• **Filtration ou centrifugation** Les techniques modernes permettent d'éliminer physiquement et non chimiquement toutes les levures du vin soit en le faisant passer à travers un filtre dont les pores sont suffisamment fins pour retenir les micro-organismes, soit par la centrifugation qui sépare le vin des levures et des dépôts indésirables.

• **Addition d'alcool** L'addition d'alcool pur ou d'eau-de-vie élève la teneur alcoolique et anéantit donc les levures.

• **Pression** Les cellules des levures sont détruites par une pression supérieure à 8 atmosphères (dans une bouteille de champagne, la pression est d'environ 6 atmosphères).

• **Addition de gaz carbonique** Les cellules des levures sont détruites en présence d'au moins 15 g/l de gaz carbonique.

L'USAGE DE L'ANHYDRIDE SULFUREUX

On utilise de l'anhydride sulfureux dès l'arrivée de la vendange dans la cave de vinification jusqu'à la mise en bouteilles dans les chais. Ses diverses propriétés, notamment anti-oxydantes et antiseptiques les rendent précieux. Des phénomènes d'oxydation ont lieu dès que où le vin est pressuré et exposé à l'air, mais il faut s'efforcer de les maîtriser. La présence d'une petite quantité de soufre est utile pour ce faire car il a une affinité avec la petite quantité d'oxygène présente dans le moût. Une molécule de soufre se combinant avec deux molécules d'oxygène pour former de l'anhydride sulfureux (SO_2), l'oxygène est ainsi neutralisé et ne peut plus oxyder le liquide. De l'oxygène sera encore absorbé par le vin pendant la vinification et les soutirages, d'où un nouveau recours à l'anhydride sulfureux. De plus, il restera une certaine quantité d'air enfermé dans la bouteille entre le vin et le bouchon. C'est pourquoi le

LES LEVURES DE FERMENTATION

Les levures de fermentation du moût peuvent se diviser en deux groupes :

Les levures de culture sont des souches sélectionnées de levures naturelles pures cultivées en laboratoire. On les utilise quand tous les micro-organismes, y compris les levures naturelles, ont été éliminées du moût par une méthode ou une autre avant la vinification, pour compléter l'action des levures naturelles ; on les utilise aussi lorsque l'œnologue ou le maître de chai les préfèrent pour leur comportement prévisible ou des propriétés spécifiques comme leur résistance à une forte teneur alcoolique ou à la pression osmotique qu'elles subissent lors de la seconde fermentation en bouteilles des vins effervescents.

Les levures naturelles adhèrent à la pruine, mince couche de substance cireuse qui couvre la peau du raisin et des autres fruits. Lorsque le raisin est parvenu à parfaite majorité, la couche de levures et d'autres micro-organismes contient en moyenne 10 millions de cellules dont 1 % seulement, c'est-à-dire 100 000, provoquent la fermentation alcoolique du vin. Une cellule unique est capable, dans des conditions favorables, de diviser 10 000 molécules de sucre par seconde pendant la fermentation.

vin est embouteillé avec une quantité donnée d'anhydride sulfureux. Certains vignerons prétendent que l'utilisation de SO_2 pendant l'élaboration du vin est absolument superflue ; pourtant, s'il faut encourager la modération dans ce domaine, les vins qui en sont totalement dénués sont en général détestables ou ne peuvent se conserver en bouteille que peu de temps.

Un vin célèbre d'une qualité irréprochable dont le producteur se targuait de ne pas utiliser d'anhydride sulfureux a une telle longévité que je l'ai fait analyser par un laboratoire indépendant : de fait, il en contenait, peu il est vrai, mais plus que celui qui est créé naturellement par le métabolisme des levures pendant la fermentation. Cela démontre combien l'ajout d'une dose raisonnable de ce produit peut être efficace. Les méthodes permettant de réduire la quantité de SO_2 sont bien connues, la principale étant de doser judicieusement la quantité initiale, car plus celle-ci est importante, plus les doses suivantes doivent être augmentées.

Il arrive que des vins soient excessivement soufrés. Ils ne sont pas aussi nombreux qu'autrefois, mais ne sont aucunement rares. On les identifie facilement à leur odeur d'allumette que l'on vient de frotter (l'odeur même du soufre) et, quand la dose est encore plus forte, à celle d'œuf pourri (due au H_2S, combinaison du soufre avec l'hydrogène). Lorsque l'hydrogène sulfureux se combine avec l'alcool éthylique ou un des autres alcools, des composés organiques sulfurés, les mercaptans, sont créés. Ils donnent au vin un goût et un arôme infects évoquant, selon les combinaisons, l'ail, l'oignon, le caoutchouc brûlé ou le chou en décomposition, qu'il est presque impossible d'éliminer et qui rendent le vin imbuvable, ce qui illustre parfaitement combien il est essentiel d'user modérément de l'anhydride sulfureux.

On encourage la fermentation malolactique des vins rouges et celle des vins blancs les plus pleins, les plus gras et les plus complexes. En revanche on l'évite pour les vins blancs plus légers et plus nerveux ainsi que pour de nombreux vins effervescents. La fermentation malolactique, appelée familièrement « malo » et parfois qualifiée improprement de fermentation secondaire car elle n'intervient pour ainsi dire jamais avant la fermentation alcoolique, est un processus biochimique qui transforme l'acide malique « dur » du raisin en deux parties d'acide lactique « tendre » (ainsi nommé car il donne au lait son aigreur) et une partie de gaz carbonique. L'acide malique se décompose graduellement lors du mûrissement du raisin et c'est pourquoi la concentration totale en acides est moins forte dans le raisin des régions chaudes. Il en reste pourtant une quantité significative dans le raisin mûr et, bien qu'elle soit réduite pendant la fermentation, dans le vin. On peut estimer que la quantité d'acide encore présent dans certains vins est excessive et préférer qu'elle soit remplacée par deux tiers d'acide lactique beaucoup moins agressif. C'est indispensable pour les vins rouges, mais facultatif pour les rosés, les blancs et les mousseux. Certaines bactéries spécifiques, nécessaires à la fermentation malolactique, sont présentes sur la peau du raisin parmi les levures et d'autres micro-organismes. Pour qu'elles soient actives, elles exigent une certaine chaleur, un faible taux d'anhydride sulfureux, un pH situé entre 3 et 4 ainsi que de nombreux micro-éléments nutritifs présents dans le raisin.

ACIER INOXYDABLE OU CHÊNE ?

Le choix de cuves en acier inoxydable ou de barriques en chêne pour la vinification et/ou l'élevage du vin n'est pas seulement une question de coût (*voir* ci-contre) : suivant que le maître de chai souhaite ajouter du caractère à son vin ou préserver toute sa pureté, il choisira le chêne ou l'acier inoxydable.

La cuve en acier Inox est durable, facile à nettoyer, faite d'un matériau inerte et imperméable. Elle convient parfaitement aux dispositifs de régulation de la température et le vin y conserve les caractéristiques propres au cépage. En revanche, la barrique a une durée de vie limitée et n'est pas facile à nettoyer (il est impossible de la stériliser). Elle n'est ni inerte ni imperméable et la régulation de sa température est beaucoup plus difficile à mettre en œuvre. Elle permet des échanges avec l'extérieur : l'air extérieur peut y pénétrer, ce qui accélère l'oxydation, et l'évaporation entraîne une concentration du goût. Les lactones, les sucres infermentescibles et la vanilline, principal aldéhyde phénolique présent dans le bois de chêne, donnent au vin des nuances crémeuses, douces et vanillées caractéristiques. Ce caractère boisé devient plus complexe et plus fumé si la fermentation malolactique a lieu au contact du chêne, encore plus complexe et fumé si la vinification est menée partiellement ou complètement en barrique. Le chêne communique aussi des tanins aux vins qui en manquent et absorbe une partie de ceux des vins trop tanniques.

CUVES EN ACIER INOXYDABLE
Cuves en Inox dans une installation moderne.
Les tuyaux qui les entourent sont parcourus par un liquide réfrigérant.

BARRIQUES EN CHÊNE NEUF
Alignement de barriques en chêne neuf dans le chai de première année du Château Mouton-Rothschild.

LE COÛT DU CHÊNE

Deux cents barriques neuves de 225 l – soit une capacité totale de 450 hl – coûtent entre 4 et 10 fois plus qu'une cuve en Inox d'une contenance de 450 hl.
Après deux ans en barriques, pendant lesquels le coût de la main-d'œuvre indispensable à leur manipulation et à leur entretien aura été plus élevé qu'avec une cuve unique, le volume du vin aura diminué de 10 %, et il faudra songer à remplacer bientôt les 200 barriques.

APRÈS LA VINIFICATION

De nombreuses manipulations sont nécessaires après l'achèvement de la fermentation alcoolique, pendant et après l'élevage. Les principales sont le soutirage, le collage, la stabilisation par le froid, le filtrage et l'embouteillage.

Le soutirage

On appelle soutirage l'opération consistant à séparer le vin clair des levures mortes et autres matières solides qu'il contient en le transvasant d'un récipient à un autre. Les techniques modernes d'élaboration du vin imposent en général plusieurs soutirages pendant la période d'élevage en cuve ou en barrique, le vin contenant chaque fois moins de dépôt. Certains vins, comme par exemple le muscadet sur lie, ne sont jamais soutirés.

Le collage

Même après plusieurs soutirages, le vin – qu'il paraisse ou non trouble – contient encore des matières en suspension microscopique qui risqueraient de le rendre trouble en bouteille. C'est pourquoi on pratique en général un collage, opération destinée à le clarifier davantage et à le stabiliser. On peut, en outre, employer certains produits spécifiques pour enlever au vin des caractéristiques indésirables. Lorsque le clarifiant est ajouté au vin, il fixe les matières en suspension (les colloïdes) par attraction physique ou électrolytique, ce qui crée de petits agrégats qui tombent de la cuve. Les clarifiants les plus courants sont le blanc d'œuf, le tanin, la gélatine, la bentonite (une argile particulière), l'ichtyocolle (colle de poisson) et la caséine. Les maîtres de chai ont chacun leurs préférences et certains clarifiants possèdent des vertus spécifiques. Ainsi le blanc d'œuf, chargé positivement, attire les matières chargées négativement comme les tanins indésirables ou les anthocyanes, tandis que la bentonite, chargée négativement, attire les matières chargées positivement comme les protéines et d'autres matières organiques.

La stabilisation par le froid

Quand les vins sont exposés à des températures basses, des cristaux de bitartrate de potassium peuvent former un dépôt dans la bouteille. Si l'on porte le vin à une température très basse pendant quelques jours avant sa mise en bouteille, on accélère ce phénomène et l'on prévient ainsi la formation ultérieure de cristaux dans la bouteille. Au cours des trente dernières années, cette opération était presque toujours de rigueur pour les vins bon marché de consommation courante, mais cette stabilisation par le froid est de plus en plus utilisée même pour les vins de meilleure qualité. Cette généralisation est regrettable car ces cristaux, inoffensifs, sont le signe bienvenu que l'on a affaire à un vin plus « naturel ».

Le filtrage

Toutes les méthodes consistent à faire passer le vin à travers une matière qui retient les particules d'une taille donnée. L'utilité du filtrage est un sujet de controverse depuis quelques décennies. Certains critiques vinicoles et certains œnophiles proclament que tout ce qui enlève au vin quelque chose est par définition néfaste. Selon celui que vous écoutez, ce « quelque chose » est ce qui donne au vin soit sa complexité, soit sa corpulence, soit encore son goût ou son parfum. Le filtrage prive indiscutablement un vin de quelque chose, mais s'il n'a pas été filtré, un dépôt se formera dans la bouteille et ce en général assez vite. Tous les vins seront donc privés de ce mystérieux « quelque chose » à un moment ou un autre. Le filtrage, comme bien d'autres choses, est tout à fait acceptable pour autant qu'il soit pratiqué avec modération. Le fait que nombre des plus grands vins du monde soient filtrés en est une preuve indiscutable.

Comme c'est le cas de très nombreux maîtres de chai soucieux de qualité, je préfère que le vin ne soit pas filtré ou subisse à la rigueur un filtrage très modéré, non parce que j'ai un idéal romantique non quantifiable, mais parce que j'aime mieux un vin aussi naturel que possible. Pour pouvoir se passer du filtrage, il faut que les opérations de soutirage et de collage aient été effectuées avec un soin extrême. De manière générale, mieux le vin a été élaboré, moins il a besoin d'être filtré et les œnophiles qui peuvent s'offrir des vins très chers s'attendent à la formation d'une chemise et sont prêts à les décanter. Des vins rouges délicats comme ceux de pinot noir sont ceux qui exigent le plus un filtrage aussi discret que possible (je jure qu'il suffit de les regarder pour qu'ils perdent un peu de leur fruit) et le filtrage les prive indiscutablement d'un peu de leur couleur – cela, au moins, est quantifiable. Aucun vin ayant bénéficié d'un long élevage en barrique ne devrait avoir besoin d'être filtré, un léger collage naturel étant suffisant.

FILTRE ROTATIF À VIDE
Cette installation de filtrage est l'une des plus efficaces pour éliminer les derniers résidus de levures mortes.

Les appareils de filtrage sont onéreux parce qu'ils sont chers à l'achat et qu'ils exigent de la main-d'œuvre et prennent du temps. C'est pourquoi les producteurs de vins de consommation courante en grande quantité (dont même les adversaires du filtrage admettent qu'ils doivent être filtrés) s'efforcent de réduire cette opération au minimum. Le meilleur moyen d'y parvenir est de procéder au soutirage et au collage de manière aussi efficace que possible. Le collage devrait toujours être préféré au filtrage car il maltraite moins le vin et est beaucoup plus économique. On distingue trois méthodes de filtrage principales, en général utilisées successivement : sur terre, sur papier et sur membrane (filtrage stérile).

• **Filtrage sur terre** Cette méthode sert surtout aussitôt après le soutirage pour filtrer le vin encore riche en levures de fermentation mortes. La matière filtrante est en général une terre d'infusoires ou terre à diatomées, appelée aussi « kieselguhr », chimiquement inerte issue d'un roche siliceuse. Elle est continûment en contact avec le vin et utilisée avec un filtre à plaque ou un filtre rotatif à vide. Ces deux types de filtres sont préalablement enduits de la matière filtrante ; mais avec le filtre à plaque, le mélange de vin et de matière filtrante passe sous pression à travers le filtre tandis qu'avec le filtre rotatif, la pré-couche adhère à l'extérieur d'un grand tambour perforé grâce au vide qui est créé à l'intérieur. Le tambour tourne dans un bac profond dans lequel est pompé le vin. Celui-ci est aspiré au centre puis dans la canalisation d'évacuation par le vide. L'avantage de ce système est que d'un côté du bac, un racleur sert à conserver sur l'extérieur d'un tambour une épaisseur donnée de matière filtrante, le surplus retombant dans le vin avec lequel il se mélange. Ce procédé de filtrage est économique car il travaille en continu et ne consomme que peu de matière filtrante puisque celle-ci est recyclée, tandis qu'avec le filtre à plaque, le filtrage doit être interrompu par intervalle pour nettoyer les plaques colmatées.

• **Filtrage sur papier** Ainsi appelé car la matière filtrante était à l'origine du papier, puis de l'amiante avant que son utilisation soit interdite. L'appareil contient un nombre variable de plaques garnies de diverses matières filtrantes allant du kieselguhr à la cellulose, plus courante. Des plaques spéciales contiennent du carbone actif (pour décolorer le vin produit en grands volumes). D'autres ont une charge électrostatique destinée à attirer les matières en suspension dans le vin dont la plupart ont une charge positive ou négative. On prétend que ces plaques sont plus efficaces que les mêmes plaques non chargées.

• **Filtrage sur membrane** On dit aussi « filtrage stérilisant » ou Millipore car les membranes sont percées de trous microscopiques capables de retenir tous les micro-organismes, ce qui stérilise effectivement le vin. Ces trous comptant pour 80 % de la surface de la membrane, le flot de vin peut être très rapide pour autant qu'il ait été pré-filtré. On peut maintenant effectuer la filtration fine et la pré-filtration dans le même appareil grâce à des cartouches contenant plusieurs membranes de porosité différente. On associe cette méthode à un embouteillage stérile.

L'EMBOUTEILLAGE

Quand les journalistes spécialisés visitent une grande entreprise, leur cauchemar est d'être invités à admirer les lignes d'embouteillage. Étant donné qu'elles deviennent plus rapides et plus complexes chaque année, il est bien naturel que les propriétaires en soient fiers et tiennent à les montrer. Un de mes amis m'a raconté qu'il avait obstinément refusé de pénétrer dans la salle d'embouteillage de Piper-Heidsieck : « Jamais je n'écrirai une ligne sur l'embouteillage », a-t-il déclaré. Le hasard veut qu'elles s'arrêtent inopinément au moment même où le propriétaire se targue de posséder la plus rapide du monde. Leur fiabilité est pourtant essentielle car elles doivent travailler en continu si l'on veut que le vin conserve sa fraîcheur. Tout ce que le lecteur a besoin de savoir est que les bouteilles doivent être stériles, qu'une ligne automatique les remplit, les bouche, les munit d'une capsule et d'étiquettes et qu'un dispositif détecte toute impureté avant de les ranger dans des cartons. Toutes les lignes européennes impriment sur l'étiquette ou la bouteille un numéro de lot qui identifie la date de l'embouteillage. Ainsi, en cas d'incident, il suffit de rappeler le lot en question plutôt que de faire revenir toute la production déjà livrée aux grossistes et aux détaillants.

DU MOÛT AU VIN

Presque tous les ingrédients contenus dans le jus frais de raisin, c'est à dire le moût, se retrouvent dans le vin, bien que certains participent à la création de nouveaux constituants pendant son élaboration et que les sédiments soient en général éliminés avant l'embouteillage. Le tableau ci-dessous montre que les principales différences sont la disparition des sucres fermentescibles et l'apparition d'alcool.

COMPOSITION DU MOÛT

Pourcentage en volume

73,5	**Eau**	
25	**Hydrates de carbone**, dont :	
	5 %	cellulose
	20 %	sucre (plus pentoses, pectine, inositol)
0,8	**Acides organiques**, dont :	
	0,54 %	acide tartrique
	0,25 %	acide malique
	0,01 %	acide citrique (plus traces possibles d'acide succinique et d'acide lactique)
0,5	**Minéraux**, dont :	
	0,025 %	calcium
	0,01 %	chlore
	0,025 %	magnésium
	0,25 %	potassium
	0,05 %	phosphate
	0,005 %	acide silicique
	0,035 %	sulfate
	0,1 %	autres (aluminium, bore, cuivre, fer, molybdène, rubidium, sodium, zinc)
0,13	**Tanin et pigments**	
0,07	**Substances azotées**, dont :	
	0,05 %	acides aminés (arginine, acide glutamique, proline, sérine, thréonine et autres)
	0,005 %	protéines
	0?015 %	autres substances azotées (humine, amides, ammonium et autres)
Traces	**Principalement vitamines** (thiamine, riboflavine, pyridoxine, acide pantothénique, acide nicotinique et acide ascorbique)	

COMPOSITION DU VIN

Pourcentage en volume

86	**Eau**	
12	**Alcool** (alcool éthylique)	
1	**Glycérol**	
0,4	**Acides organiques**, dont :	
	0,20 %	acide tartrique
	0,15 %	acide lactique
	0,05%	acide succinique (plus traces d'acide malique et d'acide citrique)
0,2	**Hydrates de carbone** (sucres infermentescibles)	
0,2	**Minéraux**, dont :	
	0,02 %	calcium
	0,01 %	chlore
	0,02 %	magnésium
	0,075 %	potassium
	0,05 %	phosphate
	0,005 %	acide silicique
	0,02 %	sulfate
	Traces	aluminium, bore, cuivre, fer, molybdène, rubidium, sodium, zinc
0,1	**Tanin et pigments**	
0,045	**Acides volatils** (essentiellement acide acétique)	
0,025	**Substances azotées**, dont :	
	0,01 %	acides aminés (arginine, acide glutamique, proline, sérine, thréonine et autres)
	0,015 %	protéines et autres substances azotées (humine, amides, ammonium et autres)
0,025	**Esters** (acétate d'éthyle, mais traces de nombreux autres)	
0,004	**Aldéhydes** (surtout acétaldéhyde, un peu de vanilline et traces d'autres)	
0,001	**Alcools supérieurs** (quantité infime d'alcool amylique et traces éventuelles d'alcools isoamylique, butylique, isobutylique, hexylique, propylique et méthylique)	
Traces	**Vitamines** dont thiamine, riboflavine, pyridoxyne, acide pantothénique, acide nicotinique et acide ascorbique	

DU VIN DE SYNTHÈSE

Les matières aromatiques contenues dans le vin comptent pour à peine 2 % de son volume. Bien que 90 % d'entre elles aient été identifiées, le mystère est que si on les assemble et leur ajoute les autres corps chimiques identifiés et le volume nécessaire d'eau et d'alcool, le résultat n'aura absolument pas le goût et l'arôme du vin.

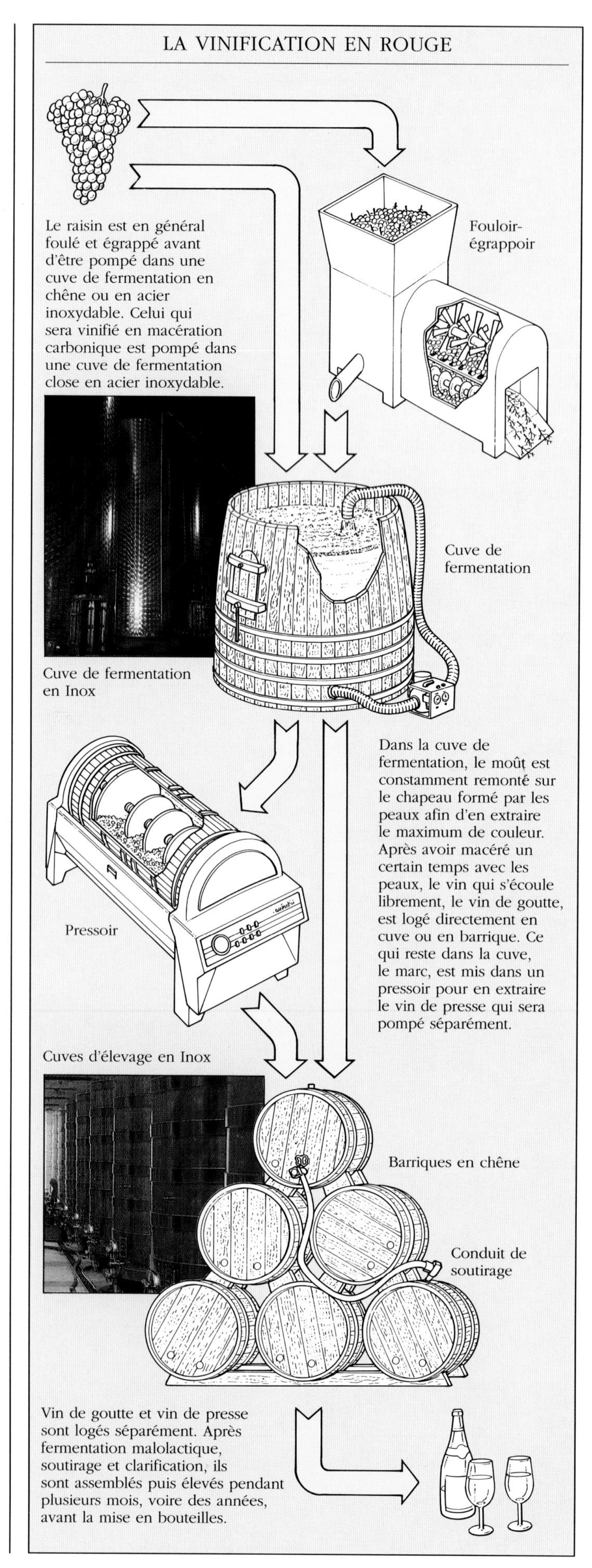

LES VINS ROUGES

À son arrivée dans la cave de vinification, le raisin est aussitôt foulé puis en général égrappé. On utilise de nos jours, habituellement, un fouloir-égrappoir. Autrefois, on conservait le plus souvent les rafles pour obtenir un vin plus tannique. Lorsque l'on a compris que le tanin des rafles, très dur, ne s'assouplissait pas au fur et à mesure de l'élevage, on les a toutes éliminées. De nos jours, le vinificateur peut toutefois décider de conserver unę petite partie des rafles quand il est nécessaire de renforcer la charpente du vin parce que le cépage ou le millésime ne sont pas assez riches en tanins.

VINIFICATION

Au sortir du fouloir-égrappoir, le moût est pompé dans la cuve de vinification où la fermentation commence après une douzaine d'heures ou quelques jours. Même pour les vins qui seront vinifiés en barriques, la fermentation commence en cuve, qu'il s'agisse de cuves modernes en acier inoxydable ou des foudres traditionnelles en chêne. Pour favoriser la fermentation, on peut réchauffer le moût, lui ajouter des levures sélectionnées ou du vin partiellement fermenté provenant d'une autre cuve. Au cours de la fermentation, le moût est remonté par une pompe et déversé sur le « chapeau » – les peaux du raisin flottant à la surface – afin d'extraire le maximum de pigments. On peut également enfoncer le chapeau manuellement dans le liquide avec une perche. Certaines cuves sont munies d'une grille qui empêche le chapeau de remonter, d'autres utilisent le gaz carbonique engendré par la fermentation pour enfoncer par intervalles le chapeau. Un système appelé « vinimatic » assure le contact permanent du moût avec la peau et les autres matières solides dans une cuve rotative fermée en Inox fonctionnant sur le principe de la bétonnière.
Plus la température de fermentation est élevée, plus l'extraction des tanins et des matières colorantes est importante. Plus elle est basse meilleurs seront les arômes, la fraîcheur et le fruit. La température de fermentation optimale pour les vins rouges est de 29,4 °C. Si elle est trop élevée, les levures produisent certaines substances (acide décanoïque, acides octanoïques et les esters correspondants) qui neutralisent leur faculté à se nourrir au point qu'elles finissent pas mourir. Il est pourtant préférable de conduire la fermentation du moût à une température assez élevée que d'attendre les quinze jours nécessaires à une fermentation à une température plus basse. Pour les vins les plus riches et les plus colorés destinés à la garde, la macération avec les peaux est prolongée de dix à trente jours. Pour les vins plus légers, elle ne dure pas plus de quelques jours.

VIN DE GOUTTE ET VIN DE PRESSE

Le vin de goutte est celui qui s'écoule naturellement de la cuve de vinification quand on en ouvre le robinet. Le marc qui reste dans la cuve, c'est-à-dire la peau du raisin, les pépins et autres matières solides de la pulpe, est pressuré et donne un vin de presse très foncé et très tannique. Vin de goutte et vin de presse sont logés dans des cuves séparées où se produit la fermentation malolactique; après quoi ils sont soutirés et clarifiés. Le vinificateur ajoute, avant l'élevage, au vin de goutte une quantité de vin de presse variable selon le caractère, la richesse en tanins et la longévité du vin qu'il veut obtenir.

MACÉRATION CARBONIQUE

Les différentes techniques de macération carbonique ne s'appliquent qu'aux vins rouges. Elles consistent à vinifier le raisin entier, non foulé, en cuve close, en présence du gaz carbonique issu de la fermentation ou provenant de bonbonnes. La fermentation commence à l'intérieur des grains puis continue de la manière habituelle, au contact des peaux, quand la pression les a fait éclater. La macération carbonique donne des vins légers, bien colorés et fruités qui ont un arôme caractéristique de bonbon anglais ou de banane. C'est ainsi qu'est vinifié le beaujolais.

LES VINS BLANCS

Il y a encore quelques années, ce qui différenciait essentiellement la vinification en blanc de la vinification en rouge était la non-macération avec les peaux, les pépins et les autres matières solides du raisin pressuré avant la fermentation, alors que pour le rouge, le pressurage suit une macération. Aujourd'hui, pour les vins de cépage dont on désire souligner le caractère, on foule et on égrappe le raisin puis on le soumet à une macération pré-fermentaire de douze à quarante-huit heures dans un « vinimatic » (*voir* glossaire) avec les peaux pour en extraire les substances aromatiques. Le vin de goutte et, après débourbage, le vin de presse fermentent ensuite ensemble comme pour tout autre vin blanc. Pour les vins blancs élaborés traditionnellement le raisin, dès son arrivée dans la cave de vinification, est foulé, égrappé dans certains cas, puis aussitôt pressuré. Le moût du dernier pressurage, très bourbeux, amer, pauvre en acide et en sucre, n'est pas utilisé pour l'élaboration du vin blanc. On ne retient en général que celui du premier pressurage qui est, en quelque sorte, l'équivalent du vin de goutte pour le vin rouge. Le moût est ensuite débourbé : le procédé de débourbage le plus simple consiste à laisser reposer le moût dans une cuve où la peau, les pépins et les autres matières solides comme les fragments de rafle tombent au fond par gravité. Afin d'éviter l'oxydation du moût qui lui donnerait notamment une couleur ambrée et altérerait ses arômes, on utilise de l'anhydride sulfureux. On peut aussi clarifier le moût par centrifugation. Après débourbage, le moût est pompé dans la cuve de fermentation ou, si l'on a choisi la vinification dans le chêne, directement dans les barriques. L'ajout de levures sélectionnées est plus indiquée que dans le cas de la vinification en rouge car le moût est resté peu de temps en contact avec les peaux qui portent les levures naturelles. Celles-ci ont été en partie éliminées par le débourbage, presque complètement dans le cas de centrifugation. La température de fermentation optimale des blancs est de 18 °C, encore que nombre d'œnologues préconisent une température de 10 à 17 °C et que l'on descende parfois jusqu'à 4 °C. Davantage d'esters et d'arômes et moins d'acides volatils sont produits à basse température, le vin est plus léger mais moins riche en glycérol. Une acidité suffisante étant un facteur essentiel dans les vins blancs pour équilibrer le fruit et, le cas échéant, le sucre résiduel des vins moelleux, on évite très souvent la fermentation malolactique, notamment grâce à l'anhydride sulfureux qui inhibe les bactéries lactiques. Les vins élevés en barriques, qui subissent toujours la fermentation malolactique, sont mis en bouteilles après un séjour de neuf à dix-huit mois dans le chêne tandis que les vins destinés à être bus jeunes sont soutirés, filtrés et clarifiés aussi vite que possible afin de leur conserver leur fruit et leur fraîcheur.

LES VINS ROSÉS

À l'exception du champagne rosé, dont la couleur vient le plus souvent de l'addition de vin rouge (c'est, en Europe, la seule appellation où ce procédé est autorisé), et de certains rosés bas de gamme des Pays Neufs qui sont aussi un assemblage de vin blanc et de vin rouge, le rosé peut être est obtenu par quatre méthodes : la première est le rosé de saignée fait avec le moût de raisin noir macéré de quelques heures à quelques jours selon la couleur désirée, qui s'écoule comme le vin de goutte sous l'effet de la pesanteur (c'est la méthode utilisée pour l'élaboration du tavel) ; la deuxième est le rosé de pressurage obtenu par le moût de goutte et le moût coloré des premières presses fermentés ensemble, ce qui donne un rosé très pâle ; la troisième est le rosé de fermentation où le moût commence par fermenter en présence des peaux puis on en soutire une partie une fois la couleur désirée obtenue, du rose le plus pâle au plus foncé, presque rouge, qui achève indépendamment sa fermentation, sans addition de moût de pressurage (c'est la méthode la plus courante en Europe) ; la quatrième est le rosé de vin rouge obtenu par décoloration du vin rouge vinifié normalement, méthode qui donne des vins médiocres.

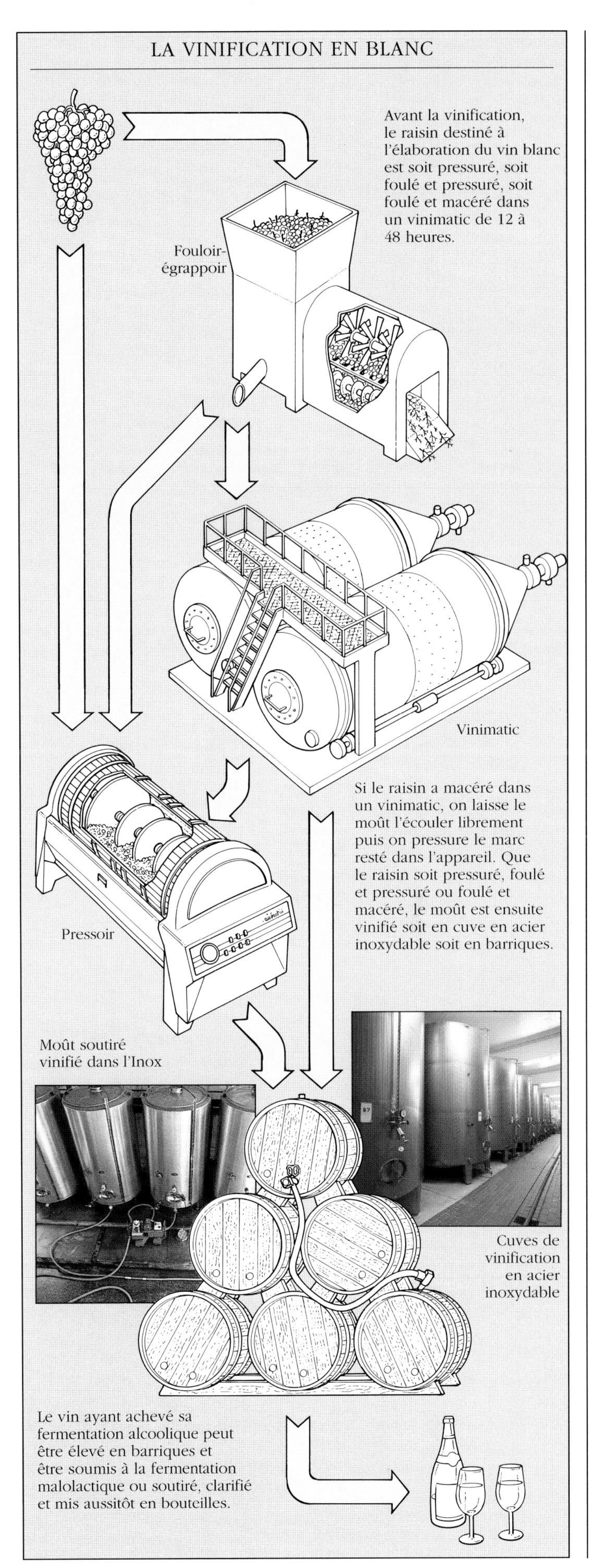

LES VINS EFFERVESCENTS

Pendant la fermentation du raisin, le sucre est converti en alcool éthylique et en gaz carbonique. Pour la production des vins tranquilles, on laisse échapper ce gaz, mais pour celle des vins effervescents, on provoque une nouvelle fermentation soit dans une cuve hermétiquement fermée, soit dans une bouteille bouchée. Le gaz engendré par la fermentation reste dissous dans le vin. Il formera des bulles dès qu'il se trouvera dans un verre, sans la pression atmosphérique. Tel est le principe de base des méthodes classique, transvasement, rurale et cuve close. Les mousseux très bon marché sont élaborés par gazéification.

LA MÉTHODE CLASSIQUE

Cette méthode, dite naguère champenoise, est aussi appelée « méthode traditionnelle » (en France), « *metodo classico* » (en Italie), « *cap classique* » (en Afrique du Sud) et « *individually fermented in the bottle* » (aux États-Unis). Tous ces termes indiquent que le mousseux a été élaboré par une seconde fermentation en bouteilles provoquée par l'addition au vin tranquille, dit « vin de base », d'une liqueur de tirage faite d'un mélange de sirop de sucre de canne et de levures. Après élevage sur lies dans les bouteilles mises sur pointe, le dépôt est expulsé, remplacé par la même quantité de liqueur d'expédition – du vin plus ou moins édulcoré – et les bouteilles reçoivent leur bouchon définitif.

LA MÉTHODE TRANSVASEMENT

Il s'agit aussi d'une seconde fermentation en bouteille, mais le mousseux est ensuite transféré dans une cuve sous pression à très basse température puis remis après addition de la liqueur d'expédition dans des bouteilles de tailles différentes. C'est ainsi que les demi-bouteilles et les bouteilles de grande contenance sont remplies sous pression.

LA MÉTHODE RURALE

Méthode appelée aussi « méthode ancestrale » ou « méthode gaillacoise » : le vin est mis en bouteilles avant que la fermentation ne soit achevée, celle-ci continue dans les bouteilles munies d'un bouchon et le gaz carbonique reste emprisonné.

LA MÉTHODE CHARMAT

Dite aussi « cuve close », cette méthode sert à l'élaboration des mousseux bon marché. On provoque la seconde fermentation en ajoutant le sirop de sucre et les levures au vin tranquille logé en cuve hermétique. Après production du gaz carbonique, le vin rendu effervescent est embouteillé sous pression. Parce qu'il s'agit d'une méthode de production en gros, on utilise des vins médiocres, mais j'ai le sentiment qu'avec les meilleurs vins de Champagne, ces mousseux auraient une qualité approchant celle du champagne.

LA GAZÉIFICATION

Il s'agit de la méthode la moins onéreuse pour mettre des bulles dans le vin : on procède comme pour les boissons gazeuses en introduisant dans la cuve contenant du vin tranquille du gaz carbonique venant d'une bonbonne. Le vin est ensuite embouteillé sous pression. Les vins produits avec cette méthode sont incontestablement médiocres.

LES VINS VINÉS

Quelles que soient les méthodes utilisées pour leur élaboration et leur élevage, on range tout vin additionné d'alcool, sec ou doux, rouge ou blanc, dans la catégorie des vins doux naturels (VDN) – on dit aussi « vins vinés ». Les vins tranquilles non vinés ont une teneur en alcool de 5,5 à 15 % vol., les vins vinés de 17 à 24 % vol. L'alcool de vinage est une eau-de-vie neutre issue en général de vins de la région. La quantité d'alcool de vinage et le moment exact où il est mêlé au vin font partie des facteurs définissant le caractère d'un VDN. Ils ont autant d'importance que le cépage et la région de production.

MUTAGE

Terme signifiant, comme vinage, l'ajout d'alcool pour stabiliser un vin, bloquer sa fermentation et augmenter sa teneur alcoolique. On l'utilise de préférence pour les porto, xérès, madère, malaga et les vins de liqueur comme le pineau des charentes de la région de Cognac, le floc-de-gascogne de la région d'Armagnac.

VINAGE PRÉCOCE

Désigne l'addition d'alcool au moût après que la fermentation a commencé. On procède généralement par additions successives d'alcool soigneusement dosé réparties sur plusieurs heures, voire plusieurs jours. Les moments de la fermentation où l'on procède au vinage dépendent du style de vin que l'on veut obtenir et de la teneur en sucre du moût, qui varie selon le millésime. En général, on procède au vinage du porto quand la teneur en alcool a atteint 6 à 8 % vol., des vins doux naturels comme le muscat de beaumes-de-venise entre une teneur en alcool de 5 à 10 % vol.

VINAGE TARDIF

Addition d'alcool quand tout le sucre fermentescible a été transformé en alcool et que le vin est donc parfaitement sec. L'exemple le plus classique est le xérès, toujours vinifié en sec. Certains xérès destinés à l'exportation sont édulcorés après coup.

LES VINS AROMATISÉS

À l'exception du retsina, le célèbre vin grec blanc ou rosé traité à la résine de pin, tous les vins aromatisés sont des vins auxquels on a ajouté toute une gamme de substances aromatiques. Le plus connu est le vermouth, fait d'un vin blanc plutôt neutre de deux ou trois ans d'âge auquel on mélange de l'extrait d'absinthe (en allemand, *Wermut* signifie absinthe), de la vanille et différente épices et aromates. L'Italie produit du vermouth en Apulie et en Sicile, la France en Languedoc-Roussillon. Le Chambéry est un vermouth savoyard très sec et j'ai même goûté une version de couleur rose-rouge parfumée avec des fraises des bois, mais il y a peu de vins aromatisés régionaux de ce genre. La plupart sont des produits de marque comme Cinzano et Martini distribués dans le monde entier. Parmi les plus connus, il faut aussi citer Amer Picon, Byrrh, Dubonnet (rouge et blanc), Punt e Mes, Saint-Raphaël et Suze.

COLONNE DE DISTILLATION
Une distillerie d'État ultra-moderne du Douro où l'on produit l'eau-de-vie destinée au vinage du porto.

LE CHOIX DU CHÊNE

Il est rarement question, dans la littérature vinicole, du choix du bois pour la vinification et l'élevage des vins. C'est pourtant une question fondamentale : comment se fait-il que, parmi les nombreux bois disponibles dans le monde, le chêne soit universellement choisi?

La réponse est que presque toutes les autres espèces de bois sont trop poreuses ou qu'elles contiennent des substances aromatiques déplaisantes. Mais le chêne n'est pas le seul à être choisi. Par exemple, dans la vallée du Rhône et quelques autres régions, on utilise parfois du châtaignier, mais ce bois est si poreux et si tannique qu'on enduit intérieurement les fûts d'une substance neutre comme on le fait pour les cuves en ciment. Autre exemple, au Chili on a longtemps élevé le vin dans des fûts d'une variété locale de hêtre appelée « rauli », mais les producteurs se sont rendu compte, quand le pays est sorti de son isolement, que ce bois communiquait au vin des nuances de moisi et d'encens inacceptables sur le marché international. On utilise encore en Californie et en Oregon des cuves en séquoia, mais elles ne sont guère appréciées et ce bois n'est pas assez flexible pour que l'on puisse s'en servir pour confectionner des barriques. Le pin donne au vin un goût résineux auxquels les Grecs se sont habitués depuis trois mille ans, mais si les touristes boivent du retsina sur place, il est rare qu'ils continuent après leur retour chez eux. Mis à part le « vin de thé », une curiosité des Îles Canaries, je ne pense pas qu'il existe dans le monde d'autres vins élevés dans le pin. L'eucalyptus a aussi un caractère résineux, l'acacia donne au vin une teinte jaune, les bois durs ne sont pas assez souples pour la fabrication de fûts et contiennent des huiles aromatiques indésirables.
Le chêne, en revanche, se cintre facilement, est peu poreux, a une teneur en tanin acceptable et contient des substances aromatiques douces et crémeuses qui se marient harmonieusement avec celles du vin ou auxquelles nous nous sommes habitués comme les Grecs se sont habitués à la résine de pin.

LA TAILLE DES BARRIQUES

La taille des barriques est un facteur important car plus elle est petite, plus le rapport bois/vin est élevé et plus le goût de bois sera intense. Par exemple, la surface de bois en contact avec le vin sera une fois et demie plus importante avec une barrique de 200 l qu'avec une barrique de 500 l. Les contenances traditionnelles sont de 216 l en Champagne, 225 l dans le Bordelais, 228 l en Bourgogne et de 300 à 315 l en Australie et Nouvelle-Zélande.

ANATOMIE DE LA BARRIQUE

Les douelles sont assujetties par des cercles de fer dont l'espacement varie d'un tonnelier à l'autre. L'intervalle entre les cercles de bouge (ceux qui sont les plus proches du trou de bonde) est souvent teint en rouge. L'origine de cette coloration est le désir du vigneron de dissimuler les taches de vin qu'il aurait pu faire lui-même lors du remplissage, de l'ouillage ou du soutirage. Quand on vinifie le vin blanc en barriques, le trou de bonde se trouve toujours en position haute ; même quand on laisse un creux important, la bonde reste ouverte pendant la phase tumultueuse de la fermentation, mais elle sera fermée avec une bonde à soupape quand la fermentation se calmera et restera fermée pendant la fermentation malolactique. Après le soutirage, qui permet de séparer le vin clair de ses lies, la barrique d'élevage est totalement remplie, fermée hermétiquement et orientée comme ci-dessous.

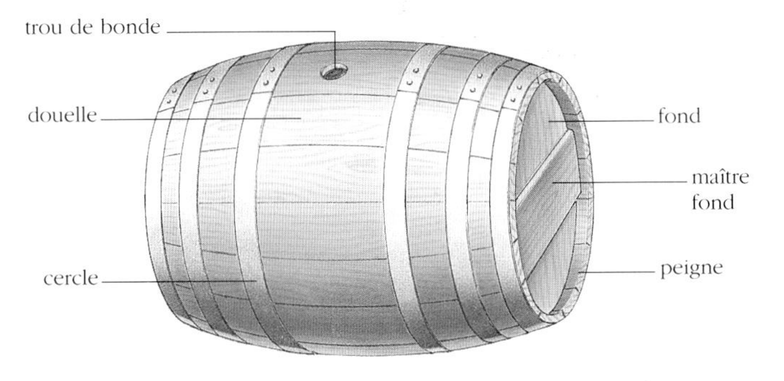

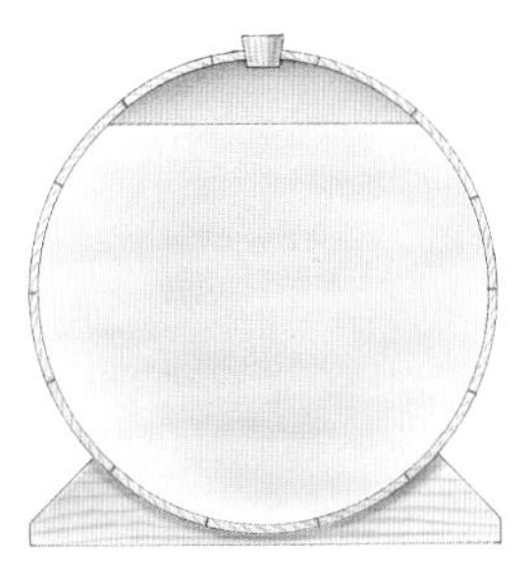

VINIFICATION

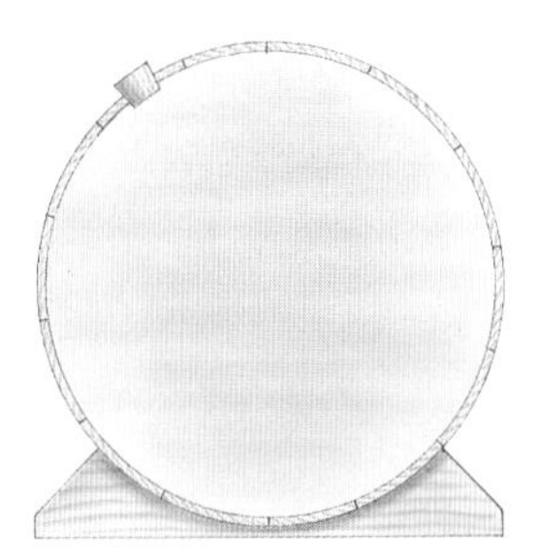

ÉLEVAGE

On a même fabriqué des barriques cubiques afin d'augmenter le rapport bois/vin, diminuer le coût et faciliter les manipulations. Elles présentaient l'avantage d'un stockage occupant moins de place et étaient plus économiques car il suffisait de retourner les parois pour retrouver du bois neuf en contact avec le vin. On a même fabriqué en Australie des cuves cubiques en acier inoxydable munies de deux panneaux de bois qui pouvaient être retournés, remplacés et dont la taille pouvait varier afin d'obtenir des rapports bois/vin différents. De tels procédés sont devenus superflus depuis que l'on utilise des copeaux de bois.

BARRIQUES OU COPEAUX ?

Le choix ou non de la barrique traditionnelle pour la vinification et/ou l'élevage des grands vins est plus une question de style que de coût, mais pour les vins moins chers, c'est presque uniquement une question économique car l'élevage en barriques peut, par exemple, doubler le prix d'un vin de pays.
L'utilisation de chêne neuf pour seulement une proportion minime du vin peut donner un soupçon de complexité, mais certainement pas le caractère très boisé qui plaît à de nombreux consommateurs – pour autant qu'elle n'entraîne pas une forte augmentation du prix. Pour satisfaire ceux-ci, le recours aux copeaux de bois paraît s'imposer. On croit en général que c'est une pratique très récente, mais elle était déjà suffisamment répandue aux États-Unis en 1961 pour que l'on juge indispensable de la réglementer. De fait, les copeaux de bois – sous-produit de l'industrie de la tonnellerie – ont été l'une des armes les plus efficaces dans l'arsenal des Pays Neufs pour leur conquête du marché vinicole international car ils ont permis l'élaboration de vins relativement bon marché dans le style des grands vins traditionnels. Cela a été particulièrement le cas de l'industrie vinicole australienne qui a porté le recours aux

SCIURE DE CHÊNE
Brûlage léger

COPEAUX DE CHÊNE
Brûlage moyen

COPEAUX DE CHÊNE
Brûlage intense

LES SOURCES DE CHÊNE FRANÇAIS

Certains maîtres de chai n'admettent qu'une espèce donnée de chêne français, mais la plupart se méfient des barriques faites du bois d'une forêt donnée. La forêt du Tronçais donne le chêne tenu pour le meilleur, mais on n'en tire que 2 % de tout le chêne exploité en France : si toutes les barriques réputées du Tronçais l'étaient vraiment, cette forêt aurait disparu depuis longtemps.
Les vignerons bordelais, qui ont sans doute la plus vieille expérience en matière d'achat de barriques de chêne neuf, préfèrent celles faites d'un assemblage de douelles de plusieurs origines.
La plupart se fournissent chez un seul tonnelier choisi pour la qualité de sa futaille. Cette qualité dépend moins de la perfection des techniques de fabrication que celles de la stabilisation du bois et du bousinage, c'est-à-dire du brûlage des douelles.
La proportion des différents bois varie d'une année à l'autre car le chêne est vendu aux enchères et les tonneliers le choisissent pour sa qualité intrinsèque et non pour le nom de la forêt où il a été coupé. Le propriétaire de la forêt est un facteur plus important que son emplacement même, car des sources connues comme l'Office national des forêts – seul fournisseur de chêne de haute futaie et qui n'en vend pas d'autres – sont en mesure de garantir une qualité régulière. Les propriétaires privés, aussi grande soit la qualité de leur bois n'en sont pas capables.

copeaux de bois à la perfection et l'a répandu à partir du début des années 1990 par l'intermédiaire des vinificateurs volants dans presque tous les pays du monde où ils ne sont pas interdits. Certains dégustateurs affirment qu'il est pour ainsi dire impossible de distinguer un vin élevé en barriques neuves du même vin élevé dans des barriques de réemploi au contact de copeaux de chêne. Lorsque l'étiquette mentionne l'utilisation du chêne, mais ne porte pas les mots « barrique » ou « fût », cela signifie très probablement que des copeaux de chêne ont servi à l'élaboration du vin et, si celui-ci est bon marché, c'est presque sûrement le cas.

BRÛLAGE DES DOUELLES

L'intensité du brûlage des douelles est l'un des facteurs de la fabrication des barriques qui a une influence marquée sur le goût du vin. Le façonnage des douelles s'effectue en trois étapes, le pré-chauffage, le cintrage et le bousinage, c'est-à-dire le brûlage proprement dit. C'est cette troisième étape qui détermine principalement l'intensité du brûlage. Le bousinage crée les aldéhydes pyromuciques (qui donnent les arômes de pain grillé), les arômes vanillés et divers phénols dont l'eugenol, principal constituant de l'essence de girofle, que l'on trouve aussi dans l'essence de cannelle et l'essence de piment de la Jamaïque. Ils contribuent tous à donner une note fumée aux arômes boisés complexes du vin.

BOUSINAGE
Selon la durée du bousinage, on obtient un brûlage léger, moyen ou intense de la surface intérieure de la barrique.

On distingue trois degrés de brûlage : bas, moyen et fort. Les maîtres de chai qui recherchent le caractère boisé le plus pur choisissent un brûlage bas; le brûlage moyen est divisé en deux catégories : le brûlage moyen proprement dit qui convient à l'élevage de la plupart des vins rouges et le brûlage appelé « moyen-plus », préféré pour la vinification en barriques des vins blancs; le brûlage fort réduit considérablement les olides, c'est-à-dire les esters lactoniques caractérisés par des arômes de noix de coco et donne au vin le caractère distinctif de fumée de bois carbonisé qui peut être envahissant à moins que ce vin ne soit très largement minoritaire dans l'assemblage. Qui plus est, la richesse en carbone de ces esters peut altérer au vieillissement la couleur de certains vins rouges, aussi réserve-t-on en général le brûlage fort aux vins blancs (comme les chardonnays exubérants actuellement à la mode) et surtout à l'élevage du whiskey bourbon.

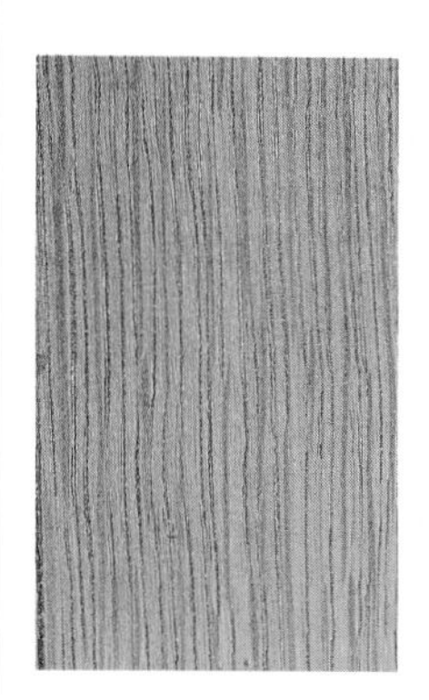

BRÛLAGE BAS

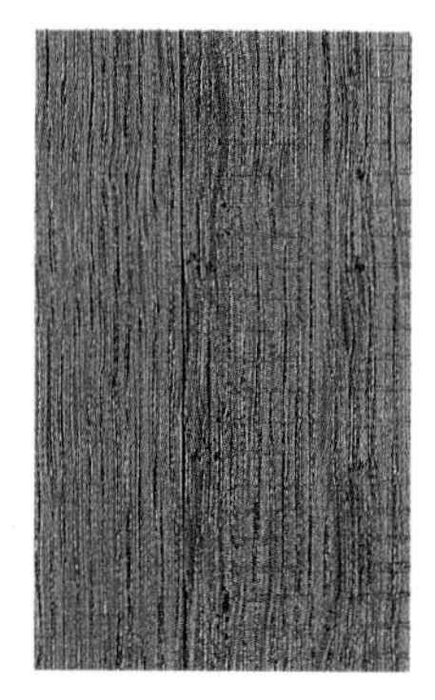

BRÛLAGE MOYEN

BRÛLAGE FORT

LES VARIÉTÉS DE CHÊNE

On utilise pour le vin soit le chêne blanc américain soit les chênes européens. Les composants aromatiques du chêne américain à croissance rapide et à gros grain, *quercus alba*, sont plus puissants, tandis que les chênes européens, *quercus robur (quercus pedunculata)* et *quercus sessiflora (quercus petraca)* à croissance lente et à grain fin sont plus riches en tanins. Une grande partie des arômes de noix de coco typiques du chêne américain viennent aussi des techniques très différentes de fabrication des barriques utilisées sur ce continent.
Contrairement aux chênes européens, le chêne américain est scié et non découpé à la main, ce qui rompt les cellules du bois et libère des composants aromatiques intenses, notamment la vanille, et jusqu'à sept esters lactoniques différents, responsables notamment de l'arôme caractéristique de noix de coco. Les merrains de chêne américain sont séchés au four, ce qui concentre les lactones, tandis que ceux de chêne européen sont stabilisés plusieurs années en plein air, ce qui élimine les composés aromatiques les plus puissants et atténue les tanins les plus agressifs.
De nombreux maîtres de chai français trouvent le chêne américain vulgaire, mais utilisé modérément, il peut réduire de manière significative la proportion de chêne neuf qu'il est nécessaire d'utiliser chaque année.

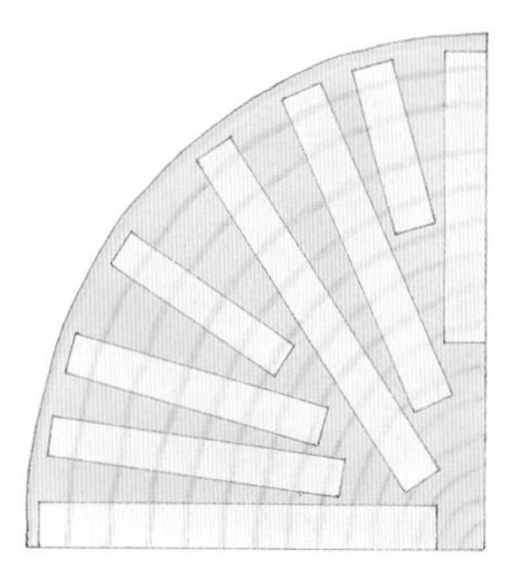

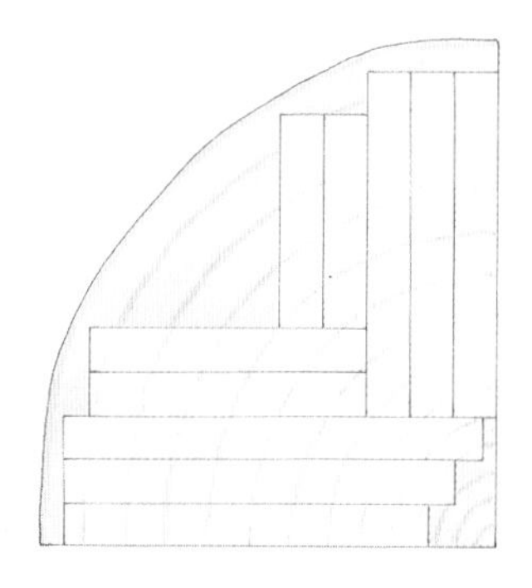

DÉCOUPAGE EUROPÉEN ET SCIAGE AMÉRICAIN
Le bois destiné à la tonnellerie est découpé à la main en Europe (à gauche) et scié à la machine aux États-Unis (à droite). La figure montre pourquoi il est plus économique de scier que de découper. C'est l'une des principales raisons qui expliquent pourquoi les barriques européennes coûtent deux fois plus que les américaines.

LES VARIÉTÉS DE CHÊNE

Le grain des chênes à croissance lente est plus fin que celui des chênes à croissance rapide – c'est pourquoi les chênes européens des climats frais sont plus vieux et ont un grain plus fin que ceux des chênes américains de climats plus chauds. En Europe, on préfère les chênes des forêts (*quercus sessiflora*) aux chênes isolés (*quercus robur*) parce qu'ils sont plus hauts, plus rectilignes et quatre fois plus aromatiques que les chênes isolés qui croissent plus vite et ont un grain plus gros car ils poussent sur des sols plus fertiles et plus humides.

AMÉRICAIN *Quercus alba*

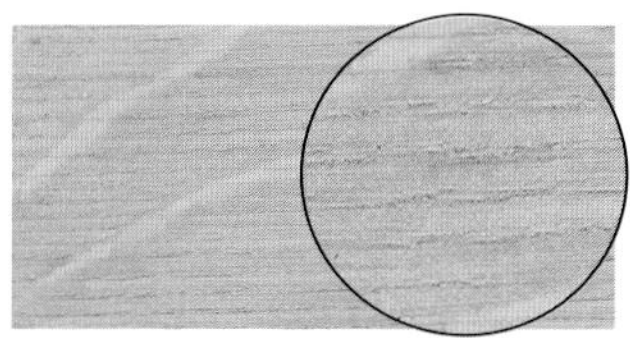

Ce chêne couvre l'est des États-Unis. Certains préfèrent celui du Minnesota et du Wisconsin, d'autres celui des Appalaches (surtout de Pennsylvanie). Autres provenances : Ohio, Kentucky, Mississippi et Missouri. Tous sont des chênes blancs à croissance plus rapide, plus gros grain et moins riches en tanins (sauf ceux de l'Oregon) que tout chêne brun européen, mais ils ont des arômes plus doux et plus marqués (avec les nuances caractéristiques de noix de coco). Le *quercus alba* est préféré pour le rioja, le syrah australien et le zinfandel californien.

OREGON *Quercus gariana*

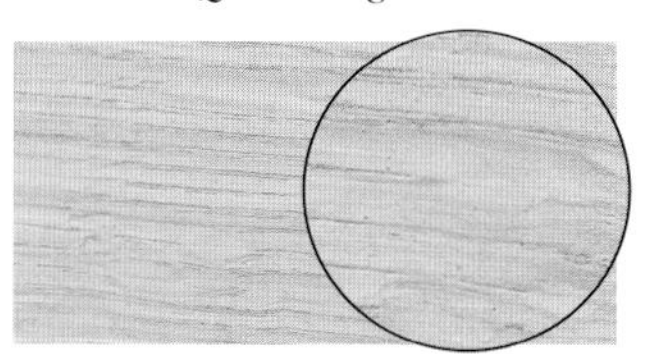

Chêne blanc au grain plus fin que *quercus alba*. Peu de barriques ont été fabriquées avec ce chêne et toujours avec des douelles sciées, ce qui rend difficile de juger s'il est d'une qualité égale à celle des chênes européens. On a fabriqué en 1996 des barriques avec du *quercus gariana* séché longuement en plein air et débité à la main. On attend les résultats de cette expérience.

ALLIER *Quercus sessiflora*

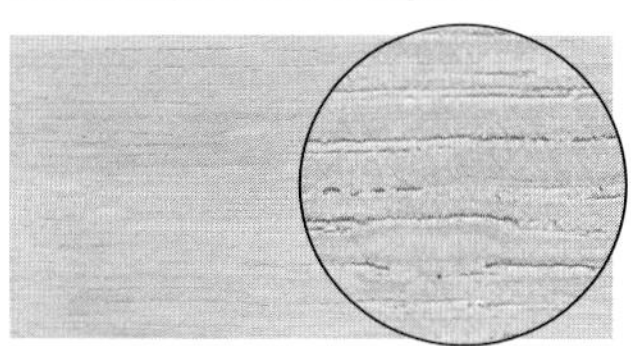

Chêne à grain très vin, moyennement aromatique et tannique. Le chêne de l'Allier est très recherché.

ARGONNE *Quercus sessiflora*

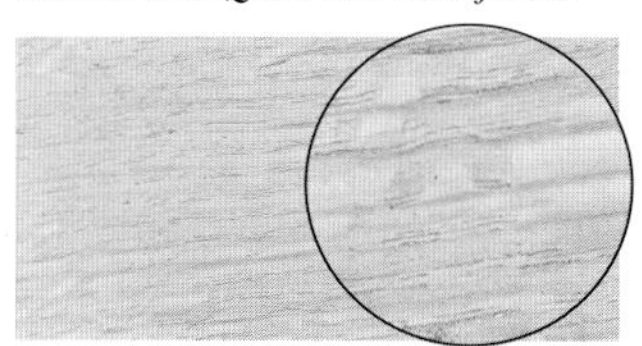

Chêne à grain fin peu aromatique et tannique, largement utilisé en Champagne avant l'adoption de l'Inox. Peu utilisé aujourd'hui.

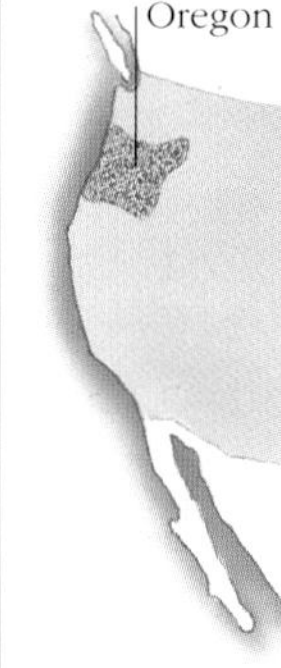

FORÊTS DE CHÊNE AMÉRICAIN

Argonne
Nivernais
Vosges
Bourgogne
Tronçais
Limousin
Allier
Russe
Portugais
Balkanique

FORÊTS DE CHÊNES EUROPÉENS

BOURGOGNE *Quercus sessiflora*

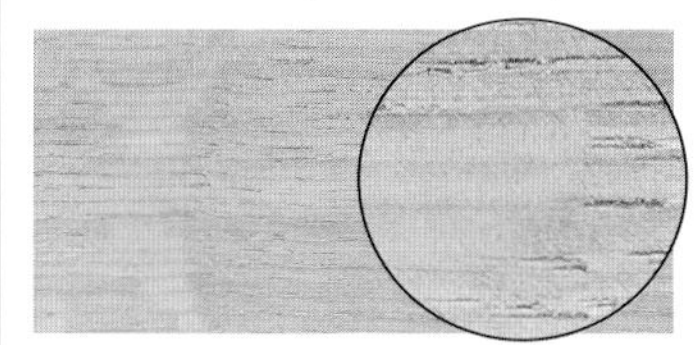

Grain fin, très tannique et peu aromatique. Presque entièrement réservé à la Bourgogne.

LIMOUSIN *Quercus robur*

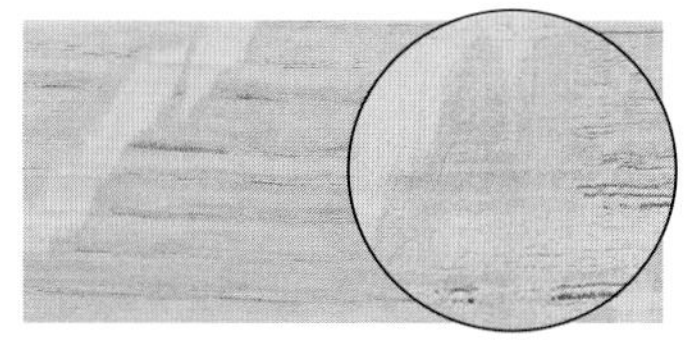

Gros grain, très tannique et peu aromatique. Fut largement utilisé pour le chardonnay mais sert surtout à l'élevage du cognac.

NIVERNAIS *Quercus sessiflora*

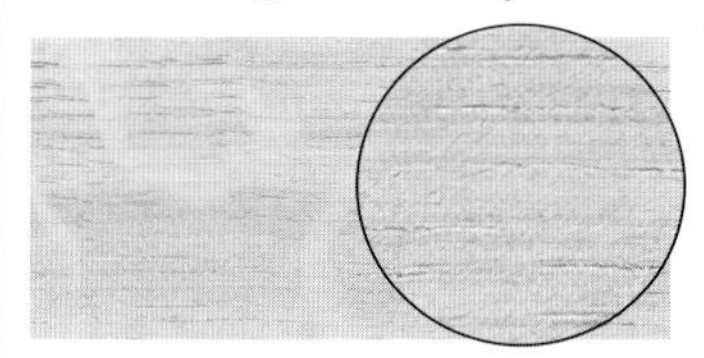

Grain fin, moyennement tannique et aromatique. Le chêne du Nivernais est très recherché.

TRONÇAIS *Quercus sessiflora*

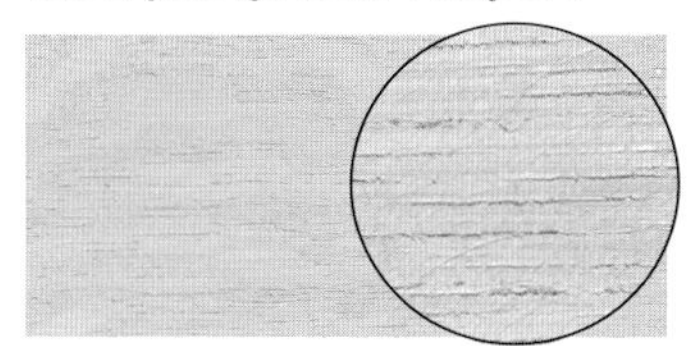

Le grain le plus fin et, avec celui des Vosges, le plus tannique. Particulièrement bien adapté à un long élevage grâce à ses arômes discrets, il a toujours été très recherché.

VOSGES *Quercus sessiflora*

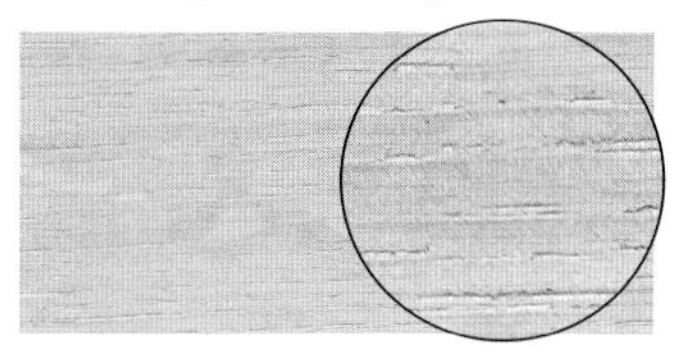

Un grain fin, une grande richesse en tanins et des arômes discrets mais légèrement épicés en font un chêne idéal pour le vin. Curieusement, il est peu prisé en Alsace où le petit nombre de vignerons qui utilisent des barriques paraissent préférer tout autre chêne français à celui qui pousse à leur porte. Il est très apprécié en Californie et en Nouvelle-Zélande où certains producteurs le jugent d'une qualité égale à celle des chênes de l'Allier et du Nivernais. À mon avis, le chêne des Vosges mériterait que l'on s'y intéresse davantage.

BALKANS *Quercus robur*

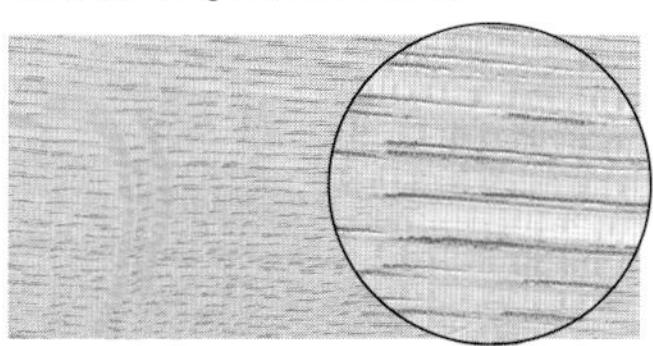

Souvent appelé « chêne slavon » ou yougoslave, il est à grain fin, moyennement tannique et peu aromatique. Il est apprécié pour la fabrication de foudres ovales, notamment en Italie.

PORTUGAIS *Quercus gariana*

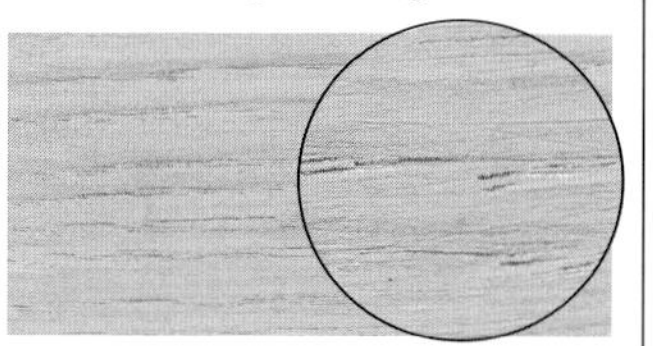

Le chêne de tonnellerie a moins d'importance commerciale que le chêne liège (*quercus suber*) destiné à la fabrication des bouchons. Le premier, à grain moyen et aux bonnes propriétés aromatiques, est bien meilleur marché au Portugal que le chêne français importé.

RUSSE *Quercus sessiflora*

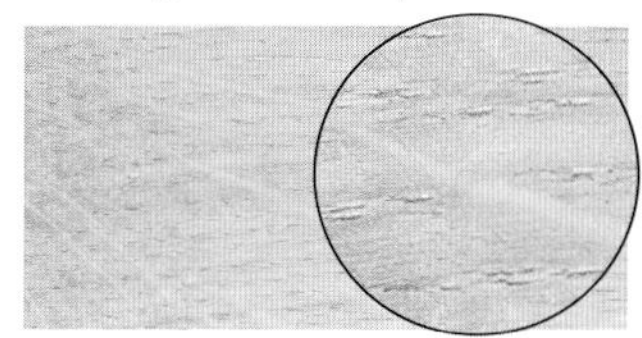

Avec un grain très fin et des arômes discrets, on peut facilement le confondre avec le chêne français. Il fut abondamment utilisé dans le Bordelais au XIXe siècle et jusque dans les années 1930. Grâce à des investissements de Seguin Moreau dans une tonnellerie installée près de la mer Noire, les producteurs français ont recommencé à utiliser du chêne russe, bien que, pour des raisons mystérieuses, il ne soit d'un prix inférieur de 10 % seulement à celui du chêne français.

RÉPERTOIRE DES PRINCIPAUX CÉPAGES

Parmi les milliers de cépages de cuve cultivés de par le monde, ceux qui présentent un intérêt particulier pour une raison ou une autre sont décrits ci-dessous.

MÉTIS ET HYBRIDES

Un croisement entre deux variétés d'une même espèce est qualifié de métis tandis qu'un croisement entre des variétés d'espèces différentes est un hybride interspécifique. En croisant à plusieurs reprises des variétés d'une même espèce, on obtiendra très probablement des cépages différents. Ainsi, le croisement *sylvaner x riesling* a donné le rieslaner, puis le scheurebe, deux cépages aux propriétés dissemblables. On peut aussi croiser une variété avec elle-même et obtenir un cépage distinct. Dans cet ouvrage, l'origine des croisements figure en italique.

CLONES ET CLONAGE

Une sélection intensive permet d'obtenir une vigne ayant par exemple un rendement plus élevé, ou résistant à certaines maladies ou encore convenant mieux à des conditions climatiques différentes. On peut ensuite obtenir par les techniques bio-génétiques un nombre infini de clones identiques. Les clones sont désignés par le nom de la variété suivi par un nombre et des initiales : par exemple le « riesling clone 88Gm » est le 88e clone de riesling obtenu à Geisenheim (Gm), la célèbre station de recherches viticoles allemande.
Un clone dit « localisé » est une vigne qui est née naturellement dans des conditions spécifiques et dans un environnement donné. Il peut être désigné par le nom de la variété suivi de celui de la localité où il a été identifié et être considéré comme une sous-variété. Le nom de la variété d'origine finit par disparaître au fil des années et le cépage par acquérir un nouveau nom.

COULEUR DU RAISIN ET DU VIN

La plupart des vins blancs sont issus de cépages blancs (dont la couleur va de fait du vert au jaune ambré). Les vins rouges et rosés sont tous issus de cépages rouges (dont la couleur va de fait du rouge au bleu noir), parfois associés à un peu de raisin blanc. On peut faire du vin blanc avec la plupart des cépages rouges car seule leur peau est pigmentée alors que leur jus ne l'est pas (à l'exception toutefois des cépages dits teinturiers dont le jus est coloré et qui ne peuvent donner que du vin rouge). L'acidité de la peau du raisin peut avoir une influence sur la couleur du vin : une forte acidité donne une teinte rougeâtre, une acidité faible une teinte pourpre, parfois violette.

LES CÉPAGES BLANCS

Note : Certains cépages de couleur rose comme le gewurztraminer et le pinot gris figurent parmi les cépages blancs car ils servent surtout à l'élaboration de vins blancs.

ALBALONGA
Métis *rieslaner x sylvaner* créé et cultivé en Allemagne, caractérisé par une forte teneur en sucre et une maturité précoce.

ALIGOTÉ
Voir encadré ci-dessous.

ALTESSE
Meilleur cépage traditionnel de Savoie où il donne des vins riches et délicieusement aromatiques.

ALIGOTÉ
Cépage de qualité moyenne, à peau fine, qui voisine en Bourgogne avec le noble chardonnay qui tend à le remplacer. Curieusement, il occupe une place non négligeable en Bulgarie et l'on en cultive un peu en Roumanie et dans le sud de la Russie. Il donne un vin frais et vif, agréable et sans prétention. Les très bonnes années, son vin peut avoir plus d'ampleur et une certaine richesse.

ALVARINHO
Cépage engendrant le vinho verde portugais. Aussi cultivé en Espagne sous le nom d'alvariño.

ARBOIS
Cépage intéressant cultivé seulement dans le Val de Loire sur une petite échelle. Il est parfois associé à un autre cépage rare, le romorantin, et à d'autres cépages blancs.

ARINTO
Un des cépages blancs prometteurs du Portugal. Il joue un grand rôle dans le bucelas, un vin nerveux, citronné, qui vieillit bien.

ASSYRTIKO
Un des meilleurs cépages indigènes de Grèce.

AUXERROIS
Souvent confondu avec le pinot blanc, c'est pourtant un cépage totalement différent. Il n'a rien à voir non plus avec le cépage appelé auxerrois à Cahors, qui n'est autre que le malbec. Il réussit bien en Alsace et s'est révélé bien adapté au climat de l'Angleterre. L'auxerrois donne un vin plus gras que le pinot blanc. Son arôme musqué est séduisant, mais il peut manquer d'acidité.

BACCHUS
Ce croisement complexe *(riesling x sylvaner) x müller-thurgau*, est l'un des meilleurs métis créé en Allemagne. Depuis quelques décennies, son importance s'est accrue dans le vignoble de Hesse Rhénane. On le cultive aussi en Angleterre où il est apprécié pour sa forte teneur en sucre. Il donne dans les deux pays des vins vifs et fruités.

BLANQUETTE
Synonyme de « colombard » dans le département de Tarn-et-Garonne, de « clairette » dans le département de l'Aude et de « ondenc » dans le Bordelais.

BORRADO DES MOSCAS
Cépage portugais du Dão donnant un vin ayant une acidité élevée et une forte teneur en alcool. Il convient bien à l'élaboration des vins blancs dans les régions chaudes.

BOUVIER
Cépage de qualité modeste ayant une certaine importance en Autriche. Il est aussi cultivé sous le nom de « rarina » en Slovénie pour un vin appelé « Lait de tigre ».

BUAL
Le plus riche des cépages classiques de Madère. On le cultive aussi dans le sud du Portugal.

CHARDONNAY
Voir encadré p. 43.

CHASSELAS
Cépage dont on tire le pouilly-sur-loire, un blanc sec plutôt quelconque (qu'il ne faut pas confondre avec l'excellent pouilly-fumé issu du sauvignon) et le crépy savoyard. En Suisse il donne le fendant valaisan et les blancs de la région du lac Léman. Le chasselas est l'un des rares cépages qui donne à la fois du raisin de cuve et du raisin de table.

CHENIN BLANC
Voir encadré p. 43.

CLAIRETTE
Cépage riche en sucre surtout connu pour la clairette du languedoc et la clairette de bellegarde. Malgré son nom, la clairette de die, un mousseux de la Drôme, n'est pas à base de clairette, mais de muscat.

COLOMBARD
Cépage dont on tire un vin mince et acide idéal pour la distillation de l'armagnac et du cognac. Le colombard s'est bien adapté aux régions plus chaudes de Californie et d'Afrique du Sud où son acidité est un atout.

CRUCHEN
Cépage cultivé en Afrique du Sud et en Australie où l'on a longtemps cru respectivement qu'il s'agissait du riesling et du sémillon.

CHARDONNAY

Ce cépage noble, qui a une affinité naturelle avec le chêne, a été adopté dans presque tous les pays du monde, notamment dans les Pays Neufs où il jouit d'une popularité extraordinaire. On a longtemps pensé à tort que le chardonnay faisait partie de la famille des pinots. C'est le cépage des grands bourgognes blancs et l'un des trois entrant dans la composition du champagne.

CHENIN BLANC

Cépage qui doit son nom au mont Chenin, en Touraine, où il était déjà cultivé au XVe siècle mais qui a été signalé en Anjou six siècles plus tôt. Ayant une forte acidité, il convient bien à l'élaboration des vins blancs secs, des mousseux et, quand un bon ensoleillement lui donne une richesse en sucre suffisante, des vins moelleux et même liquoreux.

DELAWARE
Hybride américain d'origine incertaine développé à Frenchtown (New Jersey) d'où il s'est répandu dans la région de Delaware (Ohio). Aussi cultivé dans l'État de New York et au Brésil, il est surtout apprécié au Japon.

EHRENFELSER
Riesling x sylvaner, un des meilleurs des métis allemands créé relativement récemment.

ELBLING
Cépage autrefois très estimé en Allemagne et en Alsace. C'était le principal cépage de la Moselle, mais il n'est plus abondant qu'en Haute-Moselle où sa forte acidité et son goût neutre sont très appréciés par l'industrie du mousseux. Il est aussi cultivé au Luxembourg. On l'appelait « knipperlé » en Alsace où son importance était telle que son nom a été donné à un vignoble de la région de Guebwiller.

EMERALD RIESLING
L'emerald riesling, métis *muscadelle x riesling* créé à la célèbre université californienne Davis par le professeur Olmo, le père de son équivalent en rouge, le ruby cabernet, métis *carignan x cabernet sauvignon*.

FABER
Métis *weissburgunder x müller-thurgau* cultivé en Allemagne où il donne un vin fruité avec un léger arôme de muscat.

FOLLE BLANCHE
Cépage traditionnel pour la distillation du cognac et de l'armagnac, il donne dans le Pays Nantais l'AOVDQS gros-plant à l'acidité souvent redoutable.

FORTA
Métis *madeleine angevine x sylvaner*. On cultive un peu de ce bon cépage en Allemagne où l'on apprécie sa richesse en sucre.

GEWURZTRAMINER

Ce cépage noble donne le meilleur de lui-même en Alsace où il engendre des vins très aromatiques qui sont souvent décrits comme épicés, mais dont le bouquet complexe peut être tantôt musqué, tantôt poivré. Sans doute originaire du Tyrol, puis largement cultivé dans le palatinat rhénan, il fut introduit après 1871 en Alsace où il est aujourd'hui particulièrement abondant. De là, il a émigré notamment en Afrique du Sud et en Californie où son caractère est moins marqué.

FREISAMER
Métis *sylvaner x pinot gris* qui donne en Allemagne un vin plutôt neutre proche du sylvaner.

FURMINT
Cépage hongrois donnant un vin robuste riche en alcool. C'est, avec le hársevelü, le cépage principal du célèbre tokay.

GARGANEGA BIANCO
Cépage italien qui joue le rôle principal dans le soave.

GEWURZTRAMINER
Voir encadré sur cette page.

GLORIA
Métis *sylvaner x müller-thurgau* riche en sucre, cultivé en Allemagne où l'on en tire des vins qui sont plutôt neutres.

GRENACHE BLANC
Variété blanche du grenache (rouge) capable de donner un vin alcoolique riche en extrait, mais ayant une faible acidité. On le cultive dans le Midi de la France et en Espagne, notamment en Navarre.

GRÜNER VELTLINER
Cépage blanc le plus important d'Autriche où il donne des vins frais, bien équilibrés, avec une flaveur légèrement fruitée, parfois un peu épicée, très populaires en carafe dans les cafés des villages autour de Vienne.

GUTENBORNER
Métis *müller-thurgau x chasselas* dont la qualité est sa richesse en sucre, cultivé en Allemagne et en Angleterre. Il engendre des vins plutôt neutres.

HÁRSEVELÜ
Cépage hongrois qui fait jeu égal avec le furmint dans le tokay. Il donne un vin aromatique et souple manquant un peu d'acidité.

HUXELREBE
Métis *chasselas x muscat courtillier* cultivé en Allemagne et en Angleterre, capable de donner un vin de bonne qualité.

JACQUÈRE
Cépage occupant une place de choix en Savoie où il donne des vins plutôt neutres ayant une bonne acidité.

JOHANNISBERG RIESLING
Synonyme de riesling, souvent adopté pour souligner qu'un vin est issu du riesling vrai et non d'un clone de qualité douteuse. De nombreux consommateurs croient que le riesling donne le meilleur de lui-même dans le vignoble de Johannisberg, en Rhénanie, d'où ce synonyme qui se veut prestigieux, utilisé notamment en Australie.

KANZLER
Métis *müller-thurgau x sylvaner* souvent cultivé en Hesse Rhénane à la place du sylvaner.

KERNER
Métis *trollinger x riesling* cultivé en Allemagne, en Afrique du Sud et en Angleterre. Riche en sucre même dans un climat froid, il donne des vins peu aromatiques ayant une bonne acidité.

LEN DE L'ELH
Cépage aromatique du Sud-Ouest, riche en sucre, que l'on utilise notamment pour l'élaboration du gaillac.

MACABEO
Cépage espagnol qui donne du nerf au Cava, le mousseux de Catalogne élaboré par la méthode de seconde fermentation en bouteilles. Sous le nom de « viura », il engendre le rioja blanc de style « moderne ».

MADELEINE ANGEVINE
Métis *précoce de malingre x madeleine royale* apprécié en Angleterre pour son arôme distinctif rappelant celui du muscat.

MUSCAT BLANC À PETITS GRAINS

Il existe deux versions de cette variété – le muscat blanc à petits grains et le muscat rosé à petits grains (dont les baies sont parfois rougeâtres) – et certaines vignes portent des grains à mi-chemin entre les deux. Les deux versions cohabitent souvent dans le même vignoble. Les deux plus grands vins issus du muscat blanc à petits grains sont l'alsace muscat (dans lequel il est associé au muscat ottonel) et le vin doux naturel muscat de beaumes-de-venise. Ce cépage joue aussi un rôle dans le mousseux clairette de die.

MANSENG
Le gros manseng et le petit manseng, cultivés dans le sud-ouest de la France, engendrent le légendaire jurançon moelleux.

MARIENSTEINER
Métis *sylvaner x rieslaner.* En Allemagne, on le tient en général pour meilleur que le sylvaner.

MARSANNE
Donnant des vins riches, aromatiques, à forte teneur en alcool, la marsanne joue un rôle dans les grands vins blancs du nord de la vallée du Rhône, notamment l'hermitage.

MAUZAC
Cépage du sud-ouest de la France ayant une bonne acidité, ce qui le rend précieux pour l'élaboration des mousseux. Il joue un rôle important dans les gaillacs de tout style.

MELON DE BOURGOGNE
Cépage d'origine bourguignonne transplanté en Pays Nantais après le terrible hiver 1709 qui avait ravagé le vignoble. C'est le cépage unique du populaire muscadet. À pleine maturité, il donne des vins très mous manquant d'acidité.

MERLOT BLANC
Cépage productif abondant sur la rive droite de la Garonne, notamment dans le Blayais. D'après l'ampélographe Pierre Galet, il n'a aucune parenté avec le vrai merlot, bien que leurs feuilles se ressemblent.

MORIO-MUSKAT
Métis *sylvaner x pinot blanc* abondant dans le Palatinat Rhénan et en Hesse Rhénane. Il est très aromatique, ce qui n'est le cas de ni l'un ni l'autre de ses géniteurs.

MÜLLER-THURGAU
Créé par le professeur Hermann Müller, originaire du canton suisse de Thurgovie, à la station de recherches viticoles de Geisenheim en 1882, ce métis baptisé « müller-thurgau » en 1891 par August Dern n'a été largement diffusé, en Allemagne, qu'après la deuxième guerre mondiale. On a d'abord cru qu'il s'agissait d'un croisement *riesling x sylvaner,* mais aucun plant n'est jamais retourné au sylvaner. Il ressemble beaucoup au rabaner (*riesling clone 88Gm x riesling clone 64Gm*), ce qui pourrait confirmer la théorie selon laquelle le müller-thurgau serait un riesling autopollinisé. Il est plus prolifique que le riesling dont il possède presque l'arôme. Si ce métis joue un rôle important et justifié dans le *Tafelwein* (vin de table) allemand, sa présence dans les vignobles classiques de riesling de Moselle n'est pas digne de cette région renommée pour ses grands vins. Il est abondamment cultivé en Angleterre et en Nouvelle-Zélande, mais la surface qui lui est consacrée diminue progressivement depuis le début des années 1990.

MULTANER
Métis *riesling x sylvaner* auxquels les vignerons allemands ont presque entièrement renoncé car il exige une mûrissement parfait pour donner un vin de qualité acceptable.

MUSCADELLE
Cépage singulier qui n'a rien à voir avec la famille des muscats bien qu'il déploie un arôme musqué caractéristique. Muskadel (ou muscadelle) est en Afrique du Sud à la fois synonyme de « muscat blanc » à petits grains et de « muscadelle » mais ne désigne pas, contrairement à ce que l'on pourrait croire, le muscadet (melon de bourgogne). La muscadelle participe dans le Bordelais à l'élaboration des vins liquoreux, mais c'est en Australie qu'elle donne, sous le nom de « tokay », les sublimes « liqueurs muscats », fabuleusement riches.

MUSCAT
Famille de cépages comptant une série de variétés, sous-variétés et clones qui ont en commun un goût prononcé de raisin et des arômes musqués. Les muscats donnent des vins de tous styles, secs ou doux, tranquilles ou mousseux, et même des vins vinés.

MUSCAT BLANC À PETITS GRAINS
Voir encadré à gauche.

MUSCAT D'ALEXANDRIE
Cépage très important en Afrique du Sud où l'on en tire surtout des vins moelleux, mais aussi quelques vins secs. En France, il est associé au muscat blanc à petits grains dans le vin doux naturel muscat de rivesaltes. On le cultive dans de nombreux pays, dont en Californie à la fois comme raisin de table et raisin de cuve.

MUSCAT OTTONEL
Cépage dont on situe l'origine soit en Europe de l'Est, soit dans la Loire. Il a été introduit en 1852 en Alsace où il a supplanté le muscat blanc à petits grains.

NOBLESSA
Métis *madeleine angevine x sylvaner* cultivé en Allemagne, notamment dans le Pays de Bade. Il est riche en sucre, mais son rendement est bas.

NOBLING
Métis *sylvaner x chasselas* riche en sucre et en acidité, donnant des vins plus nerveux que le sylvaner.

ONDENC
Cépage autrefois assez abondant en France, apprécié dans la région de Bergerac. On en cultive aujourd'hui moins en France qu'en Australie. Son acidité marquée le rend propice à l'élaboration des mousseux.

OPTIMA
Métis *(riesling x sylvaner) x müller-thurgau* créé en 1970 à l'institut de Geiweilerhof, apprécié en Allemagne car il mûrit encore plus tôt que le müller-thurgau.

PINOT GRIS

Cépage qui donne le meilleur de lui-même en Alsace où il peut engendrer des vins succulents, riches, complexes et étonnamment épicés. On cultive aussi le pinot gris ailleurs, notamment dans le nord de l'Italie et en Hongrie.

RIESLING

Le riesling est le cépage allemand le plus noble. Quand son rendement est limité et qu'il est bien élaboré, il engendre des vins supérieurs à tout autre. Délicats et peu alcooliques, ils déploient des arômes exubérants et se bonifient longtemps en bouteilles, acquièrent un bouquet pénétrant, un peu épicé, avec des nuances rappelant le parfum du kérosène avant sa combustion. Quand il bénéficie de la pourriture noble, il donne des vins liquoreux qui comptent parmi les meilleurs du monde.

ORTEGA
Métis *müller-thurgau x siegerrebe* cultivé en Allemagne et en Angleterre. Il est riche en sucre et donne des vins aromatiques agréablement fruités.

PALOMINO
Principal cépage du xérès, il donne aussi du raisin de table. On le cultive aussi en Afrique du Sud et en Australie.

PARELLADA
Principal cépage blanc de Catalogne dont on fait des vins tranquilles et le populaire mousseux Cava auquel il apporte de la souplesse et son arôme caractéristique.

PERLE
Métis *gewurztraminer x müller-thurgau*. Son rendement est faible mais il résiste à des températures aussi basses que – 30 °C. Le perle donne en Franconie des vins légers, fruités et parfumés.

PINOT BLANC
Le pinot blanc, qui donne des vins ayant une bonne teneur en alcool, même avec des rendements assez élevés, donne sans doute en Alsace son meilleur vin, fruité, bien équilibré et ayant du corps. On le cultive aussi ailleurs, notamment en Italie (pour les mousseux et les vins tranquilles), mais il est sur le déclin dans le monde.

PINOT GRIS
Voir encadré p. 44.

PINOT LIÉBAULT
Probablement une mutation locale du pinot noir qui avait autrefois une certaine importance en Bourgogne.

POULSARD
Cépage cultivé dans le Jura où il donne un vin rouge très pâle.

PROSECCO
Cépage cultivé en Italie pour l'élaboration de mousseux très ordinaires.

RABANER
Métis *riesling clone 88Gm x riesling clone 64Gm* qui a l'honneur discutable d'être le cépage ressemblant le plus au très moyen müller-thurgau. Quelques plantations expérimentales en Allemagne.

RABITAGO
Un des meilleurs cépages du porto blanc. Il est nommé « rabo di ovelha » (queue de brebis) hors de la région du Douro.

REGNER
Métis *luglienca bianca x gamay*. Le mariage d'un cépage de table blanc avec le cépage rouge du beaujolais pour engendrer un cépage allemand destiné à la production de vin blanc est une idée bien étrange. Le regner est riche en sucre et donne un vin souple assez proche de celui du müller-thurgau.

REICHENSTEINER
Métis *müller-thurgau x madeleine angevine x calabreser-fröhlich* riche en sucre cultivé en Allemagne et en Angleterre où il donne un vin souple, délicat, assez neutre, proche du sylvaner.

RHODITIS
Cépage généralement associé au savatiano dans le retsina, mais il a encore plus d'importance pour la distillation.

RIESLANER
Métis *riesling x sylvaner*, riche en sucre et principalement cultivé en Franconie où il donne des vins assez corpulents, plutôt neutres.

RIESLING
Voir encadré p. 44.

RKATSITELI
Cépage polyvalent de qualité très répandu dans les régions vinicoles de l'ancienne URSS (au moins dix fois la surface du vignoble champenois). Il est aussi cultivé en Bulgarie, en Chine, en Californie et dans l'État de New York.

SÉMILLON
Cépage particulièrement apte à bénéficier de la pourriture noble qui permet l'élaboration des grands barsacs et sauternes liquoreux. Certains œnologues lui attribuent un arôme de lanoline quoique celle-ci soit presque inodore. Melon et figue me semblent une comparaison plus appropriée, mais on s'efforce souvent de décrire l'odeur due au botrytis *plutôt que celle de raisin lui-même.*

SAUVIGNON BLANC
Cépage de vins blancs secs du Val de Loire à l'arôme caractéristique. Dans le Bordelais, il joue un rôle essentiel dans les grands vins liquoreux et on en tirait des vins secs assez médiocres qui, à grâce à des vendanges plus précoces et des techniques de vinification modernes, sont maintenant bien meilleurs.

ROBOLA
Cépage grec de qualité confiné dans l'île de Céphalonie.

ROMORANTIN
Cépage cultivé uniquement dans le Val de Loire où il peut donner, pour autant que l'on bride son rendement, un vin séduisant et floral. Il joue notamment un rôle dans le blanc sec de l'AOC cheverny.

ROUSSANNE
Un des deux cépages engendrant l'hermitage blanc, un vin rare de grande qualité. Elle est autorisée dans le châteauneuf-du-pape rouge et participe à l'encépagement du châteauneuf-du-pape blanc. Elle donne un vin plus fin que celui de la marsanne, plus gras et plus riche.

SACY
Cépage d'importance mineure surtout cultivé dans le département de l'Yonne. Sa neutralité et son acidité le rendent utile pour la production de mousseux ordinaires. Il est associé au chardonnay et au sauvignon dans l'AOVDQS saint-pourçain.

SAINT-ÉMILION
Synonyme d'« ugni blanc » en France et de « sémillon » en Roumanie.

SAUVIGNON BLANC
Voir encadré en bas à gauche.

SAVAGNIN
Cépage qui donne les vins jaunes du Jura dont le plus prestigieux est le château-chalon. Le savagnin rose engendre l'alsace klevner de heiligenstein, un vin blanc élégant, assez corpulent et discrètement aromatique. Il ne faut pas confondre klevener avec klevner, synonyme alsacien de pinot blanc. Quant au savagnin noir, c'est de fait un synonyme de « pinot noir ».

SAVATIANO
Cépage principal du célèbre retsina grec. On fait aussi un vin blanc non résiné, le kantza, en Attique, au cœur de la région de production du retsina.

SCHEUREBE
Un des meilleurs métis allemands *riesling x sylvaner* de la nouvelle génération. À maturité, il donne un bon vin de cépage, mais quand il est vendangé prématurément, son vin déploie un arôme assez déplaisant.

SCHÖNBERGER
Métis *spätburgunder x (chasselas rosé x muscat de hambourg)* riche en sucre cultivé en Allemagne et en Angleterre où il donne des vins bien aromatiques manquant toutefois d'acidité.

SÉMILLON
Voir encadré ci-dessus.

SEPTIMER
Métis *gewurztraminer x müller-thurgau* riche en sucre cultivé en Allemagne, notamment en Hesse Rhénane, où il mûrit précocement et donne des vins aromatiques.

SERCIAL
Cépage classique de Madère où on le tient pour un parent éloigné du riesling. Toutefois, ses feuilles d'une forme totalement différente rendent cette parenté improbable.

SEYVAL BLANC
Cet hybride *seibel 5656 x seibel 4986* est le plus réussi des nombreux croisements portant aussi le nom de « seyve-villard ». Cultivé en Angleterre et dans l'État de New York, il donne des vins séduisants.

SIEGERREBE
Métis *madeleine angevine x gewurztraminer* très riche en sucre, cultivé surtout en Allemagne.

SYLVANER
Originaire d'Autriche, ce cépage prolifique est largement cultivé dans l'est de l'Europe et en Alsace où il compte pour le cinquième de l'encépagement. Il engendre des vins secs plutôt neutres. Le meilleur sylvaner allemand vient de Franconie, mais le cépage est plus abondant en Hesse Rhénane.

STEEN
Synonyme sud-africain du chenin blanc. Ce terme désigne aussi en Afrique du Sud les vins demi-secs qui contiennent en général, mais pas nécessairement, une certaine proportion de chenin blanc dans l'assemblage.

SYLVANER
Voir encadré ci-dessus.

TROUSSEAU GRIS
Cépage aujourd'hui plus abondant en Californie et en Nouvelle-Zélande que dans sa région d'origine, le Jura, où il est en net déclin. C'est un des nombreux cépages que l'on a confondu dans les Pays Neufs avec le riesling, bien qu'il ne ressemble aucunement à ce noble cépage.

UGNI BLANC
Cépage dont on tire habituellement des vins légers, voire maigres, destinés à la distillation, l'ugni blanc est idéal pour la production du cognac et de l'armagnac. Il peut aussi donner des vins à boire pour eux-mêmes, dans le meilleur des cas frais et gouleyants.

VIOGNIER
Cépage original qui engendre le condrieu et le château-grillet, les superbes vins secs du nord de la vallée du Rhône.

VERDELHO
Cépage classique du madère. Le verdelho apprécié en Australie serait probablement en réalité le verdello italien.

VERDICCHIO
Cépage italien engendrant le vin éponyme et servant aussi à l'élaboration des mousseux.

VILLARD BLANC
Cet hybride *seibel 6468 x seibel 6905*, aussi nommé « seyve-villard 12375 », fut abondant dans le Midi de la France. Il donne un vin un peu amer, riche en fer, qui ne soutient pas la comparaison avec celui du seyve-villard 5276 ou le seyval blanc cultivé en Angleterre.

VIOGNIER
Voir encadré ci-dessus.

WELSCHRIESLING
Ce cépage, qui n'a aucune parenté avec le riesling, est cultivé dans tout l'est de l'Europe où il donne des vins secs, demi-secs et même liquoreux en Autriche.

WÜRZER
Métis allemand *gewurztraminer x müller-thurgau* qui a donc les mêmes parents que le perle.

XAREL-LO
Cépage cultivé en Catalogne et dans le Penedés. Associé au parellada et au macabeo, il joue un rôle important dans la production du Cava mousseux.

LES CÉPAGES ROUGES

AGIORGITIKO
Excellent cépage indigène grec donnant notamment, à Nemea, des vins riches, souvent élevés dans le chêne.

ALICANTE BOUSCHET
Métis *petit bouschet x grenache*, ce cépage teinturier dont le jus a une couleur rouge profonde, sert surtout en France à colorer le pâle aramon et devrait bientôt disparaître au fur et à mesure de l'arrachage de celui-ci. Autorisé dans le porto, il est aussi cultivé en Italie, au Liban, en Afrique du Nord et en Californie, notamment dans Central Valley où il colore les vins bon marché.

ARAMON
Cépage très productif donnant un vin sans caractère, pâle quand il n'est pas coloré par un teinturier. Il a été largement remplacé dans le Midi par le carignan.

BAGA
Principal cépage de la région de Bairrada où il compte pour 80 % de la production vinicole, le baga est sans doute le cépage rouge le plus abondant du Portugal. Il lui reste à démontrer qu'il est capable de donner des vins de cépage de qualité.

BARBERA
Cépage italien prolifique cultivé dans le Piémont, le barbera donne des vins légers, frais et fruités, parfois excellents.

BASTARDO
Ce cépage mineur du porto n'est autre que le trousseau du Jura, région où il fut autrefois abondant.

BLAUFRÄNKISCH
Certains croient que ce cépage autrichien n'est autre que le gamay. Étant donné la légèreté et la médiocrité de son vin, ils pourraient bien avoir raison.

CABERNET
Nom ambigu qui sert souvent à désigner soit le cabernet sauvignon, soit le cabernet franc.

CABERNET FRANC
Voir encadré ci-contre.

CABERNET SAUVIGNON
Voir encadré p. 47.

CAMINA
Métis allemand *portugieser x pinot noir* plus sucré et plus acide que ses deux géniteurs.

CAMPBELL'S EARLY
Hybride américain particulièrement apprécié au Japon.

CANAIOLO NERO
Cépage secondaire du chianti dans lequel il adoucit le cépage principal, le sangiovese.

CARIGNAN
Cépage encore abondant en France et en Californie. En France, il s'est substitué au déplorable aramon, mais il ne donne des vins ayant du caractère que si son rendement est bridé. Il est graduellement remplacé par des cépages plus nobles.

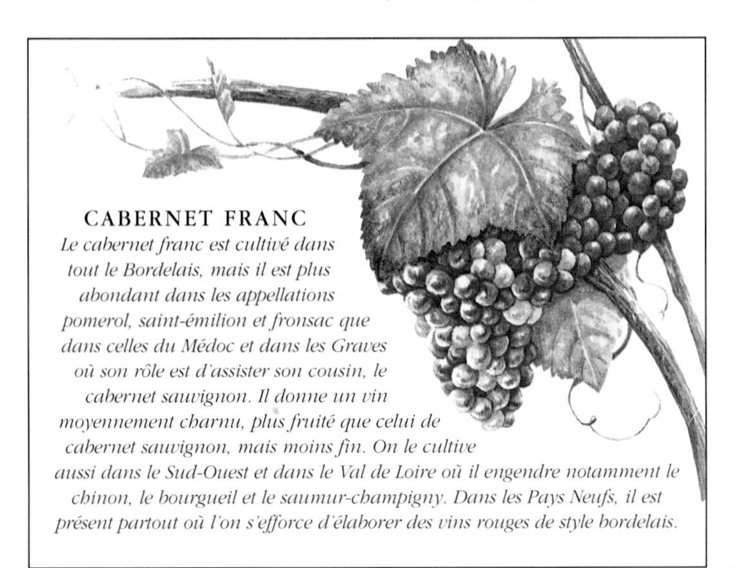

CABERNET FRANC
Le cabernet franc est cultivé dans tout le Bordelais, mais il est plus abondant dans les appellations pomerol, saint-émilion et fronsac que dans celles du Médoc et dans les Graves où son rôle est d'assister son cousin, le cabernet sauvignon. Il donne un vin moyennement charnu, plus fruité que celui de cabernet sauvignon, mais moins fin. On le cultive aussi dans le Sud-Ouest et dans le Val de Loire où il engendre notamment le chinon, le bourgueil et le saumur-champigny. Dans les Pays Neufs, il est présent partout où l'on s'efforce d'élaborer des vins rouges de style bordelais.

CABERNET SAUVIGNON

C'est le plus noble cépage du Bordelais où il donne des vins aromatiques, profonds et bien colorés. Il joue un rôle essentiel dans l'assemblage des grands vins du Médoc. Transplanté dans le monde entier, notamment en Californie, au Chili et en Australie, il n'a rien perdu de ses qualités. Sa complexité va bien au-delà des comparaisons simplistes avec le bois de cèdre, le cassis ou la violette.

CARMENÈRE
Cépage bordelais dont la culture a beaucoup décliné, qui donne des vins délicieux, souples, assez charnus, avec une belle couleur.

CÉSAR
Cépage bien coloré riche en tanins surtout cultivé dans le département de l'Yonne. Il est associé au pinot noir dans le bourgogne irancy.

CINSAUT
Cépage prolifique surtout cultivé dans les Côtes-du-Rhône méridionales et dans le Languedoc-Roussillon où il donne des vins robustes et bien colorés. Il est surtout présent dans des vins d'assemblage comme par exemple le châteauneuf-du-pape.

CONCORD
Cépage de l'espèce américaine *labrusca*, qui est encore le plus cultivé dans l'État de New York. Il donne un vin au goût foxé très prononcé.

CORVINA
Cépage italien prolifique cultivé surtout en Vénétie où il participe à l'assemblage du valpolicella et du bardolino auxquels il apporte couleur et tanin.

DECKROT
Croisement *pinot gris x färbertraube* dont le jus a une couleur profonde. Ce teinturier est bienvenu dans les vignobles froids d'Allemagne où l'on ne peut cultiver des cépages rouges à peau épaisse donnant un vin suffisamment coloré.

DOMINA
Métis *portugieser x pinot noir* convenant mieux aux vignobles allemands que ses deux géniteurs.

GAMAY
Voir encadré à droite.

GRACIANO
Cépage très coloré et aromatiques autrefois presque toujours présent dans l'assemblage du rioja, mais il n'en reste que peu. Il pourrait renaître pour du vin de cépage.

GRENACHE
Voir encadré à droite.

GROLLEAU
Cépage prolifique riche en sucre qui jouait autrefois un rôle important dans le rosé d'anjou, il est aujourd'hui surtout vinifié en rouge comme vin de pays ou vin de table.

HEROLDREBE
Métis *portugieser x limberger* donnant en Allemagne des vins peu colorés assez neutres.

KADARKA
Cépage rouge autrefois le plus cultivé en Hongrie et présent dans tous les Balkans. Il donne un vin agréable, léger et fruité. On a longtemps pensé, à tort, que zinfandel et kadarka étaient le même cépage.

KOLOR
Cépage teinturier allemand (*pinot noir x färbertraube*) en voie de disparition.

LAMBRUSQUE
Cépage italien cultivé en Émilie-Romagne pour la production du vin rouge mousseux bien fruité éponyme, en général élaboré en cuve close.

MALBEC
Cépage participant traditionnellement aux assemblages bordelais auxquels il apporte couleur et tanin (on le nomme « pessac » dans le Libournais). On le cultive aussi dans la vallée de la Loire sous le nom de côt, et dans la région de Cahors sous celui d'auxerrois. C'est lui qui engendrait au XIXe siècle le légendaire « vin noir de Cahors ». Le malbec est l'un des cépages le plus abondants en Argentine.

MAVROUD
Cépage indigène de Bulgarie donnant des vins robustes et bien colorés.

MAZUELO
Cépage cultivé en Espagne, dans la Rioja, où il donne des vins légers, fruités, peu alcooliques. On estime qu'il s'agit du carignan, quoiqu'il lui ressemble peu.

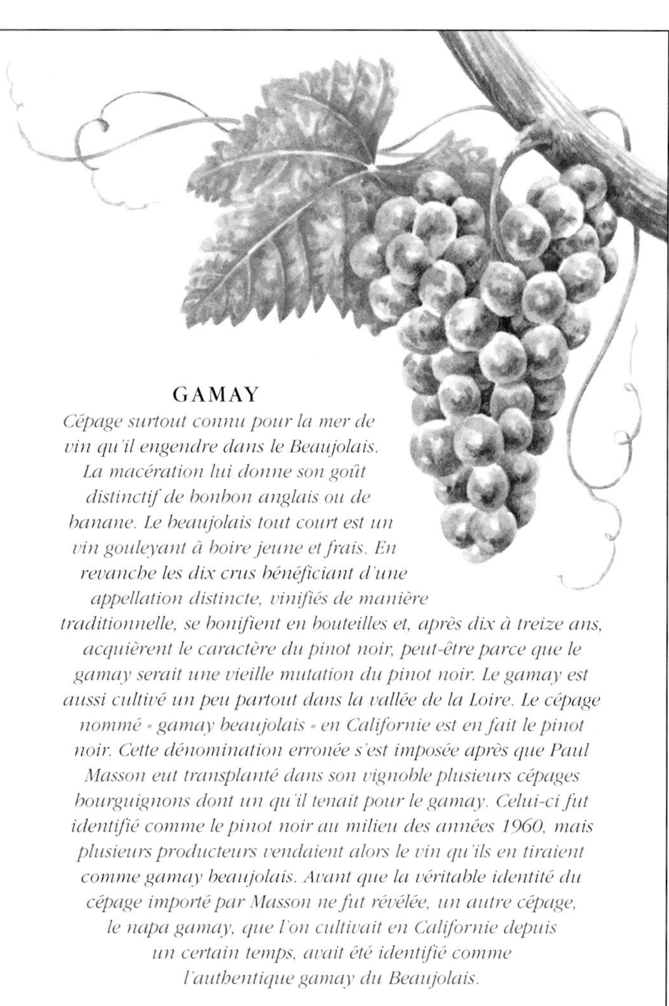

GAMAY

Cépage surtout connu pour la mer de vin qu'il engendre dans le Beaujolais. La macération lui donne son goût distinctif de bonbon anglais ou de banane. Le beaujolais tout court est un vin gouleyant à boire jeune et frais. En revanche les dix crus bénéficiant d'une appellation distincte, vinifiés de manière traditionnelle, se bonifient en bouteilles et, après dix à treize ans, acquièrent le caractère du pinot noir, peut-être parce que le gamay serait une vieille mutation du pinot noir. Le gamay est aussi cultivé un peu partout dans la vallée de la Loire. Le cépage nommé « gamay beaujolais » en Californie est en fait le pinot noir. Cette dénomination erronée s'est imposée après que Paul Masson eut transplanté dans son vignoble plusieurs cépages bourguignons dont un qu'il tenait pour le gamay. Celui-ci fut identifié comme le pinot noir au milieu des années 1960, mais plusieurs producteurs vendaient alors le vin qu'ils en tiraient comme gamay beaujolais. Avant que la véritable identité du cépage importé par Masson ne fut révélée, un autre cépage, le napa gamay, que l'on cultivait en Californie depuis un certain temps, avait été identifié comme l'authentique gamay du Beaujolais.

GRENACHE

Cépage abondant dans le sud de la France où il participe notamment au châteauneuf-du-pape et à de nombreux autres vins dont le tavel, un des plus grands rosés de France. Cépage important dans la Rioja (où l'on en tire aussi un rosé), il engendre des vins de type porto et des rosés légers en Californie. On le cultive aussi en Afrique du Sud. Le grenache donne des vins riches, chaleureux, à teneur alcoolique élevée, parfois trop élevée, qui demandent souvent à être assemblés avec des vins d'autres cépages. Certains pensent que l'alicante (un des nombreux synonymes du grenache) serait de fait l'alicante bouschet (ou simplement bouschet en Californie), mais ils sont dans l'erreur car le jus de l'alicante/grenache est incolore tandis que celui de l'alicante bouschet est rouge vif, un de ses géniteurs étant un cépage teinturier, le petit bouschet (croisement aramon x teinturier *du cher), qui a disparu depuis longtemps. Pour ajouter à la confusion, le cabernet sauvignon est parfois désigné dans les régions de Saint-Émilion et de Pomerol sous le nom de « petit bouschet ».*

MERLOT

Le merlot donne des vins fruités ayant une belle couleur, qui peuvent être très riches. Il est précieux dans les assemblages bordelais : il rend plus fruités et plus soyeux des vins qui, sans lui, seraient assez durs et austères. C'est le cépage principal du célèbre Château Pétrus.

PINOT MEUNIER

Cépage important en Champagne où, vinifié en blanc, il donne un fruit plus marqué et plus immédiatement séduisant que celui du vin de pinot noir jeune. C'est pourquoi il est, à mon avis, précieux pour le champagne destiné à une consommation rapide. Si son vin est d'emblée plus séduisant, il est moins raffiné que celui du pinot noir et vieillit mal. Il est assez abondant dans la Marne où l'on apprécie sa résistance aux gelées.

MERLOT
Voir encadré ci-dessus.

MONASTRELL
Cépage espagnol abondant mais sous-estimé qui se dissimule en général dans les assemblages. Il déploie des arômes distinctifs et pourrait engendrer des vins de cépages non dénués de charme.

MONDEUSE
Cépage qui provient probablement du Frioul, dans le nord-est de l'Italie, où il porte le nom de refosco. Il est cultivé en Savoie, en Suisse, en Yougoslavie, et même jusqu'en Argentine et en Australie où il est un des cépages importants pour la production de vins vinés dans le style du porto.

MONTEPULCIANO
Cépage tardif qui donne le meilleur de lui-même dans les Abruzzes et dans les Marches. Il donne des vins profondément colorés qui peuvent être pleins, tendres, gras, avec un fruit voluptueux, ou plus fermes et plus tanniques.

MOURVÈDRE
Cépage d'excellente qualité, mais souvent sous-estimé, qui donne un vin tannique et fruité et joue un rôle important dans le châteauneuf-du-pape et le gigondas. Il est répandu dans les Côtes-du-Rhône méridionales, le Midi et en Espagne où on l'appelle mataro. Sous ce nom, c'est le cinquième cépage rouge d'Australie, mais il décline en Californie.

NEBBIOLO
Voir encadré ci-dessous.

PAMID
Cépage indigène de Bulgarie, le plus abondant des cépages rouges. Ses vins sont légers, fruités et gouleyants.

PETIT VERDOT
Cépage qui s'est révélé utile dans les assemblages bordelais car il est tardif et équilibre les vins par son acidité et sa couleur. Les techniques modernes de viticulture et de vinification l'ont rendu moins utile, ce qui pourrait se révéler regrettable car il donne, quand il est mûr, un vin de caractère, tannique et de grande longévité.

PINEAU D'AUNIS
Cépage de la Loire jouant un rôle de complément notamment dans les rosés d'Anjou et de Touraine.

PINOTAGE
Métis *pinot noir x cinsaut* créé en 1925. Il joue un certain rôle en Afrique du Sud où l'on apprécie son intensité aromatique bien qu'il donne des vins un peu rustiques.

PINOT MEUNIER
Voir encadré ci-dessus.

PINOT NOIR
Voir encadré ci-dessous.

PORTUGIESER
Aussi appelé « blauer portuguieser », ce cépage est originaire d'Autriche où il se classe au deuxième rang des cépages rouges. Il joue en Allemagne un rôle important pour la production d'un vin rouge ordinaire plutôt mince et du Weissherbst rosé, notamment dans le Palatinat.

PRIMITIVO
Cépage italien surtout cultivé dans les Pouilles, donne un vin concentré à la robe foncée et à forte teneur en alcool. Le zinfandel californien pourrait être le primitivo.

RONDINELLA
Cépage italien cultivé en Vénétie, qui joue un rôle d'appoint dans le valpolicella et le bardolino.

ROTBERGER
Métis *trollinger x riesling*. Cette union paraît étrange, mais le cépage robuste ainsi engendré est étonnamment réussi. Il donne quelques rosés excellents.

RUBY CABERNET
Métis américain *carignan x cabernet sauvignon* créé en 1936 et qui a donné son premier vin en 1946. Il n'est plus guère utilisé que pour des assemblages californiens.

SANGIOVESE
Cépage principal du chianti. En vin de cépage, il peut manquer de fruit et avoir une finale métallique.

SYRAH
Voir encadré p. 49.

TANNAT
Cépage originaire du Pays basque capable d'engendrer des vins très tanniques à la robe profonde d'une grande longévité, encore que certaines méthodes modernes de vinification le privent de son originalité. On le connaît surtout pour son rôle dans le madiran traditionnel, un vin remarquable et très concentré, et dans l'irouléguy rouge et rosé.

NEBBIOLO

Cépage italien célèbre pour le barolo qu'il engendre, il joue aussi un rôle principal ou secondaire dans d'autres vins superbes du Piémont comme les gattinara, carema, barbaresco et le donnaz du Val d'Aoste. Il est parfois nécessaire d'assouplir le nebbiolo par l'addition d'un peu de bonarda qui joue ici le même rôle que le merlot dans les assemblages bordelais.

PINOT NOIR

Un des cépages classique pour l'élaboration du champagne, mais c'est en Bourgogne qu'il révèle son extraordinaire valeur. Sur le bon terroir et dans de bonnes conditions climatiques, il engendre les vins rouges les plus riches et les plus veloutés du monde, que les vignerons des Pays Neufs ont jusqu'à maintenant vainement tenté d'égaler.

SYRAH
Cépage dont le nom vient de la ville de Chiraz, ancienne capitale de la Perse, dont les vins étaient déjà réputés avant notre ère. C'est pourquoi certains pensent que la syrah est d'origine persane. Elle révèle au mieux ses qualités exceptionnelles dans les vins du nord de la vallée du Rhône, l'hermitage, le côte-rôtie et le cornas dont la longévité est légendaire.

ZINFANDEL
Le zinfandel est probablement le primitivo du sud de l'Italie, mais il donne en Californie un vin ne ressemblant à aucun autre. C'est pourquoi on le tient dans cet État pour un cépage indigène. Il donne des vins de style contrasté, allant des rosés et des blancs légers et élégants aux rouges massifs et tanniques, mais dans tous les cas le caractère distinctif du cépage est évident.

TEMPRANILLO
Cépage le plus important dans l'assemblage du rioja, encore qu'il soit capable de donner des vins de cépage d'excellente qualité. Il est aussi cultivé dans d'autres régions où il participe à l'élaboration de vins de garde assez fins. Le tempranillo joue un rôle assez important en Argentine.

TINTA AMARELA
Un des cépages du porto, apprécié pour son rendement et sa couleur.

TINTA BARROCA
Autre cépage entrant dans l'assemblage du porto. Il donne des vins corpulents, bien colorés, en général rustiques par rapport aux deux tourigas.

TINTA CÃO
Un des meilleurs cépages du porto.

TOURIGA FRANCESCA
Cépage classique du porto donnant un bon vin, mais moins concentré que celui du touriga nacional.

TOURIGA NACIONAL
Meilleur cépage de tout le Douro pour l'élaboration du porto. Il donne un vin étonnamment riche et tannique, superbement fruité, d'une longévité et d'une complexité remarquables.

TROLLINGER
Cépage surtout cultivé au Wurtemberg où il donne un vin rouge frais et agréablement fruité.

VERDELHO TINTO
Cépage classique du madère.

VRANAC
Cépage de Croatie, du Montenegro et de Macédoine qui donne des vins à la robe profonde, très corpulents, ayant beaucoup de caractère.

XYNOMAVRO
Xyno signifie acide et *mavro* noir, ce qui définit bien ce cépage grec qui donne des vins riches qui se bonifient en bouteilles.

ZINFANDEL
Voir encadré ci-dessus.

LES SYNONYMES DES CÉPAGES

De nombreuses variétés de vinifera *sont connues sous différents synonymes. Le malbec par exemple en compte des centaines dont auxerrois, balouzet, côt, estrangey, jacobain, grifforin, pied rouge et pressac. Qui plus est, plusieurs cépages peuvent avoir le même synonyme : ainsi le malbec est appelé auxerrois à Cahors, mais auxerrois désigne un cépage blanc en Alsace et à Chablis tandis que dans d'autres régions de France le malbec est connu sous le nom de cabors !*

Les synonymes désignant des clones locaux ou des sous-variétés sont souvent tenus pour des cépages à part entière. Le trebbiano, synonyme italien de l'ugni blanc français, a plusieurs variétés reconnues dans la réglementation viticole italienne, par exemple trebbiano toscano ou trebbiano perugino. De nombreux synonymes incluent le nom d'une autre variété, bien qu'il n'y ait pas nécessairement de parenté. Les ampélographes distinguent les synonymes « erronés » des synonymes « trompeurs ». Les premiers sont ceux qui ont reçu par ignorance le nom d'une autre variété, totalement différente; les seconds sont ceux dont les noms suggèrent, à tort, qu'ils ont une parenté avec une autre variété – par exemple le pinot chardonnay qui est le chardonnay mais n'est apparenté à aucun pinot.

Alben - elbling
Albig - elbling
Alcaing - macabeo
Alcabeo - macabeo
Alicante - grenache
Alicante grenache - grenache
Alva (au Portugal) - elbling
Alzeyer Perle - perle
Angélicant - muscadelle
Angélico - muscadelle
Aragad - grenache
Aragonez - tempranillo
Arnaison - chardonnay
Aubaine - chardonnay
Auvernat - pinot noir
Auvernat blanc - muscadelle
Auvernat gris - pinot gris
Auvernat gris - pinot meunier
Auxerrois - malbec
Auxerrois gris - pinot gris
Auxois - pinot gris
Balkan kadarka - kadarka
Balouzet - malbec
Balzac - mourvèdre
Banatski rizling - welschriesling
Beaunois - chardonnay
Beaunois - pinot blanc
Beli muscat - muscat blanc à petits grains
Beni carlo - mourvèdre
Béquin (à Bordeaux) - ondenc
Bergeron - roussanne
Biela sladka grasica - welschriesling
Bigney - merlot
Black hambourg - trollinger
Black malvoisie - cinsaut
Blanc de troyes - aligoté
Blanc doux - sémillon
Blanc d'anjou - chenin blanc
Blanc fumé - sauvignon blanc
Blanc select - ondenc
Blanc vert - sacy
Blanche feuille - pinot meunier
Blanc laffitte - mauzac
Blanquette - clairette
Blanquette - colombard
Blanquette - ondenc
Blauburgunder - pinot noir
Blauer limberger - blaufränkisch
Blauer malvasier - trollinger
Blauer Spätburgunder - pinot noir
Blaufränkisch - gamay
Bobal - monastrell
Bois dur - carignan
Bordeleza belcha - tannat
Borgogna crna - gamay
Bötzinger - sylvaner
Bouchet - cabernet franc
Bouchet - cabernet sauvignon
Bourdalès - cinsaut
Bourguignon noir - gamay
Bouschet sauvignon - cabernet franc
Bouschet sauvignon - cabernet sauvignon
Bouviertraube - bouvier

Bovale - monastrell
Breton - cabernet franc
Briesgaver riesling - elbling
Briesgaver - elbling
Brown muscat - muscat blanc à petits grains
Brunello (de montalcino) - sangiovese
Buisserate - jacquère
Burger elbling - elbling
Cabarnelle - carmenère
Cabernet gris - cabernet franc
Cabernet - cabernet franc
Cahors - malbec
Calabrese - sangiovese
Camobraque - folle blanche
Cape riesling (en Afrique du Sud) - cruchen blanc
Carignan noir - carignan
Carignane - carignan
Cariñena - carignan
Carmelin - petit verdot
Carmenelle - carmenère
Carmenet - cabernet franc
Catalan - carignan
Catalan - mourvèdre
Catape - muscadelle
Cavalier - len de l'elh
Cencibel - tempranillo
Chalosse - folle blanche
Chardonnay - chasselas
Chardonnay - pinot blanc
Chasselas blanc - chasselas
Chasselas doré - chasselas
Chasselas - chardonnay
Chaudenet gras - aligoté
Chenin noir - pineau d'aunis
Chevier - sémillon
Chevrier - sémillon
Chiavennasca - nebbiolo
Chira - syrah
Christkindltraube - gewurztraminer
Cinq-saou - cinsaut
Cinsaut - cinsaut
Clairette à grains ronds - ugni blanc
Clairette blanc - clairette
Clairette blanche - clairette
Clairette de vence - ugni blanc
Clairette ronde - ugni blanc
Clare riesling (en Australie) - cruchen blanc
Clevner - gewurztraminer
Clevner - pinot blanc
Codarka - kadarka
Collemusquette - muscadelle
Colombar - colombard
Colombier - colombard
Colombier - sémillon
Cortaillod - pinot noir
Corvina veronese - corvina
Cot à queue rouge - pineau d'aunis
Cot (ou côt) - malbec
Crabutet noir - merlot
Crna moravka - blaufränkisch
Crucillant - sémillon
Cruina - corvina
Crujillon - carignan
Cugnette - jacquère
Cuviller - cinsaut
Dannery - romorantin
Dorin - chasselas
Douzanelle - muscadelle
Dreimanner - gewurztraminer
Drumin - gewurztraminer
Dusty miller - pinot meunier
Edeltraube - gewurztraminer
Elben - elbling
Enragé - folle blanche
Enrageade - folle blanche
Entournerien - syrah
Epinette blanche - chardonnay
Ermitage blanc - marsanne
Espagna - cinsaut
Espar - mourvèdre
Esparte - mourvèdre
Estrangey - malbec
Estreito - rabigato
Etaulier - malbec
Etranger - malbec
Farine - sacy
Fauvet - pinot gris
Feherburgundy - pinot blanc
Feiner weisser burgunder - chardonnay
Fendant blanc - chasselas
Fendant - chasselas
Fermin rouge - gewurztraminer
Fié dans le neuvillois - sauvignon blanc
Flaschweiner - gewurztraminer
Folle enrageat - folle blanche
Formentin (en Hongrie) - savagnin
Franken riesling - sylvaner
Franken - sylvaner
Frankenriesling - sylvaner
Frankenthaler - trollinger
Frankinja crna - gamay
Frankinja modra - gamay
Frankisch - gewurztraminer
Frauentraube - chasselas
Fréaux hâtif - un gamay teinturier
French colombard - colombard
Frenscher - gewurztraminer
Fromenté - savagnin
Fromenteau rouge - gewurztraminer
Fromentot - pinot gris
Frontignac - muscat blanc à petits grains
Fumé blanc - sauvignon blanc
Fuszeres - gewurztraminer
Gaamez - gamay
Gamay beaujolais - gamay
Gamay blanc à feuilles rondes - melon de bourgogne
Gamay blanc - melon de bourgogne
Gamay castille - un gamay teinturier
Gamay de bouze - un gamay teinturier
Gamay de chaudenay - un gamay teinturier
Gamay fréaux - un gamay teinturier
Gamay noir à jus blanc - gamay
Gamay noir - gamay
Gamay rond - gamay
Gamay teinturier mouro - un gamay teinturier
Gamé - blaufränkisch
Gamza - kadarka
Garnacha blanca - grenache blanc
Garnacha - grenache
Garnache - grenache
Garnacho blanco - grenache blanc
Garnacho - grenache
Garnatxa - grenache blanc
Gelber muscatel - muscat blanc à petits grains
Gelber muscateller muscat blanc à petits grains
Gelber muskatel - muscat blanc à petits grains
Gelber muskateller - muscat blanc à petits grains
Gelder ortlieber - elbling
Gentilduret rouge - gewurztraminer
Gentin à romorantin - sauvignon blanc
Giboudot - aligoté
Glera - prosecco
Golden chasselas - chasselas
Gordo blanco - muscat d'alexandrie
Goujan - pinot meunier
Gourdoux - malbec
Graisse blanc - ugni blanc
Graisse - ugni blanc
Granaccia - grenache
Grand picot - mondeuse
Grande vidure - carmenère
Grasica - welschriesling
Grassevina - welschriesling
Grau klevner - pinot gris
Grauer mönch - pinot gris
Grauerburgunder - pinot gris
Grauklevner - pinot gris
Gray riesling - trousseau gris
Greffou - roussanne
Grenache de longrono - tempranillo
Grenache nera - grenache
Grey friar - pinot gris
Grey pinot - pinot gris
Grey riesling - trousseau gris
Grifforin - malbec
Gris cordelier - pinot gris
Gris meunier - pinot meunier
Gris rouge - gewurztraminer
Gros auxerrois - melon de bourgogne
Gros blanc - sacy
Gros bouchet - cabernet franc
Gros bouschet - cabernet franc
Gros cabernet - cabernet franc
Gros lot - grolleau
Gros monsieur - césar
Gros noir guillan rouge - malbec
Gros noir - césar
Gros plant du pays nantais - folle blanche
Gros plant - folle blanche
Gros rhin - sylvaner
Gros rouge du pays - mondeuse
Groslot - grolleau
Grosse roussette - marsanne
Grosse syrah - mondeuse
Grosse vidure - cabernet franc
Grossriesling - elbling
Gross-vernatch - trollinger
Grünedel - sylvaner
Grüner sylvaner - sylvaner
Grüner - grüner veltliner
Grünfrankisch - sylvaner
Grünling - sylvaner
Grünmuskateller - grüner veltliner
Guenille - colombard
Guépie - muscadelle
Guépie-catape - muscadelle
Guillan - muscadelle
Guillan musqué - muscadelle
Gutedel - chasselas
Haiden - gewurztraminer
Hanepoot - muscat d'alexandrie
Harriague - tannat
Heida - gewurztraminer
Hermitage blanc - Marsanne
Hermitage - cinsaut
Hignin noir - syrah
Hignin - syrah
Hocheimer - riesling
Hunter riesling (en Australie) - sémillon
Hunter river riesling (en Australie) - sémillon
Ilegó - macabeo
Iskendiriye misketi - muscat d'alexandrie
Island belle - campbell's early
Italianski rizling - welschriesling
Italiansky rizling - welschriesling
Jacobain - malbec
Johannisberg riesling - riesling
Johannisberg - riesling
Kadarska - kadarka
Kékfrankos - blaufränkish
Kékfrankos - gamay
Klavner - gewurztraminer
Klein reuschling - elbling
Kleinberger - elbling
Kleiner Räuschling - elbling
Kleinergelber - elbling
Kleinweiner - gewurztraminer
Klevner - pinot blanc
Klevner - pinot noir
Knipperlé - elbling
Kurzlinger (en Autriche) - elbling
Lardot - macabeo
Laski rizling - welschriesling
Laskiriesling - welschriesling
Lemberger - blaufränkisch
Lexia - muscat d'alexandrie
Limberger - gamay
Liwora - gewurztraminer
Luckens - malbec
Lyonnaise blanche - melon de bourgogne
Macabéo - macabeo
Maccabeu - macabeo
Mâconnais - altesse
Madiran - tannat
Magret - malbec
Mala dinka - gewurztraminer
Malaga moterille noire - cinsaut
Malbeck - malbec
Malmsey - pinot gris
Malvagia - pinot gris
Malvasia - pinot gris
Malvoisie - pinot gris
Marseng blanc - marseng
Marchigiano - verdicchio
Mataro - carignan
Mataro - mourvèdre
Mausat - malbec
Maussac - mauzac
Mauzac blanc - mauzac
Mavrud - mavroud
Mazuelo - carignan
Médoc noir - merlot
Melon blanc - chardonnay
Melon d'arbois - chardonnay
Melon - melon de bourgogne
Menu pineau - arbois
Moisac - mauzac
Molette noir - mondeuse
Monemrasia - pinot gris
Monterey riesling (en Californie) - sylvaner
Montonec - parellada
Montonech - parellada
Moravska silvanske (en République tchèque) - sylvaner
Morellino - sangiovese
Morillon taconé - pinot meunier
Morillon - pinot noir
Morrastel - graciano
Moscata blanca - muscat blanc à petits grains
Moscata - muscat blanc à petits grains
Moscata bravo - rabigato
Moscatel de alejandria - muscat d'alexandrie
Moscatel de grano menudo - muscat blanc à petits grains
Moscatel de málaga - muscat d'alexandrie
Moscatel de setúbal - muscat d'alexandrie
Moscatel dorado - muscat blanc à petits grains
Moscatel gordo blanco - muscat d'alexandrie
Moscatel gordo - muscat d'alexandrie
Moscatel menudo blanco - muscat blanc à petits grains
Moscatel romano - muscat d'alexandrie
Moscatel rosé - muscat rosé à petits grains
Moscatel samsó - muscat d'alexandrie
Moscatel - muscat blanc à petits grains
Moscatel - muscat d'alexandrie
Moscatello bianco - muscat blanc à petits grains
Moscatello - muscat blanc à petits grains
Moscato di canelli - muscat blanc à petits grains
Moscato d'asti - muscat blanc à petits grains
Moscato - muscat blanc à petits grains
Mosel riesling - riesling
Moselriesling - riesling
Mosttraube - chasselas
Mourane - malbec
Moustère - malbec
Moustrou - tannat
Moustroun - tannat
Mueller-thurgau - müller-thurgau
Müller rebe - pinot meunier
Müller schwarzriesling - pinot meunier

Müller rebe - pinot meunier
Muscade - muscadelle
Muscadel ottonel - muscat ottonel
Muscadet doux - muscadelle
Muscadet - chardonnay
Muscadet - melon de bourgogne
Muscadet - muscadelle
Muscat aigre - ugni blanc
Muscat canelli - muscat blanc à petits grains
Muscat cknelli - muscat blanc à petits grains
Muscat de frontignan - muscat blanc à petits grains
Muscat doré de frontignan - muscat blanc à petits grains
Muscat doré - muscat blanc à petits grains
Muscat d'alsace - muscat blanc à petits grains
Muscat d'alsace - muscat rosé à petits grains
Muscat fou - muscadelle
Muscat gordo blanco - muscat d'alexandrie
Muscat rosé à petits grains d'alsace - muscat rosé à petits grains
Muscat roumain - muscat d'alexandrie
Muscat - muscat blanc à petits grains
Muscatel branco - muscat blanc à petits grains
Muscatel - muscat blanc à petits grains
Muskateller - muscat blanc à petits grains
Muskadel - muscadelle
Muskat - muscat blanc à petits grains
Muskateller - muscat blanc à petits grains
Muskat-sylvaner - sauvignon blanc
Muskotaly - muscat blanc à petits grains
Muskuti - muscat blanc à petits grains
Musquette - muscadelle
Nagi-burgundi - pinot noir
Nagyburgundi pinot noir
Napa gamay - gamay
Naturé - savagnin
Nebbiolo lampia - nebbiolo
Nebbiolo michet - nebbiolo
Nebbiolo rosé - nebbiolo
Nebbiolo spanna - nebbiolo
Negri - malbec
Negron - mourvèdre
Nerino - sangiovese
Noir de pressac - malbec
Noir doux - malbec
Noirin - pinot noir
Œsterreicher - sylvaner
Ojo de liebre - tempranillo
Olasz rizling - welschriesling
Olaszriesling - welschriesling
Oporto - portugieser
Ormeasco - dolcetto
Ortlieber - elbling
Paarl riesling (en Afrique du Sud - cruchen blanc
Pansa blanca - xarel-lo
Panse musquée - muscat d'alexandrie
Parde - malbec
Perpignaou - graciano
Petit bouschet - cabernet sauvignon
Petit cabernet - cabernet sauvignon
Petit dannezy - romorantin
Petit gamai - gamay
Petit mansenc - manseng
Petit merle - merlot
Petit pineau - arbois
Petit rhin - riesling
Petit riesling - riesling
Petit verdau - petit verdot
Petite sainte-marie - chardonnay
Petite syrah (France) - syrah
Petite-vidure - cabernet sauvignon
Petit-fer - cabernet franc
Picardin noir - cinsaut
Picotin blanc - roussanne
Picoutener - nebbiolo
Picpoul - folle blanche
Picpoule - folle blanche
Picutener - nebbiolo
Pied de perdrix - malbec
Pied noir - malbec
Pied rouge - malbec
Pied-tendre - colombard
Pinat cervena - gewurztraminer
Pineau de la loire - chenin blanc
Pineau de saumur - grolleau
Pineau rouge - pineau d'aunis
Pineau - pinot noir
Pinot beurot - pinot gris
Pinot blanc (en Californie) - melon de bourgogne
Pinot blanc chardonnay - chardonnay
Pinot blanc vrai auxerrois - pinot blanc
Pinot blanc - chardonnay
Pinot chardonnay - chardonnay
Pinot de la loire - chenin blanc
Pinot grigio - pinot gris
Pinot vérot - pinot noir
Piperdy - malbec
Pisse vin - aramon
Plant Boisnard - grolleau
Plant de brie - pinot meunier
Plant doré - pinot noir
Plant d'arles - cinsaut
Plant d'aunis - pineau d'aunis
Plousard - poulsard
Portugais bleu - portugieser
Portugalka - portugieser
Prèchat - malbec
Pressac - malbec
Primativo - primitivo
Primitivo - zinfandel
Prolongeau - malbec
Prugnolo (à Montepulciano) - sangiovese
Ptinc cerveny - gewurztraminer
Pugnet - nebbiolo
Puiechou - sauvignon blanc
Punechon - sauvignon blanc
Quercy - malbec
Queue-tendre - colombard
Queue-verte - colombard
Rabo de ovelha - rabigato
Raisinotte - muscadelle
Rajinski rizling - riesling
Rajnai rizling - riesling
Ranfoliza - gewurztraminer
Ranina - bouvier
Räuschling - elbling
Rcatitseli - rkatsiteli
Rdeci traminac - gewurztraminer
Red trollinger - trollinger
Refosco - mondeuse
Reno - riesling
Resinotte - muscadelle
Rezlink rynsky - riesling
Rezlink - riesling
Rhein riesling - riesling
Rheingau riesling - riesling
Rheingauer - riesling
Rheinriesling - riesling
Rhine riesling - riesling
Riesler - riesling
Riesling (en Australie) - sémillon
Riesling du rhin - riesling
Riesling Italianski - welschriesling
Riesling italico - welschriesling
Riesling italien - welschriesling
Riesling renano - welschriesling
Rieslinger - riesling
Riesling-sylvaner - müller-thurgau
Rislig rejnski riesling
Rismi - welschriesling
Rivaner - müller-thurgau
Rizling rajinski bijeli - riesling
Rizling vlassky - welschriesling
Romain - césar
Ronçain - césar
Rössling - riesling
Rossola - ugni blanc
Rotclevner - gewurztraminer
Rotclevner - pinot noir
Rotedel - gewurztraminer
Roter nurnberger - gewurztraminer
Roter traminer - gewurztraminer
Rotfranke - gewurztraminer
Roter muscateller - muscat rosé à petits grains
Roter muskateller - muscat rosé à petits grains
Roussan - ugni blanc
Roussanne - ugni blanc
Rousselet - gewurztraminer
Roussette - altesse
Rousillon tinto - grenache
Roussillonen - carignan
Royal muscadine - chasselas
Rülander - pinot gris
Rulonski Szükebarát - pinot gris
Rusa - gewurztraminer
Rynski rizling - riesling
Saint-émilion (an Roumanie) - sémillon
Saint-émilion - ugni blanc
Salvagnin - savagnin
Sangiovese di lamole - sangiovese
Sangiovese dolce - sangiovese
Sangiovese gentile - sangiovese
Sangiovese toscano - sangiovese
Sanvicetro - sangiovese
Sargamuskotaly - muscat blanc à petits grains
Sauvagnin - savagnin
Sauvignon jaune - sauvignon blanc
Sauvignon vert (en Californie) - muscadelle
Savagnin blanc - savagnin
Savagnin musqué - sauvignon blanc
Savagnin noir - pinot noir
Savagnin rosé - gewurztraminer
Savignin - pinot noir
Savoyanche - mondeuse
Scharvaner - sylvaner
Sciava grossa - trollinger
Schiras - syrah
Schwarz klevner - pinot noir
Schwarze frankische - blaufränkisch
Schwarzriesling - pinot meunier
Séme - malbec
Semijon - sémillon
Sémillon muscat - sémillon
Sémillon roux - sémillon
Sercial (en Australie) - ondenc
Serenne - syrah
Seretonina (en Yougoslavie) - elbling
Serine - syrah
Serprina - proseco
Seyve-villard 5276 - seyval blanc
Seyve-villard - seyval blanc
Shiraz - syrah
Shyraz - syrah
Silvain vert - sylvaner
Silvania - sylvaner
Sylvaner bianco - sylvaner
Sylvaner - sylvaner
Sipon - furmint
Sirac - syrah
Sirah - syrah
Sirrah - syrah
Sirras - syrah
Sonoma riesling (en Californie) - sylvaner
Spanna - nebbiolo
Spätburgunder - pinot noir
Spauna - nebbiolo
Steen - chenin blanc
Surin - sauvignon blanc
Süssling - chasselas
Syra - syrah
Syrac - syrah
Syras - syrah
Szilváni (en Hongrie) - sylvaner
Talia - ugni blanc
Talijanski rizling - welschriesling
Tamyanka - muscat blanc à petits grains
Tanat - tannat
Teinturier - malbec
Tempranilla - tempranillo
Tempranillo de la rioja - tempranillo
Termeno aromatico - gewurztraminer
Terranis - malbec
Terrano - mondeuse
Tinta roriz - tempranillo
Tinto aragonés - grenache
Tinto de la rioja - tempranillo
Tinto de toro - tempranillo
Tinto fino - tempranillo
Tinto madrid - tempranillo
Tinto mazuela - carignan
Tinto - mourvèdre
Tokaier - pinot gris
Tokay (en Australie) - muscadelle
Tokay d'alsace - pinot gris
Tokay - pinot gris
Tokayer - pinot gris
Tokay-pinot gris - pinot gris
Touriga - touriga nacional
Traminac creveni - gewurztraminer
Traminac - gewurztraminer
Traminer aromatico - gewurztraminer
Traminer musqué - gewurztraminer
Traminer parfumé - gewurztraminer
Traminer rosé - gewurztraminer
Traminer rosso - gewurztraminer
Traminer roz - gewurztraminer
Traminer rozovy - gewurztraminer
Traminer - gewurztraminer
Tramini piros - gewurztraminer
Tramini - gewurztraminer
Trebbiano (souvent suivi de la région) - ugni blanc
Tresallier - sacy
Ugni noir - aramon
Ull del llebre - tempranillo
Uva di spagno - grenache
Uva marana - Verdicchio
Veltliner - grüner veltliner
Veltlini (en Hongrie) - grüner veltliner
Verdet - arbois
Verdone - verdicchio
Verdot rouge - petit verdot
Verdot - petit verdot
Verneuil - romorantin
Véron - cabernet franc
Vert doré - Pinot noir
Vidure - cabernet sauvignon
Vionnier - viognier
Vitraille - merlot
Viura - macabeo
Wälschriesling - welschriesling
Weiss klevner - pinot blanc
Weiss musketraube - muscat blanc à petits grains
Weissburgunder - pinot blanc
Weisse muskateller - muscat blanc à petits grains
Weissemuskateller - muscat blanc à petits grains
Weisser clevner - chardonnay
Weisser elbling - elbling
Weisser riesling - riesling
Weisserburgunder (en Allemagne) - melon de bourgogne
Weissgipfler - grüner veltliner
White frontignan - muscat blanc à petits grains
White hermitage - ugni blanc
White pinot - chenin blanc
White riesling - riesling
Wrotham pinot - pinot meunier
Xarello - xarel-lo
Zeleny - sylvaner
Zibibbo - muscat d'alexandrie
Zinfandel - primitivo
Zingarello - primitivo
Zingarello - zinfandel
Zuti muscat - muscat blanc à petits grains

Les VINS *de*

FRANCE

Les vins de France sont tenus
pour les meilleurs du monde
et cette opinion est plus ou moins partagée
même par les producteurs des pays neufs
qui cherchent à les concurrencer.
Bien que ceux d'Australie et de Californie, par
exemple, ne s'efforcent plus de les imiter,
ils demeurent pour eux la référence.
Les grandes régions vinicoles de France
sont un accident de la géographie, du climat
et du terroir. Aucun autre pays vinicole
du monde ne bénéficie d'une telle variété de
climats frais qui permet à la France de
produire toute la gamme des styles de vin,
des admirables vins effervescents
de Champagne aux rouges souples
de Bourgogne et aux grands liquoreux
du Sauternais. Une tradition ancrée
dans un long passé vinicole leur a permis
de découvrir quels cépages convenaient
le mieux à telle ou telle région
et c'est pourquoi des styles régionaux
distinctifs sont nés. Ainsi chaque amateur
de vin sait ce qu'il peut attendre d'une
bouteille de bordeaux, de bourgogne,
de champagne ou de côtes-du-rhône :
là se trouve la clé de la réussite mondiale
des vins de France.

LA LUNE SE LÈVE SUR CHÂTEAU LATOUR
La célèbre tour de Château Latour baignée dans la clarté lunaire évoque la majesté d'un des plus grands vins du monde.

✧ FRANCE ✧

La France produit les meilleurs et les pires vins du monde. Nul pays ne peut rivaliser avec elle pour la qualité et la diversité, mais le revers de la médaille est que les vins de qualité ne peuvent être produits qu'en quantité relativement restreinte.

Grâce à des chefs-d'œuvre comme le château-margaux, le romanée-conti et le champagne Krug, au choix pour les appellations d'origine contrôlée (AOC) des meilleures zones des meilleures régions vinicoles et à une réglementation rigoureuse des conditions de production, la France s'est forgé une réputation indiscutée de pays des grands vins. Pourtant ceux-ci ne comptent que pour une part minuscule d'une production annuelle de quelque 60 millions d'hectolitres (environ 8 milliards de bouteilles). À l'extrémité supérieure de l'échelle, on trouve les AOC qui offrent une prodigieuse diversité, mais aussi un large éventail de qualité et de quantité. Viennent ensuite les AOVDQS (« Appellation d'origine vin délimité de qualité supérieure »), puis les vins de pays. Enfin, en bas de l'échelle, les vins ordinaires, qui peuvent être vraiment très ordinaires, réglementairement qualifiés de « vins de table ».

Les vignerons des appellations historiquement reconnues comme les meilleures se font en général un devoir de maintenir la qualité et le caractère qui ont fait la réputation de leurs vins. Certains ne s'y sont pas toujours appliqués car toutes les régions ont inévitablement des vins médiocres ou franchement mauvais, mais cela ne tire pas à conséquence tant qu'ils restent très minoritaires. Pourtant, j'ai constaté un accroissement significatif du nombre de vins critiquables depuis une dizaine d'années, particulièrement dans le val de Loire et en Bourgogne. Les meilleurs sont toujours les meilleurs, mais le nombre croissant de vins AOC médiocres a donné à de nombreuses appellations une réputation d'irrégularité de la qualité que les vignerons les plus scrupuleux ne méritent pas. Dans l'édition précédente de cet ouvrage, j'ai écrit : « la hiérarchie officielle peut toutefois réserver des surprises : certaines appellations illustres se révèlent parfois décevantes, tandis que les vins de régions moins connues sont souvent exceptionnels. » Je dois ajouter aujourd'hui que l'écart de qualité à l'intérieur de certaines appellations est devenu si grand que le consommateur ne peut plus se fier à l'origine géographique d'un vin, mais doit s'appuyer uniquement sur la réputation du vigneron.

LES QUATRE CATÉGORIES DE VINS

Avec la création en 1935 de l'Institut national des appellations d'origine (INAO), la France fut la première à instituer un système national de contrôle de l'origine et de la qualité des vins, mais certaines régions vinicoles l'avaient précédée : la Rioja en 1560 et le Chianti en 1716. Le rôle de l'INAO est de définir les limites géographiques des appellations et de surveiller l'application des règlements les régissant.

Appellation d'origine contrôlée (AOC)

Il existe aujourd'hui plus de 470 AOC intéressant un peu plus de 435 000 hectares de vignobles qui donnent une moyenne annuelle de 22 millions d'hectolitres (un peu moins de 3 milliards de bouteilles). L'aire de production, les cépages autorisés, la méthode de culture, le rendement maximum, la technique de vinification et la teneur en alcool sont fixés par décret pour chaque appellation. La réglementation stipule que chaque vin doit être soumis à analyse et soumis à une dégustation, mais ce dernier contrôle n'offre plus, à mon avis, une garantie d'objectivité, le comité de dégustation étant presque entièrement composé des producteurs eux-mêmes.

RÉSUMÉ DES QUATRE CATÉGORIES

Appellation d'origine contrôlée (AOC)
46 % de la production totale -
27 % exportés,
73 % consommés en France

Appellation d'origine vin de qualité supérieure (AOVDQS)
1 % de la production totale -
20 % exportés,
80 % consommés en France

Vin de pays
25 % de la production totale -
23 % exportés,
77 % consommés en France

Vin de table
28 % de la production totale -
13 % exportés,
87 % consommés en France

LECTURE DE L'ÉTIQUETTE DES VINS DE FRANCE

Certaines indications sont obligatoires comme le nom de l'embouteilleur qui, en France, est légalement responsable du vin, la teneur en alcool (depuis 1988) et la contenance. D'autres, comme les cépages ou le millésime, sont facultatives mais renseignent utilement le consommateur.

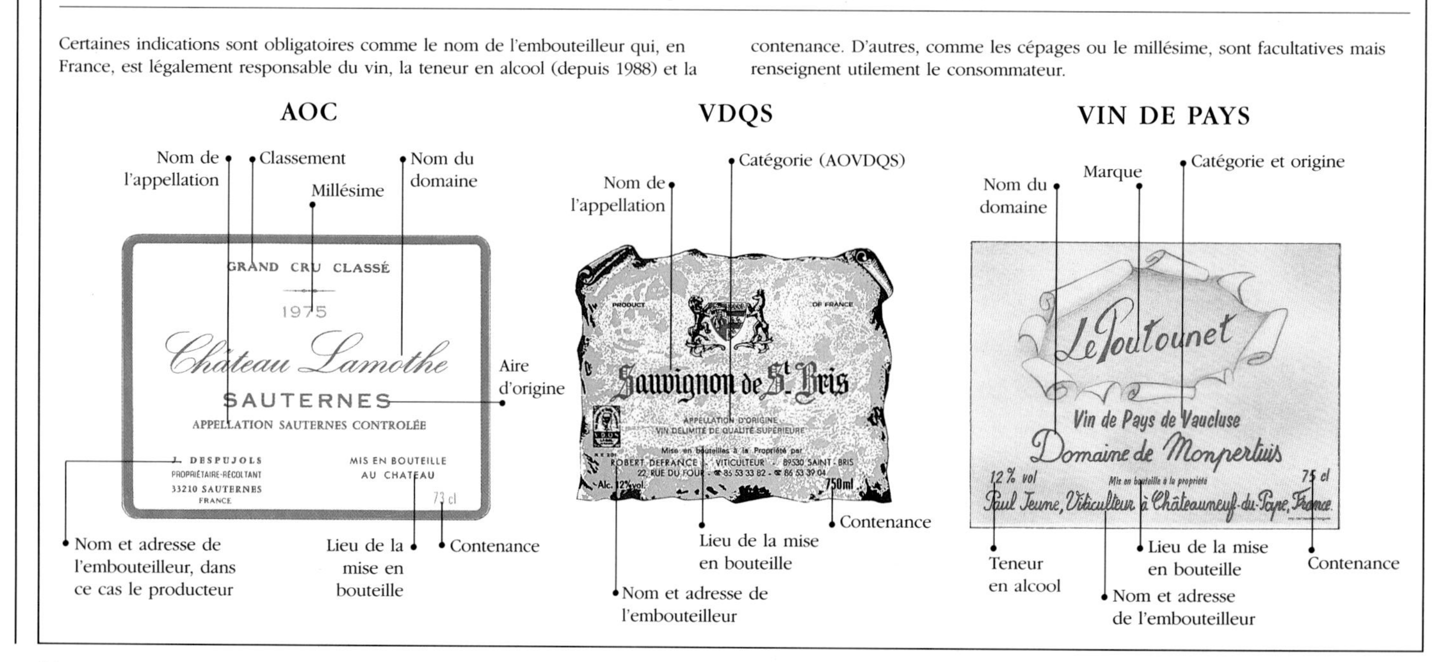

FRANCE

Les zones colorées correspondent aux dix principales régions vinicoles, où sont concentrées des aires d'appellation d'origine contrôlée dont les vignobles couvrent plus de 435 000 hectares. Les cartes concernant les aires de production des vins de pays figurent aux pages 246 et 247. Si l'on y ajoute les zones de production des vins ordinaires, la France compte au total près d'un million d'hectares de vignes.

La quasi-totalité des vignerons avec lesquels je me suis entretenu ont admis que seuls les vins présentant un défaut manifeste étaient écartés et que les dégustateurs ne tenaient pas compte de la qualité et ne se préoccupaient pas de déterminer si les vins reflétaient bien le caractère des cépages ou les particularités régionales. Certains m'ont même confié que la plupart des gens craignaient de soulever la question de la valeur intrinsèque ou du style de peur que ceux dont les vins avaient été rejetés ne prennent leur revanche en écartant sans raison les vins de leurs concurrents. Il n'est donc pas surprenant que 2 ou 3 % seulement des vins soient éliminés.

Le journaliste spécialisé bien connu Michel Bettane aurait dit en 1955 que l'appellation contrôlée ne garantit plus ni la qualité ni l'authenticité et même Alain Berger, à l'époque où il était directeur de l'INAO, a fait scandale en déclarant que l'on peut trouver sur le marché des vins d'une qualité scandaleuse bénéficiant du prestige que donne une appellation contrôlée. L'organisation des dégustations de vins AOC est visiblement déficiente et je présume que c'est aussi le cas de celles des AOVDQS et des vins de pays, mais ceux-ci ne portant pas de noms célèbres ou n'étant pas les héritiers d'une grande tradition vinicole, on ne s'attend pas à boire des merveilles : ils ne sauraient donc provoquer un scandale d'une ampleur équivalente à celle que des vins d'AOC chers et de très mauvaise qualité vont inévitablement engendrer. Les autorités françaises elles-mêmes sont conscientes du problème et je viens d'apprendre que l'INAO a créé une commission chargée d'étudier les moyens d'améliorer la situation. Tant que ceux-ci n'auront pas été acceptés et mis en œuvre, le dernier mot reviendra au consommateur.

Appellation d'origine vin délimité de qualité supérieure (AOVDQS)

On compte à peine plus de 40 AOVDQS, intéressant 9150 hectares de vignobles qui donnent en moyenne 550000 hectolitres (un peu plus de 73 millions de bouteilles). Le contrôle est analogue à celui de l'AOC, sauf que le rendement peut être plus fort et que la teneur en alcool est souvent moindre. La qualité générale est moins élevée que celle des AOC, mais on peut soutenir qu'elle est dans certains cas facilement comparable.

Depuis l'émergence des vins de pays dans les années soixante-dix, la rumeur de la disparition imminente des AOVDQS a souvent couru mais l'INAO, qui exerce son autorité sur les AOC et les AOVDQS, trouve que cette dernière catégorie est un réservoir si pratique de futurs AOC qu'il serait stupide de la supprimer. Les AOVDQS promus AOC depuis quelques années sont notamment coteaux-du-tricastin, vin de Savoie, roussette de Savoie (en 1973), saint-chignan (en 1982), coteaux-du-lyonnais (en 1984), coteaux du giennois (en 1988), côtes-du-marmandais (en 1990) et coteaux de pierrevert (en 1998).

Toutefois, on se tromperait en pensant que tous les AOVDQS sont destinés à devenir des AOC, preuve en soient les vins qui sont toujours des AOVDQS plus de quarante ans après la création de cette catégorie et le fait que la plupart des AOVDQS survivants datent des années 1960 et 1970. Il n'est pas impossible que quelques-uns de ces derniers soient un jour promus AOC, mais il est plus probable que les futurs AOC seront recrutés parmi les vins ayant bénéficié d'une promotion en AOVDQS.

Vin de pays

Il y a maintenant 141 vins de pays dont les vignobles comptent 150000 ha donnant annuellement en moyenne 12 millions d'hectolitres (1,6 milliard de bouteilles). La catégorie des vins de pays, instituée en 1968, n'est devenue une réalité commerciale qu'en 1973, quand les règles de production eurent été fixées. Elle a été créée simplement en autorisant les producteurs de certains vins de table à indiquer leur origine géographique et, s'ils le désiraient, le nom des cépages. Pendant assez longtemps, la mention « vin de table » dut obligatoirement figurer à côté de celle de « vin de pays », mais cette disposition fut abrogée en 1989. L'autorisation donnée aux vignerons produisant des vins de table jugés prometteurs d'indiquer l'origine et la composition de leur vin fut un puissant stimulant. Les meilleurs mirent un point d'honneur à traiter leur vigne et à élaborer leur vin avec beaucoup plus de soin. Ils commencèrent par brider le rendement de leurs vignes et à arracher les cépages médiocres pour les remplacer par des meilleurs. Leur exemple ne tarda pas à être suivi et en 1976, on ne comptait pas moins de 75 vins de pays. Comme nous l'avons vu, ils sont aujourd'hui 141.

Ces vins, qui sont régis par l'Office national interprofessionnel des vins (ONIVINS), doivent être faits avec des cépages recommandés, dont la liste est plus fournie que celle des cépages autorisés pour les AOC et les AOVDQS, et des rendements plus forts sont admis, de sorte que la qualité est très variable, mais les styles très divers, ce qui rend cette catégorie d'un grand intérêt, d'autant plus que sous l'impulsion de vinificateurs volants – en général australiens – des techniques vinicoles de pointe ont souvent été adoptées, qui ont permis de produire à petit prix des vins séduisants très fruités. Nombre de vins de pays sont, bien entendu, insipides et le resteront, mais d'autres vont accéder à la catégorie des AOVDQS ou même à celle des AOC. Certains producteurs à la forte personnalité comme Aimé Guilbert du Mas de Daumas Gassac, pourraient ne pas se soucier du statut d'AOC,

VINS DE PRIMEUR

Ceux qui pensent que le beaujolais nouveau est unique en son genre se trompent : pas moins de 55 vins AOC peuvent être vendus l'année même de la vendange et dont 25 doivent obligatoirement porter la mention « primeur » ou « nouveau ». Ils sont élaborés de manière à être à leur apogée durant leur première année. La liste suivante sera précieuse à ceux qui aiment boire du vin aussitôt après qu'il a fini de fermenter.

Vins étiquetés « primeur » ou « nouveau » pouvant être mis en vente dès le troisième jeudi du mois de novembre :

1 anjou gamay
2 beaujolais (rouge ou rosé)
3 beaujolais supérieur (rouge ou rosé)
4 beaujolais-villages (rouge ou rosé)
5 beaujolais + nom de la commune, mais pas les crus (rouge ou rosé)
6 bourgogne (blanc seulement)
7 bourgogne aligoté
8 bourgogne grand ordinaire (blanc seulement)
9 cabernet d'anjou
10 cabernet de saumur
11 coteaux-du-languedoc (rouge ou rosé)
12 coteaux-du-lyonnais (rouge, blanc ou rosé)
13 coteaux-du-tricastin (rouge, blanc ou rosé)
14 côtes-du-rhône (rouge vendu comme vin de café ou rosé)
15 côtes-du-roussillon (rouge, blanc ou rosé)
16 côtes-du-ventoux (rouge, blanc ou rosé)
17 gaillac (gamay ou blanc)
18 mâcon (blanc ou rosé)
19 mâcon supérieur (blanc seulement)
20 mâcon-villages (blanc seulement)
21 mâcon + commune (blanc seulement)
22 muscadet
23 rosé d'anjou
24 touraine gamay
25 touraine (rosé seulement)

Vins pouvant être vendus dès le 1er décembre, sans mention « primeur » ou « nouveau » :

1 anjou (blanc seulement)
2 bergerac (blanc ou rosé, mais pas rouge)
3 blayais (blanc seulement)
4 bordeaux (sec, rosé ou clairet)
5 buzet (blanc ou rosé)
6 cabernet d'anjou
7 cabernet de saumur
8 corbières (blanc ou rosé)
9 costières-de-nîmes (blanc ou rosé)
10 coteaux-d'aix-en-provence (blanc ou rosé)
11 coteaux-du-languedoc (blanc ou rosé)
12 côtes-de-bourg (blanc seulement)
13 côtes-de-duras (blanc ou rosé)
14 côtes-du-marmandais (blanc ou rosé)
15 côtes-de-provence (blanc ou rosé)
16 côtes-du-rhône (blanc ou rosé)
17 entre-deux-mers (blanc seulement)
18 faugères (rosé seulement)
19 graves (blanc seulement)
20 graves-de-vayres (blanc seulement)
21 jurançon sec
22 minervois (blanc ou rosé)
23 montravel (blanc ou rosé)
24 premières-côtes-de-blaye (blanc seulement)
25 rosé d'anjou
26 rosé de loire
27 saint-chignan (rosé seulement)
28 sainte-foy-bordeaux (blanc seulement)
29 saumur (blanc seulement)
30 touraine (blanc seulement)

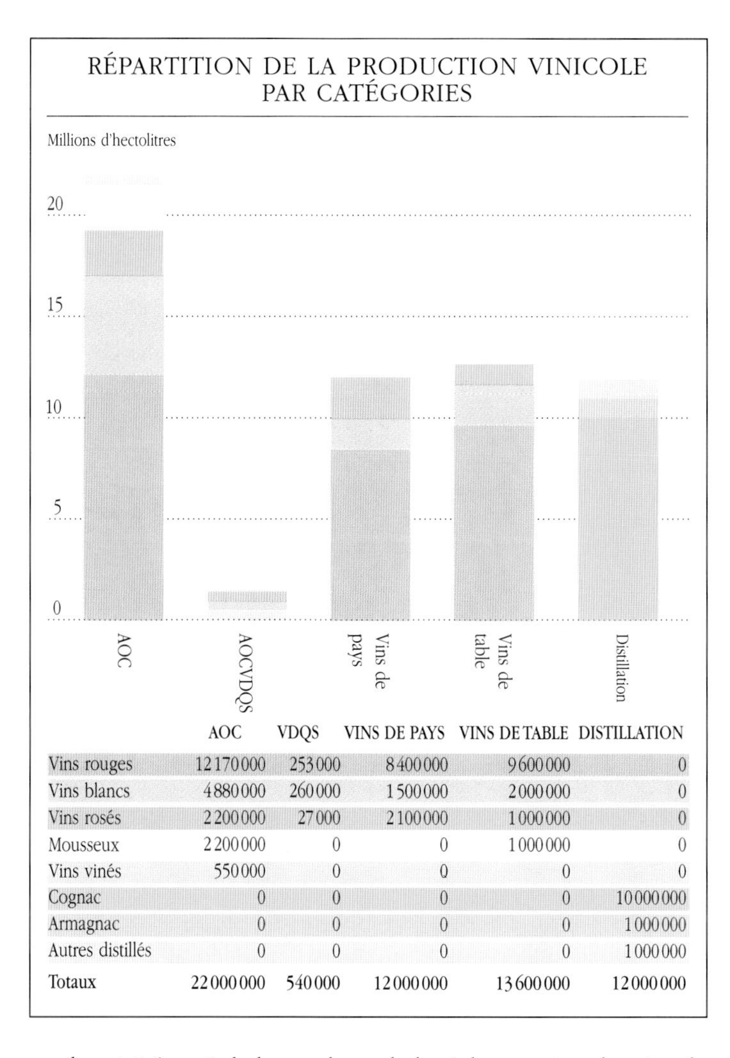

	AOC	VDQS	VINS DE PAYS	VINS DE TABLE	DISTILLATION
Vins rouges	12 170 000	253 000	8 400 000	9 600 000	0
Vins blancs	4 880 000	260 000	1 500 000	2 000 000	0
Vins rosés	2 200 000	27 000	2 100 000	1 000 000	0
Mousseux	2 200 000	0	0	1 000 000	0
Vins vinés	550 000	0	0	0	0
Cognac	0	0	0	0	10 000 000
Armagnac	0	0	0	0	1 000 000
Autres distillés	0	0	0	0	1 000 000
Totaux	22 000 000	540 000	12 000 000	13 600 000	12 000 000

car ils ont tiré parti de la souplesse de la réglementation des vins de pays pour élaborer des vins dont la réputation égale celle des appellations les plus prestigieuses et qui se vendent à des prix parfois même plus élevés. On trouvera aux pages 246 à 257 des renseignements détaillés sur les vins de pays, une carte montrant les aires de production, une description de chacun de ces vins et les commentaires de l'auteur sur ceux qu'il préfère.

Vin de table

La France compte plus de 170 000 hectares de vignobles non classés dont on tire en moyenne chaque année 13,6 millions d'hectolitres, mais quelque 2 millions d'hectolitres de jus de raisin et de vinaigre de vin étant inclus dans ce total, il ne reste que 11,6 millions d'hectolitres pour le vin de table (l'équivalent de 1,56 milliard de bouteilles).

Plus généralement qualifiés de « vins ordinaires », ces vins doivent être bus sans attendre et certains assurent même qu'ils ne sont même pas dignes d'être bus tels quels. Bien souvent, les Français eux-mêmes les coupent avec de l'eau avant de finalement se résoudre à les boire.

Les vins de table ne peuvent porter le nom du ou des cépages. Les mentions obligatoires sont le pays d'origine, la teneur en alcool et le nom et l'adresse du producteur (ou le cas échéant de l'embouteilleur ou du vendeur s'ils ne sont pas le producteur). L'adresse du producteur ne donne aucune assurance sur la région d'origine du vin, mais certains tentent de donner à leur vin un style correspondant à la région où ils se trouvent. Par exemple, un producteur dont le siège social se trouve en Bourgogne pourra s'efforcer de donner à son vin de table un caractère bourguignon, mais le consommateur ne peut savoir si le vin provient en tout ou en partie de Bourgogne. De fait, il y a peu de chances que ce soit le cas.

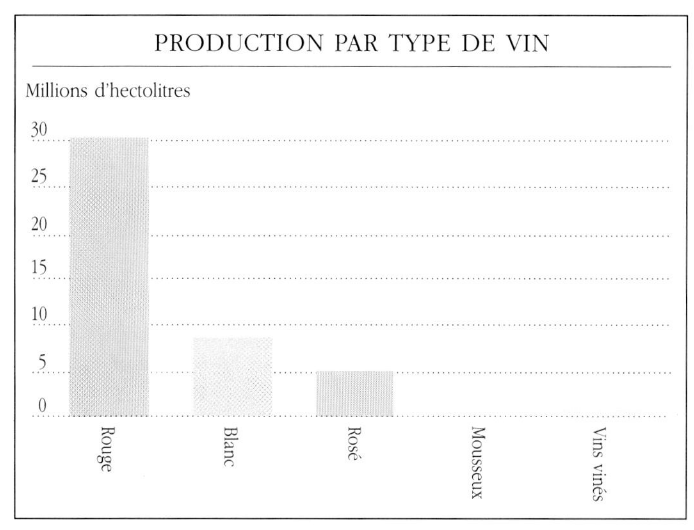

PRODUCTION PAR CATÉGORIES DE VIN

La production annuelle est de quelque 48 millions d'hectolitres, plus 12 millions d'hectolitres destinés à la distillation (principalement pour le cognac). La production totale a décru de 27 % depuis le milieu des années 1980, en grande partie en raison de la désaffection pour le vin de table (aujourd'hui 13,6 millions d'hectolitres contre 34 millions il y a dix ans).

QUI BOIT LES VINS DE FRANCE ?

Si la production a décru de 27 pour cent depuis dix ans, les exportations ont augmenté de 1,6 million d'hectolitres pour atteindre 14,6 millions. Étant donné que cet accroissement a coïncidé avec l'envol de la viniculture des pays neufs, il est évident que les vins français ne sont pas sur le déclin, contrairement à ce que certains journalistes spécialisés ont voulu nous faire croire. Il ne faut pas oublier que les Français boivent plus de vins de France que toute autre nationalité, bien que leur consommation ait décru de manière spectaculaire de 120 litres par habitant en 1969 à 83 litres en 1991 et un peu plus de 62 litres aujourd'hui. Ils boivent moins, mais ils boivent mieux, ce que révèle la diminution de la consommation de vin de table au profit de celle des vins de pays et des AOC.

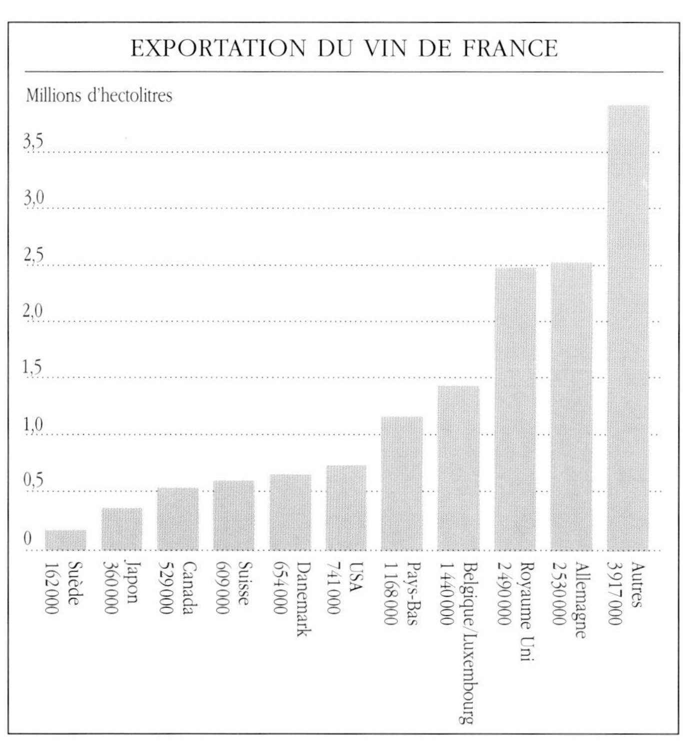

BORDELAIS

La région bordelaise bénéficie d'une situation viticole presque parfaite sur la côte sud-ouest de la France et d'un outil de commercialisation incomparable fondé sur la réputation des grands châteaux dont le classement remonte à près de 150 ans.

Sans ses vignobles splendides et ses grands châteaux aux noms illustres, il n'y aurait pas grand chose dans le Bordelais pour captiver le voyageur. Si la région est un paradis viticole, le paysage n'est certainement pas spectaculaire. Les points de vue les plus remarquables sont les châteaux des célèbres crus classés. Ils présentent un intérêt architectural qui s'étend sur sept siècles. Certains des châteaux de crus moins prestigieux ont aussi belle allure, mais la notion de « château » est très élastique dans la Gironde : il peut aussi s'agir d'une modeste maison de campagne, même d'une simple grange et certains crus portant le nom de château peuvent ne contenir aucune construction.

Les limites de l'appellation Bordeaux coïncident avec celles du département de la Gironde, qui est le plus étendu de France. De toutes les régions vinicoles du monde, la Gironde est la source la plus abondante de vins de qualité. On y compte environ 15000 propriétaires de vignobles exploitant près de 115000 hectares. La production annuelle des seuls vins d'appellation contrôlée dépasse 5 millions d'hectolitres (près de 670 millions de bouteilles). Sur ces 15000 viticulteurs presque la moitié sont des producteurs de vin. Pourtant, c'est à la qualité exceptionnelle des vins de moins de 1% de ces producteurs que cette immense région vinicole a dû, et doit encore aujourd'hui, la réputation qui est la sienne dans le monde entier. Les crus classés ne comptent en effet que pour 3% de la production des vins d'appellation contrôlée.

LE SYSTÈME DES CHÂTEAUX ET LA DOMINATION DES NÉGOCIANTS

L'organisation féodale de l'exploitation du vignoble héritée de l'époque médiévale n'a pas commencé à évoluer avant la fin du XVIIe siècle, époque qui a vu la naissance du concept de château vinicole. L'habitude que prirent les courtiers de classer les vins selon leur cru (c'est-à-dire leur origine géographique), leur qualité et leur prix est à l'origine de la réputation qu'acquirent graduellement les meilleurs domaines.

LA GARONNE ET BORDEAUX
La Garonne traverse majestueusement Bordeaux, principal centre du commerce des vins de la région.

LE QUAI DES CHARTRONS À BORDEAUX
La largeur et la profondeur de la Garonne permettent aux cargos assurant l'exportation des bordeaux d'accoster facilement.

L'importance des négociants de Bordeaux s'est affirmée à partir du début du XIXe siècle. On comptait parmi eux de nombreux Anglais, mais aussi des Écossais, des Irlandais, des Hollandais et des Allemands car les meilleurs vins n'étaient pas consommés par les Français, mais par les clients du nord de l'Europe, notamment anglais et allemands. Les négociants étrangers bénéficiaient donc d'un avantage certain sur leurs concurrents français. Au début du printemps, les négociants prenaient livraison des vins en fûts de la dernière récolte afin de les élever dans leurs chais à Bordeaux avant de les expédier. On les nomma négociants-éleveurs et ils devinrent les intermédiaires obligés de l'essentiel du commerce vinicole. Les acheteurs étrangers trouvaient plus pratique de s'adresser aux négociants, qui étaient en relation avec de nombreux producteurs, plutôt que de s'adresser directement à chacun des châteaux. Dans bien des cas, ils n'avaient pas le choix car nombre de châteaux appartenaient aux négociants ou avaient signé avec eux un contrat d'exclusivité.

CHÂTEAU PALMER
Ce château édifié au XIXe siècle est un des plus élégants du Médoc.

L'ÉVOLUTION DU COMMERCE VINICOLE

L'érosion de la puissance des négociants-éleveurs, en général des entreprises familiales, était sans doute inévitable. Il leur manquait les réserves financières pour faire face à la demande croissante pour les vins de Bordeaux dans les années 1960. Une grande partie de ceux qui avaient résisté à la crise pétrolière qui secoua le monde du début au milieu des années 1970 furent victimes de la crise économique des deux décennies suivantes.

Nombre de vieilles maisons de négoce prestigieuses furent rachetées ou firent faillite et les producteurs prirent largement en main leur propre destin. Pour faire face à la demande accrue du marché international, de nombreux domaines agrandirent leurs vignobles et s'équipèrent de matériel moderne. Ces investissements furent souvent financés par des emprunts bancaires à un moment où les taux d'intérêt étaient bas. Quand les ventes s'effondrèrent et que les taux d'intérêt s'envolèrent, le remboursement des dettes devint un fardeau insupportable. Mis à part quelques châteaux particulièrement bien gérés, le pouvoir passa aux banques, aux compagnies d'assurances et aux fonds de pension qui ont beaucoup investi dans le Bordelais.

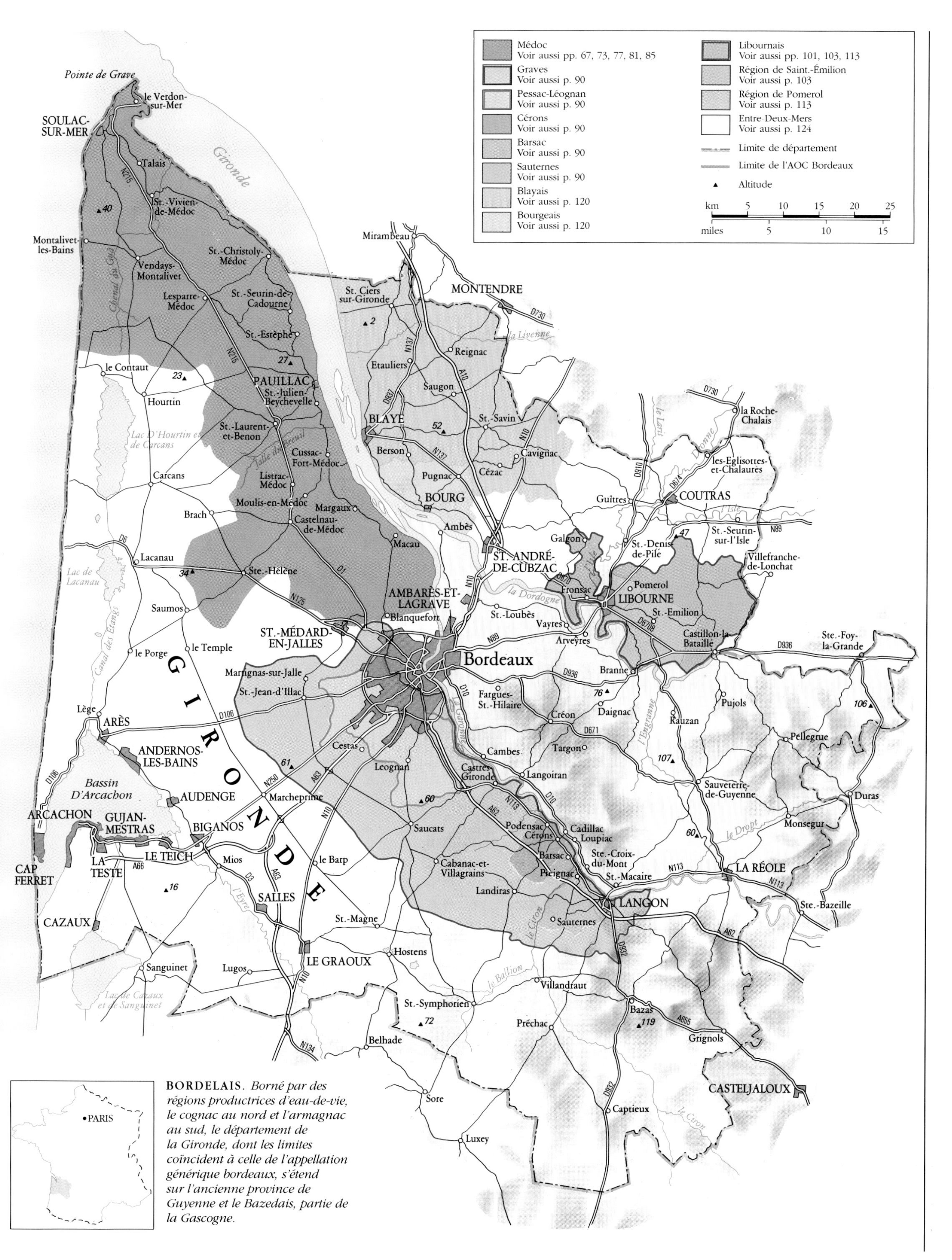

BORDELAIS. *Borné par des régions productrices d'eau-de-vie, le cognac au nord et l'armagnac au sud, le département de la Gironde, dont les limites coïncident à celle de l'appellation générique bordeaux, s'étend sur l'ancienne province de Guyenne et le Bazedais, partie de la Gascogne.*

Le négoce, qui a perdu beaucoup de son importance, n'élève plus guère que les vins de marques. Les crus classés sont élevés par les châteaux ou vendus ridiculement jeunes par la grande distribution ou sur le marché des vins en primeur (*voir* p. 62). Un certain nombre de propriétaires ont créé un petit empire en reprenant des domaines en un jeu qui ressemble à un Monopoly vinicole tandis que d'autres pratiquent aussi le négoce, d'une manière plus saine et plus vigoureuse que celle des quelques vieilles maisons de négoce encore en activité. Je donne ci-dessous quelques détails sur certains des représentants de cette nouvelle élite du vin de Bordeaux :

• Jean-Michel Cazes, propriétaire du Château Lynch-Bages qui, à la tête d'AXA (un groupe d'assurances avec des investissements vinicoles qui vont du Bordelais au tokay hongrois), contrôle aussi des domaines prestigieux comme Pichon-Longueville-Baron et Suduiraut. Depuis sont intervention, les techniques vinicoles de ces domaines ont été grandement améliorées ;
• Jean-Paul Jauffret (qui dirige Dourthe, une des rares vieilles maisons de négoce encore prospères) ;
• André Lurton (de La Louvière et Cruzeau, en tête pour la qualité d'un nombre croissant de domaines des Graves) ;
• Jacques et François Lurton (fils du précédent), qui sont aussi négociants à part entière et qui ont pris les vivificateurs volants australiens à leur propre jeu en allaient faire des vins de style français un peu partout dans le monde y compris, juste retour des choses, en Australie ;
• Jean-François Mau (de Yvon Mau, un négociant bordelais très actif qui inonde l'Europe de vins de petits châteaux) ;
• Jean-Pierre Moueix (de Pétrus et Trotanoy, pour ne citer que deux des nombreux domaines de pomerol et saint-émilion) ;
• Bruno Prats (de Cos d'Estournel, avec sa propre marque Maître d'Estournel et une affaire de négoce en expansion) ;
• Philippine de Rothschild (de Mouton-Rothschild à Mouton Cadet) ;
• Peter Sichel (un des administrateurs de Palmer, propriétaire d'Angludet et un des négociants les plus respectés).

CLASSEMENT DES VINS DE BORDEAUX

Quand on parle du classement sans autre précision, on entend parmi tous les classements existants celui établi en 1855 pour la chambre de commerce de Bordeaux à laquelle les autorités du Second Empire avaient demandé de présenter une sélection de vins à l'Exposition universelle de 1855, à Paris. Les « courtiers de commerce près la Bourse de Bordeaux » utilisaient pour leurs transactions une liste des propriétés les plus prestigieuses (et dont les vins atteignaient les prix les plus élevés) avec lesquelles ils étaient en relation, c'est-à-dire celles de la rive gauche (ce qui explique pour-

LECTURE D'UNE ÉTIQUETTE DE BORDEAUX

MILLÉSIME
il faut toujours tenir compte de la qualité du millésime. 1970 fut une année excellente, mais moins bonne pour le saint-émilion. En revanche le saint-émilion fut bien meilleur en 1971 que les vins du Médoc.

Les experts ont parfois de la difficulté à se prononcer : ils s'interrogent encore sur les millésimes 1945 et 1961. Un expert célèbre reconnaît qu'il lui a fallu 40 ans pour préférer le premier.

NOM
Est-ce une marque ou un château? Les vins relevant des appellations génériques sont souvent des vins de marque et leur prix devrait être modéré. S'il s'agit d'un château prestigieux, il sera nécessairement très cher.

GRAND CRU CLASSÉ
Dans le Médoc, synonyme de cru classé (*voir* en bas de page).

PROPRIÉTAIRE
Nom ou raison sociale du propriétaire et nom de la commune.

APPELLATION
La première chose à regarder est l'appellation. Tous les grands vins viennent de petites appellations spécifiques. Ceux de l'appellation générique bordeaux ou d'appellations moins prestigieuses comme bourg, blaye ou entre-deux-mers peuvent être bons mais ce ne seront jamais de grands vins.

MISE EN BOUTEILLE
La mention « mis en bouteille au château » figure maintenant sur l'étiquette et sur le bouchon des grands bordeaux, mais les vieux millésimes peuvent avoir été embouteillés par un négociant de Bordeaux ou expédié en barriques puis mis en bouteilles à l'étranger. Si l'embouteilleur est (ou était) un négociant renommé, ces vins peuvent être une bonne affaire – ce Château Batailley s'est révélé superbe – mais leur achat comporte un certain risque, plus grand quand ils ont été mis en bouteille par un négociant.
Note : Deux mentions maintenant obligatoires ne figurent pas sur l'étiquette de ce vieux millésime : la contenance (en cl) et le titre alcoométrique (en % vol).

***PRODUCE OF FRANCE* OU PRODUIT DE FRANCE**
Le pays de production doit légalement être mentionné sur l'étiquette de tous les vins exportés. Il peut arriver que cette mention manque car les vins de Bordeaux passent souvent de main en main et dans plusieurs pays avant d'atteindre le consommateur.

On peut aussi trouver les mentions suivantes sur les étiquettes des bouteilles de bordeaux :

CRU ARTISAN
Les crus artisans ne font pas l'objet d'un classement officiel. Cette catégorie, qui ne concerne que le Médoc, a été reconnue par la réglementation communautaire en 1994. Les domaines qui adhèrent au syndicat des crus artisans se conforment à certains critères de production et de qualité. Chaque millésime est soumis à l'approbation d'un comité de dégustation. On compte environ 250 crus artisans, qui assurent 11 % de la production médocaine.

CRUS BOURGEOIS
Catégorie, reconnue par la réglementation européenne, ne concernant que les crus du Médoc non classés, affiliés au syndicat des crus bourgeois et respectant certains critères de production. Elle compte plus de 300 domaines assurant 49 % de la production médocaine. La qualité est très variable, mais nombre d'entre eux se comparent favorablement à certains crus classés.

CRU CLASSÉ
Tout cru du Médoc, des Graves, de Sauternes, de Barsac et de Saint-Émilion distingué par un classement officiel (il n'y a pas de hiérarchie dans les graves).

PREMIER CRU OU PREMIER CRU CLASSÉ
Dans le Médoc et le Sauternais, la qualification de premier cru classé figure en général sur l'étiquette, mais les seconds crus et les suivants ne mentionnent en général que « cru classé » sans autre précision.

PREMIER GRAND CRU CLASSÉ
Crus au sommet de la hiérarchie des crus classés de l'appellation saint-émilion.

GRAND CRU CLASSÉ
Dans l'appellation saint-émilion, tous les autres crus classés. Dans le Médoc, où le terme « grand » n'a pas de signification officielle, synonyme de cru classé.

SAINT-ÉMILION GRAND CRU
Pas un classement, mais une appellation supérieure à celle de saint-émilion (*voir* p. 104).

VINS BLANCS DE LA GIRONDE CLASSÉS EN 1855

PREMIER CRU SUPÉRIEUR
Yquem, Sauternes
(château d'Yquem)

PREMIERS CRUS
Latour Blanche, Bommes
(château la Tour Blanche)
Peyraguey, Bommes
(châteaux Lafaurie Peyraguey et
Clos Haut-Peyraguey)
Vigneau, Bommes
(château Rayne-Vigneau)
Suduiraut, Preignac
Coutet, Barsac
Climens, Barsac
Bayle, Sauternes
(château Guiraud)
Rieusec, Sauternes
(château Rieussec, Fargues)
Rabeaud, Bommes (châteaux Rabaud-Promis et Sigalas-Rabaud)

DEUXIÈMES CRUS
Mirat, Barsac (château Myrat)
Doisy, Barsac (châteaux Doisy-Daëne, Doisy-Dubroca et Doisy-Védrines)
Pexoto, Bommes (fait maintenant partie du château Rabaud-Promis)
D'Arche, Sauternes (château d'Arche)
Filhot, Sauternes
Broustet Nérac, Barsac (châteaux Broustet et Nairac)
Caillou, Barsac
Suau, Barsac
Malle, Preignac (château de Malle)
Romer, Preignac (châteaux Romer et Romer du Hayot, Fargues)
Lamothe, Sauternes (châteaux Lamothe et Lamothe Guignard)

NOTE : entre parenthèses situation actuelle : orthographe, nom, commune et division du domaine.

quoi ceux de Saint-Émilion, commercialisés par Libourne, ne figurent pas). Ils furent chargés de dresser la liste reproduite ci-dessus et ci-contre dans laquelle on a conservé l'orthographe d'époque, y compris l'accent circonflexe sur « crû », l'utilisation du terme « second cru » pour les vins rouges et « deuxième crus » pour les vins blancs et l'omission fréquente du mot château.

CÉPAGES CLASSIQUES DU BORDELAIS

Contrairement à toute attente, le merlot est le cépage le plus abondant dans le Bordelais et non le cabernet sauvignon. Celui-ci ne représente que 18 % de l'encépagement dans l'ensemble du Bordelais tandis que le merlot compte pour plus de 32 %. Il serait donc plus juste de dire que le cabernet sauvignon renforce la charpente du merlot plutôt que d'affirmer que le merlot apporte de la souplesse au cabernet sauvignon. Le Château Mouton-Rothschild ne contient pas moins de 90 % de cabernet sauvignon, mais c'est une exception même dans la région bénie du Médoc où c'est blasphémer que de mentionner le merlot, bien que son encépagement en compte 40 %. Le Château Pétrus (*voir* p. 114), un des vins les plus chers du monde, contient au minimum 95 % de merlot et pas une goutte de cabernet sauvignon. Le cabernet sauvignon est un cépage classique s'il en est, peut-être le plus grand cépage rouge du monde, mais son importance dans le Bordelais est souvent surestimée.

Le sémillon est le cépage blanc le plus abondant du Bordelais. Il est important non seulement quantitativement mais qualitativement. Il est très sensible au botrytis, la pourriture noble. On lui doit, presque toujours soutenu par le sauvignon et souvent par la muscadelle, les grands vins liquoreux des appellations sauternes et bar-

GRAPPES DE MERLOT
Ce cépage est ici presque deux fois plus abondant que le cabernet sauvignon.

VINS ROUGES DE LA GIRONDE CLASSÉS EN 1855

PREMIERS CRUS
Lafite, Pauillac
(château Lafite Rothschild)
Margaux, Margaux
Latour, Pauillac
Haut-Brion, Pessac (Graves)

SECONDS CRUS
Mouton, Pauillac
(Château Mouton-Rothschild et premier cru depuis 1973)
Rauzan Ségla, Margaux
Rauzan-Gassies, Margaux
Léoville, Saint-Julien
(Châteaux Léoville Las Cases, Léoville Poyferré, Léoville Barton)
Vivens Durfort, Margaux
(Château Durfort-Vivens)
Gruau-Laroze, Saint-Julien
(Château Gruaud-Larose)
Lascombe, Margaux
(Château Lascombes)
Brane, Cantenac
(Château Brane-Cantenac)
Pichon Longueville, Pauillac (châteaux Longueville au baron de Pichon et Pichon Longueville à la comtesse de Lalande)
Ducru Beau Caillou, Saint-Julien
(Château Ducru-Beaucaillou)
Cos Destournel, Saint-Estèphe
(Château Cos d'Estournel)
Montoise, Saint-Estèphe

TROISIÈMES CRUS
Kirwan, Cantenac
Château d'Issan, Cantenac
Lagrange, Saint-Julien
Langoa, Saint-Julien
(Château Langoa-Barton)
Giscours, Labarde
Saint Exupéry, Margaux
(Château Malescot-Saint-Exupéry)
Boyd, Cantenac (Châteaux Boyd-Cantenac et Cantenac-Boyd)
Palmer, Cantenac
Lalagune, Ludon (Château La Lagune)
Desmirail, Margaux
Dubignon, Margaux
(n'existe plus, mais certains de ses vignobles rattachés à Malescot-Saint-Exupéry, Palmer et Margaux)
Calon, Saint-Estèphe
(Château Calon-Ségur)
Ferrière, Margaux
Becker, Margaux
(Château Marquis d'Alesme-Becker)

QUATRIÈMES CRUS
Saint Pierre, Saint-Julien
Talbot, Saint-Julien
Du Luc, Saint-Julien
(Château Branaire-Ducru)
Duhart Pauillac
(Château Duhart-Milon Rothschild puis Duhart-Milon)
Poujet Lassale, Cantenac
(Château Pouget)
Poujet, Cantenac (Château Pouget)
Carnet, Saint-Laurent
(Château la Tour-Carnet)
Rochet, Saint-Estèphe
(Château Lafon-Rochet)
Château de Beychevelle, Saint-Julien
(Château Beychevelle)
Le Prieuré, Cantenac
(Château Prieuré-Lichine)
Marquis de Thermes, Margaux
(Château Marquis de Terme)

CINQUIÈMES CRUS
Canet, Pauillac
(Château Pontet-Canet)
Batailley, Pauillac
(Châteaux Batailley et Haut-Batailley)
Grand Puy, Pauillac
(Château Grand-Puy-Lacoste)
Artigues Arnaud, Pauillac
(Château Grand-Puy Ducasse)
Lynch, Pauillac
(Château Lynch-Bages)
Lynch Moussas, Pauillac
Dauzac, Labarde
Darmailhac, Pauillac
(Château d'Armailhac)
Le Tertre, Arsac
(Château du Tertre)
Haut-Bages, Pauillac
(Château Haut-Bages Libéral)
Pedescleaux, Pauillac
(Château Pédesclaux)
Coutenceau, Saint-Laurent
(Château Belgrave)
Camensac, Saint-Laurent
Cos Labory, Saint-Estèphe
Clerc Milon, Pauillac
Croizet Bages, Pauillac
Cantemerle, Macau

NOTE : entre parenthèses situation actuelle : orthographe, nom et division du domaine.

L'ACHAT EN PRIMEUR

DE QUOI S'AGIT-IL ?
C'est une méthode qui permet d'investir dans des vins de Bordeaux avant qu'ils soient mis en bouteille et je n'y souscris plus. Chaque château bordelais s'efforce de vendre d'avance une certaine partie de son vin au cours de l'année suivant son élaboration, alors qu'il ne sera pas mis en bouteilles avant trois ou peut-être quatre ans.

VENTE PAR CORRESPONDANCE
Les premiers vins sont en général offerts au printemps, peu après que les négociants du monde entier se sont astreints à goûter des centaines de vins ayant à peine six mois. Ils font ensuite mettre en bouteilles des échantillons de ceux qu'ils ont préférés pour les faire goûter dans leurs pays respectifs par les distributeurs et les clients privés les plus importants. Cela peut se passer déjà en mars, mais juin est généralement choisi. C'est à cette époque que les offres de vente par correspondance sont envoyées, accompagnées d'un commentaire sur le caractère et l'évolution prévisible des vins proposés.

DES ASSEMBLAGES APPROXIMATIFS
Les vins goûtés par le négoce et qui servent à rédiger les descriptions des offres de vente en primeur sont des assemblages de vins tirés de fûts contenant le vin des différents cépages, approximativement dans les mêmes proportions que celles prévues pour le vin qui sera commercialisé plus tard. Ces échantillons ne peuvent être exactement semblables au futur vin, quels que soient les efforts et l'honnêteté du maître de chai. En effet, celui-ci ignore encore quelle sera la proportion exacte des vins de cépage dans l'assemblage définitif. Tout dépendra de la manière dont les fûts vont évoluer et des choix qui seront faits au moment d'éliminer ceux qui ne seront pas jugés dignes d'entrer dans la composition du grand vin.

POURQUOI ACHETER EN PRIMEUR ?
Il vaut la peine d'acheter en primeur un vin qui vous sera livré trois ou quatre ans plus tard (et qu'il vaudra probablement mieux garder encore trois ou quatre ans) seulement si vous savez que vous ne pourrez l'obtenir autrement ou si vous prévoyez que son prix augmentera significativement.

QUELS VINS FAUT-IL ACHETER ?
Je conseille aux œnophiles d'acheter en primeur des vins de la vallée du Rhône comme le Cornas qu'il paraît impossible de se procurer quand ils sont prêts à être bus à moins que vous acceptiez de les payer trois ou quatre fois plus cher qu'en primeur. Quant aux bordeaux, le seul conseil que je puisse donner est de se concentrer sur les très grands vins. Qu'importe si le Latour, le Mouton, le Pétrus ou l'Yquem ne ressemblent pas aux échantillons ou aux descriptions, leur achat en primeur sera toujours un bon investissement. Pour l'amateur qui entend bien consommer lui-même son achat, il vous mieux ne pas parier sur d'autres bordeaux en primeur.

sac. Il est tenu pour le plus grand cépage du monde pour l'élaboration de ce style de vin. Le sémillon donne aussi la plupart des meilleurs vins blancs du Bordelais, mais ceux-ci sont relativement peu nombreux et manquent de prestige. Le sauvignon, à part sa fonction d'appoint dans les liquoreux, joue un rôle plus ou moins important dans les vins blancs secs. La plupart des blancs secs les moins chers sont issus du seul sauvignon.

LE RÔLE DES CÉPAGES DANS LA CUVÉE

Plusieurs variétés de cépages rouges et blancs sont cultivés dans le Bordelais. Chacun d'eux apporte sa propre contribution à l'élaboration d'un vin donné. Le cabernet sauvignon est le plus complexe et le plus distinctif de tous les cépages rouges. Il possède une charpente tannique ferme mais déploie avec le temps un arôme riche, puissant et persistant. Les vins issus de ce cépage peuvent être très fins, avec souvent un bouquet caractéristique de cassis ou de violette. Le cabernet franc a des particularités analogues mais peut aussi, selon l'endroit où il est cultivé, avoir des goûts herbacés, séveux ou minéraux. En revanche, il se révèle un cépage vraiment noble dans la région de Saint-Émilion et de Pomerol, et peut rivaliser avec son cousin dans certaines parties des Graves. Le merlot est tendre, soyeux et parfois opulent. C'est un cépage de charme qui peut donner des vins succulents, fruités et épicés. Le petit verdot mûrit tard et possède une forte acidité naturelle tandis que le malbec a une peau épaisse riche en pigments. On ajoutait traditionnellement un peu de ces deux cépages pour corriger l'acidité et la couleur des vins d'assemblage, mais la modernisation des techniques de culture et de vinification a rendu leur apport moins nécessaire et leur culture est sur le déclin depuis une vingtaine d'années. Le sémillon donne un vin blanc naturellement riche en extrait et en alcool. Il est à la base de liquoreux succulents et d'une grande longévité, mais sa faible acidité le rend en général impropre à l'élaboration de vins secs. Toutefois, dans des circonstances exceptionnelles, le sémillon de très bonne qualité donne un vin blanc sec, excellent pour autant qu'il soit élevé dans du bois neuf, ce qui met en évidence ses qualités aromatiques et lui donne une charpente plus ferme sans laquelle il serait « gras » et mou.

Dans le Bordelais, le sauvignon donne des vins agréables, tendres et délicats. Ces vins n'ont pas le mordant qui caractérise les sauvignons de la Loire des appellations sancerre et pouilly-fumé, toutefois ils mettent mieux en évidence le caractère du cépage aujourd'hui qu'il y a quelques années : une vendange précoce, une cuvaison préfermentaire au contact des peaux du raisin qui augmente l'extraction aromatique et une fermentation longue à basse température dans des cuves en Inox ont été associées pour obtenir des vins blancs secs plus intéressants, de qualité moyenne.

LA VINIFICATION ET L'ÉLEVAGE

Encore récemment, si certains producteurs de crus classés utilisaient toujours leurs cuves en chêne pour la vinification (dans bien des cas plus par manque de moyens financiers que par principe), rares étaient ceux qui achetaient des cuves en chêne neuves, la plupart préférant celles en Inox. Château Margaux, dont l'œnologue conseil était le célèbre professeur Émile Peynaud, fait partie des exceptions de marque. Margaux a investi dans des cuves de vinification en bois de chêne neuf plus d'argent que tout autre grand domaine. Rien n'étant jamais acquis dans les techniques d'élaboration des vins, la tendance actuelle est au retour de la vinification dans le bois neuf.

MOÛT EN COURS DE FERMENTATION
La proportion relative des cépages et les caractéristiques du terroir conditionnent dans une large mesure la qualité et le caractère d'un vin. La manière de mener l'élaboration a toujours été la méthode permettant de modeler le style des vins de qualité, notamment en jouant sur la durée de la cuvaison (jusqu'à un mois), en ajoutant du vin de presse (à concurrence de 15 %), en variant la longueur de l'élevage (15 à 18 mois en général, autrefois 3 à 5 ans) et la proportion de bois neuf.

L'ADDITION DE VIN DE PRESSE

Une des techniques mises en œuvre pour l'élaboration des vins rouges courante dans le Bordelais est l'addition au vin de goutte d'une certaine quantité de vin de presse. Quand le vin a achevé ses fermentations alcoolique et malolactique, on le laisse s'écouler dans les cuves ou les fûts d'élevage ; c'est le vin de goutte. Le résidu qui s'est accumulé au fond de la cuve de vinification est ensuite pressuré. On procède en général à deux pressurages : le premier vin de presse est le meilleur et compte pour environ 10 % du total, le second pour environ 5 %. Le vin de presse a une teneur en alcool moindre et, le résidu étant principalement composé des peaux du raisin, il est très foncé et très riche en acide tannique. L'addition de vin de presse rendrait un vin destiné à être bu jeune dur et peu agréable, en revanche il donne davantage de corps et de longévité à un bordeaux classique élevé en fût.

L'ÉLEVAGE EN FÛTS DE CHÊNE

Après la vinification et avant la mis en bouteille, tous les grands bordeaux rouges sont élevés dans des barriques en chêne dites bordelaises, d'une contenance de 225 litres. La qualité et la charpente du vin déterminent la durée de l'élevage et la proportion de bois neuf utilisé, qui varieront donc suivant le millésime. Les plus grands vins – notamment tous les premiers crus – exigent un séjour d'au moins 18 à 24 mois en fûts entièrement neufs. D'autres bordeaux de très grande qualité, dont les autres crus classés quand un classement existe (les pomerols n'ont jamais fait l'objet d'un classement) sont élevés moins longtemps, peut-être de 12 à 18 mois, la proportion de fûts neufs n'étant en général que de 30 à 50 %. Avant d'être remplie, une barrique neuve exhale un arôme boisé crémeux et vanillé, celui-là même que l'on doit percevoir dans un très bon vin élevé en fût dans les règles de l'art.

BARRIQUES DANS UN CHAI BORDELAIS
Ces barriques en chêne neuf dans un chai de Langoa-Barton contiennent le vin de Léoville-Barton. Les deux domaines appartiennent à la famille Barton, mais le second ne dispose pas de locaux d'exploitation.

LE PRÉSENT ET L'AVENIR

Les plus prestigieux domaines du Bordelais commercialisent depuis longtemps les cuvées que le maître de chai n'estime pas parfaites comme « seconds vins », sous une autre étiquette. Au début des années 1980, cette manière de faire a commencé à être adoptée par des producteurs plus modestes, notamment dans le Médoc ceux des crus bourgeois, ce qui leur permet de réserver les meilleures cuvées pour leur « grand vin ». Depuis la fin de la décennie, la taille en vert et l'éclaircissage des grappes sont de rigueur pour tous les vignerons soucieux de qualité. Plus récemment, des appareils permettant la concentration du moût et donc l'intensification du fruit par évaporation, osmose inverse et, dans le Sauternais, cryo-extraction, ont été adoptées par des châteaux prestigieux dont Cos d'Estournel, Lafite et Léoville Las-Cases. Le progrès le plus significatif de la viticulture bordelaise depuis vingt ans est intervenu en 1994 quand on a commencé à déterminer le meilleur moment de vendanger en fonction du mûrissement du tanin et non de l'équilibre sucre-acidité. Les tanins insuffisamment mûrs, ne s'hydrolysant pas, sont durs et ne s'assoupliront jamais, tandis que les tanins mûrs s'hydrolysent, ont d'emblée une certaine souplesse et s'assoupliront toujours par la suite. Ce phénomène est connu depuis longtemps, mais le moment opportun varie d'une région à l'autre. Il a été étudié dès 1986 par Vincent Dupuch, de la chambre d'agriculture de la Gironde, qui a découvert que le raisin réputé physiologiquement mûr d'après le rapport sucre-acidité contenait encore une forte proportion de tanin insuffisamment mûr. De nombreux domaines ont adopté en 1994 la méthode de détermination du mûrissement du tanin de Dupuch et ont eu la surprise de découvrir que le moment optimum pour vendanger était sensiblement plus tardif que celui indiqué par la mesure du sucre et de l'acidité. Sa généralisation aura pour conséquence que de nombreux vins de Bordeaux seront plus mûrs. Avec cette méthode, le maître de chai connaît avec précision le contenu phénolique qui comprend les pigments et le tanin, ce qui lui permet de mieux conduire la cuvaison et la vinification de chaque cuvée.

MILLÉSIMES RÉCENTS

1996 Bons blancs secs malgré la vendange du sauvignon et du sémillon sous la pluie. Excellents rouges dans le Médoc et les Graves, où le cabernet présentait un équilibre entre l'acidité et le tanin inhabituel. Saint-émilion, pomerol et sauternes irréguliers mais quelques-uns exceptionnels.

1995 Année torride et conditions de vendange idéales ont permis une production abondante des meilleurs vins depuis 1990. Si les blancs secs sont bons et les vins rouges excellents, des vins botrytisés vraiment exceptionnels ont été portés aux nues simplement parce que après quatre années maigres, le marché n'avait plus rien à offrir.

1994 Été superbe gâté par la pluie en septembre. Raisin admirablement mûr dans les appellations classiques avant des vendanges sous une pluie torrentielle, mais pas de pourriture. Millésime sauvé de justesse, pas aussi mauvais qu'on l'avait craint d'abord mais certainement pas exceptionnel. Même qualité générale entre la rive droite (Pomerol, Saint-Émilion, etc.) et la rive gauche (Médoc, Graves, etc.), mais comme souvent une différence notable entre les appellations prestigieuses et les autres et entre les grands châteaux et les domaines moins réputés, en général pas équipés pour vendanger aussi rapidement que les crus classés et ayant donc plus souffert de la pluie. De plus, le raisin dans les appellations mineures n'était pas parfaitement mûr avant la pluie en raison de la situation moins favorables des vignobles. Premier millésime où le début de la vendange a été décidé en fonction du mûrissement du tanin : les meilleurs châteaux ont fait un vin foncé, riche et souple, assez étonnant pour un tel millésime. Les meilleurs vins sont des blancs secs superbes, mais un botrytis presque inexistant a interdit l'élaboration de sauternes de qualité décente.

1993 Le premier de deux millésimes très prometteurs gâtés par la pluie (un troisième, 1995, aura plus de chance) et le moins bon des deux, ses vins n'ayant pas la couleur et la concentration des 1994. Une fois de plus les châteaux les plus prestigieux s'en sont mieux sortis. Les meilleurs rouges ont été ceux des régions de Saint-Émilion et de Pomerol pour la profondeur, des Graves pour l'élégance. Blancs secs plus uniformes, avec un léger avantage à ceux des Graves, souples et gouleyants. Aucun espoir pour les liquoreux.

1992 Un mois d'août torride, mais des orages violents et une pluie torrentielle ont fait de l'été 1992 le plus humide depuis cinquante ans. De plus, cette année a été la moins ensoleillée depuis 1980. Les rares bons vins ont été des blancs.

LES APPELLATIONS GÉNÉRIQUES

BORDEAUX

Il existe dans le Bordelais plus d'une cinquantaine d'appellations d'origine contrôlée (AOC) que l'on peut répartir en deux groupes, les AOC spécifiques que nous examinerons plus loin et les AOC génériques. Celles-ci peuvent s'appliquer à tous les vins conformes à la réglementation produits sur les quelque 115 000 hectares du vignoble bordelais.

BORDEAUX AOC

Comme dans toute appellation de grande étendue, la qualité des vins est très variable. Ces bordeaux peuvent être bons, quelconques ou franchement détestables. La qualité générale est acceptable, mais même les meilleurs vins sont éloignés de ceux auxquels la région doit sa notoriété. Certains des vins les plus dignes d'éloges viennent de vignobles situés dans des aires d'appellations spécifiques réservées à un style donné de vin (par exemple l'AOC sauternes étant réservée aux vins blancs, les vins rouges du Sauternais relèvent de l'appellation générique). Les vins portant un nom de marque sont prêts à être bus dès l'achat. Pour les vins de domaine, l'indication de la commune d'origine en général portée sur l'étiquette et le prix donnent une idée de leur qualité et de leur longévité probables.

Rouge La plupart sont des vins simples faits pour être bus jeunes. Ils sont en général souples grâce à la présence de beaucoup de merlot dans l'assemblage.

cabernet sauvignon, cabernet franc, carmenère, merlot, malbec, petit verdot

1-2 ans

Blanc Tous les blancs de l'AOC bordeaux générique contiennent au moins 4 g/l de sucre résiduel et sont donc un peu doux. La qualité de ces blancs est encore plus variable que celle des rouges de l'appellation. On y trouve de nombreux vins mous et plats. L'AOC bordeaux sec est réservée aux vins contenant moins de 4 g/l de sucre résiduel. Leur qualité est presque aussi variable, mais la plupart des meilleurs blancs secs se trouvent sous cette étiquette.

sémillon, sauvignon, muscadelle plus 30% maximum de merlot blanc, colombard, mauzac, ondenc, ugni blanc.

1-2 ans

Rosé Les rosés de domaines spécifiés, demi-secs et moyennement corpulents, peuvent être séduisants. La mise en vente des vins rosés de l'appellation bordeaux générique est autorisée à partir du 1er décembre, sans mention « primeur » ni « nouveau ».

cabernet sauvignon, cabernet franc, carmenère, merlot, malbec, petit verdot

tout de suite

BORDEAUX CLAIRET AOC

Concerne des vins légers de couleur rose intense faits de raisin rouge macéré pendant 24 à 36 heures puis vinifiés comme les blancs. Le vieux terme « claret » signifiant limpide, on peut penser que la région a tôt été réputée pour la limpidité de ses vins.

Rosé Vin peu corpulent, sec avec une pointe de douceur, qualifié tantôt de rosé foncé tantôt de rouge clair. Le meilleur vient de la cave coopérative de Quinsac, dans les Premières Côtes de Bordeaux.

cabernet sauvignon, cabernet franc, carmenère, merlot, malbec, petit verdot

1-2 ans

BORDEAUX ROSÉ AOC

Élaboré comme le bordeaux clairet, avec les mêmes cépages, mais avec une cuvaison plus courte (de 12 à 18 heures), le bordeaux rosé a une robe rose clair. Ces deux vins sont parfois étiquetés bordeaux.

BORDEAUX SEC AOC

Mêmes caractéristiques que le blanc de l'appellation bordeaux, mais avec une teneur en sucre résiduel inférieure à 4 g/l. Pour plus de détails *voir* bordeaux AOC.

sémillon, sauvignon, muscadelle plus 30% maximum de merlot blanc, colombard, mauzac, ondenc, ugni blanc

BORDEAUX SUPÉRIEUR AOC

Par rapport au bordeaux, teneur en alcool plus forte de 0,5% vol., rendement inférieur et temps d'élevage plus long. La qualité des bordeaux supérieurs est meilleure, moins variable que dans les autres appellations génériques. Ces vins présentent un rapport qualité/prix plus favorable.

Rouge Vins de corpulence faible, moyenne ou forte généralement plus pleins et plus riches que les bordeaux.

cabernet sauvignon, cabernet franc, carmenère, merlot, malbec, petit verdot

2-6 ans

Blanc Vins secs et parfois un peu moelleux que l'on ne rencontre pas souvent.

sémillon, sauvignon, muscadelle plus 15% maximum de merlot blanc

1-2 ans

BORDEAUX SUPÉRIEUR CLAIRET AOC

Appellation rarement rencontrée : les vins sont vendus sous les appellations bordeaux supérieur ou bordeaux clairet.

Rosé Sec avec une pointe de douceur et moyennement corpulent comme un bordeaux clairet mais avec une teneur en alcool plus forte de 0,5% vol.

cabernet sauvignon, cabernet franc, carmenère, merlot, malbec, petit verdot

1-2 ans

BORDEAUX SUPÉRIEUR ROSÉ AOC

Peu de vins dans cette appellation – le Rosé de Lascombes du Château Lascombes est toujours le meilleur.

Rosé Les quelques vins de cette appellation que j'ai dégustés, moyennement corpulents et secs avec une pointe de douceur, étaient plus pleins, plus riches et avaient plus de classe que tout autre bordeaux rosé générique.

cabernet sauvignon, cabernet franc, carmenère, merlot, malbec, petit verdot

1-2 ans

CRÉMANT DE BORDEAUX AOC

Appellation instituée en 1990 pour remplacer celle de bordeaux mousseux, définitivement disparu le 31 décembre 1995. Bien qu'il soit préférable à nombre de mousseux de la Loire mal élaborés, le crémant de bordeaux n'a rien de remarquable. Le changement d'appellation n'a rien changé au vin, semblable à son prédécesseur. C'est un mousseux modeste et inoffensif. Il lui manque la subtilité et la finesse qui permettent à certains de se distinguer de la mer de mousseux meilleur marché et tout aussi fades que l'on produit un peu partout dans le monde. J'ai dégusté des vins bien meilleurs dans des régions beaucoup moins propices que le Bordelais à l'élaboration de vins effervescents.

Mousseux blanc Varie de sec à doux, de mince à moyennement corpulent, mais ce mousseux est presque toujours fade.

sémillon, sauvignon, muscadelle, ugni blanc, colombard, cabernet sauvignon, cabernet franc, carmenère, merlot, malbec, petit verdot

1-2 ans

Mousseux rosé On ne peut que regretter que les autorités n'aient pas profité du changement d'appellation pour autoriser l'addition de cépages blancs à l'assortiment habituel de cépages rouges. Ce rosé n'aurait pu qu'en bénéficier.

cabernet sauvignon, cabernet franc, carmenère, merlot, malbec, petit verdot

2-3 ans

MEILLEURES MARQUES DE BORDEAUX GÉNÉRIQUES

La réputation des grands vins rouges de Bordeaux est inégalée dans le monde, mais comme dans toutes les régions, il existe aussi des vins plus ordinaires. Dans le Bordelais, certains de ces derniers peuvent se parer de la même appellation que les très grands. Il ne faut pas oublier que ce qui sépare un vin quelconque de l'appellation margaux du Château Margaux n'est pas que le prix. Le premier est un assemblage de vins de qualité inférieure venant de n'importe quel vignoble situé dans le périmètre de l'appellation, le second est une sélection des meilleures cuvées issues du premier cru. Les bordeaux génériques de marque pouvant être très décevants, je suggère les suivants.

DOURTHE NUMÉRO 1

Probablement le meilleur bordeaux générique de très grande diffusion.

LA COUR PAVILLON

Un des bordeaux génériques les plus sous-estimés du marché. Fait dans le Médoc au Château Loudenne, il est toujours agréablement fruité, avec une charpente permettant de le conserver un certain temps.

MAÎTRE D'ESTOURNEL

Il y a le même rapport entre le Maître d'Estournel et le Château Cos d'Estournel qu'entre le Mouton Cadet et le Château Mouton-Rothschild, c'est-à-dire aucun en ce qui concerne le vin, mais l'un et l'autre espèrent bénéficier du prestige du Château. Il y a pourtant une différence entre les deux petits vins : le Maître d'Estournel est un vin expressif à boire jeune qui peut même se garder quelques années en bouteille tandis que le Mouton Cadet n'est qu'un mouton déguisé en agneau.

MICHEL LYNCH

Produits par Michel Cazes du Château Lynch-Bages (cru classé de l'appellation pauillac), ce sont des vins délibérément séduisants, fruités sans réticence. Je les recommande vivement.

SICHEL SIRIUS

Vins aussi sérieux que leur nom le suggère. Ces bordeaux génériques élevés dans le chêne se bonifieront deux ou trois ans en bouteille.

MEILLEURS PRODUCTEURS DE

BORDEAUX GÉNÉRIQUES

BORDEAUX ROUGE

CHÂTEAU BALLUE-MONDON

Gensac

Un bordeaux souple et fruité issu de culture « biologique »

CHÂTEAU DE BERTIN

Targon

Vins puissants à base de cabernet sauvignon se bonifiant en bouteille.

CHÂTEAU FAUGAS

Cadillac

Vins bien équilibrés aux arômes séduisants de petits fruits.

CHÂTEAU DU GRAND MOUEYS

Capian

Des vins toujours élégants.

CHÂTEAU GRAND VILLAGE

Mouillac

Vin riche et facile dominé par le merlot, élevé dans le chêne, et bon second vin étiqueté « Beau Village ».

CHÂTEAU LA LALANDE SAINT-JEAN

Saint-Loubès

Frais, léger et gouleyant.

CHÂTEAU LAPÉYÈRE

Cadillac

Vin bien structuré dominé par le cabernet sauvignon.

CHÂTEAU DE LUGUNAC

Pellegrue

Joli château du XVe siècle où l'on fait un vin séduisant, ferme, charnu, qui montre une certaine finesse.

DOMAINE DE MALINEAU

Saint-Macaire

Un corps parfois un peu étriqué, mais ayant toujours un certain intérêt.

CHÂTEAU MARJOSSE

Branne

Vins généreux avec un beau fruit crémeux-soyeux.

CHÂTEAU MORILLON

Monségur

Vins riches, charnus et juteux.

CLOS DE PÉLIGON

Saint-Loubès

Bon vin corpulent avec une note boisée.

CHÂTEAU POUCHAUD-LARQUEY

La Réole

Étoffé, riche et très fruité

CHÂTEAU ROC-DE-CAYLA

Targon

Vins gouleyants, bien équilibrés, bien fruités, qui présentent une certaine finesse.

CHÂTEAU THIEULEY

Créon

Vins moyennement corpulents, élégants et assez boisés.

CHÂTEAU TIMBERLAY

Saint-André-de-Cubzac

Vin très aromatique à la robe profonde, ne manquant pas d'élégance.

BORDEAUX BLANC

CHÂTEAU BONHOSTE

Saint-Jean-de-Blaignac

Bordeaux classique de premier ordre.

CHÂTEAU COURTEY

Saint-Macaire

Vin à l'ancienne très intense avec un bouquet assez remarquable.

CHÂTEAU DE HAUX

Haux

Vin sec admirablement mûr, avec un fruit très frais et élégant

CHÂTEAU LAGROSSE

Tabanac

Élégant, mûr, long en bouche, avec un fruit citronné, agréablement boisé.

CHÂTEAU PLAISANCE

Capian

Un excellent bordeaux sec, assez riche, issu de vieilles vignes de 50 ans et vinifié dans le bois.

CHÂTEAU DE PLASSAN

Tabanac

Deux bordeaux secs : l'un a un arôme intense et frais de sauvignon ; l'autre, plus cher, est à la fois vinifié et élevé en fûts de chêne, et a un ravissant fruit crémeux et une belle finale citronnée et miellée-vanillée.

CHÂTEAU RENON

Langoiron

Ce vin de sauvignon est agréablement frais et floral.

CHÂTEAU REYNON

Cadillac

L'œnologue Denis Dubourdieu, propriétaire, élabore notamment un premières côtes-de-bordeaux rouge délicieux et deux bordeaux secs, un dominé par le sémillon et un sauvignon extraordinaire issu de vieilles vignes. Tous sont dignes de confiance jusqu'au vin étiqueté « Second de Reynon ».

CHÂTEAU THIEULEY

Créon

Bons vins frais, fruités et floraux.

BORDEAUX ROSÉ

CHÂTEAU BERTINERIE

Cavignac

Un rosé à la fois sérieux et séduisant, riche et délicat, fruité et floral, avec une finale souple.

CHÂTEAU CHANET

Branne

Vin aromatique au bouquet floral.

CHÂTEAU LA MONGIE

Saint-André-de-Cubzac

Vin agréable, fruité et floral.

LE ROSÉ DE CLARKE

Castelnau-de-Médoc

Élaboré au Château Clarke (AOC listrac-médoc), ce vin a tous les arômes que l'on attend d'un rosé sec classique.

BORDEAUX SUPÉRIEUR

CHÂTEAU DES ARRAS

Saint-André-de-Cubzac

Vins à la robe profonde, bien structurés avec un fruit abondant et charnu.

MARQUIS DE BOIRAC

Castillon-la-Bataille

Superbe vin de coopérative, très fruité, aromatique et boisé.

CHÂTEAU FONCHEREAU

Saint-Loubès

Vin de garde bien structuré et épicé, de qualité exceptionnelle.

CHÂTEAU FOUCHÉ

Bourg-sur-Gironde

Vin ferme avec pourtant un fruit ample et juteux et une finale souple.

CHÂTEAU GROSSOMBRE

Branne

Très bon vin rouge joliment concentré qui se bonifie 12 à 18 mois en bouteille. Rapport qualité/prix exceptionnel.

CHÂTEAU LACOMBE-CADIOT

Blanquefort

Vins bien colorés, délicieusement fruités, boisés, avec un bouquet très puissant.

CHÂTEAU LAGRANGE-LES-TOURS

Saint-André-de-Cubzac

Vins bien faits, ronds et aromatiques.

CHÂTEAU LATOUR

Sauveterre-de-Guyenne

Vins moyennement corpulents et toujours bien fruités, avec une finale souple.

CHÂTEAU LAVILLE

Saint-Loubès

Vins riches, tanniques, solidement structurés, avec un fruit épicé.

CHÂTEAU MÉAUME

Coutras

Alan Johnson-Hill était marchand de vin avant de s'installer dans ce domaine au nord de Pomerol. Depuis lors, il a acquis la réputation d'élaborer ce bordeaux rouge sur mesure afin qu'il plaise particulièrement aux gosiers des jeunes Anglais.

CHÂTEAU LA MICHELERIE

Saint-André-de-Cubzac

Autre domaine produisant des vins amples et tanniques.

CHÂTEAU LES MOINES-MARTIN

Galgon

Vin bien élaboré destiné à être bu raisonnablement jeune, avec un fruit rond, un bouquet séduisant et un bel équilibre.

CHÂTEAU DE PIERREDON

Sauveterre-de-Guyenne

Bordeaux sérieux de la région du Haut-Benauge. L'assemblage est dominé par le cabernet sauvignon.

CHÂTEAU PUYFROMAGE

Lussac

Vin séduisant, moyennement corpulent, équilibré et gouleyant de la région de Saint-Émilion.

CHÂTEAU SARRAIL-LA-GUILLAMERIE

Saint-Loubès

Vin riche et charnu qui s'assouplit joliment avec l'âge.

CHÂTEAU DE SEGUIN

La Tresne

Recherchez la cuvée Prestige qui est riche et plus souple que le Château Seguin de base.

CHÂTEAU TOUR-DE-L'ESPÉRANCE

Galgon

Vin souple et tendre, avec un fruit abondant, ample, mûr et juteux. Il n'est pourtant pas sans finesse.

CHÂTEAU TOUR PETIT PUCH

Saint-Germain-du-Puch

Vins joliment colorés, bien faits et bien équilibrés, avec un soupçon d'arôme épicé.

CHÂTEAU DE LA VIEILLE TOUR

Saint-Michel-Lapujade

Toujours riche et souple, même dans les millésimes notoirement difficiles.

CHÂTEAU VIEUX MOULIN

Villegouge

Vins bien arrondis, souples, longs en bouche, toujours d'excellente qualité.

BORDEAUX SUPÉRIEUR ROSÉ

ROSÉ DE LASCOMBES

Margaux

Rosé désaltérant et fruité, fin et d'excellente qualité.

BORDEAUX CLAIRET

DOMAINE DU BRU

Saint-Avit-Saint-Nazaire

Vins désaltérants et gouleyants, peu colorés et peu corpulents.

CAVE DE QUINSAC

Latresne

Excellent rosé délicatement coloré et peu corpulent.

LE MÉDOC

Le caractère des vins change plus radicalement d'un endroit à l'autre dans le Médoc que dans toute autre région de vins rouges. Ceux proches de Bordeaux sont tendres et sans personnalité marquée. À partir de Ludon, leur caractère s'affirme progressivement et ils acquièrent de la finesse. Après Margaux, ils deviennent plus corpulents. Au-delà de Saint-Estèphe, ils perdent leur finesse et leur structure ferme devient dureté.

Le Médoc tire son nom du latin *medio aquae* – entre les eaux. Il est en effet situé entre la Gironde et l'océan Atlantique. Aujourd'hui, le vignoble médocain s'étend vers le nord-ouest en une bande longue et mince de Bordeaux à la pointe de Grave. La grande majorité des domaines les plus prestigieux qui ont fait la réputation des vins de Bordeaux sont groupés au centre. Pourtant, la création de ce vignoble est beaucoup plus récente que celle des autres grands vignobles bordelais. Si l'on fait du vin dans le Libournais, autour de Saint-Émilion, depuis l'époque romaine, les premiers vignobles ne furent plantés dans le Médoc que dix siècles plus tard. Les Romains avaient jugé le Bourgeais et ses collines, sur l'autre rive de la Gironde, beaucoup plus propices à la viticulture. À cette époque, les terres marécageuses du Médoc étaient impraticables et impossibles à cultiver. De nos jours, le Médoc est envié par les vignerons du monde entier tandis que le Bourgeais n'est que la source de vins sans prestige, encore que d'un bon rapport qualité/prix.

LE STYLE DU MÉDOC, THÈME ET VARIATIONS

Les quatre célèbres communes de Margaux, Saint-Julien, Pauillac, Saint-Estèphe, et celles, moins connues mais en plein essor, de Listrac et Moulis se trouvent dans la partie nord du Haut-Médoc, où les vins fermes, charnus et d'une qualité exceptionnelle. Le Haut-Médoc commence à Blanquefort, juste au nord de la ville de Bordeaux, à la

FACTEURS DU GOÛT ET DE LA QUALITÉ

EMPLACEMENT
Rive gauche de l'estuaire de la Gironde, entre les faubourgs de la ville de Bordeaux et Soulac-sur-Mer.

CLIMAT
Les deux grandes masses d'eau de part et d'autre du Médoc – l'Atlantique et la Gironde – agissent comme régulateur de chaleur et contribuent à créer un climat idéal pour la viticulture. Le Gulf Stream donne au Médoc des hivers doux, des étés chauds et prolongés, des automnes ensoleillés. Les immenses pinèdes qui s'étendent en une bande continue le long de l'océan, parallèlement au Médoc viticole, le protègent efficacement des vents d'ouest et du nord-ouest.

SITES
Des collines onduleuses avec des buttes et des pentes douces caractérisent le Médoc. On dit des meilleurs vignobles qu'ils regardent le fleuve et presque tous ceux des appellations les plus prestigieuses du Haut-Médoc descendent graduellement vers la Gironde. Mais existent aussi des zones marécageuses impropres à la viticulture.

SOLS
Le sol du Médoc est composé d'une couche superficielle presque semblable sur toute son étendue, faite de sables et d'affleurement de graves siliceuses de taille variable, assise sur des socles différents. Ceux-ci peuvent consister en graves et atteindre une profondeur de plusieurs mètres ou en sable souvent riche en humus, ou même parfois en roches calcaires ou en terrain argileux.

VITICULTURE ET VINIFICATION
Les appellations médoc et haut-médoc concernent les seuls vins rouges. La machine à vendanger est d'un usage courant et le raisin est toujours éraflé avant la vinification menée en cuves, de plus en plus souvent en Inox. La cuvaison dure en général une ou deux semaines, mais certains châteaux reviennent aux quatre semaines autrefois traditionnelles.

CÉPAGES PRINCIPAUX
Cabernet sauvignon, cabernet franc, merlot
CÉPAGES SECONDAIRES
Carmenère, petit verdot, malbec

SUPERFICIES ET PROPORTIONS DES VIGNOBLES SITUÉS DANS LES APPELLATIONS MÉDOCAINES

APPELLATION	TOTAL HA	CRUS CLASSÉS HA	CRUS CLASSÉS PROPORTIONS
Haut-Médoc	4 160	255	6% de l'AOC, 9% des crus classés
Margaux	1 340	854	64% de l'AOC, 31% des crus classés
Saint-Julien	910	628	69% de l'AOC, 22% des crus classés
Pauillac	1 170	842	72% de l'AOC, 30% des crus classés
Saint-Estèphe	1 380	226	16% de l'AOC, 8% des crus classés
Moulis	600		pas de crus classés
Listrac-Médoc	660		pas de crus classés
Médoc	4700		pas de crus classés
TOTAL	14920	2805	19% des AOC du Médoc 100% des crus classés

RÉPARTITION DES CRUS CLASSÉS ENTRE LES APPELLATIONS DU MÉDOC

APPELLATION	1er	2e	3e	4e	5e	TOTAL
Haut-Médoc	0	0	1	1	3	5
Saint-Estèphe	0	2	1	1	1	5
Pauillac	3	2	0	1	12	18
Saint-Julien	0	5	2	4	0	11
Margaux	1	5	10	3	2	21
TOTAL	4	14	14	10	18	60

limite septentrionale des Graves. Ses premiers vignobles donnent des vins assez neutres, sans grande personnalité, mais un peu plus au nord, à partir de Ludon, commence la région bénie des crus classés, le premier étant le Château la Lagune. On fait aussi dans le voisinage d'excellents crus bourgeois comme le Château d'Agassac.
Les vins de l'appellation margaux sont souples, veloutés et plein de charme, bien qu'ils soient d'authentiques vins de garde se bonifiant avec l'âge. Les saint-julien sont caractérisés par l'élégance et une flaveur très pure. Ils ont la délicatesse des margaux, mais leur corpulence les rapproche des pauillac. Ceux-ci sont puissants, avec le plus souvent une flaveur riche de cassis et des notes de bois de cèdre et de tabac. Ce sont des vins d'une grande finesse et pauillac est à juste titre tenue pour la plus grande appellation du Médoc. Celle de Saint-Estèphe compte de nombreux crus mineurs au charme rustique et quelques grands classiques. Ici, l'adoption de techniques modernes change graduellement le robustesse de ses vins épicés en richesse.
Saint-Seurin-de-Cadourne, au nord de Saint-Estèphe, est la dernière commune de l'appellation haut-médoc. Au-delà s'étend la vaste AOC médoc. Cette région, autrefois appelée « Bas-Médoc », ne jouit pas de la réputation du Haut-Médoc. On y fait pourtant, dans le triangle formé par Saint-Yzans, Lesparre et Valeyrac, des crus mineurs d'une qualité exceptionnelle comme Loudenne, Potensac, la Cardonne, Blaignan, les Ormes-Sorbet, la Tour-Saint-Bonnet, la Tour-de-By et Patache d'Aux. D'une manière générale, les vins du Bas-Médoc sont moins complexes que ceux du Haut-Médoc.

LA LUTTE POUR LES GRAVES

Les meilleurs sols pour la viticulture sont aussi ceux qui sont les plus faciles à exploiter par les carriers. Après la guerre, faute de législation en la matière, on a commencé à extraire des graves des vignobles abandonnés qu'il devient alors impossible de reconstituer. Les graves sont abondantes dans la Gironde, mais il est plus rentable de les extraire de carrières à ciel ouvert. Les ressources du Médoc sont malheureusement limitées et les carriers continueront à les piller jusqu'au moment où les pouvoirs publics se décideront enfin à les protéger.

LE MÉDOC, ***voir aussi*** **p. 59**
Étroite bande de terre entre l'estuaire de la Gironde et l'océan Atlantique, le Médoc s'étend vers le nord des faubourgs de Bordeaux à la Pointe de Grave. Son climat est le plus doux du Bordelais, tempéré par ces deux grandes masses d'eau. Les vignobles sont protégés des vents océaniques par la forêt.

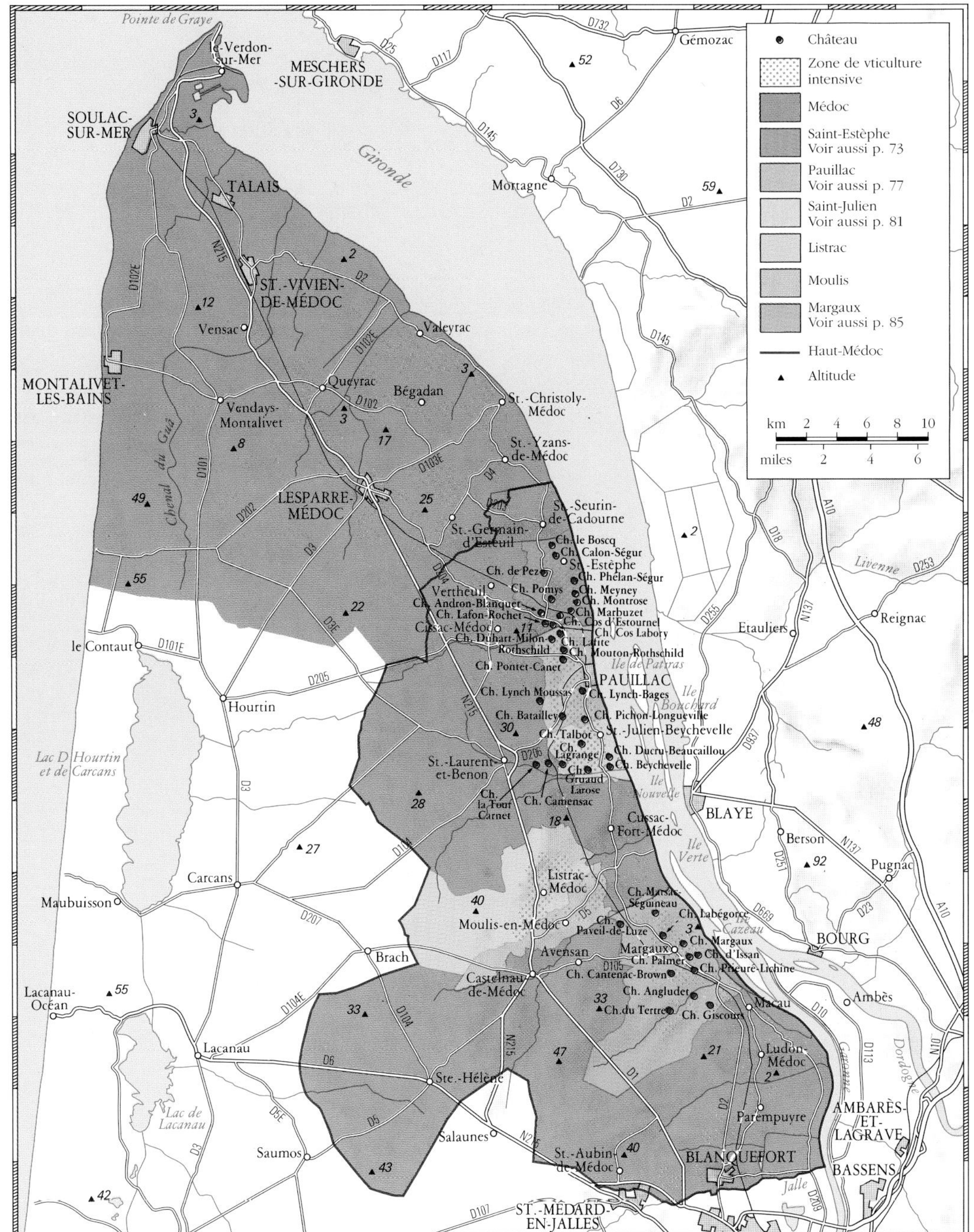

TONNELIER AU TRAVAIL À LAFITE-ROTHSCHILD
Les vins de ce prestigieux domaine sont élevés 18 à 24 mois dans des barriques neuves, c'est-à-dire moins longtemps qu'autrefois. Celles-ci sont fabriquées, avec le plus grand soin, de manière traditionnelle.

LES APPELLATIONS DU

MÉDOC

HAUT-MÉDOC AOC

Les communes ayant donné leur nom aux appellations les plus prestigieuses du Médoc – margaux, saint-julien, pauillac, saint-estèphe et celles moins connues de Listrac et Moulis – sont englobées dans l'appellation haut-médoc. Les vins de cette appellation sont infiniment supérieurs à ceux de l'appellation médoc et l'on trouve parmi eux cinq crus classés présentant un excellent rapport qualité/pris et de nombreux crus bourgeois de très grande qualité. Comme toujours, il est préférable de ne porter son choix que sur des vins mis en bouteilles au domaine.

Rouge Ces vins moyennement corpulents ou corpulents ont en général un fruit généreux équilibré par une charpente ferme.

cabernet sauvignon, cabernet franc, merlot, malbec, petit verdot, carmenère

6-15 ans (crus classés)
5-8 ans (autres)

LISTRAC-MÉDOC AOC

Des investissements considérables ont été effectués dans cette appellation, mais si l'on y trouve des graves bien drainées certains sols argilo-calcaires sont moins favorables que celui des buttes graveleuses qui abondent dans les appellations plus prestigieuses.

Rouge Vins moyennement corpulents ou corpulents associant le fruit et la finesse du saint-julien à la charpente plus ferme du saint-estèphe. À mon avis, les meilleurs sont ceux qui contiennent une forte proportion de merlot, cépage qui aime mieux les sols argilo-calcaires que le cabernet.

cabernet sauvignon, cabernet franc, merlot, malbec, petit verdot, carmenère

5-10 ans

MARGAUX AOC

Les meilleurs margaux sont sans doute les plus grands vins rouges de tout le Bordelais, mais cette appellation, qui s'étend à cinq communes dont les sols présentent une grande diversité, compte naturellement certains vins décevants. Margaux bénéficie énormément de la présence d'un cru qui porte son nom, ce qui en fait un cas presque unique dans le Bordelais. Le succès phénoménal du Château Margaux dû notamment à l'exigence de très grande qualité qu'il s'impose, n'a pas fait de mal à la réputation et au prix des autres vins. Pourtant, certains domaines moins idéalement situés profitent sans vergogne du prestige du grand voisin et les critiques qui les accusent de sacrifier la qualité à la quantité ne sont sans doute pas loin de la vérité. Il est indéniable que certains producteurs font plus de vin qu'il ne faudrait pour tirer parti de toutes les possibilités qu'offre leur vignoble, mais il n'en reste pas moins que l'appellation margaux a le rendement le plus bas des quatre appellations les plus célèbres du Médoc.

Rouge Vins exquis moyennement corpulents, parfois très corpulents, qui peuvent avoir une robe profonde, une richesse fabuleuse et pourtant une grande finesse et une finale soyeuse.

cabernet sauvignon, cabernet franc, merlot, malbec, petit verdot, carmenère

5-20 ans (crus classés)
5-10 ans (autres)

MÉDOC AOC

L'appellation s'applique à tout le Médoc, mais la plupart des vins viennent de la région située au nord du Haut-Médoc, autrefois appelée Bas-Médoc. Le vignoble a connu une grande expansion depuis le milieu des années 1970.

Rouge Les meilleurs de ces vins moyennement corpulents peuvent égaler un bon haut-médoc, mais ils n'en ont toutefois pas la complexité.

cabernet sauvignon, cabernet franc, merlot, malbec, petit verdot, carmenère

4-8 ans

MOULIS-EN-MÉDOC AOC

Une des deux appellations communales qui ne regardent pas le fleuve, Moulis-en-Médoc est beaucoup plus petite, mais plus prometteuse, que sa voisine du nord, Listrac-Médoc. Comme elle, elle n'a aucun cru classé bien qu'elle jouxte Margaux qui en compte le plus grand nombre.

Rouge Vins moyennement corpulents, parfois corpulents, plus puissants que les margaux, mais beaucoup moins fins.

cabernet sauvignon, cabernet franc, merlot, malbec, petit verdot, carmenère

5-12 ans

PAUILLAC AOC

Rivale de Margaux pour le titre d'appellation la plus célèbre, Pauillac donne incontestablement les vins les plus fermes et les plus consistants du Médoc. Si Margaux se targue de compter le premier cru Château Margaux parmi ses 21 crus classés, Pauillac s'enorgueillit de posséder trois premiers crus, Latour, Lafite et Mouton-Rothschild, parmi ses 18 crus classés.

Rouge Si foncé qu'il est presque opaque, un grand pauillac est un vin puissant, fortement charpenté, avec des arômes intenses de cassis et de chêne neuf. Fermé et dur dans sa jeunesse, il exige des années en bouteille pour s'ouvrir et révéler son fruit riche. S'il n'a pas la grâce d'un grand margaux, un grand pauillac a une finesse incomparable pour un vin aussi monumental.

cabernet sauvignon, cabernet franc, merlot, malbec, petit verdot, carmenère

9-25 ans (crus classés)
5-12 ans (autres)

SAINT-ESTÈPHE AOC

Les possibilités de cette AOC sont superbement illustrées par Cos d'Estournel, un des meilleurs seconds crus du Médoc, mais son point fort réside dans sa gamme de crus bourgeois. La surface viticole est du même ordre que celle de Margaux, mais Saint-Estèphe possède un nombre beaucoup plus grand de crus non classés et même les meilleurs sont d'un prix étonnamment abordable.

Rouge Si Pauillac est le pur-sang des quatre appellations les plus prestigieuses du Médoc, Saint-Estèphe doit être leur percheron. Les vins de cette appellation sont très corpulents, forts et massifs mais ne manquent pourtant pas d'élégance. Ce sont des vins auxquels on s'attache, surtout quand une année ensoleillée les a rendus richement fruités avec des notes d'épices et de bois de cèdre. Le Château Cos d'Estournel est le plus beau fleuron de l'appellation.

cabernet sauvignon, cabernet franc, merlot, malbec, petit verdot, carmenère

8-25 ans (crus classés)
5-12 ans (autres)

SAINT-JULIEN AOC

Saint-Julien est la plus petite des quatre célèbres appellations, mais celle où les vignobles sont proportionnellement les plus importants (près de 50% de la surface de la commune). Elle ne compte pas de premier cru mais pas moins de 5 seconds et 11 crus classés en tout. Le style et la qualité – excellente – sont plus homogènes que dans les autres appellations. Les vins d'une petite partie de la commune peuvent bénéficier de l'appellation pauillac voisine.

Rouge Vins moyennement corpulents, parfois corpulents, réputés pour la pureté de leur style. Ils sont vêtus d'une robe profonde, mais pas opaque comme celle du pauillac. Bien équilibrés et élégants, les saint-julien se situent à mi-chemin entre l'opulence caractéristique des margaux et la fermeté structurale des pauillacs.

cabernet sauvignon, cabernet franc, merlot, malbec, petit verdot, carmenère

6-20 ans (crus classés)
5-12 ans (autres)

MEILLEURS PRODUCTEURS DES

AOC MÉDOC, HAUT-MÉDOC, LISTRAC ET MOULIS

CHÂTEAU D'AGASSAC

AOC Haut-Médoc, cru bourgeois

★✫Ⓥ

Un des meilleurs crus non classés de l'appellation.

Rouge Vin bien coloré, rond, avec un fruit tendre et mûr.

cabernet sauvignon 60%, merlot 40%

4-10 ans

CHÂTEAU D'ARSAC

AOC Margaux, cru bourgeois

Seul domaine de la commune d'Arsac qui ne bénéficiait pas de l'appellation margaux, une anomalie corrigée récemment. Les vins sont élevés 12 à 18 mois en barriques (20% de bois neuf).

Rouge Vins corpulents à la robe profonde.

cabernet sauvignon 80%, merlot 15%, cabernet franc 5%

7-15 ans

Second vin : Château Ségur d'Arsac.

Autre vin : Le Monteil d'Arsac.

CHÂTEAU BEAUMONT

AOC Haut-Médoc, cru bourgeois

Vaste domaine produisant des vins constamment de bonne qualité.

Rouge Vins aromatiques, élégamment fruités, avec des tanins souples.

cabernet sauvignon 56%, cabernet franc 7%, petit verdot 1%

4-8 ans

Second vin : Château Moulin d'Arvigny

CHÂTEAU LA BÉCADE

AOC Listrac-Médoc, cru bourgeois

★Ⓥ

Vignoble de 22 ha bien situé. Ce domaine a été racheté il y a quelques années par le Crédit lyonnais. Le vin est élevé 12 mois en barriques.

Rouge Vins moyennement corpulents à corpulents, à la robe bien colorée, avec un fruit généreux, un joli bouquet et des tanins souples.

cabernet sauvignon 75%, merlot 25%

4-8 ans

Second vin : La Fleur Bécade

CHÂTEAU BEL-AIR LAGRAVE

AOC Moulis-en-Médoc, cru bourgeois

✫Ⓥ

Cru bourgeois 1932, n'a pas adhéré au syndicat créé après la guerre, mais conserve le droit d'étiqueter ses vins « cru bourgeois ».

Rouge Vins à la couleur vive, avec une structure tannique ferme et un joli bouquet.

cabernet sauvignon 60%, merlot 35%, petit verdot 5%

8-20 ans

CHÂTEAU BELGRAVE

AOC Haut-Médoc, 5e cru classé

★✫Ⓥ

Bien que ce domaine soit situé sur un belle butte graveleuse proche du Château Lagrange, son vin, élevé en barriques pendant 24 mois (jusqu'à 50% de bois neuf), est rarement à la hauteur des promesses de son terroir.

Rouge Le millésime 1993 est pourtant bien équilibré, avec une structure tannique ferme, une bonne acidité, des arômes de cassis et des nuances vanillées venant du chêne neuf.

cabernet sauvignon 60%, merlot 35%, petit verdot 5%

8-16 ans

Second vin : Dame de Belgrave

CHÂTEAU BEL-ORME TRONQUOY-DE-LALANDE

AOC Haut-Médoc, cru bourgeois

Ⓥ

Le nom de château peut prêter à confusion : il ne fait pas le confondre avec le Château Tronquoy-Lalande, dans l'appellation saint-estèphe.

Rouge Vins ferme, bien structuré et fruité.

cabernet sauvignon 30%, cabernet franc 30%, merlot 30%, malbec et petit verdot 10%

7 à 15 ans

CHÂTEAU BRISTON-BRILLETTE

AOC Moulis, cru bourgeois

★✫Ⓥ

Domaine de premier ordre dont les vins sont élevés 15 à 20 mois dans le chêne (20% de bois neuf).

Rouge Vins richement colorés et fruités, avec une structure tannique souple, des arômes puissants de cassis et des notes épicées.

cabernet sauvignon 55%, merlot 40%, malbec et petit verdot 5%

5 à 15 ans

CHÂTEAU LE BOURDIEU

AOC Haut-Médoc, cru bourgeois

Cru bourgeois 1932, n'a pas adhéré au syndicat créé après la guerre, mais conserve le droit d'étiqueter ses vins « cru bourgeois ». Il est situé entre Vertheuil et Saint-Estèphe.

Rouge Vins corpulents à la robe profonde. Leur robustesse ne les empêche pas d'avoir du charme.

cabernet sauvignon 50%, merlot 30%, cabernet franc 20%

7 à 15 ans

Second vin : Château Les Sablons

Autre vin : Château La Croix des Sablons

CHÂTEAU BRANAS-GRAND-POUJEAUX

AOC Moulis

★✫Ⓥ

Excellents vins en progrès constants, élevés 18 à 22 mois en barriques (un tiers de bois neuf).

Rouge Ce vin est très bien structuré, avec un fruit abondant et séduisant, des arômes fruités délicieux et une finesse de plus en plus évidente.

cabernet sauvignon 60%, merlot 35%, petit verdot 5%

5 à 12 ans

CHÂTEAU BRILLETTE

AOC Moulis, cru bourgeois

★✫Ⓥ

Le nom du château viendrait du sol graveleux brillant du vignoble. Le vin est élevé 15 à 18 mois en barriques (un tiers de bois neuf).

Rouge Vins corpulents et souples, joliment colorés, délicieusement fruités, avec un arôme de vanille. Ils ont une qualité facilement équivalente à celle d'un cru classé.

cabernet sauvignon 55%, merlot 40%, petit verdot 5%

5 à 12 ans

CHÂTEAU CAMBON-LA-PELOUSE

AOC Haut-Médoc, cru bourgeois

Cru bourgeois 1932, n'a pas adhéré au syndicat créé après la guerre, mais peut étiqueter ses vins « cru bourgeois ». Appartient au propriétaire du Château Grand Barail Lamarzelle Figeac.

Rouge Moyennement corpulent ou corpulent, frais, fruité et boisé

merlot 50%, cabernet sauvignon 30%, cabernet franc 20%

3 à 8 ans

CHÂTEAU CAMENSAC

AOC Haut-Médoc, 5e cru classé

✫Ⓥ

Situé derrière le Château Belgrave, ce domaine totalement négligé a été restructuré au milieu des années 1960 et a commencé à élaborer des vins dignes de son classement à la fin des années 1970. Ils sont maintenant supérieurs à celui-ci et sont élevés 14 à 18 mois dans le chêne (40% de bois neuf).

Rouge Vin bien structuré, moyennement fruité, avec une certaine finesse.

cabernet sauvignon 60%, cabernet franc 20%, merlot 20%

8 à 20 ans

CHÂTEAU CANTEMERLE

AOC Haut-Médoc, 5e cru classé

★✫Ⓥ

Après le rachat par une société d'assurances, les cuves de vinification en Inox ont remplacé, en 1980, les vieilles cuves en bois responsables de certains millésimes médiocres. Toutes les barriques ont été remplacées, aussi le millésime 1980 a-t-il été élevé dans 100% de bois neuf. Normalement, le Château Cantemerle est élevé 18 à 20 mois en barriques dont le tiers est neuf. J'estime que ce 5e cru est devenu supérieur à son classement.

Rouge Riche, joliment coloré, fruité, crémeux et boisé, remarquablement équilibré et de plus en plus fin.

cabernet sauvignon 45%, cabernet, merlot 20%, cabernet franc 10%

8 à 20 ans

Second vin : Baron Villeneuve de Cantemerle

CHÂTEAU CAP-LÉON-VEYRIN

AOC Listrac, cru bourgeois

Vignoble cultivé sur un sol argilo-graveleux assis sur de la marne. Vin élevé 12 mois dans le chêne (20% de bois neuf).

Rouge Corpulent avec une couleur profonde, des arômes riches, beaucoup d'extrait et un tanin bien équilibré.

merlot 50%, cabernet sauvignon 45%, petit verdot 3%, cabernet franc 2%

8 à 20 ans

CHÂTEAU LA CARDONNE

AOC Médoc, cru bourgeois

★Ⓥ

Naguère aux Rothschild de Lafite, La Cardonne a changé de mains au début des années 1990, a été agrandi et rénové.

Rouge Vins moyennement corpulents, séduisants, avec un joli parfum frais de raisin, une texture soyeuse et une certaine élégance.
merlot 58%, cabernet sauvignon 34%, cabernet franc 8%
8 à 10 ans

CHÂTEAU CARONNE-SAINTE-GEMME

AOC Haut-Médoc, cru bourgeois

★☆Ⓥ

Domaine au sud du Château Lagrange – une superbe île de vignes sur un plateau graveleux.

Rouge Vin corpulent, structure tannique souple, goût et arômes riches avec des nuances boisées crémeuses.
cabernet sauvignon 65%, merlot 35%
8 à 20 ans

CHÂTEAU CASTÉRA

AOC Médoc, cru bourgeois

☆Ⓥ

Le château d'origine, une forteresse, a été démantelé au XIVe siècle par le Prince Noir.

Rouge Vins moyennement corpulents à texture souple à boire assez jeunes.
cabernets sauvignon et franc 60%, merlot 40%
4 à 8 ans

CHÂTEAU CHASSE-SPLEEN

AOC Moulis, cru bourgeois

★☆Ⓥ

Ce domaine soucieux de qualité appartient au propriétaire des Châteaux Haut-Bages Libéral (pauillac 5e cru classé), la Gurge (excellent margaux cru bourgeois) Ferrière (margaux 3e cru classé), et Citran (haut-médoc cru bourgeois). Le Château Chasse-Spleen est élevé

18 à 24 mois en barriques (50% de bois neuf).

Rouge Vin corpulents d'une grande finesse, très coloré, avec des flaveurs riches et crémeuses de cassis et de chocolat et des nuances vanillées-épicées. Il est souvent d'une qualité digne d'un cru classé.
cabernet sauvignon 50%, merlot 45%, petit verdot 3%, cabernet franc 2%
8 à 20 ans

CHÂTEAU CISSAC

AOC Haut-Médoc, cru bourgeois

★Ⓥ

Vin présentant toujours un excellent rapport qualité/prix, vinifié dans le bois et élevé en barriques, il ne contient pas de vin de presse.

Rouge Vins corpulents bien colorés.
cabernet sauvignon 75%, merlot 20%, petit verdot 5%
8 à 20 ans

CHÂTEAU CITRAN

AOC Haut-Médoc, cru bourgeois

Après avoir été porté à un haut niveau de qualité par un groupe immobilier japonais qui l'avait acquis en 1987, le Château Citran appartient maintenant au propriétaire du Château Chasse-Spleen.

Rouge Vin ample et riche, fruité, épicé, délicatement tannique et boisé.
cabernet sauvignon 50%, merlot 40%, cabernet franc 10%
8 à 15 ans

CHÂTEAU CLARKE

AOC Listrac, cru bourgeois

☆Ⓥ

Ce domaine était à l'abandon depuis longtemps (vignes arrachées, château démantelé) quand le baron Edmond de Rothschild en fit l'acquisition en 1973. Il posa un système de drainage, reconstitua le vignoble, construisit des bâtiments et les équipa de matériel ultra-moderne. Ce travail exigea des années, mais dès le millésime 1981, le Château Clarke commença à briller dans le firmament du Médoc. Le vin est vinifié dans l'Inox et élevé 12 mois en barriques (jusqu'à 60% de bois neuf).

Rouge Vins moyennement corpulents à corpulents, avec une robe bien colorée, un bonne dose de chêne crémeux-fumé et un fruit tendre.
cabernet sauvignon 48%, merlot 35%, cabernet franc 14%, petit verdot 3%
7 à 25 ans

CHÂTEAU COUFRAN

AOC Haut-Médoc, cru bourgeois

Vignoble largement dominé par le merlot et vin assez rond élevé 13 à 18 mois en barriques (25% de bois neuf).

Rouge Vin moyennement corpulent à corpulent, franc et fruité, avec des nuances marquées de chocolat. La richesse en merlot est évidente.
merlot 85%, cabernet sauvignon 10%, petit verdot 5%
Second vin : Domaine de la Rose-Maréchale

CHÂTEAU DUTRUCH GRAND-POUJEAUX

AOC Moulis, cru bourgeois

★Ⓥ

Dutruch est un des meilleurs de la constellation des Grand-Poujeaux. Le domaine fait aussi des vins de deux autres parcelles appelées La Bernède et La Gravière.

Rouge Les vins élaborés par Dutruch sont bons, corpulents, bien colorés, fruités et fins.
cabernet sauvignon et cabernet franc 60%, merlot 35%, petit verdot 5%
7 à 15 ans
Autres vins : La Bernède-Grand-Poujeaux, La Gravière-Grand-Poujeaux

CHÂTEAU FONRÉAUD

AOC Listrac, cru bourgeois

Château splendide et vignoble orienté au sud cultivé sur une butte appelée « Puy-de-Menjon » et dans les alentours.

Rouge Listrac classique séduisant, moyennement corpulent à corpulent et bien fruité.
cabernet sauvignon 66%, merlot 31%, petit verdot 3%
6 à 12 ans
Second vin : Château Chemin-Royal-Moulis-en-Médoc
Autre vin : Fontaine Royale

CHÂTEAU FOURCAS DUPRÉ

AOC Listrac, cru bourgeois

★Ⓥ

Charmante maison et vignoble cultivé sur un sol de graves pouvant donner un vin excellent les années chaudes.

Rouge Vin coloré à structure tannique, joliment coloré et bouqueté, richement fruité les bonnes années.
cabernet sauvignon 50%, merlot 30%, cabernet franc 10%, petit verdot 2%
6 à 12 ans
Second vin : Château Bellevue Laffont

CHÂTEAU FOURCAS HOSTEN

AOC Listrac, cru bourgeois

★Ⓥ

Un Français, un Danois et un Américain, propriétaires depuis 1972, ont rénové tout le matériel. Ce vin est élevé 12 mois dans le chêne (50% de bois neuf).

Rouge Vin corpulent à robe profonde et fruit riche soutenu par une charpente tannique ferme, mais il m'a paru plus souple depuis un certain temps et peut même être lourd quand le raisin est presque surmûri, comme en 1982.
cabernet sauvignon 50%, merlot 30%, cabernet franc 10%
8 à 20 ans

CHÂTEAU LE FOURNAS BERNADOTTE

AOC Haut-Médoc, cru bourgeois

★☆Ⓥ

Le vignoble est cultivé sur un beau terrain graveleux qui faisait partie d'un cru classé de pauillac. Il en fut détaché lors d'un changement de propriétaire et n'eut plus droit qu'à l'AOC haut-médoc.

Rouge Vin très élégant dominé par le cabernet avec un fruit soutenu par la richesse crémeuse du chêne neuf.
cabernet sauvignon 60%, merlot 30%, cabernet franc 10%
6 à 12 ans

CHÂTEAU GRESSIER GRAND-POUJEAUX

AOC Moulis, cru bourgeois

★Ⓥ

Cru bourgeois 1932, n'a pas adhéré au syndicat créé après la guerre, mais conserve le droit d'étiqueter ses vins « cru bourgeois ». Depuis quelques années, Gressier Grand-Poujeaux a produit un vin d'une qualité facilement comparable à celle d'un bon cru classé.

Rouge Vins corpulents, puissants, à la robe profonde, très savoureux et fruités, méritant d'être encavés.
cabernet sauvignon 50%, merlot 38%, cabernet franc 10%, petit verdot 2%
6 à 12 ans

CHÂTEAU GREYSAC

AOC Médoc, cru bourgeois

☆Ⓥ

Depuis son rachat par le baron de Gunzbourg en 1973, les installations de ce domaine ont été entièrement modernisées. La qualité du vin est excellente et l'avenir de Greysac est prometteur.

Rouge Vins élégants, moyennement corpulents, avec une texture soyeuse et un fruit mûr.
cabernet sauvignon 50%, merlot 40%, cabernet franc 10%
6 à 10 ans

CHÂTEAU HANTEILLAN

AOC Haut-Médoc, cru bourgeois

★V

Ce grand domaine produit régulièrement un vin de bonne qualité standard.

Rouge Vin bien coloré avec un tanin souple, un fruit mûr, des nuances de chêne vanillé et un bouquet épicé.

cabernet sauvignon 48%, merlot 42%, cabernet franc 6%, malbec et petit verdot 4%

6 à 12 ans

Second vin : Château Larrivaux Hanteillan

CHÂTEAU DU JUNCA

AOC Haut-Médoc

★V

Petit domaine de 8 hectares qui produit un haut-médoc de bonne qualité, capable de se bonifier un certain temps en bouteilles même les moins bonnes années.

Rouge Vin de style classique, bien structuré, dominé par une finale marquée par le cabernet sauvignon.

cabernet sauvignon 60%, merlot 30%, cabernet franc 10%

7 à 10 ans

CHÂTEAU LA LAGUNE

AOC Haut-Médoc, 3e cru classé

★☆V

Domaine appartenant à Jean-Michel Ducellier, propriétaire des champagnes Ayala et Montebello. Le château et son vignoble immaculé sont situés sur un sol graveleux-sableux. La Lagune est le premier cru classé que l'on rencontre quand on quitte Bordeaux pour le Médoc. Ses vins sont toujours excellents.

Rouge Vins profondément colorés aux arômes complexes de cassis et fruits à noyau, avec des nuances riches de chêne crémeux et vanillé. Ils sont corpulents et pourtant souples.

cabernet sauvignon 55%, cabernet franc 20%, merlot 20%, petit verdot 5%

10 à 30 ans

Seconds vins : Château Ludon Pomies Agassac, Le Moulin de Ludon

CHÂTEAU LAMARQUE

AOC Haut-Médoc, cru bourgeois

★V

Grand domaine dont les progrès sont constants.

Rouge Ce vin est bien représentatif du style souple du Médoc. Il est abondamment fruité avec un bouquet parfumé très séduisant.

cabernet sauvignon 50%, merlot 25%, cabernet franc 20%, petit verdot 5%

5 à 12 ans

Second vin : Réserve du Marquis d'Evry

CHÂTEAU LANESSAN

AOC Haut-Médoc, cru bourgeois

★V

Cru bourgeois 1932, n'a pas adhéré au syndicat créé après la guerre, mais conserve ses droits de cru bourgeois.

Rouge Vin opulent et très aromatique, avec une robe profonde souvent opaque, dont la qualité approche de très près de celle d'un cru classé.

cabernet sauvignon 75%, merlot 20%, cabernet franc et petit verdot 5%

7 à 20 ans

Second vin : domaine de Sainte-Gemme

CHÂTEAU LAROSE-TRINTAUDON

AOC Haut-Médoc, cru bourgeois

★V

Vaste domaine qui a appartenu jusqu'en 1986 aux propriétaires du Château Camensac, lesquels ont investi des sommes considérables dans la replantation du vignoble et les installations avant de le céder à une compagnie d'assurances. Si Camensac fait un 5e cru respectable, Larose-Trintaudon élabore un cru bourgeois excellent. La qualité de ce vin, élevé 24 mois dans le chêne (un tiers de bois neuf) est constamment élevée.

Rouge Vins moyennement corpulents, parfois corpulents, d'une grande élégance, avec des arômes de fruits d'été et des nuances de vanille et de truffe, soutenus par un tanin souple.

cabernet sauvignon 60%, cabernet franc 20%, merlot 20%

6 à 15 ans

CHÂTEAU LESTAGE-DARQUIER

AOC Moulis, cru bourgeois

★V

Autrefois Lestage-Darquier-Grand-Poujeaux (cru bourgeois 1932), donne des vins auxquels il faut s'intéresser.

Rouge Vin très coloré à la charpente tannique puissante, richement fruité et bouqueté.

cabernet sauvignon 50%, merlot 40%, cabernet franc 10%

8 à 20 ans

CHÂTEAU LIVERSAN

AOC Haut-Médoc, cru bourgeois

★V

Ce domaine a été repris en 1984 par le prince Guy de Polignac, qui avait longtemps dirigé le champagne Pommery. Le nouveau propriétaire a consenti des investissements important qui se sont traduits par une amélioration indéniable de la qualité des vins. Le vignoble est cultivé sur un excellent sol graveleux-sableux sur une assise calcaire. Le vin est vinifié dans des cuves en Inox et élevé 18 à 20 mois en barriques (jusqu'à 50% de chêne neuf).

Rouge Vins corpulents, riches et aromatiques qui affirment leur classe avec plus d'autorité chaque année.

cabernet sauvignon 49%, merlot 38%, cabernet franc 10%, petit verdot 3%

7 à 20 ans

CHÂTEAU LOUDENNE

AOC Médoc, cru bourgeois

★V

Ce domaine, avec une ravissante chartreuse rose du XVIIe siècle, en haut d'une pelouse descendant sur la Garonne, appartient à la société qui a succédé aux frères W. et A. Gilbey qui l'avaient acquis en 1875. De remarquables cours d'œnologie ouverts au public y sont régulièrement organisés. Les techniques vinicoles sont modernes et seuls des Anglais pouvaient avoir l'idée d'engager un Bourguignon comme vinificateur d'un château bordelais – mais pourquoi pas, après tout? Le vin est élevé 15 à 18 mois en barriques (25% de chêne neuf). Loudenne produit aussi un bordeaux sec de sémillon (62%) et sauvignon (32%), très séduisant quand on le boit dans les deux ans.

Rouge Vins corpulents, charnus, richement fruités, avec beaucoup d'extrait. Très longs en bouche, ils déploient des arômes de cassis et d'épices, avec un soupçon de violette et des nuances de chêne vanillé.

cabernet sauvignon 55%, merlot 38%, cabernet franc 7%

5 à 15 ans

CHÂTEAU MALECASSE

AOC Haut-Médoc, cru bourgeois

☆V

Cédé en 1992 à un groupe industriel qui a modernisé le matériel, le Château Malecasse est très vite devenu une des petites étoiles brillant dans le firmament du Médoc.

Rouge Un fruit riche et opulent qui rappelle celui d'un saint-julien.

cabernet sauvignon 80%, merlot 20%, cabernet franc 10%

5 à 10 ans

CHÂTEAU DE MALLERET

AOC Haut-Médoc, cru bourgeois

Un domaine immense couvert de prairies, de champs de blé, de bois et d'un vignoble de 60 ha. Il compte aussi un élevage de pur-sang et des pistes d'entraînement. Le vin est élevé 12 à 16 mois en cuves et barriques.

Rouge Délicieux vins moyennement corpulents, richement fruités, avec un joli bouquet.

cabernet sauvignon 70%, merlot 15%, cabernet franc 10%, petit verdot 5%

5 à 12 ans

Second vin : Château Barthez

Autres vins : Château Nexon, Domaine de l'Ermitage Lamouroux

CHÂTEAU MAUCAILLOU

AOC Moulis, cru bourgeois

★☆V

Un des domaines du Bordelais dont les vins présentent toujours un des meilleurs rapports qualité/prix.

Rouge Vin corpulent à la robe

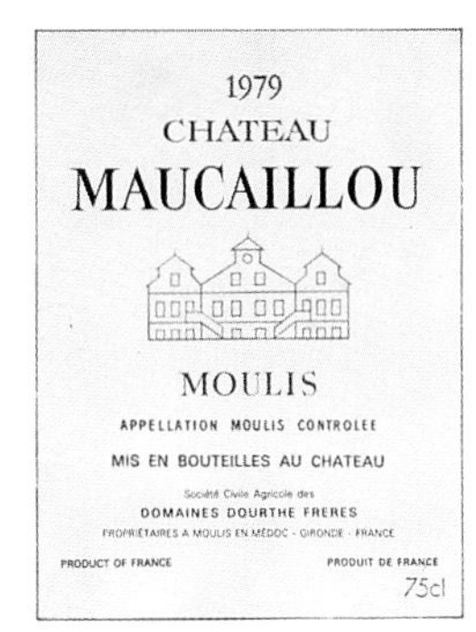

profonde, avec un fruit velouté très abondant, des arômes de cassis et de vanille superbes, et des tanins souples.

cabernet sauvignon 45%, merlot 35%, cabernet franc 15%, petit verdot 10%

6 à 15 ans

Second vin : Château Cap de Maucaillou

CHÂTEAU MAUCAMP

AOC Haut-Médoc, cru bourgeois

★V

Situé entre le village de Macau et le Château Cantemerle (5e cru classé), ce domaine tire admirablement parti de son vignoble de 15 ha cultivé sur un excellent sol graveleux.

Rouge Vins toujours corpulents, avec un robe profonde et un fruit abondant soutenu par des tanins souples.

cabernet sauvignon 50%, merlot 40%, petit verdot 10%

5 à 12 ans

CHÂTEAU LE MEYNIEU

AOC Haut-Médoc, cru bourgeois

★V

Ce domaine appartient au propriétaire du Château Lavillotte (saint-estèphe cru bourgeois). Le vin est élevé 3 mois en foudre puis 20 mois en barriques (35% de bois neuf) et ne subit pas de filtration avant la mise en bouteilles.

Rouge Un vin ample, tannique, à la robe profonde presque opaque, richement fruité et très bouqueté.

cabernet sauvignon 70%, merlot 30%

7 à 15 ans

CHÂTEAU MOULIN-À-VENT

AOC Haut-Médoc, cru bourgeois

Un tiers du domaine de Moulin-à-Vent déborde sur la commune de Listrac-Médoc. Toutefois, il ressortit à l'appellation moulis-en-médoc.

Rouge Vin moyennement corpulent, bien fruité, avec un bouquet élégant.

cabernet sauvignon 65%, merlot 30%, petit verdot 5%

7 à 15 ans

Second vin : Moulin de Saint-Vincent

CHÂTEAU LES ORMES-SORBET

AOC Médoc, cru bourgeois

Les vins de ce domaine sont élevés 18 à 24 mois en barriques (un tiers de bois neuf).

Rouge Vin ayant de la personnalité, un corps substantiel, un fruit dense et des nuances boisées.

cabernet sauvignon 65%, merlot 35%

7 à 15 ans

CHÂTEAU PATACHE D'AUX

AOC Médoc, cru bourgeois

Vieux domaine ayant appartenu aux chevaliers d'Aux, descendants des comtes d'Armagnac, et ancien relais de poste pour les Pataches. Bon depuis longtemps, le vin est excellent depuis l'étonnant millésime 1990.

Rouge Vin séduisant moyennement corpulent, élégant, boisé, bien fruité et très parfumé.

cabernet sauvignon 70%, merlot 20%, cabernet franc 10%

4 à 8 ans

CHÂTEAU PLAGNAC

AOC Médoc, cru bourgeois

Depuis que ce domaine a été acquis par Domaines Cordier en 1972, sa réputation s'est affirmée. Le vin est élevé 18 à 20 mois en foudre et en barriques (très peu de bois neuf). Depuis la fin des années 1970, Plagnac a régulièrement produit des vins d'un excellent rapport qualité/prix.

Rouge Vin corpulent ayant une certaine classe, fruité et aromatique (le merlot est très présent) et une finale souple.

cabernet sauvignon 60%, merlot 40%

CHÂTEAU POTENSAC

AOC Médoc, cru bourgeois

★V

Domaine appartenant au propriétaire de Léoville Las-Cases (saint-julien 2e cru classé). La qualité du vin approche souvent celle d'un cru classé.

Rouge Vin corpulent vêtu d'une jolie robe rouge brique, bien fruité, avec des nuances accusées de chocolat et d'épices.

cabernet sauvignon 55%, merlot 25%, cabernet franc 20%

6 à 15 ans

Second vin : Château Lassalle

Autre vin : Château Gallais-Bellevue

CHÂTEAU POUJEAUX

AOC Moulis, cru bourgeois

★★V

Poujeaux élabore après Chasse-Spleen le meilleur vin de l'appellation, qui atteint facilement la qualité d'un bon cru classé.

Rouge Vin corpulent à la couleur profonde, avec un fruit riche, crémeux et épicé et un bouquet exubérant.

cabernet sauvignon 40%, merlot 36%, petit verdot 12%, cabernet franc 12%

10 à 25 ans

Second vin : Château La Salle de Poujeaux

CHÂTEAU RAMAGE-LA-BATISSE

AOC Haut-Médoc, cru bourgeois

★V

Ce domaine s'est surpassé depuis quelques années en produisant des vins d'un excellent rapport qualité/prix.

Rouge Vins riches, très aromatiques, boisés avec le bouquet typique du cabernet. Les millésimes légers sont d'emblée séduisants et les bons millésimes donnent des vins de garde d'un prix ridiculement bas.

cabernet sauvignon 60%, merlot 30%, cabernet franc 10%

7 à 15 ans

Autre domaine : Château Tourteran, AOC haut-médoc, cru bourgeois

CHÂTEAU SAINT-BONNET

AOC Médoc, cru bourgeois

☆

Vignoble d'une cinquantaine d'hectares. Le vin est élevé en cuve et en barriques (peu de bois neuf).

Rouge Vin bien coloré très aromatique, séduisant d'emblée mais pouvant se bonifier avec l'âge.

merlot 50%, cabernet sauvignon 28%, cabernet franc 22%

5 à 10 ans

CHÂTEAU SOCIANDO-MALLET

AOC Haut-Médoc, cru bourgeois

★☆V

Le domaine Château Sociando-Mallet s'est fait connaître depuis 1970, après son rachat par Jean Gautereau qui a reconstitué le vignoble et hissé ses vins presque au niveau d'un cru classé.

Rouge Vins puissamment charpentés, complexes, riches en pigments et en extrait. Souvent totalement dominés par le chêne vanillé dans leur jeunesse, ils déploient ensuite des flaveurs concentrées de cassis.

cabernet sauvignon 60%, merlot 30%, cabernet franc 10%

10-25 ans

Second vin : Château Lartigue de Brochon

CHÂTEAU LA TOUR DE BY

AOC Médoc, cru bourgeois

★V

La tour qui se dresse au-dessus du vignoble de 73 ha fut autrefois un phare. Le vin est un très bon cru bourgeois de qualité régulière.

Rouge Vin corpulent à la couleur profonde, très aromatique, avec un beau fruit épicé, soutenu par une charpente tannique ferme.

cabernet sauvignon 70%, merlot 25%, cabernet franc 5%

6 à 12 ans

Second vin : La Roque de By

Autre vin : Cailloux de By

CHÂTEAU LA TOUR-CARNET

AOC Haut-Médoc, 4e cru classé

★

Le donjon et les douves datent du XIIIe siècle et le vignoble de 42 ha est bien tenu. Malheureusement la réputation de ses vins est discutable encore que certains critiques assurent qu'ils ont constaté un mieux.

Rouge Vins moyennement corpulents, parfois corpulents, bien colorés mais peu fruités et n'ayant pas de véritable richesse aromatique.

cabernet sauvignon 53%, merlot 33%, cabernet franc 10%, petit verdot 4%

6 à 12 ans

Second vin : Les Douves de Carnet

CHÂTEAU TOUR DU HAUT MOULIN

AOC Haut-Médoc, cru bourgeois

Vins bien faits d'un vignoble cultivé sur des pentes graveleuses, élevés 18 mois en barriques (25% de bois neuf).

Rouge Vins riches et concentré dans le style du Sociando-Mallet, mais ne possédant pas la même classe.

cabernet sauvignon et cabernet franc 50%, merlot 45%, petit verdot 5%

7 à 15 ans

CHÂTEAU LA TOUR SAINT-BONNET

AOC Médoc, cru bourgeois

★V

Situé au flanc d'une butte graveleuse, ce domaine portait au XIXe siècle le nom de Château La Tour Saint-Bonnet-Cazenave.

Rouge Vins fermes, bien colorés, aromatiques, de qualité constante.

merlot 50%, cabernet sauvignon 28%, cabernet franc 22%

7 à 15 ans

Second vin : Château La Fuie-Saint-Bonnet

CHÂTEAU VERDIGNAN

AOC Haut-Médoc, cru bourgeois

☆V

Domaine appartenant à la famille Miailhe depuis 1972. Vinification dans l'Inox et élevage de 18 à 20 mois en barriques (25% de bois neuf).

Rouge Vins moyennement corpulents, fruités, tendres et soyeux.

cabernet sauvignon 60%, merlot 35%, cabernet franc 5%

5 à 10 ans

Second vin : Château Plantey de la Croix

CHÂTEAU VILLEGORGE

AOC Haut-Médoc, cru bourgeois

Cru bourgeois 1932 ayant adhéré au nouveau syndicat créé après la guerre. Lucien Lurton l'acquiert en 1973, restructure le vignoble, modernise le matériel et quitte le syndicat. Le vin est élevé 18 mois en barriques (25% de bois neuf).

Rouge vins corpulents bien colorés, fruités avec des nuances épicées.

merlot 60%, cabernet sauvignon 30%, cabernet franc 10%

6 à 12 ans

SAINT-ESTÈPHE

Bien que Saint-Estèphe soit considérée comme la moins sensuelle des célèbres appellations du Médoc, l'abondance de crus bourgeois de grande qualité en fait un des rares endroits où existent encore d'excellents bordeaux rouges abordables.

Avec seulement cinq crus classés n'occupant que 16% du vignoble, Saint-Estèphe est une source incomparable de vins sous-évalués à une époque où la ruée des investisseurs sur le vignoble ne cesse de provoquer une hausse des prix.

CHÂTEAU COS D'ESTOURNEL

Saint-Estèphe manque de crus classés mais pas de classe. Même si elle n'en avait qu'un seul – l'étonnant Château Cos d'Estournel – elle serait toujours célèbre. La réputation de ce domaine n'a pas cessé de croître depuis que Bruno Prats a pris son destin en main en 1971. Il a su tirer le meilleur parti possible d'un site exceptionnel, une butte graveleuse superbe, orientée au sud et bien drainée. Les vignobles cultivés sur un sol plus lourd contenant moins de graves et plus d'argile donnent généralement des vins plus rustiques.

VIGNOBLE ET CHAI DE CHÂTEAU COS D'ESTOURNEL
La curieuse façade orientale du chai domine le vignoble dont les vins ont été hissés au plus haut niveau d'excellence par son propriétaire, Bruno Prats, véritable perfectionniste, avant d'être vendu au groupe Bernard Taillan en 1988.

L'APPELLATION SAINT-ESTÈPHE

Aire de l'appellation
Ne couvre qu'une partie de la commune de Saint-Estèphe

Étendue de la commune
3 757 ha

Aire des vignobles AOC
1 380 ha
37% de la commune

Superficie des crus classés
226 ha
6% de la commune,
16% de l'AOC

Particularités
Environ 5 ha des vignobles de la commune sont classés dans l'AOC pauillac

STATISTIQUES DES CRUS CLASSÉS

Les crus classés
5 châteaux (8% des crus classés du Médoc) et 226 ha (8% de la superficie des crus classés du Médoc et 16% de celle de l'AOC)

1ers crus
Aucun

2es crus
2 châteaux (14% des 2es crus du Médoc) et 121 ha (15% de la superficie des 2es crus du Médoc)

3e crus
1 château (7% du nombre de 3es crus du Médoc) et 48 ha (11% de la superficie des 3es crus du Médoc)

4es crus
1 château (10% du nombre de 4es crus du Médoc) et 45 ha (10% de la superficie des 4es crus du Médoc)

5es crus
1 château (6% du nombre de 5es crus du Médoc) et 12 ha (2% de la superficie des 5es crus du Médoc)

FACTEURS DU GOÛT ET DE LA QUALITÉ

EMPLACEMENT
L'AOC saint-estèphe, la plus septentrionale des quatres AOC prestigieuses du Médoc, est située au bord de la Gironde, à 18 km au sud de Lesparre.

CLIMAT
Voir Médoc, p. 66.

SITES
Les vignobles sont cultivés sur des pentes douces bien situées et bien drainées. La crête de Graves orientée au sud-est, dont la pente est relativement forte pour le Médoc, domine le Château Lafite Rothschild, sur la commune de Pauillac.

SOLS
Graves plus ou moins profondes (ferrugineuses à Montoise), en général plus fertiles que dans les communes situées plus au sud, reposant sur une assise de marnes tantôt argileuses tantôt calcaires.

VITICULTURE ET VINIFICATION
Comme dans toutes les appellations du Médoc seuls les vins rouges ont droit à l'AOC saint-estèphe. La part croissante du merlot dans l'encépagement (qui peut atteindre ou même dépasser 50% dans certains domaines), une utilisation plus modérée du vin de presse et des techniques de vinification modernes réduisant l'extraction du tanin au profit du fruit ont rendu les vins des millésimes peu ensoleillés beaucoup plus agréables et permettent de boire ceux des grands millésimes sans les attendre aussi longtemps qu'autrefois. Le raisin est toujours éraflé, la durée de la cuvaison est en général de trois semaines et celle de l'élevage en barriques de 15 à 24 mois.

CÉPAGES PRINCIPAUX
Cabernet sauvignon, cabernet franc, merlot

CÉPAGES SECONDAIRES
Carmenère, malbec, petit verdot.

L'ÉVOLUTION RÉCENTE DU SAINT-ESTÈPHE

La plupart des vins de l'appellation ont toujours été solidement charpentés et d'une grande longévité, mais ils sont maintenant plus fruités d'emblée, ce qui les rend agréables même quand ils sont encore relativement jeunes. Autrefois, il fallait n'acheter que les grands millésimes et attendre vingt ans ou plus avant de les boire. La proportion croissante de merlot, plus souple que le cabernet, et des techniques de vinification qui privilégient l'extraction de la couleur et du fruit de préférence aux tanins donnent des vins plus riches et plus fruités qui mûrissent plus vite.

SAINT-ESTÈPHE, *voir aussi* p. 68
Saint-estèphe, la plus septentrionale des quatre appellations les plus connues du Médoc, s'étend à la majeure partie de la commune.

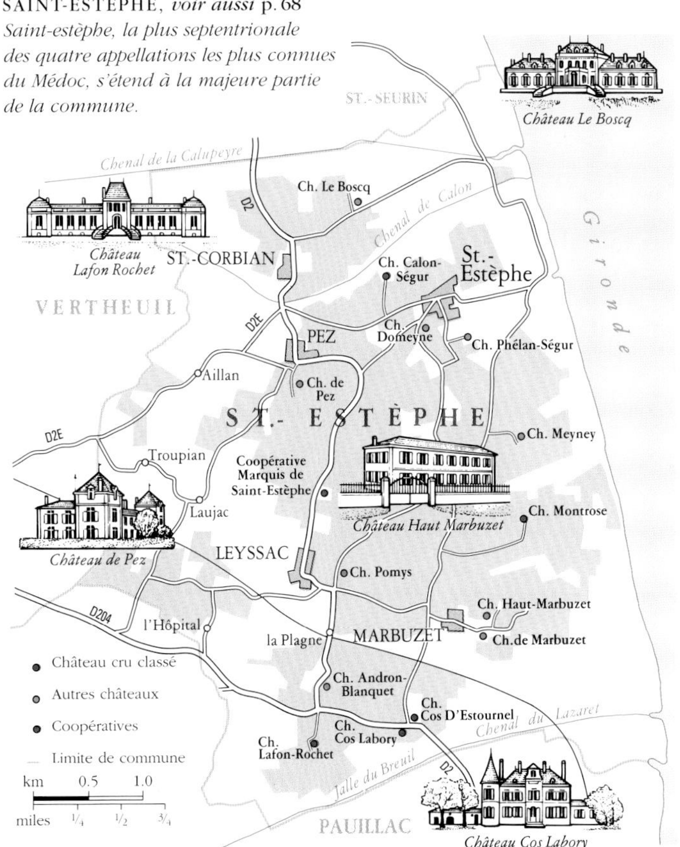

MEILLEURS PRODUCTEURS DE

L'AOC SAINT-ESTÈPHE

CHÂTEAU ANDRON BLANQUET

Cru bourgeois

★Ⓥ

Ce domaine appartient au propriétaire du Château Cos Labory, le 5e cru classé de l'appellation. Le vignoble se trouve au-dessus de la crête de graves occupée par les crus classés dominant le Château Lafite Rothschild à Pauillac, la commune voisine.

Rouge Un vin très bien fait, toujours supérieur à la moyenne des petits châteaux. Élevé 12 mois en barriques (environ 20% de bois neuf), il est bien fruité et a de la personnalité.

merlot 35%, cabernet franc 30%, cabernet sauvignon 30%, petit verdot 5%

4-10 ans

Second vin : Château Saint-Roch

CHÂTEAU BEAU-SITE

Cru bourgeois

★Ⓥ

À ne pas confondre avec le Château Beau-Site Haut-Vignoble, un autre cru bourgeois, moins coté.

Rouge Vin élégant, moyennement corpulent, parfois corpulent, qui déploie souvent une belle finale avec un parfum de violettes.

cabernet sauvignon et cabernet franc 65%, merlot 35%

3-10 ans

CHÂTEAU LE BOSCQ

★☆Ⓥ

Les vins de ce domaine ont toujours été bons, mais leur qualité a augmenté de manière spectaculaire depuis le millésime 1982.

Rouge Vin corpulent, riche et élégant, à la robe bien colorée, qui déploie de superbes arômes exubérants, presque exotiques, bien soutenus par le chêne neuf.

Cabernet sauvignon 60%, merlot 40%

5-12 ans

CHÂTEAU CALON-SÉGUR

3e cru classé

★☆Ⓥ

Calon-Ségur fut le premier domaine vinicole de la commune, aussi l'inscription « Premier cru de Saint-Estèphe » a-t-elle figuré sur les étiquettes jusqu'au moment où les autres producteurs obtinrent sa suppression.

Rouge Vin classique, opulent, fruité, très boisé et bien structuré, toujours de très bonne qualité, qui se bonifie longtemps en bouteilles.

cabernet sauvignon 60%, cabernet franc 20%, merlot 20%

3-20 ans

Second vin : Marquis de Ségur

CHÂTEAU CAPBERN GASQUETON

Cru bourgeois

★Ⓥ

Même propriétaire que le Château Calon-Ségur. Les vignobles se trouvent sur de belles croupes dominant la Gironde.

Rouge Vin moyennement corpulent, tannique, mûr et fruité de qualité régulière. Il est assoupli par un élevage de 24 mois en barriques (20% de bois neuf).

cabernet sauvignon 60%, merlot 25%, cabernet franc 15%

4-12 ans

CHÂTEAU CHAMBERT-MARBUZET

Cru bourgeois

★☆Ⓥ

Vin techniquement parfait élaboré en petite quantité au Château Haut-Marbuzet (même propriétaire). Nombreux sont ceux qui le trouvent l'égal d'un cru classé.

Rouge Vin aux arômes séduisants, moyennement corpulent, parfois corpulent. Il est riche, mûr et fruité, avec un chêne caramélisé et un tanin suffisant pour bien vieillir.

cabernet sauvignon 70%, merlot 30%

3-10 ans

CHÂTEAU COS D'ESTOURNEL

2e cru classé

★★★Ⓥ

Un de ceux que d'aucuns qualifient de « super-seconds », le Cos d'Estournel n'a pas de château, mais un chai étonnant à l'allure de temple oriental avec des tourelles en pagode et des portes en chêne richement sculpté prélevés dans un palais du sultan de Zanzibar.

Une partie du vin est vinifié dans l'Inox et tout le vin est élevé 18 à 24 mois en barriques (100% de bois neuf les grandes années, sinon jusqu'à 70% pour les millésimes plus légers).

Rouge Un vin riche, concentré, très corpulent et très aromatique, avec une grande classe, indiscutablement le plus grand de l'appellation. Il est étonnamment généreux pour un saint-estèphe et d'une longévité exceptionnelle, même les mauvaises années. C'est un vin complexe, soyeux et d'une grande finesse.

cabernet sauvignon 60%, merlot 38%, cabernet franc 2%

8-20 ans

Second vin : Les Pagodes de Cos

Autre château : Château de Marbuzet (Saint-Estèphe)

CHÂTEAU COS LABORY

5e cru classé

★

Jusqu'à la fin du XIXe siècle, ce domaine faisait partie du Cos d'Estournel. Il fut racheté dans les années 1920 par une famille argentine dont la propriétaire actuelle, Mme Audoy, est une parente éloignée. Le Cos Labory est élevé 15 à 18 mois dans le chêne (les barriques sont renouvelées par tiers).

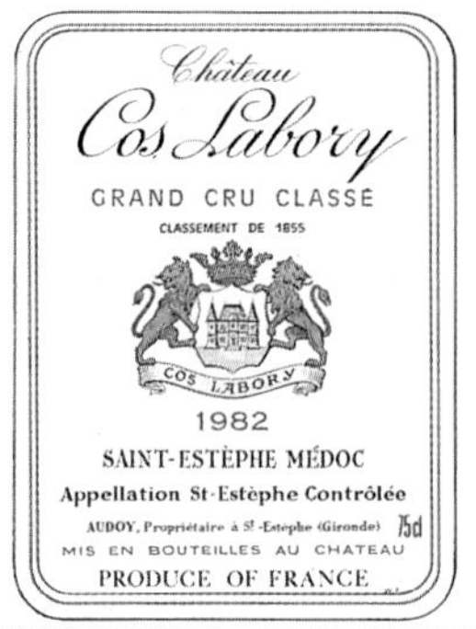

Rouge Ce vin était d'habitude simplement élégant et léger, et ce même les grandes années, mais les millésimes récents montrent un heureux changement de style : ils sont nettement plus pleins, plus fruités et plus boisés (30 à 50% de barriques neuves).

cabernet sauvignon 60%, merlot 38%, petit verdot 5%, cabernet franc 2%

5-15 ans

CHÂTEAU LE CROCK

Cru bourgeois

Appartient aux Domaines Cuvelier, propriétaires du Château Léoville Poyferré (saint-julien).

Rouge Vins substantiels à la robe sombre, riches en tanin, qui exigent un certain temps pour s'assouplir.

cabernet sauvignon 65%, merlot 35%

6-15 ans

CHÂTEAU DOMEYNE

Cru bourgeois

Cru bourgeois 1932, non membre du syndicat créé après la guerre, mais peut étiqueter ses vins « cru bourgeois ».

Rouge Vins à la robe profonde, très aromatiques, dans lesquels le fruit et le chêne sont associés harmonieusement. Souples et ronds, ils peuvent être bus relativement jeunes.

cabernet sauvignon 75%, merlot 25%

3-8 ans

CHÂTEAU FAGET

Cru bourgeois

Un des nombreux crus bourgeois 1932 n'ayant pas adhéré au syndicat créé après la guerre, mais qui conserve le droit d'étiqueter ses vins « cru bourgeois ».

Rouge Vin bien élaboré, assez corpulent et fruité, avec une charpente lui permettant de bien vieillir.

cabernet sauvignon 60%, merlot 30%, cabernet franc 10%

6-10 ans

CHÂTEAU LA HAYE

Cru bourgeois

★Ⓥ

Quelques millésimes captivants grâce à un matériel nouveau, un quart de barriques neuves et une bonne proportion de vieilles vignes.

Rouge Moyennement corpulent, parfois corpulent, toujours limpide, ce vin richement coloré et aromatique est équilibré, long en bouche, avec une finale boisée et vanillée.

cabernet sauvignon 65%, merlot 30%, petit verdot 5%

4-12 ans

CHÂTEAU HAUT-MARBUZET

Cru bourgeois

★☆Ⓥ

Un des domaines appartenant à Henri Duboscq. Les vins de Haut-Marbuzet bénéficient d'un élevage de 18 mois en barriques entièrement renouvelées chaque année, ce qui est rare parmi les crus classés et sans précédent pour un cru bourgeois.

Rouge Ces vins corpulents à la robe profonde sont riches en fruit juteux, soutenus par un tanin souple. Ils déploient des nuances généreuses de pain grillé beurré et de crème à la vanille.

merlot 50%, cabernet sauvignon 40%, cabernet franc 10%

4-12 ans

Second vin : Tour de Marbuzet

CHÂTEAU HOUISSANT

cru bourgeois

Cru bourgeois 1932, n'a pas adhéré au syndicat créé après la guerre, mais conserve le droit d'étiqueter ses vins « cru bourgeois ».

Rouge Ce sont des vins soigneusement élaborés, bien aromatiques, à peine boisés, moyennement corpulents et parfois corpulents.

cabernet sauvignon 70%, merlot 30%

3-8 ans

CHÂTEAU LAFON-ROCHET

4ᵉ cru classé

Quand Guy Tesseron acheta ce domaine à la limite de la commune de Pauillac en 1959, le vignoble était négligé, les locaux d'exploitation en triste état et le château en ruine. Il procéda à une restructuration complète du domaine, agrandit le vignoble en portant la proportion de cabernet sauvignon à 70% et édifia un nouveau château. Lorsqu'il constata que son vin était trop tannique, il diminua la proportion de cabernet sauvignon au profit du merlot. Le vin est élevé de 16 à 18 mois en barriques (40% de bois neuf).

Rouge Vin complexe, concentré, charnu, fruité avec des notes sombres, à la belle robe profonde, assez long en bouche et encore très tannique, mais devenant velouté avec l'âge.

cabernet sauvignon 55%, merlot 40%, cabernet franc 5%

8-15 ans

Second vin : Numéro 2 du Château Laffon-Rochet

CHÂTEAU LAVILLOTTE

Cru bourgeois

★☆Ⓥ

Ce château est une vedette parmi les crus bourgeois.

Rouge Vin bien équilibré à la robe foncée, corpulent, boisé, complexe avec un beau fruit et un bouquet intense.

cabernet sauvignon 75%, merlot 25%

5-12 ans

CHÂTEAU DE MARBUZET

Cru bourgeois

☆

Jusqu'en 1994, le vin du domaine a été assemblé avec les moins bonnes cuvées du Cos d'Estournel.

Rouge Vin élégant, moyennement corpulent, parfois corpulent, bien équilibré, avec un beau fruit, un chêne discret et une finale souple.

cabernet sauvignon 46%, merlot 42%, petit verdot 12%

4-10 ans

LE MARQUIS DE SAINT-ESTÈPHE

Ⓥ

Vins d'une bonne coopérative groupant plus de 100 vignerons.

Rouge Vins toujours bien élaborés, d'un excellent rapport qualité prix, en général moyennement corpulents mais parfois corpulents.

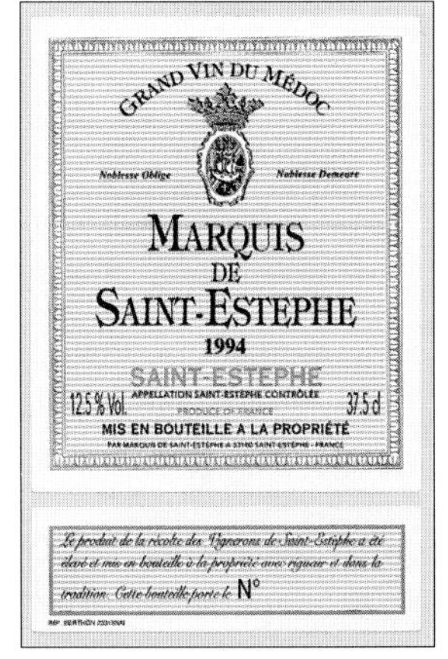

cabernet franc et cabernet sauvignon 60%, merlot 35%, malbec et petit verdot 5%

3-6 ans

CHÂTEAU MEYNEY

Cru bourgeois

★Ⓥ

Appartenant à Domaines Cordier, Meyney produit des vins excellents dans la presque totalité des millésimes.

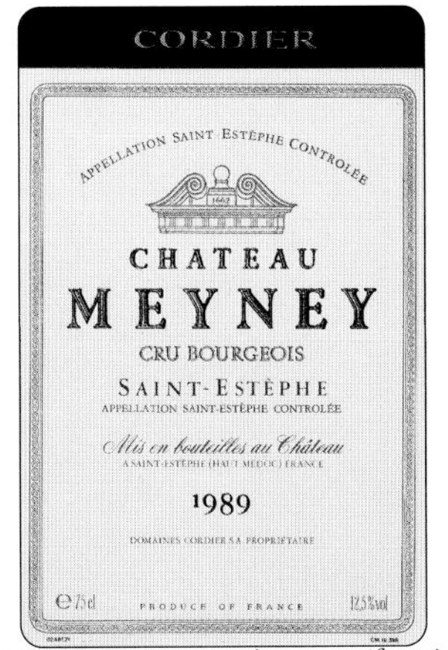

Rouge Ces vins naguère massifs, très charnus, avec une charpente inflexible, exigeant au moins dix ans en bouteilles pour s'assouplir ont été beaucoup améliorés. Ils sont toujours concentrés et boisés mais ont acquis une texture soyeuse et n'ont plus besoin d'être attendus si longtemps.

cabernet sauvignon 70%, merlot 24%, cabernet franc 4%, petit verdot 2%

5-25 ans

Second vin : Prieuré de Meyney

CHÂTEAU MONTROSE

2ᵉ cru classé

★☆Ⓥ

Vaste domaine dont le vin, porté aux nues par un critique américain très influent, il est élevé pendant près de 2 ans en barriques (un tiers de bois neuf).

Rouge Ce vin qui évolue lentement en bouteille, se place à mon avis derrière le Cos d'Estournel dont il n'a pas la régularité. La plupart des millésimes de Montrose sont les moins inspirants des seconds crus du Médoc, toutefois les 1982 et 1986 furent peut-être les meilleurs depuis 1962 et les 1989 et 1990 encore meilleurs. Le principal défaut de Montrose a toujours été ses tanins verts et il faut un millésime exceptionnellement riche pour surmonter leur caractère agressif. L'excellent 1994 me laisse espérer que le domaine a commencé à vendanger le raisin au moment où les tanins sont mûrs (*voir* p. 63) et à mieux maîtriser la cuvaison. Si c'était le cas, le prochain millénaire pourrait voir Montrose se hisser au rang des « super-seconds ».

cabernet sauvignon 65%, merlot 25%, cabernet franc 10%

8-25 ans

Second vin : La Dame de Montrose

CHÂTEAU LES ORMES DE PEZ

Cru bourgeois

★☆Ⓥ

Jean-Michel Cazes, propriétaire du Château Lynch-Bages (pauillac), a installé en 1981 de nouvelles cuves en Inox et a hissé la qualité des vins du domaine de bonne à sensationnelle. Élevé pendant 15 mois en barrique, ce vin d'un prix relativement abordable égale facilement un bon cru classé.

Rouge Robe opaque, fruit généreux et arômes complexes caractérisent ce vin qui se bonifie longtemps en bouteille.

CHÂTEAU DE PEZ

Cru bourgeois

★☆Ⓥ

Acheté en 1995 par le champagne Louis Roederer, ce cru bourgeois 1932 n'a pas adhéré au syndicat créé après la guerre, mais a droit à l'étiquette cru bourgeois. Le vin est élevé 18 mois en barriques (33% de bois neuf) et la qualité d'un cru classé.

Rouge Régulièrement un des meilleurs crus bourgeois du Médoc, il est moyennement corpulent, richement fruité, avec une belle charpente tannique, et évolue en un vin sublime au bouquet de bois de cèdre.

cabernet sauvignon 70%, cabernet franc 15%, merlot 15%

6-20 ans

CHÂTEAU PHÉLAN SÉGUR

Cru bourgeois

Ⓥ

Beaucoup amélioré depuis le millésime 1988, ce cru présente un des meilleurs rapports qualité/prix du Médoc.

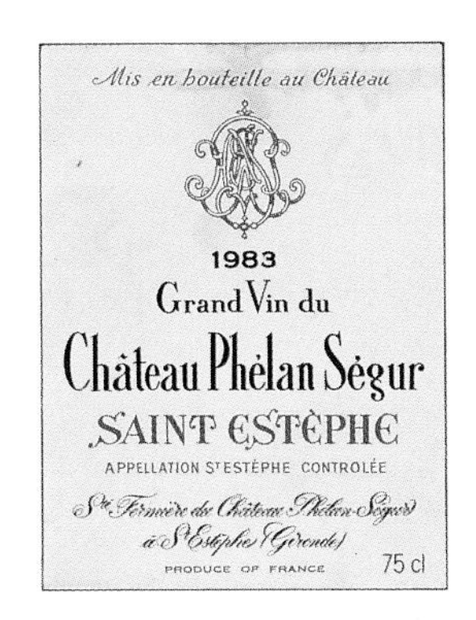

Rouge Encore très ferme, ce vin ne manque plus de charme ni d'élégance.

cabernet sauvignon 60%, merlot 30%, cabernet franc 10%

5-10 ans

Second vin : Franck Phélan

CHÂTEAU POMYS

Cru bourgeois

Ⓥ

Domaine dont le vignoble était presque à l'abandon quand la famille Arnaud l'acheta en 1951. Le vin issu du vignoble patiemment reconstitué est maintenant élevé 18 mois en barriques (25% de bois neuf).

Rouge Le Pomys est un vin bien structuré, substantiel, bien fruité, avec un tanin équilibré.

cabernet sauvignon 50%, merlot 25%, cabernet franc 20%, petit verdot 5%

CHÂTEAU LES PRADINES

Ⓥ

Un des nombreux petits domaines qui font élaborer leur vin par l'excellente cave coopérative de Saint-Estèphe.

Rouge Ce vin est typique de l'appellation : couleur rubis, bien fruité, assez fin, ayant du caractère et une très bonne finale.

cabernet sauvignon 60%, merlot 35%, cabernet franc 5%

2-7 ans

CHÂTEAU LA TOUR DE PEZ

Cru bourgeois

☆Ⓥ

Vin fait autrefois à la coopérative et maintenant au domaine, ce vin est élevé 18 à 24 mois dans le bois (un tiers de barriques neuves).

Rouge Vin substantiel, élégant, assez concentré et boisé, avec un beau fruit mûr équilibré par le tanin.

CHÂTEAU TRONQUOY-LALANDE

Cru bourgeois

Arlette Castéja-Texier a admirablement réussi à exploiter ce vignoble de 17 ha après la mort tragique de son mari Jean-Philippe en 1973.

Rouge Vin agréablement fruité avec parfois des notes sombres et tanniques.

cabernet sauvignon et cabernet franc 50%, merlot 45%, petit verdot 5%

3-7 ans

PAUILLAC

S'il est une appellation qui est la quintessence du Médoc et dont le prestige auréole tout le Bordelais c'est bien Pauillac avec ses trois grandioses premiers crus, Lafite, Latour et Mouton, dont les vins acquièrent, après une longue garde en bouteille, une finesse étonnante.

Pauillac est pourtant une appellation de contrastes. Bien qu'elle s'enorgueillisse de posséder les trois quarts des 1ers crus du Médoc et les deux tiers des 5es crus, il n'y a que trois crus entre ces deux extrêmes et les crus bourgeois y font exception. Le cabernet sauvignon est ici le plus impérieux. Si les célèbres arômes de cassis sont parfois ténus voire absents dans de nombreux bordeaux rouges, ils sont exubérants dans les beaux pauillacs, qui évoluent très lentement et acquièrent une finesse étonnante pour des vins si riches. Dans les pauillacs, ce cassis est toujours admirablement équilibré par le tanin.

STATISTIQUES DES CRUS CLASSÉS

Les crus classés
18 châteaux (30% des crus classés du Médoc) et 842 ha (30% de la superficie des crus classés du Médoc et 72% de celle de l'AOC)

1ers crus
3 châteaux (75% du nombre des 1ers crus classés du Médoc) et 230 ha (75% de la superficie des 1ers crus classés du Médoc)

2es crus
2 châteaux (14% du nombre de 2es crus du Médoc) et 90 ha (11% de la superficie des 2es crus du Médoc)

3es crus
Aucun

4es crus
1 château (10% du nombre de 4es crus du Médoc) et 45 ha (10% de la superficie des 4es crus du Médoc)

5es crus
12 châteaux (67% du nombre de 5es crus du Médoc) et 477 ha (63% de la superficie des 5es crus du Médoc)
Note Seule l'AOC margaux compte davantage de crus classés que l'AOC pauillac.

CHÂTEAU LATOUR
Grâce à des changements radicaux des techniques de vinification effectués dans les années 1960, le Château Latour est devenu le plus régulier des premiers crus du Médoc. Ce vin est un pauillac exemplaire, c'est-à-dire viril, très fin et de longue garde.

FACTEURS DU GOÛT ET DE LA QUALITÉ

EMPLACEMENT
Pauillac est contigu à Saint-Estèphe au nord et à Saint-Julien au sud.

CLIMAT
Voir Médoc, page 66.

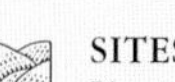
SITES
L'appellation compte deux grands plateaux à basse altitude, l'un au nord-ouest de la ville de Pauillac, l'autre au sud-ouest. Leur exposition est excellente et ils descendent e une pente douce bien drainée, à l'est vers en direction de la Gironde, à l'ouest vers la forêt, au nord et au sud vers des canaux et des cours d'eau.

SOLS
Les deux plateaux sont faits de graves plus profondes que partout ailleurs dans le Médoc. L'eau est drainée avant d'atteindre le substrat. A Saint-Sauveur, la couche superficielle sableuse de faible épaisseur repose sur une assise rocheuse à l'ouest, et graveleuse sur un substrat ferrugineux ou graveleux au centre et au sud.

VITICULTURE ET VINIFICATION
Seuls les vins rouges ont droit à l'appellation pauillac. La plupart des domaines ajoutent un peu de vin de presse. La durée de la cuvaison est habituellement de 3 à 4 semaines et l'élevage en barriques varie en général de 18 à 24 mois.

CÉPAGES PRINCIPAUX
Cabernet sauvignon, cabernet franc, merlot
CÉPAGES SECONDAIRES
Carmenère, petit verdot, malbec

L'APPELLATION PAUILLAC

Aire de l'appellation
Couvre une partie de la commune de Pauillac, plus 34 ha à Saint-Sauveur, 16 ha à Saint-Julien, 5 ha à Saint-Estèphe et 1 ha à Cissac

Étendue de la commune
2539 ha

Aire des vignobles AOC
1170 ha
46% de la commune

Superficie des crus classés
842 ha
3% de la commune
72% de l'AOC

PAUILLAC
La ville de Pauillac, sur l'estuaire de la Gironde, est la plus grande du Médoc, mais a su conserver son caractère rural.

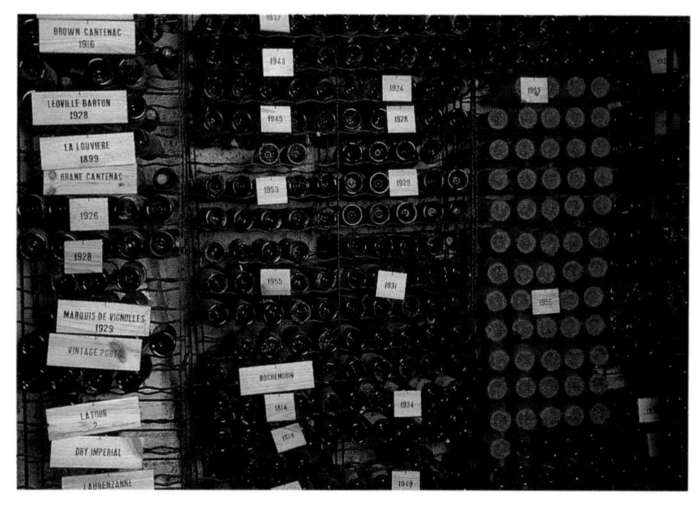

CAVE PRIVÉE DU CHÂTEAU PICHON LONGUEVILLE COMTESSE DE LALANDE
Une des caves du château abrite une collection de bouteilles qui représente près de 200 ans d'histoire vineuse du Médoc.

PAUILLAC, *voir aussi* p. 68
Bénie des dieux, pauillac et ses trois 1ers crus, Lafite-Rothschild et Mouton-Rothschild au nord, Latour au sud, est bornée par les AOC saint-estèphe et saint-julien.

ST.-ESTÈPHE
Jalle du Breuil
Château Lafite-Rothschild
Ch. Lafite-Rothschild
Ch. Duhart-Milon-Rothschild
D2
Mousset
Ch. Clerc Milon
Loubeyres
Ch. Mouton-Rothschild
Château Pontet-Canet
Ch. Mouton-Baronne-Philippe
LE POUYALET
Padarnac
D205
Ch. Pontet-Canet
Gironde
PAUILLAC
Pibran
ST.-SAUVEUR
Coopérative la Rose-Pauillac
Chenal du Gaer
Ch. Pédesclaux
Ch. Grand-Puy-Ducasse
Pauillac
Château Batailley
ARTIGUES
Ch. Haut-Bages-Libéral
BAGES
la Verrerie
Ch. Grand-Puy-Lacoste
Ch. Croizet-Bages
Ch. Lynch-Bages
Ch. Lynch-Moussas
Château Latour
ST.-LAMBERT
DAUBOS
Ch. Batailley
Ch. Pichon-Longueville-Comtesse-de-Lalande
Ch. Pichon-Longueville-Baron
Ch. Latour
Ch. Haut-Batailley
D2
Château cru classé
Coopérative
Limite de commune
ST.-JULIEN
km 0.5 1.0
miles 1/4 1/2 3/4
Château Pichon-Longueville-Comtesse-de-Lalande

ÉTIQUETTES DU CHÂTEAU MOUTON-ROTHSCHILD DUES À DE GRANDS PEINTRES (*voir* p. 80)

Le baron Philippe de Rothschild, n'avait que 22 ans quand il prit en 1922 la direction du domaine. Il commanda à un jeune peintre, Jean Carlu, une nouvelle étiquette pour le millésime 1924 – la célèbre tête de mouton et les cinq flèches. Elle servit à plusieurs millésimes, y compris certains produits avant 1922 (mais encore en barriques). Les 1928 et 1929 eurent une autre étiquette, puis le 1933 une autre encore. Chaque millésime a bénéficié depuis 1945 d'une nouvelle étiquette due à un peintre en renom.

Pablo Picasso, 1973

Marc Chagall, 1970

Jean Carlu, 1924 la première étiquette

MEILLEURS PRODUCTEURS DE

L'AOC PAUILLAC

CHÂTEAU D'ARMAILHAC

5e cru classé

☆

Le baron Philippe de Rothschild racheta le Château Mouton d'Armailhac en 1933 et le renomma en 1956 Château Mouton Baron Philippe. En 1975, il lui donna le nom de Mouton Baronne Philippe, en mémoire de son épouse disparue. Il disparut lui-même en 1988. En 1991 sa fille, la baronne Philippine qui lui avait succédé, craignant que l'on assimile son vin à un second vin du prestigieux Mouton-Rothschild, revint au nom de Château d'Armailhac (sans Mouton ni Rothschild). Le domaine jouxte Mouton-Rothschild et une des raisons de son rachat par le baron Philippe fut de ménager un accès plus facile au célèbre 1er cru. Le Château d'Armailhac, qui est élevé 15 à 18 mois en barriques (un tiers de bois neuf), est élaboré avec autant de soin que son grand voisin.

Rouge Austères dans leur jeunesse, ces vins sont plutôt légers, manquant à mon avis de personnalité, ce qui prouve que même l'argent ne peut l'emporter sur le terroir.

cabernet sauvignon 50%, merlot 25%, cabernet franc 23%, petit verdot 2%

10-20 ans

CHÂTEAU BATAILLEY

5e cru classé

★☆

Ce domaine donne le meilleur de lui-même les années ensoleillées et produit des vins sous-estimés relativement avantageux. Le 1985 fut sans doute la meilleure affaire du Bordelais et le 1986 fut probablement encore meilleur. Le Batailley bénéficie d'un élevage de 16 à 18 mois en barriques (au moins un tiers de bois neuf).

Rouge Ce vin, qui a parfois été un peu rustique et trop dur, a maintenant de la classe, avec un fruit succulent soutenu par une structure tannique mûre et une fin de bouche complexe, crémeuse et boisée.

cabernet sauvignon 74%, merlot 20%, cabernet franc 5%, petit verdot 1%

10-25 ans

CHÂTEAU LA BÉCASSE

Domaine restructuré récemment et en passe de devenir une des étoiles montantes de l'appellation. Son vin a maintenant une qualité digne d'un cru classé.

Rouge Vin bien structuré à la robe profonde, richement fruité avec des notes marquées de cassis. Son caractère boisé révèle la présence d'une certaine proportion de chêne neuf.

cabernet sauvignon 70%, merlot 20%, cabernet franc 10%

5-12 ans

CHÂTEAU BELLE ROSE

cru bourgeois

Ce domaine appartient au propriétaire du Château Pédesclaud, un des 5es crus classés de l'appellation.

Rouge Vin bien fait, charpenté, moyennement corpulent à corpulent, avec des notes boisées.

cabernet sauvignon 55%, cabernet franc 20%, merlot 20%, petit verdot 5%

5-12 ans

CHÂTEAU CLERC MILON

5e cru classé

★

Quand ce domaine fut racheté par le baron Philippe de Rothschild en 1970, il était quelque peu négligé. Après plus d'un décennie d'investissements dans le vignoble et le matériel, et de nombreux millésimes décevants, le vin de 1970 fut bon et celui de 1982 sensationnel. Depuis, il a été constamment supérieur à son classement de 5e cru. Le Clerc Milon est élevé 22 à 24 mois en barriques (20 à 30% de bois neuf).

Rouge Vin profondément coloré, moyennement corpulent, parfois corpulent, riche en petits fruits et en arômes de cassis et d'épices, bien équilibrés par l'acidité.

cabernet sauvignon 70%, merlot 20%, cabernet franc 10%

10-20 ans

CHÂTEAU COLOMBIER-MONPELOU

cru bourgeois

☆Ⓥ

La troisième édition de *Bordeaux et ses vins*, publiée en 1874, rappelle que nombre d'auteurs le rangeaient autrefois parmi les 4es crus. Il ne s'agit pourtant pas d'un cru classé, mais l'utilisation de 30% de chêne neuf lui en donne un peu l'allure.

Rouge Riche, épicé, avec le caractère du cabernet sauvignon en évidence, une belle charpente avec des tanins mûrs et des notes de chêne vanillé.

cabernet sauvignon 70%, merlot 20%, cabernet franc 5%, petit verdot 5%

5-12 ans

CHÂTEAU DE CORDEILLAN-BAGES

❷

Petit domaine appartenant à Jean-Michel Cazes, propriétaire du Château Lynch-Bages où le Cordeillan est élaboré. Un hôtel, un restaurant et une école de viniculture lui sont rattachés. Un vin dont il faut surveiller les progrès.

Rouge Vin à la robe souvent profonde, très fruité, boisé, avec des tanins fermes.

cabernet sauvignon 60%, merlot 30%, petit verdot 5%, malbec 5%

4-10 ans

CHÂTEAU LA COURONNE

cru bourgeois

☆Ⓥ

Cru bourgeois 1932, n'a pas adhéré au syndicat créé après la guerre, mais conserve le droit d'étiqueter ses vins « cru bourgeois ». Appartenant à Mme Brest-Borie, il est exploité par son frère, Jean-Eugène Borie, propriétaire du Château Ducru-Beaucaillou (saint-julien). Les vins du Château Batailley sont élaborés à La Couronne.

Rouge Les meilleurs millésimes de ce vin moyennement corpulent à corpulent bien coloré, souple, déploient des arômes de cassis et d'épices.

cabernet sauvignon 70%, merlot 30%

5-12 ans

CHÂTEAU CROIZET-BAGES

5e cru classé

❷

Appartenant au propriétaire du Château Rauzan-Gassies (margaux 2e cru) et situé sur le plateau de Bages, le Château Croizet-Bages est un exemple classique d'un « Château sans château ». Son vin, élevé 18 mois en barriques, n'est pas dénué de charme, mais il manque de classe et n'est guère passionnant. Les millésimes récents sont en progrès.

Rouge Certainement pas un des pauillacs les plus colorés, ce vin moyennement corpulent, joliment fruité, est assez agréable à boire.

cabernet sauvignon 37 %, cabernet franc 30 %, merlot 30 %, malbec, petit verdot 3 %
6-12 ans
Second vin : Enclos de Moncabon

CHÂTEAU DUHART-MILON ROTHSCHILD

4e cru classé

★

Autre « Château sans château ». Quand Duhart-Milon a été acquis par la branche Lafite de la famille Rothschild en 1962, son vin était presque un petit verdot pur et n'excellait que dans les années anormalement chaudes quand ce cépage traditionnellement cultivé pour son acidité mûrissait suffisamment. En 1947 par exemple, année torride, Duhart-Milon réussi à produire un vin qui fut considéré par beaucoup comme le meilleur pauillac de ce millésime. Les Rothschild restructurèrent ce vignoble jouxtant celui de Lafite, le portèrent à 65 ha et le dotèrent d'un système de drainage et de l'encépagement classique convenant à ce terroir. Le vin est élevé 18 à 24 mois en barriques (un tiers de bois neuf).

Rouge D'un style très proche du saint-julien, ce vin est vivement colorés mais n'a pas l'opacité du bon pauillac. Délicieusement fruité avec des nuances crémeuses et boisées, il est élégamment parfumé, avec un équilibre exceptionnel et une grande finesse.
cabernet sauvignon 70 %, merlot 2 %, cabernet franc 10 %
10-16 ans
Second vin : Moulin de Duhart

CHÂTEAU LA FLEUR-MILON

cru bourgeois

Encore un exemple de « Château sans château ». Le vin, issu de diverses parcelles dispersées jouxtant notamment des crus aussi prestigieux que Lafite-Rothschild, Mouton-Rothschild et Duhart-Milon, est élevé 20 mois en barriques (un tiers de bois neuf).

Rouge Vin charpenté, assez fruité, plutôt agréable, mais qui n'est pas à la hauteur de ce que l'on pourrait espérer de l'origine du raisin.
cabernet sauvignon 45 %, cabernet franc 20 %, merlot 35 %
4-10 ans

CHÂTEAU FONBADET

cru bourgeois

★ V

Cru bourgeois 1932, n'a pas adhéré au syndicat créé après la guerre, mais conserve le droit d'étiqueter ses vins « cru bourgeois ». De nombreuses vignes ayant jusqu'à 80 ans donnent à ce vin son caractère. La durée de l'élevage en barriques varie selon le millésime (25 % de bois neuf).

Rouge Un pauillac typique : robe profonde presque opaque, fruit riche, concentré et épicé avec des nuances de chêne crémeux ; bouquet intense de cassis, de boîte de cigares et de bois de cèdre ; très longue finale.
cabernet sauvignon 60 %, cabernet franc 15 %, merlot 19 %, malbec 4 %, petit verdot 2 %
6-15 ans
Second vin : Château Tour du Roc Moulin

CHÂTEAU GRAND-PUY DUCASSE

5e cru classé

★ V

Appartenant à la société propriétaire, entre autres du Château Rayne-Vigneau (sauternes), ce domaine produit un vin issu de diverses parcelles éparpillées dans la moitié de la commune. Il est élevé 15 à 18 mois en barriques (30 % de bois neuf). C'est un des crus classés de l'appellation présentant le meilleur rapport qualité prix.

Rouge Équilibré, moyennement corpulent, parfois corpulent, avec l'arôme de cassis typique, ce vin plus souple qu'il n'est habituel dans la commune peut se boire relativement jeune.
cabernet sauvignon 70 %, merlot 25 %, petit verdot 5 %
5-10 ans
Second vin : Château Artigues-Arnaud

CHÂTEAU GRAND-PUY-LACOSTE

5e cru classé

★ V

Appartenant à la famille Borie, propriétaire du Château Ducru-Beaucaillou (saint-julien), le Grand-Puy-Lacoste ne cesse de progresser sous la houlette de François-Xavier Borie. Le vin est élevé 18 à 20 mois en barriques (un tiers de bois neuf).

Rouge Robe profonde, bouquet complexe de cassis, de vanille et d'épices, très fruité et fin, long en bouche.
cabernet sauvignon 75 %, merlot 25 %
10-20 ans

CHÂTEAU HAUT-BAGES-AVEROUS

cru bourgeois

☆ V

Cru bourgeois 1932 qui n'a pas adhéré au syndicat créé après la guerre, mais conserve le droit d'étiqueter ses vins « cru bourgeois », le Haut-Bages-Averous appartient à la famille Cazes, propriétaire du Château Lynch Bages (un des 5es crus de l'appellation). Les seconds vins de celui-ci entrent dans l'assemblage de ce vin.

Rouge : Épices, équilibre et bonne acidité caractérisent ce vin de très bonne qualité, moyennement corpulent à corpulent. Les années riches, comme par exemple 1983, il peut déployer des nuances menthées-herbacées séduisantes.
cabernet sauvignon 75 %, merlot 15 %, cabernet franc 10 %
5-12 ans

CHÂTEAU HAUT-BAGES-LIBÉRAL

5e cru classé

★

Même propriétaire que trois excellents crus bourgeois, les Château Chasse-Spleen (moulis), la Gurgue (margaux) et Citran (haut-médoc), ainsi que le Château Ferrière (margaux 3e cru). Ce domaine exploité avec un grand dynamisme produit des vins d'une qualité vraiment exceptionnelle, élevés 18 à 20 mois en barriques (jusqu'à 40 % de bois neuf). Ceux qui ont goûté le millésime 1986 ont eu une expérience inoubliable.

Rouge Vin à la robe très foncée, corpulent, avec un fruit riche et concentré de cassis épicé, une charpente tannique solide et un chêne vanillé – un vin complet.
cabernet sauvignon 75 %, merlot 20 %, petit verdot 5 %
10-20 ans

CHÂTEAU HAUT-BATAILLEY

5e cru classé

★

Quand la famille Borie, propriétaire du Château Grand-Puy-Lacoste (pauillac 5e cru) et du Château Ducru-Beaucaillou (saint-julien 2e cru), racheta le Château Batailley en 1942, il fut divisé : cette partie du vignoble alla à un fils et l'autre partie, avec le château lui-même, à l'autre fils. Le Haut-Batailley est élevé 20 mois en barriques (un tiers de bois neuf).

Rouge Le Haut-Batailley est bien coloré, moyennement corpulent, plus fin et plus élégant que le Batailley, mais il lui manque le fruit succulent de celui-ci.
cabernet sauvignon 65 %, merlot 25 %, cabernet franc 10 %
7-15 ans
Second vin : Château La Tour d'Aspic

CHÂTEAU LAFITE ROTHSCHILD

1er cru classé

★★☆

Ce château célèbre est exploité de manière traditionnelle avec beaucoup de soin par le baron Éric, de la branche française des Rothschild – qui possède aussi Duhart-Milon (pauillac 4e cru classé) –, L'Évangile (pomerol) et Rieussec (sauternes 1er cru). Une partie du vignoble de Lafite se trouve sur la commune de Saint-Estèphe, mais comme elle est rattachée à ce cru depuis des siècles, elle fait partie de l'appellation pauillac. On peut dater un changement du style du Lafite au milieu des années 1970 quand fut prise la décision de ramener la durée de l'élevage en barriques, de 2 ans et demi à 18 ou 24 mois (100 % de bois neuf).

Rouge Bien qu'il ne soit pas le plus grand des 1ers crus, le Lafite est un pauillac exemplaire : un fruit riche, délicat et épicé qui ne cesse de se déployer, soutenu par un chêne crémeux abondant et des tanins bien mûrs. Un vin d'une finesse incomparable.
cabernet sauvignon 70 %, merlot 20 %, cabernet franc 10 %
25-50 ans
Second vin : Carruades de Lafite (autrefois Moulin des Carruades)

CHÂTEAU LATOUR

1er cru classé

★★★

Le monde vinicole bordelais accusa le groupe anglais Pearson de faire de ce 1er cru une laiterie quand il installa en 1964 des cuves de vinification en acier inoxydable à thermorégulation (ses détracteurs ne pouvaient pourtant pas ignorer que Haut Brion avait fait de même trois ans plus tôt). Cette mesure n'eut pas les conséquences que certains redoutaient : Latour resta, et est resté, le plus constant de tous les 1ers crus et il excelle même les années médiocres. Les descendants d'Alexandre de Ségur, maître du domaine de Latour depuis 1695, en conservèrent le contrôle absolu jusqu'à la vente en 1963 de trois quarts des parts à deux sociétés anglaises, le groupe londonien Pearson qui en acquit la moitié et la société Harveys, de Bristol, le quart. Cette transaction s'effectua pour un peu moins de 1 million de livres, ce qui n'était pas cher payé, même compte tenu des dépenses qui allaient être engagées pour l'amélioration du vignoble et de l'équipement : Allied-Lyons (propriétaires de Harveys) a payé près 58 millions de livres la part de Pearson en 1989. Finalement, le groupe anglais, qui avait entre-temps acquis le quart des part restées en mains françaises, a revendu l'ensemble à François Pinault en 1993 pour 86 millions de livres, soit 735 millions de francs. Le vin est élevé 20 à 24 mois en barriques (100% de bois neuf).

Rouge Bien que proche de Saint-Julien, Latour est un pauillac typique : robe opaque, charpente monumentale et concentration prodigieuse. Si Lafite est un modèle de finesse, Latour est l'illustration idéale d'un vin massif et pourtant très fin.

cabernet sauvignon 75%, merlot 20%, cabernet franc et petit verdot 5%

30-60 ans

CHÂTEAU LYNCH BAGES

5e cru classé

★★V

Le château se dresse au bord du plateau de Bages, à quelques kilomètres au sud de Pauillac, et le domaine compte 5 parcelles distinctes mais proches les unes des autres. Jean-Michel Cazes y produit un vin que certains qualifient de « Latour (ou Mouton?) du pauvre ». On pourrait faire plus mal… et si j'étais riche, je boirais autant de ce 5e cru que de tout autre 1er cru des autres appellations. La famille Cazes n'ont pas lésiné sur une nouvelle cave de vinification et de nouveaux chais. Depuis 1984, la qualité du vin des années même médiocres a été prodigieuse et plus constante que celle des 2es crus. Le vin est élevé 12 à 15 mois en barriques (50% de bois neuf).

Rouge Un vin incontestablement de grande classe. Il est très séduisant, avec une robe pourpre profonde, un fruit abondant soutenu par une charpente tannique souple. Il déploie un nez complexe, de riches flaveurs de prune, et il est long en bouche avec des notes de cassis, d'épices et de vanille.

cabernet sauvignon 75%, merlot 15%, cabernet franc 10%

8-30 ans

Autre vin : Blanc de Lynch Bages, vinifié en barriques neuves (AOC bordeaux).

CHÂTEAU LYNCH MOUSSAS

5e cru classé

?

Appartenant à Émile Castéja, de Borie-Manoux, ce domaine a été rénové et la qualité de son vin devrait vraisemblablement s'améliorer. Il est élevé 18 à 20 mois en barriques (25% de chêne neuf).

Rouge Un vin qui n'est pas déplaisant, mais plutôt léger, manquant de substance et de personnalité. Toutefois le millésime 1985 a été exceptionnellement élégant.

cabernet sauvignon 70%, merlot 30%

4-8 ans

CHÂTEAU MOUTON-ROTHSCHILD

1er cru classé

★★★

Exemple célèbre et unique de révision de l'intouchable classement de 1855. Après 20 ans d'efforts incessants, le baron Philippe de Rothschild obtint enfin en 1973 que Mouton soit promu 1er cru en 1973, ce qui n'était que justice étant donné l'extraordinaire niveau d'excellence de ce cru. En faisant une promotion très dynamique du Mouton, il fait plus que tout autre pour donner au cabernet sauvignon l'extraordinaire réputation dont il jouit dans le monde entier. Pour souligner l'unicité de ce vin, il a fait illustrer les étiquettes de chaque millésimes par un peintre en renom différent. Le Mouton-Rothschild est élevé 22 à 24 mois en barriques (100% de chêne neuf).

Rouge Il est difficile de décrire ce vin sans utiliser les mêmes termes que pour le Château Latour, mais la couleur du Mouton est peut-être plus proche de celle de la prune de Damas et il a un soupçon de notes herbacées, même menthées, que n'a pas l'autre vin. D'une longévité comparable à celle du Latour, il peut pourtant être bu un peu plus tôt.

cabernet sauvignon 85%, cabernet franc 10%, merlot 5%

20-60 ans

CHÂTEAU LONGUEVILLE AU BARON DE PICHON

2e cru classé

★★☆

Le plus petit des deux vignobles de Pichon, donnant jusqu'à récemment le vin le moins inspirant, bien que les experts aient toujours estimé que le terroir du Pichon-Baron était en soi supérieur à celui de son voisin à la réputation incomparable, le Pichon-Comtesse. Il y a dix ans, j'ai même émis l'avis que Mme de Lencquesaing devrait racheter ce domaine et utiliser la baguette magique qu'elle semble posséder pour faire des deux domaines réunis un terroir encore plus remarquable. Si elle avait cette ambition et l'argent pour la réaliser, la compagnie d'assurances AXA l'a devancée en 1987 en rachetant le domaine et Jean-Michel Cazes a réussi de manière embarrassante à hisser Pichon-Baron à un niveau de qualité incroyable. Embarrassante car tout en étant aussi sensationnel et constant que le Lynch-Bages du même Jean-Michel Cazes, le Pichon-Baron est encore meilleur. Cela prouve, s'il en était encore besoin, à quel point le classement de 1855 est encore exact et combien j'ai eu raison dans la première édition de cet ouvrage de prédire que Pichon-Baron prouverait un jour sa valeur exceptionnelle. Le vin est élevé 24 mois en barriques (un tiers de bois neuf).

Rouge Vin à la couleur intense, très corpulent, avec un fruit concentré de cassis épicé, soutenu par des tanins souples enrichis par des arômes complexes de chêne fumé et vanillé.

cabernet sauvignon 75%, merlot 24%, malbec 1%

8-25 ans

Second vin : Les Tourelles de Longueville

CHÂTEAU PICHON-LONGUEVILLE COMTESSE DE LALANDE

2e cru classé

★★☆

Il y a une limite infranchissable à la qualité de n'importe quel vin et celle-ci est déterminée par la qualité potentielle du raisin. Mais à Pichon-Comtesse – on appelle ainsi familièrement ce domaine – la formidable Mme de Lencquesaing demande à son terroir le maximum – et l'obtient toujours. Le vin est élevé 18 à 24 mois en barriques (50% de chêne neuf).

Rouge Ce vin séduisant est en quelque sorte le Château Margaux de pauillac. Il a une texture soyeuse, un équilibre magnifique et une grande finesse, même les petites années.

cabernet sauvignon 46%, merlot 34%, cabernet franc 12%, petit verdot 8%

10-30 ans

Second vin : Réserve de la Comtesse

CHÂTEAU PÉDESCLAUX

5e cru classé

Ce cru classé, que l'on ne voit pas souvent, est issu de deux parcelles particulièrement bien situées, l'une jouxtant Lynch-Bages, l'autre se trouvant entre Mouton-Rothschild et Pontet-Canet. La plus grande partie du vin exporté va en Belgique. Le Pédesclaux est élevé 20 à 24 mois en barriques (50% de chêne neuf). Les cuvées qui ne vont pas dans le grand vin enrichissent le Château Belle Rose, un cru bourgeois appartenant au même propriétaire.

Rouge Pauillac traditionnel, plein et ferme, qui évolue lentement et jouit d'une grande longévité.

cabernet sauvignon 70%, merlot 20%, cabernet franc 5%, petit verdot 5%

15-40 ans

CHÂTEAU PONTET-CANET

5e cru classé

?

La réputation du Pontet-Canet a souffert durant des décennies, mais ceux qui ont pensé que le rachat du domaine en 1975 par Guy Tesseron allait la redorer étaient nombreux. Pourtant il a fallu attendre longtemps pour qu'un millésime, le 1985, autorise enfin un certain optimisme. Il faut surveiller l'évolution de ce vin, élevé 18 à 24 mois en barriques (un tiers de bois neuf).

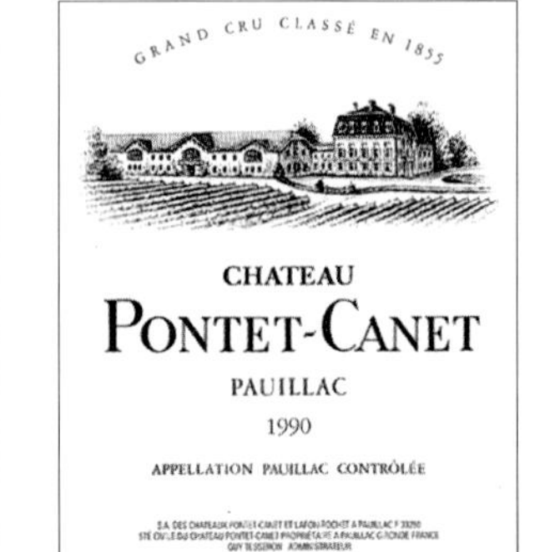

Rouge En général un vin trop austère, manquant de charme, donnant une impression de rusticité indigne de son classement. Pourtant, le 1985 est fruité et plein de grâce, avec une touche de beau chêne.

cabernet sauvignon 68%, merlot 20%, cabernet franc 10%, malbec 2%

6-12 ans

Second vin : Les Hautes de Pontet

LA ROSE PAUILLAC

Il s'agit du vin de la coopérative locale et il est plutôt bon.

Rouge Vin moyennement corpulent et joliment fruité. À son niveau modeste, c'est un authentique pauillac qui ne décevra pas.

cabernet sauvignon et cabernet franc 45%, merlot 40%, petit verdot 15%

5-10 ans

CHÂTEAU LA TOUR-PIBRAN

cru bourgeois

★V

Cru bourgeois 1932, n'a pas adhéré au syndicat créé après la guerre, mais conserve le droit d'étiqueter ses vins « cru bourgeois ».

Rouge Ce vin a des arômes exubérants de cassis et aussi la charpente et la finale ferme caractéristique du pauillac. On peut qualifier le superbe 1985 de « mini-Mouton ».

cabernet sauvignon 75%, merlot 15%, cabernet franc 10%

6-16 ans

SAINT-JULIEN

La réputation de l'appellation est inversement proportionnelle à sa taille car elle est plus petite que celles de Saint-Estèphe, Pauillac et Margaux. Elle a, en revanche, une plus forte concentration de vignobles AOC et des domaines dont la taille est sensiblement plus grande.

La commune de Saint-Julien ne compte ni premier ni cinquième cru, quoique certains domaines produisent parfois des vins d'une qualité incontestablement comparable à celle d'un premier cru. La concentration de onze crus classés au milieu du classement est la vraie force de l'appellation saint-julien, ce qui lui permet d'affirmer qu'elle est la plus homogène des appellations du Médoc. Ses vins sont vivement colorés, élégamment fruités, admirablement équilibrés et très fins.

Il est peut-être étonnant que pas moins de seize hectares de vignobles de la commune soient rattachés à l'appellation pauillac, surtout que la différence de style entre le saint-julien et le pauillac est nettement perceptible. Cette situation, qui existe lorsque les limites des communes ne coïncident pas avec les limites historiques des grands domaines vinicoles, illustre l'importance de l'assemblage de vins issus de parcelles différentes, même dans une région pourtant réputée pour le nombre de ses vins issus d'un seul vignoble. C'est pourquoi il faut se garder des généralisations sur le style des vins des différentes appellations : si les limites des communes respectaient l'histoire locale, le Château Latour serait un saint-julien et non un pauillac!

STATISTIQUES DES CRUS CLASSÉS

Les crus classés
11 châteaux (18% des crus classés du Médoc) et 628 ha (22% de la superficie des crus classés du Médoc et 64% de celle de l'AOC)

1er cru
Aucun

2es crus
5 châteaux (36% du nombre de 2es crus du Médoc) et 318 ha (40% de la superficie des 2es crus du Médoc)

3es crus
2 châteaux (14% du nombre de 3es crus du Médoc) et 69 ha (16% de la superficie des 3es crus du Médoc)

4es crus
4 châteaux (40% du nombre de 4es crus du Médoc) et 241 ha (51% de la superficie des 4es crus du Médoc)

5e cru
Aucun

L'APPELLATION SAINT-JULIEN

Aire de l'appellation
Ne couvre qu'une partie de la commune de Saint-Julien

Étendue de la commune
1554 ha

Aire des vignobles AOC
910 ha
59% de la commune

Superficie des crus classés
628 ha
40% de la commune,
69% de l'AOC

Note environ 16 ha de vignobles de Saint-Julien sont rattachés à l'AOC pauillac

FACTEURS DU GOÛT ET DE LA QUALITÉ

EMPLACEMENT
Au centre du Haut-Médoc, à 4 km au sud de Pauillac.

CLIMAT
Voir Médoc, p. 66.

SITE
La crête graveleuse de Saint-Julien descend de manière presque imperceptible vers le village. Les eaux de drainage rejoignent la Gironde.

SOLS
Belles graves assez grosses dans les vignobles visibles de la Gironde. Plus loin du fleuve, les graves sont plus fines et le lœss sableux affleure par endroits. L'assise est composée de crasse de fer, de marne et de gravier.

VITICULTURE ET VINIFICATION
Seuls les vins rouges ont droit à l'appellation saint-julien. Le raisin doit toujours être éraflé. On ajoute une proportion variable de vin de presse selon la qualité du millésime. La durée de la cuvaison est en moyenne de 3 à 4 semaines et la plupart des domaines élèvent leur vin 18 à 24 mois en barriques.

CÉPAGES PRINCIPAUX
Cabernet sauvignon, cabernet franc, merlot
CÉPAGES SECONDAIRES
Carmenère, malbec, petit verdot.

SAINT-JULIEN-BEYCHEVELLE
Saint-Julien-Beychevelle (ci-dessus) et Beychevelle, un peu plus loin au sud, sont les deux principaux villages de l'appellation, la plus homogène du Médoc.

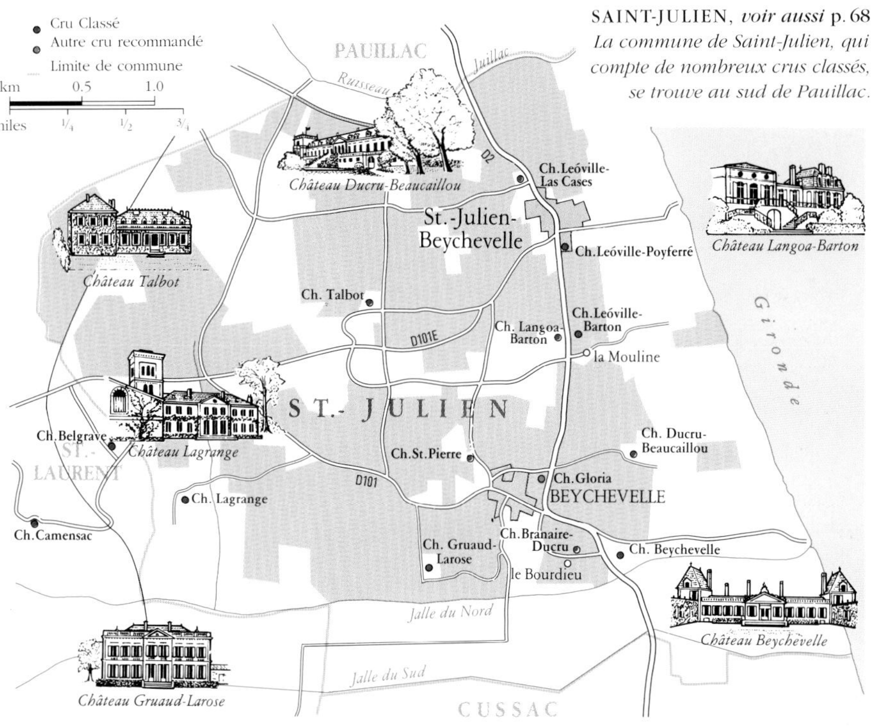

SAINT-JULIEN, *voir aussi* p. 68
La commune de Saint-Julien, qui compte de nombreux crus classés, se trouve au sud de Pauillac.

L'IMPORTANCE DU TERROIR

Dans le Bordelais, le système des châteaux et des crus est basé sur la notion de terroir, qu'il ne faut pas confondre avec celle, plus restrictive, de sol. Dans le monde viticole, le terroir comprend tous les facteurs naturels d'une zone ou d'un vignoble donnés, à savoir le sol, la topographie et le microclimat. À Saint-Julien les châteaux Talbot et Gruau-Larose illustrent bien l'influence du terroir sur le caractère du vin, car ces deux domaines pourtant voisins donnent dans des circonstances identiques des vins très différents. Le facteur humain ne joue aucun rôle dans ces différences, les deux domaines ayant le même propriétaire, la maison de négoce Cordier, les vignobles étant cultivés et les vins élaborés avec les mêmes méthodes.

CHÂTEAU TALBOT

CLASSEMENT
4ᵉ cru

SUPERFICIE DU VIGNOBLE
100 ha

EMPLACEMENT
Plateau à l'ouest de Saint-Julien

SITUATION
Orienté au sud-ouest

SOL
Sable et graves siliceuse de taille moyenne sur assise de marne argilo-calcaire avec des traces de crasse de fer. La composition géologique de ces couches diffère de celle de Gruaud-Larose.

VIN DE PRESSE
6 à 8%

CHÊNE NEUF
Un tiers

ÉLEVAGE EN BARRIQUES
18 à 20 mois

COLLAGE
Au blanc d'œuf

FILTRAGE
Sur plaques

ŒNOLOGUE
Georges Pauli

ENCÉPAGEMENT
Cabernet sauvignon 70% merlot 20%, cabernet franc 5%, petit verdot 5%

DENSITÉ DE PLANTATION
7 500 à 10 000 pieds/ha

ÂGE DES VIGNES
25 à 30 ans

RENDEMENT MOYEN
42 à 45 hl/ha

PRODUCTION MOYENNE APRÈS ÉLIMINATION DES CUVÉES INSUFFISANTES
480 000 bouteilles

SECOND VIN
Connétable Talbot
(15 à 20% de la production)

VINIFICATION
Cuves en acier vitrifié, thermorégulation par serpentin, maximum 30°, levures naturelles

CHÂTEAU GRUAND-LAROSE

CLASSEMENT
2ᵉ cru

SUPÈRFICIE DU VIGNOBLE
84 ha

EMPLACEMENT
Plateau à l'ouest de Beychevelle, un peu plus haut que Talbot et plus proche de l'estuaire.

SITUATION
Orienté au sud, onduleux.

SOL
Grosses graves siliceuse sur assise de marne argilo-calcaire. Le sol est plus argileux et plus ferrugineux qu'à Talbot et exige des canalisations de drainage.

VIN DE PRESSE
8 à 10%

CHÊNE NEUF
Un tiers

ÉLEVAGE EN BARRIQUES
18 à 20 mois

COLLAGE
Au blanc d'œuf

FILTRAGE
Sur plaques

ŒNOLOGUE
Georges Pauli

ENCÉPAGEMENT
Cabernet sauvignon 64% merlot 24%, cabernet franc 8%, petit verdot 4%

DENSITÉ DE PLANTATION
7 500 à 10 000 pieds/ha

ÂGE DES VIGNES
25 à 30 ans

RENDEMENT MOYEN
42 à 45 hl/ha

PRODUCTION MOYENNE APRÈS ÉLIMINATION DES CUVÉES INSUFFISANTES
420 000 bouteilles

SECOND VIN
Sarget de Gruaud-Larose
(15 à 20% de la production)

VINIFICATION
Vuves en ciment vitrifié, thermorégulation par serpentin, maximum 30°, levures naturelles.

COMPARAISON ENTRE LES DEUX VINS

La petite variation de l'encépagement ne devrait pas provoquer une différence perceptible. En théorie, la proportion un peu plus forte de cabernet sauvignon dans le Talbot devrait donner un vin plus plein, pourtant il est régulièrement plus léger que le Gruaud-Larose, plus ample et presque gras. Bien que la densité de plantation, la conduite et la taille de la vigne soient les mêmes, le rendement moyen de Talbot est un peu plus fort que celui de Gruaud-Larose. C'est en effectuant des comparaisons comme celle-là, rarement pratiquées, que l'on se rend compte à quel point une différence minime du terroir – sol, orientation, altitude – peut modifier le métabolisme de la vigne, qui donnera un raisin avec une peau plus ou moins épaisse et un moût ayant un contenu différent en oligoéléments. Le seul facteur humain, qui rend la différence entre les vins plus nette, est la proportion du vin de presse. Plus le vin est léger, moins il supporte de vin de presse et là encore, la décision du vinificateur dépend du terroir.

MEILLEURS PRODUCTEURS DE

L'AOC SAINT-JULIEN

CHÂTEAU BEYCHEVELLE

4e cru classé

★★

Les visiteurs ne manquent jamais d'admirer les jardins fleuris impeccablement entretenus de ce domaine. Une des légendes les plus célèbres du Bordelais a trait à Beychevelle dont le nom serait une déformation de « baisse-voile ». Le duc d'Épernon, propriétaire du domaine, qui était aussi amiral de France, aurait exigé que les bateaux descendant ou remontant la Gironde baissent leurs voiles en signe de respect en passant devant le château. Son épouse répondait au salut en agitant son mouchoir. Cette histoire est malheureusement fausse car le duc d'Épernon portait le titre de baron de Beychevelle avant d'être promu amiral de Valette et, de plus, n'a jamais vécu au château. Je préfère une autre légende plus pittoresque : les marins baissaient leur culotte en passant devant le château pour dénuder leur postérieur, ce qui horrifiait la duchesse, mais enchantait ses enfants. Le vin est élevé 20 mois en barrique (40% de bois neuf).

Rouge Vins moyennement corpulents à corpulents, bien colorés, avec un fruit mûr, un chêne élégant et une structure tannique. Peut être assez gras les très bonnes années.

cabernet sauvignon 59%, merlot 30%, cabernet franc 8%, petit verdot 3%

12-20 ans

Second vin : Réserve de l'Amiral

Autre vin : Les Brûlières de Beychevelle

CHÂTEAU BRANAIRE-DUCRU

4e cru classé

★✪

Le vignoble fragmenté de Branaire-Ducru est plus à l'intérieur que ceux de Beychevelle et de Ducru-Beaucaillou. Son sol étant plus argileux et plus ferrugineux, le vin est plus plein, peut être impérieux mais jamais austère. Il est élevé 18 mois en barriques (jusqu'à 50% de bois neuf) et est d'une qualité remarquablement constante.

Rouge Vin assez corpulent à la flaveur riche, avec des nuances chocolatées les grandes années. Il déploie un bouquet distinctif qui le différencie des autres pauillacs.

cabernet sauvignon 75%, merlot 20%, cabernet franc 5%

12-25 ans

Second vin : Duluc

CHÂTEAU LA BRIDANE

cru bourgeois

Le propriétaire de La Bridane assure qu'un vignoble existait ici déjà au XIVe siècle.

Rouge Séduisant, fruité, moyennement corpulent, se laisse boire facilement.

cabernet sauvignon 55%, merlot 45%

3-6 ans

CHÂTEAU DUCRU-BEAUCAILLOU

2e cru classé

★★☆

La grande qualité de ce saint-julien classique, un des « super-seconds » et le plus beau fleuron de l'empire Borie, est à la fois légendaire et inimitable. Remarquablement constant, que l'année soit bonne ou mauvaise, son prix, relativement élevé, n'atteint toutefois pas celui, souvent exorbitant, d'un 1er cru et il reste une bonne affaire. Le Ducru-Beaucaillou est élevé 20 mois en barriques (50% de bois neuf).

Rouge Ce vin vêtu d'une belle robe profondément colorée associe harmonieusement la puissance et l'élégance. Richement fruité, avec un chêne complexe et épicé, il est bien équilibré et d'une grande finesse.

cabernet sauvignon 65%, merlot 25%, cabernet franc 10%

15-30 ans

Second vin : La Croix

CHÂTEAU DU GLANA

Cru bourgeois

Ce domaine appartient au propriétaire de deux autres crus bourgeois, le Château Plantey (pauillac) et le Château la Commanderie (saint-estèphe).

Rouge Vin normalement sans prétention et peu corpulent. Il peut pourtant être réellement excellent, mûr et juteux, quand l'année est très chaude.

cabernet sauvignon 68%, merlot 25%, petit verdot 5%, cabernet franc 2%

3-6 ans

CHÂTEAU GLORIA

Cru bourgeois

★

Cru bourgeois 1932 ne faisant pas partie du syndicat créé après la guerre. Ce vin est controversé : certains le tiennent pour l'égal de plusieurs crus classés – même parfois supérieur –, d'autres trouvent que son prix, fondé sur la réputation de quelques millésimes, est exagéré. Il faut admettre que l'exceptionnel 1970 serait à sa place dans une dégustation de certains des meilleurs crus classés de ce millésime et que de petits crus classés seraient égalés ou même dépassés par le Gloria de la plupart des millésimes. Il est élevé 16 mois en barriques (40% de bois neuf).

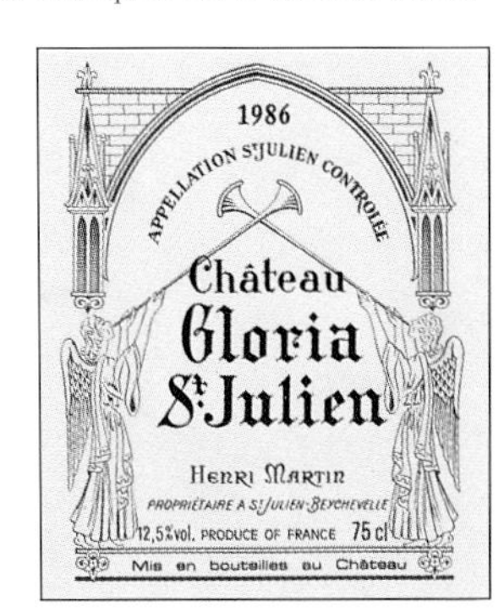

Rouge Vin généreux, très corpulent, vêtu d'une belle robe couleur prune, avec un fruit très riche et des arômes exubérants.

cabernet sauvignon 65%, merlot 25%, cabernet franc 5%, petit verdot 5%

12-30 ans

Second vin : Peymartin

Autres vins : Haut-Beychevelle-Gloria

CHÂTEAU GRUAUD-LAROSE

2e cru classé

★★✪

Ce vaste domaine produit avec régularité des grands vins ayant une charpente plus ferme que la plupart des autres vins de l'appellation. Quiconque a goûté le Sarget de Gruaud-Larose 1980 réputé médiocre (fait de vins écartés pour le grand vin) a compris la vraie valeur du Gruaud-Larose, quel que soit son millésime. Le vin est élevé de 18 à 20 mois en barriques (30% de bois neuf).

Rouge Vin corpulent, riche et très fruité. Le goût et l'arôme de cassis épicé est équilibré par une solide charpente de tanins mûrs.

cabernet sauvignon 65%, merlot 23%, cabernet franc 8%, petit verdot 4%

10-40 ans

Second vin : Sarget de Gruaud-Larose

CHÂTEAU HORTEVIE

★☆✪

Un domaine sans véritable château. Le vin issu de son petit vignoble est fait au Château Terrey-Gros-Caillou par Henri Pradère, qui possède l'un et l'autre.

Rouge Ce vin est succulent, riche, souple et soyeux. Son excellente qualité lui permet de rivaliser facilement avec certains crus classés beaucoup plus chers.

cabernet franc et cabernet sauvignon 70%, merlot 25%, petit verdot 5%

7-15 ans

CHÂTEAU DE LACOUFOURQUE

Ce minuscule vignoble – il ne compte que 1,25 ha – ne figure pas ici parce que les critiques ont aimé sa production, mais parce qu'il est unique dans le Bordelais en ce qu'il tire du cabernet franc un vin de cépage. Une curiosité à préserver.

Rouge Étant donné que tout ce saint-julien insolite est vendu en vrac, je n'ai pas eu l'occasion de le goûter et ne saurais donc le commenter.

cabernet franc 100%

CHÂTEAU LAGRANGE

3e cru classé

★★☆✪

Quand le ban des vendanges fut proclamé à Saint-Julien-Beychevelle en 1986, tout le monde avait compris au Château Lagrange, acheté par des Japonais deux ans plus tôt, que ceux-ci n'avaient pas l'intention de se borner à appliquer les recettes connues, mais entendaient faire du Lagrange le meilleur vin de l'appellation. Ils pourraient bien arriver à leurs fins avec l'équipe franco-japonaise qu'ils ont réunie : pour le célèbre œnologue Émile Peynaud, Lagrange est un « domaine de rêve » dont le cuvier est « différent de tout ce qui existe dans le Bordelais ». Pour lui, chaque cuve est un « laboratoire de vinification ». Le vin est élevé 20 mois en barriques (de 30% de chêne neuf dans les années médiocres à 50% les grandes années).

Rouge Un vin profondément coloré avec des arômes fruités-épicés intenses. Il est riche, corpulent, soyeux, avec un équilibre et une finale exquis.

cabernet sauvignon 66%, merlot 27%, cabernet franc et petit verdot 7%.

8-25 ans

Second vin : Fiefs de Lagrange

CHÂTEAU LALANDE-BORIE

★ Ⓥ

Domaine appartenant au propriétaire de l'illustre Château Ducru-Beaucaillou. Le Lalande-Borie permet de commencer à petit prix l'exploration des vins de l'appellation.

Rouge Vins bien colorés dominés par les riches arômes de cassis propre au cabernet sauvignon. Certains millésimes sont amples et juteux, les autres sont à la fois plus délicats et plus tanniques.

cabernet sauvignon 65%, merlot 25%, cabernet franc 10%

5-10 ans

CHÂTEAU LANGOA-BARTON

3e cru classé

★★½ Ⓥ

Ce beau château et son domaine s'appelaient Pontet-Langlois jusqu'à leur rachat en 1821 par Hugh Barton, petit-fils de « French Tom » Barton, fondateur de la maison de négoce Barton & Guestier, à Bordeaux. Sous la houlette d'Anthony Barton, les vins de Langoa-Barton et de Léoville-Barton sont élaborés ici selon des techniques traditionnelles. L'un et l'autre sont élevés 24 mois en barriques (au minimum un tiers de bois neuf).

Rouge Vin séduisant d'un abord facile, fruité avec une bonne acidité. Plus léger que le Léoville, il est parfois un peu rustique, mais il a gagné en élégance et en finesse depuis quelques années.

cabernet sauvignon 70%, merlot 20%, cabernet franc 8%, petit verdot 23%

10-25 ans

Second vin : Lady Langoa (assemblage de Langoa-Barton et de Léoville Barton, naguère vendu sous l'étiquette « Saint-Julien »)

CHÂTEAU LÉOVILLE BARTON

3e cru classé

★★★½ Ⓥ

Le quart du domaine de Léoville fut cédé en 1826 à Hugh Barton, mais pas le château situé dans l'autre partie du domaine qui porte maintenant le nom de Château Léoville Las Cases (*voir* ci-dessous). Le vin de Léoville Barton est élaboré par Anthony Barton à Langoa-Barton (*voir* ci-dessus). Il est élevé 24 mois en barriques (au minimum un tiers de bois neuf). Bien qu'il soit le meilleur des deux crus de Barton, on considère en général que sa qualité est nettement inférieure à celle du Léoville-Las Cases. Il faut pourtant relever que depuis la fin des années 1990, il rivalise avec celui-ci.

Rouge Excellent vin ayant beaucoup de classe et de finesse. Il est plus riche et vêtu d'une robe plus profonde que le Langoa-Barton, lui-même un vin de grande qualité. Au fur et à mesure qu'il évolue en bouteilles, il devient plus complexe et les arômes de cassis et de vanille sont dominés par des notes de bois de cèdre.

cabernet sauvignon 70%, merlot 20%, cabernet franc 8%, petit verdot 2%

15-30 ans

Second vin : Lady Langoa (assemblage de Langoa-Barton et de Léoville-Barton, naguère vendu sous l'étiquette « Saint-Julien »)

CHÂTEAU LÉOVILLE-LAS CASES

2e cru classé

★★½

On lit sur l'étiquette « Grand vin de Léoville du Marquis de Las Cases », mais on connaît couramment ce vin comme « Château Léoville-Las Cases ». Le domaine couvre les trois quarts de la surface du Léoville d'autrefois, avant que le quart restant ne soit vendu à Anthony Barton. Le principal vignoble de Las Case jouxte celui de Latour. L'ampleur et la qualité du Léoville-Las Cases approchent celle du Château Latour. Il s'agit d'un très grand vin – certains le considèrent même comme le meilleur saint-julien et il mérite indubitablement le qualificatif de « super-second ». Le Clos du Marquis, second vin du domaine, est un des meilleurs seconds vins du marché et le saint-julien présentant le rapport qualité/prix le plus favorable. Le grand vin est élevé 18 mois en barriques (50% de bois neuf).

Rouge Vin classique de grande classe à la robe foncée de couleur prune, corpulent, complexe et richement aromatique. Une étonnante association de puissance et de finesse.

cabernet sauvignon 65%, merlot 19%, cabernet franc 13%, petit verdot 3%

15-35 ans

Second vin : Clos du Marquis

CHÂTEAU LÉOVILLE-POYFERRÉ

2e cru classé

Autrefois partie du domaine de Léoville d'origine, le Château Léoville Poyferré souffre sans doute de la comparaison avec les deux autres, les Châteaux Léoville Barton et Léoville Las Cases. Il occupe pourtant une place très honorable parmi les crus de Saint-Julien et a montré des qualités exceptionnelles depuis 1982. Le vin est élevé 18 mois en barriques (un tiers de bois neuf).

Rouge Ce vin a toujours été très tannique, mais il est aujourd'hui plus riche, plus fruité et plus foncé, avec de belles nuances boisées.

cabernet sauvignon 65%, merlot 30%, cabernet franc 5%

12-25 ans

Second vin : Moulin Riche (cru bourgeois)

CHÂTEAU MOULIN-DE-LA-ROSE

Cru bourgeois

Vignoble bien situé, entouré de presque tous les côtés par des crus classés. Vinifié en cuves en Inox, le vin est élevé 18 mois en barriques (25% de chêne neuf).

Rouge Vin séduisant, aromatique, étonnamment concentré pour un petit cru bourgeois. D'abord dur, il s'assouplit après quelques années en bouteilles.

cabernet sauvignon 65%, merlot 25%, petit verdot 8%, cabernet franc 2%

6-12 ans

CHÂTEAU SAINT-PIERRE

4e cru classé

★★½ Ⓥ

Henri Martin, propriétaire du Château Gloria, acquit le Château Saint-Pierre en 1981 et le vignoble en 1982, rétablissant ainsi ce domaine dans sa configuration du XIXe siècle. À sa mort, son gendre prit sa succession. Le vin, élaboré dans le cuvier du Château Gloria et élevé dans le chai du Château Saint-Pierre, est élevé 20 mois en barriques (50% de bois neuf).

Rouge Autrefois dur et astringent, ce vin est maintenant plus rond et plus souple, bien fruité, avec des notes de bois de cèdre et d'épices.

cabernet sauvignon 70%, merlot 20%, cabernet franc 10%

8-25 ans

Second vin : Saint-Louis-le-Bosc

CHÂTEAU TALBOT

4e cru classé

★★½ Ⓥ

Le Château Talbot porte le nom du général anglais mort à la bataille de Castillon en 1453. Propriété des Domaines Cordier, il a toujours été considéré comme le frère jumeau du Château Gruaud-Larose, qui appartenait aussi aux Domaines Cordier mais qui a été cédé à Alcatel-Alsthom. On peut comparer le style de ces deux crus, mais pas leurs qualités : le Château Talbot est un grand vin, plus proche du saint-julien classique, mais il n'a ni l'ampleur ni la régularité du Gruaud-Larose (*voir* comparaison de ces deux crus p. 82). Il est élevé 18 à 20 mois en barriques (un tiers de bois neuf).

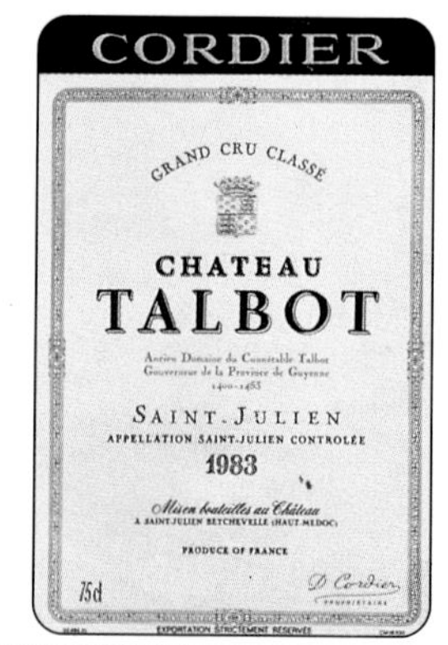

Rouge Un vin gracieux, moyennement corpulent, avec un fruit élégant soutenu par des tanins mûrs. Il peut être remarquablement fin.

cabernet sauvignon 75%, merlot 18%, cabernet franc 5%, petit verdot 2%

8-13 ans

Second vin : Connétable Talbot

CHÂTEAU TERREY-GROS-CAILLOUX

Cru bourgeois

★½ Ⓥ

Cru de grande valeur appartenant à Henri Pradère, propriétaire du Château Hortevie.

Rouge Vin vêtu d'une très belle robe, moyennement corpulent à corpulent, toujours richement fruité, souvent équivalent à un bon cru classé.

cabernet sauvignon 65%, merlot 30%, petit verdot 5%

5-12 ans

CHÂTEAU TEYNAC

Ⓥ

Vignoble cultivé sur de belles graves, qui faisait autrefois partie du cru classé Château Saint-Pierre.

Rouge Bien équilibré, moyennement corpulent à corpulent, avec des notes épicées et des tanins fermes.

cabernet sauvignon 65%, merlot 35%

6-10 ans

MARGAUX

Des quatre appellations les plus prestigieuses du Médoc, celle de Margaux est la plus proche de Bordeaux et la plus célèbre. Auréolée par la présence du premier cru qui porte son nom, c'est pourtant la moins homogène.

Alors que les trois autres appellations célèbres du Médoc – Saint-Estèphe, Pauillac et Saint-Julien – forment une suite presque ininterrompue de vignobles, Margaux est isolée dans le sud et ses vignobles sont dispersés sur cinq communes : au sud Labarde, Arsac et Cantenac, au centre Margaux et au nord Soussans. Margaux et Cantenac sont les plus vastes et la première contient le grand Château Margaux, seul premier cru de l'appellation. La surface viticole de Cantenac est un peu plus grande et cette commune ne compte pas moins de huit crus classés, dont le Château Palmer, l'autre vedette de l'AOC Margaux, en partie propriété du regretté Peter Sichel. Margaux et Pauillac sont les seules appellations possédant des premiers crus, mais seule Margaux peut se glorifier d'avoir toute la gamme des crus classés. Elle compte aussi plus de crus classés que toute autre appellation du Médoc, y compris le nombre impressionnant de dix troisièmes crus.

FACTEURS DU GOÛT ET DE LA QUALITÉ

EMPLACEMENT
Au centre du Haut-Médoc, à quelque 28 km au nord-ouest de Bordeaux. L'appellation s'étend sur la commune de Margaux et celles de Cantenac, Soussans, Arsac et Labarde.

CLIMAT
Voir Médoc, p. 66.

SITES
Un vaste plateau à basse altitude autour de Margaux et plusieurs petites buttes qui descendent à l'ouest en direction de la forêt.

SOLS
Graves siliceuses profondes sur une assise de graves et par endroits de roche calcaire.

VITICULTURE ET VINIFICATION
Seuls les vins rouges ont droit à l'appellation margaux. Le raisin doit toujours être éraflé. On ajoute en moyenne de 5 à 10% de vin de presse selon les nécessités du millésime. La durée de la cuvaison est en moyenne de 15 à 25 jours et celle de l'élevage en barriques de 18 à 24 mois.

CÉPAGES PRINCIPAUX
Cabernet sauvignon, cabernet franc, merlot

CÉPAGES SECONDAIRES
Carmenère, malbec, petit verdot

STATISTIQUES DES CRUS CLASSÉS

Les crus classés
21 châteaux (35% des crus classés du Médoc) et 854 ha (35% de la superficie des crus classés du Médoc et 64% de celle de l'AOC)

1er cru
1 château (25% du nombre de 1ers crus du Médoc) et 75 ha (25% de la superficie des 1ers crus du Médoc)

2es crus
5 châteaux (36% du nombre de 2es crus du Médoc) et 271 ha (34% de la superficie des 2es crus du Médoc)

3es crus
10 châteaux (72% du nombre de 3es crus du Médoc) et 305 ha (72% de la superficie des 3es crus du Médoc)

4es crus
3 châteaux (30% du nombre de 4es crus du Médoc) et 105 ha (22% de la superficie des 4es crus du Médoc)

5es crus
2 châteaux (11% du nombre de 5es crus du Médoc) et 98 ha (13% de la superficie des 5es crus du Médoc)

CHÂTEAU MARGAUX
Le château du cru le plus illustre de l'appellation margaux est aussi majestueux que le sont les vignobles du domaine et les vins qui en sont issus.

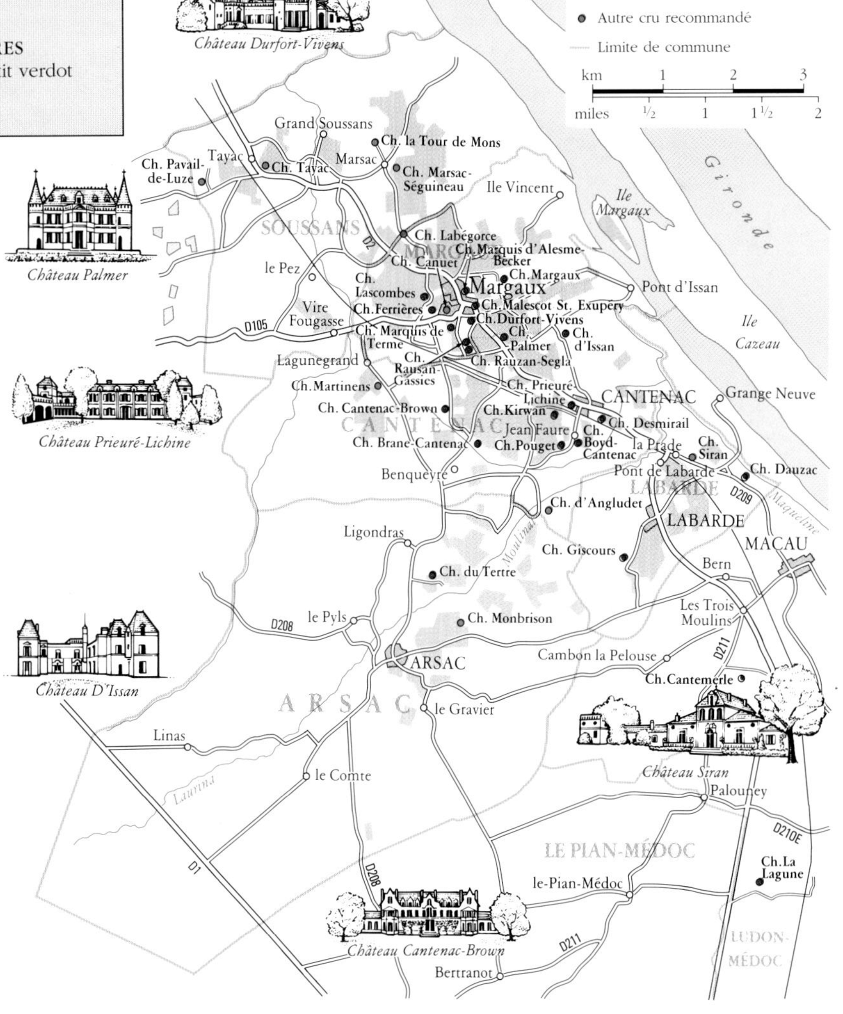

MARGAUX, *voir aussi* p. 68
Margaux, la plus célèbre des appellations classique du Médoc, est isolée dans le sud de la région et compte plus de crus classés qu'aucune autre.

AIRE DE L'APPELLATION

L'appellation couvre une partie des communes d'Arsac, Cantenac, Labarde, Margaux et Soussans.

RÉGION	TAILLE DES COMMUNES	VIGNOBLES EN AOC	AIRE VITICOLE EN POURCENTAGE DES COMMUNES	POURCENTAGE DES APPELLATIONS
Arsac	3,219 ha	203 ha	6%	15%
Cantenac	1,417 ha	370 ha	26%	28%
Labarde	475 ha	106 ha	22%	8%
Margaux	843 ha	390 ha	46%	29%
Soussans	1,558 ha	271 ha	17%	20%
TOTAL	**7,512 ha**	**1,340 ha**	18%	100%

Aire totale des cinq communes : 7 512 ha ;
aire totale des vignobles AOC : 1 340 ha ;
aire totale des crus classés : 854 ha
(11% de l'aire des communes, 64% de celle de l'AOC)

LE SPLENDIDE 2e CHAI DE CHÂTEAU MARGAUX
Ce chai rempli de centaines de barriques neuves illustre les gros investissements consentis au Château Margaux à la fin des années 1970.

UN VIN EXCEPTIONNEL

Si les vins monumentaux de l'appellation pauillac, les Châteaux Latour et Mouton-Rothschild, montrent qu'il est possible d'élaborer des vins très puissants et de haut goût ayant pourtant une finesse assez remarquable, les vins exquis de l'appellation margaux apportent la preuve que la complexité ne naît pas nécessairement de la concentration.

Je ne veux pas dire que les margaux manquent d'une certaine concentration. De fait le Château Margaux, qui est le plus beau fleuron de l'appellation, bénéficie d'une concentration gustative et aromatique particulièrement remarquable.

SOUTIRAGE AU CHÂTEAU MARGAUX
On vérifie régulièrement la limpidité du vin qui séjourne 18 à 24 mois dans des barriques neuves.

CHÂTEAU CANTENAC BROWN
Ce 3e cru fit partie à l'origine du Château Boyd, mais après que les familles Boyd et Brown – unies par un mariage à la fin du XVIIIe siècle – se fussent disputées, le domaine fut divisé en Châteaux Boyd-Cantenac et Cantenac Brown.

CHÂTEAU D'ANGLUDET
Angludet, qui a un petit air anglais, fut le domicile du regretté Peter Sichel de 1960 à 1999. Le château remonte à l'époque de Bernard d'Angludet qui prêta serment d'allégeance au roi d'Angleterre Édouard II en 1313.

MEILLEURS PRODUCTEURS DE

L'AOC MARGAUX

CHÂTEAU D'ANGLUDET

Cru bourgeois

★☆

Appartenait au regretté Peter Sichel, négociant en vins de Bordeaux et copropriétaire du Château Palmer, une des vedettes de l'appellation. Depuis les années 1980, s'est hissé au niveau des crus classés et il faut surveiller la prochaine décennie. Le vin est élevé 1 an en barriques (jusqu'à un tiers de bois neuf).

Rouge Vin aux couleurs vives, moyennement corpulent à corpulent, fin, fruité, avec une belle finale – un margaux classique.

cabernet sauvignon 55%, merlot 35%, petit verdot 10%

10-20 ans

Second vin : Bory

CHÂTEAU BEL-AIR MARQUIS D'ALIGRE

Cru bourgeois

Ⓥ

Cru bourgeois 1932, n'a pas adhéré au syndicat créé après la guerre, mais conserve le droit d'étiqueter ses vins « cru bourgeois ». Le sous-sol de ce vignoble isolé où l'on utilise exclusivement des engrais organiques et pas de désherbant, est calcaire.

Rouge Vin bien fait, avec une jolie couleur, un fruit élégant et une structure soyeuse, issu d'un encépagement original.

merlot 35%, cabernet sauvignon 30%, cabernet franc 20%, petit verdot 15%

6-12 ans

CHÂTEAU BOYD-CANTENAC

3e cru classé

Le Château Boyd-Cantenac est un vin de style traditionnel issu de vieilles vignes, élaboré dans l'autre domaine de son propriétaire, Pierre Guillemet, le Château Pouget, en suivant les conseils donnés naguère par Émile Peynaud. Le Boyd-Cantenac est élevé 24 mois en barriques (30% de bois neuf) et gagnerait, à mon avis, à comporter plus de merlot et de moins de petit verdot.

Rouge Vin corpulent et ferme, avec une belle robe, qui exige un long séjour en bouteilles pour s'assouplir. Le millésime 1980, pourtant médiocre, a été particulièrement réussi.

cabernet sauvignon 70%, merlot 20%, cabernet franc 5%, petit verdot 5%

12-20 ans

CHÂTEAU BRANE-CANTENAC

2e cru classé

★☆Ⓥ

Ce domaine aux vignes admirablement entretenues occupe un superbe plateau graveleux sur assise calcaire. Le vin est élevé 18 mois en barriques (25 à 30% de bois neuf).

Rouge Ces vins remarquablement élégants ont un bouquet crémeux et fumé de chêne neuf, un fruit riche et délicieux, une bouche très fine. De très grande qualité, ils sont veloutés et admirablement équilibrés.

cabernet sauvignon 70%, cabernet franc 15%, merlot 13%, petit verdot 2%

8-25 ans

Second vin : Château Notton

Autre vin : Domaine de Fontarney

CHÂTEAU CANTENAC BROWN

3e cru classé

Depuis que j'ai eu le privilège de déguster une demi-bouteille de Cantenac Brown 1926 parfaitement conservé, j'ai un faible pour ce domaine dont, il faut bien le dire, le château est plus élégant que les vins. Pourtant je les ai beaucoup appréciés et j'espère que je les aimerai encore plus quand les gros investissements des assurances AXA, copropriétaire depuis dix ans, porteront vraiment leurs fruits, d'autant plus que l'exploitation est supervisée par Jean-Michel Cases (*voir* p. 60). Le vin est élevé 18 mois en barriques (un tiers de bois neuf).

Rouge Ce vin a toujours eu la même corpulence que le Brane-Cantenac, mais était moins velouté et d'un style en général plus rustique. Les millésimes des années 1980 étaient déjà plus fins que ceux des années 1970, mais la concentration et la qualité ont été énormément améliorées en 1989 et 1990, ce qui laisse bien augurer de l'avenir.

cabernet sauvignon 65%, merlot 25%, cabernet franc 10%

Second vin : Château Canuet

CHÂTEAU CHARMANT

Ce domaine n'a pas adhéré au syndicat des crus bourgeois, mais il serait sûrement accepté s'il le demandait.

Rouge Un vin élégant, bien fruité, avec une finale souple. Il est délicieux dans sa jeunesse.

cabernet sauvignon 60%, merlot 35%, cabernet franc 5%

3-8 ans

CHÂTEAU DAUZAC

5e cru classé

Domaine totalement négligé acquis en 1978 par Félix Chatellier qui reconstitua le vignoble, construisit un nouveau cuvier et un chai équipé d'un système de régulation de l'humidité. Le Château Dauzac appartient depuis 1989 à la Mutuelle assurances des instituteurs de France (MAIF). Le vin, élevé de 16 à 18 mois en barriques (un tiers de bois neuf), a beaucoup progressé durant cette décennie.

Rouge Vin couleur rubis, moyennement corpulent, rond, agréablement fruité, d'un abord facile.

cabernet sauvignon 58%, merlot 37%, cabernet franc 5%

6-12 ans

Second vin : Labastide Dauzac

CHÂTEAU DESMIRAIL

3e cru classé

Autre Château sans château. Celui-ci a été acheté par Jean-Claude Zuger et il est maintenant rattaché au Château Marquis d'Alesme Becker. Desmirail est sur une pente ascendante depuis son rachat en 1981 par les Lurton (propriétaires de Brane-Cantenac et Durfort-Vivens), qui ont rénové et agrandi le domaine. Le vin est élevé 20 mois en barriques (25 à 50% de bois neuf).

Rouge Un vin moyennement corpulent, bien équilibré, aimablement fruité, ayant une structure tannique souple. Bien élaboré, il gagne chaque année en finesse.

cabernet sauvignon 80%, merlot 10%, cabernet franc 3%, petit verdot 2%

7-15 ans

Second vin : Château Baudry

Autre vin : Domaine de Fontarney

CHÂTEAU DEYREM-VALENTIN

Cru bourgeois 1932, n'a pas adhéré au syndicat créé après la guerre, mais peut étiqueter ses vins « cru bourgeois ». Son vignoble jouxte celui du Château Lascombes.

Rouge Vin honnête, moyennement corpulent, fruité, avec une certaine élégance.

cabernet sauvignon 45%, merlot 45%, cabernet franc 5%, petit verdot 5%

4-10 ans

CHÂTEAU DURFORT-VIVENS

2e cru classé

Encore un domaine Lurton. Le vin est élevé 18 à 20 mois en barriques (jusqu'à un tiers de bois neuf).

Rouge Vin ayant une structure tannique plus ferme que celle du Brane-Cantenac, mais sans son chêne voluptueux et son charme. Il est aussi moins fruité. Le millésime 1985 était pourtant impressionnant.

cabernet sauvignon 82%, cabernet franc 10%, merlot 8%

10-25 ans

Second vin : Domaine de Curé-Bourse

CHÂTEAU FERRIÈRE

3e cru classé

Ce petit domaine de 5 ha, qui appartenait à Mme Durand-Feuillerat, est le plus petit cru classé du Médoc. Il donnait un vin d'une qualité bien inférieure à son classement jusqu'à ce que les propriétaires de Chasse-Spleen, Haut-Bages Libéral et La Gurgue en reprennent l'exploitation en 1992.

Rouge Vin moyennement corpulent, modérément fruité et boisé.

cabernet sauvignon 46%, merlot 33%, petit verdot 12%, cabernet franc 8%, malbec 1%

6-12 ans

CHÂTEAU GISCOURS

3e cru classé

★☆

Domaine situé dans la commune de Labarde, racheté en 1952 par la famille Tari qui a restauré le vignoble et le château et rendu à ce cru sa gloire passée avant d'en confier en 1995 l'exploitation à un directeur hollandais. Le vin est élevé 20 à 34 mois en barriques (50% de bois neuf).

Rouge Vin à la très jolie robe, riche en fruit, très fin. Il est élaboré dans un style qui lui permet de conserver sa fraîcheur de nombreuses années.

cabernet sauvignon 75%, merlot 20%, cabernet franc 3%, petit verdot 2%

8-30 ans

Second vin : Cantelaude

CHÂTEAU LA GURGUE

Cru bourgeois

Cru bourgeois 1932, n'a pas adhéré au syndicat créé après la guerre, mais conserve le droit d'étiqueter ses vins « cru bourgeois ». Vignoble proche de celui du Château Margaux. Ce domaine appartient aux propriétaires des Châteaux Ferrière, Haut-Bages Libéral (crus classés) et Chasse-Spleen (cru bourgeois).

Rouge Un vin souple, assez élégant, moyennement corpulent, avec des arômes séduisants et quelque finesse.

cabernet sauvignon 70%, merlot 25%, petit verdot 5%

4-12 ans

CHÂTEAU D'ISSAN

3e cru classé

★★

Un splendide château du XVIIe siècle tenu par beaucoup pour le plus impressionnant de tout le Médoc et un vin remarquable, élevé 18 mois en barriques (jusqu'à un tiers de bois neuf), régulièrement aussi spectaculaire que le château.

Rouge Un vin véritablement glorieux! Son bouquet luxuriant est séduisant, son fruit incroyablement riche et somptueux. Le Château d'Issan est un grand vin auquel un chêne bien maîtrisé donne beaucoup de finesse.
cabernet sauvignon 85%, merlot 15%
10-40 ans
Second vin : Château de Candale

CHÂTEAU KIRWAN

3e cru classé
★☆Ⓥ

Domaine appartenant à la maison de négoce bordelaise Schröder & Shÿler depuis 1926, avec une participation des assurances GAN depuis 1993. Les vins sont élevés 18 à 24 mois en barriques (jusqu'à 50% de bois neuf).

Rouge Vins à la robe profonde, corpulents, riches et concentrés, bouquetés et joliment boisés qui gagnent en générosité de millésime en millésime.
cabernet sauvignon 40%, merlot 30%, cabernet franc 20%, petit verdot 10%
10-35 ans

CHÂTEAU LABÉGORCE

Cru bourgeois
★Ⓥ

Cru bourgeois 1932, n'a pas adhéré au syndicat créé après la guerre, mais conserve le droit à l'étiquette « cru bourgeois ». Le vin est élevé 18 mois en barriques (un tiers de bois neuf).

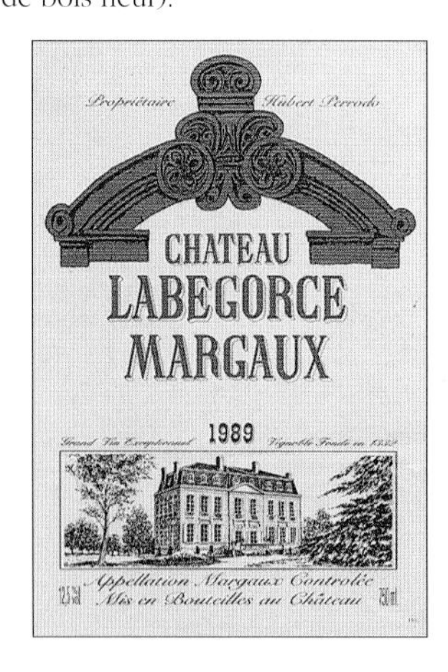

Rouge Vin à la robe bien colorée, présentant un bon équilibre entre la concentration et la finesse.
cabernet sauvignon 60%, merlot 35%, cabernet franc 5%
5-15 ans

CHÂTEAU LABÉGORCE-ZÉDÉ

Cru bourgeois
★☆Ⓥ

Cru bourgeois 1932, n'a pas adhéré au syndicat créé après la guerre, mais conserve le droit d'étiqueter ses vins « cru bourgeois ».

Rouge Les vins de ce domaine sont légèrement supérieurs à ceux du Château Labégorce, grâce à de beaux arômes, une certaine complexité et une belle longueur en bouche.
cabernet sauvignon 50%, merlot 35%, cabernet franc 10%, petit verdot 5%
5-15 ans

CHÂTEAU LASCOMBES

2e cru classé
★★

Vaste domaine ayant été géré par Alexis Lichine jusqu'en 1971, année où le grand groupe brassicole anglais Bass Charrington l'a acquis. Le vin, qui a toujours été bon, a progressé de manière spectaculaire depuis 1982. Élevé 14 à 20 mois en barriques (un tiers de bois neuf), il est parfois véritablement étonnant.

Rouge Vin corpulent, riche, concentré, avec un beau fruit mûr, des notes complexes de bois de cèdre et des tanins souples.
cabernet sauvignon 50%, merlot 45%, petit verdot 3%, cabernet franc 2%
8-30 ans
Second vin : Château Segonnes

CHÂTEAU MALESCOT SAINT-EXUPÉRY

3e cru classé
?

Propriété anglaise depuis 1901, ce domaine fut acheté en 1955 par la famille Zuger, qui possède Château Marquis d'Alesmes-Becker. Le vin est élevé 18 mois en barriques (20% de bois neuf).

Rouge Ce vin est réputé élégant, pourtant j'ai trouvé que de trop nombreux millésimes manquaient de fruit et de charme – le trio 1982, 1983 et 1985 a formé une heureuse exception, mais il n'y en a guère eu d'autres depuis.
cabernet sauvignon 50%, merlot 35%, cabernet franc 10%, petit verdot 5%
8-25 ans
Second vin : Château de Loyac
Autre vin : Balardin

CHÂTEAU MARGAUX

1er cru classé
★★★Ⓥ

Il s'agit du vin le plus célèbre dans le monde entier et, depuis sa glorieuse renaissance en 1978, le plus grand. Sa qualité peut parfois être égalée, mais elle n'est jamais dépassée. Le domaine et son château ont été achetés en 1977 par André Mentzelopoulos, maintenant disparu, pour 72 millions de francs, après quoi il dépensa autant pour leur rénovation. Sa fille Corinne Mentzelopoulos assure la direction du domaine, le plus beau fleuron de la couronne du Médoc. Le Château Margaux et le Pavillon rouge du Château Margaux – le second vin – sont vinifiés en cuves en bois de chêne et élevés 18 à 24 mois en barriques (respectivement 100% et 50% de bois neuf).

Rouge Si le nez permet de percevoir la finesse, l'étonnant bouquet complexe du Château Margaux en est la pierre de touche. La douceur, la finesse et la texture veloutée de ce vin ne sont égalées que par sa profondeur. Étonnamment riche et concentré, avec une longue finale complexe soutenue par des tanins mûrs et un splendide arôme crémeux et fumé de chêne, il s'approche autant qu'il est possible de la perfection.
cabernet sauvignon 75%, merlot 20%, cabernet franc et petit verdot 5%
15-50 ans
Second vin : Pavillon rouge du Château Margaux
Autre vin : Pavillon blanc du Château Margaux

CHÂTEAU MARQUIS-D'ALESME BECKER

3e cru classé

Comme le Château Malescot Saint-Exupéry, il était en mains anglaises jusqu'à son rachat par la famille Zuger, propriétaire du Château Marquis d'Alesmes Becker. Les Zuger achetèrent aussi le château du domaine Desmirail. Le vin est élevé 12 mois en barriques (un sixième de bois neuf).

Rouge Ces vins ont leurs admirateurs, mais je les trouve austères et sans charme, alors que le terroir est excellent. Ils sont bien faits, mais la sélection n'est pas suffisamment rigoureuse. Ces vins décevants ne peuvent satisfaire les Zuger qui ont réussi un 1984 excellent dans un millésime médiocre et un 1985 splendide. Le 1989 n'était pas mauvais, mais ceux des débuts des années 1990 sont minces.
cabernet sauvignon 40%, merlot 30%, cabernet franc 20%, petit verdot 10%
8-20 ans

CHÂTEAU MARQUIS-DE-TERME

4e cru classé

Proche du Château Margaux ce domaine a produit des vins fermés, tannique et mornes jusqu'à son redressement à la fin des années 1970. Ses vins ont été excellents dès 1983. Ils sont élevés 24 mois en barrique (un tiers de bois neuf).

Rouge Le Marquis-de-Terme paraît avoir trouvé son style : un vin riche et mûr avec des notes boisées délicieuses venant du chêne neuf. Le millésime 1984 fut une révélation.
cabernet sauvignon 60%, merlot 30%, petit verdot 7%, cabernet franc 3%
10-25 ans
Second vin : Château des Gondats

CHÂTEAU MARSAC-SÉGUINEAU

Cru bourgeois

Cru bourgeois 1932, n'a pas adhéré au syndicat créé après la guerre, mais conserve le droit d'étiqueter ses vins « cru bourgeois ». Le vignoble compte quelques parcelles qui appartenaient à un cru classé.

Rouge Vin de corpulence moyenne à forte, tendre avec un joli bouquet.
cabernet sauvignon 65%, merlot 35%
5-12 ans

CHÂTEAU MARTINENS

Cru bourgeois

Le vignoble presque totalement replanté depuis 1969 est d'un seul tenant et couvre 30 ha. Le vin est élevé en barriques (25% de bois neuf).

Rouge Des vins très bien faits, avec un fruit tendre et les arômes caractéristiques des margaux.
cabernet sauvignon 30%, merlot 40%, petit verdot 20%, cabernet franc 10%
5-10 ans

CHÂTEAU MONBRISON

Cru bourgeois
★Ⓥ

Cru bourgeois 1932, n'a pas adhéré au syndicat créé après la guerre, mais conserve le droit d'étiqueter ses vins « cru bourgeois ». Le vignoble faisait partie autrefois du Château Palmer.

Rouge Vins admirablement faits, de corpulence moyenne à forte, mûrs et juteux, dominés par le merlot.
merlot 75%, cabernet franc et cabernet sauvignon 25%
5-12 ans

CHÂTEAU PALMER

3e cru classé
★★☆

Seul le Château Margaux fait de l'ombre à ce domaine dont les copropriétaires sont belges, français et anglais (la famille du regretté Peter Sichel). Les Château Palmer 1961 et 1966 atteignent dans les ventes aux enchères des prix équivalents à ceux des premiers crus. À ce niveau d'excellence on a le droit d'être sévère : je trouve que ce vin pourrait être plus ferme. Cela dit il est d'habitude excellent, mais pas toujours étonnant – quand il l'est, il fait jeu égal avec les premiers crus dans les dégustations à l'aveugle. Il est élevé 18 à 24 mois en barriques (un tiers de bois neuf).

Rouge Vin intense à la robe profonde, presque opaque, fruité avec une masse de cassis et une combinaison très riche et complexe d'arômes crémeux et épicées de bois de cèdre,

avec des notes vanillées délicieuses, le tout soutenu par une charpente tannique ferme.
cabernet sauvignon 50%, merlot 40%, cabernet franc 7%, petit verdot 3%
12-35 ans
Second vin : Réserve du Général

CHÂTEAU PAVEIL DE LUZ

Cru bourgeois

Le vignoble est cultivé sur un sol bien drainé de graves de taille moyenne. Il a été replanté au début des années 1970, aussi les vignes sont-elles encore relativement jeunes.

Rouge Vin souple, moyennement corpulent, d'abord facile, qui gagnerait à être plus fin. Il s'améliorera certainement au fur et à mesure que les vignes vieilliront.
cabernet sauvignon 60%, merlot 35%, cabernet franc 5%
4-8 ans

CHÂTEAU PONTAC-LYNCH

Cru bourgeois

★V

Cru bourgeois 1932, n'a pas adhéré au syndicat créé après la guerre, mais conserve le droit d'étiqueter ses vins « cru bourgeois ». Les vignobles sont bien situés, entourés de tous les côtés par des crus classés.

Rouge Vin corpulent à la robe profonde, richement parfumé, modérément fruité, bien structuré.
merlot 45%, cabernet sauvignon 30%, cabernet franc 20%, petit verdot 5%
6-15 ans

CHÂTEAU POUGET

4e cru classé

?

Ce domaine appartient au propriétaire du Château Boyd-Cantenac, cela explique pourquoi les vins des deux domaines sont élaborés et élevés ici. Le Pouget est élevé 22 à 24 mois en barriques (30% de bois neuf).

Rouge Vin corpulent avec une robe bien colorée, assez fruité. C'est un bon vin, mais pas un grand vin. À mon avis, il pourrait être plus consistant.

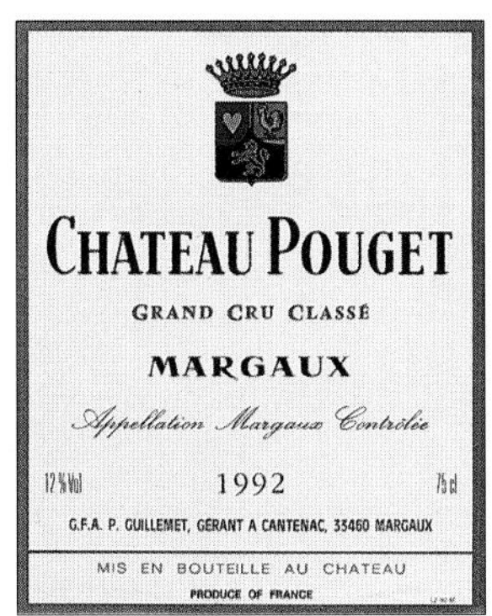

cabernet sauvignon 70%, franc 8%, merlot 17%, petit verdot 5%
10-25 ans

CHÂTEAU PRIEURÉ-LICHINE

4e cru classé

★

Alexis Lichine acheta le Prieuré en 1951 et lui donna son nom. Il restaura le petit vignoble mal entretenu et réussit à racheter des parcelles dispersées des Châteaux Palmer, Kirwan, Giscours, Boyd-Cantenac et Durfort-Vivens – en tout plus de 60 ha. A sa mort, en 1988, son fils Sacha prit la direction de l'exploitation. Grâce à lui, le vin a été amélioré depuis quelques années, notamment depuis le millésime 1944, certainement supérieur à son classement. Le vin est élevé 18 mois en barriques (naguère 30% de bois neuf, aujourd'hui plus de 50%).

Rouge Vin à la robe profonde, corpulent, bien structuré, avec un cassis abondant soutenu par des tanins souples et des notes de chêne vanillé.
cabernet sauvignon 52%, merlot 39%, cabernet franc et petit verdot 9%
7-20 ans
Second vin : Château de Clairefont

CHÂTEAU RAUZAN-GASSIES

2e cru classé

⊗

De sa création par Pierre de Rosan à la fin du XVIIe siècle à la Révolution cette propriété et le Château Rausan-Ségla ne formaient qu'un grand domaine. Le vin de Rauzan-Gassies manquait de classe avant l'intervention du Pr Peynaud au début des années 1980. Il est élevé 17 à 20 mois en barriques (25% de bois neuf, mais le chêne n'est guère perçu en bouche).

Rouge Corpulent, dur, rustique et peu généreux, le millésime 1982 était pourtant un peu fruité. En revanche, j'ai beaucoup aimé le 1961 – il est vrai qu'il était difficile de faire un mauvais vin cette année-là. Après la construction d'un nouveau cuvier en 1992, le vin s'est révélé meilleur, mais il est encore inférieur à son classement.
cabernet sauvignon 40%, merlot 39%, cabernet franc 20%, petit verdot 1%
7-15 ans

CHÂTEAU RAUZAN-SÉGLA

2e cru classé

★✩

La qualité des vins de ce domaine (naguère orthographié Rausan-Ségla), jusqu'alors décevante, a commencé à s'améliorer dans les années 1980 après que son propriétaire, la maison bordelaise de négoce Eschenauer, eut modernisé les installations et décidé une sélection plus sévère pour le grand vin. Le domaine a été vendu en 1994 à la maison Chanel, qui aurait désiré acquérir le Château Latour (mais la société anglaise propriétaire avait accepté un offre supérieure de François Pinault). Chanel engagea l'ancien directeur de Latour pour poursuivre le programme d'amélioration commencé par Eschenauer. Grâce à lui, le Château Rauzan-Ségla est devenu un des meilleurs 2es crus de l'appellation margaux. Il est élevé 20 mois en barriques (50% de bois neuf)

Rouge Les bonnes années, le Rauzan-Ségla est profond et vêtu d'une robe très foncée. Il a une structure tannique puissante pour soutenir un fruit très riche et des arômes intenses. Les années médiocres, il conserve une couleur sombre, mais il donne l'impression d'être trop riche pour ses tanins souple.
cabernet sauvignon 65%, merlot 30%, cabernet franc 5%
15-30 ans

CHÂTEAU SIRAN

Cru bourgeois

★✩V

Cru bourgeois 1932, n'a pas adhéré au syndicat créé après la guerre, mais conserve le droit d'étiqueter ses vins « cru bourgeois ». Le vignoble immaculé, cultivé sur une pente bien drainée, se trouve dans le prolongement de deux crus classés, les Châteaux Giscours et Dauzac. Le vin est élevé 24 mois en barriques (un tiers de chêne neuf) dans un chai à régulation de température. La famille Miailhe, propriétaire, a équipé le domaine d'une piste d'atterrissage pour hélicoptères et d'un abri antiatomique muni d'une cave bien garnie.

Rouge Vins assez corpulents, élégants, fruités, crémeux et épicés, qui ont de la classe et rivalisent facilement avec un cru classé.
cabernet sauvignon 50%, merlot 25%, petit verdot 15%, cabernet franc 10%
8-20 ans
Second vin : Château Bellegarde
Autre vin : Château Saint-Jacques

CHÂTEAU TAYAC

cru bourgeois

Bernard Ginestet, dont la famille a possédé le Château Margaux pendant quarante ans, a écrit : « C'est l'un des plus grands des petits domaines et l'un des plus petits des grands. » Le vin est élevé 18 mois en barriques (un tiers de bois neuf).

Rouge Vin ferme, moyennement corpulent à corpulent, ayant du caractère, mais quelque peu rustique. Les millésimes médiocres sont un peu durs.
cabernet sauvignon 65%, merlot 25%, cabernet franc 5%, petit verdot 5%
6-12 ans

CHÂTEAU DU TERTRE

5e cru classé

★✩

Un cru classé sous-estimé qui occupe un excellent emplacement, sur un tertre de graves couronné par le château. Le vin est élevé 24 mois en barriques (25% de bois neuf).

Rouge On dit toujours que la caractéristique des margaux est leur parfum de violette, mais le Tertre est l'un des rares dans lesquels je le trouve évident. Ce vin est moyennement corpulent à corpulent, richement fruité, très bien équilibré. Il a indéniablement de la classe.
cabernet sauvignon 80%, merlot 10%, cabernet franc 10%
8-25 ans

CHÂTEAU LA TOUR-DE-BESSAN

Ce domaine appartient à la famille Lurton, du Château Brane-Cantenac, 2e cru classé, qui est dans le Médoc le plus gros propriétaire de vignobles. Le château n'est pas ici un château à proprement parler, mais les ruines d'une tour du XIIIe siècle jadis offerte au duc de Gloucester par le roi d'Angleterre Henri V.

Rouge Vin moyennement corpulent, avec un fruit et un bouquet discrets mais charmants. Ce margaux souple est d'un abord facile.
cabernet sauvignon 90%, merlot 10%
3-8 ans

CHÂTEAU LA TOUR-DE-MONS

Cru bourgeois

La qualité de ce vin, élevé 22 mois en barriques (20% de bois neuf), a été beaucoup améliorée depuis la fin des années 1980, au point qu'elle peut maintenant rivaliser avec celle de certains crus classés.

Rouge Vin richement fruité, sans l'excès de tanin et d'acidité qui furent sa faiblesse.
cabernet sauvignon 45%, merlot 40%, cabernet franc 10%, petit verdot 5%

CHÂTEAU DES TROIS-CHARDONS

✩V

Production minuscule d'un domaine qui porte le nom de ses propriétaires, M. Chardon et ses deux fils.

Rouge Vin franc, souple et fruité. Il est sérieux, avec une certaine finesse, et le style propre aux margaux.
cabernet sauvignon 50%, merlot 40%, cabernet franc 10%
6-15 ans

GRAVES, CÉRONS, SAUTERNES ET BARSAC

Les meilleurs vins de la région des Graves viennent de l'appellation pessac-léognan, au nord. De bons vins rouges et des blancs en progrès sont produits dans toute l'appellation graves et les grands vins liquoreux viennent des appellations sauternes et barsac, enclavées dans le sud.

Les vins souples et soyeux de la région des Graves sont célèbres depuis le Moyen Âge, époque où des lois locales interdisaient les falsifications en punissant ceux qui se risquaient à les couper avec des vins d'autre origine. Le Haut-Brion est le seul vin rouge non médocain qui figure dans le classement de 1855 qui n'a pour ainsi dire pas été modifié depuis et où il figure dans le peloton de tête avec les premiers crus Latour, Lafite, Margaux et, depuis 1973, Mouton-Rothschild. D'autres grands vins de la région, peu nombreux, sont l'équivalent de deuxièmes ou troisièmes crus.

La rareté relative de vins illustres est compensée par une meilleure qualité générale et une meilleure régularité, du moins pour les rouges. La région compte 43 communes dont les meilleures sont Léognan, Talence et Pessac. Viennent ensuite Martillac et Portets, suivies par Illats et Podensac. Liquoreux mis à part, tous les grands vins sont concentrés dans le nord des Graves, autour de Bordeaux, une ville qui s'étend inexorablement. La partie septentrionale de la rive gauche de la Garonne, autrefois une région rurale paisible, est peu à peu envahie par le béton, les vignobles sont encerclés par les constructions et nombre d'entre eux ont disparu ou sont en passe de disparaître. Dans la commune de Mérignac, qui a accueilli l'aéroport de Bordeaux, on comptait en 1908 trente domaines vinicoles. Aujourd'hui, il n'en reste qu'un, le modeste Château Picque-Caillou. Ce désastre a une ampleur que l'on a de la peine à imaginer : les communes suburbaines de Cadaujac, Gradignan, Léognan, Martillac, Pessac, Talence, Villenave d'Ornon et celle de Mérignac n'ont pas perdu moins de 214 domaines vinicoles depuis le début du siècle.

LE PROBLÈME DES GRAVES BLANCS

Alors que les graves rouges jouissent depuis longtemps d'une excellente réputation, les graves blancs ont souffert d'un problème d'identité qui a atteint son paroxysme au milieu des années 1980. La plupart des graves blancs de qualité venaient du nord et leur réputation souffrait de la présence sur le marché de nombreux vins détestables produits plus au sud. Il ne s'agissait pas seulement d'une opposition entre le nord et le sud, mais d'une question d'identité. Devait-on faire des vins d'assemblage riches élevés dans

CUVES DE VINIFICATION DU CHÂTEAU HAUT-BRION
Cet illustre domaine fut l'un des premiers à adopter des cuves en Inox.

GRAVES, PESSAC-LÉOGNAN, CÉRONS, SAUTERNES ET BARSAC, *voir aussi* p. 59
Les appellations graves, pessac-léognan, cérons, sauternes et barsac s'étendent de Bordeaux en direction du sud-est, parallèlement à la Garonne.

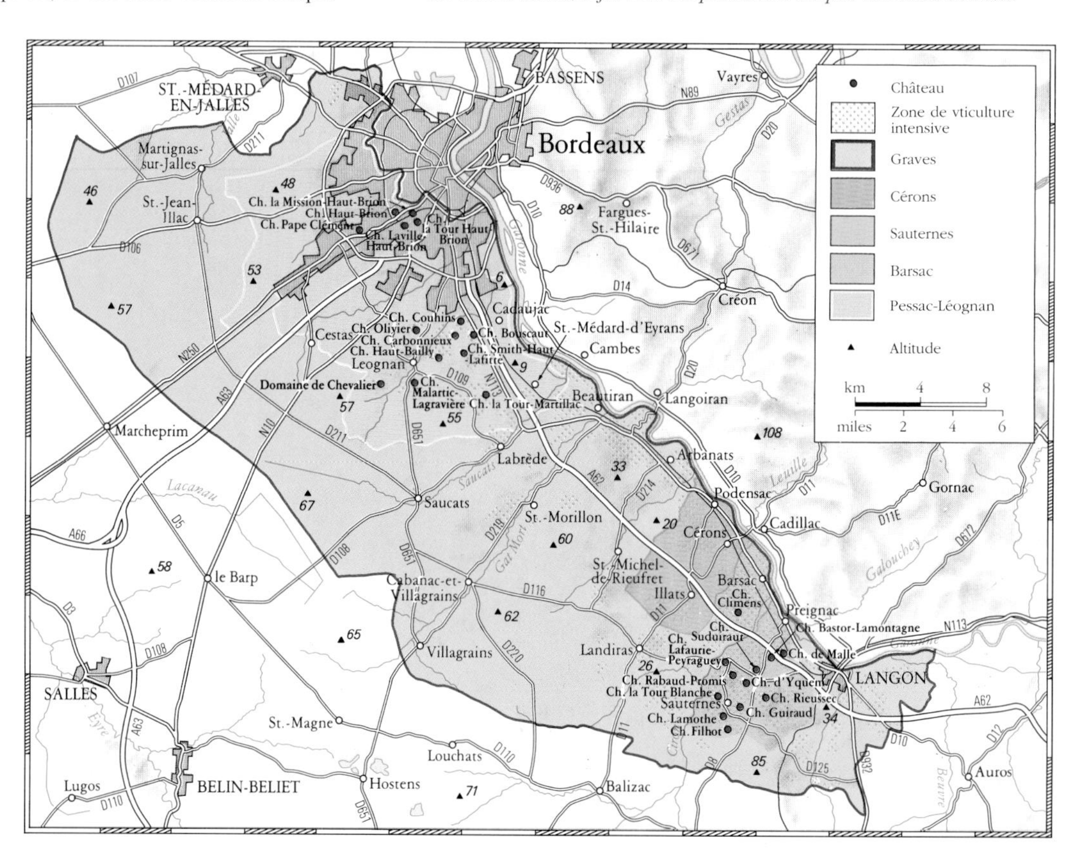

VIGNOBLE DU HAUT-BRION
Ces rosiers ont pour rôle de signaler l'apparition de nuisibles.

LE CLASSEMENT DES GRAVES

Le seul domaine des Graves qui figurait dans le classement de 1885 est le Château Haut-Brion. Le syndicat de défense de l'appellation graves désirait depuis longtemps établir un classement, mais il lui fallut attendre 1949, année où la loi de 1921 fut modifiée, pour l'entreprendre. Le premier classement n'eut lieu finalement qu'en 1953, puis fut révisé en 1959.

La distinction est faite entre les vins rouges et les vins blancs. Il n'y a pas de hiérarchie entre les crus dans le classement. Tous les vins retenus peuvent être étiquetés « cru classé ». Les données ci-dessous révèlent que moins de 19% des 1900 ha de vignobles sont plantés en cépages rouges et moins de 5% des 1430 ha de vignobles sont plantés en cépages blancs. Aucune date n'a été fixée pour une nouvelle révision.

VINS ROUGES	COMMUNE	AIRE TOTALE DES VIGNOBLES
Château Bouscaut	Cadaujac	50 ha
Château Carbonnieux	Léognan	45 ha
Domaine de Chevalier	Léognan	31 ha
Château de Fieuzal	Léognan	35 ha
Château Haut-Bailly	Léognan	28 ha
Château Haut-Brion	Pessac	40 ha
Château La Mission-Haut-Brion	Pessac	21 ha
Château Latour-Haut-Brion	Talence	5 ha
Château La Tour-Martillac	Martillac	32 ha
Château Malartic-Lagravière	Léognan	15 ha
Château Olivier	Léognan	30 ha
Château Pape-Clément	Pessac	30 ha
Château Smith-Haut-Lafite	Martillac	45 ha
TOTAL DE L'AIRE CULTIVÉE		407 HA

VINS BLANCS	COMMUNE	AIRE TOTALE DES VIGNOBLES
Château Bouscaut	Cadaujac	20 ha
Château Carbonnieux	Léognan	45 ha
Domaine de Chevalier	Léognan	4 ha
Château Couhins-Lurton	Villenave	6 ha
Château Haut-Brion	Pessac	4 ha
Château La Tour-Martillac	Martillac	5 ha
Château Laville-Haut-Brion	Talence	4 ha
Château Malartic-Lagravière	Léognan	4 ha
Château Olivier	Léognan	14 ha
TOTAL DE L'AIRE CULTIVÉE		106 HA

LE VIGNOBLE DU CHÂTEAU D'YQUEM
Les graves caractéristiques en surface et les fils de fer sur lesquels les vignes sont palissées. Le sous-sol argileux contient 100 km de canalisations de drainage en terre cuite posées au XIXe siècle.

le chêne ou des vins de sauvignon légers et frais? Paradoxalement, certains des pires vins venaient des meilleurs domaines du nord où l'on ne savait ou ne voulait élaborer des vins de qualité et qui continuaient à commercialiser, grâce à la réputation de leurs vins rouges, des vins blancs mous, oxydés et contenant une dose inacceptable d'anhydride sulfureux.
La solution fut une division officielle entre le nord et le sud grâce à l'instauration dans le nord de l'appellation pessac-léognan pour les vins blancs, et aussi les rouges, pessac-léognan intéressant les communes de Caudaujac, Canéjan, Gradignan, Léognan, Martillac, Mérignac, Pessac, Saint-Médard-d'Eyrans, Talence et Villenave d'Ornon. Les domaines du nord voyaient ainsi reconnue leur supériorité incontestable sur ceux du sud. Les débuts de la nouvelle appellation furent lents – pessac-léognan n'évoquant rien encore dans l'esprit des consommateurs – et certains s'inquiétèrent de la répercussion de cette décision sur le marché. La tendance est de toujours porter le nom de Graves sur l'étiquette pour accompagner celui de la récente l'appellation pessac-léognan.
Quand les producteurs s'aperçurent que le marché à l'exportation réagissait favorablement à cette nouveauté, ils mirent en évidence sur leurs étiquettes leur appartenance à cette appellation plus prestigieuse. Nombre de domaines qui produisaient naguère des vins médiocres suivirent le mouvement et en améliorèrent la qualité au point qu'ils comptent maintenant parmi les meilleurs. Par ricochet, les domaines du sud ont fait des efforts dans le même sens.

CÉRONS

Dans le sud des Graves, l'appellation cérons est en quelque sorte le trait d'union entre les graves blancs secs et les célèbres sauternes et barsac liquoreux. Les domaines de la région ont droit aux appellations génériques, à l'appellation graves pour les rouges et les blancs, à celle de graves supérieures pour les blancs dont la teneur en alcool

LES COULEURS RICHES DU CHÂTEAU D'YQUEM
Une belle collection de millésimes du Château d'Yquem. Le vin le plus jeune, ici un 1980, a une couleur dorée très claire. La robe fonce au fur et à mesure que le vin prend de l'âge.

LA COUR INTÉRIEURE DU CHÂTEAU D'YQUEM
Un grand puits en pierre domine la cour centrale du beau château, formé d'éléments disparates datant des XVe, XVIe et XVIIe siècles.

est plus forte (qui peuvent être secs, mais sont généralement doux) et, comme de juste, à celle de cérons pour les vins liquoreux qui jouissent d'une réputation modeste depuis près de deux siècles. L'appellation cérons intéresse les communes d'Illats, Podensac et Cérons. La plupart des domaines exploitent des parcelles dispersées dont certaines sont partiellement plantées d'acacias.

SAUTERNES ET BARSAC

Le fossé qui sépare les vins moelleux et les liquoreux ordinaires des grands sauternes et barsacs liquoreux est aussi large qu'entre les blancs secs et les blancs moelleux. La différence tient à ce qu'on appelle la complexité – il suffit de humer le parfum d'un sauternes pour comprendre ce dont il s'agit. Les grands sauternes et barsacs sont non seulement les vins les plus voluptueux du monde, mais encore les plus complexes. J'ai vu des gens refusant obstinément de boire quelque chose de plus doux qu'un citron pressé tomber à genoux après avoir découvert le bouquet du Château Suduiraut et je défie les adversaires les plus résolus des vins blancs qui ne sont pas secs de ne pas se pâmer d'admiration devant un verre de Château d'Yquem 1967. Personne ou presque ne conteste que l'Yquem est le roi des liquoreux du Bordelais, sinon du monde. Le tendre et voluptueux Suduiraut et le riche et puissant Rieussec se disputent la deuxième place, suivis de près par Climens, Nairac, Gilette et Fargues, les deux derniers n'étant pas classés. Guiraud pourrait bien un jour atteindre le sommet et la qualité de nombreux autres domaines fait de tels progrès qu'ils pourraient bientôt prétendre à une deuxième place.

LABOURAGE DU VIGNOBLE D'YQUEM
La viniculture n'est pas motorisée à Yquem. Le sol est labouré entre les rangs après la vendange et une seconde fois en mars.

CHÂTEAU DE FARGES
Le château où résidait autrefois la famille Lur-Saluces n'est plus qu'une ruine. Elle s'est installée à Yquem en 1785.

FACTEURS DU GOÛT ET DE LA QUALITÉ

EMPLACEMENT
La région s'étend du nord de Bordeaux vers le sud-est, sur la rive gauche de la Garonne jusqu'à 10 km au delà de Langon. Les appellation cérons barsac et sauternes sont nichées dans le sud.

CLIMAT
Très proche de celui du Médoc, à peine plus chaud mais un peu plus pluvieux. Dans les appellations barsac et sauternes, un climat doux et humide, avec en automne une alternance de matins brumeux et de journées ensoleillées favorise le développement de la pourriture noble.

SITES
Au nord des faubourgs de Bordeaux, la région devient plus rurale dès Cadaujac. Au sud de la ville, les Graves sont beaucoup plus accidentées que le Médoc, sillonnées de vallons formés par une multitude de petits cours d'eau qui se jettent dans la Garonne. Certains vignobles occupent des pentes assez marquées. Les communes de Sauternes, Bommes et Fargues sont plus vallonnées que celles de Preignac et de Barsac, de part et d'autre du Ciron, petit affluent de la Garonne d'où s'élève la brume matinale.

SOLS
Du nord au sud, le sol graveleux d'où vient le nom de la région des Graves est graduellement mélangé avec du sable, puis du calcaire désagrégé et enfin avec de l'argile. La composition de l'assise peut varier, mais elle est essentiellement argilo-calcaire avec de la crasse de fer. À Cérons, le sol est composé de graves et de silex assis sur la marne, à Sauternes de graves argileuses rougeâtres sur assise argileuse ou de crasse de fer et, à Farges, le sol est argilo-calcaire sur graves argileuses. Les coteaux graveleux de Bommes sont parfois mêlés d'argile lourde, la plaine est argilo-sableuse sur argile rougeâtre ou calcaire. Le sol de Preignac est composé de graves, de sable et d'argile dans le sud et devient plus alluvial sur un socle argilo-calcaire sableux vers Barsac. Les crus classés de Barsac sont argilo-calcaires sur socle calcaire. Ailleurs, le sol est en général fait de graves sableuses.

VITICULTURE ET VINIFICATION
Certains domaines ajoutent un peu de vin de presse pour les vins rouges. La durée de la cuvaison est de 8 à 15 jours, mais certains vignerons la prolongent jusqu'à 25 jours. L'élevage en barriques dure en général de quinze à dix-huit mois. Les sauternes et barsacs liquoreux sont issus de raisin surmûri vendangé par tries successives, bénéficiant idéalement de la pourriture noble. L'éraflage n'est en général pas nécessaire. La fermentation d'un moût si riche en sucre est difficile à amorcer et à conduire. Elle dure habituellement de 2 à 8 semaines, selon le style désiré. Nombre des meilleurs vins sont élevés en barriques pendant un an et demi à deux ans et demi (trois ans et demi au Château d'Yquem).

CÉPAGES PRINCIPAUX
Cabernet sauvignon, cabernet franc, merlot, sémillon, sauvignon
CÉPAGES SECONDAIRES
Malbec, petit verdot, muscadelle

La pourriture noble

Si Yquem est la référence indiscutable, de nombreux autres grands vins liquoreux sont élaborés dans ces deux petites appellations isolées à une trentaine de kilomètres au sud-est de Bordeaux. L'origine de l'admirable complexité de tous ces vins est la « pourriture noble » du raisin, provoquée par un champignon microscopique, *Botrytis cinerea*. Celui-ci est néfaste quand il provoque la pourriture grise du raisin non encore parvenu à maturité, mais bénéfique sur le raisin bien mûr. Dans les collines peu élevées du Sauternais et, dans une moindre mesure, du Barsaçais, le climat naturellement chaud, mais humide, favorise le développement du botrytis, présent naturellement dans cette région. Ses spores restent en dormance dans le sol et sur la vigne jusqu'à ce qu'elle soient réveillées par des conditions adéquates – alternance d'humidité et de chaleur, quand les brumes matinales sont dissipées, jour après jour, par le soleil. La moisissure se développe sur la peau du raisin qu'elle transperce pour se nourrir de son jus. Elle absorbe ainsi les cinq sixièmes de l'acidité du raisin, le tiers de son sucre, mais aussi entre la moitié et les deux tiers de l'eau qu'il contient, ce qui provoque une concentration du sucre dans la pulpe. Un raisin sain et mûr ayant un teneur en alcool potentiel de 13% est ainsi transformé en baies poisseuses d'aspect répugnant dans la teneur en alcool potentiel peut s'élever jusqu'à 26%. Tous les grains de raisin ne sont pas uniformément atteints par la pourriture noble, aussi la vendange peut-elle se prolonger jusqu'à dix semaines, les vendangeurs prélevant les grains de raisin botrytisés par tries quotidiennes. Plus le vigneron attend le développement de la pourriture miraculeuse, plus il court le risque de voir son vignoble ravagé par la pluie, la grêle, ou même la neige et les gelées. La récolte du raisin destiné à l'élaboration des vins liquoreux est la plus coûteuse en main-d'œuvre et le rendement est faible. Selon la réglementation des appellations sauternes et barsac, il est au maximum de 25 hl/ha (la moitié de celui autorisé dans le Médoc), mais celui atteint dans les meilleurs domaines ne dépasse pas 15 à 20 hl/ha et descend même à 8 hl/ha, soit l'équivalent d'un verre de vin par pied de vigne! De plus, la vinification est très difficile à conduire et l'élevage d'un beau liquoreux exige une forte proportion de chêne neuf (100% à Yquem).

Variations de caractère

Quand le raisin est très riche en sucre, celui-ci n'est pas entièrement transformé en alcool car la fermentation s'arrête spontanément quand la teneur alcoolique atteint 15 à 16% vol. Le sucre résiduel, souvent entre 50 et 100 g/l, donne au vin sa douceur. À la différence des liquoreux allemands, la richesse alcoolique est essentielle dans les sauternes et barsacs car elle équilibre harmonieusement la douceur, l'acidité et le fruit, ce qui donne au vin une concentration voluptueuse qui n'a pas d'équivalent dans le monde. Toutefois, leur complexité n'est pas issue de la concentration, encore que le taux accru des minéraux ait sans doute une incidence. L'essentiel de la complexité est créé par certains corps nouveaux qui sont créés dans le jus de raisin pendant l'activité métabolique du botrytis – glycérol, acide gluconique, acide saccharique, dextrine, divers enzymes favorisant l'oxydation et une substance antibiotique appelée « botrycine ». On comprend facilement que le caractère de l'incomparable complexité des vins bortytisés varie avec leurs proportions relatives. La dégustation comparative des vins d'un même domaine issus de différentes tries révèle que l'intensité du botrytis dépend de son « âge » au moment où le raisin est prélevé. Les vins élaborés avec la même proportion de raisin botrytisé, mais récolté au début où à la fin de la vendange sont nettement moins éloquents que ceux issus de raisin récolté au milieu de la vendange, quand la pourriture noble est la plus active. On ne s'étonne pas que le botrytis jeune ait un caractère moins prononcé, mais on s'explique mal que ce soit aussi le cas du raisin récolté pendant les dernières tries.

LA POURRITURE NOBLE
Une grappe de sémillon avant la première trie. Certains grains sont encore intacts, d'autres sont couverts par le botrytis et décolorés; les plus répugnants, flétris, sont à point.

Le présent et l'avenir des vins liquoreux

Un bon vin liquoreux est plus difficile, plus coûteux et plus frustrant à produire que tout autre vin. Comment le vigneron est-il récompensé de ses efforts? Mal à mon avis. Mis à part le Château d'Yquem qui se vend à un prix exorbitant, les autres n'atteignent pas le prix qu'ils méritent. Cela n'est pas surprenant à une époque où l'on préfère les vins blancs plus secs et plus légers. Les amateurs de vins liquoreux s'en réjouissent car ils peuvent se procurer leurs vins préférés à un prix acceptable, mais à long terme, cette source pourrait bien se tarir. Certains propriétaires ont renoncé à cette production. Le comte de Pontac, découragé, a arraché en 1976 le vignoble du Château de Myrat (mais ses deux fils, avec l'enthousiasme de la jeunesse, l'ont remplacé après sa mort, en 1988). Tom Heeter, ancien propriétaire du Château Nairac, a déclaré malgré son optimisme : « Il faut être à moitié fou pour gagner sa vie avec ces vins. » Je pense que nous ne méritons pas ces chefs-d'œuvre si nous ne sommes pas prêts à les payer à leur prix, mais je pense aussi que si la réglementation était assouplie et si les producteurs montraient un peu plus de sens commercial, ces vins pourraient vraiment devenir de « l'or liquide ».

Suggestions pour une solution

Il faudrait autoriser les vignerons faisant du sauternes et du barsac à vendre leur vin blanc sec et leur rouge sous l'appellation graves plutôt que sous l'appellation générique, comme peuvent le faire leurs voisins de l'appellation cérons. Si c'était le cas, ils élaboreraient certainement d'excellents graves rouges et blancs chaque année grâce à des rendements volontairement limités et attendaient que les conditions soient particulièrement favorables pour laisser un peu de raisin blanc dans le vignoble en espérant que *Botrytis cinerea* prolifère. Au lieu d'investir des sommes non négligeables dans des barriques en chêne neuf pour loger des vins liquoreux d'années médiocres, ils pourraient y élever leurs vins rouges et leurs vins blancs secs. Il en résulterait une production minuscule du meilleur vin liquoreux du monde trois ou quatre fois par décennie. Ils n'auraient alors plus besoin d'essayer d'accomplir cette tâche presque impossible qui consiste à vendre une image démodée à une nouvelle génération d'amateurs de vin dont les goûts ont évolué. Une offre limitée dépassant largement la demande provoquerait une augmentation des prix qui rendrait la production des vins liquoreux enfin rentable. Après avoir observé pendant plus de trente ans les efforts des vignerons pour faire aimer leur liquoreux, j'en suis venu à penser que le comte Alexandre de Lur-Saluces, du Château d'Yquem, avait raison lorsqu'il disait, quand on lui demandait de justifier le prix de son vin, qu'il n'était pas fait pour tout le monde, mais pour ceux qui pouvaient y mettre le prix.

LES APPELLATIONS DE

LA RÉGION DES GRAVES

BARSAC AOC

Barsac est une des cinq communes qui ont droit à l'appellation sauternes (les autres sont Preignac, Fargues, Bommes et Sauternes). Certains producteurs vendant du vin en vrac tirent avantage de cette disposition, mais tous les domaines faisant de grands liquoreux choisissent celle de barsac. La réglementation stipule que le raisin doit être surmûri et vendangé manuellement par tries.

Blanc Vins voluptueux, intensément sucrés, d'un style similaire à celui des sauternes, mais peut-être plus léger, un tout petit peu plus sec et moins riche. Le 1983 est un des meilleurs millésimes du siècle pour les liquoreux.

sémillon, sauvignon, muscadelle

6 à 25 ans pour la plupart, 15 à 60 ans pour les plus grands

CÉRONS AOC

Les vins de cette appellation qui jouxte celle de Barsac produit les liquoreux ayant le meilleur rapport qualité/prix. La réglementation stipule que le raisin doit être surmûri et vendangé manuellement par tries.

Blanc Plus léger que le barsac, parfois aussi voluptueux. Le meilleur peut présenter une belle complexité due au botrytis.

sémillon, sauvignon, muscadelle

6 à 12 ans pour la plupart des vins

GRAVES AOC

L'appellation commence au nord à la Jalle de Blanquefort, à la limite du Médoc, et s'étend sur 60 km au sud-est, le long de la Garonne. Les vins rouges – près des deux tiers de la production – ont toujours un bon rapport qualité/prix.

Rouge On m'a dit dès ma jeunesse que les graves rouges parvenus à pleine maturité avaient un caractère un peu minéral, mais l'expérience m'a appris que ce n'est pas le cas. Les plus beaux graves des années très chaudes peuvent parfois présenter une forte densité qui, alliée au chêne neuf fumé, peuvent donner des nuances complexes de rôti ou de tabac, mais les graves sont intrinsèquement des vins francs de goût au style très pur, caractérisés par un beau fruit, une texture soyeuse et des notes de violette.

cabernet sauvignon, cabernet franc, merlot; cépages secondaires : malbec, petit verdot

6 à 15 ans

Blanc Ce sont souvent les vins les plus décevants de l'appellation : légers à corpulents, issus du seul sémillon ou du seul sauvignon (ou des assemblages de ces deux cépages en toutes proportions), mous à flamboyants, non boisés à très boisés. Il est prudent de se référer aux commentaires qui suivent avant de se risquer à les acheter. Ils sont mis sur le marché le 1er décembre sans que « primeur » ou « vin nouveau » soit porté sur l'étiquette.

sémillon, sauvignon, muscadelle

1 à 2 ans pour les vins modestes; 8 à 20 ans pour les meilleurs

GRAVES SUPÉRIEURES AOC

Appellation réservée aux vins moelleux (au minimum 187 g de sucre par litre de moût). Il y a quelques années, ils comptaient pour le cinquième des graves blancs, mais la mode va aujourd'hui vers des vins plus secs.

Blanc vins blancs moelleux assez denses, d'une belle couleur dorée, fruités et aromatiques.

sémillon, sauvignon, muscadelle

6 à 15 ans

PESSAC-LÉOGNAN AOC

Appellation créée en septembre 1987. Elle s'applique aux meilleures communes bénéficiant de l'appellation graves et il n'est pas surprenant que l'on y trouve 55 des domaines les plus réputés, y compris la totalité des crus classés. Les conditions de production sont un peu plus sévères que dans l'appellation graves : rendement de base limité à 45 hl pour les rouges et 48 hl pour les blancs (au lieu de 50 hl) et pour les blancs un minimum de 25% de sauvignon. En achetant un vin des Graves, vous avez plus de chance d'être satisfait avec un pessac-léognan même si son prix est un peu plus élevé.

Rouge Vins souples, soyeux et élégants avec des notes de violette, ne manquant ni de concentration, ni de complexité ni de longueur en bouche. La plupart sont élevés dans une certaine proportion de chêne neuf qui leur donne des nuances fumées ou de tabac.

cabernet sauvignon, cabernet franc, merlot, malbec, petit verdot

6 à 20 ans

Blanc Les vins de qualité sont maintenant toujours boisés, richement fruités et aromatiques avec des nuances tropicales, bien structurés, et ils possèdent une acidité suffisante. Ils peuvent être mis sur le marché le premier décembre sans que « primeur » ou « vin nouveau » soit mentionné.

sauvignon (minimum 25%), sémillon, muscadelle

en général 3 à 8 ans; jusqu'à 25 ans pour les meilleurs

SAUTERNES AOC

Les communes au relief plus marqué de Bommes, Fargues et Sauternes donnent les vins liquoreux les plus riches, tandis que les vins de celle de Preignac, plus plate et à plus basse altitude, ont un style très proche de celui du barsac. La réglementation stipule que le raisin doit être surmûri et vendangé manuellement par tries.

Blanc Vins intenses, puissants et concentrés à la robe dorée lumineuse, qui flattent aussi bien l'esprit que les sens. Bien texturés, ils ont un fruit riche, mûr et gras, avec des nuances voluptueuses d'ananas, de pêche, d'abricot et de fraise qui se superposent au chêne crémeux et vanillé. En bouche, ils sont somptueusement miellés et épicés. Les meilleurs révèlent une complexité prodigieuse due à la pourriture noble.

sémillon, sauvignon, muscadelle

10 à 30 ans pour la plupart; 20 à 70 ans pour les plus grands

MEILLEURS PRODUCTEURS DES

GRAVES ET DE L'AOC CÉRONS

CHÂTEAU D'ARCHAMBEAU

Illats

★☆Ⓥ

Situé à Podensac, une des communes de l'appellation cérons,

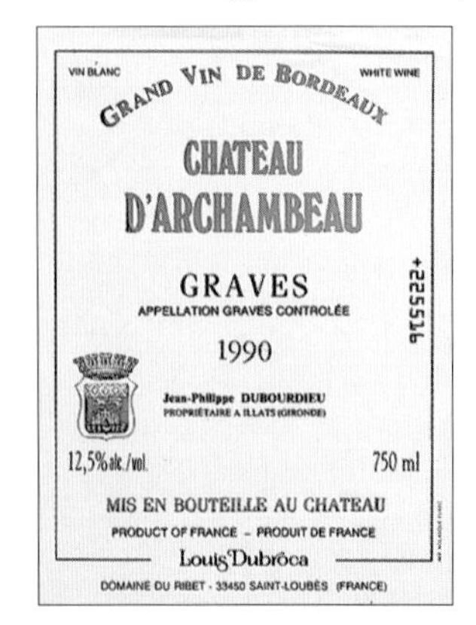

ce beau domaine appartient à Jean-Philippe Dubourdieu, de la famille de Pierre et Denis Dubourdieu, propriétaires du Château Doisy-Daëne, barsac 2e cru classé. Il produit un vin rouge excellent, fruité et joliment aromatique, élevé 6 mois en barriques, qui possède la texture soyeuse typique des graves. Son graves blanc, nerveux, délicieusement frais et fruité, est incontestablement meilleur que le vin de certains crus classés. Il élabore aussi un cérons, souple et fruité, gentiment liquoreux, qui met davantage l'accent sur le parfum que la richesse.

Second vin : Château Mourlet

CHÂTEAU LA BLANCHERIE

La Brède

Graves blanc vinifié à basse température, frais, vif, sec, fruité, équilibré par une bonne acidité.

CHÂTEAU LA BLANCHERIE-PEYRAT

La Brède

★Ⓥ

On trouve sous cette étiquette le vin rouge de La Blancherie. Celui-ci est moyennement corpulent à corpulent, élevé en barriques. Il est richement fruité et déploie un joli bouquet épicé.

CHÂTEAU BOUSCAUT

Cadaujac

Cru classé (rouge et blanc)

★☆ (blanc seulement)

Ce pessac-léognan appartient depuis 1992 à Sophie Lurton, la fille de Lucien Lurton, qui l'avait acquis en 1979. Le rouge est élevé 18 mois en barriques (25% de chêne neuf). Le blanc est vinifié et élevé jusqu'à 6 mois en barriques neuves.

Rouge Jusqu'à la fin des années 1980, ce vin était massif, dur, tannique et sans grand charme. Les millésimes récents sont plus souples, mais ce vin se cherche toujours un style. Le Château de Valoux est bon pour un second vin.

merlot 45%, cabernet sauvignon 40%, cabernet franc 15%

8-20 ans

Second vin : Château Valoux

Blanc Vin moyennement corpulent, fruité avec des notes exotiques, un peu boisé.

sémillon 70%, sauvignon 30%

5-10 ans

CHÂTEAU DE CALVIMONT

Cérons

Le Château de Calvimont présente l'intérêt d'être un graves rouge monocépage, issu du cabernet sauvignon. Il est élaboré sous la houlette de Jean Perromat, qui possède de nombreux domaines : les Châteaux Mayne-Binet, de Bressanes, Ferbos et Ferbos-Lalanette à Cérons et Prost à Barsac.

CHÂTEAU CARBONNIEUX

Léognan

Cru classé (rouge et blanc)

★★☆✪ (blanc seulement)

Plus vaste domaine des Graves dont le vin le plus connu est le blanc, vinifié à basse température dans des cuves en Inox et élevé 3 mois en barriques (100% de bois neuf).

Rouge Je n'avais franchement que peu de sympathie pour le Carbonnieux rouge jusqu'à ce que le splendide millésime 1985 me séduise par son nez boisé-crémeux, son fruit, sa texture soyeuse et ses tanins souples.

cabernet sauvignon 55%, merlot 30%, cabernet franc 10%, malbec et petit verdot 5%

6-16 ans

Blanc Autrefois lourd et peu inspirant, ce vin est digne de son terroir depuis le début des années 1990. Depuis, le Carbonnieux blanc a toujours été riche et crémeux, avec un chêne neuf bien intégré et une finesse assez remarquable.

sauvignon 70%, sémillon 40%

2-5 ans

Second vin : Château La Tour Léognan

CHÂTEAU DE CARDAILLAN

Toulenne

★☆✪

Le vignoble de Cardaillan est contigu à celui du Château de Malle, un sauternes 2e cru de la commune de Preignac, qui appartient à la comtesse de Bournazel. Ce domaine produit un graves rouges parfait techniquement, qui déploie des arômes voluptueux de cassis, se développe vite et vieillit pourtant bien.

cabernet sauvignon 80%, merlot 20%

CHÂTEAU LES CARMES HAUT-BRION

Pessac

De 1584 à la Révolution, ce domaine a appartenu à des carmélites d'où son nom. Son vin est un petit frère du célèbre Haut-Brion voisin. Dominé par le merlot, il est souple, d'une qualité remarquablement régulière et capable de bien évoluer en bouteilles. Les millésimes récents de ce pessac-léognan ont suscité l'espoir d'une meilleure qualité.

CHÂTEAU DE CÉRONS

Cérons

Un charmant château de XVIIe siècle où l'on fait un délicieux cérons, peut-être le meilleur de l'appellation. Il appartient à Jean Perromat, qui possède plusieurs autres domaines (*voir* Château de Calvimont)

CHÂTEAU DE CHANTEGRIVE

Podensac

☆✪

Ce domaine produit une quantité substantielle d'un excellent graves rouge, souple et fruité (encépagement : cabernet sauvignon 50%, merlot 40%, cabernet franc 10%). Ce vin est logé six mois dans des cuves en bois puis élevé 12 mois en barriques (dont 20% sont en bois neuf). Il propose aussi un graves blanc sec vinifié à basse température. Ce vin élégant et aromatique est élaboré sans aucune addition de vin de presse (encépagement : sémillon 60%, sauvignon 30%, muscadelle 10%). Son propriétaire possède un autre domaine, le Château d'Anice.

Second vin : Château Mayne-Lévèque

Autre vin : Château Bon-Dieu-des-Vignes

DOMAINE DE CHEVALIER

Léognan

Cru classé (rouge et blanc)

★★★☆✪

Les vins de ce domaine extraordinaire, que je range parmi les trois graves les meilleurs après le Château Haut-Brion, me donnent plus de plaisir que tout autre vin de l'appellation pessac-léognan. Les méthodes les plus traditionnelles donnent ici un vin rouge et un vin blanc de qualité exceptionnelle. Le rouge est vinifié à une température très élevée (32°), méthode qui créerait sans doute des problèmes ailleurs, mais qui est parfaitement maîtrisée par le maître de chai du domaine. Elle lui permet d'extraire le maximum de tanins et de pigments. Le Chevalier rouge est élevé jusqu'à 24 mois en barriques (50% de bois neuf) tandis que le blanc est vinifié et élevé 18 mois en barriques (jusqu'à 25% de bois neuf).

Rouge Vin à la robe très profonde, plus ou moins corpulent, étonnamment riche en fruit et en chêne, avec des nuances intenses de bois de cèdre et de tabac, pourtant subtil, séduisant et d'une grande finesse. Sa qualité, sa complexité et sa longévité sont hors pair.

cabernet sauvignon 70%, merlot 30%, cabernet franc 5%

15-40 ans

Blanc Encore meilleur que le rouge, mais malheureusement produit en petite quantité, ce vin sec à la robe lumineuse déploie des arômes exubérants riches en notes exotiques. Le Chevalier blanc est un modèle de finesse.

sauvignon 70%, sémillon 30%

8-20 ans

CHÂTEAU CHICANE

Toulenne

Le Château Chicane est un de ces domaines qui se consacrent exclusivement aux vins rouges. Il est un représentant typique des nombreux domaines de la région produisant un excellent graves rouge sans prétention. Le Chicane est élégant, moyennement corpulent, avec un bouquet de violettes et un fruit franc et soyeux.

CHÂTEAU COUHINS

Villenave d'Ornon

cru classé (blanc seulement)

L'Institut national de la recherche agronomique (INRA) et André Lurton se partagent ce domaine. L'INRA produit séparément un blanc vinifié à basse température qui n'est pas logé en barriques.

Blanc Vins blancs bien faits, secs, francs, nerveux et fruités.

sauvignon 50%, sémillon 50%

2-4 ans

Note : Le domaine produit aussi un graves rouge (non classé).

CHÂTEAU COUHINS-LURTON

Villenave d'Ornon

Cu classé (blanc seulement)

★☆✪

Moitié du domaine de Couhins appartenant à André Lurton qui vinifie et élève son vin blanc en barriques neuves. Ce vin est meilleur que celui de l'INRA.

Blanc Vin blanc sec délicieux, étonnamment gras pour un pur sauvignon, qui associe la fraîcheur et le fruit caractéristiques du cépage ainsi que les arômes boisés du chêne neuf.

sauvignon 100%

3-8 ans

CHÂTEAU DE CRUZEAU

Saint-Médard-d'Eyrans

☆✪

Situé sur la partie orientée au sud d'une croupe de graves profondes, ce domaine appartient à André Lurton, propriétaire du Château Couhins-Lurton où il élabore un très remarquable graves blanc classé. Il fait ici 250 000 bouteilles d'un graves rouge corpulent (cabernet sauvignon 60%, merlot 40%) à la texture soyeuse, bien fruité, complexe, avec des notes de bois de cèdre et d'épices.

Ce château produit aussi environ 30 000 bouteilles d'un graves blanc d'excellente qualité largement dominé par le sauvignon (sauvignon 90%, sémillon 10%) qui, après cinq ans en bouteille, déploie un goût et un bouquet intenses et citronnés.

Second vin : Château de Quentin

CHÂTEAU FERRANDE

Castres

Un vaste domaine qui, comme beaucoup d'autres de la région des Graves, fait des rouges meilleurs que les blancs. Son vin rouge (cabernet sauvignon 35%, merlot 35%, cabernet franc 30%) est un graves chocolaté dont la qualité est régulièrement bonne. Il est élevé 15 à 18 mois en barriques (10 à 15% de bois neuf). Le graves blanc sec (sémillon 60%, sauvignon 35%, muscadelle 5%) est plutôt moins inspirant.

CHÂTEAU DE FIEUZAL

Léognan

Cru classé (rouge seulement)

★★

Le Château de Fieuzal occupe la plus haute et la mieux exposée des buttes de graves de la commune. Le vignoble et le château sont immaculés et cela se reflète dans le style des vins.

Rouge Vin de couleur profonde, corpulent, riche, élégant, avec la texture soyeuse typique des graves rouges. Ce vin est très fin.

cabernet sauvignon 60%, merlot 30%, malbec 5%, petit verdot 5%

12-30 ans

Second vin : L'Abeille de Fieuzal

Note : Fieuzal produit aussi un blanc sec riche, exotique et boisé (50% sauvignon, 50% sémillon) qui n'est pas un cru classé, mais un des meilleurs graves blancs.

CLOS FLORIDÈNE

Pujols-sur-Ciron

★★✪

Petit domaine appartenant à Denis Dubourdieu, qui élabore ici un graves blanc sec sensationnel (sémillon 70%, sauvignon 30%). Le Clos Floridène révèle une extraordinaire combinaison de fruit riche et de chêne neuf. Ce vin rivalise facilement avec les meilleurs crus classés.

GRAND ENCLOS DU CHÂTEAU DE CÉRONS

Cérons

★☆✪

Ce beau domaine clos de murs était autrefois la partie la plus importante du domaine du château de Cérons. Le vin produit ici – bien supérieur au Château de Cérons et probablement le meilleur de l'appellation cérons – est gras, riche, avec une certaine complexité, et ne demande qu'à s'améliorer en bouteilles. Le propriétaire de ce domaine fait aussi des graves rouges et blancs au Château Lamouroux voisin.

DOMAINE DE LA GRAVE

Portets

★✪

Domaine d'un viniculteur talentueux, Peter Vinding-Diers, un Danois qui a appris la viniculture en Australie, a fait ses premières armes à Rustenberg, en Afrique du Sud, puis a vinifié dans le Bordelais les Châteaux Loudenne (cru bourgeois du Médoc) et Rahoul (graves). Passionné par tout ce qui touche la vigne et le vin, il a émis une théorie originale sur l'influence des levures naturelles sur le caractère du vin. Afin d'en démonter la justesse, il a vinifié six lots du même moût avec des levures naturelles différentes, prélevées dans le vignoble de six crus classés. La première fois que j'ai dégusté les six vins ainsi obtenus, je fus persuadé qu'il s'agissait de six vins différents, mais dix-huit mois plus tard, leurs différences s'étaient

beaucoup estompées et j'avais indiscutablement affaire au même vin. Je suis persuadé que trois ans plus tard, je n'aurais plus décelé de différences. J'en conclus que si le choix de levures naturelles d'origines diverses donne des vins nettement différents, leur utilisation n'a probablement d'intérêt que pour des vins destinés à être bus jeunes. Les vins du Domaine de la Grave sont plutôt conçus pour être consommés après un séjour en bouteilles de durée moyenne.
Le graves rouge est très souple, admirablement fruité et d'un abord facile. Le ravissant graves blanc élevé en barriques est agréablement fruité, élégant, avec le boisé très doux typique des vins de Vinding-Diers.

CHÂTEAU HAURA

Illats

Le domaine produit sous ce nom un bon vin de l'appellation cérons, peut-être pas d'une qualité aussi régulière qu'il serait souhaitable, mais gentiment miellé, ayant une certaine complexité et de la distinction. La résidence du domaine est appelée château Hillot et c'est sous ce nom que sont distribués les graves rouge et blanc issus d'un vignoble qui jouxte celui du Château Haura. Le Château Tucau à Barsac a le même propriétaire.

CHÂTEAU HAUT-BAILLY

Léognan

Cru classé (rouge seulement)

★★☆Ⓥ

Le vignoble, très bien tenu, occupe une excellente croupe de graves à la limite des faubourgs orientaux de Léognan. Le pessac-léognan rouge est élevé jusqu'à 20 mois en barriques (50% de chêne neuf).

Rouge Le beau fruit et la qualité du chêne neuf sont immédiatement perceptibles dans le nez crémeux et mûr de ce vin moyennement corpulent. Il n'est jamais massif, mais toujours d'une belle élégance.
cabernet sauvignon 60%, merlot 30%, cabernet franc 10%
12-25 ans
Second vin : Le Padre de Haut-Bailly
Note : Le domaine produit aussi un graves blanc (non classé).

CHÂTEAU HAUT-BRION

Pessac

Cru classé (rouge et blanc)

★★★

Seul cru figurant dans deux classements, 1er cru en 1855 et cru classé des Graves (en rouge) en 1973. Samuel Pepys a noté en 1633 : « J'ai bu un vin français appelé Ho Bryan qui a le goût le plus délicieux et le plus particulier... » Acquis en 1935 par l'Américain Clarence Dillon, le vignoble appartient toujours à sa famille. Le Haut-Brion rouge est vinifié dans l'Inox puis élevé 24 à 27 mois en barriques (100% de bois neuf). Le Haut-Brion blanc est vinifié et élevé 20 mois en barriques en barriques (100% de bois neuf).

Rouge Ce vin déploie des goûts et des arômes particulièrement denses pour un vin souple et élégant, de moyennement corpulent à corpulent. Caractérisé par des nuances de chocolat et de violette, il se développe assez vite tout en ayant une bonne longévité.
cabernet sauvignon 55%, merlot 25%, cabernet franc 20%
5-20 ans
Second vin : Bahans du Château Haut-Brion

Blanc Ce n'est pas le plus grand pessac-léognan, mais il est somptueux, fait pour durer, boisé, avec des notes d'agrumes et de fruits exotiques.
sauvignon 50%, sémillon 50%
5-20 ans

CHÂTEAU DE LANDIRAS

Landiras

Élaborés sous la direction de Peter Vinding-Diers, copropriétaire du domaine, ces graves (4/5e de blancs vinifié en barriques) pourraient atteindre la qualité des crus classés.

CHÂTEAU LARRIVET-HAUT-BRION

Léognan

★★

D'abord appelé Château Canolle, il fut rebaptisé Château Haut-Brion-Larrivet. Le Larrivet est un petit cours d'eau qui traverse le domaine et Haut-Brion (qui signifie « hautes graves ») se réfère au plateau graveleux à l'ouest de Léognan où le vignoble est situé. Les propriétaires du Château Haut-Brion, qui estimaient que ce nom pourrait

tromper les consommateurs et donc constituer une concurrence déloyale, obtinrent des tribunaux que le nom soit changé. Depuis 1941, le domaine et les vins portent celui de Château Larrivet-Haut-Brion. Le vin rouge (cabernet sauvignon 60%, merlot 40%) est élevé 18 mois en barriques (25% de bois neuf). Corpulent et bien coloré, aromatique avec une charpente tannique ferme et des nuances de bois de cèdre et d'épices, il est certainement digne de son classement. Le domaine fait aussi un peu de pessac-léognan blanc d'assez bonne qualité.

CHÂTEAU LAVILLE-HAUT-BRION

Talence

Cru classé (blanc seulement)

★★

Ce petit vignoble appartient depuis 1983 à Clarence Dillon, le propriétaire américain de Haut-Brion et de La Mission Haut-Brion. Vinifié et élevé en barriques, il est tenu souvent pour le vin blanc de La Mission.

Blanc Jusqu'en 1982, le Laville Haut-Brion était riche, ample, boisé et exubérant. Depuis 1983, il est plus miellé, épicé et complexe, avec des arômes floraux assez fins.
sauvignon 60%, sémillon 40%
6-20 ans

CHÂTEAU LA LOUVIÈRE

Léognan

★★Ⓥ

La qualité des pessac-léognan rouges de ce domaine, qui fait partie de l'empire d'André Lurton dans les Graves, a changé pour le mieux dès 1985, mettant ainsi un terme à une série de millésimes fades et sans vie grâce aux beaux 1985 et 1986, profonds et admirablement colorés.

Le rouge de La Louvière est maintenant un vin vraiment splendide, corpulent, bien boisé et fruité avec un cassis riche et épicé (cabernet sauvignon 70%, merlot 20%, cabernet franc 10%). Les blancs de La Louvière, qui ont toujours été excellents, ont accompli eux aussi d'immenses progrès.
Ce sont maintenant des vins riches, passionnants, aromatiques et complexes qui rivalisent facilement avec les crus classés les meilleurs.

Second vin : « L » de La Louvière
Autres vins : Château les Agunelles, Château Cantebau, Château Clos-du-Roy, Château Coucheroy, Château Le Vieux-Moulin

CHÂTEAU MAGENCE

Saint-Pierre de Mons

Un bon domaine appartenant à la famille Guillot de Suduiraut qui produit 60 000 bouteilles de graves rouge souple et bien parfumé (cabernet sauvignon 40%, merlot 30 %, cabernet franc 30%) et 120 000 bouteilles de graves blanc séduisant, frais et aromatique vinifié à basse température (sauvignon 64%, sémillon 36%)

CHÂTEAU MALARTIC-LAGRAVIÈRE

Léognan

***cru classé* (rouge et blanc)**

★★

Vignoble de 20 ha d'un seul tenant qui appartient depuis 1990 au champagne Laurent Perrier et produit depuis les années 1980 des vins d'une beaucoup plus grande qualité qu'autrefois. Le pessac-léognan rouge est vinifié à basse température (16°) dans des cuves en Inox puis élevé 20 à 22 mois en barriques (un tiers de chêne neuf). Le blanc est maintenant élevé 7 à 8 mois en barriques neuves.

Rouge Vin riche à la belle robe grenat, avec un nez boisé opulent, une bouche bien ferme et une texture tannique souple.
cabernet sauvignon 50%, merlot 25%, cabernet franc 25%
7-25 ans

Blanc Les millésimes relativement récents de ce pessac-léognan naguère terne méritent largement le chêne neuf. Bien qu'il soit issu du seul sauvignon, on pourrait aisément prendre ce vin riche, miellé et succulent pour un pur sémillon.
sauvignon 100%
5-12 ans

CHÂTEAU MAYNE-BINET

Cérons

Le propriétaire, Jean Perromat, possède nombre d'autres domaines dont les Châteaux de Cérons, de Bessanes, Ferbos et Ferbos Lalanette à Cérons et Prost à Barsac. Au château Mayne-Binet, il élabore un bon cérons liquoreux.

CHÂTEAU MILLET

Portets

★Ⓥ (rouge seulement)

M. de la Mette, propriétaire entre autres de ce domaine n'est pas un homme modeste, mais les vins qu'il élabore ici ne le sont pas non plus. Il produit environ 360 000 bouteilles de graves rouge (merlot 80%, cabernet sauvignon et cabernet franc 20%), mais il distribue sous l'étiquette du Château Millet seulement les meilleurs millésimes (s'il estime le millésime médiocre, comme en 1980, il le vend sous un autre nom).
Le Château Millet est un graves rouge profond à la robe sombre, de style traditionnel, avec un fruit dense, concentré et épicé. Bien qu'il ait une solide charpente tannique, il s'arrondit vite, après quelques années en bouteille seulement.
Le graves blanc sec (environ 100 000 bouteilles) ne vaut pas le rouge.

Autre vin : Château du Clos Renon

CHÂTEAU LA MISSION HAUT-BRION

Pessac

cru classé (rouge seulement)

★★☆

Sous le règne d'Henri Woltner, ce vin était le prétendant au trône des Graves. Il n'est donc pas étonnant que Clarence Dillon, propriétaire de Haut-Brion, se soit précipité pour racheter ce domaine quand il fut mis en vente, en 1983. Le vin est élevé 24 mois en barriques neuves.

Rouge Dillon continua d'améliorer le vignoble et les installations. Le vin est plus profond, plus sombre et plus dense que tout autre cru classé. Un vin aussi puissant, pourtant très fin, exige une longue garde en bouteille.
cabernet sauvignon 48%, merlot 45%, cabernet franc 7%
15-45 ans
Second vin : La Chapelle de La Mission Haut-Brion

CHÂTEAU OLIVIER

Léognan

Cru classé (rouge et blanc)

❷

Il n'y a jamais eu de doute que le terroir de ce domaine eût une valeur égale à ceux de tout autre cru classé, mais il a été l'un des producteurs les plus décevants de l'appellation pessac-léognan jusqu'en 1990. Le problème a été ensuite une série de millésimes médiocres ne permettant pas de mesurer convenablement le progrès accompli. Il faut surveiller l'évolution de ce cru prometteur. Le vin rouge est élevé 18 mois en barriques (40% de bois neuf), le blanc jusqu'à trois mois en barriques neuves.

Rouge Ce vin n'a jamais été franchement morne et terne mais le fruit est maintenant meilleur et le chêne, naguère agressif, est plus souple et plus crémeux.

cabernet sauvignon 51%, merlot 41%, cabernet franc 8%

Blanc Ce vin a, de fait, commencé à briller en 1985 déjà, et les 1992 et 1994 ont été assez exceptionnels. Ils semblent maintenant plus frais, plus fruités, avec davantage de personnalité.

sémillon 48%, sauvignon 44%, muscadelle 8%

3-7 ans

Second vin : Réserve d'O du Château Olivier

CHÂTEAU PAPE-CLÉMENT

Pessac

cru classé (rouge seulement)

★★

Après une période désastreuse dans les années 1970 et au début des années 1980, le Pape Clément a commencé à être amélioré en 1985 et 1986 grâce à une sélection plus sévère des cuvées choisies pour le grand vin et la vente des cuvées restantes sous l'étiquette d'un second vin, Le Clémentin du Château Pape-Clément. Certains critiques ont porté ces millésimes aux nues et ils étaient de fait très bons, mais je dois dire que je ne les ai pas trouvés, à mon grand regret, à la hauteur des possibilités de ce beau terroir. Les vins du trio 1988, 1989 et 1990 ont été les meilleurs depuis 1953, mais ils n'ont pas encore une qualité digne d'un grand pessac-léognan. Pourtant, même dans les millésimes du début des années 1990, plutôt médiocres dans le Bordelais, le Château Pape-Clément a réussi à faire de bons vins, ce qui démontre que la recherche d'une qualité supérieure n'a pas été abandonnée. On peut espérer qu'il sera bientôt digne de son classement. Ce vin rouge est élevé 24 mois en barriques (50% de bois neuf au minimum).

Rouge Vins moyennement corpulents, habillés d'une robe profonde, généreux, fruités et boisés, qui peuvent être très fins.

cabernet sauvignon 60%, merlot 40%

Second vin : Le Clémentin

Note : Le domaine produit aussi un peu de graves blanc (sauvignon 45%, sémillon 45%, muscadelle 10%).

CHÂTEAU RAHOUL

Portets

Les vins de ce domaine ne sont plus aussi intéressants qu'ils le furent dans les années 1980, quand ils étaient faits par un vinificateur au talent exceptionnel, Peter Vinding-Diers (*voir* Domaine de la Grave et Château Landiras). Le Château Rahoul reste pourtant une bonne source de graves rouges et blancs élevés dans le chêne et présentant un bon rapport qualité/prix.

CHÂTEAU RESPIDE-MÉDEVILLE

Toulenne

★❶

Christian Médeville, l'âme du Château Gilette, le sauternes le plus original et l'étoile montante de l'appellation, fait ici d'excellents graves blanc et rouge élaborés avec les techniques les plus modernes. Le rouge, qui peut être bu jeune, est bien coloré, avec un fruit riche, mûr, légèrement épicé et des notes crémeuses de chêne neuf. Le blanc, vinifié en barriques, est riche et présente une séduisante association d'un fruit tendre et succulent, d'arômes crémeux et vanillés, et d'une finale grasse.

Second vin : La Dame de Respide

CHÂTEAU DU ROCHEMORIN

Martillac

✫❶

L'origine de ce domaine, qui portait autrefois le nom de « Roche Morine », remonte au moins au VIIIe siècle, quand il était une place forte où les Maures défendaient Bordeaux contre les attaques des

Sarrasins venus d'Espagne. Il fait partie de l'empire d'André Lurton et produit un excellent graves rouge élégant et fruité, bien équilibré, avec une belle finale épicée (cabernet sauvignon 60%, merlot 40%), ainsi qu'un graves blanc sec très franc, de qualité correcte (sauvignon 90%, sémillon 10%).

CHÂTEAU DE ROQUETAILLADE-LA-GRANGE

Mazères

★✫❶ (rouge seulement)

Très vieux domaine produisant quelque 150 000 bouteilles de graves rouge séduisant, vêtu d'une robe bien colorée, délicieusement fruité (cassis épicé) avec un bouquet très aromatique. Il est élevé 15 mois en barriques dont le quart est neuf (merlot 50%, cabernet franc 20%, malbec 5%). Une belle charpente tannique ferme lui permet de se bonifier en bouteille 15 ans ou plus. Le graves blanc (environ 80 000 bouteilles), n'a pas la même qualité (sémillon 70%, sauvignon 20%, muscadelle 10%, élevage de 6 mois en barriques).

Second vin : Château de Roquetaillade-le-Bernet

CLOS SAINT-GEORGES

Illats

★❶

Domaine produisant un peu de graves rouges mais surtout connu pour son exceptionnel graves supérieures, un vin moelleux étonnamment riche et savoureux, surtout quand il bénéficie de la pourriture noble.

CHÂTEAU DU SEUIL

Cérons

✫❶

Un domaine qui commence à faire parler de lui grâce à son graves rouge, savoureux et élégant et son graves blanc fruité élevé en barriques.

CHÂTEAU SMITH-HAUT-LAFITTE

Martillac

Cru classé (rouge seulement)

★✫❶

Ce domaine de la maison de négoce Eschenauer a été acquis en 1990 par Daniel et Florence Cathiard. Le vignoble compte 50 ha sur un excellent terroir et le cuvier est équipé d'un matériel moderne. Les vins d'Eschenauer étaient décevants, mais les Cathiard sont revenus à des méthodes de culture et d'élaboration traditionnelles et aux vendanges manuelles, ce qui s'est traduit par une étonnante augmentation de la qualité du vin, élevé 14 mois en barriques (50% de bois neuf).

Rouge Ces vins, naguère sans caractère, sont riches, fruités, avec des notes boisées crémeuses et une finale souple.

cabernet sauvignon 55%, merlot 35%, cabernet franc 10%

8-20 ans

Seconds vins : Les Hauts de Smith, Château de Maujan

Note : Le domaine produit un vin blanc (non classé), issu du seul sauvignon et vinifié en barriques neuves.

CHÂTEAU LA TOUR-HAUT-BRION

Talence

cru classé (rouge seulement)

★★

Le vignoble du Château La Tour-Haut-Brion jouxte ceux du Château Haut-Brion et du Château La Mission Haut-Brion dont il n'est séparé que par une petite route. Jusqu'en 1980, le vin de La Tour-Haut-Brion était considéré comme le second vin de La Mission Haut-Brion, ce qu'il était effectivement. Les raisins vendangés dans les vignobles de La Tour et de La Mission étaient vinifiés ensemble et les meilleures cuvées réservées à La Mission Haut-Brion, les autres vendues sous l'étiquette de La Tour- Haut-Brion. Peu après l'acquisition du domaine par Clarence Dillon, le raisin venant des 5 ha du vignoble de La Tour fut vinifié séparément et depuis 1984, les deux étiquettes correspondent vraiment à des vins différents. Je suis convaincu que sous la direction de Clarence Dillon, le Château La Tour Haut-Brion se forgera une identité propre. Il est difficile de juger les vins encore jeunes, aussi mon commentaire intéresse l'excellent millésime 1982. Le vin est élevé 24 mois en barriques (50% de chêne neuf).

Rouge Vin si sombre qu'il est presque opaque. Très corpulent et tannique, il est riche en fruit avec des nuances marquées de chocolat et des notes fumées, minérales et amères venant d'un extrait pas encore fondu. Il serait facile de dire qu'il manque d'équilibre et de finesse, mais les dégustateurs avisés devront attendre sa vingtième année avant de se prononcer.

cabernet sauvignon 42%, merlot 35%, cabernet franc 23%

20-40 ans

CHÂTEAU LATOUR-MARTILLAC

Martillac

Cru classé (rouge et blanc)

★✫

Ce domaine a son propre troupeau dont le fumier sert à engraisser un vignoble en culture « biologique ». Le vin rouge n'a pas l'harmonie des meilleurs graves et manque de charme quand on le déguste tiré du fût. Ces facteurs en font un vin sous-estimé. Il est élevé 18 mois en barriques (un tiers de bois neuf). Le vin blanc est vinifié dans l'Inox et élevé 15 mois en barriques neuves.

Rouge Ces vins n'ont pas la puissance et l'opulence qui peuvent séduire d'emblée. Ils sont plutôt caractérisés par l'élégance et une certaine finesse. Les vins des millésimes relativement récents ont un fruit plus rond, mais il faut leur laisser le temps de se développer en bouteille pour qu'ils révèlent leur richesse et leurs nuances de chêne crémeux.

cabernet sauvignon 59%, merlot 35%, cabernet franc 2%, malbec 2%, petit verdot 2%

8-20 ans

Second vin : Château La Grave Martillac

Blanc L'étonnant millésime 1986 a marqué le début d'une époque de vins blancs secs passionnants, frais, élégants, avec un fruit distingué bien équilibré par des nuances complexes de chêne crémeux.

sémillon 60%, sauvignon 35%, muscadelle 5%

4-8 ans

MEILLEURS PRODUCTEURS DES

AOC BARSAC ET SAUTERNES

CHÂTEAU D'ARCHES

Sauternes

2e cru classé

★Ⓥ

Ce domaine créé en 1530 s'est appelé Cru Braneyre jusqu'à son achat par le comte d'Arche au XVIIIe siècle. Le vin a longtemps souffert d'une réputation d'irrégularité, mais depuis sa reprise par Pierre Perromat en 1980, il a retrouvé une qualité digne de son classement. Il est élevé 20 à 24 mois en barriques (un tiers de bois neuf).

Blanc L'excellent Château d'Arche, harmonieux, bien équilibré, est plus proche d'un barsac que d'un sauternes. Ce liquoreux riche possède toute la complexité due au botrytis, ce qui le met sur pied d'égalité avec les premiers crus. Bien qu'il soit moins opulent que la plupart des grands sauternes, il n'en est pas moins voluptueux.

sémillon 70%, sauvignon 29%, muscadelle 1%

8-25 ans

Second vin : Cru de Branayre

CHÂTEAU BASTOR-LAMONTAGNE

Preignac

☆Ⓥ

Le vin de ce grand domaine, qui vaut bien un 2e cru, est élevé jusqu'à 36 mois en barriques (10 à 15% de bois neuf). Les millésimes légers comme 1980, 1982 et 1985 manquent de botrytis, mais sont souples avec de charmantes nuances citronnées. Les grands millésimes comme 1985 sont complets : le vin est alors riche, opulent, avec toute la complexité due à la pourriture noble.

Second vin : Les Remparts du Bastor

CHÂTEAU BOUYOT

Barsac

★☆Ⓥ

Domaine peu connu produisant des vins d'une qualité surprenante qui possèdent l'élégance classique du barsac. Ils sont peu corpulents mai savoureux, fruités et aromatiques, avec des nuances riches d'ananas, des notes crémeuses, un soupçon d'épices et une belle longueur en bouche.

CHÂTEAU BROUSTET

Barsac

2e cru classé

★Ⓥ

Jusqu'à un changement de propriétaire au début des années 1990 le vin était élevé 20 mois en barriques (10% de chêne neuf). La durée a maintenant été portée à 24 mois et la proportion de chêne neuf à 30%.

Blanc Le Château Broustet peut être un vin délicieux, avec un goût de salade de fruits à la crème, un bel équilibre et un peu de la complexité épicée due au botrytis.

sémillon 63%, sauvignon 25%, muscadelle 12%

8-25 ans

Second vin : Château de Ségur

CHÂTEAU CAILLOU

Barsac

2e cru classé

★☆Ⓥ

Le domaine doit son nom aux innombrable cailloux retirés de la terre quand on l'a labourée pour créer le vignoble. Il y en avait assez pour construire un mur entourant complètement les 15 ha de vignes et l'on ne cesse d'en extraire chaque année, au point qu'il y en avait encore suffisamment pour construire des courts de tennis. Le propriétaire, M. Bravo, continue à en débarrasser le vignoble, mais il ne sait plus à quoi elles pourraient bien servir. Le Château n'est pas le 2e cru le plus connu, mais il est toujours de très grande qualité.

Blanc Liquoreux riche, mûr et épicé, avec la complexité de la pourriture noble équilibrée par un chêne raffiné. Bien que fait à Barsac, il est déclaré dans l'AOC sauternes.

sémillon 90%, sauvignon 10%

8-30 ans

Second vin : *Petit Mayne*

Autres vins : Graves rouge du Château Cailloux, Cru de Clocher (bordeaux supérieur rouge), Château Cailloux sec

CHÂTEAU DE LA CHARTREUSE

Preignac

★Ⓥ

Même vin que l'excellent Château Saint-Amand, commercialisé sous une autre étiquette.

CHÂTEAU CLIMENS

Barsac

1e cru classé

★★☆

Un des plus beaux joyaux de la couronne des Lurton, à côté des Brane-Cantenac et du Durfort-Vivens (margaux 2e crus), le Château Climens est depuis longtemps tenu pour l'un des meilleurs vins des appellations barsac et sauternes. Il est vinifié et élevé 24 mois en barriques (30% de bois neuf).

Blanc C'est le plus gras des barsacs, pourtant sa superbe acidité et ses nuances d'agrumes en font un vin étonnamment frais et nerveux. Très fruité, il est très complexe grâce au botrytis, avec de jolies notes de cannelle et de vanille.

sémillon 100%

4-10 ans

Second vin : Les Cyprès de Climens

CHÂTEAU CLOS HAUT-PEYRAGUEY

Bommes

1er cru classé

★★

Ce domaine faisait partie du Château Peyraguey jusqu'en 1878, quand il fut divisé en Château Lafaurie-Peyraguey et Clos Haut-Peyraguey. Il appartient à la famille Pauly depuis 1934. Pendant longtemps, une dose excessive d'anhydride sulfureux utilisé pour arrêter la fermentation en a souvent gâché le bouquet. Coïncidence ou pas, ce défaut n'est plus perceptible depuis le millésime 1985, année où l'on a commencé à utiliser du chêne neuf. Le Château Clos Haut-Peyraguey est aujourd'hui élevé 22 mois en barriques (25% de bois neuf).

Blanc Le vin déploie maintenant un splendide bouquet très franc, il est bien fruité avec des nuances de chêne crémeux et une admirable complexité apportée par la pourriture noble.

sémillon 83%, sauvignon 15%, muscadelle 2%

8-25 ans

Second vin : Château Haut-Bommes

CHÂTEAU COUTET

Barsac

1er cru classé

★★

Le Château Coutet est en général placé derrière le Château Climens, mais il lui arrive de l'égaler avec certains millésimes et le crème de tête, produit en petite quantité sous le nom de « Cuvée Madame » quand l'année est particulièrement favorable le surpasse souvent. Le vin est élevé 24 mois en barriques (30 à 50% de bois neuf). Le blanc sec est souvent décevant.

Blanc Ce vin fruité et boisé déploie un bouquet crémeux de vanille et d'épices, une richesse discrète qui prend de l'ampleur en bouche, avec des nuances complexes de botrytis.

sémillon 75%, sauvignon 23%, muscadelle 2%

8-25 ans

Second vin : La Chartreuse

Autre vin : Vin sec du Château Coutet

CHÂTEAU DOISY-DAËNE

Barsac

2e cru classé

★★Ⓥ

Pierre et Denis Dubourdieu, les propriétaires du domaine, élaborent leur vin avec une cuvaison de 20 jours et une fermentation à basse température dans l'Inox puis l'élèvent 24 mois en barriques neuves. Il est stabilisé avec une dose modeste d'anhydride sulfureux. La qualité du Doisy-Daëne atteint facilement celle d'un barsac 1er cru.

Blanc Vin parfaitement équilibré, très élégant, frais et floral, délicatement miellé et botrytisé avec des nuances de chêne crémeux.

sémillon 100%

8-20 ans

Second vin : Château Cantegril

Autre vin : Vin sec de Doisy-Daëne (bordeaux blanc)

CHÂTEAU DOISY-DUBROCA

Barsac

2e cru classé

Appartenant aux Lurton, c'est la plus petite partie du domaine Doisy d'origine. Le vin est d'une qualité régulière, mais inférieure à celle du Doisy-Daëne. Il est élaboré au Château Climens, dont les Lurton sont aussi propriétaires, où il est vinifié et élevé 24 à 30 mois en barriques (30% de bois neuf).

sémillon 100%

6-15 ans

CHÂTEAU DOISY-VÉDRINES

Barsac

2e cru classé

★☆Ⓥ

C'est le plus grand des trois Doisy et celui qui a conservé le château d'origine. Il appartient à Pierre Castéja, patron de la maison de négoce Roger Joanne. Le vin est élevé 18 mois en barriques (25% de bois neuf). Il est déclaré comme sauternes.

Blanc Ce vin a manqué quelque peu d'éclat jusqu'en 1983 puis a montré une forte personnalité. Il est riche, mûr, boisé et complexe.

sémillon 80%, sauvignon 15%, muscadelle 5%

8-25 ans

Autre vin : Château La Tour-Védrines

CHÂTEAU DE FARGUES

Fargues

★★

Domaine appartenant au comte Alexandre de Lur-Saluces (du Château d'Yquem) dont la famille habitait au XVe siècle le château maintenant en ruine. La petite production d'un vin de très grande qualité est effectuée avec autant de soin qu'à Yquem, y compris la vinification et l'élevage en barriques neuves. Ce liquoreux presque sirupeux est puissant, très riche, succulent et complexe avec des nuances de pain grillé. Il a une qualité digne d'un 1er cru.

sémillon 80%, sauvignon 20%

CHÂTEAU FILHOT

Sauternes

2e cru classé

☆

Le château, construit entre 1790 et 1850, est magnifique et le terroir est splendide. Pourtant le vin, quel que soit le millésime, est sans grand intérêt, incontestablement indigne de son classement. D'importants investissements seraient nécessaires dans le vignoble et le matériel, le nombre de tries devrait être augmenté; on devrait inclure plus de raisin botrytisé et le vin devrait être élevé en barriques avec une certaine proportion de bois neuf.

Blanc Au mieux, c'est un vin bien fait, simplement fruité, et très doux.

sémillon 50%, sauvignon 45%, muscadelle 5%

CHÂTEAU GILETTE

Preignac

★★

Christian Médeville, le propriétaire, rejette toute forme moderne de marketing et préfère conserver son précieux nectar dans des cuves en ciment, à l'abri de l'air, jusqu'à 20 ans avant de le mettre en bouteilles et de le commercialiser. Le Château Gilette (sémillon 83%, sauvignon 15 %, muscadelle 2%) a une qualité équivalente à celle d'un grand 1er cru. Il a un bouquet intense, un goût et des arômes puissants de réglisse, de pêche et de crème issus du raisin botrytisé et une finale interminable évoquant le sucre d'orge. Le superbe 1983 ne sera pas disponible avant le début du XXIe siècle , les millésimes 1850, 1953 et 1955, extraordinaires, sont encore étonnamment frais.

CHÂTEAU GUIRAUD

Sauternes

1er cru classé

★★

Acheté par le multimillionnaire canadien Hamilton Narby en 1981, le domaine était d'autant en plus piteux état qu'il était en vente depuis longtemps. Moins de deux ans plus tard, le premier millésime bien botrytisé, élaboré sous le contrôle de Narby, fut très bien accueilli. Cette réussite était due avant tout à une sélection rigoureuse : le vignoble contenait trop de sauvignon et il en arracha une grande partie pour planter du sémillon, remplaça tout l'équipement dans le cuvier et rénova le château. Seul le Château d'Yquem se trouve à une altitude aussi élevée que le Château Guiraud et la qualité du drainage est le facteur-clé de celle des grands sauternes, dans une région où les sols argileux lourds dominent. Le terroir de Guiraud est exceptionnel et Narby a su en tirer le meilleur parti possible avec le concours de Xavier Plantey, ancien directeur du Château La Gaffelière. Curieusement, Narby a été remplacé à la tête du domaine par son père Hamilton Narby senior. Le vin est élevé 18 à 36 mois en barriques (au moins 50% de chêne neuf). Les premiers millésimes du vin blanc sec (appellation générique bordeaux) ont été décevants, mais la qualité de ce vin est en progrès.

Blanc Guiraud, après deux décennies désastreuses, a produit un sauternes classique exceptionnel en 1983. Le vin est maintenant rond et gras, bien botrytisé, avec un beau chêne, voluptueux et complexe tout en étant très fin.

sémillon 65%, sauvignon 35%

12-35 ans

Second vin : Le Dauphin

Autre vin : « G » de Château Guiraud (vin blanc sec)

CHÂTEAU HAUT-BOMMES

Bommes

Jacques Pauly préfère vivre ici plutôt qu'au Château Clos Haut-Peyraguey, le 1er cru dont il est aussi propriétaire. Le Haut-Bommes a été occasionnellement excellent pour un cru non classé et les progrès enregistrés au 1er cru laissent bien augurer de l'avenir de celui-là.

CHÂTEAU LES JUSTICES

Preignac

★V

Domaine appartenant au propriétaire de l'extraordinaire Château Gilette, mais Christian Médeville n'élève ici son vin que 12 à 18 mois, non en cuve, mais en barriques. C'est un vin d'excellente qualité, plus mûr et plus fruité que le Gilette, de la qualité d'un 2e cru.

sémillon 88%, sauvignon 8%, muscadelle 4%

CHÂTEAU LAFAURIE-PEYRAGUEY

Bommes

1er cru classé

★★☆V

Comme tous les vins des Domaines Cordier, celui-ci est d'une qualité remarquablement régulière. Il est élevé 18 à 20 mois en barriques (jusqu'à 50% de bois neuf).

Blanc L'association du botrytis et du chêne donne à ce liquoreux élégant de belles nuances d'ananas, de pêche et de crème. Après de nombreuses années en bouteilles, ce vin reste frais et sa robe incroyablement claire.

sémillon 98%, sauvignon 2%

8-30 ans

CHÂTEAU LAMOTHE (DESPUJOLS)

Sauternes

2e cru classé

Le vignoble de Lamothe a été partagé en deux en 1961. La partie appartenant à la famille Despujols a donné des vins décevants jusqu'au millésime 1985, mais ils sont dignes de leur classement depuis 1990.

Rouge Vin plus riche et plus franchement liquoreux que naguère, gras et corpulent, avec des nuances très séduisantes de fruits tropicaux.

sémillon 85%, sauvignon 10%, muscadelle 5%

CHÂTEAU LAMOTHE-GUIGNARD

Sauternes

2e cru classé

☆V

C'est la partie la plus grande du vignoble de Lamothe, partagé en 1961. Elle a porté le nom de Lamothe-Bergey jusqu'en 1981. Le vin de Jacques et Philippe Guignard, qui exploite bien la valeur du terroir, est élevé 15 mois en barriques (20% de bois neuf).

Rouge Vin corpulent, concentré, riche et épicé, bien liquoreux, mettant en valeur le botrytis.

sémillon 90%, sauvignon 5%, muscadelle 5%

7-20 ans

CHÂTEAU LIOT

Barsac

☆V

Vin élégant, légèrement mais joliment botrytisé, avec des notes crémeuses et vanillées de chêne neuf, d'un excellent rapport qualité-prix pour l'équivalent d'un 2e cru. Jean-Gérard David produit aussi le Château Saint-Jean des Graves, un blanc sec et le Château Pinsas, un graves rouge fruité.

sémillon 85%, sauvignon 15%, muscadelle 5%

CHÂTEAU DE MALLE

Preignac

2e cru classé

Outre le liquoreux, ce domaine produit un vin blanc sec étiqueté « Chevalier de Malle » et, issu d'un vignoble contigu, un graves rouge sous l'étiquette Château de Cardaillan. Ce vignoble ne donne pas des vins brillants chaque année mais les bons millésimes sont une excellente affaire.

sémillon 75%, sauvignon 22%, muscadelle 3%

7-20 ans

Second vin : Château de Sainte-Hélène

CHÂTEAU DU MAYNE

Barsac

V

Une bonne proportion de vieilles vignes donne de la concentration et du poids à ce vin, plus ample que de nombreux autres barsacs. Ce domaine appartient à la famille Sanders, propriétaires du Château Haut-Bailly, splendide cru classé de pessac-léognan.

CHÂTEAU DE MÉNOTA

Barsac

V

Ce vieux domaine pittoresque, avec tours et remparts, a exporté des vins en Angleterre depuis le XVIe siècle. Il produit aujourd'hui un assez bon sauternes.

sémillon 60%, sauvignon 20%, muscadelle 10%

Second vin : Château Ménate

Autre château : Château Montgarède

CHÂTEAU NAIRAC

Barsac

2e cru classé

★☆

La vinification et l'élevage en barriques dont une grande partie est en bois neuf furent introduits à Nairac par Tom Heeter qui choisit le chêne de Nevers pour les arômes vanillés et celui du Limousin pour la charpente tannique. Son ex-femme Nicole Tari et son fils Nicolas continuent de même.

Blanc Vins riches et boisés exigeant beaucoup de temps avant de révéler leur véritable finesse. Après des années en bouteilles, le tanin, la vanille et le fruit s'harmonisent et la complexité du botrytis se manifeste.

sémillon 90%, sauvignon 6%, muscadelle 4%

8-25 ans

CHÂTEAU PERNAUD

Barsac

★V

Ce vignoble fit autrefois partie du domaine Sauvage d'Yquem appartenant à la famille Lur-Saluces mais fut abandonné après qu'il eut été ravagé par l'oïdium à la fin du XVIIIe siècle. Le vignoble a été replanté et les installations rénovées. Il donne un barsac assez riche, harmonieux et équilibré, qui commence à se forger une réputation et dont il faudra surveiller l'évolution.

sémillon 80%, sauvignon 15%, muscadelle 5%

CHÂTEAU RABAUD-PROMIS

Bommes

1er cru classé

★☆

Les vins de ce domaine qui fut autrefois réputé ont été longtemps épouvantables et la dégradation graduelle du vignoble, du château et des vins était un spectacle désolant. Heureusement tout est rentré dans l'ordre dès 1983 et les millésimes récents se sont révélés prometteurs.

Blanc Vin à la robe dorée, rond et plein, miellé, avec en bouche et au nez un beau botrytis.

sémillon 80%, sauvignon 18%, muscadelle 2%

8-25 ans

CHÂTEAU RAYMOND-LAFON

Sauternes

On comprend facilement que le fait de posséder un vignoble voisin du grand Yquem, surtout quand on a été le régisseur de ce prestigieux domaine, puisse donner la folie des grandeurs. C'est exactement ce qui est arrivé au propriétaire du Château Raymond-Lafon, Pierre Meslier. Son vin n'avait pas, au milieu des années 1980, une qualité justifiant sa réputation et son prix et, bien qu'il eût été amélioré depuis les millésimes 1989 et 1990, il n'était guère qu'au niveau d'un 2e cru et donc toujours surévalué. Le Raymond-Lafon est maintenant plus franc et nettement meilleur : c'est un bon sauternes, mais il ne vaut pas trois fois le prix du Rieussec et deux fois et demie celui du Climens.

sémillon 80%, sauvignon 20%

CHÂTEAU RAYNE-VIGNEAU

Bommes

1er cru classé

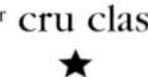

Le Rayne-Vigneau avait touché le fond de l'abîme quand il en est progressivement ressorti à partir de 1985. Le vin est maintenant élevé 24 mois en barriques (50% de bois neuf). Il contient plus de sémillon que l'encépagement du vignoble le laisse prévoir en raison de la production de 60000 bouteilles de sauvignon sec vendu sous l'étiquette « Rayne Sec ».

Blanc Un vin qui n'est pas encore de grande qualité, mais assez élégant, avec des notes de pêche mûre et un honnête botrytis.
sémillon 65%, sauvignon 35%
8-25 ans
Second vin : Clos l'Abeilley
Autre vin : Rayne sec

CHÂTEAU RIEUSSEC

Fargues

1er cru classé

Ce beau domaine fait des vins encore meilleurs depuis son acquisition par Domaines Barons de Rothschild en 1984. Le sauvignon cultivé dans son vignoble sert uniquement à l'élaboration du vin sec (le « R » de Rieussec), ce qui fait du liquoreux un sauternes 100% sémillon. Il est élevé 18 à 30 mois en barriques neuves.

Blanc Ce vin est l'un des plus riches et des plus opulents des sauternes, fruité avec des nuances marquées d'ananas et une grande complexité due à l'abondance de botrytis.
sémillon 90%, sauvignon 7%, muscadelle 3%
12-35 ans
Seconds vins : Clos Labère, Mayne des Carmes
Autre vin : « R » du Château Rieussec (blanc sec)

CHÂTEAU DE ROLLAND

Barsac

Le château de ce domaine, qui se dresse au bord du Ciron, a été converti en un hôtel et un bon restaurant et n'appartient plus à Jean et Pierre Guignard, qui ont conservé le vignoble et possèdent aussi l'excellent Château de Roquetaillade la Grange à Mazères (appellation graves). Leur barsac liquoreux se caractérise par la fraîcheur, l'élégance et l'accent mis sur le fruit.
sémillon 80%, sauvignon 15%, muscadelle 5%

CHÂTEAU ROMER

Fargues

2e cru classé

❷

Le vignoble original de Romer a été divisé en 1881 et la partie qui est revenue au Château Romer ne compte que 5 ha. Je n'ai jamais eu l'occasion de goûter son vin.

sémillon 50%, sauvignon 40%, muscadelle 10%

CHÂTEAU ROMER DU HAYOT

Fargues

2e cru classé

André du Hayot possède ce vignoble de 10 ha situé sur une belle croupe argilo-graveleuse qui faisait partie du domaine Romer d'origine, divisé en 1881. Ses vins présentent un excellent rapport qualité/prix.

Blanc Les millésimes 1980 et 1983 sont frais, modérément liquoreux, aux fortes nuances de crème et de salade de fruits et un botrytis discret.
sémillon 70%, sauvignon 25%, muscadelle 5%
5-12 ans

CHÂTEAU ROUMIEU

Barsac

★V

Propriété qui jouxte les crus classés des Châteaux Climens et Doisy-Védrines. A produit les très bonnes années des vins voluptueux plus riches que les millésimes courants.

sémillon 90%, sauvignon 10%

CHÂTEAU ROUMIEU-LACOSTE

Barsac

★V

Encore un domaine Dubourdieu. Il produit un barsac bien botrytisé d'une qualité bonne et régulière (sémillon 80%, sauvignon 20%).

CHÂTEAU SAINT-AMAND

Preignac

★V

Ce domaine familial propose un liquoreux élégant, très séduisant dans sa jeunesse, mais dont certains millésimes promettent une excellente longévité et dont la qualité égale souvent celle d'un excellent cru classé. Une partie de la production est vendue par le négoce sous l'étiquette Château de la Chartreuse.
sémillon 85%, sauvignon 14%, muscadelle 1%

CHÂTEAU SIGALAS RABAUD

Bommes

1er cru classé

★½

C'est la plus grande partie du domaine Rabaud d'origine. Vinifié et élevé depuis peu en barriques (un tiers de bois neuf), le vin mérite largement son classement.

Blanc Vin qui se laisse boire jeune, qui a de la classe, un élégant bouquet de botrytis et en bouche un fruit frais et délicieux.
sémillon 85%, sauvignon 15%
6-15 ans

CHÂTEAU SIMON

Barsac

L'association des méthodes traditionnelles et modernes donne un barsac modérément liquoreux, fruité, bouqueté et boisé. La plupart des sauternes et barsacs sont élevés dans du chêne de Nevers ou du Limousin, parfois de l'Allier, mais la famille Dufour préfère loger son vin deux ans dans du chêne merrain.

sémillon 90%, sauvignon 7%, muscadelle 3%

CHÂTEAU SUAU

Barsac

2e cru classé

Le vin de ce vignoble sans château, appartenant à Roger Biarrès, est élaboré à son Château Navarro à Illats. Il ne jouit pas d'une grande réputation, mais si le séduisant 1980 – année très modeste – n'est pas une exception, le Suau devrait avoir le bénéfice du doute.

Blanc Le millésime 1980 est agréablement frais, bien fruité et bouqueté, gentiment botrytisé avec des notes de citron et d'épices.
sémillon 80%, sauvignon 10%, muscadelle 10%
6-12 ans

CHÂTEAU SUDUIRAUT

Preignac

1er cru classé

★★½

Ce splendide château du XVIIe siècle et son parc pittoresque sont bien à l'image de ses splendides vins voluptueux. Le superbe vignoble de 100 ha jouxte celui d'Yquem, dans un site qui favorise le développement de la pourriture noble. La qualité des vins a été hésitante dans les années 1980, mais elle s'est beaucoup améliorée sous la direction de Jean-Michel Cazes, de la compagnie d'assurances AXA, propriétaire du domaine depuis 1992. Ils sont élevés 24 mois en barriques (au moins un tiers de bois neuf).

Blanc Vin classique, tendre, succulent et intensément liquoreux. Il est riche, mûr, presque sirupeux, avec une grande complexité due au botrytis, magnifiée par un long séjour en bouteille.
sémillon 80%, sauvignon 20%
8-35 ans

CHÂTEAU LA TOUR BLANCHE

Sauternes

1er cru classé

★½

J'espérais que le millésime 1985 inaugurerait une ère nouvelle pour ce domaine au terroir exceptionnel dont les vins étaient alors affligeants

et je n'ai pas été déçu. La Tour Blanche avait commencé à privilégier le sémillon, à vendanger un raisin plus mûr, à procéder à une sélection beaucoup plus rigoureuse tant dans le vignoble que dans le chai. Le vin est maintenant élevé 12 à 24 mois en barriques neuves.

Blanc Le vin est si riche qu'il est presque gras, déborde d'un fruit très mûr, juteux, et met en valeur un botrytis d'une admirable complexité.
sémillon 78%, sauvignon 19%, muscadelle 3%
8-20 ans
Second vin : Mademoiselle de Saint Marc
Autre vin : *Osiris* (blanc sec)

CHÂTEAU D'YQUEM

Sauternes

1er cru supérieur

★★★

Yquem a appartenu à la couronne d'Angleterre de 1152 à 1453, avant de revenir à celle de France sous Charles VII. Jacques de Sauvage en acquit les droits d'exploitation et en 1711 ses descendants l'achetèrent. Il passa à la famille Lur-Saluces en 1785 quand le comte Louis Amédée de Lur-Saluces épousa Joséphine Sauvage. Le domaine a été exploité avec passion par les générations successives jusqu'à nos jours. Yquem a excité la convoitise du groupe LVMH (Louis Vuitton Moët Hennessy) qui aurait acquis plus de la moitié du capital, mais des questions juridiques font qu'Alexande de Lur-Saluces est encore aux commandes. Un des « secrets » d'Yquem est le choix de vendangeurs qui savent distinguer ce qu'il faut prélever sur la vigne de ce qui doit encore attendre. Le délai entre les tries (*voir* p. 93) peut varier de trois jours à plusieurs semaines pendant lesquels il faut loger et nourrir une armée de 12 vendangeurs, souvent inactifs par nécessité. En 1972, la vendange nécessita 11 tries et s'étala sur 71 jours : pourtant il n'y eut pas d'Yquem de ce millésime, aucune cuvée n'étant jugée d'une qualité suffisante pour porter le nom glorieux de Château d'Yquem! Cela ne signifie pas qu'une sélection rigoureuse dans le vignoble et le chai ne donne pas de bons résultats les petites années et la proportion de vin jugée digne du grand vin peut atteindre 80 ou 90% les grandes années. L'Yquem est élevé jusqu'à 42 mois en barriques neuves. Il existe dans les aires d'appellation sauternes et barsac des terroirs d'une valeur comparable à celui d'Yquem, mais si soucieux de qualité que soient leurs propriétaires, ils ne veulent ni ne peuvent consentir les mêmes sacrifices.

Blanc Nul autre liquoreux n'est aussi riche, concentré, complexe, harmonieux et fin que l'Yquem. Il déploie des arômes de pêche, d'ananas, de noix de coco, de muscade et de cannelle, soutenus par les nuances de pain grillé, de caramel et de vanille données par le chêne neuf.
sémillon 80%, sauvignon 20%
20-60 ans

Autre vin : « Y » du Château d'Yquem (blanc sec)

LIBOURNAIS ET PÉRIPHÉRIE

Sur la rive droite de la Dordogne, le Libournais et sa périphérie produisent surtout des vins rouges dominés par le merlot et le cabernet franc. Dans les régions de Saint-Émilion et de Pomerol, ils sont vêtus d'une robe profonde et sont soyeux ou veloutés, dans les appellations périphériques, ils sont plus modestes mais plus avantageux.

Au milieu des années 1950, de nombreux vins étaient durs et même les meilleures appellations n'étaient pas réputées comme aujourd'hui. La plupart des vignerons pensaient qu'ils cultivaient trop de cabernet sauvignon et de malbec pour leur terroir et qu'il vaudrait mieux privilégier le cabernet franc. Un certain nombre aurait préféré le merlot qui aurait apporté à leurs vins la souplesse qui leur manquait. Même s'ils s'étaient mis d'accord, changer l'encépagement de cette vaste région aurait exigé beaucoup de temps et d'argent. La terrible vague de froid de 1956, qui dévasta le vignoble, contraignit les vignerons à passer à l'action. Les récoltes inévitablement réduites des années à venir provoquèrent une flambée des prix, ce qui leur permit de mener à bien un ambitieux programme de replantation qui, paradoxalement, dépassait leurs possibilités financières d'avant le désastre. L'augmentation soudaine et spectaculaire du merlot et du cabernet franc dans le vignoble créa un style de vin totalement différent qui fut le catalyseur du prodigieux succès du saint-émilion et du pomerol à partir du début des années 1960.

LES SATELLITES SAINT-ÉMILION

Les vins de Lussac, Montagne, Parsac, Puisseguin, Sables et Saint-Georges étaient autrefois vendus, comme ceux des autres communes entourant la ville de Saint-Émilion sous le nom de celle-ci. Lors de la création des appellations contrôlées de la région, en 1936, ces communes reçurent leur propre AOC (connues collectivement comme « satellites saint-émilion »). Cette mesure avait pour objet de protéger l'image de marque des domaines les plus prestigieux, tous proches de la ville. Les satellites obtinrent pourtant le droit de compléter le nom de leur AOC en y accolant celui de saint-émilion. Sables fut intégrée par la suite à l'AOC saint-émilion. L'AOC montagne-saint-émilion fut créée en 1972 pour les vignerons de Parsac Saint-Émilion et Saint-Georges Saint-Émilion qui désiraient l'utiliser à la place de la leur. L'AOC parsac-saint-émilion fut supprimée en 1993 quand on constata que la quasi-totalité des vignerons de Parsac avait choisi l'AOC montagne-saint-émilion de préférence à celle de leur commune. En revanche, un grand nombre de vignerons de Saint-Georges continuant d'utiliser l'AOC saint-georges saint-émilion, celle-ci ne fut pas supprimée. Les cinq satellites restants – lussac-saint-émilion, montagne-saint-émilion, puisseguin-saint-émilion et saint-georges-saint-émilion – auraient avantage à être regroupés sous une même AOC puisqu'ils produisent des vins similaires soumis à la même réglementation.

LES MOULINS DE MONTAGNE
Les satellites (lussac saint-émilion, puisseguin saint-émilion, montagne saint-émilion, saint-georges saint-émilion) auraient avantage à être groupés dans l'appellation montagne saint-émilion.

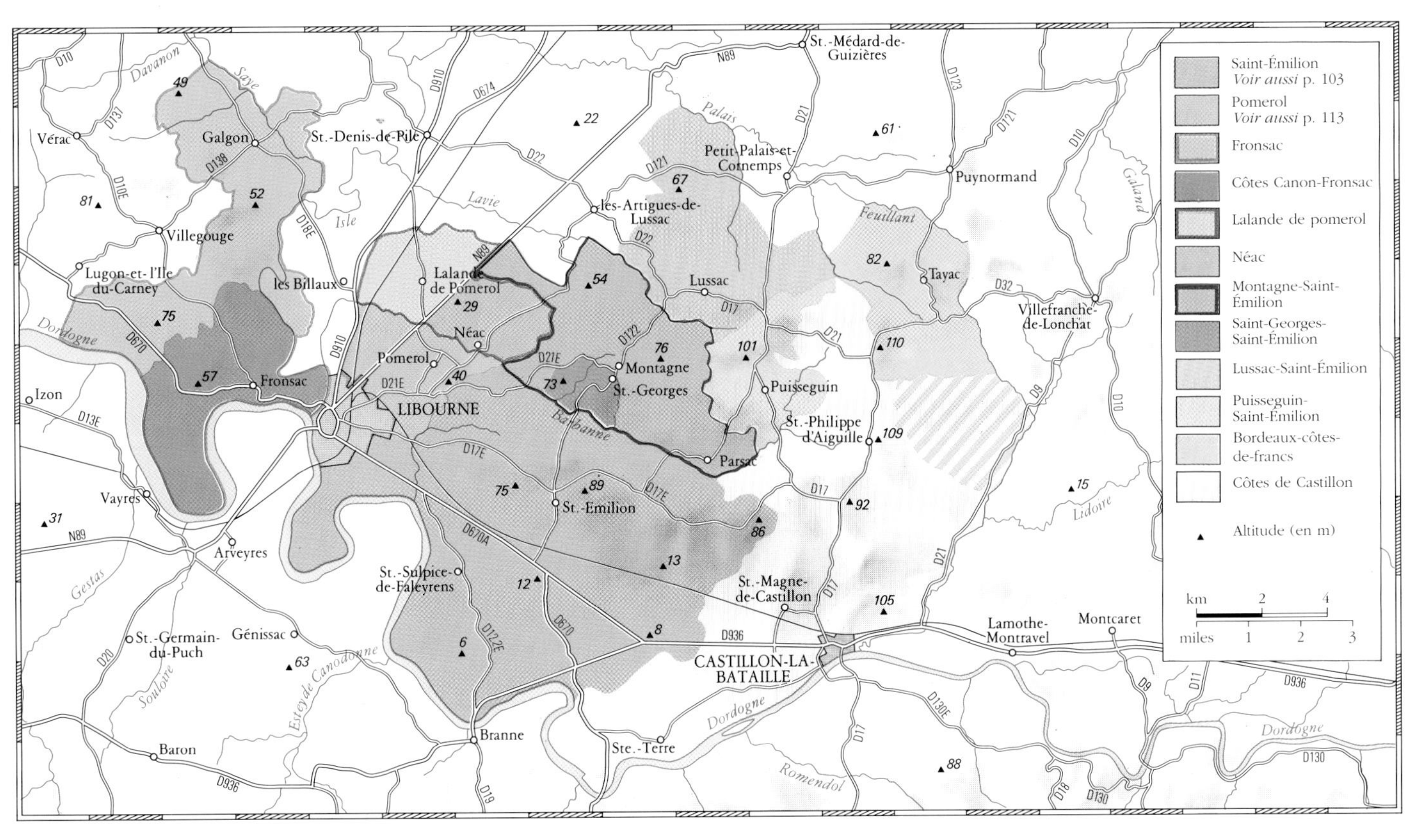

LIBOURNAIS ET PÉRIPHÉRIE
Voir aussi p. 59
Le merlot se plaît beaucoup dans cette région, où se trouvent Pomerol et Saint-Émilion, qui produit essentiellement des vins rouges au fruit succulent.

APPELLATIONS DU

LIBOURNAIS ET ALENTOURS

Par commodité, j'ai groupé dans ce chapitre les appellations du Saint-Émilionnais, de la région de Pomerol et ceux des régions périphériques, le Fronsadais et les communes des appellations bordeaux-côtes-de-francs et côtes-de-castillon.

BORDEAUX-CÔTES-DE-FRANCS AOC

Les vignobles occupent environ 450 ha dans le prolongement de Lussac Saint-Émilion et ont un sol très similaire à celui de leur voisin : argilo-calcaire sur une assise calcaire ou marneuse avec parfois de la crasse de fer. Les vins rouges constituent l'essentiel de la production, complétée par un peu de vin blanc sec et de blanc liquoreux. Le rendement de base est de 50 hl/ha et la teneur en alcool minimum de 10% vol. pour les rouges, 9,5% vol. pour les blancs secs et 11% vol. pour les liquoreux

Rouges Vins dans l'ensemble robustes, assez rustiques, de plus en plus souvent assouplis par une forte proportion de merlot.

cabernet franc, cabernet sauvignon, merlot, malbec

5 à 10 ans

Blancs secs Petite production de vins francs et assez fruités

sauvignon, sémillon, muscadelle

Blancs liquoreux Production minuscule de vins que l'on ne trouve que sur place.

mêmes cépages que pour le blanc sec

CANON-FRONSAC AOC

Les amateurs de vins de Bordeaux dont les moyens financiers sont limités auraient avantage à s'intéresser à l'appellation canon-fronsac (autrefois connue comme côtes canon-fronsac, appellation qui, en théorie, peut toujours être revendiquée par les vignerons qui le désirent) où il est encore possible de faire de bonnes affaires. Le rendement de base est de 47 hl/ha et la teneur en alcool minimum est de 10% vol. Les vins peuvent égaler ceux des autres appellations citées sauf les meilleurs saint-émilion et pomerols.

Rouges Vins corpulents, riches et vigoureux, bien colorés et fruités avec des notes épicées, présentant une certaine finesse et une bonne longueur en bouche.

cabernet franc, cabernet sauvignon, merlot

7 à 20 ans

CÔTES CANON-FRONSAC AOC

Voir Canon-Fronsac AOC

CÔTES DE CASTILLON AOC

Appellation créée récemment (1989) pour les vins rouges d'une région de collines située à l'est du Saint-Émilionnais, au bord de la Dordogne, qui s'étendent au nord de Castillon-la-Bataille. Ses vins, qui n'avaient droit qu'aux appellation bordeaux génériques, étaient connus depuis longtemps pour leur qualité régulière et leur excellent rapport qualité/prix.

Rouge Vins fermes et corpulents, joliment colorés, avec un fruit dense, non dénués de finesse.

cabernet franc, cabernet sauvignon, malbec, merlot

5 à 15 ans

FRONSAC AOC

Appellation de vins rouges située à l'ouest de la région de Pomerol et au nord de l'AOC canon-fronsac. Les conditions de production sont les mêmes dans les deux appellations.

Rouge Vins corpulents à la robe bien colorée, richement fruités, avec des nuances marquées de chocolat. Ils ne possèdent pas le caractère épicé et la finesse du canon-fronsac, mais leur rapport qualité/prix est très favorable.

cabernet franc, cabernet sauvignon, malbec, merlot

6 à 15 ans

LALANDE DE POMEROL AOC

Appellation de vins rouges d'un bon rapport qualité/prix intéressant les communes de Pomerol et Néac. Même les meilleurs vins ne sont qu'un pâle reflet des pomerols classiques.

Rouge Vins dominés par le merlot, fermes et charnus, mais sans la richesse et la texture veloutée de leurs prestigieux voisins.

cabernet franc, cabernet sauvignon, malbec, merlot

5 à 12 ans

LUSSAC SAINT-ÉMILION AOC

Appellation limitée à la commune de Lussac, à 9 km au nord-est de Saint-Émilion.

Rouge Les vins du petit plateau graveleux à l'ouest sont les plus légers, mais les plus fins. Ceux des sols argileux et froids du nord sont les plus robustes tandis que ceux des sols argilo-calcaires du sud-ouest présentent le meilleur équilibre entre la couleur, la richesse et la finesse.

cabernet franc, cabernet sauvignon, malbec, merlot

5 à 12 ans

MONTAGNE SAINT-ÉMILION AOC

Cette appellation, la meilleure des satellites saint-émilion, englobe l'ancienne appellation parsac saint-émilion et celle de saint-georges saint-émilion (qui peut toujours être revendiquée), les communes de Montagne, Saint-Georges et Parsac ayant fusionné en 1973.

Rouge Vins pleins, riches, très aromatiques, qui se bonifient avec l'âge.

cabernet franc, cabernet sauvignon, malbec, merlot

5 à 15 ans

NÉAC AOC

Appellation tombée en désuétude depuis que les vignerons peuvent revendiquer celle de lalande de pomerol.

POMEROL AOC

Appellation où le merlot est roi. Les petits vins sont ici plus chers que ceux des autres appellations. Les grands vins sont hors de prix.

Rouge On dit souvent que ce sont les plus veloutés des grands vins classiques, mais ils ont aussi la charpente tannique qui leur permet de se bonifier longtemps en bouteille. Les meilleurs ont une robe obscure, une admirable complexité, des arômes boisés épicés et une grande finesse.

PUISSEGUIN ST-ÉMILION AOC

La commune de Puisseguin donne des vins plus rustiques que ceux de Montagne.

Rouge Vins riches et robustes, bien colorés, très fruités et aromatiques, mais qui manquent souvent de finesse.

cabernet franc, cabernet sauvignon, malbec, merlot

5 à 10 ans

SAINT-ÉMILION AOC

Appellation réservée aux vins rouges. Leur teneur en alcool est au minimum de 10,5% et peut atteindre 13% vol., notamment quand on chaptalise.

Rouge Même dans les petits vins, le fruit mûr juteux et épicé du merlot devrait être soutenu par la fermeté du cabernet franc, qui apporte aussi sa finesse. Les grands vins sont superbes, pleins, riches, concentrés, fruités et chocolatés.

cabernet franc, cabernet sauvignon, malbec, merlot

6 à 12 ans (vins modestes)
12 à 32 ans (grands vins)

SAINT-ÉMILION GRAND CRU AOC

Appellation s'appliquant aux vins de l'aire d'appellation saint-émilion dans des conditions de production un peu plus rigoureuses et dont la teneur en alcool minimum est de 11% vol. au lieu de 10,5% vol.

ST-GEORGES ST-ÉMILION AOC

Meilleure appellation des satellites saint-émilion. Ses vignerons peuvent aussi revendiquer celle de montagne saint-émilion.

Rouge Vins profondément colorés, avec un fruit ample, juteux et épicé, bien soutenu par une charpente tannique assez ferme.

cabernet franc, cabernet sauvignon, malbec, merlot

5 à 15 ans

SAINT-ÉMILION

Les Romains furent les premiers à cultiver la vigne dans cette petite région qui exporte ses vins depuis plus de huit cents ans. Après avoir sombré dans l'obscurité dans la première moitié du XXe siècle, elle brille de nouveau depuis cinquante ans.

Les vins de Saint-Émilion sont nés après la dernière guerre, mais il y a parmi eux des témoins d'un lointain passé. Le célèbre Château Ausone, par exemple, porte le nom du poète latin Ausone, né à Bordeaux, qui possédait une villa à Saint-Émilion. Cette petite ville perchée sur une colline n'a pour ainsi dire pas changé depuis le Moyen Âge. En revanche, l'Union des producteurs, la plus grande coopérative vinicole de France, illustre magnifiquement les méthodes d'élaboration les plus modernes mises au service de la viniculture de qualité. Aujourd'hui plus de mille crus situés à moins de dix kilomètres de la ville peuvent revendiquer l'appellation saint-émilion.

LE STYLE DU SAINT-ÉMILION

Pour ceux qui trouvent les vins rouges trop durs ou trop amers et préfèrent les vins blancs, le saint-émilion, avec son élégance et sa finesse, est idéal pour apprendre à aimer les vins rouges. La différence entre les vins de Saint-Émilion et ceux des satellites est comparable à celle entre la soie et le satin, tandis qu'entre les vins de Saint-Émilion et de Pomerol, elle est analogue à celle qui distingue la soie du velours : la qualité est la même, mais pas la texture. Toutefois certains assurent que le sol de graves des vignobles dont sont issus les deux crus de Saint-Émilion les plus prestigieux, Châteaux Cheval Blanc et Figeac, ont davantage en commun avec la région de Pomerol qu'avec le reste de l'appellation.

UNE PRODUCTION ABONDANTE

Si vous consultez la carte générale du Bordelais qui figure p. 59, vous serez étonné de la taille modeste d'une appellation comme saint-émilion qui compte plus de mille domaines vinicoles. Qu'elle produise plus de vin que les quatre appellations les plus prestigieuses du Médoc – Saint-Estèphe, Pauillac, Saint-Julien et Margaux – vous paraîtra encore plus surprenant.

CHÂTEAU FIGEAC

Premier grand cru classé (B), Château Figeac lutte depuis longtemps pour rejoindre Ausone et Cheval Blanc dans la catégorie des premiers grands crus classés (A).

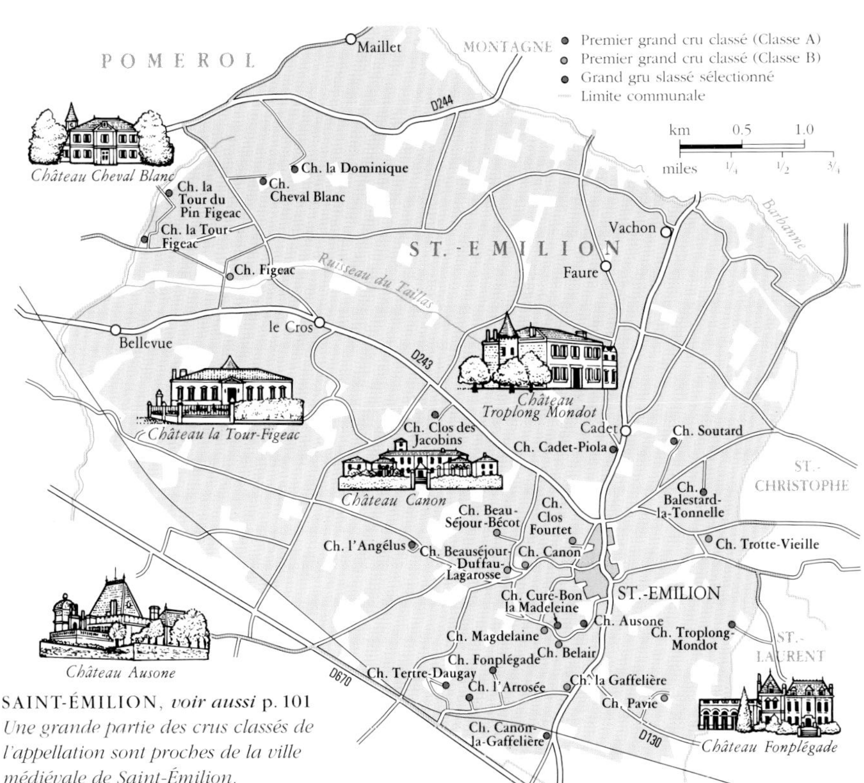

SAINT-ÉMILION, ***voir aussi*** **p. 101**

Une grande partie des crus classés de l'appellation sont proches de la ville médiévale de Saint-Émilion.

CHÂTEAU AUSONE

Perché sur son coteau, ce vieux château domine un terrain onduleux couvert de vigne.

LE CLASSEMENT DES VINS DE SAINT-ÉMILION

Le premier classement a été établi en 1958, en application d'un décret de 1954 précisant qu'il devait faire l'objet d'une révision décennale au regard de la qualité des vins de chaque domaine pendant la décennie précédente. Deux catégories furent instituées : premier grand cru classé et grand cru classé. Parmi les 12 premiers grands crus classés, les Châteaux Ausone et Cheval Blanc furent isolés dans une sous-catégorie supérieure, les autres étant simplement cités par ordre alphabétique. De même, les grands crus classés ne font pas l'objet d'un classement hiérarchique comme les crus du Médoc : ils figurent aussi par ordre alphabétique.

Le classement des vins de Saint-Émilion a été révisé trois fois, en 1969, 1985 (alors qu'il aurait dû l'être en 1979) et 1996. La prochaine révision devrait théoriquement être faite en 2006. Il faut prendre garde de ne pas confondre le classement des grands crus de Saint-Émilion avec l'appellation saint-émilion grand cru. Celle-ci peut être revendiquée par tous les vignerons de l'AOC saint-émilion dont les vins ont un titre alcoolique volumique plus élevé de 0,5% et qui ont subi avec succès une épreuve de dégustation. Pour éviter toute confusion, il vaudrait mieux créer une appellation saint-émilion supérieur pour remplacer celle de saint-émilion grand cru.

CLASSEMENT DE 1958, 1969, 1985 ET 1996
avec l'indication du type de sol

PREMIERS GRANDS CRUS Classes (A)

1 **Château Ausone**
Sol : côte et plateau de St-Émilion
2 **Château Cheval Blanc**
Sol : graves et sables anciens

PREMIERS GRANDS CRUS Classes (B)

3 **Château Angélus** [7]
Sol : pied de côte et sables anciens
4 **Château Beau-Séjour Bécot** [1]
Sol : plateau et côte de Saint-Émilion
5 **Château Beauséjour (Duffau-Lagarosse)**
Sol : côte
6 **Château Belair**
Sol : plateau et côte de Saint-Émilion
7 **Château Canon**
Sol : plateau et côte de Saint-Émilion
8 **Château Figeac**
Sol : graves et sables anciens
9 **Château Fourtet**
Sol : plateau de Saint-Émilion et sables anciens
10 **Château La Gaffelière**
Sol : côte, pied de côte
11 **Château Magdelaine**
Sol : plateau, pied de côte et côte de Saint-Émilion
12 **Château Pavie**
Sol : côte et plateau de Saint-Émilion
13 **Château Trottevieille**
Sol : plateau de Saint-Émilion

GRANDS CRUS CLASSÉS

14 **Château de l'Arrosée**
Sol : côte
15 **Château Baleau (maintenant Château Côte de Baleau)** [1,3]
Sol : côte et sables anciens
16 **Château Balestard la Tonnelle**
Sol : plateau de Saint-Émilion
17 **Château Bellevue**
Sol : côte et plateau de Saint-Émilion
18 **Château Bergat**
Sol : plateau et côte de Saint-Émilion
19 **Château Berliquet** [2]
Sol : côte et pied de côte
20 **Château Cadet-Bon** [1,8]
Sol : plateau et côte de Saint-Émilion
21 **Château Cadet-Piola**
Sol : plateau et côte de Saint-Émilion
22 **Château Canon la Gaffelière**
Sol : pied de côte et graves sableuses
23 **Château Cap de Mourlin**
Sol : côte et sables anciens
- Château la Carte[4]
Sol : plateau de Saint-Émilion et sables anciens
- Château Chapelle-Madeleine [5]
Sol : plateau et côte de St-Émilion
24 **Château le Châtelet** [9]
Sol : côte et sables anciens
25 **Château Chauvin**
Sol : sables anciens
26 **Château Clos des Jacobins**
Sol : côte et sables anciens
27 **Château la Clotte**
Sol : côte
28 **Château la Clusière**
Sol : côte
29 **Château Corbin**
Sol : sables anciens
30 **Château Corbin-Michotte**
Sol : sables anciens
31 **Château la Couspaude** [1,8]
Sol : plateau de Saint-Émilion
32 **Château Coutet**[1]
Sol : côte
- Château le Couvent [6]
Sol : plateau de Saint-Émilion
33 **Couvent des Jacobins** [3]
Sol : Sables anciens et pied de côte
34 **Château Croque Michotte** [9]
Sol : sables anciens et graves
35 **Château Curé Bon**
Sol : plateau et côte de Saint-Émilion
36 **Château Dassault** [5]
Sol : sables anciens
37 **Château la Dominique**
Sol : sables anciens et graves
38 **Château Faurie de Souchard**
Sol : pied de côte
39 **Château Fonplégade**
Sol : côte
40 **Château Fonroque**
Sol : côte et sables anciens
40 **Château Fonroque**
Sol : côte et sables anciens
41 **Château Franc-Mayne**
Sol : côte
42 **Château Grand Barrail Lamarzelle Figeac** [9]
Sol : sables anciens
43 **Château Grand Corbin** [9]
Sol : sables anciens
44 **Château Grand-Corbin-Despagne** [9]
Sol : sables anciens
45 **Château Grand Mayne**
Sol : côte et sables anciens
46 **Château Grandes Murailles** [1,8]
Sol : côte et sables anciens
47 **Château Grand-Pontet**
Sol : côte et sables anciens
48 **Château Guadet Saint-Julien**
Sol : plateau de Saint-Émilion
49 **Château Haut-Corbin**
Sol : sables anciens
50 **Château Haut-Sarpe** [3]
Sol : plateaux et côtes de Saint-Émilion et Saint-Christophe
51 **Château Jean Faure** [1]
Sol : sables anciens
52 **Château Laniote** [3]
Sol : sables anciens et pied de côte
53 **Château Larcis Ducasse**
Sol : côte et pied de côte
54 **Château Larmande**
Sol : sables anciens
55 **Château Laroque** [8]
Sol : sables anciens
56 **Château Laroze**
Sol : sables anciens
57 **Clos la Madeleine** [9]
Sol : plateau et côte de Saint-Émilion
58 **Château la Marzelle (maintenant Château Lamarzelle)**
Sol : sables anciens et graves
59 **Château Matras** [3]
Sol : pied de côte
60 **Château Mauvezin**
Sol : plateau et côte de Saint-Émilion
61 **Château Moulin du Cadet**
Sol : côte et sables anciens
62 **Clos de l'Oratoire** [3]
Sol : pied de côte
63 **Château Pavie Décesse**
Sol : plateau et côte de Saint-Émilion
64 **Château Pavie Maquin**
Sol : plateau de Saint-Émilion, côte et graves sableuses
65 **Château Pavillon-Cadet** [9]
Sol : côte et sables anciens
66 **Château Petit-Faurie-de-Soutard**
Sol : sables anciens et côte
67 **Château le Prieuré**
Sol : plateau et côte de Saint-Émilion
68 **Château Ripeau**
Sol : sables anciens
69 **Château Saint-Georges (Côte Pavie)**
Sol : côte et pied de côte
70 **Clos Saint-Martin**
Sol : côte et sables anciens
71 **Château Sansonnet** [9]
Sol : plateau de Saint-Émilion
72 **Château la Serre**
Sol : plateau de Saint-Émilion
73 **Château Soutard**
Sol : plateau et côte de Saint-Émilion
74 **Château Tertre Daugay** [3]
Sol : plateau et côte de Saint-Émilion
75 **Château la Tour Figeac**
Sol : sables anciens et graves
76 **Château la Tour du Pin Figeac-Belivier**
Sol : sables ancien et graves
77 **Château la Tour du Pin Figeac-Moueix**
Sol : sables anciens et graves
78 **Château Trimoulet**
Sol : sables anciens et graves
- Château Trois Moulins [4]
Sol : plateau et côte de Saint-Émilion
79 **Château Troplong Mondot**
Sol : plateau de Saint-Émilion
80 **Château Villemaurine**
Sol : plateau de Saint-Émilion
81 **Château Yon-Figeac**
Sol : sables anciens

Voir ci-contre l'explication des sols

Notes

[1] Un premier cru et six grands crus furent déclassés en 1985.
[2] Ce domaine, qui ne figurait pas dans le classement de 1958 ni dans la révision de 1969, fut promu grand cru classé en 1985.
[3] Ces domaines, qui ne figuraient pas dans le classement de 1958, furent promus grands crus en 1969.
[4] Ces deux domaines furent intégrés au premier grand cru Château Beau-Séjour Bécot en 1979. On peut encore trouver des bouteilles jusqu'au millésime 1978 portant le nom de ces domaines et ces étiquettes pourraient réapparaître à l'avenir, l'extension de Beau-Séjour Bécot ayant été la raison principale de son déclassement en 1985.
[5] Ce domaine fut intégré au premier grand cru Château Ausone en 1970. On trouve donc cette étiquette jusqu'au millésime 1969.
[6] Ce domaine a changé de mains juste avant la révision de 1985 pour laquelle il n'a pas posé sa candidature. Il ne fut pas déclassé, mais ignoré.
[7] Deux domaines furent promus premier grand cru en 1996.
[8] Quatre domaines furent promus grand cru en 1996.
[9] Huit grands crus furent déclassés en 1996.

STYLES ET TERROIRS

La diversité des sols de l'appellation saint-émilion a suscité des généralisations faisant un parallèle entre le style des vins et la nature du sol. À l'origine, les vins furent répartis en deux grandes catégories, les « côtes » et les « graves » venant respectivement de vignobles de coteau et de vignobles cultivés sur un sol graveleux. En principe, les « côtes » étaient des vins assez corpulents évoluant vite, les « graves » des vins plus pleins, plus fermes et plus riches exigeant d'être attendus plus longtemps.

Cette répartition avait le mérite de la simplicité, mais ne tenait pas compte des nombreux vins issus des sables profonds situés entre Saint-Émilion et la région de Pomerol, ni de ceux du plateau dont le sol est plus lourd que celui des côtes. Elle ne faisait pas non plus de distinction entre les côtes érodées et les pieds de côte au sol plus lourd. Plus grave encore, elle ignorait le fait que nombre de domaines s'étendent sur plusieurs types de sol (*voir* la liste des crus classés sur la page de gauche) et que le terroir se définit aussi, notamment, par l'exposition et la qualité du drainage (*voir aussi* « facteurs du goût et de la qualité » ci-contre).

La carte ci-dessous montre l'emplacement des crus classés de l'appellation, à l'exception des Châteaux la Carte, Chapelle-Madeleine, le Couvent et Trois Moulins (les nombres se réfèrent à la liste de la page précédente).

FACTEURS DU GOÛT ET DE LA QUALITÉ

EMPLACEMENT
Sur la rive droite de la Dordogne, à 50 km à l'est de Bordeaux.

CLIMAT
Climat plus continental que dans le Médoc, l'influence maritime étant moins marquée. Plus grande amplitude diurne des températures, un peu plus de pluie au printemps et nettement moins en été et en hiver.

SITES
La ville de Saint-Émilion est située sur un plateau accidenté où la vigne est cultivée à une altitude de 25 à 100 m. Les vignobles occupent des pentes assez raides notamment au sud de la ville où deux pentes se font face. Le plateau se poursuit vers l'est avec des buttes. Au nord et à l'ouest de la ville, les vignobles occupent un terrain plus plat.

SOLS
Le sol de l'appellation est très complexe (*voir* « Styles et terroirs » à gauche). Une partie fait partie d'un secteur qui porte le nom de « graves de Pomerol-Figeac », où se trouvent les Châteaux Cheval Blanc et Figeac.

VITICULTURE ET VINIFICATION
De nombreux domaines jugent un peu de vin de presse indispensable (en général celui de la première presse). La cuvaison dure 15 à 21 jours mais peut se prolonger jusqu'à 4 semaines. Certains vins ne sont élevés que 12 mois en barriques, mais généralement de 15 à 22 mois.

CÉPAGES PRINCIPAUX
Cabernet franc, cabernet sauvignon, merlot
CÉPAGES SECONDAIRES
Carmenère, malbec

LES SOLS DE L'APPELLATION SAINT-ÉMILION

La carte montre l'aire couverte par les premiers grands crus classés et les crus classés. Chaque type de sol est décrit à droite et les nombres renvoient aux domaines dont la liste est donnée sur la page de gauche.

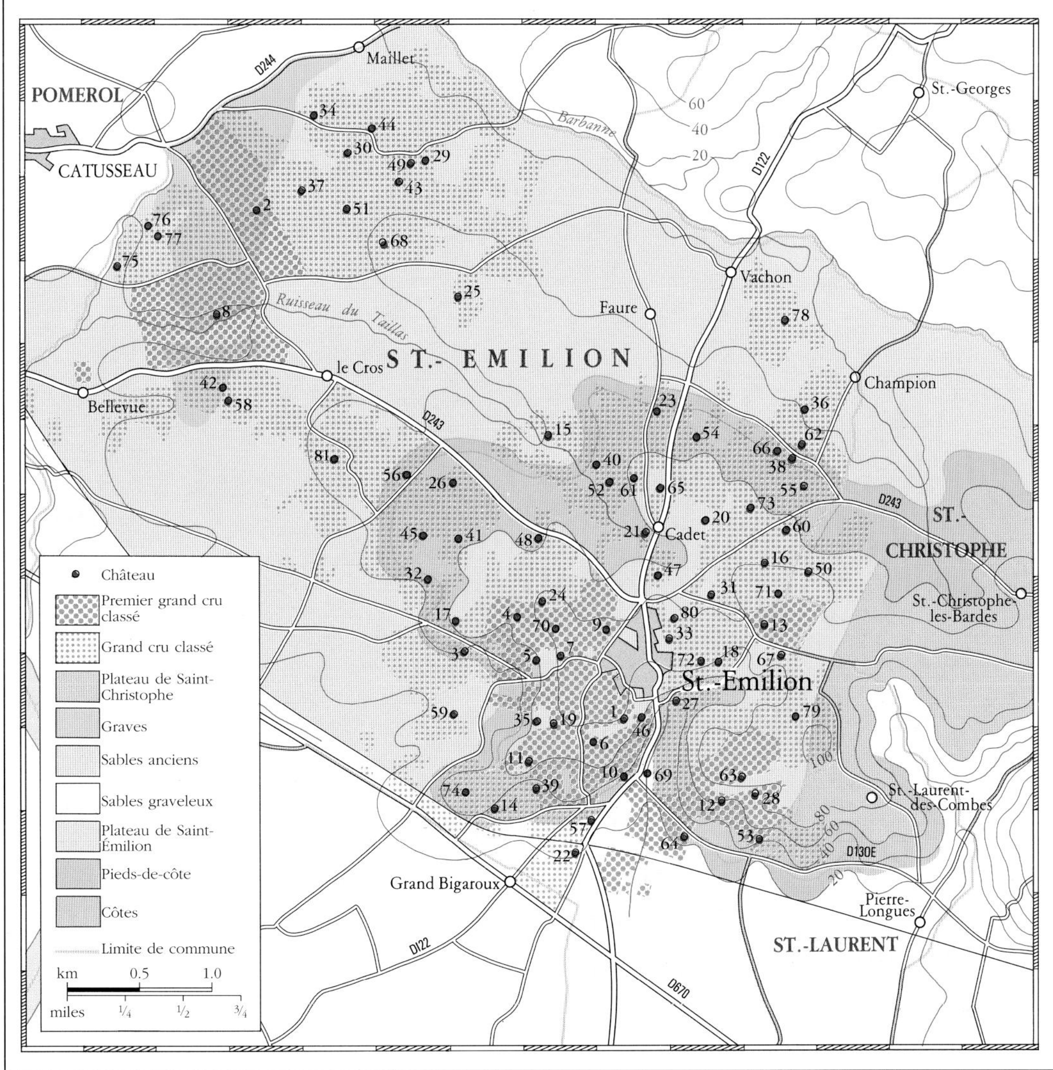

PLATEAU DE SAINT-CHRISTOPHE
Sol argilo-calcaire et argilo-sableux sur un sous-sol calcaire et de *terra rossa* (argile rouge).

GRAVES
Graves profondes sur un sous-sol de sable à gros grains reposant sur un socle très profond de molasse, une roche dure et imperméable d'origine sédimentaire. Les graves sont semblables à celles du Médoc.

SABLES ANCIENS
Couche profonde de sable à gros grains sur un socle de molasse. Ce sol s'étend au nord-est de Saint-Émilion à la région de Pomerol. Bien que cette zone paraisse partout vallonnée et que le sable soit très perméable, la molasse est plate et imperméable. L'eau s'y accumule, sature le système radicaire et accroît l'acidité du sol. Certains domaines ont posé des canalisations de drainage souterraines.

GRAVES SABLEUSES
sols sableux et graveleux-sableux sur des graves sableuses, des graves ferrugineuses et de la crasse de fer.

PLATEAU DE SAINT-ÉMILION
Sols argilo-calcaires et argilo-sableux peu profonds, débris de coquillages et alluvions sur un socle de calcaire érodé.

PIEDS DE CÔTE
Les pentes douces du bas des côtes ont un sol profond sableux-limoneux brun rougeâtre reposant sur du sable jaune.

CÔTES
Le sol de la partie supérieure des côtes est peu profond, calcaire, alluvionnaire et argileux à forte teneur en chaux. Il est assez sableux au milieu des côtes et s'amincit vers le sommet. Le socle est fait d'une molasse qui n'est pas imperméable comme sous les sables anciens et les graves, mais désagrégée, calcaire ou gréseuse et perméable.

MEILLEURS PRODUCTEURS DE
L'AOC SAINT-ÉMILION

CHÂTEAU ANGÉLUS
1er grand cru classé (B)
★★

Splendide vignoble d'un seul tenant sur les côtes, orienté au sud, qui produisait des vins à l'ancienne de style « fermier ». Tout a commencé à changer dès le millésime 1980. En un peu plus d'une décennie, l'Angélus s'est hissé au rang d'un des plus grands vins de l'appellation et a été promu 1er grand cru classé (B) en 1996. Il est élevé 18 mois ou plus en barriques (70 à 100% de chêne neuf).

Rouge Vin corpulent, concentré, admirablement fruité avec des notes luxueuses de chêne neuf et une charpente tannique très ferme. C'est un grand vin de garde.

merlot 50%, cabernet franc 45%, cabernet sauvignon 5%

7 à 20 ans

Second vin : Carillon de l'Angélus

CHÂTEAU L'ARROSÉE
Grand cru classé
★☆♥

Domaine située sur les côtes, au-dessus de la coopérative où le vin fut élaboré jusqu'en 1996. Depuis, une sélection rigoureuse et une vinification plus soignée l'ont rendu digne de son classement de grand cru.

Rouge Vin moyennement corpulent à corpulent, d'une belle couleur rubis, avec un fruit tendre et crémeux et un bouquet voluptueux, soutenus par un tanin souple dû au chêne.

merlot 50%, cabernet sauvignon 35%, cabernet franc 15%

5 à 15 ans

Second vin : Les Coteaux du Château l'Arrosée

CHÂTEAU AUSONE
1er grand cru classé (A)
★★★

Depuis qu'un vinificateur de grand talent, Pascal Delbeck, a pris en main en 1975 l'exploitation de ce domaine prestigieux, ses vins, élaborés jusque-là par la coopérative et d'une qualité discutable, ont progressé de manière spectaculaire et sont devenus l'une des vedettes de l'appellation. Le vignoble, dont nombre de vignes sont vieilles de 40 à 45 ans, est admirablement exposé au sud-est, sur la côte et le plateau de Saint-Émilion. Il donne des vins très concentrés de longue garde élevés 16 à 22 mois en barriques (100% de bois neuf).

Rouge Ces vins riches et très colorés déploient des arômes opulents. Ils sont très corpulents avec une charpente tannique compacte, débordent d'un fruit mûr et épicé dominé par le cassis et agrémenté de nuances crémeuses de chêne neuf. L'Ausone est la quintessence de la classe, de la complexité et de la finesse.

merlot 60%, cabernet franc 40%

15 à 45 ans

CHÂTEAU BALESTARD LA TONNELLE
Grand cru classé
★

« Ce divin nectar qui porte nom de Balestard » peut-on lire sur l'étiquette qui est ornée d'un poème de François Villon. Un tiers de ce nectar issu d'un vignoble situé sur le plateau de Saint-Émilion est élevé jusqu'à 24 mois en barriques neuves, un tiers en barriques de premier réemploi et un tiers en cuves en Inox, après quoi leur contenu est assemblé.

Rouge Bien que son style soit résolument traditionnel, ce vin déploie des arômes délicats et mûrs. Corpulent, riche en extrait, tanin et acidité, il exige du temps pour s'assouplir. Très fruité, il évolue en bouteille avec grâce.

merlot 65%, cabernet franc 20%, cabernet sauvignon 10%, malbec 5%

10 à 30 ans

Second vin : Les Tourelles de Balestard

CHÂTEAU BEAU-SÉJOUR BÉCOT
1er cru classé (B)
★☆

La superficie de ce domaine a presque doublé depuis 1979, année où il a absorbé deux grands crus classés, les Châteaux la Carte et Trois Moulins. En 1985, lors de la deuxième révision du classement, Beau-Séjour Bécot fut le seul premier grand cru classé à rétrograder. Cette décision paraissait justifiée pour autant qu'elle eût été fondée sur la qualité générale du vin entre 1969 et 1985. Pourtant les 1982 et 1983, millésimes de qualité les plus récents disponibles à l'époque, témoignaient que les gros investissements consentis sur les conseils d'Émile Peynaud commençaient sans aucun doute à porter leurs fruits. Cependant deux questions demeurent sans réponse. La première a trait aux sept crus déclassés en 1985. Pourquoi seulement sept? D'autres crus auraient mérité le même sort sur la base des même critères. La seconde question concerne l'agrandissement du Château Beau-Séjour Bécot qui, en vérité, était la véritable raison de son déclassement : ce principe ne devait-il pas être respecté dans tous les cas? En 1979, le Château Ausone fut autorisé à ajouter le grand cru classé Chapelle-Madeleine à son propre vignoble. Certes, il ne s'agissait que d'un agrandissement de 0,2 ha, mais le principe était le même. Que soit en cause l'importance de l'agrandissement ou le principe même de l'absorption d'un vignoble, la généralisation à tout le Bordelais de la sanction ayant frappé Beau-Séjour Bécot entraînerait le déclassement de tous les crus du classement de 1855! Quoi qu'il en soit il a retrouvé son rang de premier cru classé (B) en 1966. Le vin est élevé 18 mois en barriques (90% de bois neuf).

Rouge Ce vin qui ne faisait pas le poids autrefois est aujourd'hui rond, riche et corpulent. Le fruit soyeux du merlot se développe vite, mais il est soutenu par un chêne neuf crémeux.

merlot 70%, cabernet franc 24%, cabernet sauvignon 6%

7 à 25 ans

Second vin : La Tournelle des Moines

CHÂTEAU BEAUSÉJOUR (DUFFAU-LAGAROSSE)
1er grand cru classé (B)

Peu répandu et constamment critiqué lors des dégustations, ce domaine a commencé dans les années 1980 à produire des vins plus pleins ayant davantage de classe.

Rouge Un vin pas vraiment ample mais qui, les bonnes années, est vêtu d'une robe profonde, déploie un beau fruit et une certaine séduction.

merlot 50%, cabernet franc 25%, cabernet sauvignon 25%

7 à 15 ans

Second vin : La Croix de Mazerat

CHÂTEAU BELAIR
1er grand cru classé (B)
★★

Pascal Delbeck, le talentueux vinificateur du Château Ausone, vit à Belair dont il élabore le vin avec autant de soin et d'attention qu'à Ausone. Le Château Belair est élevé pendant 16 à 20 mois en barriques dont une moitié est en bois neuf. Les autres viennent d'Ausone et sont de premier réemploi. Il s'agit certainement d'un des meilleurs premiers grands crus.

merlot 70%, cabernet franc 40%

10 à 35 ans

Second vin : Roc Blanquet

CHÂTEAU BELLEVUE
Grand cru classé
★

Ce petit domaine situé sur les côtes, qui s'appelait à l'origine « Fief de Bellevue », a appartenu à la famille Lacaze de 1642 à 1938. Le vin est élevé de 18 mois à 24 mois en barriques (un tiers de bois neuf).

Rouge Je n'ai eu l'occasion de goûter que le millésime 1982 que j'ai trouvé moyennement corpulent, fruité avec un bouquet élégant, mais pas il n'est pas meilleur que nombre de crus non classés.

merlot 67%, cabernet franc 16,5%, cabernet sauvignon 16,5%

5 à 10 ans

CHÂTEAU BERGAT

Grand cru classé

?

Petit domaine exploité par Philippe Castéja, du Château Trottevieille. Petite production d'un vin que je n'ai encore jamais goûté.

merlot 50%, cabernet franc 40%, cabernet sauvignon 10%

CHÂTEAU BERLIQUET

Grand cru classé

★

C'est le seul domaine ayant bénéficié en 1985 d'une promotion au rang des grands crus classés. S'il continuait à progresser au même rythme, il serait difficile de lui refuser d'entrer dans le club très fermé des premiers grands crus classés lors de la prochaine révision, théoriquement en 2006. Élaboré par l'Union des producteurs, l'excellente coopérative de Saint-Émilion, il est vinifié en cuve en Inox et élevé 18 mois en barriques (30% de bois neuf).

Rouge Vin profond, sombre et dense, avec un bon fruit (cassis un peu épicé) et un chêne vanillé séduisant.

merlot 67%, cabernet franc 25%, cabernet sauvignon 8%

10 à 30 ans

CHÂTEAU CADET-BON

Grand cru classé

⊗

Déclassé lors de la révision de 1985, ce domaine n'a rien produit d'exceptionnel depuis 1966, mais a pourtant réintégré son rang de grand cru classé lors de la dernière révision du classement, en 1996.

merlot 60%, cabernet franc 40%

CHÂTEAU CADET-PIOLA

Grand cru classé

★

À l'exception des millésimes 1980 et 1981 qui donnèrent des vins beaucoup trop légers, ce domaine produit des vins exquis de qualité constante. Le vin est élevé 18 mois en barriques (jusqu'à 50% de bois neuf).

Rouge Vins corpulents au goût et au bouquet très intenses, avec un chêne neuf puissant et une charpente tannique très ferme.

merlot 51%, cabernet sauvignon 28%, cabernet franc 18%, malbec 3%

10 à 25 ans

Second vin : Chevalier de Malte

CHÂTEAU CANON

1er grand cru classé (B)

★★V

Il y a de nombreuses années, ce domaine produisait un second vin appelé « Saint-Martin de Mazerat », nom de la commune où est située le Château Canon avant qu'elle ne soit rattachée à celle de Saint-Émilion. La grand vin est vinifié dans des cuves traditionnelles en chêne puis élevé 2 mois en barriques (50% de bois neuf). Incontestablement digne de son

classement, c'est un des meilleurs premiers grands crus.

Rouge Habillé d'une belle robe profonde pourpre, ce vin très riche, voluptueux en bouche, avec le fruit mûr et juteux propre au merlot et une complexité épicée, déploie un bouquet opulent de cassis.

merlot 55%, cabernet franc 40%, cabernet sauvignon 3%, malbec 2%

8 à 30 ans

Second vin : Clos Jacques Kanon

CHÂTEAU CANON-LA-GAFFELIÈRE

Grand cru classé

★½

Ce beau domaine compte parmi les plus anciens de l'appellation. Le vin est vinifié dans des cuves en Inox à une température de 28 à 32 °C et élevé 18 mois en barriques (jusqu'à 50% de bois neuf).

Rouge Les meilleures années, quand ce domaine se surpasse et investit dans 50% de barriques neuves, le vin est vraiment opulent et très fruité, avec des nuances de chêne crémeux.

merlot 65%, cabernet franc 30%, cabernet sauvignon 5%

8 à 20 ans

Autre vin : Clos la Gaffelière

CHÂTEAU CAP DE MOURLIN

Grand cru classé

Jusqu'en 1982, il y eut ici deux vins faits par Jacques et Jean Capdemourlin qui se partageaient le domaine. Maintenant réunifié, celui-ci est exploité par le premier, lequel élève son vin jusqu'à 24 mois en barriques (un tiers de bois neuf).

Rouge Séduisant, bien fait, moyennement corpulent, exquisément fruité et frais, avec une finale souple.

merlot 60%, cabernet franc 25%, cabernet sauvignon 12%, malbec 3%

6 à 15 ans

Second vin : Capitan de Mourlin

Autre domaine : Château Balestard la Tonnelle

CHÂTEAU LA CARTE

Grand cru classé

Depuis 1980, le vignoble de ce domaine a été réuni à celui du Château Beau-Séjour Bécot, 1er grand cru classé.

CHÂTEAU CHAPELLE-MADELEINE

Grand cru classé jusqu'en 1996

Depuis 1971, le vignoble de ce domaine a été réuni à celui du Château Ausone, 1er grand cru classé.

CHÂTEAU LE CHÂTELET

Grand cru classé jusqu'en 1996

?

Domaine bien situé au milieu de vignobles de grands crus classés, dont pourtant les vins sont souvent

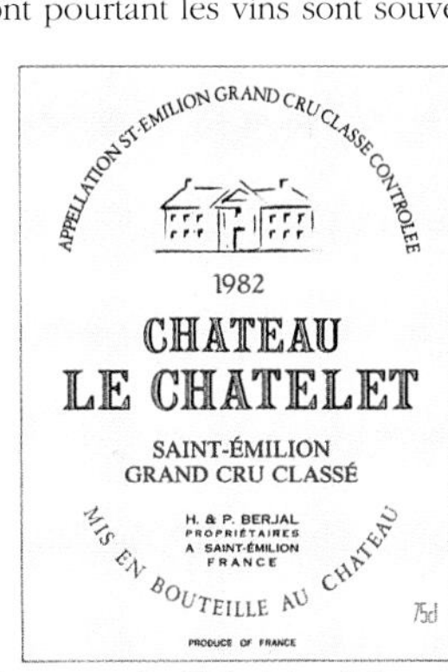

décevants. Le Châtelet a été déclassé lors de la révision de 1996.

Rouge Le goût et l'arôme de ce vin moyennement corpulent sont ténus et sa qualité indigne d'un cru classé, d'où son déclassement. Le millésime 1985 a pourtant été très bon, mais c'était une exception.

merlot 34%, cabernet franc 33%, cabernet sauvignon 33%

4 à 10 ans

CHÂTEAU CHAUVIN

grand cru classé

Le vin de ce domaine est élevé 18 mois en barriques (un tiers de bois neuf). Il est malheureusement difficile à trouver. Étant donné sa qualité, il mériterait d'être mieux distribué.

Rouge Ce vin est irrégulier, mais quand il est réussi, il est corpulent, avec une jolie robe, un fruit ample et riche et un bouquet exubérant.

merlot 60%, cabernet franc 30%, cabernet sauvignon 10%

4 à 10 ans

CHÂTEAU CHEVAL BLANC

1er grand cru classé (A)

★★★

L'originalité de ce domaine est la forte proportion de cabernet franc dans l'encépagement, une habitude héritée d'avant les gelées meurtrières de 1956. La majorité des domaines se sont félicités d'avoir privilégié le merlot en reconstituant leur vignoble mais Cheval Blanc, avec 60% de cabernet franc, est pourtant un des grands vins de l'appellation et mérite largement son classement. Il est élevé 20 mois en barriques neuves.

Rouge Ce vin a la richesse, l'ampleur, les arômes complexes et épicés et la texture veloutée que l'on attend d'un saint-émilion des Graves.

cabernet franc 60%, merlot 34%, malbec 5%, cabernet sauvignon 1%

12 à 40 ans

Second vin : Le Petit Cheval

CHÂTEAU CLOS DES JACOBINS

Grand cru classé

★

Le vignoble du Clos des Jacobins, comme tous ceux exploités par les Domaines Cordier, est admirablement entretenu.

Ses vins sont impressionnants, même dans les petits millésimes.

Rouge Vin riche et gras débordant de flaveurs de chocolat et de cerises noires.

merlot 55%, cabernet franc 40%, cabernet sauvignon 5%

8 à 25 ans

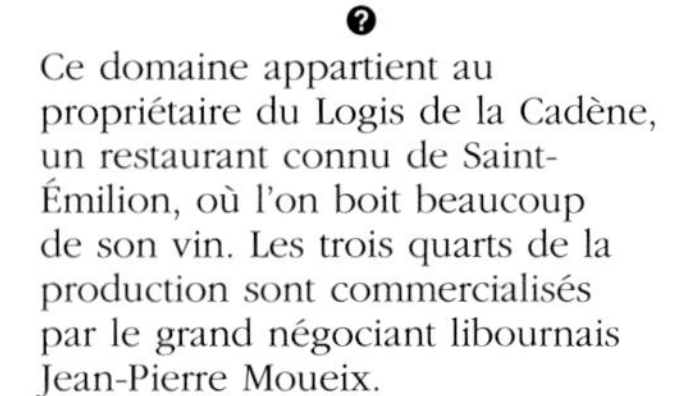

CHÂTEAU LA CLOTTE

Grand cru classé

?

Ce domaine appartient au propriétaire du Logis de la Cadène, un restaurant connu de Saint-Émilion, où l'on boit beaucoup de son vin. Les trois quarts de la production sont commercialisés par le grand négociant libournais Jean-Pierre Moueix.

Rouge Les vins de La Clotte sont d'une qualité moins régulière que celle d'autres crus classés, mais quand ils sont réussis, ils sont séduisants, élégants, avec un fruit tendre et soyeux abondant.

merlot 70%, cabernet franc 30%

5 à 12 ans

Second vin : Clos Bergat Bosson

CHÂTEAU LA CLUSIÈRE

Grand cru classé

?

Petite enclave dans le domaine de Château Pavie, La Clusière appartient aux propriétaires des Châteaux Pavie et Pavie Décesse. Le vin est vinifié dans des cuves en Inox et élevé jusqu'à 24 mois en barriques de premier réemploi venant du Château Pavie.

Rouge Ce vin présente une certaine élégance, mais manque de finesse et manque à mon goût de corpulence et de brillant. Pour être juste, je souligne que ceux qui apprécient ce style retenu adorent le vin de La Clusière.

merlot 70%, cabernet franc 20%, cabernet sauvignon 10%

5 à 10 ans

CHÂTEAU CORBIN

Grand cru classé

?

Ce domaine, dont le vignoble occupe un site riche en sables anciens, appartient au propriétaire du Château Grand Corbin, cru classé jusqu'en 1996. Le domaine Corbin d'origine, qui a appartenu au Prince Noir, a été divisé en cinq domaines qui jouxtent l'appellation pomerol. Le vin est élevé 12 à 14 mois en barriques (un tiers de bois neuf).

Rouge Vin riche et corpulent à la robe profonde, naguère un peu rustique, qui s'est récemment assoupli.

merlot 70%, cabernet franc 24%, malbec 6%

6 à 12 ans

Second vin : Château Corbin Vieille Tour

CHÂTEAU CORBIN MICHOTTE

Grand cru classé

★

À la fois un des cinq Corbin et des deux Michotte ! Le vin est vinifié dans l'Inox et une partie élevée en barriques (un tiers de bois neuf).

Rouge Vin sombre et corpulent aux flaveurs riches avec le fruit mûr et juteux propre au merlot et une certaine finesse.

merlot 65%, cabernet franc 30%, cabernet sauvignon 5%

6 à 15 ans

Second vin : Les Abeilles

CHÂTEAU CÔTE DE BALEAU

Grand cru classé jusqu'en 1985

★

Ce grand cru classé fut à mon avis injustement déclassé lors de la révision de 1985. Il appartient au même propriétaire que le Clos Saint-Martin et le Château Grandes Murailles, autre grand cru classé qui a été déclassé en même temps que lui. Le Côte de Baleau, qui mériterait largement de retrouver son ancien classement, est élevé en barriques dont le quart est renouvelé tous les quatre ans.

Rouge Vin ample et riche, bien équilibré, agréablement fruité, assez gras avec des notes vanillées très séduisantes.

merlot 70%, cabernet sauvignon 20%, cabernet franc 10%

4 à 12 ans

Second vin : Château des Roches Blanches

CHÂTEAU LA COUSPAUDE

Grand cru classé

⊗

Ce domaine situé sur le plateau de Saint-Émilion appartient au propriétaire du Domaine Roudier (montagne-saint-émilion) et du Domaine de Musset (lalande-de-pomerol). Promu grand cru classé en 1969, il fut déclassé en 1985 mais a retrouvé son classement antérieur lors de la révision de 1996. Le vin est élevé en barriques dont certaines en bois neuf).

Rouge Vins légers, maigres et ternes qui manquent de fruit, de caractère et d'équilibre. Le millésime 1982 avait pourtant un soupçon de chêne vanillé, mais il était aussi trop léger.

merlot 50%, cabernet franc et cabernet sauvignon 50%

3 à 7 ans

Second vin : Junior de la Couspaude

CHÂTEAU COUTET

Grand cru classé jusqu'en 1985

?

Ce grand cru classé a été déclassé en 1985. Il a la réputation de produire des vins bien meilleurs que ceux du Château La Couspaude, mais ils souffrent, comme ceux-ci, d'un manque de substance.

Rouge La plupart des millésimes sont élégants, mais vraiment légers. En revanche, ils bénéficient d'une structure tannique ferme.

CHÂTEAU LE COUVENT

Grand cru classé jusqu'en 1985

?

Ce domaine a été racheté en 1982 par Marne et Champagne qui ne sollicita pas sa reclassification en 1985. Il fut donc ignoré plutôt que déclassé. Le vin est élevé 24 mois en barriques (100% de bois neuf).

Rouge Je n'ai pas dégusté les vins de ce domaine aussi souvent que je l'aurais désiré, mais ceux que j'ai eu l'occasion de goûter étaient excellents, bien colorés, moyennement corpulents à corpulents, avec le beau fruit savoureux du merlot et une certaine complexité due à un chêne crémeux et épicé.

merlot 55%, cabernet franc 25%, cabernet sauvignon 20%

6 à 15 ans

COUVENT DES JACOBINS

Grand cru classé

★

Les vins des jeunes vignes ne sont pas inclus dans le grand vin, mais sont vendus sous l'étiquette des seconds vins. Le grand vin est élevé en barriques (un tiers de bois neuf).

Rouge Ce vin délicieux, fruité et soyeux, est harmonieux, toujours bien fait et a de la classe.

merlot 65%, cabernet franc 25%, cabernet sauvignon 10%, malbec 1%

5 à 15 ans

Seconds vins : Château Beau-Mayne ; Château Beau-Pontet

CHÂTEAU CROQUE-MICHOTTE

Grand cru classé jusqu'en 1996

★

Ce cru mérite certainement d'être un grand cru classé. Il est vinifié dans des cuves en acier inoxydable et élevé 18 à 24 mois en barriques (jusqu'à un tiers de bois neuf). Je n'ai pas eu l'occasion de goûter les millésimes récents, mais je n'ai lu nulle part de commentaires faisant état d'une baisse de qualité. Pourtant, le Croque-Michotte a été déclassé lors de la révision de 1996.

Rouge Vin délicieux et élégant, débordant d'un fruit juteux, tendre et soyeux caractéristique du merlot.

merlot 70%, cabernet franc 30%

5 à 12 ans

CHÂTEAU CURÉ BON

Grand cru classé

★

Appelé Curé Bon la Madeleine jusqu'en 1992, ce vignoble est entouré de premiers crus classés comme Ausone, Belair et Canon. Le vin est bon, mais il serait encore meilleur avec une sélection plus rigoureuse et davantage de chêne neuf. Il est élevé en barriques 18 à 24 mois (petite proportion de bois neuf).

Rouge Vin élégant, bien typé, agréablement fruité, avec une structure souple et une certaine finesse.

merlot 90%, cabernet franc 5%, malbec 5%

7 à 20 ans

CHÂTEAU DASSAULT

Grand cru classé

★☆

Ce domaine a été promu grand cru classé lors de la première révision, en 1969, du classement de 1958. Il jouit d'une excellente réputation, vole haut et mérite largement son classement. Le vin est vinifié dans des cuves en acier inoxydable et élevé 12 mois en barriques (un tiers de bois neuf). Le maître de chai procède à six soutirages pendant l'élevage. Avec une étiquette discrète, visiblement inspirée par celle de Lafite, la présentation du Château Dassault est parfaite.

Rouge Vins d'une suprême élégance présentant un équilibre sans reproche entre le fruit et le chêne. Ses tanins sont souples et son acidité bonne.

merlot 65%, cabernet franc 20%, cabernet sauvignon 15%

8 à 25 ans

Second vin : Château Mérissac

CHÂTEAU LA DOMINIQUE

Grand cru classé

★☆Ⓥ

Ce domaine, un des meilleurs grands crus classés, se trouve près du Cheval Blanc, sur les graves de l'extrême ouest de l'appellation, non loin de la région de Pomerol. Le vin est vinifié dans des cuves en acier inoxydable équipées d'une grille qui maintient le marc (pépins, débris de rafle, peaux) en suspension pendant la cuvaison pour obtenir une meilleure extraction. Il est élevé 24 mois en barriques (plus de la moitié de bois neuf).

Rouge Vins très ouverts et expressifs, séduisants, assez charnus, avec un fruit crémeux et mûr abondant et des notes élégantes de chêne.

merlot 75%, cabernet franc 15%, cabernet sauvignon 5%, malbec 5%

8 à 25 ans

Second vin : Saint-Paul de Dominique

CHÂTEAU FAURIE DE SOUCHARD

grand cru classé

?

Le seul commentaire positif que j'ai émis en 1988 était que ce château, contrairement à d'autres, n'a pas produit de bons millésimes de dernière minute en vue de la révision de 1985. J'ajouterai que le modeste millésime 1986, que j'ai goûté avec un certain plaisir, annonçait une nette amélioration de la qualité.

Rouge Ce vin n'est que moyennement corpulent, mais depuis le millésime 1986, il a acquis plus de couleur et de concentration ; toutefois il lui manque encore la complexité.

merlot 65%, cabernet franc 26%, cabernet sauvignon 9%

4 à 7 ans

Autre vin : Cadet-Peychez

CHÂTEAU-FIGEAC

1er grand cru classé (B)

★★★

Certains critiques ne craignent pas d'affirmer que la forte proportion de cabernet sauvignon dans l'encépagement est une erreur, mais Thierry Manoncourt, le propriétaire du domaine, soutient le contraire. Il a dans sa cave d'admirables vins pur cabernet sauvignon remontant à 30 ans. À mon avis, son grand vin d'assemblage lui donne raison millésime après millésime. Figeac et ses voisins occupant les mêmes graves, Ausone et Cheval Blanc, appartiennent à l'élite de l'appellation. Le vin est élevé 18 à 20 mois en barriques neuves

Rouge Vins prodigieusement riches, mûrs et concentrés, avec une très belle robe, un bouquet exubérant, un fruit mûr, crémeux et épicé, une grande finesse et une admirable complexité.

cabernet sauvignon 35%, cabernet franc 35%, merlot 30%

12 à 30 ans

Second vin : La Grange Neuve de Figeac

CHÂTEAU FONPLÉGADE

Grand cru classé

Fonplégade, comme La Tour du Pin Figeac, appartient à Armand Moueix, cousin de Jean-Pierre Moueix de Pétrus et bien d'autres domaines. Le vin est élevé 12 à

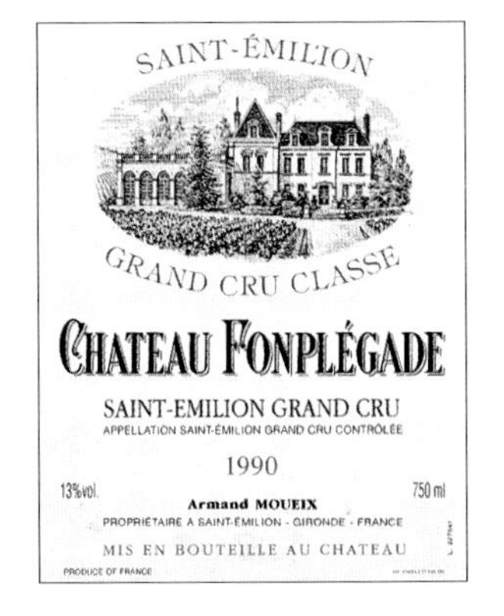

15 mois en barriques (un tiers de chêne neuf).

Rouge Jusqu'à une époque récente, je trouvais les vins de Fonplégade astringents et herbacés, mais ils sont maintenant très francs, séduisants et délicieux, débordant de flaveurs fruitées tendres et mûres de framboise et de fraise.

merlot 60%, cabernet franc 35%, cabernet sauvignon 5%

5 à 12 ans

CHÂTEAU FONROQUE

Grand cru classé

Situé immédiatement au nord-ouest de Saint-Émilion, ce domaine isolé appartient au grand négociant Jean-Pierre Moueix depuis 1931. Le vin est élevé 24 mois en barriques.

Rouge Vin bien fait à la robe profonde, avec de jolies flaveurs de prune que l'on perçoit mieux en début et en milieu de bouche ainsi que dans le bouquet qu'en finale.

merlot 70%, cabernet franc 30%

6 à 15 ans

CHÂTEAU FRANC-MAYNE

Grand cru classé

?

Je ne puis ni confirmer ni infirmer la réputation modeste de ce domaine qui a changé de mains en 1996 car je n'ai goûté son vin qu'une ou deux fois.

Rouge Vin à la couleur profonde qui n'a pas un charme évident.

merlot 70%, cabernet franc 15%, cabernet sauvignon 15%

6 à 12 ans

CLOS FOURTET

1er grand cru classé (B)

★Ⓥ

La réputation de ce domaine a varié dans le temps et ses meilleurs vins n'ont pas aujourd'hui une qualité équivalente à celle des premiers grands crus classés les plus remarquables. Le vin est élevé 12 à 18 mois en barriques (70% de bois neuf).

Rouge Quand ils sont réussis, les vins sont moyennement corpulents, opulents, avec le fruit soyeux du merlot.

merlot 60%, cabernet franc 20%, cabernet sauvignon 20%

6 à 12 ans

CHÂTEAU LA GAFFELIÈRE

1er grand cru classé (B)

★

La Gaffelière appartient au comte Léo de Mallet-Roquefort, qui possède aussi un domaine dont l'activité vinicole remonte au IVe siècle, le Château Tertre Daugay, un grand cru classé. Après une longue série de millésimes agressifs et peu généreux, la Gaffelière a produit des vins dont la qualité a régulièrement augmenté jusqu'au milieu des années 1990. Le vin est élevé 18 mois en barriques neuves.

Rouge vins concentrés et tanniques qui sont maintenant plus gras, plus riches en bouche, plus bouquetés et plus fins qu'autrefois.

merlot 65%, cabernet franc 20%, cabernet sauvignon 15%

12 à 35 ans

Second vin : Clos la Gaffelière

autre vin : Roquefort

CHÂTEAU GRAND BARRAIL LAMARZELLE FIGEAC

Grand cru classé jusqu'en 1996

?

Il s'agit d'un très vaste domaine pour le Libournais puisqu'il ne compte pas moins de 36 ha environ, d'un seul tenant, créé par la réunion de deux propriétés. La plus grande partie du vignoble est cultivée sur un terrain sableux, mais le nom de Figeac qui figure en queue indique qu'il y aussi un sol de graves (seulement 2 ha il est vrai). Ce cru a été déclassé lors de la révision de 1996. Le vin est élevé 18 à 24 mois en barriques (10% de bois neuf).

Rouge Les bons millésimes sont assez corpulents, d'une belle couleur profonde, richement fruités, francs et aromatiques, mais ils manquent quelque peu de finesse.

merlot 70%, cabernet franc et cabernet sauvignon 30%

Second vin : Lamarzelle-Figeac

CHÂTEAU GRAND CORBIN

Grand cru classé jusqu'en 1996

?

Le passé de ce domaine est le même que celui du Château Corbin. Il a appartenu au Prince Noir et fut divisé en cinq domaines bordant l'appellation pomerol. Corbin et Grand Corbin appartiennent l'un et l'autre à la famille d'Alain Giraud. Les techniques d'élaboration sont pourtant différentes, le Grand Corbin étant vinifié dans des cuves en ciment et non en Inox. Élevé en barriques (25% de bois neuf), il a été déclassé en 1996.

Rouge Le Château Grand Corbin a une robe plus claire que celle du Château Corbin, il est moins riche et moins corpulent, mais il est bien fait et a du caractère.

merlot 60%, cabernet franc 20%, cabernet sauvignon 20%

4 à 10 ans

Second vin : Tour du Pin Franc

CHÂTEAU GRAND-CORBIN-DESPAGNE

Grand cru classé jusqu'en 1996

★

Encore une partie du domaine Corbin d'origine ayant appartenu au Prince Noir. La famille Despagne en est propriétaire depuis le milieu du XIXe siècle. Ce cru a été déclassé lors de la révision de 1996. Le vin est vinifié dans des cuves en acier inoxydable et élevé jusqu'à 18 mois en barriques (un peu de bois neuf).

Rouge Un vin corpulent et riche, vêtu d'une robe bien colorée, avec un fruit crémeux abondant et des notes de chêne, soutenus par un tanin souple.

merlot 70%, cabernet franc 25%, cabernet sauvignon 5%

7 à 25 ans

Second vin : Reine Blanche

CHÂTEAU GRAND MAYNE

Grand cru classé

★Ⓥ

Jean-Pierre Nony vinifie son grand vin dans des cuves en acier inoxydable et l'élève 16 à 24 mois en barriques neuves.

Rouge Il s'agit d'un vin ferme, frais et fruité qui n'avait pas naguère une excellente réputation. Le propriétaire a fait de gros efforts et, depuis quelques années, ce vin est devenu beaucoup plus opulent et riche.

merlot 50%, cabernet franc 40%, cabernet sauvignon 10%

Second vin : Les Plantes du Mayne

Autres vins : Cassevert, Château Beau Mazerat

CHÂTEAU GRANDES MURAILLES

Grand cru classé

Cette propriété (il n'y a pas de château) a été déclassée lors de la révision de 1985, injustement à mon avis, car ses vins sont meilleurs et plus constants que ceux de nombreux domaines qui n'ont pas été déclassés. Elle a retrouvé sa place parmi les grands crus classés lors de la révision de 1996. Le Château a le même propriétaire que le Clos Saint-Martin et le Château Côte de Baleau, ce dernier ayant aussi été déclassé, pour moi non moins injustement. Le vin est vinifié dans des cuves en acier inoxydable et élevé 20 mois en barriques (jusqu'à 25% de bois neuf).

Rouge Vins très harmonieux, suprêmement élégants, riches en extrait, avec charpente tannique assez ferme qui s'assouplit vite. Ce sont des vins délicieux à boire quand ils sont encore relativement jeunes, encore qu'ils se bonifient avec l'âge.

merlot 60%, cabernet franc 20%, cabernet sauvignon 20%

5 à 20 ans

CHÂTEAU GRAND PONTET

Grand cru classé

★☆✪

Appartient depuis 1980 au propriétaire du Château Beau-Séjour Bécot, premier grand cru classé depuis 1996. Le vin est élevé

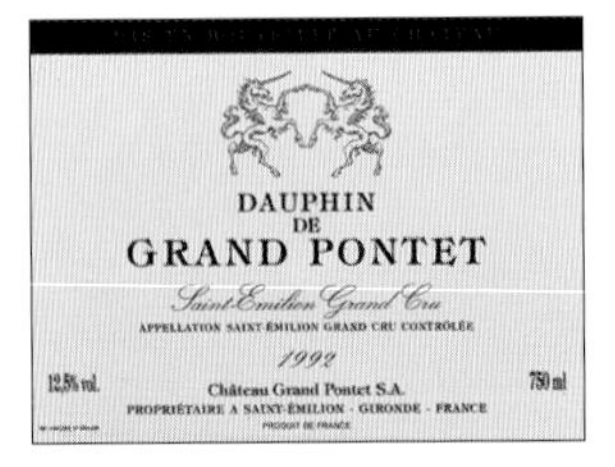

12 à 18 mois en barriques (50% de bois neuf).

Rouge Après une série de millésimes désastreux, ce domaine produit des vins corpulents d'excellente qualité ayant du caractère. Ils sont pleins et mûrs, richement fruités et tanniques, avec des nuances délicieuses de chêne crémeux.

merlot 75%, cabernet franc et cabernet sauvignon 25%

7 à 20 ans

CHÂTEAU GUADET SAINT-JULIEN

Grand cru classé

☆

Petit domaine comptant 6 ha de vigne produisant régulièrement des vins qui méritent leur classement. Ils sont élevés en barriques (jusqu'à un tiers de bois neuf).

Rouge Ce vin déploie très tôt les charmes soyeux du merlot puis se ferme pendant quelques années, après quoi il s'épanouit et acquiert une certaine complexité.

CHÂTEAU HAUT-CORBIN

Grand cru classé

❷

Ce vin est élevé 21 mois en barriques (jusqu'à 20% de bois neuf). Je ne l'ai pas souvent dégusté et ne peux donc donner un avis autorisé.

merlot 70%, cabernet franc et cabernet sauvignon 30%

Second vin : Vin d'Édouard

CHÂTEAU HAUT-SARPE

Grand cru classé

★

Bien qu'il ne compte pas parmi les meilleurs, ce domaine mérite certainement son classement. Le vin est élevé 20 à 22 mois en barriques (25% de bois neuf).

Rouge Vins élégants, soyeux, moyennement corpulents que l'on préférera jeunes.

merlot 70%, cabernet franc 30%

4 à 8 ans

CHÂTEAU JEAN FAURE

Grand cru classé jusqu'en 1985

Ce domaine a été déclassé lors de la révision de 1985. Je n'ai pas goûté de millésimes postérieurs à 1983. Le vin, qui contient deux fois plus de cabernet franc que de merlot, est élevé 24 mois en barriques (25% de bois neuf).

Rouge Vins bien colorés d'abord facile, souples et joliment fruités.

cabernet franc 60%, merlot 30%, malbec 10%

3 à 8 ans

CHÂTEAU LANIOTE

Grand cru classé

❷

Vieux domaine qui contient la grotte que creusa et habita au VIIIe siècle le futur saint-émilion. Le vin est vinifié et élevé en barriques (25% de chêne neuf).

Rouge Je ne l'ai pas goûté souvent, mais je l'ai trouvé peu ou moyennement corpulent et assez élégant.

merlot 70%, cabernet franc 20%, cabernet sauvignon 10%

6 à 12 ans

CHÂTEAU LARCIS DUCASSE

Grand cru classé

❸

Ce domaine dont le vignoble, sur le plateau de Saint-Émilion, jouxte celui de Château Pavie élève ses vins 24 mois en cuves et en barriques.

Rouge Ce vin jouit d'une certaine réputation; pourtant, à l'exception d'un millésime 1980 séduisant quoique léger, je l'ai trouvé mince et desséché chaque fois que je l'ai goûté.

merlot 65%, cabernet franc et cabernet sauvignon 35%

4 à 8 ans

CHÂTEAU LARMANDE

Grand cru classé

★☆

C'est avec une grande régularité un des meilleurs grands crus classés. Le vin est vinifié dans des cuves en acier inoxydable et élevé 12 à 18 mois en barriques (35 à 5% de bois neuf).

Rouge Ces vins superbes sont caractérisés par une couleur et un fruit très concentrés. Ils sont riches et mûrs avec une abondance de flaveurs de cassis crémeux et de vanille et acquièrent de la complexité et des nuances de bois de cèdre.

merlot 65%, cabernet franc 30%, cabernet sauvignon 5%

8 à 25 ans

Second vin : Château des Templiers

CHÂTEAU LAROQUE

Grand cru classé

Promu grand cru classé en 1996, c'est un des trois grands crus classés qui ne sont pas situés dans la commune même de Saint-Émilion.

Rouge Aussi souple et fruité que l'on peut le souhaiter, avec une structure tannique et l'influence croissante du chêne.

merlot 80%, cabernet franc 15%, cabernet sauvignon 5%

4 à 16 ans

Second vin : Les Tours de Laroque

CHÂTEAU LAROZE

Grand cru classé

★✪

Domaine constitué à la fin du XIXe siècle par la réunion de trois vignobles. Le vin est élevé 12 mois en barriques (30% de bois neuf).

Rouge Ce vin déploie un joli bouquet, mais je n'y ai pas décelé, malgré toute ma bonne volonté, de parfum de rose. Séduisant d'emblée, il est assez fin et délicieux jeune.

merlot 50%, cabernet franc 45%, cabernet sauvignon 5%

4 à 10 ans

CLOS LA MADELEINE

Grand cru classé jusqu'en 1996

Minuscule vignoble de 3 ha admirablement situé. Sa valeur n'a pas été bien exploitée jusqu'à maintenant. Il a été déclassé lors de la révision de 1996.

Rouge Vin honnête et bien fait, séduisant, souple et fruité.

cabernet franc 50%, merlot 50%

5 à 10 ans

Autre vin : Magnan La Gaffelière

CHÂTEAU MAGDELAINE

1er grand cru classé (B)

★✪

S'agit-il du Pétrus de l'appellation saint-émilion? C'est le plus vaste domaine de l'empire libournais de Jean-Pierre Moueix, mais si bon que soit le terroir et quels que soient les efforts de Moueix pour extraire tout ce que les 90% de merlot peuvent donner de mieux, le Magdelaine ne peut rivaliser avec le Pétrus. Le vin est élevé 18 mois en barriques (un tiers de bois neuf).

Rouge Vins bien colorés, très concentrés avec pourtant une grande finesse. Leur richesse gustative et aromatique se déploie à plusieurs niveaux et ils ont une finale longue élégante et complexe.

merlot 90%, cabernet franc 10%

10 à 35 ans

CHÂTEAU MATRAS

Grand cru classé

❷

Vin élevé 12 mois en cuve puis 12 mois en barriques neuves. Je n'ai pas eu l'occasion de le goûter.

cabernet franc 60%, merlot 30%, malbec 10%

CHÂTEAU MAUVEZIN

Grand cru classé

❷

Domaine qui mérite bien son classement de grand cru classé. Le vin est vinifié et élevé dans des barriques neuves.

Rouge Vins en général bien souples et franchement aromatiques. Le chêne neuf leur donne de la finesse.

cabernet franc 50%, merlot 40%, cabernet sauvignon 10%

7 à 15 ans

CHÂTEAU MOULIN DU CADET

Grand cru classé

★

Ce domaine, exploité avec son talent habituel par Jean-Pierre Moueix, du Château Pétrus, est avec régularité un des meilleurs grands crus classés. Le vin est élevé 20 mois en barriques (25% de bois neuf).

Rouge Ces vins sont habillés d'une robe joliment colorée. Le fruit parfumé du merlot est bien mis en évidence. Assez complexes et très fins, ils compensent largement leur manque d'ampleur et de puissance par une distinction remarquable.

merlot 90%, cabernet franc 10%

CLOS DE L'ORATOIRE

Grand cru classé

☆

Ce domaine situé au nord-est de Saint-Émilion a été racheté en 1991 par le comte Stephan von Neipperg, qui possède aussi le Château Peyreau et le Château Canon la Gaffelière, un autre grand cru classé. Le vin est élevé 15 mois en barriques (un tiers de bois neuf).

Rouge Excellents vins assez corpulents, très aromatiques, boisés, ayant les années très chaudes plus de concentration que d'élégance.

merlot 75%, cabernet franc 25%

7 à 15 ans

CHÂTEAU PAVIE

1er grand cru classé (B)

★★Ⓥ

Le Château Pavie fait partie des meilleurs premiers grands crus classés et peut rivaliser avec les Châteaux Ausone, Cheval Blanc et Figeac. Le vin est élevé 18 à 20 mois en barriques (40% de bois neuf).

Rouge Ce sont de très grands vins classiques débordant de fruit crémeux soutenu par un chêne neuf exquis, tantôt doux et épicé, tantôt riche avec des nuances de pain grillé, mais qui contribue toujours à la structure soyeuse.

merlot 55%, cabernet franc 25%, cabernet sauvignon 20%

8 à 30 ans

CHÂTEAU PAVIE DÉCESSE

Grand cru classé

Ce domaine a été acheté en 1971 par les propriétaires du Château Pavie voisin et du Château la Clusière, les consorts Valette, qui ont beaucoup œuvré pour sa modernisation. S'il n'est pas au sommet, il est régulier et mérite son classement. Ce vin charmant à boire jeune est élevé 18 à 20 mois en barriques (un tiers de bois neuf).

Rouge Ces vins sont plus légers que le Château Pavie, mais ils ont une certaine élégance et de la finesse.

merlot 60%, cabernet franc 25%, cabernet sauvignon 15%

6 à 12 ans

CHÂTEAU PAVIE MACQUIN

Grand cru classé

☆

Le domaine porte le nom d'Albert Macquin, son propriétaire, qui joua un grand rôle dans la reconstitution du vignoble libournais après sa destruction par le phylloxéra en greffant les vignes françaises sur des plants américains. Les deux tiers du vin sont élevés en barriques (50% de bois neuf) et le reste en cuve.

Rouge Vin souple et léger, un peu fruité et épicé, assez élégant.

merlot 70%, cabernet franc 25%, cabernet sauvignon 5%

4 à 8 ans

CHÂTEAU PAVILLON-CADET

Grand cru classé jusqu'en 1996

❓

Minuscule vignoble de 2,5 ha dont le vin est élevé jusqu'à 1 an en barriques. Ses propriétaires ne présentèrent pas de demande de reclassification lors de la révision de 1996, aussi le Pavillon-Cadet ne figure-t-il plus sur la liste des grands crus classés.

Rouge Vin bien coloré avec un bouquet généreux et un fruit opulent avec des nuances de chocolat. Un vin plaisant, mais pas vraiment de la qualité d'un grand cru classé.

merlot 70%, cabernet franc 30%

4 à 8 ans

CHÂTEAU PETIT-FAURIE-DE-SOUTARD

Grand cru classé

★☆

Excellent domaine qui fit partie du Château Soutard voisin, dirigé par Jacques Capdemourlin comme aussi le Château Cap de Mourlin et le Château Balestard la Tonnelle. La moitié de la production est élevée jusqu'à un an dans le bois.

Rouge Ce vin a des arômes tendres et crémeux dans le bouquet, un fruit souple et concentré typique du merlot en bouche, une texture soyeuse et une finale sèche et tannique. Jeune, il est absolument délicieux, mais gagne beaucoup à attendre un peu en bouteilles.

merlot 60%, cabernet franc 30%, cabernet sauvignon 10%

3 à 8 ans

CHÂTEAU LE PRIEURÉ

Grand cru classé

☆

Le Château Le Prieuré appartient à la propriétaire du Château Vray Croix de Gay (pomerol) et du Château Siaurac (lalande de pomerol), la baronne Guichard. Le vin du Prieuré est élevé 18 à 24 mois en barriques (25% de bois neuf).

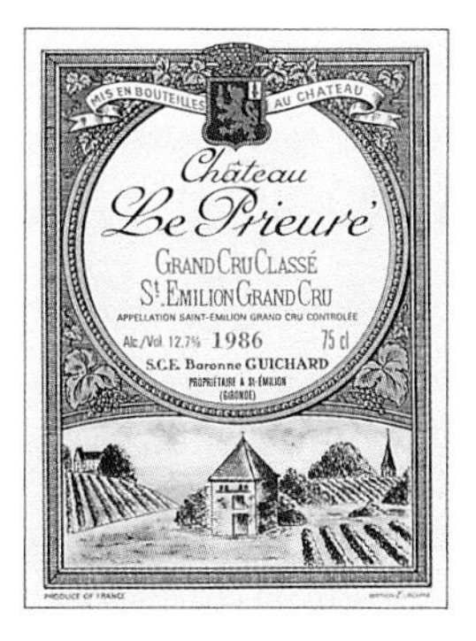

Rouge Vins légers mais longs en bouche, assez élégants, qu'il est préférable de boire jeunes et frais.

merlot 60%, cabernet franc 30%, cabernet sauvignon 10%

4 à 8 ans

Second vin : L'Olivier

CHÂTEAU RIPEAU

Grand cru classé

❓

Situé près du Château Cheval Blanc et de la région de Pomerol, mais sur un sol sableux et non graveleux comme ces derniers, le Château Ripeau a changé de mains en 1976. Depuis, il a bénéficié d'importants travaux de rénovation et d'expansion. Bien que la qualité de ses vins soit encore irrégulière, j'ai l'impression qu'elle se stabilisera dans un avenir proche. Une partie de la production est élevée en barriques dont une proportion croissante est en bois neuf.

Rouge Quand il est réussi, ce vin est richement aromatique, agréablement fruité et bien boisé.

merlot 60%, cabernet franc 20%, cabernet sauvignon 20%

4 à 10 ans

CHÂTEAU SAINT-GEORGES (CÔTE PAVIE)

Grand cru classé

★

Petite propriété familiale appartenant à Jacques Masson. Son vignoble est bien situé dans le voisinage des Châteaux Pavie et La Gaffelière. Le vin est vinifié dans des cuves en acier inoxydable et élevé 24 mois en barriques.

Rouge Ce vin moyennement corpulent est délicieux, avec le fruit ample, juteux et épicé du merlot. Ne manquant pas de finesse, il se laisse boire facilement quand il est encore jeune.

merlot 50%, cabernet franc 25%, cabernet sauvignon 25%

4 à 8 ans

CLOS SAINT-MARTIN

Grand cru classé

★

Ces vins sont élaborés au Château Côte de Baleau avec ceux de ce domaine et ceux du Château Grandes Murailles, l'un et l'autre grands crus classés déclassés lors de la révision de 1985 alors que le Clos Saint-Martin conservait son classement. Ils sont élevés en barriques (25% de bois neuf tous les quatre ans).

Rouge Robe de couleur vive, beau fruit mûr du merlot, une texture soyeuse et un style élégant.

merlot 75%, cabernet franc 25%

6 à 15 ans

CHÂTEAU SANSONNET

Grand cru classé jusqu'en 1996

⊗

Ce domaine appartient à la famille Robin, propriétaire du Château Doumayne, un saint-émilion non classé, et du Château Gontet (puisseguin-saint-émilion). Il a été déclassé en 1996. Son vin est élevé 24 mois en barriques (un tiers de bois neuf).

Rouge Vin de qualité irrégulière. De nombreux millésimes manquent de concentration.

merlot 50%, cabernet franc 30%, cabernet sauvignon 20%

3 à 7 ans

CHÂTEAU LA SERRE

Grand cru classé

★Ⓥ

Encore un de ces domaines qui a obtenu une augmentation spectaculaire de la qualité de sa production. Le vignoble occupe deux terrasses sur le plateau calcaire de Saint-Émilion, une devant le château et l'autre derrière. Le vin est vinifié dans des cuves en ciment vitrifié et élevé 16 mois en barriques (50% de bois neuf).

Rouge Très jeune, ce vin paraît agréable puis il se ferme et perd tout charme pendant quelques années, comme le fait, d'une manière différente, le Château Guadet Saint-Julien. Jeune, le La Serre est un vin charnu totalement dominé par le chêne neuf. Quand il sort du purgatoire, il est fruité et voluptueux, avec quelque finesse et complexité.

merlot 80%, cabernet franc 20%

8 à 25 ans

CHÂTEAU SOUTARD

Grand cru classé

★✯♥

Le très beau château été édifié en 1740 comme résidence d'été de la famille Soutard. On cultive ici la vigne depuis l'époque gallo-romaine. Les vins issus du vignoble de 23 ha d'un seul tenant sont élevés 18 mois en barriques neuves et de réemploi (jusqu'à un tiers de bois neuf).

Rouge Ce vin à la robe sombre, massif et solidement charpenté est un vin de longue garde qui se bonifie beaucoup en bouteilles. La couleur, le fruit, le tanin et l'extrait sont très concentrés. Il acquiert dans la durée une complexité et une finesse remarquables.

merlot 65%, cabernet franc 30%, cabernet sauvignon 5%

12 à 35 ans

Second vin : Clos de la Tonnelle

CHÂTEAU TERTRE DAUGAY

Grand cru classé

★

Cette propriété a été achetée en 1978 par le comte Léo de Malet Roquefort, propriétaire du Château la Gaffelière, un premier grand cru classé. Un beau vignoble de 17 ha d'un seul tenant donne un vin élevé 16 mois en barriques (un tiers de bois neuf). Il est excellent et chaque millésime est meilleur que le précédent.

Rouge Riche, charnu et fruité, ce vin déploie un beau bouquet. Joliment boisé, il est équilibré, très fin et d'une longévité étonnante.

merlot 60%, cabernet franc 30%, cabernet sauvignon 10%

7 à 20 ans

Second vin : Château de Roquefort

Autre vin : Moulin du Biguey

CHÂTEAU LA TOUR FIGEAC

Grand cru classé

★✯

Détaché en 1879 du Château Figeac, c'est aujourd'hui un des meilleurs grands crus classés. Le vin est élevé 18 mois en barriques (un tiers de bois neuf).

Rouge Vins gras et souples avec un bouquet très attrayant. Il est richement fruité avec un cassis très mûr et d'agréables nuances de chêne fumé.

merlot 60%, cabernet franc 40%

4 à 8 ans

CHÂTEAU LA TOUR DU PIN FIGEAC

(Giraud-Bélivier)

Grand cru classé

⊗

Propriété exploitée par André Giraud, qui possède aussi le Château le Caillou (pomerol). Malheureusement, ses vins ne m'ayant jamais fait une grande impression, je ne puis me permettre de les recommander.

merlot 75%, cabernet franc 25%

CHÂTEAU LA TOUR DU PIN FIGEAC

(Moueix)

Grand cru classé

❷

Cette propriété, qui est sans conteste un des meilleurs crus classés, fait partie de la grande écurie de la famille Moueix. Le vin est élevé 12 à 15 mois en barriques (un tiers de bois neuf).

Rouge Ces vins constamment bien faits présentent toujours un magnifique équilibre entre un merlot juteux et épicé, un chêne crémeux et des tanins souples.

merlot 70%, cabernet franc 30%

6 à 15 ans

CHÂTEAU TRIMOULET

Grand cru classé

★

Un des plus anciens domaines de l'appellation. Le vin est élevé 12 à 18 mois en barriques (50% de bois neuf).

Rouge Ce vin à la robe bien colorée déploie des arômes fruités et mûrs avec des nuances marquées de chêne crémeux. Il a une bouche fruitée et des tanins souples.

merlot 60%, cabernet franc 20%, cabernet sauvignon 20%

7 à 20 ans

CHÂTEAU TROIS MOULINS

Grand cru classé

Vignobles intégrés au Château Beau-Séjour Bécot en 1979.

CHÂTEAU TROPLONG MONDOT

Grand cru classé

★✯

Domaine appartenant à Claude Valette, frère de Jean-Paul Valette, propriétaire des Châteaux Pavie, Pavie Décesse et La Clusière. Claude Valette en a confié l'exploitation dans les années 1980 à sa fille Christine. Le vin est élevé 18 mois en barriques (60% de bois neuf).

Rouge Après l'installation en 1985 de cuves de vinification à régulation de température, certains critiques ont trouvé que ce vin était l'égal d'un premier grand cru classé mais, bien que sa qualité fût certainement meilleure, j'ai trouvé son élégance un peu forcée et décelé dans son arôme des notes mal venues de vermouth. Finalement, j'ai dû attendre les sensationnels millésimes 1988, 1989 et 1990 pour être d'accord avec eux.

merlot 80%, cabernet franc 10%, cabernet sauvignon 10%

4 à 8 ans

CHÂTEAU TROTTEVIEILLE

1er grand cru classé (B)

★✯

Ce domaine avait la réputation douteuse de produire des chefs-d'œuvre environ tous les cinq ans et dans l'intervalle des vins très médiocres, mais leur qualité est devenue plus régulière dès 1985 et ils sont maintenant au niveau d'un premier grand cru classé chaque année. Le vin est élevé en barriques (50% de bois neuf, pouvant atteindre 100%).

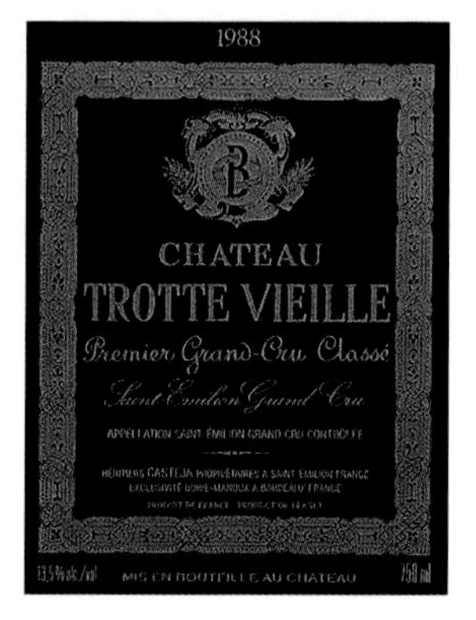

Rouge Des progrès spectaculaires depuis le milieu des années 1980. Le vin est maintenant puissant, avec une richesse en fruit venant du merlot fabuleuse, soutenue par un chêne neuf de grande qualité.

merlot 50%, cabernet franc 40%, cabernet sauvignon 10%

8 à 25 ans

CHÂTEAU VILLEMAURINE

Grand cru classé

Ce domaine appartient à Robert Giraud, le négociant qui possède une vingtaine de « petits châteaux » dans diverses régions du Bordelais. Le vin est élevé 18 à 24 mois en barriques (50% de bois neuf).

Rouge Vins corpulents joliment boisés, avec une charpente ferme et un beau merlot épicé.

merlot 70%, cabernet sauvignon 30%

8 à 25 ans

Autres vins : Maurinus, Beausoleil

CHÂTEAU YON-FIGEAC

Grand cru classé

Grand domaine proche de la limite de l'appellation pomerol. Le vin est élevé 18 mois en barriques (un tiers de bois neuf).

Rouge Vin séduisant et gouleyant, fruité, avec un riche bouquet parfumé et une texture soyeuse.

merlot 80%, cabernet franc 20%

5 à 15 ans

MEILLEURS AUTRES VINS

Le Saint-Émilionnais comptant plus de mille domaines vinicoles, il était impossible de citer la totalité des vins recommandables. Je donne ci-dessous la liste des meilleurs de ceux qui n'ont pu trouver place plus haut, c'est-à-dire ceux qui produisent avec régularité des vins que j'ai retenus pour leur qualité ou leur bon rapport qualité/prix, quelquefois pour les deux. Les vins des domaines marqués d'une étoile sont meilleurs que de nombreux grands crus classés.

- Château du Barry
- Château Cheval Noir
- ★ Château La Commanderie
- ★ Château Destieux
- Château de Ferrand
- ★ Château La Fleur
- ★ Château Fleur Cardinale
- Château La Fleur Pourret
- ★ Château Fombrauge
- Château Franc Bigoroux
- Château Grand Champs
- ★ Château La Grave Figeac
- ★ Château Haut-Brisson
- ★ Château Haut-Plantey
- Château Haut-Pontet
- ★ Haut-Quercus
- Clos Labarde
- Château Lapelletrie
- ★ Château Laroque
- Château Magnan la Gaffelière
- Château Martinet
- Clos des Menuts
- ★ Château Monbousquet
- Château Patris
- ★ Château Pavillon Figeac
- ★ Château Petit-Figeac
- Château Petit-Gravet
- ★ Château Petit Val
- Château Peyreau
- ★ Château Pindefleurs
- Château Puy Razac
- Château Roc Blanquant
- ★ Château Rolland-Maillet
- Château Tour St-Christophe

POMEROL

Les pomerols sont les bordeaux les plus sensuels et les plus veloutés. Pourtant, celui qui parcourt cette région rurale parsemée de fermes délabrées, où l'on ne voit que quelques châteaux sans grand intérêt, se demande par quel miracle elle peut engendrer des vins aussi splendides et aussi chers.

La prospérité imprévisible dont jouissent depuis quelques décennies les vignerons de la région de Pomerol leur a permis de rénover leurs domaines, leurs bâtiments d'exploitation et leurs demeures, mais rénover n'est pas créer et la région est restée ce qu'elle était depuis des générations. Même le Château Pétrus, le cru certainement le plus célèbre de l'appellation, celui qui produit depuis plus de vingt ans le vin sans doute le plus cher du monde entier, n'a pas de château digne de ce nom, mais une simple ferme. On peut être certain que si ce vin avait acquis la réputation et le prix qui sont aujourd'hui les siens sous le Second Empire, on aurait demandé à l'architecte le plus réputé d'édifier ici à sa gloire un château aussi magnifique que ceux du Médoc.

On n'a jamais établi un classement officiel des pomerols, mais Pétrus est reconnu universellement comme le roi de l'appellation, ne serait-ce qu'en raison de son prix qui dépasse largement celui du Château Mouton-Rothschild et du Château Margaux. Son ascension vertigineuse a profité aussi à ses voisins. De fait, Le Pin est devenu récemment beaucoup plus cher que Pétrus et Lafleur. Quant à L'Évangile, La Fleur Pétrus, La Conseillante, Trotanoy et quelques autres, ils sont aussi chers qu'un premier cru classé du Médoc et certains sont même sensiblement plus chers. On a de la peine à imaginer que la région de Pomerol fut autrefois considérée comme une annexe de qualité inférieure de celle de Saint-Émilion et l'on oublie que la gloire du Château Pétrus ne date que du milieu des années 1960.

FACTEURS DU GOÛT ET DE LA QUALITÉ

EMPLACEMENT
Petite région rurale à l'extrémité occidentale du Saint-Émilionnais, juste au nord-est de Libourne.

CLIMAT
Semblable à celui de Saint-Émilion (*voir* p. 105).

SITES
La butte de taille très modeste au centre de laquelle se trouvent les Châteaux Pétrus et Vieux Certan forme le prolongement occidental des graves de Pomerol-Figeac. Les vignobles sont cultivés sur un terrain légèrement onduleux dont l'altitude passe, sur une distance de quelque 2 km, de 35 ou 40 m à environ 10 m.

SOLS
Le sol est sableux à l'ouest de la route nationale et partiellement sableux à l'est, où les meilleurs domaines sont situés sur les graves sableuses de Pomerol-Figeac. Le sous-sol est composé de crasse de fer, avec des graves à l'est et de l'argile au nord et au centre. Pétrus se trouve au centre même des graves de Pomerol-Figeac sur une formation géologique unique, argilo-sableuse sur un socle de molasse.

VITICULTURE ET VINIFICATION
Certains vignerons utilisent un peu de vin de presse, selon les nécessités du millésime. À Pétrus, il est ajouté plus tôt qu'ailleurs car on estime que le vin sera moins dur si le vin de presse mûrit avec le vin de saignée. La durée de la cuvaison est en général de 15 à 21 jours, mais dans certains cas elle peut ne durer que 10 jours ou se prolonger jusqu'à 4 semaines. Les vins sont logés en barriques pendant 18 à 20 mois.

CÉPAGES PRINCIPAUX
Cabernet franc, cabernet sauvignon, merlot
CÉPAGE SECONDAIRE
Malbec

POMEROL, *voir aussi* p. 101
Les régions paisibles de Pomerol et Lalande-de-Pomerol s'étendent en éventail au nord-est de Libourne. Aucun « château » n'est imposant. Les plus charmants sont Nénin et Vieux Château Certan.

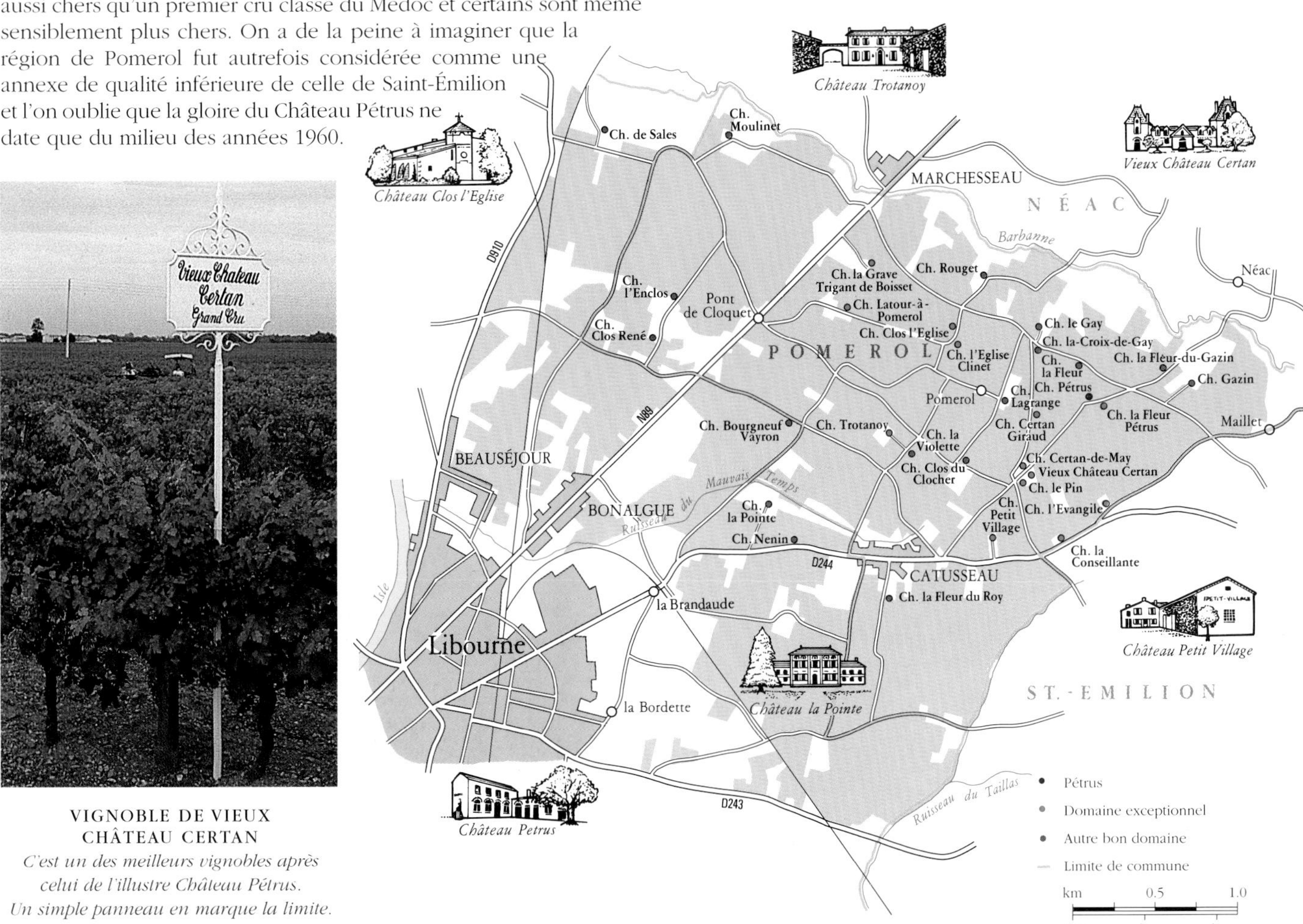

VIGNOBLE DE VIEUX CHÂTEAU CERTAN
C'est un des meilleurs vignobles après celui de l'illustre Château Pétrus. Un simple panneau en marque la limite.

POURQUOI PÉTRUS EST-IL LE VIN LE PLUS CHER DU MONDE?

Pétrus est incontestablement le vin le plus cher du monde et tous les authentiques grands vins se sont révélés des investissements remarquablement rentables. Le prix d'une caisse de Château Margaux, Mouton-Rothschild, Latour ou Lafite du millésime 1961 a augmenté dans les salles des ventes de 125 à 170% en une décennie. Celui du légendaire Château Yquem 1967 de 125 % et celui de l'admirable Romanée-Conti 1961 a fait un énorme bond de 400%! Quant au Pétrus 1961, hors de prix dès l'origine, il a grimpé de 140%. Pourquoi le Pétrus est-il si spécial à Pomerol? Le climat n'y est pour rien puisqu'il est le même dans les vignobles voisins. Le facteur le plus important en est certainement la composition du sol.

LE MERLOT
Sur les 11,5 ha du vignoble, à peine 4% sont occupés par le cabernet franc dont la plus grande partie ne se retrouve pas dans le grand vin, à moins que le millésime ne l'exige. Le plus souvent, le Pétrus est presque pur merlot.

LES GELÉES
Les gelées réduisent souvent le rendement, avec pour conséquence des vins plus concentrés.

LA TAILLE
Jean-Pierre Moueix ne compte jamais sur les gelées pour maîtriser le rendement et ne conserve que huit bourgeons par cep. Avec 10 bourgeons, le rendement augmenterait de 25%, mais le vin ne serait plus un véritable Pétrus.

ÉCLAIRCISSAGE DES GRAPPES
Supprimer des grappes saines en juillet est une hérésie pour la plupart des vignerons, mais ils ne font pas un vin aussi concentré et cher que le Pétrus.

LES VENDANGES
Moueix dispose d'une équipe aguerrie de 180 vendangeurs pour son empire du Libournais. Le jour où le raisin est parfaitement mûr et où la pluie ne menace pas, ils convergent tous sur Pétrus. Ils ne vendangent que l'après-midi, quand le soleil a eu le temps de provoquer l'évaporation de la rosée qui autrement provoquerait une dilution du vin. Le raisin se trouve ainsi à une température propice à la fermentation.

CHÂTEAU PÉTRUS
Le roi de l'appellation.

LE VIN DE PRESSE
Celui-ci n'est pas ajouté lors de l'assemblage du grand vin, mais aussitôt mélangé au vin de goutte. Christian Moueix assure que le vin de presse peut acquérir une certaine amertume s'il est logé séparément, mais qu'il s'adoucit quand on le laisse mûrir avec le vin de goutte.

LA FERMENTATION MALOLACTIQUE
On s'efforce de la faire coïncider avec la fermentation alcoolique en ajoutant des bactéries lactiques.

LE CHÊNE NEUF
Le vin est élevé 20 à 22 mois en barriques neuves.

UN SOL UNIQUE
Les domaines voisins pourraient maîtriser de la même façon les facteurs ayant une influence sur la qualité du vin, mais leurs vignes ne poussent pas sur le sol unique de Pétrus. Il s'agit d'une anomalie géologique limitée à une butte à peine perceptible située au centre d'une zone graveleuse, qui déborde sur l'appellation saint-émilion et qui est appelée « graves de Pomerol-Figeac », à laquelle Cheval Blanc, Figeac et les meilleurs pomerols doivent leur qualité. Curieusement, c'est le sol argilo-sableux de la butte qui donne au Pétrus sa supériorité. Son argile est différente de celle du bord de la rivière qui donne des vins plutôt rustiques. Pétrus se trouve sur un affleurement de molasse resté dénudé quand les graves se sont déposées. Exposée aux intempéries, la molasse fut érodée et modifiée chimiquement, créant un sol argilo-sableux. Une évolution ultérieure a créé trois types de sol, sableux, argilo-sableux et argileux, qui ont en commun d'être acides, mais les vins issus de vignobles cultivés sur ces sols sont, au contraire, assez peu acides.

VENDANGEURS DANS UN VIGNOBLE DE POMEROL
« Il faut faire les choses le jour où elles doivent être faites » a dit Christian Moueix auquel on demandait quand les vendanges devaient commencer.

LA RÉGION DE POMEROL
La région est plate et sans charme, divisée en petites parcelles et parsemée de bâtiments assez quelconques où l'on produit quelques vins absolument superbes.

MEILLEURS PRODUCTEURS DE

L'AOC POMEROL

CHÂTEAU BEAUREGARD

Après la première guerre mondiale, un architecte américain admira tant le château construit au XVIIIe siècle par un élève de Victor Louis qu'il en fit édifier une réplique près de New York, à Long Island, pour la famille Guggenheim. Pendant longtemps le vin de Beauregard fut plutôt mince, mais après plusieurs changements de propriétaire, sa qualité s'améliora de manière spectaculaire à partir de 1985. Le domaine a été acquis en 1991 par le Crédit foncier. Le vin est élevé 18 mois en barriques (80% de bois neuf).

Rouge Vin ferme, mais élégant, discrètement fruité, avec des notes florales et de bois de cèdre.
merlot 60%, cabernet franc 30%, cabernet sauvignon 10%
7 à 15 ans
Second vin : Le Benjamin de Beauregard

CHÂTEAU BONALGUE

Petite propriété sur le sol gravelo-sableux du nord-est de Libourne. Le vin est élevé en barriques neuves.

Rouge Vin moyennement corpulent à corpulent de qualité respectable, avec une attaque franche, un fruit rafraîchissant, une structure tannique souple et une finale nerveuse.
merlot 80%, cabernet franc 15%, malbec 5%
5 à 10 ans
Second vin : Burgrave

CHÂTEAU LE BON PASTEUR

Petite propriété appartenant à un œnologue renommé dans le Bordelais. Il élève son vin, qui compte parmi les meilleurs de l'appellation, 15 mois en barriques (75% de bois neuf).

Rouge Vin à la robe très colorée, corpulent, complexe et boisé, riche en flaveurs de cassis, de prune et de cerise noire.
merlot 75%, cabernet franc 25%
8 à 25 ans

CHÂTEAU BOURGNEUF-VAYRON

Vignoble de 9 ha proche de Trotanoy. Vin honorable élevé 15 mois en barriques (25% de bois neuf).

Rouge Vin frais plutôt léger, avec un fruit tendre et une finale un peu herbacée.
merlot 85%, cabernet franc 15%
4 à 8 ans

CHÂTEAU LA CABANNE

Beau domaine de 10 ha produisant un vin en progrès constant. Il est élevé 18 mois en barriques (un tiers de bois neuf).

Rouge vin moyennement corpulent, parfois corpulent, richement fruité avec des nuances de chocolat.
merlot 92%, cabernet franc 8%
7 à 20 ans
Second vin : Domaine de Compostelle

CHÂTEAU CERTAN DE MAY DE CERTAN

Il est parfois difficile d'identifier la bouteille de ce vin car « de May de Certan », seconde partie de son nom, ne figure qu'en lettres minuscules sur l'étiquette. Pour simplifier, les gens du métier l'appellent simplement « Château Certan de May ». Le vin est élevé 18 mois en barriques (un tiers de bois neuf).

Rouge Cet excellent vin ferme et tannique déploie un bouquet exubérant riche en arômes de fruits, d'épices et de vanille.
merlot 70%, cabernet franc 25%, cabernet sauvignon 5%
15 à 35 ans
Autre domaine : Château Poitou (Lussac saint-émilion)

CHÂTEAU CERTAN-GIRAUD

Le vignoble jouxte ceux du célèbre Château Pétrus, du Vieux Château Certan et du Château Certan-Marzelle. Le vin est élevé 18 mois en barriques (un tiers de bois neuf).

Rouge Un vin mûr et voluptueux dont chaque millésime est meilleur que le précédent.
8 à 20 ans
Second vin : Clos du Roy
Autre vin : Château Certan-Marzelle

CHÂTEAU CLINET

Ce vin, qui est maintenant élevé jusqu'à 24 mois en barriques neuves, a changé radicalement de caractère depuis une dizaine d'années. Tous ceux qui aiment le pomerol classique, gras, juteux et soyeux, le trouvaient franchement décevant et les critiques spécialisés l'expliquaient par une proportion de cabernet sauvignon trop forte. Le millésime 1985 étant toutefois plus prometteur (un peu plus opulent et plus richement fruité), l'absence du caractère typique du pomerol ne venait pas entièrement d'un déséquilibre de l'encépagement. Depuis, on a privilégié le merlot dans le vignoble et le Clinet a graduellement acquis le style d'un pomerol classique. Ce n'est qu'à partir des stupéfiants millésimes 1989 et 1990 que ce cru a véritablement montré sa valeur exceptionnelle.

Rouge Le Château Clinet produit maintenant des vins superbes, riches et mûrs, avec une structure tannique ample mais souple. Le tanin crémeux du chêne et des notes menthées et végétales ajoutent à sa complexité.
merlot 75%, cabernet sauvignon 15%, cabernet franc 10%
7 à 20 ans
Second vin : Fleur de Clinet
Autre domaine : Château la Croix du Casse

CLOS DU CLOCHER

Domaine appartenant à la maison de négoce Audry. Le vin est logé par rotation en cuve, en barriques de premier réemploi et en barriques neuves.

Rouge Vin séduisant, habillé d'une robe profonde bien colorée, moyennement corpulent, parfois corpulent, riche en fruit ample et mûr, avec une structure souple et des notes de vanille. Ce vin très fin est l'un des plus sous-évalués de l'appellation.
merlot 80%, cabernet franc 20%
8 à 20 ans
Second vin : Château Monregard-La Croix

CHÂTEAU LA CONSEILLANTE

Si Pétrus est le roi de l'appellation, ce cru en est certainement un des princes. Le vin est élevé 20 mois en barriques presque toutes neuves.

Rouge Ce vin a toute la puissance et la concentration que l'on peut exiger d'un grand pomerol, mais il est de plus complexe et très fin.
merlot 65%, cabernet franc 30%, malbec 5%
10 à 30 ans

CHÂTEAU LA CROIX

Le vin est élevé 20 à 24 mois en barriques.

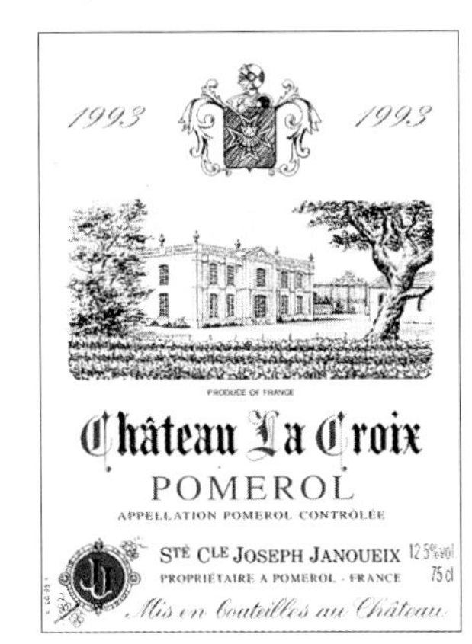

Rouge Vin séduisant avec un beau fruit de merlot épicé, assez corpulent mais élégant et se développant vite.
merlot 60%, cabernet franc 20%, cabernet sauvignon 20%
5 à 10 ans
Second vin : Château Le Gabachot

CHÂTEAU LA CROIX DE GAY

Cette propriété est située dans le nord de l'appellation sur un excellent sol sableux-graveleux. Le vin est élevé 18 à 24 mois en barriques (50% de bois neuf).

merlot 80%, cabernet franc 10%, cabernet sauvignon 10%
4 à 8 ans
Autres vins : Château le Commandeur, Vieux-Château-Groupey

CHÂTEAU DU DOMAINE DE L'ÉGLISE

C'est le plus vieux domaine de l'appellation. Le vin est élevé 18 mois en barriques (50% de bois neuf).

Rouge Encore un vin séduisant caractérisé par l'élégance, mais peu corpulent et modérément fruité.
merlot 90%, cabernet franc 10%
4 à 8 ans
Autre domaine : Château Trottevieille (saint-émilion)

CLOS L'ÉGLISE

Plusieurs crus de pomerol portent le nom de l'Église. Le vin est ici élevé 18 mois en barriques (35% de bois neuf).

Rouge Les vins sont toujours séduisants, avec une charpente ferme et le fruit épicé propre au merlot. La forte proportion des deux cabernets dans l'encépagement est trahie par des arômes de violette.
merlot 55%, cabernet sauvignon 25%, cabernet franc 20%
6 à 15 ans

CHÂTEAU L'ÉGLISE-CLINET

Le vignoble de l'Église-Clinet, cultivé sur un sol argilo-graveleux, compte une forte proportion de vieille vignes. Le vin est élevé 15 mois en barriques (jusqu'à 50% de bois neuf). Ce cru est en passe de devenir un des plus intéressants de l'appellation.

Rouge Vins profondément colorés, avec un bouquet riche et séduisant, une flaveur ample et grasse débordant de cassis épicé et de notes complexes vanillées et crémeuses.
merlot 80%, cabernet franc 20%
8 à 30 ans
Second vin : La Petite Église

CHÂTEAU L'ENCLOS

★V

Vignoble d'un peu moins de 10 ha situé sur une extension du sol sableux-graveleux, du meilleur côté de la route nationale qui traverse

l'appellation. Le vin est élevé en barriques (un peu de bois neuf).

Rouge Vins délicieusement tendres, riches et voluptueux avec un merlot gras, juteux et épicé abondant.

merlot 80%, cabernet franc 19%, malbec 1%

7 à 15 ans

CHÂTEAU L'ÉVANGILE

★★☆

Proche des deux superstars de l'appellation, le Vieux Château Certan et le Château La Conseillante, ce domaine produit d'excellents vins élevés 15 mois en barriques (un tiers de bois neuf).

Rouge Vins riches à la robe bien colorée, mais pas obscure, fruités avec des notes de bois de cèdre.

merlot 71%, cabernet franc et cabernet sauvignon 29%

8 à 20 ans

CHÂTEAU FEYTIT-CLINET

★

Jean-Pierre Moueix, qui n'est pas le propriétaire du domaine, élabore le vin et le distribue en exclusivité. Certaines vignes ont plus de 70 ans. Le vin est élevé 20 mois en barriques (20% de bois neuf).

Rouge Vins de qualité régulière, bien colorés, élégants, avec une flaveur intense de prunes juteuses et de cerises noires.

merlot 80%, cabernet franc 20%

7 à 15 ans

CHÂTEAU LA FLEUR PÉTRUS

★★

Ce domaine, qui produit un des meilleurs pomerols, n'est séparé du Château Pétrus que par une petite route, mais il occupe un sol plus graveleux. Le vin est élevé 20 mois en barriques (un tiers de bois neuf).

Rouge Certains millésimes sont relativement gras et puissants, mais ce vin soyeux, tendre et souple est en général plus élégant que riche et déploie un bouquet exquis.

merlot 90%, cabernet franc 10%

6 à 20 ans

CHÂTEAU LE GAY

Encore un domaine dont la production est distribuée par Jean-Pierre Moueix. Le vin est élevé en barriques de 18 à 22 mois.

Rouge Ferme et mûr, ce vin imposant est très fruité, avec des notes de caramel et de café dues au chêne.

merlot 70%, cabernet franc 30%

10 à 25 ans

CHÂTEAU GAZIN

La qualité des vins du Château Gazin, pourtant proche de Pétrus et de L'Évangile était décevante jusqu'à ce que l'étonnant millésime 1985 crée la surprise. Elle n'a cessé de s'élever depuis, notamment grâce au retour à des vendanges manuelles, à l'installation de cuves à régulation thermostatique et à diverses autres mesures dont la moindre n'est pas une sélection plus sévère pour le grand vin. Le vin est élevé 18 mois en barriques (jusqu'à un tiers de bois neuf).

Rouge Vin merveilleusement riche et complexe, avec un fruit charnu, promis à un bel avenir.

merlot 80%, cabernet franc 15%, cabernet sauvignon 5%

8 à 20 ans

CHÂTEAU LA GRAVE TRIGANT DE BOISSET

Propriété appartenant à Christian Moueix et exploitée par Jean-Pierre Moueix. Son vignoble graveleux occupe un site très favorable. Le vin, élevé en barriques (25% de bois neuf), s'améliore au fur et à mesure que les vignes prennent de l'âge.

Rouge On ne peut encore ranger ce vin moyennement corpulent, souple, riche et fruité dans la catégorie des vins voluptueux et veloutés, mais cela viendra.

CHÂTEAU LAFLEUR

Seul le terroir de Pétrus est supérieur à celui de Lafleur, pourtant la qualité des vins de ce domaine a été longtemps très irrégulière. Depuis 1981, Jean-Pierre Moueix assume la responsabilité de l'exploitation et l'augmentation de la concentration et de la qualité du Lafleur a été spectaculaire.

Rouge Vin bien coloré déployant un riche bouquet de prune et de porto. Il est complexe, débordant de flaveurs de cassis, avec des arômes de chêne torréfié et de café. Le millésime 1985 est époustouflant.

merlot 50%, cabernet franc 50%

10 à 25 ans

Second vin : Les Pensées de Lafleur

CHÂTEAU LAFLEUR-GAZIN

☆

Encore un domaine dirigé par l'équipe de Jean-Pierre Moueix (depuis 1976). Le vin est élevé 20 mois en barriques (20% de bois neuf).

Rouge Vins bien faits et bien colorés, assez riches et concentrés, avec une structure souple, une certaine richesse et un joli bouquet.

merlot 80%, cabernet franc 20%

6 à 15 ans

CHÂTEAU LAGRANGE

Domaine appartenant à Jean-Pierre Moueix. Il ne faut pas confondre son vin avec le saint-julien portant le même nom. Il est élevé pendant 20 mois en barriques (25% de bois neuf).

Rouge Vins corpulents devenus impressionnants depuis environ une décennie, tout en restant charmants et d'un abord facile.

merlot 95%, cabernet franc 5%

8 à 20 ans

CHÂTEAU LATOUR À POMEROL

Ce domaine appartient à Mme Lily Lacoste, dernière sœur survivante de Mme Edmond Loubat qui fut autrefois l'unique propriétaire de Pétrus. Le vin est élevé 20 mois en barriques (un tiers de bois neuf).

Rouge Vins de longue garde profonds à la robe sombre, généreux, voluptueux, tanniques et veloutés. Ils ont un fruit très concentré et une flaveur admirablement complexe.

merlot 90%, cabernet franc 10%

12 à 35 ans

CHÂTEAU MAZEYRES

Grand vignoble de 20 ha. Le vin est élevé 12 mois en barriques (un tiers de bois neuf).

Rouge Pas au sommet de l'échelle de qualité mais excellent, ce vin assez fin est élégant, riche, mûr et juteux, avec un merlot soyeux.

merlot 80%, cabernet franc 20%

5 à 12 ans

CHÂTEAU MOULINET

☆V

Grand domaine du nord de l'appellation appartenant à Armand Moueix. Le vin est élevé pendant 18 mois en barriques (un tiers de bois neuf).

Rouge Vins agréablement souples, avec un fruit léger, mûr et crémeux et des notes boisées.

merlot 70%, cabernet franc 20%, cabernet sauvignon 10%

5 à 10 ans

CHÂTEAU NÉNIN

Un des plus grands domaines de l'appellation situé entre Catussau et les faubourgs de Libourne. Ses vins ont été longtemps décevants, mais ont été grandement améliorés depuis 1994. Ils sont élevés 18 mois en barriques (un tiers de bois neuf).

Rouge Vins naguère plaisants mais assez simples, ils sont devenus puissants, bien fruités, avec une structure tannique ferme.

merlot 70%, cabernet franc 20%, cabernet sauvignon 10%

6 à 12 ans

Second vin : Saint-Roch

CHÂTEAU PETIT VILLAGE

Ce domaine borde le Vieux Château Certan et le Château La Conseillante. C'est dire qu'il bénéficie d'un superbe terroir dont l'ancien propriétaire, Bruno Prats (du saint-estèphe Château Cos d'Estournel), a su tirer la quintessence avant de le céder en 1989 aux assurances AXA qui en ont confié l'exploitation à Jean-Michel Cazes, propriétaire notamment du Château Lynch-Bages (pauillac). Le Petit Village est élevé 15 mois en barriques (50% de bois neuf).

Rouge Ce vin a tout ce qu'on peut désirer. Plein et riche, très coloré, avec un fruit onctueux, une structure ferme de tanins souples et bien fondus et une texture voluptueuse et veloutée. Classique, complexe et complet.

merlot 80%, cabernet franc 10%, cabernet sauvignon 10%

10 à 30 ans

CHÂTEAU PÉTRUS

Jean-Pierre Moueix joue un rôle essentiel à Pétrus depuis 1947. Sa propriétaire, Mme Edmond Loubat, lui en a cédé le tiers avant sa mort, en 1961. Elle n'avait pas d'enfants, mais deux sœurs qui n'étaient pas dans les meilleurs termes, aussi donna-t-elle à Moueix les moyens nécessaires pour que des querelles familiales ne troublent pas la bonne marche de Pétrus. En 1964, Moueix racheta une des deux parts restantes et a depuis présidé aux destinées de ce domaine célèbre dans le monde entier. Les vendanges sont, comme de juste, manuelles, et le vin est élevé 20 à 22 mois en barriques neuves.

Rouge La faible acidité du Château Pétrus en fait un vin intrinsèquement tendre, ce qui, combiné avec le caractère voluptueux du merlot, permet d'élaborer des vins à la couleur intense, si concentrés qu'il serait autrement trop durs pour être un véritable chef-d'œuvre.

merlot 95%, cabernet franc 5%

20 à 50 ans

CHÂTEAU LE PIN

★★½

Ce minuscule domaine de 2 ha a été acquis en 1979 par la famille Thienpont, propriétaire du Vieux Château Certan voisin. Depuis le millésime 1981, elle s'est délibérément efforcée d'y produire un vin dont la qualité serait supérieure à celle du Pétrus. Étant donné la petite taille du vignoble et un rendement très bas, la quantité produite ne dépasse pas 7 200 bouteilles annuelles et le prix de cette rareté est très élevé. Le vin est vinifié en cuves en acier inoxydable et élevé 18 mois en barriques neuves. Les Thienpont semblent avoir réussi leur pari de manière spectaculaire car le vin

a fait des progrès foudroyants et les œnophiles se l'arrachent.

Rouge Ces vins boisés sont très corpulents et puissamment aromatiques, riches en cassis épicé et dominés par des nuances marquées de caramel, de café et de pain grillé dues au chêne neuf. Les dégustateurs qui n'ont pas été conquis par Le Pin se demandent s'il est assez concentré pour équilibrer le chêne. J'estime qu'il l'est et que son style merveilleusement voluptueux est l'indice d'une structure très riche et très ferme. Pourtant, il nous faudra attendre encore longtemps avant d'être fixés d'une manière définitive.

merlot 92%, cabernet franc 8%

15 à 40 ans

CHÂTEAU PLINCE

★Ⓥ

Le domaine appartient à la famille Moreau, mais les vins sont distribués par la maison de négoce libournaise de Jean-Pierre Moueix. La cuvaison dure six mois et l'élevage en barriques 18 mois (15% de bois neuf).

Rouge Ces vins gras et mûrs débordent de flaveurs juteuses de merlot. Ils sont tout simplement délicieux, bien qu'ils ne puissent être qualifiés d'aristocratiques.

merlot 75%, cabernet franc 20%, cabernet sauvignon 5%

4 à 8 ans

CHÂTEAU LA POINTE

⊗

Des vins ternes et légers m'ont donné l'impression que le rendement de son grand vignoble de 22 ha était trop élevé. Le millésime 1985 fut excellent et m'a fait espérer un tournant dans la réputation du domaine, malheureusement il est resté une exception. Le vin est élevé 18 à 20 mois en barriques (35% de bois neuf).

Rouge Mis à part le 1985, élégant et vendu à un prix raisonnable, les vins de La Pointe n'ont aucune des qualités qui font des bons pomerols des vins aussi voluptueux.

merlot 80%, cabernet franc 15% malbec 5%

5 à 15 ans

CLOS RENÉ

★Ⓥ

Domaine situé au sud de l'Enclos, à l'ouest de la route nationale. Le vin est élevé 24 mois en barriques (15% de bois neuf). Le Clos René est un bon vin, sous-évalué, qui présente donc un excellent rapport qualité/prix.

Rouge Ces vins très fins au splendide bouquet de cassis épicé déploient en bouche de belles flaveurs de prune. Il leur arrive d'être complexes et leur qualité est toujours excellente.

merlot 60%, cabernet franc 30%, malbec 10%

6 à 12 ans

Autre vin : Moulinet-Lasserre

CHÂTEAU ROUGET

½Ⓥ

Un des plus anciens domaines de la région de Pomerol, le Château Rouget a été rangé parmi les meilleur (au cinquième rang) dans l'édition de 1868 du *Cocks et Féret*. Son propriétaire depuis 1992 possède aussi le Vieux Château des Templiers voisins. Le vin est élevé 24 mois en barriques (70% de bois neuf).

Rouge Ce domaine produit des vins excellents, avec un beau bouquet et une flaveur élégante. Gras et riches, bien structurés et richement fruités, ils deviennent vraiment impressionnants après une longue garde.

merlot 85%, cabernet franc 15%

10 à 25 ans

CHÂTEAU DE SALES

½Ⓥ

Avec 90 ha dont 48 ha consacrés à la vigne, le Château de Sales est de loin le domaine le plus vaste de l'appellation. Il est situé dans

l'extrême nord-ouest de la région. Malgré une production de qualité irrégulière, il a démontré la valeur de son terroir avec quelques millésimes. Le vin est élevé 18 mois en barriques (35% de chêne neuf). Un vin dont il faut surveiller les progrès.

Rouge Quand ils sont réussis, ces vins ont un bouquet pénétrant et une bouche riche évoquant la confiture, avec des flaveurs délicieusement juteuses de fruits comme la prune, la cerise noire et l'abricot.

merlot 70%, cabernet franc 15%, cabernet sauvignon 15%

7 à 20 ans

Second vin : Château Chantalouette

Autre vin : Château de Délias

CHÂTEAU DU TAILHAS

Les vins de ce domaine de 13 ha sont élevés 18 mois en barriques (50% de bois neuf).

Rouge Vin toujours séduisant, avec un merlot soyeux et un chêne crémeux.

merlot 80%, cabernet franc 10%, cabernet sauvignon 10%

5 à 12 ans

CHÂTEAU TAILLEFER

Domaine sur un bon terroir proche de l'appellation saint-émilion, acquis en 1926 par Armand Moueix et appartenant aujourd'hui à Bernard Moueix. Les vins sont élevés pendant 12 mois en barriques (un tiers de bois neuf).

Rouge Agréablement légers et fruités, les meilleurs vins sont prometteurs, mais les autres sont le plus souvent un peu trop simples et dilués.

merlot 70%, cabernet franc 30%

4 à 8 ans

Second vin : Clos Toulifaut

CHÂTEAU TROTANOY

★★½

Encore un domaine de Jean-Pierre Moueix. Tout le monde s'accorde à le considérer comme le meilleur vin de l'appellation après le Château Pétrus. Le vin est élevé 20 mois en barriques (un tiers de bois neuf).

Rouge Un vin obscur à la robe d'encre, avec un bouquet puissant et une flaveur riche soutenue par une structure tannique ferme. Il offre des nuances complexes de caramel mou crémeux, de café et d'épices. Les grands millésimes en particulier sont d'une qualité véritablement extraordinaire.

merlot 90%, cabernet franc 10%

15 à 35 ans

VIEUX CHÂTEAU CERTAN

Ce cru appartenant depuis 1924 à la famille Thienpont fut autrefois tenu pour le meilleur de l'appellation. Sa qualité n'a pas décru, mais entretemps, le Château Pétrus est devenu le roi et d'autres ont beaucoup progressé. Le vin est élevé 18 à 24 mois en barriques (50% de bois neuf).

Rouge Vin séduisant à la robe grenat, bien corpulent, avec une flaveur riche et tendre, une structure complexe, des arômes de chêne torréfié et une grande finesse. C'est un pomerol classique typique qui se bonifie lentement en bouteille.

merlot 60%, cabernet franc 230%, cabernet sauvignon 10%

12 à 35 ans

Second vin : Le Gravette de Certan

CHÂTEAU LA VIOLETTE

½❓

De même que le Château Laroze (saint-émilion) devrait paraît-il son nom à son parfum de rose, celui-ci devrait le sien à un arôme de violette. Le domaine est situé à Catusseau et son vignoble est composée de parcelles dispersées sur le territoire de la commune. Le vin est élevé 24 mois en cuve et en barriques (60% de bois neuf). Il est irrégulier mais je le trouve prometteur.

Rouge Je n'ai pas dégusté ce vin aussi souvent que je le souhaitais, mais j'en recommande très vivement les meilleurs millésimes, qui ont des flaveurs riches de merlot mûr et gras.

Second vin : Pavillon La Violette

CHÂTEAU VRAY CROIX DE GAY

Petit domaine dont le vignoble occupe un bon sol graveleux, proche du Château Le Gay. Même propriétaire que les Châteaux Siaurac (lalande-de-pomerol) et le Prieuré (saint-émilion). Le vin est élevé 18 mois en barriques.

Rouge Le vin peut être plein et riche, avec des notes de chocolat et de cerise noire, les meilleurs millésimes étant plus gras et boisés.

merlot 80%, cabernet franc 15%, cabernet sauvignon 5%

5 à 10 ans

MEILLEURS PRODUCTEURS DES

APPELLATIONS PÉRIPHÉRIQUES

CHÂTEAU DES ANNEREAUX

AOC Lalande-de-Pomerol

Vins de la commune de Néac, charmants, moyennement corpulents et assez élégants.

CHÂTEAU BEL-AIR

AOC Puisseguin Saint-émilion

Le vignoble de 16 ha dominé par le merlot donne des vins généreux et fruités à boire jeunes.

CHÂTEAU DE BEL-AIR

AOC Lalande-de-Pomerol

★Ⓥ

Un des meilleurs domaines de l'appellation sur un beau sol graveleux.

CHÂTEAU BELAIR-MONTAIGUILLON

AOC Saint-Georges Saint-Émilion

★Ⓥ

Vin riche, délicieusement fruité.

CHÂTEAU DE BELCIER

AOC Bordeaux-Côte-de-Francs

Après avoir changé plusieurs fois de mains, ce domaine un peu négligé a été repris en 1986 par la MACIF qui l'a restauré et y produit des vins fruités assez corpulents.

CHÂTEAU CALON

AOC Montagne Saint-Émilion

AOC Saint-Georges Saint-Émilion

Appartient au propriétaire du Château Corbin-Michotte (saint-émilion grand cru classé). Excellent vin dominé par le merlot (70%). Une petite partie du vignoble se trouve sur l'aire d'appellation saint-georges.

CHÂTEAU CANON

AOC Canon-Fronsac

★☆

Minuscule domaine appartenant à Jean-Pierre Moueix du Château Pétrus. On y fait le meilleur vin de l'appellation (90% de merlot).

CHÂTEAU CANON DE BREM

AOC Canon-Fronsac

★Ⓥ

Domaine plus grand que le Château Canon, qui fait aussi partie de l'écurie Moueix. On y produit d'excellents vins de garde, fermes et puissants, profondément colorés, complexes et épicés, élevés en barriques (25% de bois neuf).

Second vin : Château Pichelèbre

CHÂTEAU CAP DE MERLE

AOC Lussac-Saint-Émilion

Robert Parker a estimé que le Cap de Merle était le meilleur lussac des millésimes 1981 à 1983.

CHÂTEAU CASSAGNE HAUT-CANON

AOC Canon-Fronsac

Ce domaine produit des vins riches, charnus et fruités, dominés par le merlot, élevés 12 mois en barriques (30% de bois neuf). La puissante cuvée La Truffière contient davantage de cabernet sauvignon.

CHÂTEAU CASTEGENS

AOC Côtes-de-Castillon

Grand domaine appartenant au baron Jean-Louis de Fontenay. Vin moyennement corpulent de bonne qualité.

Second vin : Château Peyfol

CHÂTEAU DE CLOTTE

AOC Côtes-de-Castillon

Domaine de 64 ha dont 17 ha de vigne produisant un excellent vin de merlot, cabernet franc et cabernet sauvignon en parts égales.

CHÂTEAU DU COURLAT

AOC Lussac-Saint-Émilion

Vins bien charpentés, tanniques, épicés, bien fruités et boisés.

CHÂTEAU COUSTOLLE VINCENT

AOC Canon-Fronsac

Vins aromatiques peu corpulents (jusqu'à 20% de bois neuf).

CHÂTEAU DALEM

AOC Fronsac

★Ⓥ

Vins tendres et veloutés se développant vite mais conservant leur agréable fraîcheur.

CHÂTEAU DE LA DAUPHINE

AOC Fronsac

Vins frais et fruités élevés en barriques (20% de bois neuf).

CHÂTEAU DURAND LAPLAIGNE

AOC Puisseguin Saint-Émilion

★Ⓥ

Le sol argilo-calcaire, une sélection rigoureuse et des méthodes de vinification modernes donnent d'excellents vins. La cuvée Sélection, issue des meilleures parcelles, est élevée en barriques.

CHÂTEAU DU GABY

AOC Canon-Fronsac

★Ⓥ

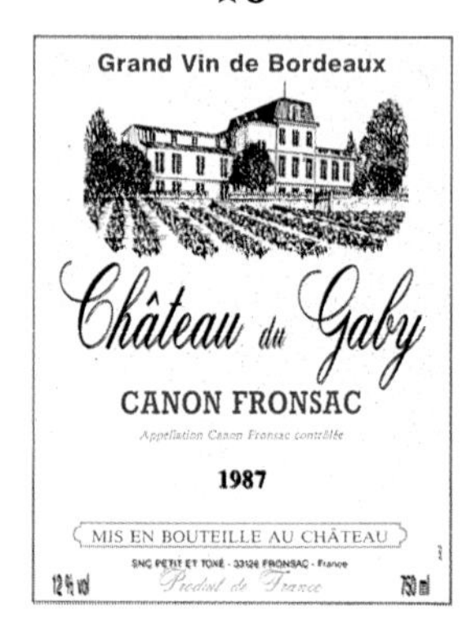

Ce domaine produit des vins séduisants aux arômes exubérants, auxquels une solide charpente promet une longévité remarquable.

CHÂTEAU GRAND-BARIL

AOC Montagne-Saint-Émilion

Des vins fruités pleins de charme élaborés par le lycée agricole de Libourne-Montagne auquel appartient le domaine.

CHÂTEAU HAUT-CHAIGNEAU

AOC lalande-de-pomerol

★Ⓥ

Grand vignoble sur la commune de Néac. Vins charnus d'excellente qualité au goût de prune.

CHÂTEAU HAUT-CHÂTAIN

AOC lalande-de-pomerol

★☆Ⓥ

Vins riches et juteux dominés par le merlot, avec des notes évidentes de chêne neuf vanillé.

CHÂTEAU LES HAUTS-CONSEILLANTS

AOC Lalande-de-Pomerol (ou néac)

Une autre belle propriété située sur

la commune de Néac. Une partie du vin, dominé par le merlot, est élevé en barriques.

Second vin : Château Les-Hautes-Tuileries

CHÂTEAU HAUT-TUQUET

AOC Côtes-de-Castillon

Un vin toujours bon.

CHÂTEAU JEANDEMAN

AOC Fronsac

Vin frais fruité et aromatique

CHÂTEAU JUNAYME

AOC Canon-Fronsac

★Ⓥ

Vins très fins réputés.

CHÂTEAU DES LAURETS

AOC Puisseguin Saint-Émilion et Montagne Saint-Émilion

Grand vignoble de 80 ha à cheval sur les deux appellations.

CHÂTEAU DE LUSSAC

AOC Lussac Saint-Émilion

Vins gouleyants bien équilibrés.

CHÂTEAU LYONNAT

AOC Lussac-Saint-Émilion

Plus vaste domaine de l'appellation.

Autre vin : La Rose Peruchon

CHÂTEAU MAISON BLANCHE

AOC Montagne-Saint-Émilion

Vin séduisant et gouleyant.

CHÂTEAU MAQUIN-SAINT-GEORGES

AOC Saint-Georges-Saint-Émilion

Vin à base de 70% de merlot

Autre vin : Château Bellonne-Saint-Georges

CHÂTEAU MAUSSE

AOC Canon-Fronsac

Vins savoureux et aromatiques.

CHÂTEAU MAYNE-VIEIL

AOC Fronsac

Grand vignoble de 40 ha donnant un vin d'abord facile avec un merlot abondant (90%) fruité et épicé.

CHÂTEAU MAZERIS

AOC Canon-Fronsac

Vin souple dominé par le merlot (85%), agréablement fruité, élevé 16 mois en barriques (20% de bois neuf).

CHÂTEAU MILON

AOC Lussac-Saint-Émilion

★Ⓥ

Ce domaine propose un vin assez charnu, aromatique et d'excellente qualité.

CHÂTEAU MONCETS

AOC Lalande-de-Pomerol

★Ⓥ

Domaine de la commune de Néac au vin de bonne qualité, assez charnu, agréablement aromatique et modérément fruité.

CHÂTEAU MOULIN NEUF

AOC Côtes-de-Castillon

★Ⓥ

Vins de qualité remportant régulièrement des médailles.

CHÂTEAU MOULIN ROUGE

AOC Côtes-de-Castillon

Vin moyennement corpulent, assez rond et souple. Peut se boire jeune.

CHÂTEAU LA PAPETERIE

AOC Montagne-Saint-Émilion

Vin au nez riche et à la bouche ample et fruitée.

CHÂTEAU DU PONT DE GUESTRES

AOC Lalande-de-Pomerol

★Ⓥ

Petit vignoble (3,5 ha) donnant un vin de bonne qualité dominé par le merlot, équilibré, charnu et fruité, élevé jusqu'à 18 mois en barriques (un tiers de bois neuf).

CHÂTEAU DU PUY

AOC Côtes-de-Francs

Domaine haut perché dominant la Dordogne. Son vin rustique et très fruité est élevé 24 mois en foudres et en barriques de réemploi.

CHÂTEAU PUYCARPIN

AOC Côtes-de-Castillon

Domaine de 15 ha situé à Belves-de-Castillon. Vin bien fait à la robe colorée, souple et rond, dominé par le merlot.

CHÂTEAU PUYREGAUD

AOC Côtes-de-Francs

Domaine appartenant aux Thienpont qui font un vin agréablement aromatique, souple et bien coloré.

CHÂTEAU DE LA RIVIÈRE

AOC Fronsac

★✫Ⓥ

Grande propriété avec un vignoble de 53 ha sur un sol argilo-calcaire donnant des vins magnifiques faits pour la garde, virils, riches, tanniques, bien fruités et boisés,

élevés 12 à 18 mois en barriques (un tiers de bois neuf).
Second vin : Prince de La Rivière

CHÂTEAU ROBIN

AOC Côtes-de-Castillon

✫Ⓥ

Vins élégants, fruités et épicés, élevés jusqu'à 14 mois en barriques (un tiers de bois neuf).

CHÂTEAU ROCHER-BELLEVUE

AOC Côtes-de-Castillon

✫Ⓥ

Bon vin régulier ayant une allure de saint-émilion, élevé 12 à 15 mois en barriques.
Autres étiquettes (même vin) : La Palène ; Coutet-Saint-Magne

CHÂTEAU ROUDIER

AOC Montagne-Saint-Émilion

★✫Ⓥ

Vins de qualité bien colorés, équilibrés, très aromatiques, souples et longs en bouche.
Second vin : Cap de Roudier

CHÂTEAU SIAURAC

AOC Lalande-de-Pomerol (ou néac)

Bons vins fermes et fruités.

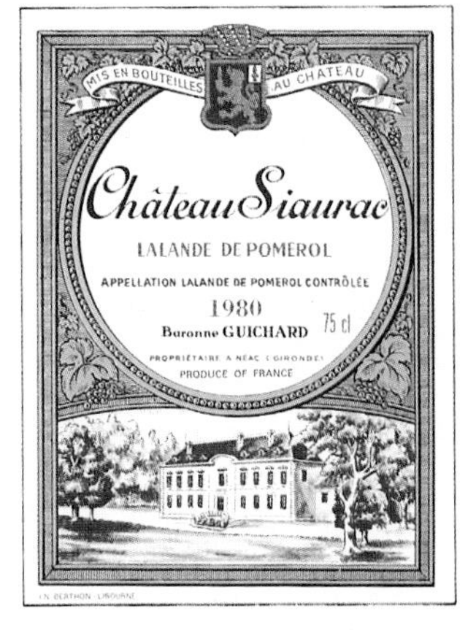

CHÂTEAU SAINT-GEORGES

AOC Saint-Georges-Saint-Émilion

★✫Ⓥ

Plus grand vignoble de l'appellation (45 ha) donnant

des vins très fins de grande qualité élevés 16 mois en barriques (50% de bois neuf).

CHÂTEAU TARREYRO

AOC Côtes-de-Castillon

Tarreyro signifie « tertre de pierre » en gascon et le domaine se trouve en effet sur un haut coteau calcaire. Le vin est charpenté et discrètement fruité.

CHÂTEAU THIBAUD-BELLEVUE

AOC Côtes-de-Castillon

Vin fruité moyennement corpulent.

CHÂTEAU TOUMALIN

AOC Canon-Fronsac

Domaine appartenant au propriétaire du Château La Pointe (pomerol). Vin frais et fruité.

CHÂTEAU TOUR DU PAS SAINT-GEORGES

AOC Saint-Georges-Saint-Émilion

✫Ⓥ

Une bonne introduction à prix abordable aux grands saint-émilions.

CHÂTEAU DES TOURELLES

AOC Lalande-de-Pomerol

★Ⓥ

Ce domaine, qui n'utilise que des fertilisants naturels, produits de bons vins avec des nuances de vanille.

CHÂTEAU TOURNEFEUILLE

AOC Lalande-de-Pomerol

★✫Ⓥ

Ce domaine de la commune de Néac produit un vin de garde riche qui est sans doute le meilleur de l'appellation.

CHÂTEAU DES TOURS

AOC Montagne-Saint-Émilion

✫Ⓥ

Propriété de Marne et Champagne, ce domaine, avec plus de 50 ha, est le plus vaste de l'appellation. Le vin est imposant, puissant et charnu, mais souple et d'un abord facile.

CHÂTEAU LA VALADE

AOC Fronsac

✫Ⓥ

Vin élégant, aromatique, avec une texture soyeuse, contenant 80% de merlot, élevé 18 mois en barriques de réemploi.

CHÂTEAU LA VIEILLE CURE

AOC Fronsac

Vins francs, bien faits, assez généreux, tanniques et agréablement fruités, élevés en barriques (40% de bois neuf), prêts à boire après trois ou quatre ans.

CHÂTEAU VILLARS

AOC Fronsac

★Ⓥ

Vins tendres, charnus et juteux d'excellente qualité élevés 12 mois (40% de bois neuf).

VIEUX CHÂTEAU ST-ANDRÉ

AOC Montagne-Saint-Émilion

★✫Ⓥ

Vin délicieux, souple, riche en arômes de cerise, vanille et épices, élaboré par l'œnologue du Château Pétrus, Jean-Claude Berrouet, qui est aussi le propriétaire de ce domaine.

CHÂTEAU VRAY CANON BOYER

AOC Canon-Fronsac

Ce domaine produit un vin fruité, moyennement corpulent, très agréable jeune, fait de 90% de merlot cultivé sur les pentes du coteau de Canon orientées au sud.

BOURGEAIS ET BLAYAIS

La production vinicole du Blayais et du Bourgeais compte 90 % de vins rouges présentant un bon rapport qualité/prix. Le petit Bourgeais produit à peine moins de vin que son voisin cinq fois plus étendu, le Blayais. Dans cette région, la plupart des vignobles pouvant revendiquer les appellations spécifiques sont groupés près de la limite du Bourgeais.

Dès leur arrivée, les Romains firent de Bourg et de Blaye des places fortifiées pour défendre l'accès à leur colonie de Bordeaux par le fleuve et ils développèrent la culture de la vigne et la production vinicole sur la rive droite de la Gironde, alors qu'en face, le Médoc n'était encore que la terre marécageuse qu'il allait rester encore longtemps. Le Bourgeais est une région compacte à l'agriculture florissante où les coteaux sont presque partout couverts de vigne. En revanche, la vigne est plus diffuse dans le Blayais où d'autres activités se sont développées, notamment autrefois l'industrie du caviar, presque éteinte car les esturgeons sont devenus rares. Dans le Blayais, la plupart des vignobles de qualité orientés au sud sont concentrés dans le voisinage du Bourgeais. Malgré la similitude de ces deux zones viticoles, la qualité des vins du Blayais n'atteint en général pas celle des vins du Bourgeais. L'autoroute A 10 et la route D 18 semblent marquer la limite entre les secteurs de l'ouest où la production vinicole est abondante et ceux de l'arrière-pays où elle n'a pas la même importance.

FACTEURS DU GOÛT ET DE LA QUALITÉ

EMPLACEMENT
Les vignobles du Bourgeais s'étendent en éventail derrière la ville de Bourg, au confluent de la Dordogne et de la Garonne, à 20 km au nord de Bordeaux. Le Blayais, beaucoup plus vaste, entoure le Bourgeais à l'est et au nord et se prolonge le long de la Gironde.

CLIMAT
Les deux régions sont moins protégées que le Médoc des vents d'ouest et du nord-ouest et reçoivent davantage de précipitations.

SITES
Le Bourgeais est très vallonné, avec des collines calcaires culminant à une altitude de 80 m. La partie méridionale du Blayais est riche et vallonnée, avec des pentes assez fortes qui dominent la Gironde et sont en fait le prolongement de celles du Bourgeais. Dans la partie septentrionale, moins accidentées, les coteaux sont de taille plus modeste et les zones viticoles sont entourées de terrains marécageux.

SOLS
Le sol du Bourgeais est argilo-calcaire ou argilo-graveleux sur un socle de calcaire dur, remplacé parfois, à l'est, par un sous-sol argilo-graveleux. Dans le Blayais, le sol est argileux ou argilo-calcaire sur un socle de calcaire dur devenant graduellement plus sableux vers l'est.

VITICULTURE ET VINIFICATION
On cultive une grande variété de cépages dans les deux régions. Certains sont trop médiocres ou trop capricieux pour donner des vins de qualité. Ce sont surtout les blancs qui souffrent du mauvais encépagement. Les meilleurs rouges viennent du Bourgeais, les meilleurs blancs du Blayais, mais la production des blancs est très minoritaire dans les deux régions : environ 10% dans le Blayais et moins de 1% dans le Bourgeais. Seuls quelques producteurs peuvent se permettre d'élever leur vin en barriques, même de réemploi, et la plus grande partie des vins du Bourgeais est élaborée par cinq coopératives.

CÉPAGES PRINCIPAUX
Cabernet franc, cabernet sauvignon, merlot, sauvignon, sémillon
CÉPAGES SECONDAIRES
Malbec, prolongeau, béquignol, petit verdot, folle blanche, colombard, chenin blanc, muscadelle, ugni blanc

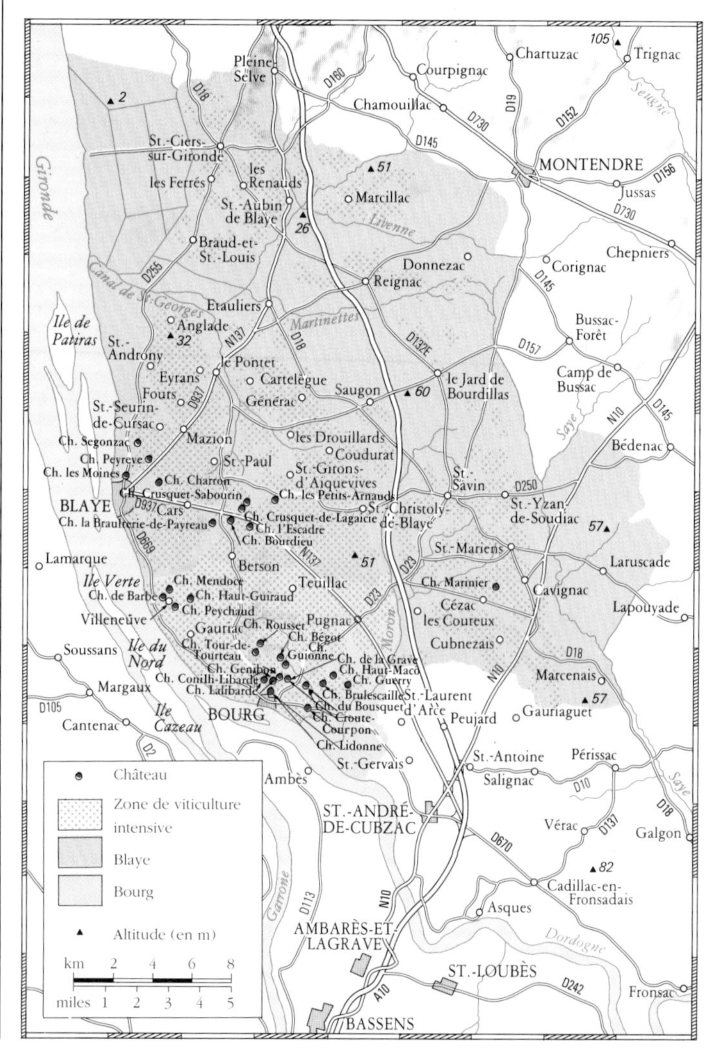

LA VILLE DE BLAYE
Le charmant port de pêche de Blaye avec, à l'arrière-plan, les ruines de la forteresse édifiée pour empêcher les envahisseurs de remonter la Gironde jusqu'à Bordeaux.

BOURGEAIS ET BLAYAIS, *voir aussi* p. 59
La plupart des meilleurs crus du Bourgeais et du Blayais sont groupés derrière les ports de Bourg et Blaye. Le Bourgeais produit en général les meilleurs vins.

L'AVENIR DU BOURGEAIS ET DU BLAYAIS

Les Romains, qui firent du vin partout dans leur Empire, trouvèrent évidemment que les pentes orientées au sud étaient le site idéal pour la culture de la vigne. La qualité des vins d'aujourd'hui aurait dépassé les espoirs des plus optimistes de ces maîtres en viniculture de l'Antiquité. Le progrès des vins des autres régions du Bordelais a longtemps confiné ceux du Bourgeais et du Blayais dans un rôle secondaire. Quand on aura reconnu l'intérêt des vins des appellations périphériques du Libournais et élevé le canon-fronsac au niveau du saint-émilion, il faudra encore une ou deux décennies pour que la majorité des vignerons du Bourgeais et du Blayais se décide à limiter le rendement, à adopter de meilleures techniques de vinification et à utiliser un peu de bois neuf avant que l'on ne prenne véritablement leurs vins au sérieux.

DU CHENIN BLANC DANS LE BORDELAIS?

Le chenin blanc (ou pineau de la loire), qui peut donner des vins sublimes (ou parfois détestables) dans le Val de Loire, est autorisé dans les vins blancs du Bourgeais, mais seulement à concurrence de 20%. Au contraire, la réglementation ne limite pas la proportion de cet intrus venu du Nord dans le côtes-de-blaye (mais il n'est pas autorisé dans les premières côtes-de-blaye). Si un producteur le voulait, il pourrait dans cette appellation commercialiser un vin issu du seul chenin blanc. Les chenins de la Loire ne m'ont jamais passionné, sauf ceux des millésimes exceptionnels permettant d'élaborer des vins liquoreux magnifiques. Le problème dans le Val de Loire, où ce cépage pousse comme de la mauvaise herbe, est qu'il ne reçoit que très rarement assez de soleil pour mûrir à la perfection. L'acidité redoutable qu'il possède alors, associée au rendement trop poussé pratiqué par de nombreux vignerons et à des techniques de vinification trop souvent imparfaites explique pourquoi je n'aime en général pas les chenins du Val de Loire, surtout les blancs secs. En revanche, les vins de chenin blanc des pays neufs, même ceux qui sont produits en masse et sont donc bon marché, ont des arômes tropicaux exubérants qui me ravissent. Je suis convaincu que l'ensoleillement du Bordelais permettrait d'y produire d'excellents chenins blancs secs. Ce serait là une révolution bienvenue.

VIGNOBLES AU BORD DE LA DORDOGNE
Les Romains choisirent de planter leurs vignobles face au sud sur la rive droite de la Dordogne et de la Gironde, emplacement qu'ils jugeaient les plus favorables à la vigne, sans se douter que les meilleurs terroirs se trouvaient sur l'autre rive de l'estuaire, dissimulés par des terres marécageuses.

CHÂTEAU SEGONZAC, SAINT-GENÈS-DE-BLAYE
Proche de la forteresse de Blaye, le vignoble et les bâtiments du Château Segonzac, un domaine vinicole créé en 1887 par Jean Dupuy, propriétaire du Petit Parisien, *à l'époque le quotidien ayant le plus fort tirage du monde.*

APPELLATIONS DU

BOURGEAIS ET DU BLAYAIS

Le nombre des appellations qui coexistent dans ces deux régions et les différences entre elles créent la confusion chez le consommateur. Il faudrait, à mon avis, n'en conserver que deux, côtes-de-blaye et côtes-de-bourg, applicables à tous les vins d'appellation contrôlée. Cette simplification serait à l'avantage et des vignerons et des œnophiles.

BLAYE AOC

Appellation pour les vins rouges et les vins blancs. La qualité est très variable.

Rouge Quelques domaines cultivent des cépages peu courants comme le prolongeau (ou bouchalès) et le béquignol. La plupart des vignerons préfèrent vendre leur vin, quand l'encépagement le permet, sous l'appellation premières côtes-de-blaye plus prestigieuse.

cabernet sauvignon, cabernet franc, merlot, malbec, prolongeau, béquignol, petit verdot

3 à 7 ans

Blanc Les meilleurs sont dominés par le sauvignon, mais ce ne sont que des vins simples, secs, légers, ayant un certain charme. On produisait autrefois une grande quantité de vin destinée à la distillation du cognac, d'où la présence encore aujourd'hui de nombreux vignobles à fort rendement donnant du raisin très acide et pauvre en sucre dont on fait des vins médiocres de consommation courante.

merlot blanc, folle blanche, colombard, chenin blanc, sémillon, sauvignon, muscadelle, ugni blanc

1 à 2 ans

BLAYAIS AOC

identique à Blaye AOC

BOURG AOC

Appellation aussi nommée bourgeais, pour les vins rouges et les vins blancs. Elle est tombée en désuétude, les vignerons préférant utiliser l'appellation côtes-de-bourg, qui sonne mieux, est plus prestigieuse, et dont les conditions de production sont semblables.

BOURGEAIS AOC

identique à Bourg AOC

CÔTES-DE-BLAYE AOC

Contrairement aux appellations blaye et côtes-de-bourg, qui concernent les vins rouges et les vins blancs, l'appellation côtes-de-blaye ne peut être revendiquée que pour les vins blancs.

Blanc On produit autant de côtes-de-blaye que de blaye blanc. La qualité et le style des deux appellations sont similaires.

merlot blanc, folle blanche, colombard, chenin blanc, sémillon, sauvignon, muscadelle

1 à 2 ans

CÔTES-DE-BOURG AOC

Bien que la taille du Bourgeais ne soit que le cinquième de celle du Blayais, on y produit presque autant de vin, mais d'une qualité incontestablement meilleure.

Rouge Vins d'un excellent rapport qualité/prix, à la robe joliment colorée, assez richement fruités. Nombre d'entre eux ne manquent pas d'élégance.

cabernet sauvignon, cabernet franc, merlot, malbec

2 à 10 ans

Blanc La production de vin blanc n'atteint pas 1% de la production totale de l'appellation.

sémillon, sauvignon, muscadelle, merlot blanc, colombard et chenin blanc (maximum 20%)

1 à 2 ans

PREMIÈRES CÔTES-DE-BLAYE AOC

Même aire d'appellation que le blaye et le côtes-de-blaye, mais les cépages trop médiocres ne sont pas autorisés et la teneur en alcool est plus élevée. Le terroir de l'appellation est propice à la production de vins de grande qualité.

Rouge Quelques excellents domaines utilisent un peu de chêne neuf.

cabernet sauvignon, cabernet franc, merlot, malbec

4 à 10 ans

Blanc Vin sec peu corpulent, souvent frais, vif et aromatique.

sémillon, sauvignon, muscadelle et au maximum 30% de merlot blanc, colombard et ugni blanc

1 à 2 ans

MEILLEURS PRODUCTEURS DU

BOURGEAIS

CHÂTEAU DE BARBE

Villeneuve

Production assez importante (450 000 bouteilles environ) d'un vin plutôt léger, gouleyant, agréablement fruité, dominé par le merlot.

CHÂTEAU BÉGOT

Lansac

Quelque 100 000 bouteilles d'un vin gentiment fruité d'autant plus agréable qu'on le boit plus jeune.

CHÂTEAU BRULESCAILLE

Tauriac

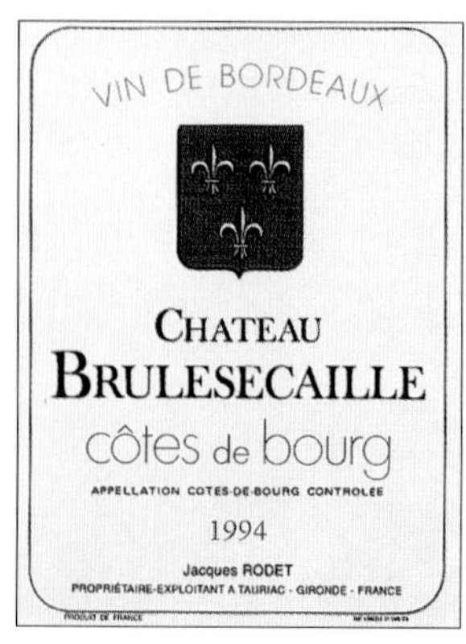

Le vin de Brulescaille est assez structuré, concentré et fruité pour bénéficier d'un élevage en barriques (25% de bois neuf).

CHÂTEAU DU BOUSQUET

Bourg-sur-Gironde

★♥

Grand domaine bien connu produisant quelque 400 000 bouteilles d'un vin présentant un excellent rapport qualité/prix, élevé en fût, souple et très bouqueté.

CHÂTEAU CONILH HAUTE-LIBARDE

Bourg-sur-Gironde

Vin souple et fruité d'un vignoble dominant Bourg et la Gironde.

CHÂTEAU CROÛTE-COURPON

Bourg-sur-Gironde

Vignoble agrandi récemment donnant d'honnêtes vins fruités.

CHÂTEAU EYQUEM

Bayon-sur-Gironde

Propriété, depuis 1976, des Bayle-Carreau qui ont rénové le vignoble et le château. Cette famille de vignerons sérieux possède plusieurs domaines dans l'appellation premières côtes-de-blaye. J'ai bien aimé, sur un déjeuner léger, ce vin bien coloré et un peu rustique.

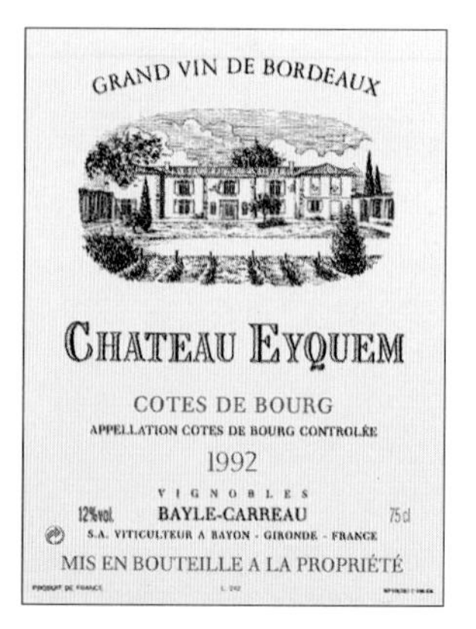

CHÂTEAU GÉNIBON

Bourg-sur-Gironde

Petit vignoble de 4 ha donnant des vins séduisants sans prétention, gouleyants, à boire jeunes.

CHÂTEAU GRAND-LAUNAY

Teuillac

★♥

Grand vignoble de 28 ha d'un seul tenant fait de la réunion de trois propriétés, Domaine Haut-Launay, Château Launay et Domaine les Hermats. Le Grand-Launay est élégant et d'un abord facile, mais le meilleur vin du domaine est la superbe cuvée étiquetée Réserve du Lion Noir, élevée 12 mois en barriques (un tiers de bois neuf). On fait aussi ici un peu de côtes de bourg blanc issu du seul sauvignon. **Second vin** : Château Les Hermats

CHÂTEAU DE LA GRAVE

Bourg-sur-Gironde

Grand domaine situé au point le plus élevé de la commune dont le vignoble de 45 ha donne un vin rouge assez corpulent et fruité pour bénéficier d'un élevage de 8 mois en barriques (un tiers de bois neuf).

CHÂTEAU GUERRY

Tauriac

★♥

Vignoble de 22 ha dont on tire quelque 140 000 bouteilles d'un vin rouge bien structuré mais souple, débordant de fruit, non dénué de finesse et élevé en barriques.

CHÂTEAU GUIONNE

Lansac

Vin rouge gouleyant dans lequel le merlot et le cabernet sauvignon font presque jeu égal, fruité et juteux et assez fin. Le domaine produit un peu de vin blanc digne d'intérêt.

CHÂTEAU HAUT-GUIRAUD

St-Ciers-de-Canesse

★V

Domaine entièrement consacré à un vin rouge moyennement corpulent à corpulent, bien structuré, et fruité. Une cuvée est élevée 12 mois en barriques (un tiers de bois neuf). Le propriétaire de Haut-Guiraud possède aussi dans la même commune les Châteaux Castaing et Guiraud-Grimard.

CHÂTEAU HAUT-MACÔ

Tauriac

Vin rouge plutôt rustique, richement fruité, avec une bonne acidité. Le propriétaire de Haut-Macô possède aussi dans la commune de Bourg-sur-Gironde le domaine de la Lilotte qui produit un rouge séduisant et gouleyant sous l'appellation bordeaux supérieur.

CHÂTEAU HAUT-ROUSSET

St-Ciers-de-Canesse

Grand vignoble de plus de 40 ha produisant quelque 300 000 bouteilles d'un honnête vin de consommation quotidienne et environ 6 000 bouteilles de vin blanc. La vendange d'un petit vignoble voisin donne un vin rouge étiqueté « Château La Renardière ».

CHÂTEAU DE LIDONNE

Bourg-sur-Gironde

★

Ce très vieux domaine produit un excellent vin rouge, très aromatique, dans lequel on remarque bien la présence du sauvignon (30 %). Il a été ainsi baptisé parce que les moines qui l'exploitaient au xve siècle offraient l'hospitalité aux pèlerins (ils leur « donnaient le lit »).

CHÂTEAU MENDOCE

Villeneuve

★V

La réputation de ce château à tourelles n'est pas usurpée. On y fait un vin rouge riche, charnu et souple, très long en bouche.

CHÂTEAU PEYCHAUD

Teuillac

Vin rouge fruité bien gouleyant quand il est jeune. Même propriétaire que les Châteaux Peyredouille et Charron (premières-côtes-de-blaye) ainsi que de Château Yon-Figeac (saint-émilion).

CHÂTEAU ROUSSET

Samonac

☆V

Beau vignoble sur sol graveleux produisant un vin rouge assez riche, juteux, dominé par le merlot, ayant une certaine finesse, parfait après deux ou trois ans en bouteille.

CHÂTEAU SAUMAN

Villeneuve

Un vignoble immaculé de 24 ha donnant un vin rouge de bonne qualité qui demande quelques années en bouteille pour s'épanouir. Même propriétaire que le domaine du Moulin de la Mendoce dans la même commune.

CHÂTEAU TOUR-DE-TOURTEAU

Samonac

★V

Cette propriété faisait autrefois partie du Château Rousset. Ses vins sont nettement plus amples et plus riches que ceux de Rousset.

MEILLEURS PRODUCTEURS DU BLAYAIS

CHÂTEAU BARBÉ

Cars

☆V

Ce domaine produit des vins rouges et blancs bien faits franchement fruités. Le Château Barbé est un des domaines que possède la famille Bayle-Carreau (*voir* Châteaux La Carelle et Pardaillan dans cette même appellation et le Château Eyquem dans l'appellation côtes-de-bourg).

CHÂTEAU BOURDIEU

Berson

C'est un vieux domaine bien connu qui produit des vins rouges dominés par le cabernet, à la structure très ferme, élevés dans le bois. Il y a sept cents ans, ce domaine reçut le privilège de vendre du « clairet », tradition qu'il a conservée en élevant dans le bois le vin de divers autres vignobles. Il produit aussi des vins blancs dont la qualité va en s'améliorant.

CHÂTEAU LA CARELLE

Saint-Paul

Plus de 130 000 bouteilles d'un vin rouge agréable et 18 000 bouteilles de blanc. Le propriétaire exploite aussi les Châteaux Barbé et Pardaillan dans la commune de Cars.

CHÂTEAU DE CASTETS

Plassac

Domaine prometteur qui produit des vins rouges et blancs séduisants qu'il faut boire jeunes.

CHÂTEAU CHARRON

Saint-Martin-Lacaussade

☆V

Vins rouges bien faits, richement fruités, dominés par le merlot (90 %), élevés en barriques (un peu de bois neuf). Le domaine produit aussi un peu de vin blanc.

CHÂTEAU CRUSQUET-DE-LAGARCIE

Cars

★☆V

Un vin rouge passionnant à la robe profonde, au style riche, charnu, puissant, débordant de fruit, avec de belles nuances de vanille et d'épices. Une petite quantité de blanc sec est vendue sous l'étiquette Clos des Rudel et une quantité minuscule de blanc moelleux sous celle de Clos Blanc de Lagarcie. Le propriétaire possède aussi dans la même commune les Châteaux Les Princesses de Lagarcie et Touzignan.

CHÂTEAU L'ESCADRE

Cars

☆

Vins rouges élégants, bien colorés, ronds et fruités. Très agréables jeunes, ils peuvent se bonifier en bouteilles. On y fait aussi un peu de vin blanc.

DOMAINE DU GRAND BARRAIL

Plassac

☆V

Les vins rouges de ce domaine sont d'une grande qualité et séduisent par la pureté de leur fruit. On fait aussi un peu de blanc. Le Château Gardut-Haut-Cluzeau et le domaine du Cavalier dans la commune de Cars ont le même propriétaire.

CHÂTEAU DU GRAND PIERRE

Berson

★V

Ce domaine peut produire un vin rouge moyennement corpulent à corpulent avec un fruit tendre et mûr. Il propose aussi un vin blanc sec frais et vif.

CHÂTEAU HAUT BERTINERIE

Cubnezais

★☆V

Un vin blanc de grande classe et de qualité constante avec un fruit soyeux et un chêne merveilleusement intégré, que je trouve largement supérieur aux autres blancs secs du Bordelais offrant le meilleur rapport qualité/prix.

CHÂTEAU DE HAUT SOCIANDO

Cars

Vin rouge agréablement léger et fruité et un peu de vin blanc.

CHÂTEAU LES JONQUEYRES

Saint-Paul-de-Blaye

★☆V

Produit des vins rouges impeccablement élaborés, dominés par un merlot voluptueux avec un chêne crémeux abondant et bien intégré.

CHÂTEAU LAMANCEAU

Saint-Androny

★V

Ce domaine ne produit que du vin rouge d'excellente qualité, richement coloré, débordant d'un beau fruit de merlot juteux et épicé.

CHÂTEAU MARINIER

Cézac

☆V

Ici deux fois plus de rouge que de blanc. Le rouge est agréablement fruité, mais le blanc assez riche, souple et bien équilibré est bien meilleur. Le domaine produit aussi des vins rouges et rosés de l'appellation générique bordeaux.

CHÂTEAU MENAUDAT

Saint-Androny

★V

Vins rouges amples et fruités très séduisants.

CHÂTEAU LES MOINES

Blaye

Ce domaine ne produit que du vin rouge peu ou moyennement corpulent, frais, fruité et gouleyant.

CHÂTEAU PARDAILLAN

Cars

Vin rouge agréable, fruité, bien fait, à boire jeune.

CHÂTEAU LES PETITS ARNAUDS

Cars

☆V

Vins rouges agréablement aromatiques, ronds et fruités. Le domaine produit aussi un blaye blanc sec et un blanc moelleux (appellation bordeaux).

CHÂTEAU PEYREDOUILLE

Berson

Domaine du xve siècle produisant surtout un vin rouge de bonne qualité et un peu de vin blanc. Son propriétaire possède le Château Peychaud dans la commune de Teuillac (AOC côtes de bourg) et le Château Le Peuy-Saincrit (AOC bordeaux).

CHÂTEAU PEYREYRE

Saint-Martin-Lacaussade

★V

Ce domaine produit des vins rouges bien structurés, savoureux et aromatiques, ayant une certaine finesse ainsi que du bordeaux rosé.

CHÂTEAU SEGONZAC

Saint-Genès-de-Blaye

★V

Vins rouges gouleyants bien faits, légers, frais, fermes et agréablement fruités.

ENTRE-DEUX-MERS

L'Entre-Deux-Mers, la plus vaste région vinicole du Bordelais, est situé entre la Garonne et la Dordogne. On y produit des vins blancs secs bon marché, de plus en plus de vins rouges d'un excellent rapport qualité/prix des appellations génériques bordeaux ou bordeaux supérieur et de l'appellation plus prestigieuse premières côtes de bordeaux, ainsi que des vins blancs moelleux et liquoreux.

CHÂTEAU BONNET
Ce domaine fut acheté en 1898 par Léonce Recapet, un des premiers dans le Bordelais à entreprendre la reconstitution du vignoble après qu'il eut été dévasté par le phylloxéra. Son gendre, François Lurton, lui succéda et en 1956 son petit-fils, André Lurton, hérita du domaine qui s'ajouta à une collection déjà riche.

L'amélioration des techniques vinicoles eut lieu plus tôt dans l'Entre-Deux-Mers que dans toute autre région du Bordelais. Dans les années 1950 et 1960, les vignerons commencèrent à abandonner la méthode traditionnelle de conduite de la vigne au profit de la taille haute en cordon ou Guyot (*voir* p. 25). Après cette révolution dans le vignoble, un nombre croissant de producteurs adoptèrent, dans les années 1970, la technique de fermentation à basse température. Lorsque des vins de qualité de cette région, frais, légers et agréablement secs devinrent abondants, les négociants, notamment du marché international, se persuadèrent vite qu'il serait plus facile et plus rentable de vendre de bons vins de l'Entre-Deux-Mers plutôt que de continuer à essayer de trouver preneur pour des bordeaux blancs qui, par comparaison, paraissaient ternes et dénués de charme.

LA TAILLE HAUTE

À la fin des années 1940 et au début des années 1950, l'économie vinicole de l'Entre-Deux-Mers n'était pas florissante. Les vins, vendus en vrac au négoce, parvenaient au consommateur sous forme de bordeaux blanc anonyme et le déclin du vin de Bordeaux était particulièrement marqué ici. La nouvelle génération de vignerons prit conscience que les boulbènes compactes étouffaient la vigne et qu'il fallait modifier les méthodes de viticulture traditionnelles. Malgré les difficultés économiques de l'époque, ils prirent un risque financier considérable pour redresser la situation. Afin d'élargir l'espace entre les rangs, ils en arrachèrent un sur deux et adoptèrent la méthode de conduite de la vigne en hauteur pratiquée plus au sud dans les vignobles de Madiran et de Jurançon (et en Autriche d'où elle est originaire et où on la nomme système de

L'ÉGLISE DE LOUPIAC
Sur la rive droite de la Garonne, presque en face de Langon, le vignoble du Château Loupiac jouxte l'église de la localité.

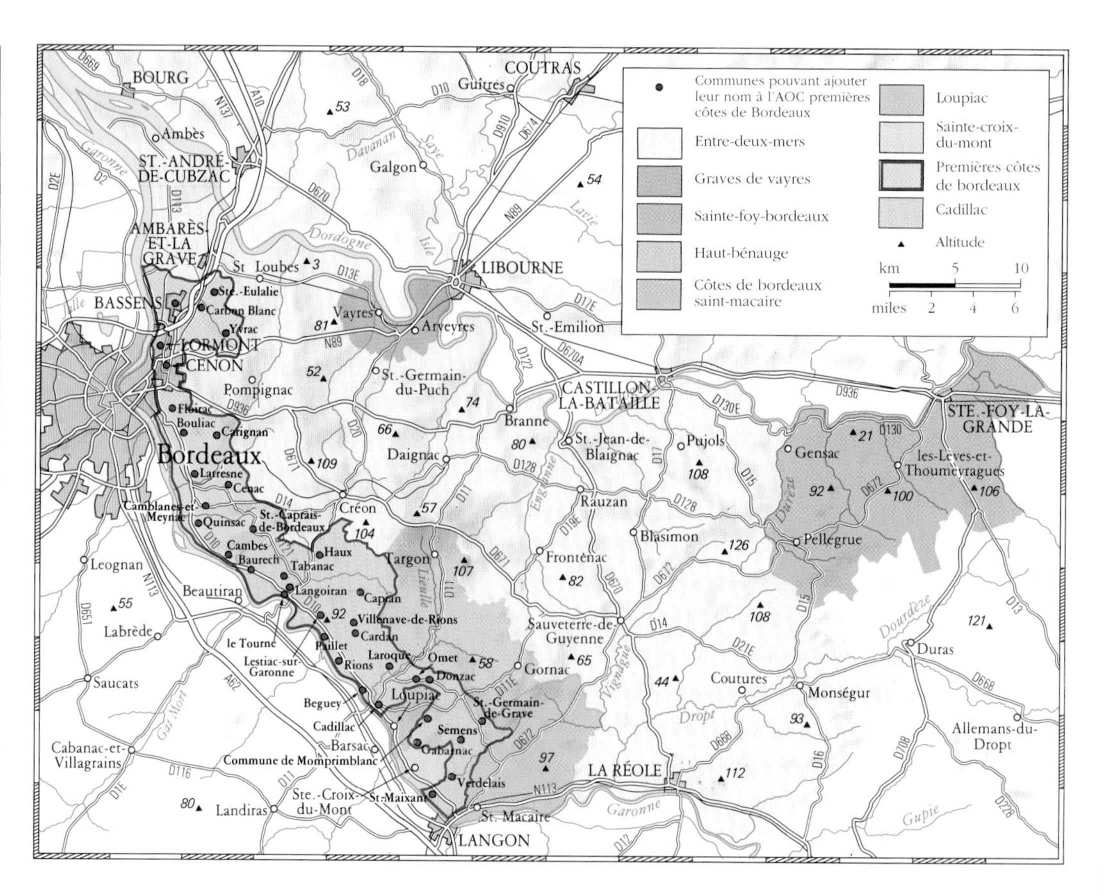

L'ENTRE-DEUX-MERS
Voir aussi p. 59
La vaste région de l'Entre-Deux-Mers, qui offre des paysages très variés, s'étend de la rive gauche de la Dordogne à la rive droite de la Garonne. La répartition de ses appellations est illustrée sur la carte ci-contre.

FACTEURS DU GOÛT ET DE LA QUALITÉ

EMPLACEMENT
Vaste région à l'est de Bordeaux, entre Dordogne et Garonne.

CLIMAT
Vents plus violents et humidité plus forte que dans le Médoc ; risques d'inondation près des cours d'eau.

SITES
Campagne paisible pleine de charme où alternent les coteaux couverts de vigne, les vergers et les prairies.

SOLS
Sols très variés, alluvionnaire près des cours d'eau, graveleux sur certaines collines, crêtes et buttes, argilo-calcaire ou argilo-graveleux sur divers plateaux. À l'ouest, les boulbènes dominent. Il s'agit de sols sableux extrêmement fins que le damage rend compacts et imperméables, ce qui rend indispensable le greffage de la vigne sur des porte-greffes spéciaux. L'assise est en grande partie calcaire ou riche en calcaire, parfois argilo-sableux, argilo-calcaire ou formée d'une roche à carrière appelée astar ou encore de ribot, un grès contenant des graviers et des traces de fer.

VINICULTURE ET VINIFICATION
L'Entre-Deux-Mers est réputé pour son mode de conduite de la vigne en hauteur, la « taille haute », similaire au système Lenz Moser utilisé en Autriche. Les vignerons de la région ont en général adopté la fermentation à basse température dans des cuves en acier inoxydable et privilégient maintenant le sauvignon dans leur encépagement.

CÉPAGES PRINCIPAUX
sémillon, sauvignon, muscadelle
CÉPAGES SECONDAIRES
merlot blanc, colombard, mauzac, ugni blanc

Lenz Moser). Cela permit de mécaniser le labourage entre les rangs et de favoriser le développement du feuillage, ce qui augmentait l'assimilation de la chlorophylle et favorisait le mûrissement du raisin.

LA FERMENTATION À BASSE TEMPÉRATURE

Dans les années 1970 les coopératives, qui disposaient de réserves financières dont le personnel technique comptait des diplômés des facultés d'œnologie, entreprirent de s'équiper de cuves de vinification en Inox munis de systèmes de régulation de température. À cette époque, les vignerons utilisaient des températures de fermentation qui dépassaient souvent 28 °C et chacun put constater que plus la température était basse, plus l'extraction des composants aromatiques était efficace. On découvrit que l'on pouvait l'abaisser jusqu'à 4 °C, mais que le risque de blocage de la fermentation, qui laisse dans le vin une quantité assez élevée de sucre résiduel, augmentait dangereusement. On détermina assez vite qu'une température comprise entre 10 et 18 °C permettait d'obtenir une teneur alcoolique plus élevée, une meilleure extraction des composants aromatiques et gustatifs ainsi qu'une réduction de la perte de gaz carbonique, de l'acidité volatile et de la quantité d'anhydride sulfureux nécessaire. La fermentation à basse température produit des arômes amyliques, bénéfiques en petite quantité, mais plus la température est basse plus ces arômes de vernis à ongles sont marqués.

APPELLATIONS DE

L'ENTRE-DEUX-MERS

BORDEAUX HAUT-BÉNAUGE AOC

Située sur la rive droite de la Dordogne dans l'arrière-pays des Premières Côtes-de-Bordeaux, en face de Cérons, sur l'autre rive, cette appellation occupe l'ancien comté de Bénauge et intéresse les communes de Targon, Ladaux, Soulignac, Cantois, Escoussans, Arbis, Saint-Pierre-de-Bat, Gornac et Mourens. Seuls les trois cépages principaux, sémillon, sauvignon et muscadelle, sont autorisés, ce qui n'est pas le cas dans l'appellation entre-deux-mers. Toutes les conditions de production sont les mêmes dans les deux appellations, excepté l'encépagement.

Blanc Vins secs, peu corpulents, agréablement fruités.

sémillon, sauvignon, muscadelle

1 à 3 ans

CADILLAC AOC

Du trio d'appellations de vins liquoreux de la rive droite de la Garonne, cadillac est la moins connue. Elle couvre des parcelles de 21 communes dont 16 forment le canton de Cadillac, pourtant on fait très peu de vin de cette appellation – 1/5e de la production de loupiac et un 1/10e de sainte-croix-du-mont. La réglementation exige que le cadillac soit issu de raisin surmûri et botrytisé récolté par tries successives, que le moût contienne au moins 221 g/l de sucre, que la teneur en alcool acquis du vin soit au minimum de 12% vol. et qu'il contienne au moins 8 g/l de sucre. Ce bon terroir pourrait donner des liquoreux de bien meilleure qualité, mais l'appellation n'est malheureusement pas assez cotée pour justifier des investissements lourds et, par là même, une augmentation des prix.

Blanc Vins légèrement liquoreux à la robe dorée, frais, avec une flaveur fruitée et de jolis arômes floraux.

sémillon, sauvignon, muscadelle

3 à 8 ans

CÔTES DE BORDEAUX SAINT-MACAIRE AOC

Appellation peu connue qui prolonge à l'est celle de premières-côtes-de-bordeaux et s'applique aux vins blancs moelleux issus de moûts contenant au minimum 186 g/l de sucre. Teneur en alcool de 11,5% vol. au minimum. Le vignoble compte environ 2 500 ha dont seule une petite partie est en vignes blanches.

Blanc Vins sans prétention, peu corpulents, plus ou moins moelleux et agréablement fruités.

sémillon, sauvignon, muscadelle

1 à 3 ans

ENTRE-DEUX-MERS AOC

Plus grande appellation de la région, couvrant tout le territoire compris entre la Dordogne et la Garonne, à l'exception des aires des appellations suivantes : premières-côtes-de-bordeaux, sainte-croix-du-mont, loupiac, cadillac, côtes-de-bordeaux-saint-macaire, sainte-foy-bordeaux et graves-de-vayres (*voir* carte p. 124). Elle est réservée aux vins blancs secs issus de moûts contenant au moins 144 g/l de sucre et d'une teneur en alcool de 10% vol. au minimum. La production annuelle est d'environ 17 millions de bouteilles d'un vin généralement élaboré avec les techniques les plus modernes, offrant un excellent rapport qualité/prix et dont la bonne réputation s'affirme.

Blanc Vins secs et nerveux, peu corpulents, aromatiques et bouquetés, contenant en général une forte proportion de sauvignon. Ce sont des vins francs obtenus habituellement par fermentation à basse température. Ils peuvent être vendus à partir du 1er décembre, sans mention de primeur ou de nouveau.

sémillon, sauvignon, muscadelle plus au maximum 30% de merlot blanc et au maximum 10% de colombard, mauzac et ugni blanc

1 à 2 ans

ENTRE-DEUX-MERS HAUT-BÉNAUGE AOC

Appellation de vins blancs secs dont l'aire couvre les neuf communes mentionnées plus haut sous l'appellation bordeaux haut-bénauge. Les conditions de production sont les mêmes que dans celle-ci, seul l'encépagement diffère, plusieurs cépages secondaires étant aussi autorisés. On y produit six fois plus de vin que dans l'appellation bordeaux haut-bénauge, soit environ 2 millions de bouteilles.

Blanc Vins blancs secs, légers et nerveux, un peu fruités, aromatiques, dont le style est similaire à celui de l'entre-deux-mers.

sémillon, sauvignon, muscadelle plus au maximum 30% de merlot blanc et au maximum 10% de colombard, mauzac et ugni blanc

1 à 3 ans

GRAVES DE VAYRES AOC

Enclave sur la rive gauche de la Dordogne, en face de Libourne, dont le sol est souvent sol souvent graveleux, parfois argilo-calcaire ou argilo-sableux. L'appellation produit des vins rouges et blancs excellents présentant un très bon rapport qualité/prix.

Rouge Vins moyennement corpulents, moyennement corpulents, aromatiques, aux flaveurs fruitées et épicées dues au merlot. Ce sont les plus riches de la région de l'Entre-Deux-Mers.

cabernet sauvignon, cabernet franc, merlot, malbec, petit verdot, carmenère

4 à 10 ans

Blanc Vins principalement secs, parfois moelleux, destinés à être bus jeunes. Ils peuvent être vendus à partir du 1er décembre, sans mention de primeur ou de nouveau.

sémillon, sauvignon, muscadelle plus au maximum 30% de merlot blanc

1 à 3 ans

LOUPIAC AOC

Appellation située sur la rive droite de la Dordogne, juste en face de l'appellation barsac. On y produit des vins liquoreux qui sont de loin les meilleurs de l'Entre-Deux-Mers et qui présentent toujours un excellent rapport qualité/prix. Ils doivent être issus de raisin surmûri botrytisé récolté par tries successives, le moût doit contenir au moins 221 g/l de sucre et le vin une teneur en alcool acquis de 12% vol. au minimum. Le loupiac est plus complexe que le cadillac car la pourriture noble est ici plus active. Le meilleur vient de sols argilo-calcaires.

Blanc Vins liquoreux voluptueux, moyennement corpulents à corpulents, avec une flaveur miellée intense et dont la complexité varie selon la qualité du millésime et la proportion du raisin atteint par la pourriture noble.

sémillon, sauvignon, muscadelle

1 à 15 ans (25 ans pour les millésimes exceptionnels).

PREMIÈRES CÔTES-DE-BORDEAUX AOC

L'appellation s'étend sur un ruban d'environ 60 km épousant la rive droite de la Garonne. Le vignoble, en général cultivé sur des pentes orientées au sud-ouest, couvre quelque 3 300 ha dans les 37 communes suivantes, qui peuvent ajouter leur nom à celui de l'appellation : Bassens, Bores, Béguë, Bouliac, Cadillac, Cambes, Camblanes, Capian, Carbon-Blanc, Cardan, Carignan, Cenac, Cenon, Donzac, Floirac, Gabarnac, Haux, Langoiron, Laroque, Lestiac, Lormont, Monprimblanc, Omet, Paillet, Quinsac, Rions, Sémens, Saint-Caprais-de-Bordeaux, Saint-Germain-de-Graves, Saint-Maixant, Sainte-Eulalie, Tabanac, La Tourne, La Tresne, Verdelais, Villenave-de-Rions et Yvrac.

Rouge Les meilleurs, bien colorés, souples et fruités, viennent des communes du nord et sont d'une qualité supérieure au bordeaux générique.

cabernet sauvignon, cabernet franc, merlot, malbec, petit verdot, carmenère.

4 à 8 ans

Blanc Avec au moins 4 g/l de sucre résiduel, ce vin est donc moelleux. Il est simple, fruité, en général bien fait, mais manque de personnalité. Sa teneur en alcool est plus élevée que celle des bordeaux génériques (11,8% vol. au lieu de 10,5).

sémillon, sauvignon, muscadelle

3 à 7 ans

SAINTE-CROIX-DU-MONT AOC

Meilleure appellation de vins liquoreux de la rive droite après celle de loupiac. Elle produit un peu moins de vin que celle-ci (environ 1,7 million de bouteilles contre environ 2 millions). Moins botrytisé et complexe que le loupiac, le sainte-croix-du-mont est souvent plus fin.

Blanc Bon vin liquoreux, miellé, plus pâle et plus léger que le loupiac. Les millésimes bien botrytisés sont d'un excellent rapport qualité/prix.

sémillon, sauvignon, muscadelle

5 à 15 ans (exceptionnellement 25 ans)

SAINTE-FOY-BORDEAUX AOC

Autrefois renommée pour ses blancs, cette appellation produit aujourd'hui presque deux fois plus de rouge que de blanc. De nombreux vignerons soucieux de qualité, dont des adeptes de la culture biologique, se sont engagés à respecter une charte de qualité.

Rouge Vins couleur rubis, moyennement corpulents, souples et gouleyants. Ceux produits par les vignerons ayant adhéré à la charte de qualité sont plus sérieux (50% de merlot).

cabernet sauvignon, cabernet franc, merlot, petit verdot, malbec

3 à 7 ans

Blanc Vins blancs secs, frais, nerveux et aromatiques. Les meilleurs sont faits par des vignerons respectant une charte de qualité. Petite production de blanc moelleux.

sémillon, sauvignon, muscadelle plus 10% maximum de merlot blanc, colombard, mauzac et ugni blanc

1 à 3 ans

MEILLEURS PRODUCTEURS DE

L'ENTRE-DEUX-MERS

CHÂTEAU ARNAUD-JOUAN

Cadillac

AOC Premières-Côtes-de-Bordeaux et AOC Cadillac

☆Ⓥ

Grand vignoble de 45 ha bien situé aux vins séduisants et intéressants.

DOMAINE DU BARRAIL

Monprimblanc

AOC Premières-Côtes-de-Bordeaux et AOC Cadillac

☆Ⓥ

Premières-côtes-de-bordeaux rouge et cadillac liquoreux dont il faut surveiller les progrès.

CHÂTEAU DE BEAUREGARD

AOC Entre-Deux-Mers et AOC Bordeaux Haut-Bénauge

Le vin rouge et le vin blanc sont bien faits. Le rouge est bien charpenté, mais adouci par un merlot épicé.

CHÂTEAU BEL-AIR

Vayres

AOC Graves de Vayres

Les vins rouges sont ici très majoritaires. Ils sont bien colorés, aromatiques, avec un caractère accusé de cabernet.

CHÂTEAU BIROT

Béguë

AOC Premières-Côtes-de-Bordeaux et AOC Cadillac

☆Ⓥ

Connu pour ses vins blancs gouleyants, ce domaine produit aussi des vins rouges bien équilibrés et assez fins.

CHÂTEAU LA BLANQUERIE

Mérignas

AOC Entre-Deux-Mers

Ce domaine produit un blanc sec long en bouche nettement dominé par le sauvignon.

CHÂTEAU BONNET

Grézillac

AOC Entre-Deux-Mers

★☆

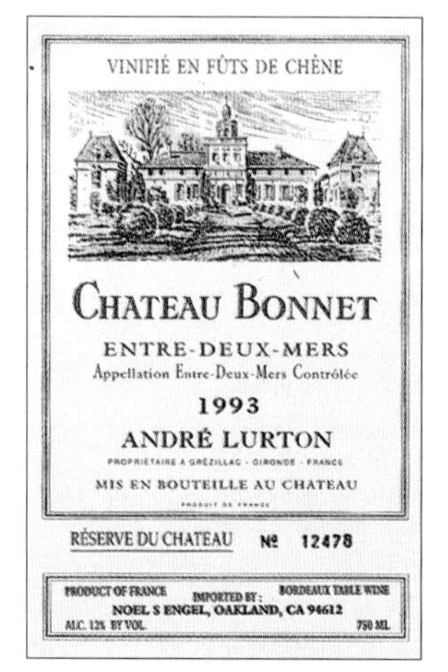

Un des meilleurs domaines de l'Entre-Deux-Mers, qui appartient à André Lurton. Il y produit des vins blancs frais, nerveux, ayant du caractère, et des rouges tendres et fruités, d'une qualité exceptionnelle (appellation bordeaux supérieur).

Autres vins : Tour-de-Bonnet, Château Gourmin, Château Peyraud

CHÂTEAU BRÉTHOUS

Camblanes-et-Meynac

AOC Premières-Côtes-de Bordeaux et AOC cadillac

★Ⓥ

Le vin rouge est séduisant et extraverti, mais bien structuré et une cuvée de prestige est élevée en barriques (un tiers de bois neuf). Le liquoreux est succulent.

CHÂTEAU CANET

Guillac

AOC Entre-Deux-Mers

★Ⓥ

Vignoble cultivé sans insecticide ni engrais chimiques, qui donne un excellent vin blanc, franc, nerveux, bien équilibré, aux arômes typiques du sauvignon.

CHÂTEAU DE CASTELNEAU

Saint-Léon

AOC Entre-Deux-Mers et AOC Bordeaux supérieur

Un entre-deux-mers remarquable, dominé par le sémillon, aromatique, légèrement boisé, issu de vignes de 50 ans et élevé 8 mois en barriques neuves. Dans le bordeaux supérieur rouge, un vin franc et agréable, les deux cabernets et le merlot font jeu égal.

CHÂTEAU CAYLA

Rions

AOC Premières-Côtes-de-Bordeaux

★Ⓥ

Le vin rouge est élégant et gouleyant, avec une note de chêne neuf.

DOMAINE DES CHAPELAINS

Saint-André-et-Appelles

AOC Sainte-Foy-Bordeaux

Vignoble de 34 ha donnant un vin blanc souple, fruité et aromatique élevé dans le chêne et un vin rouge habillé d'une belle robe sombre, fruité, assez charnu, élevé 12 mois en barriques (25% de bois neuf). Le domaine fait aussi un bordeaux clairet.

DOMAINE DE CHASTELET

Quinsac

AOC Premières-Côtes-de-Bordeaux et AOC Cadillac

★Ⓥ

Ce domaine produit un premières-côtes-de-bordeaux rouge délicieux, ferme, équilibré, assez complexe, avec des notes de cassis et de vanille. Le cadillac est assez bon.

CHÂTEAU DE CRAIN

Baron

AOC Entre-Deux-Mers

AOC Bordeaux Supérieur

Un bon entre-deux-mers, frais, assez nerveux, à la robe jaune pâle et un bordeaux supérieur rouge de qualité aux arômes sombres. L'un et l'autre sont élevés en cuve.

CHÂTEAU LA CLYDE

Tabanac

AOC Premières-Côtes-de-Bordeaux et AOC Cadillac

★Ⓥ

Le vin rouge à la robe rubis profonde est fruité et épicé. Le liquoreux est fin et équilibré.

CHÂTEAU DU CROS

Loupiac

AOC Loupiac

★Ⓥ

Ce liquoreux gras et succulent est un des meilleurs de l'appellation.

CHÂTEAU DINTRANS

Sainte-Eulalie

AOC Premières-Côtes-de-Bordeaux

Vin rouge joliment coloré, fruité, plein de charme.

CHÂTEAU DE L'ESPLANADE

Capian

AOC Premières-Côtes-de-Bordeaux

Produit par Patrick et Sabine Bayle, du Château Plaisance, ce vin dans lequel domine le merlot est meilleur marché et plus simple que le Château Plaisance, mais très agréable en bouche. Il est aussi vendu sous l'étiquette Château Florestan.

CHÂTEAU FAYAU

Cadillac

AOC Premières-Côtes-de-Bordeaux et AOC Cadillac

Le liquoreux est succulent, les premières-côtes-de-bordeaux rouge et blanc sont bons. Le domaine produit aussi un bordeaux clairet.

CHÂTEAU FONGRAVE

Gornac

AOC Entre-Deux-Mers

Ce bon entre-deux-mers est frais et vif.

CHÂTEAU DE GORCE

Haux

AOC Premières-Côtes-de-Bordeaux et AOC Cadillac

Le premières-côtes rouge est fruité, le liquoreux frais et floral.

CHÂTEAU GOUDICHAUD

Vayres

AOC Graves de Vayres

Ce domaine, qui déborde sur la commune de Saint-Germain-du Puch, fait aussi un entre-deux-mers respectable.

CHÂTEAU GOUMIN

Dardenac

AOC Entre-Deux-Mers

Encore un domaine de l'empire d'André Lurton. Il produit 65 000 bouteilles de blanc un peu plus plein que d'autres blancs de Lurton. Le domaine produit aussi 130 000 bouteilles de rouge agréable, souple et fruité.

CHÂTEAU GRAND MONEIL

Salleboeuf

AOC Entre-Deux-Mers

★Ⓥ

Minuscule production d'entre-deux-mers (12 000 bouteilles) et aussi 420 000 bouteille de bordeaux rouge tendre et gouleyant d'excellente qualité.

CHÂTEAU DU GRAND-MOÜEYS

Capian

AOC Premières-Côtes-de-Bordeaux

★Ⓥ

Ce domaine produit des rouges de moyenne garde d'un remarquable rapport qualité/prix.

CHÂTEAU GRAVELINES

Sémens

AOC Premières-Côtes-de-Bordeaux et AOC Cadillac

★Ⓥ

Grand domaine produisant 60 000 bouteilles de rouge et autant de blanc, d'excellente qualité.

CHÂTEAU GROSSOMBRE

Branne

AOC Entre-Deux-Mers

★Ⓥ

Béatrice Lurton, la fille d'André Lurton, dirige ce domaine qui produit un entre-deux-mers très généreux et pourtant d'une grande élégance ainsi qu'un bordeaux supérieur rouge admirablement concentré qui doit être une des meilleurs affaires de tout le Bordelais.

CHÂTEAU DE GUA

Ambarès-et-Lagrave

AOC Premières-Côtes-de-Bordeaux et AOC Cadillac

Ce domaine qui a un petit vignoble de 8 ha cultivé sur un beau sol graveleux produit un vin rouge séduisant et bien structuré.

CHÂTEAU HAUT-BRIGNON

Cénac

AOC Premières-Côtes-de-Bordeaux et AOC Cadillac

☆

Domaine en progrès depuis la fin des années 1980, qui produit un rouge tendre et velouté, un blanc très vif et un des meilleurs liquoreux de l'appellation cadillac.

CHÂTEAU DE HAUX

Haux

AOC Premières-Côtes-de-Bordeaux

☆Ⓥ

Ces vins rouges et blancs sont glorieusement mûrs et prêts à boire, absolument frais et très élégants, ainsi que sous l'étiquette Château Frère, un fabuleux blanc vinifié dans le chêne. Ce domaine est sans doute le meilleur des premières côtes pour le rouge comme pour le blanc.

CLOS JEAN

Loupiac

AOC Loupiac

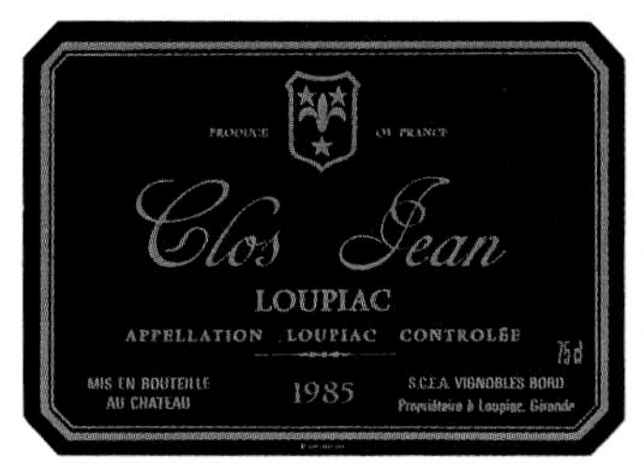

Les vins produits par le Clos Jean ont une qualité similaire à ceux du Château du Cros, mais dans un style plus raffiné et plus éthéré.

CHÂTEAU DU JUGE

Cadillac

AOC Premières-Côtes-de-Bordeaux et AOC Cadillac

Ce domaine produit des premières-côtes-de-bordeaux rouges et blancs respectables et les bonnes années un liquoreux de grande qualité. Les rouges comme les blancs sont d'un rapport qualité/prix extraordinaire.

CHÂTEAU DU JUGE

Haux

AOC Premières-Côtes-de-Bordeaux et AOC Cadillac

Vin rouge prometteur gouleyant, débordant de flaveurs de fruits mûrs. Les vins blancs sont d'une honnête qualité, mais pas passionnants.

CHÂTEAU LABATUT

Saint-Hexant

AOC Premières-Côtes-de-Bordeaux et AOC Cadillac

Le vin rouge est aromatique et très fruité, le liquoreux d'une qualité exceptionnelle. On produit aussi ici un honnête blanc sec.

CHÂTEAU LAFFITE

Camblanes-et-Meynac

AOC Premières-Côtes-de-Bordeaux et AOC Cadillac

Rien ne vaut le vrai (le premier cru de Rothschild, bien entendu), mais ce presque homonyme est un vin très acceptable, bien structuré, capable de se bonifier avec le temps. Un moyen bon marché d'épater vos amis en posant une bouteille sur votre table.

CHÂTEAU LAFUE

Sainte-Croix-du-Mont

AOC Sainte-Croix-du-Mont

☆

Un vin liquoreux charmant, qui m'a paru plus fruité que botrytisé. Du vin rouge compte pour près du quart de la production de ce domaine.

CHÂTEAU LAGRANGE-HAMILTON

Rions

AOC Premières-Côtes-de-Bordeaux

Domaine exploité par Hamilton Narby, autrefois du Château Guiraud (sauternes premier cru). Je n'ai pas encore réussi à mettre la main sur une bouteille de Lagrange, mais s'il consacre ici ne serait-ce qu'une fraction des efforts qu'il a consentis pour redonner au Guiraud son lustre d'antan, tous les espoirs sont permis.

CHÂTEAU LAGROSSE

Tabanac

AOC Premières-Côtes-de-Bordeaux

Ce vin rouge qui glisse facilement dans le gosier est tendre et fruité.

CHÂTEAU LAMOTHE

Haux

AOC Premières-Côtes-de-Bordeaux et AOC Cadillac

Ce domaine qui doit son nom à la « motte » rocheuse protégeant son vignoble a produit quelques vins de qualité exceptionnelle au cours des dernières décennies.

CHÂTEAU LAROCHE BEL-AIR

Bores

AOC Premières-Côtes-de-Bordeaux

Des vins rouges délicieux sous l'étiquette « Château Laroche » et des vins sélectionnés élevés dans le chêne encore meilleurs sous celle de « Château Laroche Bel Air ».

CHÂTEAU LATOUR

Camblanes-et-Meynac

AOC Premières-Côtes-de-Bordeaux et AOC Cadillac

Un autre vin de tous les jours portant un nom prestigieux.

CHÂTEAU LATOUR

Saint-Martin-du-Puy

AOC Entre-Deux-Mers

Un château dont certaines parties remontent au XIVe siècle où l'on produit chaque année 120 000 bouteilles d'un bordeaux supérieur rouge plein de charme, tendre et bien équilibré. Techniquement parfait, ce vin collectionne les médailles et ceux qui l'aiment peuvent affirmer qu'ils boivent du Château Latour chaque jour.

CHÂTEAU LAUNAY

Soussac

AOC Entre-Deux-Mers

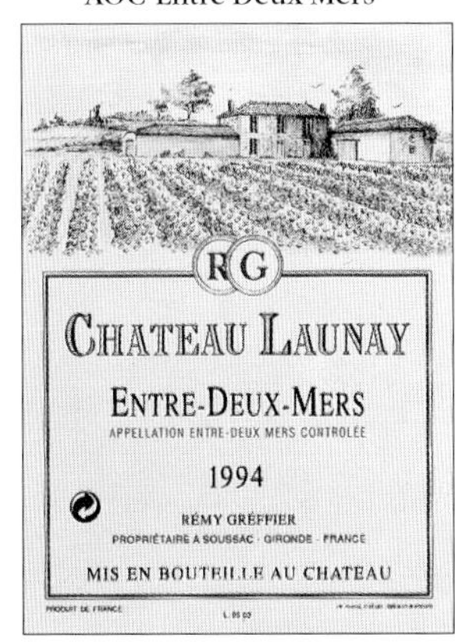

Grand domaine qui produit 360 000 bouteilles de blanc frais aux arômes de sauvignon et 120 000 bouteilles de bordeaux supérieur rouge sous l'étiquette « Haut-Castanet ».
Autres vins : Bradoire, Château Dubory, Château Haut-Courageaux, Château La Vaillante

CHÂTEAU LAURETTE
Sainte-Croix-du-Mont
AOC Sainte-Croix-du-Mont
☆
Même propriétaire que le Château Lafue et vins similaires.

CHÂTEAU LOUBENS
Sainte-Croix-du-Mont
★
Ce domaine produit un liquoreux riche, superbement équilibré et de longue garde. Un bordeaux blanc est commercialisé sous l'étiquette Fleuron Blanc et l'on fait aussi un peu de vin rouge.
Autre vin : Château des Tours

CHÂTEAU LOUPIAC-GAUDIET
Loupiac
AOC Loupiac
Un bon liquoreux riche et miellé qui, en bouche, déploie des flaveurs de fruits confits.

CHÂTEAU LOUSTEAU-VIEIL
Sainte-croix-du-mont
AOC Sainte-Croix-du-Mont
★
Liquoreux richement aromatique de très grande qualité.

CHÂTEAU MACHORRE
Saint-Martin-de-Sescas
AOC Côtes-de-Bordeaux Saint-Macaire
☆
Vin moelleux aux flaveurs fraîches de salade de fruit qui est un des meilleurs de l'appellation. Le domaine produit aussi un rouge et un blanc sec de sauvignon respectables, sous les appellations génériques.

CHÂTEAU DES MAILLES
Sainte-croix-du-mont
AOC Sainte-Croix-du-Mont
Ce liquoreux imposant à la robe dorée peut être d'une qualité étonnante, mais il lui arrive occasionnellement d'être décevant.

CHÂTEAU LA MAUBASTIT
Les Lèves-et-Toumeyragues
AOC Bordeaux
Domaine dans l'aire d'appellation sainte-foy bordeaux faisant des AOC bordeaux rouge et blanc issus d'un vignoble en culture biologique.

CHÂTEAU MORLAN-TULIÈRE
Saint-Pierre-de-Bat
AOC Entre-Deux-Mers Haut-Bénauge et Bordeaux Haut-Bénauge
J'ai retenu parmi les vins de ce domaine un entre-deux-mers haut-bénauge lumineux et très vif, un bordeaux supérieur moelleux et un bon vin rouge assez corpulent (appellation générique bordeaux).

MOULIN DE LAUNAY
Soussac
AOC Entre-Deux-Mers
Malgré une production abondante (530 000 bouteilles), cet entre-deux-mers est sec, nerveux, agréablement fruité et de très grande qualité. On y fait aussi un peu de bordeaux rouge.
Autre vins : Château Tertre de Launay ; Château la Vigerie

CHÂTEAU MOULIN DE ROMAGE
Les Lèves-et-Thoumeyrague
AOC Sainte-Foy Bordeaux

Quantité égale de rouge et de blanc de production biologique.

DOMAINE DU NOBLE
Loupiac
AOC Loupiac
Excellents liquoreux bien botrytisés, réguliers, avec puissance, volupté, élégance et une longue finale fraîche.

CHÂTEAU PETIT-PEY
Saint-André-du-Bois
AOC Côtes-de-Bordeaux Saint-Macaire
Côtes-de-bordeaux saint-macaire moelleux et bordeaux rouge tendre.

CHÂTEAU PEYREBON
Grézillac
AOC Entre-Deux-Mers

Produit autant de bordeaux rouge que d'entre-deux-mers. Le second est excellent et bien aromatique.

CHÂTEAU PEYRINES
Mourent
AOC Entre-Deux-Mers Haut-Bénauge et Bordeaux Haut-Bénauge
★☆
En plus de blancs secs typiques de l'appellation, ce domaine produit aussi un bordeaux rouge fruité.

CHÂTEAU DE PIC
La Tourne
AOC Premières-Côtes-de-Bordeaux
Le rouge standard est un charmant vin fruité, tendre et crémeux.
La Cuvée Tradition élevée dans le chêne est un rouge superbe.

CHÂTEAU PICHON-BELLEVUE
Vayres
AOC Graves de Vayres
Le rouge est irrégulier, mais le blanc est délicat et raffiné.

CHÂTEAU PLAISANCE
Capian
AOC Premières-Côtes-de-Bordeaux
La Cuvée Tradition rouge, élevée dans le chêne, n'est pas filtré. Ce vin à la structure tannique souple est richement fruité et un peu boisé.
Autres vins : De l'Esplanade, Château Florestin

CHÂTEAU DE PLASSAN
Tabanac
AOC Premières-Côtes-de-Bordeaux
Le rouge standard a de la personnalité et, les bonnes années, des notes de cerise et de menthe. La Cuvée Spéciale, plus ample et plus complexe, vaut son prix, notamment pour accompagner un repas.

CHÂTEAU PONTETTE-BELLEGRAVE
Vayres
AOC Graves de Vayres
Les blancs bien secs aux arômes subtils ont une bonne réputation.

CHÂTEAU PUY BARDENS
Cambes
AOC Premières-Côtes-de-Bordeaux
Le premières-côtes-de-bordeaux rouge, avec un fruit tendre, opulent et mûr et une finale souple et veloutée, est un des meilleurs de l'appellation.

CHÂTEAU LA RAME
Saine-Croix-du-Mont
AOC sainte-croix-du-mont
Un des meilleurs vins de l'appellation, en général bien fruité, avec des flaveurs de crème et de miel.

CHÂTEAU REYNON-PEYRAT
Béguey
AOC Premières-Côtes-de-Bordeaux
Ce domaine produit un premières-côtes rouge élevé dans le bois absolument superbe et deux blancs secs sous l'étiquette Château Reynon.

CHÂTEAU DE RICAUD
Loupiac
AOC Loupiac
☆

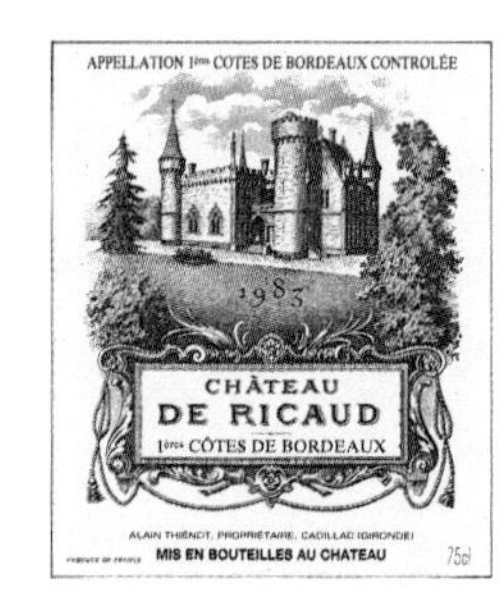

Ce domaine était sur le déclin jusqu'à ce qu'un nouveau propriétaire mette toute son énergie à redresser la situation. Il y est parvenu puisque depuis environ une décennie, le Ricaud a retrouvé son rang de meilleur liquoreux de l'appellation.

CHÂTEAU DE LA SABLIÈRE-FONGRAVE
Gornac
AOC Entre-Deux-Mers Haut-Bénauge et Bordeaux Haut-Bénauge
Le vin rouge de la Sablière-Fongrave, un bordeaux supérieur, est du genre très robuste qui exige un certain séjour en bouteille avant de s'assouplir. Le vin blanc sec de l'appellation entre-deux-mers haut-bénauge est bien meilleur.

CHÂTEAU TANESSE
Langoiron
AOC Premières-Côtes-de-Bordeaux
Tanesse appartient à Domaines Cordier. Le rouge, dominé par le cabernet sauvignon, est honorable et le blanc, dans lequel le sauvignon est très présent, est bien meilleur.

CHÂTEAU DES TASTES
Sainte-Croix-du-Mont
AOC Sainte-Croix-du-Mont
★Ⓥ
Un liquoreux très intéressant, avec une texture voluptueuse, de riches flaveurs crémeuses et la complexité due à un botrytis abondant.

CHÂTEAU TERREFORT
Loupiac
AOC Loupiac
☆
Ce domaine exploite un vignoble bien situé d'une dizaine d'hectares qui donne un excellent liquoreux.

CHÂTEAU THIEULEY
La Sauve
AOC Bordeaux et Bordeaux blanc sec
☆

SEC SEC
1988
Château Thieuley
BORDEAUX
APPELLATION BORDEAUX CONTROLÉE
CÉPAGE SAUVIGNON
MISE EN BOUTEILLES AU CHATEAU

Domaine de Francis Courselle, qui fut professeur de viticulture et d'œnologie avant de mettre ici ses connaissances en pratique. La cuvée du bordeaux blanc sec qui porte son nom, vinifiée et élevée en barriques neuves, est remarquable. Le bordeaux rouge est bon et soyeux.

CHÂTEAU TOUTIGEAC
Targon
AOC Entre-Deux-Mers Haut-Bénauge et AOC bordeaux
☆Ⓥ
Le blanc sec est, souple, vif et bien fruité. Le bordeaux rouge ample et riche à boire jeune, est le meilleur vin du domaine.

LES CHOIX DE L'AUTEUR

Étant donné que j'ai commenté plus haut la quasi-totalité des plus grands vins de Bordeaux, j'ai jugé opportun de limiter mon choix aux meilleurs seconds vins non détaillés dans le texte.

PRODUCTEUR	VIN	STYLE	DESCRIPTION	
Château de Fieuzal (*voir* p. 95)	Château de Fieuzal Blanc	BLANC	Ce vin blanc sec bien boisé, merveilleusement exotique, déborde de flaveurs de fruits tropicaux qui en font le plus grand des crus blancs non classés de tout le Bordelais.	3 à 7 ans
Château Gruaud-Larose (*voir* p. 83) V	Sarget de Gruaud-Larose	ROUGE	Cordier a beaucoup fait dans les années 1980 pour faire connaître ce second vin. Parfois incroyablement profond et sombre, il déploie des flaveurs intenses de mûres très juteuses et de chêne épicé, soutenues par une belle structure tannique.	4 à 10 ans
Château Haut-Bailly (*voir* p. 96) V	Le Pardre de Haut-Bailly	ROUGE	Le fruit de cette cuvée est extraordinairement mûr et voluptueux pour un second vin, bien qu'il n'ait naturellement pas la finesse du grand vin ni un chêne crémeux aussi abondant.	4 à 10 ans
Château Haut-Brion (*voir* p. 96)	Bahans-Haut-Brion	ROUGE	Ce bordeaux classique disputa au Clos du Marquis de Léoville Las Cases la seconde place derrière Les Forts de Latour, le plus grand des seconds vins de tout le Bordelais. Le Bahans-Haut-Brion a un fruit magnifique soutenu par un chêne complexe riche en nuances de pain grillé et de bois de cèdre.	5 à 15 ans
Château Lafite-Rothschild (*voir* p. 79)	Carraudes de Lafite	ROUGE	Ce vin, autrefois appelé Moulin des Carruades, est le plus constant des seconds vins, riche en fruit crémeux et raffiné. Son prix n'est pas exorbitant pour un vin de si noble origine.	4 à 12 ans
Château Lafleur (*voir* p. 116)	Les Pensées de Lafleur	ROUGE	Ce vin peut être opaque et sembler très sérieux. C'est pourtant le plus sensuel et enjôleur de tous les seconds vins, comme il sied à un grand pomerol.	5 à 10 ans
Château Langoa-Barton et Château Léoville-Barton (*voir* p. 84)	Lady Langoa	ROUGE	Fait d'un assemblage de cuvées des Langoa-Barton et Léoville Barton écartées pour le grand vin, le Lady Barton est un vin très distingué. Il déploie des arômes de fruits d'été bien mûrs, avec un chêne vanillé et un beau tanin abondant en finale.	6 à 15 ans
Château Latour (*voir* p. 80)	Les Forts de Latour	ROUGE	Ce vin est un pauillac typique. Riche en parfums de fruits des sous-bois, puissant et riche en bouche avec un chêne crémeux et épicé, il est pourtant d'un abord facile. Ce vin est aisément l'égal des seconds crus. Les millésimes 1978 et 1990 peuvent même l'emporter sur les « super-seconds » tandis que le 1982, meilleur millésime des Forts de Latour jusqu'à présent, n'a jamais été classé dernier dans des dégustations à l'aveugle de premiers crus de cette grande année auxquels on l'avait mêlé. Une des raisons de sa qualité exceptionnelle est que les moins bonnes cuvées deviennent le troisième vin étiqueté simplement pauillac.	10 à 25 ans
Château Léoville-Las Cases (*voir* p. 84) V	Clos du Marquis	ROUGE	Deuxième des seconds vins derrière Les Forts de Latour, il est de la même classe que le Bahans-Haut-Brion, pourtant il n'atteint pas sa finesse et sa complexité les grandes années. En revanche, il lui est supérieur les bonnes années et l'écrase dans les mauvaises années. Il est très régulier, riche en flaveurs de prune et d'épices, avec des notes de beau chêne vanillé.	5 à 15 ans
Château Margaux (*voir* p. 88) V	Pavillon Rouge du Château Margaux	ROUGE	Certains préfèrent le Pavillon Blanc au Pavillon Rouge, pourtant le blanc n'a pas la finesse d'un vin des Graves, même de milieu de gamme, tandis que le rouge, tendre avec un chêne séduisant, a quelque chose de la finesse florale et du bouquet du grand vin, bien que sa texture soit plus soyeuse que veloutée.	5 à 15 ans
Château Montrose (*voir* p. 75)	La Dame de Montrose	ROUGE	Curieusement, je le préfère parfois au grand vin, mais il n'a ni sa classe ni sa qualité dans de grands millésimes comme 1990.	5 à 12 ans
Château Palmer (*voir* p. 89)	Réserve du Général	ROUGE	Pas aussi profond que le Palmer et plus floral que cassis, il a beaucoup de la structure tannique, des nuances crémeuses et épicées de bois de cèdre et de la complexité du grand vin.	5 à 15 ans
Château Pichon-Longueville-Comtesse-de-Lalande (*voir* p. 80)	Réserve de la Comtesse	ROUGE	Avec son arôme riche, presque exotique, son fruit mûr exquis et ses tanins soyeux, il a une finesse extraordinaire pour un second vin et une qualité au moins égale à celle d'un troisième cru.	5 à 12 ans
Château Talbot (*voir* p. 84) V	Connétable Talbot	ROUGE	Le second vin de Talbot est plus charnu que celui de Gruaud-Larose (c'est l'inverse pour les grands vins). Le Connétable peut être presque noir et les deux vieillissent bien.	4 à 15 ans

BOURGOGNE

Les villages à noms composés sont la clé des grands vins de Bourgogne, car, jadis, en usurpant les noms des vignobles les plus prestigieux, de simples piquettes pouvaient se vendre comme de grands crus. La commune de Gevrey, par exemple, en accolant le nom du célèbre vignoble de Chambertin, est devenue Gevrey-Chambertin. On ne peut certes devenir un bon connaisseur des vins de Bourgogne en un jour, mais si l'on se souvient que le second terme de ces noms composés correspond toujours à un grand vignoble, on retiendra du même coup certains des meilleurs crus de la région.

Le mot « Bourgogne » est associé pour la plupart des gens aux grands vins des Côtes-de-Nuits et des Côtes-de-Beaune, mais cette région vinicole s'étend en fait du Chablis au nord, à la limite de la Champagne, jusqu'au Beaujolais, dans le département du Rhône. Si la Bourgogne produit encore parmi les meilleurs vins de chardonnay et de pinot noir, et les seuls gamays qui se soient hissés à un tel niveau, sa réputation n'en demeure pas moins entachée par un nombre croissant de vins médiocres, ou pires encore, dont les producteurs abusent d'une appellation de prestige pour vendre leurs breuvages à des prix excessifs. Cette région est riche par son histoire, sa gastronomie et ses vins, mais, contrairement à ceux du Bordelais, les grands vignobles bourguignons sont divisés en petites parcelles exploitées par une multitude de producteurs. L'Église possédait la plupart des terres viticoles avant 1789, mais la Révolution a saisi ces biens et les a démembrés, obéissant par là à une politique anticléricale aussi bien qu'antiaristocratique. Dans le Bordelais, si

VIRÉ, MÂCONNAIS
Si l'appellation Viré est une des plus répandues du Mâconnais, ce village n'en produit pas moins des vins d'une qualité régulière. Il est question d'accorder aux vins de Viré et de Clessé une appellation supérieure.

certains vignobles appartenaient à la noblesse, bien d'autres étaient aux mains d'une bourgeoisie qui, de par ses liens avec l'Angleterre, contestait largement l'autorité de Rome et put ainsi échapper aux spoliations. Le morcellement du vignoble bourguignon fut en outre accéléré par les lois sur l'héritage, si bien que certaines parcelles ou crus sont parfois partagés entre quelque quatre-vingts exploitants.

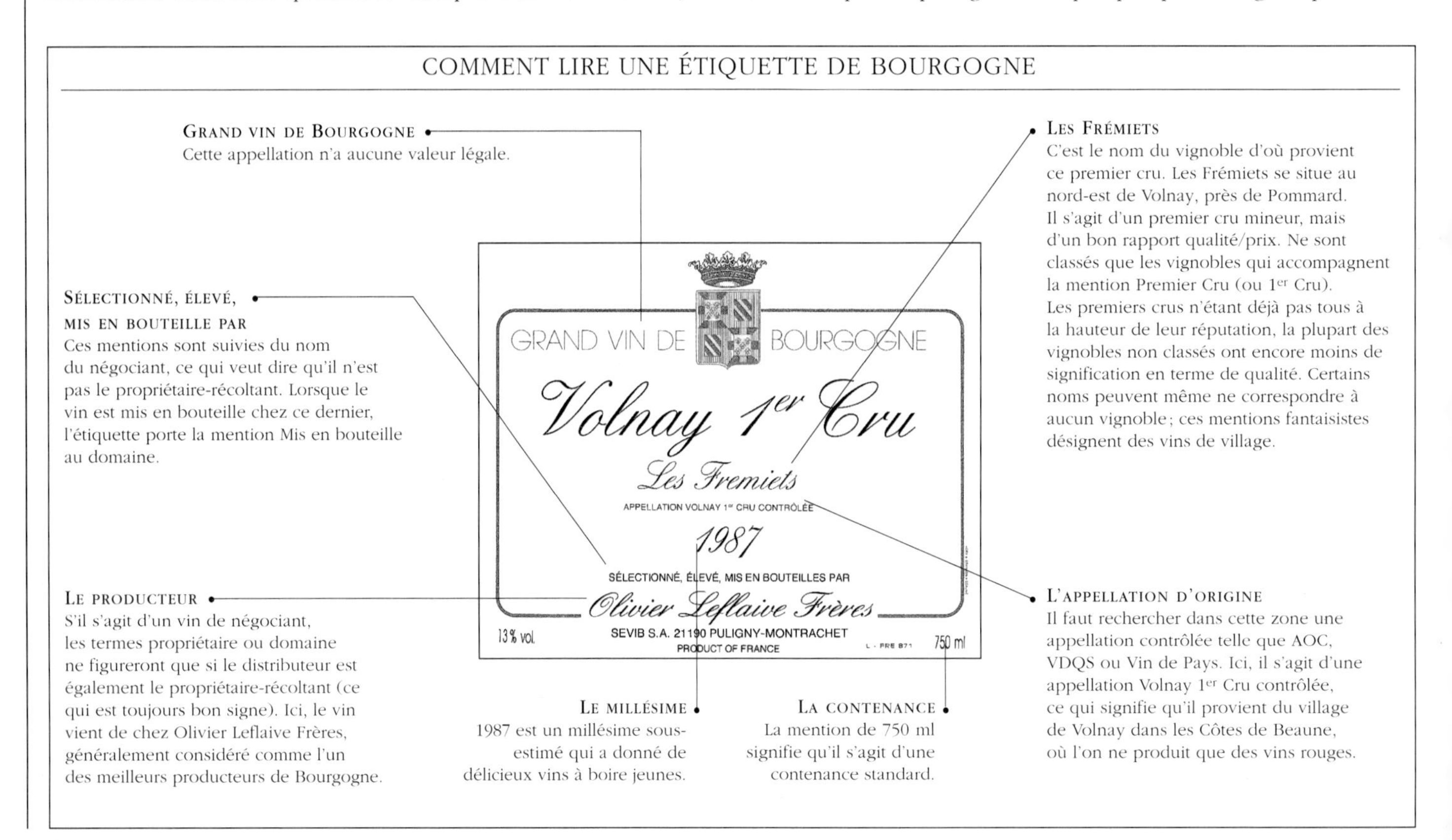

BOURGOGNE, *voir aussi* **p. 55**
voir aussi p. 55

La route qui mène de Dijon à Lyon est jalonnée par les vignobles les plus prestigieux de Bourgogne. Au nord-ouest de ce croissant s'étendent les coteaux de l'Yonne, notamment ceux du Chablis.

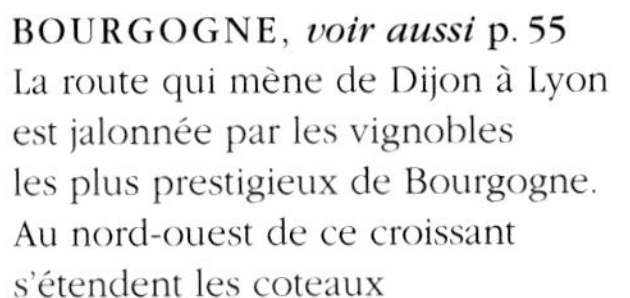

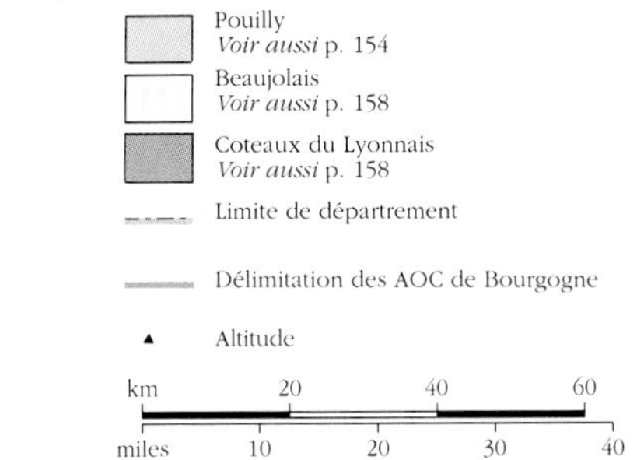

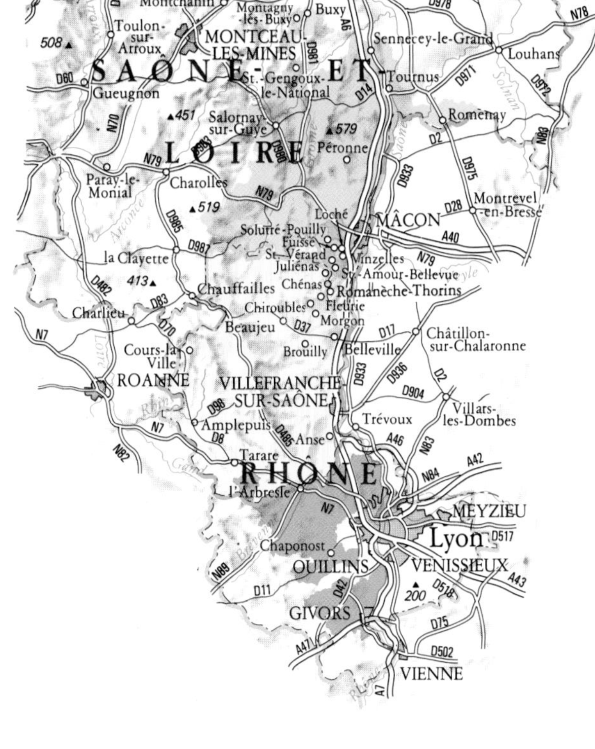

VIGNOBLES DU BEAUJOLAIS

Le moulin qui a perdu ses ailes veille sur les coteaux du moulin-à-vent. Le sol granitique présente une haute teneur en manganèse, conférant à ce gamay une puissance et une longévité exceptionnelles, ce qui a fait mériter à ce vin le surnom de « roi du Beaujolais ».

LA BOURGOGNE EN CHIFFRES

% DE TOUTE LA BOURGOGNE	RÉGION	PRODUCTION EN HL	TYPE DE VIN ROUGE/ROSÉ	BLANC	(GRAND CRUS)
14.8%	AOC générique	420 000	60%	40%	-
8.0%	Chablis	230 000	1%	99%	2%
2.5%	Côte de Nuits[1]	70 000	99%	1%	14%
0.7%	Hautes-Côtes de Nuits	20 000	88%	12%	-
6.0%	Côte de Beaune	170 000	29%	71%	2%
0.6%	Hautes-Côtes de Beaune	18 000	91%	9%	-
2.3%	Chalonnais	65 000	62%	38%	-
12.3%	Mâconnais	350 000	20%	80%	-
52.8%	Beaujolais	1 500,000	99%	1%	-
100%	TOTAL	2 843 000	74%[2]	26%[2]	7%[2]

[1] Y compris d'autres vins de l'Yonne - [2] % moyen par région

Cette situation eut notamment pour conséquence de donner aux négociants une position dominante. Seul un petit nombre de sociétés commerciales étaient en activité avant le milieu du XVIIIe siècle à cause des difficultés d'exportation liées à la situation géographique de la Bourgogne ; mais, avec l'amélioration des transports et l'aval des grands propriétaires fonciers, le négoce se développa rapidement et forma un réseau de courtiers démarchant à très petite échelle.
Avec la diversification de la propriété, la nécessité d'être toujours au fait d'une situation complexe sur le terrain créa un corps de métier toujours plus spécialisé, et donc très lucratif. Les courtiers devinrent un maillon essentiel de ce commerce, dont les négociants étaient les seuls à pouvoir assurer à la Bourgogne sa réputation internationale.

LE RÔLE DU NÉGOCIANT

En Bourgogne plus que partout ailleurs en France, il est de bon ton de décrier le négociant auquel on reproche de distribuer des vins de mélange sans caractère, inférieurs à ceux proposés par le vigneron lui-même. Il y a là beaucoup d'injustice. Affirmer que les vins du négociant sont pauvres n'a en soi pas de sens ; il existe de bons et de mauvais distributeurs, tout comme il existe de bons et de mauvais

CORTON, CÔTE DE BEAUNE
Coiffés par le bois de Corton, ces coteaux magnifiques produisent les vins rouges les plus prestigieux de Côte-de-Beaune et une quantité infime de corton-charlemagne, peut-être le plus grand vin blanc de Bourgogne.

producteurs. Et l'on a tendance à négliger le fait que certains négociants sont aussi des propriétaires-récoltants qui exploitent des domaines magnifiques. De fait, un certain nombre de marchands ont commencé à s'étendre dans les années 1990, achetant des vignobles pour se rendre moins dépendants des producteurs, et cette tendance ne se dément pas. À l'inverse, des maisons moins chanceuses ont été rachetées, notamment par Boisset, qui concentre à lui seul Bouchard Aîné, Chauvenet, Chevalier & Fils, Delaunay, Jaffelin, De Marcilly, Morin Père & Fils, Pierre Ponnelle et Ropiteau, sans compter Lionel Bruck, Thomas Passot et Charles Vienot, qui faisaient déjà partie de la maison en 1988. Toutefois, les difficultés financières ne mettent nullement en cause la qualité de la production, comme en témoignent les grands Jouhin et Vadot, qui ont été rachetés. Le rôle du négociant restera donc aussi essentiel en Bourgogne au cours du siècle prochain qu'il l'a été par le passé. Les changements de propriétaires affecteront la hiérarchie des grandes maisons et la valeur relative de leurs marques, mais il n'y a pas à craindre de concentration excessive, car, tandis que certains noms ont été absorbés, de nouveaux petits propriétaires-récoltants se lancent à leur tour dans la distribution pour affirmer leur présence sur un marché très segmenté.

MILLÉSIMES RÉCENTS DE BOURGOGNE

1996 Les rouges sont de garde, avec une forte teneur en alcool et en tanin, faisant de ce millésime le meilleur depuis 1990, et dont les vins pourraient être supérieurs, à l'exception des meilleurs crus, à ceux de cette grande année. Les blancs du Chablis au Mâconnais sont également réussis, avec un équilibre exceptionnel d'alcool et d'acidité. Dans le Beaujolais, les vins sont agréablement aromatiques et les crus excellents.

1995 Les pluies ont une fois de plus noyé ce qui aurait pu être un millésime exceptionnel ; malgré la pourriture, les résultats sont satisfaisants dans l'ensemble, voire excellents, sans atteindre le niveau des bordeaux. Les blancs sont riches avec une bonne acidité, mais le pinot noir n'a pas pleinement mûri dans les vignobles modestes, même si ces vins rouges présentent une robe aussi belle que trompeuse. Les grands crus ont probablement donné leur meilleur depuis 1990, mais, s'agissant d'une production limitée, les prix seront élevés.

1994 Là encore, une grande année gâtée par les pluies et la pourriture. Pas aussi bonne que 1995, mais plus abordable et d'un meilleur rapport qualité/prix, notamment dans le Chablis, la Côte de Nuits, le sud de la Côte de Beaune et les crus du Beaujolais, les plus fortes pluies s'étant abattues entre Beaune et Volnay.

1993 Bien meilleure année que dans le Bordelais, notamment pour les rouges, finalement les meilleurs depuis 1990. Ils sont supérieurs à ceux de 1994, généralement meilleurs et plus réguliers que les blancs de 1993, à l'exception des grands crus de Chablis et des blancs de Côte-de-Beaune qui ont résisté aux intempéries. D'excellents crus de beaujolais.

1992 Un millésime étonnamment bon, compte tenu des pluies qui ont noyé la plupart des autres régions. Une fois de plus, ce sont les blancs qui s'en sortent le mieux, notamment de grands vins en Côte-de-Beaune et, dans le Chalonnais et le Mâconnais, des blancs incroyablement riches, d'un rapport qualité/prix exceptionnel.

BOURGOGNE DIVERSE

Au nord de la région, le Chablis, qui produit le vin blanc de chardonnay le plus sec au monde, est plus proche de la Champagne, dont il a fait jadis partie, que du reste de la Bourgogne. Après avoir parcouru quelque 100 kilomètres vers le sud-est, on atteint les grands vignobles de Côte-d'Or ; on rencontre d'abord la côte de Nuits, suivie par la côte de Beaune. L'association de « Nuits » à une couleur sombre et de « Beaune » au blanc permettra de retenir ce sur quoi ces deux côtes ont essentiellement établi leur réputation : la plupart des grands bourgognes rouges viennent de la côte de Nuits, et les blancs les plus prestigieux de la côte de Beaune, même si chacune produit les deux types de vin. La côte chalonnaise, dont la production est sans doute la moins connue de Bourgogne mais certainement la plus avantageuse, donne des vins ressemblant à ceux de la côte de Beaune, sans en atteindre le niveau. Toujours plus au sud, le Mâconnais donne surtout des vins blancs, parmi lesquels domine largement le pouilly-fuissé, qu'il ne faut pas confondre avec le pouilly-fumé, un vin blanc sec de Loire. Dans la partie la plus méridionale de Bourgogne s'étend le Beaujolais, où le département du Rhône produit des vins frais, légers et fruités, bien différents de ceux couramment associés à la vallée du Rhône, beaucoup plus corsés et charpentés. Les beaujolais offrent le meilleur comme le pire ; quant au beaujolais nouveau, simple prétexte à un rituel plaisant, il n'a jamais été considéré comme un vin sérieux. La plupart des beaujolais, même les meilleurs crus, paraissent bien surestimés, mais c'est là l'un des motifs de la riche tapisserie bourguignonne.

Pinot noir et chardonnay

En lisant la seconde édition de l'ouvrage qu'Anthony Hanson a consacré à la Bourgogne, j'ai pu constater avec satisfaction que cet auteur avait révisé son jugement sur les grands bourgognes qui « sentent la merde ». Si des défauts presque imperceptibles ajoutent à l'intérêt, à

la complexité et au plaisir que procure un vin, ils ne doivent jamais le dominer, surtout s'agissant d'un pinot noir, dans lequel la pureté du fruit et le caractère du cépage jouent un si grand rôle. De même que le fameux bouquet de « selle de cheval », qui avait fait la réputation du shiraz de l'Hunter Valley, s'est révélé être un défaut de ce vin d'Australie, ces bourgognes qui « sentent la merde » ont fait l'objet d'un point de vue plus nuancé de l'auteur de la formule : « J'ai certainement simplifié les choses, déclare maintenant Anthony Hanson, en affirmant en 1982 que le grand bourgogne "sent la merde". » Et il ajoute : « Si je perçois des arômes de pourriture végétale ou animale, je les considère maintenant le plus souvent comme inacceptables. »
Si les vignobles californiens de Santa Barbara, de Carneros et de Russian River montrent la voie du saint-graal de la vinification – un pinot noir réussi – et si d'autres domaines de Californie, d'Oregon ou de Nouvelle-Zélande ne sont pas très loin derrière, il est bien rare qu'en dehors de la Bourgogne on obtienne des vins de pinot noir à robe profonde et étoffés qui conservent en même temps la pureté, la finesse et l'élégance de ce cépage. Même en Bourgogne, les conditions idéales ne sont pas si faciles à réunir. En tout état de cause, le succès ne peut provenir que des meilleurs plants, qui ne sont tout de même pas si rares.
Le chardonnay est si répandu qu'il n'existe probablement pas un vignoble au monde qui ne le cultive. Les vins australiens issus de ce cépage sont constants et se laissent toujours boire, même ceux de qualité inférieure, mais il existe aussi en Australie des chardonnays de prestige, de même qu'en Nouvelle-Zélande, en Afrique du Sud, au Chili, en Californie, en Oregon et dans bien d'autres régions vinicoles. C'est pourquoi on peut passer à côté de ce qui fait la singularité des grands bourgognes blancs. Les plus réussis tiennent un rang à part; la richesse incomparable, la complexité et la longévité des très grands crus restent pour le dégustateur une expérience inoubliable.

GRAND CRU VALMUR, CHABLIS
Valmur s'étend au cœur des grands crus de Chablis, bordé par Grenouilles et Vaudésir d'un côté et Les Clos de l'autre. Les vins de ce vignoble sont réputés pour la finesse de leur bouquet et leur richesse.

APPELLATIONS GÉNÉRIQUES DE
BOURGOGNE

AOC BOURGOGNE

On considère bien souvent l'appellation bourgogne AOC comme trop élémentaire et plate pour mériter une grande attention mais, pour moi, il s'agit de l'appellation la plus instructive de Bourgogne. Si un vigneron se montre attaché à la qualité du bourgogne AOC, il déploiera d'autant plus d'efforts pour hausser le niveau de sa production. Je me réjouis donc chaque fois de découvrir un de ces vins délicieux, faciles à boire, et suis encore plus agréablement surpris de le voir s'améliorer en quelques années tandis qu'un grand cru se doit de bien vieillir, étant donné son appellation prestigieuse et son prix. Des rouges légers ou rosés très colorés ont droit à l'appellation AOC bourgogne-clairet, mais ce sont des vins passés de mode qui se font rares.

Rouge Malgré les variétés de raisin autorisées dans la fabrication de ce vin, la seule AOC bourgogne qui vaille concerne des vins faits à partir de pur pinot noir. De nombreux producteurs indiquent le cépage sur l'étiquette.

pinot noir, pinot gris, pinot liébault, plus, dans l'Yonne, le césar, le tressot et le gamay (s'il est déclassé d'un cru du Beaujolais)

2-5 ans

AOC bourgogne rouge : *Domaine Bertagna • Pascal Bouley • Château de Chamilly • J.-F. Coche-Dury • Domaine Joseph Drouhin • Domaine Jean Germain • Louis Jadot • Domaine Henri Jayer • Domaine Michel Juillot • Labouré-Roi • Domaine Michel Lafarge • Louis Latour • Dominique Laurent• Olivier Leflaive • Domaine Hubert Lignier• Moillard • Domaine Denis Mortet• Domaine Parent • Domaine de la Pousse d'Or • Domaine Daniel Rion & Fils• Domaine Tollot-Beaut • Vallet Frères • Cave coopérative de Viré*

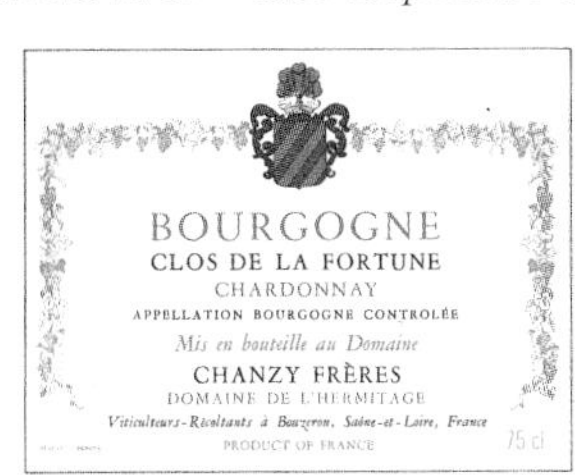

Blanc Il existe de nombreux blancs ennuyeux sous cette appellation et, à moins de trouver des vins plus intéressants comme ceux de J.-F. Coche-Dury ou Clos du Château du Meursault, il vaut sans doute mieux acheter un mâcon AOC bon marché. Ces vins peuvent être vendus en primeur à partir du troisième jeudi de novembre suivant les vendanges.

chardonnay, pinot blanc

1-4 ans

AOC bourgogne blanc : *Domaine Bertagna • Simon Bize & Fils • J.-F. Coche-Dury • Louis Jadot • Patrick Javillier • Domaine François Jobard • Labouré-Roi • Domaine Michel Lafarge • Olivier Leflaive • Domaine Lorenzon• Clos du Château du Meursault • Domaine Michelot (tout ce qui vient de Michelot)• Bernard Rion • Domaine Tollot-Beaut • A. & P. de Villaine*

Rosé Les vins produits sous cette appellation sont acceptables, mais ils n'ont rien de particulier. C'est la catégorie des bourgognes AOC la moins intéressante.

pinot noir, pinot gris, pinot liébault, plus, dans l'Yonne, le césar et le tressot

1-4 ans

Note Pour d'autres vins de région génériques, *voir* Chablis : AOC bourgogne-chitry, AOC bourgogne coulange-la-vineuse, AOC bourgogne épineuil, AOC bourgogne irancy, AOC bourgogne saint-bris, AOC bourgogne côte-saint-jacques, AOC bourgogne côtes-d'auxerre (p. 137).

• Côtes de Nuits et Hautes-Côtes de Nuits : AOC, bourgogne hautes-côtes-de-nuits, AOC bourgogne la chapelle notre-dame, AOC bourgogne le chapitre, AOC bourgogne montrecul (p. 140) • Côtes de Beaune et Hautes-Côtes de Beaune : AOC bourgogne hautes-côtes-de beaune (p. 140) • Côte chalonnaise : AOC bourgogne côte-chalonnaise (p. 153)

AOC BOURGOGNE-ALIGOTÉ

Le meilleur bourgogne aligoté provient de la commune de Bouzeron dans le Mercurey, qui a droit à sa propre appellation (*voir aussi* AOC bourgogne-aligoté bouzeron, p. 153). À l'exception des appellations ci-dessous, le bourgogne aligoté additionné de crème de cassis donne le célèbre kir.

Blanc Ces blancs sont souvent maigres, acides et peu agréables; les plus mauvais exemples en sont de plus en plus répandus. Toutefois, lorsqu'il est bon, le bourgogne aligoté est un vin rafraîchissant qui change des éternels chardonnays de la région. On peut se le procurer en primeur à partir du troisième jeudi de novembre suivant les vendanges.

aligoté et un maximum de 15% de chardonnay

1-4 ans

Domaine Boyer-Martenot • Marc Brocot • Domaine Chevrot • J.-F. Coche-Dury • Domaine du Corps de Garde • Domaine Naudin-Ferrand • Domaine François Jobard • Jacky Renard • Thévenot-le-Brun & Fils

AOC BOURGOGNE GRAND-ORDINAIRE

L'association des qualificatifs « grand » et « ordinaire » paraît quelque peu paradoxale. On trouve des rouges/rosés (clairets) sous l'appellation AOC bourgogne clairet-grand ordinaire, mais ce sont des vins passés de mode qui se rencontrent rarement.

Rouge Ce sont en général des vins de gamay de qualité inférieure; ceux où dominent le pinot noir sont plus intéressants.

pinot noir, gamay, avec, dans l'Yonne, le césar et le tressot

2-6 ans

Blanc Ces vins sont encore plus affligeants que les blancs ordinaires. Il vaut mieux acheter un mâcon blanc. On peut se procurer ces vins en primeur à partir du troisième jeudi de novembre suivant les vendanges.

chardonnay, pinot blanc, aligoté, melon de Bourgogne, avec, dans l'Yonne, le sacy

1-4 ans

Rosé La coopérative Hautes-Côtes produit un vin sec, léger mais élégant sous l'appellation rosé d'orches.

pinot noir, gamay, plus, dans l'Yonne, le césar et le tressot

1-3 ans

J.-C. Boisset • Edmond Cornu & Fils

AOC BOURGOGNE MOUSSEUX

Depuis décembre 1985, on ne trouve de rouge de bourgogne pétillant que sous cette unique appellation.

Rouge mousseux Ce breuvage pétillant avait beaucoup de succès dans les pubs de Grande-Bretagne dans l'entre-deux-guerres. La douceur de ce vin ne correspond plus guère au raffinement du consommateur actuel.

pinot noir, gamay, plus, dans l'Yonne, le césar et le tressot

dès l'achat

AOC BOURGOGNE ORDINAIRE

Voir **Bourgogne grand-ordinaire AOC**

AOC BOURGOGNE PASSETOUTGRAINS

Fait à partir d'un assemblage de pinot noir et de gamay, le passetoutgrains descend d'un authentique vin de paysan. Le vigneron mettait en cuve tout ce qui se trouvait dans sa vigne et faisait fermenter le tout. C'est pourquoi le passetoutgrains était formé d'une multitude de cépages. Mais le pinot noir et le gamay dominant dans les vignes, tout naturellement, ce vin n'a plus comporté que ces deux cépages. Jusqu'en 1943, la loi obligeait à utiliser un cinquième au moins de pinot noir; pour mériter l'appellation, le vin doit maintenant en contenir au moins un tiers.

Rouge L'habitude était prise de boire le passetoutgrains trop tôt, alors que de ce vin demande quelques années de vieillissement en bouteille pour exalter toute la noblesse du pinot noir. Avec l'augmentation de ce cépage, les vignerons ont commencé à produire des vins plus ronds, moins rustiques, à boire jeunes. Cette appellation reste sans prétention.

pinot noir avec un tiers de gamay tout au plus et 15% au maximum d'un assemblage de chardonnay, de pinot blanc et de pinot gris.

2-6 ans

Rosé Ce rosé sec mérite d'être essayé.

un tiers de gamay au maximum avec du pinot noir et du pinot liébault

1-3 ans

J.-C. Boisset • Edmond Cornu & Fils • Domaine Lejeune • Daniel Rion & Fils

AOC CRÉMANT DE BOURGOGNE

Cette appellation a été créée pour supplanter le bourgogne mousseux AOC, qui n'avait pas réussi à s'imposer comme vin de qualité à cause du terme « mousseux » qui s'appliquait aussi à des breuvages affligeants produits en masse. L'appellation bourgogne mousseux est réservée au vin rouge pétillant. Les trois centres de production du crémant de Bourgogne sont l'Yonne, la région de Mercurey et le Mâconnais. On trouve déjà des vins très intéressants et la qualité ira en s'améliorant car de plus en plus de vignerons cultivent les cépages spécifiques du vin pétillant, au lieu d'utiliser des surplus de raisin ou des cépages médiocres, pratique naguère courante en Bourgogne.

Blanc pétillant Ces vins secs mais ronds offrent des styles allant du léger et frais au riche et toasté.

pinot noir, pinot gris, pinot blanc, chardonnay, sacy, aligoté, melon de Bourgogne avec un maximum de 20% de gamay

3-7 ans

Rosé pétillant. Jusqu'ici, le meilleur crémant rosé, en dehors du champagne, provenait d'Alsace. On en trouve de bons en Bourgogne, mais ils n'ont pas encore exploité tout leur potentiel.

pinot noir, pinot gris, pinot blanc, chardonnay, sacy, aligoté, melon de Bourgogne avec un maximum de 20% de gamay

2-5 ans

Caves de Bailly • André Bonhomme • André Delorme • Roux Père • Simonnet-Faivre • Caves de Viré

LE CHABLIS

Îlot de vignobles plus proche de la Champagne que du cœur de la Bourgogne, le Chablis en est l'une des deux grandes terres à vin blanc, mais son chardonnay pousse sur un sol et sous un climat plus champenois que bourguignons.

Comme le champagne, le chablis doit une grande part de son succès à un climat frais et incertain qui oblige à pratiquer une viticulture sans cesse sur le fil. C'est au prix d'une inquiétude constante que naît ce vin diabolique, mais, lorsque toutes les conditions sont réunies, cette terre donne le chardonnay le plus ébouriffant au monde. Surnommée « la Porte d'Or », cette région vinicole est la première étape obligée pour qui visite la Bourgogne en voiture, que l'on vienne directement de Paris ou que l'on passe par la Champagne. Situé dans l'Yonne, qui appartenait en grande partie à l'ancienne province de Champagne, le Chablis ne donne pas seulement l'impression d'être coupé de la Bourgogne, mais du reste de la France. Ainsi, les grands négociants de Côte-d'Or s'y rendent rarement et ne se sont guère implantés dans ce qui ressemble à un domaine réservé.

LA VILLE DE CHABLIS
Au-dessus de Chablis, les vignes sont orientées au sud-est et au sud-ouest, accrochées à flanc de coteau sur les berges du Serein, petit affluent de l'Yonne. Ce sont les vignobles des grands crus, donnant les plus beaux vins de la région.

LES STYLES DE CHABLIS

On décrit couramment le chablis comme un vin clair dont la robe pâle se nuance de vert ; il est très net et positif, avec un caractère

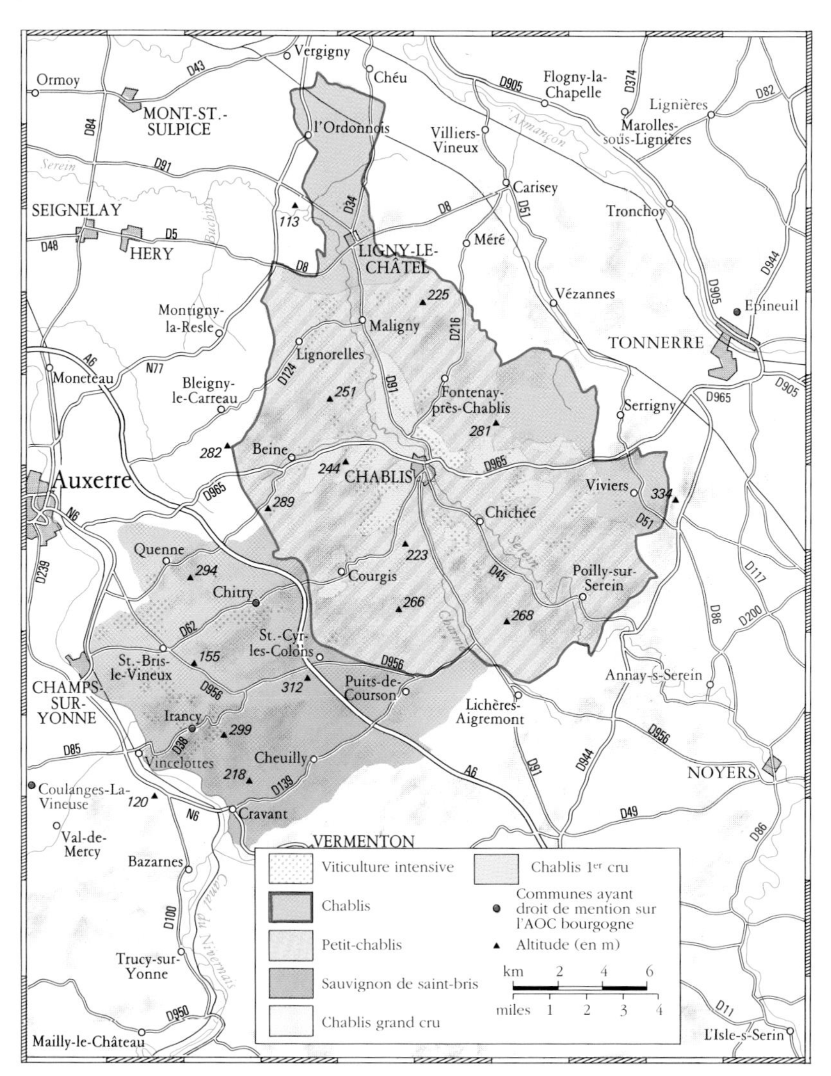

FOURCHAUME
À l'ouest de la ville de Chablis, Fourchaume est l'un des deux premiers crus orientés au sud-ouest. L'autre est Montée-de-Tonnerre. Ce n'est sans doute pas un hasard si, sur un total de dix-sept chablis premiers crus, ces vignobles sont parmi les tout premiers.

LE CHABLIS
Au milieu de ses grands crus et entourée des premiers crus, la ville de Chablis s'étend au cœur de la région vinicole qui porte son nom, climatiquement et géographiquement plus proche de la Champagne que du reste de la Bourgogne.

FACTEURS AFFECTANT LE GOÛT ET LA QUALITÉ

SITUATION
Le Chablis se trouve à mi-chemin entre Beaune et Paris, à 30 km des vignobles les plus méridionaux de Champagne, mais à 100 km du reste de la Bourgogne.

CLIMAT
Cette zone connaît un climat semi-continental avec une influence atlantique minimale, d'où un hiver long et froid, un printemps humide, un été chaud et très ensoleillé. La grêle et les gelées de printemps sont les intempéries les plus redoutées.

ORIENTATION
Tous les grands crus sont rassemblés au nord-est de Chablis sur un même coteau exposé au sud-ouest. Les vignes sont situées à une hauteur de 150 à 200 m. Mis à part Fourchaume et Montée-de-Tonnerre orientés au sud-ouest, les preliers crus sont exposés au sud-est.

SOL
Ces terres sont majoritairement formées de marne calcaire, se décomposant en argile de Kimmeridge et argile de Portland; seule la première conviendrait au chablis classique, mais ce n'est ni scientifiquement établi, ni même probable. Ces deux dépôts se sont formés au jurassique supérieur; les différences géographiques notables doivent être imputées à l'exposition, au microclimat et à la nature des couches sédimentaires présentes en même temps que les deux argiles dominantes.

VITICULTURE ET VINIFICATION
Les vignobles du Chablis ont connu une expansion rapide, notamment les appellations génériques et les premiers crus, dont la taille a doublé au début des années 1970. La vendange mécanisée a fait son apparition sur les coteaux des grands crus, mais les petits producteurs continuent toujours à vendanger à la main. La plus grande partie du chablis fermente en cuves d'acier; le chêne a fait une nouvelle percée, mais le bois neuf contrecarre à l'excès l'intensité austère du chardonnay cultivé dans cette région.

CÉPAGES PRINCIPAUX
Chardonnay
CÉPAGES SECONDAIRES
Pinot noir, pinot blanc, pinot gris (ou pinot beurot), pinot liébault, sauvignon blanc, gamay, césar, tressot, sacy, aligoté, melon de Bourgogne.

agressif et métallique, une attaque directe et une forte acidité qui a besoin de quelques années pour s'arrondir. Toutefois, cette description est rarement adéquate tant les méthodes de vinification ont changé d'un bout à l'autre de la palette des appellations.

Il y a trente ans, on ne pratiquait pas la fermentation malolactique dans le Chablis. Il en résultait des vins d'une grande acidité naturelle, durs, verts et fermés dans leur jeunesse, mais acquérant souvent à maturité une finesse incomparable. Actuellement, la plupart des chablis subissent une fermentation malolactique et une stabilisation à froid, qui a pour but de précipiter les tartrates (ce qui n'est pas le cas de certains vins mis à fermenter ou à vieillir en petits fûts de chêne), donnant des vins plus pleins, plus souples et plus ronds Au sommet, deux écoles s'affrontent. L'une fait fermenter ses vins en cuves d'acier inoxydable et met tôt en bouteilles pour cultiver un style d'attaque directe. L'autre pratique la fermentation et le vieillissement dans le bois avec une préférence grandissante pour le chêne neuf. On considère souvent le premier chablis comme traditionnel, mais les cuves d'acier ayant été introduites dans les années 1960, il ne peut s'agir d'une tradition de longue date. La barrique de chêne est évidemment plus ancienne, et donc plus traditionnelle, mais ce que disent les critiques, c'est que le bois neuf n'a jamais été pratiqué dans le Chablis, tandis que le style mordant du chablis vinifié en cuves d'acier est plus proche de l'original : traditionnel par défaut, en somme. De toute évidence, le véritable chablis de tradition est le « sans chêne » vieilli en vieux fûts, ou plus exactement en fûts usagés.

Ce qui élargit le débat dans la querelle sur le rôle du chêne dans la vinification du chablis, c'est que cette zone vinicole, qui produit un style de vin plus droit, plus minéral, peut se battre contre les effets du bois neuf, tandis que les vins plus gras, plus ronds et plus flatteurs de la Côte-d'Or, au contraire, lui ouvrent grand les bras. Cet ouvrage a tenu compte des amateurs de bois neuf et recommande donc les producteurs des meilleurs chablis « de chêne ». Il a toujours régné une certaine inconséquence en matière de chablis, ce qui n'est guère surprenant, compte tenu des incertitudes de ce climat, ce qui n'a en rien découragé les vrais amateurs. Toutefois, les choses n'ont cessé d'empirer ces dix dernières années et le climat n'est pas seul en cause, face à certains producteurs toujours plus avides et à des vinifications à la va-comme-je-te-pousse. Les meilleurs chablis, ceux qui sont faits avec passion, procureront encore de grandes joies, des plus modestes appellations aux grands crus, mais l'acheteur doit décidément rester sur ses gardes.

AUTRES VINS DE L'YONNE

À part le chablis, les deux vins les plus réputés de l'Yonne sont les rouges d'Irancy et le sauvignon de Saint-Bris. Le premier répond à l'appellation bourgogne irancy AOC et le second est un VDQS composé de sauvigon, cépage transfuge de la Loire. Les autres variétés spécifiques de l'Yonne sont le césar et le tressot, noirs, et le sacy, un raisin blanc. Aucun de ces cépages n'est autorisé sous une autre appellation que le bourgogne AOC de l'Yonne, et encore ne sont-ils pas cultivés sur de grandes surfaces même dans cette zone. Malgré sa rusticité, le césar est la plus intéressante de ces variétés. C'est une vigne à faible rendement qui donne un vin épais, noir et tannique, mais qui manque d'équilibre, ce qui ne le prédispose pas à devenir un cépage à part entière, bien que Simonnet-Faivre en produise un des meilleurs exemples.

C'est à Irancy que le césar pousse le mieux, et ce cépage apporte une contribution positive à un vin lorsqu'il est judicieusement associé au pinot noir; il n'en faut pas plus de 5 ou 10%, mais les vignerons qui vont jusqu'à 20% cassent toute l'élégance du pinot noir local, un cépage au corps léger par essence. Le tressot est maigre, faible et sans aucun mérite, mais, en fond neutre, et avec l'avantage d'une vigne très productive, il a été jadis le partenaire privilégié du césar. Le vin de tressot, si l'on a l'occasion d'y goûter, ressemble en général à un beaujolais maigre et grossier. L'autre bizarrerie viticole en déclin de cette zone est le sacy, un abondant raisin blanc qui donne un vin acide au nez neutre entrant dans la composition du crémant de Bourgogne.

VENDANGES MÉCANIQUES AU DOMAINE SAINTE-CLAIRE À PRÉHY
Les vendanges à la machine, dont la qualité des vins blancs peut notamment pâtir, sont couramment pratiquées dans le Chablis, même dans les grands crus, méthode qui convient particulièrement bien à Préhy, où les vignes sont d'un niveau inférieur.

LES APPELLATIONS DU

CHABLIS

AOC BOURGOGNE-CHITRY
•
AOC BOURGOGNE COULANGE-LA-VINEUSE
•
AOC BOURGOGNE ÉPINEUIL
•
AOC BOURGOGNE IRANCY
•
AOC BOURGOGNE SAINT-BRIS

Les communes ci-dessus ne bénéficient pas de leur appellation propre mais, à l'exception de Saint-Bris, elles peuvent toutes accoler leur nom à l'appellation bourgogne AOC. Seules Chitry et Épineuil sont de purs vins de village, car Irancy comprend également les vins de Cravant et de Vincelottes, tandis que Coulange-la-Vineuse partage l'appellation avec six autres communes, Charentenay, Escolives-Sainte-Camille, Migé, Mouffy, Jussy et Val-de-Mercy. L'irancy, censé être le « célèbre » vin rouge de Chablis, n'est en fait pas si connu, même s'il s'agit de la seule appellation bourgogne tenue à ne produire que du rouge. À l'exception du saint-bris et de l'irancy, tous les autres se font aussi bien en rouge, en blanc, en rosé ou même en clairet, bien que Chitry soit plus réputé pour son blanc, surtout du chardonnay et un aligoté très convenable (qui devrait porter l'appellation bourgogne aligoté, mais pourquoi s'embarrasser de ces contraintes?), tandis que le coulange-la-vineuse et l'épineuil sont des rouges. Le saint-bris est ici l'exception, car il n'a pas d'existence officielle! (*voir aussi* sauvignon de Saint-Bris.) Mais il n'y a pas lieu de l'omettre parce qu'il existe bien dans la réalité. De fait, il s'agit d'un cas étrange d'ubiquité : seul le sauvignon saint-bris a doit à l'appellation, et ce n'est qu'un VDQS. J'ai pourtant vu des AOC bourgogne utiliser exactement de la même manière le nom de saint-bris, et au même niveau que les quatre autres communes citées, y compris des vins de Robert Defrance, Domaine Félix, Domaine Patrice Fort, Ghislaine et Jean-Hugues Goiseau, Serge et Arnaud Goisot, Domaine Jacky Renard, Domaine Sainte-Claire et Jean-Paul Tabit. Le système des appellations contrôlées ayant été instauré pour promouvoir les vins locaux, les autorités finiront bien par accorder au bourgogne saint-bris une existence officielle.

Rouge La plupart de ces vins sont du pinot noir avec une pointe de césar. Ils sont francs et fruités, mais les meilleurs peuvent être vraiment riches, avec un fruité très expressif.

pinot noir, pinot liébault, pinot gris, césar, tressot

2-3 ans

Blanc Éviter le bas de la gamme, mais, au sommet, les blancs de ces appellations sont supérieurs aux plus petits des chablis, toujours plus chers. Ce sont des vins de pur chardonnay, mais, plus souples et plus ronds, ils ressemblent rarement aux chablis.

chardonnay, pinot blanc

1-3 ans

Rosé Typiquement légers, secs et frais, les meilleurs exemples de ces rosés viennent souvent d'Épineuil, mais ceux de Saint-Bris sont également réussis.

pinot noir, pinot liébault, pinot gris, césar, tressot

1-2 ans

Chitry : Joël & David Griffe • Coulange-la-vineuse : Le Clos du Roi • Épineuil : Dominique Grubier • Irancy : Léon Bienvenu, Anita & Jean-Pierre Colinot (Palotte, Les Mazelots, Les Bessys, Côte-de-Moutier), *Roger Delalogue, Domaine Félix Bourgogne • Saint-bris : Domaine Félix, Jacky Renard*

AOC BOURGOGNE CÔTES-D'AUXERRE

Le côtes-d'auxerre couvre diverses parcelles disséminées dans les collines entourant Augy, Auxerre-Vaux, Quenne, Saint-Bris-le-Vineux et dans la partie de Vincelottes qui n'a pas droit à l'appellation irancy. Ce sont exactement les mêmes cépages que ceux utilisés pour les appellations précédentes et, de fait, ces vins se ressemblent beaucoup.

Patrice Fort • Ghislaine et Jean-Hugues Goiseau • Domaine du Corps de Garde

AOC BOURGOGNE CÔTE-SAINT-JACQUES

Cette appellation devait être accordée en 1997, selon les mêmes critères que pour celles des trois lieux-dits créés en 1993 (*voir* bourgogne la Chapelle-Notre-Dame, p. 147; Bourgogne Le Chapitre, p. 140; Bourgogne Montrecul, p. 140). Côte-Saint-Jacques surmonte Joigny, qui se trouve au nord-ouest de Chablis et possède les vignobles les plus septentrionaux de Bourgogne. En 1975, ceux-ci n'ont été autorisés à produire qu'une simple appellation bourgogne AOC, mais seuls quelques hectares ont été plantés. Le plus grand domaine appartient jusqu'ici à Alain Vignot, dont le père fut un pionnier de la viticulture locale, mais la coopérative, qui détient également des vignobles, plante une grande part des 90 ha officiellement classés en côte-saint-jacques. Pour le moment, cette zone produit à grand-peine un blanc léger, bien que Vignot produise un vin gris de pinot noir et de pinot gris, qui faisait la réputation de Joigny avant le phylloxéra. Ce qu'il faudrait ici, c'est le véritable auxerrois d'Alsace, Auxerre étant proche, bien que ce cépage n'ait rien à voir avec cette ville. Le même raisonnement s'appliquerait à l'Alsace, où l'auxerrois est toujours plus employé à mesure que l'on monte vers le nord pour produire un prétendu pinot blanc. En côte de Nuits, ce raisin serait trop gras et épicé, mais à Joigny il donnerait des vins plus généreux.

AOC CHABLIS

Au prix d'une sélection rigoureuse, le chablis ordinaire pur chardonnay peut réserver de belles surprises, notamment dans les meilleurs millésimes, mais l'appellation recouvre une zone assez vaste comptant de nombreux vignobles qui produisent mal et l'on y rencontre beaucoup trop de vinificateurs médiocres. Le chablis ordinaire doit provenir des climats les plus favorables, où le vigneron sait limiter sa production de raisin, et le vinificateur ne sélectionne que ses meilleurs vins, mais l'appellation ne se prête guère aux raccourcis. Un chablis bon marché peut être catastrophique, même dans le haut de la gamme : mieux vaut donc acheter une cuvée supérieure de chablis ordinaire, telle que le vieilles-vignes de La Chablisienne, plutôt que de se laisser séduire par un premier cru à prix cassé. *Voir aussi* Chablis premier cru et AOC Petit chablis.

Blanc Réussis, ces vins offrent la quintessence du chablis : secs, francs et expressifs, avec ce qu'il faut de fruité pour en équilibrer l'« acier ».

chardonnay

2-6 ans

Christian Adine • Domaine Baillard • Jean-Marc Brocard • La Chablisienne (surtout le vieilles-vignes) • *Domaine de Chantemerle • Jean Collet • Jean Defaix • René & Vincent Dauvissat • Jean-Paul Droin* (surtout le vieilles-vignes) • *William Faivre domaine de la Maladière • Jean-Pierre Grossot • Domaine Michel Laroche • Sylvain Mosnier* (vieilles-vignes) • *Gilbert Picq* (surtout le vieilles-vignes) • *Jean-Marie Raveneau*

AOC CHABLIS GRAND CRU

Les sept grands crus de Chablis occupent tous la même colline qui donne sur la ville de Chablis elle-même. Il s'agit de Blanchot, Bougros, Les Clos, Grenouilles, Les Preuses, Valmur et Vaudésir. La moutonne n'est pas compté parmi eux, mais est autorisé à porter l'appellation prestigieuse parce que le vignoble fait partie intégrante des grands crus. Au XVIIIe siècle, La Moutonne était un climat d'un hectare appartenant à Vaudésir, mais, à l'époque du propriétaire Louis Long-Depaquit, ses vins étaient assemblés à trois autres grands crus (précisément Les Preuses, Les Clos et Valmur). Cette pratique a cessé en 1950 quand Long-Depaquit, pour faire classer son vignoble, a accepté de limiter sa production à la superficie qu'il occupait à l'époque (une seule parcelle de 2 hectares et 33 centiares), entre Vaudésir et Les Preuses. La classification n'a pas eu lieu, mais les deux grands crus qui enserrent ce vignoble sont probablement les plus magnifiques, ce qui justifie que le vin de La Moutonne, lui aussi d'une qualité constante, bénéficie de ce statut officieux.

Blanc Toujours absolument secs, les grands crus donnent les vins les plus riches et les plus complexes de tout le Chablis, bien qu'on y décèle souvent les caractéristiques du bois neuf qui, malheureusement, dominent. Leur style dépend pour beaucoup de la vinification et du vieillissement, mais, quand ils sont bien réussis, on peut les distinguer de la manière suivante :

blanchot, au nez floral, est le plus délicat; bougros le plus simple, mais il est vibrant, pénétrant en bouche; Les Clos est riche, velouté et complexe avec une grande finesse minérale et un superbe équilibre; grenouilles doit être long en bouche et satisfaisant, et en même temps élégant, racé et aromatique; les preuses, qui bénéficie du plus grand ensoleillement, est complet, parfois exotique, gras pour un chablis, mais expressif et incontestablement complexe avec beaucoup de finesse; valmur offre un beau bouquet, richesse et douceur en bouche; vaudésir est complexe et intense avec une grande finesse et une saveur d'épices; la moutonne est fin, long en bouche et superbement expressif.

chardonnay

6-20 ans

***Blanchot** : Domaine Michel Laroche, Jean-Marie Raveneau, Domaine Vocret • **Bougros** : William Faivre domaine de la Maladière, Domaine Michel Laroche • **Les Clos** : Domaine Pascal Bouchard, René & Vincent Dauvissat, Domaine Joseph Drouhin, Caves Duplessis, William Faivre domaine de la Maladière, Louis Michel, J. Moreau* (lieu-dit Clos-des-Hospices), *Jean-Marie Raveneau • **Grenouilles** : La Chablisienne* (Château Grenouilles), *Louis Michel • **La Moutonne** : Domaine Long-Depaquit • **Les Preuses** : René & Vincent Dauvissat • **Valmur** : Jean Collet, Jean-Paul Droin, Jean-Marie Raveneau • **Vaudésir** : Domaine Billot-Simon, Domaine Pascal Bouchard, William Faivre domaine de la Maladière, Louis Michel*

CHABLIS PREMIER CRU

Premiers crus : Les Beauregards, Beauroy, Berdiot, Chaume-de-Talvat, Côte-de-Jouan, Côte-de-Léchet, Côte-de-Vaubarousse, Fourchaume, Les Fourneaux, Montée-de-Tonnerre, Montmains, Mont-de-Milieu, Vaillons, Vaucoupin, Vaux-de-Vey (ou Vaudevey), Vau-ligneau, Vosgros. Contrairement aux grands crus, les dix-sept premiers crus de chablis ne sont pas rassemblés au-dessus de la ville, mais dispersés dans les vignobles de quinze communes avoisinantes; la qualité et le style des vins répondent à cette dispersion. Le montée-de-tonnerre est toujours le plus fin, quels que soient le producteur et le millésime. L'un de ses lieux-dits, Chapelot, est considéré par beaucoup du niveau d'un grand cru. Derrière Montée-de-Tonnerre, Côte-de-Léchet, Les Forêts (un climat de montmains), Fourchaume et Mont-de-Milieu occupent la seconde place dans ces premiers crus.

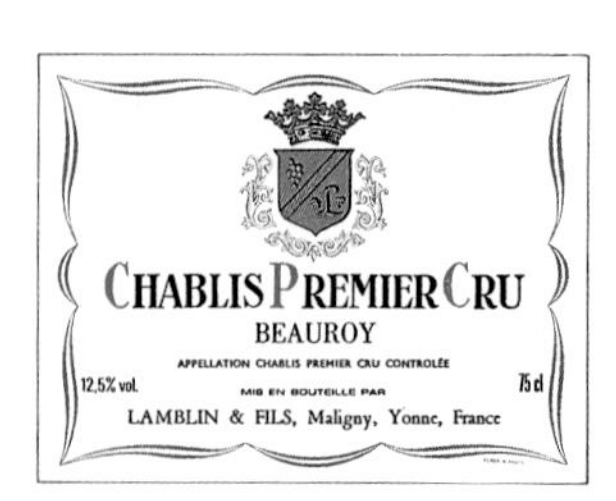

Blanc : des vins secs légers qui peuvent être étoffés, mais qui devraient toujours être plus fins et longs en bouche que ceux de la simple appellation chablis, sans la concentration que l'on attend d'un grand cru.

chardonnay

4-15 ans

***Les Beauregards** : aucun producteur • **Beauroy** : Sylvain Monnier • **Berdiot** : aucun • **Chaume-de-Talvat** : aucun • **Côte-de-Jouan** : Michel Cobois • **Côte-de-Léchet** : Jean-Paul Droin, Jean Defaix, Sylvain Monnier • **Côte-de-Vaubarousse** : aucun • **Fourchaume** : La Chablisienne, Domaine de Chantemerle, Jean-Paul Droin, Jean Durup, Lamblin & Fils, Domaine Michel Laroche, Francine & Olivier Savary • **Les Fourneaux** : Jean-Pierre Grossot • **Montée-de-Tonnerre** : Domaine Billot-Simon, Jean-Paul Droin* (vielles-vignes), *Caves Duplessis, William Fèvre, Louis Michel, Jean-Marie Raveneau* (y compris les lieux-dits Chapelot et Pied-d'Aloue), *Guy Robin • **Montmains** : La Chabisienne, René & Vincent Dauvissat* (lieu-dit La Forest [sic]), *Caves Duplessis, Domaine des Malandes, Domaine des Marronniers, Louis Michel, Georges Pico, Jean-Marie Raveneau* (lieu-dit Butteaux), *Guy Robin* (lieu-dit Butteaux), *Domaine Vocret* (lieu-dit La Forêt) *• **Mont-de-Milieu** : Domaine Barrat, Jean Collet, Jean-Pierre Grossot, Domaine de Meulière • **Vaillons** : Domaine Barat, Jean Defaix, René & Vincent Dauvissat, Domaine Michel Laroche • **Vaucoupin** : Jean-Pierre Grossot, Château de Viviers • Vaux-de-Vey : Jean Durup, Domaine Michel Laroche • Vau-Ligneau : Thierry Hamelin • Vosgros : Gilbert Picq, Jean Paul Droin*

AOC PETIT-CHABLIS

Une appellation peu flatteuse qui correspond à des sols de qualité inférieure et des expositions situés dans la même zone que le chablis générique, à l'exception des communes de Ligny-le-Châtel, Viviers et Collan. Malgré l'existence de quatre nouveaux bons producteurs, cette appellation devrait soit descendre au rang de VDQS, soit être élevée. La rumeur veut qu'elle disparaisse, mais que l'on ne se méprenne pas : cela ne signifie pas que l'on arrachera les vignes, seulement que les sols de qualité inférieure produiront à l'avenir du chablis, même s'il ne s'agit que de petit vin.

Blanc : Les rares bonnes surprises mises à part, il s'agit la plupart du temps de vins secs et maigres, légers ou peu étoffés. Les producteurs suivants réservent les meilleures surprises.

chardonnay

2-3 ans

Jean-Marc Brocard • Jean Durup • Vincent Gallois • Thiery Hamelin • Francine & Olivier Savary

VDQS SAUVIGNON DE SAINT-BRIS

Ce vin de village vaut bien la plupart de ceux qui portent l'appellation sauvignon AOC, et dépasse de loin les diverses AOC de blancs tirés de cépages de qualité inférieure. Il y a quelques années, il ne paraissait pas possible que le sauvignon de Saint-Bris gagne son appellation contrôlée, les Bourguignons jaloux ne permettant pas à priori à ce cépage de rivaliser avec leur noble chardonnay. Eh bien, au moment où j'écris ces lignes, la rumeur veut que ce vignoble soit dûment élevé au rang d'AOC, abandonnant la référence au sauvignon et ouvrant la voie à tout un ensemble de cépages, comme cela a été le cas, officiellement ou non, pendant de longues années.
Le Domaine du Corps de Garde de Ghislaine et Jean-Hugues Goisot règne en maître sur l'appellation actuelle, mais qu'en sera-t-il après sa promotion?

Blanc : Des arômes d'herbe mouillée ou herbacés, la pleine saveur de fumé du sauvignon et une finale très convenable, sèche et nette. La cuvée du Corps-de-Garde de Jean-Hugues Goisot est sans doute le vin le meilleur et le plus constant de cette appellation.

sauvignon blanc

2-5 ans

Jean-Marc Brocard • Robert Defrance • Jean-Hugues Goisot

VÉZELAY

Bien qu'il ne s'agisse pas d'une appellation officielle, le bruit court que celle-ci sera accordée et l'on trouve en effet des vins de Vézelay qui se laissent boire, tant en rouge (pinot noir) qu'en blanc (chardonnay et melon de Bourgogne) chez Marc Meneau. Il semble que la nouvelle appellation s'étende sur quelque 300 hectares, bien qu'un tiers à peine de cette superficie soit plantée. Les vignes sont toutes situées sur les coteaux pentus, à la limite de la ligne des gelées, si redoutées dans la région, et surmontant la commune de Vézelay.

Marc Meneau

LES GRANDS CRUS DE CHABLIS

Les vignobles les plus prestigieux du Chablis s'étendent en coteaux tranquilles et majestueux sur la rive du Serein en face de la ville de Chablis.

CÔTE DE NUITS ET HAUTES-CÔTES DE NUITS

La côte de Nuits produit essentiellement du vin rouge mais, malgré les très grands vins blancs de musigny et de nuits-saint-georges clos de l'arlot, c'est ici le domaine du pinot noir avec vingt-deux grands crus sur vingt-trois.

Le département de la Côte-d'Or rassemble la côte de Nuits et la côte de Beaune. Fermeté et corps sont les mots-clés qui s'appliquent aux vins qui y sont produits et, plus on va vers le nord, plus ces caractéristiques s'accentuent. Un chapelet de communes aux noms prestigieux – Gevrey-Chambertin, Chambolle-Musigny, Vosne-Romanée, Nuits-Saint-Georges – attire les marchands du monde entier. Ironie du sort, les appellations les plus fameuses donnent aussi des vins parmi les plus médiocres de Bourgogne.

LE CLOS DE L'ARLOT, DOMAINE DE L'ARLOT
Acquis en 1987 par le dynamique groupe AXA, le domaine de l'Arlot figure parmi les meilleurs producteurs de Nuits-Saint-Georges. Ses vins de pinot noir, de qualité constante, sont des modèles, et son monopole, le clos-de-l'arlot, donne en quantité infime un sublime vin blanc.

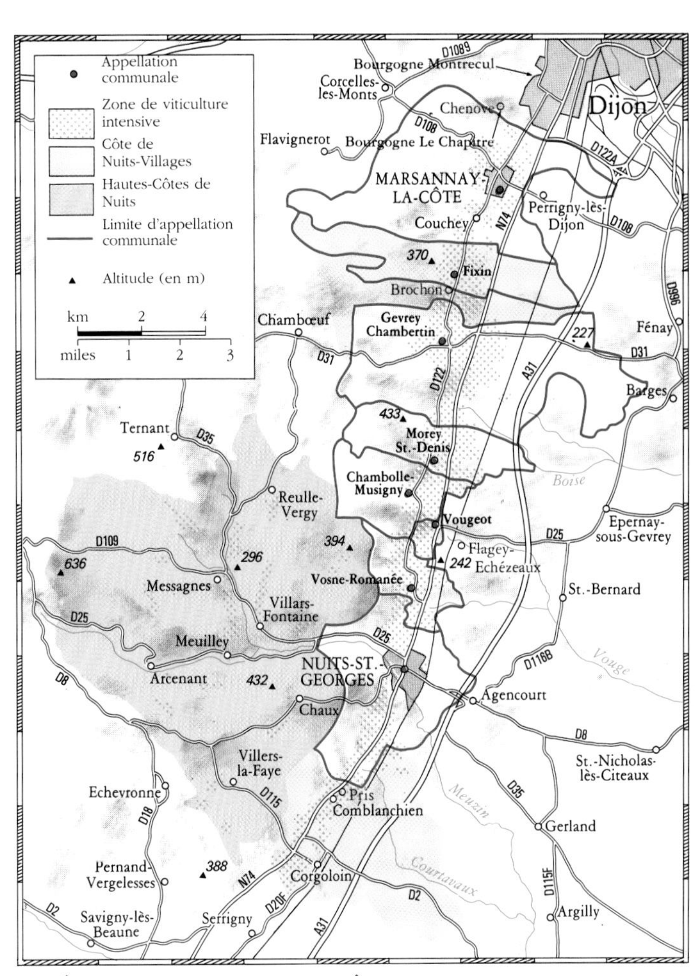

CÔTE DE NUITS ET HAUTES-CÔTES DE NUITS, *voir aussi* **p. 131**
Les meilleurs vignobles de la côte de Nuits forment un ensemble plus concentré et serré que ceux de la côte de Beaune (voir aussi p. 144) *; et, curieusement, ils produisent des vins serrés, aux saveurs de fruits concentrés.*

FACTEURS AFFECTANT LE GOÛT ET LA QUALITÉ

SITUATION
La Côte de Nuits forme une bande de vignobles étroite et continue qui s'étend de Dijon au nord de Beaune. Les Hautes-Côtes de Nuits se situent au sud-ouest de ce secteur vinicole.

CLIMAT
Cette zone connaît un climat semi-continental avec une influence atlantique minimale, d'où un hiver long et froid, un printemps humide, un été chaud et très ensoleillé. La grêle est la calamité la plus redoutée et les fortes pluies ont tendance à diluer les vins et provoquer la pourriture grise.

ORIENTATION
Une suite de pentes exposées à l'est sinuent en courbes et contre-courbes orientées au nord-est ou au sud-est. Les vignes croissent entre 225 et 350 m d'altitude ; à l'exception de Gevrey-Chambertin et de Prémeaux-Prissey, les vignes qui ont droit aux appellations de communes ou à des appellations supérieures s'étendent peu à l'est de la RN 74.

SOL
Un sous-sol de calcaire sableux apparaît par endroits, le plus souvent recouvert de marne à cailloux calcaires sur les hauteurs et de riches dépôts alluvionnaires sur les pentes basses. On trouve parfois de l'argile rouge au sommet des collines.

VITICULTURE ET VINIFICATION
Les vignes sont taillées bas pour bénéficier la nuit de la réverbération du sol. En vin rouge, le raisin est presque toujours égrappé et le jus reste en contact avec les peaux entre huit et dix jours. Moins de 3% de la production se fait en vin blanc, mais il s'agit toujours d'une production de haute qualité, qui fermente traditionnellement en barriques. Les meilleurs crus vieillissent en fûts de chêne.

CÉPAGES PRINCIPAUX
Pinot noir, chardonnay
CÉPAGES SECONDAIRES
Pinot gris (ou pinot beurot), pinot liébault, pinot blanc, aligoté, melon de Bourgogne, gamay.

CONFRÉRIE DES CHEVALIERS DU TASTEVIN

Après les trois terribles millésimes de 1930, 1931 et 1932 et quatre années de dépression succédant au krach de 1929, Camille Rodier et Georges Faiveley créèrent la Confrérie des chevaliers du tastevin pour redonner son lustre à la Bourgogne.

Ils prirent exemple sur l'ordre de la Boisson, une société qui avait prospéré, puis décliné, sous Louis XIV. Adoptant pour grande tenue la robe médiévale et pratiquant des rituels spectaculaires, les fondateurs créèrent quatre grades : chevalier, commandeur, commandeur-major et grand officier. Le tastevin qui donnait son nom à la confrérie était la tasse d'argent, traditionnelle en Bourgogne, dans laquelle on goûtait le vin, et qui se portait en sautoir au bout d'un ruban rouge et or.
Les premières investitures eurent lieu le 16 novembre 1934 dans un chai de Nuits-Saint-Georges. La confrérie se targue de milliers de membres répartis en de nombreux chapitres à travers le monde et tient une vingtaine de banquets par an château du Clos-de-Vougeot.

LES APPELLATIONS DE

LA CÔTE DE NUITS ET DES HAUTES-CÔTES-DE-NUITS

Chaque grand cru de Côte de Nuits portant son appellation propre, on en trouvera ci-dessous la nomenclature. Toutefois, ce n'est pas le cas des premiers crus, ceux-ci figurent donc au nom de la commune où se situent leurs vignobles. Les premiers crus pratiquement contigus à des grands crus sont indiqués en italique; ils peuvent être supérieurs à ceux qui ne bénéficient pas de cette proximité avec un ou plusieurs grands crus, et généralement supérieurs à ceux qui voisinent avec des AOC de communes.

AOC BONNES-MARES

Grand cru

Bonnes-Mares est le plus vaste des grands crus de Chambolle-Musigny. Le vignoble couvre 13,5 ha au nord de la commune, à l'opposé de Musigny, l'autre grand cru de la commune, et s'étend encore sur 1,5 ha sur la commune de Morey-Saint-Denis.

Rouge L'alliance d'une fabuleuse féminité de style avec une profondeur de goût parfaite donne un vin riche et onctueux, mais en même temps complexe et complet.

pinot noir, pinot gris, pinot liébault

12-25 ans

✓ *Domaine Dujac • Louis Jadot • Domaine comte Georges de Vogüé • Domaine Georges Roumier • Domaine Tortochot*

AOC BOURGOGNE LA CHAPITRE

•

AOC BOURGOGNE MONTRECUL OU MONTRE-CUL OU EN MONTRE-CUL

Deux des trois lieux-dits créés en 1993, La Chapitre est situé sur Chenove, entre Marsannay et Dijon, tandis que Montrecul est à Dijon. Selon l'auteur Anthony Hanson, les vins de Chenove atteignaient des prix supérieurs à ceux de Gevrey. Le vignoble le plus célèbre de Chenove est le clos-du-roi, dont Labouré-Roi a pris la direction en 1994. Le Clos de Chapitre a pour seul propriétaire Michel Pont, de Savigny, mais l'appellation est de toute évidence plus large que ce monopole. Hanson observe aussi qu'un montrecul est vendu par Charles Quillardet, qui appartient maintenant à Patriarche, mais comme il est peu probable qu'une AOC ait été créée pour un seul propriétaire, d'autres feront ce vin. Les deux appellations produisent aussi bien du rouge, du blanc ou du rosé et les cépages autorisés sont les mêmes que pour l'AOC bourgogne (*voir* p. 133).

AOC BOURGOGNE HAUTES-CÔTES-DE-NUITS

Ces vignobles, qui produisent des vins d'un bon rapport qualité/prix, se sont étendus depuis les années 1970, et la qualité s'améliore notablement. Des clairets (entre le rouge et le rosé) se vendent sous l'appellation AOC bourgogne clairet hautes-côtes-de-nuit, mais ce type de vin est passé de mode et se rencontre rarement.

Rouge des vins moyennement corsés à corsés, bien fruités avec un authentique caractère de côte-de-nuits. Les vins de certains producteurs ont de fines nuances de chêne.

pinot noir, pinot gris, pinot liébault

4-10 ans

Blanc Seulement 5% de la production est en blanc sec. La plupart sont assez fruités et étoffés, mais sans grande finesse.

chardonnay, pinot gris, pinot liébault

1-4 ans

Rosé Rares, mais ceux qui existent sont des vins secs, fruités, délicieux et d'une certaine richesse

pinot noir, pinot gris, pinot liébault

1-3 ans

✓ *Domaine Bertagna • J.-C. Boisset • Domaine Yves Chalet • Guy Dufouleur • Robert Jayer-Gilles • Domaine de Montmain • Domaine Naudin-Ferrand • Thévenot-le-Brun & Fils • Alain Verdet • Thierry Vigot-Battault*

AOC CHAMBERTIN

Grand cru

C'est l'un des neuf crus de Gevrey-Chambertin. La réputation du chambertin a été telle que tous les grands crus de la commune ont, le plus légalement du monde mais avec culot, accolé son nom au leur; l'un d'eux, le Clos-de-Bèze, a le droit de vendre son vin sous l'appellation chambertin.

Rouge Toujours plein de corps et riche en composés, le chambertin n'est toutefois pas aussi puissant que le corton, mais gracieux et féminin avec une couleur vivace, un nez étonnant, un équilibre parfait, de l'onctuosité et du velouté.

pinot noir, pinot gris, pinot liébault

12-30 ans

✓ *Domaine Jacques Prieur • Domaine Henri Rebourseau • Domaine Armand Rousseau • Domaine Jean Trapet • Domaine Tortochot*

AOC CHAMBERTIN-CLOS-DE-BÈZE

Grand cru

Il s'agit d'un des neuf grands crus de Gevrey-Chambertin. Le clos-de-bèze peut être vendu simplement comme chambertin, le grand cru voisin, mais le chambertin ne peut s'appeler « clos-de-bèze ».

Rouge Ce vin passe pour avoir une plus grande finesse que le chambertin mais un petit peu moins de corps. Il est tout aussi sublime.

pinot noir, pinot gris, pinot liébault

12-30 ans

✓ *Joseph Drouhin • Drouhin-Laroze • Domaine Faiveley • Louis Jadot • Domaine Armand Rousseau*

AOC CHAMBOLLE-MUSIGNY

Cette commune bénéficie d'une situation très favorable, avec un solide bouquet de vignes nichées à l'abri d'un repli géologique.

Rouge Nombre de ces vins moyennement ou bien corsés ont une finesse et un arôme surprenants pour de simples appellations de commune.

pinot noir, pinot gris, pinot liébault

8-15 ans

✓ *Geantet Pansiot • Domaine Perrot-Minot • Daniel Rion • Domaine Georges Roumier*

AOC CHAMBOLLE-MUSIGNY PREMIER CRU

Premiers crus : *Les Amoureuses, Les Baudes,* Aux Beaux Bruns, *Les Borniques,* Les Carrières, Les Chabiots, Les Charmes, Les Châtelots, *La Combe-d'Orveau,* Aux Combottes, Les Combottes, Les Cras, Derrière-la-Grange, Aux Échanges, Les Feusselottes, *Les Fuées,* Les Grands-Murs, Les Groseilles, Les Gruenchers, Les Hauts-Doix, *Les Lavrottes,* Les Noirots, Les Plantes, Les Sentiers. Largement en tête se trouve Les Amoureuses, suivi de Les Charmes à une très respectable deuxième place.

Rouge Les meilleurs ont un bouquet séduisant et une saveur délicieusement parfumée.

pinot noir, pinot gris, pinot liébault

10-20 ans

✓ *Domaine Amiot-Servelle • Domaine Ghislaine Barthod • Domaine J. Confuron-Coteidot • Domaine Joseph Drouhin • Domaine Moine-Hudelot • Denis Mortet • Domaine Mugnier • Domaine Georges Roumier*

AOC CHAPELLE-CHAMBERTIN

Grand cru

C'est l'un des neuf grands crus de Gevrey-Chambertin, comportant deux climats appelés « En-la-Chapelle » et « Les Gémeaux », situés sous le Clos-de-Bèze.

Rouge Bien que le plus léger de tous les grands crus, le chapelle-chambertin a un arôme et une saveur délicieux.

pinot noir, pinot gris, pinot liébault

8-20 ans

✓ *Louis Jadot • Domaine Jean Trapet • Domaine Rossignol Trapet & Fils*

CHARMES-CHAMBERTIN

Grand cru

C'est le plus vaste des neuf grands crus de Gevrey-Chambertin; une partie du vignoble porte le nom de « Mazoyères », rendant possible l'appellation mazoyères-chambertin.

Rouge Vins somptueux et doux, avec des arômes de fruits mûrs et le caractère d'un pur pinot, bien que manquant légèrement de finesse.

pinot noir, pinot gris, pinot liébault

10-20 ans

✓ *Pierre Bourée • Domaine Joseph Drouhin • Domaine Claude Dugat • Bernard Dugat-Py • Domaine Perrot-Minot • Joseph Roty • Sérafin Père & Fils*

AOC CLOS-DE-BÈZE

Une autre appellation du chambertin-clos-de-bèze. *Voir* AOC chambertin-clos-de-bèze.

AOC CLOS-DES-LAMBRAYS

Grand cru

Ce vignoble n'a été classé comme l'un des

quatre grands crus de Morey-Saint-Denis que récemment, en 1981, bien que l'ancien propriétaire ait fait figurer (illégalement) sur l'étiquette la mention « grand cru classé ».

Rouge La vigne a été replantée par un nouveau propriétaire, qui produit des vins fins et élégants au fruité soyeux, d'une qualité tout à fait recommandable, mais n'atteignant pas le niveau d'un grand cru.

pinot noir, pinot gris, pinot liébault

10-20 ans

Domaine des Lambrays

AOC CLOS-DE-LA-ROCHE

Grand cru

Occupant une superficie de presque 17 ha, le Clos-de-la-Roche est deux fois plus vaste que les grands crus de Morey-Saint-Denis.

Rouge Vin de garde à robe profonde, riche et puissant, soyeux. Beaucoup le considèrent comme le plus grand des grands crus de Morey-Saint-Denis.

pinot noir, pinot gris, pinot liébault

10-20 ans

Pierre Bourée • Domaine Dujac • Domaine Hubert Lignier• Domaine Jean-Marie Ponsot • Armand Rousseau

AOC CLOS-SAINT-DENIS

grand cru

C'est ce grand cru que la commune de Morey a accolé à son nom quand ce vignoble en était le meilleur, un rang contesté par le Clos-de-la-Roche et le Clos-de-Tart.

Rouge Vins puissants, fins et fermes, aux saveurs de réglisse et de fruits rouges qui demandent du temps pour se développer.

pinot noir, pinot gris, pinot liébault

10-25 ans

Domaine Bertagna • Philippe Charlopin • Domaine Dujac • Domaine Jean-Marie Ponsot

AOC CLOS-DE-TART

Grand cru

C'est l'un des quatre grands crus de Morey-Saint-Denis. Il appartient entièrement au négociant Monmessin. Une petite partie du grand cru Bonnes-Mares a droit à l'appellation clos-de-tart.

Rouge Ce monopole donne des vins à l'arôme pénétrant de pinot noir, auquel Monmessin ajoute un caractère si épicé et vanillé de bois neuf à 100% qu'une longue maturation en bouteille est nécessaire pour acquérir une harmonie de saveurs complète.

pinot noir, pinot gris, pinot liébault

15-30 ans

Monmessin

AOC CLOS-DE-VOUGEOT

Grand cru

Seul grand cru de Vougeot, c'est un vaste vignoble de 50 ha qu'exploitent pas moins de 85 propriétaires officiels. Ce morcellement a souvent servi à illustrer la différence traditionnelle entre la Bourgogne et le Bordelais, où les vignobles étant rattachés à un seul château, les vins donnent des assemblages d'une qualité constante.

Rouge Les innombrables lopins offrant des qualités de vins allant de l'exceptionnel au très ordinaire et faits par des vignerons de compétence variable, il est pratiquement impossible de définir ce cru en tant que tel. Les meilleurs vins ont toutefois un fruité prononcé et soyeux de pinot noir, un équilibre élégant, et une tendance à être plus fins que complets.

pinot noir, pinot gris, pinot liébault

10-25 ans

Domaine Amiot-Servelle • Domaine J. Confuron-Cotetidot • Drouhin-Laroze • Domaine René Engel • Domaine Jean Grivot • Domaine Anne & François Gros • Louis Jadot • Dominique Laurent • Domaine Leroy • Domaine Prieuré Roch • Domaine de Château Latour

AOC CLOS-VOUGEOT

Voir **AOC Clos-de-Vougeot**

AOC CÔTE-DE-NUITS-VILLAGES

Cette appellation s'applique à des vins qui sont produits sur l'une ou plusieurs de cinq communes : Fixin et Brochon au nord de la Côte de Nuits, et Comblanchien, Corgoloin, Prissy au sud.

Rouge Des vins fermes, fruités, de caractère, bien dans le style de la Côte de Nuits.

pinot noir, pinot gris, pinot liébault

6-10 ans

Blanc Fait en très petite quantité, tout au plus 4 hl (44 caisses), et je ne l'ai jamais vu.

chardonnay, pinot blanc

Domaine de l'Arlot • Michel Esmonin • Domaine Naudin-Ferrand

AOC ÉCHÉZEAUX

Grand cru

Ce vignoble de 30 ha est le plus vaste des deux grands crus de Flagey-Échezeaux et compte 11 climats exploités par quelque 84 propriétaires.

Rouge Les meilleurs vins sont fins et parfumés, caractères reposant davantage sur la délicatesse que sur la puissance, mais un trop grand nombre ne mérite pas mieux que la simple appellation de commune.

pinot noir, pinot gris, pinot liébault

10-20 ans

Domaine J. Confuron-Cotetidot • Camille Giroud • Robert Jayer-Gilles • Mongeard-Mugneret • Domaine de la Romanée-Conti • Domaine Fabrice Vigot

AOC FIXIN

Fixin fut la résidence d'été des ducs de Bourgogne.

Rouge Des vins de belle couleur qui peuvent être fermes, tanniques et de garde, de grande qualité et même d'un excellent rapport qualité/prix.

pinot noir, pinot gris, pinot liébault

6-12 ans

Blanc Des vins riches, secs et concentrés, rares mais qui valent la peine d'être recherchés. Bruno Clair montre ce que le pinot blanc peut donner lorsqu'il n'est pas vendangé à l'excès.

chardonnay, pinot blanc

3-8 ans

Domaine Bart • Domaine Berthaut • Bruno Clair • Pierre Gelin • Philippe Joliet • Mongeard-Mugneret

AOC FIXIN PREMIER CRU

Premiers crus : Les Arvelets, Clos-du-Chapitre, Aux Cheusots, Les Hervelets, Le Meix-Bas, La Perrière, Queue-de-Hareng (sur le village voisin de Brochon), En Suchot, Le Village. Les meilleurs premiers crus sont La Perrière et Clos-du-Chapitre. Clos de la Perrière, monopole appartenant à Philippe Joliet, comporte en outre Souchot et Queue-de-Hareng.

Rouge Des vins à robe profonde magnifique, pleins de corps, au nez de cassis et de groseille soutenus par une bonne plénitude tannique.

pinot noir, pinot gris, pinot liébault

10-20 ans

Blanc Je n'en ai jamais rencontré, mais tout porte à croire qu'ils vaudraient au moins aussi bien que les AOC fixin blancs ordinaires.

Domaine Berthaut • Pierre Gelin • Philippe Joliet • Mongeard-Mugneret

AOC GEVREY-CHAMBERTIN

En dehors du célèbre chambertin, la commune produit de superbes vins sous l'appellation gevrey-chambertin. Quelques vignes s'étendent jusqu'au village de Brochon.

Rouge Vins de belle couleur, pleins, riches et élégants, soyeux avec une finale parfumée de pur pinot noir.

pinot noir, pinot gris, pinot liébault

Alain Burguet • Philippe Charlopin • Domaine Drouhin-Laroze • Bernard Dugat-Py • Domaine Dujac • Labouré-Roi • Denis Mortet • Geantet Pansiot

AOC GEVREY-CHAMBERTIN PREMIER CRU

Premiers crus : *Bel Air,* La Bossière, Les Cazetiers, Champeaux, *Champitennois,* Champonnet, Clos-du-Chapitre, *Cherbandes, Au Closeau,* Combe-au-Moine, *Aux Combottes, Les Corbeaux,* Craipillot, En Ergot, Étournelles (ou Estournelles), Fonteny, Les Goulots, Lavaut (ou Lavout Saint-Jacques), *La Perrière, Petite-Chapelle,* Petits-Cazetiers, *Plantigone* (ou *Issarts*), Poissenot, *Clos-Prieur-Haut* (ou *Clos-Prieure*), La Romanée, Le Clos-Saint-Jacques, Les Varoilles

Rouge Vins de belle couleur et pleins de finesse, n'atteignant pas le niveau des grands crus, sauf Clos-Saint-Jacques.

pinot noir, pinot gris, pinot liébault

10-20 ans

Alain Burguet • Domaine Bruno Clair • Drouhin-Laroze • Bernard Dugat-Py • Domaine Claude Dugat • Domaine Dujac • Michel Esmonin • Geantet Pansiot • Domaine Joseph Roty • Domaine Armand Rousseau • Domaine Jean Trapet

AOC GRANDS-ÉCHEZEAUX

Grand cru

Le plus petit et le plus éminent des deux grands crus de Flagey-Échezeaux, ce vignoble est séparé des coteaux les plus élevés de Clos-de-Vougeot par une limite communale.

Rouge Vins fins et complets qui devraient avoir un bouquet soyeux, rappelant souvent la violette. Ronds et riches en bouche, mais équilibrés par une certaine délicatesse de fruits.

pinot noir, pinot gris, pinot liébault

10-20 ans

Domaine François Lamarche • Domaine Méo-Camuzet • Mongeart-Mugneret • Domaine de la Romanée-Conti

AOC LA GRANDE RUE

Grand cru

Ce dernier-né des grands crus de Vosne-Romanée était généralement considéré comme le plus prometteur des premiers crus de cette commune. Il a été promu en 1992, bien que la production de son propriétaire François Lamarche ait, c'est le moins qu'on puisse dire, laissé à désirer. Le terroir n'en est pas moins sans conteste supérieur à celui d'un premier cru, et le domaine Lamarche s'étant montré depuis à la hauteur, il semble que parfois la charrue doive être mise devant les bœufs.

Rouge Lorsque Lamarche réussit, le vin est d'une belle robe avec des saveurs d'épices, de fleurs et de griotte.

pinot noir, pinot gris, pinot liébault

7-15 ans

Domaine Lamarche

AOC GRIOTTES-CHAMBERTIN

Grand cru

Le plus petit des grands crus de Gevrey-Chambertin.

Rouge Les meilleurs viticulteurs produisent des vins d'une robe profonde, délicieux, pleins de fruits doux et tout le velouté que l'on peut attendre d'un authentique chambertin.

pinot noir, pinot gris, pinot liébault

10-20 ans

Domaine Joseph Drouhin • Domaine Claude Dugat • Domaine Jean-Marie Ponsot

AOC LATRICIÈRES-CHAMBERTIN

Grand cru

L'un des neuf grands crus de Gevrey-Chambertin, situé au-dessus du climat Mazoyères de Charmes-Chambertin. Une petite partie du premier cru voisin, Aux Combottes, a également le droit de porter cette appellation.

Rouge Une robuste plénitude et une certaine austérité sont les caractères qui relient les deux styles de ces vins (à boire jeune ou de garde). Ils manquent parfois de fruité et de générosité, mais ceux qui proviennent des domaines ci-dessous sont les plus fins que l'on puisse trouver.

pinot noir, pinot gris, pinot liébault

10-20 ans

Drouhin-Laroze • Domaine Leroy • Domaine Jean-Marie Ponsot • Domaine Jean Trapet

AOC MARSANNAY

Cette commune, située tout au nord de la Côte de Nuits, a longtemps été réputée pour son rosé et commence à se faire un nom avec ses vins rouges. En mai 1987, l'appellation bourgogne-marsannay a gagné le titre d'AOC de commune.

Rouge Vins fermes et fruités aux saveurs de cassis avec des traces de réglisse, de cannelle et, si l'on a utilisé du bois neuf, de vanille.

pinot noir, pinot gris, pinot liébault

4-8 ans

Blanc Jusqu'en mai 1987, le vin blanc de Marsannay ne pouvait être vendu que sous l'appellation générique de bourgogne. Si quelques producteurs, dont Bruno Clair, parviennent à faire un vin riche au léger goût de noisette qui évoque le style du meursault, on trouve par ailleurs trop de vins communs.

chardonnay

Rosé Vins secs plutôt riches que légers et fruités. Ils éclatent de fruits mûrs, cassis, mûre, fraise et cerise. Il vaut mieux les boire jeunes, mais certains les aiment tuilés avec des fruits plus que mûrs.

pinot noir, pinot gris, pinot liébault

1-3 ans

Domaine Bart • Philippe Charlopin • Domaine Bruno Clair • Geantet Pansiot • Domaine Joseph Roty

AOC MARSANNAY-LA-CÔTE,

Voir AOC marsannay

AOC MAZIS-CHAMBERTIN

grand cru

Connu parfois sous le nom de mazy-chambertin, ce vin est l'un des neuf grands crus de Gevrey-Chambertin.

Rouge Ces vins complexes ne sont devancés que par le chambertin et le clos-de-bèze. Ils ont une robe fine et brillante, une finesse très soyeuse et une délicatesse longue en bouche.

pinot noir, pinot gris, pinot liébault

10-20 ans

Domaine Leroy • Domaine Bernard Maume • Joseph Roty • Armand Rousseau • Domaine Tortochot

AOC MAZOYÈRES-CHAMBERTIN

Une autre appellation du charmes-chambertin. *Voir* AOC Charmes-Chambertin.

AOC MOREY-SAINT-DENIS

Cette excellente petite commune vinicole mérite plus d'attention. Elle est desservie par son enclavement entre deux communes prestigieuses, Gevrey-Chambertin et Chambolle-Musigny, et aussi par le fait que le Clos Saint-Denis n'est plus considéré comme le meilleur grand cru de Gevrey-Chambertin.

Rouge Les meilleurs de ces vins ont une couleur vivace, un bouquet très expressif, de la souplesse et beaucoup de finesse. Un morey-saint-denis provenant d'un domaine tel que celui de Dujac peut avoir les qualités d'un premier cru.

pinot noir, pinot gris, pinot liébault

8-15 ans

Blanc Le domaine Dujac produit un excellent morey-saint-denis blanc, mais le monts-luisants du domaine Ponsot, bien qu'irrégulier, est plus intéressant. Bien que Monts-Luisants soit un premier cru, la partie supérieure de ce vignoble, d'où provient ce vin, fait partie de l'appellation de village (le secteur sud-est est classé grand cru sous le nom de Clos-de-la-Roche!). Lorsque Ponsot réussit son blanc, celui-ci peut être magnifiquement frais, sec, beurré; certains auteurs l'ont comparé à un meursault.

chardonnay, pinot blanc

3-8 ans

Domaine Pierre Amiot • Georges Bryczek & Fils • Philippe Charlopin • Domaine Dujac • Domaine Pierre-Minot • Domaine Jean-Marie Ponsot • Domaine Georges Roumier • Armand Rousseau

AOC MOREY-SAINT-DENIS PREMIER CRU

Premiers crus : Clos-Baulets, Les Blanchards, La Bussière, *Les Chaffots, Aux Charmes, Les Charrières*, Les Chénevery, Aux Cheseaux, *Les Faconnières, Les Genévrières*, Les Gruenchers, *Les Millandes, Monts-Luisants, Clos-des-Ormes*, Clos-Sorbè, Les Sorbès, Côte-Rôtie, La Riotte, *Les Ruchots*, Le Village.

Rouge Ces vins doivent avoir toute la robe, le bouquet, le palais et la finesse des excellents vins de commune, avec un goût de terroir en plus. Les meilleurs premiers crus sont le clos-des-ormes, le clos-sorbè et les sorbès.

pinot noir, pinot gris, pinot liébault

10-20 ans

Blanc Le seul blanc de Morey-Saint-Denis que je connaisse se situe dans les hauts de Monts-Luisants appartenant au domaine Ponsot (*voir* AOC Morey-Saint-Denis ci-dessus). À ma connaissance, il n'existe pas de morey-saint-denis blanc premier cru.

Pierre Amiot • Georges Bryczek & Fils • Domaine Dujac • Domaine Pernin Rossin • Domaine Tortochot

AOC MUSIGNY

Grand cru

C'est le plus petit des deux grands crus de Chambolle-Musigny. Le vignoble s'étend sur une dizaine d'hectares à l'opposé de Bonnes-Mares.

Rouge Ces vins d'une grande élégance ont une robe fabuleuse et un bouquet doux, séduisant et épicé. Un goût de fruits velouté se déploie en une succession de saveurs.

pinot noir, pinot gris, pinot liébault

10-30 ans

Blanc Le musigny blanc est un vin rare et cher produit uniquement au domaine Comte Georges de Vogüé. Il réunit l'acier du chablis et la richesse du montrachet, sans atteindre toutefois le niveau de l'un ou de l'autre.

chardonnay

8-20 ans

Château de Chambolle-Musigny • Joseph Drouhin • Louis Jadot • Domaine Mugnier • Georges Roumier & Fils • Domaine Comte Georges de Vogüé

AOC NUITS

***Voir* AOC Nuits-Saint-Georges**

AOC NUITS PREMIER CRU

***Voir* Nuits-Saint-Georges premier cru**

AOC NUITS-SAINT-GEORGES

Plus que tout autre, le nom de cette commune évoque ces vins pleins de saveur à la robuste plénitude qui ont assuré sa renommée.

Rouge Ces vins sont d'une couleur profonde, complets et fermes, mais le style et le caractère de crus tels que ceux de Gevrey, Chambolle ou Morey leur font parfois défaut.

pinot noir, pinot gris, pinot liébault

7-15 ans

Blanc Je n'ai pas goûté ce vin. (*Voir* AOC Nuits-Saint-Georges premier cru.)

Domaine de l'Arlot • Domaine J. Confuron-Cotetidot • Bertrand Marchard de Gramont • Domaine Daniel Rion & Fils

AOC NUITS-SAINT-GEORGES PREMIER CRU

Premiers crus : Les Argillats, Les Argillières*, Clos-Arlot*, Aux Boudots, Aux Bousselots, Les Cailles, Les Chabœufs, Aux Chaignots, Chaine-Carteau (ou Chaines-Carteaux), Aux Champs-Perdrix, Clos-des-Corvées*, Clos-des-Corvées-Pagets*, Aux Cras, Les Crots, Les Damodes, Les

Didiers*, Les Forêts* (ou Clos-des-Forêts-Saint-Georges*), Les Grandes-Vignes*, Château-Gris, Les Hauts-Pruliers, Clos-de-la-Maréchale*, Aux Murgers, Aux Perdrix*, En la Perrière-Noblet (ou en la Perrière-Noblot), Les Perrières, Les Porets, Les Poulettes, Les Procès, Les Pruliers, La Richemone, La Roncière, Rue-de-Chaux, Les Saint-Georges, Clos-Saint-Marc (ou Aux Corvées), Les Terres-Blanches, Aux Thorey, Les Vallerots, Les Vaucrains, Aux Vignerondes.

*sur la commune de Prémeaux-Prissey.

Rouge Ces vins ont une robe splendide, un riche bouquet épicé et une vibrante saveur de fruits avec parfois une discrète et agréable dominante de vanille.

pinot noir, pinot gris, pinot liébault

10-20 ans

Blanc Le la perrière d'Henri Gouges est sec, puissant, presque gras, avec une riche finale d'épices. Les vignes à l'origine de ce vin viennent d'une mutation de pinot noir qui donnait en même temps des grappes de raisin noir et de raisin blanc. Gouges a prélevé dans les années 1930 un plant de la vigne mutée donnant du raisin blanc, et il n'existe actuellement plus qu'un demi-hectare à peine de cette vigne d'origine, qui n'a jamais redonné de raisin noir.

chardonnay, pinot blanc

5-10 ans

Bertrand Ambroise • Domaine de l'Arlot • Robert Chevillon • Dubois & Fils • Henri Gouges • Robert Jayer-Gilles • Dominique Laurent • Léchenaut Philippe & Vincent • Domaine Pernin Rossin • Domaine Daniel Rion & Fils

AOC RICHEBOURG

Grand cru

L'un des six grands crus situés au cœur des vignobles de Vosne-Romanée.

Rouge Vin d'une richesse fabuleuse au bouquet sublime et aux saveurs de fruits veloutées et onctueuses.

pinot noir, pinot gris, pinot liébault

12-30 ans

Domaine Jean Grivot • Domaine Anne & François Gros • Domaine Leroy • Domaine Méo-Camuzet • Domaine Prieuré-Roch • Domaine de la Romanée-Conti

AOC LA ROMANÉE

Grand cru

Ce vignoble appartient au domaine du Château de Vosne-Romanée, lequel est la propriété de la famille Liger-Belair, mais le vin est vieilli, mis en bouteilles et vendu par Bouchard Père & Fils. D'une superficie inférieure à un hectare, ce grand cru est le plus petit de Vosne-Romanée.

Rouge Vin complet, fin et complexe, qui n'a peut-être pas toute la séduction veloutée d'un richebourg, mais vieillit assurément avec grâce.

pinot noir, pinot gris, pinot liébault

12-30 ans

Domaine du Château de Vosne-Romanée

AOC ROMANÉE-CONTI

Grand cru

Ce grand cru de Vosne-Romanée s'étend sur moins de deux hectares et appartient en entier au célèbre domaine de la Romanée-Conti.

Rouge Le vin le plus cher du monde est toujours jugé à des niveaux supérieurs à tout autre. Mais il faut admettre que l'on est immanquablement surpris par la stupéfiante palette d'arômes que déploie ce vin fabuleusement concentré et d'une complexité totale.

pinot noir, pinot gris, pinot liébault

15-35 ans

Domaine de la Romanée-Conti

AOC ROMANÉE-SAINT-VIVANT

Grand cru

Le plus vaste des six grands crus s'étend sur les pentes les plus basses et les plus proches de la commune.

Rouge Le plus léger des fabuleux grands crus de Vosne-Romanée, mais ce vin gagne en finesse ce qu'il perd en corps et en force.

pinot noir, pinot gris, pinot liébault

10-25 ans

Domaine J. Confuron-Meunier • Alain Hudelot-Noëllat • Moillard • Domaine de la Romanée-Conti

AOC RUCHOTTES-CHAMBERTIN

Grand cru

Le plus petit grand cru de Gevrey-Chambertin après Griottes-Chambertin. Situé au-dessus de Mazis-Chambertin, c'est le dernier grand cru avant que les coteaux ne s'orientent vers le nord.

Rouge En principe le plus léger des vins du type chambertin, mais les meilleurs producteurs, tels que Roumier et Rousseau, parviennent à enrichir leurs vins de façon magnifique.

pinot noir, pinot gris, pinot liébault

8-20 ans

Dominique Laurent • Georges Roumier & Fils • Domaine Armand Rousseau

AOC LA TÂCHE

Grand cru

L'un des six grands crus de Vosne-Romanée, ce fabuleux vignoble est la propriété du domaine de la Romanée-Conti (DRC), célèbre dans le monde entier, auquel appartient encore le grand cru Romanée-Conti.

Rouge Si ce vin est en effet d'une très grande richesse et complexité, il n'est ni tout à fait aussi riche qu'un richebourg, ni tout à fait aussi complexe qu'un romanée-conti. Il n'en possède pas moins tout le soyeux qu'on attend d'un grand bourgogne, et aucun ne le surpasse en finesse.

pinot noir, pinot gris, pinot liébault

12-30 ans

Domaine de la Romanée-Conti

AOC VOSNE-ROMANÉE

Sur la plus septentrionale des communes prestigieuses de la Côte de Nuits, certains vignobles de Vosne-Romanée voisinent avec Flagey-Échezeaux. C'est ici que se trouve le grand cru de Romanée-Conti.

Rouge Onctueux, stylés, du corps : ces vins réunissent toutes les qualités du pinot noir avec le soyeux caractéristique des crus de cette commune.

pinot noir, pinot gris, pinot liébault

10-15 ans

Robert Arnoux • Domaine Jean Grivot • Domaine Mugneret Gibourg • Domaine Prieuré Roch • Domaine Fabrice Vigot

AOC VOSNE-ROMANÉE PREMIER CRU

Premiers crus : Les Beaux-Monts, Les Beaux-Monts-Bas*, Les Beaux-Monts-Hauts*, Les Brûlées, Les Chaumes, La Combe-Brûlée, La Croix-Rameau, Cros-Parantoux, Les Gaudichots, Les Hauts-Beaux-Monts, Aux Malconsorts, En Orveaux*, Les Petits-Monts, Clos-des-Réas, Aux Reignots, Les Rouges-du-Dessus*, Les Suchots.

* Vignobles situés sur la commune de Flagey-Échézeaux.

Rouge Ces vins sont d'une belle robe avec un bouquet fin aux arômes de violette et de mûre. Soyeux, ils ont le caractère du pur pinot noir. Les premiers crus à rechercher sont : les brûlées, cros-parantoux, les petits-monts, les suchots et les beaumonts (dénomination qui recouvre les divers beaux-monts « hauts » et « bas »).

pinot noir, pinot gris, pinot liébault

10-20 ans

Domaine de l'Arlot • Robert Arnoux • Domaine Jean Griot • Domaine Henri Jayer • Domaine Lamarche • Domaine Leroy • Domaine Méo-Camuzet • Domaine Emmanuel Rouget

AOC VOUGEOT

Ces vins modestes sont assez rares. En effet cette appellation communale couvre moins de 5 ha, ce qui est moins que 1/10e de la superficie totale du seul grand cru Clos-de-Vougeot.

Rouge Vins bien équilibrés au bouquet fin, mais surestimés en raison de leur rareté. Il vaut mieux acheter un premier cru ou un clos-de-vougeot bien choisi.

pinot noir, pinot gris, pinot liébault

8-20 ans

Blanc J'ai considéré qu'il ne s'agissait que d'une hypothèse avant de rencontrer un vougeot blanc du domaine Bertagna.

Domaine Bertagna • Mongeard-Mugneret

AOC VOUGEOT PREMIER CRU

Premiers crus : *Les Crâs, Clos-de-la-Perrière, Les Petits-Vougeots, La Vigne-Blanche.*

Les premiers crus se situent entre les vignobles de Clos-de-Vougeot et de Musigny ; du point de vue du terroir, ils devraient donner de bien meilleurs vins qu'ils ne le font.

Rouge Les vins recommandés ci-dessous sont d'une belle couleur, assez étoffés, d'une saveur agréable, équilibrés et plutôt fins.

pinot noir, pinot gris, pinot liébault

10-20 ans

Blanc Un vin sec et riche de qualité variable, appelé clos-blanc-de-vougeot, est produit par L'Héritier-Guyot dans le premier cru de la Vigne-Blanche.

chardonnay, pinot blanc

4-10 ans

Domaine Bertagna • L'Héritier Guyot • Henri Lamarche

CÔTE DE BEAUNE ET HAUTES-CÔTES DE BEAUNE

Le pinot noir de la côte de Beaune est réputé pour sa souplesse et sa finesse, caractéristiques toujours plus évidentes à mesure que l'on gagne le sud, mais, avec sept grands crus de blanc sur huit dans toute la Bourgogne, cette terre est vraiment celle du chardonnay. Ses vins blancs, de longue garde, sont les plus riches, les plus complexes et les plus racés au monde.

Lorsqu'on pénètre en Côte de Beaune à partir de Nuits-Saint-Georges, ce qui frappe d'emblée dans ces vignobles est leur caractère expansif et le plus grand contraste qu'ils offrent entre les terres noires fertiles qui s'étendent à l'est de la nationale et les épais dépôts de cailloux qui jalonnent les pentes à l'ouest. On dit souvent que ces collines sont plus douces que celles de la côte de Nuits, et

VIGNOBLES DE CÔTE DE BEAUNE
Les pentes des vignobles de côte de Beaune sont en général plus douces que celles de la côte de Nuits. Les deux zones sont plantées de pinot noir et de chardonnay, mais c'est ce dernier qui règne en maître.

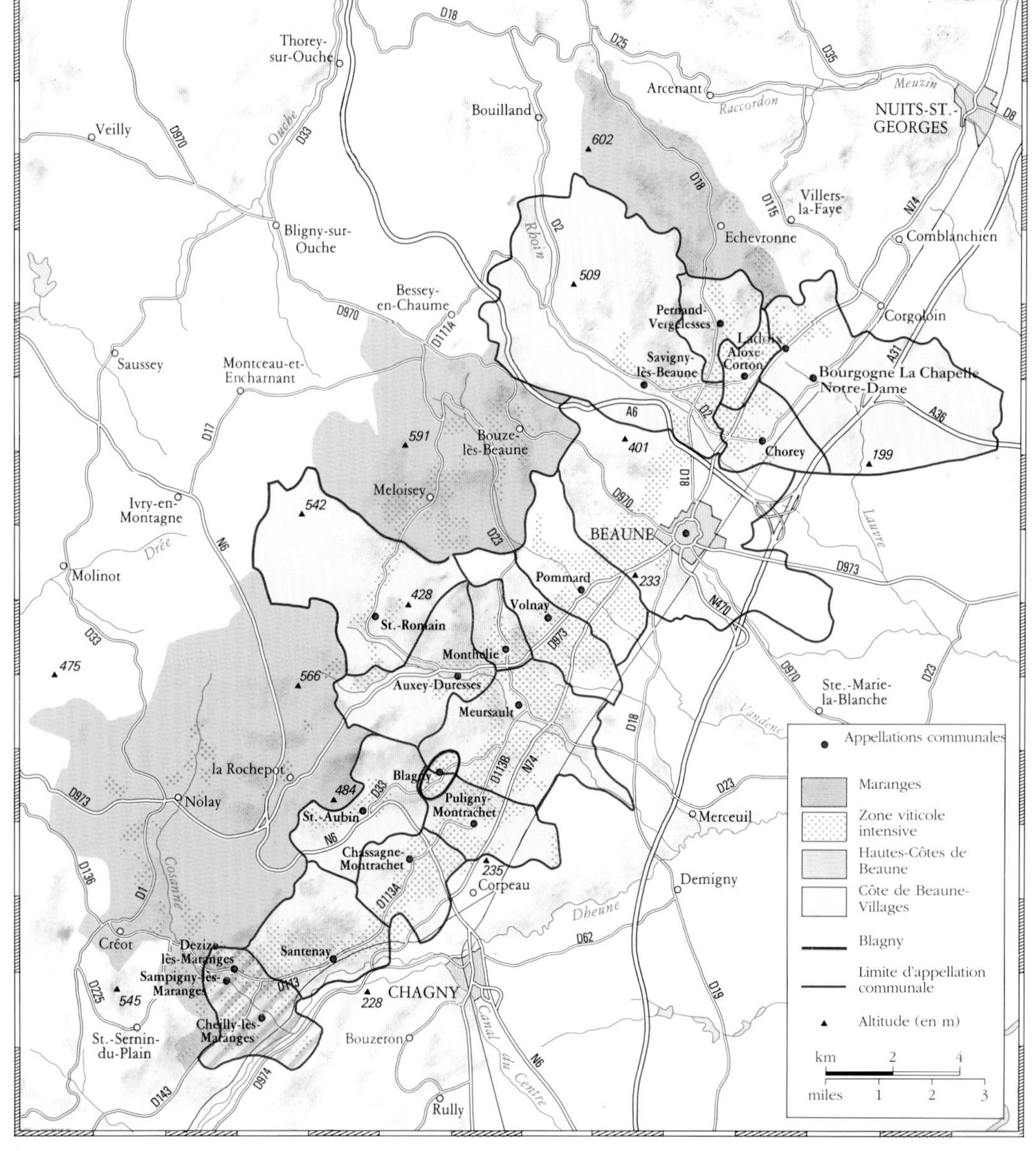

LADOIX-SERRIGNY
Situés à l'ouest d'Aloxe-Corton, une partie des vignobles de Ladoix-Serrigny a droit à l'appellation communale ou à celle des grands crus voisins corton et corton-charlemagne.

CÔTE DE BEAUNE ET HAUTES-CÔTES DE BEAUNE
Voir aussi p. 131
La Côte-d'Or forme un talus qui longe l'autoroute du Soleil. La plupart des appellations communales et des appellations hautes-côtes de beaune sont rassemblées entre Nuits Saint-Georges au nord et Chagny au sud.

les meilleurs vignobles de la côte de Beaune s'étagent en effet à mi-pente. Les coteaux plus abrupts des sommets donnent de bons vins, mais le plus souvent de niveau inférieur, à l'exception des vignes d'Aloxe-Corton, qui, il est vrai, s'apparente plus à la côte de Nuits qu'à la côte de Beaune.

FACTEURS AFFECTANT LE GOÛT ET LA QUALITÉ

SITUATION
La côte de Beaune voisine au nord avec la côte de Nuits et s'étend sur quelque 30 km au sud jusqu'à Cheilly-lès-Maranges en passant par la ville de Beaune, qui lui donne son nom. Les vignobles forment un ensemble continu, bien que ceux de Hautes-Côtes de Beaune, pénétrant à l'ouest dans les terres, soient interrompus par les collines de Saint-Romain en Côte de Beaune.

CLIMAT
Le climat de cette zone est légèrement plus humide, plus tempéré que celui de la côte de Nuits; les raisins ont tendance à y mûrir un peu plus tôt. La grêle, pour redoutée qu'elle soit, ne représente pas un danger aussi sérieux que les vents humides et les fortes pluies.

ORIENTATION
Cet ensemble de coteaux orienté à l'est, atteignant par endroits 2 km de large, présente des courbes qui exposent certaines vignes au nord-est et d'autres au sud-est. Celles-ci s'étagent entre 225 et 380 m d'altitude sur des pentes légèrement plus douces que celles de la côte de Nuits. Au sud de Beaune, aucun vignoble, qu'il s'agisse d'appellations de communes ou supérieures, ne s'étend à l'est vers les terres de plaine fertiles situées au-delà de la nationale.

SOL
Un sol calcaire est traversé de bancs d'oolithes riches en fer ou recouvert d'argile à silex; dans les vignobles de Chassagne et de Puligny, on trouve de la marne grise.

VITICULTURE ET VINIFICATION
Les vignes sont taillées bas pour bénéficier la nuit de la réverbération du sol. Au sud de ce secteur, les méthodes utilisées, qui s'apparentent à la viticulture champenoise, sont un peu différentes de celles pratiquées ailleurs dans la côte de Beaune. En vin rouge, le raisin est presque toujours égrappé et le jus reste en contact avec les peaux entre huit et dix jours. Les blancs classiques fermentent en barriques, et les meilleurs crus, en rouge ou en blanc, vieillissent en fûts de chêne. Le pinot noir, dont le goût peut facilement se laisser dominer par celui du chêne, reste toujours moins longtemps que le chardonnay dans le bois neuf.

CÉPAGES PRINCIPAUX
Pinot noir, chardonnay
CÉPAGES SECONDAIRES
Pinot gris (ou pinot beurot), pinot liébault, pinot blanc, aligoté, melon de Bourgogne, gamay.

LES HOSPICES DE BEAUNE

Cette étiquette indique que le vin provient des Hospices de Beaune, une institution de charité vouée aux soins des pauvres et des malades, fondée en 1443 par le chancelier N. Rolin. Pas moins de cinq cents années de legs et de donations ont constitué un domaine de premiers crus et de grands crus qui s'étendent actuellement sur 55 hectares.

Depuis 1859, ces vins sont traditionnellement vendus aux enchères, et le retentissement d'un tel événement provoque une flambée de prix bien supérieurs à la valeur du marché. Mais il faut être prêt à acquérir ces vins une fortune et faire bonne œuvre.

Après les critiques adressées à des crus d'une qualité incertaine, une nouvelle cuverie a été installée à l'arrière de l'hôtel-dieu, magnifique exemple de l'architecture civile bourguignonne, notamment réputé pour le superbe décor flamand de son plafond.

Si toute la production du vin est mise en barriques de chêne neuf, des différences demeurent, qui tiennent à la manière propre à chaque négociant d'élever en fût les vins d'une même cuvée dont il a la responsabilité après l'achat. Au niveau le plus bénin, tel ou tel gardera son vin en barriques plus ou moins longtemps, et les conditions de température et d'hygrométrie peuvent modifier de manière radicale le degré d'alcool et les constituants du vin. Sans parler des professionnels moins scrupuleux dont les installations laissent à désirer.

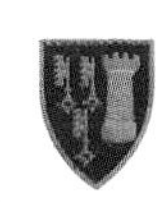

Hospices de Beaune
MAZIS-CHAMBERTIN
Appellation Mazis-Chambertin Contrôlée
Cuvée Madeleine-Collignon
de la
Réserve Particulière des Hospices de Beaune

LES CUVÉES DES HOSPICES DE BEAUNE

VINS ROUGES

Cuvée clos-des-avaux
AOC beaune
Les avaux

Cuvée Billardet
AOC pommard
Assemblage : petits-épenots, les noizots, les arvelets, les rugiens

Cuvée Blondeau
AOC volnay
Assemblage : champans, taille-pieds, roceret, en l'ormeau

Cuvée Boillot
AOC auxey-duresses
Les duresses

Cuvée Brunet
AOC beaune
Assemblage : les teurons, la mignotte, les bressandes, les cent-vignes

Cuvée Madeleine Collignon
AOC mazis-chambertin
Mazis-chambertin

Cuvée Cyrot Chaudron
AOC beaune
Beaune

Cuvée Cyrot Chaudron
AOC pommard
Pommard

Cuvée Dames de la charité
AOC pommard
Assemblage : les épenots, les rugiens, les noizons, la refène, les combes-dessus

Cuvée Dames hospitalières
AOC beaune
Assemblage : les bressandes, la mignotte, les teurons, les grèves, les bourcherottes, champs-pimont

Cuvée Charlotte Dumay
AOC corton
Assemblage : renardes, les bressandes, clos-du-roi

Cuvée Forneret
AOC savigny-lès-beaune
Assemblage : les vergelesses, aux gravains

Cuvée Fouquerand
AOC savigny-lès-beaune
Assemblage : basses-vergelesses, les talmettes, aux gravains, aux serpentières

Cuvée Gauvain
AOC volnay
Assemblage : les santenots, les pitures

Cuvée Arthur Girard
AOC savigny-lès-beaune
Assemblage : les peuillets, les marconnets

Cuvée Guigone de Salins
AOC beaune
Assemblage : les bressandes, en sebrey, champs-pimont

Cuvée Hugues et Louis Bétault
AOC beaune
Assemblage : les grèves, la mignotte, les aigrots, les sizies, les vignes-franches

Cuvée Lebelin
AOC monthélie
Les duresses

Cuvée Jehan de Massol
AOC volnay-santenots
Les santenots

Cuvée Muteau
AOC volnay
Assemblage : volnay-le-village, carelle-sous-la-chapelle, cailleret-dessus, fremiet, taille-pieds

Cuvée docteur Peste
AOC corton
Assemblage : les bressandes, chaumes-voirosses, clos-du-roi, fiètre, les grèves

Cuvée Rameau-Lamarosse
AOC pernand-vergelesses
Les basses-vergelesses

Cuvée Nicolas Rolin
AOC beaune
Assemblage : les cent-vignes, les grèves, en genêt

Cuvée Rousseau-Deslandes
AOC beaune
Assemblage : les cent-vignes, les montrevenots, les mignottes, les avaux

VINS BLANCS

Cuvée de Bahèzre de Lanlay
AOC meursault-charmes
Assemblage : les charmes-dessus, les charmes-dessous

Cuvée Baudot
AOC meursault-genevrières
Assemblage : les genevrières-dessus, les genevrières-dessous

Cuvée Philippe le Bon
AOC meursault-genevrières
Assemblage : les genevrières-dessus, les genevrières-dessous

Cuvée Paul Chanson
AOC corton-vergennes
Corton-vergennes

Cuvée Goureau
AOC meursault
Assemblage : le poruzot, les pitures, les cras

Cuvée Albert-Grivault
AOC meursault-charmes
Les charmes-dessus

Cuvée Jehan Humblot
AOC meursault
Assemblage : le poruzot, grands-charrons

Cuvée Loppin
AOC meursault
Les criots

Cuvée Françoise de Salins
AOC corton-charlemagne
Corton-charlemagne

LES APPELLATIONS DE

CÔTE DE BEAUNE ET DE HAUTES-CÔTES DE BEAUNE

Tous les grands crus de Côte de Beaune ont droit à leur appellation propre et on en trouvera la nomenclature ci-dessous. Les premiers crus, en revanche, ne peuvent porter que le nom de la commune sur laquelle leur vignoble est situé. Ceux qui jouxtent des grands crus figurent en italique ; ils peuvent être supérieurs à ceux qui ne bénéficient pas de cette proximité avec un ou plusieurs grands crus, et sont généralement supérieurs à ceux qui voisinent avec des AOC de communes.

AOC ALOXE-CORTON

Cette commune appartient davantage à la côte de Nuits qu'à la côte de Beaune, comme l'indique sa production à 90% en vin rouge.

Rouge Ces vins d'une couleur profonde, fermes aux arômes de fruits compacts rappellent les vins rouges du nord de la Côte de Nuits. Ils sont d'un excellent rapport qualité/prix.

pinot noir, pinot gris, pinot liébault

10-20 ans

Blanc L'aloxe-corton blanc est rare, mais Daniel Senard fait un pur pinot gris délicieux, richement beurré et concentré (sans conteste un vin blanc mais qui, d'après la réglementation, est classé comme vin rouge!).

chardonnay, pinot noir, pinot gris, pinot liébault

4-8 ans

Pierre André • Edmond Cornu & Fils • Domaine P. Dubreuil-Fontaine • Domaine Maurice Martray • Daniel Senard • Domaine Tollot-Beau

AOC ALOXE-CORTON PREMIER CRU

Premiers crus : Les Chaillots, La Coutière*, Les Fournières, Les Guérets, La Maréchaude*, Clos-des-Maréchaudes, Les Maréchaudes, Les Meix (ou Clos-du-Chapitre), Les Moutottes*, Les Paulands, Les Petites-Lolières*, La Toppe-au-Vert*, Les Valozières, Les Vercots*. Situés sur la commune de Ladoix-Serrigny.

Rouge Ces vins peuvent avoir un bouquet intense et une saveur de fruits épicée, ferme. Les meilleurs premiers crus sont : les fournières, les valozières, les paulands et les maréchaudes.

pinot noir, pinot gris, pinot liébault

10-20 ans

Blanc Je n'en ai jamais vu.

Capitain-Gagnerot • Domaine Antonin Guyot • André Masson • Prince Florent de Mérode

AOC AUXEY-DURESSES

Village magnifique, situé dans une vallée idyllique derrière Monthélie et Meursault.

Rouge Des vins séduisants à la robe peu profonde, mais avec du fruité et de la finesse.

pinot noir, pinot gris, pinot liébault

6-12 ans

Blanc Vins moyennement étoffés à la saveur de fruits et d'épices, qui rappellent un peu le meursault.

3-7 ans

Robert Ampeau • Jean-Pierre Diconne • Alain Gras • Louis Jadot (duc de Magenta) • Domaine Leroy

AOC AUXEY-DURESSES-CÔTE-DE-BEAUNE

Une autre appellation pour des vins rouges uniquement. ***Voir*** **AOC Auxey-Duresses.**

AOC AUXEY-DURESSES PREMIER CRU

Premiers crus : Bas-des-Duresses, Les Bretterins, La Chapelle, Climat-du-Val, Les Duresses, Les Écusseaux, Les Grands-Champs, Reugne.

Rouge Les premiers crus donnent des vins de couleur agréable, souples et assez fins. Les meilleurs ont la saveur de groseille du pinot noir et l'onctueux du vieillissement en chêne.

pinot noir, pinot gris, pinot liébault

7-15 ans

Blanc Vins souples rappelant le meursault, d'un bon rapport qualité/prix.

chardonnay, pinot blanc

Jean-Pierre Diconne • Michel Prunier • Domaine Vincent Prunier • René Thévenin

AOC BÂTARD-MONTRACHET

Grand cru

Ce grand cru se trouve sous Le Montrachet et à cheval sur Chassagne-Montrachet et Puligny-Montrachet.

Blanc Vins pleins de corps, d'une richesse intense, aux saveurs grillées de noix et de miel prononcées. C'est l'un des plus grands vins blancs au monde.

pinot chardonnay [sic]

8-20 ans

Fernand Coffinet • Jean-Noël Gagnard • Louis Latour • Domaine Leflaive • Pierre Morey • Domaine Paul Pernot • Domaine Ramonet • Domaine Étienne Sauzet

AOC BEAUNE

La ville de Beaune a donné son nom à des vins de commune et à des premiers crus, mais non à des grands crus.

Rouge Vins au nez agréable, fruités, de qualité régulière et d'un bon rapport qualité/prix.

pinot noir, pinot gris, pinot liébault

6-14 ans

Blanc Un chardonnay sans complication, avec une souplesse caractéristique dans la finale.

chardonnay, pinot blanc

3-7 ans

Chantal Lescure • Bertrand Darviot • Bernard Delagrange • Michel Gaunoux • Machard de Gramont • Albert Morey • Château Saint-Nicolas • Thévenin-Monthélie • Tollot-Beaut • Domaine Voiret

AOC BEAUNE PREMIER CRU

Premiers crus : Les Aigrots, Aux Coucherias (ou Clos-de-la-Féguine), Aux Cras, Clos-des-Avaux, Les Avaux, Le Bas-des-Teurons, Les Beaux-Fougets, Belissand, Les Blanches-Fleurs, Les Boucherottes, Les Bressandes, Les Cent-Vignes, Champs-Pimont, Les Chouacheux, l'Écu (ou Clos-de-l'Écu), Les Épenottes (ou Les Épenotes), Les Fèves, En Genêt, Les Grèves, Clos-Landry (ou Clos-Sainte-Landry), Les Longes, Le Clos-des-Mouches, Le Clos-de-la-Mousse, Les Marconnets, La Mignote, Montée-Rouge, Les Montrevenots, En l'Orme, Les Perrières, Pertuisots, Les Reversées, Clos-du-Roi, Les Seurey, Les Sizies, Clos-Sainte-Anne (ou sur Les Grèves), Les Teurons, Les Toussaints, Les Tuvilains, La Vigne-de-l'Enfant-Jésus, Les Vignes-Franches (ou Clos-des-Ursules). Les Vignobles de Beaune bénéficient d'une exposition idéale au sud-est, c'est pourquoi la plupart sont classés comme premiers crus.

Rouge Les meilleurs crus ont du corps, une délicieuse souplesse de pinot noir et beaucoup de finesse.

pinot noir, pinot gris, pinot liébault

10-20 ans

Blanc Ces vins ont une exquise finesse et peuvent offrir des notes grillées plus répandues dans des cépages plus riches.

chardonnay, pinot blanc

5-12 ans

Arnoux Père & Fils • Domaine Joseph Drouhin • Camille Giroud • Louis Jadot • Domaine Michel Lafarge • Domaine Jacques Prieur • Domaine Tollot-Beaut

AOC BIENVENUES-BÂTARD-MONTRACHET

Grand cru

Il s'agit d'un des quatre grands crus de Puligny-Montrachet.

Blanc Ce ne sont pas les vins blancs secs les plus gras de cette commune, mais ils ont une grande finesse, un équilibre irréprochable, et dégagent les arômes grillés, de miel et de noix, propres à tous les montrachets.

chardonnay

8-20 ans

Domaine Louis Carillon & Fils • Domaine Leflaive • Domaine Paul Pernot • Domaine Ramonet • Étienne Sauzet

AOC BLAGNY

Cette appellation ne concerne que des vins rouges. Blagny est un hameau situé sur les communes de Meursault et Puligny-Montrachet.

Rouge Ces vins riches, aux saveurs épanouies, et ressemblant au meursault, sont sous-estimés.

pinot noir, pinot gris, pinot liébault

8-15 ans

Robert Ampeau • Domaine Matreau

AOC BLAGNY-CÔTE-DE-BEAUNE

Autre appellation de Blagny. *Voir* AOC Blagny.

AOC BLAGNY PREMIER CRU

Premiers crus : La Garenne (ou sur La Garenne), Hameau-de-Blagny (sur Puligny-Montrachet), la Jeunelotte, la Pièce-sous-le-Bois, Sous-Blagny (sur Meursault), sous-le-Dos-d'Âne, Sous-le-Puits.

Rouge Ces vins riches ont encore plus de mordant que le blagny ordinaire.

10-20 ans

Robert Ampeau • Domaine Leflaive • Domaine Matreau

AOC BOURGOGNE-LA-CHAPELLE-NOTRE-DAME

L'un des trois lieux-dits de Bourgogne créés en 1993. La Chapelle-Notre-Dame, sur la commune de Serrigny, se trouve à l'est de Ladoix. On peut y produire du vin rouge, blanc ou rosé avec les mêmes règles et cépages que pour l'AOC bourgogne (*voir* p. 133). Le domaine P. Dubreuil-Fontaine y élève depuis de longues années un vin toujours bien fait, sans caractère particulier, mais capable de bien vieillir en bouteille. L'INAO n'a pas jugé bon de promouvoir cette appellation au seul profit de M. Dubreuil et nous pourrons juger des qualités de ce vin lorsque d'autres producteurs le commercialiseront.

AOC BOURGOGNE-HAUTES-CÔTES-DE-BEAUNE

Appellation plus vaste et variée que l'AOC hautes-côtes-de-nuits. Des rouges rosés peuvent être vendus sous l'appellation bourgogne-clairet-hautes-côtes-de-beaune, mais ils sont passés de mode et devenus rares.

Rouge Vins rubis assez étoffés, à l'arôme de pinot noir, avec une finale de fruits onctueuse.

pinot noir, pinot gris, pinot liébault

4-10 ans

Blanc Peu rencontré, mais le pur pinot beurot (pinot gris) de Guillemard-Dupont est riche, sec et expressif. Ses cépages lui donnent une couleur jaune très pâle, rouge ou rosée selon la réglementation !

chardonnay, pinot blanc

1-4 ans

Domaine Jean Joliot & Fils • Didier Montchovet • Domaine Claude Nouveau • Domaine Naudin-Ferrand

AOC CHARLEMAGNE

Grand cru

Grand cru d'Aloxe-Corton, à cheval sur Pernand-Vergelesses ; il donne un vin blanc presque identique au corton-charlemagne.

AOC CHASSAGNE-MONTRACHET

Ces vins de commune sont moins réputés que ceux de Puligny-Montrachet.

Rouge Vins secs et fermes, qui ont plus de couleur et moins de souplesse que la plupart des rouges de Côte de Beaune.

pinot noir, pinot gris, pinot liébault

10-20 ans

Blanc Une introduction abordable au grand montrachet.

chardonnay, pinot blanc

5-10 ans

Fontaine-Gagnard • Jean-Noël Gagnard • Marquis de Laguiche • Bernard Morey • Jean-Marc Morey • Domaine Ramonet

AOC CHASSAGNE-MONTRACHET-CÔTE-DE-BEAUNE

Autre appellation attribuée uniquement à des vins rouges uniquement. *Voir* AOC Chassagne-Montrachet.

AOC CHASSAGNE-MONTRACHET PREMIER CRU

Premiers crus : Abbaye-de-Morgeot, Les Baudines, *Blanchot-Dessus*, Les Boirettes, Bois-de-Chassagne, Les Bondues, La Boudriotte, Les Brussonnes, En Cailleret, La Cardeuse, Champ-Jandreau, Les Champs-Gain, La Chapelle, Clos-Chareau, Les Chaumées, Les Chaumes, Les Chenevottes, Les Combards, Les Commes, Ez Crets, Ez Crottes, *Dent-de-Chien*, Les Embrazées, Les Fairendes, Francemont, La Grande-Borne, La Grande-Montagne, Les Grandes-Ruchottes, Les Grands-Clos, Guerchère, Les Macherelles, *La Maltroie*, Les Morgeots, Les Murées, Les Pasquelles, Petingeret, Les Petites-Fairendes, Les Petits-Clos, Clos-Pitoit, Les Places, Les Rebichets, En Remilly, La Romanée, La Roquemuse, Clos-Saint-Jean, Tête-du-Clos, Tonton-Marcel, Les Vergers, *Vide-Bourse*, Vigne Blanche, Vigne-Derrière, En Virondet.

Rouge Ces vins ont le corps d'un côte-de-nuits et la souplesse d'un côte-de-beaune.

pinot noir, pinot gris, pinot liébault

10-25 ans

Blanc Vins secs aromatiques, mais sans la finesse de leurs voisins de Puligny.

chardonnay, pinot blanc

6-15 ans

Marc Colin • Michel Colin-Deléger • Fontaine-Gagnard • Jean-Noël Gagnard • Henri Germain • Michel Niellon • Domaine Ramonet • Domaine Roux • Verget

AOC CHEVALIER-MONTRACHET

grand cru

L'un des quatre grands crus de Puligny-Montrachet.

Blanc Plus gras et riche que le bienvenues-bâtard-montrachet, il offre aussi un palais plus explosif que le bâtard-montrachet.

chardonnay

10-20 ans

Chartron et Trébuchet • Louis Latour • Domaine Leflaive • Michel Niellon

AOC CHOREY-LÈS-BEAUNE

Cette appellation satellite de Beaune donne des vins excitants sous-estimés.

Rouge Bien que voisinant avec Aloxe-Corton, Chorey produit des vins qui ont toute la souplesse et la sensualité des beaunes.

pinot noir, pinot gris, pinot liébault

7-15 ans

Blanc La production de vins blancs de cette commune n'atteint pas même 1%.

Arnoux Père & Fils • Domaine Maillard Père & Fils • Domaine Maurice Martray • Domaine Tollot-Beaut

AOC CHOREY-LÈS-BEAUNE-CÔTE-DE-BEAUNE

Autre appellation de vins rouges uniquement. *Voir* AOC Chorey-lès-Beaune.

AOC CORTON

Grand cru

Ce grand cru d'Aloxe-Corton (qui s'étend sur Ladoix-Serrigny et Pernand-Vergelesses) est le seul de Côte de Beaune à produire des vins en rouge et en blanc, suivant ainsi les mêmes traces que le grand cru Musigny en Côtes de Nuits. Les vingt climats suivants peuvent figurer sur les étiquettes entre la mention « Corton » et celui de l'appellation : Les Bressandes, Le Charlemagne, Les Chaumes, Les Chaumes-et-La-Voierosse, Les Combes, Le Corton, Les Fiétres, Les Grèves, Les Languettes, Les Maréchaudes, Les Miex, Les Meix-Lallemand, Les Paulands, Les Perrières, Les Pougets, Les Renardes, Le Rognet-Corton, Le Clos-du-Roi, les Vergennes, La Vigne-au-Saint. Il est donc possible d'obtenir un rouge portant le nom de Corton-Charlemagne !

Rouge Dans leur jeunesse, ces vins peuvent sembler trop intenses mais, à maturité, un grand corton atteint une finesse et une complexité qui a de quoi subjuguer les sens.

pinot noir, pinot gris, pinot liébault

12-30 ans

Blanc Vins assez corsés ou très corsés à la saveur fine et riche.

chardonnay

10-25 ans

Pierre André • Arnoux Père & Fils • Domaine Delarche • Louis Jadot • Bonneau du Martray • Domaine Chandeau de Briailles • Faiveley • Domaine Michel Juillot • Domaine Leroy • Prince Florent de Mérode • Domaine Jacques Prieur • Domaine Rapet Père & Fils • Domaine comte Daniel Senard • Domaine Tollot-Beaut

AOC CORTON-CHARLEMAGNE

Grand cru

Ce prestigieux grand cru d'Aloxe-Corton s'étend sur Ladoix-Serrigny et Pernand-Vergelesses.

Blanc Il s'agit du plus somptueux de tous les bourgognes blancs. Il a une fabuleuse concentration de saveurs de fruits riches et onctueuses, un équilibre en acidité étonnant, et de délicieux accents de vanille, de miel et de cannelle.

chardonnay

15-25 ans

Bonneau du Martray • J.-F. Coche-Dury • Domaine Antonin Guyot • Maison Louis Latour • Olivier Leflaive • Domaine Rapet Père & Fils • Remoissenet Père & Fils • Verget

AOC CÔTE-DE-BEAUNE

Les vins qui ont droit à l'appellation côte-de-beaune proviennent de quelques lopins situés sur la Montagne de Beaune au-dessus de la ville de Beaune.

Rouge Ce sont des vins fins, élégants qui développent le meilleur du pinot noir. On les élève dans le style souple de Beaune.

pinot noir, pinot gris, pinot liébault

10-20 ans

Blanc Des beaunes génériques secs peu rencontrés.

chardonnay, pinot blanc

3-8 ans

Lycée agricole et viticole de Beaune

AOC CÔTE-DE-BEAUNE-VILLAGES

Tandis que l'AOC côtes-de-nuits-villages correspond à des vins blancs et rouges dans un secteur essentiellement voué aux rouges, l'AOC côte-de-beaune-villages ne s'applique qu'à des vins rouges dans la zone qui donne les plus grands vins blancs de Bourgogne!

Rouge Des vins rouges fruités d'un excellent rapport qualité/prix, élaborés dans le style souple de Beaune.

pinot noir, pinot gris, pinot liébault

7-15 ans

Bernard Bachelet & Fils • Coron Père & Fils • Lequin Roussot

AOC CRIOTS-BÂTARD-MONTRACHET

Grand cru

Le plus petit des trois grands crus de Bâtard-Montrachet.

Blanc Ce vin a le corps de ses grands voisins avec de riches accents torréfiés et de miel; c'est le plus clair et le plus parfumé des montrachets.

pinot chardonnay [sic]

8-20 ans

Joseph Belland • Blain-Cagnard

AOC LADOIX

Des secteurs de Ladoix-Serrigny ont le droit de porter l'appellation aloxe-corton premier cru des grands crus de Corton et de Corton-Charlemagne. L'AOC Ladoix couvre le reste de la production.

Rouge Beaucoup de ces vins sont des versions rustiques d'aloxe-corton, mais certains réunissent la robustesse, la compacité en fruits des côte-de-nuits et la douceur des côte-de-beaune.

pinot noir, pinot gris, pinot liébault

7-20 ans

Blanc Seul 5% de la production est en blanc, et elle n'est pas très bien distribuée.

chardonnay, pinot blanc

4-8 ans

Capitain-Gagnerot • Edmond Cornu & Fils • Domaine Maurice Martray • Prince Florent de Mérode

AOC LADOIX-CÔTE-DE-BEAUNE

Cette autre appellation ne s'applique qu'à des vins rouges. *Voir* AOC Ladoix.

AOC LADOIX PREMIER CRU

Premiers crus : Basses-Mourottes, Bois-Roussot, Le Clou-d'Orge, La Corvée, Hautes-Mourottes, Les Joyeuses, La Micaude.

Les premiers crus portant l'appellation ladoix sont indépendants de ceux portant celle d'aloxe-corton.

Rouge Ces vins sont incontestablement plus profonds de robe et plus fins que ceux portant l'appellation communale simple.

pinot noir, pinot gris, pinot liébault

7-20 ans

Blanc Le prince Florent de Mérode, du domaine de Serrigny, élabore le ladoix-hautes-mourottes, le seul ladoix blanc premier cru que je connaisse.

Capitain-Gagnerot • Edmond Cornu & Fils • Prince Florent de Mérode • Domaine Naudin-Ferrand • Domaine André Nudant & Fils • Domaine G. & P. Ravaut

AOC MARANGES

En 1989, l'appellation maranges a remplacé trois autres AOC : cheilly-lès-maranges, dézize-lès-maranges et sampigny-lès-maranges, un trio de villages qui partageaient naguère le cru assez réputé de maranges, situé sur une pente bien exposée au sud-ouest de Santenay. Les rouges peuvent également être vendus comme côte-de-beaune ou côte-de-beaune-villages. La production était assez incohérente : en blanc, la majeure partie (y compris une bonne part de la qualité premier cru) était vendue à des négociants pour donner du côte-de-beaune-villages. Actuellement, deux ou trois viticulteurs sont décidés à relever l'appellation.

Rouge Des vins au parfum de pinot noir très pur, qui prennent une belle robe et du corps.

pinot noir, pinot gris, pinot liébault

2-7 ans

Blanc Aucune des communes n'en produit beaucoup, et, à ma connaissance, il n'y en a jamais eu à Dézizes-lès-Maranges.

Domaine Fernand Chevrot • Jaffelin • René Martin

AOC MARANGES-CÔTE-DE-BEAUNE

Cette autre appellation ne s'applique qu'à des vins rouges. *Voir* AOC Maranges.

AOC MARANGES PREMIER CRU

Premiers crus : Le Clos-de-la-Boutière, le Croix-Moines, La Fussière, le Clos-des-Loyères, Le Clos-des-Rois, Les Clos-Roussots.

Certains de ces climats classés comme premiers crus sont un peu des casse-tête. Le Clos-de-la-Boutière, par exemple, était simplement la Boutière, et les Clos-Roussots a appartenu à un premier cru appelé « Les Plantes-de-Marange », mais n'a jamais eu droit lui-même à l'appellation. Selon des cadastres antérieurs à l'apparition des trois appellations, Les Plantes-de-Maranges, Les Maranges et En Maranges étaient les noms véritables des vignobles du secteur classé en premier cru, mais ils ont depuis adopté des noms de lieux-dits plus distinctifs, ce qui se justifie sans doute du point de vue commercial.

Rouge Les meilleurs exemples sont d'une belle couleur, avec un bon équilibre de fruits, souvent rouges, et plus riches, plus longs en bouche que les simples maranges.

pinot noir, pinot gris, pinot liébault

Blanc Rarement rencontré.

chardonnay, pinot blanc

Bernard Bachelet & Fils • Domaine Fernand Chevrot • Yvon & Chantal Contat-Grangé

AOC MEURSAULT

Si le plus grand blanc de Côte de Beaune est le montrachet ou le corton-charlemagne, le meursault est sans doute le plus connu et le plus prisé.

Rouge Certes une originalité, ce vin n'en est pas moins un vin fin à part entière et vigoureux.

pinot noir, pinot gris, pinot liébault

8-20 ans

Blanc Même le meursault le plus modeste doit être délicieusement sec avec des notes de noix et d'épices s'ajoutant à une saveur riche caractéristique.

chardonnay, pinot blanc

5-12 ans

Robert Ampeau • Alain Coche-Bizouard • J.-F. Coche-Dury • Henri Germain • Domaine Albert Griveau • Patrick Javillier • François Jobard • Domaine des Comtes Lafon • Domaine Michelot (toute mention Michelot, avec une adresse à Meursault) • *Domaine Guy Roulot*

AOC MEURSAULT-BLAGNY PREMIER CRU

Premiers crus : *La Jeunelotte, La Pièce-sous-le-Bois, Sous Blagny, Sous-le-Dos-d'Âne.*

Autre appellation pour le meursault provenant de vignobles voisins de Blagny. Ces vins doivent être blancs pour ne pas porter l'appellation blagny premier cru. *Voir* AOC Meursault premier cru.

AOC MEURSAULT-CÔTE-DE-BEAUNE

Appellation ne s'appliquant qu'à des vins rouges de Meursault. *Voir* AOC Meursault.

AOC MEURSAULT PREMIER CRU

Premiers crus : Aux Perrières, Les Bouchères, Les Caillerets, Les Charmes-Dessous (ou Les Charmes-Dessus), Les Chaumes de Narvaux, Les Chaumes des Perrières, Les Cras, Le Genevrières-Dessous (ou Les Genevrières-Dessus), les Gouttes-d'Or, La Jeunelotte, Clos-des-Perrières, Les Perrières-Dessous (ou Les Perrières-Dessus), La Pièce-sous-le-Bois, Les Plures, Le Porusot, Le Porusot-Dessous (ou Le Porusot-Dessous), Clos-des-Richemont (ou Cras), Les Santenots-Blancs, Les Santenots-du-Milieu, Sous-Blagny, Sous-le dos-d'Âne.

Rouge Plus fins et fermes que les simples vins de commune, ils s'épanouissent très lentement.

pinot noir, pinot gris, pinot liébault

10-20 ans

Blanc Un grand meursault doit toujours être riche. Les combinaisons entre les saveurs grasses de noix et d'épices du chardonnay peuvent être dominées par le miel, la cannelle et la vanille du bois neuf avant un long vieillissement.

chardonnay, pinot blanc

6-15 ans

Michel Bouzereau & Fils • J.-F. Coche-Dury • Patrick Javillier • Domaine François Jobard • Domaine Leroy • Domaine des Comtes Lafon • Domaine Matrot • Domaine Michelot (toute mention Michelot, avec une adresse à Meursault) • *Pierre Moret • Domaine Jacques Prieur • Remoissenet Père & Fils • Domaine Guy Roulot*

AOC MEURSAULT-SANTENOTS

Autre appellation pour le meursault premier cru provenant d'une partie de l'AOC Volnay-Santenots. *Voir* AOC Volnay-Santenots.

AOC MONTHÉLIE

Les vins de Monthélie, particulièrement les premiers crus, sont probablement les plus sous-estimés de toute la Bourgogne.

Rouge Ces vins excellents ont une couleur vive et des saveurs expressives de fruits ; ils sont charpentés, longs et soyeux en bouche.

pinot noir, pinot gris, pinot liébault

7-15 ans

Blanc On en produit assez peu.

chardonnay, pinot blanc

3-7 ans

Paul Garaudet • Domaine Denis Boussey • Éric Boussey • J.-F. Coche-Dury • Domaine des comtes Lafon • Domaine Monthélie-Douhairet

AOC MONTHÉLIE-CÔTE-DE-BEAUNE

Appellation ne s'appliquant qu'à des vins rouges. *Voir* AOC Monthélie.

AOC MONTHÉLIE PREMIER CRU

Premiers crus : Le Cas-Rougeot, Les Champs-Fulliot, Les Duresses, Le Château-Gaillard, Le Clos-Gauthey, Le Meix-Bataille, Les Riottes, Sur-la-Velle ; La Taupine, Les Vignes-Rondes, Le Village-de-Monthélie.

Rouge Les premiers crus de monthélie sont difficiles à trouver, mais en valent la peine.

pinot noir, pinot gris, pinot liébault

8-20 ans

Blanc Le vin délicatement parfumé de Paul Garaudet est le seul premier cru blanc que j'aie jamais rencontré.

Denis Boussey • Domaine Jehan Changarnier • Paul Garaudet • Château de Monthélie • Gérard Doreau

AOC MONTRACHET

Grand cru

Beaucoup considèrent le montrachet comme le meilleur vin blanc au monde. Mais quelqu'un a affirmé qu'il peut être si intense qu'on ne sait si c'est un plaisir de le boire ou si le palais est soumis à un examen de fin d'études. C'est incontestablement un plaisir de le boire, mais je comprends ce que veut dire cet auteur.

Blanc À pleine maturité, le montrachet a le caractère le plus éclatant et le plus expressif de tous les vins blancs secs. Ses saveurs onctueuses de fleurs, aux notes grillées de miel, de noix et d'épices sont stupéfiantes.

pinot chardonnay [*sic*]

10-30 ans

Domaine Amiot-Bonfils • Marc Colin • Louis Jadot • Domaine des comtes Lafon • Domaine Leflaive • Marquis de Laguiche • Domaine Jacques Prieure • Domaine Ramonet • Domaine de la Romanée-Conti

AOC LE MONTRACHET

Voir AOC Montrachet

AOC PERNAND-VERGELESSES.

Cette commune, située juste au-dessus d'Aloxe-Corton, est l'appellation la plus septentrionale de la Côte de Beaune.

Rouge À l'exception des vins soyeux recommandés ci-dessous, une trop grande part de cette production est rustique, surestimée et ne mériterait pas mieux qu'une appellation côte-de-beaune-villages.

pinot noir, pinot gris, pinot liébault

7-15 ans

Blanc Bien que cette commune soit renommée pour son aligoté, des viticulteurs tels que François Germain, du domaine Jacques Germain, produisent des vins souples délicieusement équilibrés dignes d'être mieux connus.

chardonnay, pinot blanc

4-8 ans

Denis Père & Fils • Domaine P. Dubreuil-Fontaine • Domaine Jacques Germain • Olivier Leflaive

AOC PERNAND-VERGELESSES-CÔTE-DE-BEAUNE

Appellation ne portant que sur des vins rouges. *Voir* AOC Pernand-Vergelesses.

AOC PERNAND-VERGELESSES PREMIER CRU

Premiers crus : En Caradeux, Creux-de-la-Net, Les Fichots, Île-des-Hautes-Vergelesses, Les Basses-Vergelesses.

Rouge L'attente est récompensée lorsque ces vins développent des arômes de fruits soyeux gracieusement suspendus au-dessus de leur charpente, donnant aux premiers crus de Pernand la classe qui manque à ses vins d'appellation communale.

pinot noir, pinot gris, pinot liébault

10-20 ans

Blanc La société beaunoise Chanson Père & Fils produit un vin assez corsé d'une qualité constante, sec mais moelleux.

chardonnay, pinot blanc

4-8 ans

Domaine Delarche • Domaine P. Dubreuil-Fontaine • Jaffelin • Maison Louis Latour • Domaine Rapet Père & Fils • Rolin Père & Fils

AOC POMMARD

Commune très célèbre qui a renouvelé son image, grâce à la compétence de viticulteurs passionnés.

Rouge Les vins « renommés » de Pommard, foncés, capiteux et chaptalisés ne sont plus qu'un souvenir, cédant la place à d'excitants vins fins.

pinot noir, pinot gris, pinot liébault

8-16 ans

Robert Ampeau • Domaine Comte Armand • Jean-Marc Boillot • Bernard & Louis Gantenet • Domaine Leroy • Aleth Leroyer-Girardin • Domaine Parent • Château Pommard

AOC POMMARD PREMIER CRU

Premiers crus : Les Arvelets, Les Bertins, Clos-Blanc, Les Boucherottes, La Chanière, Les Chanlins-Bas, Les Chaponnières, Les Charmots, Les Combes-Dessus, Clos-de-la-Commaraine, Les Croix-Noires, Derrière-Saint-Jean, Clos-des-Épeneaux, Les Fremiers, Les Grands-Épenots, Les Jarolières, En Largillière (ou Les Argillières), Clos-Micot, Les Petits-Épenots, Les Pézerolles, La Platière, Les Poutures, La Refène, Les Rugiens-Bas, Les Rugiens-Hauts, Les Saussiles, Clos-de-Verger, Village.

Rouge Les meilleurs crus sont ceux des rugiens (profonds et voluptueux) et des épenots (suaves, parfumés, riches).

pinot noir, pinot gris, pinot liébault

10-20 ans

Domaine comte Armand • Jean-Marc Boillot • Domaine de Courcel • Domaine Lejeune • Domaine Leroy • Aleth Leroyer-Girardin • Pierre Morey • Domaine Parent • Domaine Pothier-Rieusset • Domaine de la Pousse-d'Or

AOC PULIGNY-MONTRACHET

L'une des deux communes produisant parmi les plus grands vins blancs secs au monde.

Rouge Si certains de ces vins sont en effet assez fins, il faut en payer la rareté.

pinot noir, pinot gris, pinot liébaul

10-20 ans

Blanc Les vins de cette appellation, quand ils proviennent d'un grand viticulteur, sont de très haute qualité : corsés, fins, mais avec un acier qui demande quelques années pour développer des saveurs grillées de miel et de noix.

chardonnay, pinot blanc

5-12 ans

Robert Ampeau • Jean-Marc Boillot • Domaine Louis Carillon & Fils • Domaine Leflaive • Étienne Sauzet

AOC PULIGNY-MONTRACHET-CÔTE-DE-BEAUNE

Appellation ne portant que sur des vins rouges. *Voir* AOC Puligny-Montrachet.

AOC PULIGNY-MONTRACHET PREMIER CRU

Premiers crus : *Le Cailleret* (ou *Demoiselles*), Les Chalumeaux, Champ-Canet, Champ-Gain, Au Chaniot, Clavaillon, Les Combettes, Ez Folatières, Les Folatières, La Garenne (ou sur La Garenne), Clos-de-la-Garenne, Hameau-de-Blagny, La Jaquelotte, Clos-dez-Meix, Clos-de-la-Mouchère (ou Les Perrières), Peux-Bois, *Les Pucelles*, Les Referts, En La Richarde, Sous-Le-Courthil, Sous-Le-Puits, La Truffière.

Rouge Je n'ai jamais vu ces vins.

pinot noir, pinot gris, pinot liébault

Blanc Un premier cru élaboré par un grand viticulteur tel qu'Étienne Sauzet vous offrira l'une des expériences gustatives les plus concentrées qu'il vous sera donné de vivre.

chardonnay, pinot blanc

7-15 ans

Robert Ampeau • Jean-Marc Boillot • Michel Bouzereau & Fils • Domaine Louis Carillon & Fils • Domaine Leflaive • Domaine de Montille • Domaine Jacques Prieur • Étienne Sauzet

AOC SAINT-AUBIN

Cette commune sous-estimée compte de nombreux viticulteurs de talent et donne des vins d'un bon rapport qualité/prix.

Rouge Vins délicieux, mûrs mais légers, fruités et parfumés qui développent rapidement un arôme de fraise des bois.

pinot noir, pinot gris, pinot liébault

3-8 ans

Blanc Vins offrant un excellent placement : en quelque sorte des « hautes-côtes-montrachet » !

chardonnay, pinot blanc

3-8 ans

Jean-Claude Bachelet • Domaine Marc Colin • Domaine Clerget • Denis & François Clair

AOC SAINT-AUBIN-CÔTE-DE-BEAUNE

Appellation ne s'appliquant qu'à des vins rouges. *Voir* AOC Saint-Aubin.

AOC SAINT-AUBIN PREMIER CRU

Premiers crus : Le Bas-de-Gamay-à-l'Est, Bas-de-Vermarain-à-l'Est, Les Castets, Es Champlots, Les Champs, Le Charmois, La Chatenière, Les Combes-au-Sud, Les Cortons, En Créot, Derrière-Chez-Édouard, Derrière-la-Tour, Échaille, Les Frionnes, Sur Gamay, Marinot, En Montceau, Les Murgers-des-Dents-de-Chien, Les Perrières, Pitangeret, Le Puits, En la Ranché, En Remilly, Sous-Roche-Dumay, Sur-le-Sentier-du-Clou, Les Travers-de-Marinot, Vignes-Moingeon, Le Village, En Volon-à-l'Est.

Les meilleurs de ces premiers crus sont Les Frionnes et Les Murgers-des-Dents-de-Chien, suivis par La Chatenière, Les Castets, En Remilly et Le Charmois.

Rouge Vins très séduisants aux arômes de fraise et de chêne vanillé, délicieux dans leur jeunesse, et qui s'améliorent avec l'âge.

pinot noir, pinot gris, pinot liébault

5-15 ans

Blanc Ces vins sont parfois supérieurs aux puligny-montrachet et toujours moins chers.

chardonnay, pinot blanc

4-10 ans

Jean-Claude Bachelet • Domaine Clerget • Domaine Marc Colin • Bernard Morey • Henri Prudhon & Fils • Gérard Thomas

AOC SAINT-ROMAIN

Petit village au site pittoresque juché dans les collines dominant Auxey-Duresses.

Rouge Vins rustiques assez étoffés, au palais plein de caractère. Un bon investissement.

pinot noir, pinot gris, pinot liébault

4-8 ans

Blanc Honnêtes vins secs de chardonnay, frais et vifs, légers ou assez étoffés.

chardonnay, pinot blanc

3-7 ans

Joseph Drouhin • Domaine Jean Germain • Alain Gras (vendu aussi sous la mention Alain Gras-Boisson) • *Thévénin-Monthélie*

AOC SAINT-ROMAIN-CÔTE-DE-BEAUNE

Appellation ne portant que sur des vins rouges. *Voir* AOC Saint-Romain.

AOC SANTENAY

Cette appellation, la plus méridionale de Côte-d'Or (mais non de la côte de Beaune), donne des vins d'un bon rapport qualité/prix.

Rouge Vins frais et francs, au fruité de pinot noir soutenu par une constitution ferme.

pinot noir, pinot gris, pinot liébault

7-15 ans

Blanc Seulement 2% de la production de Santenay est en blanc, mais les meilleurs viticulteurs peuvent offrir de belles occasions.

chardonnay, pinot blanc

4-8 ans

Bernard Bachelet & Fils • Denis & Françoise Clair • Alain Gras (vendu aussi sous la mention Alain Gras-Boisson) • *Domaine Prieur-Brunet*

AOC SANTENAY-CÔTE-DE-BEAUNE

Appellation ne s'appliquant qu'à des vins rouges. *Voir* AOC Santenay.

AOC SANTENAY PREMIER CRU

Premiers crus : Beauregard, Le Chainey, La Comme, Comme-Dessus, Clos-Faubard, Les Fourneaux, Grand-Clos-Rousseau, Les Gravières, La Maladière, Clos-des-Mouches, Passetemps, Petit-Clos-Rousseau, Clos-de-Tavannes.

Les meilleurs sont Clos-de-Tavannes, Les Gravières, La Maladière et la Comme-dessus.

Rouge Vins dans le style pur et franc de pinot noir, mais avec un accent de terroir.

pinot noir, pinot gris, pinot liébault

6-15 ans

Blanc Rarement rencontré.

chardonnay, pinot blanc

5-10 ans

Denis & Françoise Clair • Alain Gras (vendu aussi sous la mention Alain Gras-Boisson) *• Bernard Morey • Lucien Muzard & Fils • Domaine de la Pousse d'or*

AOC SAVIGNY

Voir AOC Savigny-lès-Beaune.

AOC SAVIGNY-CÔTE-DE-BEAUNE

Appellation ne s'appliquant qu'à des vins rouges. *Voir* AOC Savigny-lès-Beaune.

AOC SAVIGNY-LÈS-BEAUNE

Cette commune compte des viticulteurs extrêmement doués qui élaborent des vins estimés très au-dessous de leur valeur.

Rouge Délicieux et coulants, assez étoffés, ces vins sont très doux, dans le style de Beaune.

pinot noir, pinot gris, pinot liébault

7-15 ans

Blanc Quelques excellents vins secs, avec une bonne concentration d'arômes, de la douceur et de la finesse, mais difficiles à trouver.

chardonnay, pinot blanc

4-10 ans

Robert Ampeau • Simon Bize & Fils • Maurice Giboulot • Girard-Vollot • Pierre Guillemot • Lucien Jacob • Domaine Parent • Jean-Marc Pavelot • Domaine du Prieuré • Rollin Père & Fils • Domaine Tollot-Beaut

AOC SAVIGNY-LÈS-BEAUNE-CÔTE-DE-BEAUNE

Appellation ne s'appliquant qu'à des vins rouges. *Voir* AOC Savigny-lès-Beaune.

AOC SAVIGNY PREMIER CRU

Voir AOC Savigny-lès-Beaune premier cru.

AOC SAVIGNY-LÈS-BEAUNE PREMIER CRU

Premiers crus : Aux Clous, Aux Fournaux, Aux Gravains, Aux Guettes, Aux Serpentières, Bas-Marconnets, Basses-Vergelesses, Clos-la-Batailleères (ou Aux Vergelesses ou Les Vergelesses), Champ-Chevrey (ou Aux Fournaux), Les Charnières, Hauts-Jarrons, Les Hauts-Marconnets, Les Jarrons (ou La Dominodes), Les Lavières, Les Narbantons, Petits-Godeaux, Les Peuillets, Redrescut, Les Rouvrettes, Les Talmettes.

Rouge Ces vins ont un parfum de pinot noir très élégant, doux et typé avec des nuances de fraise, de cerise et de violette. Ils sont d'une classe bien supérieure à ceux des simples appellations communales. Les meilleurs sont : les lavières, la dominodes, aux vergelesses, les marconnets et aux guettes.

pinot noir, pinot gris, pinot liébault

7-20 ans

Blanc Peu produit et rarement vu, mais le domaine des Terregelesses donne un vin sec magnifiquement riche.

chardonnay, pinot blanc

5-15 ans

Simon Bizé & Fils • Domaine Chandon de Briailles • Chanson Père & Fils • Domaine Bruno Clair • Domaine Maurice Écard • Machard de Gramont • Domaine Leroy • Domaine Tollot-Beaut

AOC VOLNAY

Ce charmant village se hisse au rang d'un Gevrey-Chambertin ou d'un Chambolle-Musigny en production comme en qualité, bien qu'il ne puisse revendiquer aucun grand cru. Volnay est l'appellation vouée exclusivement au vin rouge la plus méridionale de Côte-d'Or et la seule commune qui domine ses vignes.

Rouge Ces vins ne sont pas bon marché, mais ils sont fermes, de belle couleur et avec une finesse soyeuse supérieure à ce qu'on pourrait attendre d'une appellation communale.

pinot noir, pinot gris, pinot liébault

6-15 ans

Domaine Michel Lafarge • Domaine des comtes Lafon • Domaine Leflaive • Domaine Régis Rossignol

AOC VOLNAY PREMIER CRU

Premiers crus : Les Angles, Les Aussy, La Barre, Bousse-d'Or (ou Clos-de-la-Pousse-d'Or), Les Brouillards, En Cailleret, Les Caillerets, Cailleret-Dessus (dont une partie peut s'appeler Clos-des-Soixante-Ouvrées), Carelles-Dessous, Carelle-sous-la-Chapelle, Clos-de-la-Cave-des-Ducs, En Champans, Chanlin, En Chevret, Clos-de-la-Chapelle, Clos-des-Chênes (ou Clos-des-Chânes), Clos-des-Ducs, Clos-du-Château-des-Ducs, Frémiets (ou Clos-de-la-Rougeotte), La Gigotte, Les Grands-Champs, Lassolle, Les Lurets, Les Mitans, En l'Ormeau, Pitures-Dessus, Pointes-d'Angles, Robardelle, le Ronceret, Taille-Pieds, En Verseuil (ou Clos-du-Verseuil), le Village.

Rouge Pas de grand cru, mais les premiers crus sont de grands vins, moelleux et soyeux, qui montrent une grande finesse. Les meilleurs sont : clos-des-chênes, taille-pieds, bousse-d'or, clos-de-ducs, les divers climats de caillerets, le clos-des-soixante-ouvrées et en champans.

pinot noir, pinot gris, pinot liébault

8-20 ans

Marquis d'Angerville • Jean-Marc Boillot • Domaine Antonin Guyon • Louis Jadot • Domaine Michel Lafarge • Domaine des comtes Lafon • Domaine de Montille • Domaine de la Pousse d'Or • Domaine Régis Rossignol

AOC VOLNAY-SANTENOTS PREMIER CRU

Cette appellation déroutante s'applique à des crus, non de Volnay, mais de Meursault, bien qu'elle voisine avec cette première commune. Cette situation remonte au XIXe siècle, lorsque le lieu-dit de Meursault, les Santenots-du-Milieu, devint célèbre pour ses vins rouges. Les blancs n'ont pas droit à la mention volnay-santenots et doivent être vendus sous l'appellation meursault premier cru ou meursault-santenots. Le droit au titre volnay-santenots a été accordé par le tribunal de Beaune en 1924.

Rouge Ces vins, que l'on ne trouve pas facilement, ressemblent à ceux de Volnay ; ils ont une belle couleur et du corps, mais ne montrent pas la même élégance soyeuse.

pinot noir, pinot gris, pinot liébault

8-20 ans

Robert Ampeau • Domaine des comtes Lafon • Jacques Prieur • Prieur-Brunet

LES VIGNOBLES DU CORTON-CLOS-DES-VERGENNES

Le petit vignoble du grand cru de Corton clos-des-vergennes appartient à un seul propriétaire et ses vins sont distribués par Moillard-Grivot.

LA CÔTE CHALONNAISE

Cette région vinicole modeste ne compte que cinq appellations, deux en blanc uniquement et trois en blanc et en rouge. Bien que ces vins ne soient pas toujours très renommés, ils montrent tous de grandes qualités et constituent un excellent placement.

La Côte chalonnaise, parfois appelée « région de Mercurey », a été la grande oubliée de Bourgogne. Ses rouges parfumés et ses blancs onctueux ressemblant à ceux de Côte de Beaune sans en avoir la classe, les négociants n'avaient pour eux que condescendance. Mais la Côte chalonnaise n'aurait sans doute pas connu cette éclipse si les marchands avaient considéré ses vins, non comme de petits côtes-de-beaune, mais comme des mâcons de rang supérieur. Les négociants étant actuellement à la recherche d'appellations méconnues à travers le monde, il est maintenant reconnu que cette région produit des vins de qualité parmi les plus avantageux de Bourgogne.

D'EXCELLENTS NÉGOCIANTS

En Côte chalonnaise, le dégustateur ne sera pas à court de bons négociants, tels que Chandesais, Delorme ou Faiveley. Il existe une intéressante coopérative à Buxy et un nombre croissant de viticulteurs de talent. La région produit un excellent crémant de Bourgogne et possède la seule appellation communale de bourgogne aligoté.

FACTEURS AFFECTANT LE GOÛT ET LA QUALITÉ

SITUATION
Ces trois îles de vignobles sont situées à l'ouest de Chalon-sur-Saône, à 350 km au sud-est de Paris, entre la côte de Beaune au nord et le Mâconnais au sud.

CLIMAT
Légèrement plus sec que celui de Côte-d'Or; les meilleurs coteaux sont à l'abri des ravages de la grêle et des gelées.

ORIENTATION
Région contrastée où le plateau de Côte-d'Or pénètre une chaîne complexe de petites collines, dont les flancs les mieux exposés sont plantés de vignes à une altitude oscillant entre 230 et 320 m, et beaucoup plus disséminées qu'en Côte-d'Or.

SOL
La roche calcaire est recouverte de sable argileux parfois enrichi de dépôts ferriques. On trouve à Mercurey des oolithes calcaires mêlées à de la marne riche en fer.

VITICULTURE ET VINIFICATION
Les vins sont élaborés de la même manière qu'en côte de Beaune, sans employer de méthodes viticoles ou vinicoles particulières (*voir* p. 32-35).

CÉPAGES PRINCIPAUX
Pinot noir, chardonnay
CÉPAGES SECONDAIRES
Pinot gris (ou pinot beurot), pinot liébault, pinot blanc, aligoté, melon, gamay.

CHÂTEAU ET VIGNOBLE DE RULLY
Rully, portant l'appellation la plus septentrionale de la Côte chalonnaise, produit d'excellents vins de chardonnay et quelques rouges agréables.

LE MERCUREY CHANTE-FLÛTÉ

Depuis 1972, la Confrérie Saint-Vincent et des disciples de la chante-flûté de Mercurey organise des dégustations annuelles, tout comme le tastevinage le fait en Côte de Nuits. Si l'appellation AOC mercurey est réputée pour ses vins fins, ceux de chante-flûté comptent parmi les tout premiers de la Côte chalonnaise.

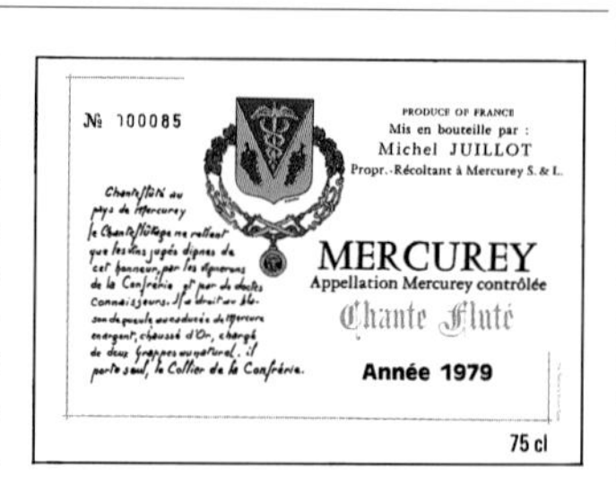

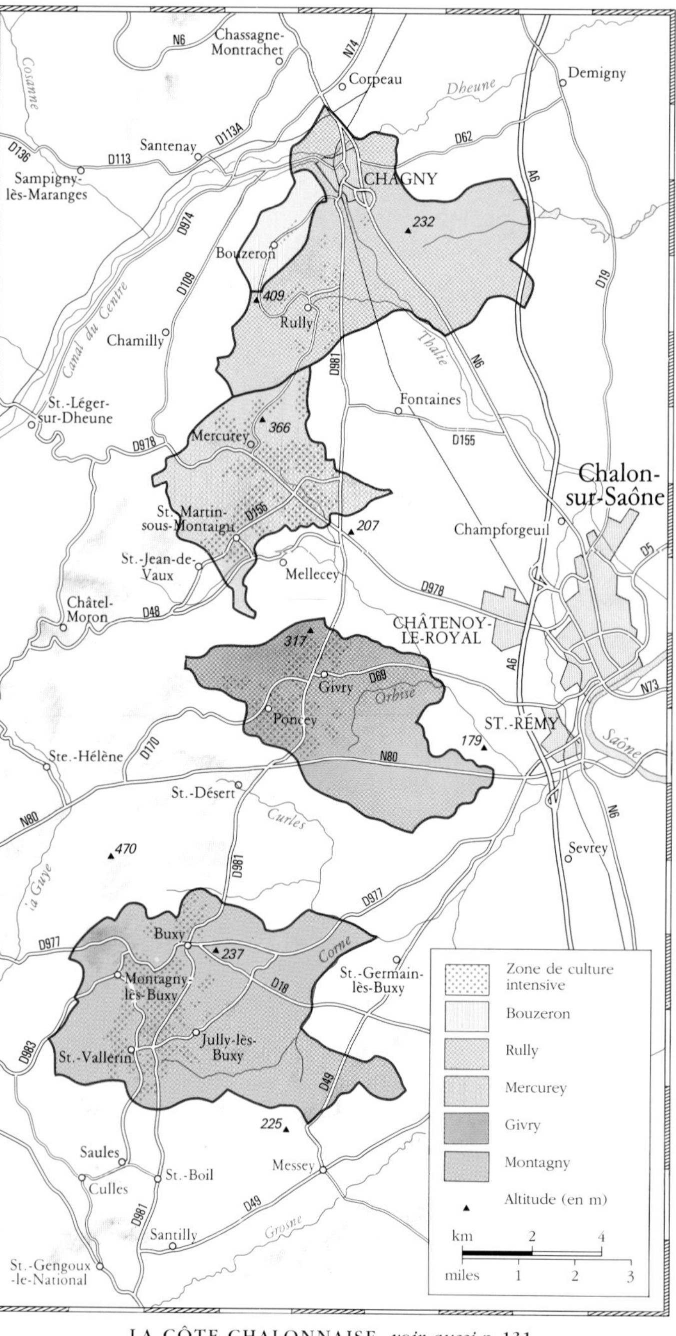

LA CÔTE CHALONNAISE, *voir aussi* p. 131
Les zones viticoles forment trois « îles » bien séparées à l'ouest de Chalon, entre la Côte de Beaune au nord et le Mâconnais au sud.

LES APPELLATIONS DE

LA CÔTE CHALONNAISE

AOC BOURGOGNE ALIGOTÉ-BOUZERON

En 1979, Bouzeron devint le seul cru à porter une appellation propre de bourgogne-aligoté et, dans un avenir proche, l'étiquette n'indiquera que le nom de Bouzeron, sans mention du cépage, alors que ces vins continueront d'être faits à 100% d'aligoté.

Rouge Cet excellent et intéressant blanc sec est de loin le meilleur aligoté disponible. Par son corps, son fruité et ses épices, il se rapproche davantage d'un pinot gris que d'un chardonnay.

aligoté, et jusqu'à 15% de chardonnay

2-6 ans

Ancien Domaine Carnot • Domaine Chanzy Frères • André Delorme • A. & P. de Villaine

AOC BOURGOGNE-CÔTE CHALONNAISE

Depuis le millésime 1990, le bourgogne ordinaire tiré exclusivement de raisins récoltés dans la région a droit à cette appellation.

René Bourgeon • Caves de Buxy • Émile Chandesais • André Delorme • Michel Derain • Michel Goubard • Guy Narjoux

AOC GIVRY

Ces vins provenant d'une commune au sud de Mercurey sont sous-estimés.

Rouge Légers ou assez étoffés, doux et fruités, ces vins offrent de délicieux accents de cerise et de cassis.

pinot noir, pinot gris, pinot liébault

5-12 ans

Blanc Seulement 10% de la production de Givry se fait en blanc; il s'agit de vins secs d'un chardonnay délicieusement droit, dont la finale peut laisser de séduisantes notes épicées onctueuses.

chardonnay, pinot blanc

3-8 ans

René Bourgeon • Michel Derain • Domaine Joblot • Maison Louis Latour

AOC GIVRY PREMIER CRU

Premiers crus : Clos-de-la-Barraude, Les Berges, Bois-Chevaux, Bois-Gauthier, Clos-de-Cellier-aux-Moines, Clos-Charlé, Clos-du-Cras-long, Les Grandes-Vignes, Grands-Prétants, Clos-Jus, Clos-Marceaux, Marole, Petit-Marole, Petit-Prétants, Clos-Saint-Paul, Clos-Saint-Pierre, Clos-Salomon, Clos-de-la-Servoisine, Vaux, Clos-du-Vernois, En Vignes Rouges, Le Vigron.

Ces crus récemment classés comprennent des clos historiques bien situés, selon Anthony Hanson, qui craint qu'une « multiplication de nouveaux noms totalement obscurs » abrite des vins sans caractère.

Rouge Les meilleurs exemples sont étoffés, doux, riches et fruités, avec de délicieux accents de cerise et de cassis.

pinot noir, pinot gris, pinot liébault

5-12 ans

Blanc D'un caractère assez semblable à l'AOC givry, ce chardonnay sec délicieusement droit peut donner une finale séduisante aux nuances onctueuses et épicées.

chardonnay, pinot blanc

3-8 ans

René Bourgeon • Michel Derain • Domaine Joblot • Maison Louis Latour

AOC MERCUREY

Les vins de Mercurey, y compris les premiers crus, forment les deux tiers de la production totale de la Côte chalonnaise.

Rouge Vins assez étoffés, d'une belle couleur, finement fruités, d'un rapport qualité/prix exceptionnel.

pinot noir, pinot gris, pinot liébault

5-12 ans

Blanc Vins secs qui réunissent la fraîcheur, la légèreté du Mâconnais et une certaine rondeur de la côte de Beaune.

pinot chardonnay [*sic*]

3-8 ans

Château de Chamilly • Château de Chamirey Émile Chandesais • Louis Desfontaine • Domaine Lorenzon • Antonin Rodet

AOC MERCUREY PREMIER CRU

Premiers crus : La Bondue, Les Byots, La Cailloute, Champs-Martins, La Chassière, Le Clos, Bbarraults, Clos-Château-de-Montaigu, Clos-l'Évêque, Clos-des-Myglands, Clos-du-Roi, Clos-Tonnerre, Clos-Voyens (ou Les Voyens), Les Combins, Les Crêts, Les Croichots, Les Fourneaux (ou Clos-des-Fourneaux), Grand-Clos-Fourtoul, Les Grands-Voyens, Griffères, Le Levrière, Le Marcilly (ou Clos-Marcilly), La Mission, Les Montaigus (ou Clos-des-Montaigus), Les Naugues, Les Petits-Voyens, Les Ruelles, Sazanay, Les Vasées, Les Velley.

Ces dix dernières années, le nombre des premiers crus est passé de cinq à vingt-sept quand leur superficie, de 15 ha à l'origine, dépassait 100 ha.

Rouge Ces vins doivent avoir le caractère de pur pinot du mercurey ordinaire, mais avec davantage de profondeur et de finesse.

pinot noir, pinot gris, pinot liébault

5-10 ans

Blanc Je n'ai rencontré de mercurey blanc qu'en appellation communale.

Émile Chandesais • Chartron & Trébuchet • Domaine Faiveley • Domaine Joblot • Domaine Émile Juillot • Michel Juillot • Domaine Lorenzon • Guy Narjoux

AOC MONTAGNY

Tous les vignobles de Montagny étant des premiers crus, les vins n'ayant droit qu'à l'appellation communale sont ceux qui ne titrent pas les 11,5 % vol. d'alcool requis avant chaptalisation.

Blanc Ces vins secs, intéressants à l'achat, sont une version plus étoffée du mâcon blanc type.

chardonnay

3-10 ans

Domaine Maurice Bertrand & François Juillot • Caves de Buxy • Domaine Faiveley • Maison Louis Latour • Moillard • Antonin Rodet

AOC MONTAGNY PREMIER CRU

Premiers crus : Les Bassets, Les Beaux-Champs, Les Bonnevaux, Les Bordes, Les Bouchots, Le Breuil, Les Burnins, Les Carlins, Les Champs-Toiseau, Les Charmelottes, Les Chandits, Les Chazelles, Clos-Chaudron, le Choux, Les Clouzeaux, Les Coères, Les Combes, La Condemine, Cornevent, La Corvée, Les Coudrestles, Les Craboulettes, Les Crets, Creux-des-Beaux-Champs, l'Épaule, Les Garchères, Les Gouresses, la Grand-Pièce, Les Jardins, Les Las, Les Males, Les Marais, Les Marocs, Les Monts-Vuchots, Le Mont-Laurent, La Mouillère, Moulin l'Échenaud, Les Pandars, Les Pasquiers, Les Pidans, Les Platières, Les Resses, Les Saint-Mortille, Les Saint-Ytages, Sous-les-Roches, Les Thilles, La Tillonne, Les Treuffères, Les Varignys, Le Vieux-Château, Vignes-Blanches, Vignes-sur-le-Clou, Les Vignes-Couland, Les Vignes-derrière, Les Vignes-dessous, La Vigne-Devant, Vignes-Longues, Vignes-du-Puits, Les Vignes-Saint-Pierre, Les Vignes-du-Soleil.

Avec ses soixante premiers crus classés, le bourg de Montagny est un cas unique dans toute la Bourgogne.

Blanc Ces délicieux vins secs ont un parfum de chardonnay plus proche de la côte de Beaune que du Mâconnais.

chardonnay

4-12 ans

Arnoux Père & Fils • Caves de Buxy • Château de Davenay (blanc) *• Domaine Maurice Bertrand & François Juillot • Château de la Saule • Jean Vachet*

AOC RULLY

L'appellation la plus septentrionale de la Côte chalonnaise donne des vins plus proches de ceux du sud de la côte de Beaune.

Rouge Vins délicieusement frais et fruités, de légers à étoffés, assez fins, sans complications dans leur jeunesse mais vieillissant bien.

pinot noir, pinot gris, pinot liébault

5-12 ans

Blanc Des vins sérieux, dont l'équilibre tend à plus de vivacité que ce qui se fait plus au sud de Montagny, même si certains peuvent être très gras.

chardonnay

3-8 ans

Émile Chandesais • Domaine Chanzy Frères • André Delorme • Joseph Drouhin • Raymond Dureuil-Janthial • Domaine de Folie • Henri-Paul Jacqueson • Domaine de la Renarde • Antonin Rodet (château de Rully)

AOC RULLY PREMIER CRU

Premiers crus : Agneux, Bas-de-Vauvry, La Bressaude, Champ-Clou, Chapitre, Clos-du-chaigne, Clos-Saint-Jacques, Les Cloux (ou Cloux), Écloseaux, La Fosse, Grésigny, Margotey (ou Margoté), Marissou, Meix-Caillet, Mont-Palais, Moulesne (ou Molesme), Phillot, Les Pieres, Pillot, Préau, La Pucelle, Raboursay (ou Rabourcé), Raclot, La Renarde, Vauvry.

Rouge Des vins de qualité, assez étoffés, aux saveurs de fruits mûrs et à la matière soyeuse.

pinot noir, pinot gris, pinot liébault

5-15 ans

Blanc Vins secs généralement plus fins, complets et riches, certains avec beaucoup de finesse.

chardonnay

4-12 ans

Domaine Belleville • Émile Chandesais • Chartron & Trébuchet • André Delorme • Domaine de Folie • Henri-Paul Jacqueson

LE MÂCONNAIS

Le Mâconnais produit trois fois plus de vin blanc que tout le reste de la Bourgogne réuni, et, s'ils n'atteignent pas les sommets de ceux de Côte-d'Or, ce sont incontestablement les vins de pur chardonnay qui offrent le meilleur rapport qualité/prix au monde.

Le Mâconnais est une ancienne région viticole renommée; Ausone, le poète latin de Saint-Émilion, mentionnait ses vins dès le IVe siècle. De nos jours, il n'est pas absurde de l'associer au Beaujolais car, si le chardonnay est le cépage blanc dominant dans les deux régions (comme dans toute la Bourgogne), les vins rouges y sont essentiellement issus du gamay, ce qui n'est pas le cas ailleurs. On peut considérer que le Mâconnais se consacre avant tout aux vins blancs et le Beaujolais aux vins rouges.

LE MÂCON ROUGE : UN VESTIGE ?

Si le Mâconnais produit essentiellement des vins blancs, quelque 25% des vignes n'en sont pas moins plantées de gamay, et 7,5% en pinot noir. Toutefois, les sols calcaires du Mâconnais ne conviennent pas très bien au gamay et, malgré les effets adou-

FACTEURS AFFECTANT LE GOÛT ET LA QUALITÉ

SITUATION
À mi-chemin entre Lyon et Beaune, les vignobles du Mâconnais prolongent au nord ceux de la Côte chalonnaise et sont contigus à ceux du beaujolais au sud.

CLIMAT
Climat semblable à celui de la Côte chalonnaise, mais où l'influence méditerranéenne se fait déjà sentir, provoquant des orages occasionnels.

ORIENTATION
Le doux moutonnement des collines au nord du Mâconnais, prolongeant celles de la Côte chalonnaise, cède peu à peu la place à un paysage plus abrupt, dont les pentes et les contours se resserrent à mesure que l'on se rapproche du Beaujolais.

SOL
La roche calcaire est couverte d'éboulis et d'alluvions, ou d'argile et de sable argileux.

VITICULTURE ET VINIFICATION
Quelques vins d'exception (tels que le pouilly-fuissé « vieilles-vignes » du château de Fuissé) résistent bien à une très forte influence du chêne, mais la plupart des vins blancs fermentent en cuves d'acier et sont mis en bouteilles très tôt pour garder toute leur fraîcheur. Les vins rouges sont vinifiés par la macération carbonique, entièrement ou partiellement.

CÉPAGES PRINCIPAUX
Chardonnay, gamay
CÉPAGES SECONDAIRES
Pinot noir, pinot gris (ou pinot beurot), pinot liébault, pinot blanc, aligoté, melon.

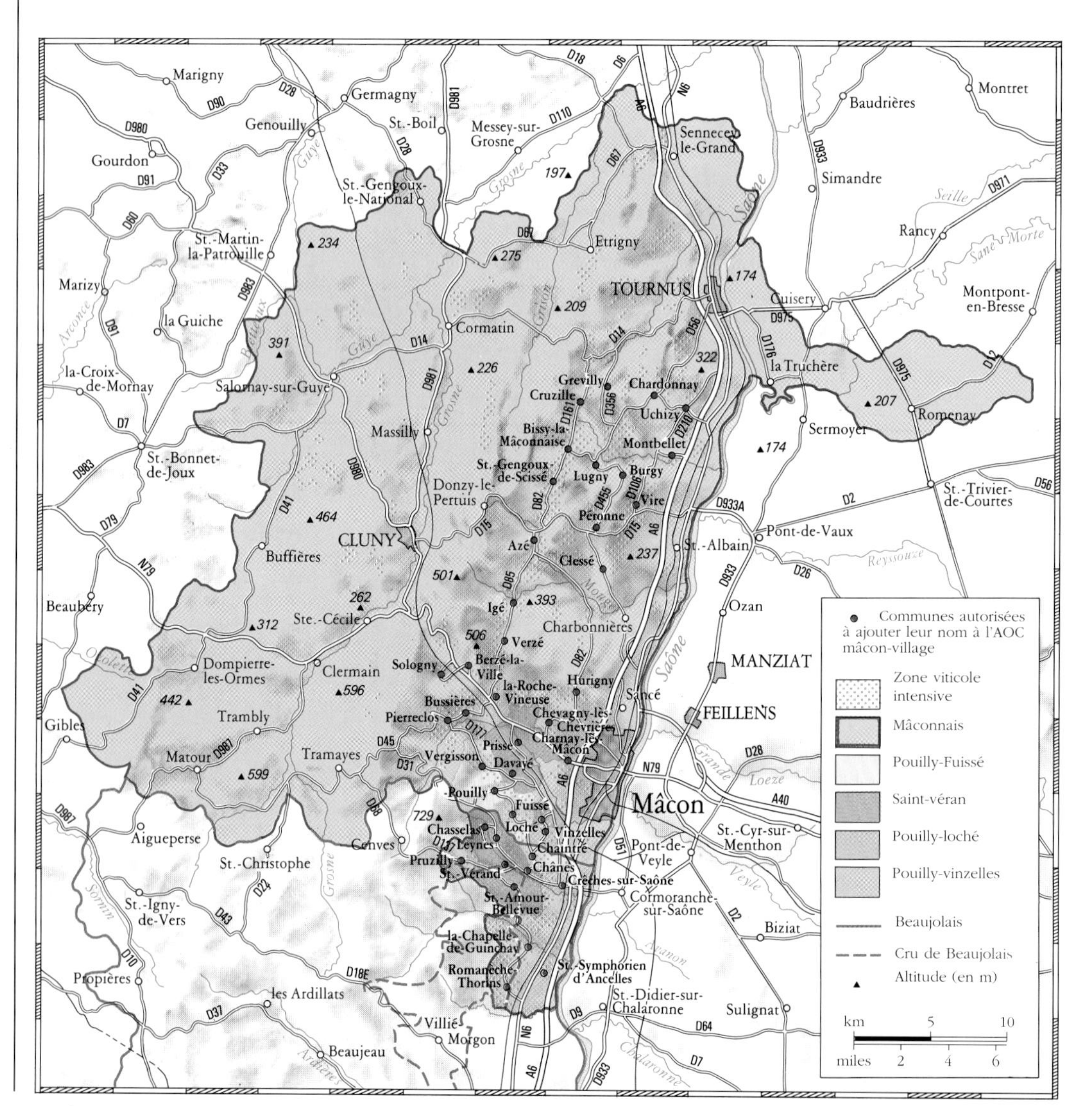

LA ROCHE DE SOLUTRÉ
La silhouette spectaculaire de la roche de Solutré domine les vignes du bourg. Solutré fait partie des quarante-deux villages de l'appellation mâcon-villages, et produit du pouilly-fuissé.

LE MÂCONNAIS
Voir aussi p. 131
Rassemblées à l'ouest de la Saône, les appellations réputées du Mâconnais s'imbriquent au sud dans celle du Beaujolais et pointent au nord-est de Mâcon.

cissants des méthodes de vinification modernes, ces vins rouges restent rustiques avec une dureté caractéristique.

J'ai eu l'occasion d'organiser une dégustation à l'aveugle pour le guide du vin du *Sunday Telegraph*. Les participants de cette manifestation savaient seulement qu'ils allaient goûter des vins de gamay, et donc, selon toute probabilité, des beaujolais. Ce jour-là, l'expert Christopher Tatham nota simplement à propos d'un vin : « Problème de calcaire! » En fait, c'était un mâcon rouge, ce qui voulait dire que le sol calcaire était effectivement le problème du gamay. Cette observation pertinente faite à l'aveugle montre pourquoi ce cépage n'a pas sa place dans le Mâconnais.

Il est possible d'élaborer un mâcon rouge de pur pinot noir, mais le marché associant ce vin au gamay, les viticulteurs ne sont guère incités à planter ce cépage noble, qui, assurément, conviendrait mieux et donnerait des vins d'une certaine finesse. Peut-être est-il temps de créer une appellation pour un mâcon rouge de pinot noir, ou bien les producteurs devraient-ils indiquer franchement sur l'étiquette le nom du cépage.

BERZÉ-LE-CHÂTEL EN MÂCONNAIS
Les fortifications massives de Berzé-le-Châtel, en Saône-et-Loire, siège de la première baronnie de Mâcon, ne comptent pas moins de treize tours médiévales.

LES APPELLATIONS DU MÂCONNAIS

AOC MÂCON

Cette appellation s'applique à tout le Mâconnais, mais la plupart des vins qui la portent sont produits au nord de la zone délimitée Mâcon-Villages.

Rouge De meilleures méthodes de vinification ont amélioré la qualité de ces vins avant tout de gamay, mais ce cépage ne convient décidément pas au sol calcaire.

gamay, pinot noir, pinot gris

2-6 ans

Blanc Vins de chardonnay ordinaires, mais frais, francs, goûteux et secs, qui se laissent boire, et d'un exceptionnel rapport qualité/prix. On peut les acheter en primeur à partir du troisième mardi de novembre suivant les vendanges.

chardonnay, pinot blanc

1-4 ans

Rosé Ces vins légers ont une séduisante couleur framboise claire et du fruité. On peut les acheter en primeur à partir du troisième mardi de novembre suivant les vendanges.

gamay, pinot noir, pinot gris

1-3 ans

✓ *Bénas Frères* • *E. Brocard* (rouge) • *Domaine des Deux Roches* (pierreclos et chavigne rouges) • *Maurice Gonon* (rouge) • *Jean Thévenet* (clessé rouge) • *Henri Lafarge* (braye rouge)

AOC MÂCON SUPÉRIEUR

Dans toute la France, les vins portant la mention « supérieur » doivent simplement avoir un titre d'alcool supérieur (en général un degré) à celui de l'AOC ordinaire.

Rouge Excepté ceux qui sont recommandés ci-dessous, ces vins bien colorés, assez corsés, n'ont rien de particulier.

gamay, pinot noir, pinot gris

3-8 ans

Blanc Il est curieux que près d'un quart du mâcon supérieur se fasse en blanc. Ces vins pourraient aussi bien se vendre sous l'appellation mâcon pure et simple. On peut les acheter en primeur à partir du troisième mardi de novembre suivant les vendanges.

chardonnay, pinot blanc

1-4 ans

Rosé Vins de couleur séduisante au fruité frais et goûteux.

gamay, pinot noir, pinot gris

1-2 ans

✓ *Colin & Bourisset* • *Henri Lafarge* • *Eugène Lebreton* • *Pierre Santé* • *Jean Signoret* • *Jean-Claude Thévenet*

AOC MÂCON SUPÉRIEUR (NOM DE COMMUNE)

Voir AOC mâcon (nom de commune)

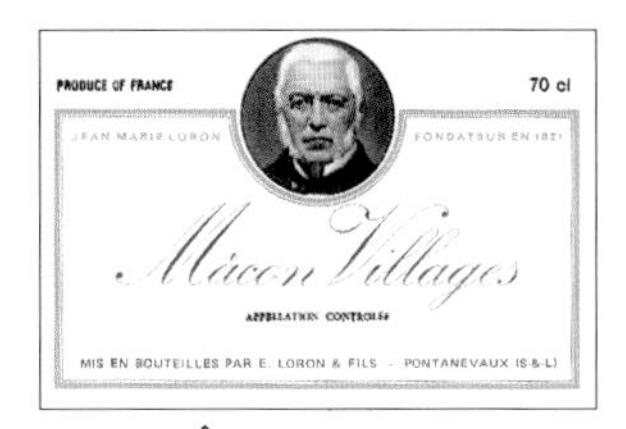

AOC MÂCON-VILLAGES

Cette appellation, qui ne porte que sur des vins blancs, couvre 42 communes, dont huit correspondent également à l'AOC Beaujolais-Villages (*voir* p. 160) et quatre ont droit à l'AOC Saint-Véran (*voir* p. 157). Si le vin provient d'une seule commune, il peut substituer à la mention « villages » le nom de sa commune d'origine (*voir* la liste de ces 42 communes).

Blanc Il s'agit des vins secs de chardonnay parmi les plus délicieux au monde, faciles à boire et rafraîchissants, d'un exceptionnel rapport qualité/prix. On peut les acheter en primeur à partir du troisième mardi de novembre suivant les vendanges.

chardonnay, pinot blanc

1-4 ans

✓ *André Bonhomme* • *Carpi-Gobet* (château London) • *Domaine des Chazelles* • *Domaine Cordier* • *Domaine Corsin* • *Domaine des Deux Roches* • *Domaine des Granges* • *Domaine Guffens-Heynen* • *Domaine Jean Manciat* (vieilles-vignes) • *René Michel & Fils* • *Monmessin* • *Groupement de producteurs de Prissé* • *Claudius Rongier* • *Cellier des Samsons*

LES 42 COMMUNES DU MÂCON-VILLAGES

Les mâcons blancs « villages » ayant droit à l'appellation de leur commune d'origine sont au nombre de 42.

AOC MÂCON-AZÉ

Cette commune possède une bonne coopérative, aux vins réputés gras et constants.

✓ *Georges Blanc* (domaine d'Azenay) • *Domaine des Grands-Bruyères* • *Duvergey-Taboureau (domaine de la Garonne)*

AOC MÂCON-BERZÉ-LA-VILLE

Je n'en ai jamais vu.

AOC MÂCON-BISSY-LA-MÂCONNAISE

Je n'ai jamais vu ces vins.

AOC MÂCON-BURGY

Je n'en ai rencontré que rarement, mais les vins élégants du domaine de Chervin en montrent tout le potentiel.

✓ *Domaine de Chervin*

AOC MÂCON-BUSIÈRES

Je n'ai jamais vu ces vins.

AOC MÂCON-CHAINTRE

Ce village a vu naître le frère aîné de Georges Dubœuf, Robert. Cette commune faisant partie des cinq qui ont droit à l'appellation pouilly-fuissé, ses vins peuvent porter les deux mentions.

✓ *Cave coopérative de Chaintre* • *Roger Dubœuf* • *Domaine des Granges*

AOC MÂCON-CHÂNES

Cette commune faisant également partie des beaujolais-villages et des saint-véran, ses vins peuvent porter l'une de ces trois appellations.

AOC MÂCON-LA CHAPELLE-DE-GUINCHAY

Cette commune faisant également partie des beaujolais-villages, ses vins peuvent porter l'une de ces deux appellations.

AOC MÂCON-CHARDONNAY

Ce vin a des adeptes, en partie certainement suscités par la nouveauté de l'appellation. Quoi qu'il en soit, la coopérative produit des vins fins.

✓ *Cave coopérative de Chardonnay* (seulement la cuvée du Millénaire, issue d'anciens vignobles et qui peut être commercialisée sous le nom de Château du Chardonnay).

AOC MÂCON-CHARNAY-LÈS-MÂCON

D'excellents vins élaborés à l'est de Pouilly-Fuissé.

✓ E. Chevalier & Fils • Domaine Jean Manciat • Domaine Manciat-Poncet

AOC MÂCON-CHASSELAS

Malheureusement, le chasselas, dont cette commune porte le nom, est également un raisin de table qui donne des vins médiocres. Les viticulteurs vendent en général leur production sous les appellations mâcon ou saint-véran.

AOC MÂCON-CHEVAGNY-LÈS-CHEVRIÈRES

Vins raisonnables, mais difficiles à trouver.

✓ Groupement des producteurs de Prissé.

AOC MÂCON-CLESSÉ

On fait à Clessé un des meilleurs mâcons de ce groupe d'AOC. Ces vins sont délicatement parfumés et montrent une grande finesse. Il pourrait être question de créer une appellation propre, de même qu'à Viré. Les bonnes années, le domaine Guillemot-Michel élève l'un des vins les plus originaux de toute la Bourgogne, un vin de dessert appelé « cuvée Botrytis ».

✓ *Domaine Guillemot-Michel* • *René Michel* • *Gilbert Mornand* • *Claudius Rongier* • *Jean Signoret* • *Jean Thévenet* (domaine de la Bongran et domaine Émélian Gillet)

AOC MÂCON-CRÈCHES-SUR-SAÔNE

Je n'ai jamais vu ces vins.

AOC MÂCON-CRUZILLE

Vins rares provenant d'un petit hameau tout au nord de l'aire d'appellation.

✓ *Guillot-Broux*

AOC MÂCON-DAVAYÉ

On élève à Davayé quelques vins excellents, mais le plus souvent vendus sous l'appellation saint-véran.

✓ *Domaine des Deux Roches* • *Lycée viticole de Davayé*

AOC MÂCON-FUISSÉ

Ce bourg fait partie de l'ensemble des cinq communes qui forment l'appellation pouilly-fuissé. Il peut paraître déraisonnable de distribuer un vin sous l'AOC mâcon-fuissé plutôt que comme pouilly-fuissé, et pourtant j'ai relevé quatre vins intéressants qui sont dans ce cas.

✓ *Domaine Cordier* • *Domaine Defussiacus* • *Le Moulin du pont* • *Jean-Paul Thibert*

AOC MÂCON-GRÉVILLY

Ce vin provient d'une commune assez réputée, située à l'extrême nord de l'appellation villages.

✓ *Guillot-Broux*

AOC MÂCON-HURIGNY

Je n'en ai jamais vu.

AOC MÂCON-IGÉ

Les vins de cette commune sont rares, mais jouissent d'une bonne réputation.

✓ *Les vignerons d'Igé*

AOC MÂCON-LEYNES

Leynes faisant également partie des beaujolais-villages et des saint-véran, ses vins peuvent choisir entre trois appellations.

✓ *André Depardon*

AOC MÂCON-LOCHÉ

Cette commune ayant également droit aux AOC pouilly-loché et pouilly-vinzelles, ses vins peuvent donc porter l'une de ces trois appellations.

✓ *Caves des crus blancs* • *Château de Loché*

AOC MÂCON-LUGNY

Louis Latour a beaucoup fait pour promouvoir les vins de cette commune.

✓ *Louis Latour* • *Cave de Lugny* • *Domaine du Prieuré*

AOC MÂCON-MILLY-LAMARTINE

Je n'ai jamais vu ces vins.

AOC MÂCON-MONTBELLET

Vins peu vus qui se développent bien après une ou deux années de bouteille.

✓ *Henri Goyard (domaine de Roally).*

AOC MÂCON-PÉRONNE

Ce vin paraît plus plein au nez et plus fort en bouche que la plupart de ses concurrents, mais offre moins de charme, ce que les producteurs expliquent en affirmant qu'il prend plus de temps que les autres mâcons pour s'épanouir.

✓ *Maurice Josserand* • *Cave de Lugny* • *Domaine du Mortier* • *Daniel Rousset*

AOC MÂCON-PIERRECLOS

Ici, le domaine Guffens-Heynen est de loin le meilleur producteur.

✓ *Domaine Guffens-Heynen* • *Henri de Villamont*

AOC MÂCON-PRISSÉ

Cette commune faisant également partie de l'AOC saint-véran, ses vins peuvent porter l'une de ces deux appellations.

✓ *Groupement de producteurs de Prissé*

AOC MÂCON-PRUZILLY

Cette commune faisant également partie des beaujolais-villages, ses vins peuvent porter l'une de ces deux appellations.

AOC MÂCON-LA ROCHE-VINEUSE

Ces vins sous-estimés viennent de vignobles exposés à l'ouest et au sud, au nord de Pouilly-Fuissé, et dont le potentiel est exploité à fond par Olivier Merlin, l'un des plus grands viticulteurs du Mâconnais.

✓ *Olivier Merlin* • *Groupement de producteurs de Prissé*

AOC MÂCON-ROMANÈCHE-THORINS

Romanèche-Thorins faisant également partie de l'AOC beaujolais-villages, ses vins peuvent porter l'une de ces deux appellations. La majeure partie de la production est en rouge.

AOC MÂCON-SAINT-AMOUR-BELLEVUE

Cette commune est réputée pour son cru de beaujolais le saint-amour. Faisant également partie des appellations beaujolais-villages et saint-véran, une partie de ses vignobles peut porter l'une de ces quatre appellations, la moins intéressante étant celle-ci.

AOC MÂCON-SAINT-GENGOUX-DE-CISSÉ

Je n'en ai jamais vu.

AOC MÂCON-SAINT-SYMPHORIEN-D'ANCELLES

Saint-Symphorien-d'Ancelles faisant également partie des beaujolais-villages, ses vins peuvent porter l'une de ces deux appellations.

AOC MÂCON-SAINT-VÉRAND

Cette commune fait également partie des AOC beaujolais-villages et saint-véran (dont l'orthographe est différente), ses vins ont donc le droit de porter l'une de ces trois appellations.

AOC MÂCON-SOLOGNY

La commune de Sologny se trouve juste au nord de Pouilly-Fuissé et donne un vin frais, vif, herbacé.

✓ *Ets Bertrand* • *Cave de Sologny*

AOC MÂCON-SOLUTRÉ

Ce village faisant également partie des appellations pouilly-fuissé et saint-véran, ses vins peuvent porter l'une de ces trois appellations.

✓ *André Depardon* • *Jean-Michel & Béatrice Drouhin*

AOC MÂCON-UCHIZY

Plus répandus qu'il y a quelques années, les vins de cette commune, voisine de Chardonnay, sont de ceux qui se laissent boire.

✓ *Domaine Raphaël Sallet* (ou R & G. Sallet) • *Paul et Philibert Talmard*

AOC MÂCON-VERGISSON

Vergisson fait également partie des cinq communes qui forment l'appellation pouilly-fuissé. Ses vins sont plus riches que la plupart et peuvent vieillir quelques années en bouteilles.

✓ *Daniel Barraut*

AOC MÂCON-VERZÉ

Je n'ai jamais vu ces vins.

AOC MÂCON-VINZELLES

Cette commune a également droit à l'AOC pouilly-vinzelles ; ses vins peuvent donc porter l'une ou l'autre des appellations.

AOC MÂCON-VIRÉ

S'agissant de la plus dispersée des appellations de commune, et qui sert d'ambassade à cette constellation, seul un heureux hasard veut que la production de mâcon-viré soit de qualité constante. Il est question d'accorder à la commune, de même qu'à Clessé, une appellation propre, voire de les rassembler sous une même AOC. Les exemples les plus remarquables de ces vins sont élaborés par André Bonhomme et Henri Goyard, qui montrent toute l'exceptionnelle finesse à laquelle le mâcon-viré peut prétendre.

✓ *André Bonhomme • Jean-Noël Chaland • Domaine des Chazelles • Domaine Guillemot-Michel • Henri Goyard* (domaine de Roally) • *Jean Thévenet* (domaine de la Bongran et domaine Émélian Gillet) • *Cave coopérative de Viré*

AOC MÂCON (NOM DE COMMUNE)

Cette appellation diffère de celle de mâcon-villages (*voir* plus haut), qui donne le droit de porter un nom de commune et ne concerne que du vin blanc : elle recouvre un ensemble de villages légèrement différent, dont les noms doivent (et non peuvent) être indiqués sur l'étiquette, et intéresse aussi bien des rouges que des rosés. Un moins grand nombre de communes utilisent cette appellation ; les plus courantes sont mâcon-braye, mâcon-davayé et mâcon-pierreclos.

Rouge Il y a lieu de croire que quelques communes (ou, plus précisément, des vignerons dispersés cultivant des parcelles communales bien situées) peuvent élaborer des vins de gamay qui sont mieux équilibrés qu'auparavant.

gamay, pinot noir, pinot gris

Blanc On peut acheter ces vins en primeur à partir du troisième mardi de novembre suivant les vendanges.

chardonnay

1-4 ans

✓ *Pierre Mahuet • Domaine du Prieuré • Jean-Claude Thévenet*

AOC PINOT CHARDONNAY-MÂCON

Autre appellation du mâcon blanc. *Voir* AOC Mâcon.

AOC POUILLY-FUISSÉ

Ce pur chardonnay ne doit pas être confondu avec le pouilly-fumé de Loire, issu du sauvignon. Cette appellation recouvre une aire importante de vignobles de haute qualité, mais on y observe des variations considérables.

Blanc Ces vins secs peuvent offrir un typique mâcon blanc ou des variantes légèrement plus fermes, jusqu'aux vins concentrés et richement boisés de Michel Forest, ou le « vieilles-vignes » du château Fuissé de Vincent. S'il s'agit là des pouilly-fuissé les plus fins que l'on puisse trouver, ils n'en sont pas pour autant représentatifs du style des mâcons blancs, mais plutôt de la Côte chalonnaise, voire de la côte de Beaune. Les fervents admirateurs des mâcons traditionnels, légers et aériens, ne voudront pas en entendre parler. Il reste que les vins élaborés par des producteurs tels que Guffens-Heynen peuvent être aussi riches et intenses que ceux de Forest ou du château Fuissé, mais sans la moindre note de bois.

chardonnay

3-8 ans

✓ *Auvigue Burrier Revel & Cie • Daniel Barraut • Domaine Cordier • Domaine Corsin • Jean-Michel & Béatrice Drouhin • Domaine J. A. Ferret • Michel Forest • Vincent & Fils* (château Fuissé Vieilles-Vignes) • *Michel Gallet-Golliard • Domaine Guffens-Heynen • Domaine Manciat-Poncet • Domaine René Perraton • Groupement de producteurs de Prissé • Domaine André Robert • Jacques & Nathalie Saumaize • Domaine Saumaize-Michelin • Domaine de la Soufrandise • Verget*

AOC POUILLY-LOCHÉ

C'est l'une des deux appellations secondaires du pouilly-fuissé.

Blanc Cette commune peut produire les AOC de Mâcon-Loché, de Pouilly-Loché ou de Pouilly-Vinzelles. Quelle que soit l'appellation, ces vins secs sont bien dans le style des mâcons.

chardonnay

1-4 ans

✓ *Caves des Crus blancs • Domaine des Ducs • Gilles Noblet • Domaine René Perraton • Domaine Saumaize-Michelin • Domaine Saint-Philbert*

AOC POUILLY-VINZELLES

C'est l'une des deux appellations secondaires du pouilly-fuissé.

Blanc Type de pouilly-fuissé plus proche du style mâconnais, comme le pouilly-loché et pour des raisons analogues.

chardonnay

1-4 ans

✓ *Caves des Crus blancs • Domaine René Perraton • Jean-Jacques Martin • Jean-Paul Thibert • Château de Vinzelles*

AOC SAINT-VÉRAN

Cette appellation, répartie entre le Mâconnais et le Beaujolais, est elle-même scindée par l'AOC Pouilly-Fuissé, avec deux communes au nord (Davayé et Prissé) et cinq au sud (Chânes, Chasselas, Leynes, Saint-Amour et Saint-Vérand). Le saint-véran tire son nom de cette dernière commune, dont le *d* final a disparu, par égard pour les vignerons de certains villages, dont on craignait qu'ils ne soutiennent pas la nouvelle appellation si elle portait le nom d'une autre commune. Cette AOC a été créée en 1971 pour donner à des vins blancs élaborés dans le Beaujolais un meilleur débouché que ne pouvait leur offrir une appellation beaujolais blanc.

Blanc Chardonnays secs, frais et fruités, d'un excellent rapport qualité/prix, tout à fait dans le style des mâcons-villages. Vincent, propriétaire-exploitant du château Fuissé, élève un vin étonnamment riche, beaucoup plus proche du pouilly-fuissé que d'un mâcon-villages, qui développe des notes de bois et de miel.

chardonnay

1-4 ans

✓ *Domaine Corsin • Domaine des Deux Roches • Antoine Depagneux • Jean-Michel & Béatrice Drouhin • Roger Lassarat • Domaine Jean Manciat • Jean-Jacques Martin • Groupement des producteurs de Prissé • Jacques & Nathalie Saumaize* (Vieilles-Vignes) • *Domaine Saumaize • Vincent & Fils*

FUISSÉ ET SES VIGNOBLES
Fuissé, dont le site remonte à l'homme de Neandertal, est posé au milieu de ses vignes.

LE BEAUJOLAIS

Cette immense région viticole est renommée pour ses vins de gamay modèles, violacés, frais, légers et gouleyants, qui remplissent à eux seuls six bouteilles de bourgogne sur dix.

Les meilleurs producteurs du Beaujolais élèvent dix crus de gamay devenus des classiques du genre. Lorsqu'il est sans prétention, ce vin doit être simplement frais, violacé et fruité. Le problème est que la plupart des beaujolais ne remplissent même pas ces conditions minimales, et même des crus classés, mais de mauvaise qualité, dégagent des arômes typiques de bonbon, de banane ou de solvant. Ce sont les « sucettes » des professionnels, parfaits pour qui ne s'intéresse pas aux qualités d'un vrai vin. Ces caractéristiques si fréquentes dans les beaujolais tiennent aux méthodes de vinification et au volume même de la production : le cépage n'y est pour rien. Cette région déverse à elle seule deux fois et demie toute la production confondue du reste de la Bourgogne ! Plus de la moitié est vendue comme beaujolais nouveau ou primeur, et une grosse part des AOC beaujolais, beaujolais supérieur ou beaujolais-villages, sans parler de crus frauduleux, sont vinifiées par macération semi-carbonique (variante de la macération carbonique, *voir* p. 36), qui induit ces notes chimiques de bonbon, de banane ou de colle, voire un violent arôme de vernis, qui sont la signature des pires beaujolais. Signalons toutefois que ce goût d'acétate d'éthyle est sans danger. Le rejet, y compris en Bourgogne, de ce style de beaujolais s'exprime sous la plume d'Anthony Hanson, qui cite dans son

VENDANGES EN BEAUJOLAIS
Pour favoriser la macération semi-carbonique, le raisin de gamay doit arriver dans la cuverie par grappes entières, avec la rafle, et le moins écrasées possible.

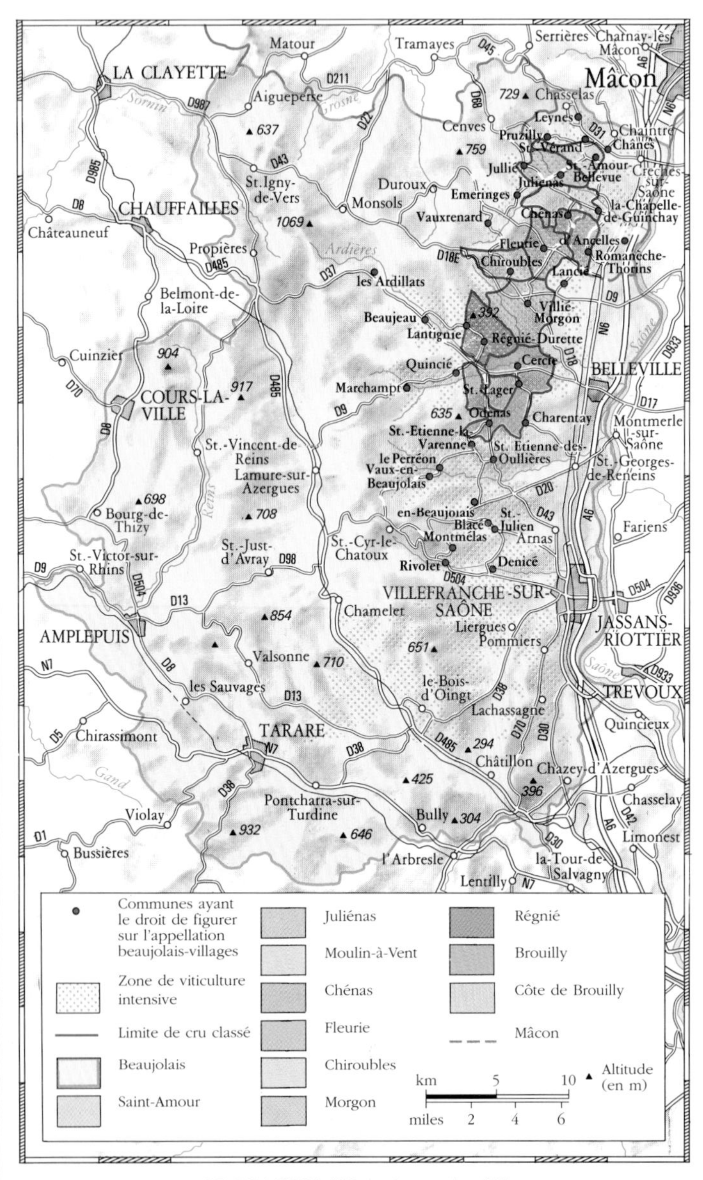

LE BEAUJOLAIS, *voir aussi* p. 131
Le Beaujolais couvre la partie méridionale de la Bourgogne. Il est presque entièrement planté de gamay, les meilleurs vignobles étant situés en terrain granitique.

FACTEURS AFFECTANT LE GOÛT ET LA QUALITÉ

SITUATION
Le Beaujolais est situé au sud de la Bourgogne, dans le département du Rhône, à 400 km au sud-est de Paris.

CLIMAT
Le Beaujolais jouit d'un climat ensoleillé tempéré par les influences atlantique et méditerranéenne, mais aussi continentale. Bien que la moyenne des précipitations et des températures réunit les conditions idéales pour la viticulture, l'influence méditerranéenne peut provoquer de brusques variations orageuses.

ORIENTATION
Cet ensemble de collines est couvert de vignobles plantés à une altitude de 150 m à 550 m sur des pentes orientées dans toutes les directions.

SOL
Le haut Beaujolais, où sont situés les crus et les communes ayant droit à l'AOC beaujolais-villages, est célèbre pour son sol granitique, le seul qui, jusqu'à présent, donne le meilleur gamay. Il est recouvert en partie de schiste ou de granite décomposé mêlé de sable et d'argile. Le bas Beaujolais est essentiellement calcaire, ce qui crée des difficultés au gamay, qui donne dans ce secteur des vins plus légers n'ayant pas le niveau de ceux du nord.

VITICULTURE ET VINIFICATION
La vigne est taillée selon la méthode du gobelet (*voir* p. 24), qui lui donne une forme totalement différente de celle des vignobles partout ailleurs en Bourgogne. Le raisin est vendangé à la main par grappes entières et subit une fermentation par semi-macération carbonique, qui favorise l'accumulation de dioxyde de carbone dans la moitié supérieure de la cuve. Toutefois, les crus sont vinifiés de manière plus traditionnelle, macèrent plus longtemps (en moyenne sept jours contre deux pour le beaujolais nouveau) et peuvent même vieillir en bois neuf.

CÉPAGES PRINCIPAUX
Gamay
CÉPAGES SECONDAIRES
Chardonnay, pinot noir, pinot gris (ou pinot beurot), pinot liébault, pinot blanc, aligoté, melon de Bourgogne.

BARRIQUES ET PARTERRES FLEURIS À SAINT-AMOUR
Seuls cinq crus du Beaujolais ont été classés en 1936 (chénas, chiroubles, fleurie, morgon et moulin-à-vent), puis trois en 1938 (brouilly, côte-de-brouilly et juliénas) enfin le saint-amour en 1946.

ouvrage sur la Bourgogne le mot de Jean-Marie Guffens qualifiant la méthode de vinification employée dans le Beaujolais de « masturbation carbonique ». Si les profits engrangés par le beaujolais nouveau sont en effet considérables, ce vin ne doit pas être pris très au sérieux. Aucun producteur ne prétend au demeurant qu'il s'agit d'un vin fin; une telle revendication détruirait l'image commerciale soigneusement élaborée d'un vin jeune, sans prétention, destiné à être bu copieusement. Le beaujolais nouveau doit rester plaisant et servir par là même la cause des vins fins. Il faut accepter ce rôle, tout comme il faut bien consentir à ce que le Liebfraumilch attire de nouveaux amateurs. Mais on doit au lecteur de souligner une dernière fois que ces « sucettes » n'ont rien des gamays de qualité, alors que les meilleurs crus classés du Beaujolais sont bien les plus grands au monde.

LA LÉGENDE DE « PISSE-VIEILLE »

Le vignoble de « pisse-vieille » à Brouilly intrigue les consommateurs anglo-saxons, attisés par les auteurs qui n'en publient l'histoire qu'en français. En voici le récit :

Un jour, une vieille femme du nom de Mariette alla à confesse. Le curé était nouveau au village et peu versé dans le patois local. Il ignorait également que Mariette fut dure d'oreille. Après l'avoir entendue en confession, il l'absout simplement par ces mots « Allez! Et ne péché plus », qu'elle entendit comme : « Allez! Et ne pissez plus ». En bonne chrétienne, Mariette fit ce qu'on lui avait demandé. Quand son mari lui demanda quel abominable péché elle avait commis, elle refusa de le dire et, au bout de quelques jours, n'y tenant plus, il alla voir le curé. En apprenant la vérité, il courut chez lui et, quand sa femme fut à portée de voix, il lui cria : « Pisse, vieille! »

LES APPELLATIONS DU
BEAUJOLAIS

AOC BEAUJOLAIS

Cette appellation générique recouvre la moitié de la production totale du Beaujolais, dont plus de la moitié est vendue sous l'AOC primeur. La simplicité de ces vins fait qu'ils ne peuvent être vendus par les grands négociants de Côte-d'Or. Ces derniers, en revanche, distribuent les crus classés.

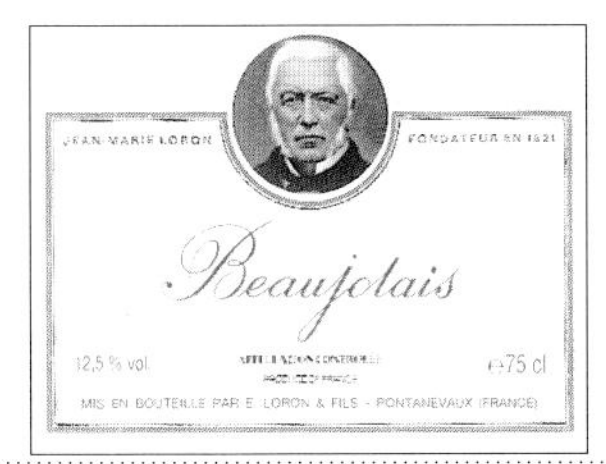

Rouge Les méthodes de vinification employées ajoutent bien souvent au fruité de ces vins une note de solvant caractéristique. Mais les meilleurs présentent une fraîcheur et une franchise qui incitent à les boire à grandes lampées.

gamay, pinot noir, pinot gris

1-3 ans

Blanc Moins de 0,5% de la production est réservé à l'élaboration de blancs secs, et les vignerons qui s'y consacrent font en général des vins très fins. Celui de Pierre Charmet, aromatique, offre des notes de pêche.

chardonnay, aligoté

1-3 ans

Rosé Frais, « joli » et fruité.

gamay, pinot noir, pinot gris

1-3 ans

✓ *Charles & Christine Bréchard • Cave beaujolaise du Bois-d'Oingt* (rosé) *• Cave coopérative beaujolaise de Saint-Vérand • Blaise Carron • Pierre Caron* (blanc) *• Vignoble Charmet • Chermette Pierre-Marie • Jean Garlon • Domaine des Granges* (blanc) *• Pierre Jonard • Domaine du plateau de Bel-Air • Domaine des Terres dorées*

AOC BEAUJOLAIS NOUVEAU

Voir AOC Beaujolais Primeur.

AOC BEAUJOLAIS PRIMEUR

Plus de la moitié de tout le beaujolais est vendue en primeur. Ce vin est obtenu par la méthode de semi-macération carbonique intensive qui permet de l'exporter à partir du troisième jeudi de novembre. L'appellation beaujolais primeur est davantage employée à l'export que celle de beaujolais nouveau, plus populaire en France même. Il devrait s'agir d'un vin festif, mais la fête manque d'allant lorsque surviennent les accents de vernis et de bonbon. Que peut-on attendre d'autre, alors que le raisin était encore accroché à sa vigne quelque trois semaines auparavant? « Sucette » : voilà comment le métier a baptisé le beaujolais nouveau. Si l'on veut goûter à d'authentiques beaujolais et au gamay paré de toutes ses qualités, alors il faut retenir les vins recommandés dans l'une ou l'autre des appellations suivantes.

AOC BEAUJOLAIS SUPÉRIEUR

Seul 1% de toute la production régionale porte cette appellation. Il est très difficile de trouver un beaujolais supérieur qui soit supérieur à ceux de l'AOC ordinaire par autre chose que sa force; son étiquette ne se distinguant que par le degré d'alcool supplémentaire auquel ce vin est tenu. On peut acheter les rouges et les rosés en primeur à partir du troisième mardi de novembre suivant les vendanges.

Rouge Ces vins ne sont en rien supérieurs à ceux de l'AOC beaujolais; on peut tout aussi bien acheter ces derniers, ou, si l'on veut boire plus sérieusement, l'un ou l'autre des crus classés.

gamay, pinot noir, pinot gris

3-8 ans

Blanc À peine 5% de cette appellation minuscule concerne des vins blancs. Si fins soient-ils, aucune qualité intrinsèque ne les distingue des blancs gouleyants de l'AOC ordinaire.

chardonnay, aligoté

1-3 ans

Rosé Je n'en ai rencontré aucun dans cette appellation.

✓ *Cave beaujolaise du Bois-d'Oingt* (rosé) • *Cave coopérative beaujolaise de Saint-Vérand* • *Thierry Doat*

AOC BEAUJOLAIS (NOM DE COMMUNE)

Trente-huit communes ont le droit d'ajouter leur nom à cette appellation, mais bien peu l'exercent. Une des raisons en est que quinze d'entre elles (indiquées ci-dessous par un astérisque) peuvent prétendre porter le nom d'un cru; il serait donc absurde de leur part de préférer, de ces deux appellations, la moins prestigieuse. L'autre raison est que huit de ces communes sont habilitées à porter l'AOC mâcon-villages (notée *m*), et quatre celle de saint-véran (notée *s-v*, *voir aussi* p. 157), à cheval entre le Mâconnais et le Beaujolais. Certaines de ces agglomérations produisent évidemment plus de blanc que de rouge. Ces appellations de communes sont également sous-exploitées car, excepté celles qui élèvent les meilleurs vins et porteront le nom d'un cru, soit elles demeurent inconnues, soit elles évoquent davantage le Mâconnais que le Beaujolais; dans ce cas, leurs vins se vendront plus facilement comme simples beaujolais-villages. On peut par ailleurs les acheter en primeur à partir du troisième jeudi de novembre suivant les vendanges.

Voici la liste exhaustive des communes ayant droit à cette appellation : Arbuissonas, Les Ardillats, Beaujeu, Blacé, Cercié*, Chânes (*m, s-v*), La Chapelle-de-Guinchay (*m*)*, Charentay, Chénas, Chiroubles*, Denicé, Durette, Émeringes*, Fleurie*, Jullié*, Juliénas*, Lancié, Lantignié, Leynes (*m, s-v*), Marchampts, Montmelas, Odenas, Le Perréon, Pruzilly (*m*)*, Quincié*, Rivolet, Romanèche-Thorins (*m*)*, Saint-Amour-Bellevue (*m, s-v*), Saint-Étienne-des-Houillères, Saint-Étienne-la-Varenne*, Saint-Julien, Saint-Lager, Saint-Symphorien-d'Ancelles (*m*), Saint-Vérand (*m, s-v*), Salles, Vaux, Vauxrenard, Villié-Morgon*.

Rouge Les meilleurs doivent être richement parfumés, de la même qualité que des beaujolais-villages mais avec davantage de personnalité.

gamay, pinot noir, pinot gris

3-8 ans

Blanc Je n'ai que rarement rencontré ces vins.

chardonnay, aligoté

Rosé Je n'ai que rarement rencontré ces vins.

gamay, pinot noir, pinot gris

1-3 ans

✓ *Jean Bererd* (le Perréon) • *Jean Berthelot* (Quincié) • *Domaine du Granit bleu* (Le Perréon) • *Bruno Jambon* (Lantignié) • *Claude & Michelle Joubert* • *Bernard Nesmé* (Lantignié)

AOC BEAUJOLAIS-VILLAGES

Les 38 communes qui peuvent ajouter leur nom à l'AOC beaujolais (*voir* AOC beaujolais [nom de commune]) ont également droit à cette appellation et doivent la porter s'il s'agit de mélanges de vins provenant de deux communes ou plus.

Rouge Le vin d'un bon producteur sera d'une belle couleur, dégagera un riche parfum de gamay et présentera toutes les qualités mystérieusement absentes dans un beaujolais supérieur.

gamay, pinot noir, pinot gris

3-8 ans

Blanc Vins assez peu rencontrés, bien que la production de beaujolais-villages blanc soit supérieure à celle de l'AOC beaujolais. On peut les acheter en primeur à partir du troisième jeudi de novembre suivant les vendanges.

chardonnay, aligoté

1-3 ans

Rosé Rarement vus, mais la Cave beaujolaise du Bois-d'Oingt élève un vin séduisant. On peut les acheter en primeur à partir du troisième jeudi de novembre suivant les vendanges.

gamay, pinot noir, pinot gris

1-3 ans

✓ *Domaine Aucœur Noël* • *Domaine Berrod* • *Cave beaujolais du Bois-d'Oingt* • *Geny de Flammerécourt* • *Évelyne & Claude Geoffray* • *Château de Grand-Vernay* • *Château des Jacques* • *Jacky Janodet* • *Méziat Père & Fils* • *Alain Passot* • *Jean-Charles Pivot* • *Gilles Roux* • *Château Thivin* • *Frédéric Trichard* • *La Maison des vignerons*

AOC BROUILLY

Cru

Le plus vaste et le plus méridional des dix crus de beaujolais, il est aussi le seul, avec le côte-de-brouilly, qui ait le droit d'utiliser d'autres cépages que le gamay.

Rouge Le brouilly est un vin sérieux, même s'il ne compte pas parmi les meilleurs crus de beaujolais. Il n'est pas tout à fait aussi intense que le côte-de-brouilly, mais fin, fruité et souple, légèrement astringent, riche et parfois très tannique.

gamay, pinot noir, pinot gris

2-7 ans (4-12 ans pour les vins de garde des meilleurs millésimes)

✓ *Domaine des coteaux de Vuril* • *Domaine Lafond* • *André Large* • *Jean Lathuilière* • *Alain Marchand* • *Château de Nervers* • *Domaine du plateau de Bel-Air* • *Château Thivin*

AOC CHÉNAS

Cru Beaujolais

Le plus petit cru de beaujolais, le chénas surmonte le moulin-à-vent. Ces pentes étaient plantées de chênes, et c'est le nom de cet arbre qui a donné celui de chénas.

Rouge Bien qu'en général le chénas ne puisse rivaliser en puissance avec son voisin le moulin-à-vent, il n'en est pas moins d'un style plein et généreux, et les vins élevés par des vignerons talentueux tels que Jean Benon et le domaine Champagnon sont séduisants, riches et puissants, le premier élevé sous chêne, le second non.

gamay

3-8 ans (5-15 ans pour les vins de garde des plus grands millésimes)

✓ *Jean Benon* • *Château de Chénas* • *Domaine des Ducs* • *Bernard Santé* • *Domaine Champagnon* • *Hubert Lapierre* • *Henri Lespinasse* • *Georges Trichard* • *Jacques Trichard*

AOC CHIROUBLES

Cru Beaujolais

Le plateau de Chiroubles, surplombant la plaine du Beaujolais, donne le cru le plus parfumé.

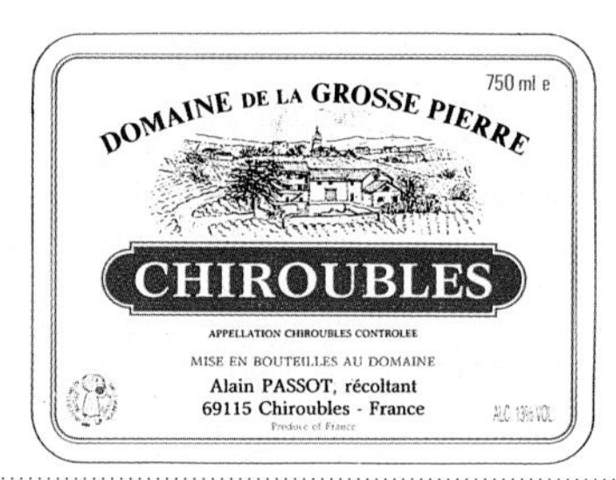

Rouge Ces vins légers offrent un bouquet parfumé et un arôme délicieux et délicat de raisin écrasé. C'est dans leur jeunesse qu'ils sont les plus charmants, mais les plus exceptionnels peuvent s'améliorer avec l'âge.

gamay

1-8 ans (5-15 ans pour les vins de garde des plus grands millésimes)

✓ *Domaine Émile Cheysson* • *Alain Passot* • *Domaine de la Source* • *La Maison des vignerons*

AOC CÔTE-DE-BROUILLY

Cru Beaujolais

S'il existait des grands crus en Beaujolais, le côte-de-brouilly serait assurément classé dans cette catégorie par rapport au brouilly (dont le vignoble englobe pratiquement celui de cette appellation).

Rouge Un côte-de-brouilly fin est plein, riche et parfumé. Le fruit doit être vivace et intense, sans rien de l'astringence que l'on peut noter dans le brouilly.

gamay, pinot noir, pinot gris

3-8 ans (5-15 ans pour les vins de garde des plus grands millésimes)

Château du Grand-Vernay • André Large • Château Thivin • Domaine de la Voûte des Crozes

AOC COTEAUX-DU-LYONNAIS

Il ne s'agit pas à proprement parler d'un beaujolais, mais le coteaux-du-lyonnais appartient à la même aire d'influence et se fait avec les cépages propres à la région. En mai 1984, l'appellation VDQS a été promue au rang d'AOC.

Rouge Vins légers au fruité frais de gamay et doucement équilibrés. On peut les acheter en primeur à partir du troisième jeudi de novembre suivant les vendanges.

gamay

2-5 ans

Blanc Chardonnay frais et sec plus doux qu'un mâcon, mais qui ne répond pas à la définition d'un beaujolais blanc. On peut acheter ces vins en primeur à partir du troisième jeudi de novembre suivant les vendanges.

chardonnay, aligoté

1-3 ans

Rosé Je n'en ai pas goûté.

Pierre Jomard • Cave des vignerons de Coteaux-du-Lyonnais

AOC FLEURIE

Cru Beaujolais

Ce vin au nom éloquent est le cru le plus cher; les exemples les plus fins représentent l'archétype du beaujolais.

Rouge Ces vins adoptent rapidement un style frais, floral et parfumé. Moins légers et délicats que ne l'estiment certains auteurs, ils révèlent derrière leur charme initial une structure positive et une profondeur de fruit qui leur donnent une belle longévité.

gamay

2-8 ans (4-16 ans pour les vins de garde des plus grands millésimes)

Hospice de Belleville • Domaine Berrod • Château de Chênas • Chermette Pierre-Marie • Jean-Paul Champagnon • Michel Chignard • L. J. Denojean-Burton • Guy Depardon (domaine du Point-du-Jour) *• Jean-Marc Despris • Georges Dubœuf • Cave coopérative de Fleurie • Château des Labourons • André Métrat • Méziat Père & Fils • Alain Passot • Clos de la Roilette*

AOC JULIÉNAS

Cru Beaujolais

Situé sur les collines surplombant Saint-Amour, le cru de Juliénas tire son nom de Jules César; il serait le premier vignoble planté en Beaujolais. Il s'agit probablement du plus sous-estimé de ces crus.

Rouge Le fruit richement épicé, marqué par une certaine mâche, d'un juliénas jeune donnera une matière satinée de race si l'on accorde au vin un vieillissement suffisant en bouteilles.

gamay

3-8 ans (5-15 ans pour les vins de garde des plus grands millésimes)

Mme Ernest Aujas • Jean Benon • François Condemine • J.-M. Coquenlorge • Château de Juliénas • Henri Lespinasse

AOC MORGON

Cru Beaujolais

De même que le côte-de-brouilly est le plus fin et le plus concentré des brouillys, les vins de Mont-du-Py au centre du vignoble sont beaucoup plus puissants que ceux des vignes voisines.

Rouge Bien que de qualité et de caractère très variables, les meilleurs morgons rivalisent de force avec le moulin-à-vent. Ils développent un bouquet singulièrement pénétrant et un fruit très compact.

gamay

4-9 ans (6-20 ans pour les vins de garde des plus grands millésimes)

Domaine Aucœur Noël • Louis-Claude Desvignes • Georges Dubœuf • Jean Foillard • Jacky Janodet • M. Lapierre • Méziat Père & Fils • Jacky Passot • Domaine Passot les Rampaux • Dominique Piron • Pierre Savoy • La Maison des vignerons • Vincent & Fils

AOC MOULIN-À-VENT

Cru Beaujolais

Par la taille du vignoble, la puissance et la longévité de ses vins, le moulin-à-vent est le « roi du Beaujolais ». On attribue la race du moulin-à-vent à la teneur élevée de son sol en manganèse. Mais cela a-t-il un sens? L'absorption du manganèse par la vigne dépend du pH du terrain, et dans les sols acides et granitiques du beaujolais, ce métal est on ne peut plus assimilable. Toutefois, la vigne n'ayant besoin que de quantités infimes de manganèse, son abondance dans les vignobles du moulin-à-vent devrait être considérée comme toxique (pour la plante, bien sûr, et non pour le consommateur!) et un facteur possible de chlorose; en tout état de cause, elle affecterait à coup sûr le métabolisme de la vigne. Cet élément réduit naturellement le rendement et peut altérer la composition du raisin.

Rouge Ces vins d'une belle robe développent un fruité intense, une excellente structure tannique et, bien souvent, des arômes richement épicés de bois.

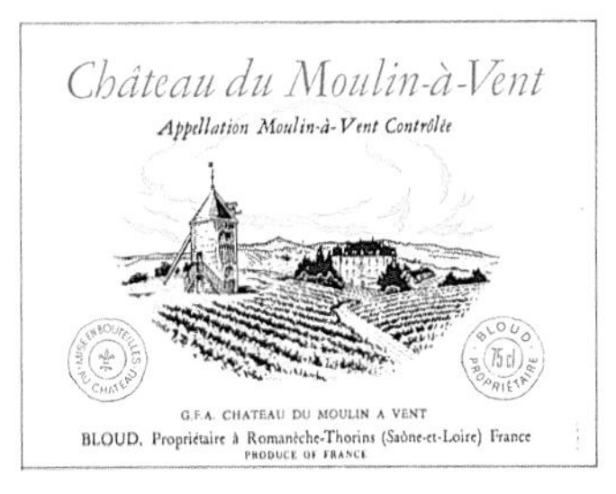

gamay

4-9 ans (6-20 ans pour les vins de garde des plus grands millésimes)

Domaine Berrod • Domaine Bourrisset • Domaine Champagnon • Domaine de Champ-de-Cour • Château de Chénas • Chermette Pierre-Marie • Georges Dubœuf • Domaine Gay-Coperet • Château des Jacques • Jacky Janodet • Clos des Maréchaux • Château du Moulin-à-Vent

AOC RÉGNIÉ

Cru Beaujolais

Les viticulteurs prétendent que les vignes de la commune sont les premières que l'on ait plantées en Beaujolais, mais ceux de Juliénas réclament la même paternité. Le régnié a été élevé au rang de cru en décembre 1988. Un certain manque de conviction a failli faire sombrer l'entreprise, mais les meilleurs vignerons ont commencé à bâtir la réputation de ce tout nouveau cru.

Rouge Il existe ici deux styles de vin : l'un est léger et parfumé, l'autre plus plein et charnu, mais les meilleurs sont toujours fruités et souples, développant un arôme frais donnant de l'allant.

gamay

2-7 ans (4-12 ans pour les vins de garde des plus grands millésimes)

René Desplaces • Méziat Père & Fils • Domaine de Ponchon • Joël Rochette • La Maison des vignerons • Georges & Gilles Roux

AOC SAINT-AMOUR

Cru Beaujolais

C'est le plus septentrional des dix crus, et la commune est plus réputée pour son mâcon que pour son beaujolais. Malgré son nom éloquent, Saint-Amour n'a rien à voir avec les tendres sentiments, mais vient de Saint-Amateur, un soldat romain converti au christianisme qui fonda ici un monastère.

Rouge Vins d'une jolie robe, au bouquet séduisant et parfumé en bouche. Ils développent un doux arôme fruité et gagnent à mûrir un peu.

gamay

2-8 ans (4-12 ans pour les vins de garde des plus grands millésimes)

Domaine des Ducs • Jean-Paul Ducoté • André Poitevin • Michel Tête • Georges Trichard

LE CHOIX DE L'AUTEUR

J'aurais pu dresser une liste deux ou trois fois plus longue et il y aurait encore manqué de grands vins. Aussi, après bien des affres, je me suis résolu à la sélection ci-dessous, où les vins ont été retenus pour leur rapport qualité/prix intéressant.

PRODUCTEUR	VIN	STYLE	DESCRIPTION	
Bonneau du Martray	Corton-Charlemagne AOC, Grand Cru (*voir* p. 148)	BLANC	Toujours l'un des plus grands blancs de Bourgogne, même les mauvaises années telles que 1972, 1984 et 1987. Le 1972 était encore frais et vibrant au début des années 1990. Ce qui souligne la qualité singulière du terroir du corton-charlemagne, qui ne dépasse pas 50 ha, dont 9 sont possédés par Bonneau du Martray. Un millésime caractéristique sera d'une richesse opulente et d'une matière fruitée onctueuse.	5 à 20 ans
La Chablisienne ♥	Vieilles-Vignes, Chablis AOC (*voir* p. 137)	BLANC	Ce chablis modèle, par une réelle profondeur et une intensité singulière, surpasse bien des premiers crus. C'est sans conteste le chablis dont le rapport qualité/prix est constamment le plus intéressant.	3 à 8 ans
Domaine Champagnon	Chénas AOC, Cru Beaujolais (*voir* p. 160)	ROUGE	Ce vin dégage un arôme floral de gamay d'une fraîcheur immaculée, une profusion de fruits blancs, et possède une superbe robe d'un violet profond pour les amateurs de vrai beaujolais sans bois.	3 à 8 ans
Clos du Château du Meursault ♥	Bourgogne AOC, Blanc (*voir* p. 133)	BLANC	Le seul vin du négociant Patriarche que j'ai constamment apprécié, et il se trouve que je l'adore. Il n'est guère douteux qu'aujourd'hui ce vin porterait l'appellation meursault, n'était le fait que ces vignes occupent une parcelle du château de Meursault qui était boisée à l'époque où l'appellation a été délimitée. Le vin est entièrement issu de ce vignoble, tandis que le château de Meursault est un mélange. À son plus haut niveau, ce dernier est supérieur, mais le clos-du-château est plus constant.	4 à 12 ans
J.-F. Coche-Dury ♥	Bourgogne AOC, Blanc (*voir* p. 133)	BLANC	Robert Parker reconnaît que Jean-François Coche-Dury est le plus grand éleveur de vin blanc de toute la Bourgogne, plus exactement : « l'un des plus grands de la planète Terre », et l'on ne peut qu'acquiescer. Son vin le plus modeste est aussi le plus avantageux de tous les blancs de Bourgogne.	2 à 7 ans
J.-F. Coche-Dury	Corton-Charlemagne AOC Grand Cru (*voir* p. 148)	BLANC	Il s'agit probablement du vin blanc sec le plus somptueux, le plus concentré qu'il soit possible d'élaborer. Sans un équilibre d'une rafraîchissante acidité, la richesse de ce vin serait écrasante. Hélas! ce tout petit vignoble donne des vins rares et chers.	5 à 25 ans
J.-F. Coche-Dury	Les Perrières, Meursault AOC (*voir* p. 149)	BLANC	Ce vin vaut certainement la dépense. Lui aussi est immense, avec une profusion de fruits riches et onctueux; un usage modéré du bois neuf apporte une note fine de citron.	3 à 15 ans
Jean Collet	Valmur, Chablis Grand Cru AOC (*voir* p. 138) & Mont-de-Milieu, Chablis Premier Cru AOC (*voir* p. 138)	BLANC	Si l'on préfère le chablis fermenté sous bois neuf, ces deux crus réaliseront les rêves les plus hédonistes. On ne peut se tromper sur les notes vanillées crémeuses d'un bois neuf bien fumé, mais rien ne manque par ailleurs de cette structure d'acier à l'intensité minérale fine qui est la marque du vrai chablis.	5 à 20 ans
René & Vincent Dauvissat	Les Preuses, Chablis Grand Cru AOC (*voir* p. 138)	BLANC	Il est difficile de choisir entre Vincent Dauvissat et Jean-Marie Raveneau, mais les amateurs de discrètes notes fumées de bois préféreront les vins du premier. Les clos est de qualité égale, suivi de près par les vaillons et la forest.	5 à 15 ans
Domaine Guffens-Heynen	Vieilles-Vignes, Mâcon-Pierreclos AOC (*voir* p. 156)	BLANC	Pour un mâcon-villages, ce vin dégage un nez de fruit extraordinaire. Il faut soit attendre que ses parfums concentrés s'épanouissent et perdre la fraîcheur de sa jeunesse, soit le boire jeune, encore vif et nerveux, et manquer toute sa complexité à venir.	2 à 7 ans
Domaine Guffens-Heynen ♥	La Roche, Pouilly-Fuissé AOC (*voir* p. 157)	BLANC	Un fruité riche, intense et une grande finesse minérale font de ce vin le meilleur pouilly-fuissé sans bois.	2 à 7 ans
Domaine Michel Juillot	Clos-des-Barraults, Mercurey Premier Cru AOC (*voir* p. 153)	ROUGE	L'arôme succulent de cerise noire que dégage le clos-des-barraults de Michel Juillot montre ce que la Côte chalonnaise peut offrir de plus remarquable en rapport qualité/prix. Sa finesse est exceptionnelle.	3 à 8 ans
Jacky Janodet	Moulin-à-Vent AOC, Cru Beaujolais (*voir* p. 161)	ROUGE	Ce vin, l'essence même du gamay issu de vieilles-vignes, est de ceux qui devraient entrer dans la légende.	4 à 12 ans
Domaine Joblot	Clos-de-la-Servoisine, Givry Premier Cru (*voir* p. 153)	ROUGE	Souvent d'un violet exceptionnellement dense pour un pinot noir de la Côte chalonnaise, ce vin offre des fruits opulents et des notes crémeuses, vanillées et épicées de chêne.	3 à 8 ans

PRODUCTEUR	VIN	STYLE	DESCRIPTION	[tire-bouchon]
Domaine des Comtes Lafon	Les Charmes, Les Genevrières, et Les Perrières, Meursault Premiers Crus AOC (*voir* p. 149)	BLANC	Parmi ces trois très grands meursaults, il est impossible de choisir selon le critère de la qualité, car seul le style les distingue. Les charmes est le plus beurré et se développe relativement vite en bouteille. Les genevrières présente le plus grand potentiel de longévité, et les perrières est le plus fin.	6 à 20 ans
Maison Louis Latour V	Montagny AOC (*voir* p. 153)	BLANC	Je soupçonne les pires mélanges, mais ce n'en est que plus admirable, car ce vin est toujours un régal, et il ne s'agit même pas d'un premier cru.	3 à 7 ans
Dominique Laurent V	Bourgogne AOC, Premier (*voir* p. 133)	ROUGE	Ce bourgogne, le plus avantageux de tous, est élaboré par un petit négociant qui monte. Celui-ci utilise jusqu'à « 200% » de bois neuf (ce qui veut dire que le vin passe du chêne neuf au chêne neuf!)	4 à 7 ans
Dominique Laurent	Ruchottes-Chambertin AOC, Grand Cru (*voir* p. 143)	ROUGE	Le vin le plus coûteux de Laurent, d'une robe riche, offre en bouche des arômes de fruits rouges, de cerise, de vanille, de cannelle; et ce sera le bonheur pour qui recherche la petite note de bois.	5 à 15 ans
Domaine Leflaive	Les Pucelles, Puligny-Montrachet Premier Cru AOC (*voir* p. 150)	BLANC	Si l'argent n'est pas un obstacle, alors il faut acheter le bâtard-montrachet ou le chevalier-montrachet, mais, de tous les premiers crus de Leflaive, les pucelles est presque aussi bon que ces deux autres la plupart du temps, et sa finesse est indéniable.	5 à 8 ans
Domaine Leroy V	Auxey-Duresses AOC (*voir* p. 146)	ROUGE	Le domaine Leroy appartient à Mme Bize-Leroy, ancienne codirectrice du domaine Romanée-Conti : il surpasse tous les autres vinificateurs de rouge en Côte-d'Or, et cet auxey-duresses présente le meilleur rapport qualité/prix. Il s'agit d'un bourgogne de classe, qui donne un avant-goût abordable des très grands vins de ce domaine.	5 à 10 ans
Domaine Leroy	Chambertin AOC, Grand Cru (*voir* p. 140)	ROUGE	Le chambertin est le plus grand vin du domaine Leroy. Les meilleures années, il demeure dense, sombre et impénétrable pendant dix ou quinze ans avant de s'épanouir en un pot-pourri de fruits rouges et noirs, très fin et complexe.	12 à 35 ans
Domaine Leroy	Richebourg AOC, Grand Cru (*voir* p. 143)	ROUGE	Il paraît impossible de choisir entre ce richebourg et celui du domaine de la Romanée-Conti, mais ce n'est là qu'un exercice d'école car je ne peux m'offrir ni l'un ni l'autre.	10 à 30 ans
Louis Michel	Vaudésir, Chablis Grand Cru AOC (*voir* p. 138)	BLANC	Les chablis de Louis Michel sont absolument droits, sans bois, d'une netteté intense, mais, pour les inconditionnels de ce style, le vaudésir doit l'emporter par le naturel de sa présence aromatique et sa finesse.	4 à 15 ans
Jean-Marie Raveneau	Les Clos, Chablis Grand Cru AOC (*voir* p. 138)	BLANC	Ce chablis exemplaire est issu du plus grand des grands crus, et probablement élevé par le plus grand vinificateur de cette région. Élaboré selon les méthodes les plus traditionnelles, sans aucune note vanillée de bois qui vienne troubler sa vivacité, ce vin présente une grande intensité aromatique et une acidité en lame de rasoir. En bouteille, il restera aiguisé pendant des années, mais, à maturité, il sera époustouflant. Beaucoup considèrent le grand cru valmur et les premiers crus chapelot et butteaux de Raveneau à l'égal de son grand cru les clos.	6 à 20 ans
Domaine de la Romanée-Conti	Richebourg AOC, Grand Cru (*voir* p. 143)	ROUGE	Il s'agissait sans conteste du plus grand vin rouge de Bourgogne avant l'inconstance des années 1970 et du début des années 1980. Mais, depuis la fin des années 1980, tous les vins de ce domaine ont été grands. Le richebourg a ma préférence car, si sombre et complexe soit-il, sa matière sera toujours des plus soyeuse.	8 à 25 ans
Domaine de la Romanée-Conti	Romanée-Conti AOC, Grand Cru (*voir* p. 143)	ROUGE	Un des plus grands vins au monde. Si exceptionnel qu'il porte le double nom : romanée-conti Romanée-Conti. Comment le pinot noir parvient à donner un vin si complexe, opaque, d'un caractère variétal aussi pur reste un mystère.	10 à 30 ans
Château de la Saule V	Montagny Premier Cru *AOC* (*voir* p. 153)	BLANC	Ce vin offre des arômes concentrés et un fruité richement beurré, solidement soutenu par une note de chêne vanillé.	4 à 8 ans
Jean Thévenet V	Domaine de la Bongran, Mâcon-Clessé AOC (*voir* p. 156)	BLANC	S'il s'agit d'obtenir un mâcon modèle sans chêne, on peine à choisir entre Jean-Marie Guffens et Jean Thévenet. Ce dernier élabore différentes cuvées de mâcon-clessé, de la cuvée Tradition « ordinaire » aux moelleux botrytisés.	2 à 7 ans
Domaine Tollot-Beaut V	Bourgogne AOC, Rouge (*voir* p. 133)	ROUGE	Tollot-Beaut, qui élève ce bourgogne parmi les plus avantageux, ne sait pas faire de mauvais vin. Ce rouge offre un fruité et un corps qui dépassent toutes les espérances.	3 à 8 ans
Domaine Tollot-Beaut V	Chorey-lès-Beaune AOC (*voir* p. 147)	ROUGE	Bourgogne rouge du meilleur rapport qualité/prix possible.	3 à 8 ans
Vincent & Fils	Château de Fuissé-Vieilles Vignes, Pouilly-Fuissé (*voir* p. 157)	BLANC	Un chardonnay classique, riche et ferme, dont la structure et la note sous-jacente de citron dément l'origine mâconnaise. Totalement à part parmi les mâcons blancs, ce style de vin peut ne pas plaire.	2 à 5 ans

CHAMPAGNE

Tous les amoureux du vin ayant découvert la merveille qu'est un grand champagne brut savent que les autres vins effervescents ne peuvent rivaliser avec lui – et que même le meilleur des succédanés est presque aussi cher que l'original.

Les autres mousseux – y compris ceux produits à l'étranger par les maisons champenoises – n'ont pas la qualité sublime du grand champagne car aucun terroir équivalent à celui de la Champagne n'a été trouvé dans le monde. Pour produire un grand vin mousseux, un brut classique au vrai sens du terme, il faut vendanger des raisins parvenus à un certain équilibre entre richesse, matière et acidité, et ce au terme d'une lente et difficile maturation propre aux régions où la vigne est cultivée sur le fil du rasoir, où il suffit d'un rien pour transformer le succès en échec. Le terroir champenois, au climat septentrional rigoureux, voire impitoyable, et au sol de craie, est la clé de cette supériorité intrinsèque du champagne. Pourtant, si l'on devait aujourd'hui découvrir de nos jours une zone similaire, les experts l'élimineraient rapidement comme impropre à la culture de la vigne, donc économiquement non viable pour la production de vin.

LES CINQ GRANDES ZONES

Le vignoble champenois se divise en cinq grandes zones, dont chacune produit de nombreux vins de base distincts. En les assemblant dans des proportions variables, on obtient des styles très divers. La meilleure manière de percevoir ces influences régionales est de rechercher les champagnes de vigneron.

MONTAGNE DE REIMS

Une partie des vignobles sont exposés au nord et le raisin ne pourrait y mûrir si la Montagne elle-même ne constituait une formation autonome. Cela permet à l'air froid de la nuit de descendre le long des pentes en direction de la plaine, pour être remplacé par un air plus chaud provenant d'une zone thermique qui se forme au-dessus de la Montagne pendant le jour. Ces vignes donnent généralement des vins plus colorés et plus amples que ceux du sud de la Montagne, qui ont cependant souvent un caractère plus aromatique, ainsi qu'une intensité gustative et une finesse supérieures.
Cépage principal : pinot noir
Meilleures communes : Ambonnay, Bouzy, Verzenay, Verzy

CÔTE DES BLANCS

Le nom de cette zone lui vient de la culture presque exclusive du chardonnay, cépage blanc. Les vins issus de ces raisins sont devenus les plus recherchés de toute la Champagne. Ils apportent finesse et délicatesse, tout en acquérant avec le temps une intensité de saveur sans égale.
Cépage principal : chardonnay
Meilleures communes : Cramant, Avize, Le Mesnil-sur-Oger

VALLÉE DE LA MARNE

À l'est, la « Grande Vallée » donne de splendides pinots noirs, mais le reste est surtout consacré au pinot meunier, source de vins francs et fruités, faciles à boire. Le meunier est cultivé dans les vignobles exposés aux gelées, car il bourgeonne tard et mûrit tôt.
Cépage principal : pinot meunier
Meilleures communes : Aÿ-Champagne et Mareuil-sur-Aÿ (pour le pinot noir), Dizy et Hautvillers (pour le pinot noir et le pinot meunier), Cumières, Leuvrigny et Sainte-Gemme (pour le pinot meunier).

AUBE

Plus proche de Chablis que des autres vignobles champenois, cette région méridionale de la Champagne produit des vins mûrs et fruités, plus nets et de meilleure qualité qu'aux limites de la vallée de la Marne, vers Château-Thierry.
Cépage principal : pinot noir
Meilleure commune : Les Riceys

CÔTE DE SÉZANNE

À 16 km au sud-ouest de la côte des Blancs, le Sézannais est une zone qui se développe rapidement et mise, elle aussi, sur le chardonnay. Ses vins sont plus fruités et moins fins que ceux de la côte des Blancs, avec dans certains cas un caractère exotique et musqué. Ces vins sont parfaits pour la clientèle habituée aux vins effervescents du Nouveau Monde, parfois désorientée devant un champagne de style classique.
Cépage principal : chardonnay
Meilleures communes : Béthon, Villenauxe-la-Grande

L'ASPERSION DES VIGNES
Ce système d'arrosage se met automatiquement en marche dès que la température descend en dessous de 0 °C.

LA LUTTE CONTRE LE GEL
Les vignes sont protégées du gel – le plus grand risque naturel en Champagne – par aspersion (voir ci-dessus). L'eau absorbe pour ainsi dire l'énergie du froid et protège les nouvelles pousses et les bourgeons dans un cocon de glace.

UN VIN PARTICULIER, NON UN STYLE

Contrairement à une idée répandue en certains endroits du globe, le terme champagne n'est pas un mot générique désignant n'importe quel vin mousseux, mais le nom protégé d'un vin effervescent issu de raisins cultivés dans une région bien précise, légalement délimitée, du Nord de la France. En Europe et ailleurs dans le monde, des lois garantissent que seul le vrai champagne peut être vendu sous ce nom, mais ce principe est bafoué dans un certain nombre de pays. En Occident, les abus les plus flagrants ont lieu aux États-Unis, mais les Américains ne sont pas totalement à blâmer : les Champenois, intransigeants, ont refusé d'envisager le moindre compromis, par exemple la mention « style champenois »; de plus, depuis bien des années, certaines grandes maisons de champagne commercialisent les mousseux qu'elles produisent en Amérique du Sud sous le nom de « *Champaña* », autrement dit champagne en espagnol. On peut estimer que les Champenois méritent le traitement qui leur est infligé aux États-Unis... En 1985, le terme « méthode champenoise » a été interdit pour l'ensemble des vins produits ou vendus dans la CEE. Sans être une garantie, cette expression avait tout de même aidé à séparer le bon grain de l'ivraie, la qualité du produit devant justifier le coût d'une fermentation en bouteille. Aujourd'hui, les consommateurs doivent rechercher des variations linguistiques du genre « Méthode traditionnelle », ou « Méthode classique ». Il existe en outre des AOC Crémant en France, Cava DO en Espagne, tandis que de nouveaux termes (comme Talento en Italie) ne cessent de surgir.

CHAMPAGNE,
voir aussi p. 55.
Au sein de l'Union européenne, seuls les vins produits dans l'aire d'AOC délimitée peuvent porter l'appellation Champagne. C'est la région viticole la plus septentrionale de France.

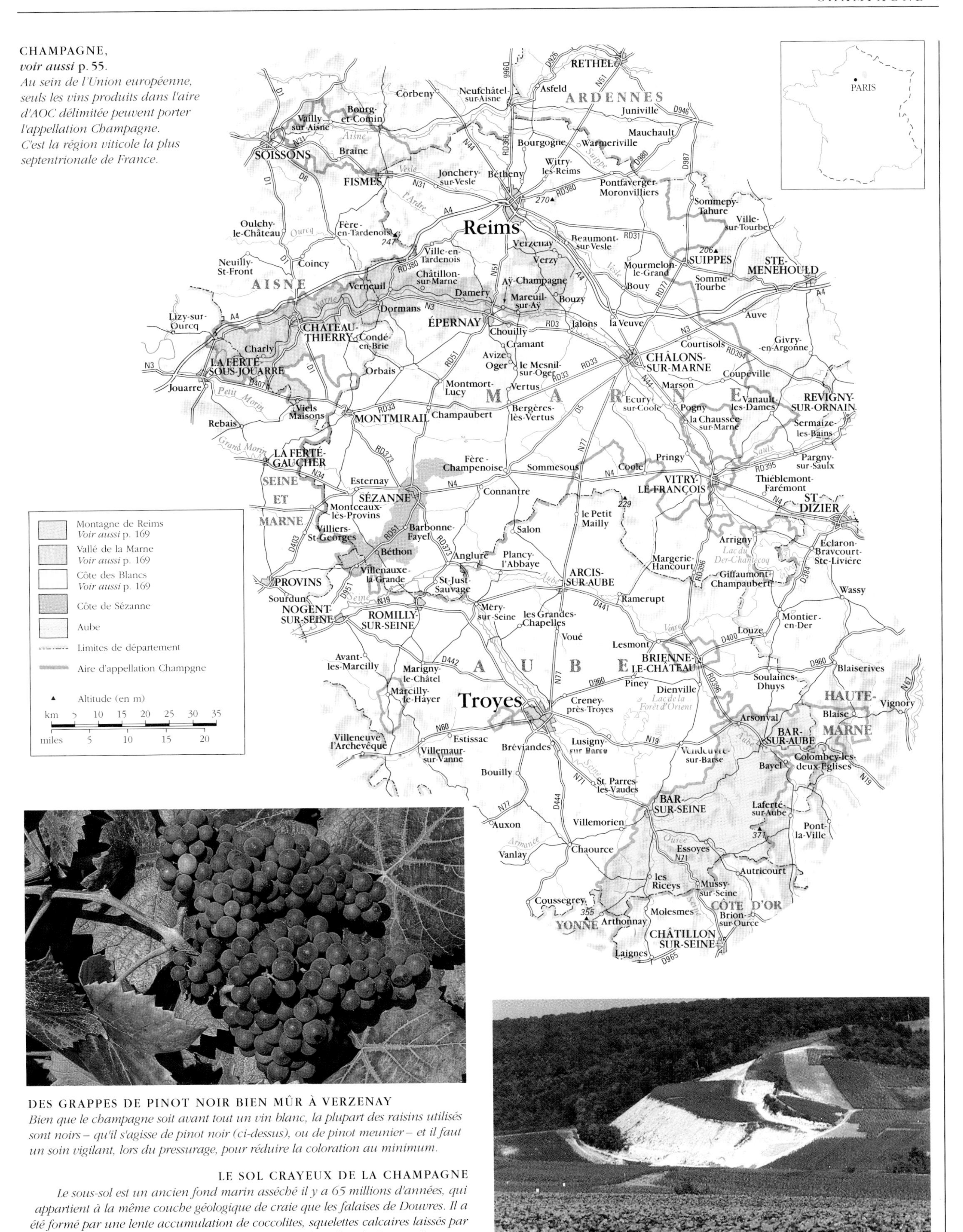

DES GRAPPES DE PINOT NOIR BIEN MÛR À VERZENAY
Bien que le champagne soit avant tout un vin blanc, la plupart des raisins utilisés sont noirs – qu'il s'agisse de pinot noir (ci-dessus), ou de pinot meunier – et il faut un soin vigilant, lors du pressurage, pour réduire la coloration au minimum.

LE SOL CRAYEUX DE LA CHAMPAGNE
Le sous-sol est un ancien fond marin asséché il y a 65 millions d'années, qui appartient à la même couche géologique de craie que les falaises de Douvres. Il a été formé par une lente accumulation de coccolites, squelettes calcaires laissés par des organismes marins. Il a fallu des dizaines de milliards de coccolites pour former chaque centimètre cube de cette craie à la blancheur éclatante.

L'ÉLABORATION DU CHAMPAGNE

On peut produire du champagne à partir d'un ou plusieurs des trois cépages suivants : chardonnay, pinot noir, pinot meunier. Les vins issus de ces cépages sont élaborés selon un processus complexe appelé méthode champenoise et analysé ci-dessous. L'étape essentielle est une deuxième fermentation qui a lieu dans la bouteille dans laquelle le champagne sera vendu.

LES VENDANGES

La Champagne étant une région septentrionale (à 145 km au nord-est de Paris), les vendanges s'y déroulent habituellement vers la mi-octobre, même s'il peut arriver, certaines années, qu'elles débutent au mois d'août ou soient retardées jusqu'en novembre. En raison d'un climat incertain, sous influence océanique, la pluie interrompt immanquablement la floraison. Cela entraîne une maturation souvent irrégulière, mais les raisins de deuxième génération, appelés « bouvreux », mûrissent rarement et sont traditionnellement laissés aux oiseaux. Ces fréquents revers sont le prix à payer pour un terroir qui vaut aux Champenois de produire les plus grands vins effervescents du monde.

LE TRI DES RAISINS

Les vendanges restent manuelles en Champagne, mais le traditionnel tri des raisins dans les paniers-mannequins en osier s'est fait rare. Chez Roederer et Bollinger, on trie encore les raisins à l'occasion, mais avec moins de minutie et la plupart des maisons ne pratiquent aucune sélection. La pourriture étant un problème récurrent, il serait bon d'imposer un tri attentif. S'il est obligatoire de rejeter un pourcentage minimum de raisins à Châteauneuf-du-Pape, sous le soleil du Midi, pourquoi n'en va-t-il pas de même sous les pluies de Reims?

LE PRESSURAGE

Plus de 70% des vignes de Champagne donnant des raisins noirs, les baies ne sont jamais éraflées : la présence de toutes ces rafles crée un réseau de canaux qui accélère l'écoulement du jus et permet ainsi d'éviter la coloration des moûts. Bien qu'on utilise des pressoirs modernes horizontaux, hydrauliques ou pneumatiques, de récents essais ont prouvé que le meilleur reste le traditionnel pressoir vertical Coquard, dont on trouve aujourd'hui des versions modernisées, contrôlées par ordinateur. Le jus est fractionné : la première partie est appelée cuvée, la seconde, taille, mais il faut plusieurs pressurages pour extraire ce moût. Dans un Coquard traditionnel, qui a une capacité de 4000 kg de raisins, l'extraction autorisée est limitée à 25,5 hl : les premiers 20,5 hl constituent la cuvée, les 5 derniers, la taille. Avant 1992, on pouvait presser 116 l de taille supplémentaire.

LE PRESSOIR CHAMPENOIS
La forme de base du pressoir Coquard n'a guère évolué depuis le XVIIe siècle, quand Dom Pérignon mit au point des méthodes de vinification toujours pratiquées en Champagne aujourd'hui.

LES MÉTHODES MODERNES DE VINIFICATION
Les cuves en acier inoxydable sont désormais majoritaires. Elles donnent des champagnes plus nets, sans pour autant en faire obligatoirement des vins plus légers et moins complexes : la richesse aromatique du champagne Veuve Clicquot, fermenté en cuve, en est la preuve.

LA FERMENTATION TRADITIONNELLE
Certains producteurs continuent de préférer la fermentation en fût ou cuve de bois, matériau laissant passer l'air, parce qu'une légère oxydation peut favoriser la complexité du vin.

LE TRI TRADITIONNEL
Bien que les vendanges restent manuelles en Champagne, le tri méthodique des raisins est rarement pratiqué aujourd'hui.

DE LA VIGNE AU PRESSOIR
Les raisins arrivent au pressoir dans des cagettes en plastique assez petites, pour éviter de les écraser. Ici, les traditionnels paniers-mannequins en osier.

LA FERMENTATION ALCOOLIQUE

Rien de mystérieux dans cette première fermentation, qui donne un vin sec tranquille, très acide au goût et apparemment quelconque. Son caractère doit être neutre pour que l'influence subtile de la deuxième fermentation (et le processus d'autolyse qui s'ensuit) agisse sur la saveur.

LA FERMENTATION MALOLACTIQUE

Le champagne subit normalement ce qu'on appelle une fermentation malolactique. Il ne s'agit pas, à proprement parler, d'une fermentation, mais d'un processus biochimique qui transforme l'acide malique (dur) en acide lactique (doux). Les vins fermentés en fût sont d'ordinaire mis en bouteille avant que cette transformation n'ait commencé, car il est difficile de la mener à bien dans le bois, et l'on considère généralement qu'elle ne se produit pas ensuite en bouteille, pendant ou après la deuxième fermentation. Un champagne qui n'a pas « fait sa malolactique » est souvent austère et difficile à apprécier avant sa pleine maturité; en revanche, il restera à son apogée bien plus longtemps qu'un autre.

L'ART DE L'ASSEMBLAGE

Dans d'autres régions vinicoles, l'assemblage est souvent mal vu et les meilleurs vins sont issus d'un seul domaine et d'un seul millésime. En Champagne, la conception traditionnelle va exactement à l'opposé, puisque le plus classique des champagnes est un non millésimé assemblant des cépages différents, issus de communes différentes et de vendanges différentes. L'étape critique et laborieuse de l'assemblage exige de grandes compétences. Marier jusqu'à 70 vins de base – dont chacun évolue d'une année sur l'autre – pour obtenir une cuvée non millésimée parfaitement conforme au style d'une maison donnée, cela relève de l'exploit – certaines années s'y prêtent mieux que d'autres.

L'ASSEMBLAGE
L'assemblage d'un grand champagne est un art difficile comparable à une partie d'échecs : le chef de cave doit savoir anticiper les conséquences de chaque décision et être en mesure de connaître la réaction du vin à chaque nouvel apport dans la cuvée.

L'opération se déroule pendant les premiers mois de l'année qui suit la vendange. À la base, et sans tenir compte du style propre à une maison, il s'agit d'harmoniser les caractéristiques de deux, ou plus, des trois cépages autorisés. Le chardonnay est souvent très dur dans sa jeunesse, mais sa finesse et son potentiel de garde sont supérieurs, même si l'on peut le trouver moins complexe qu'un grand pinot noir de nature peu éphémère. Le principal apport de ce dernier se situe toutefois dans la charpente et le corps d'un champagne, ainsi que dans un fruité profond et généreux. Le pinot meunier est un cépage à la séduction fruitée et florale immédiate; dans un assemblage à égalité des trois cépages, c'est lui qui commence par dominer le vin, surtout au nez.

LES VINS DE RÉSERVE

Comme leur nom l'indique, ces vins issus d'années antérieures sont gardés en réserve. Leur rôle est fondamental dans la production du champagne non millésimé et il s'arrête là. On croit à tort que les vins de réserve servent surtout à donner aux cuvées le style particulier d'une maison et ce, quels que soient la qualité ou le caractère de l'année du vin de base. Pour autant que ce soit possible, ce résultat est obtenu par l'assemblage des différents crus. La tâche des vins de réserve s'apparente plutôt à celle du dosage, dans la mesure où ces deux éléments rendent le champagne plus facile à boire dans sa jeunesse. Ces vins apportent aussi de l'ampleur, une certaine plénitude et une complexité harmonieuse : voilà pourquoi on estime généralement que plus il y en a dans une cuvée, mieux c'est. Mais, à moins d'être gardés sur leurs lies, les vins de réserve peuvent entraver le processus d'autolyse et il peut donc y avoir un point à partir duquel on perd en finesse potentielle ce que l'on gagne en complexité immédiate. La proportion de ces vins peut varier selon le producteur ou l'année : un assemblage issu d'une grande année exige moins de « soutien » qu'un millésime médiocre, même assemblé très méticuleusement. Les vins de réserve sont conservés de différentes manières : en cuve, sous gaz inerte; dans des fûts de taille variable; voire, chez Bollinger, en magnums, après ajout d'un peu de sucre et de levures pour favoriser un léger pétillement rehaussant leur fraîcheur.

LA DEUXIÈME FERMENTATION OU PRISE DE MOUSSE

La deuxième fermentation est l'essence même de la méthode champenoise : c'est la seule manière de produire un vin réellement effervescent. Une fois que le vin assemblé a subi son dernier soutirage, on lui ajoute sa liqueur de tirage – un mélange de vin tranquille (souvent de la même cuvée), de sucre, de levures sélectionnées, avec parfois des adjuvants de levurage et un agent de clarification. Le volume de

DU CHAMPAGNE SUR LATTES
Au cours de la deuxième fermentation et jusqu'à l'heure du dégorgement, les bouteilles de champagne reposent sur lattes à l'horizontale, dans la partie la plus fraîche de la cave.

sucre ajouté dépend du degré d'effervescence souhaité et de la quantité de sucres naturels dans le vin. Les vins sont alors « tirés » en bouteilles (vers mai) et reçoivent un bouchon provisoire. On utilisait autrefois un bouchon de liège retenu par une agrafe, aujourd'hui remplacé par une capsule-couronne (comme pour la bière) qui maintient une petite cartouche en plastique, appelée « bidule », destinée à recueillir les sédiments lors de cette deuxième fermentation.

LE REMUAGE

À la fin de la période de vieillissement, les bouteilles sont placées dans des pupitres pour l'étape du remuage : ce sont de lourdes planches rectangulaires et articulées, comportant chacune 60 orifices percés de manière à retenir la bouteille par le goulot, à une inclinaison pouvant varier de l'horizontale à la verticale (goulot en bas). Le remuage consiste à orienter la bouteille pour faire peu à peu tomber les sédiments dans son col. À la main, cette opération demande environ huit semaines, mais la plupart des maisons ont aujourd'hui des gyropalettes de 504 bouteilles, gérées par ordinateur, qui font ce travail en huit jours. Une technique utilisant des levures encapsulées, qui captent les sédiments, réduit ce temps à huit secondes. Après remuage, certaines maisons laissent parfois leurs cuvées de garde, ou leur œnothèque de collection, « sur pointe » (goulot pointé vers le bas) en attendant l'heure du dégorgement.

LES LIES
La deuxième fermentation du champagne provoque la formation d'un dépôt qui tombe peu à peu sur le flanc de la bouteille; le remuage l'entraîne vers le col.

LA TECHNIQUE DU REMUAGE

Après la deuxième fermentation et le temps de vieillissement sur lies souhaité – qui peut varier de douze mois à des années – les vins sont retirés des lattes et placés à l'horizontale sur un pupitre (1). À chaque passage, le remueur tourne rapidement les bouteilles afin de décoller le dépôt sans l'agiter : il incline la bouteille (2 et 3) pour favoriser la descente des lies vers le col, jusqu'à ce qu'elles reposent juste au-dessus du bouchon-couronne (4). La bouteille est prête pour le dégorgement.

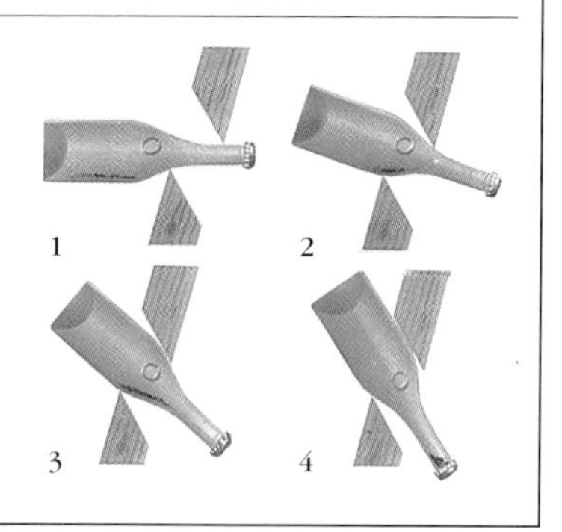

LE VIEILLISSEMENT SUR LIES

La prise de mousse dure généralement trois mois, mais la bouteille reste couchée en cave bien plus longtemps. L'âge minimum d'un brut non millésimé est de 15 mois, à partir du 1er janvier suivant la récolte (jusqu'en 1997, un an suffisait) mais ce délai atteint le plus souvent 18 à 30 mois. Le champagne millésimé ne peut être commercialisé avant trois ans à dater de la vendange, mais la plupart ont droit à un vieillissement nettement plus long. Plus le champagne mûrit sur ses lies, plus sa qualité s'améliore : le dépôt qui se forme lors de cette évolution contient des cellules de levure mortes dont la décomposition progressive – au cours d'un processus appelé autolyse – va donner au champagne sa saveur et son bouquet particuliers; la durée optimale dépend de la qualité du vin et de la manière dont il a été élaboré. Certaines cuvées ne s'améliorent plus au bout d'un ou deux ans, d'autres peuvent durer une dizaine d'années ou plus, tout en gardant une fraîcheur supérieure à celle d'un vin identique dégorgé plus tôt – qui aura, lui, acquis les arômes d'évolution typiques du « goût anglais » (notes toastées, goût de biscuit).

LE DÉGORGEMENT

Il consiste à retirer le dépôt accumulé dans la cartouche en plastique. Le dégorgement à la glace est le plus fréquent : le goulot de la bouteille est plongé dans un bain de saumure réfrigérant. On peut alors retourner la bouteille sans agiter le dépôt congelé qui adhère à la base de la cartouche. La capsule est retirée et le dépôt expulsé par le gaz sous pression. Le volume de champagne perdu est très faible, la pression du vin étant réduite par l'abaissement de la température.

LE DÉGORGEMENT À LA VOLÉE

L'expulsion du dépôt se pratique encore à la main dans quelques maisons à faible production. Ce procédé, appelé dégorgement à la volée, il permet à un dégorgeur expérimenté de détecter tout arôme indésirable, donc d'éliminer aussitôt une bouteille présentant un défaut. Le dégorgement à la glace, au cours duquel le dépôt est congelé, est la technique la plus répandue, mais, même dans les maisons les plus sophistiquées, on doit dégorger à la volée les flacons de grande contenance.

LA LIQUEUR D'EXPÉDITION

Avant le bouchage définitif, les bouteilles sont complétées par la liqueur d'expédition. Sauf pour les champagnes non dosés, cette liqueur comporte toujours un peu de sucre : plus le vin est jeune, plus le dosage contient de sucre, pour équilibrer l'acidité. Un bon champagne doit avoir une acidité élevée, car c'est elle qui préserve la fraîcheur du vin durant sa lente maturation en bouteille, et pendant une éventuelle attente supplémentaire dans la cave des amateurs de « goût anglais ». C'est encore l'acidité qui transmet la saveur au palais, par la sensation tactile de milliers de bulles en train d'éclater. Cette acidité s'arrondit avec l'âge; plus le champagne est vieux, moins il a besoin de sucre.

TABLEAU DE DOSAGE

Le caractère plus ou moins sec d'un champagne est indiqué avec précision par son taux de sucre résiduel, mesuré en grammes par litre. Le pourcentage de liqueur d'expédition, mentionné dans certains ouvrages, n'est pas une indication fiable car la liqueur rajoutée lors du dosage peut être plus ou moins sucrée. Les taux de sucre admis sont les suivants :

Extra Brut **0-6 g/l** Tout à fait sec	**Sec** **17-35 g/l** Qualificatif encore moins approprié – demi-sec à presque doux
Brut **0-15 g/l** Sec à très sec, mais jamais austère	**Demi-Sec** **33-50 g/l** Doux, sans aller jusqu'au vin de dessert
Extra Dry **12-20 g/l** Qualificatif peu approprié – sec à demi-sec	**Doux** **50 g/l et +** Très doux, n'existe plus sur le marché

LE BOUCHAGE

Quand on fait sauter un bouchon de champagne, sa forme rappelle celle d'un champignon. En fait il est cylindrique comme tout autre bouchon, quoique d'un diamètre nettement supérieur, mais, inséré jusqu'à mi-hauteur, recouvert d'une capsule protectrice en métal, il est violemment comprimé par une machine, d'où sa forme. Un muselet en fil de fer fixe l'ensemble à la bouteille, qui est alors secouée automatiquement pour bien mélanger le vin et la liqueur. Les meilleures cuvées retournent au moins trois mois en cave avant l'expédition, pour que la liqueur se marie parfaitement au vin, mais un bon champagne mérite toujours un ou deux ans de garde supplémentaire.

LES BOUCHONS DE CHAMPAGNE

1. Une capsule-couronne pour sceller le vin pendant la deuxième fermentation.
2. Le bidule, une cartouche de plastique dans laquelle le dépôt s'accumule après un remuage adapté.
3. Un bouchon de liège avant emploi, de forme cylindrique.
4. Le bouchon d'un champagne jeune : sa forme caractéristique est due à son insertion brutale dans le goulot.
5. Le bouchon « cheville » d'un champagne plus évolué : le liège a rétréci et durci avec le temps.

LE VIEILLISSEMENT APRÈS DÉGORGEMENT

Le délai pendant lequel un producteur garde son vin avant expédition suffit rarement au développement des nuances oxydatives complexes (biscuit, notes toastées) chères à certains amateurs. Ces notes aromatiques apparaissent en bouteille après le dégorgement. Cela ne signifie pas que ces arômes soient inexistants dans les champagnes récemment dégorgés, mais ces derniers devraient alors être très mûrs.

LE CLASSEMENT DES VIGNOBLES DE CHAMPAGNE

L'ensemble des vignobles champenois appartiennent à une sorte de classement appelé « échelle des crus », où chaque commune occupe un rang exprimé par un pourcentage lié au prix de vente du raisin. Les communes classées 100 % sont dites Grand Cru ; celles classées entre 90 et 99 % sont dites Premier Cru et vendent leurs raisins à un prix inférieur d'autant. Les communes les moins cotées sont actuellement classées 80 %, mais le seuil inférieur de l'échelle était, à l'origine, fixé à 22,5 %. Il aurait été peu réaliste de faire débuter un tel système à 1 % : aucune commune n'ayant que le centième du potentiel d'un Grand Cru ne mériterait de faire partie de l'appellation Champagne. Toutefois, lors de son instauration, l'échelle des crus comportait de nombreuses communes couvrant le milieu du classement – ce qui fait défaut aujourd'hui. À la suite de diverses révisions *ad hoc*, parfois dues au contexte politique, le seuil minimum est progressivement passé de 22,5 à 80 %. Le système actuel n'est, à vrai dire, qu'une sorte de barème sur 20.

Il y a 17 communes officiellement classées Grand Cru. Jusqu'en 1985, leur nombre était limité à 12 ; les cinq communes promues sont Chouilly, Le Mesnil-sur-Oger, Oger, Oiry et Verzy.

VUE D'AUTOMNE À VILLEDOMMANGE
Les vignes classées Premier Cru de Villedommange encerclent le village, situé sur la Petite Montagne, à quelques kilomètres au sud-ouest de Reims. Le pinot meunier y domine largement, bien que le pinot noir (voir ci-dessus) représente 30 % de l'encépagement.

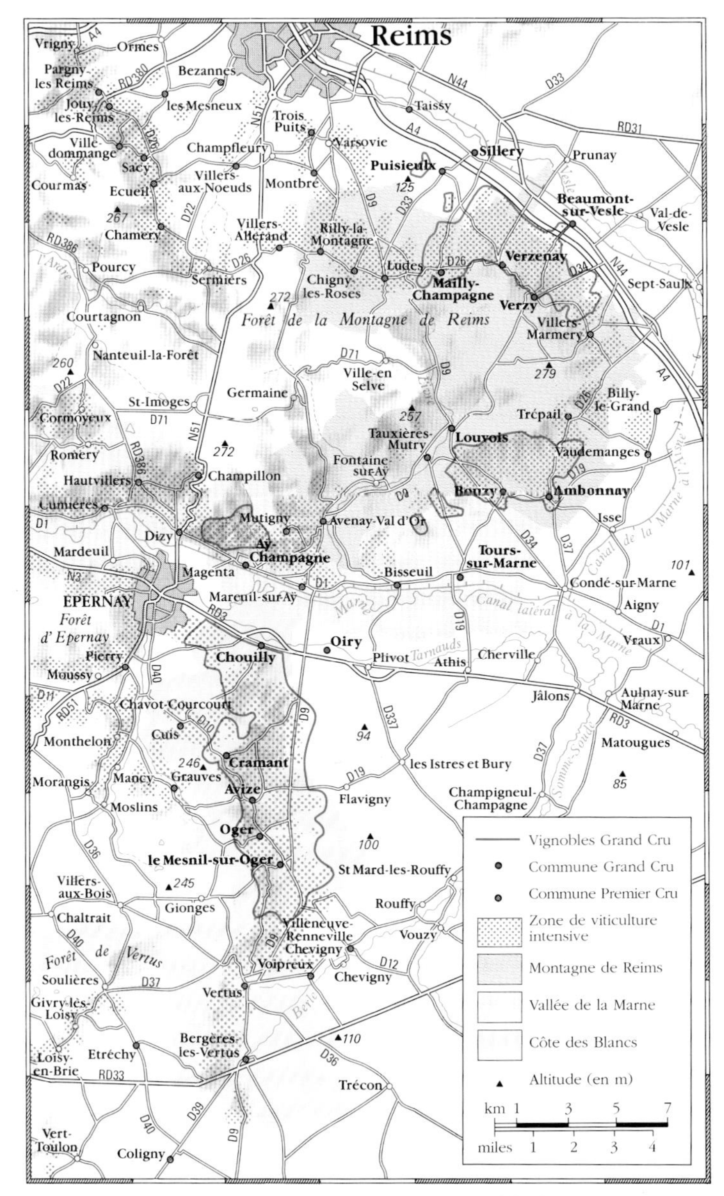

GRANDS CRUS ET PREMIERS CRUS
Dans les trois grandes zones productrices situées autour d'Épernay, 17 communes sont classées en Grand Cru et 40 en Premier Cru.

FACTEURS AFFECTANT LE GOÛT ET LA QUALITÉ

SITUATION
À quelque 145 km au nord-est de Paris, c'est la plus septentrionale des aires d'AOC de France, séparée de la Belgique par les collines boisées des Ardennes. Les quatre cinquièmes de la région se trouvent dans le département de la Marne, le reste étant réparti sur l'Aube, l'Aisne, la Seine-et-Marne et la Haute-Marne.

CLIMAT
Ce climat froid et humide subit une forte influence océanique, qui rafraîchit les étés et donne un temps très variable. La situation septentrionale des vignobles les place aux limites de la viticulture : le cycle végétatif de la vigne est rallongé au maximum, ce qui l'expose aux risques de gelées au printemps et en automne.

SITE
Les vignes sont plantées sur les coteaux arrondis, exposés à l'est et au sud-est, de la côte des Blancs, à une altitude de 120-200 m. Le plateau de la Montagne de Reims présente à peu près la même altitude. Les meilleurs vignobles de la vallée de la Marne se trouvent sur la rive droite.

SOL
La côte des Blancs, la Montagne de Reims, la vallée de la Marne et la côte de Sézanne ont un sous-sol crayeux et poreux de 300 m d'épaisseur, recouvert d'une mince couche de sédiments composée, dans diverses proportions, de sable, lignite, marne, terreau, argile et craie. Cette craie immaculée draine bien l'eau, mais en retient assez pour protéger les vignes de la sécheresse. La forte proportion de calcaire actif favorise la production de raisins dotés à leur maturité d'une acidité relativement élevée.

VITICULTURE ET VINIFICATION
Les vendanges mécaniques sont interdites et la plupart des raisins sont encore pressurés dans les traditionnels pressoirs champenois verticaux, ou pressoirs Coquard. On utilise de plus en plus les cuves en acier inoxydable, qui permettent de contrôler la température lors de la première fermentation, mais quelques maisons et un grand nombre de viticulteurs continuent de vinifier tout ou partie de leurs vins en fûts. La deuxième fermentation donne au vin ses bulles et se déroule dans la bouteille qui sera mise en vente.

CÉPAGES PRINCIPAUX
Chardonnay, pinot noir et pinot meunier
CÉPAGES SECONDAIRES
Arbane, petit meslier et pinot blanc

LA NOTION DE GRANDE MARQUE

En Champagne, le terme de grande marque possède une connotation particulière, liée à la qualité comme au volume. Dès 1882, un organisme spécifique réunissait les 54 principales maisons de négoce. En 1964, il a pris le nom de Syndicat des grandes marques de champagne. Dissous en 1997, il comptait alors 24 membres représentant 60 % des ventes de champagne réalisées par les 256 négociants-manipulants enregistrés. Ces marques étaient :

Ayala
Billecart-Salmon
Bollinger
Canard-Duchêne
Deutz
Gosset
Charles Heidsieck
Heidsieck & Co Monopole
Krug
Lanson
Laurent-Perrier
Mercier
Moët & Chandon
Mumm
Joseph Perrier
Perrier-Jouët
Piper-Heidsieck
Pol Roger
Pommery
Roederer
Ruinart
Salon
Taittinger
Veuve Clicquot

LE CLOS DU MESNIL DE KRUG, AU MESNIL-SUR-OGER
Un des très rares clos de la région. Son blanc de blancs rivalise avec la cuvée Vieilles Vignes françaises de Bollinger pour le titre de champagne le plus cher du monde.

MILLÉSIMES RÉCENTS

1996 Phénomène typiquement champenois, on attend cinq ans une année digne d'être millésimée et il en vient deux d'affilée. Il est trop tôt pour définir le style du millésime 1996, mais il sera meilleur que 1995. Quant à savoir s'il égalera 1990 ou, comme certains le suggèrent, 1928, seul le temps le dira.

1995 Après quatre années consécutives de déclarations sporadiques de cuvées millésimées, la plupart des maisons vont millésimer 1995, la première année vraiment réussie partout depuis 1990, en particulier pour le chardonnay. La qualité des meilleurs champagnes avoisinera celle des 1988.

1994 Vendange normale en quantité, mais d'une qualité moyenne ne permettant pas de millésimer. Parmi les vins exceptionnels qui seront probablement millésimés, citons la cuvée Grand Cellier d'Or, de Vilmart.

1993 Une vendange normale en quantité et d'une qualité satisfaisante, mais ne justifiant pas un millésime. Elle vient au second rang des quatre années séparant les authentiques millésimes de 1990 et 1995. Parmi les vins exceptionnels qui seront probablement millésimés, il y a ceux de Jacquesson, Roederer et Vilmart. Gardet et Gosset prévoient aussi une cuvée millésimée ; Cattier, Drappier et Jacquart ont dit l'envisager, sous réserve de l'évolution des vins.

1992 Vendange abondante et d'une très bonne qualité, mais ne justifiant pas un millésime. C'est la meilleure des quatre années séparant les authentiques millésimes de 1990 et 1995. Parmi les vins exceptionnels qui seront probablement millésimés, il y a ceux de Goerg, Pol Roger, Pommery ; Vilmart, Cattier, Drappier et Jacquart ont dit l'envisager, sous réserve de l'évolution des vins.

1991 Vendange abondante, mais d'une qualité moyenne ne permettant pas de millésimer. Parmi les vins exceptionnels qui seront probablement millésimés, il y a Goerg, De Nauroy, Philipponnat (notamment Clos des Goisses), Pommery, Roederer (rosé seulement) et Vilmart (Cœur de Cuvée seulement).

COMMENT LIRE UNE ÉTIQUETTE DE CHAMPAGNE

R.D.
Marque appartenant à Bollinger, abréviation de Récemment dégorgé. Cette mention indique que le vin, en général un millésimé arrivé à maturité, vient d'être dégorgé et aura donc plus de fraîcheur que des bouteilles du même millésime dégorgées à date normale. D'autres producteurs font de même, mais doivent utiliser d'autres termes, comme Tardivement dégorgé.

LE MILLÉSIME
Dans un champagne millésimé, 100 % des raisins utilisés sont issus de l'année indiquée.

LA COMMUNE
Les noms de commune en gros caractères indiquent l'origine exclusive de ce champagne. Sinon, comme ici, il s'agit simplement de l'adresse du producteur.

LA MARQUE
La marque est généralement le nom du producteur, mais ce peut aussi être une marque commerciale, comme René Florancy, utilisée par l'Union Champagne à Avize.

LE STYLE
L'indication d'un style est ici facultative. En son absence, on peut supposer qu'il s'agit d'un champagne brut non millésimé, presque certainement un assemblage des trois cépages principaux, sauf si la cuvée vient d'une commune de la vallée de la Marne ; dans ce cas, le pinot meunier sera dominant.

LE NUMÉRO D'ENREGISTREMENT
Les lettres précédant ces chiffres permettent de savoir si le vin a été produit par une maison de champagne (NM, négociant-manipulant), un vigneron (RM, récoltant-manipulant) ou une coopérative (CM). Les lettres SR indiquent une société de récoltants – ceux-ci partagent des locaux pour produire et commercialiser plus d'une marque. ND signifie négociant-distributeur : la firme qui vend le champagne ne l'a pas produit. MA (marque d'acheteur) indique une marque appartenant à l'acheteur, qui peut être un restaurant, un supermarché, etc.

LES STYLES DE
CHAMPAGNE

BRUT NON MILLÉSIMÉ

Aucun vin ne dépend plus des talents de son vinificateur en matière d'assemblage que le champagne non millésimé, qui représente plus des trois quarts des ventes de champagne. Sans être généralement les plus fins, les champagnes non millésimés peuvent être excellents. L'essentiel de la cuvée est toujours issu de la récolte de l'année, mais on peut y ajouter des vins de réserve. Chez la plupart des producteurs, 10 à 15% de l'assemblage sont composés de vins de réserve des deux ou trois années précédentes, mais certains, comme Charles Heidsieck, vont jusqu'à 40%. Dans quelques cas, comme chez Bollinger, l'apport de vins de réserve est moindre en volume, mais provient d'un plus grand nombre de millésimes bien plus anciens. Beaucoup de vignerons n'ont pas de vins de réserve; leur cuvée non millésimée est en fait issue d'une seule année, sans pour autant avoir la qualité de leur cuvée millésimée. Quant aux coopératives, sauf pour les plus dynamiques, elles se contentent d'un apport de 5% de vins de réserve de l'année précédente – et atteignent rarement des sommets.

✓ *Michel Arnould* • *Paul Bara* • *Beaumont des Crayères* • *Bertin & Fils* (Carte Or) • *Billecart-Salmon* • *H. Billiot* • *Bollinger* (magnums) • *Th. Blondel* • *Raymond Boulard* • *Château de Boursault* • *Charles de Cazanove* (Brut Azure)• *Guy de Chassey* • *Chauvet* • *André Clouet* • *Hubert Dauvergne* • *Debas-Comin* • *Deutz* (Classic) • *Vve A. Devaux* • *Drappier* • *Gatinois* • *Michel Genet* • *Paul Gobillard* • *Philippe Gonet* • *Gosset* (Grande Réserve) • *Gosset-Brabant* • *Henri Goutorbe* • *Alfred Gratien* • *Jean Hanotin* (Grand Brut) • *Charles Heidsieck* • *Henriot* • *A. Jacquart* (Cuvée spéciale) • *Jacquesson* • *Pierre Jamain* • *Léon Launois* • *Launois Père* • *Laurent-Perrier* • *Étienne Lefèvre* • *Lilbert Fils* • *Henri Mandois* • *Serge Mathieu* • *Jean Milan* • *Moët & Chandon* (à garder un an en cave) • *Jean Moutardier* (Sélection) • *Napoléon* (Carte Or) • *De Nauroy* • *Bruno Paillard* • *Palmer* • *Joseph Perrier* • *Perrier-Jouët* (Blason de France) • *Pertois-Moriset* • *Philipponnat* (Brut et Le Reflet) • *Pierron-Léglise* • *Michel Pithois* • *Ployez-Jacquemart* • *Renaudin* • *Louis Roederer* • *Ruinart* • *François Secondé* • *Jacques Selosse* • *Taittinger* • *Veuve Clicquot* • *Vilmart & Cie* (Cuvée Cellier)

BRUT MILLÉSIMÉ

Au maximum 80% d'une vendange peuvent être vendus sous forme de champagne millésimé, ce qui laisse au moins 20% de la récolte d'une bonne année pour l'assemblage futur de cuvées non millésimées. Certaines maisons ne produisent réellement du champagne millésimé que les très grandes années, mais beaucoup sont, hélas, plus laxistes. Voilà pourquoi on a vu des champagnes millésimés d'années fort médiocres, comme 1980, 1987 et même 1984. La plupart des coopératives et de nombreux vignerons produisent un millésimé pratiquement chaque année, ce qui est bien entendu possible, mais va plutôt à l'encontre du but recherché et diminue la valeur du produit. Quoi qu'il en soit, même les grandes années, un champagne millésimé résulte plus d'une sélection sévère des vins de base qu'il ne reflète l'année en question – et cela donne à ces vins un exceptionnel rapport qualité/prix. N'étant pas arrondi par l'apport des vins de réserve, le caractère d'un champagne millésimé est plus influencé par les nuances florales dues à l'autolyse que celui d'un non millésimé du même âge. Les amateurs des saveurs toastées apportées par la garde en bouteille devraient attendre leurs cuvées millésimées quelques années.

✓ *Paul Bara* • *Herbert Beaufort (Carte d'Or)* • *Billecart-Salmon* • *Bollinger* • *Pierre Callot* • *Cattier* • *Claude Cazals* • *Chauvet* • *André Clouet* • *Paul Déthune* • *Deutz* • *Drappier* • *Egly-Ouriet* • *Gardet* • *Michel Genet* • *Paul Gobillard* • *Henri Goutorbe* • *Alfred Gratien* • *J.M. Gremillet* • *Charles Heidsieck (à partir de 1989)* • *Henriot* • *Krug* • *Lanson* • *Laurent-Perrier* • *Henri Mandois* • *Ph. Mouzon-Leroux* • *Lilbert Fils* • *Mailly Grand Cru* • *Serge Mathieu* • *Moët & Chandon* • *Napoléon* • *De Nauroy* • *Bruno Paillard* • *Palmer* • *Joseph Perrier* • *Perrier-Jouët* • *Michel Pithois* • *Ployez-Jacquemart* • *Pol Roger* • *Pommery* • *Louis Roederer* • *Taittinger* • *Ruinart* • *Patrick Soutiran* • *Sugot Feneuil (Spécial Club)* • *F. Vauversin* • *Veuve Clicquot* • *Vilmart & Cie (Grand Cellier & Grand Cellier d'Or)*

BLANC DE BLANCS

Non millésimé, millésimé et cuvée de prestige

Entièrement issus de raisins blancs de chardonnay, ces vins sont, de tous les champagnes, les plus aptes à vieillir. On peut en produire dans toutes les communes de Champagne, mais les meilleurs viennent d'une petite partie de la côte des Blancs, située entre Cramant et Le Mesnil-sur-Oger. Bu trop jeune, un blanc de blancs classique peut sembler austère, mince et trop peu fruité; parvenu à maturité, ce type de champagne peut en revanche se révéler exquis et la plupart développent au bout de quelques années un bouquet citronné et toasté, ainsi qu'un fruité intense.

✓ ***Non millésimé*** *Boizel, De Castellane, Chauvet (Carte Verte), Delamotte, Pierre Gimonnet, Paul Gœrg, Henriot, Larmandier-Bernier, R. & L. Legras, De Méric, Pierre Moncuit, Mumm (Mumm de Cramant), Bruno Paillard (Réserve privée), Joseph Perrier, Pierre Peters (Perlé du Mesnil), Vilmart & Cie* • ***Millésimé*** *Billecart-Salmon, Le Brun de Neuville, De Castellane* (Cuvée Royale), *Delamotte, Deutz, Robert Doyard, Drappier, Duval-Leroy, Pierre Gimonnet, Paul Gœrg, J.M. Gremillet, Gruet & Fils, Jacquart* (Cuvée Mosaïque), *Jacquesson, Guy Larmandier, Pierre Moncuit, Philipponnat, Pol Roger, Alain Robert, Louis Roederer, Vazart-Coquart* (Grand Bouquet), *De Venoge* • ***Cuvée de prestige*** *Charles Heidsieck* (Cuvée des Millénaires), *Krug* (Clos du Mesnil), *Larmandier-Bernier* (Spécial Club), *Pierre Moncuit* (Vieilles Vignes Nicole Moncuit), *Ruinart* (Dom Ruinart), *Salon* (« S »), *Taittinger* (Comtes de Champagne)

BLANC DE NOIRS

Non millésimé, millésimé et cuvée de prestige

Ces champagnes sont exclusivement à base de raisins noirs : pinot noir, pinot meunier, ou un assemblage des deux. Le plus célèbre et le plus cher est le Vieilles Vignes françaises de Bollinger, cas unique d'un champagne entièrement issu de deux petites parcelles de pinot noir non greffé : leur production totale ne dépasse pas 3 000 bouteilles, dont la rareté explique le prix. En dehors de Bollinger, peu de producteurs utilisaient ce terme de blanc de noirs, mais le Vieilles Vignes françaises lui a donné un éclat certain et quelques maisons au sens commercial aiguisé ont commencé à en tirer profit (Beaumet, Jeanmaire, Mailly Grand Cru, Oudinot et De Venoge, par exemple). On trouve même une chaîne de supermarchés anglais qui vend désormais une cuvée de blanc de noirs à son nom.

Bollinger a involontairement créé le mythe d'un blanc de noirs par nature étoffé, ample et charpenté, mais ce champagne diffère généralement assez peu des autres cuvées d'une maison donnée. Quand on goûte l'Étiquette noire de Serge Mathieu, on découvre un champagne si élégant qu'on ne le croirait jamais issu entièrement de pinot noir, cultivé dans l'Aube qui plus est.

✓ *Bollinger* (Vieilles Vignes françaises)

EXTRA DRY, SEC ET DEMI-SEC

Non millésimé et millésimé

En théorie, le champagne doux est le plus dosé de tous, avec un taux de sucre résiduel dépassant 50 g/l, mais ce style de champagne n'est plus sur le marché. Le dernier en date était un Carte blanche 1983 de Roederer; cette cuvée est désormais un champagne demi-sec, bien que son taux de sucre ait atteint 180 g/l il y a cent ans.

La disparition du champagne doux signifie que le demi-sec est devenu *de facto* le plus dosé des champagnes. Un demi-sec peut contenir entre 33 et 50 g/l de sucre résiduel, mais la plupart ne dépassent pas 35 g/l et quelques-uns seulement vont jusqu'à 45 g/l.

Ces vins ne sont pas secs, mais certainement pas doux non plus : rien à voir avec un bon sauternes qui, les grandes années, contient de 90 à 108 g/l. Un demi-sec se trouve donc en porte-à-faux et, parce qu'il est surtout acheté par des consommateurs non avertis, les Champenois ont pu se permettre d'utiliser des vins de moindre qualité. Il y a bien sûr des exceptions, mais le champagne demi-sec a de nos jours si mauvaise réputation que peu de producteurs s'y intéressent.

Les exceptions qui existent ne sont pas des vins assez doux pour accompagner les desserts et conviennent mieux à un plat principal, voire à certaines entrées. Le Vintage Rich de Veuve Clicquot, lancé en 1996 avec le millésime 1988, en est un parfait exemple.

✓ **Non millésimé** *Jacquart* (Onctueuse Cuvée rosé Extra Dry), *Pol Roger* (Demi-Sec), *Jacques Selosse* (Cuvée Exquise Sec), *Veuve Clicquot* (Demi-Sec) • **Millésimé** *Veuve Clicquot* (Rich)

ROSÉ

Non millésimé, millésimé et cuvée de prestige

On trouve la première mention d'une production commerciale de champagne rosé en 1777, chez

Clicquot. Depuis lors, ce type de champagne a connu des vogues éphémères. C'est le seul rosé européen qui puisse être obtenu par assemblage de vin blanc avec un peu de vin rouge ; tous les autres rosés, tranquilles ou effervescents, doivent résulter de la macération du moût avec les peaux. Le champagne rosé, lui, est plus souvent produit par assemblage que par macération et, lors de dégustations à l'aveugle, il a été impossible de faire la différence. Les deux méthodes peuvent donner un vin bon ou mauvais, d'une robe légère ou intense, d'une saveur corsée ou délicate. Un bon champagne rosé présente une belle teinte, une limpidité parfaite et une mousse d'un blanc neigeux.

✓ **Non millésimé** *Beaumont des Crayères* (Privilège), *Billecart-Salmon, Th. Blondel, André Clouet, Hubert Dauvergne, Gatinois, René Geoffroy, Etienne Lefèvre, Serge Mathieu, De Nauroy, Joseph Perrier, Perrier-Jouët* (Blason de France), *Eric Rodez* • **Millésimé** *Bollinger, Boizel, Vve A. Devaux* (Cuvée Distinction), *Jacquart* (Cuvée Mosaïque), *Moët & Chandon* • **Cuvée de prestige** *Billecart-Salmon* (Cuvée Elisabeth), *Gosset* (Grand Rosé), *Jacquesson* (Signature), *Krug, Laurent-Perrier* (Cuvée Grand Siècle Alexandra), *Moët & Chandon* (Dom Pérignon), *Perrier-Jouët* (Belle Epoque), *Pommery* (Cuvée Louise Pommery), *Pol Roger, Louis Roederer* (Cristal et rosé millésimé), *Ruinart* (Dom Ruinart), *Taittinger* (Comtes de Champagne), *Veuve Clicquot.*

CHAMPAGNE NON DOSÉ

Non millésimé et millésimé

Le premier champagne non dosé a été le « Grand Vin sans sucre » vendu par Laurent-Perrier en 1889. Depuis 1996, la réglementation européenne autorise les mentions Brut nature, Pas dosé ou Dosage zéro pour les champagnes dont le sucre résiduel est entre 0 et 3 g/l, sans sucre ajouté à la liqueur d'expédition. Sous des noms aussi divers que Brut zéro, Brut sauvage, Ultra-brut ou Sans sucre, ce type de vin a été à la mode au début des années 1980, quand les consommateurs ont commencé à rechercher des vins plus légers et plus secs. Cette vogue a été lancée par des critiques qui, pour avoir eu le privilège de déguster de superbes vieux millésimés dégorgés à l'instant, en ont conclu qu'un champagne sans aucun dosage était en soi supérieur à un champagne dosé. C'est le cas, bien sûr, s'il est d'une extrême qualité et si dix ans au moins se sont écoulés avant le dégorgement. C'est encore plus vrai, à mon avis, s'il a séjourné 12 à 18 mois de plus en cave pour développer des arômes toastés d'après dégorgement. En revanche, si le champagne a un âge commercial normal, il ne peut être qu'austère et acerbe, raison pour laquelle cet engouement a été éphémère.

✓ **Non millésimé** *Laurent-Perrier* • **Millésimé** *Piper-Heidsieck* (Brut Sauvage)

CUVÉES DE PRESTIGE

Non millésimées et millésimées

Parfois appelés Cuvées spéciales, ces vins devraient représenter l'élite du champagne, sans considération de prix. Lancé en 1936, Dom Pérignon a été le premier exemple de ce type de champagne, commercialement parlant. L'histoire du Cristal de Roederer est beaucoup plus ancienne – sa création remonte à 1876 – mais cette cuvée était alors réservée au tsar Alexandre II ; elle n'a été mise sur le marché qu'à partir de 1945.

Une cuvée de prestige peut être exclusivement issue des vignobles appartenant en propre à une maison et son assemblage ne comporte souvent que des communes classées Grand Cru. La plupart de ces cuvées sont millésimées. Beaucoup sont produites selon les méthodes les plus traditionnelles (fermentation en fût, bouchon provisoire en liège avec agrafe plutôt que capsule-couronne, dégorgement à la volée), bénéficient d'un vieillissement sur lies prolongé et sont vendues en bouteilles spéciales, à un prix très élevé. Certaines sont clairement surévaluées, d'autres, trop sophistiquées au détriment de leur vivacité, mais nombre de cuvées de prestige sont réellement des champagnes d'exception, au prix justifié.

✓ **Non millésimé** *Hubert Dauvergne* (Fine Fleur de Bouzy), *Paul Déthune* (Princesse des Thunes), *Krug* (Grande Cuvée), *Laurent-Perrier* (Grand Siècle « La Cuvée »), *De Méric* (Catherine de Médicis) • **Millésimé** *Ayala* (Grande Cuvée), *Paul Bara* (Comtesse Marie de France), *Billecart-Salmon* (Cuvée N.-F. Billecart), *De Castellane* (Cuvée Commodore et Cuvée Florens de Castellane), *Guy Charlemagne* (Mesnillésime), *Delamotte* (Nicolas-Louis Delamotte), *Deutz* (Cuvée William Deutz), *Lanson* (Cuvée Noble), *Laurent-Perrier* (Grand Siècle exceptionnellement millésimé), *Moët & Chandon* (Dom Pérignon), *Perrier-Jouët* (Belle Epoque), *Piper-Heidsieck* (Rare), Pol Roger (Cuvée Sir Winston Churchill et Cuvée Réserve spéciale PR), *Pommery* (Cuvée Louise Pommery), *De Venoge* (Cuvée des Princes), *Veuve Clicquot* (Grande Dame), *Vilmart* (Cœur de Cuvée)

Remarque De très grandes cuvées de prestige de type blanc de blancs, blanc de noirs, rosé ou champagne monocru ne sont pas citées ci-dessus, mais dans leurs catégories respectives.

CHAMPAGNE MONOCRU

Non millésimé et millésimé

Les Champenois s'intéressent de plus en plus au concept de vins effervescents monocrus, sinon de clos, mais seule une poignée de maisons produisent ce type de champagne et non les vignerons, pourtant les mieux à même d'exploiter l'idée et de promouvoir des vins exprimant un terroir.

✓ **Non millésimé** *Cattier* (Clos du Moulin) • **Millésimé** *Drappier* (Grande Sendrée), *Krug* (Clos du Mesnil), *Philipponnat* (Clos des Goisses).

AOC COTEAUX CHAMPENOIS

Non millésimé et millésimé

Les vins tranquilles (en rouge, blanc et rosé) produits en Champagne sont souvent d'une qualité médiocre pour un prix élevé. Le blanc et le rosé sont les moins intéressants, mais la technologie moderne pourrait les améliorer et les rendre plus attrayants. Les vins rouges d'AOC Coteaux champenois sont ceux qui peuvent avoir le plus de charme, même si les rigueurs notoires du climat de la Champagne rendent la vie dure à ceux qui tentent d'en produire chaque année. Les raisins noirs sont rarement assez mûrs pour donner une belle robe sans qu'on doive forcer sur l'extraction – gage de tanins verts et durs. La plupart des rouges sont donc des vins légers ou de moyenne ampleur, très loin d'offrir le fruité éclatant d'un bon bourgogne générique.

De trop rares exceptions peuvent cependant présenter une robe intense et un fruité généreux ; ces vins ont alors une nuance légèrement fumée rappelant le pinot noir. Le bouzy est le plus connu, mais un bon millésime survient rarement dans le même cru plus d'une fois tous les dix ans et d'autres communes peuvent entrer en lice. Qu'ils viennent d'Ambonnay, d'Aÿ ou d'autres crus champenois, les meilleurs vins rouges d'une année réussie peuvent certainement se comparer au bouzy.

En raison de cette irrégularité, il est impossible de recommander tel ou tel coteau champenois dans l'absolu. Les maisons connues ont presque toujours en cave une ou deux bouteilles d'un vin rouge remarquable – souvent un bouzy d'âge vénérable, 1929, 1947 ou 1959 – mais leur production actuelle est généralement assez décevante. Bollinger fait exception, avec un rouge d'Aÿ élevé en barrique. Issu du lieu-dit la Côte aux Enfants, il est toujours très soigné, même si certaines années sont plus réussies que d'autres. Le cumières rouge de Joseph Perrier est également à suivre. En guise de point de départ, voici les vins qui m'ont donné le plus de plaisir :

✓ *Paul Bara* (Bouzy) • *Edmond Barnault* (Bouzy) • *André Clouet* (Bouzy) • *Denois* (Cumières) • *Paul Déthune* (Ambonnay) • *Egly-Ouriet* (Bouzy) • *Gatinois* (Aÿ) • *René Geoffroy* (Cumières) • *Gosset-Brabant* (Aÿ) • *Patrick Soutiran* (Ambonnay)

AOC ROSÉ DES RICEYS

Cette appellation a son identité propre, indépendante de l'AOC Coteaux champenois. Ce vin tranquille, un rosé de pinot noir exclusivement, vient de la commune des Riceys, dans l'Aube. Sa réputation remonte au XVIIe siècle et à Louis XIV, qui en aurait fait servir aussi souvent que possible. Le vin devrait être rose foncé, aromatique et assez corsé. Les meilleurs se caractérisent par des notes chocolatées, épicées et parfois mentholées, un fruité marqué, une finale longue et veloutée. La production a beaucoup augmenté récemment – même la très commerciale maison Vranken s'y est mise – mais la qualité est irrégulière et je n'ai jamais retrouvé un vin s'approchant peu ou prou du 1971 d'Horiot. Ceux de Vve A. Devaux, Gallimard et Morel sont à essayer, mais les déceptions peuvent être fréquentes.

LES PRODUCTEURS DE
CHAMPAGNE

GM Grande marque (*voir* p. 170)
NM Non millésimé
M Millésimé
CP Cuvée de prestige (*voir* p. 172)
CM Champagne monocru (*voir* p. 172)
La mention recommandant « Toute la gamme » s'applique exclusivement au champagne, non aux vins AOC Coteaux champenois.

MICHEL ARNOULD

28 rue de Mailly
51360 Verzenay
★

Arnould est un vigneron traditionnel, spécialisé dans le champagne de cru Verzenay, notamment le Grand Cru Brut Réserve, un blanc de noirs très étoffé, mais délicatement équilibré.

✓ *Grand Cru Brut* • *Grand Cru Brut Réserve* (NM)

AYALA *GM*

Château d'Aÿ
51160 Aÿ-Champagne
⯪Ⓥ

Après une période décevante entre la fin des années 1980 et le début des années 1990, la maison retrouve la forme et recommence à produire des champagnes de grande marque d'un bon rapport qualité/prix, faciles à boire.

✓ *Brut* (NM) • *Brut* (M) • *Grande Cuvée* (M)

BILLECART-SALMON *GM*

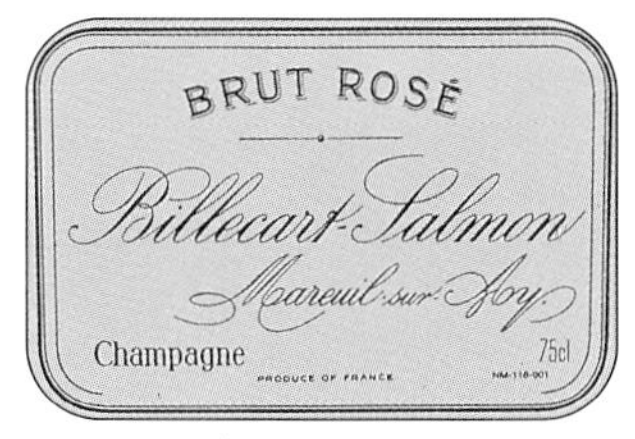

40 rue Carnot
51160 Mareuil-sur-Aÿ
★★⯪

Le style raffiné de ses champagnes rosés – sa spécialité depuis 1830 – vaut une réputation enviable à cette petite maison familiale d'une exceptionnelle qualité. Le rosé représente d'ailleurs près de 20% de sa production. La nouvelle Cuvée Élisabeth Salmon rosé est d'une délicatesse exquise.

✓ *Toute la gamme*

TH. BLONDEL

Domaine des Monts Fournois
51500 Ludes
⯪

Petite maison produisant un champagne élégant, aromatique et fruité, à saveur de biscuit.

✓ *Brut* (NM) • *Rosé* (NM)

BOIZEL

14 rue de Bernon
51200 Epernay
⯪Ⓥ

Boizel est désormais contrôlé par Bruno Paillard, mais avec la participation active de la sympathique famille Roques-Boizel, qui reste actionnaire. La cuvée non millésimée a parfois cédé à la banalité des arômes de bonbon anglais, mais la qualité est plus régulière depuis 1995 ; le blanc de blancs, le rosé et la cuvée de prestige se sont toujours distingués.

✓ *Brut* (NM) • *Rosé* (M) • *Joyau de France* (CP)

BOLLINGER *GM*

Rue Jules-Lobet
51160 Aÿ-Champagne
★★⯪

Le Spécial Cuvée non millésimé peut sembler austère à certains, mais c'est en réalité l'exemple extrême du classicisme champenois. Ses vins de réserve ont un âge respectable, mais cette cuvée est toujours dégorgée de fraîche date, en fonction de la demande. À mon avis, elle gagne à attendre un peu et deux ou trois ans de cave lui donnent une belle rondeur. Les magnums sont plus fruités et leur attrait est immédiat dès l'achat. Bollinger reste par ailleurs une référence par excellence pour le champagne millésimé.

✓ *Toute la gamme*

CHÂTEAU DE BOURSAULT

51200 Boursault (près Epernay)
⯪Ⓥ

Le brut du Château de Boursault prend une réelle finesse depuis 1995 et le rosé a toujours été très bon. Vinifiés par Harald Fringhian, le propriétaire, ces champagnes dépassent aujourd'hui leur modeste origine, classée à 84% sur l'échelle des crus, peut-être aussi grâce au fait que les vignobles forment un véritable clos. Une future cuvée de prestige sera à suivre.

✓ *Brut* (NM) • *Rosé* (NM)

CANARD-DUCHÊNE *GM*

1 rue Edmond-Canard
51500 Ludes
⯪Ⓥ

Appartient à Veuve Clicquot depuis 1978. Le rapport qualité/prix de ces champagnes faciles à boire s'est amélioré depuis le milieu des années 1990.

✓ *Brut* (NM) • *Rosé* (NM)

DE CASTELLANE

57 rue de Verdun
51200 Epernay
★Ⓥ

Appartient au groupe Laurent-Perrier. Une excellente source de blanc de blancs bien mûr, aux arômes exotiques, à un prix très intéressant, tout comme les cuvées plus chères Commodore et Florens de Castellane, malgré leur habillage : la première dans le style années 1950, la seconde résolument kitsch.

✓ *Chardonnay* (NM) • *Cuvée Royale Chardonnay* (M) • *Cuvée Commodore* (CP) • *Cuvée Florens de Castellane* (CP)

CATTIER

6 et 11 rue Dom-Pérignon
51500 Chigny-les-Roses
★⯪Ⓥ

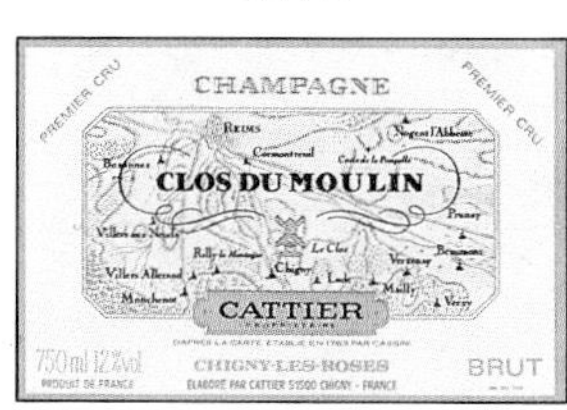

J'ai toujours respecté le Clos du Moulin, le grand champagne monocru de Cattier, mais je n'avais guère été impressionné – ni déprimé, d'ailleurs – par les autres cuvées de la maison, avant de découvrir un trio de millésimés particulièrement éblouissants : 1988, 1989 et 1990.

✓ *Brut* (M) • *Clos du Moulin* (CM)

CHARLES DE CAZANOVE

1 rue des Cotelles
51200 Epernay
⯪Ⓥ

Cette maison a fait de gros efforts dans les années 1990 pour améliorer ses vins. La qualité ne peut qu'augmenter, maintenant que Thierry Lombard, dont la famille est propriétaire, s'est déchargé de Marie Stuart – une marque dont les champagnes auraient pu être bien meilleurs, mais ne faisaient qu'épuiser ses ressources. Entre le début et le milieu des années 1990, ces vins ont eu de l'élégance et des arômes floraux souvent très fins.

✓ *Brut Azur* (NM) • *Stradivarius* (CP)

CHANOINE

Avenue de Champagne
51100 Reims
❓

Fondée en 1730 (un an seulement après Ruinart, la plus ancienne maison de champagne), cette marque a été relancée en 1991. J'ai été très impressionné par les premières cuvées qui ont suivi cette résurrection, mais leur qualité n'a plus été égalée. Toutefois, ni Philippe Baijot ni son associé Bruno Paillard ne sont du genre à s'accommoder du second rang et je m'attends à de grands changements quand cette marque aura ses propres bâtiments.

CHAUVET

41 avenue de Champagne
51150 Tours-sur-Marne
★Ⓥ

Petite maison de qualité sise en face de Laurent-Perrier, Champagne Chauvet appartient à la famille Paillard-Chauvet. Délicieusement excentrique, elle est apparentée à Pierre Paillard, de Bouzy, Bruno Paillard, de Reims, et aux Gosset d'Aÿ. J'ai toujours apprécié le blanc de blancs Carte Verte de Chauvet, un excellent assemblage non millésimé de vins grand cru, et j'ai également beaucoup d'admiration pour la régularité et la qualité de toute la gamme depuis le début des années 1990.

✓ *Toute la gamme*

ANDRÉ CLOUET

8 rue Gambetta
51150 Bouzy
★

André Clouet, petit vigneron de qualité, produit une large gamme de champagnes séduisants, étoffés et très bien vinifiés.

✓ *Toute la gamme*

DELAMOTTE PÈRE & FILS

5 rue de la Brèche d'Oger
51190 Le Mesnil-sur-Oger
★Ⓥ

Fait partie du groupe Laurent-Perrier. Située juste à côté de Champagne Salon, propriété du même groupe, Delamotte est une petite maison de haut niveau, sous-estimée et d'un bon rapport qualité/prix. Elle appartient en propre à la famille Nonancourt (propriétaire de Laurent-Perrier) depuis la fin de la première guerre mondiale, époque de son rachat par Marie-Louise de Nonancourt, la sœur de Victor et Henri Lanson.

✓ *Brut* (NM) • *Blanc de blancs* (NM) • *Blanc de blancs* (M) • *Nicolas-Louis Delamotte* (CP)

DELBECK

39 rue du Général-Sarrail
51100 Reims
❷

Un champagne à l'habillage somptueux, lancé par François d'Aulan après qu'il eut vendu Piper-Heidsieck. Le marquis d'Aulan a ensuite revendu Delbeck à Bruno Paillard en 1994, qui a lui-même cédé 90% des parts à Pierre Martin, le maire de Bouzy. Depuis ses débuts, Delbeck a été approvisionné par les raisins d'au moins trois producteurs différents mais, grâce aux 18 hectares de belles vignes appartenant à P. Martin à Bouzy, la maison devrait rapidement trouver son style et se situer à un haut niveau. Avec Olivier de la Giraudière (ex-Laurent-Perrier) comme actionnaire minoritaire et à la tête des ventes, on devrait entendre parler de cette marque.

PAUL DÉTHUNE

2 rue du Moulin
51150 Ambonnay
☆V

Vigneron offrant une qualité constante, Paul Déthune produit toujours un millésimé et un rosé dignes d'éloges, mais il est surtout connu pour sa cuvée de prestige, la Princesse des Thunes, un champagne ample, étoffé et délicieusement velouté, issu de l'assemblage de millésimes à maturité.

✓ *Grand Cru rosé* (NM) • *Millésimé* • *Princesse des Thunes* (CP)

DEUTZ *GM*

16 rue Jeanson
51160 Aÿ-Champagne
★☆

La qualité et les profits de Deutz ont souffert un certain temps d'un manque de capitaux avant que Roederer n'entre dans la maison en 1993, mais les champagnes avaient retrouvé leur élégance dès 1988. Un vent de réussite souffle sur Deutz depuis 1996, date de l'arrivée de Fabrice Rosset aux commandes. La maison est également propriétaire de Delas Frères dans le Rhône, sans oublier son association avec Montana, en Nouvelle-Zélande, pour produire le Deutz Marlborough.

✓ *Classic* (NM) • *Brut* (NM) • *Cuvée William Deutz* (CP)

VEUVE A. DEVAUX

Domaine de Villeneuve
10110 Bar-sur-Seine
★V

Si cette coopérative est la plus dynamique de Champagne, c'est à Laurent Gillet et Claude Thibaut qu'elle le doit. Le premier la dirige et a compris qu'il fallait élever la qualité dans l'ensemble de l'Aube; le second est un vinificateur talentueux, dont l'expérience à Yellowglen, en Australie, et Iron Horse, en Californie, a marqué ces champagnes au fruité net et concentré.

✓ *Brut* (NM) • *Cuvée Rosée* (NM) • *Cuvée Millésimée* (M) • *Cuvée Distinction rosé* (M)

ROBERT DOYARD

61 avenue de Bammental
51130 Vertus
☆

Avec Robert-Jean de Vogüé, Maurice Doyard – père de Robert Doyard – a été à l'origine de la création, sous l'Occupation, du CIVC (Comité interprofessionnel du vin de Champagne), en persuadant les Allemands que le IIIe Reich avait mieux à faire que de s'occuper des détails de l'industrie du champagne. Cela a non seulement permis aux Champenois de gérer leurs affaires sous le nez de l'occupant, mais de mettre sur pied l'organisation interprofessionnelle la plus efficace et la plus puissante de tout le secteur vinicole français. Yannick Doyard, le petit-fils, est aujourd'hui chargé de la vinification.

✓ *Blanc de blancs* (M)

DRAPPIER

Grande Rue
10200 Urville
Caves à Reims :
11 rue Godot
51100 Reims
★☆V

Les champagnes Drappier sont d'une belle régularité, très fruités et prennent rapidement une harmonieuse complexité.

✓ *Toute la gamme*

DUVAL-LEROY

65 avenue de Bammental
51130 Vertus
★V

Les champagnes légers et élégants de cette marque ont un excellent rapport qualité/prix, notamment parce que 70% environ des 5,5 millions de cols produits chaque année sont vendus sous d'autres étiquettes. Les cuvées Duval-Leroy illustrent dignement leurs catégories respectives, car la maison souhaite développer les ventes de sa propre marque et mise sur une qualité susceptible de fidéliser la clientèle.

✓ *Blanc de blancs* (NM) • *Fleur de Champagne brut* (M) • *Cuvée des Roys brut rosé* (CP)

GARDET

13 rue Georges-Legros
51500 Chigny-les-Roses

Ce champagne était autrefois vendu en France sous la marque Charles Gardet. Gardet s'est toujours enorgueilli de la longévité de ses vins, mais je préfère le millésimé tel qu'il est juste avant sa mise sur le marché. La meilleure bouteille de cette marque que j'ai dégustée reste cependant un 1964, goûté en 1995. En 1990, la gamme s'est enrichie d'un délicieux blanc de blancs millésimé.

✓ *Brut Spécial* (NM) • *Brut* (M) • *Blanc de blancs* (M)

RENÉ GEOFFROY

150 rue du Bois-des-Jots
51480 Cumières
★

Les Geoffroy sont vignerons à Cumières depuis 1600 et vendangent soigneusement par tries. Les vins ne font pas de fermentation malolactique et sont parfois élevés en foudres. Cela donne des champagnes d'un style classique, de garde et capables d'une grande complexité.

✓ *Cuvée Sélectionnée brut* (NM) • *Brut rosé* (NM)

PIERRE GIMONNET

1 rue de la République
51530 Cuis
★

Les vignobles de cet excellent vigneron sont entièrement voués au chardonnay et toutes ses cuvées sont donc des blancs de blancs, chose rare même en côte des Blancs. La qualité est exceptionnelle et les prix sont très raisonnables.

✓ *Toute la gamme*

PAUL GOBILLARD

Château de Pierry
51530 Pierry
★

Bruno Gobillard dirige au château de Pierry une superbe affaire appelée La Maison du Millésime; ses visiteurs ont la possibilité (rare) d'y déguster des champagnes millésimés parfaitement conservés, sortis des caves de maisons célèbres. Le champagne Gobillard est généralement excellent, dans un style vineux, mais vif et élégant.

✓ *Brut* (NM) • *Brut* (M) • *Cuvée Régence* (CP)

PAUL GŒRG

4 place du Mont-Chenil
51130 Vertus
☆

Cette petite coopérative de qualité produit des champagnes amples et concentrés, qui restent pourtant fins et élégants.

✓ *Blanc de blancs* (NM) • *Brut* (M)

GOSSET *GM*

69 rue Jules-Blondeau
51160 Aÿ-Champagne
★★☆

Fondée en 1584, la maison Gosset est la plus ancienne de Champagne en ce qui concerne les vins tranquilles. En 1992, elle était devenue la première « nouvelle » grande marque admise depuis plus de 30 ans, mais a été vendue en 1994, après être restée 400 ans dans la même famille. Gosset appartient aujourd'hui à Max Cointreau (Cognac Frapin), la direction étant assurée par sa fille, Béatrice. Je réserve pour le moment mon jugement sur Gosset, bien que j'aie constamment placé les cuvées Grande Réserve (mais non le Brut Réserve), Grand Millésime et Grand Millésime rosé parmi les plus grands champagnes. Depuis le millésime 1985, j'ai été déçu par les arômes de la plupart des cuvées, pourtant très prometteuses avant leur mise sur le marché.

HENRI GOUTORBE

11 rue Jeanson
51160 Aÿ-Champagne
★☆V

Avec 15 hectares de vignes et un demi-million de bouteilles en stock, Henri Goutorbe fait partie des vignerons importants. Il produit des champagnes amples, classiques et structurés, qui évoluent très bien.

✓ *Toute la gamme*

ALFRED GRATIEN

30 rue Maurice-Cerveaux
51200 Epernay
★☆V

Cette maison fait partie de Gratien, Meyer, Seydoux et Cie, qui commercialisent également une gamme de vins effervescents de Loire sous la marque Gratien & Meyer. Les champagnes Alfred Gratien figurent parmi ceux dont l'élaboration est la plus traditionnelle. Les vieux millésimes ne manquent jamais d'éblouir et conservent une remarquable fraîcheur pendant plusieurs décennies. Le non-millésimé offre une belle vivacité, tempérée par la maturité des vins de réserve; on peut le boire aussitôt, bien qu'il puisse encore se bonifier.

✓ *Toute la gamme*

CHARLES HEIDSIECK *GM*

4 bd Henri-Vasnier
51100 Reims
★★V

La maison fait partie des champagnes du groupe Rémy-Cointreau, qui inclut également Piper-Heidsieck. La superbe qualité de la marque reflète le talent de Daniel Thibault, l'un des plus grands vinificateurs de Champagne.

✓ *Toute la gamme*

HEIDSIECK MONOPOLE *GM*

83 rue Coquebert
51100 Reims
❷

A ne confondre ni avec Charles Heidsieck, ni avec Piper-Heidsieck, cette marque a appartenu à Mumm jusqu'en 1996, avant d'être revendue à Vranken.

HENRIOT

3 place des Droits-de-l'Homme
51100 Reims
★

Revenue dans le giron de la famille, avec Joseph Henriot à la barre, cette maison de champagne s'efforce de reprendre sa place sur les marchés d'exportation. Ses vins bénéficient, à mon avis, d'un temps d'évolution supplémentaire, qui donne à leur élégante ampleur un surcroît de complexité aromatique.

✓ *Toute la gamme*

JACQUART
5 rue Gosset
51100 Reims
★✪

En donnant à ses membres le statut d'actionnaires, le CRVC (Coopérative régionale des vins de Champagne) a fort intelligemment fait de sa marque principale un champagne de négociant-manipulant. La qualité de Jacquart est toujours plus qu'acceptable et certaines cuvées millésimées, comme le 1985, peuvent être exceptionnelles.

✓ *Cuvée Mosaïque blanc de blancs* (M) • *Cuvée Mosaïque rosé* (M)

JACQUESSON & FILS
68 rue du Colonel-Fabien
51300 Dizy
★★☆

Cette petite maison familiale est dirigée par les frères Chiquet, deux personnages parmi les plus charmants qui soient. Leurs champagnes sont absolument sublimes et fort bien présentés.

✓ *Toute la gamme*

PIERRE JAMAIN
Route de Chantemerle
51260 La Celle-sous-Chantemerle
★✪

Elisabeth Jamain produit de délicieux champagnes dans l'un des premiers vignobles plantés dans le Sézannais. Avec ses saveurs de fruits exotiques et sa belle vivacité, le brut non millésimé blanc de blancs est particulièrement réussi.

✓ *Brut* (NM)

ANDRÉ JARRY
Rue Principale
51260 Bethon
★✪

André Jarry produit d'excellents champagnes, dans un style à mi-chemin entre le classicisme des champagnes de la Marne et le caractère plus exotique des vins du Sézannais, à la riche saveur de biscuit, avec un arrière-goût de vanille et de pêche.

✓ *Cuvée Spéciale* (NM)

KRUG *GM*
5 rue Coquebert
51100 Reims
★★★

La maison Krug place la qualité au premier plan et ses vins ont un style bien à eux, sans considération de mode ni de prix de revient. Sauf chez Salon peut-être, on ne trouve cette qualité dans aucune autre maison de champagne, ce qui serait pourtant possible à qui accepterait de vendre peu de bouteilles, très cher. Si tout le monde s'y mettait, ce serait une catastrophe – le champagne doit rester abordable – mais qu'une maison au moins le fasse est non seulement une bonne chose, c'est très important pour le champagne.

✓ *Toute la gamme*

LANSON *GM*
12 boulevard Lundy
51100 Reims
★☆❷

Acquis en 1991 par Marne et Champagne, une société spécialisée dans la fourniture de marques d'acheteur (plus de 360 marques différentes!), Lanson a toujours excellé dans la production de champagnes millésimés de style classique, évoluant lentement vers des notes de biscuit. Dans la mesure où la vente n'incluait pas le vaste vignoble superbement situé, à l'origine, paraît-il, de la qualité des cuvées millésimées de Lanson, il nous est impossible d'évaluer la permanence de cette qualité tant que le millésime 1995 n'aura pas commencé à révéler son véritable potentiel, vers 2005 au plus tôt. En attendant, aucun des millésimés jusqu'à 1990 compris ne pose problème et l'on peut se rassurer en sachant que Jean-Paul Gandon garde la direction des vinifications de Lanson.

✓ *Brut* (M) • *Noble Cuvée* (CP)

GUY LARMANDIER
30 rue du Général-Kœnig
51130 Vertus
★

Guy et François Larmandier sont réputés à juste titre pour leurs champagnes très équilibrés, d'une étonnante intensité et d'une évidente finesse.

✓ *Cramant Blancs de blancs* (NM)

LARMANDIER-BERNIER
43 rue du 28-Août
51130 Vertus
★

Ces champagnes blancs de blancs de haute qualité sont produits par Pierre Larmandier, ex-président du « Groupe des Jeunes » du Syndicat des vignerons champenois.

LAURENT-PERRIER *GM*
Avenue de Champagne
51150 Tours-sur-Marne
★★✪

Cette grande maison possède un véritable empire qui, en plus des champagnes de Catellane, Delamotte, Lemoine et Salon, s'étend jusqu'à la Bourgogne et au Bordelais. Bien que Laurent-Perrier ait récemment acquis 50 % de Joseph-Perrier, une certaine réorganisation de cet empire vinicole est prévisible, son propriétaire Bernard de Nonancourt étant maintenant en semi-retraite. L'entreprise bénéficie du concours d'un maître de chai talentueux, Alain Terrier, qui a la passion des champagnes riches, élégants et d'une grande finesse.

✓ *Toute la gamme*

LECLERC-BRIANT
67 rue de la Chaude-Ruelle
51200 Épernay
✪

Pascal Leclerc peut sortir des champagnes hors normes pour ébahir le public, comme son Rubis 1989 Rosé de noirs, d'un rouge sang, et ils ont alors un excellent rapport qualité/prix, mais la régularité laisse ici un peu à désirer. En outre, la gamme de monocrus Les Authentiques laisse perplexe. Commercialement, l'idée est brillante, mais les vins – agréables lors de leur mise sur le marché – n'ont pas démontré un caractère de terroir constant et marqué. La cuvée Divine reste la meilleure de la gamme, en dépit d'une étiquette d'assez mauvais goût.

✓ *Divine* (CP)

LILBERT FILS
223 rue du Moutier
51200 Cramant
★

On produit ici avec régularité un blanc de blancs ferme et fin, qui évolue bien.

✓ *Toute la gamme*

HENRI MANDOIS
66 rue du Général-de-Gaulle
51200 Pierry
☆✪

La maison veut des champagnes élégants, dotés d'un fruité crémeux,

séduisant et persistant, et d'un bel équilibre. La plupart des cuvées atteignent leur apogée à cinq ou six ans d'âge. Leur complexité reste moyenne, mais elles offrent un très bon rapport qualité/prix et ont beaucoup de charme.

✓ *Toute la gamme*

MARNE & CHAMPAGNE
22 rue Maurice-Cerveaux
51200 Épernay
★✪

Deuxième plus grand producteur de champagne, cette maison est pourtant assez peu connue. Jusqu'à une époque récente, Alfred Rothschild était sa marque la plus réputée, l'essentiel de la production alimentant quelque 200 étiquettes plus ou moins confidentielles. Sa présence est toutefois devenue plus visible depuis qu'elle a racheté les maisons Besserat de Bellefon et Lanson. Même sous la marque la plus obscure, la qualité peut être très bonne.

SERGE MATHIEU
10340 Avirey-Lingey
★☆

Vigneron dans l'Aube, Mathieu produit avec régularité d'excellents champagnes. Dotés d'une belle concentration et d'une grande finesse, ils offrent un fruité généreux pour des vins aussi légers et élégamment équilibrés.

✓ *Toute la gamme*

MERCIER *GM*
75 avenue de Champagne
51200 Épernay
✪

Fondée par Eugène Mercier en 1858, la maison Mercier fut le premier propriétaire de la marque Dom Pérignon, mais ne l'utilisa jamais. Hasard du destin, elle la vendit à Moët & Chandon en 1930, qui en tira le succès que l'on sait et a fini par racheter Mercier, quelque 40 ans plus tard. Mercier reste la marque la plus vendue en France, en dépit des efforts de Moët & Chandon pour être numéro un, mais cette dernière maison est bien entendu largement en tête pour les ventes globales.

DE MÉRIC
17 rue Gambetta
51160 Aÿ-Champagne
★

Vinifiée par Christian Besserat, la gamme de cette maison va du brut non millésimé – simple, mais élégant et fruité – à la très spéciale Cuvée Catherine de Médicis, que je trouve sublime, en passant par diverses cuvées aromatiques et de belle tenue.

✓ *Blanc de blancs* (NM) • *Rosé* (NM) • *Cuvée Catherine de Médicis* (CP)

MOËT & CHANDON *GM*
20 avenue de Champagne
51200 Epernay
★☆

De très loin la plus importante des maisons de champagne, Moët occupe aussi le premier rang au sein du groupe LVMH, qui comprend Mercier, Krug, Ruinart, Pommery, Veuve-Clicquot, Canard-Duchêne et, depuis peu, Krug. En 1994, au terme de la dégustation la plus exhaustive jamais infligée à un brut non millésimé, j'ai acquis la conviction que le Brut Impérial de Moët présente une qualité et un caractère remarquablement constants. Lors de sa mise sur le marché, cette cuvée au style souple peut plaire au plus grand nombre sans heurter quiconque, mais cette relative neutralité lui permet rarement de faire bonne figure dans les dégustations comparatives. En revanche, après douze mois de plus en bouteilles, elle gagne en ampleur et prend de riches saveurs toastées pouvant l'imposer dans n'importe quelle dégustation. Entre ce brut injustement décrié et le Dom Pérignon mondialement reconnu, le Brut Impérial millésimé et le Brut Impérial rosé sont tous deux sous-estimés.

✓ *Brut Impérial* (NM) • *Brut Impérial* (M) • *Brut Impérial rosé* (M) • *Dom Pérignon* (CP) • *Dom Pérignon rosé* (CP)

G.H. MUMM *GM*

29 et 34 rue du Champ-de-Mars
51100 Reims
☆

Mumm s'est ressaisi avec succès et commercialise des champagnes nettement meilleurs depuis début 1995. Les vins avaient auparavant perdu de leur style, mais ils sont redevenus légers, aromatiques, bruts sans excès, tout en acquérant plus de netteté, de fraîcheur et d'élégance au fil des expéditions.

✓ *Cordon Rouge* (NM) • *Mumm de Cramant* (NM) • *Cordon Rouge* (M)

GRAND CHAMPAGNE NAPOLÉON

2 rue de Villiers-aux-Bois
51130 Vertus
★

Cette petite maison de qualité est dirigée par Étienne Prieur, dont le frère, Vincent, est à l'œuvre en cave, l'une des plus exiguës que j'ai vues en Champagne. Le Carte Or, plus ample et plus mûr que le Carte Verte, a de la complexité et des arômes de biscuit. Par tradition, les Prieur vendent des millésimes de deux à trois ans plus anciens que dans la plupart des maisons de champagne.

✓ *Carte Or* (NM)

DE NAUROY

Chute des Eaux
51140 Prouilly
★☆♥

Après avoir joué pendant 35 ans les « clone de coopé » – un vigneron qui vend le même champagne, produit en coopérative, qu'une foule d'autres vignerons, chacun sous son étiquette – De Nauroy est devenu la plus prometteuse des nouvelles petites marques du marché. Même l'Étiquette Verte, la cuvée de base, est un vin exceptionnel, tout comme le rosé, mais l'Étiquette Noire constitue le haut de gamme de ce producteur. Toute l'élaboration est cachère, ce que doivent apprécier les juifs traditionalistes qui, naguère, devaient se contenter de champagnes de qualité inférieure. De Nauroy a été acquis par la maison Bruno-Paillard.

✓ *Toute la gamme*

BRUNO PAILLARD

Avenue du Champagne
51100 Reims
★☆♥

Bruno Paillard est l'étoile montante la plus rapide de Champagne. Il recherche l'élégance plus que le corps ou le caractère, mais sa Première Cuvée n'est pas seulement élégante : c'est l'un des champagnes non millésimés à la qualité la plus régulière.

✓ *Toute la gamme*

PALMER

67 rue Jacquart
51100 Reims
★♥

Palmer est généralement considéré par les négociants comme l'une des meilleures et des plus fiables coopératives de Champagne. Elle est toujours plus réputée pour l'excellence des champagnes vendus sous sa propre marque, en particulier ses millésimés bien évolués. L'élaboration est dirigée par l'œnologue Liliane Vignon, qui fait partie du petit peloton en expansion des vinificatrices champenoises de talent.

✓ *Toute la gamme*

PANNIER

23 rue Roger-Catillon
02400 Château-Thierry
☆♥

Depuis quelque temps déjà, cette coopérative produit de très bons champagnes millésimés, surtout la cuvée de prestige Egérie de Pannier, mais le brut non millésimé Tradition restait très carré. Cela a changé avec le brut Tradition issu de l'année 1990. Bien qu'il s'agisse de la meilleure édition de cette cuvée jusqu'ici, grâce sans aucun doute à l'année en question, elle témoigne d'une finesse générale accrue et cela promet pour l'avenir une qualité en hausse.

✓ *Brut Tradition* (NM) • *Brut millésimé* (M) • *Égérie de Pannier* (CP)

JOSEPH PERRIER *GM*

69 avenue de Paris
51000 Châlons-en-Champagne
★♥

Maison toujours dirigée par Jean-Claude Fourmon, bien qu'il ait cédé 51% de ses parts à son cousin Alain Thienot par le truchement d'une prise d'intérêt éphémère par Laurent-Perrier. Le style traditionnel des cuvées est ample et tendre, bien que le passage d'une cuvée à l'autre, millésimée ou non, soit parfois trop sensible.

✓ *Cuvée Royale* (NM) • *Cuvée Royale rosé* (NM) • *Cuvée Royale blanc de blancs* (NM) • *Cuvée Royale* (M) • *Cuvée Joséphine* (CP)

PERRIER-JOUËT *GM*

26-28 avenue de Champagne
51200 Épernay
★☆

Le brut non millésimé de cette maison – fleuron du groupe Seagram – a connu les mêmes problèmes d'altération aromatique, d'origine malolactique, qui ont frappé Mumm, sa marque sœur. Ils sont aujourd'hui complètement résolus, mais cela vaut toujours la peine de grimper d'un échelon en qualité et en prix avec le Blason de France non millésimé, brut ou rosé, même si la maison est surtout célèbre pour sa superbe cuvée Belle Époque.

✓ *Blason de France brut* (NM) • *Blason de France rosé* (NM) • *Belle Époque brut* (CP) • *Belle Époque rosé* (CP)

PHILIPPONNAT

13 rue du Pont
51160 Mareuil-sur-Aÿ
★☆

Après avoir fait partie du groupe Marie-Brizard, Philipponnat et Abel Lepitre, son autre marque, appartiennent aujourd'hui à Bruno Paillard. Il s'agit de deux maisons sous-estimées produisant des champagnes d'un très bon rapport qualité/prix, mais Philipponnat, c'est aussi le célèbre Clos des Goisses. Très abrupt et orienté plein sud, ce vignoble surplombe le canal de la Marne et donne l'un des plus grands champagnes qui soient.

✓ *Toute la gamme*

PIPER-HEIDSIECK *GM*

51 bd Henri-Vasnier
51100 Reims
☆♥

Après avoir accompli des miracles sur Charles-Heidsieck, Daniel Thibault a su élever la qualité de Piper-Heidsieck sans nuire à la suprématie de la marque sœur. Il y est parvenu en donnant plus de fruité à l'assemblage, dont une bonne partie provient des vignobles de l'Aube, au climat plus chaud. Ce fruité se remarque au nez, tendre mais simple, et plus encore en bouche.

✓ *Brut rosé* (NM) • *Sauvage* (M) • *Rare* (CP)

PLOYEZ-JACQUEMART

51500 Ludes
★♥

L'aromatique brut non millésimé, crémeux et citronné à la fois, de cette petite maison familiale de qualité n'a jamais été meilleur. La cuvée de prestige L. d'Harbonville a toujours été excellente, mais elle a encore progressé depuis le millésime 1989, fermenté en petits tonneaux, sans malolactique. Cela l'a rendue encore plus savoureuse, tandis qu'un généreux dosage contrebalance sa stimulante acidité.

✓ *Toute la gamme*

POL ROGER *GM*

1 rue Henri-Lelarge
51200 Epernay
★★☆♥

Si je devais choisir une maison entre toutes chez qui acheter du champagne millésimé pour

la garde, ce serait à coup sûr Pol Roger. Il y a toujours des exceptions, mais, dans l'ensemble, ces champagnes se gardent plus longtemps, en conservant plus de fraîcheur, que ceux de toute autre marque, si justifiée soit sa réputation. Cette opinion repose sur la dégustation de nombreux millésimes couvrant un bon siècle, dans bien des maisons.

✓ *Toute la gamme*

POMMERY *GM*

5 place du Général-Gouraud
51100 Reims
★☆♥

Pommery traverse une période faste depuis 1995, ce qui n'est pas un mince exploit pour un champagne aussi léger et élégant, dont la production avoisine les 7 millions de bouteilles. En effet, plus le style du vin est léger, plus sa qualité est difficile à maintenir quand la production augmente.

✓ *Toute la gamme*

R. RENAUDIN

Domaine des Conardins
51530 Moussy
☆

Ce champagne de vigneron est d'une haute et constante qualité. Le style en est expressif et élégant, depuis le Brut Réserve à la structure classique et aux bulles minuscules, évoluant avec grâce vers de belles saveurs de biscuit, jusqu'à la cuvée Réserve C.D., assemblage superbement étoffé de quatre millésimes, en passant par le rosé, distingué et très aromatique.

✓ *Brut Réserve* (NM) • *Réserve C.D.* (NM) • *Rosé* (NM)

ALAIN ROBERT

25 avenue de la République
51190 Le Mesnil-sur-Oger
★✯

Ce vigneron possède des vignes dans plusieurs communes de la côte des Blancs et tous ses champagnes sont d'excellente qualité, mais il est surtout connu pour sa cuvée monocru de chardonnay du Mesnil, superbement vinifiée, somptueusement habillée, qui prend avec le temps une finesse exquise.

✓ *Toute la gamme*

LOUIS ROEDERER *GM*

21 boulevard Lundy
51100 Reims
★★✯Ⓥ

La maison Roederer est la plus prospère de Champagne et devrait servir d'exemple à celles qui évaluent leur succès au nombre de bouteilles vendues. Les clés d'une véritable réussite en Champagne sont une réputation sans tache, assurance d'un prix élevé ; des vignobles en suffisance pour garantir une qualité régulière à des volumes assez importants pour rapporter beaucoup d'argent ; enfin, l'autodiscipline nécessaire pour ne pas aller au-delà. Jean-Claude Rouzaud sait que s'il dépassait par trop les 2,5 millions de bouteilles de sa production actuelle, il ne pourrait obtenir à coup sûr la qualité qu'il exige et sa marque perdrait vite son image de relative exclusivité. Alors, comme il n'aime pas voir dormir son capital, il a préféré reprendre Deutz plutôt qu'augmenter ses propres volumes.

✓ *Toute la gamme*

RUINART *GM*

4 rue des Crayères
51100 Reims
★★

Fondée en 1729 par Nicolas Ruinart, cette maison fut la première à se consacrer exclusivement au négoce du champagne. Reprise par Moët & Chandon en 1963, elle a su préserver son image de maison indépendante, produisant un champagne de haute qualité, bien qu'elle fasse aujourd'hui partie de LVMH, le plus important groupe de champagne, et que ses volumes aient triplé dans l'intervalle.

✓ *Toute la gamme*

SALON *GM*

51190 Le Mesnil-sur-Oger
★★★

Devenu la propriété de Laurent-Perrier, Salon est assuré de demeurer l'un des plus grands champagnes. La production se limitant à une cuvée unique, toujours millésimée, la maison est ainsi la seule au monde à ne pas produire de vin chaque année. Ce champagne évite généralement la fermentation malolactique, reste souvent sur lies pendant dix ans ou plus, et peut, à mon avis, tirer profit d'un vieillissement au moins égal après dégorgement. Ainsi, en 1995, quand le trio de millésimes 1988, 1989 et 1990 dominait les ventes de champagne, le 1982 de Salon cédait progressivement la place au 1983, le processus devant s'étendre sur plusieurs années avant toute entrée en scène du 1985.

✓ *Cuvée « S » de Salon* (M)

JACQUES SELOSSE

22 rue Ernest-Vallée
51190 Avize
★✯

Anselme Selosse a su trouver une niche de marché pour des champagnes classiques, fermentés en tonneau, sans malolactique, recevant un dosage minimum et exigeant généralement plusieurs années de garde après dégorgement pour révéler tout leur caractère. Bien que je sois parfois tombé sur des bouteilles par trop austères et qui ne s'ouvriront jamais, le brut non millésimé disponible au moment où j'écris ces lignes est souple et crémeux, avec un fruité de pêche mûre pointant sous des notes de bois neuf.

✓ *Toute la gamme* (en faisant attention)

TAITTINGER *GM*

9 place Saint-Nicaise
51100 Reims
★✯

Cette maison utilise une forte proportion de chardonnay dans son Brut Réserve non millésimé, ce qui en fait l'un des plus élégants parmi les grandes marques. Les Comtes de Champagne blanc de blancs et rosé sont deux des plus beaux champagnes du marché, mais je comprends mal l'enthousiasme de certains pour les bouteilles de brut millésimé Taittinger Collection, dans leur revêtement kitsch en plastique. Sauf pour les deux premiers millésimes (1978 et 1981), les vins sont exactement les mêmes que dans la cuvée millésimée normale de la maison. C'est payer cher pour du plastique. Peu importe l'artiste ou la beauté de son dessin ; une couche de plastique sur une bouteille de champagne, c'est d'aussi bon goût que de la pierre sur une maison en briques et le fait de vaporiser dessus une réplique de *La Joconde* ne rehausse pas l'image de la marque.

✓ *Toute la gamme*

MARCEL & THIERRY TRIOLET

22 rue des Pressoirs
51260 Bethon

Les vignes de la famille Triolet sont situées à Bethon, Villenauxe-la-Grande et Montgenost. Elles produisent certains des meilleurs champagnes du Sézannais, mais dans un style plutôt évolué et traditionnel, qui atténue les arômes de fruits exotiques typiques de la région.

✓ *Brut* (NM)

UNION CHAMPAGNE

7 rue Pasteur
51190 Avize
✯Ⓥ

De Saint-Gall est la marque la plus importante de cette coopérative et son principal défaut jusqu'ici venait de la confusion créée par la présence d'une même étiquette bleue sur un grand nombre de cuvées très différentes. Mais un autre problème est apparu récemment, car la plupart des vins n'ont pas toujours bénéficié d'un vieillissement suffisant. L'exception est la cuvée de prestige Orpale, toujours convenablement mûrie et dotée d'une remarquable finesse.

DE VENOGE

30 avenue de Champagne
51200 Epernay
✯Ⓥ

La maison a été reprise récemment par Bruno Paillard. La qualité s'est beaucoup améliorée depuis une dizaine d'années, mais il serait temps de renoncer au ridicule flacon en forme de poire de la Cuvée des Princes, souvent un excellent champagne. Cela impliquerait un gros investissement et cinq ans d'attente avant l'arrivée d'une nouvelle bouteille, mais il suffit de penser à l'effet immédiat d'une telle métamorphose sur l'image de la cuvée Grande Dame de Veuve Clicquot pour comprendre que cela en vaudrait la peine.

✓ *Blanc de blancs* (M) • *Brut* (M) • *Cuvée des Princes* (CP)

JEAN VESSELLE

4 rue Victor-Hugo
51150 Bouzy
✯

Jean Vesselle est un vigneron de qualité dont les champagnes sont amples, mûrs et pleins de caractère.

✓ *Toute la gamme*

VEUVE CLICQUOT-PONSARDIN *GM*

12 rue du Temple
51100 Reims
★★✯

Cette maison a une qualité et une image de luxe, fait étonnant pour une marque aux volumes aussi abondants. C'est sans doute plus simple pour Veuve Clicquot, dont les champagnes sont amples et pleins de caractère, que pour le producteur d'un vin plus léger : plus la structure d'un vin est délicate, plus elle révèle la moindre imperfection. Cela dit, le fait de produire un champagne étoffé n'est pas une garantie de qualité. Au contraire, si cela permet de masquer plus facilement un défaut, c'est souvent au détriment de la finesse. Or, ce qui frappe dans le style de Veuve Clicquot, c'est sa beauté, et pas seulement sa puissance. Cela ne vient pas uniquement de l'assemblage, largement dominé par les pinots noirs de la Montagne de Reims, souvent de Bouzy, mais aussi d'une vinification de tendance non interventionniste. Chez Veuve Clicquot, la température de fermentation ne descend pas très bas, on ne filtre pas avant assemblage et très peu avant le tirage en bouteilles, les vins de réserve restant sur lies.

✓ *Toute la gamme*

VILMART

4 rue de la République
51500 Rilly-la-Montagne
★★✯

En 1991, j'ai écrit : « Vilmart est le plus grand vigneron de Champagne que je connaisse », au risque d'être taxé d'exagération. Pourtant, si beaucoup de vignerons ont produit – et continuent de le faire – des champagnes qui me plaisent autant, ou presque, que ceux de Vilmart, aucun n'a tout à fait égalé sa remarquable régularité dans l'ensemble de la gamme, année après année.

✓ *Toute la gamme*

VRANKEN

42 avenue de Champagne
51200 Epernay
❓

Cette maison appartient au Belge Paul Vranken. Je ne partage pas ses idées en matière de qualité, mais c'est certainement l'un des cerveaux les plus brillants de la région pour ce qui est du commerce. Ses marques comprennent Charles Lafitte, René Lallement, Demoiselle, Vranken, Barancourt et Heidsieck Monopole. Il possède par ailleurs des filiales au Portugal (portos : Quinta do Convento, Quinta do Paco et São Pedro) et en Espagne (*cava* : Señora et Vranken).

LES CHOIX DE L'AUTEUR

Un grand nombre de bouteilles intéressantes ont déjà été recommandées plus haut. Comme le champagne est ma première spécialité – l'Alsace étant la deuxième – j'ai décidé de prendre le taureau par les cornes et de sélectionner les 25 plus grands champagnes. Mais j'ai eu beau m'évertuer, je n'ai pas réussi à descendre en-dessous de 27. Encore ai-je dû tricher pour y parvenir, en réunissant parfois deux versions différentes d'une même cuvée.

PRODUCTEUR	VIN	STYLE	DESCRIPTION	
Billecart-Salmon (*voir* p. 173)	Blanc de Blancs	BLANC EFFERVESCENT	Une cuvée qui semble passer inaperçue auprès des critiques, mais un blanc de blancs de type riche et voluptueux, qui évolue très lentement.	5 à 20 ans
Billecart-Salmon (*voir* p. 173)	Brut	BLANC EFFERVESCENT	Mon choix final pour le meilleur non millésimé dans le style élégant-mais-savoureux. Un champagne mûr et généreux, mais aussi léger et délicatement équilibré, avec une petite note vanillée en finale.	jusqu'à 2 ans
Bollinger (*voir* p. 173)	Grand Année	BLANC EFFERVESCENT	Tout le classicisme de Bollinger. Les tenants du « goût anglais », en quête des notes toastées et des saveurs de biscuit d'un champagne évolué, peuvent préférer cette cuvée au R.D. (*voir* p. 170), nettement plus cher. En la laissant vieillir en cave, ils obtiendront le résultat escompté.	5 à 40 ans
Bollinger (*voir* p. 173)	Vieilles Vignes Françaises, Blanc de Noirs	BLANC EFFERVESCENT	Ceci n'est pas une cuvée classique, mais un champagne très spécial, d'une qualité exceptionnelle, exclusivement à base de pinot noir et vendu à un prix faramineux.	10 à 30 ans
Cattier (*voir* p. 173) Ⓥ	Clos du Moulin	BLANC EFFERVESCENT	Depuis longtemps l'un de mes préférés. Ce vignoble du nord de la Montagne ne donne que 15-20000 bouteilles, moins de 40% de sa production potentielle. C'est un assemblage de trois années millésimées; à mon avis, le vieillissement après dégorgement lui permet de montrer toute sa classe.	8 à 20 ans à partir du millésime le plus récent
Charles Heidsieck (*voir* p. 174) Ⓥ	Brut Réserve	BLANC EFFERVESCENT	Depuis sa relance en 1989, avec 40% de vins de réserve, bien des critiques se sont demandé si le niveau de cette cuvée pourrait être maintenu. Son caractère ample et fondu, avec des notes de biscuit et de vanille, est resté d'une constance miraculeuse. La meilleure affaire dans la catégorie des bruts non millésimés de grande qualité.	jusqu'à 4 ans
Jacquesson & Fils (*voir* p. 175) Ⓥ	Signature	BLANC EFFERVESCENT et ROSÉ EFFERVESCENT	Avec une formidable série de millésimes depuis 1975, le Signature brut a bien établi sa personnalité de champagne équilibré et savoureusement fruité. Exceptionnellement séduisant dès sa commercialisation, il prend avec le temps des arômes d'une belle complexité.	6 à 15 ans
Jacquesson & Fils (*voir* p. 175) Ⓥ	Blanc de Blancs	BLANC EFFERVESCENT	Jusqu'en 1995, il s'agissait d'une cuvée non millésimée, reconnue comme l'une des meilleures de Jacquesson. Cette année-là, les frères Chiquet ont lancé la première version millésimée, un 1990 dont les arômes riches et crémeux de chardonnay ont connu un grand succès.	6 à 10 ans
Krug & Co. (*voir* p. 175)	Clos du Mesnil, Blanc de Blancs	BLANC EFFERVESCENT	Que dire de ce vin, sinon se demander si on en a les moyens? Le Clos du Mesnil mesure moins de la moitié du Clos du Moulin, mais il produit le même volume d'un vin plus concentré, grâce à la chaleur captée par ses hauts murs. Le caractère de ce vin peut évoluer à maintes reprises au fil des années.	10 à 100 ans
Krug & Co. (*voir* p. 175)	Grande Cuvée	BLANC EFFERVESCENT	Le Grande Cuvée contient en moyenne 30 à 50% de vins de réserve de 6 à 10 années différentes, reste entre 5 et 7 ans sur lies et se vend au même prix que les plus chères des cuvées de prestige. Superbes arômes citronnés et boisés, fruité généreux.	jusqu'à 15 ans
Krug & Co. (*voir* p175.)	Vintage	BLANC EFFERVESCENT	De grands vins, sans exception. Puissamment aromatique, mais toujours d'un superbe équilibre, le style maison est légendaire, mais son caractère peut varier selon l'année.	12 à 30 ans
Laurent-Perrier (*voir* p. 175) Ⓥ	Grand Siècle	BLANC EFFERVESCENT et ROSÉ EFFERVESCENT	Le Grand Siècle « La Cuvée », la version d'origine, reste mon préféré parmi les deux styles de brut. Son prix dépassant à peine la moitié de celui de l'Exceptionnellement Millésimé, c'est une affaire fantastique pour une cuvée de prestige. Doté de classiques arômes de biscuit, avec une note de violette, et d'un fruité vif, il évolue avec autant de grâce que l'élite des champagnes millésimés.	jusqu'à 40 ans
Moët & Chandon (*voir* p. 176)	Dom Pérignon	BLANC EFFERVESCENT et ROSÉ EFFERVESCENT	La qualité et la célébrité de cette cuvée sont telles que beaucoup la prennent pour une maison à part entière. Le Dom Pérignon peut avoir une extraordinaire finesse et une longévité surprenante, mais la plupart des bouteilles sont bues trop jeunes, à une température bien trop froide. Produit en quantités infimes, le rosé a de délicieuses notes de fruits rouges.	10 à 30 ans

PRODUCTEUR	VIN	STYLE	DESCRIPTION	
Bruno Paillard (*voir* p. 176) V	Premier Cuvée	BLANC EFFERVESCENT	J'ai longtemps hésité avant de citer ce champagne relativement nouveau, mais à chaque fois que je suis allé au restaurant avec une personne désirant boire un non millésimé léger et élégant, c'est celui qui s'est montré le plus régulier.	jusqu'à 3 ans
Perrier-Jouët (*voir* p. 176)	Belle Époque	BLANC EFFERVESCENT et ROSÉ EFFERVESCENT	Présenté dans la célèbre « bouteille aux anémones » créée par Émile Gallé en 1902, pour évoquer la Belle Époque des années 1890. Perrier-Jouët a toujours veillé à la haute qualité de cette cuvée. Le brut est très vif lors de sa mise sur le marché, mais au bout d'une dizaine d'années, le chardonnay présent dans l'assemblage prend de riches arômes toastés.	8 à 25 ans
Philipponnat (*voir* p. 176)	Clos des Goisses	BLANC EFFERVESCENT	Un autre de mes favoris. Le Clos des Goisses est un vin très spécial qui exige entre 10 et 15 ans au moins pour révéler tout son caractère. Six hectares de vignes aux pentes tantôt abruptes, tantôt arrondies, donnent à la maison une certaine latitude dans l'assemblage de ce champagne monocru.	10 à 40 ans
Pol Roger & Co. (*voir* p. 176) V	Brut Vintage	BLANC EFFERVESCENT	Aucune autre maison ne produit des champagnes classiques connaissant une évolution plus lente, ou plus élégante. On peut trouver ici des 1928, 1921, 1919 et 1914, tous en excellente forme. Je vous parie une caisse de Pol Roger 1990 que les millésimés du siècle à venir seront aussi beaux que les précédents.	7 à 50 ans (jusqu'à 105 ans pour les millésimes exceptionnels !)
Pol Roger & Co. (*voir* p. 176) V	Cuvée Sir Winston Churchill	BLANC EFFERVESCENT	La plus grande cuvée de prestige d'époque récente. Le premier millésime a été 1975, présenté en magnums uniquement et lancé en 1984. C'était alors un nectar et il évoluera encore avec grâce pendant 30 ans au moins. Tous les millésimes ont dès le départ un fruité voluptueux et de beaux arômes floraux, avant de prendre peu à peu des notes toastées complexes d'une belle finesse.	10 à 40 ans
Louis Roederer (*voir* p. 177) V	Brut Premier	BLANC EFFERVESCENT	Le plus célèbre champagne de Roederer est Cristal, mais la faiblesse de ses volumes fait que le Brut Premier non millésimé doit lui servir de héraut, en exprimant parfaitement le style de la maison. Cette cuvée ne contient que 10 à 20% de vins de réserve, mais ce sont leur caractère et leur qualité qui comptent. Ces vins sont gardés dans de vieux fûts, ce qui donne au Brut Premier son potentiel harmonieusement crémeux.	jusqu'à 4 ans
Louis Roederer (*voir* p. 177) V	Cristal	BLANC EFFERVESCENT et ROSÉ EFFERVESCENT	Le caractère de ces extraordinaires cuvées est discret lors de leur mise sur le marché, mais se métamorphose lors des trois années suivant le dégorgement. Le Cristal rosé est produit en très petites quantités, à partir de pinots noirs bien mûrs. Tous les millésimes de ces deux cuvées, sauf 1986, sont chaudement recommandés.	8 à 20 ans
Ruinart (*voir* p. 177)	Dom Ruinart	BLANC EFFERVESCENT et ROSÉ EFFERVESCENT	Le blanc de blancs est le plus connu et offre un délicieux fruité, avant de développer de beaux arômes fumés après huit ans de bouteille. Le rosé, au bouquet de fruits rouges, est tout aussi bon. Pour connaître le parfum d'un vrai pinot noir, ouvrez un Dom Ruinart rosé d'une dizaine d'années… qui contient pourtant 80% de chardonnay !	8 à 12 ans
Salon (*voir* p. 177)	Cuvée « S » Blanc de Blancs	BLANC EFFERVESCENT	Sa saveur est d'abord légère, puis s'intensifie avec l'âge pour prendre une ampleur crémeuse. Un millésime évolué devient très complexe au nez comme en bouche, avec des notes de macaron, de noix et de café.	Within 10 à 50 ans
Taittinger (*voir* p. 177)	Comtes de Champagne	BLANC EFFERVESCENT et ROSÉ EFFERVESCENT	Le Comtes de Champagne blanc de blancs est un vin élégant, qui révèle, au bout d'une dizaine d'années, le niveau de plénitude et de richesse auquel peut parvenir un grand champagne de chardonnay. À l'inverse, le rosé peut sembler un peu lourd au départ, mais finit toujours par arriver à un équilibre parfait.	10 à 20 ans
Veuve Clicquot-Ponsardin (*voir* p. 177)	La Grande Dame	BLANC EFFERVESCENT	La différence entre La Grande Dame et le Vintage Réserve, tout aussi classique, c'est souvent – mais pas toujours – que le premier est plus léger, plus mûr et plus élégant, avec un fruité très pur et plus de finesse. Il y aura bientôt un Grande Dame rosé. Venant de la maison qui a inventé ce type de champagne, ce devrait être une merveille.	8 à 40 ans
Veuve Clicquot-Ponsardin (*voir* p. 177)	Vintage Reserve	BLANC EFFERVESCENT et ROSÉ EFFERVESCENT	Plus ample que La Grande Dame et nettement toastée, cette cuvée millésimée séduit particulièrement les amateurs de champagne de style classique, à dominante de pinots. La version « Rich » de ce millésimé a amélioré l'image des champagnes demi-secs et le rosé est un classique dans sa catégorie.	8 à 40 ans (6 à 15 ans pour le rosé)
Vilmart (*voir* p. 177)	Cœur de Cuvée	BLANC EFFERVESCENT	Vilmart ne s'est pas endormi sur les lauriers récoltés avec ses superbes Grand Cellier et Grand Cellier d'Or. Ce dernier occupait le haut de la gamme, mais il a été surpassé par une luxueuse cuvée de prestige baptisée Cœur de Cuvée. Comme son nom l'indique, elle ne comporte que des vins issus du cœur du pressurage. Une production aussi raffinée est bien évidemment limitée et les bouteilles sont numérotées.	5 à 30 ans (sans doute)
Vilmart (*voir* p. 177)	Grand Cellier d'Or	EFFERVESCENT BLANC	Un champagne très ample aux notes de biscuit, d'une grande longueur en bouche. Une sorte de Krug du pauvre !	5 à 20 ans

L'ALSACE

L'Alsace est la seule région viticole française dont la réputation se soit bâtie sur la notion d'appellation variétale. Elle produit des vins blancs riches, d'une belle intensité de fruit, que l'on peut boire seuls ou pour accompagner un repas.

Étonnant creuset des cultures française et germanique, ce petit bout de France est coupé du reste du pays par la barrière des Vosges et de l'Allemagne par le puissant Rhin. Ce panachage est le résultat des guerres et des revendications frontalières dont cette ancienne province a été le théâtre depuis le traité de Westphalie qui, en mettant fin à la guerre de Trente Ans en 1648, a reconnu la souveraineté de la France sur l'Alsace. Les édits royaux de 1662, 1682 et 1687 l'ont déclarée pays franc pour quiconque contribuerait à lui redonner sa prospérité. Suisses, Allemands, Tyroliens et Lorrains vinrent donc s'y établir nombreux. En 1871, au terme de la guerre franco-prussienne, la région retourna dans le giron allemand et y resta jusqu'à la fin de la première guerre mondiale. L'Alsace entreprit alors de réorganiser son vignoble selon les nouvelles normes de l'appellation d'origine contrôlée, mais l'Allemagne réclama le territoire avant l'achèvement de l'entreprise, et il fallut attendre la Libération pour que la région, redevenue définitivement française, reprenne son travail de normalisation des AOC, enfin achevé en 1962.

Le vignoble alsacien est jalonné de villages médiévaux aux rues pavées bordées de maisons à colombages, reflétant, comme ses vins, un terroir aux influences étroitement mêlées. C'est ainsi que les cépages sont de trois origines : le riesling et le gewurztraminer (écrit ici sans tréma) pour l'outre-Rhin, le pinot gris pour la France ; et l'exotique muscat forment l'ensemble des quatre cépages princi-

LE QUARTIER GÉNÉRAL DE HUGEL & FILS
La petite boutique de vins, les caves et les bureaux du négociant Hugel & Fils dans la commune de Riquewihr sont d'un style typiquement alsacien.

MILLÉSIMES RÉCENTS D'ALSACE

1996 Bien qu'il soit encore trop tôt pour juger au moment d'écrire ces lignes, ce millésime semble l'emporter et sur 1995 et sur 1994 ; il s'agirait donc de la meilleure année depuis 1989. Une vendange abondante de raisins sains, riches en sucre et d'une excellente acidité mûre a donné des vins de garde très intéressants à l'achat.

1995 La plupart des vignerons considèrent ce millésime comme le meilleur depuis 1990, mais certains pensent que 1994 est supérieur ; tous conviennent néanmoins que le gewurztraminer et le pinot gris ont été problématiques.

1994 Que 1994 ou 1995 l'emporte, il s'agit en tout cas d'une très bonne année, certains vins ayant mieux réussi qu'en 1995. Incontestablement un millésime de gewurztraminer et de pinot gris.

1993 Des vins un peu plus riches et gras qu'en 1992, mais aussi faciles à boire et d'une garde légèrement plus longue.

1992 Des vins doux, se laissant boire jeunes, mais se développant bien en bouteilles. Peu ou pas de *botrytis*, donc une année passerillée. En raison d'une grêle isolée, qui diminua gravement les rendements déjà réduits par nature de Rangen, les vins du domaine Zind Humbrecht furent encore plus exceptionnels qu'à l'accoutumée.

COMMENT LIRE LES ÉTIQUETTES DE VINS D'ALSACE

CÉPAGE
Le premier élément à prendre en compte ; ici, il s'agit de gewurztraminer. Une indication supplémentaire peut figurer, nom de commune ou de vignoble. Dans le cas présent, Mambourg est le nom du vignoble, dont les coteaux dominent la commune de Sigolsheim. Si aucun cépage n'est spécifié, il s'agira de crémant d'Alsace, un vin pétillant de qualité élaboré selon la méthode champenoise, ou d'un mélange de variétés, par exemple un edelzwicker, mais pas nécessairement.

GRAND CRU
Cette appellation s'applique à 50 vignobles classés, dont les vins reflètent le caractère de leur terroir. Mais la plupart des vins d'Alsace profitent de leur statut sans garantie de qualité pour le consommateur, aussi se référera-t-on aux producteurs recommandés.

APPELLATION
Tous les vins d'Alsace portent l'appellation Alsace contrôlée. S'il s'agit d'un grand cru, cette mention fera partie intégrante de l'appellation.

PRODUCTEUR ET MILLÉSIME
L'étiquette peut mentionner ces deux éléments. Ici, l'année 1985 est un grand millésime et Ringenbach-Moser un excellent domaine dont les vignes sont réparties sur cinq communes, y compris Sigolsheim. Une indication en petits caractères précise que ce vin a été mis en bouteilles au domaine, et donne l'adresse du propriétaire-récoltant. Ces mentions sont obligatoires, de même que le pays d'origine pour les vins d'export, et la contenance de la bouteille.

Autres informations pouvant encore figurer :

MÉDAILLE D'OR
Les médailles de Colmar, de Mâcon et de Paris se sont elles-mêmes dévaluées par le nombre croissant de lauréats auxquels elles ont été attribuées. On trouve d'excellents vins portant ce macaron sur la bouteille, mais la prolifération de ces récompenses les a pratiquement privées de sens. Il existe néanmoins une médaille de qualité à rechercher, le « sigillé de qualité », décerné par la confrérie Saint-Étienne.

VENDANGE TARDIVE
Cette mention désigne des vins riches et puissants issus de raisins vendangés tard.

SÉLECTION DE GRAINS NOBLES
Vins assez rares, d'un moelleux intense, en même temps élégants, tirés de raisins botrytisés.

ÉLEVÉ EN FÛT
Désigne des vins vieillis en barriques de chêne, et qui en ont pris les caractéristiques.

SÉLECTION, RÉSERVE, CUVÉE SPÉCIALE
Ces termes désignent souvent des vins de haute qualité.

LA PETITE VENISE À COLMAR
Cette ville charmante, étroitement associée au commerce du vin, compte de nombreux sites à visiter, notamment son quartier de canaux.

paux. On trouve encore le sylvaner, germanique, et les variétés françaises que sont le pinot noir, le pinot gris, le pinot blanc, l'auxerrois et le chasselas. Si le gewurztraminer vient incontestablement d'Allemagne (où l'on en trouve d'excellents exemples dans le Palatinat, son lieu d'origine), seule l'Alsace parvient à lui donner un caractère aussi épicé, et il en est ainsi du pinot gris, qui reste neutre partout ailleurs. Même le pinot blanc peut offrir de telles notes, bien qu'elles soient aussi dues à l'addition d'auxerrois, un cépage gras et épicé.
On élabore très peu de vin rouge en Alsace et cette production est le plus souvent destinée aux restaurants et *winstubs* locaux. La région consacre en effet 90% de son potentiel à des vins blancs secs très fruités, encore que le gewurztraminer, par exemple, soit traditionnellement plus moelleux. Avec l'apparition des mentions « vendange tardive » et « sélection de grains nobles », les viticulteurs ont délibérément réduit leurs rendements pour rechercher des taux de sucre élevés. Cette pratique tend maintenant à se généraliser, donnant des vins riches même dans les cuvées les plus ordinaires, au détriment d'un style de vin authentiquement sec.

LE PINOT GRIS DE ROTENBERG
La vue plonge sur Turckheim, des pentes abruptes du vignoble de Rotenberg à Wintzenheim, où le domaine Humbrecht élève de fabuleux pinots gris aux arômes puissants.

FACTEURS AFFECTANT LE GOÛT ET LA QUALITÉ

SITUATION
L'Alsace, flanquée à l'ouest par les Vosges, est bordée à l'est par le Rhin et la Forêt-Noire. Six cours d'eau dévalent des sommets boisés vosgiens et traversent 97 km de vignobles pour alimenter l'Ill.

CLIMAT
Protégé des influences atlantiques par la barrière des Vosges, le vignoble alsacien bénéficie d'un ensoleillement exceptionnel et d'un taux de précipitations très bas, les nuages s'arrêtant à l'ouest des Vosges, où ils se déversent.

ORIENTATION
Les vignobles s'étendent sur les versants est des Vosges à une altitude relativement élevée oscillant entre 180 m et 360 m, sur des pentes dont la déclivité atteint 25° pour les plus basses et 65° pour les plus hautes. Les meilleurs coteaux sont exposés au sud ou au sud-est, mais on trouve d'excellentes vignes orientées au nord ou au nord-est. Bien souvent, les vignes sont cultivées aussi bien au sommet que sur les flancs d'un éperon, les meilleures bénéficiant toujours de l'abri des sommets boisés. Une mise en culture excessive de la plaine a conduit à une surproduction. Certains de ces vignobles n'en donnent pas moins d'excellents vins, grâce à des sols favorables.

SOL
L'Alsace présente les conditions géologiques et pédologiques les plus complexes parmi les régions viticoles françaises. Les trois grands profils morphologiques sont : les contreforts siliceux des Vosges; les collines calcaires; la plaine alluviale. Les sols de la première zone comprennent : un sous-sol granitique à colluvions et sables fertiles, des schistes recouverts d'argile à silex, des sols fertiles reposant sur des roches sédimentaires volcaniques, enfin des sols sableux légers et pauvres sur une assise calcaire; la deuxième zone est formée de calcaire à sols bruns alcalins secs et graveleux, de grès calcaire recouvert de sables calcaires bruns, de terres lourdes et fertiles reposant sur des sols argilo-calcaires, de marnes calcaires à sols bruns alcalins; la troisième zone est constituée de marnes sableuses et gravillonnaires, de lœss brun décalcifié, enfin de lœss recouvert de sols calcaires bruns.

VITICULTURE ET VINIFICATION
Les vignes sont palissées en hauteur pour les protéger contre le gel tardif des sols. Traditionnellement, le vin subissait une fermentation aussi sèche que possible, ce qui n'est plus aussi fréquent, les vignerons ayant abaissé leurs rendements ces dix dernières années pour obtenir les taux de sucre élevés requis par les vendanges tardives et les sélections de grains nobles (*voir* ci-dessous).

CÉPAGES PRINCIPAUX
Gewurztraminer, muscat blanc à petits grains, muscat rosé à petits grains, muscat ottonel, riesling.
CÉPAGES SECONDAIRES
Auxerrois, chardonnay, chasselas, pinot gris, sylvaner

VENDANGE TARDIVE ET SÉLECTION DE GRAINS NOBLES

Les vins de « vendange tardive », issus de raisins récoltés le plus tard possible, sont élaborés depuis longtemps en Alsace par une poignée de viticulteurs conscients de leur valeur, parmi lesquels Hugel & Fils, dont les vins portaient en allemand les mentions *Auslese* et *Beerenauslese*. En voulant introduire des termes français, ce producteur ouvrit la voie au décret autorisant et contrôlant les désignations de « vendange tardive » et « sélection de grains nobles ». Ce décret entra en application en mars 1984, et l'on a couramment cultivé ce style de vin depuis 1989, un millésime riche en *botrytis*.

LES VINS DE LORRAINE

La viticulture remonte en Lorraine à l'époque romaine. L'ancienne province formée des départements actuels de Meurthe-et-Moselle et de Moselle a compté jusqu'à 30000 hectares de vignes; la Lorraine s'étendait alors sur un territoire plus de deux fois et demie plus vaste que celui de l'Alsace actuelle. Ce vignoble ne couvre plus que 70 hectares, presque entièrement situés en Meurthe-et-Moselle, et n'est plus que le triste vestige d'une gloire passée. C'est maintenant la route de la mirabelle, et non plus la route des vins, qui prospère. Il faut croire que la culture de la prune est moins risquée que celle de la vigne, encore que la population semble trouver plus profitable de travailler dans les quartiers industriels de Metz.

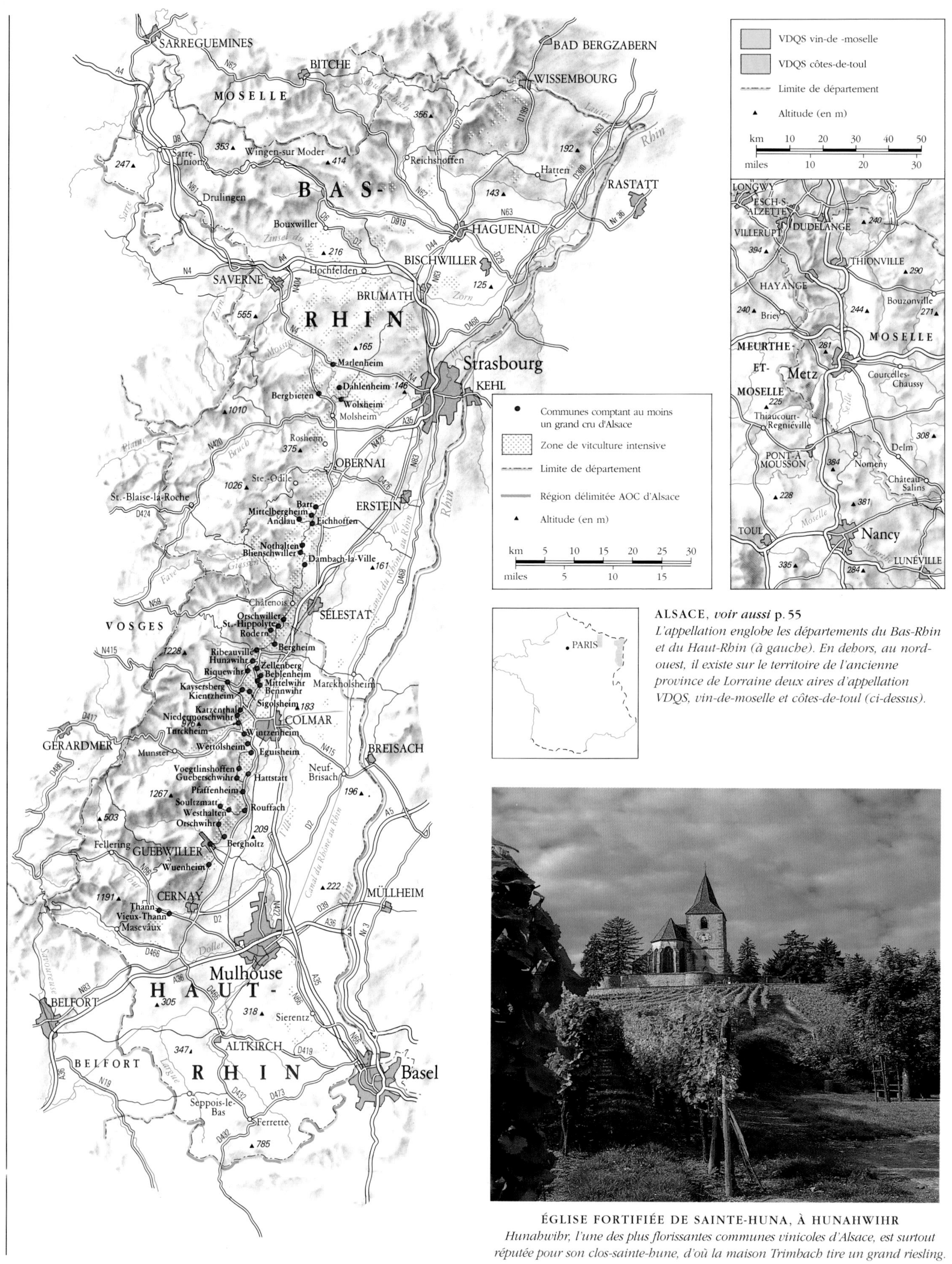

ALSACE, *voir aussi* p. 55
L'appellation englobe les départements du Bas-Rhin et du Haut-Rhin (à gauche). En dehors, au nord-ouest, il existe sur le territoire de l'ancienne province de Lorraine deux aires d'appellation VDQS, vin-de-moselle et côtes-de-toul (ci-dessus).

ÉGLISE FORTIFIÉE DE SAINTE-HUNA, À HUNAHWIHR
Hunahwihr, l'une des plus florissantes communes vinicoles d'Alsace, est surtout réputée pour son clos-sainte-hune, d'où la maison Trimbach tire un grand riesling.

LES GRANDS CRUS
D'ALSACE

La réglementation des grands crus a été introduite en 1975, mais ce n'est qu'en 1983 qu'une première liste de vingt-cinq vignobles fut dressée. Trois ans plus tard, vingt-trois nouvelles appellations portèrent le nombre total des grands crus à cinquante. Choix très controversé, qui exclut notamment le célèbre vignoble de Kaefferkopf à Ammerschwihr, unanimement reconnu comme un authentique grand cru.
Si cette législation est évidemment à long terme dans l'intérêt de l'Alsace comme de celui du consommateur, la limitation de l'appellation à quatre cépages exclusifs – muscat, riesling, pinot gris et gewurztraminer – nous prive d'une occasion unique de boire de grands vins de pinot noir, de pinot blanc, de sylvaner ou de chasselas.

Même si ces vins devaient former un ensemble différent des quatre « grands », il ne paraît guère raisonnable de les exclure de l'AOC Alsace grand cru alors que le poids du marché incite de toute manière les viticulteurs à planter leurs meilleurs vignobles de ces cépages nobles, pour eux les plus lucratifs. Si un producteur de grand cru se montre donc décidé à élaborer un vin dans l'une de ces variétés secondaires ou d'en tirer un mélange classique, pourquoi nous, consommateurs, devrions-nous ignorer d'où proviennent ces raisins, simplement parce que la législation interdit d'utiliser la mention « grand cru » pour de tels vins?

ALTENBERG DE BERGBIETEN
Bergbieten

Un cru exceptionnel, mais non un grand. Le sol gypseux et marneux convient au gewurztraminer, au caractère floral prononcé, d'une séduction immédiate mais qui gagne à rester quelques années en bouteille.

Frédéric Mochel

ALTENBERG DE BERGHEIM
Bergheim

Ce grand cru existe depuis le XIIe siècle; le sol argilo-calcaire convient surtout au gewurztraminer, fermé et austère dans sa jeunesse, mais qui gagne en profondeur et en bouquet avec la maturité.

Marcel Deiss • Domaine Spielmann

ALTENBERG DE WOLXHEIM
Wolxheim

Si apprécié qu'il ait été par Napoléon, ce cru au sol argilo-calcaire ne peut être honnêtement considéré comme l'un des grands d'Alsace, mais son riesling jouit d'une certaine réputation.

Charles Dischler • Muhlberger

BRAND
Turckheim

À l'origine, le Brand couvrait quelque 3 ha. En 1924, il s'étendit aux vignobles voisins : Steinglitz, Kirchthal, Schneckenberg, Weingarten et Jebsal, jouissant chacun d'une bonne réputation. En 1980, il comptait 30 ha et a depuis presque doublé sa superficie. Cette réunion de lieux-dits offre l'un des plus beaux sites d'Alsace; quant aux vins, constamment excitants, il s'agit de magnifiques rieslings, pinots noirs, et gewurztraminers.

Albert Boxler • Domaines Dopff au Moulin • Jos Meyer • Pierre Sparr et la CV de Turckheim • Domaine Zind Humbrecht

BRUDERTHAL
Molsheim

Riesling et gewurztraminer – les deux cépages les plus réputés – occupent la majeure partie de ce cru au sol argilo-calcaire. J'ai dégusté un bon riesling fruité de Bernard Weber, élégant sans être de très haut niveau; quant aux riesling, pinot gris et gewurztraminer du domaine Neumeyer, ils ne m'ont en rien impressionné.

EICHBERG
Eguisheim

Ce cru au sol argilo-calcaire est celui qui reçoit le moins de précipitations dans la zone viticole de Colmar; il produit des vins très aromatiques, d'une exceptionnelle délicatesse mais d'une grande longévité. Réputé pour son gewurztraminer, potentiellement le plus fin d'Alsace, l'Eichberg donne aussi de superbes rieslings et pinots gris de garde.

Charles Baur • Léon Beyer (contrairement au principe des grands crus, sa cuvée des comtes d'Eguisheim est du pur eichberg) *• Paul Giglinger • Albert Herz • Kuentz-Bas • André Schérer • Wolfberger*

ENGELBERG
Dahlenheim et Scharrachbergheim

L'un des grands crus les moins rencontrés. Ce vignoble très ensoleillé est censé favoriser le gewurztraminer et le riesling, mais ses vins ne m'ont pas paru présenter de qualités particulières.

FLORIMONT
Ingersheim et Katzenthal

La flore méditerranéenne abonde sur les pentes de ce cru au sol calcaire, d'où son nom de « mont fleuri » ; ce microclimat propice donne d'étonnants rieslings et gewurztraminers.

CV d'Ingersheim • Bruno Sorg

FRANKSTEIN
Dambach-la-Ville

Il ne s'agit pas à proprement parler d'un vignoble unique mais plutôt de quatre parcelles séparées, dont le sol granitique bien drainé et chaud donne des rieslings délicats et racés, des gewurztraminers élégants. Hauller est de très loin le meilleur producteur, à la fois en riesling et en gewurztraminer, et ses vins, dans toute leur gamme, sont en général sous-estimés.

J. Hauller & Fils

FROEHN
Zellenberg

Ce cru s'étend sur le versant sud de la colline où s'accroche Zellenberg. Le sol marneux convient, dans l'ordre, au muscat, au gewurztraminer et au pinot gris; ces vins sont riches et de longue garde.

Jean Becker

FURSTENTUM
Kientzheim et Sigolsheim

Ce domaine est avant tout celui du riesling, bien que les vignes doivent être bien établies pour tirer le meilleur parti du sol calcaire. Mais le gewurztraminer peut aussi être fabuleux, dans un style élégant, plus floral et épicé; quant au pinot gris, il est excellent, même issu de jeunes vignes.

Paul Blanck

GEISBERG
Ribeauvillé

Ce vignoble est par excellence le domaine du riesling, renommé dès 1308. Le sol de calcaire, d'argile sableux et caillouteux produit des vins parfumés, puissants et très fins, de longue garde. Trimbach y possède des vignes qui fournissent une grande part de sa superbe Cuvée Frédéric Émile.

Robert Faller • André Kientzler

GLOECKELBERG
Rodern et Saint-Hippolyte

Ce cru au sol argilo-granitique donne des vins légers, élégants mais persistants en bouche; ce sont le gewurztraminer et le pinot gris qui réussissent le mieux.

Charles Koebly • CV de Ribeauvillé

GOLDERT
Gueberschwihr

Né en l'an 750 et reconnu à l'exportation dès 1750, ce vignoble tire son nom de la couleur de ses vins, dont le plus célèbre est le gewurztraminer doré. Toutefois le muscat prospère également sur ce sol argilo-calcaire, mais, quel que soit le cépage, ce cru donne un style de vin riche, épicé et onctueux.

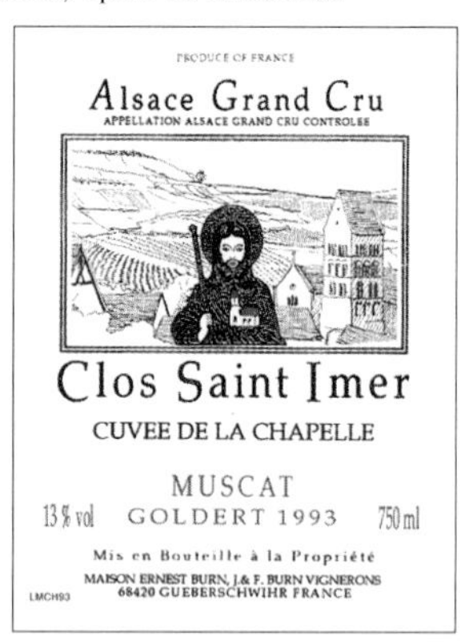

✓ *Ernest Burn* (Clos Saint-Imer) • *Marcel Hertzog* • *Fernand Lichtlé* • *CV de Pfaffenheim* • *Louis Scher* • *Clément Week* • *Domaine Zind Humbrecht*

HATSCHBOURG

Hattsatt et Voegtlinshoffen

Ces pentes marno-calcaires exposées au sud produisent un très bon gewurztraminer, mais le pinot gris et le riesling sont également excellents.

✓ *Joseph Cattin* • *André Hartmann* • *Wolberger*

HENGST

Wintzenheim

Le gewurztraminer Hengst est un vin complexe, qui réunit les qualités classiques de ce cépage avec des arômes de zeste d'orange et de pétales de rose plus caractéristiques du muscat. Mais il s'agit d'un cru très flexible. En dehors du gewurztraminer, son sol marno-calcaire donne aussi des muscats, des rieslings et des pinots gris de haute qualité.

✓ *Henri Ehrhard* • *Jos Meyer* • *Albert Mann* • *Wunsch & Mann* • *Domaine Zind Humbrecht*

KAEFFERKOPF

Ammerschwihr

Bien qu'il ne s'agisse pas d'un grand cru officiel, le kaefferkopf domine bien des vins dûment patentés. Le vignoble a été délimité en 1932, mais les ronds-de-cuir refusèrent de le classer à cause de sa diversité géologique; certains grands crus sont pourtant encore moins homogènes et se sont entretemps étendus jusqu'à occuper vingt fois leur superficie délimitée. Contrairement à leur déontologie censée respecter les usages locaux, les services officiels refusent de reconnaître la pratique de Kaefferkopf consistant à mélanger les variétés, en général gewurztraminer et riesling.

✓ *J.-B. Adam* • *Kuehn* • *Pierre Sparr* • *François Wackenthaler*

KANZLENBERG

Bergheim

Bien que ce tout petit vignoble touche la limite ouest de l'Altenberg de Bergheim, son sol de marnes gypseuses est si différent de celui de son voisin que la vinification de ces deux crus s'est toujours faite séparément. Les vins offrent le même potentiel de longévité, mais les kanzlenbergs sont plus pleins et gras. Les gewurztraminers et les rieslings dominent, mais leur ampleur peut masquer, dans leur jeunesse, les arômes variétaux; ces deux vins demandent de longues années de bouteille pour développer toute leur finesse.

✓ *Gustave Lorentz* • *Domaine Spielmann*

KASTELBERG

Andlau

Parmi les plus vieux d'Alsace, ce vignoble a été planté à l'époque gallo-romaine. Situé sur une petite colline proche du Wiebelsberg, l'autre grand cru d'Andlau, il occupe des pentes abruptes schisteuses. Sa réputation s'est établie sur l'excellence de ses rieslings racés et délicats, mais qui peuvent être très fermés dans leur jeunesse; ils doivent rester un bon nombre d'années en bouteille pour développer tous leurs arômes. Les kastelbergs restent encore jeunes au bout de vingt ans ou plus, et offrent des qualités de grand cru même dans les moins bonnes années.

✓ *André Durmann* • *Domaine Klipfel* • *Marc Kreydenweiss* • *Charles Moritz* • *Guy Wach*

KESSLER

Guebwiller

Plutôt un « premier » cru qu'un grand cru (les meilleurs vignobles de Guebwiller étant Kitterlé et Wanne, ce dernier non classé), mais le secteur central mérite incontestablement son appellation; la vigne y croît dans un vallon abrité, dont un versant, très escarpé, est exposé au sud-sud-est. Kessler est réputé pour ses gewurztraminers pleins, épicés et moelleux, mais les rieslings peuvent tout à fait les surpasser.

✓ *Jean-Pierre Dirler* • *Domaines Schlumberger*

KIRCHBERG DE BARR

Barr

Les authentiques grands crus de Barr sont Gaensbroennel et Zisser, mais ces vignobles font maintenant partie du terroir marno-calcaire de Kirchberg, réputé pour ses vins pleins de corps et délicats en même temps, dévoilant des arômes épicés de fruits exotiques, caractéristiques des gewurztraminers et des pinots gris, mais aussi des rieslings.

✓ *Klipfel* • *Willm*

KIRCHBERG DE RIBEAUVILLÉ

Ribeauvillé

Ribeauvillé compte parmi les quelques communes qui, depuis des siècles, ont prêté leur nom aux vins d'Alsace. Ce vignoble est réputé pour ses rieslings, fermes, totalement secs et de longue garde, dévoilant à maturité des arômes de pétrole intenses. On élabore aussi à Kirchberg-de-Ribeauvillé de magnifiques muscats aux arômes discrets, mais caractéristiques, d'orange et de musc, dotés d'une belle acidité et d'une grande finesse.

✓ *Robert Faller* • *André Kuentzler* • *Jean Sipp* • *Louis Sipp*

KITTERLÉ

Guebwiller

De tous les cépages poussant sur ce sol de grès volcanique, c'est le riesling qui donne les vins les plus fins, vifs aux notes de pétrole. Le gewurztraminer et le pinot gris sont également très bons, dans un style assez riche, souple, aux douces notes fumées.

✓ *Domaines Schlumberger*

MAMBOURG

Sigolsheim

Renommé depuis 783, ce cru portait alors le nom de « Sigottelsbourg ». Mambourg, assis sur des sols argilo-calcaires, s'étend sur plus d'un kilomètre, pénétrant plus en avant dans la plaine que tout autre éperon vosgien. Le vignoble, réputé le plus chaud d'Alsace, donne des vins chauds et riches, moelleux et liquoreux. Gewurztraminer et pinot gris dévoilent de riches notes fumées et épicées.

✓ *Ringenbach-Moser* • *Pierre Schillé & Fils* • *Pierre Sparr* • *André Thomas*

MANDELBERG

Mittelwihr et Beblenheim

Mandelberg – le « mont des amandiers » – est planté de vignes depuis l'époque gallo-romaine et l'appellation a été créée en 1925. La réputation de ce vignoble repose sur le riesling, bien qu'il soit de plus en plus encépagé en gewurztraminer; il donne aussi du pinot gris et du muscat de haute qualité.

✓ *Frédéric Mallot* • *Jean-Paul Mauler* • *CV de Ribeauvillé* • *Edgard Schaller*

MARCKRAIN

Bennwihr et Sigolsheim

L'un des noms les moins connus d'Alsace. Ce vignoble produit surtout du gewurztraminer et du pinot gris, mais j'ai trouvé que, pour un grand cru, ces vins étaient incomplets et indifférenciés.

MOENCHBERG

Andlau et Eichhoffen

Moenchberg – le « mont des moines » – a appartenu aux bénédictins jusqu'en 1097, puis fut repris par des habitants d'Eichhoffen. Planté dans un sol marneux, très bien exposé et jouissant d'un microclimat sec et très chaud, ce cru a bâti sa réputation sur des rieslings fermes, très racés, aux arômes de fruits intenses. Mais, pour excellents que soient ces vins, les meilleurs que j'ai goûtés sont des pinots gris. Ne pas confondre ce cru avec le Muenchberg de Nothalten.

✓ *Armand Gilg • Domaine André & Rémy Gresser • Marc Kreydenweiss • Charles Moritz • Marcel Schlosser • Guy Wach*

MUENCHBERG

Nothalten

Ce vignoble ensoleillé appartient à l'abbaye de Baumgarten, dont les moines cultivaient la vigne dès le XIIe siècle. Il s'étend sous la protection de l'Undersberg, sommet des Vosges culminant à 900 m. Le style étonnant de ses vins tient pour une part au microclimat dont jouit ce terroir, et aussi à son sol unique et ancien de grès volcanique caillouteux.

✓ *Willy Gisselbrecht • Gérard Landmann • André Ostertag*

OLLWILLER

Wuenheim

Le taux de précipitations est ici l'un des plus bas de France. Ce sont les gewurztraminers et les rieslings qui prospèrent le mieux sur ce sol argilo-sableux, mais il ne s'agit pas là d'un des meilleurs grands crus.

✓ *Château Ollwiller • CV de Vieil-Armand*

OSTERBERG

Ribeauvillé

Ce vignoble au sol d'argile à silex voisine avec Geisberg, un autre grand cru de Ribeauvillé; ses rieslings également superbes sont de bonne garde, développant un nez de pétrole caractéristique. Le gewurztraminer et le pinot gris réussissent aussi très bien.

✓ *André Kietzler • CV de Ribeauvillé • Louis Sipp*

PFERSIGBERG OU PFERSICHBERG, OU PFIRSIGBERT

Eguisheim et Wettolsheim

Ce terroir de grès calcaire donne des gewurztraminers appréciés, pleins, aromatiques et de garde; mais pinot gris, riesling et muscat réussissent aussi bien. Tous ces vins offrent une belle acidité de fruit et des arômes exceptionnels.

✓ *Charles Baur • Léon Beyer* (contrairement au principe des grands crus, sa cuvée particulière est du pur pfersigbert) • *Pierre Freudenreich • Alphonse Kuentz • Kuentz-Bas • André Scherer • Gérard Schueller • Bruno Sorg • Wolfberger*

PFINGSTBERG

Orschwihr

Les sols de marne calcaire et de grès argileux de ce terroir conviennent également aux quatre grands cépages; les vins développent des arômes floraux caractéristiques aux riches notes miellées.

✓ *Lucien Albrecht • François Braun*

PRAELATENBERG

Kintzheim et Orschwiller

Bien que ce vignoble domine la commune d'Orschwiller au nord, il s'étend en majeure partie sur Kintzheim, à 1,5 km de là. On dit que les quatre cépages croissent ici dans les mêmes conditions idéales, mais je placerais le pinot gris au premier rang, suivi par le riesling et le gewurztraminer.

✓ *Jean Becker • Raymond Engel* (domaine des Prélats) • *Domaine Siffert*

RANGEN

Thann et Vieux-Thann

Le satiriste du XVe siècle Sebastian Brant, relatant les exploits méconnus d'Hercule en Alsace, affirme que le demi-dieu but un jour tant de rangen qu'il s'assoupit. Mortifié à son réveil, il s'enfuit, abandonnant sa massue, celle qui figure sur les armes de Colmar. Ce vignoble est si escarpé qu'on ne peut le cultiver qu'en terrasses; ses sols volcaniques sont très pauvres en éléments organiques, mais extrêmement riches en minéraux. Une terre très drainante et noire retient presque trop efficacement la chaleur diffusée dans cette fournaise. Cette température élevée et la qualité du drainage constituent pourtant les deux éléments essentiels dans la mise à l'épreuve de la vigne, qui seuls donnent à ces vins leur puissance et leur mordant. Rangen, qui produit de grands vins même les mauvaises années, est un grand cru par excellence.

✓ *Bruno Hertz • Domaine Schoffit • Domaine Zind Humbrecht*

ROSACKER

Hunawihr

Mentionné dès le XVe siècle, ce cru est le terroir d'élection du riesling. Presque tous les ans, le clos-sainte-hune de Trimbach est de loin le plus fin d'Alsace. Seuls quelques producteurs parviennent, exceptionnellement, à l'égaler dans les grandes années. Trimbach ne mentionne pas « Rosacker » sur l'étiquette parce que la famille croit, et avec elle quelques viticulteurs de renom international qui évitent le terme, qu'une grande part des vins de Rosacker ne devraient pas avoir droit à l'appellation grand cru (bien que Trimbach ait vendu son Clos Sainte-Hune sous cette appellation dès les années 1940). Le sol marno-calcaire, riche en magnésium, donne aussi de fins gewurztraminers.

✓ *Mader • Frédéric Mallo • Mittnacht-Klack • Sipp-Mack • Trimbach (Clos Sainte-Hune)*

SAERING

Guebwiller

Ce cru, mentionné dès 1250 et commercialisé depuis 1830, s'étend au-dessous de Kessler et de Kitterlé, les deux autres grands crus de Guebwiller. Comme Kessler, il s'agit plutôt d'un premier cru (même s'il surpasse d'autres grands crus classés). Le riesling l'emporte sur les autres cépages, surtout les années les plus chaudes, avec des vins au nez floral, fruités et élégants, aux arômes de pêche; mais le muscat et le gewurztraminer sont également fins.

✓ *Dirler • Éric Rominger • Domaines Schlumberger*

SCHLOSSBERG

Kientzheim et Kaysersberg

La production de Schlossberg était contrôlée depuis 1928; en 1975, ce vignoble devint le premier Alsace grand cru. Bien que ce vignoble au sol granitique semble partagé entre les deux communes, seul un demi-hectare appartient à Kaysersberg. Ce terroir convient avant tout au riesling, mais le gewurztraminer réussit bien les « mauvaises » années. Les vins sont pleins d'élégance et de finesse, qu'ils soient élaborés par Blanck, le plus souvent dans un style classique épuré, ou qu'ils développent un fruit plus exubérant, à la manière du domaine Weinbach.

✓ *Paul Blanck • Albert Mann • Salzmann-Thomann • Pierre Sparr • Domaine Weinbach*

SCHOENENBOURG

Riquewihr

Ce vignoble a toujours été réputé pour ses rieslings et ses muscats, bien que la vinification moderne accorde la première place au riesling, suivi par le pinot gris ou le muscat. Le sol gypseux et marno-sableux de ce terroir donne des vins riches et aromatiques qui devraient se décliner en « vendanges tardives » et en « sélections de grains nobles ».

✓ *Baumann & Fils • Marcel Deiss • Domaine Dopff au Moulin • Mittnacht-Klack • René Shmidt • Daniel Wiederhirn*

SOMMERBERG

Niedermorschwihr et Katzenthal

Connu dès 1214, ce cru jouit d'une telle réputation qu'il fut délimité dès le XVIIe siècle. Situé au pied des collines menant aux Trois-Épis, ce terroir est censé produire les quatre cépages à qualité égale, mais, à mon avis, le riesling l'emporte. Les vins de Sommerberg sont aromatiques, avec un fruit riche et élégant.

✓ *Albert Boxler • Domaine Aimé Stentz • CV de Turckheim*

SONNENGLANZ

Beblenheim

En 1935, deux ans après que Kaefferkopf fut délimité par le tribunal de Colmar, Sonnenglanz obtint la même promotion. Mais, contrairement aux viticulteurs de Kaefferkopf (qui au demeurant n'est pas classé grand cru), ceux de ce terroir ne purent exploiter leur appellation qu'en 1952, à la création de la coopérative. Jadis réputé pour son sylvaner, Sonnenglanz est maintenant un terroir de riesling et de pinot gris donnant des vins dorés aux fruits très mûrs.

✓ *Frédéric Berger • Bott-Geyl • Jean-Paul Hartweg • CV de Ribeauvillé*

SPIEGEL

Bergholz et Guebwiller

Connu depuis une cinquantaine d'années seulement, ce cru n'est pas un des plus grands d'Alsace. Ce terroir marno-gréseux n'en donne pas moins des rieslings fins, racés, au bouquet délicat, et de bons gewurztraminers et muscats.

✓ *Dirler • Domaine Loberger • Eugène Meyer • Wolfberger*

SPOREN

Riquewihr

Sporen est un authentique grand cru, dont le sol de marnes pierreuses produit des vins d'une finesse remarquable. Sur ce terroir traditionnel de gewurztraminer et de pinot gris, qui occupent la majeure partie du vignoble, on cultivait également divers cépages que l'on vinifiait ensemble. L'un de ces vins de coupage est le « sporen gentil » d'Hugel & Fils, capable de vieillir trente ans ou plus (mais tout différent de l'autre « gentil » de la même marque, un mélange de vins vinifiés séparément ne provenant pas de sporen).

✓ *Domaine Dopff au Moulin • Hugel & Fils • Roger Jung • Mittnacht-Klack • CV de Ribeauvillé • Bernard Schwach*

STEINERT

Pfaffenheim et Westhalten

Le pinot gris domine sur ce terroir calcaire pierreux, même si Schneckenberg (maintenant intégré à Steinert) était réputé pour son pinot blanc ressemblant à du pinot gris. La coopérative de Pfaffenheim produit toujours un pinot blanc Schneckenberg (qui n'est pas un grand cru, bien sûr) et un étonnant pinot gris qui emporte la vedette. La réputation de Steinert pour son pinot « blanc comme gris » illustre l'exceptionnelle concentration de ces vins. Le gewurztraminer prospère mieux sur les pentes basses et le riesling sur les coteaux élevés, plus sableux.

✓ *Pierre Frick • CV de Pfaffenheim • Rieflé • François Runner*

STEINGRUBLER

Wettolsheim

Bien que ce terroir gréseux et marno-calcaire ne soit pas un des grands noms d'Alsace, j'ai goûté d'excellents vins de Steingrubler. Le pinot gris, notamment, peut être très riche et très fin en même temps. Il s'agit là d'un des meilleurs grands crus parmi les méconnus, certainement appelé à un bel avenir.

✓ *Barmès-Buecher • Robert Dietrich • Wunsch & Mann* (collection Joseph Mann)

STEINKLOTZ

Marlenheim

Steinklotz (« le bloc de pierre »), l'un des plus anciens vignobles d'Alsace, appartenait en 589 au domaine du roi mérovingien Childebert II et a établi la réputation de Marlenheim, qui ne se dément pas, pour ses vins de pinot noir rouges ou rosés. Mais, depuis que ce terroir a été promu au rang de grand cru, il est censé produire de bons pinots gris, rieslings et gewurztraminers.

✓ *Romain Fritsch*

VORBOURG

Rouffach et Westhalten

Les quatre cépages viennent très bien sur ce terroir sablo-calcaire. On dit que les vins développent un bouquet de pêche, d'abricot, de menthe et de noisette, mais, à mon sens, ce sont le riesling et le pinot gris qui réussissent le mieux. Les années chaudes conviennent davantage au muscat, dont les arômes explosent littéralement; quant au gewurztraminer, il connaît des hauts et des bas. Ce vignoble inondé de soleil est également propice au pinot noir, dont les vins sont pour cette raison fortement colorés.

✓ *Muré* (Clos Saint-Landelin)

WIEBELSBERG

Andlau

Ce vignoble, qui domine le plus petit cru de Kastelberg, bénéficie d'un excellent ensoleillement et son sol siliceux, bien drainant, retient la chaleur. Le riesling donne des vins qui peuvent être très fins, au nez floral et laissant en bouche un arôme délicat de pêche mûre.

✓ *Domaine André & Rémy Gresser • Jean-Pierre Klein • Marc Kreydenweiss • Marcel Schlosser*

WINECK-SCHLOSSBERG

Katzenthal et Ammerschwihr

Situé en bout de vallée, le vignoble granitique de Wineck-Schlossberg bénéficie d'un microclimat abrité qui favorise avant tout le riesling, suivi par le gewurztraminer. Ces vins sont légers et délicats, parfumés.

✓ *Jean-Paul Ecklé • Klur-Stoecklé*

WINZENBERG

Blienschwiller

On dit ici que ce vignoble est mentionné dans d'« anciens documents » et que son sol granitique convient au riesling et au gewurztraminer. Le riesling que j'ai goûté m'a paru léger et charmant, mais sans qualités particulières. Le gewurztraminer est bien supérieur, dévoilant des arômes frais et fins aux notes épicées assez raffinées et complexes.

✓ *Hubert Metz • François Meyer*

ZINNKOEPFLÉ

Soultzmatt et Westhalten

Le microclimat chaud et sec de Zinnkoepflé offre à son sommet exposé d'exceptionnels exemples de faune et de flore méditerranéennes. C'est la chaleur et le sol aride de grès calcaire de ce terroir qui ont fait la renommée de ses vins de pinot gris et de gewurztraminer puissants, épicés, au style fougueux. Le riesling est un vin délicat, des plus discret, mais, sous ces qualités trompeuses, il peut dévoiler à maturité tout autant de puissance.

✓ *Seppi Landmann • Landmann-Ostholt • Schlegel-Boeglin*

ZOTZENBERG

Mittelbergheim

Mentionné pour la première fois en 1364 sous le nom de Zoczenberg, les vins de ce terroir marno-calcaire ont porté dès le début du XXe siècle l'indication de leur lieu d'origine. Vignoble par tradition du plus fin sylvaner, qui a été supplanté par gewurztraminer et riesling, donnant des vins au fruité onctueux.

✓ *E. Boeckel • Bernard & Daniel Haegi • André Wittmann*

RIQUEWIHR

Si l'Alsace est jalonnée de villages ravissants, Riquewihr en est l'un des plus séduisants; on a su y éviter l'envahissement commercial qui, non loin, a fait de Ribeauvillé un lieu certes plus animé, mais moins intime.

LES APPELLATIONS
D'ALSACE ET DE LORRAINE

AOC ALSACE

Cette appellation englobe tous les vins d'Alsace (à l'exception des AOC grands crus et crémant d'Alsace), mais la majeure partie de la production est vendue sous le nom du cépage. Il s'agit des variétés pinot (ou pinot blanc, ou clevner ou klevner), pinot gris, pinot noir, riesling, gewurztraminer, muscat, sylvaner, chasselas (ou gutedel), auxerrois. Cette pratique crée donc neuf dénominations « variétales » abritées sous la même appellation, qui font ici l'objet de notices séparées.

AOC ALSACE GRAND CRU

Les grands crus représentent environ 2,5% de la production totale de vins d'Alsace. Ces terroirs élaborant des vins qui leur sont propres, il est impossible d'en donner une définition générale.

Blanc *Voir* Les grands crus d'Alsace, p. 183.

muscat, riesling, gewurztraminer, pinot gris

ALSACE SÉLECTION DE GRAINS NOBLES

Il ne s'agit pas d'une AOC à proprement parler, mais d'une mention qui peut s'adjoindre à l'appellation ordinaire ou à celle d'Alsace grand cru. Cette production est rigoureusement contrôlée, et ses normes sont beaucoup plus strictes que pour toute autre AOC française. En principe, ces raisins ont été vendangés après les « vendanges tardives » mais, en pratique, on les récolte par tries précédant la vendange tardive, qui sera tirée des grains restants après une dernière période de maturation.
Ces vins rares et recherchés sont issus de raisins atteints par la « pourriture noble », autrement dit *Botrytis cinerea*. Mais, contrairement au Sauternais, l'Alsace n'est pas une région propice à la botrytisation, qui survient au hasard et dans de beaucoup plus fortes concentrations.
Les vins sont donc élaborés en quantités très réduites et vendus à des tarifs élevés. On s'étonne souvent en Sauternais non seulement des taux de sucre atteints en Alsace (où la chaptalisation, couramment pratiquée en Sauternais, est interdite), mais de l'emploi très modéré d'anhydride sulfureux, ce qui explique pourquoi les « sélections de grains nobles » sont considérées comme les plus grands vins de dessert.

Blanc Moins alcoolisés et plus sucrés qu'à l'origine, ces vins ont encore plus de finesse. Si le gewurztraminer est presque trop facile à obtenir, le pinot gris offre le parfait équilibre entre qualité et prix; seuls quelques muscats sont élaborés. Quant au riesling, il occupe un rang à part. On se reportera au nom de la variété pour consulter la liste des meilleurs producteurs.

gewurztraminer, pinot gris

5-30 ans

ALSACE VENDANGE TARDIVE

Il ne s'agit pas d'une AOC à proprement parler, mais d'une mention qui peut s'adjoindre à l'appellation ordinaire ou à celle d'Alsace grand cru. Cette production, rigoureusement contrôlée, obéit à des normes beaucoup plus exigeantes que pour toute autre AOC française. Les vins de vendange tardive sont beaucoup moins constants, en qualité comme en caractère, que ceux des sélections de grains nobles. La raison en est que certains viticulteurs récoltent des raisins présentant le taux de sucre requis, mais cueillis en même temps que la vendange principale, et non tardivement. Ces vins manquent donc du caractère d'authentiques vendanges tardives, que seuls peuvent apporter les échanges complexes qui ont lieu dans les grappes restées sur pied jusqu'en novembre ou décembre. Quand les feuilles commencent à tomber et que la sève est refoulée dans le système racinaire, les grappes, coupées du métabolisme de la vigne, commencent à se déshydrater. Ce processus (appelé « passerillage ») est à son tour déterminé par les conditions climatiques. Ainsi, les raisins passerillés soumis à des températures s'abaissant régulièrement (la norme) et ceux qui ont bénéficié de l'embellie d'un été indien (l'exception) donneront des vins tout différents. En attendant que la législation veille à ce que les vendanges tardives n'aient lieu qu'à partir d'une date donnée, on se contentera des vins recommandés ici et l'on recherchera une date de vendange au dos de la bouteille.
Un autre aspect mériterait d'être réglementé : il s'agit de la douceur relative du vin. Une vendange tardive peut en effet donner un vin presque sec ou plus moelleux qu'une sélection de grains nobles. On se reportera à la variété qui convient pour consulter la liste des meilleurs producteurs.

Blanc Secs, demi-secs ou moelleux, ces vins assez généreux doivent toujours présenter les caractères du passerillage, encore que ceux-ci puissent être masqués par le *botrytis*. Le gewurztraminer est le cépage dominant, mais seuls les meilleurs raisins donneront un vin harmonieux. Le riesling et le pinot gris offrent tous deux le bon équilibre entre qualité, disponibilité et prix. Le muscat est aussi rare en vendange tardive qu'en sélection de grains nobles, car, plus le raisin est mûr, plus le vin tend à s'amollir.

gewurztraminer, pinot gris, riesling, muscat

5-20 ans

AOC AUXERROIS

Théoriquement, cette appellation n'existe pas, mais l'auxerrois, un des cépages autorisés dans l'élaboration du pinot, donne des vins si caractéristiques qu'il a souvent fait l'objet d'une appellation distincte. Cette pratique, qui se développe, est « officiellement tolérée ».

Blanc Plus gras que le pinot blanc, d'un fruit plus onctueux, miellé et épicé, le meilleur atout de l'auxerrois est sa richesse naturelle et sa séduction immédiate. Enclin à un taux d'acidité bas, il devient facilement flasque et si musqué qu'il approche le renard faisandé, mais le meilleur auxerrois peut tenir tête au pinot gris.

auxerrois

jusqu'à 5 ans

✓ *Pierre Frick* • *Rolly Gassmann* • *Jos Meyer* *André Kientzler* • *Marc Kreydenweiss* • *Julien Riffel* (le klevner vieilles-vignes est en fait du pur auxerrois) • *Bruno Sorg*

AOC CHASSELAS

Ce cépage rarement vu semble avoir pour quelques viticulteurs spécialisés la gaieté d'un *revival.*

Blanc Les meilleurs chasselas ne sont pas mis en bouteilles; ils attendent en cuves d'être mélangés à d'anonymes cuvées d'edelzwicker. Ces vins ne sont ni profonds ni complexes, mais éclatent de fruits frais parfumés et sont un véritable régal, mais il faut les boire avant la mise. Le fruit est si délicat qu'il lui faudrait un soutien pour survivre en bouteille; ce vin gagnerait sans doute à être vinifié sur lie et mis en bouteille à basse température pour rester perlant.

chasselas

à l'achat

✓ *Paul Blanck* • *Jos Meyer* • *André Kientzler* • *Robert Schoffit*

MÉLANGES CLASSIQUES D'ALSACE

Malgré le principe sacro-saint des appellations variétales, l'Alsace est on ne peut plus capable de produire d'excellents mélanges classiques, mais leur volume ne cesse de diminuer car rares sont les consommateurs conscients de leurs qualités. Et il est difficile aux producteurs de faire admettre que leurs vins de mélange soient plus chers que des edelzwickers ordinaires, alors qu'ils ne devraient pas davantage être mis sur le même plan que des crus classés du Bordelais comparés à des AOC bordeaux.
Que les viticulteurs le recherchent ou non, cette production de haut niveau devrait atteindre les prix des grands crus. Contrairement à l'edelzwicker, composé de différents vins – et l'occasion n'est-elle pas tentante de se débarrasser des plus mauvais? –, les cépages des mélanges classiques d'Alsace viennent tous du même vignoble, sont traditionnellement vendangés et vinifiés en même temps.

Voir aussi Kaefferkopf, p. 184.

Blanc La plupart de ces vins s'améliorent avec l'âge, mais passent par diverses phases où l'un ou l'autre des cépages domine tour à tour. L'observation de ce processus est instructive, et permet de comprendre pourquoi l'on préfère tel ou tel mélange. Selon les volumes considérés, le gewurztraminer domine dans les vins jeunes, puis le pinot gris et, des années après, le riesling; mais d'autres variétés peuvent rentrer en ligne de compte dans les vins surmûris.

chasselas, sylvaner, pinot blanc, pinot gris, pinot noir, auxerrois, gewurztraminer, muscat blanc à petits grains, muscat rosé à petits% de riesling, 20% de gewurztraminer, 20% de tokay-pinot gris, 10% de grains, muscat ottonel, riesling.

✓ *Marc Kreydenweiss* (clos-du-val-d'éléon : 70% de riesling, 30% de pinot gris) • *CV de Ribeauvillé* (Clos du Zahnacker : gewurztraminer, pinot gris et riesling à parts égales) • *Jean Sipp* (Clos du Schlossberg : 50 muscat) • *Louis Sipp* (Côtes de Ribeauvillé : 40% de pinot blanc, et 60% de sylvaner, riesling et gewurztraminer)

AOC CLEVNER

Synonyme couramment utilisé de pinot, parfois orthographié klevner. Ne pas confondre avec le klevener. *Voir* AOC pinot.

VDQS CÔTES-DE-TOUL

Ces côtes appartenaient jadis au vignoble florissant de Lorraine. Les vignes s'étendent actuellement sur huit communes à l'ouest de Toul, en Meurthe-et-Moselle.

Rouge C'est le pinot noir qui réussit le mieux, et l'étiquette indique en général une variété unique. Ce vin offre une belle couleur étonnante pour un vignoble aussi septentrional, et un arôme de pinot à note de cerise.

pinot meunier, pinot noir

1-4 ans

Blanc Les blancs représentent moins de 2% de la production de ce VDQS, équivalent à 76 hl (844 caisses). L'auxerrois fournit la meilleure variété, son caractère gras convenant parfaitement à un sol calcaire aussi septentrional.

aligoté, aubin, auxerrois

1-3 ans

Rosé Les côtes-de-toul se font surtout en vin gris, délicieux dans sa jeunesse.

gamay, pinot meunier, pinot noir, avec un maximum de 15% d'aligoté, d'aubin et d'auxerrois

à l'achat

✓ *Marcel Gorny • Laroppe Frères • Lelièvre Frères • Yves Masson • Fernand Poirson • Société vinicole du Toulouis • Michel Vosgien*

AOC CRÉMANT D'ALSACE

Si de petits viticulteurs tels que Dirler faisaient du vin mousseux d'Alsace dès 1880, ce n'est pas avant 1900 que Dopff au Moulin commença à produire un vin pétillant à grande échelle, qui obtint son AOC en 1976. La qualité est bonne et va en s'améliorant.

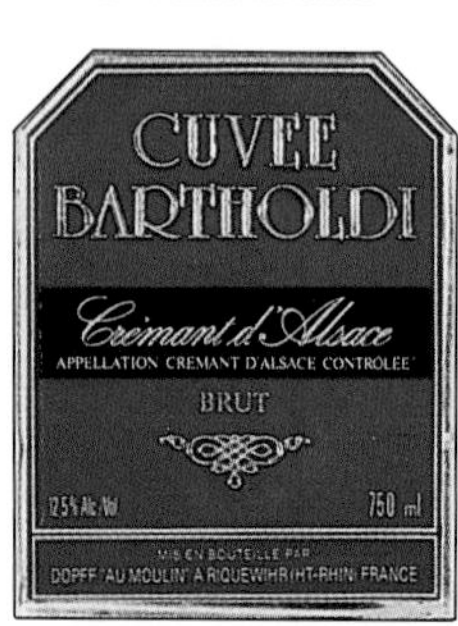

Blanc Si le pinot blanc a l'acidité parfaite pour ce type de vin, il peut manquer de richesse et, au terme de nombreuses dégustations, je suis arrivé à la conclusion que le pinot gris offre le meilleur équilibre entre richesse et acidité.

pinot blanc, pinot gris, pinot noir, auxerrois, chardonnay, riesling

5-8 ans

Rosé Délicieux mousseux déployant un parfum plus pur que nombre de champagnes rosés.

pinot noir

1-2 ans

✓ *Paul Blanck • Robert Dietrich • Dopff au Moulin • Hartenberger • Laugel • Meyerling*

AOC EDELZWICKER

Cette appellation, qui signifie « mélange noble », est réservée aux mélanges de deux cépages ou plus autorisés, et, naguère, ce vin fut en effet noble. Mais, depuis la suppression de l'AOC zwicker, qui ne prétendait à aucune noblesse, et compte tenu du fait qu'aucune législation ne spécifiait quelles étaient les variétés nobles, les vignerons rebaptisèrent simplement leurs mélanges edelzwicker. Cette appellation ayant été galvaudée tant et plus, de nombreux producteurs préfèrent vendre leurs petits vins d'AOC Alsace sous un nom de marque, plutôt que de faire figurer l'infamant edelzwicker sur l'étiquette.

Blanc Vins essentiellement secs et légers, à l'arôme franc, à boire jeunes. Bien que ces mélanges soient composés pour l'essentiel de sylvaner et de pinot blanc, il en existe de plus chers ou de meilleurs où entre le gewurztraminer, dont la touche généreuse apporte un peu de gras à l'ensemble.

chasselas, sylvaner, pinot blanc, pinot gris, pinot noir, auxerrois, gewurztraminer, muscat blanc à petits grains, muscat rosé à petits grains, muscat ottonel, riesling.

à l'achat

✓ *Rolly Gassmann • Domaines Schlumberger • Cristal-Marée*

AOC GEWURZTRAMINER

Aucune autre région vinicole au monde n'est parvenue à élaborer un gewurztraminer aussi épicé, ce qui explique sans doute qu'il soit si souvent le premier vin d'Alsace que l'on goûte. Son style opulent est d'une séduction immédiate.

Blanc Le plus gras et puissant de tous les vins d'Alsace. Classiquement, il exprime des arômes de banane dans sa jeunesse et ne dévoile qu'en bouteille son intensité épicée, développant parfois à maturité une riche note de gingembre.

gewurztraminer

3-10 ans (20-30 ans pour les grands)

✓ *Barmès-Buecher • Charles Baur • Jean Becker • Léon Beyer • Paul Blanck • Bott-Geyl • Albert Boxler • Camille Braun • Marcel Deiss • Dirler • J. Hauller & Fils • Hugel & Fils • André Kientzler • Charles Koehly • Kuentz-Bas • Frédéric Mallo • Mittnacht-Klack • Muhlberger • Muré* (clos-saint-landelin) *• Domaine Ostertag • Rolly Gassmann • Domaine Martin Schaetzel • Edgard Schaller • Gérard Schueller • Domaines Schlumberger • Jean Sipp • Bruno Sorg • Domaine Spielmann • F. E. Trimbach • Domaine Weinbach • Wolfberger • Domaine Zind Humbrecht* **Vendange tardive** : *J. B. Adam • Joseph Cattin • René Fleith • Geschikt • Hugel & Fils • Robert Young • André Kientzler • Kuentz-Bas • Domaine Ostertag • André Thomas • CV de Turckheim • Domaine Weinbach • Domaine Zind Humbrecht* **Sélection de grains nobles** : *Paul Blanck • Albert Boxler • Dirler • Hugel & Fils • Kuentz-Bas • Albert Mann • Rolly Gassmann • Sick-Dreyer • Pierre Sparr • F. E. Trimbach • Domaine Weinbach • Domaine Zind Humbrecht*

AOC GUTEDEL

Appellation sous laquelle l'AOC chasselas peu être commercialisée. *Voir* AOC chasselas.

AOC KLEVENER DE HEILIGENSTEIN

Une curiosité en Alsace pour trois raisons : ce vin est tiré d'un cépage originaire du Jura, absent partout ailleurs en Alsace; de toutes les appellations communales célèbres (rouge d'Otrott, rouge de Rodern, rosé de Marlenheim, etc.), elle est la seule à être précisément réglementée; enfin, il s'agit de la seule variété d'Alsace géographiquement circonscrite, en l'ocurrence à la commune d'Heiligenstein. Il ne faut pas confondre le klevener avec le klevner, synonyme de pinot blanc.

Blanc Vins secs et légers, au nez discrètement épicé, et délicatement fruités en bouche.

savagnin rosé

2-4 ans

✓ *CV d'Andlau • Jean Hewang • Ch. Wantz*

AOC KLEVNER

Voir **AOC pinot blanc**

AOC MUSCAT

Certains vignerons prétendent que le meilleur muscat est élaboré en Alsace, qu'il s'agisse des riches variétés à petits grains blancs ou à petits grains roses. D'autres tiennent que le muscat ottonel, plus léger et floral, est supérieur. L'idéal est sans doute un mélange des deux. Ces vins réussissent mieux les années moyennes, ou les bonnes années si l'acidité est suffisante, plutôt que dans les grands millésimes.

Blanc Vins secs aromatiques, au nez floral à l'arôme de fleur d'oranger, et, en bouche, une note de pêche. Un muscat de haute qualité qui exprime son terroir est un vin exceptionnel.

muscat blanc à petits grains, muscat rosé à petits grains, muscat ottonel

à l'achat

✓ *Becker • Ernest Burn* (Clos Saint-Imer) *• Dirler • Paul Ginglinner • André Kientzler • Marc Kreydenweiss • Kuehn • Kuentz-Bas • Frédéric Mochel • Muré* (Clos Saint-Landelin) *• Rolly Gassmann • Charles Schleret • Bruno Sorg • Domaine Spielmann • Domaine Weinbach • Maison Wiederhirn • Domaine Zind Humbrecht* **Vendange tardive** : aucune **Sélection de grains nobles** : *Jean Becker*

AOC PINOT

Ce vin n'est pas forcément issu de pur pinot blanc, mais d'une des variétés de pinot, y compris l'auxerrois (souvent confondu avec le pinot blanc, en fait totalement différent). La plupart des pinots sont des mélanges de pinot blanc et d'auxerrois; plus on gagne le nord, plus on utilise l'auxerrois pour donner du gras au pinot blanc.

Blanc Il arrive que les pinots soient sans corps, mais on rencontre beaucoup moins de ces vins désossés, car ce sont les cuvées tendres et juteuses qui ont apporté à cette appellation la plus forte croissance des vins d'Alsace.

pinot blanc, auxerrois, pinot noir (vinifié en blanc), pinot gris

2-4 ans

✓ *J. B. Adam • Paul Blanck • Camille Braun • CV de Cléebourg • Marcel Deiss • Jos Meyer • Hugel & Fils • Koeberlé-Kreyer • Charles Koehly • Albert Mann • CV de Pfaffenheim • Rolly Gassmann • Domaine Spielmann • Domaine Zind Humbrecht*

AOC PINOT BLANC

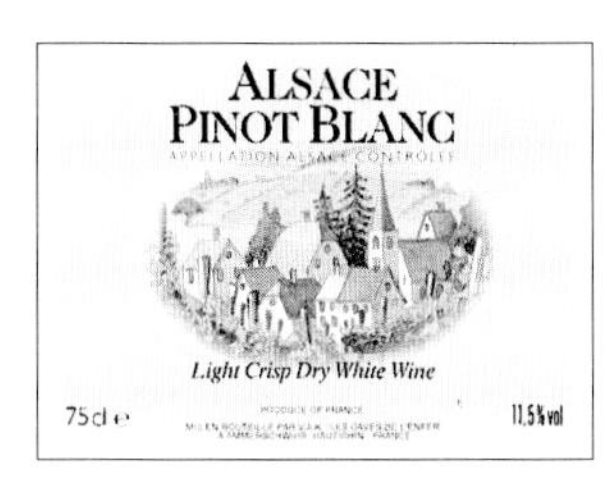

Cette appellation est réservée à des vins issus à 100% de pinot blanc. *Voir aussi* AOC pinot.

AOC PINOT GRIS

Cette appellation est devenue la manière la plus commode de commercialiser les vins issus de ce riche cépage qu'est le pinot gris, lequel, à mon sens, donne les plus grands vins d'Alsace; si le meilleur riesling a beaucoup plus de finesse, ce cépage est si sensible qu'on ne peut trouver nulle part de vin aussi constant que le pinot gris.

Blanc Ce vin charnu, pas tout à fait sec, est d'une richesse décadente, mais d'une excellente acidité; si ample soit-il, il ne lasse pas en bouche. Un jeune pinot gris peut exprimer des arômes de banane, de fumé parfois, peu ou pas d'épices, mais, avec la maturité, il développe toujours plus de notes épicées et fumées, grillées et crémeuses, pour finir au bout de quelques bonnes années de bouteille sur des accents miellés de fruits secs.

pinot gris

5-10 ans

Lucien Albrecht • *Barmès-Buecher* • *Bott Frères* • *Albert Boxler* • *Maison Ernest Burn* (Clos Saint-Imer) • *CV de Cléebourg* • *Marcel Deiss* • *Robert Dietrich* • *Ehrhard* • *Pierre Frick* • *Hugel & Fils* • *André Kientzler* • *Charles Koehly* • *Marc Kreydenweiss* • *Kuentz-Bas* • *Seppi Landmann* • *Landmann-Ostholt* • *Frédéric Mallo* • *Albert Mann* • *Mittnacht-Klack* • *Muller-Koeberlé* • *Muré* (Clos Saint-Landelin) • *Domaine Ostertag* • *CV de Pfaffenheim* • *Edgar Schaller* • *Schleret* • *Domaines Schlumberger* • *Domaine Schoffit* • *Jean Sipp* • *Bruno Sorg* • *F. E. Trimbach* • *CV de Turckheim* • *Domaine Weinbach* • *Maison Wiederhin* • *Wolfberger* • *Bernard Wurtz* • *W. Wurtz* • *Domaine Zind Humbrecht* • *Zimmermann*

Vendange tardive : *Lucien Albrecht* • *Joseph Cattin* • *Hugel & Fils* • *Marc Kreydenweiss* • *Kuentz-Bas* • *Domaine Ostertag* • *Vignobles Reinhart* • *Domaine Zind Humbrecht*

Sélection de grains nobles : *J. B. Adam* • *Albert Boxler* • *Marcel Deiss* • *Hugel & Fils* • *Marc Kreydenweiss* • *Kuentz-Bas* • *Domaine Ostertag* • *F. E. Trimbach* • *Domaine Weinbach* • *Domaine Zind Humbrecht*

AOC PINOT NOIR

Il n'y a pas si longtemps, le pinot noir d'Alsace était synonyme de rosé, mais la tendance vers un style de vin authentiquement rouge se confirme. Après une période d'apprentissage laborieuse, au cours de laquelle l'extraction était fréquemment trop poussée, les vins manquant d'élégance, enclins à une oxydation rapide et exprimant des accents caramélisés intempestifs, les viticulteurs maîtrisent maintenant mieux les caractéristiques du chêne et les méthodes de vinification en rouge.

Rouge À la première édition de cet ouvrage en 1988, le vin le plus constant était le rouge d'Alsace de Wolfberger (élevé en fûts de chêne) et il reste sérieux, mais bien d'autres producteurs obtiennent des vins à la robe soutenue, qui montrent de réelles qualités, de l'élégance et de la finesse. Ils ne peuvent rivaliser avec les pinots noirs de Bourgogne même de niveau moyen, mais c'est bien l'Alsace qui s'exprime à travers leur fruité pur.

pinot noir

2-6 ans (12 ans pour les cuvées exceptionnelles)

Rosé Les meilleurs de ces vins secs et légers expriment de délicieux arômes aux notes de fraise, de framboise ou de cerise.

pinot noir

1-2 ans

Marcel Deiss • *Albert Herz* • *Hugel & Fils* • *CV de Pfaffenheim* • *CV de Turckheim* • *Wolfberger*

AOC RIESLING

Le riesling est le cépage le plus sensible à la nature du sol : l'argile donne de la richesse et du gras; le riesling granitique est également riche, mais en plus fin; le calcaire apporte de la finesse mais moins de richesse; enfin le sol volcanique produit des vins aux arômes puissants, épicés.

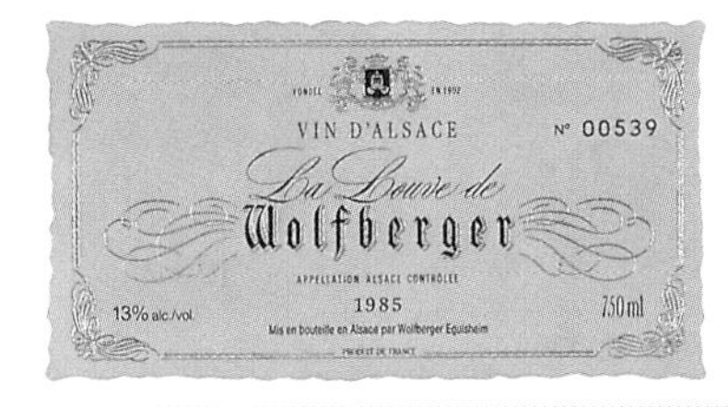

Blanc Dans leur jeunesse et lorsqu'ils sont fins, ces vins expriment des arômes de pomme, de fenouil, d'agrumes et de pêche, mais ils peuvent rester si austères et fermés qu'ils ne laissent rien soupçonner de leur magnifique évolution.

riesling

4-20 ans

J. B. Adam • *Barmès-Buecher* • *Léon Baur* • *Léon Beyer* • *Paul Blanck* • *Albert Boxler* • *François Braun* • *Marcel Deiss* • *Dirler* • *Pierre Freudenreich* • *Albert Herz* • *Marc Freydenweiss* • *Kuentz-Bas* • *Mader* • *Frédéric Mallo* • *Albert Mann* • *Frédéric Mochel* • *Muré* (Clos Saint-Landelin) • *Rolly Gassmann* • *Edgard Schaller* • *Roland Schmitt* • *Domaines Schlumberger* • *Domaine Schoffit* • *Jean Sipp* • *Louis Sipp* • *Sipp-Mack* • *Bruno Sorg* • *Pierre Sparr* • *Domaine Spielmann* • *Bernard Schwach* • *F. E. Trimbach* • *Domaine Weinbach* • *Wunsch & Mann* • *Domaine Zind Humbrecht*

Vendange tardive : *Paul Blanck* • *Hugel & Fils* • *André Kientzler* • *Marc Kreydenweiss* • *Domaine Ostertag* • *Schlegel-Boeglin* • *Domaine Weinbach* • *Domaine Zind Humbrecht*

Sélection de grains nobles : *J. B. Adam* • *Albert Boxler* • *Marcel Deiss* • *Hugel & Fils* • *Marc Kreydenweiss* • *André Kientzler* • *Domaine Ostertag* • *F. E. Trimbach* • *Domaine Weinbach* • *Domaine Zind Humbrecht*

AOC SYLVANER

Hugh Johnson a un jour décrit justement le sylvaner comme un « vin de pichet ». Et c'est bien ainsi qu'il faut le servir : directement tiré du tonneau, plus exactement de la cuve d'acier où il aura gardé tout le sémillant du gaz carbonique naturel qui serait inévitablement éliminé par la mise en bouteille. Comme le muscat, le sylvaner ne réussit pas sous la chaleur des grands millésimes; c'est donc un vin qu'il faut acheter les moins bonnes années. Si les vignerons alsaciens voulaient obtenir chaque année un grand sylvaner, ils devraient prendre exemple sur Angelo Publisi de la Balladean Winery (*Voir* p. 543), qui reproduit le style de vendange tardive en taillant les tiges juste après la véraison. Les grappes sont ainsi isolées du métabolisme de la vigne et le résultat s'apparente au processus de la chute des feuilles et du refoulement de la sève dans le système racinaire aux premiers froids. Le vin élaboré par cette méthode est constamment fabuleux.

Blanc Le sylvaner d'Alsace n'est pas aussi gras que le Rheinpfalz Sylvaner, ni même aussi épicé que le silvaner [sic] de Franconie, ce qui ne laisse pas d'étonner dans une région qui parvient à obtenir du pinot blanc épicé. Ces vins sont secs, sans prétention, légers à assez étoffés, parfumés plutôt que fruités. Il faut les boire en général assez jeunes, mais, comme dans le cas du muscat, on peut trouver des sylvaners de garde.

sylvaner

à l'achat

Paul Blanck • *Christian Dolder* • *Dopff au Moulin* • *J. Hauller* • *Rolly Gassmann* • *Domaine Martin Schaetzel* • *Domaine Schoffit* • *Domaine Weinbach* • *Domaine Zind Humbrecht*

AOC VIN D'ALSACE

Autre appellation de l'AOC Alsace. *Voir* AOC Alsace.

VDQS VIN DE MOSELLE

Bien que de nombreux restaurants persistent à appeler le mosel allemand « vin de Moselle », le fleuve et sa région vinicole portent en Allemagne le nom de Mosel, et ne devient la Moselle qu'une fois la frontière française passée.

Rouge Le peu que j'en ai vu ne m'a pas laissé d'impression.

un minimum de 30% de gamay, avec du pinot meunier et du pinot noir

à l'achat

Blanc Vins légers, secs, sans corps.

auxerrois, pinot blanc, pinot gris, riesling, gewurztraminer, un maximum de 30% de sylvaner et, avant d'être remplacé par d'autres cépages, un maximum de 20% d'ebling

à l'achat

LE CHOIX DE L'AUTEUR

On ne trouvait autrefois, notamment hors de France, les vins d'Alsace de bonne qualité que chez les meilleurs marchands de vin. Heureusement, leur distribution a été améliorée et ils sont maintenant disponibles dans les chaînes de magasins spécialisés et même dans certains supermarchés.

PRODUCTEUR	VIN	STYLE	DESCRIPTION	🍷
Jean Becker	Muscat grand cru Froehn 1988 (*voir* p. 183)	BLANC	Ce vin se distingue de tout ce qui a pu se faire en Alsace. En récoltant chaque grappe complètement botrytisée à la fourchette à escargots, Philippe Becker a obtenu un arôme de pourriture noble fabuleusement concentré, renforcé par un sucre résiduel massif de 204 g/l, et équilibré par un taux d'acidité exceptionnellement élevé. Plutôt qu'une sélection de grain nobles, ce serait un vin de paille parfaitement réussi. Notre seul souhait est qu'il soit assez fou pour recommencer.	5 à 15 ans
Paul Blanck	Riesling grand cru Furstentum (*voir* p. 183)	BLANC	La réputation de ce grand cru repose presque uniquement sur les vins élaborés par Paul Blanck. Qui a goûté un de ses vins en a goûté cinquante tant ce producteur a su comprendre ce terroir et en tirer tout le parti possible. Ce riesling est en effet très fin, élégant et floral dans sa jeunesse ; le fruit gagne une grande intensité avec l'âge et, à mesure que son arôme acquiert de la profondeur, sa finesse augmente.	4 à 12 ans
Albert Boxler	Riesling sélection de grains nobles, grand cru Sommerberg (*voir* p. 185)	BLANC	Voici un vin d'une richesse magnifique, avec une intensité de fruit mûr surprenante et une grande finesse. Sa qualité le hisse au niveau des grands noms tels que Zind Humbrecht *et al.*	5 à 20 ans
Maison Ernest Burn	Pinot gris grand cru Goldert (*voir* p. 184) Clos Saint-Imer, La Chapelle	BLANC	Ce vin étonnant allie les fruits exotiques, une incroyable richesse crémeuse et une grande finesse.	5 à 12 ans
Marcel Deiss	Pinot gris sélection de grains nobles Quintessence (*voir* p. 189)	BLANC	Vin d'une richesse fabuleuse, aux fruits doux intenses, si onctueux qu'il en serait pâteux n'était son acidité scintillante.	7 à 35 ans
Marcel Deiss	Pinot noir vieilles-vignes Bergheim-Burlenberg (*voir* p. 189)	ROUGE	L'expressivité frénétique de Jean-Michel Deiss donne un pinot noir de qualité et de proportions classiques, aussi riche par sa vivacité que par sa robe. Il est magnifiquement structuré, avec un caractère variétal puissant et des notes complexes de grillé et de fumé.	5 à 12 ans
Marcel Deiss	Riesling sélection de grains nobles Quintessence (*voir* p. 189)	BLANC	Ce nectar superbement liquoreux et concentré au plus point serait-il le plus grand riesling de pourriture noble au monde? Assurément, l'équilibre vibrant qu'il réalise entre une formidable douceur miellée et une acidité exubérante ne peut être comparé qu'aux très grands et légendaires eisweins allemands.	7 à 35 ans
Dopff au Moulin	Crémant d'Alsace (*voir* p. 188), Cuvée Bartholdi	BLANC EFFERVESCENT	Malgré son habillage de mousseux italien, ce vin très stylé conserve longtemps sa jeunesse ; il lui faut attendre quelque huit ans après la vendange pour déployer tout son potentiel classique. Cette cuvée est un hommage au sculpteur Bartholdi, natif de Colmar, célèbre pour sa statue de la Liberté.	5 à 10 ans
Hugel & Fils	Pinot gris (*voir* p. 189) vendange tardive	BLANC	Élaboré par les grands maîtres des vendanges tardives, ce pinot gris est toujours tendre et miellé, exprimant des fruits sucrés et épicés. C'est un vin voluptueusement complexe de très grande classe et d'une longévité extraordinaire.	7 à 35 ans
Hugel & Fils	Riesling (*voir* p. 189) vendange tardive	BLANC	Personne, que ce soit Trimbach, Weinbach ou Zind Humbrecht, ne fait le riesling vendange tardive tout à fait comme Hugel, qui, il faut le rappeler, est un pionnier en la matière, et dont les caves recèlent encore des trésors du XIXe siècle. Élaboré seulement les grandes années, ce riesling atteint avec grâce ses 60 ans ou plus avec des notes merveilleusement miellées.	10 à 60 ans
Hugel & Fils	Riesling (*voir* p. 189) sélection de grains nobles	BLANC	Cette maison prestigieuse possède le plus grand nombre de millésimes exceptionnels dans ce style de vin, ridiculement faciles à boire dès la mise en bouteille, mais qu'il serait dommage de déranger avant leur première expression de finesse à quelque 15 ou 20 ans.	15 à 100 ans
Kuentz-Bas	Gewurztraminer grand cru Eichberg (*voir* p. 183)	BLANC	Aussi délicieux, voluptueux et capiteux qu'un bon gewurztraminer doit l'être, mais avec une concentration exceptionnelle, une classe et une finesse rarement rencontrées dans ce cépage.	5 à 15 ans

PRODUCTEUR	VIN	STYLE	DESCRIPTION	
Kuentz-Bas	Gewurztraminer vendange tardive, grand cru Eichberg (*voir* p. 183), Caroline	BLANC	Ce vin sublime déborde de fruits succulents, puissants et d'une finesse remarquable. Toujours un grand vin, ce vendange tardive est dans les meilleures années plus réussi que beaucoup de grains nobles, et c'est un investissement qui vaut la peine.	5 à 25 ans
Kuentz-Bas	Gewurztraminer sélection de grains nobles, grand cru Pfersigberg (*voir* p. 185), Cuvée Jeremy	BLANC	Un vin fabuleusement riche et voluptueux, trop stylé pour être décadent, exprimant des notes épicées, de fruits et de fleurs intenses mais élégantes.	5 à 35 ans
Rolly Gassmann	Muscat (*voir* p. 188) Moenchreben	BLANC	Le fruit onctueux, aux notes exotiques de rose et de zeste d'orange, de ce vin est habilement relevé par une touche de sucre résiduel. Il n'est pas absolument sec, mais entièrement satisfaisant.	1 à 4 ans
Bruno Sorg	Muscat grand cru Pfersigberg (*voir* p. 185)	BLANC	C'est tout simplement le meilleur muscat d'Alsace.	2 à 5 ans
F. E. Trimbach	Gewurztraminer (*voir* p. 188), Cuvée des seigneurs de Ribeaupierre	BLANC	Ce vin est en complète opposition avec celui de Kuentz-Bas, au style opulent, mais il montre autant de classe et de qualité pour qui s'attend à avoir le palais assailli par la puissance épicée qu'un gewurztraminer peut dégager après ses années de garde.	10 à 20 ans
F. E. Trimbach	Gewurztraminer (*voir* p. 188) sélection de grains nobles et hors choix 1988	BLANC	Moins voluptueux que le gewurztraminer grains nobles de Kuentz-Bas, ce vin, au demeurant mieux structuré, l'égale par sa concentration miellée de pourriture noble. Encore plus opulent, le hors choix atteint des paroxysmes de concentration	10 à 40 ans
F. E. Trimbach	Riesling (*voir* p. 189) Clos-Sainte-Hune	BLANC	Que dire de ce riesling quintessencié? Clairement plus léger que la cuvée Frédéric Émile, il demande à passer presque deux fois plus de temps en bouteille, ce qui dénote une beaucoup plus grande finesse et aide à comprendre pourquoi il s'agit sans doute du plus grand riesling au monde.	12 à 50 ans
F. E. Trimbach	Riesling (*voir* p. 189), Cuvée Frédéric Émile	BLANC	À qui goûterait pour la première fois de ce vin et du clos-sainte-hune, on pardonnerait d'estimer que la cuvée Frédéric Émile est le plus grand des deux, car il est plus gras, séduit dès le plus jeune âge et donne à maturité un riesling classique, fabuleusement riche et miellé.	6 à 30 ans
Domaine Weinbach	Gewurztraminer (*voir* p. 188), Cuvées Laurence et Théo	BLANC	Ces deux vins sont gras, stylés et succulents, mais la cuvée Laurence est plus exotique, florale et épicée, avec des notes complexes d'épices et de miel, tandis que la cuvée Théo est plus ample et hardie, peut-être un tout petit peu plus racée.	5 à 12 ans
Domaine Weinbach	Pinot gris (*voir* p. 189) sélection de grains nobles Quintessence	BLANC	Voici un vin d'une richesse décadente, fabuleusement complexe, exprimant toujours un arôme intense de pourriture noble, et qui a pu rivaliser avec le château-d'yquem.	6 à 20 ans
Domaine Weinbach	Riesling grand cru Schlossberg (*voir* p. 185), Cuvée Sainte-Catherine	BLANC	Ce vin offre des arômes floraux magnifiques, des fruits absolument captivants, une finesse étonnante, et, bien que ce soit un pur régal, il tient aussi en réserve une grande complexité.	4 à 20 ans
Domaine Weinbach	Riesling (*voir* p. 189) sélection de grains nobles Quintessence	BLANC	Qui a goûté à la sélection de grains nobles « ordinaire » de Mme Faller se demande comment il est possible d'améliorer la qualité immaculée de ce vin. Et pourtant, depuis ce millésime inaugural de 1989, Quintessence a bien gagné sa place à part.	5 à 30 ans
Domaine Zind Humbrecht	Gewurztraminer grand cru Rangen (*voir* p. 185) clos-Saint-Urbain et Gewurztraminer Clos Windsbuhl	BLANC	Tous les gewurztraminers de cette maison expriment une richesse et une complexité spectaculaires de notes fumées, beurrées et épicées, mais ce sont ces deux vins qui montrent probablement le plus de finesse.	5 à 15 ans
Domaine Zind Humbrecht	Gewurztraminer sélection de grains nobles, grand cru Rangen (*voir* p. 185) Clos-Saint-Urbain	BLANC	Ce nectar en puissance ultra-épicé devrait représenter l'alliance ultime entre une douceur appuyée de pourriture noble et une structure ferme.	8 à 40 ans
Domaine Zind Humbrecht	Pinot gris grand cru Rangen (*voir* p. 185) Clos-Saint-Urbain	BLANC	De structure massive, ce vin est si puissamment parfumé qu'il demande, même les plus petites années, une bonne décennie pour acquérir en bouteille tout son moelleux, déployer tous ses arômes, et montrer ne serait-ce que le début de la complexité et de la finesse qui se développeront à partir d'une richesse crémeuse d'épices.	8 à 15 ans
Domaine Zind Humbrecht	Pinot gris (*voir* p. 189) vendange tardive, Clos Windsbuhl	BLANC	Vin extraordinairement riche, d'un moelleux intense et d'une incroyable concentration, même pour une vendange tardive, et même pour Zind Humbrecht. Grâce à une fermeté de structure et d'acidité, d'une formidable complexité de notes crémeuses, beurrées de fruits secs et d'épices se dégage une grande finesse.	10 à 30 ans

LA VALLÉE DE LA LOIRE

Le vignoble de la vallée de la Loire forme un long ruban qui produit des blancs nerveux à ses deux extrémités, et des vins plus pleins dans sa partie centrale. C'est la contrée du sauvignon blanc, la seule région viticole au monde spécialisée dans le cabernet franc qui, dans les très grands millésimes, diffuse quelques-uns des vins botrytisés les plus somptueux.

Le plus long de nos fleuves, depuis sa source cévenole, parcourt un millier de kilomètres à travers douze départements. La grande diversité des sols, des climats et des cépages, qui caractérise ses berges et celles de ses affluents, se reflète dans la riche palette de vins offerte par les quatre grandes régions viticoles que l'on y distingue. La soixantaine d'appellations produit des rouges, des blancs et des rosés, tranquilles, pétillants et mousseux, allant du brut au très liquoreux.

LE PRINCIPAL CÉPAGE DE LOIRE

Du chenin blanc sont issus quatre types de vins : sec, demi-sec, moelleux et effervescent; cette diversité est due aux pratiques traditionnelles imposées aux vignerons par les conditions climatiques. Le raisin présente une forte acidité naturelle et, lorsqu'il est généreusement ensoleillé, un taux de sucre élevé. Toutefois, du point de vue viticole, la vallée de la Loire est une région septentrionale et les vignerons doivent s'accommoder des gelées tardives, des vents froids et des étés pluvieux. Lors des années ensoleillées, les producteurs ont tendance à faire le vin le plus riche possible, avec un raisin à la fois sucré et aromatique, mais le plus souvent, ils ne peuvent obtenir que du vin sec ou demi-sec. Cette irrégularité est à la source des problèmes de la région qui a du mal à asseoir sa réputation. Ajoutez à cela la surproduction, l'effet débilitant de la pourriture, trop fréquente, et le manque de sélection des grains à la vendange pour toutes les catégories, sauf pour les vendanges tardives ou le raisin botrytisé, et vous avez un tableau complet des raisons qui font de la vallée de la Loire la moins intéressante des régions viticoles françaises.

À l'exception des meilleurs savennières, les vins secs de chenin blanc sont en général trop maigres, trop âcres et trop acides. Inutile de dire qu'ils ne rehaussent pas la réputation de la région; toutefois, ils ont les mêmes caractéristiques que les vins de Champagne et s'ils sont décevants dans leur version tranquille, ils peuvent être plus que séduisants quand ils pétillent. Il n'est donc pas étonnant qu'au XIXe siècle, alors que le champagne prenait un grand essor, l'industrie du vin effervescent se soit implantée à Saumur; aujour-

LES MILLÉSIMES RÉCENTS DE LOIRE

1996 Des orages ont marqué l'été dans toute la France, mais la vallée du Rhône a été peu touchée. Dans le Muscadet, le raisin a mûri trop vite, et c'est pourquoi le millésime, quoi qu'on en dise, ne sera pas de bonne garde. Il a donné de bons sauvignons, d'excellents vins moelleux et des rouges superbes.

1995 Le meilleur depuis 1990. On trouve de superbes vins blancs secs parmi les muscadets, sancerres et pouilly-fumé, chez les producteurs qui ont vendangé tôt, alors qu'un *botrytis* abondant a donné d'excellents moelleux à Vouvray, Montlouis et dans les côteaux du Layon – lorsque les vignerons ont suffisamment attendu. En Anjou, à Bourgueil et à Chinon, les meilleurs ont produit des vins rouges d'une remarquable profondeur, généreux en fruit.

1994 Comme dans le reste du pays, le bel été a été gâché par les pluies au temps de la vendange. Les meilleurs producteurs de Vouvray, des Coteaux du Layon, de Bonnezeaux et des Quarts-de-Chaume sont les seuls à avoir diffusé quelque chose d'intéressant. Le Domaine des Roches-Neuves, à Saumur-Champigny, a été une bonne surprise.

1993 Là encore, des pluies d'automne ont effacé un superbe été. Toutefois, le Muscadet avait presque fini de vendanger et les meilleurs producteurs ont diffusé de très bons vins. Ceux qui ont pratiqué des rendements bas et une sélection stricte, dans le vignoble comme dans les chais, ont réussi des vins de grande classe : Domaine Victor Lebreton (anjou-villages), Domaine Philippe Delesvaux, Château de Fesles, Domaine de Laffourcade, Château Pierre Bise, Domaine Jo Pithon (coteaux-du-layon), Yannick Amirault (bourgueil), Charles Joguet (chinon) et Clos Rougeard (saumur-champigny).

1992 Millésime de qualité moyenne, à boire jeune.

LA LOIRE DEPUIS CHAMPTOCEAUX
Juché sur sa colline dominant le fleuve, ce bourg offre une superbe vue sur la vallée.

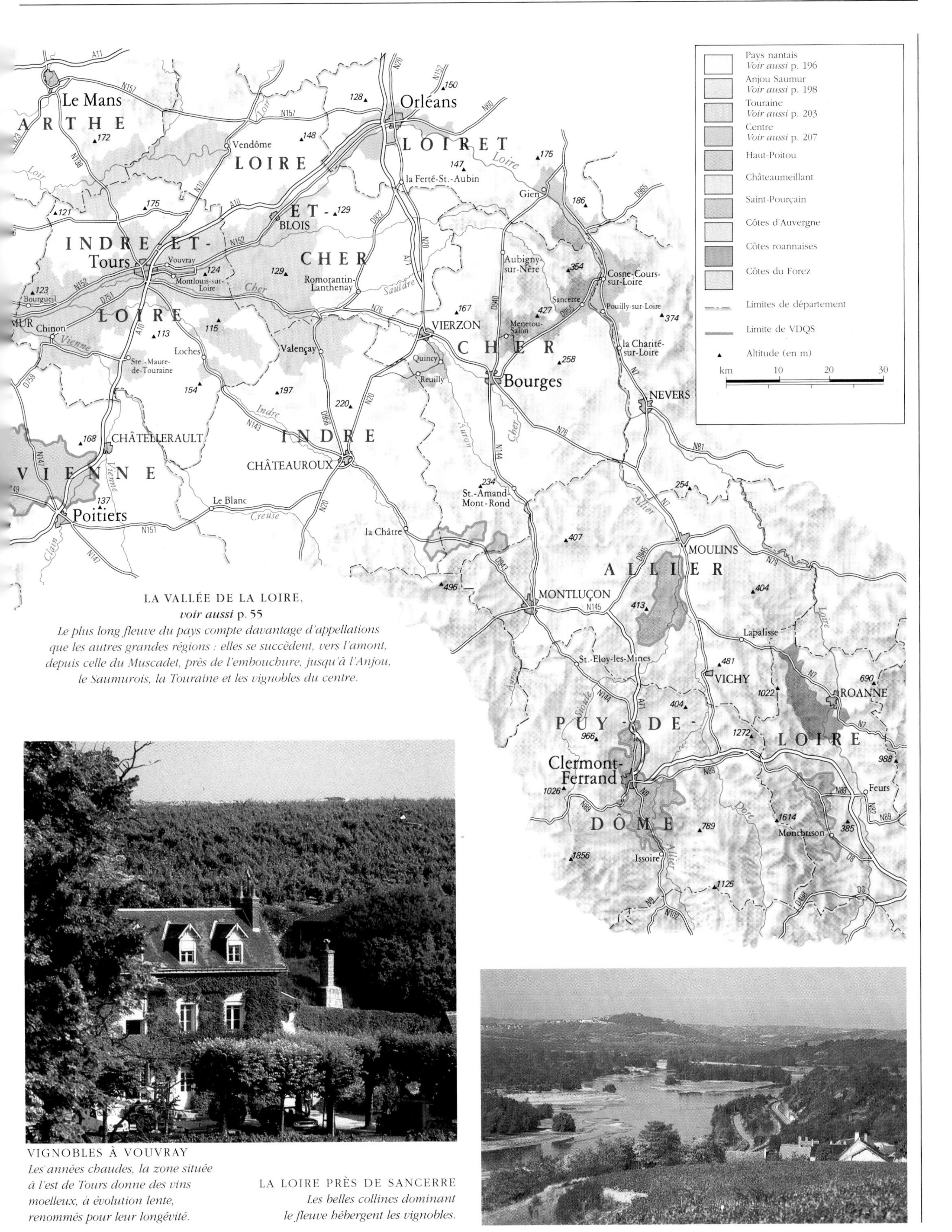

LA VALLÉE DE LA LOIRE, *voir aussi* p. 55

Le plus long fleuve du pays compte davantage d'appellations que les autres grandes régions : elles se succèdent, vers l'amont, depuis celle du Muscadet, près de l'embouchure, jusqu'à l'Anjou, le Saumurois, la Touraine et les vignobles du centre.

VIGNOBLES À VOUVRAY

Les années chaudes, la zone située à l'est de Tours donne des vins moelleux, à évolution lente, renommés pour leur longévité.

LA LOIRE PRÈS DE SANCERRE

Les belles collines dominant le fleuve hébergent les vignobles.

d'hui, elle arrive au deuxième rang pour le volume, après celle de la Champagne.
Mais ce serait une injustice de considérer que le chenin blanc n'est bon qu'à faire des bulles. Tout d'abord, il n'a pas ce caractère brut des cépages pour vins effervescents. Ses arômes subtils pâtissent des effets de la fermentation secondaire, au lieu de s'en épanouir. C'est d'ailleurs ce trait qui fait du chenin blanc un des plus grands cépages de la planète lorsqu'il est touché par le *botrytis*. Et ce n'est pas le raisin qu'il faut mettre en cause lorsqu'il est vinifié en vin tranquille, mais plutôt les méthodes employées par les vignerons et les vinificateurs.
Si le chenin blanc se taille la part du lion dans l'Anjou et le Saumurois, il a malheureusement été planté, depuis vingt-cinq ans, sur des sols inappropriés. Les producteurs, qui défendent leur intérêt à court terme au lieu de jouer la qualité, ont exploité la tendance de ce cépage à la surproduction. Il faudrait tailler sévèrement, mais les vignerons n'en ont généralement pas le courage; en outre, si le temps est incertain, ils vendangent trop tôt. Lorsque la récolte est abondante, les grains ne sont pas assez mûrs, surtout si l'on n'a pas assez attendu, et les arômes ne sont pas au rendez-vous. Toutefois, certains vignerons de la vallée de la Loire se distinguent en réduisant le rendement et en laissant le raisin mûrir, même s'ils prennent ainsi de gros risques.
Parmi les meilleurs, dont les vins de chenin blanc ravissent le palais, on peut citer le Domaine Baumard et le Moulin Touchais pour les coteaux du Layon, Foreau et Huet pour le Vouvray et Dominique Moyer à Montlouis.

LA SOURCE DE LA LOIRE
Le fleuve commence son périple dans l'Ardèche, avant de se diriger vers Orléans puis vers Nantes et l'Atlantique.

DE LA SOURCE À LA MER
Pour une raison qui m'échappe, on n'évoque d'ordinaire que les quatre grandes régions viticoles de Loire, le Pays nantais, l'Anjou et le Saumurois, la Touraine et le Centre. Si quelques ouvrages mentionnent les Fiefs vendéens et le Haut-Poitou, bien peu semblent connaître les appellations du cours supérieur de la Loire; pourtant, les vins des côtes du Forez, des côtes roannaises, des côtes d'Auvergne, de Saint-Pourçain et de Châteaumeillant font bel et bien partie de la famille. Et si les très bonnes appellations pourraient (et devraient) légitimement prendre place parmi les meilleures, beaucoup sont décevantes; c'est pourquoi les grandes régions sont courues par les amateurs, alors que les producteurs du cours supérieur ont encore tout à prouver.

LES APPELLATIONS GÉNÉRIQUES ET PÉRIPHÉRIQUES DE

LA VALLÉE DE LA LOIRE

CHÂTEAUMEILLANT VDQS

À la limite des départements du Cher et de l'Indre, Châteaumeillant peut s'enorgueillir d'une tradition viticole remontant au XIIe siècle. Toutefois, l'appellation est bien oubliée aujourd'hui. On n'y trouve que du rouge, bien qu'il y ait eu autrefois du blanc dont la production est toujours autorisée par les règlements.

Rouge Cultivé sur les sols volcaniques, le cépage gamay domine chez ces vins couleur rubis. Secs et peu charpentés, ils sont néanmoins fermes et doivent être bus jeunes.

gamay, pinot gris, pinot noir

6-12 mois

Cave vinicole de Châteaumeillant • Maurice Lanoix • Raffinat et Fils

CÔTES ROANNAISES AOC

Ces rouges et ces rosés sont en fait issus d'un clone localisé de gamay, nommé « gamay saint-romain», qui pousse sur des pentes au sud et au sud-ouest, en sol volcanique, sur la rive gauche de la Loire, à quelque 40 km à l'ouest du Mâconnais.

Dans la première édition de cet ouvrage (1988), j'avais écrit que cette appellation, à cette époque VDQS, méritait le statut d'AOC, qu'elle a obtenu depuis 1994.

Rouge Les vins, relativement corsés, passent soit par une forme de macération carbonique, soit par un certain vieillissement en fût. Les premiers sont fruités, du type beaujolais, et doivent être bus jeunes, alors que les seconds sont bien colorés et fermes, et ont du caractère.

gamay

1-5 ans

Rosé Les vins, secs, assez charpentés, bien vinifiés, sont nerveux et fruités.

gamay

2 ou 3 ans

Robert Chaucesse • Michel Montroussier (Bouthéran) • *Domaine du Pavillon • Robert Plasse • Marcel Vial*

CÔTES D'AUVERGNE VDQS

Au sud de Saint-Pourçain et à l'ouest des côtes du Forez, aux confins du Massif central, cette appellation est la plus excentrée de la vallée de la Loire, dont elle fait officiellement partie. Certaines communes produisent des vins supérieurs et ont le droit d'utiliser un nom spécifique : Côtes d'Auvergne-Boudes (villages de Boudes, Chalus et Saint-Hérant), Côtes d'Auvergne-Chanturgues (Clermont-Ferrand et, en partie, Cébazat) ; Côtes d'Auvergne-Châteaugay (Châteaugay et, en partie, Cébazat), Côtes d'Auvergne-Corent (Corent, Les Martres-de-Veyre, La Sauvetat et Vayre-Monton) et Côtes d'Auvergne-Madargues (Riom).

Rouges Parmi ces vins secs, légers et fruités, les meilleurs sont des chanturgues. Ils sont généralement issus du gamay, cépage traditionnel de la région, et sont assez proches des beaujolais.

gamay, pinot noir

1 ou 2 ans

Blancs Secs et légers, issus de chardonnay, ces vins ont été négligés mais ils sont plus abordables que les blancs du même cépage produits dans les régions de Loire plus renommées. Étant donné la réputation actuelle du chardonnay, ils devraient avoir des débouchés.

chardonnay

1 ou 2 ans

Rosé Ces vins secs et légers offrent de beaux arômes de cerise. Ils sont faits à Clermont-Ferrand sous l'appellation chanturgues.

gamay, pinot noir

1 an maximum

Henri Bourcheix • Raymond Romeuf • Rougeyron

CÔTES DU FOREZ VDQS

Proche d'un beaujolais VDQS, ce vin est produit dans le département de la Loire. La cave coopérative et certains bons viticulteurs font de louables efforts pour améliorer leurs vins – qui restent cependant perfectibles.

Rouges Vins un peu légers, mais assez fruités. Il faut les boire dans leur jeunesse et suffisamment frais.

gamay

sans attendre

Rosé Simples, légers et secs, les rosés sont de charmants vins de pique-nique, sans prétention.

gamay

sans attendre

Les Vignerons foréziens • *Paul Gammon*

CRÉMANT DE LOIRE AOC

Le plus sous-estimé des vins effervescents de Loire a cependant un remarquable potentiel puisqu'il est fait d'un mélange de vins d'Anjou, de Saumur et de Touraine, et d'une large gamme de cépages.

Mousseux blanc Les cuvées les plus équilibrées de ces vins, bruts ou demi-secs, sont en général un assemblage de chenin blanc (majoritaire), de cabernet franc et de chardonnay. Les meilleurs clones de chardonnay ne sont pas présents dans la région mais, au moins, le cépage est utilisé pour le crémant; ce n'est pas le cas pour le pinot noir, et c'est d'ailleurs un mystère car il s'agit d'un cépage régional qui a fait ses preuves.

chenin blanc, cabernet franc, cabernet sauvignon, pineau d'Aunis, pinot noir, chardonnay, arbois, grolleau noir et grolleau gris

1-3 ans

Mousseux rosé Les meilleurs de ces vins légers ou assez charpentés sont bruts et contiennent en général une forte proportion de grolleau noir et de cabernet franc. Celui-ci donne le vin le plus fin, souvent très coloré, aux arômes de framboise. Il serait intéressant de goûter un crémant rosé issu du seul pinot noir.

chenin blanc, cabernet franc, cabernet sauvignon, pineau d'Aunis, pinot noir, chardonnay, arbois, grolleau noir et grolleau gris

sans attendre en général, mais certains se bonifient sur 1 ou 2 ans.

Alain Arnault • *Gratien et Meyer* • *Château Langlois* (réserve millésimée) • *Michel Lateyron* (Perry de Malleyrand) • *Noël Pinot*

HAUT-POITOU VDQS

À une centaine de kilomètres de Tours et au nord de Poitiers, ce terroir jouit d'une très bonne réputation, ce qui est étonnant étant donné son climat chaud et sec et ses sols plats, apparemment plus favorables à l'élevage qu'à la viticulture.

Rouge Un vin à ne pas perdre de vue bien que les bons rouges – issus de cabernet – aient jusqu'à présent été assez rares. Mais le potentiel est là et l'on pourrait bientôt s'en apercevoir. Il faut en effet s'attendre à un net progrès qualitatif de toute l'appellation qui devrait nous gratifier de quelques rouges de cépage de très bon niveau.

pinot noir, gamay, merlot, malbec, cabernet franc, cabernet sauvignon – et aussi gamay de chaudenay et grolleau, l'un et l'autre dans la limite de 20%

dans les 3 ans

Blanc Ces vins de cépage sont secs, légers ou assez charpentés. Ceux qui sont issus du seul sauvignon sont charnus et plus floraux que leurs équivalents plus septentrionaux, mais ils ont aussi la fraîcheur et la vitalité, si importantes pour ce cépage. Ils sont réguliers à un bon niveau depuis 1978, quelles qu'aient été les conditions. Le chardonnay, en revanche, a été assez décevant, à l'exception d'un superbe vin de méthode classique baptisé « Diane de Poitiers ».

sauvignon blanc, chardonnay, pinot blanc, et aussi chenin blanc jusqu'à 20%

1 an maximum

Rosé Vins secs, légers ou assez charpentés, frais et fruités. La coopérative produit un cabernet d'une couleur un peu trop framboise, mais il existe aussi des vins plus subtils.

pinot noir, gamay, merlot, malbec, cabernet franc, cabernet sauvignon, et aussi gamay de chaudenay et grolleau, l'un et l'autre dans la limite de 20%

Dans les 3 ans

Cave coopérative du Haut-Poitou (sauvignon et Diane de Poitiers méthode classique) • *Robert Champalou* • *Gérard Descoux* • *Jacques Morgreau*

ROSÉ DE LOIRE AOC

Cette appellation a été créée en 1974 pour profiter du succès commercial mondial du rosé d'Anjou, à un moment où les vins secs commençaient à connaître la faveur du public. Malheureusement, les résultats ont été décevants bien que certains producteurs (cités ci-dessous) se soient efforcés de montrer que leur région était capable de produire des rosés secs d'excellente qualité.

Rosé sec Léger ou assez charpenté, le rosé de Loire pourrait (et devrait) être le plus séduisant des vins de sa catégorie. Certains vignerons s'y efforcent, mais c'est une minorité. Les vins peuvent être vendus à partir du 1er décembre suivant la récolte, sans mention « primeur » ou « nouveau ».

pineau d'Aunis, pinot noir, gamay, grolleau, et aussi cabernet franc et cabernet sauvignon, l'un et l'autre dans la limite de 20%

sans attendre

Clos de l'Abbaye • *Domaine d'Ambinois* • *Château de Breuil* • *Domaine Ogereau*

SAINT-POURÇAIN VDQS

Ce terroir viticole fort peu connu peut néanmoins s'enorgueillir d'une longue histoire puisque la vigne y a été plantée non par les Romains, comme dans le reste de la vallée de la Loire, mais par les Phéniciens. Il est constitué de dix-neuf communes de l'Allier, sur les berges de l'Allier et de la Sioule. Les vignerons ne manquent pas d'ambition et on pense généralement que les vins ont de l'avenir. Le vignoble de Saint-Pourçain s'étend sur 500 ha.

Rouge Les vins sont relativement bien corsés et charpentés. Pour le style, ils fluctuent entre le beaujolais très léger et le bourgogne-passe-tout-grain, selon les cépages présents dans l'assemblage.

gamay, pinot noir, et aussi gamay teinturier dans la limite de 20%

1 ou 2 ans

Blanc Vins secs et relativement légers. Le cépage tressalier (connu à Chablis sous le nom de « sacy »), lorsqu'il est marié au chardonnay et au sauvignon, donne un vin nerveux, riche en arômes, aux notes de fruits secs, qui ne manque pas de charme. On ne sait pas grand-chose du saint-pierre-doré; selon Rosemary George, on dit à Saint-Pourçain qu'il donne un vin « dégoûtant ».

Un maximum de 50% de tressalier et de 10% de saint-pierre-doré, et aussi aligoté, chardonnay et sauvignon blanc.

1-2 ans

Rosé Vins nerveux, secs et relativement légers, dispensant des arômes qui évoquent des fruits d'été bien fondants. Les rosés sont en général meilleurs que les rouges; toutefois, tous sont des vins pour la soif, particulièrement rafraîchissants.

gamay, pinot noir, et aussi gamay teinturier dans la limite de 10%

1-2 ans

Domaine de Bellevue • *Jean et François Ray*

PAYS NANTAIS

C'est ici le royaume du muscadet, et les vins les plus riches sont issus de Sèvre-et-Maine. Tout près, à l'ouest, le terroir a sa propre appellation (Côtes de Grandlieu). Dans les coteaux de la Loire, plus au nord, l'acidité est nettement plus marquée.

Les vignobles du muscadet s'étendent au sud-est de Nantes. Les meilleurs sont ceux de Sèvre-et-Maine, du nom des deux rivières qui traversent ce pays, plus vallonné que les campagnes qui l'environnent et protégé des vents du nord-ouest par Nantes elle-même. Cette zone ne représente qu'un quart de l'appellation, mais elle produit 85% de tout le muscadet. Ce n'est que dans les années exceptionnellement chaudes ou sèches, lorsque l'acidité naturelle du raisin est élevée, que les muscadets des coteaux de la Loire sont à même de surpasser ceux de Sèvre-et-Maine.

LE CÉPAGE MUSCADET ET SES VINS

On ne sait pas exactement quand le cépage muscadet, également appelé « melon de Bourgogne » et « gamay blanc », a été planté dans cette région. Au château de la Cassemichère, une plaque indique que les premiers ceps ont été importés de Bourgogne en 1740, mais Pierre Galet, ampélographe émérite, nous a affirmé qu'« à la suite du terrible hiver 1709, Louis XIV a ordonné que les vignobles de Loire-Atlantique touchés par le gel soient replantés en muscadet blanc ». Le vin issu de ce cépage présente des arômes assez neutres, sans cette nuance de musc suggéré par son nom. Il faut le vendanger tôt pour préserver son acidité mais, ce faisant, on risque de le priver aussi de toute note fruitée. Toutefois, maintenu en contact avec son dépôt et embouteillé « sur lie », il acquiert du fruit et s'arrondit de nuances de levures, et en conservant davantage le gaz carbonique de la fermentation, il se fait plus vif et plus frais.

NANTES
Autour de la cathédrale Saint-Pierre-et-Saint-Paul, les vieux quartiers contrastent, par leur charme, avec l'uniformité de la ville moderne.

VIGNES DU MUSCADET
Non loin de Nantes, vers l'océan, le bourg de Saint-Fiacre-sur-Maine émerge de l'étendue des vignobles.

FACTEURS AFFECTANT LE GOÛT ET LA QUALITÉ

SITUATION
Attenant à l'océan, le Pays nantais est situé à l'extrême ouest de la vallée de la Loire. Ses vignobles s'étendent sur deux départements, la Loire-Atlantique et le Maine-et-Loire.

CLIMAT
Doux et humide, mais l'hiver est parfois rude et les gelées de printemps ne sont pas rares. L'été est souvent chaud et ensoleillé, mais parfois pluvieux.

SITE
Dans l'embouchure du fleuve, au sud-est de Nantes, les vignobles se trouvent sur terrain plat. En Sèvre-et-Maine et dans les coteaux de la Loire, le paysage est vallonné et les meilleurs vignobles se trouvent sur les pentes douces des berges. Lorsque les vallées sont trop encaissées, la vigne se réfugie en haut des coteaux.

SOL
En Sèvre-et-Maine, les meilleurs sols sont légers et rocailleux, avec des proportions diverses de sable, d'argile et de grave, sur un sous-sol granitique, schisteux et volcanique riche en potassium et en magnésium. Les coteaux de la Loire sont plus schisteux, alors que les côtes de Grand-Lieu sont schisteuses et granitiques. Dans l'appellation générique, les sols sont sablonneux et limoneux. Le drainage est bon, ce qui est important sous climat humide.

VITICULTURE ET VINIFICATION
Le muscadet est un cépage rustique, précoce, bien adapté à l'humidité du climat nantais. On le vendange de bonne heure (deuxième moitié de septembre) afin de préserver l'acidité. Les meilleures cuvées sont conservées sur lies jusqu'à la mise en bouteille. Elles en tirent davantage de fruit et de profondeur ainsi qu'un très léger perlé.

CÉPAGES PRINCIPAUX
Muscadet, folle blanche
CÉPAGES SECONDAIRES
Gamay, gamay de chaudenay, gamay de Bouze, négrette, chardonnay, cabernet franc, cabernet sauvignon, pinot noir, chenin blanc, groslot gris

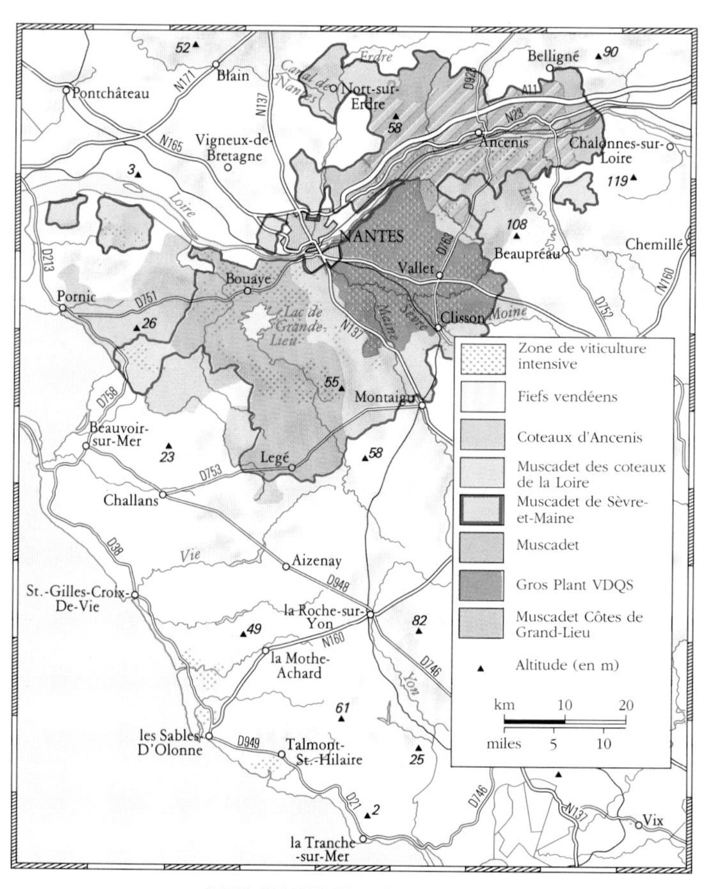

PAYS NANTAIS, *voir aussi* p. 192
Les vins les plus fins du Pays nantais sont produits à l'est de Nantes, en Sèvre-et-Maine et dans les coteaux de la Loire.

LES APPELLATIONS DU

PAYS NANTAIS

COTEAUX D'ANCENIS VDQS

Ces vins de cépage, issus des mêmes zones que les muscadets des coteaux de la Loire, mériteraient le statut d'AOC.

Rouge Légers ou modérément charpentés, ces vins sont notamment des cabernets, issus de cabernet franc et de cabernet sauvignon qui, paradoxalement, sont moins recherchés que les gamays. Ces derniers représentent 80% de la production de cette appellation.

cabernet sauvignon, cabernet franc, gamay, et aussi gamay de Chaudenay et gamay de Bouze dans la limite de 5% pour le total des deux cépages

2 ans

Blanc Vins secs ou très secs et légers. Le pinot gris, également appelé « malvoisie », n'est pas aussi alcoolisé que son cousin alsacien, mais exhibe parfois une belle richesse qui persiste en bouche. Le chenin blanc, appelé également « pineau de la Loire », est rarement effervescent.

chenin blanc, pinot gris

12 à 18 mois

Rosé Secs ou très secs, légers ou modérément charpentés, ces vins peuvent être frais, fermes et vifs. Le cépage le plus répandu est le gamay.

cabernet sauvignon, cabernet franc, gamay, et aussi gamay de Chaudenay et gamay de Bouze dans la limite de 5% pour le total des deux cépages

2 ans

Jacques Guindon

FIEFS VENDÉENS VDQS

Vin de pays jusqu'en 1984, cette appellation s'est constamment améliorée et mérite son statut de VDQS. Les règlements relatifs aux cépages y sont très spécifiques : ils déterminent l'encépagement des vignobles sans préciser de pourcentages pour l'assemblage des vins. Ce faisant, ils autorisent aussi bien les vins de cépage que d'assemblage.

Rouge On trouve les meilleurs sur les communes de Vix et de Mareuil-sur-Lay-Disais. Assez charpentés et fermes, ce ne sont toutefois pas des vins de garde. Ils montrent parfois une note herbacée qui leur vient du cabernet franc, cépage dominant dans les deux villages.

50% minimum de gamay et de pinot noir, et aussi cabernet franc, cabernet sauvignon, négrette – et gamay de Chaudenay dans la limite de 15%

dans les 18 mois

Blanc Ces vins secs ou très secs, légers, sont assez médiocres, sauf à Vix et à Pissotte, parce que le chenin blanc a du mal à mûrir dans cette zone côtière assez septentrionale. Il faudrait augmenter la proportion des autres cépages autorisés pour améliorer la qualité.

50% minimum de chenin blanc, et aussi sauvignon blanc et chardonnay. Dans les communes de Vix et de Pissotte, melon de Bourgogne dans la limite de 20%, et dans les vignobles côtiers aux alentours des Sables-d'Olonne, groslot gris dans la limite de 30%

sans attendre

Rosé Vins secs, légers ou peu charpentés. Les meilleurs, issus de Vix et de Mareuil-sur-Lay-Disais, sont charnus, délicats et sous-estimés.

50% minimum de gamay et de pinot noir, et aussi cabernet franc, cabernet sauvignon, négrette – et gamay de chaudenay dans la limite de 15%. Dans les vignobles côtiers aux alentours des Sables-d'Olonne, groslot gris dans la limite de 30% (40% jusqu'en 1994)

dans les 18 mois

Philippe Orion (Domaine de la Barbinière) • *Philippe et Xavier Coirer*

GROS-PLANT OU GROS-PLANT NANTAIS VDQS

Le gros-plant est le nom local de la folle blanche, un des cépages utilisés pour le cognac.

Blanc Le gros-plant est habituellement si sec, si acerbe et si dépourvu de fruit et de corps que la dégustation est une épreuve. Pour ma part, j'aurais préféré boire du jus de citron pur plutôt que 99% du gros plant que j'ai ingurgité dans ma vie. Toutefois, lorsque les rendements sont limités et que le vin est embouteillé sur lie, la profondeur peut être suffisante pour équilibrer le mordant – un peu comme pour le (bon!) muscadet sur lie.

gros-plant

sans attendre (en général)

Domaine de Beauregard • *Guy Bossard*

MUSCADET AOC

Cette appellation basique concerne toute la région du muscadet, mais les vins produits sous son nom ne représentent que 10% de la production totale.

Blanc Très secs et légers, ces muscadets sont au mieux, et à part quelques exceptions, des vins ordinaires, mais il manquent souvent d'équilibre. Ils peuvent être vendus avec la mention « primeur » ou « nouveau » à partir du troisième jeudi de novembre.

muscadet

sans attendre

Domaine des Herbauges • *Château de la Preuille*

MUSCADET DES COTEAUX DE LA LOIRE

Cette région viticole est la plus septentrionale des côtes françaises. Plus au nord, il est pratiquement impossible d'obtenir une maturation suffisante du raisin.

Blanc Très secs et légers, ces vins sont de qualité variable et manquent souvent de fruit. Toutefois, les années chaudes, on y déguste les meilleurs muscadets de toute la région.

muscadet

Sans attendre

Château La Berrière « Clos Saint-Roch » • *Domaine de la Garanderie* • *Jacques Guindon* • *Domaine des Herbauges* • *Château de la Roullière* • *Vignerons de la Noëlle*

MUSCADET CÔTES DE GRANDLIEU AOC OU MUSCADET CÔTES DE GRAND LIEU AOC

Délimitée récemment, en 1994, cette appellation a produit, par le passé, jusqu'à 73% du muscadet générique. Aujourd'hui, les vins se vendent évidemment plus cher, puisqu'ils ont reçu une promotion. Malheureusement, bien peu de producteurs la méritent.

Blanc Vins très secs et légers, assez divers.

muscadet

Sans attendre

Domaine de la Cambaudière • *Marquis de Goulaine* • *Domaine des Herbauges*

MUSCADET DE SÈVRE-ET-MAINE AOC

Excellent muscadet, issu d'une surface réduite où l'on trouve les meilleurs vins de ce type. Environ 45% de la production est embouteillée et vendue sur lie – le vin ayant passé au moins un hiver sur ses dépôts.

Blanc Les vins sont secs ou très secs, légers, et les meilleurs conjuguent fruit, acidité et élégance. Toutefois, s'ils rappellent parfois un bourgogne blanc modeste et que les bouteilles exceptionnelles soient capables de vieillir, ils s'améliorent rarement et privilégient la finesse sur la profondeur.

muscadet

2 ans, rarement 3 ou 4

Guy Bossard (Domaine de l'Écu – surtout la Cuvée Hermine d'Or) • *Château de Briacé* • *Domaine de la Chambaudière* • *Château du Coing de Saint-Fiacre* (Grande Cuvée Saint-Hilaire) • *Marquis de Goulaine* (Cuvée du Millénaire) • *Manoir La Grange* • *Leroux Frères* (Clos de Beauregard). *Pierre Luneau* • *Domaine de la Roche* • *Serge Saupin* (Cuvée des Lions) • *Sauvion* (Château du Cléray, Cuvée Cardinal Richard et Découverte) • *Domaine du Vieux Chat*

MUSCADET SUR LIE AOC

Jusqu'à une époque récente, les contrôles étaient inexistants et un producteur peu scrupuleux pouvait baptiser « sur lie » un vin ordinaire filtré, et augmenter ses prix. Mais depuis 1994, la mention ne peut s'appliquer qu'aux vins des trois sous-appellations (Coteaux de Loire, Côtes de Grandlieu, Sèvre-et-Maine), à l'exclusion des muscadets génériques. Cependant, tous les problèmes ne sont pas résolus pour autant. En effet, le gros-plant (VDQS) a toujours le droit de s'intituler « sur lie », et le plus médiocre ne s'en prive pas. Il faudrait donc renforcer les contrôles – plutôt que d'interdire la mention. La réglementation s'est améliorée mais il faut faire encore un effort.

À l'heure actuelle, le muscadet sur lie doit être en contact avec son dépôt durant un hiver et ne peut être embouteillé avant la troisième semaine de mars suivant la vendange, les vins plus charnus étant mis en bouteilles du 15 octobre au 15 novembre. En outre, le vin doit être embouteillé directement sur sa lie, sans filtrage ni soutirage. Cependant, le règlement ne précise pas le type de récipient dans lequel le vin doit rester sur sa lie, ni même sa contenance. Certains vignerons souhaitent que la mention ne soit autorisée que pour les vins en fût de bois car, disent-ils, l'effet de la lie est négligeable dans les cuves géantes.

Au moins, celles-ci devraient-elles être équipées de pales pour diffuser la lie.

Voir aussi : Muscadet des Coteaux de Loire AOC, Muscadet Côtes de Grandlieu AOC et Muscadet de Sèvre-et-Maine AOC.

ANJOU ET SAUMUROIS

L'Anjou et le Saumurois donnent, à eux seuls, une image de la vallée de la Loire viticole tout entière dans la mesure où on y retrouve presque tous les cépages et à peu près tous les styles, du sec au doux, du rouge au rosé, des vins tranquilles ou effervescents.

VIGNOBLES DES COTEAUX DU LAYON
Sur les sites favorables, les vignes sont parfois touchées par la pourriture noble et la région est réputée pour ses vins blancs moelleux.

Saumur est le grand centre de la région pour le vin mousseux ; en été, les touristes y affluent pour visiter les caves creusées dans le tufeau blanc. Construit dans la même pierre et dominant la ville, le magnifique château date du XIVe siècle. C'est l'un des plus beaux de la région et c'est aussi le théâtre des réunions de la Confrérie des chevaliers du Sacavins.

LES VINS D'ANJOU

Le rosé ne représente pas moins, encore, 45% de la production de tout l'Anjou, bien qu'il soit en déclin (il atteignait 55% à la fin des années 1980). Mais s'il connaît toujours le succès commercial, son image se dégrade et c'est, pour l'essentiel, un assemblage issu des cépages les moins intéressants. C'est pourquoi sa large diffusion n'a jamais conduit à rendre un cépage populaire. D'ailleurs, le chenin blanc, qui est ici le plus célébré, est surtout utilisé pour le vin blanc ; cultivé dans ce terroir depuis plus d'un millénaire, il a plusieurs synonymes dont « pineau de la Loire » et « franc blanc ». Le nom de chenin blanc, sous lequel on le connaît surtout, date du XVe siècle et a pour origine Mont-Chenin, en Touraine. Mais il est attesté, sous d'autres noms, dès 845, à l'abbaye de Glanfeuil, en Anjou, sur la rive gauche de la Loire. Le mordant qui caractérise ce cépage, est lié à son taux élevé d'acide tartrique qui, marié à un taux, également fort, d'extraits naturels, donne souvent des blancs, secs ou demi-secs, trop acerbes et amers. Il y a quelques rares exceptions, presque uniquement sur les quatre coteaux exposés au sud, très ensoleillés, de Savennières. Cependant, en Anjou, d'une manière générale, on attend le plus possible pour vendanger ce cépage. Les risques de pluie sont évidemment

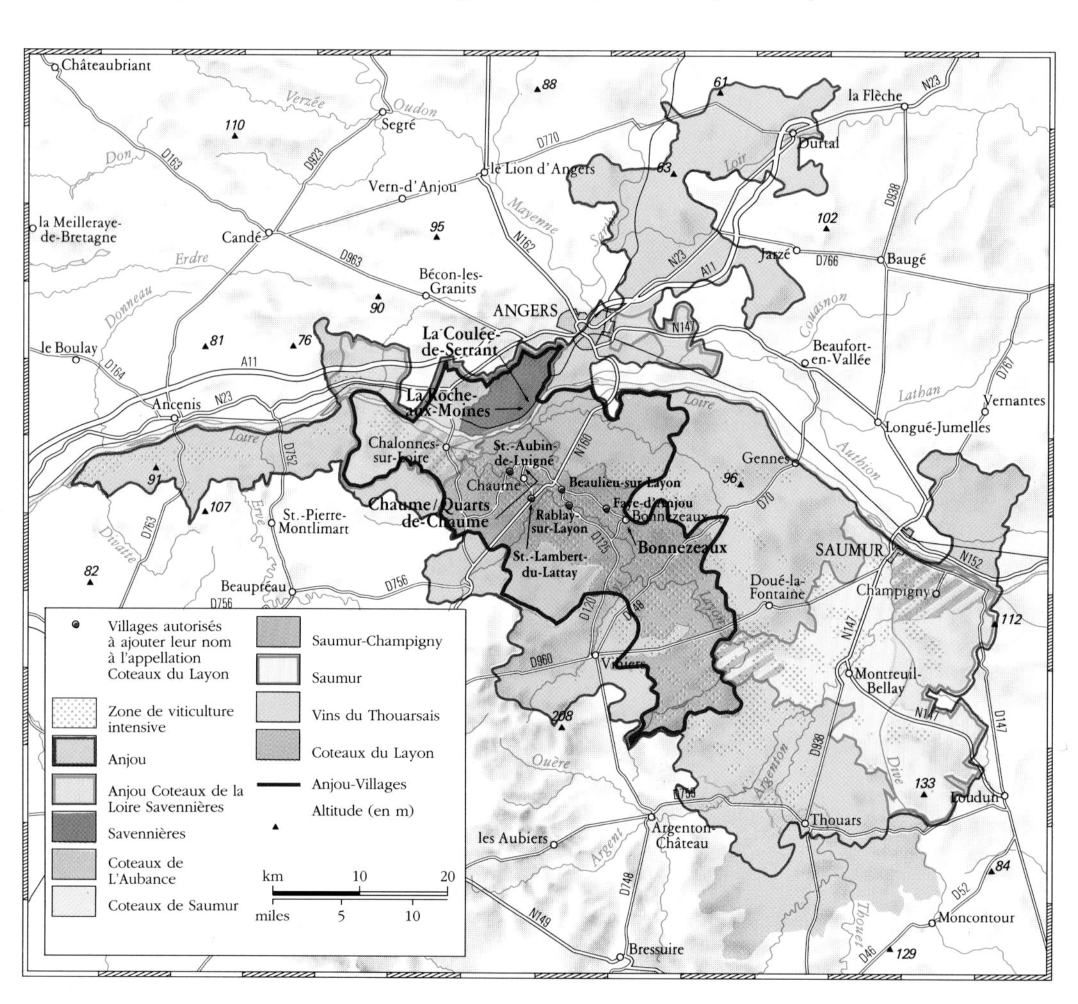

ANJOU-SAUMUROIS
Voir aussi p. 192
Depuis les mousseux de Saumur jusqu'à la large gamme de vins des environ d'Angers, l'Anjou et le Saumurois produisent pratiquement tous les types de vins faits dans la vallée de la Loire.

MISE EN BOUTEILLE À SAUMUR-CHAMPIGNY
Cette appellation produit les meilleurs rouges de la vallée de la Loire, à partir du cabernet franc.

SAUMUR
Autour du château du XIVe siècle, les maisons anciennes et pittoresques de la vieille ville sont en pierre blanche de tufeau, caractéristique de la région.

grands mais, en effectuant plusieurs tries pour ne ramasser que le raisin sain et mûr, il est possible de produire un vin presque miraculeux. Cette pratique demande du temps et de la peine mais ces précieux grains surmûris donnent un délicieux équilibre aux blancs moelleux. Au contraire des vins secs de chenin blanc, ternes et sans intérêt, ces breuvages mirifiques savent se bonifier et trouver une belle maturité, dans une onctuosité merveilleusement complexe.

L'INDUSTRIE DU SAUMUR MOUSSEUX

Au XIXe siècle, jaloux de l'envolée commerciale du champagne, les producteurs de la vallée de la Loire se sont mis à utiliser la même méthode de vinification, espérant trouver un débouché pour ces hectolitres de vins de chenin blanc, maigres et acides, que tous, même les meilleurs, avaient sur les bras. C'est ainsi que le Saumurois est devenu la deuxième région de France pour les vins effervescents.

Dans de nombreux terroirs de Loire, le raisin a l'acidité idéale pour donner un bon vin effervescent, bien que les puristes du champagne et de ses belles notes de levures puissent trouver son bouquet trop doux et trop aromatique pour être transcendé par la méthode champenoise. Heureusement, ces vins connaissent un franc succès et, d'ailleurs, l'adjonction du chardonnay et d'autres cépages neutres équilibre souvent bien l'assemblage. On a vu plus d'un inconditionnel du champagne succomber au charme d'un grand mousseux, pur chenin blanc, de Loire. Moi-même, je suis tombé amoureux du Trésor de Bouvet, fermenté sous chêne et délicieusement mûr.

CAVES DE TUFEAU
Roche tendre, le tufeau a permis de creuser de nombreuses caves, idéales pour garder les vins effervescents.

LES VINS ROUGES DE LA RÉGION

C'est en Anjou, plus précisément dans les communes au sud de Saumur, que le cabernet franc se révèle le meilleur cépage rouge de la Loire. Cependant, au-delà de la Touraine toute proche, sa culture est en déclin rapide.

Nous sommes dans la plus vaste région viticole du pays, mais on n'y trouve pourtant que trois vins rouges classiques : Saumur-Champigny, Bourgueil et Chinon. On ne s'étonnera pas, en revanche, que les vignobles dont ils sont issus soient localisés dans une toute petite zone. En effet, ils se trouvent sur des surfaces limitées, au confluent de la Loire et de la Vienne qui, il y a très longtemps, ont constitué ces terrasses de graves si favorables au cabernet franc.

FACTEURS AFFECTANT LE GOÛT ET LA QUALITÉ

SITUATION
Dans leur majorité, les vignobles se trouvent sur la rive gauche de la Loire, entre Angers et Saumur.

CLIMAT
Nettement océanique, avec des précipitations faibles, des étés chauds et des automnes doux – mais le gel touche parfois Savennières.

SITE
Des collines douces coupent les vents d'ouest. Les meilleurs terrains sont les pentes rocailleuses de Savennières, exposées au sud, et la vallée encaissée du Layon.

SOL
À l'ouest et autour de Layon, le sol schisteux est recouvert d'une couche limitée de terre noire qui retient bien la chaleur et favorise la maturation; quelques terrains argileux, plus froids, donnent des vins plus lourds. À l'est, le tufeau produit des vins plus légers, alors que les graves de Saumur-Champigny conviennent au cabernet franc.

VITICULTURE ET VINIFICATION
Le chenin blanc, qui mûrit lentement, est souvent encore sur les vignes en novembre, notamment dans les coteaux du Layon. Le soleil d'automne, sur les grains très mûrs et mouillés de rosée favorise la pourriture noble, surtout à Bonnezeaux et Quarts-de-Chaume. Les années chaudes, les vendangeurs passent plusieurs fois dans les vignes (tries). Dans leur majorité, les vins sont mis en bouteilles au printemps qui suit la vendange.
En revanche, ceux qui proviennent de ces raisins concentrés en sucre ont besoin de trois mois pour fermenter et on les met donc souvent en bouteilles à l'automne suivant.

CÉPAGES PRINCIPAUX
Chenin blanc, cabernet franc, gamay, grolleau
CÉPAGES SECONDAIRES
Chardonnay, sauvignon blanc, cabernet sauvignon, pineau d'Aunis, malbec

LES APPELLATIONS DE
L'ANJOU ET DU SAUMUROIS

ANJOU AOC

L'Anjou comprend aussi les vignobles de Saumur, et le saumur peut donc être vendu comme anjou – mais le contraire n'est pas vrai. Les rouges sont de loin les meilleurs, les blancs les moins bons et les rosés, bien que sur le déclin, restent très demandés. Comme le terme « mousseux » n'a pas bonne presse, les « Anjou mousseux » (selon le règlement) sont souvent diffusés sous la simple étiquette Anjou.

Rouge Relativement corsés et provenant surtout du cabernet franc, parfois avec un peu de cabernet sauvignon, ces vins délicieux se boivent jeunes, sauf quelques exceptions qui, élevées en fût, gagnent en complexité.

cabernet franc, cabernet sauvignon, pineau d'Aunis

1-3 ans

Domaine d'Ambinos • *Domaine de Bablut* • *Domaine des Baumard* (Logis de la Giraudière) • *Godineau Père et Fils* • *Château d'Épiré* (Clos de la Cerisaie) • *Château de Montguéret* • *Château des Rochettes* • *Domaine de Terrebrune*

Blanc Ces vins varient beaucoup, du sec au moelleux, et du léger au corsé, mais l'appellation produit trop de vins de chenin blanc très acides ou doux et médiocres. Les producteurs qui utilisent les 20% de chardonnay et de sauvignon autorisés font un peu mieux, de même que Jacques Beaujeu et quelques autres, qui ont recours au chêne pour émousser les épines du chenin blanc. Le Domaine Ogereau procède même à la fermentation en barrique. Ces vins peuvent être diffusés le 1er décembre qui suit la récolte, sans mention « primeur » ou « nouveau ».

un minimum de 80% de chenin blanc et un maximum de 20% de chardonnay et de sauvignon blanc

sans attendre

Jacques Beaujeu (Château Varière) • *Domaine Philippe Delesvaux* • *Domaine Ogereau* • *Domaine Richou*

Rosé S'il a connu un énorme succès, l'anjou rosé, ou rosé d'Anjou, se vend aujourd'hui moins bien, sur un marché très disputé. Il n'y a rien à redire à ce vin, souvent d'un beau rose, avec quelques saveurs sucrées, mais on peut penser que c'est justement ce caractère qui lui vaut quelques moues dubitatives. Je préfère moi aussi le rosé sec, mais j'aime le demi-doux quand il est frais et fruité. Le problème avec ces rosés relativement légers, à la robe corail, c'est qu'ils sont délicieux à leur premier printemps, mais qu'ils s'épuisent souvent très vite. Donc, si vous trouvez un rosé d'Anjou qui vous plaît, faites attention à la date! Ces vins peuvent être vendus avec la mention « nouveau » ou « primeur », à partir du troisième jeudi de novembre qui suit la récolte, ou à partir du 1er décembre sans mention.

essentiellement grolleau et, en proportion variable, cabernet franc, cabernet sauvignon, pineau d'Aunis, gamay, malbec

sans attendre

ANJOU COTEAUX DE LA LOIRE AOC

Cette appellation, peu connue, se trouve au sud-ouest d'Angers. La production, faible, diminue à mesure que les vignobles sont replantés de cabernet, pour la production de l'anjou rouge, en pleine expansion.

Blanc Bien que souvent secs ou demi-secs, ces vins étaient officiellement définis comme vins doux traditionnels. Aujourd'hui, les producteurs, qui suivent la mode du blanc sec, sont gênés par les règlements surannés qui imposent un degré d'alcool trop élevé et des rendements trop bas.

chenin blanc

avant 1 an

Gilles Musset

ANJOU GAMAY AOC

Le gamay n'est autorisé, dans l'appellation Anjou, que si le nom de ce cépage figure aussi sur l'étiquette.

gamay

sans attendre

Domaine de Bablut

ANJOU MOUSSEUX AOC

Ce vin de méthode champenoise est plus tendre, mais moins prisé que son équivalent de Saumur, bien qu'il provienne souvent aussi de communes du Saumurois.

Blanc effervescent Ce vin relativement léger, qui peut être sec ou doux, aurait grand besoin que les autorités permettent un peu de chardonnay dans l'assemblage. Ce cépage, plus gras et plus neutre, permettrait aux producteurs de faire des vins effervescents plus classiques et moins frivoles.

un minimum de 60% de chenin blanc, et cabernet sauvignon, cabernet franc, malbec, gamay, grolleau, pineau d'Aunis

1 ou 2 ans

Rosé effervescent Vous êtes curieux de savoir à quoi ressemble un rosé d'Anjou avec des bulles? Alors goûtez ce vin relativement léger, souvent diffusé en demi-sec.

cabernet sauvignon, cabernet franc, malbec, gamay, grolleau, pineau d'Aunis

Sans attendre

ANJOU PÉTILLANT AOC

Appellation, peu utilisée, de vins de méthode classique, doucement effervescents, passant au moins neuf mois en bouteilles, qui doivent être vendus en bouteille de vin tranquille, avec un bouchon de liège ordinaire.

Blanc pétillant Vins secs ou demi-secs et légers. Étant donné la qualité parfois décevante de l'anjou blanc, beaucoup de producteurs seraient bien avisés de faire de l'effervescent sous cette appellation.

un minimum de 80% de chenin blanc et un maximum de 20% de chardonnay et de sauvignon blanc

sans attendre

Rosé pétillant Secs ou demi-secs et légers, ces vins, assez rares en dehors de la région, sont étiquetés « Anjou pétillant », « Anjou rosé pétillant » ou « Rosé d'Anjou pétillant ».

grolleau, cabernet franc, cabernet sauvignon, pineau d'Aunis, gamay, malbec

sans attendre

ANJOU ROSÉ AOC

Voir Anjou AOC

ANJOU-VILLAGES AOC

Cette appellation de vin rouge, supposé supérieur, a été délimitée en 1986 mais elle ne diffuse que depuis 1991. Elle a été créée dans le but d'encourager les producteurs à faire des rouges intéressants plutôt que des blancs calamiteux. Et il y a de fortes chances que ça marche étant donné les forts rendements autorisés. Après tout, pourquoi s'escrimer à produire de l'anjou AOC à 45 hectolitres à l'hectare pour le blanc et à 40 pour le rouge, quand on peut vendre de l'anjou-villages AOC, dont le nom sonne mieux, en augmentant en même le rendement à 50 hectolitres à l'hectare? L'affaire est si juteuse que les vignerons extérieurs à l'appellation ont revendiqué d'y être intégrés – et les autorités ont obtempéré en 1994, en élargissant les limites. Mais si vous achetez auprès des bons producteurs, vous dégusterez quelques-uns des meilleurs rouges de Loire.

Rouge Les plus fins présentent souvent une robe intense, avec des arômes onctueux de framboise.

cabernet franc, cabernet sauvignon

2-6 ans

Domaine de Bablut • *Brault Père et Fils* (Domaine de Sainte-Anne) • *Domaine Victor Lebreton* • *Domaine Ogereau* • *Château la Varière*

BONNEZEAUX AOC

Issu de trois coteaux au sud, au-dessus du fleuve, à Thouacé dans les coteaux du Layon, c'est sans nul doute un des grands vins moelleux de France. On vendange par tries pour ramasser les grains les plus mûrs, souvent touchés de *botrytis*, ce qui peut demander quinze jours. Et le taux minimal de sucre est plus fort pour le Bonnezeaux que pour le Sauternes!

Blanc Intensément moelleux, plus riche et plus charpenté que le quarts-de-chaume, l'autre grand de la vallée du Layon, ce vin offre des notes d'ananas et de réglisse lorsqu'il est jeune, pour prendre, avec l'âge, une belle complexité de vanille onctueuse.

chenin blanc

jusqu'à 20 ans et plus

Domaine de la Croix des Loges • *Château de Fesles* • *Domaine Godineau* (Le Malabé) • *Domaine de Laffourcade* (Château Perray-Jouannet) • *Domaine de Terrebrune* (La Montagne) • *Château la Varière*

CABERNET D'ANJOU AOC

Cette appellation couvre aussi les vins de Saumur et c'est un Saumurois du nom de Taveau qui, en 1905, a été le premier à faire un rosé d'Anjou avec du raisin de cabernet. Cependant, malgré ce cépage noble et un degré d'alcool supérieur, il n'est pas sensiblement supérieur au rosé d'Anjou – et les ventes en gros et à prix cassé n'ont pas servi sa réputation.

Rosé Les plus fins de ces vins demi-secs à demi-doux, relativement charpentés, issus des meilleurs domaines, sont francs de nez et fruités, avec des arômes de framboise. Ils peuvent être vendus avec la mention « primeur » ou « nouveau » à partir du troisième jeudi de novembre suivant la récolte, et sans aucune mention à partir du 1er décembre.

cabernet franc, cabernet sauvignon

sans attendre

Domaine de Bablut • *Brault Père et Fils* (Domaine de Sainte-Anne) • *Château de Breuil.* • *Domaine Cady* • *Domaine des Maurières* • *Domaine du Petit Val*

CABERNET DE SAUMUR AOC

Tous les saumurs de cabernet peuvent s'appeler cabernet d'Anjou, mais ceux vendus sous l'étiquette Saumur sont en général plus fins.

Rosé Vins délicats, demi-doux, relativement charpentés, dont la robe rose est nuancée de paille, à net arôme de framboise. Ils peuvent être vendus avec la mention « primeur » ou « nouveau » à partir du troisième jeudi de novembre suivant la récolte, et sans aucune mention à partir du 1er décembre.

cabernet franc, cabernet sauvignon

sans attendre

Domaine du Val Brun

COTEAUX DE L'AUBANCE AOC

Ces vins sont issus de vieilles vignes élevées sur les berges schisteuses de l'Aubance, et les raisins doivent être très mûrs et vendangés par tries. Cela entraîne du travail et des frais – et les viticulteurs préfèrent souvent produire du cabernet d'Anjou.

Blanc Quelques producteurs font encore ce vin riche et demi-doux, relativement corsé, de très bonne garde – et d'une qualité exceptionnelle !

5-10 ans

Domaine de Bablut • *Domaine Victor Lebreton* • *Domaine Richou* • *Domaine des Rochelles* • *Domaine des Rochettes*

COTEAUX DU LAYON AOC

Ce terroir, qui suit la vallée du Layon jusqu'à la Loire, est connu depuis le IVe siècle pour ses vins blancs doux. Sur des sites favorables, les raisins sont souvent touchés par la pourriture noble et, en tout cas, mûrissent parfaitement et sont vendangés par tries : la teneur en alcool minimale est de 12% vol. et le rendement maximum de 30 hl/ha. Étant donné les prix relativement bas pratiqués sur le marché, seuls les plus grands domaines peuvent se permettre la vendange par tries.

Blanc Vins à robe vert doré ou jaune d'or, charnus et souples, moelleux, relativement charpentés, très fruités et de longue garde.

chenin blanc

5-15 ans

Domaine Pierre Aguilas • *Domaine Baumard* (cuvées Le Paon et Clos de Sainte-Catherine) • *Douet* (Château des Rochettes) • *Château de Fesles* (Château de la Roulerie) • *Jousset et Fils* (Carte d'Or et Logis de la Giraudière) • *Domaine des Landreau* • *Moulin Touchais* • *Domaine Ogereau* (Cuvée Prestige) • *Domaine de la Pierre Saint Maurille* • *Domaine de Touche Noire* (anciennement Domaine de Millé)

COTEAUX DU LAYON-CHAUME AOC

Assez peu de choses séparent cette appellation, spécifique à une commune, de la précédente. Toutefois, le rendement imposé est encore plus bas : 25 hl/ha contre 30 pour les coteaux-du-layon.

Blanc Ces vins moelleux, relativement charpentés, fins et onctueux, sont en général meilleurs que les simples Coteaux du Layon.

Chenin blanc

5-15 ans

Michel Blouin • *Domaine Cady* (Cuvée Anatole) • *Château de Fesles* (Château de la Roulerie) • *Château de la Guimonière.* • *Clos de la Herse* • *Château Montbenault* • *Domaine du Petit Métris* • *Domaine Rochais* (Les Zariles) • *Domaine de la Soucherie*

COTEAUX DU LAYON-VILLAGES AOC

Six villages produisent, depuis toujours, les meilleurs coteaux-du-layon, et ils ont donc le droit de faire figurer leur nom sur l'étiquette.

Blanc Vins moelleux relativement charpentés. Selon le Club des layon-villages, le beaulieu a un arôme léger et tendre, le faye une note de broussaille, le rablay est corpulent, vigoureux et rond, le rochefort est charpenté, tannique et évolue bien, le saint-aubin offre un arôme délicat qui s'épanouit, et le saint-lambert est robuste mais arrondi.

chenin blanc

5-15 ans

Beaulieu *Domaine d'Ambinois* (Clos des Mulonières), *Château de Breuil, Château Pierre Bise* • **Faye** *Château de Fresne, Domaine Gidineau* (Vieilles Vignes, Guy Tourtet) • **Rablay** *Domaine de la Bergerie* • *Domaine des Sablonettes* • **Rochefort** • *Domaine des Hauts Perras* • *Domaine de la Motte* • **Saint-Aubin** *Michel Blouin, Domaine Cady, Domaine Philippe Delevaux, Domaine Jo Pithon* • **Saint-Lambert** *Domaine Ogereau, Domaine Jo Pithon*

COTEAUX DE SAUMUR AOC

Depuis l'interdiction de la mention « méthode champenoise » dans les pays de l'Union européenne, on s'est efforcé de développer cette appellation, peu usitée, pour le principal vin tranquille du Saumurois, afin de réserver Saumur AOC aux vins effervescents. Mais il y a encore loin de la coupe aux lèvres.

Blanc Assez rares, ces vins demi-doux, relativement charpentés, sont riches et pleins d'arômes, et méritent d'être recherchés.

chenin blanc

Château de Brézé • *Domaine des Hautes-Vignes* • *Château de Hureau* • *Clos Rougeard*

QUARTS-DE-CHAUME AOC

Les vignes sont cultivées sur le plateau, au-delà du bourg de Chaume, sur la commune de Rochefort-sur-Loire, dans les coteaux du Layon. Le vignoble était autrefois propriété de l'abbaye de Ronceray qui prélevait le quart du produit de la vendange.

Blanc Doux ou demi-doux, ces vins sont relativement charpentés. Bien que l'on vendange par tries et que la vinification soit la même qu'à Bonnezeaux, le quart-de-chaume est un peu plus léger parce que le vignoble est plus septentrional. Il est peut-être aussi un peu moins moelleux.

Chenin blanc

15 ans et plus

Domaine des Baumard • *Château de Belle Rive. Domaine de Laffourcade* (Château de l'Écherderie, Château de Surronde et Cuvée Novembre) • *Domaine du Petit Métris* • *Château Pierre Bise*

ROSÉ D'ANJOU AOC

Voir Anjou AOC

ROSÉ D'ANJOU PÉTILLANT AOC

Voir Anjou Pétillant AOC

SAUMUR AOC

Saumur, située à l'intérieur de l'appellation Anjou, est considérée comme la perle de l'Anjou. Ses vins peuvent être vendus comme Anjou – le contraire n'étant pas vrai. À moins qu'il ne soit issu du cépage cabernet, le rosé doit adopter l'AOC rosé d'Anjou. Comme pour l'anjou, les blancs sont de qualité variable mais les rouges sont excellents.

Rouge Ces vins fins et relativement charpentés ressemblent beaucoup aux anjous rouges. Toutefois, ils peuvent être légers et fruités ou bien colorés et tanniques.

cabernet franc, cabernet sauvignon, pineau d'Aunis

1-10 ans, selon la vinification

Clos de l'Abbaye • *Domaine des Hautes-Vignes* • *Langlois-Château* • *Château de Montreuil-Bellay* • *Cave des Vignerons* (Réserve) • *Lycée d'enseignement professionnel agricole* • *Domaine des Nerleux* • *Château de Passavent* • *Château de Targé*

Blanc Ces vins peuvent être très secs ou moelleux, légers ou charpentés, et sont plus proches des vouvrays que des anjous parce que le sous-sol est le même – tufeau et pierre à chaux. Toutefois, lorsque l'année est mauvaise ou médiocre, le saumur se distingue par sa légèreté, son manque de fruit et un caractère acerbe en bouche, qui donne parfois une note métallique en arrière-goût. Il peut être vendu dès le 1er décembre qui suit la vendange, sans mention « primeur » ou « nouveau ».

un minimum de 80% de chenin blanc et un maximum de 20% de chardonnay et de sauvignon blanc

Cave des vignerons • *Château de Hureau.* • *Langlois-Château* (Vieilles Vignes) • *Château de Villeneuve*

Blanc effervescent Bien que le rendement autorisé pour ce vin soit supérieur d'un tiers à l'anjou équivalent, le saumur est – ou devrait être – de meilleure qualité et plus racé, étant donné le sous-sol de tufeau et de pierre à chaux et la proportion de chardonnay. Il s'agit souvent de vins bruts, même si ce n'est pas une obligation et qu'il existe aussi des demi-secs et des doux (rares). Dans leur majorité, ils ont un goût acide de prune, manquent de finesse et ne prennent pas d'arômes de biscuit ou de pain grillé dans la bouteille. Les vins cités ci-dessous ont de l'élégance, contrairement à beaucoup de saumurs, et un certain fruit, assez agréable, qui bénéficie d'un peu de garde en bouteille. Toutefois, après un certain temps, ils passent au lieu de s'améliorer. Le Trésor de Bouvet, fermenté en barrique, riche et crémeux, est l'exception : c'est le meilleur vin effervescent de Loire et il peut soutenir la comparaison avec un bon champagne, bien que son style soit différent.

chenin blanc, avec un maximum de 20% de chardonnay et de sauvignon blanc, et jusqu'à 60% de cabernet sauvignon, cabernet franc, malbec, gamay, grolleau, pineau d'Aunis et pinot noir.

3-5 ans

Crémant Saumur millésimé de Bouvet • *Cave coopérative des vignerons de Saumur* (Saumur Cuvée spéciale)

Rosé effervescent Le saumur rosé peut provenir de plusieurs cépages, mais beaucoup n'utilisent que le cabernet franc, ce qui conduit à une nette amélioration. Toutefois, le potentiel agressif de ce cépage peut aussi ruiner rapidement les beaux arômes de framboise de ce vin. Les rosés de cabernet sauvignon sont également souvent très bons, mais beaucoup sont plus lisses, moins ouverts, et moins typés « saumur » que ceux de cabernet franc.

cabernet sauvignon, cabernet franc, malbec, gamay, grolleau, pineau d'Aunis, pinot noir

sans attendre

Jean Douet • *Domaine des Nerleux* • *De Neuville* (Saumur brut) • *Noël Pinot*

SAUMUR-CHAMPIGNY AOC

Beaucoup d'amateurs pensent que les vignobles de Champigny, situés au sud-est de Saumur, dont l'appellation mentionne le nom de la commune, donnent les meilleurs rouges de Loire.

Rouge Ces vins charpentés, à robe intense, offrant de beaux arômes de framboise, sont souvent tanniques et de longue garde.

cabernet franc, cabernet sauvignon, pineau d'Aunis

5-10 ans

Domaine Filliatreau • *Château du Hureau* (Cuvée Lisagathe) • *René-Noël Legrand.* *Domaine des Roches Neuves* • *Clos Rougeard* • *Domaine du Val Brun* • *Château de Villeneuve*

SAUMUR PÉTILLANT AOC

Appellation peu usitée pour des vins agréables, de méthode classique, passant un minimum de neuf mois en bouteilles. Ils sont vendus en bouteille ordinaire, avec un bouchon ordinaire.

Blanc pétillant Secs ou demi-secs, légers et fruités, ces vins sont proches des meilleurs de l'appellation Montlouis pétillant et devraient être relancés.

un minimum de 80% de chenin blanc et un maximum de 20% de chardonnay et de sauvignon blanc

sans attendre

SAUMUR MOUSSEUX AOC

C'est le nom officiel de l'appellation pour les saumurs mousseux blancs et rosés, de méthode classique. Cependant, comme les « mousseux » ont une mauvaise image publique, les producteurs préfèrent diffuser leurs vins sous le nom de saumurs. La réglementation n'admet pas cette entorse mais, comme tout le monde la pratique, les autorités feraient bien d'entériner les choses; elles pourraient aussi officialiser la désignation « saumur d'origine » que les producteurs ont créée pour commercialiser leurs vins. On fait aussi du rouge selon la méthode classique, mais il n'y a pas d'AOC. *Voir aussi* Saumur AOC.

SAUMUR D'ORIGINE AOC

Les producteurs ont créé cette désignation pour commercialiser leurs saumurs effervescents lorsque la mention « méthode champenoise » a été interdite par l'Union européenne. *Voir aussi* Saumur AOC.

SAVENNIÈRES AOC

Le rendement maximal très bas imposé date du temps où ce petit terroir des coteaux de la Loire ne produisait que des vins moelleux. C'est ce qui explique que ces quatre coteaux au sud-est, sur des sols de débris volcaniques, produisent aujourd'hui les meilleurs blancs de chenin sec du monde.

Blancs Vins secs ou très secs, à l'intensité puissamment minérale, qui comptent parmi les blancs secs de très longue garde. Beaucoup de spécialistes estiment que le meilleur est le Clos de la Coulée-de-Serrant, de Nicolas Joly. Je l'aime beaucoup moi aussi, mais je trouve que le Clos du Papillon-de-Baumard (à ne pas confondre avec les vins du même nom d'autres producteurs) est encore plus fin. Depuis une quinzaine d'années, quelques producteurs ont ressuscité les vins demi-doux de leur terroir, très appréciés durant la première moitié du XXe siècle.

chenin blanc

5-8 ans (10-15 pour le Clos de la Coulée-de-Serrant)

Domaine des Baumard (Clos du Papillon, Clos de Saint-Yves et savennières générique) • *Domaine du Closel* (Clos du Papillon) • *Château d'Épiré.* • *Nicolas Joly* (Clos de la Bergerie, Clos de la Coulée de Serrant, Roche-aux-Moines) • *Domaine de Laffourcade* (Clos de la Royauté) • *Domaine Soulez* (Château de Chamboureau, Chevalier Bulard, Clos du Papillon, Le Rigourd, Roche-aux-Moines)

SAVENNIÈRES COULÉE-DE-SERRANT AOC

L'une des deux appellations de vignoble autorisées pour le savennières. La surface de 7 ha est la propriété indivise de Nicolas Joly (Château de la Roche-aux-Moines). Beaucoup pensent que leur vin est le meilleur blanc sec de vignoble de Loire. *Voir aussi* Savennières AOC.

SAVENNIÈRES ROCHE-AUX-MOINES AOC

Seconde appellation de vignoble du Savennières. La surface, plus vaste, avec 17 ha, est partagée entre trois propriétaires : Nicolas Joly (Château de la Roche-aux-Moines), Pierre et Yves Soulez (Château de Chamboureau) et Mme Laroche (Domaine aux Moines). *Voir aussi* Savennières AOC.

VINS DU THOURSAIS VDQS

Michel Gigon est aujourd'hui le seul producteur de vins du Thoursais, alors qu'il y en avait autrefois une centaine.

Rouge Vins relativement légers mais fruités, rappelant parfois la cerise et d'autres fruits à noyau.

cabernet franc et jusqu'à 20% de chardonnay

sans attendre

Rosé charmant vin sec de pique-nique, assez léger.

sans attendre

Michel Gigon

TOURAINE

Les vins des nombreuses appellations de Touraine sont assez recherchés, mais n'ont rien de sensationnel. Il y a des exceptions, les vouvrays au premier chef, mais aussi les montlouis, les bourgueils et les chinons.

Les vignobles qui encerclent Tours remontent à l'époque romaine, comme d'ailleurs la ville elle-même, centre de pèlerinage dès le VIe siècle, et fameuse pour la soie aux XVe et XVIe siècles. Le cabernet franc, appelé ici « breton », prospérait déjà sur les terres de l'abbaye de Bourgueil il y a mille ans. Le chenin, bien plus récent – cinq cents ans seulement! –, aujourd'hui prédominant, doit son nom à Mont-Chenin, dans le sud de la région.

LES TERROIRS VITICOLES DE TOURAINE

À l'exception peut-être du saumur-champigny, les meilleurs rouges de Loire viennent des appellations Chinon et Bourgueil, qui se font face sur les deux rives du fleuve, en aval de Tours. Ils sont issus, surtout, de cabernet franc et les bons millésimes vieillis sous chêne sont parfois complexes et comparables à des bordeaux, alors que les vins plus ordinaires, à boire jeunes et frais, ont des arômes printaniers de fraise et de framboise. En amont, Vouvray et Montlouis offrent, quand l'année a été belle, des vins moelleux de garde, riches et onctueux, issus de chenin blanc surmûri. Jasnières, au nord de Tours, cultive le même cépage mais les blancs secs ont un style très différent : Jasnières est une sous-appellation de blancs au sein d'une AOC plus vaste, Coteau du Loir, concernant des rouges, des rosés et des blancs. Egalement sur les rives de cet affluent de la Sarthe, les coteaux du Vendômois diffusent une large gamme de VDQS, de même que Cheverny, plus à l'est, où l'on trouve un blanc très particulier issu d'un cépage confidentiel, le romorantin. Le sauvignon blanc de Touraine, en toute modestie, vaut un sancerre, et des gamays rouges et rosés se révèlent gouleyants. On trouve aussi des rouges issus du grolleau local ou du pineau d'Aunis. Le chenin blanc prédomine toujours dans cette région et, comme en Anjou et en Saumurois, la tradition veut que l'on fasse du moelleux les bonnes années, quand le raisin est sucré, mais les vins plus légers et plus secs sont plus courants. Quant au moût un peu trop acide, on le réserve pour le vin effervescent, comme en Anjou et en Saumurois, bien que cette pratique ne remonte ici qu'à la fin du XIXe siècle.

FACTEURS AFFECTANT LE GOÛT ET LA QUALITÉ

SITUATION
Dans leur majorité, les vignobles se trouvent dans le département d'Indre-et-Loire, mais ils débordent sur le Loir-et-Cher, l'Indre et la Sarthe.

CLIMAT
Moins soumise à l'influence océanique que le Pays nantais, l'Anjou ou le Saumurois, la Touraine est abritée des vents du nord par les coteaux du Loir. Les étés sont chauds et les précipitations d'octobre sont faibles.

SITE
Jolie région vallonnée, plus plate près de Tours. Les vignobles se trouvent sur des pentes aux ondulations douces, souvent tournées vers le sud, à une altitude comprise entre 40 et 100 m.

SOL
Argile et calcaire, sur un sous-sol de tufeau en amont de Tours, vers Vouvray et Montlouis. Roche calcaire ayant subi l'activité volcanique, le tufeau est riche en minéraux et retient l'eau ; l'on y creuse de grandes et fraîches caves à vin. À Bourgueil et à Chinon, sur des graves sableuses, les vins sont fruités et souples, alors que ceux des coteaux silico-argileux sont plus fermes.

VITICULTURE ET VINIFICATION
La fermentation des blancs, à basse température, dure quelques semaines pour les vins secs et plusieurs mois pour les moelleux. Les rouges passent par la fermentation malolactique. Certains bourgueils et chinons se bonifient jusqu'à 18 mois en fûts de chêne.

CÉPAGES PRINCIPAUX
Chenin blanc, cabernet franc, sauvignon blanc, grolleau
CÉPAGES SECONDAIRES
Cabernet sauvignon, pinot noir, meslier, gamay, gamay teinturier, pineau d'Aunis, romorantin, arbois, chardonnais, malbec

TOURAINE, *voir aussi* p. 192
La vieille cité de Tours, entourée des différentes appellations, est le centre d'une région aux vins d'une grande diversité.

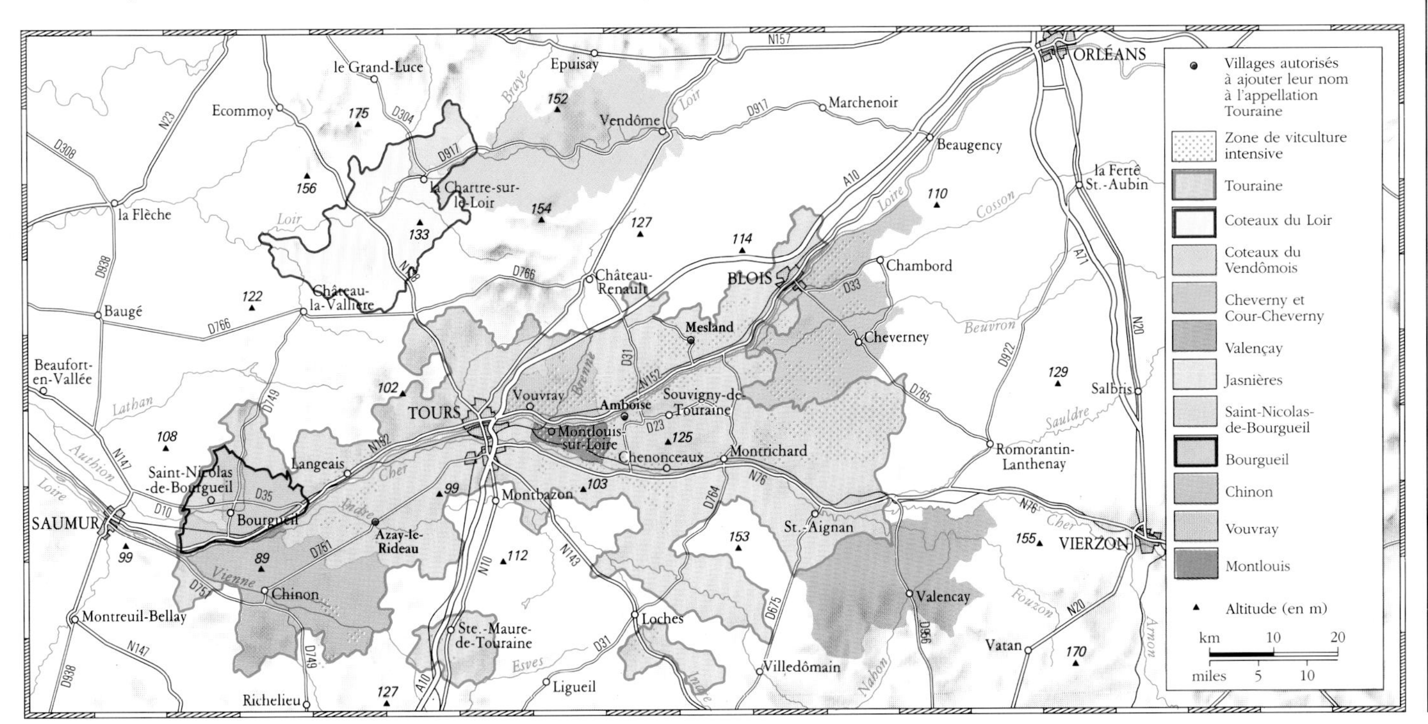

LES APPELLATIONS DE

TOURAINE

BOURGUEIL AOC

Les vignes, dans leur majorité, se trouvent, sur une terrasse de sables et de graves, au-dessus du fleuve, ce qui donne un caractère nettement fruité au vin quand on le boit avant ses six mois. Celles qui sont cultivées sur les coteaux exposés au sud, d'argile et de tufeau, arrivent à maturité dix jours plus tôt et donnent des vins de garde plus charpentés.

Rouge Vins moyennement charpentés, vifs, débordant d'un fruit souple, souvent élevés en fûts. Ils se laissent bien boire quand ils ont moins de six mois ; beaucoup se ferment après la mise en bouteille et ont besoin de temps pour s'arrondir. Ceux qui viennent de la terrasse doivent être bus jeunes, alors que ceux des coteaux se gardent. L'assemblage est souvent nécessaire pour l'équilibre.

cabernet franc, et jusqu'à 10% de cabernet sauvignon

dans les six mois ou après six ans

Rosé Secs ou très secs, relativement légers, ces vins très fruités déploient des arômes de framboise et de cassis, et une belle profondeur. Ils méritent d'être découverts.

cabernet franc, et jusqu'à 10% de cabernet sauvignon

2 ou 3 ans

Yannick Amirault • *Domaine Druet* • *Moïse et Thierry Boucard* • *Max Cognard* • *Domaine Delaunay* • *Paul Gambier* • *Pierre Grégoire* • *Domaine des Mailloches*

CHEVERNY AOC

Passés de VDQS à AOC en 1993, ces vins de qualité, nerveux et fruités, méritent leur promotion et devraient être mieux connus. Le cheverny est en général vinifié et diffusé en pur vin de cépage – et le remarquable romorantin a gagné sa propre AOC pour les meilleurs vignobles autour de Cour-Cheverny. *Voir aussi* Cour-Cheverny AOC.

Rouge Vins légers ou assez charpentés. Les petits vignerons produisent surtout de purs gamays, de qualité très acceptable, même si l'adjonction de 10% de pinot noir apporte davantage de souplesse. Le gamay teinturier de Chaudenay, qui donne un moût très coloré, n'est plus autorisé.

gamay (entre 40 et 65%), pinot noir, cabernet franc, malbec et, jusqu'en 2000, cabernet sauvignon

1 ou 2 ans

Blanc Vins modestes, secs et légers, au joli nez floral, aux arômes délicats, à la fois nerveux et équilibrés. Ils sont surtout issus de sauvignon blanc puisque le romorantin n'est plus autorisé et que le taux de sauvignon a été réglementé en 1993.

sauvignon blanc (entre 65 et 80%), chardonnay, chenin blanc et arbois

1 ou 2 ans

Rosé Ces vins, produits en petites quantités, sont agréablement secs et légers, et très réguliers en qualité. Depuis l'attribution de l'AOC, le cabernet franc, le cabernet sauvignon et le malbec ont été autorisés pour la vinification de ces rosés, ce qui a entraîné un bond de la production.

gamay (au moins 50%), cabernet franc, cabernet sauvignon, malbec, pineau d'Aunis et pinot gris

1 ou 2 ans

François Gazin • *Jean-Michel Courtioux.* • *Domaine de la Désoucherie* • *Domaine de la Gaudronnnière* • *Domaine Sauger et Fils*

CHINON AOC

Les appellations Chinon et Bourgueil proposent les meilleurs rouges de Touraine, à partir du cabernet franc, appelé ici « breton ». Les chinons sont en général plus légers et plus délicats que les bourgueils, mais ceux qui proviennent des coteaux de tufeau sont plus profonds et de plus longue garde.

Rouge Légers ou un peu charpentés, ces vins sont vifs, tendres et délicats. Les vignerons utilisent en général de petits fûts de chêne et produisent des vins de bonne qualité.

cabernet franc et jusqu'à 10% de cabernet sauvignon

2 ou 3 ans

Blanc Petite production de vins francs, secs et relativement légers, étonnamment aromatiques pour des blancs de chenin blanc, avec une finale joliment parfumée.

chenin blanc

1 ou 2 ans

Rosé Secs, assez légers, souples et fruités, ces vins, comme les bourgueils rosés, se laissent fort bien boire et méritent d'être mieux connus.

cabernet franc et jusqu'à 10% de cabernet sauvignon

2 ou 3 ans

Philippe Alliet • *Bernard Baudry* • *Logis de la Bouchardière* • *Domaine du Carroi Portier* (Spelty) • *Couly-Dutheil* • *Château de la Grille* • *Charles Joguet*

COTEAUX DU LOIR AOC

Ce terroir était couvert de vignobles au XIXe siècle. La production a beaucoup décliné depuis et ces vins n'ont en général rien de très séduisant.

Rouge Assez légers, ces vins se montrent pleins de vivacité et riches en extrait quand l'année a été belle.

pineau d'Aunis (30% au minimum) et gamay, pinot noir, cabernet franc et cabernet sauvignon

1 ou 2 ans

Blanc Avec une acidité élevée, ces vins secs ou très secs et assez légers sont parfois maigres et astringents.

chenin blanc

dès que possible

Rosé Secs et assez légers, ces vins sont parfois fruités et bien équilibrés.

pineau d'Aunis, cabernet franc, gamay, malbec, et jusqu'à 20% de grolleau

1 an

François Fresneau

COTEAUX DU VENDÔMOIS VDQS

Situé sur les deux rives du Loir, en amont de Jasnières, ce terroir qui s'est nettement amélioré, offre des vins bien faits, agréables en bouche et très séduisants.

Rouge Assez légers, ces vins débordent d'arômes fruités arrondis et se laissent bien boire.

pineau d'Aunis (30% au minimum) et gamay, pinot noir, cabernet franc et cabernet sauvignon

1 ou 2 ans

Blanc Ces vins secs et assez légers, issus de pur chenin blanc, ont une nette tendance à l'astringence. Les producteurs qui assemblent chardonnay et chenin blanc offrent des blancs mieux équilibrés.

chenin blanc et jusqu'à 20% de chardonnay

1 an

Rosé Frais et parfumé, le coteau-du-vendômois est un des rosés secs de Loire les plus séduisants, bien qu'il soit peu connu.

pineau d'Aunis et jusqu'à 30% de gamay

1 ou 2 ans

Claude et Gisèle Minier • *Cave vinicole de Villiers-sur-Loire*

COUR-CHERVERNY AOC

Au moment de l'acquisition de l'AOC, et tout en perdant le droit de produire du vin effervescent, Cheverny a obtenu cette appellation de village spécifiquement pour le romorantin, cultivé sur les meilleurs sites autour du bourg. *Voir aussi* Cheverny AOC.

Blanc Vins modestes, secs et légers, au nez floral et fin, aux arômes délicats et joliment équilibrés.

romorantin

1 ou 2 ans

François Cazin • *Domaine de la Désoucherie*

JASNIÈRES AOC

C'est la meilleure partie des coteaux du Loir. Lorsque l'année est belle, les vins arborent parfois une richesse comparable à celle des savennières en Anjou (*voir* p. 202).

Blanc Vins assez charpentés, qui peuvent être secs ou doux. Les bonnes années, ils sont élégants et de bonne évolution, mais un peu verts quand le temps n'a pas souri.

chenin blanc

2-4 ans

Domaine de la Charrière • Aubert de Rycke

MONTLOUIS AOC

Comme Vouvray, Montlouis offre des vins qui peuvent être secs, demi-secs ou moelleux, selon l'année, les plus grands étant là aussi les moelleux ayant bénéficié de la pourriture noble. Si les vouvrays sont sans doute surestimés, les montlouis, qui en sont très proches, sont en revanche nettement mésestimés. Pour ma part, je place les Montlouis 1947 et 1953 de Moyer au niveau des château-d'yquem, même dans leurs meilleurs millésimes.

Blanc Légers ou assez charpentés, ces vins sont secs ou moelleux. Ils sont plus tendres et plus précoces que les vouvrays, mais ont parfois les même beaux arômes onctueux quand l'année a été belle. Le montlouis moelleux est vieilli en fûts, mais le demi-sec fermente en cuve d'acier inoxydable.

chenin blanc

1 à 3 ans pour le demi-sec, jusqu'à 10 ans pour le moelleux

Berger Frères (Domaine des Liards) • *Domaine de Bodet* • *Olivier Delétang* • *Domaine de la Milletière* • *Dominique Moyer* • *Jacky Petibon* • *Chaput Thierry*

MONTLOUIS MOUSSEUX AOC

Les mauvaises années, on utilise le raisin pour faire des montlouis effervescents selon la méthode classique. Les demi-secs sont toujours très appréciés.

Blanc mousseux Légers ou assez charpentés, ces vins sont bruts, secs, demi-secs ou moelleux (ces deux dernières versions n'existent que lorsque la saison a été très ensoleillée).

chenin blanc

sans attendre

Alain Joulin • Daniel Mosny

MONTLOUIS PÉTILLANT AOC

Légèrement effervescent, c'est là sans doute un des vins de ce type les plus séduisants, mais aussi les plus rares et mésestimés.

Blanc pétillant légers ou assez charpentés, ces vins sont secs ou moelleux. Très réguliers en qualité, ils sont riches, fruités et équilibrés par une mousse légère de jolies petites bulles.

chenin blanc

sans attendre

Claude Levasseur • Dominique Moyer

SAINT-NICOLAS-DE-BOURGUEIL AOC

Au nord-ouest de Bourgueil, la commune de Saint-Nicolas se trouve sur des terrains assez sableux et ses vins en sont plus légers, mais d'aussi bon niveau que les bourgueils. Ils comptent parmi les meilleurs rouges de Loire.

Rouge Vins assez charpentés qui évoluent bien, plus fins que les bourgueils.

cabernet franc et jusqu'à 10% de cabernet sauvignon

après 5 ou 6 ans

Rosé On produit une petite quantité de rosés secs, assez charpentés, fruités et fermes.

cabernet franc et jusqu'à 10% de cabernet sauvignon

sans attendre

Yannick Amirault • Max Cognard • Pascal Lorieux • Jean-paul Malibeau • Clos des Quarterons

TOURAINE AOC

Appellation prolifique avec des vins effervescents secs ou demi-secs, des blancs moelleux, des rouges et des rosés de tous types, de tous les terroirs de Touraine. Ce sont souvent des vins de cépage dont le nom doit figurer sur l'étiquette. *Voir aussi* Touraine Mousseux AOC et Touraine Pétillant AOC.

Rouge Légers ou assez charpentés, ces vins, de peu d'intérêt, ne gagnent sûrement rien à l'introduction du terne cépage grolleau, autorisé depuis 1994. Ceux qui sont issus de gamay sont frais et fruités et peuvent être vendus en primeur à partir du troisième jeudi de novembre.

essentiellement gamay et cabernet franc, mais également cabernet sauvignon, malbec, pinot noir, pinot meunier, pinot gris et pineau d'Aunis.

dans les trois ans

Blanc Très secs ou secs, assez charpentés, ces vins sont frais, aromatiques et fruités quand ils sont de pur sauvignon. Un bon sauvignon de Touraine est supérieur à un sancerre du rang. Le chardonnay n'est plus autorisé en Touraine depuis 1994. Les vins peuvent être diffusés le 1er décembre qui suit la vendange sans la mention « nouveau » ou « primeur ».

essentiellement sauvignon blanc, mais également chenin blanc, arbois et un maximum de 20% de chardonnay

1 ou 2 ans

Rosé Vins secs, légers ou assez charpentés. Ceux de pineau d'Aunis sont plus secs et plus subtils que le rosé d'Anjou. Ils peuvent être vendus en primeur à partir du troisième jeudi de novembre.

cabernet franc, gamay, grolleau et pineau d'Aunis, et jusqu'à 10% de gamay teinturier de Chaudenay ou de gamay de Bouze

1 ou 2 ans

Château de Chenonceau • G.A.E.C. Louet-Arcourt • Henri Marionnet • Domaine Michaud • Domaine Octavie • Oisly et Thésée • Domaine Jacky Preys

TOURAINE-AMBOISE AOC

Amboise et sept autres communes des environs produisent des blancs modestes, et des rouges et des rosés légers. Les vignobles se trouvent sur les deux rives de la Loire, près de ceux de Vouvray et de Montlouis.

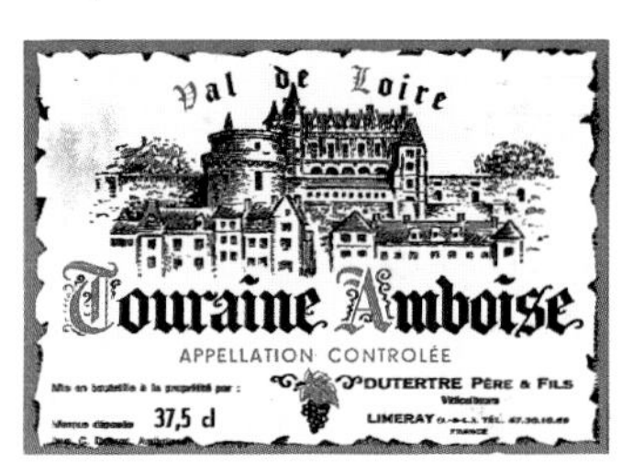

Rouge Vins assez légers, en général des assemblages. Ceux qui contiennent une forte proportion de malbec sont les meilleurs.

cabernet franc, cabernet sauvignon, malbec et gamay

2 ou 3 ans

Blanc Vins de chenin blanc légers, secs ou très secs, en général peu inspirés – les rosés sont meilleurs!

chenin blanc

sans attendre

Rosé Secs et légers, bien faits, ces rosés se laissent boire.

cabernet franc, cabernet sauvignon, malbec et gamay

dans l'année

Florent Catroux • Domaine du Tertre • Xavier Frissant • Michel Lateyron • Robert Mesliand • François Péquin

TOURAINE AZAY-LE RIDEAU AOC

Vins de bonne qualité provenant de huit communes, sur les deux rives de l'Indre.

Blanc Délicats et légers, ces vins sont en général secs – et parfois demi-secs.

chenin blanc

1 ou 2 ans

Rosé Secs, rafraîchissants et charmants, ces vins à la robe corail ont un parfum de fraise.

malbec, gamay

1 ou 2 ans

Gallais Père et Fils • Domaine du Haut-Baigneux • James Page • Pibaleau Père et Fils

TOURAINE-MESLAND AOC

Ces vins proviennent des vignobles de Mesland et de cinq communes des environs, sur la rive droite de la Loire. Les rouges et les rosés valent en général le détour.

Rouge Assez bien charpentés, ces vins sont les meilleurs de l'appellation. Ils valent parfois les chinons et bourgueils rouges.

cabernet franc, cabernet sauvignon, malbec, gamay

1-3 ans

Blanc Ces vins secs et légers, terriblement acides, ne tutoient la réussite que lorsque la saison est très ensoleillée.

Chenin blanc

1 ou 2 ans

Rosé Secs et assez charpentés, ces vins montrent plus de profondeur et de caractère que les touraine-amboise.

cabernet franc, cabernet sauvignon, malbec, gamay

1-3 ans

Château Gaillard

TOURAINE MOUSSEUX AOC

Rouges, blancs et rosés de méthode champenoise, d'un bon rapport qualité/prix. Si, pour le blanc et le rosé, le raisin de toute l'AOC Touraine est autorisé, seul celui de Bourgueil, de Saint-Nicolas-de-Bourgueil et de Chinon peut entrer dans le touraine mousseux rouge.

Rouge mousseux Vins assez légers mais fruités et rafraîchissants.

cabernet franc

sans attendre

Blanc mousseux Légers ou assez charpentés, ces vins sont secs ou moelleux. La qualité est très régulière étant donné l'étendue de la zone de production qui permet les assemblages savants.

essentiellement chenin blanc, mais aussi arbois, chardonnay jusqu'à 20%, et au maximum 30% au total de cabernet, pinot noir, pinot gris, pinot meunier, pineau d'Aunis, malbec et grolleau

sans attendre

Rosé mousseux Assez légers, ces vins sont séduisants en brut, mais un peu écœurants quand ils sont plus doux.

cabernet franc, malbec, noble, gamay, grolleau

1 ou 2 ans

Serge Bonnigal • Prince Poniatowski

TOURAINE PÉTILLANT AOC

Vins blancs et rosés légèrement effervescents et rafraîchissants, issus des mêmes cépages que le touraine mousseux.

Rouge pétillant Vins assez légers, peu connus et peu appréciés.

cabernet franc

sans attendre

Blanc pétillant Vins secs ou moelleux, légers, bien faits et rafraîchissants.

chenin blanc, arbois, sauvignon blanc, et chardonnay jusqu'à 20%

Sans attendre

Rosé pétillant Vins séduisants, légers et gouleyants, qui peuvent être secs ou moelleux.

cabernet franc, malbec, noble, gamay, grolleau

sans attendre

VALENÇAY VDQS

Situés au sud-est de la Touraine, sur la rive gauche du Cher, non loin de Vierzon, ces vignobles donnent des vins séduisants et bien faits.

Rouge Ces vins sont légers et parfumés quand ils sont issus du seul malbec, mentionné sur l'étiquette sous son nom local de « cot ». Tout en souplesse, ils ne manquent pas de caractère.

cabernet franc, cabernet sauvignon, malbec, gamay, jusqu'à 25% au total de gascon et pineau d'Aunis et un maximum de 10% de gamay de Chaudenay

1 ou 2 ans

Blanc Vins légers, secs et simples, améliorés par l'adjonction de chardonnay ou de romorantin dans l'assemblage.

arbois, chardonnay, sauvignon blanc et un maximum de 40%, au total, de chenin blanc et de romorantin

1 ou 2 ans

Rosé Vins légers, secs ou demi-secs, débordant souvent de beaux arômes de fruits fondants, supérieurs à bien des rosés de la Loire AOC.

cabernet franc, cabernet sauvignon, malbec, gamay, jusqu'à 25% au total de gascon et pineau d'Aunis et un maximum de 15% de gamay teinturier de Chaudenay

sans attendre

Marc Carré • Domaine Champieux • Gérard Toyer

VOUVRAY AOC

Selon l'année, ces vins blancs ou rosés sont secs, demi-secs ou moelleux. Quand il y a eu du soleil, certains vignerons produisent encore du vouvray classique, avec du raisin surmûri touché par la pourriture noble. Et quand il a fait froid, les vins sont évidemment plus secs et plus acides, et on fait alors davantage de mousseux.

Blanc À son meilleur niveau, le vouvray moelleux est le plus riche des blancs de Loire de ce style. Les bonnes années, les vins sont très charpentés, pleins en bouche et déploient les arômes de miel du chenin blanc.

chenin blanc, et parfois aussi arbois

en général 2 ou 3 ans – mais les vins moelleux peuvent évoluer sur 50 ans

Domaine des Aubuisières • Bourillon Dorléans • Gilles Champion • Clos Château Cherrie • Philippe Foreau (Clos Naudin) • *Régis Fortineau • Château Gaudrelle • Benoît Gautier • Lionel Gautier-Homme • Huet • Daniel Jarry • Jean-Pierre Laisement • Prince Poniatowsky* (Clos Baudouin)

VOUVRAY MOUSSEUX AOC

Ces vins effervescents sont issus de raisin surmûri. Les années où la maturation est insuffisante, les vinificateurs ont recours à la méthode champenoise et à l'assemblage avec des vins de réserve des années plus chaudes.

Blanc mousseux Assez bien charpentés, ces vins sont secs ou moelleux. Il sont plus riches et plus charnus que le saumur mousseux, mais moins ronds que le montlouis mousseux.

chenin blanc et arbois

non millésimé : 2 ou 3 ans; millésimé brut et sec : 3-5 ans; millésimé demi-sec : 5-7 ans.

Marc Brédif • Jean-François Delaleu • Philippe Foreau • Huet • Jean-Pierre Laisement • Prince Poniatowski • Viticulteurs de Vouvray (Tête de Cuvée)

VOUVRAY PÉTILLANT AOC

Vins distingués et réguliers en qualité, mais la quantité produite est faible.

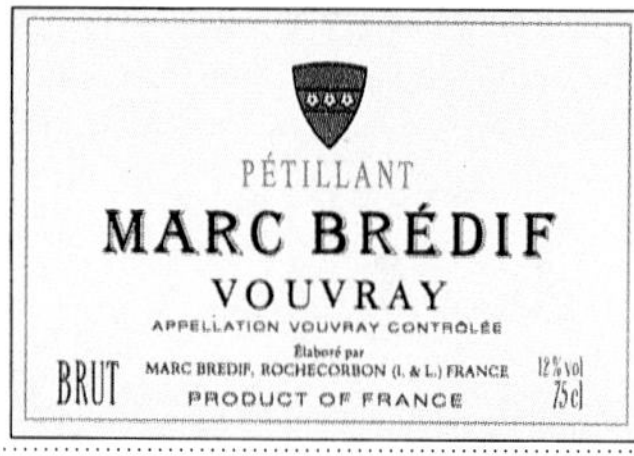

Blanc pétillant Assez bien charpentés, ces vins sont secs ou moelleux et doivent être bus dans leur jeunesse.

chenin blanc et arbois

sans attendre

Gilles Champion • Régis Fortineau • Huet

LES VINS DU CENTRE

Dans cette région de vignobles dispersés, tous les vins sont secs et issus de sauvignon blanc. Ils affirment cependant des traits bien distinctifs : arômes concentrés des sancerres, élégance des meilleurs pouilly-fumé, fraîcheur florale des menetou-salon, caractère plus léger mais tout aussi distingué des reuillys et pureté des quincys.

La vallée de la Loire est interminable et ces vignobles du centre de la France se trouvent bien en amont. Il faut toutefois regarder une carte pour se convaincre que dans les vignes de Sancerre et de Chablis, on n'est guère plus éloigné, en fin de compte, de la Champagne que de Tours. Et en dégustant du sancerre, on doit faire un effort pour se persuader que l'on se trouve à égale distance des régions de production de vins aussi différents que le muscadet et l'hermitage.

Les vignobles les plus septentrionaux de la vallée de la Loire se trouvent autour d'Orléans, tandis que ceux de Reuilly, de Quincy et de Menetou-Salon sont disposés autour de Bourges et non loin de Vierzon. À quelques kilomètres, au nord-ouest, se trouve la petite ville de Romorantin, qui a donné son nom au moins connu – et pourtant excellent – des cépages de la vallée de Loire.

LES VINS BLANCS DE SAUVIGNON DE LA RÉGION

Le sauvignon blanc est aux vignobles du Centre ce que le muscadet est au Pays nantais. Il donne le vin classique de la région qui, comme d'ailleurs le muscadet, est un blanc sec – mais il est difficile d'imaginer deux vins plus différents par le style et par le goût. Les meilleurs muscadets sur lie offrent des notes de levures qui pourraient les faire passer pour des mâcons du rang. En revanche, les sauvignons des vignobles du Centre, qu'ils viennent de Sancerre, de Pouilly ou même d'une des appellations, moins connues mais tout aussi excellentes, des communes autour de Bourges, déploient un arôme si particulier qu'on en reste parfois perplexe. On a le nez saisi par ce vin très sec qu'on ne peut confondre avec un blanc issu d'un autre cépage.

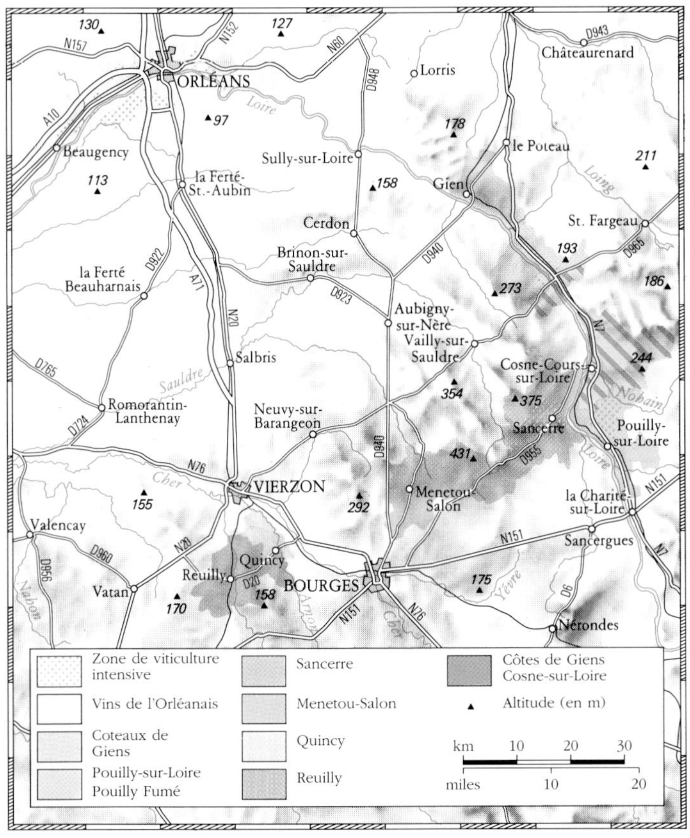

LES VIGNOBLES DU CENTRE

Au centre géographique de la France, ces vignobles sont renommés pour leurs vins issus du cépage sauvignon blanc.

L'INFLUENCE BOURGUIGNONNE

Toute cette région faisait autrefois partie du puissant duché de Bourgogne et c'est ce qui explique la présence du cépage pinot noir sur ces terres. La superficie des vignobles a connu une nette diminution après le passage meurtrier du phylloxéra. Les vignerons ont essentiellement replanté en sauvignon blanc. Toutefois des îlots de pinot noir ont subsisté ici et là pour donner des vins souvent fort bons, mais extrêmement délicats. Si l'on ne peut leur contester la finesse, il faut avouer qu'ils ne sont guère que l'ombre d'un pinot de Bourgogne.

CHÂTEAU DU NOZET À POUILLY-SUR-LOIRE

Ce beau château du XIXe siècle est la demeure de Patrick de Ladoucette, baron de Pouilly.

FACTEURS AFFECTANT LE GOÛT ET LA QUALITÉ

SITUATION
Les vignobles du Centre se trouvent principalement dans les départements du Cher, de la Nièvre et de l'Indre.

CLIMAT
Plus continental qu'en aval. Les étés sont plus courts et plus chauds, et les hiver plus frais et plus longs. Les gelées de printemps sont redoutées à Pouilly. La récolte est irrégulière.

SOL
L'argile et le calcaire dominent, avec une couverture de gravier et de caillou siliceux. Mêlés de tufeau crayeux, les graves donnent des vins de sauvignon fins et légers. Quand, au contraire, ils sont mélangés d'argile kimméridgienne, ils produisent des vins plus fermes et plus aromatiques.

SITE
Collines crayeuses et plateaux paisibles et bucoliques où la vigne occupe les meilleurs sites. À Sancerre, elle est établie sur des coteaux pentus, abrités et ensoleillés, à 200 m d'altitude.

VITICULTURE ET VINIFICATION
Certains vignobles de Sancerre sont si abrupts qu'il faut y cultiver et vendanger à la main. Les domaines, en général de petites dimensions, utilisent, pour la fermentation, des cuves en bois – ou en acier inoxydable dans quelques cas.

CÉPAGES PRINCIPAUX
Sauvignon blanc, pinot noir
CÉPAGES SECONDAIRES
Chasselas, pinot blanc, pinot gris, cabernet franc, chenin blanc, gamay

LES APPELLATIONS DES

VIGNOBLES DU CENTRE

COTEAUX DU GIENNOIS VDQS

Autrefois fameux, ce terroir regroupait peut-être un millier de vignerons au début du siècle, quand il couvrait quarante fois sa surface actuelle. Les vins peuvent aussi utiliser l'appellation Côtes de Gien.

Rouge Vins légers; certains rosés ont une robe plus colorée!

gamay, pinot noir – depuis 1992, aucun cépage ne peut dépasser 80% de l'assemblage

1 ou 2 ans

Blanc Vins secs, légers, très sommaires et sans grand intérêt. Le chenin blanc n'est plus autorisé pour la vinification.

sauvignon blanc

1 ou 2 ans

Rosé Vins léger, à la robe saumon clair, qui offrent parfois un parfum citronné.

gamay, pinot noir – depuis 1992, aucun cépage ne peut dépasser 80% de l'assemblage

1 an

Domaine Balland-Chapuis • René Berthier • Paul Paulat et Fils • Poupat et Fils • Station viticole INRA

COTEAUX DU GIENNOIS
Cosne-sur-Loire VDQS

Sur seize communes qui produisent des coteaux-du-giennois, dans le Cher et dans la Nièvre, seules huit, dans ce dernier département, sont autorisées à ajouter « Cosne-sur-Loire » à l'appellation. Les vins peuvent aussi utiliser l'appellation Côtes de Gien Cosne-sur-Loire.

Rouge De robe rubis, ces vins ont souvent des beaux arômes, mais sans le corps pour les soutenir – et les tannins sont souvent durs!

gamay, pinot noir – depuis 1992, aucun cépage ne peut dépasser 80% de l'assemblage

1 ou 2 ans

Blanc Secs et assez charpentés, ces blancs étonnent par leurs arômes; en bouteille, ils s'arrondissent avec des notes de fruits secs.

Sauvignon blanc

1 ou 2 ans

Rosé De robe saumon clair et légèrement plus corsés que les coteaux-du-Giennois (plus septentrionaux), ces vins ont souvent les mêmes nuances citronnées.

gamay, pinot noir – depuis 1992, aucun cépage ne peut dépasser 80% de l'assemblage

1-4 ans

René Berthier • Paul Paulat Père et Fils • Station viticole INRA

MENETOU-SALON AOC

Sous-estimée, l'appellation concerne Menetou-Salon et neuf autres communes des environs.

Rouge Vins légers et nerveux, au bel arôme variétal. Il faut les boire jeunes, même si quelques-uns se montrent aptes à vieillir un peu en fût de chêne.

pinot noir

2-5 ans

Blanc Vins secs ou demi-secs; ils ont le caractère du sauvignon, mais le parfum est souvent inattendu.

sauvignon blanc

1 ou 2 ans

Rosé De très bonne qualité, ces vins sont secs et aromatiques, et débordent de fruit.

pinot noir

1 an

Chasiol • Georges Chavet et Fils • Henri Pellé**

* Surtout pour le rouge et le rosé

POUILLY BLANC FUMÉ AOC

Voir Pouilly-Fumé AOC

POUILLY-FUMÉ AOC

On y trouve les plus grands vins de sauvignon blanc de la planète! Malheureusement, beaucoup d'autres, plus qu'ordinaires ou franchement exécrables, ont gâché une réputation qui fut glorieuse. À Pouilly-sur-Loire et dans six communes environnantes, seuls les vins de pur sauvignon peuvent utiliser le terme « fumé », qui évoque des arômes d'aliment fumé.

Blanc Le grand pouilly-fumé est rare, mais il déploie des arômes de verdure et de groseille à maquereau qui le rendent délicat et fin, même dans les années très chaudes.

sauvignon blanc

2-5 ans

Jean-Claude Châtelain • Didier Dagueneau

POUILLY-SUR-LOIRE AOC

Les vins viennent de la même zone que les pouilly-fumé, mais ils sont issus de chasselas, bien que le sauvignon blanc soit autorisé dans l'assemblage. Le chasselas est un bon cépage de table mais il donne un vin à peine passable.

Blanc Vins secs et légers. Ils sont en général neutres, pauvres et parfois même indigents.

chasselas, sauvignon blanc

sans attendre

Landrat-Guyollot

QUINCY AOC

Ces vignobles de la rive gauche du Cher se trouvent sur un plateau graveleux. Bien que situé entre deux zones produisant à la fois du rouge, du blanc et du rosé, Quincy ne fait que du vin blanc de sauvignon blanc.

sauvignon blanc

1 ou 2 ans

Domaine Mardon • Domaine Meunier • Domaine de Maison Blanche

REUILLY AOC

Étant donné la haute teneur en chaux du sol, Reuilly produit des vins à l'acidité plus élevée que ceux de sa voisine Quincy.

Rouge Vins relativement charpentés, parfois étonnamment bons, même s'ils déploient des arômes de fraise ou de framboise au lieu des notes de groseille que l'on s'attend à trouver dans des rouges de pinot noir.

pinot noir, pinot gris

2-5 ans

Blanc Vins très secs ou secs, assez charpentés, de bonne qualité, avec des arômes plus proches de l'herbe fraîche que de la groseille à maquereau, et une finale typiquement austère.

sauvignon blanc

1 ou 2 ans

Rosé Ces vins, secs ou très secs et légers, sont des rosés de pinot gris, même si l'étiquette indique simplement « pinot ».

pinot gris

2-5 ans

*Jean-Michel Sorbe**

* Surtout pour le rouge et le rosé

SANCERRE AOC

Cette appellation est fameuse pour ses blancs, même si ses rouges étaient autrefois mieux connus. Récemment, ces derniers, comme les rosés, ont gagné en élégance.

Rouge Si la qualité a été fluctuante, elle s'améliore aujourd'hui constamment. Secs et légers ou assez charpentés, ces rouges offrent des arômes floraux et une belle délicatesse.

pinot noir

2 ou 3 ans

Blanc Le sancerre tel qu'en lui-même est sec ou très sec, très aromatique avec des notes intenses de groseille à maquereau – et même de pêche les grandes années. Malheureusement, beaucoup de producteurs surproduisent et vendangent sans attendre la maturité, ce qui donne des vins plus qu'insipides.

sauvignon blanc

1-3 ans

Rosé Jolis vins secs et légers, aux arômes de fraise et de framboise.

pinot noir

Dans les 18 mois

Henri Bourgeois • Cotat Frères • Lucien Crochet • André Dezat* • Alphonse Mellot • Roger Pinard* (Le Paradis) • *Vincent Pinard • Christian Thirot* (Domaine des Vieux Pruniers)

* Surtout pour le rouge et le rosé

VINS DE L'ORLÉANAIS VDQS

Ces vins ont une histoire plusieurs fois centenaire, mais seul un tiers de l'appellation demeure en production.

Rouge Vins secs, assez charpentés, frais et fruités; la macération courte leur donne un caractère tendre. Ils sont souvent diffusés comme vins de cépage – le pinot noir étant plus délicat, le cabernet franc plus plein.

pinot noir, pinot meunier, cabernet franc

1 ou 2 ans

Blanc Des vins intéressants sont issus, en petites quantités, du chardonnay (sous son nom local, « auvergnat blanc »). Secs et assez corsés, ils sont souples et fruités.

chardonnay (auvergnat blanc), pinot gris (auvergnat gris)

1 ou 2 ans

Rosé La spécialité locale est un vin sec, léger ou assez charpenté, le « meunier gris » : c'est un vin gris aromatique, à finale nerveuse.

pinot noir, pinot meunier, cabernet franc

dans l'année

Clos Saint-Fiacre • Vignerons de la Grand'Maison

LE CHOIX DE L'AUTEUR

Plutôt que de retenir les moelleux les plus prestigieux, dont tout le monde connaît la grande classe, je préfère insister sur les meilleures réussites des vins de Loire qui sont loin d'être toujours de qualité – notamment le muscadet, le chenin blanc sec, le saumur mousseux, le sancerre et le pouilly-fumé – pour montrer que malgré un niveau général médiocre, on peut trouver de bons vins.

PRODUCTEUR	VIN	STYLE	DESCRIPTION	
Bouvet	Trésor, Saumur AOC (*voir* p. 202)	BLANC EFFERVESCENT	Issu de raisin très mûr, fermenté et vieilli en partie en petits fûts de chêne neufs, passant ensuite trois ans sur ses lies, ce vin prouve le haut niveau que peut atteindre le saumur quand on ne pousse pas le rendement et qu'on s'attache à la qualité. Très riche, épanoui, avec des notes presque exotiques, le Trésor est vendu à un prix qui peut sembler excessif pour un vin de Loire. Cependant, il est meilleur que beaucoup de champagnes vendus beaucoup plus cher. Il offre donc un bon rapport qualité/prix.	**Jusqu'à trois ans après la diffusion**
Domaine des Baumard	Clos du Papillon, Savennières AOC (*voir* p. 202)	BLANC	Quel est le meilleur du Coulée de Serrant, à l'intensité presque dure et métallique, ou du Clos du Papillon de Baumard, tout en élégance, en pureté et en finesse? Pour ma part, je préfère le second. Jean Baumard est un vrai magicien dès qu'il touche au chenin blanc. Ses vins n'ont jamais ce caractère un peu vert, ce défaut de netteté, qui gâchent tant de blancs issus de ce cépage. J'espère qu'il va transmettre ses secrets à son fils Florent, qui l'assiste depuis une dizaine d'années, pour que nous puissions encore longtemps apprécier ce vin sec et souple, avec ses frais arômes de melon.	**3 à 7 ans**
Leroux Frères V	Clos de Beauregard, Muscadet de Sèvre-et-Maine AOC (*voir* p. 197)	BLANC	Des arômes gras de pêche et des notes de vanille et de *botrytis* donnent un caractère atypique à ce vin – que les habitués du muscadet n'identifieraient sûrement pas. Il est cependant aisément reconnaissable par ses hautes qualités, très spécifiques il est vrai, et il prouve que l'on peut faire un vin ayant toute la richesse du grain mûr sous le climat un peu frais de Nantes.	**1 à 5 ans**
Château de Briacé V	Tiré sur lie, Muscadet de Sèvre-et-Maine AOC (*voir* p. 197)	BLANC	Très beau vin, aux arômes pleins de fraîcheur, au fruit délicieux, élégant, franc comme un coup de sifflet. Par sa structure et son caractère nerveux, le muscadet du Château de Briacé est régulièrement le plus typique, au meilleur sens du terme.	**1 à 2 ans**
Jean-Claude Châtelain	Châtelain Prestige et Les Charmes Châtelain, Pouilly Fumé AOC (*voir* p. 208)	BLANC	Jean-Claude Châtelain vinifie toujours avec brio. Le Châtelain Prestige est typique de son style : plein, avec un fruit délicat et un équilibre élégant et léger, il est néanmoins très mûr et fondu, avec une longueur en bouche étonnante étant donné sa structure. Le Charmes Châtelain, en revanche, est très riche en extrait et déborde littéralement d'un fruit incroyablement mûr et intense.	**2 à 3 ans**
Didier Dagueneau	Silex, Pouilly Fumé AOC (*voir* p. 208)	BLANC	Une macération avant fermentation donne à ce vin sa grande intensité d'arôme, alors que la fermentation partielle en fûts de chêne lui apporte une certaine souplesse, de la plénitude et de la complexité.	**2 à 3 ans**
Charles Joguet	Clos de la Dioterie, Chinon AOC (*voir* p. 204)	ROUGE	Ce vin ne cesse de me surprendre. Charles Joguet est le plus grand vinificateur de rouge de la vallée de la Loire, et le Clos de la Dioterie est sans conteste son vin le plus fin. Issu de vieilles vignes situées – eh oui! – sur une pente exposée au nord, il offre une robe étonnamment foncée et profonde pour un vin qui n'a rien de massif, et un fruit beaucoup plus riche et complexe que n'importe quel autre rouge de Loire.	**6 à 10 ans**
Roger Pinard	Le Paradis, Sancerre AOC (*voir* p. 208)	BLANC	Les vins de Vincent Pinard, de Bué, sont aussi bons mais peut-être plus connus que ceux de Roger Pinard. Cependant, j'ai la plus grande admiration pour ces derniers : leurs riches arômes fruités de pêche témoignent de la belle maturité atteinte par le raisin à la vendange, et le producteur réussit toujours à étayer la richesse du fruit par une solide structure classique.	**2 à 3 ans**
Christian Thirot	Domaine des Vieux Pruniers, Sancerre AOC (*voir* p. 208)	BLANC	Christian Thirot produit un délicieux sauvignon blanc, au fruit élégant. Un sancerre gouleyant et plaisant mérite toujours qu'on s'y arrête, mais celui-ci s'élève en outre à ce style classique, authentiquement sec, qui est le meilleur de l'appellation.	**2 à 3 ans**
Domaine du Vieux Chai V	Muscadet de Sèvre-et-Maine AOC (*voir* p. 197)	BLANC	Voici un autre muscadet de Sèvre-et-Maine qui offre, chaque année, des arômes de pêche et ce caractère souple et fruité, atypique dans l'appellation mais qui donne à ce vin tout son charme.	**1 à 2 ans**

LA VALLÉE DU RHÔNE

Renommée surtout pour ses vins rouges amples, riches et épicés, la vallée du Rhône produit aussi quelques rosés, au sud, de très rares vins blancs disséminés dans toute la région, voire quelques vins effervescents et vinés. C'est avant tout une région d'excellents vins rouges, mais elle a engagé une petite révolution pour les blancs, alors qu'à la fin des années 1980, seul Châteauneuf-du-Pape en produisait : le nombre d'appellations offrant des vins exotiques de haut niveau ne fait que croître.

CÔTE-BRUNE, DANS LA CÔTE-RÔTIE (AU NORD)
Cette zone se caractérise par la couleur brun rouille de son sol, due à la présence du fer dans les sables granitiques.

L'aire d'appellation Côtes-du-Rhône s'étire, sur 200 km, de Vienne à Avignon, le long du Rhône dont les rives accueillent également une succession quasi-ininterrompue de vignes, depuis celles de Visp dans le canton du Valais, à 50 km seulement de la source du Rhône, jusqu'à celles qui donnent naissance aux vins de pays, dans les Bouches-du-Rhône, là où le fleuve se jette dans la Méditerranée. Le département du Rhône n'abrite que les quelques vignobles les plus septentrionaux de cette région viticole, mais assure 70% de la production totale de la Bourgogne. Il y existe un fort contraste de caractère entre les vins relevant des AOC de la vallée du Rhône et ceux au statut des AOC de Bourgogne. Quoi de plus éloigné, par exemple, qu'un condrieu riche et classique et un mâcon frais et léger, ou qu'un côte-rôtie noir et intense et un beaujolais rouge cerise gouleyant?

BEAUMES-DE-VENISE, AU SUD
C'est le centre des vins fortifiés les plus élégants et les plus fiables du monde, et il produit aussi un rouge souple et poivré, sous l'appellation Côtes-du-Rhône-Villages.

VIGNOBLE DE LA LANDONNE (CÔTE-RÔTIE)
Vendanges sur les pentes raides du remarquable vignoble La Landonne, dans la Côte Brune, au-dessus d'Ampuis.

UNE RÉGION DIVISÉE

Pour l'encépagement, la vallée du Rhône est divisée en deux : le nord dominé par la syrah et le sud sous l'influence du grenache; certains distinguent, sans doute à tort, une troisième zone centrale. Le contraste entre le nord et le sud est également visible dans le sol et le climat, mais aussi dans les disparités sociales, culturelles et gastronomiques.

LE PRIX DES VINS DU RHÔNE

Au cours des vingt dernières années, les vins du Rhône étaient bon marché. Leur prix a récemment augmenté, mais ils étaient si sous-estimés qu'ils restent d'un bon rapport qualité/prix, qui s'améliore à mesure que l'on monte dans l'échelle de qualité des vins. Nul ne peut dire si cette situation durera longtemps car l'enthousiasme pour les vins de la vallée du Rhône ne fait que croître.

LES MILLÉSIMES RÉCENTS DE LA VALLÉE DU RHÔNE

1996 Beaucoup de régions viticoles ont mieux réussi qu'en 1995, qui était pourtant la meilleure année depuis 1990, mais ce n'est pas le cas de celle-ci : les vins n'ont décidément pas atteint le niveau de leurs précédents immédiats, et ce sont d'ailleurs les blancs qui s'en tirent le mieux.

1995 Millésime de bonne qualité, comme 1991, mais qui n'atteint pas les sommets de 1990. La responsable est la canicule : les vignes ont pris un coup de chaleur et le raisin n'a pas assez mûri. Toutefois, la pluie, qui a finalement abreuvé les ceps, a été un soulagement presque général.

1994 Tout allait bien et, patatras!... la pluie a dilué le jus. Certains vins sont cependant excellents, surtout dans le sud, et c'est le condrieu le plus fin et le plus séveux depuis le 1990. Les meilleurs sont de longue garde.

1993 Moins réussi que 1992 ou 1994, avec des vins catastrophiques un peu partout. Toutefois, dans le sud et particulièrement à Châteauneuf-du-Pape, les choses se sont mieux passées car on a pu vendanger avant le déluge.

1992 Similaire à 1994. Les meilleurs sont les rouges, mais ils sont inégaux. Dans le nord, les meilleurs vignerons ont eu de belles réussites, mais la durée de vie moyenne sera courte.

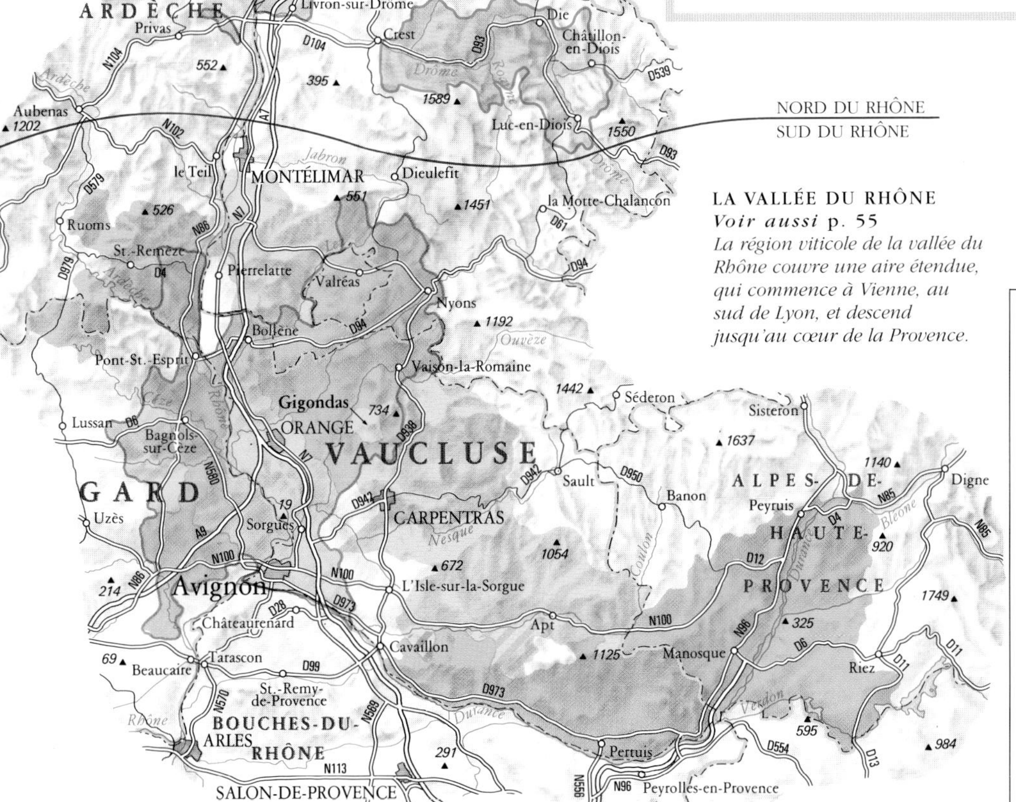

LA VALLÉE DU RHÔNE
Voir aussi p. 55
La région viticole de la vallée du Rhône couvre une aire étendue, qui commence à Vienne, au sud de Lyon, et descend jusqu'au cœur de la Provence.

Côtes-du-Rhône *Voir aussi* p. 212, 215
Côtes-du-Rhône-Villages *Voir aussi* p. 215
Clairette de Die *Voir aussi* p. 212
Châtillon-en-Diois *Voir aussi* p. 212
Coteaux du Tricastin *Voir aussi* p. 215
Coteaux de Pierrevert *Voir aussi* p. 215
Côtes du Luberon *Voir aussi* p. 215
Côtes du Ventoux *Voir aussi* p. 215
Côtes du Vivarais *Voir aussi* p. 215
Limite de département
Altitude (en m)
km 10 20 30 40
miles 10 20

LE NORD DE LA VALLÉE DU RHÔNE

Le nord de la vallée du Rhône est dominé par les vins noirs issus de la syrah – seul cépage noir vraiment classique de la région –, auxquels s'ajoute une petite production de vin blanc et, au sud, à Saint-Péray et Die, de vins effervescents.

Si le nord de la vallée du Rhône est un peu la porte d'accès vers le sud, cette région a cependant plus de points communs avec ses voisins septentrionaux qu'avec ceux du sud, même si ses vins sont bien typés. Il serait donc tout à fait justifié d'isoler le nord et d'en faire une région viticole séparée, qu'on pourrait appeler « vallée du Rhône » et de considérer le sud comme un prolongement de grande qualité des vignobles du Midi, ce qui le définirait mieux.

LA QUALITÉ DES VINS DU NORD DE LA VALLÉE DU RHÔNE

Les vins classiques d'Hermitage et de Côte-Rôtie, à la robe d'un noir d'encre, sont les équivalents, en termes de qualité, de ceux des crus classés de Bordeaux, tandis que l'élite, les hermitages de Chave et de Jaboulet ou les côte-rôtie de Guigal et de Jasmin, mérite autant de respect que des premiers crus comme Lafite, Mouton ou Latour. Les vins de Cornas sont encore plus corpulents et foncés que ceux de l'Hermitage et de la Côte Rôtie, et un grand millésime d'Auguste Clape est fort capable de rivaliser en qualité avec les meilleurs de ses illustres voisins. Si les beaux vins blancs secs de Condrieu et de Château-Grillet sont uniques par leur caractère, leur présence n'est pas aussi surprenante que celle des vins effervescents que l'on élabore à Saint-Péray et à Die – ces derniers sont décrits par les locaux comme un asti supérieur !

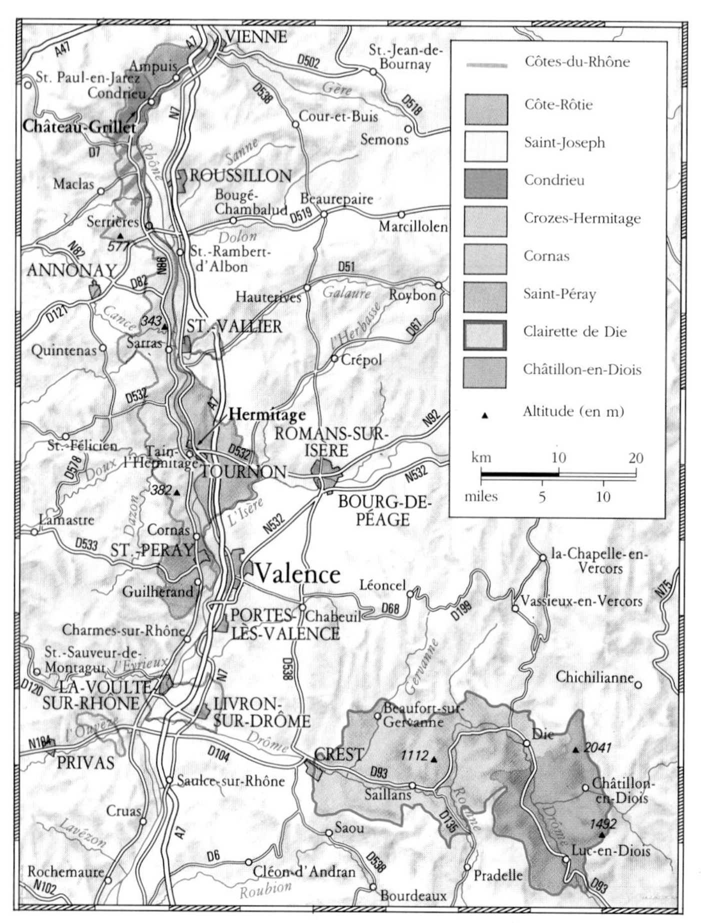

FACTEURS AFFECTANT LE GOÛT ET LA QUALITÉ

SITUATION

Les vignobles se succèdent, dans la vallée du fleuve, formant une bande étroite qui commence à Vienne et se poursuit jusqu'à Valence.

CLIMAT

Bien que l'influence de la Méditerranée soit perceptible, le climat reste semi-continental, marqué par l'alternance d'étés chauds et d'hivers froids. Il est plus proche de celui du sud de la Bourgogne que de celui des Côtes du Rhône méridionales. Le mistral peut cependant y souffler à 145 km/h, arrachant ceps, feuilles, sarments et fruits dans sa violence. Les vignes exposées au mistral sont protégées par des peupliers et des cyprès. Le vent n'exerce toutefois pas une action uniquement négative : au moment des vendanges, il contribue, en effet, à assécher les grappes, le cas échéant.

SITE

La campagne est généralement moins aride que dans le sud, et les arbres fruitiers (cerisiers, pêchers, abricotiers) y sont nombreux. Les vignobles de la vallée sont, en outre, bien plus pentus que ceux des Côtes du Rhône méridionales.

SOL

Le sol du nord de la vallée du Rhône est généralement léger et sec, granitique et schisteux : sol sablo-granitique sur la Côte Rôtie (sable calcaire sur la Côte Blonde et sable ferrugineux sur la Côte-Brune) ; sol sablo-granitique à Condrieu et Hermitage, avec une fine couche de silex, de craie et de mica décomposés que l'on appelle ici « arzelle » ; sol plus lourd à Crozes-Hermitage, avec des nappes d'argile ; sables granitiques avec un peu d'argile entre Saint-Joseph et Saint-Péray, qui deviennent plus pierreux vers le sud de la région, où apparaissent parfois des affleurements de calcaire ; calcaire et argile sur une solide base rocheuse aux environs de Die.

VITICULTURE ET VINIFICATION

À la différence des vins du sud de la vallée, ceux de la partie septentrionale sont issus principalement, voire uniquement, du cépage syrah. Les nombreux cépages secondaires (*voir* liste ci-dessous) ne servent qu'occasionnellement.

Les conditions de culture sont particulièrement difficiles dans le nord de la région, et les coûts d'exploitation très élevés ont failli conduire par le passé à l'abandon pur et simple des vignobles. Les vins de Côte Rôtie sont aujourd'hui assez onéreux, mais du moins continuent-ils d'être produits. Les techniques de vinification sont tout à fait traditionnelles et, lorsque les vins sont élevés en fût, le recours au chêne neuf revêt moins d'importance que dans le Bordelais ou en Bourgogne.

CÉPAGES PRINCIPAUX

Syrah, viognier

CÉPAGES SECONDAIRES

Aligoté, bourboulenc, calitor, camarèse, carignan, chardonnay, cinsault, clairette, counoise, gamay, grenache, marsanne, mauzac, mourvèdre, muscardin, muscat blanc à petits grains, pascal blanc, picardan, picpoul, pinot blanc, pinot noir, roussanne, terret noir, ugni blanc, vaccarèse

LE NORD DE LA VALLÉE DU RHÔNE, *voir aussi* p. 211
Au cœur de cette zone, les villes de Tain et de Tournon se font face, sur les rives du fleuve.

AMPUIS SOUS LA NEIGE
Les vignobles pentus de Côte Rôtie exposés au sud-est, sur la rive droite du Rhône, sont particulièrement difficiles à travailler.

LES APPELLATIONS DU

NORD DE LA VALLÉE DU RHÔNE

CHÂTEAU GRILLET AOC

Château Grillet est l'une des deux seules appellations françaises à ne comprendre qu'un seul domaine, l'autre étant celle de la Romanée-Conti (on pourrait en ajouter une troisième, celle de Coulée-de-Serrant, dans la zone du savennières, dans la vallée de la Loire). Dans la première édition de ce livre (1988), je disais que malgré sa réputation d'un des meilleurs vins blancs du monde, le château-grillet n'avait pas encore affirmé tout son potentiel. Je me basais sur quelques vins assez jolis, produits avant 1975, mais qui n'avaient rien d'exceptionnel et qui étaient loin de montrer toutes les possibilités de ce terroir. Les premiers millésimes des années 1980 n'étaient pas aussi bons. On pensait qu'ils pourraient s'améliorer, mais ils n'inspiraient pas vraiment confiance. L'expérience a montré que ces blancs étaient plus faibles que timides mais, heureusement, il y a eu une amélioration à la fin des années 1980.

Si on le compare à Condrieu, en continuelle progression, qui a contribué à disséminer les vins de viognier dans toutes les régions du sud de la France et aux quatre coins du monde, ce domaine n'a d'autres choix que de s'atteler à améliorer encore la qualité. C'est le seul moyen de se tailler une bonne place sur le marché, étant donné le nombre de vins de Condrieu de haut niveau qui l'occupe déjà.

Blanc Dans les meilleurs millésimes, ce vin arbore une robe or clair et offre un bouquet floral et fruité séduisant, avec des notes de pêche et de citron vert; long et délicat en bouche, il déploie une finale élégante, dominée par la pêche. Potentiellement complexe et très fin, il n'a cependant pas les perspectives de garde que certains avaient imaginées.

viognier

3-7 ans

CHÂTILLON-EN-DIOIS AOC

Cette appellation a été créée en 1974 mais, aujourd'hui comme hier, je me demande bien pourquoi.

Rouge Clair et léger, un peu fruité, ce vin n'a guère de caractère.

gamay, et jusqu'à 25% de syrah et de pinot noir

Blanc Diffusé comme vin de cépage, l'aligoté léger et frais, agréablement aromatique, est aussi bon que le chardonnay, plus riche, plus plein et assez angulaire.

aligoté, chardonnay

Rosé Je ne l'ai jamais goûté.

gamay, et jusqu'à 25% de syrah et de pinot noir

UPVF du Diois

CLAIRETTE DE DIE AOC

Cette appellation de vins effervescents secs est en phase d'extinction depuis décembre 1998, en faveur de celle de Crémant de Die. C'est un bel exemple de la logique française : on élimine le nom de Clairette d'une appellation où le vin doit être fait de 100% de clairette, et on le retient pour une autre (*voir ci-dessous*) qui n'en contient pas du tout! *Voir aussi* Crémant de Die AOC.

CLAIRETTE DE DIE MÉTHODE DIOISE ANCESTRALE AOC

Diffusé auparavant sous l'AOC Clairette de Die Tradition, ce vin peut contenir un peu de clairette, mais pas beaucoup. Ce qui fait son originalité, c'est qu'il est produit par fermentation unique contre deux pour le crémant de Die, l'ancienne clairette de Die mousseux et la majorité des vins effervescents. Avec la méthode dioise ancestrale, le vin subit d'abord une longue fermentation, en partie à basse température; lorsqu'il est mis en bouteille, il doit contenir un minimum de 55 g/l de sucre résiduel, et pas de liqueur de tirage. La fermentation continue dans la bouteille, mais après dégorgement, le vin doit contenir encore au moins 35 g/l de sucre résiduel. Il est ensuite transvasé (filtré dans une nouvelle bouteille) puis bouché sans adjonction de liqueur d'expédition.

Blanc mousseux Vin joliment effervescent, très frais, délicieusement fruité, demi-sec ou doux, épanoui en bouche avec des notes de pêche.

au moins 75% de muscat à petits grains (seulement 50% avant 1993), et clairette

sans attendre

Archard-Vincent • Buffardel Frères • UPVF du Diois • Domaine de Magord • Jean-Claude Raspail

CONDRIEU AOC

C'est la plus performante des AOC de blanc de toute la vallée et, côté vignerons, les jeunes talents poussent plus dru qu'une vigne sous la pluie – et sont plus nombreux que partout ailleurs sur la planète! Beaucoup se sont attachés aux doux et demi-doux mais Condrieu, depuis une vingtaine d'années, offre un blanc sec. Si l'année est bonne, on fait des vins vendanges tardives doux, qui comptent d'ailleurs pour beaucoup dans le retour du condrieu dans le peloton de tête des grands vins blancs.

Blanc Ces vins clairs et dorés sont surtout secs, mais ils libèrent des parfums exotiques – paradisiaques! – qui vous font les prendre pour des doux au premier nez. Avec un bouquet fin, floral et fruité, ils déploient des arômes opulents et entêtants – fleurs printanières, chèvrefeuille, violette, rose, pêche et citron vert. Dans les millésimes très riches, ils savent offrir des bouffées de miel tout frais. La bouche fruitée, très parfumée, offre une impression de douceur, même chez les plus secs. Un grand condrieu présente un étonnant équilibre de fraîcheur, de gras et de finesse qui donne une finale élégante, fruitée et vive, de pêche et d'abricot. Attention de ne pas les oublier dans la cave – au moins les secs dont toute la séduction réside dans la fraîcheur et de la pureté du fruit qui ne durent que quelques années.

viognier

4-8 ans

Automnal du Condrieu • Yves Cuilleron • Pierre Dumazet • Philippe Faury • E. Guigal • Antoine Montez • Didier Morion • André Perret • Philippe Pichon • Patrice Portet • Château du Rozay • Georges Vernay • François Villard

CORNAS AOC

Baignés de soleil, ces vignobles produisent les vins rouges les plus intéressants, sous le rapport qualité/prix, de toute la vallée. Cependant, ils sont diffusés trop jeunes et il faut les acheter rapidement car ils sont presque épuisés quand ils arrivent à maturité.

Rouge Noir d'encre, corsés et parfumés comme quatre, ils explosent en bouche de cassis et de mûre. Ils sont toutefois un peu moins fins que les grands hermitages ou les grands côte-rôtie.

syrah

7-20 ans

Guy de Barjac • M. Chapoutier • Auguste Clape • Jean-Luc Colombo • Paul Jaboulet Aîné • Marcel Juge • Jean Lionnet • Robert Michel • Noël Verset • Alan Voge • Delas

COTEAUX DE DIE AOC

Cette appellation date de 1993. Elle est destinée à éponger l'excès de clairette qui était antérieurement vinifié sous diverses appellations de vins effervescents.

Blanc Il est sans doute un peu cavalier d'émettre un jugement sur une appellation encore récente, mais je ne vois pas quel miracle on pourrait attendre de ce cépage. Le coteau-de-die n'est guère que la version tranquille du crémant-de-die. Il est facile de comprendre que des vins si ternes ont besoin de bulles pour les égayer, même si je suis rarement réjoui en fin de compte!

clairette

sans attendre

Jean-Claude Raspail

CÔTES-DU-RHÔNE AOC

Cette appellation générique concerne toute la vallée, mais plus le nord que le sud. *Voir* Côtes-du-Rhône p. 217.

CÔTE-RÔTIE

Les vignobles sur terrasses de la Côte Rôtie brune ou blonde sont entretenus à la main – la récompense est un vin de grande classe qui rivalise avec l'hermitage pour le titre mondial, catégorie vins de syrah.

Rouge Avec sa robe de couleur grenat, ce vin est corsé, charnu et puissant, et un peu de viognier lui donne un beau parfum. De longue garde et complexe, très fin en bouche, il libère des nuances de violette et d'épices.

syrah, et jusqu'à 20% de viognier

10-25 ans

Pierre Barge • Vignoble de Boisseyt • Bernard Burgaud • Domaine Clusel-Roch • Delas (Seigneur de Maugiron) *• Jean-Michel Gerin • E. Guigal • Paul Jaboulet Aîné • Joseph Jamet • Jasmin • René Rostaing • Louis de Vallouit • Vidal-Fleury*

CRÉMANT DE DIE AOC

Cette appellation de vin effervescent sec a été créée en 1993 pour remplacer celle de Clairette de Die mousseux – qui est entrée dans sa phase d'abandon. La méthode de vinification reste la même, avec deux fermentations, mais alors que l'ancien vin pouvait contenir jusqu'à 25% de muscat à petit grain, celui-ci est entièrement voué à la clairette.

Blanc effervescent Il est trop tôt pour prononcer un jugement définitif mais j'ai bien peur que le crémant-de-die ne soit en tous points aussi terne et neutre que la clairette-de-die.

Clairette

1-3 ans

CROZES-ERMITAGE AOC

Voir Crozes-Hermitage AOC

CROZES-HERMITAGE AOC

Ce vin provient d'une zone assez vaste, autour de Tain-l'Hermitage, et si la haute qualité n'est pas toujours là, un bon crozes-hermitage est toujours une bonne affaire.

Rouge Bien colorés et corsés, ces vins ressemblent à l'hermitage en moins intenses, avec en bouche quelque chose de fumé, de rustique, et des notes de framboise – ou, plus profondes, de cassis, quand il a fait chaud. Les meilleurs se révèlent très racés et sont vraiment imbattables sous le rapport qualité/prix.

syrah, et jusqu'à 15% de roussanne et de marsanne

6-12 ans
8-20 ans (grands vins et bons millésimes)

Blanc Ces vins secs s'améliorent et acquièrent peu à peu plus de finesse, de fruit et d'acidité.

roussanne, marsanne

1-3 ans

Albert Belle • *M. Chapoutier* (Les Meysonniers et Les Varonnières) • *Bernard Chave* • *Alain Graillot* • *Paul Jaboulet Aîné* (Thalabert) • *Etienne Pochon* • *Cave Viticole de Tain-Hermitage* • *Louis de Vallouit*

ERMITAGE AOC

Voir Hermitage AOC

HERMITAGE AOC

Un des grands vins rouges français! Il est presque toujours fait uniquement de syrah, bien qu'un peu de marsanne et de roussanne soit autorisé. Les vignobles sont cultivés sur une superbe pente au sud, au-dessus de Tain.

Rouge Avec une robe profonde et soutenue, ces vins corsés et charnus répandent en bouche un flot soyeux de violette, d'épices et de cassis. Malgré ses arômes puissants et son poids, un grand hermitage affiche une superbe finesse.

syrah, et jusqu'à 15% de roussanne et de marsanne

12-30 ans

Blanc Corpulents et riches, ces blancs sont pleins et ronds en bouche, avec des nuances de noisette et d'abricot sec. Ils se sont améliorés mais restent essentiellement des curiosités.

roussanne, marsanne

6-12 ans

Albert Belle • *M. Chapoutier* (Le Pavillon) • *Domaine Chave* • *Delas* (Marquise de la Tourette et Les Bassards) • *E. Guigal* • *Paul Jaboulet Aîné* • *Marc Sorrel*

*Particulièrement recommandé aussi pour le blanc

HERMITAGE VIN DE PAILLE AOC

Dans la première édition de cet ouvrage, en 1988, j'écrivais : « En 1974, Gérard Chave a fait le dernier vin de paille d'Hermitage et ce vin est maintenant relégué aux seuls vignobles du Jura (*voir* p. 222). Chave dit qu'il fait ce vin "pour s'amuser". Mais étant donné le résultat, il est incroyable qu'un viticulteur intelligent n'ait pas encore tiré parti de cette appellation ». Eh bien, Chapoutier a déjà produit plusieurs millésimes de vin de paille, sur une base commerciale (si l'on peut dire pour ce style de vin), et d'autres s'y sont mis tels Michel Ferraton, Jean-Louis Grippat et Guigal. La coopérative locale elle-même a franchi le pas. Autrefois, tout l'hermitage blanc était du vin de paille, et la production remonte au moins à 1760. Il semble d'ailleurs que l'heureux Marc Chapoutier ait dégusté la dernière bouteille de ce millésime en 1964 – 204 ans d'âge, un rien! Ici, le vin de paille traditionnel n'était pas aussi intense que celui qu'on fait depuis peu en Alsace, où les grains sont séchés sur lit de paille afin qu'ils perdent plus de 90% de leur eau, avant le pressage – ni d'ailleurs que le légendaire 1974 de Chapoutier, dont le raisin avait perdu le tiers de son eau. Mais tout de même, le résultat est parfois fantastique. Malgré l'interruption prolongée de la production, l'appellation n'a pas été supprimée.

Blanc Quelques vins de paille sont riches, avec des notes de raisin sec, mais d'autres, les meilleurs, ont de la vivacité et de la fraîcheur, avec des arômes intenses de fleurs et d'agrumes, et une finale onctueuse, énorme et interminable. Après son fameux 1974, Chave a fait un 1986 et au moins deux autres millésimes depuis. Son vin de paille est réputé le plus grand, mais n'espérez pas trop en trouver une bouteille. Il est pourtant produit sous un volume commercial, mais même ainsi, ça ne fait pas beaucoup. Disons qu'il est très rare et très cher. Jean-Jouis Grippat a fait les millésimes 1985 et 1986 – que je n'ai pas eu le plaisir de goûter mais que John Livingstone-Learmont décrit comme « à peine différent d'un gewurztraminer vendanges tardives », dans un ouvrage consacré aux vins de la région, *The Wines of the Rhône* (Faber & Faber).

roussanne, marsanne

jusqu'à 30 ans

Chapoutier • *Chave* • *Jean-Louis Grippat* • *E. Guigal* • *Cave de Tain-L'Hermitage*

L'ERMITAGE AOC

Voir Hermitage AOC

L'HERMITAGE AOC

Voir Hermitage AOC

SAINT-JOSEPH AOC

Certains vins, vraiment très intéressants, sont diffusés sous cette appellation. Pour les chercheurs de trésor liquide, Saint-Joseph a maintenant remplacé Cornas.

Rouge Les meilleurs sont foncés, relativement corsés, débordant d'arômes intenses de mûre et de cassis et très fruités en bouche. Les moins bons, en revanche sont légers, avec quelque chose de poivré évoquant le sud de la vallée du Rhône.

syrah, et jusqu'à 10% de marsanne et de roussanne

3-8 ans

Blanc Au mieux, ces vins secs sont riches et nets, avec des notes d'agrume et de résine.

marsanne, roussanne

1-3 ans

Domaine Chave • *Pierre Coursodon* • *Yves Cuilleron* • *Bernard Gripa* • *Domaine Jean-Louis Grippat* • *Paul Jaboulet Aîné* • *Cave de Saint-Désiré-Champagne* • *Trollat* • *Louis de Vallouit*

SAINT-PÉRAY AOC

Cette appellation de commune, pour le blanc est, curieusement, un peu à l'écart de la région.

Blanc Ferme et fruité, avec une bonne acidité pour un vin si méridional, mais il manque malheureusement de charme. Les meilleurs producteurs (cités ci-dessous) ont du mal à proposer des bouteilles intéressantes.

marsanne, roussanne

1-3 ans

J-F Chaboud • *Auguste Clape* • *Marcel Juge* • *Jean Lionnet*

SAINT-PÉRAY MOUSSEUX AOC

Vin effervescent avec deuxième fermentation, fait avec un raisin quelconque poussant sur un sol quelconque. Les vignerons feraient mieux de tout arracher pour replanter des cépages noirs afin de produire du côtes-du-rhône.

Blanc effervescent Vin sec trop cher, à la mousse assez grossière.

marsanne, roussanne

LE SUD DE LA VALLÉE DU RHÔNE

Si la chaleur moelleuse du grenache se retrouve dans la plupart des vins du sud de la vallée du Rhône, cette région n'est pas vouée à un cépage unique. C'est au contraire le paradis des assemblages, avec un choix allant jusqu'à 23 cépages, et de nombreux vins rouges, blancs, rosés et doux, de styles et de qualités divers.

Le sud de la vallée du Rhône est dominé par la garrigue et balayé par une brise parfumée d'épices et de sucre. Le vignoble est bien plus étendu qu'au nord et sa production est naturellement plus importante. Le nord produit moins de 10% des côtes-du-rhône génériques, tandis que le sud diffuse à lui seul près de 95% des vins de la région.

VINS DU MIDI OU VINS DE PROVENCE ?

Au moins la moitié du vignoble du sud de la vallée fait partie du Midi – dont on admet généralement qu'il couvre les départements de l'Aude, de l'Hérault et du Gard –, autrefois tristement réputé pour son immense production de vins ordinaires. Le Rhône marque la limite est du Midi et si les appellations les plus célèbres, Châteauneuf-du-Pape, Muscat de Beaumes-de-Venise et Gigondas, font géographiquement partie de la Provence, elles n'en utilisent pas les cépages quasi italiens qui y dominent et se définissent plutôt comme un prolongement de haut niveau des appellations du Midi, où règnent grenache et mourvèdre.

FACTEURS AFFECTANT LE GOÛT ET LA QUALITÉ

SITUATION
La région s'étend de Montélimar jusqu'au sud d'Avignon et, vers l'est, au-delà de Manosque.

CLIMAT
Au climat semi-continental des Côtes du Rhône septentrionales succède ici le climat méditerranéen, qui soumet les vignobles à des changements de temps plus soudains et à des orages violents. Le facteur climatique commun au nord et au sud de la vallée est le mistral, aux effets tantôt négatifs, tantôt bénéfiques.

SITE
Paysage méditerranéen, avec des oliviers, des champs de lavande, des garrigues et des affleurements rocheux.

SOL
Les affleurements calcaires, qui apparaissent déjà dans le nord de la vallée du Rhône, deviennent ici plus abondants et sont souvent mêlés de dépôts d'argile, tandis qu'en surface, le sol est sensiblement plus pierreux. Châteauneuf-du-Pape est célèbre pour ses cailloux de couleur claire, dont la taille varie suivant le site. On les trouve à une profondeur de quelques centimètres à près d'un mètre et ils recouvrent parfois un sol alluvial rougeâtre. Les sols de Gigondas contiennent des marnes; du sable gris domine à Lirac, Tavel et Chusclan, où le sol comprend également des débris calcaires, des argiles sableuses, des pierres argileuses, des argiles calcaires et de gros cailloux.

VITICULTURE ET VINIFICATION
Les vignes sont traditionnellement plantées inclinées, de sorte que le mistral les redresse à mesure qu'elles vieillissent. Dans cette région, l'assemblage est la règle : même les vins de Châteauneuf-du-Pape sont des assemblages – généralement de quatre ou cinq cépages, parfois jusqu'à treize. Certains domaines sont restés fidèles aux méthodes traditionnelles, mais la technologie moderne est bien implantée.

CÉPAGES PRINCIPAUX
Carignan, cinsault, grenache, mourvèdre, muscat blanc à petits grains, muscat rosé à petits grains
CÉPAGES SECONDAIRES
Aubun, bourboulenc, calitor, camarèse, clairette, clairette rosé, counoise, gamay, grenache blanc, grenache gris, macabéo, marsanne, mauzac, muscardin, œillade, pascal blanc, picardan, picpoul blanc, picpoul noir, pinot blanc, pinot noir, roussanne, syrah, terret noir, ugni blanc, vaccarèse, vermentino (*syn.* local rolle), viognier

LE SUD DE LA VALLÉE DU RHÔNE, *voir aussi* p. 211
La partie méridionale de la vallée du Rhône viticole s'étend vers le sud en direction de la Provence, et vers l'est jusqu'aux Alpes.

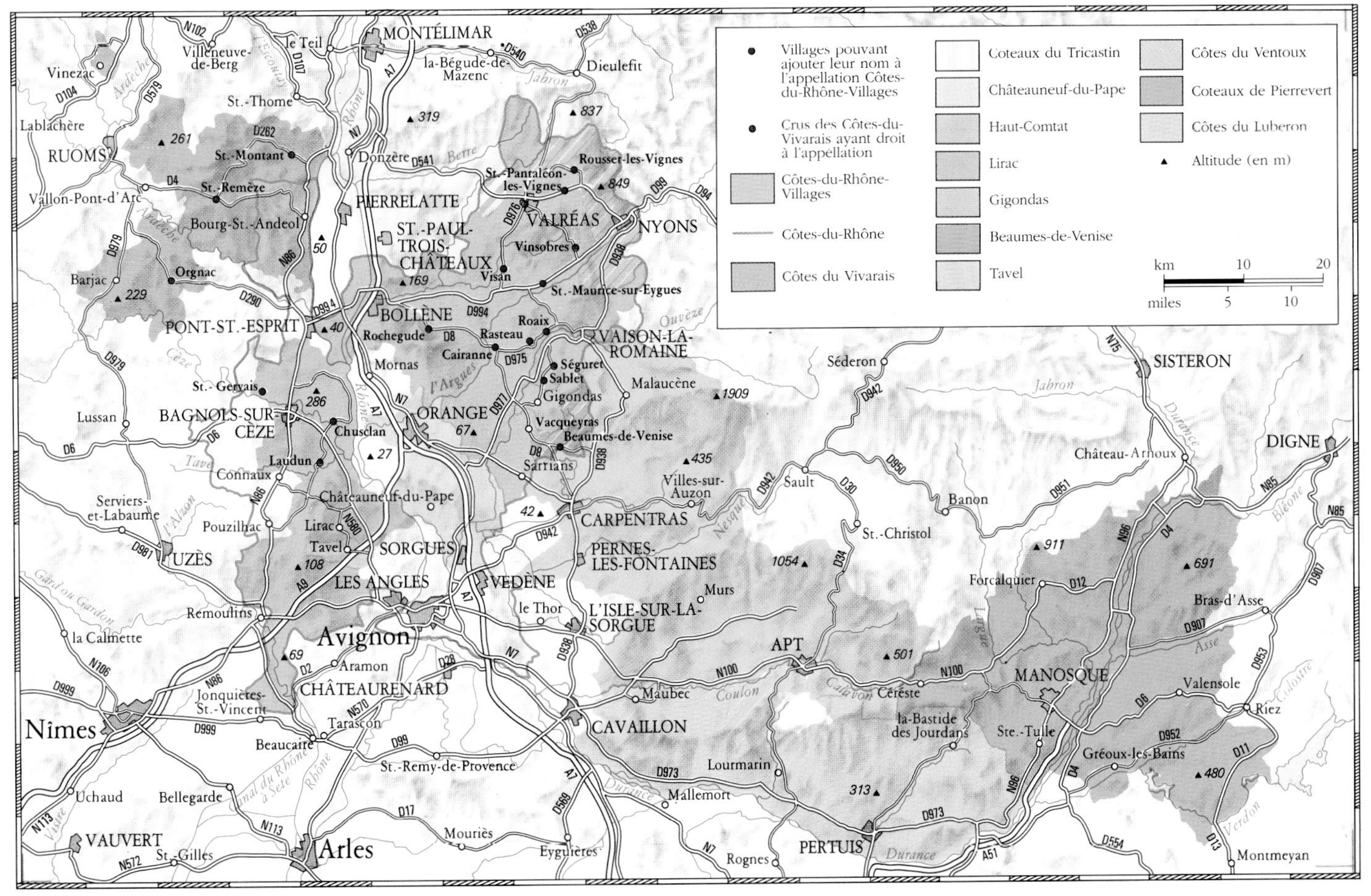

LES APPELLATIONS DU
SUD DE LA VALLÉE DU RHÔNE

BRÉZÈME-CÔTES-DU-RHÔNE AOC

Cette appellation est un peu une anomalie. Brézème ne fait pas partie des 17 communes des Côtes-du-Rhône pouvant ajouter leur nom après l'appellation. En revanche, elle est autorisée à le placer avant cette même appellation – ainsi le veut le règlement.

Rouge Ce vin de pure syrah ressemblait à un crozes-hermitage, mais quelques cuvées (Grand Chêne et Eugène, par exemple), sont en partie vieillies sous chêne neuf et n'ont plus rien à voir avec un vin du nord de la vallée du Rhône.

Toute la gamme des cépages des Côtes du Rhône est autorisée, mais seules les syrah, roussanne et marsanne sont cultivées

Jean-Marie Lombard

CHÂTEAUNEUF-DU-PAPE AOC

Le nom de Châteauneuf-du-Pape date de l'époque de la double papauté, au XIVe siècle. L'appellation est bien connue pour son sol éminemment pierreux qui restitue, la nuit, la chaleur emmagasinée durant la journée. La grosseur, le type, la profondeur et la répartition de ces pierres varient énormément, de même que l'aspect des vignobles. Ces variations auxquelles s'ajoutent les innombrables combinaisons possibles des 13 cépages autorisés expliquent la diversité des vins. Au début des années 1980, certains viticulteurs ont remis en cause l'encépagement et la vinification traditionnels de la région : à Châteauneuf-du-Pape, les choses ont bougé et continuent à bouger. Le déclin régulier du grenache s'est accéléré, au profit de la syrah et du mourvèdre. Le cinsault et le terret noir sont encore appréciés, et la counoise, qui allie fruité et fermeté, les épaule de plus en plus. L'emploi des barriques de chêne neuf, pour l'élevage, en est encore au stade expérimental, mais il semble que le blanc s'y prête mieux que le rouge.

Pour garantir l'emploi du seul raisin parfaitement sain et mûr, le règlement impose au producteur de rejeter entre 5 et 20% des raisins compris dans le rendement maximal de cette AOC. Le volume écarté ne peut être utilisé que pour la production de vins de table. Cette pratique est appelée ici le « rapé ».

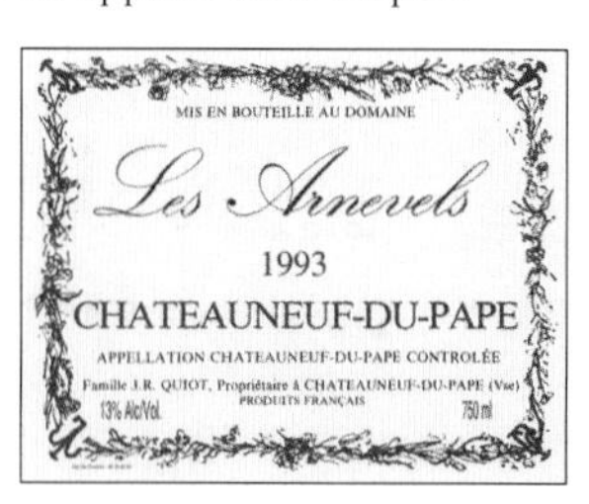

Rouge Étant donné les variations du terroir et les combinaisons infinies de l'encépagement, il n'est pas possible de définir un Châteauneuf-du-Pape typique, mais il y a tout de même deux catégories, le vin traditionnel, plein, foncé, épicé, de longue garde, et le châteauneuf-du-pape moderne dont les meilleurs sont franchement extravertis et bourrés jusqu'au goulot d'arômes fruités et séveux. Toutefois, les deux versions sont plus épicées et plus chaudes que les meilleurs vins de l'Hermitage et de la Côte-Rôtie.

grenache, syrah, mourvèdre, picpoul, terret noir, counoise, muscardin, vaccarèse, picardan, cinsault, clairette, roussanne, bourboulenc

6-25 ans

Blanc Une vendange précoce réduit le taux de sucre et augmente l'acidité, et les techniques de modernes permettent une baisse de la température de fermentation. Aussi, ces vins ne sont pas si pleins qu'autrefois. Ils sont encore souvent riches, mais dans un style plus opulent, exotique et fruité, avec davantage de fraîcheur et de vivacité en finale. Le meilleur châteauneuf-du-pape blanc est souvent le château-de-beaucastel-vieilles-vignes.

grenache, syrah, mourvèdre, picpoul, terret noir, counoise, muscardin, vaccarèse, picardan, cinsault, clairette, roussanne, bourboulenc

1-3 ans (4-6 ans dans quelques cas)

Max Aubert • Château de Beaucastel • Domaine de Beaurenard • Bousquet des Papes • Château Cabrières • Domaine les Cailloux • Réserve des Célestins • Chante Cigale • Gérard Charvin • Château Fortia • Château de la Gardine • Domaine de Marcoux • Clos du Mont-Olivet • Château Mont-Redon* • Château la Nerthe • Clos des Papes* • Clos Pignan • Château Rayas* • Vieux Donjon • Domaine du Vieux Télégraphe**

* Particulièrement recommandé aussi pour le blanc

COTEAUX DE PIERREVERT VDQS

Cette zone représente 400 ha de vigne, surtout adaptés à la production de vins rosés.

Rouge Vins ternes et peu inspirés, sans vraiment de caractère original.

carignan, cinsault, grenache, mourvèdre, œillade, syrah, terret noir

2-5 ans

Blanc Légers et secs, sans grande originalité, ces vins ont plus de corps que de fruit.

clairette, marsanne, picpoul, roussanne, ugni blanc

1-3 ans

Rosé Vins bien tournés, nerveux, légers et fins en bouche.

carignan, cinsault, grenache, mourvèdre, œillade, syrah, terret noir

1-3 ans

Domaine de la Blaque • Château de Rousset

COTEAUX DU TRICASTIN AOC

Ce secteur est devenu VDQS en 1964, et AOC en 1973. Les coteaux-du-tricastin sont en train de se tailler la réputation qu'ils méritent. C'est une excellente appellation de rouges.

Rouge Très bons vins, surtout ceux de syrah, bien colorés et poivrés en bouche, qui sont délicieux après quelques années de bouteille. Ils peuvent être vendus à partir du troisième jeudi de novembre qui suit la vendange, avec la mention « primeur » ou « nouveau ».

grenache, cinsault, mourvèdre, syrah, picpoul noir et un maximum de 20% de carignan, et 20% (au total) de grenache blanc, clairette, bourboulenc et ugni blanc

2-7 ans

Blanc Dans la première édition de ce livre (1988), je ne recommandais pas les coteaux-du-tricastin blancs. Cependant, la gamme des cépages autorisés a été élargie aux roussanne, marsanne et viognier, ce qui a permis à certains producteurs de faire des vins plus riches et plus vifs.

Grenache blanc, clairette, picpoul, bourboulenc et un maximum de 30% (au total) d'ugni blanc, roussanne, marsanne et viognier

Rosé Petite production de vins secs, frais et fruités avec parfois un très joli succès. Ces vins peuvent être vendus à partir du troisième jeudi de novembre qui suit la vendange, avec la mention « primeur » ou « nouveau ».

grenache, cinsault, mourvèdre, syrah, picpoul noir et un maximum de 20% de carignan, et 20% (au total) de grenache blanc, clairette, bourboulenc et ugni blanc

sans attendre

Cave viticole ardéchoise • Le Cellier de Templiers • Domaine de Grangeneuve • Domaine Pierre Labeye • Domaine Saint-Luc • Domaine de la Tour d'Elyssas • Domaine du Vieux Micocoulier

CÔTES-DU-LUBERON AOC

Les vins de ce secteur ont été promus AOC en 1988. Le mérite en revient, pour une bonne part, à Jean-Louis Chancel : ses vignobles de 125 ha, au Château Val-Joanis, sont encore très jeunes mais tellement prometteurs que cette propriété est aujourd'hui considérée comme le joyau du Luberon.

Rouge Avec une robe bien colorée et brillante, ces vins offrent un caractère très fruité et s'améliorent chaque année.

assemblage d'au moins deux variétés qui doit comprendre un minimum de 60% de grenache et de syrah (au total) – dont la syrah doit représenter au moins 10% – et un maximum de 40% de mourvèdre, de 20% (chacun) de cinsault et de carignan, et de 10% (chacun seul, ou au total) de counoise, pinot noir, gamay et picpoul

3-7 ans

Blanc Puisque le vin blanc du Luberon n'a pas encore de style ni de réputation établis, les règlements sont à mon avis absurdes en étant si précis sur le pourcentage de chaque cépage qui doit ou ne doit pas être utilisé. On pensait généralement, à la fin des années 1980, que ces vins se trouvaient sur le bon chemin, alors que le Luberon était encore une zone de VDQS. Mais même alors, les règlements de l'encépagement étaient déjà inutilement compliqués. Ils le sont devenus beaucoup plus avec la création de l'AOC et je me demande si ce n'est pas pour cela que le vin blanc n'a pas tenu ses promesses.

assemblage d'au moins deux variétés qui peuvent comprendre les grenache blanc, clairette, bourboulenc, valentino, un maximum de 50% d'ugni blanc, et jusqu'à 20% (de l'assemblage) de roussanne et/ou de marsanne

1-3 ans

Rosé Ces vins fruités, joliment colorés et frais ont un meilleur niveau que le rosé de Provence.

assemblage d'au moins deux variétés qui doit comprendre un minimum de 60% de grenache et de syrah (au total) – dont la syrah doit représenter au moins 10% – et un maximum de 40% de mourvèdre, de 20% (chacun) de cinsault et de carignan, et 20% (au total) de grenache blanc, clairette, bourboulenc, vermentino, ugni blanc, roussanne et marsanne, et aussi 10% (chacun seul, ou au total) de counoise, pinot noir, gamay et picpoul

sans attendre

Château la Canorgue • Château de l'Isolette • Clos Mirabeau • Mas de Peyroulet • Château Val-Joanis • La Vieille Ferme

CÔTES-DU-RHÔNE AOC

Appellation générique qui couvre toute la vallée du Rhône viticole, bien que la grande majorité des vins viennent de la partie sud. Dans cette production, il y a des bouteilles superbes et de la bibine. La qualité et le caractère varient tellement qu'il serait absurde d'essayer de généraliser. Toutefois, on peut dire que les vins rouges sont les meilleurs et que, souvent, les meilleurs rosés sont supérieurs à ceux des appellations plus cotées de la région. Les vins blancs se sont énormément améliorés durant ces dernières années (le Vieux Manoir de Maransan étant le meilleur) et semblent continuer, heureusement, dans cette voie.

Rouge, blanc et rosé Le rouge et le rosé peuvent être vendus à partir du troisième jeudi de novembre suivant la vendange avec la mention primeur ou nouveau, bien que le rouge ne puisse pas être diffusé en bouteille, mais comme « vin de café ». Rouge, blanc et rosé peuvent être commercialisés à partir du 1er décembre, sans la mention « primeur » ou « nouveau ».

les variétés et pourcentages des cépages autorisés sont les mêmes pour le rouge, le blanc et le rosé : grenache, clairette, syrah, mourvèdre, picpoul, terret noir, picardan, cinsault, roussanne, marsanne, bourboulenc, viognier, jusqu'à 30% de carignan et un maximum de 30% (au total) de counoise, muscardin, vaccarèse, pinot blanc, mauzac, pascal blanc, ugni blanc, calitor, gamay et camarèse

2-8 ans (rouge), 1-3 ans (blanc et rosé)

Domaine de Bel-Air • Coudoulet de Beaucastel • Domaine Delubac • Domaine Gramenon • Château du Grand Moulas • E. Guigal • Paul Jaboulet Aîné • Domaine de l'Oratoire Saint-Martin • Domaine Perrin • Domaine de la Réméjeanne • Domaine de Saint-Estève

CÔTES-DU-RHÔNE-VILLAGES AOC

À côté du côtes-du-rhône générique, ces vins ont généralement davantage de profondeur et de caractère. La surface couverte par l'appellation se trouve entièrement dans le sud de la vallée du Rhône. Si le vin est originaire d'une commune unique, on peut ajouter le nom de celle-ci à l'appellation. Gigondas, Cairanne, Chusclan et Laudun formaient autrefois, à elles quatre, l'appellation Côtes-du-Rhône-Villages. Gigondas a reçu sa propre AOC en 1971, mais d'autres communes ont grossi le groupe : elles sont maintenant 16 dans l'AOC.

Rouge Ces vins sont souvent très bons.

un maximum de 65% de grenache, un minimum de 25% de syrah, mourvèdre et cinsault, et jusqu'à 10% (au total) de clairette, picpoul, terret noir, picardan, roussanne, marsanne, bourboulenc, viognier, carignan, counoise, muscardin, vaccarèse, pinot blanc, mauzac, pascal blanc, ugni blanc, calitor, gamay et camarèse

3-10 ans

Blanc Ils s'améliorent – le Vieux Manoir du Frigoulas est le meilleur.

un minimum de 80% de clairette, roussanne et bourboulenc, jusqu'à 10% de grenache blanc et un maximum de 10% (au total) de grenache, syrah, mourvèdre, picpoul, terret noir, picardan, cinsault, bourboulenc, viognier, carignan, counoise, muscardin, vaccarèse, pinot blanc, mauzac, pascal blanc, ugni blanc, calitor, gamay et camarèse

1-3 ans

Rosé Vins parfois très bons.

un maximum de 60% de grenache, 10% de carignan, un minimum de 10% de camarèse et cinsault, et jusqu'à 10% (au total) de clairette, picpoul, terret noir, picardan, roussanne, marsanne, bourboulenc, vaccarèse, pinot blanc, mauzac, pascal blanc, ugni blanc, calitor, gamay, syrah et mourvèdre

1-3 ans

Domaine de Cabasse • Domaine le Clos des Cazaux • Domaine Delubac • Château la Gardine • Domaine Sainte-Anne • Cave Viticole Saint-Hilaire d'Ozilhan • La Vieille Ferme (La Réserve) • *Vieux Manoir du Frigoulas*

LES 16 COMMUNES DES CÔTES-DU-RHÔNE-VILLAGES

Les vins de ces secteurs peuvent ajouter le nom de la commune, sur l'étiquette, après l'appellation Côtes-du-Rhône-Villages. Il s'agit de vins rouges, rosés et blancs.

CÔTES-DU-RHÔNE BEAUMES-DE-VENISE AOC

Célèbre pour son délicieux vin doux de muscat, Beaumes-de-Venise produit aussi un vin rouge agréable, avec des connotations de poivre et de framboise. Les blancs secs et les rosés sont vendus sous l'appellation générique.

Domaine Les Goubert • Château Redortier

CÔTES-DU-RHÔNE CAIRANNE AOC

Depuis que Vacqueyras a son appellation propre, Cairanne est la meilleure commune de l'appellation. Les vins rouges, excellents, sont riches, chauds et épicés, et aussi de bonne garde.

Domaine Denis et Daniel Alary • Domaine de l'Ameillaud • Max Aubert • Cave viticole des Coteaux de Cairanne • Domaine du Grand-Jas • Domaine de l'Oratoire Saint-Martin • Domaine de la Présidente • Domaine Rabasse-Charavin • Domaine Marcel Richaud • Domaine des Travers

CÔTES-DU-RHÔNE CHUSCLAN AOC

C'est une exception puisque le vin peut provenir non seulement de Chusclan mais aussi de Bagnols-sur-Cèze, Cadolet, Orsan et Saint-Étienne-des-Sorts. Ces communes se trouvent au nord de Lirac et de Tavel, deux appellations fameuses de rosé – et elles font elles aussi un très bon rosé. Cependant, elles produisent surtout des rouges bons et agréables à boire. Le blanc est frais, vif et sérieux.

Caves des Vignerons de Chusclan • Domaine du Lindas

CÔTES-DU-RHÔNE LAUDUN AOC

Laudun est l'un des quatre villages de l'appellation originelle, et il constitue la deuxième exception, après Chusclan, car les vins diffusés sous son nom peuvent venir aussi d'autres communes, en l'occurrence Saint-Victor-Lacoste et Tresques. Les rouges, fins, frais et épicés, sont excellents. Les blancs sont les meilleurs des côtes-du-rhône-villages et on trouve aussi un petit volume de délicieux rosés.

Cave des Quatre Chemins • Domaine Pélaquié • Domaine Rémy Estournel • Louis Rousseau et Fils • Château Saint-Maurice (Cuvée Vicomte)

CÔTES-DU-RHÔNE RASTEAU AOC

Cette commune est surtout renommée pour son rancio (*voir* ci-dessous), bien qu'elle produise près de quatre fois plus de vins rouges, blancs et rosés. Le rouge est le mieux réussi : avec une robe profonde, il est plein et riche, d'une belle chaleur épicée en bouche, et est capable de se bonifier sur une bonne dizaine d'années.

Caves des vignerons de Rasteau • Domaine de la Grangeneuve • Domaine des Girasols • Domaine de la Soumade • Domaine des Coteaux des Travers • Francis Vache

CÔTES-DU-RHÔNE ROAIX AOC

Voisin des vignobles de Séguret, Roaix produit un vin similaire, à la robe foncée, qui demande deux ou trois ans de bouteille pour se fondre. Il y a aussi un peu de rosés.

Florimond Lambert • Cave viticole de Roaix-Séguret

CÔTES-DU-RHÔNE ROCHEGUDE AOC

L'appellation Côtes-du-Rhône-Villages ne s'applique ici qu'aux vins rouges. Je n'ai dégusté que celui de la coopérative, qui est bon, bien coloré, tendre et charnu. Comme à Beaumes-de-Venise, les blancs et les rosés sont diffusés en Côtes-du-Rhône générique.

Cave coopérative vinicole de Rochegude

CÔTES-DU-RHÔNE ROUSSET-LES-VIGNES AOC

Comme dans la commune voisine de Saint-Pantaléon-les-Vignes, on se trouve ici au nord de l'appellation, non loin des premières hauteurs des Alpes. Et puisque le climat est un peu plus froid, les vins sont aussi plus légers, mais tendres et agréables à boire. La production est contrôlée par la coopérative locale.

CÔTES-DU-RHÔNE SABLET AOC

Ces vins rouges et rosés tendres et fruités arrivent rapidement à maturité. Ils sont bons, et excellents sous le rapport qualité/prix.

✓ *René Bernard • Domaine du Parandou • Domaine de Piaugier • Paul Roumanille • Château du Trignon• Domaine de Verquière*

CÔTES-DU-RHÔNE SAINT-GERVAIS AOC

Les vignobles sont plantés sur les pentes de la vallée de la Cèze, qui se jette dans le Rhône. Les vins rouges sont délicieusement profonds et fruités et les blancs sont frais et aromatiques, très joliment équilibrés pour des vins si méridionaux.

✓ *Domaine Le Baine • Cave coopérative de Saint-Gervais • Domaine Sainte-Anne*

CÔTES-DU-RHÔNE SAINT-MAURICE AOC OU CÔTES-DU-RHÔNE SAINT-MAURICE-SUR-EYGUES AOC

Vins rouges et rosés légers. La production est contrôlée par la coopérative locale.

✓ *Cave viticole des Coteaux Saint-Maurice*

CÔTES-DU-RHÔNE SAINT-PANTALÉON-LES-VIGNES AOC

Comme Rousset-les-Vignes, Saint-Pantaléon-les-Vignes est situé plus au nord que les autres communes et le climat est un peu plus frais. C'est ce qui explique que les vins soient légers mais tendres et agréables à boire. La production est largement contrôlée par la coopérative locale.

CÔTES-DU-RHÔNE SÉGURET AOC

Séguret propose des vins rouges, fermes et fruités, à la jolie robe foncée et brillante. On trouve aussi un peu de blancs et de rosés, rarement excellents.

✓ *Jean-Pierre Brotte • Domaine de Cabasse • Domaine Garancière • Domaine du Sommier*

CÔTES-DU-RHÔNE VALRÉAS AOC

Vins rouges fins, débordants de fruits. Il y a aussi un peu de rosés.

✓ *Domaine de la Fuzière • Domaine des Grands Devers • Le Val des Rois*

CÔTES-DU-RHÔNE VINSOBRES AOC

Cette commune produit essentiellement des vins rouges fermes et de bonne qualité, et aussi de petites quantités de rosé passable.

✓ *Domaine des Ausellons • Domaine du Coriançon • Hubert Valayer* (Domaine de Deurre) • *Denis Vinson* (Domaine du Moulin)

CÔTES-DU-RHÔNE VISAN AOC

Vins rouges bien colorés, avec un vrai caractère de vin de garde. On trouve aussi un blanc frais et agréable.

✓ *Cave coopérative « les Coteaux de Visan » • Domaine de la Cantharide • Domaine de la Costechaude • Clos du Père Clément*

CÔTES DU VENTOUX AOC

Le sous-sol calcaire de cette appellation donne un vin plus léger que dans le reste de la vallée du Rhône.

Rouge Frais et fruités, agréables à boire, ces vins sont les meilleurs de l'appellation. Ils peuvent être vendus à partir du troisième jeudi de novembre qui suit la vendange avec la mention « primeur » ou « nouveau ».

🍇 grenache, syrah, cinsault et mourvèdre, jusqu'à 30% de carignan, au maximum 20% (au total) de picpoul noir, counoise, clairette, bourboulenc, grenache blanc, roussanne et – jusqu'à 2014 – ugni blanc, picpoul blanc et pascal blanc

⊩ 2-5 ans

Blanc Vins sans grand intérêt et en volume faible. Ils peuvent être vendus à partir du troisième jeudi de novembre qui suit la vendange avec la mention « primeur » ou « nouveau ».

🍇 clairette, bourboulenc, jusqu'à 30% (au total) de grenache blanc et de roussanne et – jusqu'à 2014 – ugni blanc, picpoul blanc et pascal blanc

Rosé Ces vins frais, délicieux et délicatement fruités sont très agréables en été, quand il fait chaud. Ils peuvent être vendus à partir du troisième jeudi de novembre qui suit la vendange avec la mention « primeur » ou « nouveau ».

🍇 grenache, syrah, cinsault et mourvèdre, jusqu'à 30% de carignan, au maximum 20% (au total) de picpoul noir, counoise, clairette, bourboulenc, grenache blanc, roussanne et – jusqu'à 2014 – ugni blanc, picpoul blanc et pascal blanc

⊩ sans attendre

✓ *Domaine des Anges • Domaine de Fenouillet • Cave viticole des Coteaux du mont Ventoux • Domaine Sainte-Croix • Domaine Saint-Saveur • Domaine de Tenon • La Vieille Ferme • Château du Vieux-Lazaret*

CÔTES DU VIVARAIS VDQS

Les vignobles se trouvent sur la rive droite du Rhône, en face des coteaux du Tricastin. Les meilleures communes (Orgnac, Saint-Montant et Saint-Remèze) ont le droit d'ajouter leur nom à celui de l'appellation sur l'étiquette. Les vins d'Orgnac sont les meilleurs.

Rouge Légers et agréables à boire, ces vins sont de loin les meilleurs de l'appellation.

🍇 depuis 1995, les mourvèdre, picpoul, aubun et carignan sont interdits et ces vins doivent dorénavant contenir un minimum de 90% (au total) de syrah et de grenache (au moins 40% pour la syrah et 30% pour le grenache) ; cinsault et carignan sont toujours autorisés.

⊩ 1-3 ans

Blanc Les blancs d'ici étaient tristes et décevants, mais l'amélioration récente de l'encépagement peut permettre au vivarais blanc de donner de jolies choses dans le futur.

🍇 depuis 1995, bourboulenc, macabéo, mauzac, picpoul et ugni blanc sont interdits ; les vins doivent dorénavant être faits à partir d'au moins deux cépages parmi les trois recommandés – clairette, grenache et marsanne – dont aucun ne doit dépasser 75% du total.

⊩ 1-3 ans

Rosé Avec une robe d'un joli rose, ces vins secs sont souvent fruités et épanouis, et sont généralement meilleurs que les blancs.

🍇 depuis 1995, mourvèdre, carignan, picpoul et aubun sont interdits et les vins doivent dorénavant être faits à partir de deux au moins des trois cépages recommandés – syrah, grenache et cinsault – dont aucun ne doit dépasser 80% du total.

⊩ 1-3 ans

✓ *Les Chais du Vivarais*

GIGONDAS AOC

Cette excellente appellation produit des vins rouges parmi les plus sous-estimés de la vallée du Rhône.

Rouge Les meilleurs offrent une robe rouge-noir intense et une bouche pleine et charnue.

🍇 un maximum de 80% de grenache, au moins 15% de syrah et de mourvèdre et un maximum de 10% (au total) de clairette, picpoul, terret noir, picardan, cinsault, roussanne, marsanne, bourboulenc, viognier, counoise, muscardin, vaccarèse, pinot blanc, mauzac, pascal blanc, ugni blanc, calitor, gamay et camarèse

⊩ 7-20 ans

Rosé Vins secs de bonne qualité.

🍇 un maximum de 80% de grenache et un maximum 25% (au total) de clairette, picpoul, terret noir, picardan, cinsault, roussanne, marsanne, bourboulenc, viognier, counoise, muscardin, vaccarèse, pinot blanc, mauzac, pascal blanc, ugni blanc, calitor, gamay et camarèse

⊩ 2-5 ans

✓ *Domaine du Cayron • Domaine le Clos des Cazaux • Domaine de Font-Sane • Domaine les Goubert • Domaine de Grand Montmirail • Domaine de Longue-Toque • Château de Montmirail • L'Oustau Fauquet • Domaine les Pallières • Domaine du Pesquie • Domaine Raspail-Ay • Château Redortier • De Rocasère • Domaine de Saint-Gayan • Domaine Santa-Duc • Château du Trignon*

LIRAC AOC

Cette appellation était autrefois vouée au rosé, mais elle produit de plus en plus de vins rouges.

Rouge Dans les très bonnes années, la syrah et le mourvèdre dominent parfois le vin, bien qu'ils soient utilisés en faible quantité. Le rouge est alors plus charnu, soyeux, épicé et fin.

un minimum de 40% de grenache, 25% (au total) de syrah et de mourvèdre, jusqu'à 10% de carignan, et du cinsault sans aucune limite, bien qu'il ne dépasse pas en général 20% – je crois qu'il s'agit là d'une erreur commise au moment de la réactualisation des règlements en 1992.

4-10 ans

Blanc Vins secs très parfumés. Les meilleurs ont gagné en qualité depuis 1992, puisque les cépages marsanne, roussanne et viognier sont maintenant autorisés. En revanche, les moins bons ont encore baissé puisque le pourcentage de clairette autorisé a été doublé. Le macabéo et le calitor sont maintenant interdits.

jusqu'à 60% (chacun) de bourboulenc, clairette et grenache blanc, et jusqu'à 25% (chacun) d'ugni blanc, picpoul, marsanne, roussanne et viognier (mais ces cépages secondaires ne doivent pas représenter plus de 30% de l'assemblage au total)

1-3 ans

Rosé La production baisse en faveur du vin rouge, mais ces rosés secs gardent leurs beaux arômes de fruits d'été, et ils sont plus frais que n'importe quel rosé de Tavel ou de Provence.

un minimum de 40% de grenache, 25% (au total) de syrah et de mourvèdre, jusqu'à 10% de carignan, pas de limite pour le cinsault (*voir* ci-dessus les cépages de vins rouges), et jusqu'à 20% (au total) de bourboulenc, clairette, grenache blanc, ugni blanc, picpoul, marsanne, roussanne et viognier

1-3 ans

Château d'Aquéria • Château Boucarut • Château de Bouchassy • Domaine des Causses et Saint-Eymes • Domaine de Devoy • Domaine la Fermade • Domaine les Garrigues • Domaine Maby • Domaine du Château Saint-Roche • Château de Ségriès • Domaine de la Tour de Lirac

MUSCAT DE BEAUMES-DE-VENISE AOC

C'est incontestablement le vin doux de muscat le plus élégant de la planète. Jusqu'à la Seconde Guerre mondiale, les volumes vendangés étaient très faibles. Quand l'AOC a été créée, en 1945, le vin a été classé dans la catégorie des vins doux naturels. Il est obtenu par « mutage », c'est-à-dire par addition d'alcool pur de raisin lorsque le moût a atteint 5% vol. par fermentation naturelle. Le vin doit contenir au moins 110 g/l de sucre résiduel, pour un titre alcoométrique minimal de 15% vol. La Coopérative des vins et muscats fondée en 1956 assure 90% de la production. Contrairement à ce que l'on dit souvent, ce vin est parfois millésimé (environ une bouteille sur dix).

Blanc/Rosé La couleur va d'un bel or pâle, qui est assez rare, à un jaune doré abricot, plus courant. Le bouquet, riche en arômes, évoque davantage les fleurs séchées que les fruits. Ce délicieux muscat donne vraiment l'impression d'être très peu acide. Pourtant, et c'est étonnant, il n'est pas le moins du monde écœurant, en dépit de sa douceur intense. C'est là d'ailleurs ce qui en fait l'un des rares blancs que l'on peut servir avec un sorbet ou une glace.

muscat blanc à petits grains, muscat rosé à petits grains

1-2 ans

Domaine de Beaumalric • Domaine des Bernadins • Cave viticole Beaumes-de-Venise • Domaine de Coyeux • Domaine de Durban • Domaine de Fenouillet • Domaine de la Mordorée • Domaine de Saint-Saveur

RASTEAU AOC

Le Rasteau est historiquement le premier vin doux naturel de la vallée du Rhône. Il a été élaboré pour la première fois au début de années 1930 et le vignoble a été classé AOC dès le 1er janvier 1944. Pour la renommée et la qualité, il vient en seconde position après celui de Beaumes-de-Venise.

Rouge Vin riche, avec beaucoup de douceur et un goût de raisin ; il a du mordant et un arôme d'alcool assez curieux, avec une arrière-bouche moelleuse de peau d'abricot.

un minimum de 90% de grenache (gris ou blanc) et jusqu'à 10% (au total) de clairette, syrah, mourvèdre, picpoul, terret noir, picardan, cinsault, roussanne, marsanne, bourboulenc, viognier, carignan, counoise, muscardin, vaccarèse, pinot blanc, mauzac, pascal blanc, ugni blanc, calitor, gamay et camarèse

1-5 ans

Blanc, rosé, tuilé La couleur dépend de la technique utilisée et de l'importance du vieillissement. Il n'a pas le mordant du rouge, mais il est plus onctueux et plus doux.

un minimum de 90% de grenache (gris ou blanc) et jusqu'à 10% (au total) de clairette, syrah, mourvèdre, picpoul, terret noir, picardan, cinsault, roussanne, marsanne, bourboulenc, viognier, carignan, counoise, muscardin, vaccarèse, pinot blanc, mauzac, pascal blanc, ugni blanc, calitor, gamay et camarèse

1-5 ans

Domaine de Char-à-Vin • Domaine de la Grangeneuve • Domaine de la Soumade • Francis Vache • Caves des Vignerons

RASTEAU « RANCIO » AOC

Ces vins sont proches de ceux de l'AOC Rasteau (*voir* ci-dessus) mais ils doivent être conservés en fûts de chêne « suivant les usages locaux », c'est-à-dire en barriques exposées à la lumière du soleil pendant au moins deux ans, ce qui leur donne un caractère de rancio madérisé.

TAVEL AOC

Le tavel est le plus connu des rosés secs français, mais seuls les très bons domaines font honneur à cette renommée. Le règlement, pour conserver au vin sa fraîcheur, limite le titre alcoométrique à 13% vol.

Rosé Certains domaines se tiennent encore aux anciennes méthodes de vinification, si bien que les vins sont trop vieux avant même d'être sur le marché. Les meilleurs producteurs élaborent des rosés francs, aux arômes pleins de fraîcheur, au caractère fin et fruité, qui accompagnent excellemment les repas.

grenache, cinsault, clairette, clairette rosé, picpoul, calitor, bourboulenc, mourvèdre et syrah (dont aucun ne doit représenter plus de 60% de l'assemblage), et un maximum de 10% de carignan

1-3 ans

Château d'Aquéria • Domaine la Forcadière • Domaine de la Genestière • Prieuré de Montezargues • Domaine de la Mordorée • Château de Trinquevedel • le Vieux Moulin de Tavel

VACQUEYRAS AOC

Vacqueyras était auparavant l'une des communes de l'AOC Côtes-du-Rhône-Villages, mais elle a sa propre AOC depuis 1990. Elle n'a donc plus à utiliser la mention Côtes-du-Rhône ou Côtes-du-Rhône-Villages, et se trouve dorénavant théoriquement sur le même plan que Gigondas.

Rouge Les meilleurs sont foncés, riches et robustes, avec un goût épicé de poivre noir.

au moins 50% de grenache, 25% (au total et 20% à partir de 2000) de syrah, mourvèdre et cinsault, et pas plus de 10% (chacun ou au total) de terret noir, counoise, muscardin, vaccarèse, gamay et camarèse

4-12 ans

Blanc Ces vins sont les moins réussis de l'appellation ; ils sont souvent mous ou tellement influencés par les méthodes modernes de vinification à basse température qu'ils n'ont pour eux que la fraîcheur, et qu'ils pourraient venir de n'importe où.

grenache blanc, clairette et bourboulenc, et jusqu'à 50% (au total) de marsanne, roussanne et viognier

2-3 ans

Rosé Vins parfois charmants, frais et fruités.

jusqu'à 60% de grenache, pas plus de 15% (au total) de mourvèdre et de cinsault, et jusqu'à 15% (chacun ou au total) de terret noir, counoise, muscardin, vaccarèse, gamay et camarèse

2-3 ans

Domaine des Amouriers • Domaine Les Clos des Cazaux • Domaine le Fourmone • Paul Jaboulé Aîné • Domaine de Montuac • Château des Roques • Château des Tours • Domaine de Verquière

LE CHOIX DE L'AUTEUR

Maintenant que la vallée du Rhône a une renommée comparable à celle du Bordelais ou de la Bourgogne, on n'y fait plus autant de bonnes affaires qu'autrefois. J'ai quand même sélectionné ci-dessous les meilleures, à côté des plus grands vins de la région.

PRODUCTEUR	VIN	STYLE	DESCRIPTION	
Château de Beaucastel Ⓥ	Châteauneuf-du-Pape AOC (*voir* p. 216)	ROUGE	Les rendements faibles et la concentration du jus des très vieilles vignes du vignoble donnent une robe merveilleuse et profonde à ce vin, qui offre une bouche délicieuse, séveuse, avec de superbes notes de mûre, de cassis, d'épices et de poivre noir. Le château-de-beaucastel est capable d'une grande complexité.	10 à 30 ans
Château de Beaucastel	Cuvée Jacques Perrin, Châteauneuf-du-Pape AOC (*voir* p. 216)	ROUGE	Le château-de-beaucastel a longtemps été considéré comme le meilleur châteauneuf-du-pape ; pour ma part, je le mettais à égalité avec le vieux-télégraphe. Toutefois, en 1989, les frères Perrin ont fait le premier millésime de cette extraordinaire cuvée, en l'honneur de leur père. Et sans conteste, ce vin est un cran au-dessus de tout ce qu'on trouve dans l'appellation.	10 à 40 ans
Château de Beaucastel	Roussanne Vieilles Vignes, Châteauneuf-du-Pape AOC (*voir* p. 216)	BLANC	Le secret de ce vin réside dans le rendement très bas de vignes âgées de 70 ans. Fabuleusement riche, exotique, ce blanc sec influencé par le chêne libère en bouche des vagues de fruit onctueux, avec un équilibre parfait et une grande finesse.	5 à 7 ans
Jean-Luc Colombo	Les Ruchets, Cornas AOC (*voir* p. 213)	ROUGE	C'est incroyable à quel point ce vin, à la robe noire comme de l'encre, est souple et lisse, et en même temps corpulent et profond, long et concentré en notes de cassis et de framboise.	6 à 15 ans
Yves Cuilleron	Les Chaillets, Condrieu AOC (*voir* p. 213)	BLANC	Délicieusement réussi, superbement fruité, déborde d'arômes de fruits tropicaux et de fleurs. Buvez-le seul, ou avec des pointes d'asperge, comme un grand muscat d'Alsace.	2 à 4 ans
M. Chapoutier	Cuvée de l'Orée, Hermitage AOC (*voir* p. 214)	BLANC	Issu de vignes âgées de 70 ans et fermenté en barrique, ce blanc superbe et généreux a la richesse d'un vin botrytisé et se révèle en bouche souple et complexe, avec des notes de pêche onctueuse.	5 à 15 ans
Coudoulet de Beaucastel Ⓥ	Côtes-du-Rhône AOC (*voir* p. 217)	ROUGE	Je crois que c'est le côtes-du-rhône le plus régulier à un haut niveau. D'une profondeur somptueuse, il est riche, séveux et fruité, avec des connotations de poivre noir et d'épices, et une belle fraîcheur – et une finesse incroyable pour l'appellation.	4 à 10 ans
Yves Cuilleron Ⓥ	Cuvée Prestige, Saint-Joseph AOC (*voir* p. 214)	ROUGE	Cuilleron fait régulièrement l'un des meilleurs vins de cette appellation intéressante sous le rapport qualité/prix, et c'est aussi l'une des meilleures affaires de la région. Noir, corpulent et soyeux, il déborde d'arômes de cassis, de mûre et d'épices.	5 à 12 ans
Delas	Seigneur de Maugiron, Côte-Rotie AOC (*voir* p. 213)	ROUGE	S'il est une bonne affaire dans la Côte-Rôtie (ou Côte-Rotie, puisque Delas l'orthographie ainsi), c'est bien ce vin très frais, plus que délicieux, élégant et débordant de cassis.	5 à 12 ans
Delas	Chante-Perdrix, Cornas AOC (*voir* p. 213)	ROUGE	Alors qu'un cornas est en général cinq fois moins cher qu'un côte-rôtie, le prix de celui-ci est légèrement plus élevé que celui du seigneur-de-maugiron – et il faut avouer que ce vin superbement parfumé le mérite bien.	5 à 12 ans
Delas	Les Bassards, Hermitage AOC (*voir* p. 214)	ROUGE	Cet hermitage énorme et concentré a été diffusé pour la première fois en 1991, et il s'est imposé immédiatement comme un très grand, avec ses connotations de poivre noir et de fruits noirs, et sa finale élégante, soyeuse et interminable.	5 à 20 ans
Domaine de Durban	Muscat de Beaumes-de-Venise AOC (*voir* p. 219)	BLANC FORTIFIÉ	L'un des meilleurs muscats de Beaumes-de-Venise. Il offre sans doute la gamme la plus complexe d'arômes de muscat, depuis les connotations florales (pétale de rose, fleur d'oranger, violette) jusqu'à des nuances onctueuses et noix de coco et de vanille et de fruits (pêche et orange).	sans attendre
Domaine Gramenon Ⓥ	Cuvée de Laurentides, Côtes-du-Rhône AOC (*voir* p. 217)	ROUGE	Fabuleusement riche et corpulent, ce vin est sensuel, avec un chêne très souple, et une belle complexité de bouche pour un côtes-du-rhône si peu cher. Peut-être la meilleure affaire de la région.	3 à 8 ans
E. Guigal	La Doriane, Condrieu AOC (*voir* p. 213)	BLANC	La production de ce vignoble unique est faible et le vin, fermenté en barriques, est tellement vif, délicieux et intense, avec des dominantes de fleur et de pêche, que le chêne n'est nullement excessif – il donne un caractère velouté à la longue finale.	2 à 5 ans

PRODUCTEUR	VIN	STYLE	DESCRIPTION	(tire-bouchon)
E. Guigal	La Landonne, Côte-Rôtie AOC (*voir* p. 213)	ROUGE	Ce vin provient exclusivement de vieux ceps de syrah, sur la Côte-Brune, et il est donc potentiellement le plus corpulent des trois côte-rôtie de vignoble unique Rôtie de Guigal – bien qu'il se montre ou opulent et velouté, ou dense et puissant, selon le millésime.	10 à 30 ans
E. Guigal	La Mouline, Côte-Rôtie AOC (*voir* p. 213)	ROUGE	Ce vin provient de vignes relativement jeunes de la Côte-Blonde, et contient environ 10% de viognier, ce qui en fait le plus velouté et le plus exotiques des trois côte-rôtie de vignoble unique de Guigal, avec des tanins très souples en finale.	5 à 20 ans
E. Guigal	La Turque, Côte-Rôtie AOC (*voir* p. 213)	ROUGE	Ce vin est rare et sa production est la plus faible des trois vins superbes – mais aussi très cher – de vignoble unique de Guigal. Il n'est diffusé que depuis 1985 (1978 pour La-Landonne et 1976 pour La-Mouline). Comme le premier, il est issu de la Côte-Brune, mais il provient de vignes relativement jeunes et d'une pente encore plus abrupte. Certaines années, il reçoit une giclée de viognier. Avec ces variations, il n'est pas étonnant qu'il se situe parfois entre la puissance et la charpente du la-landonne et la sensualité du la-mouline, et qu'il soit plus exotique dans certains millésimes.	8 à 25 ans
Paul Jaboulet Aîné ⓥ	Cornas AOC (*voir* p. 213)	ROUGE	J'achète régulièrement ce vin dès qu'il est disponible parce que, quand il atteint huit ans d'âge et qu'il est fondu, il est très difficile à trouver étant donné sa belle robe sombre, sa profondeur et le caractère épanoui de ses dominantes de poivre noir, d'épice et de mûre. Et il coûte alors trois fois plus – si l'on a de la chance – tout en restant une très bonne affaire.	8 à 20 ans
André Perret	Coteau de Chéry, Condrieu AOC (*voir* p. 213)	BLANC	Ce condrieu fermenté en chêne est disponible en très petit volume, et très difficile à trouver. C'est un blanc sec délicieux et sensuel, fermenté en barrique et gardé sur lie pendant un an, ce qui le rend si frais et si séveux que l'on a l'impression de mordre dans une chair rebondie ou dans une pêche blanche fondante.	2 à 5 ans
Jean-Claude Raspail ⓥ	Clairette de Die Méthode dioise ancestrale AOC (*voir* p. 213)	BLANC MOSSEUX	C'est la clairette de Die la plus fraîche, la plus vive et la plus revigorante qui se puisse trouver, avec de notes de pêche fondante.	2 à 5 ans
Château Rayas	Châteauneuf-du-Pape AOC (*voir* p. 216)	ROUGE	Beaucoup considèrent que c'est le meilleur châteauneuf-du-pape. Il doit évidemment son caractère unique au pur grenache et à des vieilles vignes au rendement très bas. Dans les grands millésimes, c'est un vin à la fois concentré et superbement élégant. Avec des notes épanouies de petits fruits et d'épices, il offre une belle complexité d'herbe fraîche et de cèdre.	10 à 30 ans
Marc Sorrel	Les Rocoules, Hermitage AOC (*voir* p. 214)	BLANC	Cet hermitage blanc corpulent et riche, qui fait penser à un bourgogne, est l'un des rares blancs de la vallée du Rhône qui soit vraiment un vin de garde, avec des arômes de pêche fondante ; il est capable de développer une complexité de minéral, de miel, d'agrume et d'épices, sans perdre sa finale fraîche, vive et nette.	5 à 10 ans
Domaine de la Soumade	Côtes-du-Rhône Rasteau AOC (*voir* p. 217)	ROUGE	André Romero produit une gamme impressionnante de cuvées de rasteau à des prix très raisonnables. Avec des arômes riches et fruités de chocolat noir et de cerise, et sa complexité d'herbe fraîche aux notes de grillé et de rôti, il démontre que cette commune a autant de potentiel que les appellations plus connues.	5 à 8 ans
CV Tain-Hermitage ⓥ	Crozes-Hermitage AOC (*voir* p. 214)	ROUGE	Pour les crozes-hermitages de bon niveau à un prix intéressant, la coopérative locale est difficile à battre, avec ce vin qui déverse en bouche des vagues de framboise et des notes de poivre noir. Dans les grands millésimes, c'est une très très bonne affaire.	2 à 5 ans (5 à 10 ans dans les grands millésimes)
Domaine du Vieux Télégraphe	Châteauneuf-du-Pape AOC (*voir* p. 216)	ROUGE	La nouvelle génération cherche à pousser à un niveau encore plus haut l'admirable vieux-télégraphe (mon châteauneuf-du-pape préféré avec le beaucastel). La chaleur, les épices et le velouté du grenache sont très joliment équilibrés par les notes de cassis et de poivre noir de la syrah et du mourvèdre, ce qui donne au vin sa belle finesse. Cependant, je crois qu'on peut attendre, dans l'avenir, un vin encore plus corpulent, plus foncé, plus intense et à la fois plus puissant et plus ouvert.	10 à 30 ans
Vidal-Fleury	La Chatillonne, Côte-Rôtie AOC (*voir* p. 213)	ROUGE	Ce côte-rôtie est issu d'un seul vignoble, sur la Côte Blonde. C'est un fin plein d'élégance et d'équilibre, débordant d'arômes souples et délicieux de petits fruits fondants, mais il n'a aucune lourdeur. Il est arrondi et très fin en finale, avec des notes crémeuses et fumées de chêne.	8 à 12 ans
François Villard	Les Terrasses de Pilat Condrieu, Condrieu AOC (*voir* p. 213)	BLANC	Ce vin de rêve, gras, délicieux, et fermenté en barrique, est l'œuvre d'une des meilleures étoiles montantes de Condrieu.	4 à 6 ans

JURA ET SAVOIE

Ces pittoresques vignobles, accrochés aux versants des Alpes, produisent surtout des vins blancs. La Savoie offre aussi beaucoup de vins effervescents alors que le Jura se distingue avec les vins de paille, doux, et les vins jaunes, de très longue garde.

Le véritable centre du Jura viticole est Arbois, ce charmant petit bourg de montagne sur lequel règne Henri Maire. La vedette incontestée de cette grande maison est évidemment le « Vin fou », qui n'a aucune appellation officielle et qui est proposé en diverses cuvées, dont certaines sont meilleures, mais qui ont toutes à peu près le même goût. Quoi qu'il en soit, ce vin a eu le grand mérite de faire connaître aux amateurs le Jura et la Savoie, et d'attirer l'attention sur leurs grands vins. Il est vrai que vins de paille et vins jaunes, par leur prix élevé et leur rareté, ne peuvent prétendre à une large diffusion. Les premiers doivent leur nom à une méthode traditionnelle de séchage du raisin, sur lit de paille, où le jus devient un véritable sirop. Quant au vin jaune, il subit une oxydation délibérée sous un voile de levure, sans recours à l'ouillage, ce qui lui donne une belle couleur jaune soutenu. La région produit aussi beaucoup de vins plus ordinaires, souvent de cépage, qui sont rarement très intéressants. On sait que le Jura, et précisément Arbois, est la patrie de Pasteur (1822-1895), qui est en fait le véritable inventeur de l'œnologie – l'administration du Second Empire lui ayant demandé d'entreprendre des recherches sur les transformations du vin au cours de sa maturation. Il a notamment découvert le rôle essentiel des levures lors de la fermentation, qui était jusque-là totalement ignoré. Son vignoble, situé aux portes d'Arbois, est aujourd'hui la propriété d'Henri Maire.

Quant au vignoble de Savoie, disséminé sur le Rhône, près de Chambéry et près du lac Léman, il pourrait connaître une plus grande popularité par ses vins effervescents, très agréables pour se rafraîchir après une journée de ski. Et les sports d'hiver sont sans doute la meilleure voie pour les faire mieux connaître du public.

MILLÉSIMES RÉCENTS DU JURA ET DE LA SAVOIE

Bien que le 1995 soit une excellente année pour tous les styles de vins, il faut avouer qu'il y a moins de variations d'une année sur l'autre, dans ces vignobles de montagne, que dans les autres régions. La bonne solution, c'est d'acheter le millésime le plus récent, que l'on peut conserver en cave, si on le souhaite, pendant deux ans.

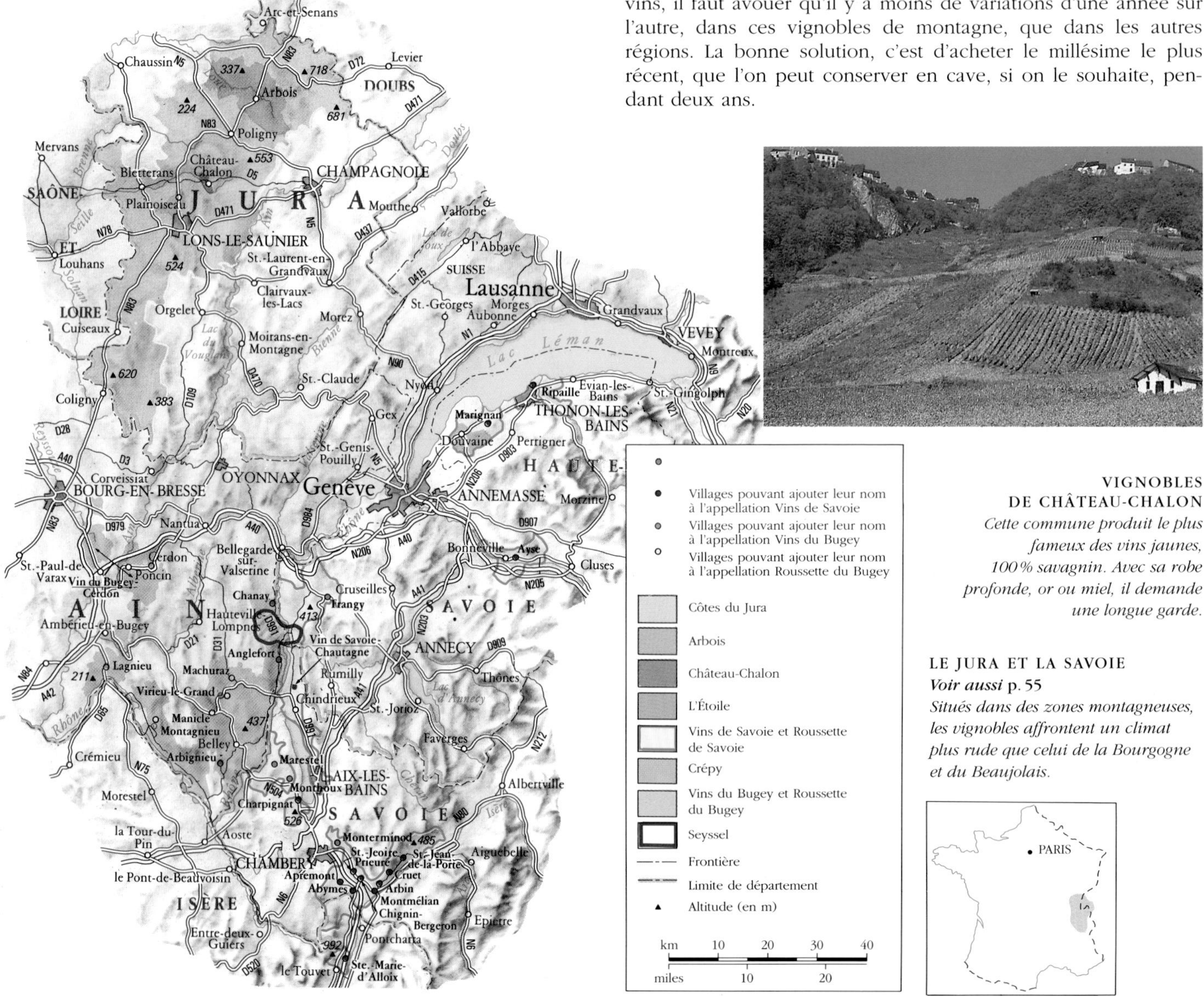

VIGNOBLES DE CHÂTEAU-CHALON

Cette commune produit le plus fameux des vins jaunes, 100 % savagnin. Avec sa robe profonde, or ou miel, il demande une longue garde.

LE JURA ET LA SAVOIE

***Voir aussi* p. 55**

Situés dans des zones montagneuses, les vignobles affrontent un climat plus rude que celui de la Bourgogne et du Beaujolais.

FACTEURS AFFECTANT LE GOÛT ET LA QUALITÉ

SITUATION
Le vignoble du Jura est homogène autour de Lons-Le-Saunier et d'Arbois, alors que celui de Savoie est très morcelé.

CLIMAT
Largement continental, le climat est caractérisé par des étés chauds et des hivers froids. La proximité des hauts sommets des Alpes et du Jura entraîne souvent de brusques changements de temps, atténués toutefois par la présence des lacs Léman et du Bourget.

SITE
Les vignobles du Jura sont implantés sur les pentes basses des montagnes. Les vignes croissent à une altitude de 250 à 500 m. Les vignobles savoyards sont un peu moins élevés.

SOL
Dans le Jura, le calcaire, dominant, est souvent mêlé d'argile, sur un sous-sol de marnes compactes. À Arbois et à Château-Chalon, des marnes et du calcaire recouvrent un lit de sable et de marnes graveleuses. Dans le Bugey et à Seyssel, on observe des éboulis calcaires, des sables calcaires et argileux avec des dépôts alluviaux.

VITICULTURE ET VINIFICATION
Le Jura est célèbre pour ses deux techniques originales de production du vin de paille et du vin jaune. Pour le premier, on fait parfois encore sécher les grappes sur la paille ou sur du grillage, mais elles sont le plus souvent suspendues à des claies dans des locaux chauffés. Les baies se fripent et donnent un jus très concentré, d'où est issu un vin doux ambré de très longue garde. Le vin jaune provient du cépage savagnin; après une fermentation normale, il est élevé pendant six ans en petits fûts, sans ouillage. Un voile de fleur de levure se forme à la surface comme au cours de l'élaboration du xérès fino.

CÉPAGES
Aligoté, cabernet franc, cabernet sauvignon, chardonnay (*syn.* melon d'Arbois ou gamay blanc), chasselas, chasselas roux, chasselas vert, étraire de la Dui, frühroter veltliner (*syn.* malvoisie rosé ou veltliner rosé), gamay, gringet, jacquère, joubertin, marsanne, molette, mondeuse, mondeuse blanche, persan, pinot blanc, pinot noir (*syn.* gros noiren), poulsard, roussette, roussette d'Ayze, savagnin (*syn.* naturé), serène, trousseau, verdesse

LES APPELLATIONS DU

JURA ET DE LA SAVOIE

ARBOIS AOC

C'est la plus connue des appellations du Jura, autour de la ville d'Arbois.

Rouge Les vins de trousseau sont riches, parfois frustes, et ceux de pinot sont légers et rustiques.

trousseau, poulsard, pinot noir

2-8 ans

Blanc Les vins de chardonnay, légers et frais, sont les meilleurs; le savagnin, qui s'oxyde facilement, est réservé pour le vin jaune.

savagnin, chardonnay, pinot blanc

1-3 ans

Rosé L'appellation est renommée pour son vin gris, sec et ferme.

poulsard, trousseau, pinot noir

1-3 ans

Lucien Aviet • *Maurice Chassot* • *Fruitière vinicole d'Arbois* • *Jean-Pierre et Marie-France Ligier* • *Henri Maire* (Domaine de la Grange Grillard, Domaine du Sorbief) • *Jean-François Nevers* • *Jacques Puffeney* • *Domaine Rolet* • *André et Mireille Tissot* • *Jacques Tissot*

ARBOIS MOUSSEUX AOC

Vins effervescents que l'on trouve rarement en dehors de la région de production.

Blanc mousseux Vins effervescents secs et frais, parfois intéressants.

savagnin, chardonnay, pinot blanc

1-3 ans

Domaine Foret • *Fruitière vinicole d'Arbois* (Montboise)

ARBOIS VIN DE PAILLE AOC

Ce vin est issu de raisins séchés, au jus concentré, avec une fermentation longue et jusqu'à quatre ans en fût.

Blanc Vins très doux avec une belle robe vieil or, un bouquet complexe et de riches arômes de noisette.

poulsard, trousseau, savagnin, chardonnay

10-50 ans (ou plus)

Fruitière vinicole d'Arbois • *Jacques Foret* • *Domaine Rolet* • *André et Mireille Tissot*

ARBOIS PUPILLIN AOC

Appellation communale pour le rouge, le blanc, le rosé, le vin jaune et le vin de paille, aux mêmes normes que l'AOC Arbois. (*Voir* Arbois AOC, Arbois vin de paille AOC et Arbois vin jaune AOC)

Désiré Petit et Fils • *Fruitière vinicole de Pupillin* • *Henri Maire* (Domaine du Sorbief) • *Domaine de la Pinte* • *Pierre Overnoy* • *Daniel Overnoy-Crinquand*

ARBOIS VIN JAUNE AOC

Pour le style et la production, *voir* Château-Chalon AOC.

Lucien Aviet • *Maurice Chassot* • *Fruitière vinicole d'Arbois* • *Fruitière vinicole de Pupillin* • *Domaine Michel Geneletti* • *Pierre Overnoy* • *Domaine de la Pinte* • *Jacques Puffeney* • *Domaine Rolet* • *André et Mireille Tissot* • *Jacques Tissot*

CHÂTEAU-CHALON AOC

Les vins jaunes du Jura ont un caractère très spécifique et la commune de Château-Chalon en est le meilleur exemple. Après une fermentation normale, ils vieillissent en fût, pendant six ans, sans ouillage. Sur le vin se développe alors un voile, une fleur de levure qui flotte. Les transformations provoquées par ce phénomène donnent au vin jaune, dominé par l'acétaldéhyde, une nette ressemblance avec le xérès fino. Toutefois, il reste bien original car il n'est pas viné et le cépage est différent.

Blanc Pour prendre son goût caractéristique, le vin jaune doit être bu très vieux. Il déploie un bouquet très complexe en nuances, d'une grande richesse, avec une saveur sèche et alcoolisée.

savagnin

10-100 ans

Domaine Berthet-Bondet • *Jean Bourdy* • *Daniel Chalanard* • *Domaine Jean Macle*

CÔTES DU JURA AOC

Cette appellation générique compte certains des vins les plus diffusés du Jura. Elle englobe d'ailleurs celle d'Arbois, qui est plus connue.

Rouge Vins clairs et légers, fruités et élégants, assez fins.

poulsard, trousseau, pinot noir

2-8 ans

Blanc Vins secs tout simples, parfaits pour accompagner la raclette.

savagnin, chardonnay

1-3 ans

Rosé Vins gris secs et parfumés, solidement fruités.

soulsard, trousseau, pinot noir, pinot gris, savagnin, chardonnay

1-3 ans

Château d'Arlay • *Domaine Berthet-Bondet* • *Daniel et Pascal Chalanard* • *Domaine Grand Frères* • *Domaine Jean Macle* • *Domaine Morel-Thibaut* • *Xavier Reverchon* • *Domaine Rolet* • *Domaine des Roussots* • *Hélène et Jean-Marie Salaün* • *André et Mireille Tissot*

CÔTES-DU-JURA MOUSSEUX AOC

C'est sans doute la meilleure appellation de vins effervescents du Jura.

Blanc mousseux Les petites bulles qui persistent, le bon équilibre et une étonnante finesse rendent ce vin prometteur.

savagnin, chardonnay, pinot blanc

1-3 ans

Bernard Badoz • Hubert Clavelin • Gabriel Clerc • Château Gréa • Pierre Richard

CÔTES-DU-JURA VIN DE PAILLE AOC

Après le séchage du raisin pour obtenir un jus concentré, le vin subit une fermentation lente et un élevage de quatre ans en petits fûts. La robe exhibe des nuances vieil or, miel et ambrées. Avec un bouquet intense caractéristique et complexe, ces vins sont puissants et riches en bouche, dominés par la noisette, avec une finale nerveuse et une arrière-bouche de raisin sec et de peau d'abricot.

poulsard, trousseau, savagnin, chardonnay

10-50 ans (ou plus)

Château d'Arlay • Domaine Berthet-Bondet • Jacques Foret • Domaine Grand Frères • Désiré Petit et Fils • Pignier Père et Fils.

CÔTES-DU-JURA VIN JAUNE AOC

Pour la production et le style des vins, *voir* Château-Chalon AOC.

Château d'Arlay • Xavier Reverchon

CRÉMANT DU JURA AOC

Il s'agit d'une nouvelle appellation, créée en octobre 1995. Elle peut concerner tous les vins conformes aux règlements des appellations de vins mousseux Côtes-du-Jura, Arbois et l'Étoile, et peut être appliquée rétrospectivement à tous ces vins depuis la vendange 1991. Puisque presque tous les vins effervescents de la région sont diffusés comme crémant, cette appellation va rapidement remplacer toutes les anciennes AOC « mousseux », qui sont appelées à disparaître.

CRÉPY AOC

Vins sans prétention, agréables après une journée de descente à ski.

Blanc Vins fruités, secs et légers, aux arômes floraux et légèrement pétillants.

chasselas roux, chasselas vert

1-3 ans

Goy Frères • Fichard • Mercier et Fils • Georges Roussiaude

L'ÉTOILE AOC

Ces vins doivent leur nom aux fossiles en étoile que l'on trouve dans le calcaire de la région.

Blanc Vins secs et légers dont le bouquet évoque les plantes aromatiques des Alpes.

chardonnay, poulsard, savagnin

1-3 ans

Château de l'Étoile • Domaine Michel Geneletti • Domaine de Montbourgeau

L'ÉTOILE MOUSSEUX AOC

Ces vins n'ont pas tout à fait le niveau des côtes-du-jura mousseux, mais ils ont plus de potentiel que les arbois mousseux.

Blanc mousseux Le domaine de Montbourgeau offre un vin sec assez fin.

chardonnay, poulsard, savagnin

1-3 ans

Château de l'Étoile • Domaine de Montbourgeau

L'ÉTOILE VIN JAUNE AOC

Voir Château-Chalon AOC

savagnin

10-100 ans

Château de l'Étoile • Domaine Michel Geneletti

MACVIN AOC OU MACVIN DU JURA AOC

Ce vin de liqueur est obtenu par adjonction de marc ou moût, pour empêcher la fermentation.

Rouge Vin de liqueur typique, doux et terne en bouche.

poulsard, trousseau, pinot noir

sans attendre ou jamais

Blanc Vin de liqueur typique, doux et terne en bouche. Macvin de style oxydé.

chardonnay, poulsard, savagnin

jamais !

Rosé Vin de liqueur qui pique, doux et terne en bouche.

poulsard, Trousseau, Pinot noir

sans attendre ou jamais.

Désiré Petit et Fils • Château de l'Étoile • Henry Maire

MOUSSEUX DU BUGEY AOC

Voir Vin du Bugey mousseux VDQS

MOUSSEUX DE SAVOIE AOC

Voir Vin de Savoie mousseux AOC

PÉTILLANT DU BUGEY VDQS

Voir Vin du Bugey pétillant VDQS

PÉTILLANT DE SAVOIE AOC

Voir Vin de Savoie pétillant AOC

ROUSSETTE DU BUGEY VDQS

Quelques communes ont le droit d'ajouter leur nom à l'appellation si elles respectent des rendements très bas : Anglefort, Arbignieu, Chanay, Lagnieu, Montagnieu et Virieu-le-Grand.

Blanc Pas tout à fait secs, agréables, frais et légers, ces vins sont sans prétention.

roussette, chardonnay

1-3 ans

Jean Peillot

ROUSSETTE DE SAVOIE AOC

Quelques communes ont le droit d'ajouter leur nom à l'appellation si le vin provient de la seule roussette : Frangy, Marestel (ou Marestel-Altesse), Monterminod et Monthoux.

Blanc Avec de beaux arômes incisifs de fruits, ces vins sont plus secs que la roussette du Bugey.

Roussette, mondeuse blanche, et jusqu'à 50 % de chardonnay

1-3 ans

Noël Dupasquier • Michel Gisard

SEYSSEL AOC

Vins à boire après le ski.

Blanc Vin sec, rafraîchissant et parfumé.

roussette

1-3 ans

Maison Mollex • Clos de la Péclette • Varichon et Clerc

SEYSSEL MOUSSEUX AOC

Appellation de mousseux en perte de vitesse ; les vins peuvent être intéressants et élégants.

Blanc mousseux Les meilleurs offrent un nez intense de levure, une jolie mousse et se révèlent élégants en bouche.

molette, chasselas, et un minimum de 10 % de roussette

1-3 ans

VIN DU BUGEY VDQS

Ce sont souvent des vins de cépage. Certaines communes peuvent ajouter leur nom à l'appellation : Virieu-le-Grand, Montagnieu, Manicle, Machuraz et Cerdon.

Rouge Vins frais qui vont d'un pinot fruité à un mondeuse riche.

gamay, pinot noir, poulsard, mondeuse, et jusqu'à 20 % (au total) de chardonnay, roussette, aligoté, mondeuse blanche, jacquère, pinot gris et molette

2-8 ans

Blanc Vins pas tout à fait secs frais, légers, assez fruités, avec de beaux arômes.

chardonnay, roussette, aligoté, mondeuse blanche, jacquère, pinot gris et molette

1-3 ans

Rosé Vins secs, rafraîchissants et légers.

gamay, pinot noir, poulsard, mondeuse, et jusqu'à 20 % (au total) de chardonnay, roussette, aligoté, mondeuse blanche, jacquère, pinot gris et molette

1-3 ans

Cellier de Bel-Air • Caveau Bugiste • Eugène Monin

VIN DU BUGEY CERDON MOUSSEUX VDQS

Seule la commune de Cerdon a le droit d'ajouter son nom à l'appellation pour les vins mousseux (deux fermentations).

VIN DU BUGEY CERDON PÉTILLANT VDQS

Seule la commune de Cerdon a le droit d'ajouter son nom à l'appellation pour les vins pétillants blancs (« méthode rurale »).

VIN DU BUGEY MOUSSEUX VDQS

Vins théoriquement élaborés selon la méthode de la deuxième fermentation.

VIN DU BUGEY PÉTILLANT VDQS

Ils sont réservés aux restaurants locaux.

Blanc pétillant Vins presque secs, joliment pétillants et vifs.

chardonnay, roussette, aligoté, mondeuse blanche, jacquère, pinot gris, molette.

1-3 ans

Caveau bugiste

VIN JAUNE D'ARBOIS AOC

Voir Arbois Vin Jaune AOC

VIN JAUNE DE L'ÉTOILE AOC

Voir L'Étoile AOC

VIN DE PAILLE D'ARBOIS AOC

Voir Arbois Vin de Paille AOC

VIN DE PAILLE DE L'ÉTOILE AOC

Voir L'Étoile AOC

VIN DE SAVOIE AOC

Les vins de cette appellation générique ont souvent un haut niveau. Quelques communes ont le droit d'ajouter leur nom à l'appellation : Abymes, Apremont, Arbin, Ayze, Bergeron (seulement pour le blanc de roussanne), Charpignat, Chautagne, Chignin, Chignin-Bergeron (seulement pour le blanc de roussanne), Cruet, Marignan (seulement pour le blanc de chasselas), Montmélian, Ripaille (blanc de chasselas), Saint-Jean-de-la-Porte, Saint-Geoire-Prieuré et Sainte-Marie-d'Alloix.

Rouge Vins d'assemblage et de cépage, les premiers étant souvent les meilleurs.

gamay, mondeuse, pinot noir, persan, et (dans la Savoie) cabernet franc, cabernet sauvignon, (dans l'Isère) étraire de la dui, serène, et joubertin, et un maximum de 20% (au total) d'aligoté, roussette, jacquère, chardonnay, mondeuse blanche, chasselas, gringet, roussette, marsanne et verdesse.

2-8 ans

Blanc Ces vins sont les meilleurs de l'appellation, surtout ceux des communes d'Abymes, Apremont et Chignin. Ils sont en général fins, riches et complexes.

aligoté, roussette, jacquère, chardonnay, mondeuse blanche, et (dans l'Ain et la Haute-Savoie) chasselas, (dans la Haute-Savoie) gringet, roussette d'Ayze, et (dans l'Isère) marsanne et verdesse.

1-3 ans

Rosé Vins secs ou presque secs, charmants, légers et fruités, à boire jeune.

gamay, mondeuse, pinot noir, persan et, (dans la Savoie) cabernet franc, cabernet sauvignon, (dans l'Isère) étraire de la dui, serène, et joubertin, et un maximum de 20% (au total) d'aligoté, roussette, jacquère, chardonnay, mondeuse blanche, chasselas, gringet, roussette, marsanne et verdesse.

1-3 ans

Noël Dupasquier • *Michel Gisard* • *Claude Marandon* • *André et Michel Quénard* • *Château de la Violette.*

Meilleurs crus

Apremont *Domaine Raymond Quénard* • **Arbin** *Louis Magnin, Charles Trosset* • **Chignin** *André et Michel Quénard* • **Chignin-Bergeron** *Louis Magnin, André et Michel Quénard, Domaine Raymond Quénard* • **Montmélian** *Louis Magnin.*

VIN DE SAVOIE AYZE PÉTILLANT OU MOUSSEUX AOC

Ces vins pétillants ou mousseux de Savoie proviennent d'une seule commune et ils me paraissent prometteurs. Malheureusement, on les trouve rarement en dehors de la région.

Blanc pétillant Ces vins légers et nets ont toute la fraîcheur des Alpes.

gringet, roussette, et jusqu'à 30% de roussette d'Ayze.

1-3 ans

Bernard Cailler • *Michel Menetrey*

VIN DE SAVOIE MOUSSEUX AOC

Très réguliers et sous-évalués, ces vins sont élaborés selon la méthode de la deuxième fermentation. La Savoie n'a certainement pas la production de vins effervescents qu'elle mérite. Dans cette région de montagnes, la tradition des vins effervescents remonte à 1910 ; deux producteurs de Seyssel (*voir aussi* p. 224) se sont alors associés pour produire ce type de vins à partir du cépage roussette qui s'y prête bien et qui donne des vins naturellement pétillants. On faisait autrefois la même chose en Suisse, de l'autre côté du lac Léman, avec le chasselas. Toutefois, ces vins sont tranquilles aujourd'hui.

Blanc mousseux Vins secs et délicatement fruités aux arômes intenses, à l'acidité fine et parfaitement équilibrés.

aligoté, roussette, jacquère, chardonnay, pinot gris, mondeuse blanche, et (dans l'Ain et la Haute-Savoie) chasselas, (dans la Haute-Savoie et l'Isère) molette, (dans la Haute-Savoie) gringet et roussette d'Ayze, (dans l'Isère) marsanne et verdesse.

1 ou 2 ans

Cave Coopérative de Cruet

VIN DE SAVOIE PÉTILLANT AOC

Vins réguliers et sous-estimés, élaborés par la méthode de la deuxième fermentation.

Blanc pétillant Vins séduisants, à boire jeunes, à la mousse légère et délicate, et très parfumés.

aligoté, roussette, jacquère, chardonnay, pinot gris, mondeuse blanche, et chasselas (dans l'Ain et la Haute-Savoie), gringet et roussette d'Ayze (dans la Haute-Savoie), marsanne, et (dans l'Isère) verdesse.

dans l'année

Dominique Allion • *Michel Menetrey* • *Perrier et Fils* • *Varichon et Clerc*

LE CHOIX DE L'AUTEUR

Je sais que beaucoup de critiques, surtout français, citeraient nombre de vins jaunes, mais moi non, désolé : ce sont les vins de paille que j'aime.

PRODUCTEUR	VIN	STYLE	DESCRIPTION	Garde
Château d'Arlay	Côtes du Jura Vin de Paille AOC (*voir* p. 224)	BLANC	Le plus régulier et le plus racé des vins de paille ! Le château-d'arlay, de structure ferme, allie une richesse sensuelle à une belle complexité et à une nette dominante de noisette.	10 à 50 ans
Jacques Foret	Arbois Vin de Paille AOC (*voir* p. 223)	BLANC	Le plus onctueux et le plus fruité des vins de paille du Jura !	10 à 50 ans
Pignier Père & Fils	Côtes du Jura Vin de Paille AOC (*voir* p. 224)	BLANC	Vin de paille somptueux, doux et onctueux, dominé par le chardonnay, élevé en fûts de chêne neuf pendant 24 mois.	10 à 50 ans
André & Mireille Tissot	Arbois Vin de Paille AOC (*voir* p. 223)	BLANC	Blanc superbe, intermédiaire entre deux types de vin jaune, fermes et dominés par la noisette, ou sensuels et onctueux.	10 à 50 ans

SUD-OUEST

Les nombreux petits vignobles, disséminés dans toute la région, produisent une large gamme de vins d'un bon rapport qualité/prix, dont le style peut être influencé par le Bordelais, la vallée du Rhône, l'Espagne ou le Languedoc-Roussillon.

La Gascogne, au cœur du Sud-Ouest, est le pays de l'armagnac et celui de D'Artagnan qui l'a quitté, vers 1630, pour aller chercher la gloire, à la pointe de la rapière, chez les mousquetaires, en compagnie des « perce-bedaine » qu'étaient les cadets de Gascogne. Les sentiers étroits qu'il a empruntés courent toujours parmi les bois et les collines, et franchissent encore les petits ruisseaux où bondit la truite. À l'exception peut-être du tournesol, qui jette aujourd'hui son jaune d'or sur le paysage, bien peu de choses ont changé. Le temps passe lentement dans cette vieille région. L'été, les villes sont toujours endormies dans la torpeur de l'après-midi, et ne s'animent qu'au soir, lorsque la chaleur tombe un peu.

MILLÉSIMES RÉCENTS DU SUD-OUEST

1996 Meilleurs que les 1995, ces vins montrent une richesse et une complexité inédites dans la région.

1995 Le meilleur millésime depuis 1990 ; des rouges superbement structurés, des blancs secs racés et quelques vendanges tardives sensationnels.

1994 Malgré les pluies de septembre, quelques très bons vins, surtout parmi les blancs secs. Les rouges, bien parfumés, sont bons également, mais les vendanges tardives sont moins réussis.

1993 Quelques bons blancs secs, mais les rouges sont dans l'ensemble un peu légers.

1992 C'est le moins bon millésime des cinq derniers ; il ne mérite guère qu'on s'y arrête, même s'il y a eu, ici et là, quelque succès.

SUD-OUEST, *voir aussi* p. 55
Ce vignoble morcelé est soumis à l'influence atlantique, mais des zones comme Gaillac sont également marquées par la proximité de la Méditerranée.

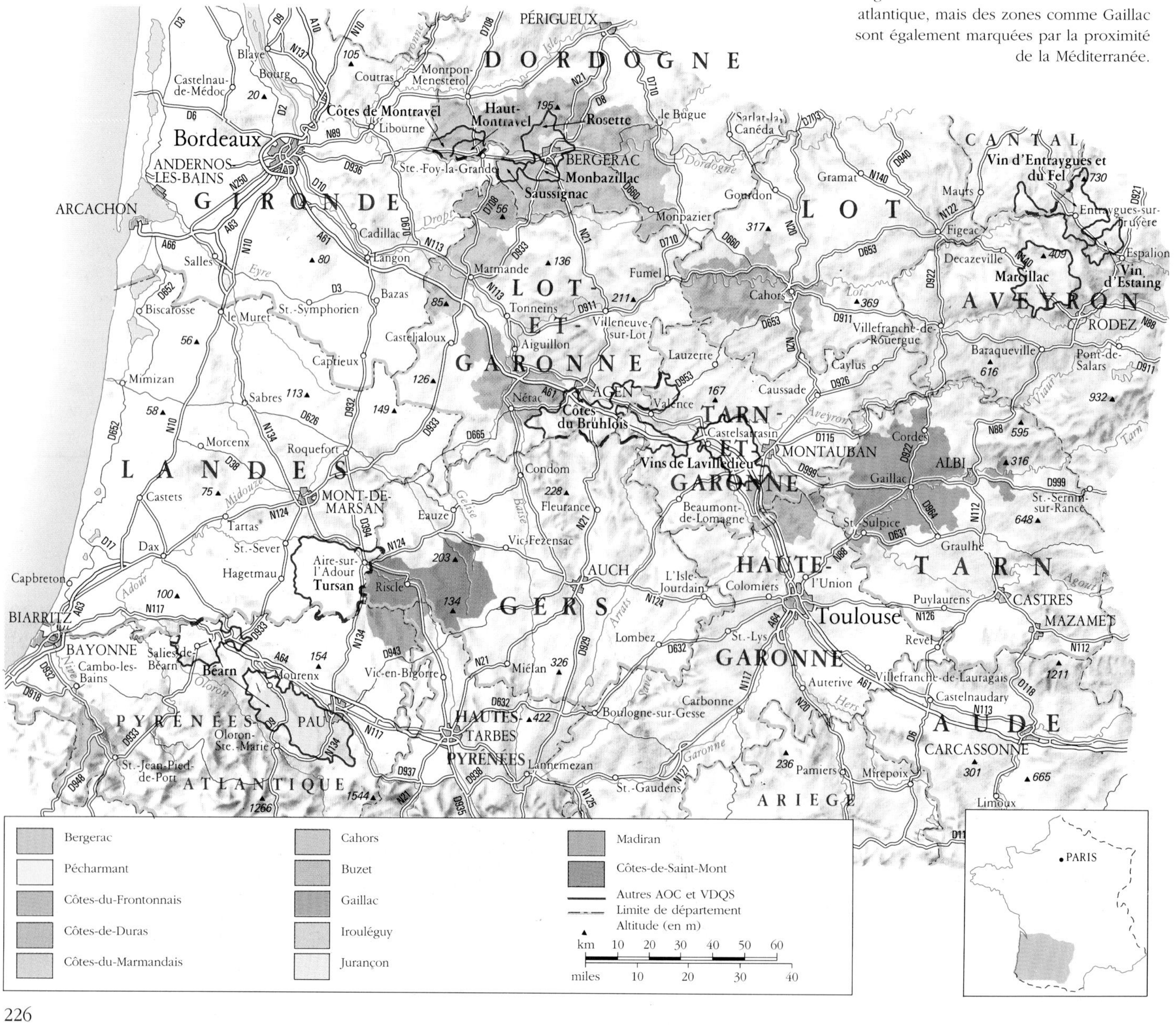

Bergerac
Pécharmant
Côtes-du-Frontonnais
Côtes-de-Duras
Côtes-du-Marmandais
Cahors
Buzet
Gaillac
Irouléguy
Jurançon
Madiran
Côtes-de-Saint-Mont
Autres AOC et VDQS
Limite de département
Altitude (en m)
km 10 20 30 40 50 60
miles 10 20 30 40

VIGNOBLES DE BUZET
Dans le département de Lot-et-Garonne, cette jolie région, à deux pas de la Gironde, mêle la vigne et le tournesol.

FACTEURS AFFECTANT LE GOÛT ET LA QUALITÉ

SITUATION
Cette région viticole est délimitée par le Bordelais, l'Atlantique, les Pyrénées et les vignobles du Languedoc-Roussillon.

CLIMAT
Sous influence atlantique, la région connaît des hivers et des printemps humides, des étés chauds et des automnes prolongés et ensoleillés. Les vignobles de Cahors, de Fronton et de Gaillac sont davantage soumis à la chaleur et l'instabilité méditerranéennes.

SITE
Les coteaux sont en général exposés à l'est et au sud-est, et ainsi protégés de l'influence atlantique. La campagne est parfois doucement vallonnée et parfois plus escarpée.

SOL
La dispersion des vignobles implique une grande diversité des sols : argilo-calcaires sur graves dans les meilleurs vignobles de Bergerac; calcaires et alluviaux dans les Côtes-de-Buzet et le Marmandais; argilo-graveleux et en crêtes de graves sur lit de marne dans la région de Cahors; alluviaux et truffés de quartz, de calcaire et de graves, sur lit de calcaire, dans la vallée du Lot; calcaires, argilo-calcaires et graveleux à Gaillac; sableux à Madiran, Tursan et Irouléguy; pierreux et sableux à Jurançon.

VITICULTURE ET VINIFICATION
Les traditions viticoles et les techniques de vinification de Bergerac, de Buzet, du Marmandais et, dans une certaine mesure, de Vahors, sont proches de celles du Bordelais. D'autres zones, en revanche, ont des pratiques différentes et spécifiques : Béarn, Gaillac et Jurançon produisent presque tous les styles de vins par des techniques diverses, dont une variante de la méthode rurale, en l'occurrence la méthode gaillacoise. Elles sont souvent modernes. À Irouléguy, au pays basque, on travaille toujours traditionnellement, même si l'introduction du cabernet et du cabernet sauvignon est récente.

CÉPAGES
Abouriou, arrufiac, baroque, cabernet franc, cabernet sauvignon, camaralet, castet, chardonnay, chenin blanc, cinsault, clairette, claret de Gers, claverie, colombard, courbu blanc, courbu noir, cruchinet, duras, fer, folle blanche, fuella, gamay, gros manseng, jurançon noir, lauzet, len de l'El, malbec (*syn.* cot), manseng noir, mauzac, mauzac rosé, mérille, merlot, milgranet, mouyssaguès, muscadelle, négrette, ondenc, petit manseng, picpoul, pinot noir, raffiat, roussellou, sauvignon blanc, sémillon, syrah, tannat, ugni blanc, valdiguié

LA DIVERSITÉ DES APPELLATIONS DU SUD-OUEST

Si le Sud-Ouest ne compte pas de vin véritablement de grande classe, il regorge en revanche, et beaucoup plus que toute autre région française, de vins intéressants sous le rapport qualité/prix. Depuis les délicieux vins moelleux que sont le jurançon et le montbazillac jusqu'aux bergerac, buzet et côtes-du-marmandais, au cahors « noir », au côtes-du-frontonnais prometteur, et à l'irouléguy basque si typé, les vins de cette belle région ont beaucoup à offrir à l'amateur.

Sans doute parce que les vignobles sont disséminés et morcelés, les appellations du Sud-Ouest paraissent confuses et même inextricables. Même dans une seule et même zone, on trouve des doublons curieux. C'est ainsi qu'à Bergerac, si les blancs ne posent pas trop de problèmes puisqu'ils se rangent dans deux appellations (Bergerac sec et Montravel), les rouges ont trois possibilités (Bergerac, Côtes-de-Bergerac et Pécharmant), et les vins demi-doux et doux en ont toute une flopée : Côtes-de-Bergerac moelleux, Montbazillac, Côtes-de-Montravel, Haut-Montravel, Rosette, Saussignac. Quand une zone relativement peu étendue comme Bergerac compte une telle diversité, il n'y a plus à s'étonner de dénombrer une bonne cinquantaine d'appellations mineures dans le Bordelais. Il serait sans doute beaucoup plus simple de ne retenir qu'une seule appellation Bergerac, à laquelle certaines communes pourraient être autorisées à ajouter leur nom. Si une telle politique était appliquée à toute la région, les vins seraient sans doute plus faciles à vendre – le public achetant toujours difficilement des appellations qu'il ne connaît pas. Avec une image plus cohérente, simplifiée, le Sud-Ouest connaîtrait sans doute la même réussite que le Languedoc-Roussillon. Néanmoins, les choses changent, et même assez vite, en particulier sous l'influence de jeunes viticulteurs qui se sont installés ici dans une époque récente et qui sont fermement décidés à améliorer la réputation des appellations de la région.

LES APPELLATIONS DU

SUD-OUEST

BÉARN AOC

Appellation modeste autour de Pau et de Saliès-de-Béarn. Les communes de Bellocq, Lahontan, Orthez et Saliès sont autorisées à ajouter leur nom à l'appellation.

Rouge Frais, légers et fruités, ces vins sont équilibrés mais manquent de profondeur.

jusqu'à 60% de tannat, et cabernet franc, cabernet sauvignon, fer, manseng noir, courbu noir.

1-4 ans

Blanc Léger, sec et aromatique.

petit manseng, gros manseng, courbu blanc, lauzet, camaralet, raffiat, sauvignon blanc

1 ou 2 ans

Rosé Vins simples, fruités et secs, avec un arôme floral plein de fraîcheur.

tannat, cabernet franc, cabernet sauvignon, fer, manseng noir, courbu noir

1 ou 2 ans

Cave coopérative de Bellocq • *Domaine Bouscassé* (Château Montus)

BÉARN-BELLOCQ AOC

Voir Béarn AOC

BERGERAC AOC

À deux pas du Bordelais, les bergeracs sont souvent pris pour une appellation modeste de cette grande région. Pourtant, on envoyait déjà du vin à Londres, de cette contrée, en 1250. La production a été arrêtée après la guerre de Cent Ans qui s'est terminée avec la bataille de Castillon – et Castillon-la-Bataille marque l'ancienne frontière anglo-française entre Bergerac et Bordelais.

Rouge Les meilleurs exhibent une robe grenat ou rubis, et sont fruités et équilibrés.

cabernet sauvignon, cabernet franc, merlot, malbec, fer, mérille

2-8 ans

Blanc Ce sont surtout des secs dans les styles des bordeaux, mais aussi des demi-doux, avec jusqu'à 54 g/l de sucre résiduel autorisés. Ces derniers portaient toujours la mention « moelleux » jusqu'en 1993; cependant, comme ce n'est plus obligatoire, nous ne saurons plus quels vins sont moelleux. Le bergerac blanc peut être vendu à partir du 1er décembre qui suit la vendange, sans la mention « primeur » ou « nouveau ».

sémillon, sauvignon blanc, muscadelle, ondenc, chenin blanc et jusqu'à 25% d'ugni blanc (à condition que la quantité de sauvignon blanc soit au moins égale).

1-3 ans

Rosé Ces vins secs sont légers et plaisants, et se laissent boire. Ils peuvent être vendus à partir du 1er décembre qui suit la vendange, sans la mention « primeur » ou « nouveau ».

cabernet sauvignon, cabernet franc, merlot, malbec, fer, mérille

1-3 ans

Château du Blois • *Domaine Constant* • *Château La Jaubertie* • *Château de la Mallevieille* • *Château Le Mayne* • *Château La Plante* • *Château Le Raz* • *Château Richard*

BERGERAC SEC AOC

Ces vins blancs se distinguent du Bergerac blanc parce qu'ils sont plus secs : pas plus de 4 g/l de sucre résiduel.

Blanc Vins dans le style des bordeaux. Ils peuvent être vendus à partir du 1er décembre qui suit la vendange, sans la mention « primeur » ou « nouveau ».

sémillon, sauvignon blanc, muscadelle, ondenc, chenin blanc et jusqu'à 25% d'ugni blanc (à condition que la quantité de sauvignon blanc soit au moins égale).

Clos la Croix Blanche • *Domaine Constant* • *Château La Jaubertie* • *Château de la Mallevieille* • *Château le Raz* • *Château Richard* (Cuvée Spéciale) • *Château Tour des Gendres*

BUZET AOC

Nommée auparavant « Côtes-de-Buzet », cette appellation satellite du Bordelais offre un bon rapport qualité/prix.

Rouge Les meilleurs sont toujours bons, avec beaucoup de finesse et de charme.

merlot, cabernet sauvignon, cabernet franc, malbec

3-10 ans (15 dans les cas exceptionnels)

Blanc C'est le moins intéressant de l'appellation. Il peut être vendu à partir du 1er décembre qui suit la vendange, sans la mention « primeur » ou « nouveau ».

sémillon, sauvignon blanc, muscadelle

1-3 ans

Rosé Secs, fruités et épanouis, ces vins peuvent être vendus à partir du 1er décembre qui suit la vendange, sans la mention primeur ou nouveau.

merlot, cabernet sauvignon, cabernet franc, malbec

1-4 ans

Vignerons de Buzet (particulièrement Château Baleste, Château de Gueyze, Château de Pardère et Baron d'Ardeuil) • *Château du Frandat* • *Le Lys* • *Château Pierron* • *Château Sauvagnères*

CAHORS AOC

On l'appelait autrefois le « vin noir » car le malbec, avant le phylloxéra, lui donnait la couleur de l'encre noire. Ces vignes se greffant mal sur les variétés américaines anciennes, ce vignoble a périclité. Cependant, avec l'obtention de bons porte-greffes et l'introduction relativement récente du merlot et du tannat, Cahors a retrouvé une partie de sa réputation. D'autant plus que de très bons producteurs font de cette appellation l'une des plus fiables. Le vieux cahors doit être élevé trois ans en fût de chêne.

Rouge Les cahors ont souvent une robe profonde de cassis. Avec un fruit développé, ils offrent de beaux arômes de bordeaux, se révèlent soyeux en bouche avec une jolie note de violette en finale.

au moins 70% de malbec, et jusqu'à 30% (au total) de merlot et de tannat – le jurançon noir n'est plus autorisé depuis 1996

3-12 ans (20 dans le cas exceptionnels)

Château Bovila • *Château la Caminade* (La Commandery) • *Château du Cèdre* • *Domaine de la Coustarelle* • *Clos la Coutale* • *Côtes d'Olt* • *Clos de Gamot* • *Domaine de Gaudou* • *Château Gautoul* • *Domaine des Grauzils* • *Château Lagrézette* • *Château Lamartine* (surtout Cuvée particulière) • *Château Quattre* • *Domaine des Savarines* • *Château du Souleillou* (Cuvée Diane) • *Château Triguedina* • *Château Vincens*

CÔTES-DE-BERGERAC AOC

Géographiquement, il n'y a pas de côtes! La seule différence technique de ces vins avec les bergeracs est leur titre alcoométrique, plus élevé d'un degré. L'appellation Côtes-de-Bergerac moelleux a été supprimée en 1993 et les vins sont maintenant des bergeracs moelleux. Aussi, tout vin étiqueté Côtes-de-Bergerac est dorénavant un rouge.

Rouge Ces vins sont souvent plus riches et plus profonds que ceux de l'AOC Bergerac.

cabernet sauvignon, cabernet franc, merlot, malbec, fer, mérille

3-10 ans

Château du Bloy • *Châtau Court-les-Muts* • *Château le Mayne* • *Château Pannisseau* • *Château la Plante* • *Château le Raz* • *Domaine du Siorac*

CÔTES-DE-DURAS AOC

Appellation prometteuse et à suivre.

Rouge Léger, dans le style du bordeaux.

cabernet sauvignon, cabernet franc, merlot, malbec

2 ou 3 ans

Blanc Vins secs, nets et vifs – sauf les moelleux qui doivent contenir au moins 4 g/l de sucre résiduel ; les meilleurs, toutefois, tel le château-lafon, en contiennent nettement plus et sont vraiment des vins doux. Les blancs secs peuvent être vendus à partir du 1er décembre qui suit la vendange, sans la mention « primeur » ou « nouveau ».

sauvignon blanc, sémillon, muscadelle, mauzac, chenin blanc, ondenc, et jusqu'à 25% d'ugni blanc (à condition que la quantité de sauvignon blanc soit au moins égale).

1-3 ans

Rosé Bien colorés, secs, vifs et fruités, ces rosés sont fermes et frais. Ils peuvent être vendus à partir du 1er décembre qui suit la vendange, sans la mention primeur ou nouveau.

1-3 ans

Duc de Berticot • Domaine de Durand • Domaine de Ferrant • Château la Grave Bechade • Château Lafon • Domaine de Laulan • Château la Moulière • Château les Savignattes

CÔTES DE MONTRAVEL AOC

Ces vins doivent contenir un minium de 8 g/l et un maximum de 54 g/l de sucre. Les vins rouges produits dans cette zone sont vendus sous l'AOC Bergerac.

Blanc Gras et fruités, ces vins sont le plus souvent moelleux.

sémillon, sauvignon blanc, muscadelle

Château de Bloy • Domaine de la Roche Marot • Château le Raz

CÔTES-DE-SAINT-MONT VDQS

Dans la région de l'Armagnac, ces vignobles s'étendent au nord jusqu'à ceux de Madiran. La production est dominée par la coopérative locale.

Rouge Vins bien colorés, joliment parfumés et assez corsés. Ils ressemblent un peu à un madiran léger, bien qu'ils puissent se faire aussi plus profonds, plus foncés et plus expressifs. Si la coopérative acceptait de réduire les rendements, ils seraient sans doute nettement meilleurs.

au moins 70% de tannat, et cabernet sauvignon, cabernet franc, merlot et fer (qui doit représenter un tiers du total, sans compter le tannat)

2-5 ans

Blancs Vins secs et fruités, relevés en finale.

au moins 50% d'arrufiac, clairette et courbu, et gros manseng, petit manseng

1 ou 2 ans

Rosés Vins secs, aux arômes nets et fruités.

au moins 70% de tannat, et cabernet sauvignon, cabernet franc, merlot et fer (qui doit représenter un tiers du total, sans compter le tannat)

1-3 ans

Producteurs Plaimont

CÔTES-DU-BRULHOIS VDQS

Vin de pays jusqu'en 1984. Les vignobles se trouvent le long de la Garonne, à l'ouest de Buzet.

Rouge Vin dans le style du bordeaux, honnête, mais de style un peu rustique.

cabernet franc, cabernet sauvignon, fer, merlot, malbec, tannat

1-3 ans

Château Bastide • Coopérative de Goulens-en-Brulhois

CÔTES-DU-FRONTONNAIS AOC

Appellation prometteuse située à l'ouest de Gaillac. Deux communes, Fronton et Villaudric, sont autorisées à ajouter leur nom sur l'étiquette.

Rouge Relativement corsés, ces vins sont bien colorés et libèrent des notes de violette.

50 à 70% de négrette et jusqu'à 25% (au total) de malbec, mérille, fer, syrah, cabernet franc et cabernet sauvignon, et un maximum de 15% de gamay, cinsault et mauzac

2-8 ans

Rosé Vins particulièrement fruités.

50 à 70% de négrette et jusqu'à 25% (au total) de malbec, mérille, fer, syrah, cabernet franc et cabernet sauvignon, et un maximum de 15% de gamay, cinsault et mauzac

1-3 ans

Château Bellevue la Forêt • Château Cabuzac • Château Flotis • Château Le Roc

CÔTES DU FRONTONNAIS FRONTON AOC

Voir Côtes du Frontonnais AOC

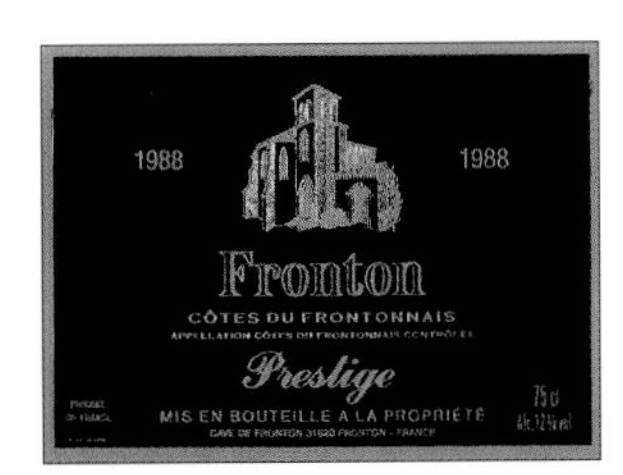

CÔTES DU FRONTONNAIS VILLAUDRIC AOC

Voir Côtes du Frontonnais AOC

CÔTES DU MARMANDAIS AOC

Cette imitation réussie du bordeaux, anciennement VDQS, est devenue AOC en 1990. Elle se trouve à la limite du Bordelais. Les vignobles sont situés des deux côtés de la Garonne : Côtes de Cocumont rive gauche, et Côtes de Beaupuy rive gauche. Ces vins sont relativement peu connus, bien qu'ils aient été expédiés vers l'Angleterre dès le XIVe siècle.

Rouge Vins frais, nets et très bien tournés.

un maximum de 75% (au total) de cabernet franc, cabernet sauvignon et merlot, et jusqu'à 50% (au total), d'abouriou, malbec, fer, gamay et syrah

2-5 ans

Blanc Vins secs souples et délicieux. Ils peuvent être vendus à partir du 1er décembre qui suit la vendange, sans la mention « primeur » ou « nouveau ».

au moins 70% de sauvignon blanc, et ugni blanc, sémillon

1 ou 2 ans

Rosé Vins épanouis et secs. Ils peuvent être vendus à partir du 1er décembre qui suit la vendange, sans la mention « primeur » ou « nouveau ».

un maximum de 75% (au total) de cabernet franc, cabernet sauvignon et merlot, et jusqu'à 50% (au total), d'abouriou, malbec, fer, gamay et syrah

1 ou 2 ans

Château de Beaulieu • Coopérative de Beaupuy • Coopérative de Cocumont

GAILLAC AOC

Ces vignobles comptent parmi les plus anciens du pays, et ce n'est que récemment qu'ils se sont réformés. Pour souligner la personnalité du terroir, les viticulteurs ont délaissé les cépages classiques pour revenir à des variétés locales. Les appellations Gaillac liquoreux et Gaillac moelleux ne sont plus autorisées, les vins restant diffusés dans l'AOC Gaillac doux. La dénomination « Gaillac sec perlé », pour les vins légèrement pétillants est également abandonnée (bien que le gaillac perlé semble toujours abondant) et les vins effervescents sont maintenant désignés par la méthode de production : Gaillac mousseux méthode deuxième fermentation AOC et Gaillac mousseux méthode Gaillacoise AOC.

Rouge Les vins (avec macération carbonique) sont frais et tendres mais légers. Ils peuvent être vendus avec la mention « primeur » ou « nouveau », à partir du troisième jeudi de novembre qui suit la vendange.

au moins 60% de duras, fer, gamay et syrah, et cabernet sauvignon, cabernet franc et merlot – à partir de 2000, le gamay sera encore autorisé mais plus obligatoire, avec un maximum de 20% (chacun) de duras et de fer

1-3 ans

Blanc Ces vins secs et frais peuvent être vendus avec la mention « primeur » ou « nouveau », à partir du troisième jeudi de novembre qui suit la vendange.

au moins 15% de len de Lel ou de sauvignon blanc (ou d'un mélange des deux), et mauzac, mauzac rosé, muscadelle, ondenc et sémillon

sans attendre

Rosé Vins secs, frais, légers et gouleyants.

au moins 60% de duras, fer, gamay et syrah, et cabernet sauvignon, cabernet franc et merlot – à partir de 2000, le gamay sera autorisé mais plus obligatoire, avec un maximum de 20% (chacun) de duras et de fer

1 ou 2 ans

Domaine de Bouscaillous • Domaine Jean Cros • Domaine de Labarthe • Cave de Labastide-de-Levis • Manoir de l'Émeille • Mas Pignou • Robert Plageoles (Domaine de Très-Cantou) • *Cave de Rabastens* (surtout Château de Branes et Château d'Escabe) • *René Rieux • Cave de Técou • Domaine des Terrisses*

GAILLAC DOUX AOC

Vins naturellement doux qui doivent contenir au moins 70 g/l de sucre résiduel.

Blanc Vins moelleux aux arômes de pêche très mûre – ou plus riches encore.

au moins 15% de len de Lel ou de sauvignon blanc (ou d'un mélange des deux), et mauzac, mauzac rosé, muscadelle, ondenc et sémillon

5-15 ans

Domaine de Bouscaillous • *Domaine de Labarthe* • *Manoir de l'Émeille* • *Robert Plageoles* (Domaine de Très-Cantou) • *René Rieux* • *Domaine des Terrisses* • *Domaine de Vayssette*

GAILLAC MOUSSEUX MÉTHODE DEUXIÈME FERMENTATION AOC

Vins effervescents intéressants. Il faut s'attendre à voir graduellement disparaître le terme « mousseux » sur ces vins et sur les autres gaillacs effervescents.

Mousseux blanc Vins frais et parfumés, très joliment effervescents.

au moins 15% de len de Lel ou de sauvignon blanc (ou d'un mélange des deux), et mauzac, mauzac rosé, muscadelle, ondenc et sémillon

1-3 ans

Mousseux rosé Vins charmeurs, frais et fruités.

au moins 60% de duras, et fer, gamay et syrah, cabernet sauvignon, cabernet franc et merlot

1 ou 2 ans

Manoir de l'Émeille • *René Rieux*

GAILLAC MOUSSEUX MÉTHODE GAILLACOISE AOC

Vins effervescents obtenus par la méthode rurale, sans addition de liqueur de tirage. Le vin est embouteillé avant la fin de la fermentation et on n'ajoute pas de liqueur d'expédition pour régler le goût avant la diffusion. Ainsi, le sucre résiduel est entièrement dû au raisin. Le vin peut être brut ou demi-sec. On trouve aussi du doux, mais sous sa propre appellation (*voir* ci-dessous).

Mousseux blanc Vins frais et parfumés, aux arômes de raisin, à la belle effervescence naturelle.

Au moins 15% de len de Lel ou de sauvignon blanc (ou d'un mélange des deux), et mauzac, mauzac rosé, muscadelle, ondenc et sémillon

1-3 ans

Mousseux rosé Vins agréables, frais et délicieusement fruités.

Au moins 60% de duras, et fer, gamay et syrah, cabernet sauvignon, cabernet franc et merlot

1 ou 2 ans

Château Clarès • *Domaine Clément Termes* • *Jean Cros* • *Robert Plageoles* (Domaine de Très-Cantou) • *René Rieu* • *Domaine des Terrisses*

GAILLAC MOUSSEUX MÉTHODE GAILLACOISE DOUX AOC

Vin effervescent de méthode rurale (*voir* ci-dessus) issu de raisins plus mûrs (au minimum 11%) que ceux des autres appellations du gaillac effervescent, présentant au moins 45 g/l de sucre naturel résiduel.

Mousseux blanc Pas aussi pittoresque que, disons, la clairette de Die méthode dioise ancestrale, mais tout de même doux et très joliment parfumé.

au moins 15% de len de Lel ou de sauvignon blanc (ou d'un mélange des deux), et mauzac, mauzac rosé, muscadelle, ondenc et sémillon

1-3 ans

Mousseux rosé Je ne l'ai pas encore goûté mais, si j'en juge par le blanc, c'est sans doute un vin intéressant.

1 ou 2 ans

au moins 60% de duras, et fer, gamay et syrah, cabernet sauvignon, cabernet franc et merlot

Château Clarès • *Domaine Clément Termes* • *Jean Cros* • *Robert Plageoles* (Domaine de Très-Cantou) • *René Rieu* • *Domaine des Terrisses*

GAILLAC PREMIÈRES CÔTES AOC

Vins secs provenant de onze communes. Le raisin doit être plus mûr que pour l'AOC Gaillac et le vin doit être conforme aux règlements du gaillac doux – moins la douceur.

Robert Plageoles (Domaine de Très-Cantou)

HAUT-MONTRAVEL AOC

Les vins doivent contenir entre 8 et 54 g/l de sucre résiduel. Les rouges de cette zone sont vendus sous l'AOC Bergerac.

Blanc Vins moelleux gras et fruités.

sémillon, sauvignon blanc, muscadelle

3-8 ans

Château Puy-Servain

IROULÉGUY AOC

La coopérative locale joue un rôle essentiel dans cette appellation qui produit un des vins les plus typés du Sud-Ouest. Mais, et c'est étonnant, le volume de rosé dépasse celui du rouge.

Rouge Vins foncés, profonds et tanniques, riches et fondus en bouche, avec des notes d'épices et de terre fraîche en finale.

tannat, plus au moins 50% (au total) de cabernet sauvignon et de cabernet franc

4-10 ans

Blanc Ces vins secs, modestes, sont les moins intéressants de l'appellation.

courbu, manseng

Rosé Rose saumon et très fruité, ce vin sec doit être bu très jeune et bien frais.

tannat, plus au moins 50% (au total) de cabernet sauvignon et de cabernet franc

sans attendre

Domaine Brana • *Domaine Ilarria* (Cuvée Bixintxo) • *Copérative d'Irouléguy* (surtout le Domaine de Mignaberry)

JURANÇON AOC

Ce vin doux des Pyrénées-Atlantiques a été servi lors du baptême de Henri de Navarre en 1553. Aujourd'hui, il est souvent proposé en vendanges tardives ou en moelleux. Cependant, la production de jurançon sec (*voir* ci-dessous) est plus importante.

Blanc Les meilleurs se distinguent, au nez et en bouche, par un caractère épicé et une réelle finesse, avec aussi des notes d'ananas, de zeste confit et de cannelle.

petit manseng, gros manseng, courbu et jusqu'à 15% (au total) de camaralet et de lauzet

5-20 ans

Domaine Bellegarde • *Domaine Brana* • *Domaine Bru-Baché* • *Domaine Cauhapé* • *Clos Guirouilh* • *Cru Lamouroux* • *Clos Uroulat*

JURANÇON SEC AOC

Ces vins doivent satisfaire aux mêmes règlements que le Jurançon AOC, mais le sucre résiduel autorisé est moins important et le raisin peut être moins mûr. Il faut les boire jeunes. Ils peuvent être vendus à partir du 1er décembre qui suit la vendange, sans la mention « primeur » ou « nouveau ».

Blanc Si un vin au monde peut être taxé de nervosité, c'est sans aucun doute celui-là. Il manque souvent de la personnalité qui pourrait le placer au rang des autres blancs secs, et il n'a jamais la complexité des jurançons vendanges tardives. Toutefois, les meilleures bouteilles ont de l'intensité et des nuances d'ananas.

petit manseng, gros manseng, courbu et jusqu'à 15% (au total) de camaralet et de lauzet

2-5 ans

Domaine Bru-Baché • *Domaine Cauhapé* • *Clos Guirouilh* • *Cru Lamouroux* • *Clos Lapeyre* • *Clos Uroulat*

MADIRAN AOC

C'est l'un des vins à la plus forte personnalité du Sud-Ouest, mais il peut être très décevant. Beaucoup de domaines expérimentent le chêne neuf, et le cabernet franc gagne du terrain.

Rouge Il faut vraiment mâcher les tanins de ces vins foncés, quand ils sont jeunes; avec le temps, ils deviennent riches et charnus.

au moins 40% de tannat, et cabernet franc, cabernet sauvignon, fer

5-15 ans

Château d'Aydie (dont Domaine Frédéric Laplace) • *Domaine Barréjat* • *Domaine de Bouscassé* (Château Montus) • *Domaine Brana* • *Domaine Crampilh* • *Château Laffitte-Teston* • *Domaine de Lanestousse* • *Chapelle Lenclos* • *Domaine de Maouries* • *Domaine Moureou* • *Château de Peyros*

MARCILLAC AOC

Ces vignobles ont été élevés au rang d'AOC en 1990. En même temps, les autorités ont mis l'accent sur le cépage local, le fer. Les jurançon noir, mouyssagués et valdiguié ne sont plus autorisés.

Rouge Rocailleux et rustiques, ces vins s'assouplissent en prenant de l'âge et libèrent les arômes typiques du fer.

au moins 90% de fer, et cabernet franc, cabernet sauvignon et merlot

3-6 ans

Rosé Vins secs, pleins, épanouis et charmeurs, qui se montrent beaucoup plus typés depuis que la proportion de fer a triplé.

au moins 90% de fer, et cabernet franc, cabernet sauvignon et merlot

1-3 ans

Domaine du Cros • Lacombe Père et Fils • Coopérative du Vallon

MONBAZILLAC AOC

Ces vins, dans le style du sauternes, d'un excellent rapport qualité/prix, ont une longue histoire : c'est en 1080 que la vigne a été plantée par l'abbaye de Saint-Martin, sur une colline appelée mont Bazailhac.

Blanc Vins riches et intensément moelleux, d'un très haut niveau.

sémillon, sauvignon blanc, muscadelle

7-20 ans

Château la Borderie • Domaine de Bosredon • Domaine de Pecoula • Château Treuil-de-Nailhac

MONTRAVEL AOC

C'est la plus vaste des trois appellations de Montravel, et la seule qui peut (et doit) produire du vin sec. Les rouges de cette contrée sont des bergeracs.

Blanc Vins secs, vifs et riches en arôme, dominés par le sauvignon. Ils peuvent être vendus à partir du 1er décembre qui suit la vendange, sans la mention « primeur » ou « nouveau ».

sémillon, sauvignon blanc, muscadelle, ondenc, chenin blanc et jusqu'à 25% d'ugni blanc (à condition que la quantité de sauvignon blanc soit au moins égale).

1 ou 2 ans

Château du Bloy • Château le Mayne • Château le Raz • Domaine de la Roche-Marot

PACHERENC DU VIC-BILH AOC

Cette appellation de blanc, qui concerne la même zone que celle de Madiran, utilise de plus en plus de chêne neuf.

Blanc Des arômes floraux exotiques et des notes de salade de fruits dominent chez ces vins souples qui sont doux, moelleux ou donnés pour secs (sans l'être tout à fait).

arufiac, courbu, gros manseng, petit manseng, sauvignon blanc, sémillon

3-7 ans

Domaine du Bouscassé • Domaine Frédéric Laplace • Château Laffitte-Teston • Cave de Crouseilles

PÉCHARMANT AOC

Les vins rouges les plus fins de Bergerac ! Les neufs communes productrices sauf une (Saint-Sauveur) se trouvent dans l'AOC Rosette.

Rouge Toutes les caractéristiques du bergerac, mais une meilleure concentration d'arômes et de tanins, et une robe plus intense.

cabernet franc, cabernet sauvignon, merlot, malbec

4-12 ans

Château Champarel • Domaine des Costes • Cave du Fleix (Domaine Brisseu-Belloc) *• Domaine du Grand-Jaurre • Domaine du Haut-Pécharmant • Domaine de Puy Grave • Château de Tiregrand*

ROSETTE AOC

Appellation de blanc assez peu connue. Les vins doivent contenir entre 8 et 54 g/l de sucre résiduel. Les rouges produits ici sont des bergeracs.

Blanc Le château-puypezat est un vin souple très délicat en bouche.

sémillon, sauvignon blanc, muscadelle

4-8 ans

Château Puypezat

SAUSSIGNAC AOC

Appellation de blanc doux qui doit contenir un minimum de 18 g/l de sucre résiduel. Les rouges produits ici sont des bergeracs.

Blanc Les meilleurs se révèlent riches, gras et pleins.

sémillon, sauvignon blanc, muscadelle, chenin blanc

5-15 ans

Château Courts-les-Muts • Domaine de Richard

TURSAN VDQS

Les rouges sont dominés par le tannat, comme ceux de l'appellation voisine, Madiran, alors que les blancs le sont par le baroque, un cépage local. Presque tous les vins sont produits par les Vignerons du Tursan.

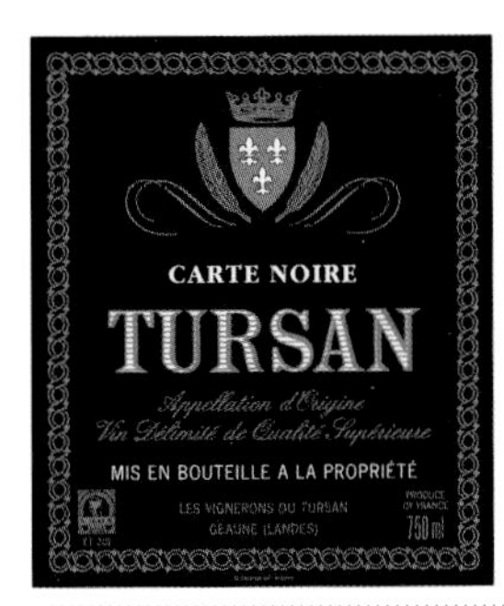

Rouges Vins riches et mâcheux ou plus fins et aromatiques, selon le cépage dominant.

tannat, et au moins 25% (au total) de cabernet franc, cabernet sauvignon et fer

Blanc La coopérative fait traditionnellement un blanc charpenté, riche, solide et quelque peu rustique en bouche. Toutefois, il subit de plus en plus l'influence du vin diffusé sous l'étiquette relativement nouvelle de « Château de Bachen », nettement plus aromatique et élégant.

baroque, et un maximum de 10% (au total) de sauvignon blanc, gros manseng, petit manseng, claverie, cruchinet, raffiat, claret du Gers, clairette

2-5 ans

Rosé Vin sec sans prétention, au fruit séveux et plaisant.

tannat, et au moins 25% (au total) de cabernet franc, cabernet sauvignon et fer

1-3 ans

Château de Bachen • Vignerons du Tursan

VINS DE LAVILLEDIEU VDQS

Au sud de Cahors, ce vignoble prolonge, au nord, celui du Frontonnais et les vignes y poussent sur un sol de bolbènes, similaire à celui de l'Entre-Deux-Mers, dans le Bordelais. La production est dominée par la cave coopérative locale et les vins sont assez rares hors de la région.

Rouge Joliment coloré, ces vins assez corsés sont frais et fruités en bouche.

au moins 80% (au total) de mauzac, mérille, cinsault, fuella et négrette (qui doit compter pour au moins 35%), et jusqu'à 20% (au total) de syrah, gamay, jurançon noir, picpoul, milgranet et fer

3-6 ans

Blanc Vins secs, vifs, riches en arôme.

mauzac, sauvignon blanc, sémillon, muscadelle, colombard, ondenc, folle blanche

1-3 ans

Hugues de Verdale

VINS D'ENTRAYGUES ET DU FEL VDQS

Cette zone chevauche les départements de l'Aveyron et du Cantal. Les volumes produits sont faibles et ces vins sont rares hors de leur région.

Rouge Vins légers et rustiques. Il faut les boire au sein de cette belle région pour les apprécier.

cabernet franc, cabernet sauvignon, fer, gamay, jurançon noir, merlot, mouyssaguès, négrette, pinot noir

1 ou 2 ans

Blanc Vins légers, secs et vifs, sans prétention et qui se laissent boire.

chenin blanc, mauzac

sans attendre

Rosé Vins secs, légers et frais.

cabernet franc, cabernet sauvignon, fer, gamay, jurançon noir, merlot, mouyssaguès, négrette, pinot noir

1 ou 2 ans

François Avallon

VINS D'ESTAING VDQS

Ce vignoble est voisin (au sud) du précédent – la production est encore plus faible.

Rouge Vins agréables, légers et joliment fruités.

fer, gamay, abouriou, jurançon noir, merlot, cabernet franc, cabernet sauvignon, mouyssaguès, négrette, pinot noir, duras, castet

1-3 ans

Blanc Vins secs sans prétention, vifs et plaisants en bouche, dans un style un peu rustique.

chenin blanc, roussellou, mauzac

1 ou 2 ans

Rosé Très agréables, ces rosés secs sont sans doute les plus intéressants de l'appellation.

fer, gamay, abouriou, jurançon noir, merlot, cabernet franc, cabernet sauvignon, mouyssaguès, négrette, pinot noir, duras, castet

sans attendre

Le Viala

LE CHOIX DE L'AUTEUR

Il existe une telle diversité de style chez les vins du Sud-Ouest que la sélection des meilleurs s'apparente à la chasse au trésor. J'ai privilégié les rouges denses et riches en extrait et les blancs de vendanges tardives, relativement peu connus.

PRODUCTEUR	VIN	STYLE	DESCRIPTION	
Domaine Bouscassé ⓥ	Château Montus Cuvée Prestige, Madiran AOC (*voir* p. 230)	ROUGE	Fabuleux par sa robe densément colorée, ce vin déploie un fruit ample et concentré, riche et fermement concentré, mûri sous chêne. Château Montus est une propriété séparée du domaine Bouscassé, même si l'étiquette porte les deux noms, et le vin est élevé sous chêne neuf – les fûts d'un an sont utilisés pour le madiran du domaine Bouscassé.	5 à 12 ans
Domaine Bouscassé	Pacherenc du Vic-Bilh AOC doux (*voir* p. 231)	BLANC	Vrai vin de vendange tardive. Le domaine Bouscassé, où vit le propriétaire-exploitant Alain Brumont, élabore un breuvage fantastique, profond et fondu, complexe, riche et onctueux.	3 à 20 ans
Domaine Brana ⓥ	Irouléguy AOC (*voir* p. 230)	ROUGE	Ni si rugueux ni si rocailleux que le commun des irouléguys, ce vin de haut niveau a la robe et la profondeur propres à l'appellation, mais ses tanins sont plus souples et il se distingue par une belle complexité, influencée par le chêne.	5 à 10 ans
Domaine Cauhapé	Noblesse du Petit Manseng, Jurançon sec AOC (*voir* p. 230)	BLANC	Alors que les viticulteurs du Jurançon utilisent en général un assemblage de cépages, Henri Ramonteu, le producteur le plus novateur de l'appellation propose surtout des vins de cépage. Celui-ci est voué au petit manseng, le meilleur de la contrée, que l'on réserve traditionnellement aux vins les plus doux et les plus chers.	4 à 8 ans
Domaine Cauhapé	Noblesse du Petit Manseng, Jurançon AOC (*voir* p. 230)	BLANC	Le petit manseng est le meilleur cépage de l'appellation – les gens d'ici disent qu'il « est le roi, alors que le gros manseng est le page », et c'est pourquoi Henri Ramonteu se réfère à sa noblesse. Ce vin de dessert riche et onctueux explose en bouche d'une belle complexité de pêche fondante et de zeste confit.	3 à 12 ans
Domaine Cauhapé	Quintessence du Petit Manseng, Jurançon AOC (*voir* p. 230)	BLANC	De tous les jurançons de vendanges tardives, celui-ci est le plus riche, le plus sensuel et potentiellement le plus complexe.	5 à 20 ans
Château Gautoul ⓥ	Cuvée Prestige, Cahors AOC (*voir* p. 228)	ROUGE	Depuis qu'il a été racheté par Alain Senderens, chef parisien bien connu, le château a bénéficié d'investissements importants et du talent d'un capitaine avisé. Résultat, un cahors joliment balancé, intensément parfumé et incroyablement fin !	4 à 10 ans
Château Laffitte-Teston ⓥ	Vieilles Vignes, Madiran AOC (*voir* p. 230)	ROUGE	Corpulent et riche, ce rouge à la robe intense développe peu à peu des arômes multiples pour enrichir une complexité qui tapisse la bouche de strates successives, et la finale est longue, très épanouie mais incroyablement structurée.	5 à 10 ans
Château Laffitte-Teston ⓥ	Erika, Pacherenc du Vic-Bilh (*voir* p. 231)	BLANC	Bien que ce vin soit issu des cépages secondaires de Pacherenc (arrufiac, courbu et gros manseng), avec des rendements faibles, une fermentation et un élevage sous chêne neuf, Jean-Marc Laffitte réussit à concocter un blanc doux séduisant et riche, débordant d'une marée de fruit onctueux et exotique.	5 à 10 ans
Château Laffitte-Teston ⓥ	Pacherenc du Vic-Bilh moelleux (*voir* p. 231)	BLANC	Cet assemblage somptueux de petit manseng et de petit courbu de vendanges tardives est élevé sous chêne neuf. Très long en bouche, il est tout plein d'un fruit doux, marqué par le bois.	5 à 10 ans
Château de Peyros	Le Couvent, Madiran AOC (*voir* p. 230)	ROUGE	Ce madiran de haut vol est élaboré sous les auspices de l'omniprésent professeur Peynaud, qui tient aux vendanges manuelles en tries, à un contact prolongé avec les peaux et à la maturation en petites barriques de chêne. C'est le secret et la magie de cet assemblage, à peu près à parts égales de tannat et de cabernet franc, avec une giclée de cabernet sauvignon.	5 à 12 ans
Robert Plageoles	Domaine de Très-Cantous Vin de Voile Gaillac AOC (*voir* p. 229)	BLANC	Comme les Plageoles sont vignerons de père en fils à Gaillac depuis cinq cents ans, il est après tout normal qu'ils sachent comment cultiver la vigne et comment concocter ce vendanges tardives sensuel, qui sait préserver son fruit et sa pureté au cours d'un séjour en bouteille incroyablement prolongé.	10 à 20 ans
Clos Uroulat ⓥ	Cuvée Marie, Jurançon sec AOC (*voir* p. 230)	BLANC	C'est probablement le numéro 2 des jurançons (après celui du domaine Cauhapé). Avec un fruit soutenu, délicieux et long, cette cuvée particulière démontre une superbe finesse.	3 à 6 ans

LANGUEDOC-ROUSSILLON

Depuis quelques années, on observe un afflux de viticulteurs australiens dans cette région. Ils ont acheté des vignobles, ont construit des installations pour vinifier et se sont efforcés d'obtenir la qualité tout en maintenant des prix intéressants. Cette influence ne peut être que bénéfique mais les producteurs autochtones avaient, depuis déjà longtemps, commencé à mettre de l'ordre dans la région.

Il y a une dizaine d'années, on ne considérait déjà plus le Languedoc-Roussillon comme une région de picrate. De plus en plus de domaines avaient commencé à mettre eux-mêmes en bouteilles et le système des vins de pays les incitait à baisser les rendements et à privilégier les bons cépages. Il faut dire qu'une nouvelle génération de viticulteurs avait commencé à émerger vers le début des années 1970. En mariant technologie moderne et méthodes traditionnelles, y compris un certain temps de vieillissement sous chêne, ils ont produit beaucoup de vins intéressants et remporté des succès commerciaux, notamment à l'exportation. Les autres producteurs se sont émus de ces profits et, de plus en plus, ont sauté le pas et mis en bouteilles au domaine. C'est cette situation inédite qui a attiré les Australiens et si les viticulteurs de la région ont bel et bien forgé cette réputation nouvelle, les Australiens y ont peut-être également contribué en apportant leur dynamisme et leur vision de l'avenir.

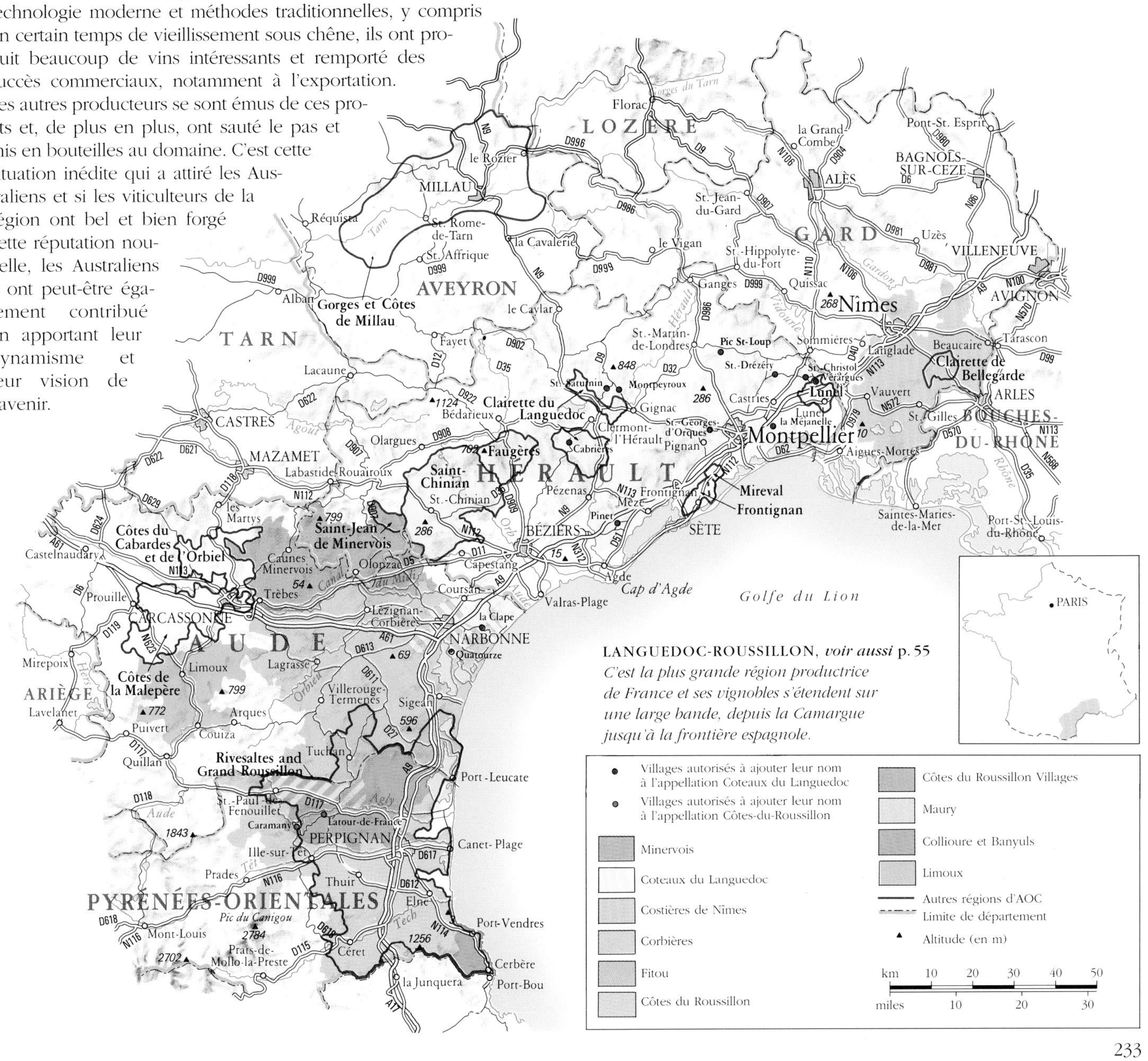

VIGNOBLES À BAGÈS

Non loin de Perpignan et sur les bords de la Méditerranée, les vignobles des Côtes du Roussillon comptent parmi les plus ensoleillés du pays.

LANGUEDOC-ROUSSILLON, *voir aussi* p. 55

C'est la plus grande région productrice de France et ses vignobles s'étendent sur une large bande, depuis la Camargue jusqu'à la frontière espagnole.

- Villages autorisés à ajouter leur nom à l'appellation Coteaux du Languedoc
- Villages autorisés à ajouter leur nom à l'appellation Côtes-du-Roussillon
- Minervois
- Coteaux du Languedoc
- Costières de Nîmes
- Corbières
- Fitou
- Côtes du Roussillon
- Côtes du Roussillon Villages
- Maury
- Collioure et Banyuls
- Limoux
- Autres régions d'AOC
- Limite de département
- Altitude (en m)

FACTEURS AFFECTANT LE GOÛT ET LA QUALITÉ

SITUATION
Vignobles disposés en un croissant très étendu, depuis le delta du Rhône jusqu'aux Pyrénées et à la frontière espagnole.

CLIMAT
Le climat méditerranéen est propice à la culture de la vigne, même s'il est parfois marqué par de violents orages. Les vents dominants sont le mistral – froid et desséchant – qui vient des glaciers alpins, et des vents marins, chauds et humides, parfois cause de pourriture au moment de la vendange. La région compte beaucoup de microclimats.

ASPECT
Si le paysage typique de la région est fait de vignobles de plaine, qui donnent du vin ordinaire et qui s'étendent sur de vastes surfaces, il existe aussi des sites bien meilleurs, sur des coteaux tournés vers le sud, le sud-est et l'est, ou à l'abri de parois rocheuses.

SOL
Les plaines et les vallées présentent, dans l'ensemble, des sols alluviaux fertiles, alors que les coteaux sont schisteux ou calcaires, et que les garrigues ont des sols pierreux sur des sous-sols calcaires fissurés. Toutefois, il existe un grand nombre de cas particuliers.

VITICULTURE ET VINIFICATION
C'est la grande source de vin de table de l'Hexagone. La mécanisation y est très poussée et, dans les plaines, la vigne est cultivée comme le blé ou le maïs. Toutefois, de plus en plus, les viticulteurs cherchent à mettre en valeur les vignobles présentant un caractère bien spécifique de terroir, en cultivant des cépages supérieurs et en combinant les techniques modernes et les méthodes traditionnelles. Limoux pratique encore la méthode rurale pour la production de la blanquette (*voir* ci-dessous), mais la « méthode champenoise » est utilisée pour la majorité des vins qui sont vendus sous le nom de « crémant ».

CÉPAGES
Aspiran noir, aspiran gris, aubun (*syn.* counoise), bourboulenc (appelé ici et là malvoisie ou tourbat), cabernet franc, cabernet sauvignon, carignan, carignan blanc, cinsault, clairette, duras, fer, grenache, grenache blanc, grenache gris, lladoner pelut, listan negra (version noir du palomino d'Espagne), malbec (*syn.* cot), macabéo, marsanne, merlot, mourvèdre, muscat d'Alexandrie, muscat blanc à petits grains, muscat doré de Frontignan, muscat rosé à petits grains, négrette, œillade, picpoul, picpoul noir, roussanne, syrah, terret, terret noir, ugni blanc, vermentino (*syn.* rolle)

LES APPELLATIONS DU

LANGUEDOC-ROUSSILLON

Note Les vins doux naturels (VDN) cités ci-dessous doivent être faits de raisin très mûr et sont fortifiés d'alcool pur de raisin lorsqu'ils atteignent 5 ou 6% vol. au cours de la fermentation. Ils ont donc la douceur naturelle du fruit. Pour être étiqueté « rancio », un vin doux doit être vieilli en fût de chêne « selon la tradition locale », c'est-à-dire, en général, en tonneau exposé en plein soleil pendant au moins deux ans. C'est ce qui donne au vin ce fameux goût de rancio dont le Roussillon est si fier. Selon la couleur du vin au début du processus et le temps qu'il passe sous chêne, on obtient un vin rouge, blanc, rosé ou tuilé.

BANYULS AOC

C'est l'appellation la plus méridionale de l'Hexagone et les vignobles de ce vin doux sont près de la frontière, sur des coteaux schisteux, abrupts, où l'homme et le mulet souffrent encore aujourd'hui puisque la mécanisation est impossible. Les rendements sont bas et le raisin arrive à une maturité poussée. On peut souvent lire « rimage » sur l'étiquette; c'est un vieux mot catalan, dérivé de *rime* (« raisin »), qui désigne le millésime.

Rouge C'est le plus profond et le plus foncé de tous les vins doux naturels. Un banyuls riche (sans trop de vieillissement en bouteille) a des arômes chocolatés qui le rapprochent des grands vins de la région de Douro, au Portugal. Il n'a sans doute pas la grandeur d'un bon porto, mais il a son propre charme et, après 15 ou 20 ans de bouteille, un banyuls de haut niveau développe une complexité surprenante et merveilleuse, que l'on pourrait situer entre les nuances épicées de pruneau et de fruits secs d'un vieux porto millésimé et les notes douces de caramel, de café et de noisette d'un bon tawny âgé.

10-40 ans

Blanc, rosé, tuilé Comme tous les vins doux naturels, qu'ils soient rouges, blancs ou rosés, ils prennent une belle teinte ambrée en vieillissant, surtout les rancios.

tous les vins : grenache (au minimum 50%), grenache gris, grenache blanc, macabéo, tourbat, muscat blanc à petits grains, muscat d'Alexandrie et un maximum de 10% (au total) de carignan, cinsault et syrah.

✓ *Domaine de la Casa Blanca • Cellier des Templiers • Caves de l'Étoile • Château de Jau • Domaine du Mas Blanc • Domaine de la Rectorie • Domaine de la Tour Vieille • Domaine du Tragnier • Vial Magnières*

BANYULS GRAND CRU AOC

Les règlements sont les mêmes que pour le banyuls mais la proportion du grenache doit atteindre un minimum de 75%. Le raisin doit être éraflé avant de macérer pendant au minimum cinq jours; la maturation sous fût de chêne doit durer au moins 30 mois. Les vins sont proches du simple Banyuls – si j'ose dire, étant donné sa complexité – mais, si l'on emploie le vocabulaire du porto, ils ressemblent plus au tawny qu'au millésimé.

✓ *Cellier des Templiers • Domaine de Tragnier • Vial Magnières*

BANYULS GRAND CRU « RANCIO » AOC

Voir Banyuls Grand Cru AOC

BANYULS « RANCIO » AOC

Voir Banyuls AOC

BLANQUETTE DE LIMOUX AOC

Pour des vins issus de coteaux aussi ensoleillés, ce qu'on a appelé la méthode champenoise donnait ici un résultat étonnamment bon. Toutefois, depuis une dizaine d'années, la blanquette de limoux a évolué, par petits bonds, pour s'écarter de son style un peu rustique et pour atteindre un certain degré de finesse (pas autant, toutefois, que le crémant de Limoux). Certains pensent qu'il y perd un peu de son âme, et ils ont sans doute en partie raison. Toutefois, c'est une évolution obligée pour ce vin s'il veut rester présent sur les marchés internationaux. En outre, les meilleures bouteilles conservent une personnalité propre qui saute au nez et à la bouche dans les dégustations à l'aveugle. Elle est due au mauzac qui, depuis la création de l'appellation crémant, doit entrer pour 90% dans la blanquette.

Blanc mousseux Ces vins avaient souvent des nuances de foin coupé, mais offrent maintenant davantage de finesse et des arômes plus floraux et autolytiques.

mauzac (au minimum 90%), chardonnay, chenin blanc

✓ *Antech* (Tête de Cuvée et Cuvée Saint-Laurent) • *Domaine de Froin* (Au Temps de Pépé) • *Robert* • *Sieur d'Arques* (Diaphane Blanc de blancs)

BLANQUETTE MÉTHODE ANCESTRALE AOC

Anciennement appelé « vin de Blanquette » et toujours produit par la vieille « méthode rurale », c'est ce vin, et non la blanquette de Limoux, qui a été, dit-on, « inventé » par les moines de l'abbaye de Saint-Hilaire en 1531.

Blanc S'il n'a pas la finesse de la blanquette, il a du mérite car cette méthode ancestrale impose une récolte manuelle, l'égrappage, la macération à froid, un pressurage lent et un débourbage par le froid. Ce vin, aux arômes de pommes, ne titre que 6% vol. Il devrait permettre à Limoux de défendre son image historique.

mauzac

CABARDÈS AOC

Appellation peu connue, au nord de Carcassonne. Les vins peuvent aussi être diffusés sous le nom de « Côtes de Cabardès et de l'Orbiel », mais la forme raccourcie est plus usuelle.

Rouge Les meilleurs, au fruité élégant, ont un équilibre qui les apparente à des bordeaux et les différencie des rouges épicés du Sud.

au moins 40% (au total) de grenache, syrah et cinsault, (limité à un maximum de 20%), plus un maximum (au total) de cabernet sauvignon, cabernet franc, merlot, malbec et fer. 30% de carignan et d'aubun. Mourvèdre, négrette, picpoul noir et terret noir ne sont plus autorisés depuis 1992.

3-8 ans

Rosé Je ne l'ai pas goûté.

2 ou 3 ans

UC du Cabardès • Château de Pennautier • Cave viticole de Pézenas • Château Rivals

CLAIRETTE DE BELLEGARDE AOC

Comparée aux meilleurs vins de pays, cette appellation, vouée au cépage clairette, sans grand intérêt, ne me paraît même pas digne du statut de VDQS.

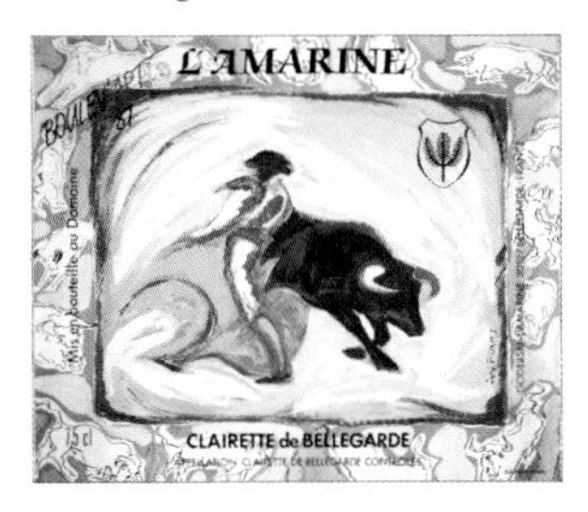

Blanc Les deux domaines cités offrent les meilleurs de ces vins secs aux arômes floraux, qui restent cependant bien modestes.

clairette

avant Noël, l'année de la production

Domaine de l'Amarine • Domaine Saint-Louis-la-Perdrix

CLAIRETTE DU LANGUEDOC AOC

Cette appellation concerne trois types de vins : les vins naturels, les vins doux naturels et les rancios. Ces derniers doivent être vieillis au moins trois ans en fûts scellés, et peuvent être ou non vinés.

Blanc Le vin naturel est plus plein et plus riche que le Bellegarde, mais il se montre plus alcoolisé et moins doux sous sa forme rancio. Le vin doux naturel va du demi-sec au demi-doux, avec un goût résineux plus marqué chez le rancio.

clairette

1-3 ans pour les vins naturels, 8-20 ans pour les VDN et le rancio

Domaine d'Aubepierre • Cave viticole de Cabrières • Château de la Condamine-Bertrand

CLAIRETTE DU LANGUEDOC « RANCIO » AOC

Voir Clairette du Languedoc AOC

COLLIOURE AOC

Appellation peu connue, mais intéressante pour ses vins naturels issu de raisin vendangé le plus souvent à Banyuls – dont le vin n'est fait que des raisins les plus mûrs, vendangés tardivement (sans *botrytis*).

Rouge Foncés de robe, profonds et puissants, ces vins pleins déploient des arômes fruités concentrés, avec une finale souple et épicée.

au moins 60% (au total) de grenache et de mourvèdre, plus un minimum de 25% (au total) de carignan, cinsault et syrah

Rosé Je ne l'ai pas goûté.

au moins 60% (au total) de grenache et de mourvèdre, plus un minimum de 25% (au total) de carignan, cinsault et syrah, et un maximum de 30% de grenache gris

3-15 ans

Domaine de Baillaury • Domaine du Mas Blanc • Château de Jau • Domaine de la Rectorie • Cellier des Templiers • Domaine de la Tour Vieille

CORBIÈRES AOC

En acquérant le statut d'AOC, en décembre 1985, ce vignoble s'est vu en même temps amputé de près de la moitié de sa surface et ne couvre plus que 23 000 ha. Les meilleurs domaines pratiquent souvent la macération carbonique, suivie d'un élevage d'environ 12 mois sous le chêne neuf – et le résultat est parfois remarquable. Le succès auprès du public devrait être promis à ces vins, bien qu'ils aient du mal à exprimer un style homogène étant donné la diversité des terroirs.

C'est d'ailleurs ce qui a conduit à la constitution, non officielle, de 11 zones internes qui, sans doute, apparaîtront un jour ou l'autre dans les règlements : Boutenac (au centre et au nord, où le mourvèdre excelle), Durban (enchâssé entre les collines des deux parties de Fitou et protégé de l'influence méditerranéenne), Fontfroide (qui s'étend depuis la limite nord de Durban jusqu'à l'est de la ville de Narbonne, avec de faibles précipitations et de bonnes conditions pour le mourvèdre), Langrasse (à l'ouest de Boutenac, dans une vallée protégée, au sol calcaire), Lézignan (plateau de faible altitude au sol graveleux, dans la partie nord des Corbières), Montagne d'Alaric (coteaux bien drainés, à l'ouest de Lézignan, avec des sols graveleux sur base calcaire), Quéribus (plus au sud, sur des coteaux pentus et graveleux), Saint-Victor (le cœur des Corbières), Serviès (au nord-ouest, c'est la zone la plus humide, avec des sols argilo-calcaires convenant à la syrah), Sigean (vers la mer, où la syrah excelle), Termenès (zone la plus élevée de l'appellation, tout à fait à l'ouest, entre Serviès et Quéribus).

Rouge Avec une belle robe et un nez plein, fruité et épicé, ce vin se révèle velouté, net et tendre en bouche, avec souvent des notes de cerise, de framboise et de vanille.

un maximum de 40 à 60% (selon la localisation) de carignan, un minimum de 25 à 35% (selon la localisation) de grenache, de lladoner pelut et de syrah, et aussi mourvèdre, picpoul, terret, un maximum de 20% de cinsault; la proportion de macabéo et de bourboulenc ne doit pas dépasser celle de carignan. Le grenache gris n'est plus autorisé depuis 1995.

2-5 ans (3-8 dans les cas exceptionnels)

Blanc Vins secs, tendres, presque cliniquement sains, qui ont acquis un caractère plus aromatique depuis une décennie – celui du château Meunier Saint-Louis en est l'exemple – mais qui manquent parfois encore de personnalité. Certains ont essayé, avec succès, la fermentation sous chêne. Ces vins peuvent être vendus à partir du 1er décembre qui suit la vendange, sans la mention « primeur » ou « nouveau ».

un minimum de 50% de bourboulenc, grenache blanc et macabéo, et aussi clairette, muscat blanc à petits grains, picpoul, terret, marsanne, roussanne et vermentino.

1-3 ans

Rosé Les meilleurs exemples offrent une belle couleur et un nez agréable et floral, mais sans plus.

comme pour les rouges

1-3 ans

Château la Baronne • Château la Bastide • Château Caraguilhes • Château l'Étang des Colombes • Château Hélène (surtout la Cuvée Ulysse) • *Château des Lanes • Château de Lastours • Château Meunier Saint-Louis • Val d'Orbieu • Château les Palais • Château Saint-Auriol • Château La Voulte-Gasparets*

COSTIÈRES DE NÎMES AOC

Diffusés autrefois en VDQS Costières du Gard, ces vins n'ont rien de particulier mais, dans leur majorité, ils se sont certainement montrés meilleurs que bien d'autres, issus d'appellations plus fameuses, ce qui justifie le statut d'AOC, obtenu en 1996. Toutefois, puisque les cépages autorisés pour le rouge, le blanc et le rosé ont été en même temps tellement modifiés, on est en droit de se demander à quoi servent parfois les règlements.

Rouge Les vins simples, légers et fruités sont la norme, mais les meilleurs sont ronds, aromatiques et épicés.

🍇 un maximum de 40% (pour chacun) de carignan et de cinsault, un minimum de 25% de grenache et au moins 20% (au total ou pour chacun de mourvèdre et de syrah)

🔑 2-3 ans (3-8 ans pour les meilleures cuvées)

Blanc Vins frais et tendre, mais peu inspirés. Ils peuvent être vendus à partir du 1er décembre qui suit la vendange, sans la mention « primeur » ou « nouveau ».

🍇 clairette, grenache blanc, bourboulenc, un maximum de 40% d'ugni blanc et pas plus de 50% (au total) de marsanne, roussanne, macabéo et rolle.

🔑 1 ou 2 ans

Rosé Vins de bon rapport qualité/prix, avec une très jolie couleur et un fruit mûr. Ils peuvent être vendus à partir du 1er décembre qui suit la vendange, sans la mention « primeur » ou « nouveau ».

🍇 un maximum de 40% (pour chacun) de carignan et de cinsault, un minimum de 25% de grenache et au moins 20% (au total ou pour chacun de mourvèdre et de syrah), plus jusqu'à 10% (au total) de clairette, bourboulenc, grenache blanc, ugnin blanc, marsanne, roussanne, macabéo et rolle.

🔑 1 ou 2 ans

✓ *Domaine de l'Amarine • Château Paul Blanc • Château de Campuget • Domaine le Grand Plaignol • Château Morgue du Grès • Château Tuilerie*

COTEAUX-DU-LANGUEDOC AOC

Cette appellation est faite de pièces et de morceaux pris dans trois départements, d'où les variations de style – mais la qualité est presque toujours là. Après une décennie où l'on a vu apparaître des rouges très intéressants, c'est maintenant le tour des blancs.

Rouge Vins pleins et honnêtes, pour tous les jours. Ils peuvent être vendus à partir du 1er décembre qui suit la vendange, sans la mention « primeur » ou « nouveau ».

🍇 au moins 40% (au total) de grenache, lladoner pelut, mourvèdre et syrah, un maximum de 40% (au total) de carignan et cinsault, et aussi 10% (au total) de counoise, grenache gris, terret noir et picpoul noir

🔑 1-4 ans

Blanc De jeunes vignerons proposent quelques vins secs, aromatiques et merveilleusement frais, en amélioration constante, qui voient souvent un peu le chêne et qui sont même, assez fréquemment, issus de vieilles vignes. Ils peuvent être vendus à partir du 1er décembre qui suit la vendange, sans la mention « primeur » ou « nouveau ».

🍇 grenache blanc, clairette, bourboulenc, picpoul et jusqu'à 30% de marsanne, roussanne, rolle, macabéo, terret blanc, carignan blanc et ugni blanc

Rosé Ces vins secs au joli fruit se révèlent bien plus plaisants que nombre de rosés de Provence, plus onéreux. Ils peuvent être vendus en vin primeur ou nouveau à partir du troisième jeudi de novembre qui suit la vendange.

🍇 counoise, grenache gris, terret noir, picpoul noir, bourboulenc, carignan blanc, clairette, macabéo, picpoul, terret blanc et ugni blanc

🔑 1 ou 2 ans

✓ *Domaine de l'Aiguelière • Henri Arnal • Domaine Christin* (Cuvée Tradition) *• Domaine Guiraud-Boyer • Domaine de l'Hortus • Mas Jullien • Château de Lascaux • Val d'Orbieu • Domaine Peyre Rose • Prieuré Saint-Jean de Bébian • Domaine Saint-Martin de la Garrigue*

COTEAU-DU-LANGUEDOC (NOM DE TERROIR) AOC

Sauf mention spéciale, les vins portant les noms des terroirs ci-dessous répondent aux mêmes exigences que les vins d'AOC Coteaux du Languedoc

CABRIÈRES AOC

Il s'agit d'une unique commune, sur des pentes fortes, schisteuses, au centre de l'appellation clairette du Languedoc. La production du cabrières est contrôlée par la cave coopérative locale. Ce terroir produit essentiellement du rosé fin, ferme et racé, qui contient davantage de cinsault que les autres rosés du Languedoc. On trouve aussi un peu de rouge ; le vin « vermeil », qui doit son nom à sa robe vermillon, est le plus connu.

✓ *Coopérative de Cabrières • Domaine du Temple* (surtout la Cuvée Jacques de Molay)

COTEAUX DE LA MÉJANELLE

Voir La Méjanelle AOC

COTEAUX DE SAINT-CHRISTOL AOC

Voir Saint-Christol AOC

COTEAUX DE VÉRARGUES AOC

Voir Vérargues AOC

LA CLAPE AOC

Ces rouges, blancs et rosés proviennent de vignobles situés sur des sols calcaires, sur cinq communes de l'Aude, où se chevauchent les appellations Corbières et Coteaux du Languedoc. Le blanc est l'un de deux seuls autorisés pour cette dernière, et il doit contenir au moins 60% de bourboulenc ; il se montre parfois plein, fin et doré, ou ferme, avec de belles notes épicées et méditerranéennes. Il est plus cher que le rouge qui est toutefois bien meilleur, de longue garde, riche et plein. Le rosé, léger et rafraîchissant, vaut le détour.

✓ *Château de Complazens • Château Moujan • Château Pech-Céleyran • Château Pech-Redon • Domaine de la Rivière-le-Haut • Château de Ricardelle de la Clape • Château Rouquette-sur-Mer • Domaine de Terre Megre • Domaine de Vires*

LA MÉJANELLE AOC

Ce vin, diffusé aussi sous l'appellation Coteaux de la Méjanelle, vient de quatre communes, dans une zone qui était autrefois une partie du delta du Rhône, comme le prouvent les galets et les blocs rocheux érodés par l'eau, que l'on voit dans les vignobles.

Rouge Le rosé est autorisé, mais l'appellation propose surtout des rouges de garde, foncés de robe, riches et bien structurés. Celui du château de Flaugergues est souvent le meilleur.

✓ *Château de Flaugergues • Château Saint-Marcel d'Esvilliers*

MONTPEYROUX AOC

Cette commune se trouve sur des pentes schisteuses, près de Saint-Saturnin, au nord de l'appellation clairette du Languedoc. Les meilleurs rouges et rosés sont fermes et quelque peu rustiques, mais honnêtes et plaisants, et ceux que je cite ci-dessous comptent parmi les meilleurs du Languedoc.

✓ *Domaine de l'Aiguelière • Domaine d'Aupilhac*

PICPOUL-DE-PINET

Cette appellation de blanc concerne six communes. Le seul cépage est ici le picpoul, comme l'indique le nom, et le vin est vif quand il est jeune, mais il passe rapidement. Il faut donc le boire sans attendre. Le meilleur producteur est sans conteste Gaujal.

✓ *Domaine Gaujal* (Cuvée Ludovic Gaujal) *• Domaine de la Grangette*

PIC-SAINT-LOUP AOC

Rouges et rosés issus de 10 communes de l'Hérault et d'une du Gard, dans une région accidentée où certains vignobles se trouvent en altitude avec l'un des climats les plus frais de la France méridionale. Les cépages autorisés sont inhabituels pour cette région. Les rouges doivent provenir d'au moins deux des variétés suivantes : grenache, mourvèdre et syrah (sans minimum ni maximum), et aussi, pour un maximum de 10% de carignan et de cinsault (counoise, grenache gris, terret noir, picpoul noir et lladoner pelut ne sont pas autorisés). Pour le rosé, les cépages sont les mêmes, mais le carignan est exclu et le cinsault peut atteindre 35% du total.

✓ *Max Bruguière • Domaine de la Roque*

QUATOURZE AOC

Ces vignobles au sol sablonneux, au sud de Narbonne, chevauchent l'appellation Corbières, mais les vins (surtout du rouge et un peu de rosé) sont plutôt raides et carrés. Toutefois, les meilleurs savent s'assouplir et se fondre après quelques années de bouteille.

✓ *Château Notre-Dame*

SAINT-CHRISTOL AOC

Au nord de Lunel, ces sols argilo-calcaires donnent des rouges et des rosés épanouis, épicés et équilibrés, qui peuvent aussi être diffusés sous l'AOC Coteaux de Saint-Christol. La coopérative locale domine la production.

✓ *Domaine de la Coste • Gabriel Martin • Cave coopérative de Saint-Christol*

SAINT-DRÉZERY AOC

Cette appellation, au nord de Montpellier, concerne des rouges et des rosés – je n'ai goûté que les premiers, qui m'ont paru assez modestes.

SAINT-GEORGES-D'ORQUES AOC

À l'ouest de Montpellier, cette appellation concerne cinq communes et produit surtout des vins rouges, bien colorés, très fruités et étonnamment fins pour ce vignoble modeste. On trouve aussi de petites quantités de rosés dont les meilleurs libèrent en bouche des arômes de fleurs séchées et de fruits d'été.

✓ *Château de l'Engarran • Cave coopérative de Saint-Georges-d'Orques*

SAINT-SATURNIN AOC

Ces rouges et ces rosés, qui portent le nom du premier évêque de Toulouse, viennent de trois communes abritées au pied des Cévennes, à l'ouest de Montpeyroux, où il est possible (mais pas facile) de produire des vins rouges bien colorés, riches en arômes et fins. La production est dominée par les coopératives

de Saint-Félix-de-Lodez et de Saint-Saturnin ; la première offre aussi un rosé charmant, légèrement pétillant, et la seconde se distingue avec le « vin d'une nuit », un rouge léger qui n'a macéré qu'une nuit.

Cave coopérative de Saint-Félix-de-Lodez • *Cave coopérative de Saint-Saturnin*

VÉRARGUES AOC

Vérargues offre de grosses quantités de rosés et de rouges qui se laissent boire, sans rien d'exceptionnel. Ils proviennent de neuf communes, dont quatre constituent l'AOC muscat de Lunel. Ils sont aussi diffusés sous l'AOC Coteaux de Vérargues.

Château du Grès-Saint-Paul

CÔTES DU CABARDÈS ET DE L'ORBIEL VDQS

Voir Cabardès VDQS

CÔTES DE LA MALEPÈRE VDQS

Avec la coopérative de Razès et les Domaines Virginie (Domaine des Bruyère), cette appellation est en passe de devenir l'une des meilleures du Languedoc-Roussillon, avec un bon rapport qualité/prix. J'espère que l'on va y voir de plus en plus de vins de domaines. Pourquoi n'est-ce pas une AOC?

Rouge Vins bien colorés, corsés ou assez corsés, élégants, fruités et épicés.

jusqu'à 60% (chacun) de merlot, malbec et cinsault, plus 30 % maximum (au total) de cabernet sauvignon, cabernet franc, grenache, lladoner pelut et syrah

3-7 ans

Rosé Vins secs plaisants et totalement différents des rouges par la grâce du grenache qui assouplit et adoucit.

cinsault, grenache, lladoner pelut, et 30 % maximum (au total) de merlot, cabernet sauvignon, cabernet franc et syrah

1-3 ans

Domaine des Bruyère • *Cave coopérative de Malepère* (Château de Festes, Domaine de Foucauld) • *Domaine de Matibat* • *Cave coopérative de Razès* (Château Beauséjour, Domaine de Cazes, Domaine de Fournery, Château de Monclar) • *Château de Routier*

CÔTES DE MILLAU VDQS

Anciennement vin de pays (Gorges et Côtes de Millau), cette zone a obtenu le statut VDQS en 1994, mais il lui reste à affirmer son style et sa personnalité. Il n'y a pas de raison majeure pour qu'elle échoue, mais avec 50 ha plantés et une coopérative puissante, ce ne sera pas facile.

Rouge Le vin primeur est une spécialité.

assemblage d'au moins deux cépages, dont un minimum de 30% de gamay et de syrah, plus fer, duras et jusqu'à 20% de cabernet sauvignon

Blanc Il y en a peu et je ne l'ai pas goûté.

chenin blanc, mauzac

Rosé Il y en a peu et je ne l'ai pas goûté.

assemblage d'au moins deux cépages, dont un minimum de 50% de gamay, et aussi syrah, fer, duras et cabernet sauvignon

CÔTES DU ROUSSILLON AOC

Située au sud des Corbières, cette vaste appellation commence à se débarrasser d'une vieille réputation, peu enviable. Si le Languedoc est aujourd'hui plus en vue, le Roussillon offre malgré tout un choix énorme de vins aux arômes riches, de bon rapport qualité/prix.

Rouge Les meilleurs vins, bien colorés, sont généreux en arômes de fruits du Midi, avec de jolies notes de vanille et d'épices. Ils peuvent être vendus avec la mention « primeur » ou « nouveau », à partir du troisième jeudi de novembre qui suit la vendange.

assemblage de trois cépages dont deux ne peuvent excéder 90% du total, mais qui doivent inclure (depuis 1996) au moins 20% de syrah et de mourvèdre – les autres variétés autorisées étant les carignan (au maximum 60%), macabéo (au maximum 10%), cinsault, grenache et lladoner pelut

3-8 ans

Blanc Les meilleurs de ces vins floraux sont gras, mais manquent trop souvent d'acidité. Ils peuvent être vendus avec la mention « primeur » ou « nouveau », à partir du troisième jeudi de novembre qui suit la vendange.

macabéo et tourbat

1 ou 2 ans

Rosé Vins secs frais et séduisants qui peuvent être vendus avec la mention « primeur » ou « nouveau », à partir du troisième jeudi de novembre qui suit la vendange.

assemblage de trois cépages dont deux ne peuvent excéder 90% du total, mais qui doivent inclure (depuis 1996) au moins 20% de syrah et de mourvèdre – les autres variétés autorisées étant les carignan (au maximum 60%), macabéo (au maximum 30%), cinsault, grenache et lladoner pelut

1 ou 2 ans

Cave des vignerons de Baixas (Dom Brial) • *Château de Canterrane* • *Domaine de la Casenove* • *Cave coopérative* • *Les Vignerons catalans* (notamment Château Cap de Fouste) • *Caze Frères* • *Château Corneilla* • *Domaine Gauby* • *Château de Jau* • *Domaine Jaubert-Noury* • *Domaine du Mas Camo et Domaine du Mas Rous* • *Château Montner* • *Domaine Piquemal* • *Domaine de Rombeau* • *Domaine Saint-François* • *Domaine Saint-Luc* • *Domaine Sardat-Mallet* • *Taïchat de Salvat*

CÔTES-DU-ROUSSILLON-VILLAGES AOC

Cette appellation ne concerne que des vins rouges issus de 25 communes, le long de l'Agly, et c'est la meilleure zone des Côtes du Roussillon.

Rouge Aussi intéressant que les côtes-du-roussillon, mais les meilleurs ont davantage de finesse et de caractère.

Les mêmes que pour le côtes-du-roussillon rouge, mais avec un minimum de seulement 15% de syrah et de mourvèdre

3-10 ans

SCA Aglya • *Cave des vignerons de Baixas* (Dom Brial) • *Coopérative de Bélesta* (surtout Sélection Granite de Castel Riberbach) • *Cave coopérative Les Vignerons catalans* • *Caze Frères* • *Domaine des Chênes* • *Maîtres vignerons de Tautavel*

CÔTES DU ROUSSILLON VILLAGES CARAMANY AOC

Ces vins, d'un bon rapport qualité/prix, satisfont aux mêmes règlements que les côtes-du-roussillon-villages, mais au moins 60% du raisin (uniquement du carignan) doivent subir la macération carbonique (c'est curieux, mais c'est parce que la coopérative locale a été la première en France, en 1964, à utiliser cette technique).

Rouge Ce sont les vins de plus longue garde du Roussillon, et aussi les plus pleins et les plus riches, en dépit de la macération carbonique, ce qui prouve que ce procédé peut être utilisé pour améliorer le fruit naturel d'un vin.

3-15 ans

Cave coopérative Les Vignerons catalans

CÔTES DU ROUSSILLON VILLAGES LATOUR-DE-FRANCE AOC

Rouges d'un bon rapport qualité/prix qui satisfont aux mêmes règlements que les côtes-du-roussillon-villages. Pratiquement toute la production de cette AOC est diffusée par Nicolas, ce qui a été un grand avantage lors de l'obtention du statut, parce que son nom était déjà connu aux quatre coins du pays.

Rouge Bien colorés et corsés, ces vins intéressants ont de beaux arômes fruités.

3-15 ans

Cave coopérative de Latour-de-France

CRÉMANT DE LIMOUX AOC

Cette appellation provisoire de vins mousseux a été créée en 1989 afin de permettre aux producteurs de décider du nom futur de leur appellation : blanquette ou crémant. Pour l'ancienne blanquette de Limoux, le cépage mauzac dominait et, avec cette création, il est devenu obligatoire dans une proportion de

90% pour l'appellation blanquette de Limoux (maintenue). En revanche, pour cette nouvelle AOC crémant de Limoux, le règlement a imposé un pourcentage minimum (quoique à un niveau moindre) de chardonnay et de chenin. Le choix concerne non seulement le nom, mais aussi le style du vin avec une blanquette de Limoux de type traditionnel, dominée par le mauzac, ou un crémant de Limoux emboîtant le pas aux autres AOC de crémant. Théoriquement, la décision devait être prise en 1994. Mais, un an avant cette date butoir, seul 1/20e de la vendange de ce vin mousseux a été vinifié dans l'appellation crémant. Les autorités ont donc été confrontées à un dilemme puisqu'il y a maintenant deux noms, et que le nouveau a eu moins de succès que prévu. Toutefois, puisqu'il y a deux styles, pourquoi ne pas laisser le choix ouvert pour les viticulteurs – et pour les consommateurs?

Mousseux blanc Le chardonnay domine, avec juste assez de mauzac pour assurer une certaine personnalité liée au terroir – le chenin blanc étant là pour donner assez d'acidité. Les vins sont généralement plus élégants que la blanquette de limoux, et les meilleurs ont une finesse que n'atteindra jamais ce produit traditionnel.

mauzac plus un minimum de chardonnay et de chenin blanc (ni l'un ni l'autre ne devant excéder 20%)

✓ *Domaine de l'Aigle* • *Antech* (Carte d'Or Prestige) • *Robert* • *Sieur d'Arques* • *Héritiers Valent* (L'Evèche)

FAUGÈRES AOC

Vaste appellation mais peu connue et sous-estimée. C'est sans doute parce qu'elle était autrefois réputée surtout pour son eau-de-vie et pour son muscat viné, alors que le vin rouge ne s'est développé qu'après la guerre. Bien que les sols schisteux, le relief pentu et les cépages soient les mêmes que pour Saint-Chinian, les deux appellations ont des styles différents.

Rouge Vins rustiques, à la robe bien colorée, lourds des arômes épicés et chauds du cinsault et du carignan.

3-10 ans

Rosé Petite production de vins secs, épanouis et joliment colorés. Ils peuvent être vendus à partir du 1er décembre qui suit la vendange, sans la mention « primeur » ou « nouveau ».

tous les vins : jusqu'à 30% de carignan et de cinsault, plus au moins 40% (au total) de grenache, lladoner pelut, mourvèdre et syrah – les deux premiers devant représenter au moins 20% du total, et les deux derniers au moins 15%, avec au moins 5% pour le mourvèdre

3-10 ans

✓ *Gilbert Alquier* • *Château des Estanilles* • *Château de Grézan* • *Cave coopérative de Laurens* (Château de Laurens, Cuvée Valentin Duc) • *Château la Liquières* • *Domaine Ollier-Taillefer*

FITOU AOC

En 1948, au moment de l'obtention du statut AOC, les vignerons de Fitou étaient endormis. Ils se sont secoués au début des années 1980, et la région paraissant très prometteuse. Mais ils sont depuis retournés à leur sieste.

Rouge Même les moins bons offrent une belle couleur et la chaleur épicée du grenache qui assouplit le fruit concentré et le tanin du carignan aux faibles rendements.

90% au total de carignan, grenache et lladoner pelut (le premier étant limité à 75%), et jusqu'à 10% de cinsault, macabéo, mourvèdre, syrah et terret noir.

3-6 ans (4-10 ans les années exceptionnelles)

✓ *Caves du Mont-Tauch* • *Château de Nouvelles* • *Val d'Orbieu* • *Cave de Paziols* (Domaine de Cabrils) • *Cave pilote de Villeneuve-les-Corbières*

FRONTIGNAN AOC

Voir **Muscat de Frontignan AOC**

GRAND ROUSSILLON AOC

Appellation très vaste et production très faible ! Ce vin doux naturel concerne plus de cent communes, mais n'atteint qu'un volume de 100 hl par an. Ce n'est toutefois pas par suite de rendements bas ni d'une stricte sélection. En fait, l'appellation sert en quelque sorte de sous-marque, pour les VDN de qualité inférieure produits dans les appellations de VDN plus renommées de cette zone.

muscat (petits grains et d'Alexandrie), grenache (gris, blanc et noir), macabéo, tourbat et jusqu'à 10% (au total) de carignan, cinsault, syrah et listan.

GRAND ROUSSILLON « RANCIO » AOC

Voir **Grand Roussillon AOC**

LIMOUX AOC

Jusqu'en 1993, le mauzac était le seul cépage autorisé pour cette version tranquille de la blanquette de Limoux, mais les nouveaux règlements l'ont réduit à un minimum de 15% et ont autorisé l'introduction du chardonnay et du chenin blanc. En même temps, l'AOC s'est distinguée en mettant l'accent sur la fermentation en barriques et les vins à dominante chardonnay de cette région ont rapidement connu un gros succès commercial. La même chose va-t-elle se produire pour le chenin blanc?

Blanc Les vins qui se contentent d'être une version tranquille de la blanquette ou du crémant sont en général ternes et carrés, même si les meilleurs ont une certaine vivacité. Ceux qui sont dominés par le chardonnay sont au minimum vifs et frais, les meilleurs se révélant riches, avec des arômes délicieux de citron et de chêne, et une bonne acidité en bouche.

mauzac (au minimum 15%), chardonnay, chenin blanc

✓ *Domaine de l'Aigle* • *Sieur d'Arques* (Toques et Clochers)

MAURY AOC

Malgré la longue liste de cépages, ces vins vinés sont en général de pur grenache – ce qui se traduit, dans les règlements, par un pourcentage autorisé croissant (le minimum n'était que de 15% il y a dix ans).

Rouge, blanc, rosé, tuilé Vins pâles aux arômes de pain grillé et de petits fruits, beaucoup de richesse et des notes de noisette.

au moins 70% de grenache (75% à partir de 2000), un maximum de 15% de macabéo (10% en 2000), et aussi grenache gris, grenache blanc, muscat à petits grains, muscat d'Alexandrie, tourbat et au maximum 10% (au total) de carignan, cinsault, syrah et listan negra

10-30 ans

✓ *Mas Amiel* • *Cave Jean-Louis Lafage* • *Cave de Maury* • *Maurydoré*

MAURY « RANCIO » AOC

Voir **Maury AOC**

MINERVOIS AOC

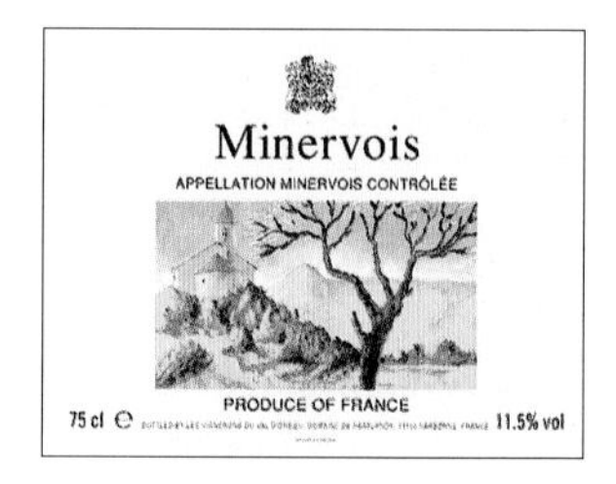

Au nord des Corbières et s'étendant jusqu'à l'extrémité occidentale des coteaux du Languedoc, les hauteurs du Minervois ont un climat chaud et sec. Les vignobles, élevés au rang d'AOC en 1985, sont divisés en plusieurs zones (non officielles, comme dans les Corbières, mais qui devraient le devenir un jour) : L'Argent Double (vignoble rocailleux dans une contrée aride, au centre du Minervois), La Clamoux (à l'ouest, un peu plus frais et un peu plus pluvieux, où grenache et syrah excellent, particulièrement sur les hauteurs), La Clause (au nord du Minervois, avec un rude climat de montagne et des sols de terra-rossa qui donnent des vins de garde assez rustiques), Les Côtes-Noires (vignobles d'altitude au climat rude de montagne, au nord-ouest, mieux armés pour le blanc que pour le rouge), Petit Causse (où le mourvèdre réussit bien lorsque l'humidité est suffisante, sur des pentes chaudes et abritées, aux sols calcaires arides, au cœur du Minervois), Serres (aux vignobles très secs, au sous-sol calcaire, plantés essentiellement de carignan).

Rouge Au pire, ces vins sont trop âcres pour le niveau d'une AOC, mais il y a aussi de bons domaines qui produisent des vins de pays meilleurs que certains Minervois.

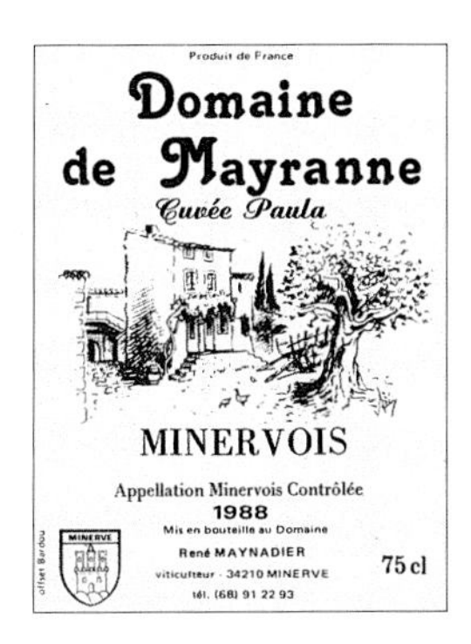

un maximum de 40% de carignan, un minimum de 60% (au total) de grenache, lladoner pelut, mourvèdre et syrah (au moins 10% pour ces deux derniers), et aussi cinsault, terret noir, picpoul noir et aspiran noir.

1-5 ans

Blanc Il représente moins de 1% du Minervois. C'est un vin simple, sec et fruité, et aujourd'hui plus frais et aromatique qu'autrefois car fermenté à plus basse température.

grenache blanc, bourboulenc, macabéo, marsanne, roussanne, vermentino, et jusqu'à 20% (au total) de picpoul, clairette, terret blanc et muscat à petits grains (ce dernier ne devant pas représenter plus de 10%)

dans l'année

Rosé Vins de bon rapport qualité/prix à la jolie robe rose et aux arômes fruités.

comme pour le rouge, plus jusqu'à 10% de cépages blancs

dans l'année

Château Bassanel • *Château Donjon* • *Château Domergue* • *Château de Gourgazaud* • *Château Maris* • *Domaine de Mayranne* • *Château les Ollieux* • *Château les Palais* • *Domaine Piccinini* • *Domaine Sainte-Eulalie* • *Domaine Tailhades Mayranne* • *Château Villerambert-Julien*

MUSCAT DE FRONTIGNAN AOC

On dit que le marquis de Lur-Saluces visita Frontignan en 1700 et que c'est ce qui lui donna l'idée de faire du vin liquoreux à Yquem. Or, le muscat de Frontignan n'est plus botrytisé : c'est un vin viné. Toutefois, il peut être aussi bien vin doux naturel (VDN) que vin de liqueur (VDL). Dans ce dernier cas, on ajoute l'alcool au moût, avant toute fermentation. La différence n'est pas précisée sur l'étiquette mais la capsule doit porter les lettres VDN ou VDL.

Blanc Le VDN est délicieux; avec une robe dorée, il est plein de douceur et riche, avec des nuances de raisin sec et une finale onctueuse. Il est un peu plus gras que celui de Beaumes, mais certaines bouteilles manquent aussi de finesse. Les VDL sont encore plus doux.

muscat doré de Frontignan

1-3 ans

Favier-Bel • *Cave de Frontignan* • *Château de la Peyrade* • *Château de Stony*

MUSCAT DE LUNEL AOC

Situé sur des terrasses calcaires, au nord-est de Montpellier, ce VDN, sous-estimé, est proche du muscat de Frontignan pour la qualité.

Blanc, rosé Plus légers que le Frontignan, ces vins ont néanmoins des arômes fins et expansifs de muscat, de la délicatesse et de la longueur.

muscat blanc à petits grains, muscat rosé à petits grains

1-3 ans

Château du Grès Saint-Paul • *Lacoste et cave du Muscat de Lunel*

MUSCAT DE MIREVAL AOC

VDN très peu connus.

Blanc Vins légers et doux, parfois mieux équilibrés et (relativement) plus acides que ceux, voisins, de Frontignan. Ils sont aussi souvent plus élégants, bien qu'ils n'aient pas toujours la même concentration en fruit.

muscat blanc à petits grains

1-3 ans

Domaine de la Capelle • *Domaine du Mas Neuf* • *Domaine du Moulinas* • *Mas du Pigeonnier* • *Cave coopérative Rabelais*

MUSCAT DE RIVESALTES AOC

À ne pas confondre avec les VDN Rivesaltes, vins d'assemblage ne portant pas la mention du cépage muscat.

Blanc, rosé Vins riches, épanouis, aux arômes de raisin frais et sec, très réguliers.

muscat blanc à petits grains, muscat d'Alexandrie

1-3 ans

Cave des vignerons de Baïxas (Dom Brial) • *Bobé* • *Domaine Boudau* • *Caze Frères* • *Château Corneilla* • *Château de Jau* • *Mas Canclaux* • *Caves du Mont-Tauch* • *Château de Nouvelles* • *Cave coopérative de Rivesaltes* (Domaine Lacroix, Arnaud de Villenauve) • *Domaine de Rozès* • *Domaine Sarda-Malet*

MUSCAT DE SAINT-JEAN-DE-MINERVOIS AOC

Petite sous-appellation du Minervois offrant un petit volume de vin doux naturel, qui commence à se tailler une certaine réputation.

Blanc, rosé La douceur bien équilibrée et les arômes d'abricot séduisent chez ces vins à la robe dorée.

muscat blanc à petits grains, muscat rosé à petit grains

1-3 ans

Domaine de Barroubio • *Cave coopérative de Saint-Jean-de-Minervois* • *Domaine Simon*

RIVESALTES AOC

Cette appellation qui produit la moitié du vin doux naturel français.

Rouge Avec une belle robe rougeoyante, aux nuances chaudes de brique, ces vins déploient en bouche une complexité de liqueur de cerise, de chocolat, d'astringence et de douceur, avec une finale forte et tannique.

10-40 ans

Blanc, rosé, tuilé Beaucoup de rouges s'éclaircissent durant leur séjour prolongé sous le chêne et les rivesaltes finissent tous par prendre une robe tuilée ou ambrée.

Les blancs n'ont pas l'astringence tannique, se révélant plus oxydés, avec des notes de raisins secs, de résine et d'écorce confite.

pour tous les vins : muscat à petits grains, muscat d'Alexandrie, grenache, grenache gris, grenache blanc, macabéo, tourbat et au maximum 10% (au total) de carignan, cinsault, syrah et palomino

10-20 ans

Cave des vignerons de Baïxas (Dom Brial) • *Domaine des Chênes* • *Caze Frères* • *Château Corneilla* • *Château de Jau* • *Domaine Piquemal* • *Domaine Sarda-Malet*

RIVESALTES « RANCIO » AOC

Voir Rivesaltes AOC

SAINT-CHINIAN AOC

Ces vignobles sont passés AOC en 1992. Les saint-chinian, d'un excellent rapport qualité/prix, sont ce qu'on fait de plus proche des bordeaux avec les cépages méridionaux. Ici, ce sont presque les mêmes qu'à Faugères, et les sols schisteux des coteaux sont également similaires, mais les vins sont très différents. Les saint-chinian sont bien moins rustiques, plus élégants.

Rouge Relativement clair de robe et léger, ce rouge déploie une élégance qui paraît démentir ses origines méditerranéennes.

2 à 6 ans

Rosé Secs et délicatement fruités, ces vins déploient un bouquet séduisant et parfumé, et de beaux arômes. Ils peuvent être vendus à partir du 1er décembre qui suit la vendange, sans la mention « primeur » ou « nouveau ».

pour tous les vins : au moins 50% (au total) de grenache, lladoner pelut, mourvèdre et syrah, et un maximum de 40% de carignan et de 30% de cinsault

1 à 3 ans

Clos Bagatelle • *Château Cazals Viel* • *Château Coujan* • *Domaine des Jougla* • *Château Milhau-Lacugue* • *Cave coopérative du Rieu-Berlou* • *Cave coopérative de Roquebrun* • *Val d'Orbieu* (Château Saint-Celse)

VIN DE FRONTIGNAN AOC

Voir Muscat de Frontignan AOC

LE CHOIX DE L'AUTEUR

Le Languedoc-Roussillon offre une telle diversité de styles, de qualités et de prix qu'une sélection est toujours quelque peu arbitraire. En outre, les choses changent rapidement, et si les vins cités devraient se maintenir au sommet, d'autres peuvent apparaître à brève échéance.

PRODUCTEUR	VIN	STYLE	DESCRIPTION	
Domaine de l'Aigle Ⓥ	Limoux AOC (*voir* p. 238)	BLANC	Rendement faible, vendange à la main, pressurage avec les rafles et fermentation entièrement en fûts donnent le chardonnay de Limoux le plus crémeux et le plus riche. Une belle acidité épanouie garantit une fraîcheur à long terme.	2 à 5 ans
Domaine de l'Amarine Ⓥ	Cuvée des Bernis, Costières de Nîmes AOC (*voir* p. 236)	ROUGE	Cette cuvée grasse, fruitée, épanouie, avec une touche de menthe en finale, se laisse diablement bien boire quand elle est jeune.	2 à 5 ans
Domaine des Bruyère Ⓥ	Côtes de Malepère VDQS (*voir* p. 237)	ROUGE	Riche et fruité (noix de coco), enrobé de tanins souples, avec une jolie pointe de menthe en finale, l'un des meilleurs rapports qualité/prix du pays.	2 à 4 ans
L'Étoile	Grande Réserve, Banyuls AOC (*voir* p. 234)	ROUGE	Vin délicieux et de longue garde, avec des notes de pâtisserie et de sucre brun, et de caramel et de café en finale.	15 à 30 ans
Cazes Frères Ⓥ	Muscat de Rivesaltes AOC (*voir* p. 239)	BLANC	Tout simplement le plus frais et le plus sensuel des muscats de Rivesaltes. À boire jeune, si possible.	sans attendre
Château Hélène Ⓥ	Cuvée Ulysse, Corbières AOC (*voir* p. 235)	ROUGE	Choisissez-le si vous cherchez un bon coup de chêne sur les naseaux! Heureusement, il a le fruit qu'il faut pour équilibrer cette grosse lampée de bois, avec une belle structure tannique qui en fait un fort joyeux compagnon de table.	5 à 8 ans
Domaine de l'Hortus Ⓥ	Classique, Coteaux du Languedoc AOC (*voir* p. 236)	ROUGE	Vin souple, riche et soyeux, aux tanins élégamment équilibrés, au fruit gras et épanoui, et à la finale longue et racée.	2 à 5 ans
Domaine du Mas Blanc	Vieilles Vignes, Banyuls AOC (*voir* p. 234)	ROUGE	Les vins d'André Parcé, le producteur de Banyuls le plus connu, sont aussi les plus chers de la région, mais ils valent leur prix par leur intensité énorme et par leur belle complexité d'arôme.	15 à 30 ans
Domaine du Mas Blanc	Collioure AOC (*voir* p. 235)	ROUGE	André Parcé propose aussi le collioure le plus cher de Banyuls. Non viné, ce vin intensément coloré est structuré et riche en arômes. Il faut l'attendre au moins dix ans.	5 à 20 ans
Mas Jullien	Depierre et Cailloutis, Coteaux du Languedoc AOC (*voir* p. 236)	ROUGE	Deux des meilleurs coteaux-du-languedoc, à la robe superbe et profonde, aux arômes intenses de fruits d'été épanouis – le Depierre à boire sans attendre, le Cailloutis pour la garde.	3 à 5 ans
Mas Jullien Ⓥ	Les Cépages Obiliées, Coteaux du Languedoc AOC (*voir* p. 236)	BLANC	Vin sec, aromatique et exotique, issu de terret, carignan blanc et grenache blanc, provenant de très vieilles vignes au faible rendement, et fermenté en fûts de chêne neuf.	1 à 3 ans
Château Pech Redon Ⓥ	Coteaux du Languedoc, La Clape AOC (*voir* p. 236)	ROUGE	Ce vin offre un fruit absolument délicieux, soutenu par le chêne. En bouche, on dirait une succession de petites vagues de framboise. Très élégant et racé pour son prix et pour cette AOC.	3 à 6 ans
Domaine de Rozès Ⓥ	Muscat de Rivesaltes AOC (*voir* p. 239)	BLANC	Incroyablement frais, ce vin libère des bouffées d'arômes de muscat, suivis en bouche d'un fruit riche, intense et sensuel.	sans attendre
Domaine St.-François Ⓥ	Côtes du Roussillon AOC (*voir* p. 237)	ROUGE	Élégant, assez joliment corsé, débordant d'un cassis soyeux et charmeur, ce vin est délicieux à déguster et idéal pour la table – et son prix est des plus intéressants.	3 à 6 ans
Sieur d'Arques Ⓥ	Toques et Clochers, Autan et Haute-Vallée, Limoux AOC (*voir* p. 238)	BLANC	Même la cuvée ordinaire de chardonnay offre un fruit riche et élégant, mais les vins de climat unique déploient une finesse et une intensité renversantes. Le haute-vallée, particulièrement, est supérieur à la majorité des premiers crus de Bourgogne!	2 à 5 ans
Domaine de Terre Megre Ⓥ	Les Dolomies, Coteaux du Languedoc, La Clape AOC (*voir* p. 236)	ROUGE	Dans les bons millésimes, c'est un coteau-du-languedoc délicieux, dans le style bordeaux, avec en bouche une vague de cassis d'une intensité et d'une finesse fantastiques – pour avoir ça à Bordeaux, il faut payer au moins deux fois plus!	3 à 6 ans
Château de la Tuilerie Ⓥ	Costières de Nîmes AOC (*voir* p. 236)	ROSÉ	Ce rosé sec libère des arômes de fruits tropicaux, frais et appétissants – à telle enseigne que je dois confesser que je me suis laissé aller à goûter plus d'une bouteille.	sans attendre
Vignerons de Rivesaltes Ⓥ	Arnaud de Villeneuve, Muscat de Rivesaltes (*voir* p. 239)	BLANC	Vin joliment tourné, aux arômes élégants et musqués, plein d'un fruit délicieux, riche et pur, enchanteur et bien équilibré.	sans attendre

PROVENCE ET CORSE

Si un vin n'aime pas les voyages, c'est bien le rosé de Provence – ou alors c'est qu'il perd beaucoup de son charme loin des garrigues et de la Grande Bleue. Il faudrait pouvoir mettre le soleil, les parfums et les cigales dans la bouteille.

Croyez-moi, oubliez presque tout le rosé de Provence. La bouteille est certes charmante et pittoresque, mais on ne peut malheureusement pas en dire autant du contenu, triste et terne. On fait du vin ici depuis 2600 ans, et lorsque les Romains sont arrivés, en 125 av. J.-C., ils ont trouvé le breuvage suffisamment à leur goût pour l'expédier immédiatement dans leur mère patrie. Mais croyez-vous que c'était du rosé? Évidemment non, car le rosé de Provence est un phénomène relativement récent. Certains le disent tout net, il a été créé pour abreuver les touristes argentés et les milliardaires désœuvrés en villégiature.

LES VRAIS VINS DE PROVENCE

Laissons de côté l'imagerie d'Épinal, les plages, Saint-Trop, le pastis et la bouillabaisse, pour revenir à la Provence telle qu'elle est en elle-même, à ce joli coin de terre baigné par le soleil. Sans doute les vins de cette région n'ont-ils pas la dimension des bourgognes ou des bordeaux, mais les rouges, tels le magnifique bandol, le bellet, foncé et prometteur, et le cassis, si bien nommé, recèlent une telle abondance d'arômes épicés qu'on ne peut leur dénier la vraie classe. Les bons producteurs délaissent de plus en plus les bouteilles aux formes biscornues, de mauvais goût, tout simplement parce qu'ils estiment que les bouteilles classiques, comme celles de bourgogne ou de bordeaux, reflètent mieux la qualité de leurs vins.

Les meilleurs domaines de la côte produisent des vins rouges d'un calibre très sérieux, qui paraissent fort éloignés de l'agitation des plages et des vacances. Les rendements maximaux sont faibles et le potentiel est souvent énorme. Les petites AOC de Bandol, de Bellet et de Palette ne dépassent pas 40 hl à l'hectare, ce qui est très faible dans une région où l'on peut facilement obtenir plus du double. Même les grandes AOC des Côtes de Provence et des Coteaux d'Aix-en-Provence comptent de très nombreux vignobles de haute tenue, capables de produire des vins rouges passionnants qui représentent, à n'en pas douter, l'avenir de la Provence viticole.

VIGNOBLES CORSES

Ces vignes palissées du domaine de Valrose, à Borgo, sur la côte orientale, sont typiques du paysage corse. On voit toujours au loin la masse impressionnante des montagnes du centre de l'île.

CORSE

En Corse, le système du vin de pays a entraîné l'arrachage d'un tiers du vignoble – mieux employé aujourd'hui pour la culture du kiwi. On peut dire que dans ce cas-là au moins, il a effectivement encouragé la production de vins de qualité. En effet la Corse n'est plus, comme autrefois, l'une des principales sources de ce fleuve de gros rouge qui, malheureusement, inondait la France mais aussi l'Europe. Il est bien révolu, et c'est une bonne chose, le temps où l'on ne faisait du vin dans l'île que pour la distillation.

FACTEURS AFFECTANT LE GOÛT ET LA QUALITÉ

SITUATION
Le vignoble provençal va d'Arles et de la vallée du Rhône jusqu'à Nice. Celui de Corse ceinture largement l'île.

CLIMAT
L'hiver est doux, le printemps clément et parfois humide. L'été est chaud et se prolonge en automne long et ensoleillé.
La vigne demande à peu près, sur une saison, 1300 heures d'ensoleillement – ou, mieux, 1500. La Provence a beaucoup de marge avec une moyenne de 3000 heures de soleil. Toutefois, la proximité de la Méditerranée entraîne parfois des fluctuations brusques. Les précipitations sont concentrées sur un nombre limité de jours, au printemps et en automne.

SITE
Vignobles à flanc de colline et en plaine.

SOL
La géologie de la Provence est complexe. De nombreux sols anciens ont subi des transformations chimiques, ce qui a donné beaucoup de sols nouveaux.
Le sable, le grès rouge et le granit sont les éléments plus répandus, alors que les affleurements calcaires correspondent aux meilleurs terroirs : mica-schiste, éboulis calcaire, tufeau crayeux et granit sur les coteaux du département du Var, excellents sols calcaires et siliceux à Bandol, poudingues riches en silex à Bellet. Le sud de la Corse est essentiellement granitique, alors que le nord est schisteux, avec des affleurements calcaires, entrecoupés de dépôts sablonneux et alluviaux.

VITICULTURE ET VINIFICATION
Autrefois, toutes les vignes étaient conduites en gobelet alors qu'elles sont aujourd'hui, en majorité, palissées sur fil. La vogue du cabernet sauvignon a été enrayée, même si l'on fait encore du bon vin avec ce cépage. La mode est maintenant à l'affirmation de l'identité provençale par la culture, partout où c'est possible, des cépages régionaux – la réglementation a été modifiée en conséquence. Le rosé a été amélioré par les techniques modernes de fermentation à basse température – ce qui ne l'empêche d'être en général bien terne.

CÉPAGES
Aragnan, aramon, aramon gris, barbarossa, barbaroux, barbaroux rosé, bourboulenc, braquet, brun-fourcat, cabernet sauvignon, calitor (*syn.* pecouitouar), carignan, castets, chardonnay, cinsault (*syn.* plant d'Arles), clairette, clairette à gros grains, clairette à petits grains, clairette de Trans, colombard, counoise, doucillon, durif, fuella, grenache, grenache blanc, marsanne, mayorquin, mourvèdre, muscat d'Aubagne, muscat blanc à petits grains, muscat de Die, muscat de Frontignan, muscat de Hambourg, muscat de Marseille, muscat noir de Provence, muscat rosé à petits grains, nielluccio, panse muscade, pascal blanc, petit-brun, picardan, picpoul, pignerol, sauvignon blanc, sémillon, sciacarello, syrah, téoulier (*syn.* manosquin), terret blanc, terret gris (*syn.* terret-bourret), terret noir, terret ramenée, tibouren (*syn.* tibourenc), ugni blanc, ugni rose, vermentino (*syn.* rolle)

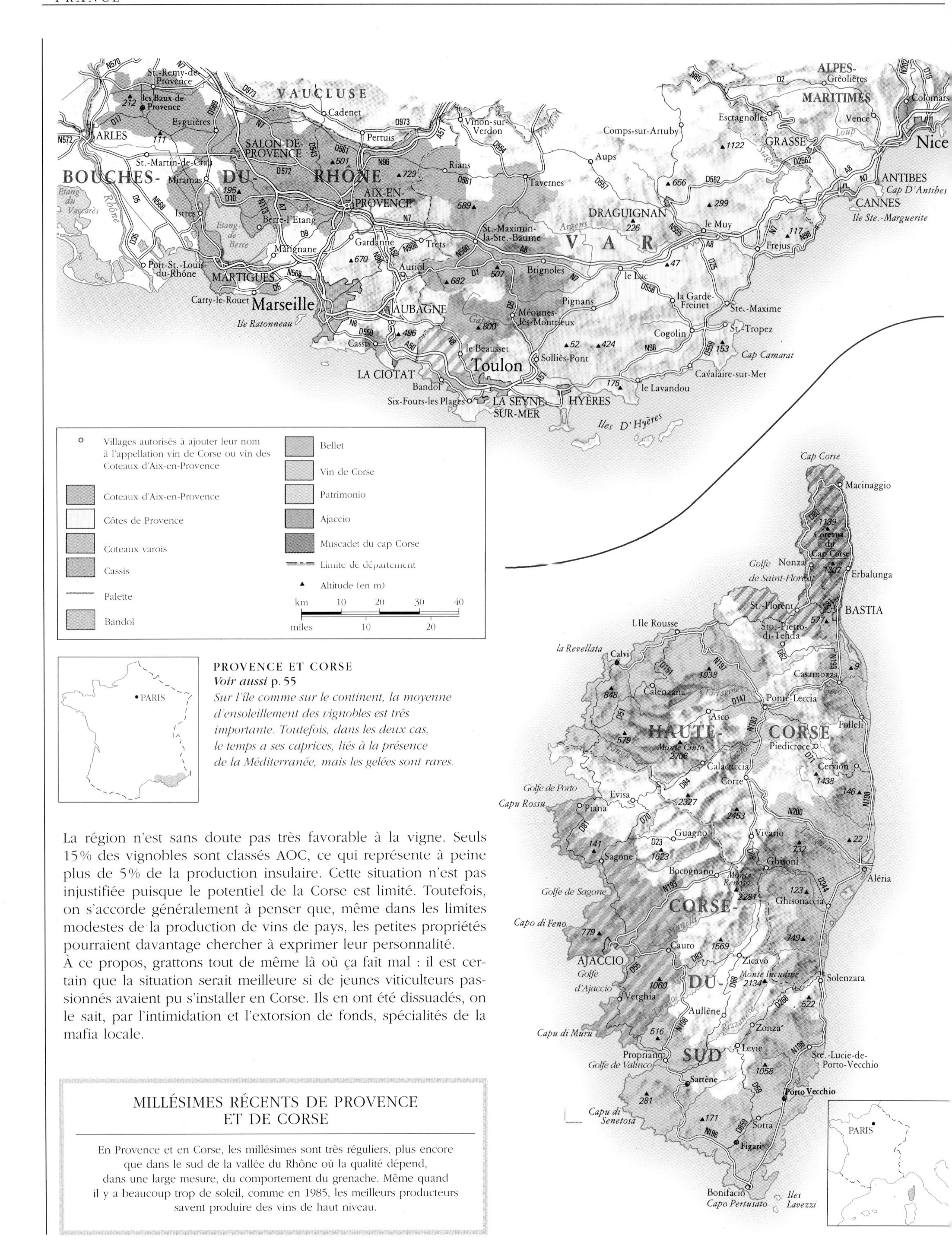

PROVENCE ET CORSE
Voir aussi p. 55
Sur l'île comme sur le continent, la moyenne d'ensoleillement des vignobles est très importante. Toutefois, dans les deux cas, le temps a ses caprices, liés à la présence de la Méditerranée, mais les gelées sont rares.

La région n'est sans doute pas très favorable à la vigne. Seuls 15% des vignobles sont classés AOC, ce qui représente à peine plus de 5% de la production insulaire. Cette situation n'est pas injustifiée puisque le potentiel de la Corse est limité. Toutefois, on s'accorde généralement à penser que, même dans les limites modestes de la production de vins de pays, les petites propriétés pourraient davantage chercher à exprimer leur personnalité.

À ce propos, grattons tout de même là où ça fait mal : il est certain que la situation serait meilleure si de jeunes viticulteurs passionnés avaient pu s'installer en Corse. Ils en ont été dissuadés, on le sait, par l'intimidation et l'extorsion de fonds, spécialités de la mafia locale.

MILLÉSIMES RÉCENTS DE PROVENCE ET DE CORSE

En Provence et en Corse, les millésimes sont très réguliers, plus encore que dans le sud de la vallée du Rhône où la qualité dépend, dans une large mesure, du comportement du grenache. Même quand il y a beaucoup trop de soleil, comme en 1985, les meilleurs producteurs savent produire des vins de haut niveau.

LES APPELLATIONS DE

PROVENCE ET DE CORSE

Note Un astérisque signale les producteurs recommandés pour le rosé.

AJACCIO AOC

Appellation de vins rouges (essentiellement), sur la côte occidentale de Corse.

Rouge Quand il est réussi, le vin, issu de sciacarello est toujours assez corsé, avec un beau bouquet.

au moins 60% (au total) de barbarossa, nielluccio, vermentino et sciacarello (au moins 40% pour ce dernier), plus un maximum de 40% (au total) de grenache, cinsault et carignan (pas plus de 15% pour ce dernier)

Blanc Les meilleurs, suffisamment secs et fruités, ont une bonne bouffée d'acidité due à l'ugni blanc.

Rosé sec, avec une rondeur typiquement méridional il va du moyen au bon.

comme pour le rouge

tous les vins : 1-3 ans

Clos d'Alzetto • Domaine Comte Peraldi

BANDOL AOC

Le vin rouge de cette zone côtière est un véritable vin de garde qui mériterait d'être davantage reconnu.

Rouge Les meilleurs vins de l'appellation offrent une robe noir pourpré, un bouquet dense et profond, le fruit massif de prune et d'épices du mourvèdre et des arômes de vanille, de cassis, de cannelle, de violette et de fines herbes.

assemblage de deux au moins des cépages suivants : grenache, cinsault et mourvèdre (dont 50% au moins pour ce dernier), plus un maximum de 15% (au total) ou de 10% (individuellement) de syrah et de carignan

3-12 ans

Blanc Ces vins secs sont plus frais et plus parfumés que par le passé. Cependant ils paraissent ordinaires si on les compare aux rouges.

au moins 60% (au total) de bourboulenc, clairette et ugni blanc, plus un maximum de 40% de sauvignon blanc

dans l'année

Rosé Secs, bien faits et séduisants, ces vins ont davantage de corps et de structure que les autres rosés, et montrent une jolie personnalité.

comme pour le rouge, mais sans volume minimum de mourvèdre

1 ou 2 ans

Domaine Bastide Blanche • Domaine Buna (Moulin des Costes) • *Château la Rouvière • Domaine du Cagueloup • Domaine le Galantin • Domaine de l'Hermitage • Domaine de la Laidière • Domaine Lafran-Veyrolles* • Domaine de la Noblesse • Domaines Ott* (Château Romassan) • *Château de Pibarnon • Château Pradeau • Domaine Ray Jane • Château Roche Redonne • Château Sainte-Anne* • Domaine des Salettes • Domaine Tempier* • Domaine Terrebrune* • Domaine de la Tour de Bon • Domaine Vannières**

LES BAUX-DE-PROVENCE AOC

Ces excellents rouges et rosés étaient vendus sous la sous-appellation Coteaux d'Aix-en-Provence Les Baux jusqu'en 1995, date à laquelle ils ont été récompensés par une AOC, qui a évidemment changé la réglementation.

Rouge Profond et riche, avec une robe foncée et des notes crémeuses et épicées de cerise et de prune.

grenache, mourvèdre, syrah plus un maximum de 40% de counoise, carignon, cabernet sauvignon et mourvèdre.

1 ou 2 ans

*Mas de la Dame • Mas de Gourgonnier • Domaine Hauvette • Domaine de la Vallongue**

BELLET AOC

Sous des vents alpins rafraîchissants, cette appellation produit des vins exceptionnellement parfumés pour cette contrée méridionale.

Rouge Les vins rouges ont une belle couleur et une belle structure, avec un bouquet joliment parfumé.

braquet, fuella, cinsault, plus un maximum de 40% (au total) de grenache, rolle, ugni blanc, mayorquin, clairette, bourboulenc, chardonnay, pignerol et muscat à petits grains

4-10 ans

Blanc Fermes mais parfumés et hautement aromatiques, ces vins secs étonnent par leur classe et leur finesse.

rolle, ugni blanc, mayorquin plus un maximum de 40% de clairette, bourboulenc, chardonnay, pignerol et muscat à petits grains

3-7 ans

Rosé Fins, floraux et secs, ils sont remarquables de fraîcheur et gouleyants.

1 ou 2 ans

Château de Bellet • Château de Crémant

CASSIS AOC

Autour du célèbre petit port aimé des peintres, à deux pas de Marseille, cette appellation est correcte mais trop chère. Sauf pour quelques domaines dynamiques, le vignoble est aujourd'hui sur son déclin.

Rouge Solides et bien colorés, ces vins peuvent vieillir – parfois sans se bonifier.

grenache, carignan, mourvèdre, cinsault, barbarous plus un maximum de 10% (au total) de terret noir, terret gris, terret blanc, terret ramenée, aramon et aramon gris

Blanc Avec un bouquet intéressant de fougère et d'ajonc, ces vins blancs secs sont en général mous et déséquilibrés en bouche. Cependant, Bagnol et Sainte-Magdeleine produisent des blancs excellents et racés pour des vignobles si méridionaux, et celui de la Ferme Blanche est presque aussi bon.

ugni blanc, sauvignon blanc, doucillon, clairette, marsanne, pascal blanc

Rosé Agréables par leur fraîcheur, ces rosés secs ont une qualité et un intérêt moyens.

tous les vins : de 1 à 3 ans

Domaine du Bagnol • La Ferme Blanche • Clos Sainte-Magdeleine

COTEAUX D'AIX-EN-PROVENCE AOC

Cette grande appellation compte beaucoup de bons domaines dont certains ont été replantés et modernisés.

Rouge Les meilleurs sont des vins de garde bien colorés, débordant d'arômes de cassis crémeux, de vanille épicée et de cerise et souvent complexes.

grenache, plus un maximum de 40% de cinsault, counoise, mourvèdre, syrah, cabernet sauvignon et carignan (pas plus de 30%, au total, pour des deux derniers)

3-12 ans

Blanc Vins secs et fruités, de qualité moyenne mais sans doute en amélioration. Ils peuvent être vendus à partir du 1er décembre suivant la vendange sans la mention « primeur » ou « nouveau ».

jusqu'à 70% (au total) de bourboulenc, clairette, grenache blanc, verentino, jusqu'à 40% d'ugni blanc et pas plus de 30% (au total) de sauvignon blanc et de sémillon

sans attendre

Rosé Vins secs très fins, assez légers mais débordant d'un fruit délicieusement frais et mûr. Ils peuvent être vendus à partir du 1er décembre suivant la vendange sans la mention « primeur » ou « nouveau ».

comme pour le rouge, plus jusqu'à 10% (au total) de bourboulenc, clairette, grenache blanc, vermentino, ugni blanc, sauvignon blanc et sémillon

1 ou 2 ans

Château Barbelle • Commanderie de la Bargemone • Château de Beaupré • Château de Calissanne • Château de Fonscolombe • Château Revelette • Mas Sainte-Berthe • Château Saint-Jean • Domaine de Saint-Julien les Vignes* (cuvée du Château) • *Domaine de Trévallon*

COTEAUX VAROIS AOC

Passée de vin de pays à VDQS en 1985, et devenue AOC en 1993, cette appellation couvre un bien joli terroir au centre de la Provence.

Rouge Les meilleurs ont une belle couleur, des arômes profonds et fruités et de la finesse.

un minimum de 70% (au total), et de 80% dès 2000, de mourvèdre, syrah et grenache, plus un maximum de 20% (au total) de cinsault, carignon et cabernet sauvignon – le tibouren n'est plus admis

Blanc Tendre et frais – quand il est bon.

un minimum de 30% de vermentino, plus clairette, grenache blanc, un maximum de 30% de sémillon et pas plus de 25% d'ugni blanc

Rose Secs, séduisants et se laissant boire, ces rosés valent mieux que beaucoup de vins de Provence, prétentieux et plus connus.

un minimum de 70% (au total) de mourvèdre, syrah et grenache (40% au minimum pour ce dernier), plus un maximum de 20% (au total) de cinsault, carignon, cabernet sauvignon et tibouren (les cépages blancs ne sont plus autorisés depuis 1993)

tous les vins : 1-3 ans

Domaine des Chabert (cuvée spéciale) • *Domaine du Deffends • Château Routas • Domaine de Saint-Jean*

CÔTES DE PROVENCE AOC

Bien que cette AOC soit fameuse pour ses rosés, ce sont les rouges qui ont le plus grand potentiel, et il semble qu'ils aient tous les atouts avec de bons cépages, de beaux domaines et des viticulteurs de talent. Il y en a certes du moins bons, mais vous ne serez pas déçu si vous savez choisir. Le handicap majeur de l'AOC, c'est d'être très vaste. Toutefois, certaines zones se distinguent par un sol et un microclimat spécifiques qui devraient logiquement justifier la perpective d'une AOC Villages : une bonne raison, pour les vignerons, pour faire mieux encore.

Rouge Il y a trop de styles de vin – tous passionnants – pour généraliser; toutefois, les meilleurs ont une couleur profonde et certains déploient l'exubérance du fruit soyeux de la syrah et les notes de prune du mourvèdre. Quelques-uns sont très fins, d'autres plus tanniques et mâcheux. Ils ont souvent ces nuances de cassis des vins méridionaux, dues au cabernet sauvignon, et cinsault, grenache et tibouren ne comptent pas pour du beurre.

jusqu'à 40% de carignan, plus cinsault, grenache, mourvèdre, tibouren, un maximum de 30% (au total) de barbaroux rosé, cabernet sauvignon, calitor, clairette, sémillon, ugni blanc et vermentino

3-10 ans

Blanc Vins secs, tendres, parfumés et aromatiques, moyens mais en amélioration. Ils peuvent être vendus à partir du 1er décembre suivant la vendange sans la mention « primeur » ou « nouveau ».

clairette, sémillon, ugni blanc, vermentino

1 ou 2 ans

Rosé Le soleil de Provence compte pour beaucoup dans le plaisir que l'on prend à boire ces vins, évidemment faits pour accompagner les repas, mais même les meilleurs échouent, dans les dégustations à l'aveugle, contre les autres rosés parce que leur faible acidité les fait paraître plats et tristes. Ils peuvent être vendus à partir du 1er décembre suivant la vendange sans la mention « primeur » ou « nouveau ».

jusqu'à 40% (au total) de carignan, plus cinsault, grenache, mourvèdre, tibouren, plus jusqu'à 30% de syrah et 30% (au total) de barbaroux rosé, cabernet sauvignon, calitor, clairette, sémillon, ugni blanc et vermentino

1 ou 2 ans

Domaine de l'Abbaye • Château Barbeyrolles • Domaine La Bernarde • Château de Berne • Domaine de la Courtade • Château Coussin • Domaine des Féraud • Domaine Gavoty • Domaine de la Jeannette • Domaine de la Malherbe* • Château Maravenne • Château Minuty • Commanderie de Peyrassol* • Domaines des Planes • Domaine Rabiega • Château Réal Martin • Château Requier* (Tête de Cuvée*) • *Domaine Richeaume • Domaine de Rimauresq • Domaine Saint-André de Figuière • Domaine des Saint-Baillon* • Château de Seilles* (Clos Mireille) • *Château de la Tour l'Evêque* • Vignerons de la presqu'île de Saint-Tropez* (Château de Pampelonne, Carte Noire)

MUSCAT DU CAP CORSE AOC

Lors de la première édition de cet ouvrage, en 1988, le muscat du Cap Corse, seul vin de grande classe de l'île, doux et délicieux, était peu reconnu et on ne parlait même pas de lui accorder l'AOC qu'il méritait. Il a fallu attendre cinq ans pour qu'il l'obtienne enfin. L'appellation recouvre les AOC vin de Corse, vin de Coteaux du cap Corse et cinq des sept communes de l'AOC Patrimonio.

Blanc Les vins du Clos Nicrosi (tout particulièrement) démontrent que la Corse a la capacité de produire un des plus fabuleux muscats de la planète. Purs, délicieux, avec des arômes superbes et frais, ces muscats ont peu à gagner au vieillissement.

muscat blanc à petits grains

sans attendre

Domaine de Catarelli • Clos Nicrosi

PALETTE AOC

La liste ridiculement interminable des cépages autorisés illustre un des pires excès du système des AOC. Un si grand nombre de variétés, quel intérêt, mon Dieu? Sans même parler des plus médiocres, que tout le monde souhaiterait voir disparaître, une telle gamme, avec les mille combinaisons de pourcentages qu'elle autorise, ne donne pas l'ombre d'une chance de voir un style bien spécifique se dégager. On pourrait tout aussi bien ne retenir pour seule règle que le raisin vienne de Palette! Malgré cette absurdité, cette AOC compte parmi les meilleures de Provence. On peut la considérer comme l'équivalent d'une sorte de grand cru des coteaux d'Aix-en-Provence, étant donné ses superbes vignobles au sol calcaire. Les trois quarts de l'appellation sont couverts par une seule propriété, Château Simone.

Rouge Ce ne sont pas des vins de gros calibre, mais de haute qualité, avec une bonne couleur et une structure ferme, parfois même très fins.

au moins 50% (au total) de mourvèdre, grenache et cinsault, plus téoulier, durif et muscat (toutes variétés plantées), carignan, syrah, castets, brun-fourcat, terret gris, petit-brun, tibouren, cabernet sauvignon et jusqu'à 15% (au total) de clairette (toutes variétés plantées), picardan, ugni blanc, ugni rosé, grenache blanc, muscat (toutes variétés plantées), picpoul, pascal, aragnan, colombard et terret-bourret.

7-20 ans

Blanc Vin ferme mais sec et nerveux, avec un caractère aromatique curieux et plaisant.

au moins 55% (au total) de clairette (toutes variétés plantées) plus picardan, ugni blanc, ugni rosé, grenache blanc, muscat (toutes variétés plantées), picpoul, pascal, aragnan, colombard et un maximum de 20% de terret-bourret

sans attendre

Rosé Vin bien fait, sans rien d'exceptionnel, peut-être dans un style un peu trop ambitieux pour son niveau.

au moins 50% (au total) de mourvèdre, grenache et cinsault, plus téoulier, durif et muscat (toutes variétés plantées), carignan, syrah, castets, brun-fourcat, terret gris, petit-brun, tibouren, cabernet sauvignon et jusqu'à 15% (au total) de clairette (toutes variétés plantées), picardan, ugnin blanc, ugni rosé, grenache blanc, muscat (toutes variétés plantées), picpoul, pascal, aragnan, colombard et terret-bourret

1-3 ans

Château Crémade • Château Simone

PATRIMONIO AOC

Petite appellation, à l'ouest de Bastia, et donc au nord de l'île.

Rouge Quelques vins de qualité, bien colorés, corsés, aux arômes fruités.

au moins 75% de nielluccio (90% dès 2000), plus grenache, sciacarello et vermentino

Blanc Légers et secs, ces vins sont très parfumés et floraux pour la Corse.

au moins 90% de vermentino (100% dès 2000) – et jusque-là, le reste en ugni blanc

Rosé Vins secs couleur corail, au bouquet élégant, d'un bon rapport qualité/prix.

au moins 75% de nielluccio (90% dès 2000), plus grenache, sciacarello et vermentino

tous les vins : 1-3 ans

Antoine Arena • Domaine de Catarelli • Clos Montemagni • Orenga de Gaffory • Domaine Aliso Rossi

VIN DE BANDOL AOC

Voir Bandol AOC

VIN DE BELLET AOC

Voir Bellet AOC

VIN DE CORSE AOC

Appellation générique concernant tous les vignobles de l'île.

Rouge Vins honnêtes, pleins de fruits, ronds et sains, au charme rustique.

au moins 50% de nielluccio, grenache noir et sciacarello, plus cinsault, mourvèdre, barbarossa, syrah et un maximum de 20% (au total) de carignan et de vermentino

Blanc Les meilleurs sont bien faits, frais et sains, mais n'ont pas le niveau d'une AOC.

au moins 75% de vermentino et le reste en ugni blanc

Rosé Vins séduisants, gouleyants, secs et fruités.

au moins 50% de nielluccio, grenache noir et sciacarello, plus cinsault, mourvèdre, barbarossa, syrah et un maximum de 20% (au total) de carignan et de vermentino

tous les vins : 1-3 ans

Clos Capitoro • Domaine Fiumicicoli • Domaine Gentile • Clos Landry

VIN DE CORSE CALVI AOC

Il s'agit d'une sous-appellation – autour de Calvi – de l'AOC vin de Corse, avec les mêmes cépages et la même réglementation.

Clos Columbu • Clos Reginu

VIN DE CORSE COTEAUX DU CAP CORSE

Comme la précédente, c'est une sous-appellation de vin de Corse, pour la péninsule nord, avec les mêmes cépages – sauf que le codivarta peut être utilisé avec l'ugni blanc, en complément du vermentino.

Clos Nicrosi

VIN DE CORSE FIGARI AOC

Sous-appellation de vin de Corse AOC, pour une zone entre Sartène et Porto-Vecchio, avec les mêmes cépages et la même réglementation.

Domaine de Torraccia

VIN DE CORSE SARTÈNE AOC

Sous-appellation de vin de Corse AOC, pour une zone au sud d'Ajaccio, avec les mêmes cépages et la même réglementation.

*Clos d'Alzeto * • Domaine de San Michelle • Domaine de Tizzano*

CHOIX DE L'AUTEUR

À l'exception du rosé toujours rafraîchissant du domaine de Saint-Ballon et du puissant vin blanc de Château Simone, on ne sera pas étonné que ma sélection ne concerne que ce que la région fait de mieux : ses rouges superbes.

PRODUCTEUR	VIN	STYLE	DESCRIPTION	
Domaine du Deffends Ⓥ	Clos de la Truffière, Coteaux varois AOC (voir p. 244)	ROUGE	Ce vin de vignoble unique, à la belle robe soutenue, a beaucoup plus d'intensité que les autres rouges des coteaux varois.	3 à 6 ans
Orenga de Gaffory Ⓥ	Cuvée des Gouverneurs, Patrimonio AOC (voir p. 244)	ROUGE	L'un des vrais vins de garde corses, au fruit épicé étayé par des notes crémeuses de chêne, qui prouve le potentiel du nielluccio.	3 à 6 ans
Château de Pibarnon	Bandol AOC (voir p. 243)	ROUGE	Régulièrement l'un des meilleurs bandols rouges, ce vin déborde d'un fruit exubérant et velouté, bien équilibré par des tanins souples, avec des notes crémeuses de chêne en finale.	4 à 12 ans
Château Pradeaux	Bandol AOC (voir p. 243)	ROUGE	Bandol à la robe profonde, au bouquet intense et d'une longévité exceptionnelle. Je l'ai découvert dans les années 1970 et je l'ai toujours suivi et aimé depuis. Je crois qu'il s'améliore encore avec chaque millésime.	4 à 12 ans
Domaine Rabiega Ⓥ	Clos de Première Cuvée, Côtes de Provence AOC (voir p. 244)	ROUGE	Avec une belle couleur, ce vin bien structuré déborde d'arômes souples de fruits noirs, signature de la syrah – comme s'il contenait davantage de ce cépage que les 30% autorisés.	3 à 8 ans
Domaine de Saint-Baillon	Côtes de Provence AOC (voir p. 244)	ROSÉ	Avec tout le mal que j'ai dit du rosé, le lecteur sera surpris d'en trouver un ici. Je crois qu'aucun autre rosé de Provence ne peut rivaliser avec celui-ci pour la régularité. Il offre un beau fruit pur, une bonne acidité et une fraîcheur étonnante.	sans attendre
Château Simone	Palette AOC (voir p. 244)	ROUGE	Cœur sensible s'abstenir! Tannique et solidement charpenté, ce rouge a le fruit, les arômes et la longueur nécessaires à l'équilibre. Il est capable de complexité et de finesse.	5 à 10 ans
Château Simone	Palette AOC (voir p. 244)	BLANC	Riche et vieilli sous le chêne, long et complexe en finale, c'est le meilleur blanc sec de Provence – et simplement un grand vin.	2 à 5 ans
Domaine Tempier	Cuvée Tourtine, Bandol AOC (voir p. 243)	ROUGE	Robe profonde, arômes de fruits et de fines herbes et tanins souples pour la structure – ce rouge est issu d'un des meilleurs vignobles de Bandol, cultivé sans engrais ni pesticides.	4 à 12 ans
Domaine de Torraccia	Cuvée Oriu, Vin de Corse Porto-Vecchio AOC (voir p. 245)	ROUGE	Autre vin de garde corse, issu celui-là du sud de l'île. Bien coloré, avec des arômes fruités denses, il est complexe, avec un caractère légèrement fumé de tabac doux.	3 à 5 ans
Domaine de Trévallon	Coteaux d'Aix-en-Provence AOC (voir p. 244)	ROUGE	Le vin le plus remarquable de l'appellation. Issu de cabernet et de syrah, il est très bon, profond et foncé de robe, avec beaucoup d'élégance et de finesse pour sa corpulence.	3 à 10 ans

VINS DE PAYS

Dans cette catégorie, on trouve quelques-uns des vins les plus intéressants et les plus novateurs qui se puissent boire. Mais parmi les 141 dénominations « vins de pays », beaucoup sont superflues et créent des confusions. Le système est un succès non pas parce qu'il crée des appellations, mais parce qu'il en libère les producteurs, ce qui permet aux plus doués de se tailler une réputation.

Les vins de pays sont supposés modestes et sans prétention, mais beaucoup sont supérieurs aux vins d'AOC du rang, et les meilleurs comptent indiscutablement dans le peloton de tête des vins français. Ce n'était évidemment pas l'intention de l'administration car un vin de pays est théoriquement un vin agréable qui offre, sous une forme assez rudimentaire, les traits principaux des meilleurs vins de la région. Il doit présenter un certain charme rustique et bien se laisser boire, sans plus. Cependant, ce système des vins de pays, beaucoup moins contraignant que celui des AOC, favorise les viticulteurs novateurs qui tentent de produire des vins reflétant le mieux possible les qualités du terroir et qui, bien souvent, égalent ou surpassent en qualité les appellations locales les plus fameuses. Et puisque ces vins de pays ont fait parler d'eux jusqu'à la première page des publications spécialisées, une nouvelle génération de viticulteurs, parmi lesquels des Australiens, s'est dit qu'il y avait là une possibilité de secouer les chaînes des règles des AOC. C'est ainsi que l'idée de faire un cabernet-sauvignon dans certaines parties de Bourgogne était trop bonne pour être négligée, et des viticulteurs, tant français qu'étrangers, ont donc détourné intelligemment le système des vins de pays.

Cependant, le succès a en même temps attiré des producteurs moins performants qui ont sauté dans le train en marche et déversent aujourd'hui à l'envi leurs breuvages insipides. Mais si c'est le prix à payer pour révolutionner ce qui ne va pas dans les vins français, je suis de ceux qui sont prêts à l'acquitter.

LE PAYS D'ORIGINE

L'expression « vin de pays » est apparue pour la première fois dans un décret daté du 8 février 1930. Il s'agissait alors simplement d'autoriser la mention du canton d'origine, à condition que le degré d'alcool atteigne un certain niveau. Les cantons ne devenaient pas *ipso facto* des appellations contrôlées : aucun moyen spécifique ne permettait d'imposer une qualité minimum et, bien souvent, les vins produits, en faible volume, provenaient de cépages hybrides inférieurs.

En revanche, en 1973, quand les vins de pays ont été officiellement créés comme catégorie supérieure à celle des vins de table, et liés à un territoire précis, les contrôles sont devenus stricts. En 1976, il y avait 75 vins de pays, mais il a fallu attendre 1979 pour que la réglementation fonctionne bien. En 1981 et 1982, les vins de pays existants ont été redéfinis et on en a créé 20 nouveaux. Actuellement, on en compte 141 ; ce nombre fluctue car des vins de pays passent VDQS alors que certains départements se voient exclus du droit d'en produire (*voir* « Les vins de pays d'un coup d'œil », p. 248).

Officiellement, un vin de pays est un vin de table provenant d'une région spécifique, conforme à des normes de qualités très proches, mais évidemment moins contraignantes, que celles des AOC et des VDQS. Le système a atteint sa majorité en 1989 ; auparavant, de tels vins devaient porter la mention « vin de table français » ou « vin de table de France ». De temps à autre, un vin de pays devient VDQS, en attendant d'être éventuellement promu

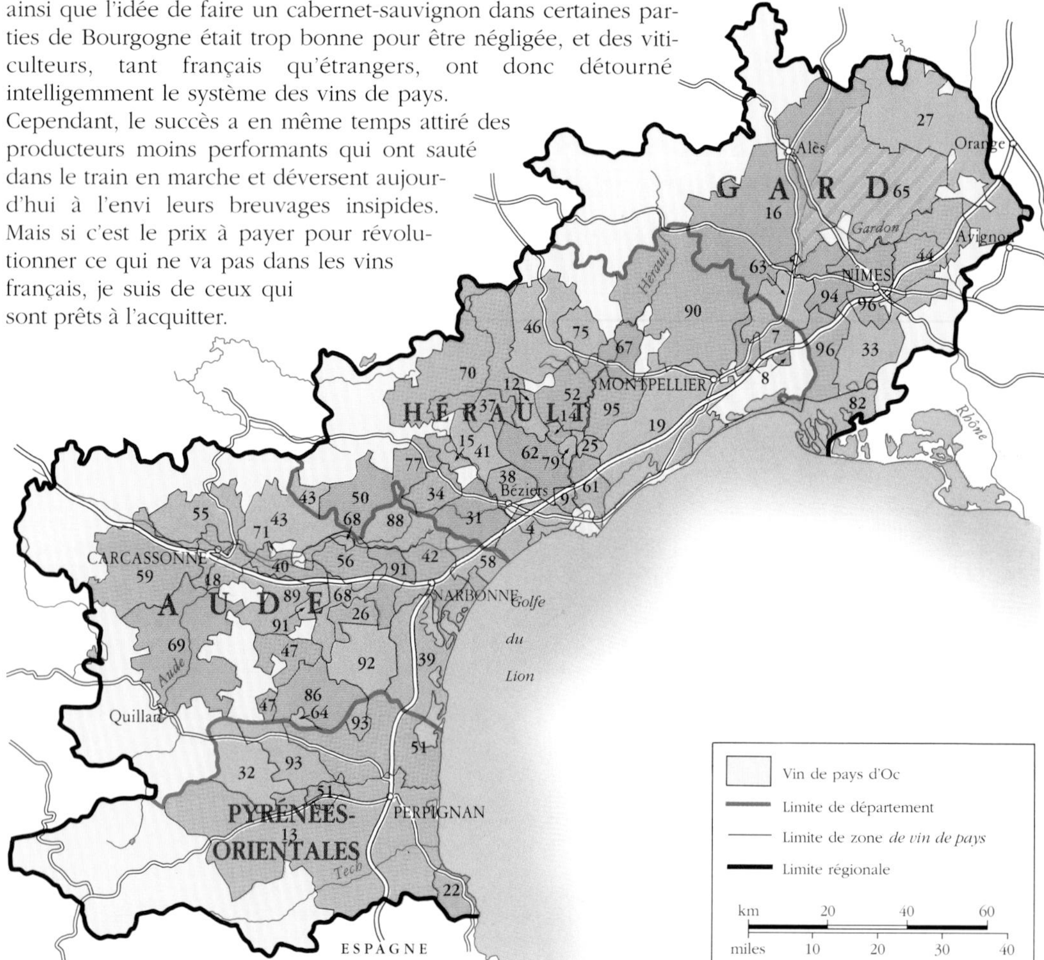

VIN DE PAYS, CARTE A
***voir aussi* p. 247**
C'est dans le Languedoc-Roussillon que l'on trouve la plus grande concentration de vins de pays ; le vin de pays d'Oc, qui concerne toute la région, est de loin celui qui a le plus de succès.

DOMAINE DE LA BAUME
Le propriétaire, Hardy, est l'une des principales maisons de vins australiennes. Persuadé que la France devrait exploiter les vins de cépage et estimant qu'il y a un marché pour les vins de pays faits à l'australienne, Hardy a acheté le domaine de la Baume, non loin de Béziers, au moment de la vendange 1990.

AOC. Les derniers à avoir pris du grade sont les gorges et côtes-de-Millau en 1994 qui s'appellent maintenant « Côtes de Millau AOC ». D'autres sont en attente.

LE CÉPAGE, ARME SECRÈTE DES VINS DE PAYS ?

Beaucoup de vins de pays sont faits et commercialisés autour d'un cépage – les chardonnays et les cabernet-sauvignon sont légion. Les autorités regrettent le contrecoup défavorable pour les appellations plus fameuses (c'est la vieille histoire du client qui regimbe : « Non, pas de chablis, je veux du chardonnay! »). Mais c'est la vie! Et si certaines appellations géographiques sont en déclin, c'est davantage parce qu'elles n'en donnent pas pour son argent au consommateur que pour une histoire de cépages. Et après tout, en Amérique, on utilise des cépages cultivés dans une région spécifique pour établir des appellations géographiques. Il faut donc savoir ce que l'on veut! Pour détourner l'attention du public des noms de cépage, les autorités ont introduit pour les vins de pays, en 1996, les cépages couplés (l'Australie appelle couramment ses vins cabernet-merlot ou chardonnay-sémillon). La suite dira si le cépage est réellement un problème et si les cépages couplés dissiperont ou aggraveront la confusion.

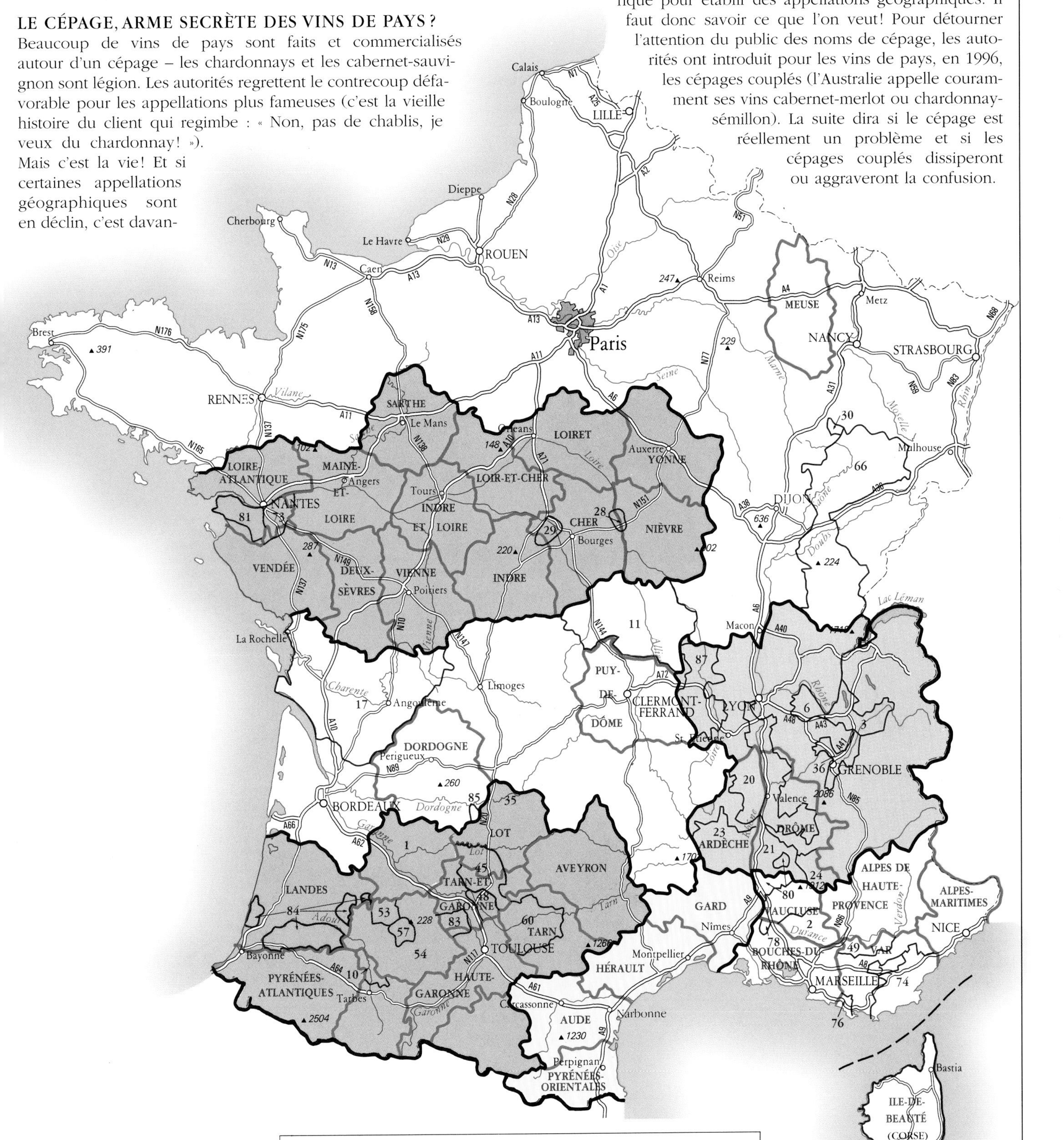

VIN DE PAYS, CARTE B
Voir aussi p. 246
Vins de pays départementaux et régionaux et appellations situés hors de la région Languedoc-Roussillon.

LES VINS DE PAYS D'UN COUP D'ŒIL

141 DÉNOMINATIONS VINS DE PAYS
À partir d'une production pratiquement nulle en 1973 et atteignant aujourd'hui 12 millions d'hectolitres, les vins de pays représentent 25% de la production totale française, et leur part va en augmentant.

LES TYPES DE VINS DE PAYS
Il existe trois catégories : vin de pays régional, départemental et de zone. Bien qu'il n'existe pas de distinction officielle du point de vue de la qualité, on ne s'avance pas trop en disant que les vins de pays de zone ont souvent plus de caractère et de personnalité que les autres, mais c'est loin d'être une règle absolue. Par ailleurs, un viticulteur d'une zone vin de pays trouve souvent plus commode de vendre sous une dénomination plus large – et c'est pourquoi on en trouve tant sous la dénomination vin de Pays d'Oc. En outre, l'étendue géographique est trompeuse car un vin de pays régional peut représenter un petit volume par rapport à des zones très prolifiques. Dans la vallée de la Loire, peu de producteurs s'embarrassent des dénominations départementales.

VINS DE PAYS RÉGIONAUX (23 % de la production totale)
Ils sont au nombre de quatre : Jardin de la France, Comté tolosan, Comtés rhodaniens et Pays d'Oc. Chaque région comprend deux ou trois départements. En 1990, ces vins ne représentaient que 12% de la production des vins de pays.

VINS DE PAYS DÉPARTEMENTAUX (44 % de la production totale)
Ils concernent la totalité d'un département et, bien que 39 soit officiellement en usage, beaucoup sont redondants car les producteurs optent souvent pour les appellations régionales, plus connues, recevant une meilleure promotion. En théorie, n'importe quel département peut diffuser un vin de pays sous son nom. Toutefois, pour éviter la confusion avec les AOC, certains n'ont plus ce droit depuis 1995 : Marne et Aube (Champagne), Bas-Rhin et Haut-Rhin (Alsace), Côte-d'Or (Bourgogne), Rhône (non pas pour le beaujolais mais pour éviter la confusion avec l'AOC Côtes-du-Rhône), Jura, Savoie et Haute-Savoie.

VINS DE PAYS DE ZONE (33 % DE LA PRODUCTION TOTALE)
Cette catégorie ne comprend pas moins de 95 dénominations – dont certaines fort rares. Il s'agit d'une production locale, parfois même communale.

VIN DE PAYS PRIMEUR
Depuis 1990, toutes les dénominations vin de pays ont le droit de produire du primeur, mis en vente à partir du troisième jeudi d'octobre suivant les vendanges (bien avant le beaujolais nouveau). Le règlement l'autorise pour le rouge et le blanc mais, curieusement, pas pour le rosé alors que, compte tenu des méthodes de production, beaucoup de rouges sont plus légers que les rosés ; c'est donc un point discutable. Les vins blancs sont vinifiés par fermentation à basse température et les rouges par l'une des trois méthodes suivantes : macération carbonique (*voir* glossaire), macération carbonique partielle (une partie des raisins sont écrasés et restent en contact avec les rafles), et macération courte classique (vinification traditionnelle avec un contact minimum avec les peaux). Les blancs de fermentation à basse température et les rouges de macération carbonique sont dominés par des arômes amyliques (poire très mûre, banane, vernis à ongles). En revanche, la macération classique courte donne rarement assez de fruit, de profondeur ou de couleur, alors que la macération carbonique partielle peut être très réussie en soulignant le fruité sans tomber dans les arômes amyliques – mais il faut qu'elle soit bien maîtrisée.

Note Bien qu'un vin de pays ait le droit d'utiliser des termes comme « mas » ou « domaine » pour désigner la propriété, « château » est – bizarrement – totalement interdit. Sur l'étiquette, on peut préciser le millésime et jusqu'à deux cépages. Le degré alcoolique naturel est fixé à 10 pour les contrées méditerranéennes et à 9 pour les dénominations plus septentrionales (ce qui est plus que pour la majorité des AOC). Le degré maximum est de 15 pour tous les vins de pays.

70% Rouge
17.5% Rosé
12.5% Blanc

LES VINS DE PAYS DE FRANCE

AGENAIS
Vin de pays de zone, carte B, n° 1

Vins rouges, blancs et rosés issus d'un mélange des cépages classique du Bordelais et de cépages rustiques régionaux dont le tannat et le fer. Si les trois quarts de la production concernent le rouge, c'est le rosé, provenant surtout d'abouriou, qui est le plus connu.

AIGUES
Vin de pays de zone, carte A, n° 2

Créée en 1993, cette zone correspond à peu près aux Coteaux du Luberon et présente presque la même gamme de cépages.

ALLOBROGIE
Vin de pays de zone, carte B, n° 3

Vin de pays équivalent au vin de Savoie, bien que sa zone soit plus grande que l'AOC ; elle s'étend sur des terres d'élevage où la vigne est sporadique. Les vins sont proches du vin de Savoie, mais peut-être un peu plus légers et plus rustiques. Le blanc représente 90% de la production ; il est surtout issu de jacquère, chardonnay et chasselas, mais on peut aussi utiliser d'autres cépages : altesse, mondeuse blanche, roussanne et molette. Le reste est surtout du rouge, issu de gamay, mondeuse et pinot noir ; le rosé représente moins de 1%.

ALPES-DE-HAUTE-PROVENCE
Vin de pays départemental, carte B

Ces vins viennent surtout de la vallée de la Durance, à l'est du département. La production est surtout rouge (cépages : carignan, grenache, cabernet sauvignon, merlot et syrah). Le rosé représente 15% et le blanc (ugni blanc, clairette, chardonnay) tout juste 7%.

✓ *Domaine de Régusse*

ALPES-MARITIMES
Vin de pays départemental, carte B

Environ 70% de la production en rouge et 30% en rosé (cépages : carignan, cinsault, grenache, ugni blanc et rolle). Les principales communes sont Carros, Mandelieu et Mougins. Il y a aussi un peu de blanc.

ARDAILHOU
Vin de pays de zone, carte A, n° 4

Ce vin vient de la bande côtière de l'Hérault, à l'ouest de Béziers, où se tient chaque année la fête du vin primeur. La production, modeste, se compose de deux tiers de rouge et d'un tiers de rosé. Les cépages principaux sont les cinsault (50% maximum), carignan (40% maximum) et grenache (10% minimum) ; toutefois, syrah, merlot et cabernet sauvignon peuvent être utilisés. Il y a un peu de vin blanc issu d'une large gamme de cépages (jusqu'à 20), dont clairette, terret et ugni blanc.

ARDÈCHE
Vin de pays départemental, carte B

Rouges et blancs issus d'une gamme de cépages de la vallée du Rhône et du Bordelais ; la production est faible.

ARGENS
Vin de pays de zone, carte A, n° 5

Cette dénomination couvre une partie des Côtes de Provence et près de la moitié des vins sont des rosés proches, par le style et la qualité, du vin de pays du Var. Les rouges, riches, tanniques et épicés, représentent l'autre moitié (cépages : carignan, cinsault, syrah, roussanne du Var, mourvèdre et cabernet sauvignon). Il y a aussi un peu de blanc.

AUDE
Vin de pays départemental, carte B

Production importante de vin frais et fruité. Il y a surtout du rouge, avec seulement 5% de rosé et de blanc. Les cépages méditerranéens dominent.

✓ *Jacques Royer • Producteurs du Mont Tauch* (carignan/syrah)

AVEYRON
Vin de pays départemental, carte B

Puisque dans leur majorité, les vins produits dans ce département étaient des vins de pays des Gorges et Côtes de Millau (aujourd'hui

Côtes de Millau VDQS), il sera intéressant de voir combien de producteurs de vins de pays utilisent cette dénomination ou préfèrent celle, plus vaste, de Comté tolosan.

BALMES DAUPHINOISES

Vin de pays de zone, carte B, n° 6

Les vins blancs, qui proviennent de jacquère et de chardonnay, constituent 60% de la production. Les rouges, de gamay et de pinot noir, représentent le reste (il y a quand même un peu de rosé).

BÉNOVIE

Vin de pays de zone, carte A, n° 7

Cette dénomination concerne la partie est des Coteaux du Languedoc et chevauche l'AOC muscat de Lunel. Représentant presque 80% de la production, le rouge est léger et fruité (carignan, grenache, cinsault et syrah, et également un peu de merlot et de cabernet sauvignon). On trouve aussi un rosé séduisant, obtenu essentiellement par le procédé de la saignée, et un peu de blanc sec d'ugni blanc.

BÉRANGE

Vin de pays de zone, carte A, n° 8

La production consiste en 75% de rouge, 20% de rosé et 5% de blanc issus principalement des cépages utilisés dans les Coteaux du Languedoc et aux alentours de Bénovie.

BESSAN

Vin de pays de zone, carte A, n° 9

Cette petite dénomination de commune, à l'est de Béziers, est surtout connue pour ses rosés secs et aromatiques (65% de la production). Il y a aussi 5% de rouge, le reste étant du blanc issu d'ugni blanc.

BIGORRE

Vin de pays de zone, carte B, n° 10

On fait ici surtout du rouge riche et plein, de style madiran, et aussi un peu de blanc plaisant, nerveux et sec. On trouve également un peu de rosé.

BOUCHES-DU-RHÔNE

Vin de pays départemental, carte B

C'est l'une des plus grosses productions de vin de pays de l'Hexagone. Le rouge représente environ 80% et vient surtout des Coteaux d'Aix-en-Provence. Il s'agit de vins forts, épicés et souvent puissamment structurés, issus de carignan, grenache, cinsault, cabernet sauvignon, merlot et syrah. Le rosé ne compte que pour 12% de la production, ce qui est raisonnable compte tenu du style et parce qu'il ne peut compter sur l'aura d'un nom (il n'a pas la chance de pouvoir écrire « Provence » sur l'étiquette) ; il est en général de meilleure qualité que la majeure partie de l'AOC rosé de cette zone. Il y a aussi un peu de blanc d'ugni blanc, clairette, bourboulenc, vermentino, chardonnay et chasan (hybride listan/chardonnay, légèrement aromatique).

✓ *Mas de Rey* • *Domaine de l'Ile Saint-Pierre* • *Domaine de Trévallon*

BOURBONNAIS

Vin de pays de zone, carte B, n° 11

Vin fort rare issu d'une région de blanc, dans la vallée de la Loire.

CASSAN

Vin de pays de zone, carte A, n° 12

Cette zone se trouve dans les Coteaux du Languedoc, au nord de Béziers, et chevauche en partie Faugères. Le rouge représente près des trois quarts de la production (carignan, cinsault, grenache, cabernet sauvignon, merlot et syrah). On trouve aussi un rosée riche en arôme et un blanc sec et nerveux, issu principalement d'ugni blanc, mais aussi de clairette et de terret.

CATALAN

Vin de pays de zone, carte A, n° 13

Des rouges fruités, sans chichis, bien colorés et très réussis représentent presque 70% de la production et proviennent essentiellement de carignan et de grenache, bien que l'on utilise aussi les mourvèdre, merlot, cabernet sauvignon et syrah. Les rosés, secs, sains et gouleyants, comptent pour 20% de la production (même cépages). Quant aux blancs secs (10%), ils sont dus aux cépages grenache blanc, macabéo, chardonnay et même muscat. Le vin primeur est une spécialité de ce vin de pays prolifique.

✓ *Domaine Cazes* • *Château de Jau*

CAUX

Vin de pays de zone, carte A, n° 14

Des vignes situées au nord de Béziers donnent un bon rosé typique, sec et fruité, dans le style du Languedoc. Le rouge représente 40% de la production, et il y a aussi un peu de blanc.

CESSENON

Vin de pays de zone, carte A, n° 15

Cette zone du vin rouge dans le style d'un saint-chinian rustique, et un peu de rosé.

CÉVENNES

Vin de pays de zone, carte A, n° 16

Cette nouvelle zone regroupe plusieurs anciens vins de pays : Coteaux cévenols, Coteaux du Salavès, Côtes du Libac (anciennement Serre du Coiran), Mont Bouquet et Uzège – chacun pouvant mettre son nom après la dénomination Cévennes. Il s'agit surtout de vins rouges, avec aussi 15% de rosés – le rosée de saignée étant une spécialité. On trouve ainsi de petits volumes de blanc primeur. Ces vins honnêtes et fruités sont faits dans le style du Languedoc.

CHARENTAIS

Vin de pays de zone, carte B, n° 17

Les vins blancs secs sont vraiment bons, même s'ils sont issus d'ugni blanc à 50%. Il semble que ce cépage secondaire, de même d'ailleurs que le colombard, donne en Charente des vins légers mais frais, nerveux et pimpants, qui ne sont pas condamnés à être distillés pour le cognac, mais qui peuvent aussi donner du plaisir pour un prix modeste. Il y a aussi un peu de rouge et de rosé, provenant de gamay et de cépages bordelais.

CHER

Vin de pays départemental, carte B

C'est un pays de vin rouge de gamay, en général proche du touraine, et aussi, pour une petite quantité, de rosé sec dans le style vin gris. On trouve même un peu de blanc sec de sauvignon blanc, comparable à un sancerre ou un menetou-salon en sabots.

CITÉ DE CARCASSONNE

Vin de pays de zone, carte A, n° 18

Les rouges comptent pour 90% de la production, les blancs pour à peine 1% et les rosés pour le reste. Les vignobles appartiennent à 11 communes autour des remparts de la vieille forteresse médiévale.

COLLINE DE LA MOURE

Vin de pays de zone, carte A, n° 19

Un rouge basique, représentant plus de 80% de la production, fait de carignan, cinsault, grenache, syrah, cabernet sauvignon et merlot – les deux derniers étant souvent vinifiés séparément. Le reste est du rosé sec et léger, et il y a aussi quelques centilitres de blanc, surtout d'ugni blanc. Et justement, la star de ce vin de pays est un blanc, le muscat ultra-moelleux et délectable de Hugh Ryman. Bien que ce soit plutôt un vendanges tardives qu'un vin doux naturel, on ne sera pas surpris que ce vin de pays corresponde aux AOC muscat de Mireval et muscat de Frontignan.

✓ *Domaine de Terre Mégère* • *Hugh Ryman* (Muscat Petits Grains) • *Domaine de Valmagne*

COLLINES RHODANIENNES

Vin de pays de zone, carte B, n° 20

Vaste secteur au centre des Comtés rhodaniens qui chevauche cinq départements (Rhône, Isère, Drôme, Ardèche et Loire) et produit essentiellement des vins rouges de gamay, syrah, merlot et pinot noir. Il y a aussi de faibles volumes de rosé et de blanc, ce dernier issu d'un choix intéressant de chardonnay, marsanne, roussanne, viognier, jacquère, aligoté et clairette. Étant donné les arômes complexes, le caractère corsé, gras, et l'acidité que l'on peut tirer d'un assemblage judicieux de ces cépages, il y a tout intérêt à militer pour le développement de ce blanc des Collines rhodaniennes. On trouve aussi un peu de primeur.

COMTÉ DE GRIGNAN

Vin de pays de zone, carte B, n° 21

Ici, on ne produit pratiquement que du rouge, essentiellement de gamay, bien que les syrah, cinsault, gamay, carignan, merlot et cabernet sauvignon soient également utilisés. Le rosé compte pour 1% de la production et le blanc est pratiquement clandestin.

COMTÉ TOLOSAN

Vin de pays régional, carte B

La production concerne de faibles volumes de rouge, avec un peu de rosé et quelques bouteilles de blanc. Ces vins sont issus d'une large gamme de cépages typiques du Sud-Est.

✓ *Plaimont*

COMTÉS RHODANIENS

Vin de pays régional, carte B

Créée en 1989, cette dénomination chevauche huit départements et ne peut concerner que des vins déjà qualifiés vins de pays de zone.

CORRÈZE

Vin de pays départemental, carte B

On produit ici surtout des vins rouges de cabernet franc, merlot et gamay. Ils proviennent de divers endroits du département, mais les meilleurs sont faits (depuis longtemps) sur les coteaux calcaires de Branceilles.

Sauret Père (Mille et Une Pierres)

CÔTE VERMEILLE

Vin de pays de zone, carte A, n° 22

Ces rouges et ces rosés sont des vins de pays équivalents au collioure qui, à son tour, est le vin de table correspondant au banyuls.

COTEAUX DE L'ARDÈCHE

Vin de pays de zone, carte B, n° 23

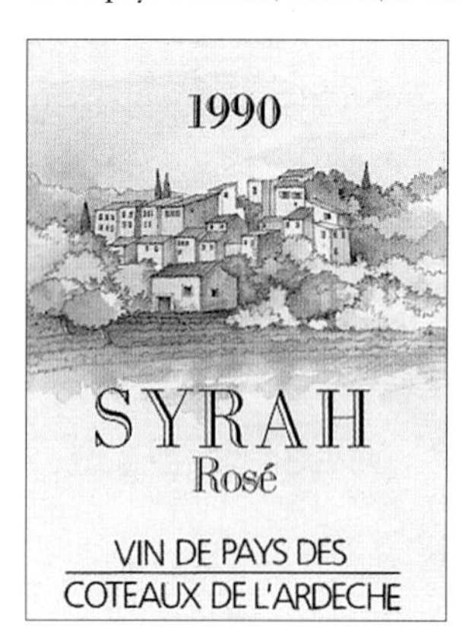

Cette vaste dénomination a une production très conséquente; elle est surtout connue pour ses vins rouges foncés et épicés (80% de la production). Souvent dominés par la syrah, ces vins peuvent contenir aussi du cabernet sauvignon, carignan, cinsault, grenache, gamay et merlot. Le chardonnay de Louis Latour a attiré l'attention sur ce vin de pays depuis une dizaine d'année et, lors de la prochaine décennie, le splendide pinot noir de la même maison fera de cette zone Coteaux de l'Ardèche une star authentique. Le rosé compte pour 10% de la production et le blanc pour un peu moins de 10% ; ce dernier est issu des bourboulenc, marsanne, viognier, roussanne, sauvignon blanc et ugni blanc. 30% des vins produits sont vendus comme vins de cépage unique.

Cave viticole ardéchoise • *Domaine du Colombier* • *La Cévenne ardéchoise* • *Louis Latour* • *Domaine de Vigier*

COTEAUX AUXOIS

Nouvelle zone de vin de pays

Cette zone doit remplacer la dénomination départementale Côte-d'Or – et on attend actuellement de connaître sa délimitation.

COTEAUX DES BARONNIES

Vin de pays de zone, carte B, n° 24

Ces vins sont rouges pour presque 90%, et rosés pour 10% ; ils sont issus de cabernet sauvignon, cinsault, syrah, grenache, pinot noir, gamay et merlot. Il y a aussi 2% de blancs – parmi lesquels les vins de cépage progressent.

COTEAUX DE BESSILLES

Vin de pays de zone, carte A, n° 25

Vins frais, légers et rustiques, produits au nord de Pinet, dans les Coteaux du Languedoc. Les rouges comptent pour les deux tiers, le rosé pour un quart et le reste est blanc.

Domaine Saint-Martin de la Garrigue

COTEAUX DE LA CALEBRISSE

Vin de pays de zone, carte A, n° 26

On trouve ici surtout du vin rouge, comme on pourrait s'y attendre au cœur des Corbières, avec aussi 10% de rosé et 3% de blanc, dont un peu de primeur. La gamme des cépages autorisés est vaste, surtout pour les rouges : carignan, grenache, cinsault, syrah, mourvèdre, terret noir, cabernet sauvignon, cabernet franc, merlot et alicante bouschet (un des teinturiers). Pour le blanc : terret, grenache blanc, clairette, ugni blanc et macabéo.

COTEAUX DU CÈZE

Vin de pays de zone, carte A, n° 27

Vaste zone à petite production d'environ 80% de rouge et 20% de rosé – et un peu de blanc.

COTEAUX CHARITOIS

Vin de pays de zone, carte B, n° 28

Vin blanc basique de la vallée de la Loire.

Cave des Hauts de Seyr (Le Montaillant)

COTEAUX DU CHER ET DE L'ARNON

Vin de pays de zone, carte B, n° 29

Le rouge et le vin gris sont faits de gamay, et le blanc sec de sauvignon blanc.

COTEAUX DE COIFFY

Vin de pays de zone, carte A, n° 30

Vin de pays relativement nouveau et encore non testé, d'une zone très septentrionale, entre Champagne et Alsace, au sud de la Haute-Marne.

COTEAUX D'ENSÉRUNE

Vin de pays de zone, carte A, n° 27

Les vignobles à l'ouest de Béziers, près d'un bel oppidum gaulois, donnaient des vins de pays rouges, pour les deux tiers, et rosés – mais aujourd'hui la part du rouge atteint 90%. Les cépages sont typiques du Languedoc. Le blanc est presque confidentiel; cependant, Jeanjean propose un blanc sec fruité, souple et plaisant, d'ugni blanc, marsanne et chardonnay.

Jeanjean

COTEAUX DES FENOUILLÈDES

Vin de pays de zone, carte A, n° 32

Vins francs et fruités produits sur des collines au nord-ouest du Roussillon. Le rouge compte pour 85% de la production, le rosé pour 12% et le blanc pour seulement 3%.

COTEAUX FLAVIENS

Vin de pays de zone, carte A, n° 33

Venant de collines qui doivent leur nom à l'empereur romain Flavien, ce vin de pays des Costières de Nîmes, au sud de la ville, produit un vin rouge plein, qui fait chaud au cœur (85% de la production). Le reste est rosé, avec aussi quelques rares blancs. Les principaux cépages sont les carignan, grenache, cinsault, cabernet sauvignon, merlot et syrah.

COTEAUX DE FONTCAUDE

Vin de pays de zone, carte A, n° 34

Cette zone englobe une bonne partie de l'AOC Saint-Chinian, au sud des Coteaux du Languedoc. La production compte 80% de vins rouges, dans un style léger mais frais et intéressant, issus de carignan, cinsault, grenache, cabernet sauvignon et syrah. On trouve aussi du rosé et un peu de blanc.

COTEAUX DE GLANES

Vin de pays de zone, carte B, n° 35

Les vins rouges, très majoritaires, sont à dominance de gamay ou de merlot. On trouve aussi un peu de rosé.

COTEAUX DU GRÉSIVAUDAN

Vin de pays de zone, carte B, n° 36

Les rouges et rosés, du style vin de Savoie, viennent de gamay, pinot et étraire de la Dui (cépage local). On trouve aussi des blancs secs dominés par la jacquère.

COTEAUX DE LAURENS

Vin de pays de zone, carte A, n° 37

Les vins rouges (85% de la production) sont issus essentiellement de carignan, cinsault, syrah et grenache. Il y a aussi un peu de blanc et de rosé.

COTEAUX DU LIBRON

Vin de pays de zone, carte A, n° 38

Situé autour de Béziers, ces vins de pays, en majorité rouges, viennent de carignan, grenache, cinsault, cabernet sauvignon, merlot et syrah. Les rosés représentent 12% de la production et les blancs (surtout d'ugni blanc, avec un peu de terret et de clairette) moins de 7%.

COTEAUX DU LITTORAL AUDOIS

Vin de pays de zone, carte A, n° 39

Cette zone correspond géographiquement à l'aire de Sigean (non officielle), dans les Corbières (*voir* aussi p. 235), où la syrah excelle. Les vins rouges ne représentent pas moins de 98% de la production. Les autres cépages autorisés sont les carignan, grenache, cinsault, merlot et cabernet sauvignon. On trouve aussi une petite quantité de rosés et de blancs – ces derniers provenant surtout de grenache blanc et de macabéo, mais aussi d'ugni blanc, de terret et de clairette.

COTEAUX DE MIRAMONT

Vin de pays de zone, carte A, n° 40

Ces vins rouges, d'une gamme, typiquement méditerranéenne, de cépages du sud de la vallée du Rhône et du Bordelais, sont produits entre les Corbières et les Côtes de la Malepère. Rosés et blancs représentent conjointement moins de 5% de la production, y compris des vins primeurs.

Foncalieu (Domaine des Pins)

COTEAUX DE MURVIEL

Vin de pays de zone, carte A, n° 41

Située à côté de l'AOC Saint-Chinian, cette zone produit de très bons rouges (85% de la production) de carignan, cinsault, grenache, cabernet sauvignon, merlot et syrah. Il y a aussi des rosés mais très peu de blancs.

Domaine de Coujan • Domaine de Ravanès

COTEAUX DE NARBONNE

Vin de pays de zone, carte A, n° 42

Cette bande côtière, dans l'Hérault, qui chevauche les vignobles des Coteaux du Languedoc, produit surtout des vins rouges souples, et 4% de blancs et de rosés.

COTEAUX DE PEYRIAC

Vin de pays de zone, carte A, n° 43

Avec des cépages locaux et aussi de la syrah, du cabernet et du merlot, cette contrée, au cœur du Minervois, produit surtout des rouges pleins et rustiques (plus de 80%). Il y a aussi du rosé et un petit peu de blanc (1%).

COTEAUX DU PONT DU GARD

Vin de pays de zone, carte A, n° 44

C'est bien sûr le vieil aqueduc romain, toujours vert malgré ses deux mille printemps, qui attire ici les touristes, mais les vignes contribuent aussi au charme de cette région sauvage. Elles produisent surtout du vin de pays rouge, généralement riche et puissant – mais de moins longue garde que le pont! On trouve aussi des rosés et des blancs, le primeur étant une spécialité locale.

COTEAUX DU QUERCY

Vin de pays de zone, carte B, n° 45

Issus de vignes du sud de Cahors, ces vins de pays rouges, dominés par le merlot et le gamay, sont corsés et très bien colorés, mais précoces. La zone produit 5% de rosé, tendre et se laissant boire, mais pas de blanc.

COTEAUX DU SALAGOU

Vin de pays de zone, carte A, n° 46

Les rouges représentent 80% de la production et les rosés 20% ; les cépages sont typiques du Languedoc.

COTEAUX DU TERMENÈS

Vin de pays de zone, carte A, n° 47

Le cœur des Hautes Corbières donne des rouges, des blancs, des rosés et des primeurs, mais la production est irrégulière.

COTEAUX ET TERRASSES DE MONTAUBAN

Vin de pays de zone, carte B, n° 48

Rouges et rosés de cette jolie contrée du Tarn-et-Garonne.

COTEAUX DU VERDON

Vin de pays de zone, carte B, n° 49

Cette zone de vin de pays, à l'intérieur de la Provence, n'a été créée qu'en 1992. Il n'y a pas de cépage interdit.

CÔTES DE BRIAN

Vin de pays de zone, carte A, n° 50

Cette zone du Minervois produit 90% de rouge, essentiellement de carignan mais aussi de grenache, cinsault, cabernet sauvignon, merlot et syrah. Le reste de la production est en rosé, avec un tout petit peu de blanc.

CÔTES CATALANES

Vin de pays de zone, carte A, n° 51

Située au sud des Corbières, à l'est des Coteaux de Fenouillèdes, dans l'aire Villages de l'AOC Côtes du Roussillon, cette zone produit surtout des rouges, issus d'une gamme typiquement méridionale de cépages du Bordelais et des Côtes du Rhône. Il y a aussi 10% et rosé et 10% de blanc (cépages des Côtes du Rhône).

Domaine Cazes (vendu aussi comme Le Canon du Maréchal)

CÔTES DU CÉRESSOU

Vin de pays de zone, carte A, n° 52

Vins du Languedoc typiquement légers et fruités, avec une grosse production. 60% de rouge, 25% de rosé et 15% de blanc.

CÔTES DU CONDOMOIS

Vin de pays de zone, carte B, n° 53

La production compte 60% de rouge, dominé par le cépage tannat, et 40% de blanc de colombard ou d'ugni blanc. Il y a aussi un peu de rosé.

CÔTES DE GASCOGNE

Vin de pays de zone, carte B, n° 54

Ces vins blancs secs, délicieusement vifs, représentent tout ce qui n'est pas distillé pour l'armagnac. Ceux de colombard sont les plus légers, alors que les vins d'ugni blanc sont plus gras et plus intéressants. Le manseng et le sauvignon blanc contribuent aussi, dans les assemblages, à donner des arômes. Le rouge représente 20% de la production et le rosé moins de 1%.

Patrick Azcué • La Coume de Peyre • Domaine de Papolle (ou Domaine de Barroque) • *Plaimont* (Colombelle) • *Domaine du Rey • Domaine de San de Guilhem • Domaine du Tariquet*

CÔTES DE LASTOURS

Vin de pays de zone, carte A, n° 55

Cette zone correspond *grosso modo* au Cardabès VDQS et produit essentiellement des vins rouges à partir de la même gamme de cépages. Elle n'offre que 4% de rosé et 3% de blanc (mauzac, chenin, chardonnay, ugni blanc). Elle fait aussi beaucoup de vins primeurs.

Baron d'Ambres

CÔTES DE LÉZIGNAN

Vin de pays de zone, carte A, n° 56

Anciennement Coteaux du Lézignanais, ce vin de pays correspond à la zone Lézignan du corbières (*voir aussi* p. 235) et il s'agit surtout de rouge, qui ne doit pas contenir plus de 50% de carignan, la moitié de ce raisin devant subir la macération carbonique (pratiquée aujourd'hui par une partie des meilleurs producteurs de corbières). Les autres cépages autorisés sont les cinsault, grenache, syrah, cabernet sauvignon, cabernet franc et lladoner pelut. En d'autres termes, ces vins sont des corbières, mais sous un autre nom. Il y a aussi un peu de rosé et de blanc.

CÔTES DE MONTESTRUC

Vin de pays de zone, carte B, n° 57

La production comprend des rouges d'alicante bouschet, des cabernets, de malbec, merlot et jurançon noir, et aussi des blancs de colombard, ugni blanc et mauzac.

CÔTES DE PÉRIGNAN

Vin de pays de zone, carte A, n° 58

À l'extrémité méridionale des Coteaux du Languedoc, au nord de l'AOC La Clape,

et englobant une partie des vignes de celle-ci, cette zone produit surtout des vins rouges (90%). La gamme de cépages est la même, avec une dominante de grenache, syrah et cinsault, et les vins sont donc très similaires à ceux de l'AOC, peut-être un peu plus rustiques. Le rosé sec et frais est parfois de bonne qualité et riche en arôme. Le blanc de clairette et d'ugni blanc (terret et macébéo sont également autorisés) ne représente que 1%. Il y a aussi du primeur.

CÔTES DE PROUILLE

Vin de pays de zone, carte A, n° 59

Cette zone du département de l'Aude produit des rouges, des blancs et des rosés.

CÔTES DU TARN

Vin de pays de zone, carte B, n° 60

Ce vin de pays est équivalent au gaillac. Le rouge (60%), le blanc (30%) et le rosé viennent de cépages du Bordelais et du Sud-Ouest et aussi (c'est le seul exemple en France) du portugais bleu. Le gamay est souvent utilisé pour le côte-du-tarn primeur, et il donne aussi, avec la syrah, un rosé de saignée très délicat.

CÔTES DE THAU

Vin de pays de zone, carte A, n° 61

Petite zone à production assez conséquente, à l'ouest de Béziers, qui offre du rouge, du blanc et du rosé, en proportions à peu près égales, à partir des cépages classiques du Languedoc. Avant la création du vin de pays, ils étaient utilisés pour le vermouth.

CÔTES DE THONGUE

Vin de pays de zone, carte A, n° 62

Au sud de l'AOC Faugères, cette zone offre surtout du vin rouge de grenache, cinsault, cabernet sauvignon, merlot syrah et carignan – les trois derniers étant utilisés pour les vins primeurs. La tendance est au vin de cépage unique. Les côtes-de-thongue paraissent prometteuses et produisent aussi du rosé (15%) et du blanc (10%).

✓ *Clos de l'Arjolle* • *Domaine de la Condamine l'Evêque* (syrah) • *Domaine Deshenry* • *Domaine du Prieuré d'Amilhac* • *Prodis Boissons* (Domaine Coussergue) • *Domaine de la Serre*

CÔTES DU VIDOURLE

Vin de pays de zone, carte A, n° 63

Entre les Coteaux du Languedoc et les Costières de Nîmes, ce terroir produit 80% de rouge de carignan, grenache, cinsault, cabernet sauvignon, merlot, cabernet franc et syrah. Le rosé représente 15% et le blanc pratiquement rien.

CUCUGNAN

Vin de pays de zone, carte A, n° 64

Petite dénomination, au cœur de l'AOC Côtes du Roussillon Villages, presque exclusivement de rouges issus des cépages des Côtes du Rhône, soutenus par le cabernet sauvignon et le merlot. On trouve quelques rares rosés et 1% de blanc de mauzac, chenin blanc, chardonnay et ugni blanc.

DEUX-SÈVRES

Vin de pays départemental, carte B

Vins simples au caractère franc, issus de vignobles sur les sols fertiles (c'est-à-dire peu propices à la viticulture), dans le Pays nantais.

DORDOGNE

Vin de pays départemental, carte B

On fait ici des rouges et des blancs dans le style d'un bergerac rustique. Les blancs représentent 60% de la production. La zone doit changer de nom pour devenir Vin de pays du Périgord.

DRÔME

Vin de pays départemental, carte B

Des cépages typiques de la vallée du Rhône, renforcés de gamay, cabernet sauvignon et merlot, donnent des vins rosés, blancs et rouges. Ces derniers représentent plus de 90% de la production et sont proches, pour le style, du coteaux-du-tricastin. On trouve aussi du rosé, mais le blanc (1%) est rare.

✓ *Sud-Est Appellations* (syrah)

DUCHÉ D'UZÈS

Vin de pays de zone, carte A, n° 65

En théorie, cette zone est située dans la moitié sud de celle du vin de pays des Cévennes, mais en pratique les vins sont virtuellement identiques – c'est ce que reconnaît un décret de 1995 qui étend la zone Duché d'Uzès à toutes les communes de celle des Cévennes (c'est-à-dire 131), à l'exception de 10.

FRANCHE-COMTÉ

Vin de pays de zone, carte B, n° 66

Cette vaste zone qui englobe le Jura et la Savoie offre des vins rouges et rosés frais, sains et vifs, mais sans rien de remarquable. Seul le blanc, de chardonnay, pinot gris et pinot blanc, mérite d'être recherché.

GARD

Vin de pays départemental, carte B

Grosse production essentiellement de rouge, à partir de carignan, grenache, cinsault, cabernet sauvignon, merlot et syrah. Le rosé (15% de la production) est fruité et sain, et le blanc, dominé par l'ugni blanc, ne représente que 1%.

✓ *Domaine Le Plan*

GERS

Vin de pays départemental, carte B

Essentiellement du vin blanc, dans les styles du côtes-de-gascogne.

✓ *Patrick Azcué*

GIRONDE

Vin de pays départemental, carte B

Ces rouges et ces blancs sont issus de zones isolées qui ne sont pas classées pour la production de bordeaux.

GORGES DE L'HÉRAULT

Vin de pays de zone, carte A, n° 67

Cette zone se trouve dans les Coteaux du Languedoc et englobe la majeure partie de l'appellation clairette du Languedoc. Cependant, les blancs, pour lesquels l'ugni blanc et le terret secondent la clairette, ne comptent que pour 10% de la production. Ils sont cependant plus connus que les rouges qui représentent, eux, 80% du total. Il y a aussi un peu de rosé.

✓ *La Grange des Pères*

HAUTES-ALPES

Vin de pays départemental, carte B

Très peu de vin est produit sous ce nom – dans la partie sud de la Savoie.

HAUTE-GARONNE

Vin de pays départemental, carte B

Ces vins rouges et rosés robustes sont faits de jurançon noir, négrette et tannat, cultivés dans les vieux vignobles au sud de Toulouse – avec aussi un peu de merlot, de carbenet et de syrah. On trouve très peu de blanc, et la production totale est d'ailleurs faible. Toutefois, le Domaine de Ribonnet, d'un niveau bien supérieur à celui des autres producteurs, attire l'attention sur cette dénomination.

✓ *Domaine de Ribonnet*

HAUTERIVE EN PAYS D'AUDE

Vin de pays de zone, carte A, n° 68

On trouve surtout ici du vin rouge, fait à partir d'une gamme de cépages du Languedoc et du Sud-Ouest, typique des Corbières. Il y a aussi du vin primeur, et de petites quantités de blanc et de rosé.

HAUTE VALLÉE DE L'AUDE

Vin de pays de zone, carte A, n° 69

Vins blancs secs, essentiellement des cépages chardonnay, chenin, mauzac et terret, issus de la région de Limoux. Le rouge, de cépages du Bordelais, représente le quart de la production, et le rosé seulement 3%.

✓ *Marc Ramires* (Prieuré d'Antugnac)

HAUTE VALLÉE DE L'ORB

Vin de pays de zone, carte A, n° 70

Les vins de pays de la haute vallée de l'Orb produisent de quantités limitées de vins rouges, et aussi quelques rosés.

HAUTS DE BADENS

Vin de pays de zone, carte A, n° 71

Ces vins rouges et rosés ont peu ou prou le style des minervois.

HÉRAULT

Vin de pays départemental, carte B

Le vin rouge représente 85% de la production et gagne du terrain. La gamme des cépages est très vaste, mais la majorité des assemblages est basée sur les carignan, cinsault, grenache et syrah, renforcés par une petite proportion de cépages du Bordelais. On trouve aussi environ 10% de rosé, et 5% de blanc de clairette, macabéo, grenache blanc et ugni blanc. La production, très importante, dépasse le million d'hectolitres et va en s'accroissant – comme la qualité ! – grâce aux techniques actuelles de viticulture et de viniculture, qui ont rejeté aux oubliettes la réputation de médiocrité du département. Le breuvage le plus fameux, issu de cette modeste contrée de vins de pays, est évidemment celui qu'élabore le Mas de Daumas Gassac. Situé au nord-ouest de Montpellier, à Aniane, il est surnommé aujourd'hui le « lafite du Languedoc ». Cependant, lorsque Véronique et Aimé Guibert l'ont acheté, ils ne pensaient pas du tout à la vigne. Mais le prince charmant est venu en la personne du professeur Enjalbert, géologue et écrivain bordelais, qui a découvert que Daumas Gassac avait un sol exceptionnel, volcanique et finement poudreux, sur une profondeur de 20 m. Il a prédit qu'allait naître ici un vin de classe internationale, pour peu que l'on cultive la vigne comme pour un grand cru. Et c'est exactement ce qu'ont fait les Guibert.

✓ *Domaine d'Aupilhac* • *Domaine du Bosc* (vendu aussi comme vin de pays d'Oc) • *Domaine Capion* (vendu aussi comme vin de pays d'Oc) • *Domaine de la Fadèze* • *Mas de Daumas Gassac* (autre vin de pays vendu comme Terrasse de Landoc) • *Domaine de la Source* (muscat) • *Domaine Saint-Martin* • *Domaine Saint-Martin de la Garrigue*

ÎLE DE BEAUTÉ

Vin de pays de zone, carte B, n° 72

Étant donné que les vins d'AOC ne représentent que 15% de la production totale de l'île, la qualité du vin de pays, qui concerne toutes les vignes (bien qu'il ne s'agisse pas, officiellement, d'un vin de pays départemental) est seule susceptible de donner une bonne réputation aux vins de Corse. Le rouge représente 60% et le rosé 25% ; ils proviennent d'une vaste gamme de cépages (y compris certaines variétés insulaires dont certaines sont proches de variétés italiennes) : aleatico (proche du muscat rouge), cabernet sauvignon, carignan, cinsault, grenache,

merlot, syrah, barbarossa, nielluccio (le plus planté sur l'île et proche, dit-on, du sangiovese), sciacarella (proche du tibouren de Provence) et pinot noir. Il y a un gros effort pour promouvoir le pinot noir corse mais, en l'état actuel des choses, il me paraît injustifié car les meilleurs spécimens, s'ils ont bien les arômes du cépage, manquent d'élégance et de fruit, et ne libèrent pas en bouche toute l'essence du pinot noir. Il est possible qu'on fasse un jour du bon pinot noir corse, mais le cépage exige beaucoup plus d'attention et de soin, tant pour la culture que pour la vinification. Le nielluccio a la réputation de donner un bon rosé, mais comme l'a montré Orenga de Gaffory, de Patrimonio, il sait aussi exceller pour le rouge. Des vins blancs de chardonnay, d'ugni blanc, de muscat et de vermentino témoignent plus d'une manipulation anaérobie et d'une fermentation à très basse température qu'ils n'expriment le caractère du terroir.

✓ *Prodis Boissons* (Domaine Sette Piana, rosé) • *SICA UVAL* (Domaine de Lischetto, chardonnay)

INDRE

Vin de pays départemental, carte B

Des vins rouges, blancs et rosés, dont un très pâle, de style vin gris, sont issus des cépages traditionnels de la vallée de la Loire.

INDRE-ET-LOIRE

Vin de pays départemental, carte B

Sur des vignobles à l'est de Tours, ce vin de pays est rouge à 80% (gamay essentiellement, mais aussi cabernet franc et grolleau). On trouve également du blanc et un peu de rosé.

JARDIN DE LA FRANCE

Vin de pays régional, carte B

La région concernée couvre 14 départements, c'est-à-dire la majeure partie de la vallée de la Loire. À en juger par les vins que l'on voit le plus souvent, on a l'impression que c'est un blanc sec, dominé par le chenin blanc ou le sauvignon blanc, qui représente l'essentiel de la production. Cependant, les chiffres disent le contraire puisque le rouge compte pour 60%. Les vins sont dans l'ensemble décevants, surtout les chardonnays, maigres et acides. Toutefois, le cabernet sauvignon de Pierre et Paul Freuchet se révèle étonnamment souple et parfumé pour cette latitude septentrionale.

✓ *Pierre et Paul Freuchet*

LANDES

Vin de pays départemental, carte B

Ce département produit des rouges (environ 80%), des rosés et des blancs, avec les cépages traditionnels du Sud-Ouest.

✓ *Domaine du Comte*

LOIRE-ATLANTIQUE

Vin de pays départemental, carte B

Le gamay et le grolleau donnent ici des rouges et des rosés, dont un vin gris pâle. Quant aux blancs, ils proviennent de folle blanche et de melon de Bourgogne, et aussi de chardonnay pour quelques tentatives intéressantes.

LOIRET

Vin de pays départemental, carte B

Ce département produit de petites quantités de rouges et de rosés, dont un très pâle dans le style vin gris, issus de gamay. On trouve aussi un peu de blanc de sauvignon blanc.

LOIR-ET-CHER

Vin de pays départemental, carte B

Autour de Blois et de Cheverny, on utilise ici les cépages traditionnels de la vallée de la Loire pour faire des rouges, des blancs et des rosés, dont un vin gris pâle. Près de la moitié de la production est en rouge; le blanc représente un peu moins, et le rosé presque rien.

LOT

Vin de pays départemental, carte B

On voit rarement ce vin de pays. Les rouges sont surtout diffusés comme vins de pays du Comté tolosan.

MAINE-ET-LOIRE

Vin de pays départemental, carte B

85% de rouge, le reste en blanc et en rosé. Les cépages sont ceux de l'Anjou et du Saumurois. La production est assez conséquente, mais elle est diffusée par des voies non canoniques.

MARCHES DE BRETAGNE

Vin de pays de zone, carte B, n° 73

Les rouges et les rosés de cette zone viennent d'abouriou, de gamay et de cabernet franc. Il y a aussi un peu de blanc de muscadet et de gros plant.

MAURES

Vin de pays de zone, carte B, n° 74

Avec une grosse production, cette zone couvre la plus grande partie du sud de l'AOC Côtes de Provence. Le rosé, proche du vin de pays du Var par le style et la qualité, représente presque la moitié de la production. Le rouge – l'autre moitié – est riche, chaud et épicé tandis que le blanc est confidentiel (5%).

MEUSE

Vin de pays départemental, carte B

Ce département donne des rouges et des rosés, dont un vin gris, issus de pinot noir et de gamay. On trouve aussi quelques blancs de chardonnay, d'aligoté et d'auxerrois.

MONT BAUDILE

Vin de pays de zone, carte A, n° 75

Au pied du causse du Larzac, les cépages traditionnels du Languedoc donnent surtout des rouges. Les rosés représentent 15% de la production, et il y a aussi quelques blancs secs et vifs.

MONT CAUME

Vin de pays de zone, carte B, n° 74

C'est le vin de pays du bandol et le rouge est bien entendu le meilleur, avec quelques très belles réussites comme le grand cabernet-sauvignon de Bunan. Toutefois, les principaux cépages, pour le rouge et le rosé (qui représente 45% de la production), sont ici les carignan, grenache, cinsault, syrah et mourvèdre. Il y a aussi un peu de blanc, sans intérêt.

✓ *Bunan* (cabernet sauvignon)

MONTS DE LA GRAGE

Vin de pays de zone, carte A, n° 77

Les vins sont des rouges et des rosés dans le style typique du Languedoc, souvent renforcés par la syrah.

NIÈVRE

Vin de pays départemental, carte B

La production de rouges, de blancs et de rosés est surtout regroupée autour de La Charité-sur-Loire, La Celle-sur-Nièvre et Tannay.

OC

Vin de pays régional, carte B

C'est le meilleur des vins de pays, pour la qualité comme pour le succès commercial. Il se vend bien parce que son nom est simple – les Anglo-Saxons peuvent le prononcer – et aussi parce qu'il englobe les vins de pays les plus intéressants de l'Hexagone : il couvre en effet une vaste contrée.
Le rouge représente 70% de la production, et le blanc et le rosé se partagent le reste.
Il faut toutefois constater que si quelques-uns des meilleurs vins de pays sont produits ici, le volume est tellement important qu'il y a obligatoirement des inégalités. Mais ce qui a permis à tant de vins de bon niveau d'émerger dans cette région, c'est ce qu'on appelle les « cépages améliorateurs ».
Il s'agit de variétés comme le cabernet sauvignon, le merlot, la syrah, le chardonnay et le sauvignon blanc, qui ne sont pas traditionnels dans cette contrée, mais qui apportent beaucoup, en qualité et en finesse, aux cépages locaux, plus rustiques. Ils donnent aussi d'excellents vins de cépage. C'est le cas également du viognier – de plus en plus cultivé, justement, comme vin de cépage –, qui remplace excellemment le chardonnay avec son caractère fruité et séveux, avec parfois même des notes crémeuses de chêne. Toutefois, à l'exception de ceux du Domaine de Gourgazaud, de Hugh Ryman et du Domaine Clovallon, ces vins de pays de viognier n'ont pas, jusqu'ici, montré le caractère spécifique de cette variété, avec ses arômes intenses de pêche mûre. Quant aux efforts effectués pour les pinot-noir du vin de pays d'Oc, ils se sont révélés encore moins concluants. Les meilleurs de ces vins, de loin, sont ceux du Domaine Clovallon et du Domaine Joseph de Bel Air, influencés par le chêne, et aussi le joli breuvage aux arômes de milk-shake à la fraise du Domaine Virginie. Ces vins sont capables de gagner la faveur du public, mais ce n'est malheureusement pas encore vraiment le cas, même pour ces trois-là. Quant aux autres, ils sont à mille lieues de ce que l'amateur averti attend d'un vin de ce cépage.

✓ *Domaine des Aspes* • *Domaine du Banes* (chardonnay, viognier) • *Domaine du Bosc* (vendu aussi comme vin de pays de l'Hérault) • *Domaine de Calvez* (carignan) • *Domaine Capion* (vendu aussi comme vin de pays de l'Hérault) • *Domaine de Cazal-Viel* • *Chais Cuxac* (viognier) • *Chantovent* (Domaine du Roc, viognier) • *Domaine Clovallon* • *Domaine de la Condamine-l'Evêque* • *Cuckoo Hill* (chardonnay, viognier) • *Serge Dubois* • *Fair Martina* (vermentino) • *Foncalieu* (Domaine de Massia, cabernet/syrah) • *Fortant* (les vins dont le prix est dans le tiers supérieur sont les meilleurs) • *Domaine de Gourgazaud* • *La Grange de Quatre Sous* • *BRL Hardy* (Cuvée Australe, Philippe de Baudin, Domaine de la Baume, Domaine de Baumière) • *James Herrick* • *Domaine Lalaurie* • *J. et F. Lurton* • *Domaine Mandeville* • *Domaine Maury* • *Gabriel Meffre* (vignobles Galet) • *Montagne Noire* (chardonnay) • *Domaine Le Noble* • *Domaine Ormesson* • *Resplandy* • *Hugh Ryman* (surtout Domaine Bousquet, roussanne) • *Domaine Saint-François* (sauvignon) • *Domaine Saint-Hilaire* • *Domaine de Terre Mégère* • *Château Le Thou* • *Vol d'Orbieu* (surtout Cuvée Mythique) • *Le Vieux Mas* (sauvignon) • *Domaine Virginie* (vendu aussi comme Domaine Saint-Pierre et Pierre de Passendale) • *Les Vins du Littoral méditerranéen* (gris)

PÉRIGORD

Nouveau vin de pays de zone, carte B

Cette dénomination va se substituer à celle de « vin de pays de Dordogne ».

PETITE CRAU

Vin de pays de zone, carte B, n° 78

Petite zone, au sud d'Avignon, avec une production de rouges (80%) et de rosés (20%), essentiellement de carignan, grenache, cinsault et syrah. Les rosés sont en majorité de cinsault, ou dominés par ce cépage, et produits par la méthode de la saignée. Il y a aussi un peu de blanc de clairette et d'ugni blanc.

PÉZENAS

Vin de pays de zone, carte A, n° 79

Au sud de l'AOC Cabrières, cette zone ne concerne qu'une commune et produit surtout du vin rouge; les cépages autorisés sont ceux du Languedoc, mais les vins de cépages gagnent du terrain, surtout ceux de merlot, carbenet sauvignon et syrah. Le rosé et le blanc comptent pour 10% chacun; les seconds, secs et vifs, sont en augmentation, et on trouve aussi un petit volume de vins primeurs.

PRINCIPAUTÉ D'ORANGE

Vin de pays de zone, carte B, n° 80

Dans cette zone, autour de la ville d'Orange, entre les appellations Châteauneuf-du-Pape et Côtes-du-Rhône-Villages, on fait surtout du vin rouge à partir des cépages des Côtes du Rhône. Le rosé ne représente guère que 4%, et le blanc à peine 1%.

PUY-DE-DÔME

Vin de pays départemental, carte B

Dans cette région, dominée par ses volcans, on produit des vins rouges, rosés et blancs, simples et rustiques.

PYRÉNÉES-ATLANTIQUES

Vin de pays départemental, carte B

Avec des cépages traditionnels du Sud-Ouest, ce département propose des vins rouges (deux tiers de la production) et blancs (un tiers).

PYRÉNÉES-ORIENTALES

Vin de pays départemental, carte B

Le vin de pays de ce département frontalier provient des mêmes zones que l'AOC Côtes du Roussillon et le vin de Pays catalan. Les vins rouges pleins et fruités constituent le gros de la production; le rosé compte pour 10% et le blanc pour 5%.

RETZ

Vin de pays de zone, carte B, n° 81

Cette zone est surtout connue pour son rosé, issu de grolleau gris, bien que le rouge de grolleau, gamay et cabernet franc représente 70% de la production. On trouve aussi de petites quantités de blanc de grolleau gris.

SABLES DU GOLFE DU LION

Vin de pays de zone, carte A, n° 82

Région de production dynamique qui couvre la zone côtière du Gard, de l'Hérault et des Bouches-du-Rhône; les vignes y sont souvent non greffées et poussent sur des bandes de sable entre deux bras de mer. Les proportions sont inhabituelles puisque le rosé (y compris un vin gris) représente les deux tiers de la production et le rouge 30% – le reste étant du blanc.

Listel

SAINT-SARDOS

Vin de pays de zone, carte B, n° 83

Ce terroir offre une petite production, surtout de vins rouges, avec aussi un peu de rosé, issu d'une gamme de cépage caractéristique du Sud-Ouest.

Domaine de Tucayne

SARTHE

Vin de pays départemental, carte B

On peut théoriquement trouver sous ce nom du rouge, du blanc et du rosé; cependant, la production est confidentielle et, autant que je le sache, limitée à un seul viticulteur à Marçon.

TARN-ET-GARONNE

Vin de pays départemental, carte B

La production de cette appellation est très faible et constituée surtout de rouge, bien que l'on puisse aussi trouver un peu de rosé et quelques centilitres de blanc. Les vignes se trouvent en majorité à l'ouest de Montauban, dans une zone qui peut aussi produire du vin de pays Saint-Sardos et qui chevauche, au sud-ouest, celle de Lavilledieu (VDQS). Les cépages sont les mêmes que pour celle-ci, mais les merlot, cabernet et tarrat sont également autorisés.

TERROIRS LANDAIS

Vin de pays de zone, carte B, n° 84

Ces vins rouges, blancs et rosés proviennent de quatre zones différentes en Aquitaine, dont chacune a sa propre dénomination vin de pays : les Sables de l'Océan (puisque les vignes poussent dans les dunes aux environs de Messanges), les Coteaux de Chalosse (la plus grande des zones, dans le sud du département des Landes, dont les vignobles s'étendent autour de Dax et de Murgon), les Côtes de l'Adour (vignobles d'Aire-sur-Adour et de Geaune) et les Sables Fauves (petite enclave à l'ouest d'Eauze). Les rouges et les rosés sont faits de tannat, étayé par des cépages bordelais, alors que les blancs sont surtout d'ugni blanc, avec aussi du colombard, du gros manseng et du baroque.

Domaine de Lacquy

THÉZAC-PERRICARD

Vin de pays de zone, carte A, n° 85

Petit vin de pays en bordure des Coteaux du Quercy, à l'ouest.

TORGAN

Vin de pays de zone, carte A, n° 86

Puisque ce vin de pays correspond géographiquement à l'AOC Fitou, on ne sera pas surpris d'apprendre que 98% de la production est en vin rouge. Les cépages autorisés sont les mêmes que pour le fitou, mais avec quelques variétés supplémentaires dont des cépages bordelais et le teinturier alicante bouschet. Le rosé est théoriquement possible mais très rare, et le blanc aromatique, en quantité infinitésimale, est fait de clairette, macabéo et marsanne. Ce vin de pays s'appelait auparavant « vin des Coteaux cathares ».

Producteurs du Mont Tauch (Domaine de Gardie)

URFÉ

Vin de pays de zone, carte B, n° 87

On y trouve surtout du rouge, en quantité modeste. La production du blanc et du rosé est également autorisée.

VAL DE CESSE

Vin de pays de zone, carte A, n° 88

Ce terroir propose surtout du vin rouge, ainsi que du rosé (10%) et du blanc (5%), issus des cépages locaux du Minervois.

VAL DE DAGNE

Vin de pays de zone, carte A, n° 89

Cette zone chevauche celle des Côtes de Malepère et produit presque uniquement des vins rouges de carignan, grenache, terret noir, merlot, cabernet sauvignon, cabernet franc et alicante bouschet. On trouve de petites quantités de blanc et de rosé.

VAL DE MONTFERRAND

Vin de pays de zone, carte A, n° 90

Les vins rouges dominent dans ce terroir sous les Cévennes, dans les garrigues, mais on y trouve aussi des rosés (25%) et des blancs (15%). Les cépages sont ceux du Languedoc. On peut goûter aussi deux spécialités locales largement diffusées, le primeur et le vin d'une nuit.

VAL D'ORBIEU

Vin de pays de zone, carte A, n° 91

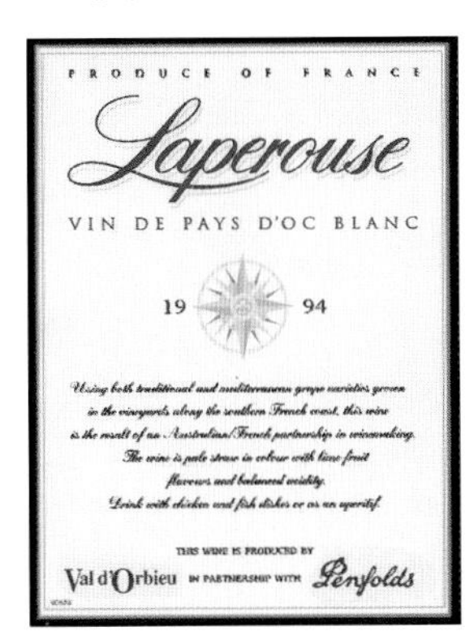

Ce vin de pays provient de deux zones de vignobles des Corbières, la première entre Narbonne et Lézignan et la seconde plus à l'ouest, autour de Lagrasse. Il s'agit surtout de vins rouges de carignan, cinsault, grenache, terret noir, cabernet sauvignon, syrah, mourvèdre et alicante bouschet (teinturier). Il y a un peu de rosé et de blanc, et la région produit aussi du primeur.

✓ *Penfolds* (Lapérouse)

VALLÉE DU PARADIS

Vin de pays de zone, carte A, n° 92

Cette zone, qui chevauche celles des AOC Corbières et Fitou, produit essentiellement des rouges de carignan, syrah, grenache, cinsault, cabernet sauvignon et merlot. On trouve très peu de blanc (le plus souvent en primeur) et encore moins de rosé. Le joli nom contribue sans doute largement au succès des ventes.

VALS D'AGLY

Vin de pays de zone, carte A, n° 93

Situé dans l'AOC Côtes du Roussillon Villages, et en sandwich entre les Côtes catalanes et les Coteaux des Fenouillèdes, ce terroir propose des rouges de cépages méridionaux, soutenus par des variétés de Bordeaux et des Côtes du Rhône, qui constituent les trois quarts de sa production. On y trouve aussi du rosé et du blanc, et également des vins primeurs.

✓ *Domaine des Chênes*

VAR

Vin de pays départemental, carte B

Il s'agit d'une des plus grosses productions des vins de pays et elle concerne la plus grande partie de l'AOC Côtes de Provence. On ne sera donc pas surpris que le rosé soit de mise, avec 45% du volume total; il est en général obtenu par la méthode de la saignée et présente des couleurs très diverses, depuis la robe pâle du style vin gris à l'orange et presque au rouge cerise – la qualité, elle aussi, est fort variable! Les rouges corpulents, riches et épicés sont nettement meilleurs et nettement plus réguliers; ils utilisent souvent la syrah, le mourvèdre et le cabernet sauvignon pour étayer les cépages qui concernent aussi le rosé : grenache, cinsault, carignan et roussanne du Var. On trouve également un peu de vins blancs (5% de la production), en général guère intéressants et le plus souvent issus d'ugni blancs, clairette, bourboulenc et vermentino.
Le blanc du domaine Rabiega est l'une des exceptions : le chardonnay qui lui donne du corps et le viognier et le sauvignon blanc équilibrent la base d'ugni blanc.

✓ *Domaine Rabiega*

VAUCLUSE

Vin de pays départemental, carte B

Les trois quarts de la production sont des vins rouges proches du côtes-du-rhône générique. Le rosé est parfois frais et ne représente que 10% du total de la production, alors que le blanc est en général dépourvu d'intérêt.

VAUNAGE

Vin de pays de zone, carte A, n° 93

Ce terroir fait des vins rouges légers dans le style caractéristique du Languedoc.

VENDÉE

Vin de pays départemental, carte B

Les rouges, les blancs et les rosés, en petites quantités, sont assez proches des vins des Fiefs vendéens – qui étaient des vins de pays avant d'acquérir le statut de VDQS en décembre 1984.

VICOMTÉ D'AUMELAS

Vin de pays de zone, carte A, n° 95

Chevauchant une partie de la zone de production des cabrières, cette zone produit surtout des vins rouges simples, frais et fruités, à partir des cépages traditionnels du Sud-Ouest, notamment du Languedoc. Le rosé ne représente qu'un tiers de la production et on trouve aussi un peu de blanc sec et vif.

✓ *Domaine Puech*

VIENNE

Vin de pays départemental, carte B

Cette appellation produit des vins rouges, blancs et rosés sur des vignobles dans le Haut-Poitou et tout autour.

VISTRENQUE

Vin de pays de zone, carte A, n° 96

Ce terroir offre des rouges et rosés, en petites quantités, et peut aussi produire du vin blanc.

YONNE

Vin de pays départemental, carte B

C'est la seule appellation de blanc pour les vins de pays, mais la production est faible.

✓ *William Fèvre*

LES GORGES DE L'ARDÈCHE

Ce site magnifique se trouve au cœur de la zone du vin de pays des Coteaux de l'Ardèche, qui s'est rapidement fait connaître comme la meilleure pour la volonté de qualité et la novation – d'abord pour ses vins de syrah, ensuite pour ceux de chardonnay et, enfin pour ceux de pinot noir avec les superbes nouveaux vins de Louis Latour.

CHOIX DE L'AUTEUR

Le problème avec cette catégorie des vins de pays, c'est qu'elle se modifie très vite, ce qui est d'ailleurs en même temps passionnant. Sans cesse, de nouveaux producteurs très prometteurs apparaissent, et parfois déçoivent. En tout cas, les vins sélectionnés ici m'ont donné beaucoup de plaisir.

PRODUCTEUR	VIN	STYLE	DESCRIPTION	
Hugh Ryman	Domaine Bousquet Chardonnay/sauvignon blanc, Vin de Pays d'Oc (*voir* p. 254)	BLANC	Œuvre d'un viticulteur surdoué mais modeste, Hugh Ryman, ce vin blanc supposé sec est si frais et si épanoui, si délicieusement riche que quand je l'ai goûté, je ne me suis pas interrogé sur sa douceur : je me suis contenté de l'apprécier.	12 à 30 mois
Domaine Cazes	Muscat, Vin de Pays catalan (*voir* p. 249)	BLANC	Délicieusement sec et superbement aromatique, ce vin déploie des notes florales (eau d'oranger) et un fruit dominé par la pêche.	6 à 18 mois
Mas de Daumas Gassac	Vin de pays de l'Hérault (*voir* p. 252)	ROUGE	Vin de classe internationale, dominé par le cabernet et fait dans le style d'un médoc, avec la touche de chaleur épicée de la Méditerranée. De longue garde, il s'est montré un peu trop dur et tannique dans ses premières versions; en revanche, depuis 1985, il a beaucoup gagné en souplesse et peut être comparé à un des meilleurs grands crus classés de Pauillac ou Saint-Estèphe.	8 à 20 ans
Mas de Daumas Gassac	Vin de pays de l'Hérault (*voir* p. 252)	ROSÉ	Il n'a pas la même classe que le blanc (qui, lui-même, n'a pas le niveau du rouge) mais il est frais, sec, légèrement pétillant et n'a pas d'autre prétention que d'être agréable à boire. Si j'osais suggérer qu'on pourrait peut-être le considérer comme le matheux des intellectuels, Aimé Guibert ne m'adresserait plus la parole; aussi, ne lui répétez pas que je vous ai confié ce genre de propos.	sans attendre
Mas de Daumas Gassac	Vin de pays de l'Hérault (*voir* p. 252)	BLANC	Sans avoir la classe du rouge et plus exotique, ce blanc sec élevé sous le chêne est très floral, aromatique, souple et séduisant; en général, sa gamme de cépages est composée de chardonnay, viognier et de petit manseng, avec une bonne cuillerée de muscat.	1 à 3 ans
BRL-Hardy	La Baume Cuvée Australe, vin de pays d'Oc (*voir* p. 254)	ROUGE	La sécheresse des tanins est démentie par la richesse et la profondeur de ce vin de table classique issu de la sorcellerie australienne.	2 à 6 ans
James Herrick	Chardonnay et Réserve Chardonnay, vin de pays d'Oc (*voir* p. 254)	BLANC	Le fruit pur, frais, immaculé du vin de base le place au-dessus de bien des chardonnays plus onéreux, et la Réserve est au niveau d'un bourgogne fameux valant deux fois son prix.	1 à 2 ans
James Herrick	Domaine la Motte Chardonnay, vin de pays d'Oc (*voir* p. 254)	BLANC	Ce vin est plus riche et plus gras que le vin de base, et se montre même plus fin que la superbe Réserve.	1 à 2 ans
James Herrick	Cuvée Simone, vin de pays d'Oc (*voir* p. 254)	ROUGE	Où, dans quelle AOC, peut-on acheter une telle mine de fruits et de tanins, qui vous éclate superbement en bouche, pour un prix si raisonnable? D'ailleurs, un vin rouge prêt au bout d'un an mais qui se bonifie sur six mérite toujours qu'on s'y arrête (il défie la loi de Coates sur la maturité, *voir* glossaire).	1 à 6 ans
Louis Latour	Pinot Noir, Vin de pays de Coteaux de l'Ardèche (*voir* p. 250)	ROUGE	Ce vin époustouflant est sans conteste le plus grand vin de pays de pinot noir. Il pourrait même bien être le plus grand vin de pays tout court, tous cépages confondus – si toutefois cela avait un sens de comparer des vins totalement différents par le style et le raisin. En tout cas, de tous ceux que j'ai goûtés, c'est celui qui m'a apporté le plus d'émotion. Il est tellement souple et soyeux, avec une telle pureté de fruit et une telle finesse, que peu de Bourguignons voudraient croire qu'il ne s'agit pas d'un bourgogne – et d'un très grand! Il est cher pour un vin de pays, mais deux fois moins qu'un bourgogne.	2 à 5 ans
Louis Latour	Chardonnay, Vin de pays de Coteaux de l'Ardèche (*voir* p. 250)	BLANC	La maison Louis Latour a fait des vagues, en 1979, lorsqu'elle a décidé de diffuser un vin de pays pur chardonnay, une cuvée fermentée en barriques de chêne neuf (ce qui était sans exemple dans une catégorie comme celle-ci), et de le commercialiser de manière agressive, sous le nom de la maison et dans une bouteille rappelant vaguement celle du bourgogne. Pour les premières cuvées, certains crièrent au miracle mais, à franchement parler, elles étaient trop marquées par le chêne. Aujourd'hui, elles sont équilibrées, et le chêne est très joliment intégré dans le grand-ardèche. Malgré son prix raisonnable, ce chardonnay riche et superbe fait honte à beaucoup de bourgognes vieillis sous chêne et coûtant beaucoup plus cher; quant au vin de base, l'ardèche, avec son fruit de chardonnay non influencé par le chêne, il vaut bien des mâcons villages.	18 à 30 mois (Ardèche), 2 à 5 ans (Grand Ardèche)

PRODUCTEUR	VIN	STYLE	DESCRIPTION	🍾
Gabriel Meffre	Réserve Merlot, Vin de pays d'Oc (*voir* p. 254)	ROUGE	Le merlot, à la différence du syrah (*voir* ci-dessous) ne jouit pas d'une réputation particulière. Ce n'est pas qu'il a un défaut (et d'ailleurs, il y a rarement quelque chose qui cloche chez ce producteur), mais il est simplement un peu « nerveux » et, avec le grenache blanc, il fait partie des deux vins les moins intéressants des vignobles de galets. En revanche, la Réserve est une révélation, tout en souplesse et en richesse, au point que ce caractère nerveux du vin de base prend chez elle une dimension de solidité très à propos. Ce vin convient mieux que le syrah pour accompagner un repas – même si c'est évidemment une affaire de goût personnel.	2 à 8 ans
Gabriel Meffre	Réserve Syrah, Vin de pays d'Oc (*voir* p. 254)	ROUGE	La syrah basique est l'un des deux vins (l'autre étant le chardonnay) qui ont fait la réputation de ces vignobles de galets pour leurs vins riches en arômes, mais celui-ci est tellement plus gras et plus riche qu'il en devient crémeux et onctueux – qualificatifs inhabituels pour un rouge ! – avec un fruit élégant et équilibré.	2 à 5 ans
Gabriel Meffre	Fat Bastard Chardonnay, Vin de pays d'Oc (*voir* p. 254)	BLANC	Lorsque l'exportateur britannique Guy Anderson est venu chez Meffre, celui-ci l'a amené devant un fût de Chardonnay Réserve et lui a dit « *Taste that fat bastard* » (c'est-à-dire « goûte ce gros bâtard »), utilisant une expression apprise en Australie. Guy trouva ces mots si drôles, avec l'accent français, qu'il persuada le viticulteur de mettre le fût en bouteilles, pour l'exportation, sous l'étiquette « Fat Bastard ». Il est effectivement corpulent et gras, mais il est si délicieux que j'en ai fait mon vin de tous les jours.	1 à 3 ans
Domaine de Papolle	Vin de pays des Côtes de Gascogne (*voir* p. 251)	BLANC	L'Anglais Peter Hawkins, marié à une Française et vivant en France depuis 1970, a acheté le Domaine de Papolle, dans le bas Armagnac, en 1981. Il partage son temps entre son travail, dans le nord du pays, et son activité viticole dans le Sud-Ouest. Dans ses deux domaines de Papolle et de Baroque, depuis plus d'une décennie, il fait des vins blancs secs, bons et pas chers, à partir de cépages modestes. Cependant, il arrive que ses vins se transcendent, arborent un style fruité plus frais et plus vif, et inondent la bouche d'arômes intenses de fleur et de raisin qui, après un an de bouteille, développent une finale délicieuse et onctueuse.	6 à 18 mois
Domaine du Rey	Vin de pays des Côtes de Gascogne (*voir* p. 251)	BLANC	Ce qui est embêtant, avec les vins de Côtes de Gascogne, c'est qu'ils ne surprennent jamais. Ce sont toujours des blancs secs frais et vifs. Cependant, nul ne pouvait prévoir la douceur et l'épanouissement de ce vin fruité – le phénix de la contrée.	1 à 3 ans
Hugh Ryman	Muscat Petits Grains, Vin de pays des Collines de la Moure (*voir* p. 249)	BLANC	Lors d'une dégustation à l'aveugle, en 1996, le millésime 1993 de ce vin a battu à plates coutures le château-suduiraut 1989. Si l'on recommençait le même test dans dix ans, je suis sûr que le résultat serait inversé – et dans vingt ans, les bouteilles survivantes du muscat de Ryman seraient passées depuis longtemps. Mais pourquoi ne pas se faire plaisir en dégustant, pour un prix six fois moindre, ce muscat charmeur, exotique, délicieusement onctueux et bourré d'arômes de pêche? C'est incontestablement l'une des meilleures affaires pour les vins de pays. Et ce n'est pas parce qu'il s'agit d'un vin de pays qu'il faut minimiser ses qualités; dans son style, il a absolument les dimensions du daumas-gassac.	2 à 5 ans
Hugh Ryman	Roussanne, Vin de pays d'Oc (*voir* p. 254)	BLANC	Même à l'aveugle, il est aisé de discerner la patte australienne chez ce charmant vin élevé sous chêne. Car Hugh Ryman a beau être anglais, il a fait ses classes en Australie.	1 à 3 ans
Terrasses de Landoc	Carignan, Vin de pays de l'Hérault (*voir* p. 252)	ROUGE	Ce vin montre de quoi est capable le carignan, cépage pourtant bien méprisé, et mérite d'être retenu pour accompagner un repas. Son caractère riche et complexe s'approfondit au fur et à mesure qu'on le boit, et ses arômes fascinants se déploient peu à peu.	2 à 4 ans
Val d'Orbieu	Cuvée Mythique, Vin de pays d'Oc (*voir* p. 254)	ROUGE	Voici la belle trouvaille de Marc Dubernet, brillant œnologue de Val d'Orbieu. Il est certain que par l'excellence du produit et le coup de génie de l'étiquette, ce domaine a créé du même coup un mythe et une mystique autour de ce vin. Les arômes de chêne s'intensifient nettement entre la seconde et la troisième année, et ce rouge se charge d'arômes de noix de coco qui font plus penser au chêne d'Amérique qu'à celui de l'Allier, pourtant spécifié sur l'étiquette noire. Au cours de sa troisième année, il prend aussi une richesse fondue, judicieusement étayée par les tanins, qui lui donne la bonne structure pour accompagner un repas. Quand faut-il le boire? Choisissez en fonction de la complexité que vous souhaitez y trouver et de la fraîcheur de fruit que vous aimez, encore que le fruit en tant que tel demeure puissant un bon nombre d'années.	3 à 7 ans

Les VINS *d'*

ALLEMAGNE

Le riesling allemand classique est incomparable. Aucun autre vin ne peut offrir, en une seule gorgée, autant de finesse, une telle pureté de fruit, d'intensité d'arôme et de vive acidité. Les critiques sont quasi unanimes pour reconnaître que les vins allemands sont sous-estimés et que la seule solution pour leur rebâtir une réputation consiste à partir du cépage riesling. Il faudrait, pour cela, que les domaines les plus prestigieux du pays soient classés ; or, face aux gros embouteilleurs, les petits propriétaires sont démunis. L'intérêt commercial de ces puissantes entreprises et coopératives consiste à inonder en permanence le marché de l'exportation de vins demi-doux bon marché, issus d'à peu près tout ce que l'Allemagne compte de raisin blanc, sauf de riesling. C'est pourquoi, parmi les nations vinicoles, ce pays fait figure de cousin pauvre et un peu rustique. Toutefois, certains propriétaires continuent à élaborer de grands rieslings ; aussi, malgré une situation actuelle déplorable, les amateurs avertis peuvent-ils encore trouver d'excellents vins allemands à des prix raisonnables.

LA RÉGION DE RHEINGAU
Vue automnale de la pittoresque chapelle Hallgarten située entre les vignobles de Schönhell et de Würzgarten.

✧ ALLEMAGNE ✧

Lorsqu'un producteur allemand met un vin en bouteilles, son objectif est de capter la fraîcheur du raisin qui le compose. Des plus modestes aux plus grands, le secret des vins allemands réussis réside dans l'harmonie entre la douceur et l'acidité. Les tout meilleurs sont meilleurs que jamais, mais les plus médiocres n'ont jamais été aussi mauvais. Malheureusement la nouvelle loi, votée en 1994, en remplacement du texte raté de 1971, n'a rien fait pour arranger les choses.

Tous les vins allemands sont classés suivant le taux de sucre du moût : la qualité étant fonction du taux de sucre, les meilleurs vins allemands sont par conséquent les plus moelleux. Pour peu judicieuse que soit cette équation entre maturité et grandeur – la réputation des vins allemands en a du reste pâti), elle n'en est pas totalement absurde dans la mesure où il faut effectivement du raisin mûr pour faire du bon vin, ce qui n'est le cas, dans ce pays très septentrional, que pour les meilleures localités. Mais poussé à son terme, ce raisonnement signifierait qu'un vin sec est intrinsèquement inférieur à un vin moelleux, ce qui n'a guère de sens. Dabs cette quête du moelleux, le riesling a fait inévitablement place au müller-thurgau, kerner et autres hybrides allemands au taux de sucre et au rendement bien supérieurs.

UNE RENAISSANCE DES DOMAINES ?

Aux XIXe et XVIIIe siècles, à une époque où les grands domaines aristocratiques allemands étaient au même niveau que les châteaux français, le prix et la réputation des vins du Rhin rivalisaient avec ceux des bordeaux. Aujourd'hui les critiques sont quasi unanimes pour estimer que si ce pays veut renouer avec la qualité, les grands domaines allemands doivent retrouver leur statut d'antan; or cela n'est guère envisageable à l'heure actuelle puisque chaque domaine produit trop de vins différents pour présenter une image cohérente, quelle qu'elle soit.

Dans le Bordelais, on peut comparer les style et qualité d'un château-margaux avec ceux d'un château-latour, mais que dire d'un grand domaine allemand où toutes les catégories de vin sont proposées pour chaque cépage, du QbA au *Trockenbeerenauslese* en passant par les *Kabinett, Spätlese, Auslese, Beerenauslese* et *Eiswein*? Il fut un temps où, au lieu de commercialiser d'innombrables vins *Prädikat*, des domaines allemands tout aussi illustres que les meilleurs châteaux français, construisaient leur réputation autour d'une seule cuvée « phare », presque toujours du pur ries-

SCLOSS JOHANNISBERG
Ce Schloss, ou château, datant de 1563, domine le coteau du Rheingau entre Winkel et Geisenheim.

LA HIÉRARCHIE QUALITATIVE

Ce tableau est simplifié : chaque catégorie varie selon le cépage et l'aire d'origine. Des chiffres plus détaillés sont donnés plus loin pour chacune des régions (voir encadré Normes de qualité et Répartition de la récolte).

CATÉGORIE	DEGRÉ OECHSLE MINIMAL	DEGRÉ MINIMAL D'ALCOOL POTENTIEL
Deutscher Tafelwein*	44–50°	5,0–5,9% vol.
Landwein*	47–55°	5,6–6,7% vol.
Qualitätswein bestimmter Anbaugebiete (QbA)*	50–72°	5,9–9,4% vol.
QUALITÄTSWEIN MIT PRÄDIKAT (QMP):		
Kabinett	67–85°	8,6–11,4% vol.
Spätlese	76–95°	10,0–13,0% vol.
Auslese	83–105°	11,1–14,5% vol.
Beerenauslese	110–128°	15,3–18,1% vol.
Eiswein	110–128°	15,3–18,1% vol.
Trockenbeerenauslese (TBA)	150–154°	21,5–22,1% vol.

* La chaptalisation est autorisée (et s'avère nécessaire) si le taux d'alcool potentiel est inférieur à 8,5°.

LES RÉGIONS VITICOLES

L'Allemagne viticole se compose de quatre grandes régions de *Deutscher Tafelwein*, qui regroupent huit sous-régions de *Tafelwein*, au sein desquelles il existe des infrastructures séparées : 13 zones de *Qualitätswein* et 19 zones de *Landwein*. Les aires de *Qualitätswein*, appelées *Anbaugebiete*, regroupent 39 *Bereiche* ou secteurs qui contiennent 160 *Grosslagen* ou crus, qui à leur tour se divisent en quelque 2 632 *Einzellagen* ou vignobles.

DEUTSCHER TAFELWEIN RÉGIONS	DEUTSCHER TAFELWEIN SOUS-RÉGIONS	LANDWEIN DISTRICTS	QUALITÄTSWEIN AIRES (ANBAUGEBIETEN)
Rhein-Mosel	Rhein	Ahrtaler Landwein	Ahr
		Starkenburger Landwein	Hessische Bergstrasse
		Rheinburgen Landwein	Mittelrhein
		Nahegauer Landwein	Nahe
		Altrheingauer Landwein	Rheingau
		Rheinischer Landwein	Rheinhessen
		Pfälzer Landwein	Pfalz
	Mosel	Landwein der Mosel	
	Saar	Saarländischer Landwein	Mosel-Saar-Ruwer
		Landwein der Ruwer	
Bayern	Main	Fränkischer Landwein	Franken
	Donau	Regensburger Landwein	
	Lindau	Bayerischer Bodensee Landwein	Württemberg
Neckar	-	Schwäbischer Landwein	
Oberrhein	Römertor	Südbadischer Landwein	Baden
	Burgengau	Unterbadischer Landwein	
		Taubertäler Landwein	
		Mitteldeutscher Landwein	Saale-Unstrut Sachsen
		Sächsischer Landwein	

ling, et, quel que fût le nombre de tries successives, ne produisaient qu'un seul vin. Aujourd'hui, cela reviendrait à assembler tous les vins *Prädikat* pour en faire un assemblage débordant de richesse. À l'époque des grands domaines allemands, plutôt que d'arrêter la fermentation à des taux d'alcool artificiellement bas, afin de conserver la douceur du vin, on le laissait fermenter davantage.

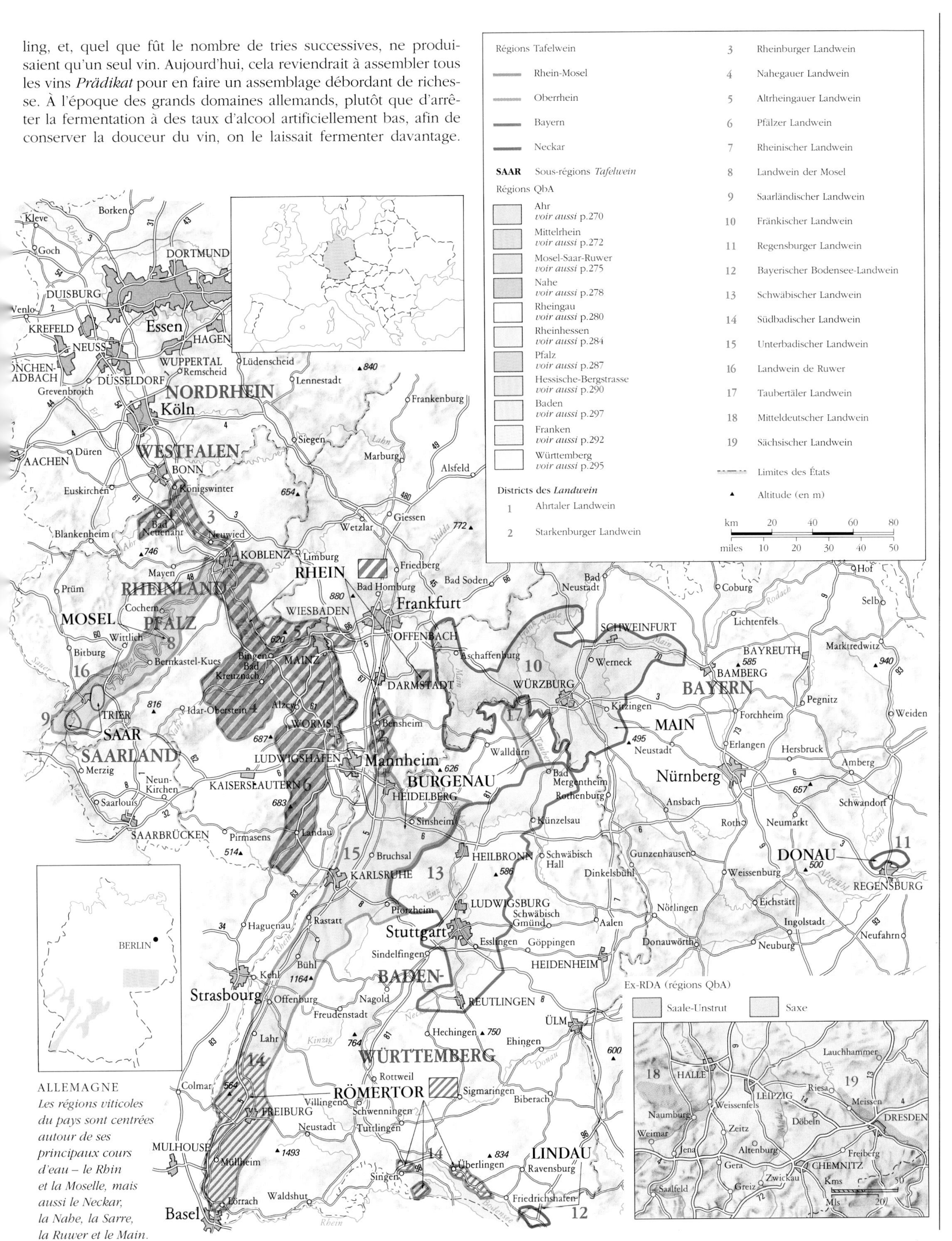

ALLEMAGNE
Les régions viticoles du pays sont centrées autour de ses principaux cours d'eau – le Rhin et la Moselle, mais aussi le Neckar, la Nahe, la Sarre, la Ruwer et le Main.

NORMES DE QUALITÉ ET RÉPARTITION DE LA RÉCOLTE

Les variations d'un millésime à l'autre sont notoires en Allemagne. La plus grande partie du raisin est vendangée précocement, de manière à assurer un revenu minimal sous forme de *Deutscher Tafelwein* et de QbA. Les raisins restés sur pied peuvent éventuellement donner du vin de meilleure qualité, issus de vendanges plus tardives. La maturation de ces raisins est fondamentale pour la qualité et la nature de chaque millésime. Le degré de maturité atteint est mesuré en degrés Oechsle, et le degré minimal pour chaque QmP varie selon la région et le cépage. Un degré Oechsle équivaut à une quantité de 2 à 2,5 /l de sucre. La quantité exacte de sucre dépend du taux d'extraits infermentescibles présents. Les chiffres pour chaque région sont indiqués sous forme de tableaux.

Ainsi, par rapport aux vins d'aujourd'hui, ces cuvées phare étaient plus riches, mais aussi plus sèches, plus corsées et plus alcoolisées. C'est avec elles que les meilleurs domaines allemands se sont forgés une réputation mondiale. Mais, pour retrouver ce prestige, il leur faudra renouer avec ces valeurs.

LA LOI DE 1971 SUR LE VIN ALLEMAND

En 1971 une nouvelle législation a vu le jour dans le but de s'aligner sur la réglementation de la CEE relative au vin. Cette loi se caractérisait notamment par la réduction du nombre de vignobles individuels (*Einzellagen*) de 30 000 à 2 600. Dans le même temps, les *Einzellagen* d'origine avaient dorénavant le droit de s'étendre sur une superficie minimum de cinq hectares. Cette solution apparemment judicieuse ne tenait toutefois pas compte de la notion de terroir (*voir* p. 82) qui expliquait l'existence de tant de parcelles portant un nom spécifique, distinct de celui de sa voisine. L'amalgame opéré par le texte entre les vignobles a eu pour effet de duper le public, qui croit souvent que certains vins, très chers, viennent de sites prestigieux alors qu'ils peuvent provenir de vignobles voisins en moyenne dix fois plus étendus.

Il s'agit d'une fraude légalisée – pas moins ! –, mais les maladresses bureaucratiques du législateur ne s'arrêtent pas là puisqu'il a également créé une appellation géographique entièrement nouvelle, nommée « *Grosslage* », qui s'est avérée encore plus trompeuse. À tel point que les anglophones parlent à son propos de « *Gross lie* » (gros mensonge). Chaque *Grosslage*, ou « site collectif », est très vaste, englobant non seulement plusieurs parcelles distinctes que sont les *Einzellagen* originels, mais encore de nombreux villages dont chacun regroupe un grand nombre d'*Einzellagen*. Chaque *Grosslage* comporte en moyenne dix-sept *Einzellagen* d'après 1971, soit 197 *Einzellagen* d'avant 1971. Ce sont de bien modestes vins d'assemblage ; ce ne serait pas trop grave si la mention «*Grosslage*» était obligatoire avant le nom de l'*Einzellage*, comme c'est le cas du «*Bereich*» (localité), ni ailleurs. Malheureusement, il n'en est rien. Au contraire, le nom du *Grosslage* figure après celui du village, tout comme celui de l'*Einzellage*, provoquant naturellement une confusion dans l'esprit du consommateur. Ainsi, les critères qui avaient fait de l'Allemagne l'un des grands pays vinicoles du monde – la prééminence d'un cépage aux qualités caractéristiques (le riesling), les prestigieux villages et domaines où celui-ci était cultivé, la qualité légendaire des vrais vignobles ou *Einzellagen* – ont cessé de s'appliquer à partir de 1971.

LA LOI DE 1994 SUR LE VIN

Lorsqu'en 1994, l'Allemagne a dû s'aligner sur la réglementation des autres États membres de la CEE en matière de vin, c'était l'occasion rêvée de remédier aux défauts de la loi de 1971. Si certains, soucieux de qualité, ont bien tenté d'introduire des réformes cou-

LES NUMÉROS DE CODE AP.

Tous les QbA et les QmP, y compris le *Deutscher Sekt*, doivent porter un numéro de code AP (*Amtliche Prüfnummer*). Ce numéro prouve que le vin a satisfait à divers tests gustatifs, analytiques, et d'origine. Chaque fois qu'un producteur sollicite un numéro *AP*, des échantillons scellés du vin approuvé sont conservés à la fois par le producteur et par la commission. En cas de réclamation ou enquête pour fraude, ces échantillons sont analysés et comparés à un échantillon du produit vendu sur le marché. Comme tous les systèmes, il peut évidemment être contourné, mais on encourt alors des peines de prison et une interdiction de vente pour les sociétés et les grandes firmes. Il est très utile de comprendre les numéros *AP*, en particulier dans le cas d'un QbA non millésimé tel qu'un liebfraumilch, si l'on veut savoir depuis quand il est en bouteille.

1991
« Weingut Grans-Fassian »
Riesling Trocken
Qualitätswein

3 = numéro de la commission d'examen
529 = numéro de la commune où le vin a été mis en bouteille
042 = numéro de l'embouteilleur
10 = numéro de la demande de l'embouteilleur
92 = année de la demande de l'embouteilleur

Les numéros de commune et d'embouteilleur sont les moins intéressants pour le consommateur. En revanche, les deux derniers lui fournissent de précieux renseignements : le 10 et le 85 signifient que c'est la dixième demande déposée en 1992 par Weingut Grans-Fassian, l'embouteilleur ou le producteur du vin, pour le millésime 1991 de son riesling trocken. Elle a donc dû être précédée de neuf autres lots de ce même vin plus tôt dans l'année 1992. Cette bouteille devrait par conséquent paraître bien plus fraîche qu'une bouteille portant le numéro 001. Le nombre de demandes déposées dans l'année est une indication sur le rythme de ventes d'un vin donné. S'il s'agit d'un vin non millésimé à boire aussi jeune que possible, la date de demande est révélatrice.

LES RÉCOLTES ALLEMANDES DE 1992 À 1995

La production varie énormément en Allemagne, passant par exemple de 15,4 millions d'hectolitres (171 millions de caisses) en 1982 à 5,2 millions d'hectolitres (58 millions de caisses) en 1985. Il en va de même de la répartition dans les différentes catégories qualitatives, comme le montre le tableau ci-dessous.

	1992	1993	1994	1995
CATÉGORIE				
Tafelwein to Landwein	2%	–	2%	1%
QbA	50%	34%	55%	79%
Kabinett	10%	11%	9%	–
Spätlese	8%	10%	9%	20%
Auslese à TBA*	1%	2%	2%	–
RÉCOLTE				
Millions d'hectolitres	13.4	9.7	10.3	8.4
(Millions de caisses)	148.8	107.7	114.4	93.3
Superficie de la vigne (ha)	102,995	103,450	103,727	103,727
Rendement (hl/ha)	130.1	93.8	99.3	81.0

* Comprenant les *Eiswein*.

COMMENT LIRE UNE ÉTIQUETTE DE VIN ALLEMAND

MOSEL-SAAR-RUWER
L'une des onze régions ou *Angbaugebiete* spécifiées, dont le nom doit figurer sur l'étiquette de tout QbA ou QmP. L'une des quinze aires productrices et la mention « *Deutscher Tafelwein* » doivent apparaître s'il s'agit d'un *Landwein*.

ZELLER MARIENBURGER
Le vin provient de la commune de Zell, sur le cours inférieur de la Moselle, entre Reil et Bullay. Le suffixe *er* en Allemand forme les adjectifs tirés des noms de lieu. Marienburger est le nom d'un *Einzellage* (site ou vignoble) dans Zell.

QUALITÄTSWEIN MIT PRÄDIKAT (QMP)
Le vin appartient à la plus haute catégorie qualitative allemande et porte donc un *Prädikat* ou qualitatif, de *Kabinett* à *Trockenbeerenauslese*.

ERZEUGERABFÜLLUNG
Signifiant à l'origine « mis en bouteilles au domaine », ce terme est de plus en plus utilisé aujourd'hui par les coopératives pour « mis en bouteilles par le producteur ». Le terme *Gutsabfüllung*, qui veut dire officiellement « mis en bouteilles au domaine » n'est connu que des œnologues diplômés et n'a aucune chance de figurer sur les prestigieuses bouteilles d'un propriétaire doué – mais sans diplôme.

CÉPAGE
Celui-ci est souvent indiqué sur les étiquettes allemandes. Cet exemple, marqué « Riesling », est un pur riesling 100%, alors que la teneur minimale est seulement de 85%. Quand l'étiquette mentionne plusieurs cépages, ceux-ci figurent par ordre d'importance dans le vin : un riesling-kerner contient plus de riesling que de kerner.

NOM ET ADRESSE
Toute étiquette allemande doit comporter le nom et l'adresse du propriétaire du domaine et de l'embouteilleur. Cet exemple montre clairement que Kloster Machern appartient à Schneider'sche Weingüterverwaltung Kloster Machern, qui fait partie de Michel Schneider, petite maison d'exportation de qualité établie à Zell.

MILLÉSIME
Le vin doit être au moins à 85% le produit de l'année indiquée (qui porte également le suffixe *er*).

KABINETT
Ce qualificatif ajouté au nom du vin correspond à la catégorie des vins les plus légers et les plus secs. Il peut se trouver placé avant ou après le nom du cépage.

AMTLICHE PRÜFNUMMER OU AMTLICHE PRÜFUNGSNUMMER
Le numéro *AP* qui figure sur tous les QbA et QmP correspond littéralement au « numéro de preuve officiel ». Le code varie avec chaque lot de vin soumis à une commission officielle et sa présence prouve que le vin a passé les tests d'origine de dégustation et de laboratoire. Voir « Comprendre les numéros de code *AP* » p. 262.

PRODUCE (OR PRODUCT) OF GERMANY
Cette mention doit figurer sur toute bouteille de vin allemand exportée. Son absence signifie que le vin est issu de raisins provenant d'un autre pays.

KLOSTER MACHERN
Nom du domaine. Cette propriété appartenait autrefois à un ancien ordre cistercien qui remonte à 1238.

VOLUME
Indication obligatoire quelle que soit la qualité.

DEGRÉ ALCOOLIQUE
Obligatoire seulement pour les vins destinés à l'exportation.

Autres termes qui peuvent figurer sur l'étiquette :

BEREICH
Ce mot figure sur l'étiquette si le vin porte l'appellation d'un *Bereich* – par exemple « *Bereich* Zell ».

GROSSLAGE
L'un des principaux problèmes d'étiquetage des vins allemands. Un *Grosslage*, ou vignoble collectif, est une aire relativement étendue sous le nom duquel se vendent des vins plutôt modestes. Mais il n'y a pas de moyen simple de le distinguer d'un vin plutôt rare d'*Einzellage* (vignoble individuel).

TYPE DE VIN
La mention du type de vin (du sec au moelleux) est autorisée mais non obligatoire, même pour un *Landwein*, ce qui est assez curieux puisque celui-ci ne peut être que *trocken* ou *halbtroken*. Les termes que l'on peut rencontrer sont les suivants :
Trocken, sec. La quantité de sucre résiduel est limitée à 4 g/l mais peut aller jusqu'à 9 g/l si l'acidité est inférieure ou égale à 2 g/l.
Halbtrocken, demi-sec. Le vin ne doit pas comporter plus de 18 g/l de sucre résiduel et 10 g/l d'acidité.
Lieblich, moelleux. Ce vin peut comporter jusqu'à 45 g/l de sucre résiduel.
Süss, liquoreux. Avec plus de 45 g/l de sucre résiduel, c'est un véritable vin liquoreux.
La mention *Rotwein* (vin rouge), *Weisswein* (vin blanc) ou *Rötling* (rosé) doit figurer sur les vins de toutes les catégories entre le *Tafelwein* et le *Landwein* inclusivement. Elle n'est obligatoire pour les QbA que s'il s'agit de rosé (et reste facultative pour les QmP rosés).

WEISSHERBST
Ce vin rosé provient d'un cépage noir unique. Le nom du cépage doit figurer sur l'étiquette et ce vin, à l'origine botrytisé, est maintenant au moins un QbA.

SCHILLERWEIN
Rötling (rosé) du Wurtemburg qui peut être issu d'un assemblage de cépages noirs et blancs.

BADISCH ROTGOLD
Rosé spécial fait d'un assemblage *ruländer x spätburger*. Au moins de niveau QbA, seul le pays de Bade peut le produire.

PERLWEIN
Vins pétillants bon marché obtenus par gazéification d'un vin tranquille. Ce sont généralement des vins blancs mais on trouve aussi des rouges ou des rosés.

SCHAUMWEIN
En l'absence d'autre précision, telle que *Qualitätsschaumwein*, il s'agit des moins chers des vins mousseux, sans doute un vin de coupage gazéifié provenant de divers pays de la CEE.

QUALITÄTSSCHAUMWEIN
Tout pays de la CEE peut produire le « vin mousseux de qualité » mais le pays d'origine doit être spécifié. Seul le *Deutscher Qualitätsschaumwein* provient obligatoirement de l'Allemagne.

DEUTSCHER SEKT OU DEUTSCHER QUALITÄTSSCHAUMWEIN
Vin mousseux obtenu par n'importe quelle méthode (généralement en cuve close) fait uniquement de raisin allemand. Deux noms de cépage, au maximum, peuvent figurer sur l'étiquette, et il doit avoir au moins dix mois avant la mise en vente.

DEUTSCHER QUALITÄTSSCHAUMWEIN OU DEUTSCHER SEKT BESTIMMTER ANBAUGEBIETE
Vin mousseux obtenu par n'importe quelle méthode (généralement en cuve close) et provenant d'une région spécifiée. L'aire d'origine indiquée peut être plus petite à condition que 85% du raisin en proviennent.

FLASCHENGÄRUNG
Sekt (vin mousseux) fermenté en bouteille, mais pas nécessairement selon la méthode champenoise.

FLASCHENGÄRUNG NACH DEM TRADITIONELLEN VERFAHREN
Sekt produit selon la méthode champenoise, bien que le vin ne soit pas très marqué par l'autolyse.

FÜR DIABETIKER GEEIGNET
« Convient aux diabétiques ».
Les vins doivent être *trocken* (sec), contenir moins de 1,5 g/l d'anhydride sulfureux (au lieu de 2,25 g/l) et ne pas dépasser 12°.

SÜSSRESERVE

La *Süssreserve* est un moût de raisin stérilisé qui peut comporter un ou deux degrés d'alcool, voire pas d'alcool du tout si elle a été traitée avant que la fermentation ne commence. Elle contribue non seulement à la fraîcheur fruitée et à la douceur légendaires des vins allemands, mais permet aussi au vigneron de pouvoir corriger à la dernière minute l'équilibre d'un vin. La *Süssreserve* doit avoir la même origine que le vin auquel elle est ajoutée et une qualité ou un degré de maturité au moins équivalents. La quantité n'est pas limitée, mais elle est indirectement contrôlée par le rapport global sucre/alcool.

QUALITÉ	g/l D'ALCOOL POUR CHAQUE g/l DE SUCRE RÉSIDUEL	EXCEPTIONS	
Tafelwein	3	Franconian rouge	5
Qualitätswein	3	Franconian rouge	5
		Franconian blanc et rosé	3,5
		Württemberg rouge	4
		Rheingau blanc	2,5
Kabinett	pas de contrôle	Franconian rouge	5
		Franconian blanc et rosé	3

rageuses, les coopératives et les gros négociants privés en vins médiocres se sont révélés plus forts. Aussi la mauvaise loi de 1971 a-t-elle fait place à la loi plus mauvaise encore de 1994. Les appellations *Grosslage* et *Bereich*, superflues et nuisibles à la réputation des vins allemands, auraient pu et auraient dû être abrogées. Et, si une mesure aussi simple et aussi radicale était trop dure à digérer, il y avait un moyen pour que les choses n'empirent pas : il s'agissait en l'occurrence de se concentrer sur la réforme des *Grosslagen*, inutiles et trompeurs. On aurait donc pu rendre obligatoire la mention « *Grosslage* » sur l'étiquette, comme c'est déjà le cas pour le « *Bereich* ». Tant qu'il n'y aura pas de consensus sur la nécessité de réformer ou d'éliminer les *Grosslagen*, il y a peu d'espoir de voir le rétablissement des noms et des limites authentiques des *Einzellagen*; pourtant, pour l'Allemagne, il n'existe pas d'autre voie pour revenir au niveau de la France en matière de grands vins. Seul un classement hiérarchisé des vignobles les plus prestigieux pourra réintégrer ce pays parmi l'élite des nations vinicoles du monde; mais vouloir élaborer ce classement à partir du tissu de mensonges que l'on observe aujourd'hui serait totalement absurde. La réduction du nombre des 30 000 *Einzellagen* s'est faite en 1971 en prenant prétexte d'une trop grande confusion. Mais 30 000 ou 300 000, peu importe... le nombre des *Einzellagen* est ce qu'il est et chacun a le droit d'exister. Et puisque seuls les meilleurs ont la réputation qu'ils méritent, on ne voit guère ce qui peut prêter à confusion. Personne ne prétend qu'il faut classer l'ensemble des 30 000 *Einzellagen*. Un classement officiel, si jamais il devait voir le jour en Allemagne, ne comporterait vraisemblablement que les 250 meilleurs, parmi lesquels un sur dix peut-être atteindrait au prestige international dont jouissent les premiers crus bordelais.

WEINGUT MAX. FERD. RICHTER, MÜLHEIM
Producteur de grand riesling, en particulier celui de Juffer Sonnenuhr (Braunberg), Dr Richter est célèbre pour sa superbe Eiswen.

LES MILLÉSIMES RÉCENTS EN ALLEMAGNE

1996 Après une saison en dents de scie, le millésime 1996 se révèle médiocre en volume, mais de bonne qualité, notamment le *Kabinett* riesling, surtout en Moyenne Moselle où certains vins sont vraiment excellents. Pas de grosses quantités de *Beerenauslese* ou de TBA, mais plusieurs domaines ont produit de l'*Eiswein*.

1995 La pluie a endommagé la récolte davantage qu'en 1994. Après des vendanges précoces, à cause de de la pourriture, les producteurs ont dû faire un tri sévère afin d'assurer la qualité.

1994 Malgré des pluies en septembre qui ont mis fin aux espoirs d'un millésime exceptionnel, le soleil d'octobre a presque rétabli la situation puisque des vendanges tardives ont donné des vins aux taux de sucre et d'acidité étonnamment élevés. Les meilleurs crus sont ceux de Moselle-Sarre-Ruwer et du Palatinat; les franconies sont également excellents.

1993 Très bon à grand millésime, vins QmP exceptionnels en Moselle-Sarre-Ruwer, Franken, Rheingau, Baden, Franconie et Wurtemberg. La Bergstrasse de Hesse a connu l'un de ses tout meilleurs millésimes.

1992 Récolte gonflée de pluie mais en général de bonne qualité, bien qu'un peu grasse et tendre, plusieurs crus manquant d'acidité. Les vins inférieurs sont aujourd'hui en déclin, et les meilleurs *Prädikaten* ne doivent pas être gardés trop longtemps, à l'exception toutefois des *Spätlesen*, bien plus acides. Ceux de Rheingau, de Hesse rhénane et du Palatinat sont les plus réussis.

L'ÉVOLUTION DES GOÛTS ET DES IDÉES

Quels vins allemands faut-il boire et quand faut-il les boire? La réponse majoritaire à ces questions s'appuie sur une tradition plus que séculaire. En dehors de l'Allemagne, c'est essentiellement en Grande-Bretagne que l'on apprécie les vins de la Moselle et du Rhin. Les deux guerres mondiales n'ont pas réussi à entamer l'engouement des Britanniques pour ces vins, et ce pays demeure le plus gros client, malgré une chute de 25 % des exportations au début des années 1990.

Il fut un temps où les Britanniques, dont on imitait l'exemple dans le reste du monde, ne buvaient que du *Hock*, nom qui ne désignait à l'origine que les vins de Hochheim (Rheingau), mais qui a fini par englober tous les vins blancs du Rhin. À la différence des vins légers et fruités que nous connaissons aujourd'hui, les vins du Rhin, qui

UN PEU D'ALLEMAND

Précisons à l'intention du lecteur non germaniste que le pluriel des mots allemands se terminant en *-e* s'obtient en principe en ajoutant un *n* : ainsi un *Grosslage*, des *Grosslagen*; après une consonne, on ajoute un *e* : ainsi un *Bereich*, des *Bereiche*.

HOCK ET MOSEL

Les *Mosel*, qui correspondent côté allemand aux vins de Moselle, VDQS côté français du fleuve, sont devenus populaires à une période où le goût était aux vins jeunes et légers qui se buvaient dans le verre traditionnel de la Moselle dont le pied vert donnait une verte jeunesse à la couleur du vin. Curieusement, trop de vins allemands étiquetés en anglais utilisent – à tort – l'orthographe française « Moselle ». Le verre à *Hock* à pied brun ou ambré remonte au XVIIIe siècle, alors que la mode était aux vins du Rhin très mûrs, la couleur devant refléter les tons miel associés aux vieux vins liquoreux.

Verre à *Mosel* traditionnel

Verre à *Hock* traditionnel

soulevaient les passions au XIXe siècle, étaient des vins mûrs, de saveur ample et de couleur ambrée. Les verres à *Hock*, conçus pour refléter dans le vin la couleur ambrée que l'on aimait associer à l'âge, étaient munis d'un pied teinté de brun (*voir* encadré ci-dessus, p. 265).

Une vente chez Christie's en mai 1777 proposait un « excellent et authentique vieux *Hock* » de millésime 1719, et une autre vente londonienne, en août 1792, un « *Hock* de Hochheim » de 1726. On n'imagine guère qu'un *Hock* moderne puisse encore être délicieux dans une soixantaine d'années, à moins qu'il ne s'agisse d'un *Trockenbeerenauslese*.

LE LIEBFRAUMILCH - UN VIN D'EXPORTATION

Plus d'un tiers des vins allemands exportés sont vendus comme liebfraumilch et sont des vins de coupage bon marché, sans prétention, conçus expressément pour les marchés étrangers. Les Allemands connaissent à peine le liebfraumilch et en boivent très peu. Sur 1,1 million d'hectolitres (12 millions de caisses) produits chaque année, le marché intérieur ne représente guère que 0,01%, réservé principalement d'ailleurs aux touristes et aux militaires. C'est dire que la quasi-totalité de ce vin est consommée par des non-Allemands; en Grande-Bretagne, bien que moins à la mode chez les jeunes amateurs, le liebfraumilch demeure le vin qui se vend le mieux dans les grandes chaînes de supermarchés. Impossible, tant que les deux marchés les plus importants – le Royaume-Uni et les Etats-Unis – continueront d'en consommer de telles quantités, de ne pas raconter l'histoire du liebfraumilch.

L'origine du liebfraumilch (ou liebfrauenmilch) a suscité nombre de théories. On pense généralement que le non signifie « lait de Notre Dame » et se réfère à un vin produit dans l'un des vignobles, petits et sans prétention, des faubourgs de Worms qui s'appelait autrefois Liebfrauenkirche ou Église de Notre-Dame. Celui-ci fait désormais partie de Liebfrauenstift Kirchenstück, qui appartient au *Grosslage* de 1000 hectares Liebfrauenmorgen. Le vignoble qui a donné naissance au nom de Liebfraumilch est sans rapport avec le vin de coupage que l'on vend aujourd'hui sous cette appellation,

VENDANGES EN MOSELLE
La récolte du riesling dans cette région nécessite beaucoup de main-d'œuvre en raison du sol schisteux et glissant de ses vignobles très pentus.

comme d'ailleurs avec celui que l'on vendait il y a plus d'un siècle. En revanche, la nature de ces premiers vins de liebfraumilch, qui leur a valu leur réputation internationale et leur succès commercial, est intéressante.

Le caractère générique de ce vin a été défini par la chambre de commerce de Worms en 1910, lorsqu'elle a déclaré que Liebfraumilch était un simple « nom de fantaisie » dont les négociants se servaient pour désigner des « vins du Rhin de bonne qualité ». Ce « nom de fantaisie » a plongé dans des abîmes encore plus profonds au cours des vingt années suivantes. Même entre 1945 et l'avènement des nouvelles lois de 1971, un tiers des vins qui servaient au liebfraumilch provenaient de régions autres que le Rhin.

Cet état de choses aurait dû prendre fin puisque la loi de 1971, qui accordait au liebfraumilch le statut de *Qualitätswein*, précisait en outre que le *Qualitätswein* ne pouvait venir que d'une seule région. Or la nouvelle législation stipulait également que le liebfraumilch ne pouvait être fait que de raisin provenant de Hesse rhénane, Rhénanie-Palatinat, Rheingau et Nahe. Un grand nombre de producteurs l'ont prise à la lettre en estimant qu'elle autorisait la production de vins originaires d'une ou de plusieurs de ces quatre régions. Aujourd'hui cependant, au moins 85% d'un liebfraumilch doit provenir d'une seule région, laquelle doit être indiquée sur l'étiquette.

On a souvent essayé de reclasser le liebfraumilch en *Tafelwein*, ce qui permettrait de multiplier les mélanges de cépages de diverses provenances tout en correspondant mieux à la qualité de ces vins qui ne sont ni bons ni mauvais, simplement sans prétention et sans caractère affirmé. Mais les producteurs de liebfraumilch n'aiment pas voir leur vin classé *Tafelwein, ce* en quoi ils ont tort à mon avis, ne serait-ce que parce que le liebfraumilch se vend sur sa marque.

LES STYLES DE SEKT

CATÉGORIE	SUCRE RÉSIDUEL (g/l)
Extra Herb ou *Extra-brut*	0–6
Herb ou *Brut*	0–15
Extra Trocken ou Extra dry	12–20
Trocken * ou Dry	17–35
*Halbtrocken** ou *Demi-sec*	33–50
Süss, Drux, Doux, ou Sweet	50+

* À ne pas confondre avec les catégories de vins tranquilles limitées à 9 g/l pour le trocken et à 18 g/l pour le halbtrocken.

BERNKASTEL-KUES, MOSEL-SAAR-RUWER
Vue de l'autre rive de la Moselle depuis Bernkastel-Kues, dominée par le fameux vignoble Doctor, où l'on cultive certains parmi les meilleurs vins d'Allemagne.

Trop souvent le liebfraumilch est de piètre qualité comme c'est le cas, en général, de nombre de vins allemands bas de gamme. Même les meilleurs d'entre eux ne sont pas des vins fins. Cependant, les tanins, l'alcool, la saveur trop sèche de bien des vins découragent souvent des novices qui apprécient en revanche l'arôme frais et floral ainsi que le goût sucré de raisin du liebfraumilch. Les statistiques montrent que bon nombre d'amateurs sont venus au vin par l'intermédiaire du liebfraumilch.

QU'EST-CE QUE LE LIEBFRAUMILCH ?

C'est un comble, le vin le plus critiqué d'Allemagne est le seul dont la réglementation définit le goût et la douceur : il doit comporter un minimum de 18 g/l de sucre résiduel, soit le maximum autorisé pour un *Halbtrocken* encore que peu d'entre eux s'en tiennent à ce minimum et que certains atteignent même le double. Mais les producteurs savent quel taux de sucre convient au marché et font leurs vins en conséquence. Nombre d'acheteurs tiennent à un certain rapport sucre/acidité; la plupart des marques contiennent entre 22 et 35 grammes par litre, 27 à 28 grammes représentant une juste moyenne.
L'étiquette du liebfraumilch doit comporter le nom d'une des quatre régions autorisées, et au moins 85% du raisin doit provenir de celle-ci. La Hesse rhénane et le Palatinat rhénan produisent en moyenne plus de neuf bouteilles sur dix de liebfraumilch, tandis que la Nahe en produit très peu et le Rheingau pratiquement pas. Tout cépage autorisé pour les QbA peut servir à la production de liebfraumilch, à une condition près. Les cépages suivants : riesling, sylvaner, müller-thurgau et kerner doivent en constituer au moins 51%. D'après la réglementation, le vin doit avoir le goût de ces cépages, encore que je n'aie jamais rencontré d'œnologue qui puisse décrire ou identifier un assemblage précis de quatre cépages aussi différents. J'ai découvert que certains des meilleurs assemblages se sont vu refuser leur numéro AP parce qu'ils avaient été additionnés de *Süssreserve* fait de morio-muskat, cépage aromatique. Les commissions d'agrément estiment apparemment que ces vins plus séduisants ne sont pas caractéristiques de l'appellation.

LE SEKT, LE VIN EFFERVESCENT D'ALLEMAGNE

La production du *Sekt*, ou vin mousseux, atteint désormais près de 500 millions de bouteilles par an – soit plus du double de la meilleure récolte de champagne. Il s'agit presque exclusivement de fabrication en cuve close, dont de plus de 85% n'est d'ailleurs pas du *Deutscher Sekt*, mais seulement du *Sekt*, fait à partir de raisin importé. Bien que les exportations aient quadruplé en dix ans, elles ne représentent que 8% des ventes, car les Allemands font avant tout le *Sekt* pour leur propre consommation. Le *Sekt* étant un produit destiné au marché national, les vins demi-secs sont fades, verts et acides, guère au goût des buveurs de champagne ou des mousseux du Nouveau Monde. Le *Deutscher Sekt* ne lui est guère supérieur, ou alors introuvable, et même les rares *Sekt* produits selon la méthode champenoise n'ont que peu de succès en dehors de l'Allemagne, car la nuance onctueuse et biscuitée que l'on attend est noyée par le caractère fortement aromatique du raisin.

SCHLOSS VOLLRADS, RHEINGAU
Les vignobles de Schlossberg descendent en pente vers Schloss Vollrads, vieux domaine prestigieux qui vient de connaître une période difficile.

COMMENT COMPRENDRE LES SECTIONS RÉGIONALES

Les entrées qui figurent sous chacune des régions viticoles d'Allemagne sont disposées dans un ordre logique. Dans chaque région, ou *Anbaugebiet*, est donnée la liste de tous les *Bereiche* (secteurs). Pour chaque *Grosslage* sont cités les meilleurs villages et, au sein de chacun d'eux, sont nommés les meilleurs *Einzellagen* ou vignobles. Les vignobles allemands sont rarement la propriété d'un seul domaine, comme dans le Bordelais, par exemple (*voir* « La hiérarchie qualitative en Allemagne », p. 260). Il importe donc de connaître non seulement les meilleurs vignobles, mais également les meilleurs producteurs. C'est pourquoi un certain nombre de producteurs sont recommandés au sein des meilleurs vignobles. Le terme « village » couvre ici à la fois les *Gemeinden* ou communes, qui peuvent aller du petit hameau au gros bourg, et les *Ortsteile*, des lieux-dits intégrés dans les faubourgs d'une commune plus importante. Le terme *grosslagenfrei* s'applique à des villages et des *Einzellagen* au sein d'un *Bereich* qui ne font partie d'aucun de ses *Grosslagen*.
Lorsque aucun village, vignoble, domaine ou viticulteur exceptionnel n'est cité pour un *Grosslage* particulier, cela ne signifie pas que d'excellents domaines n'y possèdent pas de vigne, mais que le vin produit n'y est peut-être pas du plus haut niveau.
Tous les styles et descriptions de vins correspondent, sauf mention contraire, à des riesling. L'exemple suivant est emprunté à la section sur la Franconie.

BEREICH	BEREICH STEIGERWALD
GROSSLAGE	GROSSLAGE SCHLOSSBERG
MEILLEUR VILLAGE	RÖDELSEE
MEILLEUR VIGNOBLE ET/OU MEILLEURS PRODUCTEURS ..	✓ Vignoble : *Küchenmeister*, Producteur : *Juliusspital Würzburg* • Vignoble : *Schwanleite*, Producteur : *Johann Ruck*

VINS GÉNÉRIQUES D'
ALLEMAGNE

Note : Les catégories de vins allemands sont classées ici par ordre qualitatif et non alphabétique. Les caractéristiques décrites sont très générales car le cépage a une influence prédominante, même pour la couleur du vin, encore que le blanc représente 90% de la production. La plupart des cépages que l'on peut rencontrer, y compris tous les croisements importants, figurent dans le « Répertoire des principaux cépages » (*voir* p. 42). L'aire d'origine a également une forte incidence sur le type du vin issu d'un cépage donné et chaque vigneron réussit à tirer plus ou moins bien parti de ce que lui donne la nature. Pour plus de détails sur ces deux aspects, voir les sections régionales et les producteurs recommandés.

WEIN

Ce terme, quand il n'est pas précédé du mot *Tafel*, correspond à un vin de coupage bon marché provenant de raisin hors de la CEE.

TAFELWEIN

Le vin de table peut être un mélange de vins provenant de différents pays de la CEE ou un vin fait dans l'un des pays membres à partir de raisin cultivé dans un autre. Ces produits sont parfois habillés de manière à passer pour des vins allemands, mais sous les caractères gothiques et les étiquettes allemandes se cache généralement un vin italien ou en provenance de plusieurs pays. Cette pratique, autrefois très répandue, l'est un peu moins aujourd'hui, car elle est contraire à l'article 43 de la réglementation 355/79 de la CEE. Pour être sûr de boire un produit allemand authentique, il faut vérifier que le mot *Tafelwein* est précédé de la mention *Deutscher*.
Les meilleurs de ces vins sont faits dans les années où l'Allemagne est submergée d'une telle quantité de vins ordinaires que les producteurs renvoient des camions citernes venus d'Italie et écoulent leurs excès de production dans des vins de coupage. Les meilleurs ont une bonne dose de *Süssreserve* frais et floral de morio-muskat.

Sans attendre

DEUTSCHER TAFELWEIN

La catégorie la plus basse des vins allemands qui représentait il y a dix ans entre 3 et 5% de la production totale du pays, ne représente plus aujourd'hui, avec le landwein, qu'entre 1 et 2%. La qualité des vins de bas de gamme ne s'améliore pas : celle des QbA les moins chers est même en baisse pour cette raison. Le vin doit être à 100% allemand. Le nom de l'une des régions ou sous-régions (*voir* tableau ci-dessus) peut figurer sur l'étiquette à condition qu'au moins 75% des raisins en proviennent. Ces noms régionaux sont maintenant les seules mentions géographiques autorisées, alors que, avant la législation sur le *Landwein*, il était parfois possible d'indiquer le nom d'un *Bereich*.
Un *Deutscher Tafelwein* doit refléter les caractéristiques de base de la région dont il provient. Un vin du Rhin devrait ainsi avoir un arôme plus floral mais moins d'acidité qu'un vin de la Moselle. Dans la pratique, cependant, ces vins sont issus d'un tel mélange de cépages, pour la plupart des croisements, qu'on ne peut au mieux y découvrir que des vins frais et fruités, moyennement secs, de style « germanique ».

Sans attendre

LANDWEIN

Le *Landwein* est un *Deutscher Tafelwein* provenant d'une région plus spécifique, dont l'étiquette doit comporter les deux mentions. Cette catégorie, relativement récente, fut créée en 1982 pour correspondre au système des vins de pays français, mais il y a entre les deux des différences significatives. Les quelque 130 vins de pays français constituent un groupe qui aspire au statut de VDQS et, théoriquement, d'AOC, ce qui en fait aujourd'hui l'une des catégories les plus intéressantes au monde (*voir* p. 246). Les landwein au contraire regroupent 19 aires définies qui n'ont aucun espoir d'accéder à un statut supérieur si ce n'est celui d'un tafelwein un peu élaboré. Voici dix ans, je notais que le potentiel d'un landwein ne saurait jamais se comparer à celui d'un vin de pays, mais il aurait dû servir un but très utile, voire essentiel : améliorer, grâce à une sélection, la qualité des vins allemands des catégories QbA et QmP. En drainant les éléments moins bons parmi ces vins supérieurs, on aurait pu améliorer la qualité des uns et des autres. Dommage que les gros producteurs n'aient pas pris cette catégorie au sérieux dans un souci d'amélioration générale, en utilisant le *Landwein* pour écouler 15 ou 20% de la production allemande. Au lieu de quoi les autorités ont choisi d'augmenter les rendements, de sorte que le landwein et le deutscher tafelwein réunis n'atteignent guère que 1 ou 2% de parts du marché. Ainsi, malgré les efforts des connaisseurs et des importateurs en faveur du riesling, la réputation de l'Allemagne est au plus bas.
La principale différence entre le landwein et le deutscher tafelwein est que le premier doit être *trocken* (sec), avec un maximum de 9 grammes par litre de sucre résiduel, ou *halbtrocken* (demi-sec), avec un maximum de 18 g/l.

Sans attendre

QUALITÄTSWEIN BESTIMMTER ANBAUGEBIETE OU QBA

Un QbA est littéralement un vin provenant de l'une des 13 régions délimitées. Ce vin, en pratique, est toujours chaptalisé, pour l'alcooliser, et adouci par l'addition de *Süssreserve*. Le degré minimal d'alcool potentiel d'un QbA étant seulement de 5,9%, le taux d'alcool n'est pas renforcé uniquement pour des raisons de réglementation, mais aussi pour les besoins de la conservation.

Cette catégorie comprend le liebfraumilch et, dans leur grande majorité, les niersteiner gutes domthal, piesporter michelsberg et autres vins de *Grosslage* et de *Bereich* sont vendus comme QbA. Les vins les plus spécifiques, provenant d'*Einzellagen* ou de domaines uniques, sont vendus sous la désignation plus prestigieuse de QmP et atteignent des prix plus élevés. Bien qu'un QbA ait un degré Oechsle minimal inférieur à celui du kabinett, ce produit plus commercial est nettement plus doux.

1 à 3 ans au maximum (jusqu'à 10 ans pour les vins exceptionnels).

QUALITÄTSWEIN MIT PRÄDIKAT OU QMP

Il s'agit littéralement d'un « vin de qualité avec qualification » et cette dénomination regroupe les catégories de *Kabinett, Spätlese, Auslese, Beerenauslese, Eiswein* et *Trockenbeerenauslese*. Le viticulteur doit informer les autorités de son intention de vendanger du raisin destiné à un QmP. Alors qu'un QbA peut être issu de raisin provenant de différentes zones d'une Anbaugebiete, pourvu qu'il porte le nom de cette seule région, un QmP ne peut provenir d'une aire géographique plus vaste qu'un *Bereich*.
Le QbA peut être chaptalisé, mais non le QmP. Le propriétaire d'un domaine très respecté, pensant qu'il pourrait produire des vins bien meilleurs s'il avait le droit de les chaptaliser, fit un jour observer que les Français chaptalisent leurs meilleurs vins et les Allemands leurs plus mauvais! Il est cependant permis d'ajouter de la *Süssreserve*, mais nombre de vignerons prétendent que cette méthode n'est pas conforme à la tradition et qu'il vaut mieux arrêter la fermentation avant que tous les sucres naturels du raisin aient été transformés en alcool (*voir* les divers QmP).

KABINETT QMP

Le terme *Kabinett* faisait autrefois référence à des vins qui étaient conservés pour leur rareté et leurs qualités exceptionnelles, de même qu'on parle de vins de « réserve » dans certains pays aujourd'hui. Ce terme, utilisé à Kloster Eberbach dans le Rheingau au début du XVIIe siècle, apparut pour la première fois sous la forme *Cabernet*, sur une facture que le maître tonnelier d'Elville, Ferdinand Ritter, présenta à l'abbé d'Eberbach en 1730. Six ans plus tard, une autre facture de la main de Ritter fait référence au *Cabinet-Keller*. Ce qualitatif, qui est apparu dans la langue française dès 1547 avant de passer dans la littérature

allemande en 1677, est le premier dans l'échelle Oechsle, mais pas nécessairement le plus bas pour ceux qui aiment les vins secs et légers. Les raisins doivent atteindre 67 à 85° Oechsle, le chiffre exact dépendant du cépage et de son aire d'origine. Sans chaptalisation, cela signifie que le vin présente un titre alcoométrique minimal potentiel situé entre 8,6 et 11,4°.
Bien qu'issus de raisins plus mûrs – et donc plus sucrés – que les QbA, les *Kabinett* sont généralement élaborés dans un style légèrement plus sec. Certains producteurs refusent énergiquement de renforcer leur vin avec un peu de *Süssreserve*. Ce qui fait du *Kabinett* le plus léger et, pour certains, le plus pur des vins allemands.

2 à 5 ans (jusqu'à 10 ans dans des cas exceptionnels).

SPÄTLESE QMP

Techniquement le *Spätlese* est issu de raisins vendangés tardivement, tout au moins par rapport à la date, en général très précoce, des vendanges en Allemagne. Étant donné que les QbA et les *Kabinett* sont produits à partir de raisin qui n'a pas pleinement mûri, le *Spätlese* peut être considéré comme le premier niveau de vins allemands faits de raisin mûr. Cependant, le degré Oechsle minimal de 76 à 95°, qui donnerait entre 10 et 13° d'alcool potentiel, ne correspond pas à des baies surmûries.
Bien qu'un *Spätlese* soit issu de raisin tout juste mûr, les vins sont traditionnellement doux, équilibrés par une excellente acidité.

3 à 8 ans (jusqu'à 15 ans dans les cas exceptionnels)

AUSLESE QMP

C'est un vin issu de raisin resté sur pied après les vendanges des *Spätlese*, et donc vendangé particulièrement tard. Les textes officiels stipulent qu'il faut sélectionner des grappes de raisin mûr à très mûr, ni malade, ni endommagé. Comment y parvenir avec les machines à vendanger autorisées pour les *Auslese* par la nouvelle législation viticole allemande de 1994? Aucun viticulteur soucieux de qualité n'a su me le dire…
Ce vin doit également atteindre au moins 83 à 105° Oechsle, le minimum exact dépendant du cépage et de son origine géographique. Sans chaptalisation, cela signifie que le vin a un taux alcoométrique potentiel compris entre 11,1 et 14,5°.
Traditionnellement, ce vin riche et moelleux n'est produit que dans les années exceptionnelles. Il peut présenter des nuances d'*Edelfäule*, ou pourriture noble, en particulier s'il provient d'un grand domaine qui a pour politique de sous-déclarer ses vins et qui serait donc à la limite du *Beerenauslese*. Mais même sans *Edelfäule*, un *Auslese* est capable d'une grande complexité. On peut trouver des *Auslese* tout à fait secs, qui sont étiquetés ou non *Auslese/Trocken*, au gré du producteur. Les meilleurs vins secs sont des *Auslese* car la maturation naturelle du raisin leur donne un corps, un fruité et une teneur en alcool de style bourguignon.

5 à 20 ans

BEERENAUSLESE QMP

Ce vin très rare ne peut être produit que dans des conditions exceptionnelles puisqu'il est fait uniquement avec des raisins surmûris touchés par l'*Edelfäule*. D'après les textes officiels, toutes les baies doivent être rabougries et choisies une à une. Le vin doit atteindre 110 à 128° Oechsle, le minimum exact dépendant du cépage et de son origine géographique. Sans chaptalisation cela signifie que le vin a un titre alcoométrique potentiel compris entre 15,3 et 18,1°, dont seulement 5,5 ont besoin d'être transformés en alcool, le reste demeurant sous forme de sucre résiduel. Les vins ainsi élaborés, très moelleux et corsés, sont d'une élégance et d'une complexité remarquables. Je préfère même le *Beerenauslese* au *Trockenbeerenauslese* pourtant supérieur techniquement. Il se boit facilement et avec plaisir, alors que le second demande plus de concentration et d'esprit analytique.

10 à 35 ans (jusqu'à 50 ans dans des cas exceptionnels)

EISWEIN QMP

Jusqu'en 1982, cette qualification s'employait conjointement avec l'une des autres : on pouvait donc produire des *Spätlese Eiswein*, des *Auslese Eiswein* et ainsi de suite. *Eiswein* est désormais un qualificatif à part entière, avec un degré Oechsle minimal équivalent à celui du *Beerenauslese*. L'*Eiswein* est issu de raisins laissés sur pied pour être touchés par l'*Edelfäule*, gelés par le givre ou la neige.
Ils sont alors cueillis et envoyés à la cuverie où on les pressure gelés. Seule l'eau à l'intérieur de la baie étant gelée, celle-ci monte à la surface de la cuve sous forme de glace. Une fois cette glace enlevée, il reste un moût condensé capable de donner des vins qui sont l'équivalent, mais sous une forme entièrement différente, des *Beerenauslese* ou des *Trockenbeerenauslese*.
Ces vendanges de raisin gelé s'effectuent rarement avant décembre, et souvent en janvier de l'année suivante (mais le vin doit porter le millésime de l'année précédente). Le degré Oechsle d'un *Eiswein* doit être celui d'un *Beerenauslese* mais il peut atteindre celui d'un *Trockenbeerenauslese*. Si la qualité est également comparable, son taux d'acidité bien plus élevé lui donne un caractère entièrement différent. Selon moi, c'est cette acidité mordante, racée, alerte qui le rend supérieur. Les plus beaux *Eiswein* font preuve d'une finesse sans égale parmi les autres vins botrytisés; reste à voir l'effet sur la réputation de ces vins très particuliers que va avoir la loi de 1994. Certains, soucieux de qualité, souhaitaient que la réglementation impose la vendange manuelle, comme c'est le cas des auslese, beerenauslese ou trockenbeerenauslese; toutefois, les embouteilleurs industriels ont obtenu la légalisation des vendanges mécaniques, même si quiconque a fait de l'*Eiswein* vous dira que la chose est impossible…

0 à 50 ans

TROCKENBEERENAUSLESE QMP OU TBA

Le légendaire TBA d'Allemagne est issu de raisins fortement botrytisés laissés sur pied jusqu'à prendre l'aspect de raisins secs, et cueillis baie par baie. Ces raisins doivent atteindre 150 à 154° Oechsle. Sans chaptalisation, le vin aura un degré alcoométrique potentiel minimal compris entre 21,5 et 22,1°, dont seulement 5,5° ont besoin d'être transformés en alcool, le reste demeurant sous forme de sucre résiduel.
Les tableaux ne contribuent guère à mettre en lumière la différence entre un beerenauslese et un TBA qui est tout aussi grande que celle qui sépare un kabinett d'un beerenauslese.
La première différence réside dans la couleur. D'un auslese à un beerenauslese, on passe d'une couleur claire à un or riche ou un jaune bouton-d'or. La gamme des couleurs d'un TBA s'étend de diverses nuances de brun jusqu'aux plus foncées, avec parfois de curieuses nuances fauves ou orange. La texture est extrêmement sirupeuse et la consistance liquoreuse. Il est impossible de boire un TBA, il faut le savourer du bout des lèvres. Son intensité et sa complexité, la profondeur de ses arômes et de ses saveurs sont une expérience unique. C'est un vin qui demande une grande attention et qui provoque bien des polémiques.

Entre 12 et 50 ans

VINS TROCKEN

Ces vins sont limités à 4 g de sucre résiduel par litre, et jusqu'à 9 g si le taux d'acidité ne dépasse pas les 2 g/l, mais un tel vin serait épouvantablement gras. Les *Trocken* ont commencé à décoller au début des années 1990, atteignant aujourd'hui 20% de l'ensemble des vins allemands. Malgré quelques cas exceptionnels, ces vins sont souvent maigres et décevants. C'est seulement à partir de raisin aussi mûr que pour l'*Auslese* qu'on peut obtenir un Trocken ayant la structure et le corps auxquels les amateurs de vins secs sont habitués. De nombreux producteurs prétendent qu'un *Spätlese/Trocken* est suffisamment mûr, ce qui n'est le cas qu'une fois sur dix. Si certains spécialistes utilisent du raisin mûr de type *Auslese*, ils en font du *Deutscher*

Tafelwein, échappant ainsi à des règlements inutilement rigoureux surtout conçus pour des vins doux et demi-doux. Essayez un reichsgraf und marquis zu hoensbroech de Bade ou un müller-catoir du Palatinat.

2 à 6 ans

LES VINS DE BARRIQUE

Toujours classés *Deutscher Tafelwein* (car l'influence du chêne n'est pas considérée comme typique lors des dégustations officielles des QbA et des QmP), et bien que rien n'empêche de faire un rotling ou rosé selon cette méthode, cette catégorie est généralement réservée aux vins trocken blancs ou rouges fermentés et/ou élevés en tonneaux de chêne neuf. La fermentation presque sans maturation en barrique peut donner un excellent riesling, les autres cépages étant le wiessburgunder (pinot blanc), grauburgunder (pinot gris) et le spätburgunder (pinot noir ; *voir* Vins rouges ci-dessous). Bien que les premiers vins de barrique remontent à la fin des années 1970 dans le pays de Bade, il s'agissait encore d'une innovation lors de la parution de la première édition de ce livre. Déjà la maison Schlossgut Diel dans la Nahe se faisait un nom parmi les meilleurs spécialistes de cette méthode, réputation qu'elle a su conserver. Pour d'autres excellents spécimens, essayez Franz Keller-Schwarzer Adler.

2 à 6 ans

VINS ROUGES

Les cépages de vin rouge allemand les plus communs sont le dornfelder, limberger et spätburgunder, et les meilleurs vins sont commercialisés comme *Deutscher Tafelwein*, solution la moins contraignante pour les producteurs. Le dornfelder est cultivé surtout au Palatinat (800 ha), en Hesse rhénane (600 ha) et dans le Wurtemberg (200 ha), où trois styles se sont imposés : maturation en barriques pour les vins sérieux (essayez Thomas Siegrist au Palatinat), des vins du style beaujolais à boire jeunes (Lingenfelder, également au Palatinat, ou Wilhelm Laubenstein en Hesse rhénane), enfin un goût sucré et fruité (Gustav Adolf Schmitt, également en Hesse rhénane). Le limberger (ou lemberger) est cultivé presque exclusivement dans le Wurtemberg (800 ha), invariablement dans le style du beaujolais, encore que d'aucuns prétendent qu'il peut vieillir (le brüssele de Graf Adelmann étant le meilleur). Depuis dix ans, le principal raisin à jus noir du pays, le spätburgunder (pinot noir en allemand), donne chez certains producteurs talentueux des vins rouges véritablement élégants, soyeux, à la robe soutenue. Mention spéciale au sud du pays de Bade (essayez le Dr Heger), voir aussi la Palatinat (Friedrich Becker, Lingenfelder) et l'Ahr (Mayer-Näkel).

2 à 6 ans

VINS MOUSSEUX

SEKT

La méthode de production habituelle de ces vins mousseux anonymes est la cuve close, bien qu'à ses débuts, vers 1820, la fermentation se soit faite exclusivement en bouteille. Issus de raisin provenant généralement d'Italie ou de la vallée de la Loire, ces vins pouvaient paradoxalement être étiquetés *Deutscher Sekt* jusqu'en 1986. Le *Sekt* était en effet considéré comme une méthode de vinification et le vin produit en Allemagne passait pour allemand. Comme la grande majorité de l'immense industrie du *Sekt* utilisait du raisin, du moût ou du vin importé (et continue de le faire aujourd'hui), il s'agissait surtout d'un conflit d'intérêts. D'honorables représentants de l'industrie du vin allemande ont cependant fait des efforts pour mettre un terme à ces abus, et le bon sens a fini par l'emporter le 1er septembre 1986, lorsqu'une directive de la CEE a obligé cette appellation à se conformer à la politique générale vinicole du Marché commun. Les authentiques *Deutscher Sekt* allemands se sont sensiblement développés, bien que le simple *Sekt* continue de dominer le marché.

DEUTSCHER SEKT

Le *Deutscher Sekt* doit exclusivement être fait de raisin allemand. Les meilleurs vins sont généralement à base de riesling, et l'autolyse n'y diminue pas l'arôme et la saveur purement variétale du vin – car cette caractéristique est tenue en haute estime par les producteurs et par la vaste majorité des consommateurs allemands. Essayez Max Ferdinand. Le meilleur *Sekt* que j'aie jamais dégusté est le rare et fort cher wegeler-deinhard bernkasteler doctor. *Voir aussi* Deutscher Qualitätsshaumwein bestimmter Anbaugebiete.

3 à 8 ans

DEUTSCHER SEKT BESTIMMTER ANBAUGEBIETE OU DEUTSCHER SEKT BA

Voir Deutscher Qualitätsschaumwein bestimmter Anbaugebiete.

DEUTSCHER QUALITÄTSSCHAUMWEIN BESTIMMTER ANBAUGEBIETE OU DEUTSCHER QUALITÄTSSCHAUMWEIN BA.

Ce *Deutscher Sekt* doit être fait uniquement de raisin provenant d'une seule région viticole, ou d'une aire plus restreinte tel qu'un *Bereich*, *Grosslage* ou *Einzellage*, à condition que 85% des raisins soient issus de l'aire indiquée. Autre appellation : *Deutscher Qualitätsshaumwein bestimmter Anbaugebiete*.

3 à 8 ans

VIGNOBLES IMPECCABLES, PAYS DE BADE
Les grands vins du pays de Bade, issus de vignobles au cordeau, autour du volcan éteint de Kaiserstuhl, sont de bons exemples de Flurbereinigung.

AHR

Dans l'Ahr, les cépages noirs comme le spätburgunder et le portugieser représentent les quatre cinquièmes des vignes. Il est surprenant de pouvoir cultiver des cépages noirs dans une région aussi septentrionale.

Le spätburgunder et le portugieser peuvent pousser ici parce que l'Ahr est une vallée profonde, protégée par les collines du Hohe Eifel, qui capte le soleil et emmagasine la chaleur dans son sol rocheux et ardoisier, ce qui permet au raisin noir de mûrir, sans toutefois devenir très coloré. Depuis la réunification, l'Ahr est passée de l'avant-dernier au dixième rang des régions viticoles allemandes. Elle doit son nom à la rivière qui la traverse, au nord, parallèlement à la Moselle, pour rejoindre le Rhin juste au sud de Bonn. Ces terres viticoles sont parmi les plus belles et les plus

NORMES DE QUALITÉ ET RÉPARTITION DE LA RÉCOLTE

° OECHSLE MINIMAL	CATÉGORIE	RÉCOLTE 1992	1993	1994	1995
44°	Deutscher Tafelwein	6%	–	7%	5%
47°	Landwein			86%	87%
50-60°	* QbA	92%	55%	6%	7%
67-73°	* Kabinett	2%	30%	1%	1%
76-85°	* Spätlese	–	15%		
83-88°	* Auslese				
110°	Beerenauslese			–	–
110°	Eiswein	–	–		
150°	Trockenbeerenauslese				

*Le degré Oechsle minimal varie en fonction du taux de sucre naturel du cépage. S'il est plus bas, le vin peut passer en catégorie inférieure.

VIEUX FÛTS À MAYSCHOSS
Pampres et grappes magnifiquement ciselées sur de vieux fûts de Mayschoss, en amont de Bad Neuenahr.

FACTEURS AFFECTANT LE GOÛT ET LA QUALITÉ

SITUATION
Le cours inférieur de l'Ahr, à 10 km au sud de Bonn.

CLIMAT
Malgré sa situation septentrionale, la vallée est protégée par les collines du Hohe Eifel et les températures permettent de se livrer ici à la viticulture.

SITE
Vignobles en pente ou en terrasses sur les versants rocheux de la vallée.

SOL
Sols composés de lœss riches et profondes dans la vallée inférieure et sols rocheux faits d'ardoise avec un peu de tuffeau dans la vallée supérieure.

VITICULTURE ET VINIFICATION
Les trois quarts des vignobles exigent une considérable main-d'œuvre. La production des vins de l'Ahr est donc bien plus onéreuse que celle des terres plates du sud, bien que plus de la moitié de la production soit vinifiée par un petit nombre de grandes coopératives d'une belle efficacité technique. Les rouges (70% de la production de l'Ahr) étaient autrefois élaborées dans des styles doux et demi-doux. Le *Weissherbst* (pinot noir généralement) y est une spécialité.

CÉPAGES PRINCIPAUX
Müller-thurgau, portugieser, riesling, spätburgunder

CÉPAGES SECONDAIRES
Domina, dornfelder, kerner

L'AHR, *voir aussi* p. 261
La plus septentrionale des régions viticoles d'Allemagne est composée de vignobles qui bordent le cours de l'Ahr, un affluent du Rhin.

Village viticole recommandé
Zone de viticulture intensive
Altitude (en m)

VENDANGES DANS L'AHR
Ces vignobles pentus de Marienthal sont plantés de cépages noirs – spätburgunder et un peu de portugieser – et 80 % des vins de la région sont rouges.

LA RÉGION EN CHIFFRES

Superficie plantée de vigne : 632 ha

Rendement moyen : 74 hl/ha

Vin rouge : 80 %

Vin blanc : 20 %

Cépages principaux : spätburgunder 52 %, portugieser 18 %, autres 30 %

Infrastructure : 1 *Bereich*; 1 *Grosslage*; 43 *Einzellagen*

Note : Les vignobles de l'Ahr sont répartis sur 11 *Gemeinden* (communes) dont les noms peuvent figurer sur l'étiquette.

sereines au monde. Il suffit, pour s'en rendre compte, de parcourir la célèbre Rotweinwanderweg, la route des vins rouges qui traverse les vignobles et les forêts, le long de paisibles vallées protégées par les collines de l'Eifel.

LE RIESLING

Depuis la fin des années 1980, les vignobles de l'Ahr ont connu une forte croissance (de près de 60 %), alors que son meilleur cépage, le riesling, est passé de plus de 100 ha à moins de 50 ha. Et pourtant, les vins que produit ce cépage dans les vignobles modestes de la région sont si frais, si racés et si aromatiques que nombre de connaisseurs se demandent de quoi il serait capable dans des vignobles les plus fertiles. Les viticulteurs prétendent que le riesling donnerait des résultats merveilleux sur leurs meilleurs sols, mais la préférence locale va pourtant au spätburgunder qui continue de progresser.

LES VINS DE

L'AHR

BEREICH WALPORZHEIM-AHRTAL

Unique *Bereich* de la région, Walporzheim-Ahrtal produit surtout des vins rouges de couleur rubis clair issus de spätburgunder et de portugieser. L'ardoise donne un vin assez vigoureux, tandis que les lœss produisent un vin plus tendre. Les vins tendent maintenant à être plus secs. Le *Weissherbst* est tendre et fruité, le riesling frais et racé. Goûtez au *Rotwein* avec des viandes fumées (*Rauchfleisch*), au *Weissherbst* avec du jambon (*Schinken*), et au riesling avec une truite.

GROSSLAGE KLOSTERBERG

Unique *Grosslage* du *Bereich*, le secteur du Klosterberg est identique à celui de

Walporzheim-Ahrtal. S'il était cultivé sur les meilleurs *Einzellagen*, l'Ahr pourrait rivaliser avec certains des meilleurs riesling allemands.

ALTENAHR
✓ **Vignoble** : *Eck* **Producteur** : *Deutzerhof*

DERNAU
✓ **Vignoble** : *Pfarrwingert* **Producteurs** : *H. J. Kreuzberg, Meyer-Näkel*

NEUENAHR
✓ **Vignoble** : *Sonnenberg* **Producteur** : *Weingut Sonnenberg*

WALPORZHEIM
✓ **Vignoble** : *Gärkammer* **Producteur** : *J.J. Adeneuer*

MITTELRHEIN (RHIN MOYEN)

Avec ses vignobles perchés de manière précaire, dont la surface a diminué de près de 50 % depuis 1965, le Rhin moyen est une région trop souvent méconnue. Pourtant, elle recèle quelques-uns des vins allemands les plus fins.

C'est d'ici que les Celtes sont partis pour envahir l'Europe. Avec un tel passé, il n'est pas étonnant que le Rhin soit si riche en mythes. Ainsi, c'est sur le site de Drachensfels, sur la commune de Köningswinter, que Siegfried a tué le dragon – et les vignobles de cette zone donnent un spätburgunder rouge appelé « drachenblut », c'est-à-dire « le sang du dragon ». Le fleuve roule ses flots, en même temps que ses fantastiques légendes, sous les ponts médiévaux et au pied des châteaux anciens. Il accélère pour franchir les gorges, et passe devant le fameux rocher de la Lorelei, d'où la sirène attirait les embarcations jusqu'à leur perte tragique.

DÉCLIN VITICOLE ET ESSOR TOURISTIQUE

La difficulté du travail sur les pentes abruptes des vignobles du Rhin a poussé beaucoup de vignerons à les déserter pour chercher des gains plus élevés dans les villes et l'industrie. La surface cultivée en vigne a donc fondu, mais le Mittelrhein n'en est toujours pas moins très animé, sa beauté sauvage attirant un nombre croissant de touristes. Dans cette région aux nombreux affluents, beaucoup de vallées offrent davantage de sites de qualité pour la viticulture que le reste du Rhin, et les sols d'ardoise ont suffisamment de potentiel pour donner un riesling haut de gamme. Il y a quelques excellents domaines, produisant des vins passionnants, au caractère variétal marqué, intenses, avec une belle acidité. Celle-ci est si appréciée que les maisons de *Sekt* essaient d'acheter le plus grand volume possible de surplus et de vins médiocres ; c'est elle également qui donne leur caractère bien particulier aux quelques rares *Auslese* et autres QmP supérieurs.

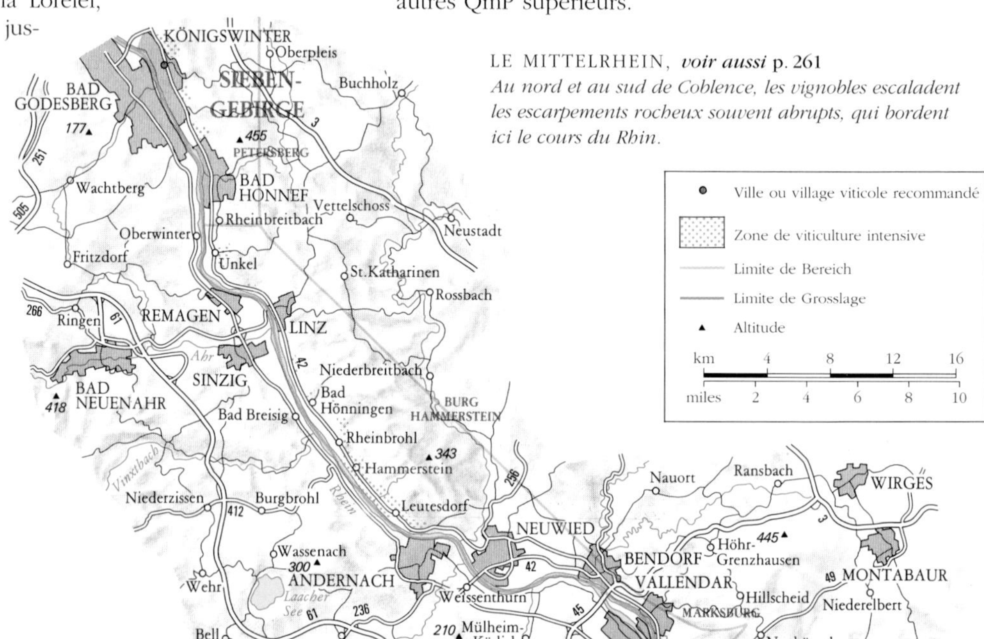

LE MITTELRHEIN, ***voir aussi*** p. 261
Au nord et au sud de Coblence, les vignobles escaladent les escarpements rocheux souvent abrupts, qui bordent ici le cours du Rhin.

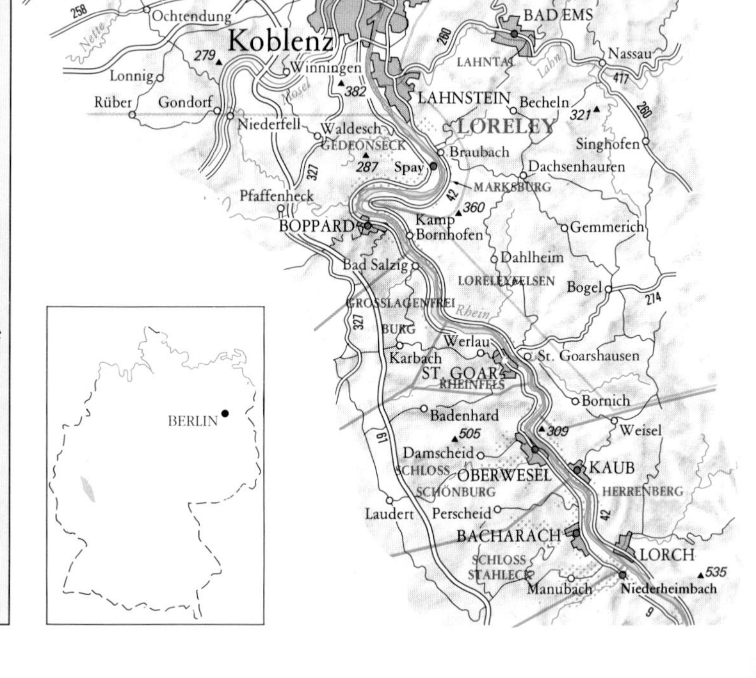

LA RÉGION EN CHIFFRES

Superficie plantée en vigne :
662 ha

Rendement moyen :
78 hl/ha

Vin rouge : 6 %

Vin blanc : 94 %

Cépages principaux :
riesling 75 %, müller-thurgau 8 %, kerner 5 %, autres 12 %

Infrastructure :
2 *Bereiche*; 11 *Grosslagen*; 111 *Einzellagen*

Note : les vignobles du MittelRhein sont répartis sur 59 *Gemeinden* (communes) dont le nom peut apparaître sur l'étiquette.

FACTEURS AFFECTANT LE GOÛT ET LA QUALITÉ

SITUATION
Bande de 160 km de la vallée du Rhin, entre Bonn et Bingen.

CLIMAT
Les versants pentus des vallées bénéficient d'un bon ensoleillement et protègent les vignes des vents froids. Le fleuve stocke en quelque sorte la chaleur et tempère le froid des nuits et de l'hiver.

SITE
Les vignobles sont établis sur les pentes pour bénéficier d'un ensoleillement maximum. Au nord de Coblence, ils sont situés sur la rive orientale, alors qu'ils sont surtout sur l'autre berge dans la partie méridionale.

SOL
Sol ardoisier sur fond d'argile et conglomérat rocheux de galets et de sable. Il y a aussi de petits dépôts de loess disséminés et, vers le nord, quelques terrains d'origine volcanique.

VITICULTURE ET VINIFICATION
Presque tous les vignobles de la région ont été modernisés et les terrasses supprimées; en outre, très souvent, les pentes abruptes forment un patchwork de vignobles imposé par le terrain. Avec une forte proportion de riesling, au rendement très faible pour l'Allemagne, la qualité est en général excellente. Environ 80 % des vignerons ont une autre activité et un quart de la vendange est vinifié par les coopératives selon les techniques traditionnelles de vinification en blanc.

CÉPAGE PRINCIPAL
Riesling
CÉPAGES SECONDAIRES
Bacchus, kerner, müller-thurgau, optima, scheurebe, sylvaner

NORMES DE QUALITÉ ET RÉPARTITION DE LA RÉCOLTE

° OECHSLE MINIMAL	CATÉGORIE	RÉCOLTE 1992	1993	1994	1995
44°	*Deutscher Tafelwein*	29%	–	1%	7%
47°	*Landwein*				
50–60°	* *QbA*	70%	57%	70%	75%
67–73°	* *Kabinett*	1%	32%	22%	15%
76–85°	* *Spätlese*	–	11%	–	3%
83–88°	* *Auslese*				
110°	*Beerenauslese*	–	–	7%	–
110°	*Eiswein*				
150°	*Trockenbeerenauslese*				

* Le degré Oechsle minimal varie en fonction du taux de sucre naturel du cépage. S'il est plus bas, le vin peut passer en catégorie inférieure.

VIGNOBLES DU RHIN MOYEN
Les vignerons du week-end de cette région ont beaucoup à faire pour entretenir ces pentes, parmi les plus pentues de la viticulture allemande.

LES APPELLATIONS DU
MITTELRHEIN

BEREICH LORELEY

Ce nouveau *Bereich* a été constitué par deux anciens, celui de Bacharach (très petit mais intensément cultivé, à l'extrémité méridionale du Mittelrhein, uniquement sur la rive occidentale et baptisé d'après le nom de la jolie bourgade de Bacharach) et celui de Rheinburgengau (grande ville prospère au bord du Rhin).

GROSSLAGE SCHLOSS REICHENSTEIN

Il n'y a pas de village, de vignoble ni de vigneron exceptionnel dans ce *Grosslage* qui fait face au Rheingau, de l'autre côté du fleuve, et qui est voisin de la Nahe au sud. Toutefois, on trouve de bons vins dans le village de Niederheimbach où le vignoble de Froher Weingarten est le plus estimé.

GROSSLAGE SCHLOSS STAHLECK

Il y a peut-être davantage de potentiel ici, dans ces vignobles au sud, et dans des vallées d'affluents du Rhin, que dans ceux du fleuve lui-même, exposés à l'est. Toutefois, ce sont les vignobles de Hahn et de Posten, à Bacharach, orientés à la fois à l'est et au sud, qui produisent les meilleurs vins.

BACHARACH
✓ **Vignoble** : *Hahn* **Producteur** : *Yoni Jost* • **Vignoble** : *Posten* **Producteur** : *Fritz Bastian*

GROSSLAGE BURG HAMMERSTEIN

Commençant au sud de Königswinter et s'étendant sur la rive droite presque jusqu'à Coblence, ce *Grosslage* tout en longueur regroupe des vignobles disséminés ; l'unique partie d'un seul tenant, à Hammerstein, donne de beaux rieslings.

GROSSLAGE BURG RHEINFELS

Grosslage grand comme un village, sur la rive occidentale, dont les meilleurs vignobles sont situés sur la rive exposée au sud d'un petit affluent, à Werlau.

GROSSALGE GEDEONSECK

Grosslage de bon niveau, sur un site où la courbe du fleuve donne une exposition est et sud aux vignobles dont les meilleurs se trouvent dans un *Orsteil* de Boppard.

BOPPARD HAMM
✓ **Vignoble** : *Fässerlay* **Producteur** : *Weinhaus* • **Vignoble** : *Feuerlay* **Producteur** : *August Perll*

GROSSLAGE HERRENBERG

L'extrémité méridionale de ce *Grosslage* touche la limite occidentale du Rheingau, mais tous les *Einzellagen* sont situés dans le nord, entre Dörscheid et Kaub, en amont de Bacharach, sur la rive opposée.

KAUB
✓ **Vignoble** : *Rosstein* **Producteur** : *Heinrich Weiler*

GROSSLAGE LAHNTAL

Il n'y a pas de village, de vignoble ni de vigneron exceptionnel dans ce très beau *Grosslage*, et les vignobles sont en déclin depuis longtemps. Cependant, l'*Einzellage* d'Hasenberg, à Bad Ems, jouit d'une certaine réputation.

GROSSLAGE LORELEYFELSEN

Quelques bons vignobles dans un site prestigieux, près du rocher de la Lorelei.

GROSSLAGE MARKSBURG

Les vignobles qui jouxtent la ville de Coblence sont peu à peu mangés par l'urbanisation. L'un des meilleurs se situe dans l'*Orsteil* d'Ehrenbreitstein, les autres au nord et au sud de la ville. Ils ressemblent à ceux du cours inférieur de la Moselle.

GROSSLAGE SCHLOSS SCHÖNBURG

La réputation de ces vignobles de riesling repose surtout sur la qualité des vins de deux producteurs.

ENGELHÖLL
✓ **Vignoble** : *Goldemund* **Producteur** : *Lanius-Knab*

OBERWESEL
✓ **Vignoble** : *Römerkrug* **Producteur** : *Josef Albert Lambrich* • **Vignoble** : *Sankt Martinsberg* **Producteur** : *Goswin Lambrich*

SIEBENGEBIRGE

Ce *Bereich* comprend un seul *Grosslage* et comprend les vignobles de Königswinter Siebengebirge (« sept montagnes ») ; c'était le plus septentrionale de RFA, avant la réunification.

GROSSALGE PETERSBERG

Ce *Grosslage* couvre la même zone que le *Bereich* Siebengebirge. Il n'y a pas de village, de vignoble ni de vigneron exceptionnel, mais on trouve de bons vins dans le vignoble de Drachenfels, à Königswinter.

MOSELLE-SARRE-RUWER

Les plus grands riesling cultivés sur les bords de la Moselle sont d'un savoureux piquant qui doit être parfaitement contrebalancé par une égale mesure de sucre. À la différence des régions rhénanes plus chaudes, c'est dans les années ensoleillées qu'ici le riesling est au mieux.

La région viticole Moselle-Sarre-Ruwer met sans conteste en évidence les qualités du riesling, un raisin vigoureux et naturellement racé. Cultivé sur ces terres, il allie une acidité relativement forte à d'incontestables nuances de légèreté et d'élégance. Cependant, un beau mosel-saar-ruwer n'est jamais maigre car ce vin révèle des taux d'extraits étonnamment élevés qui, avec l'acidité, intensifient sa saveur si caractéristique.

Dans les années les plus chaudes, les meilleurs *Beerenauslesen* et *Auslesen* proviennent de Moselle-Sarre-Ruwer, où les vins restent racés, tandis qu'ils paraissent gras et surfaits par rapport aux autres régions. Même les vins les plus modestes gardent, dans les années ensoleillées, une fraîcheur et une vivacité qui font défaut dans les vins des régions plus chaudes.

LE BON « DOCTOR »

Cette région compte de nombreux grands vignobles, mais aucun n'est aussi illustre que le légendaire Bernkasteler Doctor, qui produit le vin le plus cher d'Allemagne. L'histoire raconte que Boemund II, archevêque de Trèves au XIVe siècle, était si malade que les médecins ne pouvaient plus rien pour lui. Un vigneron de Bernkastel, qui avait appris son état, lui conseilla d'essayer les vertus curatives du vin de son vignoble. L'archevêque en but et guérit miraculeusement, sur quoi il déclara : « Le meilleur docteur croît dans ce vignoble de Bernkastel. »

Le vignoble Doctor fit récemment l'objet d'un long procès. Le vignoble d'origine comprenait 1,35 ha, mais, en 1971, la nouvelle législation viticole allemande supprimait tous les vignobles de moins de 5 ha. Les autorités projetèrent alors d'étendre le Doctor a à peu près autant vers l'ouest, jusque dans l'*Einzellage* Graben, et vers l'est, dans une aire classée simplement *Grosslage* Badstube. Cela aurait permis à treize producteurs, au lieu de trois précédemment, de faire et de vendre du bernkasteler doctor. Les trois propriétaires du vignoble d'origine n'acceptèrent pas cette décision et intentèrent donc un procès.

En 1984, après une étude exhaustive du terroir du vignoble, les tribunaux décidèrent d'agrandir le Doctor pour recouvrir tout le Graben et une partie du Badestube, soit un total de 3,26 ha. Cette décision d'étendre le vignoble plutôt vers l'ouest que vers l'est

FACTEURS AFFECTANT LE GOÛT ET LA QUALITÉ

SITUATION
Cette région suit la Moselle, de Coblence à la frontière française, et regroupe les vignobles de deux affluents, la Sarre et la Ruwer.

CLIMAT
Les précipitations modérées et le réchauffement rapide des vallées abritées offrent des conditions qui donnent des raisins à forte acidité, même vendangés surmûris.

SITE
La plupart des vignes poussent à une altitude de 100 à 350 m, sur les versants très escarpés de la vallée exceptionnellement sinueuse de la Moselle.

SOL
Sols de natures diverses : grès, calcaire à fossiles et marnes rouges en haute Moselle, ardoise dévonienne en moyenne Moselle, Sarre, et Ruwer, sol pierreux gris en basse Moselle, des sables alluviaux et des sols graveleux dans les sites inférieurs. Les vignobles du riesling sont ardoisiers, l'elbling préfère le calcaire.

VITICULTURE ET VINIFICATION
Bon nombre des plus grands vins allemands viennent des vignobles les plus pentus et les plus élevés de cette région, le plus souvent situés sur les versants supérieurs des vallées. L'importante main-d'œuvre et les longs hivers expliquent le prix assez élevé des beaux vins de Moselle-Sarre-Ruwer. L'hiver précoce entraîne une fermentation à très basse température. Les vins mis en bouteille rapidement conservent davantage de gaz carbonique, soulignant le caractère nerveux, métallique, du raisin de riesling. Quelque 13750 viticulteurs possèdent de très petites parcelles de terre. Les négociants assurent 60% de la production et de la distribution. La part des coopératives, 15% des ventes, et celle des domaines, 25%, sont en augmentation.

CÉPAGES PRINCIPAUX
Müller-thurgau, riesling
CÉPAGES SECONDAIRES
Auxerrois, bacchus, elbling, kerner, optima, ortega

Doctor (ex Graben)
Doctor (Original)
Doctor (ex Badstube)
Alte Badstube am Doctorberg

J. Lauerburg *(0.13 hectare)*
Deinhard *(1.06 hectare)*
Dr. H. Thanisch *(1.81 hectare)*
Hl. Geist-Armenspende or Holy Spirit Charity Fund *(0.26 hectare)*

L
D
T
G-A
D
T
T
G-A
D
L
D
Bernkastel

LE VIGNOBLE BERNKASTELER DOCTOR AUJOURD'HUI
Le trait rouge délimite le vignoble d'origine (jaune) et les parcelles finalement ajoutées en 1984 (vert et vert clair). La partie exclue en 1984 figure en rose.

BERNKASTEL VU DU VIGNOBLE DOCTOR
Les vins de Bernkasteler Doctor sont parmi les plus prestigieux et les plus chers d'Allemagne. Bernkastel est situé dans le Grosslage Badstube.

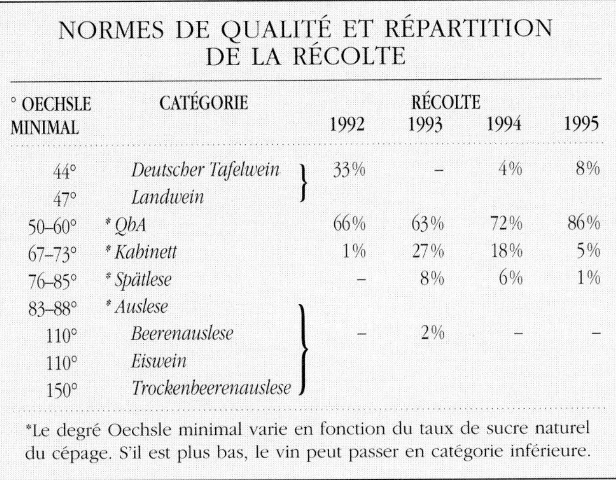

NORMES DE QUALITÉ ET RÉPARTITION DE LA RÉCOLTE

° OECHSLE MINIMAL	CATÉGORIE	RÉCOLTE 1992	1993	1994	1995
44°	*Deutscher Tafelwein* }	33%	–	4%	8%
47°	*Landwein* }				
50-60°	* *QbA*	66%	63%	72%	86%
67-73°	* *Kabinett*	1%	27%	18%	5%
76-85°	* *Spätlese*	–	8%	6%	1%
83-88°	* *Auslese* }	–	2%	–	–
110°	*Beerenauslese* }				
110°	*Eiswein* }				
150°	*Trockenbeerenauslese* }				

*Le degré Oechsle minimal varie en fonction du taux de sucre naturel du cépage. S'il est plus bas, le vin peut passer en catégorie inférieure.

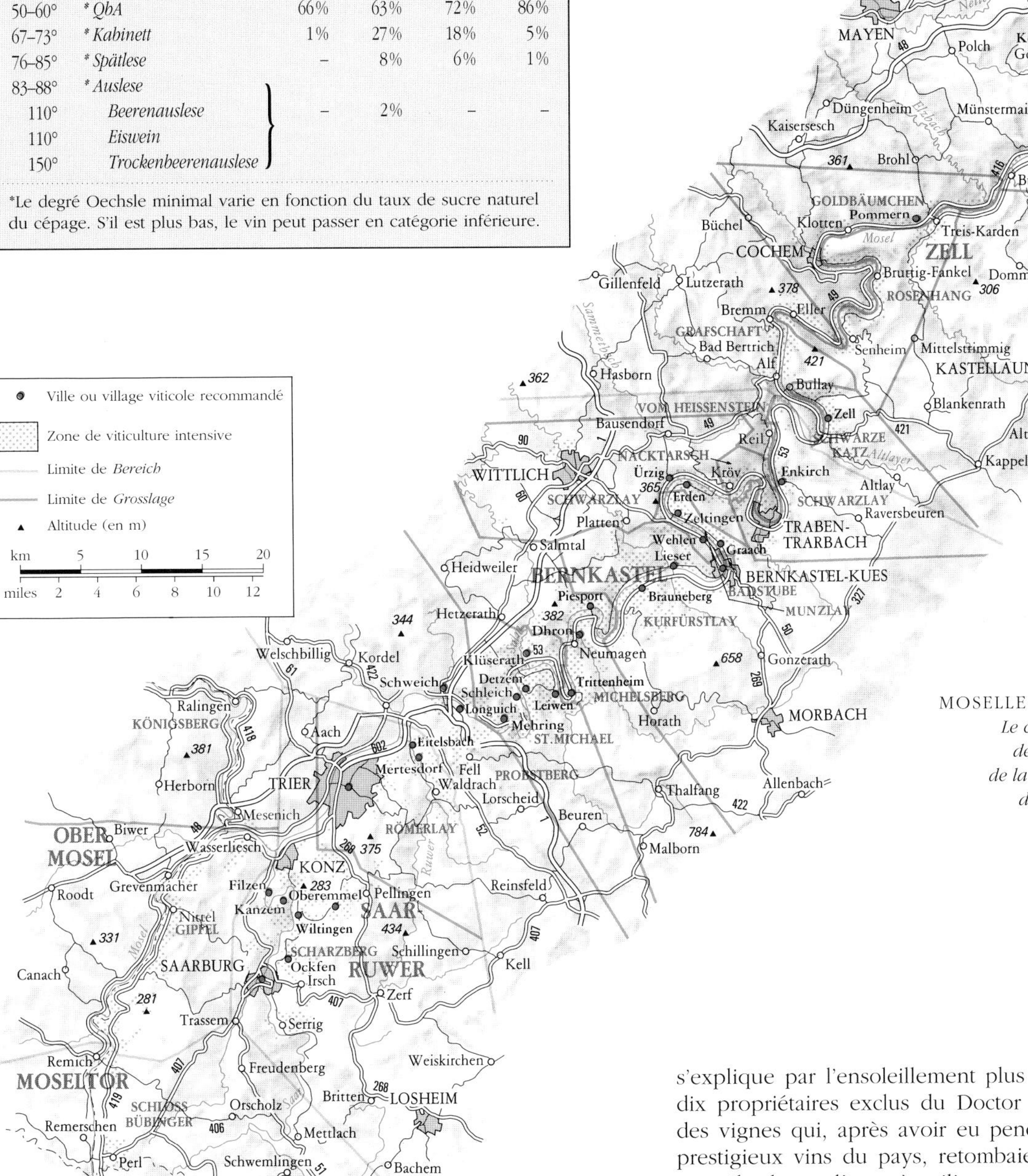

MOSELLE-SARRE-RUWER *voir aussi* p. 261
Le cours sinueux de la Moselle est bordé de vignes sur les deux rives. Les vallées de la Sarre et de la Ruwer, deux affluents de la Moselle, sont également plantées de beaux vignobles.

LA RÉGION EN CHIFFRES

Superficie plantée de vigne : 12 809 ha

Rendement moyen : 100 hl/ha

Vin rouge : 1%

Vin blanc : 99%

Cépages principaux : riesling 54%, müller-thurgau 22%, elbling 9% ; kerner 8%, autres 7%

Infrastructure : 5 *Bereiche*; 19 *Grosslagen*; 523 *Einzellagen*

Note : Les vignobles de cette région sont répartis sur 192 *Gemeinden* (communes) dont les noms peuvent figurer sur l'étiquette.

s'explique par l'ensoleillement plus important de ce côté-là. Les dix propriétaires exclus du Doctor se trouvaient donc posséder des vignes qui, après avoir eu pendant 13 ans le rang des plus prestigieux vins du pays, retombaient dorénavant dans l'anonymat. Ils demandèrent à utiliser comme nom d'*Einzellage* « Alte Badstube am Doctorberg » (« Vieux Badestube du mont Doctor »), ce que le ministère leur accorda malgré les protestations des propriétaires originels du Doctor.

L'extension d'un terroir, contestable dans ce cas, et l'idée qu'un vignoble doive avoir une dimension minimale étaient réellement pure folie (*voir aussi* p. 260). Il aurait été bien plus efficace d'amender la loi pour permettre que le nom d'un vignoble authentique figure en petits caractères sur l'étiquette et d'établir une liste d'une centaine ou davantage (mais certainement pas 2 600) de très grands vignobles. Ceux-ci auraient pu figurer en caractères plus gros sur les étiquettes, sur lesquelles on aurait aussi fait mention de leur statut supérieur. Si les meilleurs vins allemands pouvaient faire valoir une réputation comparable à celle des plus grands vins français, la région de Moselle-Sarre-Ruwer aurait probablement le plus de « grands crus » à proposer, suivie de près du Rheingau.

LES APPELLATIONS DE

MOSELLE-SARRE-RUWER

BEREICH ZELL

La basse Moselle n'est pas réputée produire des vins très intéressants, mais certains sont bons à condition de savoir où les chercher.

GROSSLAGE GOLDBÄUMCHEN

Peu de villages, de vignobles ou de producteurs exceptionnels dans ce *Grosslage*, encore qu'on produise de bons vins dans le village d'Eller. Un viticulteur d'exception est toutefois Bruno Fuchs à Pommern (surtout renommé, depuis l'époque romaine, pour ses pommiers, comme son nom l'indique).

POMMERN

✓ **Vins non-Einzellagen** : **Producteur** : *Bruno Fuchs*

GROSSLAGE GRAFSCHAFT

Les villages d'Alf et de Bullay produisent de bons vins, mais le riesling de Neef est le meilleur.

GROSSLAGE ROSENHANG

Grosslage prometteur, qui longe la sinueuse rive droite de la Moselle en aval de Schwarze Katz.

GROSSLAGE SCHWARZE KATZ

Le village de Zell compte quelques bons *Einzellagen*, avec des pentes officiellement classées, qui peuvent produire un beau riesling aromatique. Il est surtout renommé pour son étiquette de *Grosslage* qui porte le célèbre « Schwarze Katz ». En 1863, trois marchants d'Aachen testaient des vins dans une cave de Zell, mais ne parvenaient pas à décider quel était le meilleur pour l'acheter. Lorsque le vigneron voulut prélever un second échantillon de l'un des vins, son chat noir, monté sur le tonneau, toutes griffes dehors et sifflant de colère, l'en empêcha. Les marchands supposèrent que le chat défendait le meilleur des vins ; ils l'achetèrent et revinrent chaque année chercher celui surnommé le « chat noir », le « Schwarze Katz ». Depuis lors, les meilleurs vins de Zell portent, sur l'étiquette, l'insigne du chat noir – mais depuis que Merl et Kaimt ont fusionné avec Zell, il ne s'agit plus que d'un vin d'assemblage de *Grosslage*.

MERL

✓ **Vins non-Einzellagen** : *Peter Thielen, Albert Kallfelz*

ZELL

✓ **Vins non-Einzellagen** : **Producteur** : *Peter Lehmen, Albert Kallfelz, Peter Thielen*

GROSSLAGE WEINHEX

Ce *Grosslage* s'étend sur les deux rives de la Moselle et dans les faubourgs de Coblence. Il comprend certains coteaux très pentus entièrement plantés de riesling.

KOBERN

✓ **Vignoble** : *Weisenberg* **Producteur** : *Weingut Freiherr von Schleinitz*
Vins non-Einzellagen : **Producteur** : *Weingut Freiherr von Schleinitz*

WINNINGEN

✓ **Vignoble** : *Uhlen* **Producteur** : *Löwensteinhof* • **Vignoble** : *Bruckstück* **Producteur** : *Reinhard et Beate Knebel* • **Vignoble** : *Hamm* **Producteur** : *Gerd Kröber* • **Vignoble** : *Im Röttgen* **Producteur** : *Reinhard Knebel, Freiherr von Heddersdorf*

BEREICH BERNKASTEL

Ce *Bereich*, qui s'étend sur toute la moyenne Moselle, couvre la plupart de ses meilleurs vignobles. Une grand partie du vin est vendue sous l'appellation de ce *Bereich*, mais il est généralement décevant.

GROSSLAGE BADSTUBE

Badstude est certainement le plus grand *Grosslage* du pays puisqu'il regroupe le vignoble Doctor, le meilleur et le plus fameux des *Einzellagen*, ainsi que Lay, presque aussi connu, le superbe Graben et six autres bons sites. Le Badstube est le plus prestigieux *Grosslage* du pays. La qualité des vins de ces grands vignobles, y compris des surplus de production, est telle qu'il est pratiquement impossible de trouver un mauvais Badstube. Il est particulièrement bon dans les années relativement médiocres où le raisin de Doctor, qui n'a pas atteint le niveau du Kabinett, est assemblé avec d'autres vins.

BERNKASTEL

✓ **Vignoble** : *Alte Badstube am Doctorberg* **Producteur** : *Dr. Pauly-Bergweiler* • **Vignoble** : *Bratnhöfchen* **Producteur** : *Biologische Bundesanstalt* • **Vignoble** : *Doctor* **Producteurs** : *Dr. H. Thanisch-Erben Thanisch Wwe., Dr. H. Thanisch-Müller-Burggraef Wwe., Reichsgraf vib Kesselstatt, Wegeler-Deinhard* • **Vignoble** : *Graben* **Producteur** : *Wegeler-Deinhard* • **Vignoble** : *Lay* **Producteur** : *J. J. Prüm*

GROSSLAGE VOM HEISSEN STEIN

Pas de villages, de vignobles ou de producteurs exceptionnels, mais le village de Reil produit de bons vins.

GROSSLAGE KURFÜRSTLAY

Ce *Grosslage* regroupe les moins grands vins de Bernkastel et les meilleurs vins de Brauneberg, dont les plus beaux proviennent de la colline Juffer, exposée au sud sud-est, au-dessus de la rivière, en face du village de Brauneberg. Ses vins, extrêmement racés montrent beaucoup de corps. D'aucuns les préfèrent aux doctors mais, personnellement, je trouve très difficile de choisir et ce sont leurs différences qui me charment.

BRAUNEBERG

✓ **Vignoble** : *Juffer* **Producteurs** : *Fritz Haag, Karp-Schreiber, Max. Ferd. Richter, Reichsgraf von Kesselstatt* • **Vignoble** : *Juffer Sonnenuhr* **Producteurs** : *Fritz Becker Erben, Fritz Haag, Wilhelm Haag, Karp-Schreiber, Max. Ferd. Richter*

KUES

✓ **Vignoble** : *Weisenstein* **Producteur** : *Biologische Bundesanstalt*

LIESER

✓ **Vignoble** : *Niederberg Helden* **Producteur** : *Schloss Lieser*

GROSSLAGE MICHELSBERG

On trouve de grands vins faits à Piesport, dans le *Grosslage* Michelsberg, mais le Piesporter Michelsberg, maigre et sans caractère, n'en fait pas partie. Ce vin de *Grosslage* provient, non pas de coteaux schisteux de Goldtröpfchen ou de Domherr, mais de terres alluviales plates à rendement élevé. Pas un vigneron digne de ce nom ne voudrait cultiver la vigne sur des sols si peu fertiles qui donnent des vins de si piètre qualité que les professionnels les appellent unanimement des « pisse-pot ». Il ont totalement compromis la réputation du village de Piesporter. Les grands vins de Trittenheim ne sont en rien concernés par cette disgrâce, et ceux de Dhron méritent toujours d'être particulièrement distingués.

DHRON

✓ **Producteur** : *Hofberg* **Producteur** : *St Urbanshof*

PIESPORT

✓ **Vignoble** : *Domherr* **Producteur** : *Reichsgraf von Kesselstatt* • **Vignoble** : *Goldtröpfchen* **Producteurs** : *Lehnert-Veit, Bischöfliches Konvikt Trier, Friedrich Wilhelm Gymnasium.*

TRITTENHEIM

✓ **Vignoble** : *Altärchen* **Producteurs** : *Milz, Bischöfliches Priesterseminar Trier, Weingut - Laurentiushof* • **Vignoble** : *Apotheke* **Producteurs** : *Ernst Clüsserath, Clüsserath-Weiler, Grans-Fassian, Franz-Josef Eifel, Milz, Hermann Josef Clüsserath, Hans-Josef Maringer*

GROSSLAGE MÜNZLAY

Les trois villages de ce *Grosslage*, sans avoir la gloire de Bernkastel ou la popularité de Piesport, possèdent des vignobles vraiment superbes sur la Moselle et comptent un nombre incomparable de grands producteurs et de domaines.

GRAACH

✓ **Vignoble** : *Domprobst* **Producteurs** : *Selbach-Weins-Prüm* • **Vignoble** : *Himmelreich* **Producteurs** : *kees-Gieren, Friedrich-Wilhelm-Gymnasium, Wili Schaefer, J. J. Prüm, Heribert Kerpen, Willi Weins-Prüm*

WEHLEN

✓ **Vignoble** : *Sonnenuhr* **Producteur** : *Heribert Kerpen, S. A. Prüm, Studert-Prüm, Maximinhof, Dr. Loosen, J. J. Prüm, Willi Weins-Prüm, Christoffel-Prüm, Selbach-Weins-Prüm, Karl O. Pohl*

ZELTINGEN

✓ **Vignoble** : *Sonnenuhr* **Producteur** : *Markus Molitor*

GROSSLAGE NACKTARSCH

Pas de villages, de vignobles ou de producteurs exceptionnels.

GROSSLAGE PROBSTBERG

Pas de villages, de vignobles ou de producteurs exceptionnels, sauf à Longuich et à Schweich, qui se font face sur les bords de la Moselle, en aval du confluent avec le Ruwer à Eitelsbach.

LONGUICH
Vignoble : *Maximiner Herrenberg* **Producteur** : *Carl Schmitt-Wagner*

SCHWEICH
Vignoble : Annaberg **Producteur** : *Heinz Schmitt (Leiwen)*

GROSSLAGE SCHWARZLAY

Erden et Uerzig sont deux villages sous-estimés de la moyenne Moselle. Leurs vignobles spectaculaires, perchés comme par miracle sur des coteaux abrupts, produisent des vins riches et racés, à l'acidité de rapière, d'une intensité et d'une pureté de style remarquables.

ENKIRCH
Vignoble : *Batterieberg* **Producteur** : *Carl Aug. Immich-Batterieberg*

ERDEN
Vignoble : *Prälat* **Producteurs** : *Dr. Loosen, Christoffel-Prüm* • **Vignoble** : *Treppchen* **Producteurs** : *Erben Huber Schmitges, Heinrich Schmitges, Dr. Loosen, Merkelbach Christoffel-Prüm, Merkelbach, Peter Nicolay*

UERZIG
Vignoble : *Würzgarten* **Producteurs** : *Christoffel-Prüm, Dr. Loosen, Merkelbach, Peter Nicolay*

GROSSLAGE ST MICHAEL

Les vins de Klüsserath sont populaires mais souvent surestimés, à l'exception de vins merveilleux de Kirsten et de Franz-Josef Regnery qui évoquent la splendeur d'antan. Detzem, Mehring et Schleich ont du potentiel, mais Leiwen est exceptionnel, en particulier dans les vignobles les plus ensoleillés et les plus pentus de Laurentiuslay et de Klostergarten qui s'étendent au-dessus du village, avec un caractère parfaitement méridional.

DETZEM
Vignoble : *Würzgarten* **Producteurs** : *Nikolaus Lorentz*

KLÜSSERATH
Vignoble : *Bruderschaft* **Producteurs** : *Franz-Josef Regnery*

LEIWEN
Vignoble : *Klostergarten* **Producteurs** : *Bernhard Werner, Heinz Schmitt, St. Urbanshof, Josef Rosch* • **Vignoble** : *Laurentiuslay* **Producteurs** : *Carl Loewen, St. Urbanshof, Stoffel, Grans-Fassian, Josef Rosch*

MEHRING
Vins non-Einzellagen : **Producteur** : *Lenhardt*

SCHLEICH
Vignoble : *Sonnenberg* **Producteur** : *Winfried Reh*

BEREICH SAAR-RUWER

Les deux *Grosslagen* de ce *Bereich* occupent les rives et les deux affluents les plus renommés de la Moselle. La situation des *Grosslage* est facile à mémoriser car Scharzberg est sur la Sarre et Römerlay sur la Ruwer.

GROSSLAGE RÖMERLAY

Ce *Grosslage* couvre les vignobles de la Ruwer et comprend Trèves, ancienne ville romaine, et quelques parcelles disséminées sur la Moselle, notamment une sur la rive gauche. La Ruwer est de beaucoup le plus petit des deux affluents, mais on trouve sur ses rives des vignobles exceptionnels où des vignerons talentueux produisent des vins très aromatiques, vivaces, aussi racés que les meilleurs de la Moselle, mais pas tout à fait aussi mordants que ceux de la Sarre. La qualité est d'un niveau extraordinaire et peu de vins portent l'appellation du *Grosslage*.

EITELSBACH
Vignoble : *Karthäuserhofberger* **Producteur** : *Rautenstrauchsche Weingutsvewaltung*

KASEL
Vignoble : *Hitzllay* **Producteurs** : *Morgen-Herres* • **Vignoble** : *Nies'chen* **Producteurs** : *Reichsgraf von Kesselstatt, Wegeler-Deinhard, Winzergenossenschaf Kasel, Bischöfliches Priesterseminar, Karlsmühle Lorenzhof* (Ortsteil de Mertesdorf) • **Vignoble** : *Felslay* **Producteur** : *Karlsmühle*

MAXIMIN GRÜNHAUS
Vignoble : *Abtsberg, Herrenberg* **Producteur** : *Von Schubert*

MERTESDORF
Vignoble : *Herrenberg* **Producteur** : *Morgen-Herres*

TRIER (TRÈVES)
Vignoble : *Jesuitenwingert* **Producteur** : *Peter Terges*

GROSSLAGE SCHARZBERG

Ce *Grosslage* couvre la Sarre et une petite section de la Moselle entre Konz et Trèves au nord. Les vins extrêmement racés, mordants et métalliques quand ils sont jeunes, s'équilibrent gracieusement en acquérant d'exquises saveurs piquantes. Les très modestes vins de la Sarre sont souvent trop maigres et verts pour être agréables mais les *Kabinett* et les *QmP* des grands producteurs sont excellents. Cette appellation est souvent utilisée par les viticulteurs. Le vin rouge de Kanzem est également réputé.

AYL
Vignoble : *Kupp* **Producteur** : *Johann Peter Reinert*

FILZEN
Vignoble : *Herrenberg* **Producteur** : *Edmund Reverchon* • **Vignoble** : *Schloss Saarfelser Schlossberg* **Producteur** : *Vereinigte Hospitien-Trier*

KANZEM
Vignoble : *Altenberg* **Producteurs** : *Dr. Friedrich Teiwes, Bischöflische Weingüter Trier*

OBEREMMEL
Vignoble : *Karlsberg* **Producteur** : *Reichsgraf von Kesselstatt*

OCKFEN
Vignoble : *Bockstein* **Producteurs** : *Dr. Fischer, Jordan & Jordan, St. Urbanshof* (Leiwen)

SERRIG
Vignoble : *Herrenberg* **Producteur** : *Bert Simon* • **Vignoble** : *Schloss Saarstein* **Producteur** : *Schloss Saarstein*

SAARBURG
Vignoble : *Scharzhofberger* **Producteurs** : *Reichsgraf von Kesselstatt, Jordan & Jordan, J. Koch, Vereinigte Hospitien Trier, Egon Müller*

WILTINGEN
Vignoble : *Braune Kupp* **Producteur** : *Le Gallais (Kanzem)* • **Vignoble** : *Gotesfuss* **Producteur** : *Jordan & Jordan* • **Vignoble** : *Kupp* **Producteur** : *Hubert Schmitz* • **Vignoble** : *Braunfels* **Producteurs** : *Reichsgraf von Kesselstatt, Jordan & Jordan* • **Vignoble** : *Schlangengraben* **Producteur** : *St. Urbanshof* (Leiwen)

BEREICH OBERMOSEL

Parallèle à la frontière luxembourgeoise, la haute Moselle, ou Obermosel, est essentiellement plantée d'elbling. Les vins, maigres et acides, entrent surtout dans la production de *Sekt*.

GROSSLAGE KÖNIGSBERG

Pas de villages, de vignobles ou de producteurs exceptionnels.

GROSSLAGE GIPFEL

Pas de villages, de vignobles ou de producteurs exceptionnels bien que le village de Nittel produise des vins honorables.

BEREICH MOSELTOR

Le *Bereich* le plus méridional de la Moselle doit son nom de « Porte de la Moselle » au fait que la rivière entre ici en Allemagne après avoir traversé le Luxembourg. Les vins, très légers et acides, sont sans grand intérêt si ce n'est pour les maisons productrices de *Sekt*.

GROSSLAGE SCHLOSS BÜBINGER

Dans le village de Perl, les vins secs de Helmut Herber ont bonne réputation, en particulier ceux qu'il fait de cépage auxerrois. Alfons Pettgen est le fournisseur du gouvernement de Saarland.

PERL
Vignoble : *Hasenberg* **Producteur** : *Helmut Herber*

SEHNDORF
Vignoble : *Klosterberg* **Producteur** : *Alfons Pettgen*

NAHE

Un microclimat ensoleillé et des sols de natures variées s'allient ici pour produire des vins qui montrent l'élégance des rheingau, le corps des rheinhessen légers et l'acidité des mosel. L'arôme parfumé d'un vin de la Nahe, de même que sa richesse exceptionnelle et sa texture souple et tendre sont véritablement uniques.

Bien que les ruines romaines soient ici nombreuses, la vigne s'est implantée relativement tard dans la vallée de la Nahe, puisque les plus anciens documents remontent au VIIIe siècle, au moins 500 ans après la création d'une florissante industrie du vin dans la vallée de la Moselle par les Romains. Les vignobles se sont considérablement étendus aux XIIe et XIIIe siècles. Si au XIXe siècle, la Nahe rivalisait avec le Rheingau, curieusement, à l'époque de la seconde guerre mondiale, elle était la plus méconnue des régions viticoles allemandes. La production n'avait pourtant baissé ni en qualité ni en quantité; d'excellents vignobles comme le Kupfergrube à Schlossböckelheim, aujourd'hui considéré comme le plus grand de tous les vignobles de la Nahe, n'existait même pas avant 1900. Ce retrait était sans doute dû à la structure de la région, une aire relativement petite, composée de vignobles disséminés, qui avait du mal à rivaliser avec les grandes régions plus compactes. L'industrialisation et le développement des moyens de transport entraînèrent pour celles-ci une période de prospérité qui n'isola que davantage la Nahe. Avec son économie essentiellement rurale fondée sur l'agriculture mixte, elle se replia sur elle-même. La population locale pouvait consommer la plus grande partie de sa production et les vins de la Nahe furent peu à peu oubliés sur les marchés nationaux et internationaux.

SMALL IS BEAUTIFUL

Si le cépage principal de la Nahe était le riesling, la région pourrait valoriser sa petite taille en commercialisant des vins fins et typiques.

LA RÉGION EN CHIFFRES

Superficie plantée de vigne : 4 665 ha

Rendement moyen : 80 hl/ha

Vin rouge : 7%

Vin blanc : 93%

Cépages principaux : riesling 27%, müller-thurgau 23%, sylvaner 11% ; kerner 8%, autres 31%

Infrastructure : 1 *Bereich*; 7 *Grosslagen*; 328 *Einzellagen*

Note : Les vignobles de l'Ahr sont répartis sur 80 *Gemeinden* (communes) dont les noms peuvent figurer sur l'étiquette.

NORMES DE QUALITÉ ET RÉPARTITION DE LA RÉCOLTE

° OECHSLE MINIMAL	CATÉGORIE	RÉCOLTE 1992	1993	1994	1995
44°	*Deutscher Tafelwein*	20%	–	4%	4%
50°	*Landwein*				
57–60°	* *QbA*	76%	57%	80%	88%
70–73°	* *Kabinett*	3%	27%	14%	8%
78–82°	* *Spätlese*	1%	13%	2%	–
85–92°	* *Auslese*	–	3%	–	–
120°	*Beerenauslese*				
120°	*Eiswein*				
150°	*Trockenbeerenauslese*				

*Le degré Oechsle minimal varie en fonction du taux de sucre naturel du cépage. S'il est plus bas, le vin peut passer en catégorie inférieure.

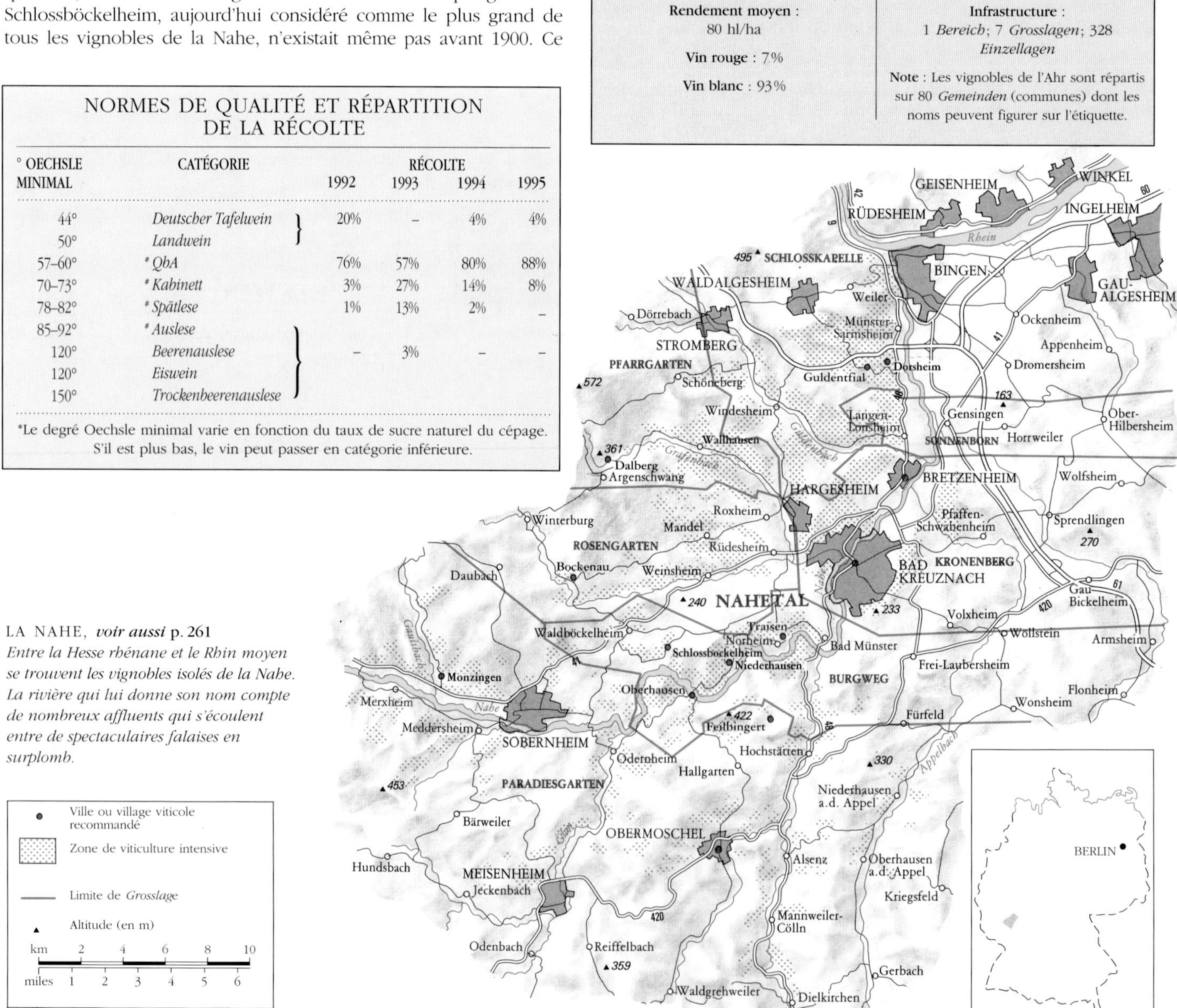

LA NAHE, ***voir aussi*** p. 261
Entre la Hesse rhénane et le Rhin moyen se trouvent les vignobles isolés de la Nahe. La rivière qui lui donne son nom compte de nombreux affluents qui s'écoulent entre de spectaculaires falaises en surplomb.

FACTEURS AFFECTANT LE GOÛT ET LA QUALITÉ

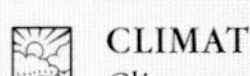

SITUATION
La région s'étend autour de la Nahe, rivière qui s'écoule parallèlement à la Moselle, à 40 km au sud-est entre la Hesse rhénane et le Rhin moyen.

CLIMAT
Climat tempéré et ensoleillé, avec des précipitations adéquates, sans gelées. Le temps est influencé par la forêt de Sonnwald au nord-est et par les collines rocheuses à l'est, qui retiennent la chaleur. Les vignobles abrités et exposés au sud ont des microclimats presque méditerranéens.

SITE
Les vignobles se trouvent sur les rives de la Nahe et celles de l'arrière-pays. La vigne y croît à des altitudes de 100 à 300 m.

SOL
Sols de natures diverses : quartzite et ardoise en aval, porphyre (roche dure pauvre en calcaire), mélampyre (roche dure riche en calcaire) et grès coloré plus en amont. Près de Bad Kreuznach, on trouve également des argiles décomposées, du lœss et du limon. Les plus grands vins de riesling proviennent des sols de grès.

VITICULTURE ET VINIFICATION
Depuis le milieu des années 1960, la culture du riesling et du sylvaner a diminué respectivement de 20 à 15%. Pourtant, le riesling, aujourd'hui le cépage le plus répandu, représente environ 27% de l'encépagement : l'évolution est surtout due à la culture de croisements tels que le kerner, le scheurebe et le bacchus. Des coopératives bien équipées vinifient 20% de la récolte. Les petits vignerons vendent directement à la clientèle de passage jusqu'à 40% de la production. Les 40% restants sont entre les mains des maisons de négoce et d'export traditionnelles.

CÉPAGES PRINCIPAUX
Müller-thurgau, riesling, sylvaner

CÉPAGES SECONDAIRES
Bacchus, faberrebe, kerner, scheurebe, rulânder, weissburgunder

LES VINS DE

LA NAHE

BEREICH NAHETAL

Ce *Bereich* correspond à celui précédemment nommé Kreuznach, qui couvrait l'aire appelée autrefois *Untere Nahe*, ou Nahe inférieure, ainsi que Schlossböckelheim, la zone la plus connue.

GROSSLAGE BURGWEG

Ce *Grosslage*, à ne pas confondre avec les *Grosslagen* qui portent le même nom dans le Rheingau et en Hesse rhénane, produit la plus belle gamme de grands vins de riesling de la Nahe, dont le schlossböckelheimer kupfergrube, considéré unanimement comme le meilleur de tous. Un bon taux d'extraits et une forte acidité leur donnent une saveur intense et mordante.

NIEDERHAUSEN
Vignoble : *Hermannshöhle* **Producteurs** : *Hermann Dönnhof* • **Vignoble** : *Hermannsberg* **Producteurs** : *Staatsdomäne Neiderhausen-Schlossböckelheim, Oskar Mathern* • **Vignoble** : *Rosenberg* **Producteur** : *Oskar Mathern* • **Vignoble** : *Stollenberg* **Producteur** : *Adolf Lötzbeyer*

OBERHAUSEN
Vignoble : *Brücke* **Producteur** : *Herman Dönnhof*

SCHLOSSBÖCKELHEIM
Vignoble : *Kupfergrube* **Producteurs** : *Graf von Plettenberg*

TRAISEN
Vignoble : *Bastei* **Producteurs** : *Hans Crusius, Staatsdomäne Neiderhausen-Schlossböckelheim* • **Vignoble** : *Rotenfels* **Producteur** : *Hans Crusius*

GROSSLAGE KRONENBERG

Un des meilleurs de la Nahe. Mais les vins les plus fins, tous des rieslings, à l'arôme parfumé et à l'acidité légère mais racée, sont des *Einzellagen*.

BAD KREUZNACH
Vignoble : *Kahlenberg* **Producteurs** : *Paul Anheuser, Graf von Plettenberg, Staatsdomäne Neiderhausen-Schlossböckelheim* • **Vignoble** : *Krötnepfuhl* **Producteur** : *Paul Anheuser*

BRETZENHEIM
Vignoble : **Producteurs** : *Graf von Plettenberg, Staatsdomäne Neiderhausen-Schlossböckelheim*

GROSSLAGE PFARRGARTEN

Ce *Grosslage* n'est pas très grand mais la culture y est intensive. Le *Grosslage* Pfarrgarten se trouve à l'ouest et un peu au nord de Bad Kreuznach. Les vins de Wallhausen sont les meilleurs.

DALBERG
Vignoble : *Schlossberg* **Producteur** : *Prinz zu Salm*

WALLHAUSEN
Vignoble : *Johannisburg* **Producteur** : *Prinz zu Salm*

GROSSLAGE PARADIESGARTEN

Vaste regroupement de vignobles disséminés de qualité variable. À l'exception d'Obermoschel, les plus beaux vins proviennent de l'est de la Nahe. Ces vins, assez peu connus, sont généralement d'un bon rapport qualité/prix.

FEILBINGERT
Vignoble : *Königsgarten* **Producteur** : *Adolf Lötzbeyer*

MONZINGEN
Vignoble : *Halenberg* **Producteur** : *Emrich Schönleber*

OBERMOSCHEL
Vignoble : *Schlossberg* **Producteur** : *Herbert & Andreas Schmidt*

GROSSLAGE ROSENGARTEN

L'authentique et illustre rüdesheimer rosengarten est un grand riesling du Rheingau provenant d'un *Einzellage* appelé Rosengarten. Celui de la Nahe est un vin honnête mais simple, issu d'un modeste *Grosslage*, selon toute probabilité un assemblage de müller-thurgau et de sylvaner.

BOCKENAU
Vins non-Einzellagen : **Producteur** : *Schäfer-Frölich*

GROSSLAGE SCHLOSSKAPELLE

Ce *Grosslage* offre de nombreux vins agréables et d'un bon rapport qualité/prix à Münster-Sarmsheim et à Windesheim ; cependant, les meilleurs sont les rieslings riches et amples de Dorsheim et de Guldental.

DORSHEIM
Vignoble : Klosterpfad **Producteur** : Schlossgut Diel • **Vignoble** : Goldloch **Producteur** : Schlossgut Diel

GULDENTAL
Vignoble : Rosenteich **Producteur** : Weingut Königswingert/Linus Zimmermann • **Vignoble** : Sonnenberg **Producteur** : Bernd Müller

GROSSLAGE SONNENBORN

Un seul village, Langenlonsheim, donne des vins généralement amples et intéressants, mais assez rustiques.

RHEINGAU

Le village de Johannisberg et ses alentours, dans le Rheingau, sont incontestablement l'endroit du monde où le riesling, le roi des cépages allemands, trouve son site d'élection. En effet, nulle part ailleurs il ne donne des vins aussi délicieux et juteux, avec des arômes soyeux de pêche.

Nombre de pays, dans le monde entier, utilisent l'expression « riesling de Johannisberg » pour distinguer le vrai riesling des nombreux cépages inférieurs qui en déprécient le nom. Les résultats que donne le riesling sur ce coteau baigné de soleil sont à vrai dire exceptionnels.

Les vins, même les QbA, laissent en bouche une saveur tendre, plaisante et élégante de pêche, avec un caractère juvénile et mielleux qui n'a rien à voir avec l'*Edelfaüle* (pourriture noble), la sur-

VITICULTURE DANS LE RHEINGAU
Le riesling, qui donne ici ses plus beaux vins, représente 80 % des vignes.

NORMES DE QUALITÉ ET RÉPARTITION DE LA RÉCOLTE

° OECHSLE MINIMAL	CATEGORIE	RÉCOLTE 1992	1993	1994	1995
44°	*Deutscher Tafelwein*	20%	–	3%	2%
53°	*Landwein*				
57–60°	* *QbA*	79%	40%	72%	89%
73–80°	* *Kabinett*	1%	53%	21%	8%
85–95°	* *Spätlese*	–	6%	4%	1%
55–105°	* *Auslese*	–	1%	–	–
125°	*Beerenauslese*				
125°	*Eiswein*				
150°	*Trockenbeerenauslese*				

* Le degré Oechsle minimal varie en fonction du taux de sucre naturel du cépage. S'il est plus bas, le vin peut passer en catégorie inférieure.

LA RÉGION EN CHIFFRES

Superficie plantée de vigne :
3 288 ha

Rendement moyen :
64 hl/ha

Vin rouge : 10%

Vin blanc : 90%

Cépages principaux :
riesling 81%, spätburgunder 9%, müller-thurgau 4%, autres 6%

Infrastructure :
1 *Bereich*; 10 *Grosslagen*; 118 *Einzellagen*

Note : Les vignobles de cette région sont répartis sur 28 *Gemeinden* (communes) dont les noms peuvent figurer sur l'étiquette.

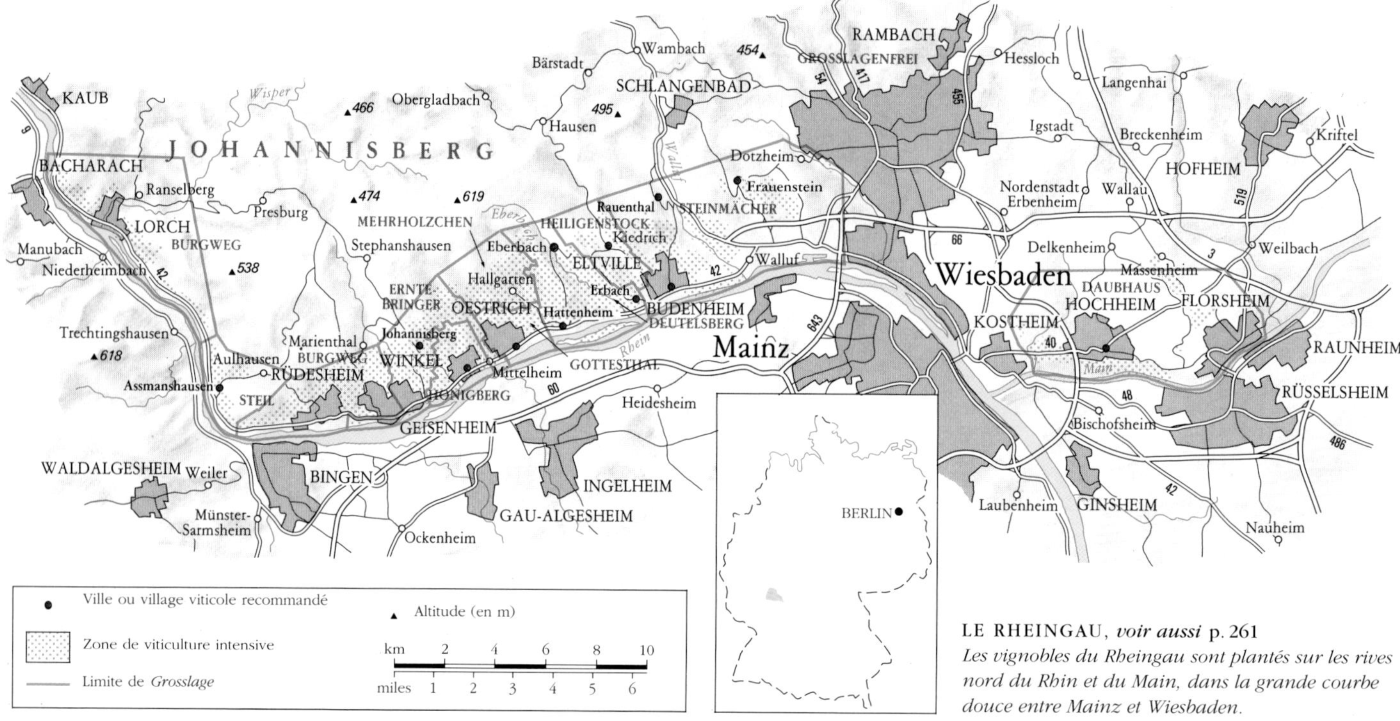

LE RHEINGAU, *voir aussi* p. 261
Les vignobles du Rheingau sont plantés sur les rives nord du Rhin et du Main, dans la grande courbe douce entre Mainz et Wiesbaden.

maturation ou le vieillissement en bouteille. On peut préférer un autre style de vin de ce même raisin, mais on ne saurait en trouver de plus fin et de plus gracieux.

LA CHARTE DE QUALITÉ DU RHEINGAU

Malgré l'enthousiasme suscité par les nouveaux vins secs d'Allemagne (*trocken*), certains des grands domaines du Rheingau ont cependant compris que la plupart des vins exportés étaient des vins de coupage de médiocre qualité. Comme ces viticulteurs produisaient des vins naturellement secs, ils ont pensé qu'une mauvaise image de marque des vins *trocken* leur étaient préjudiciable ; ils s'unirent donc pour la protéger. C'est ainsi que fut créée, en 1983, Charta (prononcer « carta »), une association de « Domaines de la charte », « afin de promouvoir le style classique des rieslings du Rheingau, d'améliorer la qualité de ses vins et d'affirmer leur caractère spécifique parmi les vins d'autres régions vinicoles ». S'il a fallu le concours actif de la quasi-totalité des meilleurs producteurs du Rheingau pour mener à bien cette entreprise, l'élément moteur en a été l'infatigable Georg Breuer. Sous sa direction, Charta a pris l'exact contre-pied du système de contrôle qualité officiel puisque, loin de succomber à la loi du plus médiocre, l'association aspire à la meilleure qualité possible. Déjà, à sa création, elle avait établi des règles extrêmement contraignantes ; pourtant Breuer, de temps à autre, trouve le moyen de les durcir encore.

LES VINS *TROCKEN*

Si, en Allemagne, une bouteille sur cinq contient un vin *trocken*, ou sec, celui-ci est souvent maigre et court en bouche. Or, si le raisin naturellement plus mûr que cultivent les domaines de la charte du Rheingau donne un vin plus gras et plus complet, qui se prête bien au style *trocken*, notamment pour accompagner un repas, les autres régions produisent elles aussi des vins secs en progrès constant depuis une dizaine d'années. Ces vins affirment désormais un équilibre et une élégance que n'avaient pas les meilleurs de la fin des années 1980. Des raisins *Spätlese* et *Auslese* botrytisés leur confèrent d'ailleurs une complexité rare pour des vins aussi jeunes. D'emblée très accessibles, ils ne s'améliorent guère en vieillissant.

SCHLOSS VOLRADS
Ce célèbre Schloss à vin a été construit vers 1300 par les chevaliers de Greiffenclau.

LES RÈGLEMENTS DE LA CHARTE

Ayant dégusté de nombreux vins de la Charte, je suis persuadé qu'ils sont effectivement supérieurs aux autres vins du Rheingau. La majorité des plus beaux vins du Rheingau en fait partie, mais il s'agit exclusivement de vins secs – les grands QmP du Rheingau de style plus moelleux, élaborés à partir des *Auslese*, échappent à ce système. On reconnaît ces vins à leur bouteille caractéristique, haute, fine et brune, traditionnelle dans le Rheingau. Toutes les bouteilles portent une double arche romaine en relief sur la capsule ainsi qu'une étiquette noire où figure le même emblème.

Les vins de la Charte sont soumis à un examen organoleptique (examen par le goût, l'odeur et l'aspect) avant et après la mise en bouteille. On procède à un second examen pour vérifier l'authenticité de l'échantillon d'origine.

Un document d'analyse officiel doit accompagner les vins proposés à l'imprimatur de la Charte, lesquels doivent satisfaire à certains critères établis par l'Association.

Les vins soumis à examen doivent être de style sec et se conformer aux conditions suivantes :

a) être des vins de domaine à 100 % ;

b) être issus exclusivement de riesling ;

c) être issus de raisin cueillis à la main par tries successives ;

d) avoir une alcoolométrie minimum de 12 % ;

e) avoir un rendement maximal de 50 hl/ha ;

f) ne porter aucune mention de Prädikat*.

Les vins doivent présenter toutes les caractéristiques d'un vrai riesling du millésime et du vignoble.

L'inscription se fait quatre semaines avant la date de l'examen, avec indication du millésime et de la catégorie.

* On peut toutefois rencontrer des *Prädikat* sur les millésimes anciens. Ces vins n'ont pas été produits conformément aux règles ci-dessus, ne serait-ce que parce qu'ils ne sont pas secs. Ils ont néanmoins subi les mêmes tests rigoureux, sanctionnés cette fois par le label « Charta Designated » au lieu de « Charta Approved ».

Bouteille Charta

Lors d'une dégustation à l'aveugle on teste des vins divers, provenant de sites et de catégories comparables, en même temps que les vins soumis à l'examen. Les vins de la Charte doivent surpasser ces vins de référence à tous égards. Lors de la seconde dégustation, les vins sont de nouveau confrontés. De plus, ils doivent être accompagnés de l'analyse effectuée pour l'attribution du numéro *AP* (*voir* p. 262). Ces documents, conservés par l'Association, peuvent servir lors d'une éventuelle réclamation.

Capsule

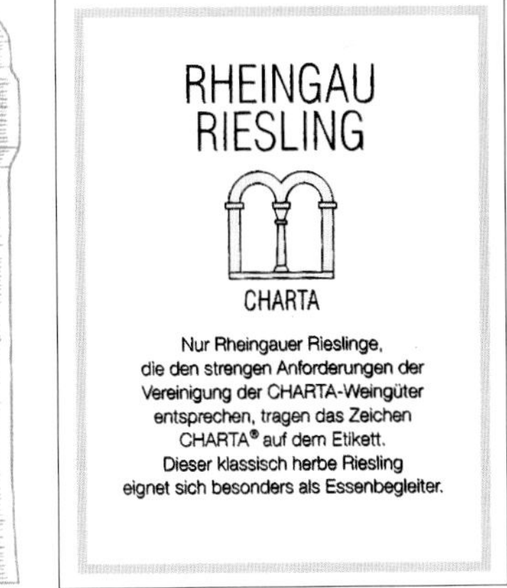

Étiquette de dos

CAPSULE ET ÉTIQUETTE DE DOS
Tout vin ayant réussi l'examen Charta reçoit une capsule portant le logo de l'Association : c'est une double arche romaine que l'on retrouve sur une étiquette noire au dos de la bouteille.

BOUTEILLE CHARTA
Le logo de l'Association en relief sur la bouteille, comme on le voit ici, est devenu facultatif en raison de son coût jugé exorbitant par certains petits producteurs.

LES VIGNOBLES DE BERG SCHLOSSBERG, RUDESHEIM
Ces vignobles, tournés vers le midi, bénéficient d'un ensoleillement maximum.

FACTEURS AFFECTANT LE GOÛT ET LA QUALITÉ

SITUATION
Région compacte, de 36 km de long seulement, sur les rives nord du Rhin et du Main entre Bingen et Mayence.

CLIMAT
Les montagnes de Taunus et les cours d'eau protègent les vignes du froid. La région reçoit plus de soleil que la moyenne de mai à octobre, durant la période de croissance et de maturation du raisin.

SITE
Les vignes poussent entre 100 et 300 m d'altitude sur un superbe coteau orienté plein sud.

SOL
Quartzite et ardoise délitée dans les sites les plus élevés, qui produisent les plus grands riesling. Le limon, le lœss, l'argile et les graves sableuses des vignobles en contrebas donnent des vins plus amples et plus robustes. Les sols d'ardoise bleutée et de phyllite autour d'Assmannshausen seraient propices au spätburgunder.

VITICULTURE ET VINIFICATION
Cette région compte quelque 500 domaines et 2 600 viticulteurs. Beaucoup font et vendent leurs propres vins : d'autres fournissent les dix coopératives. Le riesling représente 80% des vignes. Les vins sont traditionnellement plus secs que dans les autres régions. Assmannshausen est célèbre pour son vin rouge, l'un des meilleurs d'Allemagne.

CÉPAGE PRINCIPAL
Riesling
CÉPAGES SECONDAIRES
Ehrenfelser, kerner, müller-thurgau, sylvaner, spätburgunder

LE NOUVEAU CLASSEMENT DES VINS DES DOMAINES DE LA CHARTE

Si vous voyez un vin d'un *Einzellage* dont l'étiquette pourvue d'un bord inférieur noir porte non pas une double arche romaine, logo de la Charta mais trois, vous êtes en présence d'un vin ne provenant pas des *Einzellagen* officiels surdimensionnés, mais bien du vignoble d'origine, désigné *Erstes Gewächs* (premier cru) par l'Association. Ces vins doivent respecter les règles ci-dessus mentionnées (c'est-à-dire un style sec sans mention de Prädikat) en attendant un nouveau règlement concernant les premiers crus botrytisés, voire les vins de spätburgunder. On le voit, certains Einzellagen d'origine ont été démesurément agrandis. De fait, la législation sur le vin allemand de 1971 n'est rien moins que la légalisation d'une tromperie à très grande échelle.

VILLAGE	EINZELLAGE	SUPERFICIE Officielle	SUPERFICIE Charta	EXPANSION DE 1971
Lorch	Bodenthal-Steinberg	28,1	12,3	128%
Lorch	Kapellenberg	56,9	17,9	218%
Lorch	Krone	14,5	7,5	93%
Assmannshausen	Höllenberg	43,4	20,0	117%
Rüdesheim	Berg Schlossberg	25,5	23,2	10%
Rüdesheim	Berg Roseneck	26,7	16,2	65%
Rüdesheim	Berg Rottland	36,2	32,3	12%
Geisenheim	Fuchsberg	44,4	5,6	693%
Geisenheim	Rothenberg	26,8	9,0	198%
Geisenheim	Kläuserweg	57,6	14,3	303%
Geisenheim	Mäuerchen	32,6	3,6	806%
Johannisberg	Schloss Johannisberg	21,9	16,6	32%
Johannisberg	Klaus	2,0	2,0	0%
Johannisberg	Hölle	20,9	6,2	237%
Johannisberg	Mittelhölle	6,5	6,5	0%
Winkel	Jesuitengarten	31,2	26,0	20%
Winkel	Hasensprung	103,8	19,9	421%
Winkel	Schloss Vollrads	37,7	15,0	151%
Mittelheim	St. Nikolaus	44,8	6,7	569%
Oestrich	Lenchen	130,6	35,8	265%
Oestrich	Doosberg	137,9	38,4	259%
Hattenheim	Engelmannsberg	14,1	10,5	34%
Hattenheim	Mannberg	8,1	8,1	0%
Hattenheim	Pfaffenberg	6,6	6,6	0%
Hattenheim	Nussbrunnen	10,8	10,8	0%
Hattenheim	Wisselbrunnen	16,9	9,7	74%
Hattenheim	Steinberg	36,7	26,9	36%
Hallgarten	Schönhell	52,1	18,9	176%
Erbach	Marcobrunn	5,2	5,2	0%
Erbach	Steinmorgen	28,2	8,6	228%
Erbach	Siegelsberg	15,1	13,7	10%
Erbach	Hohenrain	17,1	5,8	195%

VILLAGE	EINZELLAGE	SUPERFICIE Official	SUPERFICIE Charta	EXPANSION DE 1971
Erbach	Schlossberg	28,1	12,3	128%
Kiedrich	Gräfenberg	56,9	17,9	218%
Kiedrich	Wasseros	14,5	7,5	93%
Eltville	Sonnenberg	43,4	20,0	117%
Rauenthal	Baiken	25,5	23,2	10%
Rauenthal	Gehrn	26,7	16,2	65%
Rauenthal	Rothenberg	36,2	32,3	12%
Rauenthal	Nonnenberg	44,4	5,6	693%
Rauenthal	Wülfen	26,8	9,0	198%
Martinsthal	Wildsau	57,6	14,3	303%
Martinsthal	Langenberg	32,6	3,6	806%
Walluf	Walkenberg	21,9	16,6	32%
Wiesbaden	Neroberg	2,0	2,0	0%
Hochheim	Domdechaney	20,9	6,2	237%
Hochheim	Kirchenstück	6,5	6,5	0%
Hochheim	Hölle	31,2	26,0	20%
Hochheim	Königin Victoria Ber	103,8	19,9	421%

LES APPELLATIONS DU

RHEINGAU

BEREICH JOHANNISBERG

Ce *Bereich* couvre l'ensemble du Rheingau et son nom, grâce à la renommée de Johannisberg, permet de vendre les vins de moindre qualité. Les producteurs ont commencé à utiliser les noms de *Grosslagen* sur les étiquettes, car ils ne sont pas obligés de les faire précéder du mot « *Grosslage* », ce qui permet de laisser croire que le vin, provenant d'un site spécifique, pourrait être de qualité supérieure.

GROSSLAGE BURGWEG

Le *Grosslage* le plus à l'ouest du Rheingau. Un vin qui porte ce nom sur l'étiquette, avec l'indispensable mention « Riesling » peut être assez bon mais on ne peut le comparer aux nombreux vins provenant des superbes *Einzellagen* de Burgweg, faits par l'un des grands domaines ou de petits viticulteurs.

GEISENHEIM

Vignoble : *Mäuerchen* **Producteur** : *Prinz von Hessen* • **Vignoble** : *Rothenberg* **Producteur** : *Wegeler-Deinhard*

RÜDESHEIM

Vignoble : *Berg Rottland* **Producteurs** : *Josef Leitz, Prinz von Hessen* • **Vignoble** : *Berg Schlossberg* **Producteurs** : *Georg Breuer, Josef Leitz, Prinz von Hessen* • **Vignoble** : *Bischofsberg* **Producteurs** : *Georg Breuer, Josef Leitz, Schloss Schönborn*

GROSSLAGE DAUBHAUS

Les meilleurs vins de Daubhaus, le *Grosslage* le plus oriental du *Bereich* Johannisberg, sont issus de vignobles situés sur une petite bande isolée près de Hochheim. Les vins sont fermes et pleins, sans avoir l'élégance des meilleurs Rheingau.

HOCHHEIM

Vignoble : *Domdechaney* **Producteur** : *Domdechant Werner'sches Weingut* • **Vignoble** : *Kirchenstück* **Producteur** : *Domdechant Werner'sches Weingut* • **Vignoble** : *Hölle* **Producteurs** : *Franz Künstler, Schloss Schönborn*

GROSSLAGE DEUTELSBERG

Ce *Grosslage* comprend les grands vignobles d'Erbach et les vins sous-estimés de Hattenheim, puissants et de longue garde. Il inclut aussi le célèbre Kloster Eberbach et le vignoble de l'île de Mariannenau, qui font également un peu de chardonnay.

HATTENHEIM

Vignoble : *Pfaffenberg* **Producteur** : *Domäne Schloss Schönborn* • **Vignoble** : *Schützenhaus* **Producteur** : *Hans Barth* • **Vignoble** : *Steinberg* **Producteur** : *Staatsweingüter Kloster Eberbach* • **Vignoble** : *Wisselbrunnen* **Producteurs** : *Freiherr zu Knyphausen, Hans Lang, Schloss Reinbarishbausen*

Vins non-Einzellagen : **Producteur** : *Hans Barth*

GROSSLAGE ERNTEBRINGER

Ce *Grosslage* produit les meilleurs vins du Rheingau. Ceux-ci ne peuvent toutefois se comparer aux vins d'*Einzellage*, comme Schloss Johannisberg ou le vignoble nettement sous-estimé de Klaus.

JOHANNISBERG

Vignoble : *Goldatzel* **Producteur** : *Johannishof Eser, August Eser* • **Vignoble** : *Schloss Johannisberg* **Producteur** : *Domäne Schloss Johannisberg*

GROSSLAGE GOTTESTHAL

Il est curieux que ce *Grosslage*, situé entre les *Grosslagen* superbes de Deutelsberg et d'Honigberg, soit relativement décevant. On y trouve cependant quelques excellents rieslings d'une grande longévité.

OESTRICH

Vignoble : *Lenchen* **Producteurs** : *Wegeler-Deinhard, August Eser, Wilfried Querbach* • **Vignoble** : *Doosberg* **Producteur** : *Bernhard Eser*

GROSSLAGE HEILIGENSTOCK

Le meilleur vin de ce petit *Grosslage* est le fabuleux riesling de Kiedrich, aux nuances de miel et de pêche. Le vin de *Grosslage* est parfois bon aussi.

KIEDRICH

Vignoble : *Gräfenberg* **Producteur** : *Robert Weil* • **Vignoble** : *Sandgrub* **Producteurs** : *Schloss Reinbartshausen, Freiherr zu Knyphausen*

GROSSLAGE HONIGBERG

Vins d'une grande vitalité, avec toutes les nuances fruitées et élégantes de pêche et de miel qu'on attend des meilleurs rheingaus.

ERBACH

Vignoble : *Hohenrain* **Producteurs** : *Eberhard Rüter & Edler von Oetringer, Jakob Jung* • **Vignoble** : *Marcobrunn* **Producteurs** : *von Simmern, Schloss Reinhartshausen* • **Vignoble** : *Rheinbell* **Producteur** : *Schloss Reinhartshausen* • **Vignoble** : *Steinmorgen* **Producteurs** : *Freiherr zu Knyphausen, Jakob Jung*

WINKEL

Vignoble : *Hasensprung* **Producteurs** : *Prinz von Hessen, Fritz Allendorf* • **Vignoble** : *Jesuitengarten* **Producteur** : *Prinz von Hessen*

GROSSLAGE MEHRHÖLZCHEN

Ce *Grosslage*, niché sur les coteaux les plus élevés et les plus pentus du Rheingau, sous les collines du Taunus, est planté presque exclusivement de riesling. Le vin est en général gras, presque lourd. Parfois aussi, il est souvent très fruité, avec un arôme épicé caractéristique.

GROSSLAGE STEIL

Ce minuscule *Grosslage* est célèbre pour les vins rouges d'Assmannshausen, très tendres, avec un caractère variétal très pur. Ils n'ont cependant ni le corps ni le tanin habituels au vin rouge. La plupart des vignobles sont escarpés et tournés vers le sud-ouest, mais les meilleurs, ceux de Höllenberg, qui produisent les vins les plus fins, se trouvent sur un petit affluent et sont exposés au sud.

ASSMANNSHAUSEN

Vignoble : *Höllenberg* **Producteurs** : *August Kesseler, Staatsweingüter Kloster Eberbach.*

GROSSLAGE STEINMÄCHER

La vigne est cultivée ici moins intensément qu'ailleurs dans le Rheingau, mais les vins n'en sont pas moins impressionnants.

ELTVILLE

Vignoble : *Sonnenberg* **Producteurs** : *von Simmern, Fischer Erben*

FRAUENSTEIN

Vignoble : *Herrnberg* **Producteur** : *Städisches Weingut Wiesbaden*

RAUENTHAL

Vignoble : *Baiken* **Producteurs** : *Staatsweingüter Kloster Eberbach, von Simmern* • **Vignoble** : *Rothenberg* **Producteur** : *August Eser*

HESSE RHÉNANE

La Hesse rhénane (Rheinhessen) compte plus de vignes que toute autre région viticole allemande. Devant la diversité des sols et des cépages, comprenant tout juste 8 % de riesling, il est impossible de donner une image uniforme de ses vins, qui vont du tendre sylvaner à l'aromatique et épicé müller thurgau. Outre ces vins bon marché et sans prétention, on peut trouver quelques très grands breuvages.

La Hesse rhénane est incontestablement liée au liebfraumilch : la moitié de la production provient de ses vignobles et l'origine de ce vin se trouve dans le célèbre vignoble de Liebfraumilch-Kirchenstück à Worms. De plus, c'est à Alzey que Sichel élabore son célèbre « Blue Nun ». Le nom de Nierstein est également associé au liebfraumilch dans l'esprit de nombreux amateurs avertis, parce que de nombreuses bouteilles bon marché de *Bereich* Nierstein et de Niersteiner Gutes Domtal inondent le marché et portent atteinte à la réputation des vrais *Einzellagen* de Nierstein.

FACTEURS AFFECTANT LE GOÛT ET LA QUALITÉ

SITUATION
Cette région est située entre les villes de Bingen, Mayence et Worms, juste au sud de Rheingau.

CLIMAT
La Hesse rhénane bénéficie d'un climat tempéré, protégé des vents froids par les collines du Taunus au nord et la forêt d'Odenwald à l'est. Les vignobles qui descendent vers le fleuve sont protégés par la Terrasse du Rhin.

SITE
La vigne, sur les coteaux orientés à l'est et au sud-est, est cultivée à une altitude variant entre 100 à 200 m, sur la Terrasse du Rhin. Les vignobles de l'arrière-pays se trouvent à des altitudes et dans des sites très variés.

SOL
Essentiellement des lœss avec du calcaire, des marnes sableuses, du quartzite, du porphyre sableux et des argiles vaseuses. Les sols de marnes, plus lourds, accueillent le riesling.

VITICULTURE ET VINIFICATION
De nombreux vignobles ont des rendements élevés, aussi produit-on beaucoup de vins génériques bon marché. À l'autre extrême, les meilleurs domaines produisent de petites quantités de beaux vins.

CÉPAGES PRINCIPAUX
Müller-thurgau, sylvaner
CÉPAGES SECONDAIRES
Bacchus, faberrebe, huxelrebe, kerner, morio-muskat, portugieser, riesling, scheurebe

LA HESSE RHÉNANE, *voir aussi* p. 261
On cultive différents cépages dans cette région, l'une des plus grandes d'Allemagne par la superficie de son vignoble.

LA TERRASSE DU RHIN

Malgré le volume important de vins médiocres qu'elle produit, la région compte nombre de viticulteurs de haut niveau et de bons domaines. La vignette « Rhein Terrasse » permet de repérer des vins de qualité supérieure à prix raisonnable.

Cette Terrasse du Rhin regroupe neuf villages situés sur les coteaux qui descendent du plateau de la Hesse rhénane jusqu'au fleuve : Bodenheim dans le *Grosslage*

VIGNOBLES DE LA TERRASSE DU RHIN À NIERSTEIN
Nierstein propose des vins d'un bon rapport qualité/prix. L'une des caractéristiques de cette région réside dans la culture de nouveaux croisements.

Sankt Alban; Nackenheim dans le *Grosslage* Gutes Domtal; Nierstein, que se partagent les *Grosslagen* Gutes Domtal, Spiegelberg, Rehbach et Auflangen; Oppenheim dans les *Grosslagen* Güldenmorgen et Krötenbrunnen; Guntersblum et Ludwighöhe, tous deux dans les *Grosslagen* Krötenbrunnen et Vogelsgarten; enfin Alsheim et Mettenheim, dans le *Grosslage* Rheinblick.

LE PAYS DU LIEBFRAUMILCH AU PRINTEMPS
Le village de Grau-Heppenheim, près d'Alzey pays du célèbre liebfraumilch « Blue Nun », dans le grand Grosslage *Petersberg.*

NORMES DE QUALITÉ ET RÉPARTITION DE LA RÉCOLTE

° OECHSLE MINIMAL	CATEGORIE	RÉCOLTE 1992	1993	1994	1995
44°	*Deutscher Tafelwein*	10%	–	1%	4%
53°	*Landwein*				
60–62°	* *QbA*	82%	38%	75%	80%
73–76°	* *Kabinett*	5%	28%	19%	15%
85–90°	* *Spätlese*	3%	29%	5%	1%
92–100°	* *Auslese*	–	5%	–	–
125°	*Beerenauslese*				
125°	*Eiswein*				
150°	*Trockenbeerenauslese*				

*Le degré Oechsle minimal varie en fonction du taux de sucre naturel du cépage. S'il est plus bas, le vin peut passer en catégorie inférieure.

LA RÉGION EN CHIFFRES

Superficie plantée de vigne : 26 372 ha

Rendement moyen : 90 hl/ha

Vin rouge : 11%

Vin blanc : 89%

Cépages principaux : müller-thurgau 23%, sylvaner 13%, riesling 9%, kerner 9%, scheurebe 7%, bacchus 7 %, autres 31%

Infrastructure : 3 *Bereiche*; 24 *Grosslagen*; 434 *Einzellagen*

Note : Les vignobles de cette région sont répartis sur 167 *Gemeinden* (communes) dont les noms peuvent figurer sur l'étiquette.

LES APPELLATIONS DE
HESSE RHÉNANE

BEREICH BINGEN

Jouxtant la région de la Nahe à l'ouest, séparé du Rheingau par le Rhin au nord, c'est le plus petit des trois *Bereiche* de Hesse rhénane et le moins important, aussi bien qualitativement que quantitativement.

GROSSLAGE ABTEY

Pas de villages, de vignobles ou de producteurs exceptionnels, bien que le village de St. Johann produise de bons vins.

GROSSLAGE ADELBERG

En dehors de Wendelsheimer Heiligenberg de Köhler, il y a peu de villages, de vignobles ou de producteurs exceptionnels, bien que le village de Wörrstadt produise toutefois quelques vins intéressants de bon rapport qualité/prix.

WENDELSHEIM
✓ **Vignoble** : *Heiligenpfad* **Producteur** : *Köhler* (Alzey-Heimershim)

GROSSLAGE KAISERPFALZ

Ce *Grosslage* couvre essentiellement une petite vallée à mi-chemin entre Bingen et Mayence, avec des vignobles orientés à l'est et à l'ouest. Kaiserpfalz produit quelques-uns des vins rouges les plus prometteurs de la région, à partir de raisins de spätburgunder et de portugieser. Ingelheim (il n'est pas le seul) prétend être le village natal de Charlemagne.

INGELHEIM (-Winterheim)
✓ **Vignoble** : *Schloss Westerhaus* **Producteur** : *Schloss Westerhaus*
✓ **Vins non-Einzellagen** : **Producteurs** : *Weitzel, Weidenbach, Lunkenheimer-Lager*

JUNGENHEIM
✓ **Vignoble** : *St. Georgenberg* **Producteur** : *Rainer Schick*

GROSSLAGE KURFÜRSTENSTÜCK

L'immense coopérative centrale de Hesse rhénane se trouve à Gau-Bickelheim, mais ses bons viticulteurs ou l'excellent Staatsdomäne de l'*Einzellage* de Kapelle produisent des vins supérieurs.

GROSSLAGE RHEINGRAFENSTEIN

Pas de villages, de vignobles ou de producteurs exceptionnels.

GROSSLAGE SANKT ROCHUSKAPELLE

On rattache souvent Bingen à la Nahe plutôt qu'à la Hesse rhénane, mais 14 de ses 18 *Einzellagen* font partie de ce *Grosslage* de Hesse rhénane, qui est le meilleur du *Bereich* Bingen.

BINGEN-RÜDESHEIM
✓ **Vignoble** : *Scharlachberg* **Producteur** : *Villa Sachsen*

BEREICH NIERSTEIN

Célèbre *Bereich*, aux sites superbes, où travaillent de bons vignerons. Pourtant, les vins vendus sous cette étiquette sont souvent parmi les plus ternes et les plus insipides du pays. Les amateurs ont tout intérêt à leur préférer les grands *Einzellagen*.

GROSSLAGE AUFLANGEN

Le meilleur des trois *Grosslagen* qui recouvrent des parties de Nierstein, les deux autres étant Rehrbach et Spiegelberg. Le vignoble englobe vers l'ouest les vignobles orientés au sud et au sud-est du petit affluent qui traverse Schwarzburg, et va jusqu'à Kranzberg, qui domine le Rhin lui-même.

NIERSTEIN
✓ **Vignoble** : *Heiligenbaum* **Producteur** : *Seebrich* • **Vignoble** : *Olberg* **Producteurs** : *Heyl zu Herrnsheim, St. Antony, Seebrich, Alex Senfter.*

GROSSLAGE DOMHERR

Ces vignobles étaient autrefois une propriété ecclésiastique (*Domherr* signifie « canon de la cathédrale). Ils sont parfois très bien situés, sur de fortes pentes, mais le *Grosslage* comprend peu de bons viticulteurs. Toutefois, Hedesheimer Hof/Bek se construit une belle réputation pour le stadeckener lenchen, toutefois, c'est un grand vignoble assez hétérogène, et les propriétaires n'ont pas toujours la capacité ou la volonté de produire du bon vin.

STADECKEN
✓ **Vignoble** : *Lenchen* **Producteur** : *Hedesheimer Hof/Beck*

GROSSLAGE GÜLDENMORGEN

Güldenmorgen était autrefois un bel *Einzellage*. Il regroupe aujourd'hui trois villages et seuls quelques vignobles ont su préserver sa réputation de qualité. À noter que si le village d'Uelversheim se trouve sur le *Grosslage* de Krottenbrunnen, son extrémité orientale empiète sur Güldenmorgen.

DIENHEIM

✓ **Vignoble** : *Tafelstein* **Producteur** : *Juergen Kissinger, Stallmann-Hiestand*

OPPENHEIM

✓ **Vignoble** : *Sackträger* **Producteur** : *Friedrich Baumann, Louis Guntrum*

GROSSLAGE GUTES DOMTAL

Ce *Grosslage* couvre une vaste aire de l'arrière-pays du Rhin derrière les meilleurs *Grosslagen* de Nierstein. Bien qu'il regroupe quinze villages, les vins se vendent pour la plupart sous l'étiquette « Niersteiner Gutes Domtal » (ou « Domthal »). Une grande partie, incontestablement de qualité inférieure, nuit malheureusement à la réputation des très grands vins de Nierstein. Le village le plus célèbre reste Dexheim, en raison de son prétendu Doktor. Mais, en réalité, ni Dexheim ni Dexheim Docktor ne sont vraiment dignes d'intérêt.

WEINOLSHEIM

✓ **Vignoble** : *Kehr* **Producteur** : *Erich Manz*

GROSSLAGE KRÖTENBRUNNEN

Cette zone regroupe les vignobles d'Oppenheim qui ne font pas partie du *Grosslage* Güldenmorgen ainsi que les vastes vignobles de Guntersblum.

GIMBSHEIM

✓ **Vins on-Einzellagen** : **Producteur** : *Uwe Kleemann*

GUNTERSBLUM

✓ **Vignoble** : *Steinberg* **Producteur** : *Weingut Rappenhof*

GROSSLAGE PETERSBERG

Ce *Grosslage*, situé derrière Gutes Domtal, entre les *Bereiche* de Bingen et Wonnegau, compte, malgré son étendue, peu de sites ou de producteurs intéressants.

FRAMERSHEIM

✓ **Vignoble** : Kreuzweg **Producteur** : *Dr. Hinkel*

GROSSLAGE REHBACH

Rehbach, l'un des plus prestigieux *Grosslagen* de Hesse rhénane, forme une longue et mince bande de coteaux très pentus, cultivés en terrasses, qui dominent le Rhin. Ses rieslings sont aromatiques, intenses et délicieusement fondus, avec cependant une finale dure et piquante.

NIERSTEIN

✓ **Vignoble** : *Hipping* **Producteurs** : *Georg Albrecht, Schneider, St. Antony* • **Vignoble** : *Pettenthal* **Producteurs** : *Heyl zu Herrnsheim, St. Antony, Gunderloch*

GROSSLAGE RHEINBLICK

Ce *Grosslage* produit des vins meilleurs que la moyenne et un ou deux très bons vins de domaine.

ALSHEIM

✓ **Vignoble** : *Frühmesse* **Producteurs** : *H.L. Menger (Eich), Weingut Rappenhof*

GROSSLAGE SANKT ALBAN

Ce *Grosslage*, qui porte le nom d'un monastère autrefois propriétaire de la plupart des terres, est situé entre Mayence et Nierstein. Les vins d'*Einzellage* sont généralement d'un excellent rapport qualité/prix.

BODENHEIM

✓ **Vignoble** : *Burgweg* **Producteur** : *Kübling-Gillot, Martinshof Acker*

GROSSLAGE SPIEGELBERG

Le plus grand *Grosslage* de Nierstein, en bordure de fleuve, couvre des vignobles au nord et au sud de la ville, fameuse, d'Auflangen et de son *Grosslage*. Il vaut mieux préférer aux vins tendres, communs et neutres de *Grosslagen*, ceux des meilleurs *Einzellagen* situés entre Nierstein et Oppenheim.

NACKENHEIM

✓ **Vignoble** : *Rothenberg* **Producteur** : *Gunderloch*

NIERSTEIN

✓ **Vignoble** : *Findling* **Producteurs** : *Niersteiner Winzergenossenschaft, Winzergenossenschaft Rheinfront* • **Vignoble** : *Hölle* **Producteur** : *J. & H.A Strub* • **Vignoble** : *Rosenberg* **Producteur** : *Gehring*

GROSSLAGE VOGELSGARTEN

Grosslage assez moyen bien que Weingut Ohnacker produise de beaux vins fins, riches, parfois puissants, qui valent la peine d'être recherchés.

BEREICH WONNEGAU

C'est le moins connu des trois *Bereiche* de Hesse rhénane, bien qu'il compte l'*Einzellage* Liebfrauenstift de renommée internationale, qui a eu le douteux honneur de donner naissance au liebfraumilch. « Wonnegau » signifie « province de grande joie ».

GROSSLAGE BERGKLOSTER

Quelques très bons vins non-*Einzellagen* sont produits à Flomborn et à Westhofen.

FLOMBORN

✓ **Vignoble** : *Feuerberg* **Producteur** : *Michel-Pfannebecker Westhofen* • **Vignoble** : *Steingrube* **Producteur** : *Wittmann*

GROSSLAGE BURG RODENSTEIN

La plupart des vins, souvent au-dessus de la moyenne, sont vendus sous le nom du *Grosslage*, mais n'ont pas la classe des vins de ses meilleurs *Einzellagen*.

DAHLSHEIM
(Ortsteil ***de Flörsheim-Dahlsheim***)

✓ **Vignoble** : *Hubacker* **Producteur** : *Klaus & Hedwig Keller* • **Vignoble** : *Sauloch* **Producteur** : *Göhring* • **Vignoble** : *Steig* **Producteur** : *Klaus & Hedwig Keller*

FLÖRSHEIM-DAHLSHEIM

✓ **Vins non-Einzellagen** : **Producteur** : *Schales*

NIEDERFLÖRSHEIM
(Ortsteil *de Flörsheim-Dahlsheim*)

✓ **Vignoble** : *Frauenberg* **Producteur** : *Scherner-Kleinhanns* • **Vignoble** : *Goldberg* **Producteur** : *Göhring*

GROSSLAGE DOMBLICK

Peu de villages, de vignobles ou de producteurs exceptionnels, bien que le village de Hohen-Sülzen produise de bons vins. Les vins vendus sous l'étiquette du *Grosslage* sont généralement d'un bon rapport qualité/prix.

MONSHEIM

✓ **Vignoble** : *Silberberg* **Producteur** : *Klaus et Hedwig Keller* (Flörsheim-Dahlsheim)

GROSSLAGE GOTTESHILFE

Minuscule aire qui recouvre l'excellent village viticole de Bechtheim. On ne trouve guère les vins sous l'étiquette du *Grosslage* sur les marchés d'exportation.

BECHTHEIM

✓ **Producteurs** : *Scultetus-Brüssel, Illian-Arnd.*

GROSSLAGE LIEBFRAUENMORGEN

Ce *Grosslage*, au nom familier, comprend le célèbre vignoble Liebfrauenstift-Kirchenstück à Worms, où est né le liebfraumilch.

GROSSLAGE PILGERPFAD

Ce *Grosslage*, qui s'étend des vignobles de Bechtheim jusqu'au vaste *Grosslage* Petersberg dans le *Bereich* Nierstein, produit des vins généralement peu inspirés, qu'on voit rarement.

GROSSLAGE SYBILLENSTEIN

Pas de villages, de vignobles ou de producteurs exceptionnels, bien que le village d'Alzey produise de bons vins, et que le vignoble Kappellenberg ait bonne réputation. Sichel, producteur du célèbre liebfraumilch « Blue Nun » est établi à Alzey.

ALZEY :

✓ **Vins non-Einzellagen** : **Producteurs** : *Gysler, Schlossmühlenhof.*

PALATINAT RHÉNAN

L'étoile montante de l'Allemagne, le Palatinat rhénan (Pfalz, anciennement Rheinpfalz) qui s'est toujours montré capable de produire des vins de grande classe, vient seulement de s'y mettre sérieusement et à grande échelle. À l'heure actuelle, les meilleurs vins sont riches, puissants et épicés, et font davantage penser aux vins d'Alsace qu'aux équivalents allemands de ceux-ci, du pays de Bade.

Le musée de vin Speyer conserve l'un des rares vestiges vinicoles du Palatinat rhénan : une amphore en verre contient un authentique vin doré de 1 600 ans d'âge, fait par les Romains, qui est protégé par une épaisse couche de résine et d'huile.
Au XIIe siècle, l'évêque de Speyer possédait tous les meilleurs vignobles du Palatinat rhénan, qui demeurèrent la propriété de l'Église jusqu'à leur acquisition par Napoléon. Une fois l'empereur déchu, la structure socio-économique de la région s'est trouvée modifiée de façon radicale et irréversible, brisant le monopole de la propriété terrienne.

LE PALATINAT RHÉNAN AUJOURD'HUI

Les vignobles ensoleillés du Palatinat rhénan s'étendent sur 80 km sur la crête des montagnes de la Haardt et les terres boisées de la Pfälzer Wald. La région compte maintenant quelque 25000 petits propriétaires qui travaillent chacun, en moyenne, moins de un hectare. Ces vignerons s'occupent généralement de leurs vignobles pendant le week-end et travaillent en ville en semaine. Beaucoup d'entre eux vendent leur raisin aux coopératives, qui assurent environ 25% de l'importante production du Palatinat rhénan. Il existe encore, cependant, une importante minorité de domaines bien plus vastes, qui vinifient eux-

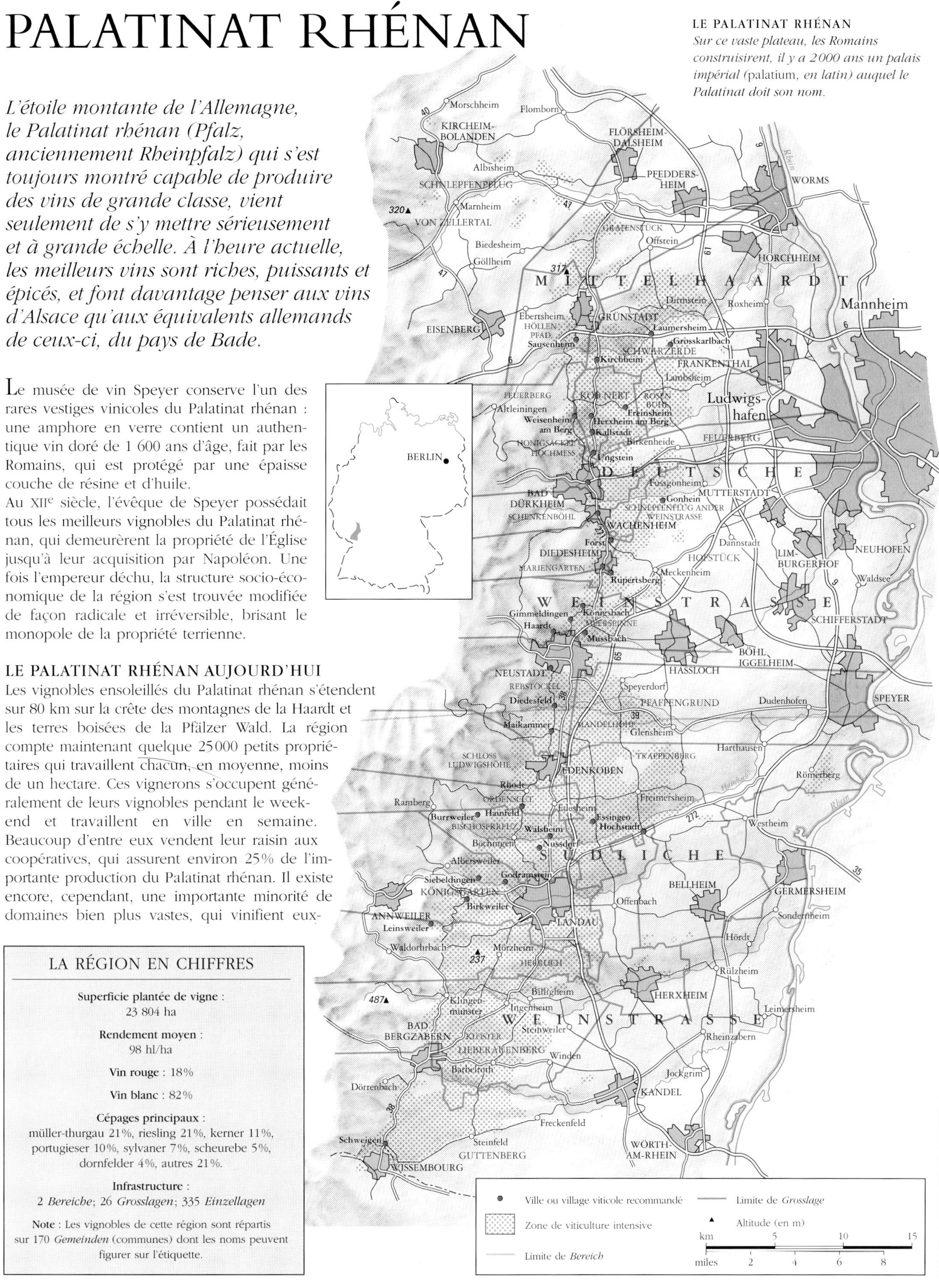

LE PALATINAT RHÉNAN *Sur ce vaste plateau, les Romains construisirent, il y a 2000 ans un palais impérial (*palatium*, en latin) auquel le Palatinat doit son nom.*

LA RÉGION EN CHIFFRES

Superficie plantée de vigne :
23 804 ha

Rendement moyen :
98 hl/ha

Vin rouge : 18%

Vin blanc : 82%

Cépages principaux :
müller-thurgau 21%, riesling 21%, kerner 11%, portugieser 10%, sylvaner 7%, scheurebe 5%, dornfelder 4%, autres 21%.

Infrastructure :
2 *Bereiche*; 26 *Grosslagen*; 335 *Einzellagen*

Note : Les vignobles de cette région sont répartis sur 170 *Gemeinden* (communes) dont les noms peuvent figurer sur l'étiquette.

mêmes leurs récoltes. Étant donné le nombre de viticulteurs, de cépages, de types de sols et de microclimats, la gamme des vins est assez diverse. La région produit 50% de tout le liebfraumilch, mais également de nombreux vins de cépage extrêmement expressifs. C'est la première région viticole d'Allemagne pour la production, et c'est aux petits propriétaires qu'elle doit son bon niveau.

NORMES DE QUALITÉ ET RÉPARTITION DE LA RÉCOLTE

° OECHSLE MINIMAL	CATEGORIE	RÉCOLTE 1992	1993	1994	1995
44°	*Deutscher Tafelwein*	30%	-	12%	5%
50-53°	*Landwein*				
60–62°	* *QbA*	60%	47%	78%	80%
73–76°	* *Kabinett*	10%	32%	8%	14%
85–90°	* *Spätlese*	-	17%	2%	1%
92–100°	* *Auslese*	-	4%	-	-
120°	*Beerenauslese*				
120°	*Eiswein*				
150°	*Trockenbeerenauslese*				

*Le degré Oechsle minimal varie en fonction du taux de sucre naturel du cépage. S'il est plus bas, le vin peut passer en catégorie inférieure.

FACTEURS AFFECTANT LE GOÛT ET LA QUALITÉ

SITUATION
La plus grande région viticole d'Allemagne après la Hesse rhénane s'étend sur 80 km, de la Hesse jusqu'à l'Alsace, limitée par le Rhin à l'est et les montagnes de la Haardt à l'ouest.

CLIMAT
Le Palatinat rhénan est la région viticole la plus ensoleillée et la plus sèche du pays, il est abrité par les collines de la Haardt et du Donnersberg.

SITE
Les vignobles sont plantés pour la plupart sur des terres plates ou peu pentus, dominées par des collines boisées entre 100 et 250 m d'altitude.

SOL
Les sols se composent de matériaux très divers : limon et grès délité, avec des îlots épars de calcaire, de granit, de porphyre et d'ardoise argileuse.

VITICULTURE ET VINIFICATION
Le Palatinat rhénan produit plus de vin que toute autre région allemande. Les principaux domaines cultivent une forte proportion de riesling et produisent des vins de très haute qualité. Les gewurztraminer et les muskateller peuvent être extraordinaires lorsqu'ils sont vinifiés en sec.

CÉPAGES PRINCIPAUX
Kerner, müller-thurgau, riesling
CÉPAGES SECONDAIRES
Bacchus, gewurztraminer, huxelrebe, morio-muskat, muskateller, portugieser, ruhländer, scheurebe, sylvaner.

LES APPELLATIONS DU

PALATINAT RHÉNAN

Note : Dans le Palatinat rhénan, le nom de chaque *Grosslage* doit être accompagné de celui d'un village spécifique. Ci-après, ce dernier est cité au-dessous de celui du *Grosslage*.

BEREICH MITTELHAARDT-DEUTSCHE WEINSTRASSE

La qualité des vins de ce *Bereich* est telle que la plupart des vins sont vendus sous les noms des *Einzellagen*.

GROSSLAGE FEUERBERG

Bad Dürkheim

Grosslage polyvalent où la gamme des vins va des gewürtztraminers, amples et épicés, aux spätburgunders, tendres et veloutés.

BAD DURKHEIM
✓ **Vins non-Einzellagen** : **Producteur** : *Egon Schmitt*

GROSSLAGE GRAFENSTÜCK

Bockenheim

Pas de villages, de vignobles ou de producteurs exceptionnels, bien que le village de Bockenheim produise de bons vins.

GROSSLAGE HOCHMESS

Bad Durkheim

Ce petit *Grosslage* de haut niveau comprend les meilleurs vignobles de Bad Durkheim bien que les *Grosslagen* Feuerberg et Schenkenböhl produisent également quelques beaux vins. Ils sont d'une parfaite harmonie, à la saveur pleine et au parfum floral.

BAD DURKHEIM
✓ **Vignoble** : *Michelsberg* **Producteurs** : *Johannes Karst & Söhne, Karl Schaefer-Dr. Fleischmann* • **Vignoble** : *Spielberg* **Producteurs** : *Walter Hensel, Kurt Darting, Karl Schaefer-Dr. Fleischmann.*

GROSSLAGE HOFSTÜCK

Deidesheim

Ce *Grosslage* produit des vins nobles et élégants, qui doivent une bonne part de leurs qualités exceptionnelles à un sol de nature favorable.

DEIDESHEIM
✓ **Vignoble** : *Nonnenstück* **Producteurs** : *Bürklin-Wolf, Reichsrat Buhl*

GÖNNEHEIM
✓ **Vignoble** : *Mandelgarten* **Producteur** : *Rainer Eymann*

RUPPERTSBERG
✓ **Vignoble** : *Nussbien* **Producteurs** : *Josef Biffar, A. Christmann*

GROSSLAGE HÖLLENPFAD

Grünstadt

Ce *Grosslage* produit beaucoup de vins souvent bourrés d'arômes séduisants, avec beaucoup de corps.

SAUSENHEIM
✓ **Vins non-Einzellagen** : **Producteur** : *Fluch-Gaul*

GROSSLAGE HONIGSÄCKEL

Ungstein

Petit *Grosslage* aux sols variés. Quelques beaux vins bien étoffés avec une saveur intense, du scheurebe surtout.

UNGSTEIN
✓ **Vignoble** : *Herrenberg* **Producteurs** : *Fuhrmann-Eymael, Fitz-Ritter*

GROSSLAGE KOBNERT

Kallstadt

Kobnert, qui était un vignoble unique avant la loi viticole de 1971, est désormais un *Grosslage* de très bon niveau, notamment grâce à un producteur talentueux, Koehler-Ruprecht.

KALLSTADT
✓ **Vignoble** : *Saumagen* **Producteur** : *Koehler-Ruprecht* • **Vignoble** : *Steinacker* **Producteur** : *Koehler-Ruprecht*

HERXHEIM AM BERG
✓ **Vins non-Einzellagen** : **Producteur** : *Petri*

WEISENHEIM AM BERG
✓ **Vins non-Einzellagen** : **Producteur** : *Georg Messer*

GROSSLAGE MARIENGARTEN

Forst an der Weinstrasse

Nulle part, dans tout le Palatinat, on ne trouve de rieslings aussi fins et intenses. Presque tous les grands producteurs du Palatinat rhénan sont regroupés, et même le vin de *Grosslage* peut, entre leurs mains, prendre un caractère intéressant.

GROSSLAGE MARIENGARTEN
✓ **Vins de Grosslage** : J.F. Kimich

DEIDESHEIM
✓ **Producteur** : *Tieman* • **Vignoble** : *Kieselberg* **Producteur** : *Wegeler-Deinhard* • **Vignoble** : *Grainhübel* **Producteurs** : *Josef Biffar, J. F. Kimich* • **Vignoble** : *Herrgottsacker* **Producteur** : *Josef Biffar*

FORST
✓ **Vignoble** : *Ungeheuer* **Producteurs** : *Georg Mosbacher, J.F. Kimich, Eugen Müller* • **Vignoble** : *Jesuitengarten* **Producteur** : *von Buhl* • **Vignoble** : *Kirchenstück* **Producteur** : *Eugen Müller*

WACHENHEIM
✓ **Vignoble** : *Gerümpel* **Producteurs** : *Dr. Bürklin-Wolf, Karl Schaefer, Dr. Fleischmann* • **Vignoble** : *Rechbächel* **Producteur** : *Dr. Bürklin-Wolf*

GROSSLAGE MEERSPINNE

Neustadt-Gimmeldingen

Les vignobles, abrités sur les versants des montagnes de la Haardt, produisent quelques-uns des plus beaux vins du Palatinat.

GIMMELDINGEN
✓ **Vignoble** : *Mandelgarten* **Producteur** : *Müller-Catoir* • **Vignoble** : *Schlössel* **Producteur** : *A. Christmann*

HAARDT
✓ **Vignoble** : *Bürgergarten* **Producteur** : *Müller-Catoir* • **Vignoble** : *Herrenletten* **Producteur** : *Müller-Catoir* • **Vignoble** : Mandelring **Producteur** : *Müller-Catoir*

KÖNIGSBACH
✓ **Vignoble** : *Idig* **Producteur** : *A. Christmann*

MUSSBACH
✓ **Vignoble** : *Eselhaut* **Producteurs** : *Müller-Catoir, Karl-Heinz Kaub, Weik, Steigelmann*

NEUSTADT
✓ **Vignoble** : *Mönchgarten* **Producteur** : *Müller-Catoir*

GROSSLAGE PFAFFENGRUND

Neustadt-Diedesfeld

Ce n'est pas un *Grosslage* exceptionnel, encore que quelques *Einzellagen* puissent produire de très bons vins.

GROSSLAGE REBSTÖCKEL

Neustadt-Diedesfeld

Pas de villages, de vignobles ou de producteurs exceptionnels, bien que le village de Neustadt-Diedesfeld produise de bons vins.

GROSSLAGE ROSENBÜHL

Freinsheim

Vins légers, séduisants, faciles à boire mais qui sont rarement d'une grande finesse. On produit aussi d'honnêtes vins rouges, issus de portugieser.

FREINSHEIM
✓ **Vignoble** : *Goldberg* **Producteurs** : *Kassner-Simon, Lingenfelder*

GROSSLAGE SCHENKENBÖHL

Wachenheim

Schenkenböhl, le troisième des *Grosslagen* à se partager les vignobles de Bad Durkheim, est de même niveau que Feuerberg – Hochmes est de loin le meilleur.

BAD DURKHEIM
✓ **Vignoble** : *Fronhof* **Producteur** : *Kurt Darting* • **Vignoble** : *Abtsfronhof* **Producteur** : *Fitz-Ritter*

GROSSLAGE SCHNEPFENFLUG AN DER WEINSTRASSE

Forst an der Weinstrasse

Pas de villages, de vignobles ou de producteurs exceptionnels, sauf une petite parcelle de Forst (le reste appartient au *Grosslage* Mariengarten).

GROSSLAGE SCHNEPFENFLUG VOM ZELLERTAL

Zell

Pas de villages, de vignobles ou de producteurs exceptionnels, bien que le village de Zell produise de bons vins.

GROSSLAGE SCHWARZERDE

Kirchheim

Les vins médiocres à base de sylvaner sont la norme. Quelques producteurs consciencieux font des vins d'un bon rapport qualité/prix.

GROSSKARLBACH
✓ **Vignoble** : *Burgweg* **Producteur** : *Lingenfelder* • **Vignoble** : *Osterberg* **Producteur** : *Johannishof Knipser*

LAUMERSHEIM
✓ **Vignoble** : *Kapellenberg* **Producteur** : *Johannishof Knipser* • **Vignoble** : *Kirschgarten* **Producteur** : *Johannishof Knipser* • **Vignoble** : *Mandelberg* **Producteur** : *Johannishof Knipser*

BEREICH SÜDLICHE WEINSTRASSE

Le moins intéressant des deux *Bereiche* du Palatinat rhénan avec des vins dominés par le müller-thurgau, assez ternes et neutres. Les jeunes viticulteurs produisent de meilleurs rieslings et les vins de cépage des coopératives sont, dans le pire des cas, bien faits et corrects.

GROSSLAGE BISCHOFSKREUZ

Walsheim

La plupart des vins sont corrects. Les vignerons des deux *Einzellagen* cités ci-dessous peuvent produire des vins exceptionnels.

BURRWEILER
✓ **Vignoble** : Schäwer **Producteur** : *Herbert Messmer*

NUSSDORF
✓ **Vignoble** : *Herrenberg* **Producteur** : *Lergenmüller & Söhne*

WALSHEIM
✓ **Vignoble** : *Silberberg* **Producteur** : *Heinz Pfaffmann*

GROSSLAGE GUTTENBERG

Schweigen

Jülg et Becker produisent d'excellents rieslings expressifs, mais qui restent rares.

SCHWEIGEN
✓ **Vignoble** : *Sonnenberg* **Producteurs** : *G & R Beck, Friedrich Becker, Bernd Grimm*

GROSSLAGE HERRLICH

Eschbach

Cette aire pourrait facilement produire des *QmP*. Les *Auslese* sont exportés à des prix très bas.

LEINSWEILER
✓ **Vins non-Einzellagen** : **Producteur** : *Thomas Siegrist*

GROSSLAGE KLOSTER LIEBFRAUENBERG

Bad Bergzabern

Pas de villages, de vignobles ou de producteurs exceptionnels, bien que le village de Bad Bergzabern produise de bons vins.

GROSSLAGE KÖNIGSGARTEN

Godramstein

Birkweiler, avec ses trois villages pratiquement inconnus, compte quelques viticulteurs de talent.

BIRKWEILER
✓ **Vignoble** : *Kastanienbusch* **Producteurs** : *Karl-Heinz Wehrheim, Juliushof, Öberkonomierat Rebholz* • **Vignoble** : *Mandelberg* **Producteur** : *Weingut Schöller*

GODRAMSTEIN
✓ **Vignoble** : *Münzberg* **Producteur** : *Weingut Münzberg-Lothar Kessler*

SIEBELDINGEN
✓ **Vignoble** : *Im Sonnenschein* **Producteur** : *Öberkonomierat Rebholz*

GROSSLAGE MANDELHÖHE

Maikammer

Les meilleurs domaines de ce *Grosslage* produisent quelques rieslings agréables et séduisants.

GROSSLAGE ORDENSGUT

Edesheim

Ce *Grosslage* est en train d'améliorer ses vins, et quelques producteurs sont d'ores et déjà excellents.

HAINFELD
✓ **Vignoble** : *Kapelle* **Producteurs** : *Gerhard Klein, Lergenmüller*

GROSSLAGE SCHLOSS LUDWIGSHÖHE

Edenkoben

Pas de villages, de vignobles ou de producteurs exceptionnels, bien que le village de Sankt Martin produise de bons vins.

GROSSLAGE TRAPPENBERG

Hochstadt

Pas de villages, de vignobles ou de producteurs exceptionnels, à l'exception du vignoble Rossberg. Le village de Hochstadt produit de bons vins.

ESSINGEN
✓ **Vignoble** : *Rossberg* **Producteur** : *Weingut Frey*

BERGSTRASSE DE HESSE

Entre la Hesse rhénane et la Franconie, au nord du pays de Bade se trouve la Bergstrasse de Hesse (Hessische Bergstrasse), la plus petite et la moins connue des régions viticoles d'Allemagne. Ses vins fruités ont une acidité prononcée.

Cette région correspond à la partie septentrionale de la voie de montagne romaine (en latin, *strata montana*), en allemand la *Bergstrasse*. Cette ancienne route commerciale reliait à cette époque lointaine Darmstadt à Wiesloch, au sud de Heidelberg, en traversant le pays de Bade d'aujourd'hui. C'est aux Romains que l'on doit l'introduction de la vigne dans cette région, mais ce sont les monastères, en développant les vignobles durant toute la période médiévale, qui ont assuré la pérennité de la tradition viticole.

Les vignobles de la Bergstrasse de Hesse sont savamment parsemés de vergers à flanc de coteau le long du versant occidental des montagnes boisées d'Odenwald. Ainsi protégée, la région dégage au printemps un parfum d'arbres fruitiers en fleur et les vignobles de Bensheim, inondés de soleil, affichent des tempé-

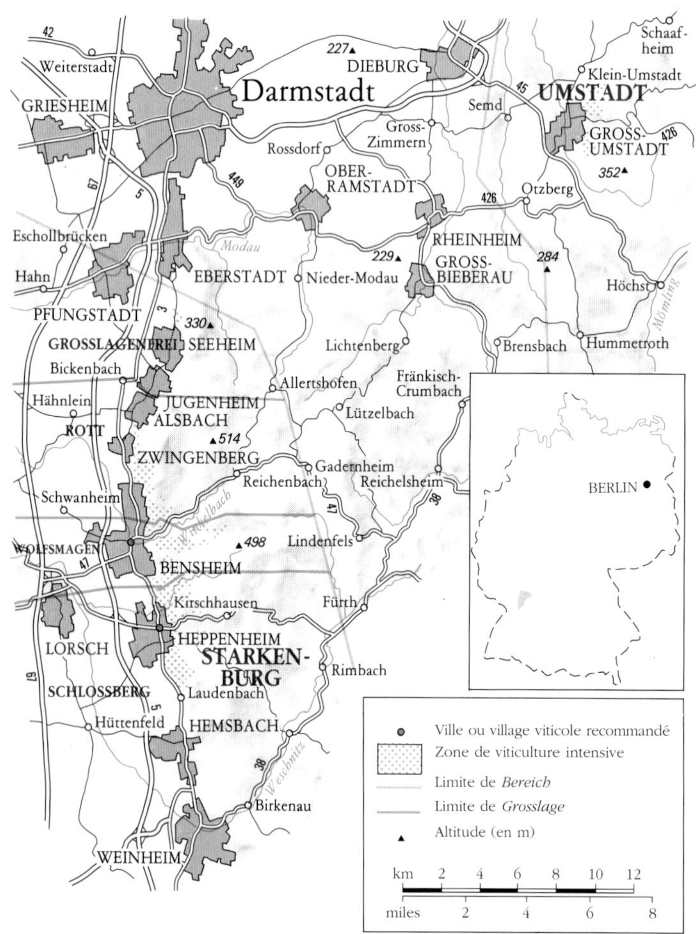

LA BERGSTRASSE DE HESSE, *voir aussi* p. 261
Les vignobles de ce « jardin printanier de l'Allemagne » s'étalent parmi des amandiers et d'autres arbres fruitiers.

UNTERHAMBACH
Vignoble d'Unterhambach, pays de petits viticulteurs. La coopérative locale d'Heppenheim traite plus de 70 % du raisin de la région.

NORMES DE QUALITÉ ET RÉPARTITION DE LA RÉCOLTE

° OECHSLE MINIMAL	CATÉGORIE	RÉCOLTE 1992	1993	1994	1995
44°	*Deutscher Tafelwein*	15%	–	2%	3%
53°	*Landwein*				
57–66°	**QbA*	83%	30%	71%	86%
73–80°	**Kabinett*	2%	55%	25%	11%
85–95°	**Spätlese*	–	15%	2%	
95–105°	**Auslese*				–
125°	*Beerenauslese*	–	–	–	–
125°	*Eiswein*				
150°	*Trockenbeerenauslese*				

*Le degré Oechsle minimal varie en fonction du taux de sucre naturel du cépage. S'il est plus bas, le vin peut passer en catégorie inférieure.

ratures annuelles moyennes record. C'est évidemment relatif dans cette région septentrionale, et c'est l'origine d'un excellent taux d'acidité qui s'accompagne, dans les meilleurs rieslings, d'un goût de pêche indiquant la maturité du raisin. Le riesling occupe une assez grande partie des vignobles de la Bergstrasse de Hesse, en particulier dans le *Bereich* Starkenburg, où sont produits les meilleurs vins.

Sur ces terres assez fertiles, la vigne produit des vins très fruités montrant une acidité aux nuances de terre caractéristiques. Leur style, plus riche que celui de la plupart des vins de Hesse rhénane, serait celui d'un *Rheingau* un peu rustique. Le müller-thurgau de cette région n'est certes pas le meilleur d'Allemagne, mais il peut être parfumé ; si le sylvaner n'a pas le caractère bien affirmé des vins de Franconie, le gewürztraminer peut avoir un beau style délicat.

Plus de 1 000 viticulteurs exploitent, pour la plupart le week-end, des vignobles d'un tiers d'hectare en moyenne. Tant qu'il n'y aura pas de grands domaines soucieux de qualité, les vins de la région ne sortiront pas de l'anonymat.

GRONAU HESSISCHE BERGSTRASSE
Vue des coteaux exposés au sud du vignoble de Hemsburg, vers Gronau, un Ortsteil *de Bensheim.*

FACTEURS AFFECTANT LE GOÛT ET LA QUALITÉ

SITUATION
Entre Darmstadt et Heppenheim, près des montagnes d'Odenwald, avec le Rhin à l'ouest et le Main au nord

CLIMAT
Les vignobles des versants sud des vallées de la Bergstrasse bénéficient d'une température annuelle moyenne de plus de 9 °C. Avec une moyenne de 755 mm de précipitations annuelles, les conditions sont idéales pour la viticulture. On dit que Bensheim est l'endroit le plus chaud d'Allemagne.

SITE
Les meilleurs vignobles sont plantés sur les coteaux face au sud ou à l'ouest dans le *Bereich* Umstadt, face au sud ou à l'est dans le *Bereich* Starkenburg. Le paysage compte plus de petites collines que de vallées profondes.

SOL
La plupart des sols se composent de lœss et de basalte de structure fine et légère, en proportions variables.

VITICULTURE ET VINIFICATION
Les vignobles de cette région n'ont pas été modernisés. Ils sont disséminés apparemment au hasard, sur d'anciennes terrasses au milieu de vergers. Bien que les viticulteurs soient très nombreux, plus de 80 % des vins sont produits en coopérative.

CÉPAGES PRINCIPAUX
Müller-thurgau, riesling
CÉPAGES SECONDAIRES
Ehrenfelser, kerner, rulânder, scheurebe, sylvaner, gewürztraminer

LA RÉGION EN CHIFFRES

Superficie plantée de vigne : 469 ha

Rendement moyen : 72 hl/ha

Vin rouge : 4 %

Vin blanc : 96 %

Cépages principaux : riesling 56 %, müller-thurgau 15 %, autres 29 %

Infrastructure : 2 *Bereiche*; 3 *Grosslagen*; 22 *Einzellagen*

Note : Les vignobles de cette région sont répartis sur 10 *Gemeinden* (communes) dont les noms peuvent figurer sur l'étiquette.

LES APPELLATIONS DE LA

BERGSTRASSE DE HESSE

BEREICH STARKENBURG

La plupart des vignobles de ce *Bereich*, le plus vaste et le meilleur qualitativement, sont plantés de riesling.

GROSSLAGE ROTT

Le principal *Grosslage*, Rott, comprend la partie nord de Bernsheim, l'une des deux meilleures communes de la région. Les plus beaux vins proviennent du vignoble Herrnwingert, orienté au sud.

BERNSHEIM
✓ **Vins non-Einzellagen : Producteur :** *Bergsträsser Gebietswinzergenossenschaft*

GROSSLAGE SCHLOSSBERG

Ce *Grosslage* couvre trois villages au sud de Bernsheim, dont Heppenheim, qui rivalisent avec Bensheim lui-même. Son vignoble pentu de Steinkopf, baigné de soleil, donne des vins aux nuances caractéristiques de pêche.

HEPPENHEIM
✓ **Vignoble :** *Steinkopf* **Producteur :** *Freiberger*

GROSSLAGE WOLFSMAGEN

Ce *Grosslage* comprend la partie sud de Bensheim, en particulier Zell et Gronau. Le coteau exposé au sud de Kalkgasse est le plus grand et le meilleur de ses *Einzellagen*.

BENSHEIM
✓ **Vignoble :** *Kalkgasse* **Producteurs :** *Staatweingüter, Weingut der Stadt Bensheim, Bergsträsser Gebiets-Winzergenossenschaft.*

BEREICH UMSTADT

Pas de villages, de vignobles ou de producteurs exceptionnels dans ce *Bereich*. Les six *Einzellagen* sont *Grosslagenfrei*. Le müller-thurgau, le rülander et le sylvaner dominent.

VIGNOBLE DE ZELL
*Vignoble de l'*Einzellage *Streichling à Zell, près de Bensheim en Hesse.*

FRANCONIE

Le sylvaner de Franconie est un vin sec à l'arôme de terre ou de fumée, vendu dans la traditionnelle Bocksbeutel, bouteille en forme de flasque. Malheureusement, le sylvaner cède aujourd'hui la place à d'autres cépages, dont le müller-thurgau.

Les vignobles de Franconie occupent une surface à peu près deux fois plus grande que dans le Rheingau, mais ils sont disséminés au milieu des prés et forêts. La Franconie produit également de la bière, et nombreux sont ceux qui prétendent qu'on a plus de plaisir à boire un *stein* de bière de Wurtzbourg qu'un verre de stein de wurtzbourg, le vin le plus célèbre de Franconie. Les vins exportés proviennent toujours des meilleurs domaines et sont assez chers.

LA CAVE DE LA RÉSIDENCE, À WURTZBOURG
Cette cave magnifique, sous la Résidence baroque de Wurtzbourg, est propriété de l'état depuis 1803.

NORMES DE QUALITÉ ET RÉPARTITION DE LA RÉCOLTE

° OECHSLE MINIMAL	CATÉGORIE	RÉCOLTE 1992	1993	1994	1995
44°	*Deutscher Tafelwein* }	13%	–	5%	–
50°	*Landwein* }				
60°	* *QbA*	85%	27%	70%	94%
76–80°	* *Kabinett*	2%	59%	20%	5%
85–90°	* *Spätlese*	–	11%	5%	1%
100°	* *Auslese* }				
125°	*Beerenauslese* }	–	3%	–	–
125°	*Eiswein* }				
150°	*Trockenbeerenauslese* }				

*Le degré Oechsle minimal varie en fonction du taux de sucre naturel du cépage. S'il est plus bas, le vin peut passer en catégorie inférieure.

LA RÉGION EN CHIFFRES

Superficie plantée de vigne : 6 078 ha

Rendement moyen : 85 hl/ha

Vin rouge : 5%

Vin blanc : 95%

Cépages principaux : müller-thurgau 46%, sylvaner 20%, bacchus 11%, autres 23%

Infrastructure : 3 *Bereiche*; 17 *Grosslagen*; 171 *Einzellagen*

Note : Les vignobles de cette région sont répartis sur 125 *Gemeinden* (communes) dont les noms peuvent figurer sur l'étiquette.

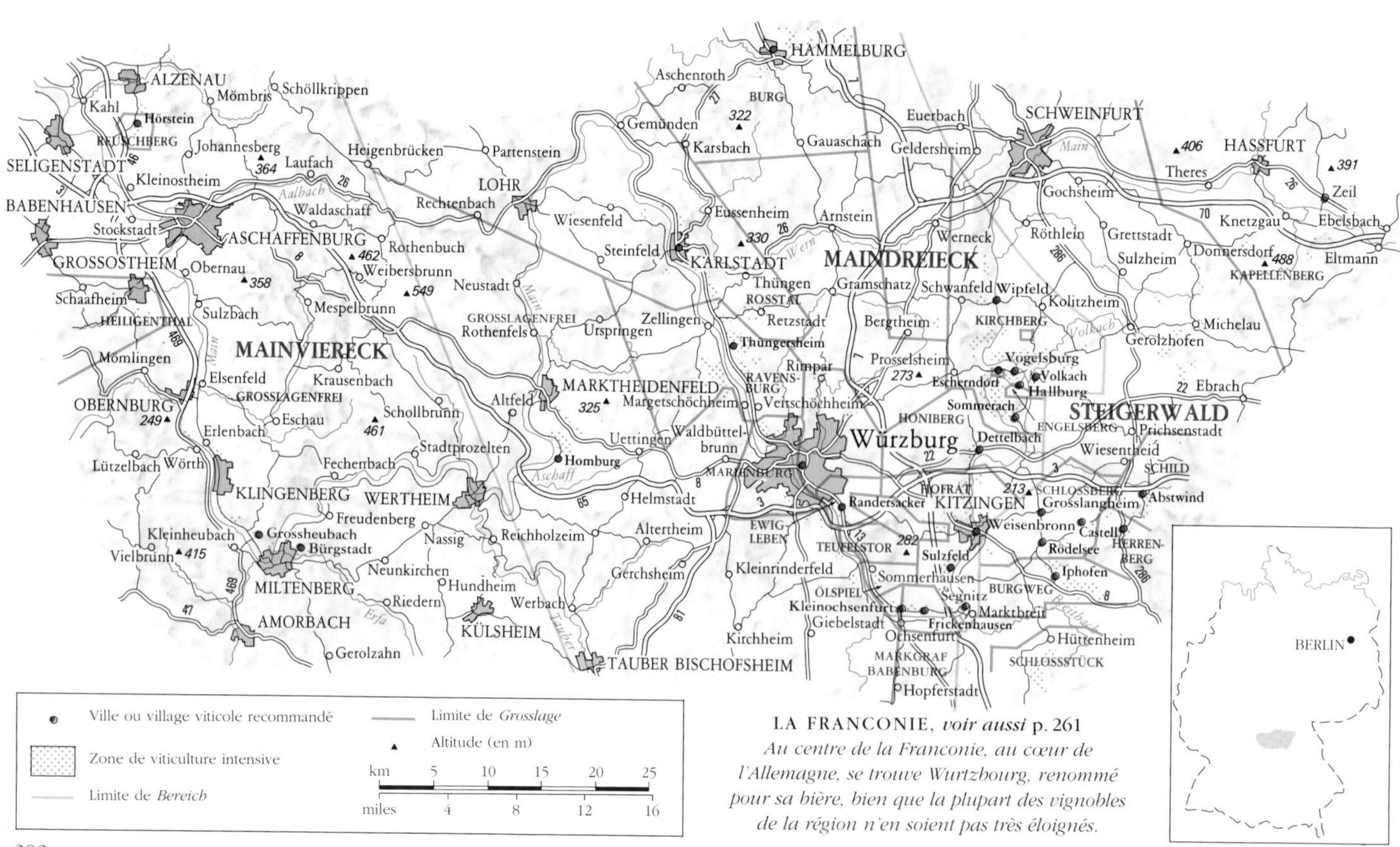

LA FRANCONIE, *voir aussi* p. 261
Au centre de la Franconie, au cœur de l'Allemagne, se trouve Wurtzbourg, renommé pour sa bière, bien que la plupart des vignobles de la région n'en soient pas très éloignés.

FACTEURS AFFECTANT LE GOÛT ET LA QUALITÉ

SITUATION
La Franconie, en Bavière, est la région viticole allemande située le plus au nord-est.

CLIMAT
Le climat est plus continental que dans les autres régions viticoles, avec des étés chauds et secs et des hivers froids. Les gelées réduisent les rendements.

SITE
Nombre de vignobles, exposés au sud, se trouvent sur les coteaux des vallées du Main et de ses affluents, ainsi que dans les sites abrités de la Steigerwald.

SOL
Les trois *Bereiche* de Franconie offrent des sols divers. Manviereck présente essentiellement des grès décomposés et colorés, Maindreieck du calcaire avec de l'argile et du lœss, et Steigerwald des marnes rougeâtres.

VITICULTURE ET VINIFICATION
Plus de la moitié des vignobles ont été replantés depuis 1954. Le sylvaner est désormais moins répandu que le müller-thurgau. Les vins de la région sont généralement plus secs que la plupart des vins allemands et conviennent bien en accompagnement des repas. Quelque 6000 viticulteurs produisent une vaste gamme de vins. La moitié de la production est assurée par les coopératives.

CÉPAGES PRINCIPAUX
Müller-thurgau, sylvaner
CÉPAGES SECONDAIRES
Bacchus, kerner, ortega, perle, riesling, scheurebe, traminer.

INTÉRIEUR DE LA RESIDENZ, À WURTZBOURG
La Résidence de Wurtzbourg, dont voici l'escalier d'honneur baroque, appartient aujourd'hui au domaine de l'état de Bavière.

J'aime le sylvaner de cette région, ample, avec une nuance de terre qui le rend plus intéressant que la plupart des autres vins issus de ce cépage; les vins exceptionnels ont même de complexes notes fumées. Mais le vin de Franconie que je préfère demeure le riesling, bien qu'il ne représente que 3% des vignes cultivées et qu'il réussisse rarement à mûrir. Certains des meilleurs domaines en font des vins extraordinairement racés dans les années ensoleillées. Le rieslaner (*riesling x sylvaner*), le bacchus et le kerner donnent aussi de bons résultats, surtout pour les QmP, mais qui dépassent rarement la qualité *Auslese*.

LES VINS DE
FRANCONIE

Note : Certains *Grosslagen* doivent ajouter le nom d'un village spécifique cité ci-après au-dessous de celui du *Grosslage*.

BEREICH STEIGERWALD

Le sol lourd de ce *Bereich* tend à donner des vins plus corsés qui rendent parfaitement la nuance de terre si caractéristique de la Franconie.

GROSSLAGE BURGWEG

Ce *Grosslage*, qui a des homonymes dans la Nahe et le Rheingau, comprend l'un des plus grands villages viticoles de Franconie, Iphofen.

IPHOFEN
✓ **Vignoble** : *Julius-Echter Berg* **Producteurs** : *Johann Ruck, Hans Wirsching, Juliusspital Würzburg* • **Vignoble** : *Kalb* **Producteur** : *Johann Ruck* • **Vignoble** : *Kronsberg* **Producteur** : *Hans Wirsching*

GROSSLAGE HERRENBERG

Ce *Grosslage* comporte des vignobles exposés au sud, mais ce sont ceux de Castell, qui sont tournés vers le nord-ouest, qui donnent les vins les plus exceptionnels.

CASTELL
✓ **Vignoble** : *Kugelspiel* **Producteur** : *Castell'sche Domäne* • **Vignoble** : *Schlossberg* **Producteur** : *Castell'sche Domäne* • **Vignoble** : *Bausch* **Producteur** : *Castell'sche Domäne*

GROSSLAGE KAPELLENBERG

Pas de villages, de vignobles ou de producteurs exceptionnels, même si le village de Zeil produit un certain nombre de bons vins.

GROSSLAGE SCHILD

Pas de villages, de vignobles ou de producteurs exceptionnels, même si le village de Abtswind produit de bons vins.

GROSSLAGE SCHLOSSBERG

Grosslage sous-estimé, avec un excellent vignoble abrité.

GROSSLANGHEIM
✓ **Vignoble** : *Kiliansberg* **Producteur** : *Grebner*

RÖDELSEE
✓ **Vignoble** : *Küchenmeister* **Producteur** : *Juliusspital Würzburg* • **Vignoble** : *Schwanleite* **Producteur** : *Johann Ruck*

WIESENBRONN
✓ **Vignoble** : *Giessberg* **Producteur** : *Gerhard Roth*

GROSSLAGE SCHLOSSSTÜCK

Pas de villages, de vignobles ou de producteurs exceptionnels, même si le village d'Ippesheim produit de bons vins.

BEREICH MAINDREIECK

Dans leur majorité, les vignobles sont proches de Würzburg. Les raisins cultivés sur des sols calcaires peuvent donner des vins bien typés d'une finesse exceptionnelle

GROSSLAGENFREI

De nombreux vignobles de ce *Bereich* sont des *Grosslagenfrei*, c'est-à-dire des *Einzellagen* indépendants, parmi lesquels ceux que je cite ci-après sont réellement exceptionnels.

HOMBURG (AM MAIN)

✓ Vignoble : *Kallmuth* Producteur : *Fürst Löwenstein*

KLEINOCHSENFURT

✓ Vignoble : *Herrenberg* Producteur : *Gebietswinzergenossenschaft Repperndorf*

VOGELSBURG

✓ Vignoble : *Pforte* Producteur : *Augustinusschwestern*

GROSSLAGE BURG

Hammelburg

Ce *Grosslage* produit surtout de robustes sylvaners aux nuances de terre et des müller-thurgau plus légers et parfumés.

GROSSLAGE ENGELSBERG

Un nouveau *Grosslage* – à Dieu ne plaise ! – couvrant une partie de deux *Einzellagen* appartenant anciennement au *Grosslage* Kirchberg, les vignobles Sommeracher de Katzenkopf et de Rosenberg.

GROSSLAGE EWIG LEBEN

La plus forte concentration de beaux vignobles de toute la Franconie donne des vins d'une rare harmonie grâce à un microclimat particulier. Les rieslings possèdent ici un charme naturel original, avec un bouquet qui évoque souvent la pêche.

RANDERSACKER

✓ Vignoble : *Sonnenstuhl* Producteurs : *Robert Schmitt, Schmitt's Kinder* • Vignoble : *Pfülben* Producteur : *Richard Schmitt, Winzergenossenschaft Randersacker Hofrat*

GROSSLAGE HOFRAT

Kintzingen

Les *Einzellagen* de ce *Grosslage* assez étendu sont rarement excellents, à l'exception de ceux des vignobles situés sur le coude du Main, au nord et au sud de Sulzfeld.

SEGNITZ

✓ Vignoble : *Pfaffensteig* Producteur : *Kreglinger*

SULZFELD

✓ Vignoble : *Cyriakusberg* Producteur : *Zehnthof Theo Luckert*

GROSSLAGE HONIGBERG

Pas de villages, de vignobles ou de producteurs exceptionnels, même si le village de Dettelbach produit de bons vins.

GROSSLAGE KIRCHBERG

Volkach

Ce *Grosslage* comporte certains des plus beaux vignobles de Franconie. Les producteurs recommandés font des rieslings délicieusement fruités ou épicés.

ESCHERNDORF

✓ Vignoble : *Lump* Producteur : *Horst Sauer, Egon Schäffer*

HALLBURG

✓ Vignoble : *Schlossberg* Producteur : *Graf Schönborn*

NORDHEIM

✓ Vignoble : *Kreuzberg* Producteur : *Waldemar Braun* • Vignoble : *Vögelein* Producteur : *Helmut Christ*

SOMMERBACH

✓ Vignoble : *Katzenhof* Producteur : *Roman Schneider*

VOLKACH

✓ Vignoble : *Ratsherr* Producteurs : *Helmut Christ, Dumbsky, Franz Kirch*

WIPFELD

✓ Vignoble : *Zehntgraf* Producteur : *Gebietswinzergenossenschaft Repperndorf*

GROSSLAGE MARIENBERG

Grosslage créé pour les vignobles précédemment *Grosslagenfrei* au nord et à l'ouest de Würzburg.

WÜRZBURG

✓ Vignoble : *Stein* Producteurs : *Staatlicher Hofkeller Würzburg, Bürgerspital Würzburg, Juliusspital Würzburg* • Vignoble : *Pfaffenberg* Producteur : *Bürgerspital Würzburg* • Vignoble : *Abtsleite* Producteur : *Juliusspital Würzburg*

GROSSLAGE MARKGRAF BABENBERG

Pas de villages, de vignobles ou de producteurs exceptionnels, même si le village de Frickenhausen produit de bons vins.

FRICKENHAUSEN

✓ Vignoble : *Kapellenberg* Producteur : *Bickel-Stumpf*

GROSSLAGE OELSPIEL

Le principal attrait de ce *Grosslage* est une excellente bande de vignobles exposées au sud-ouest, sur la rive droite du Main, au sud-est de Wurtzbourg. À l'heure actuelle, je n'y trouve toutefois aucun producteur exceptionnel.

GROSSLAGE RAVENSBURG

Thüngersheim

Bien qu'ils soient en aval des meilleurs vignobles de Franconie, les vignobles pentus exposés au sud, à l'ouest et au sud-ouest, à Thüngersheim, produisent d'excellents vins.

THÜNGERSHEIM

✓ Vignoble : *Johannisberg* Producteur : *Winzergenossenschaft Thüngersheim*

GROSSLAGE ROSSTAL

Karlstadt

Pas de villages ni de vignobles exceptionnels, ni de vignerons véritablement prometteur dans ce *Grosslage*, même si l'on produit de bons vins autour de Karlstadt.

GROSSLAGE TEUFELSTOR

Ce *Grosslage* prolonge celui d'Ewig Leben, mais ne produit pas d'aussi bons vins.

BEREICH MAINVIERECK

Ce *Bereich* est le plus petit et le plus à l'ouest de la Franconie, et produit des vins modestes.

GROSSLAGE HEILIGENTHAL

Ce Grossalge ne comprend qu'un village, Grossostheim, et deux *Einzellagen*, le reste des vignobles constituant des *Grosslagenfrei*.

GROSSLAGE REUSCHBERG

Ce Grossalge ne comprend qu'un village, Hörstein, et deux *Einzellagen*, le reste des vignobles constituant des *Grosslagenfrei*.

GROSSLAGENFREI

La plupart des vignobles de Mainviereck sont des *Grosslagenfrei* (*Einzellagen* indépendants n'appartenant à aucun *Grosslage*). Il y a peu de villages ou de vignobles exceptionnels, sauf ceux que je cite ci-dessous. Les villages de Klingenberg et de Miltenberg produisent de bons vins rouges.

BÜRGSTADT

✓ Vignoble : *Centgrafnberg* Producteur : *Rudolf Fürst*

GROSSHEUBACH

✓ Vignoble : *Bischofsberg* Producteur : *Staatlicher Hofkeller Würzburg*

WURTEMBURG

Le Wurtemburg (Württemberg) est une région viticole méconnue, surtout en raison du vin rouge ou le Schillerwein *– vin rosé léger – qui n'est pas très demandé en dehors de la région.*

Les vignobles du Wurtemburg, plantés de cépages noirs à 50%, produisent des vins rouges. Près de la moitié sont plantés de trollinger, raisin qui donne un vin frais, léger et fruité, que peu d'étrangers considéreraient comme un véritable vin rouge. Les vins de trollinger les plus concentrés sont faits entre Heilbronn et Winnendenn, juste au nord-est de Stuttgart. Toutefois, ils ne sauraient être comparés aux vins rouges produits tout près, au pays de Bade.

Le lemberger rouge est apprécié dans la région mais, jusqu'à une date récente, il avait une saveur neutre et quelconque. Aujourd'hui certains viticulteurs commencent à tirer davantage de ce cépage qui ne fera jamais, cependant, un vin rouge extra-ordinaire.

Le *Schillerwein* rosé, spécialité de la région, est en général plus typé que les raisins noirs comme le schwarz-riesling (pinot meunier), lequel donne un vin blanc meilleur que le rouge ou le rosé.

LES VINS BLANCS

Les vins blancs du Wurtemberg sont généralement de qualité modeste, encore que l'on puisse noter d'intéressantes exceptions, tels les rieslings robustes, intenses, à l'acidité prononcée. Les autres cépages blancs donnent dans cette région des vins de qualité très ordinaire, à moins qu'ils ne soient vendangés dans l'une des catégories de QmP. Une mention spéciale toutefois au kerner, croisement de *trollinger x riesling*, créé à l'institut Weinsberg de Wurtemberg et auquel on donna le nom d'un poète local du XIXe siècle, le docteur Justinus Kerner.

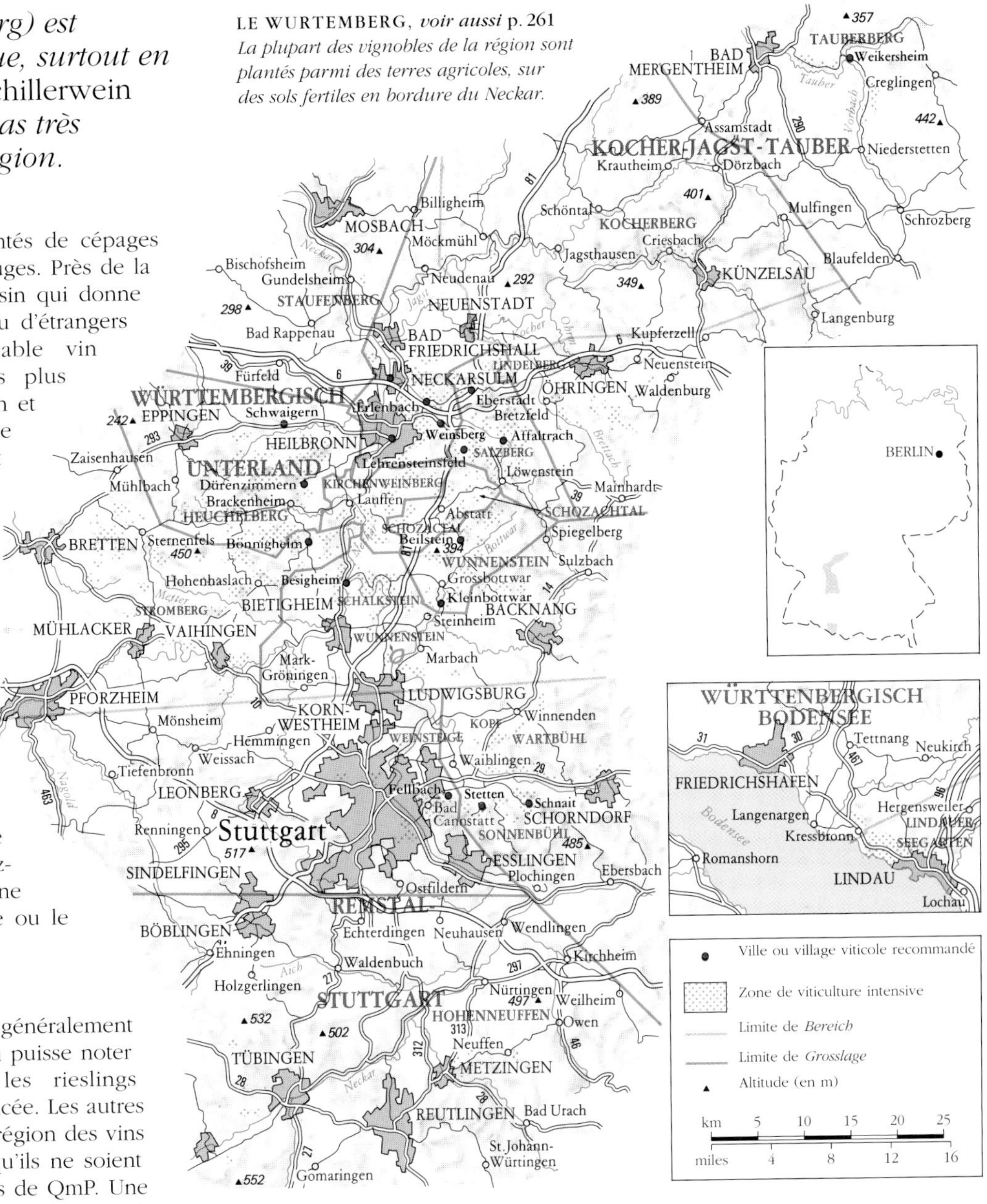

LE WURTEMBERG, *voir aussi* p. 261
La plupart des vignobles de la région sont plantés parmi des terres agricoles, sur des sols fertiles en bordure du Neckar.

- ● Ville ou village viticole recommandé
- Zone de viticulture intensive
- Limite de *Bereich*
- Limite de *Grosslage*
- ▲ Altitude (en m)

LA RÉGION EN CHIFFRES

Superficie plantée de vigne : 11 204 ha

Rendement moyen : 96 hl/ha

Vin rouge : 56%

Vin blanc : 44%

Cépages principaux : riesling 24%, trollinger 22%, schwarzriesling 16%, kerner 8%, lemberger 8%, autres 22%

Infrastructure : 6 *Bereiche*; 17 *Grosslagen*; 206 *Einzellagen*

Note : Les vignobles de cette région sont répartis sur 230 *Gemeinden* (communes) dont les noms peuvent figurer sur l'étiquette.

NORMES DE QUALITÉ ET RÉPARTITION DE LA RÉCOLTE

° OECHSLE MINIMAL	CATÉGORIE	RÉCOLTE 1992	1993	1994	1995
40°	*Deutscher Tafelwein*	8%	–	4%	1%
50°	*Landwein*				
57–63°	* *QbA*	90%	63%	92%	93%
72–78°	* *Kabinett*	2%	25%	3%	6%
85–88°	* *Spätlese*	–	11%	1%	–
95°	* *Auslese*	–	1%	–	–
124°	*Beerenauslese*				
124°	*Eiswein*				
150°	*Trockenbeerenauslese*				

*Le degré Oechsle minimal varie en fonction du taux de sucre naturel du cépage. S'il est plus bas, le vin peut passer en catégorie inférieure.

FACTEURS AFFECTANT LE GOÛT ET LA QUALITÉ

SITUATION
Entre Francfort, au nord, et le lac de Constance, au sud.

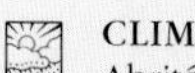

CLIMAT
Abritée par la Forêt Noire à l'ouest et les collines de l'Albe de Souabe, à l'est, cette région bénéficie d'un temps particulièrement chaud pendant le cycle végétatif.

SITE
Les vignobles sont disséminés de part et d'autre du Neckar, sur les pentes douces de différentes vallées.

SOL
Les marnes rouges, l'argile, le lœss et le limon prédominent, avec des calcaires à fossiles dans la vallée du Neckar et aux confluences. Les couches arables, profondes et bien drainées, donnent des vins amples – pour l'Allemagne – avec une acidité ferme.

VITICULTURE ET VINIFICATION
Quelque 16 500 viticulteurs travaillent à temps partiel sur leurs parcelles. Les coopératives assurent l'élaboration et la vente du vin. Bien que plus de la moitié de la région soit plantée de cépages noirs, le vin blanc, y compris blanc de noirs, représente 70 % de la production.

CÉPAGES PRINCIPAUX
Müllerrebe, müller-thurgau, riesling, trollinger
CÉPAGES SECONDAIRES
Kerner, lemberger, pinot meunier, portugieser, ruländer, sylvaner, spätburgunder

LES APPELLATIONS DU

WURTEMBURG

BEREICH REMSTAL-STUTTGART

Deuxième *Bereiche* par son étendue, il couvre quelque 1 600 ha.

GROSSLAGE HOHENNEUFFEN

Pas de production exceptionnelle, même si le village de Metzingen produit de bons vins.

GROSSLAGE KOPF

Pas de production exceptionnelle, même si le village de Grossheppach produit de bons vins.

GROSSLAGE SONNENBÜHL

Pas de villages, de vignobles ou de producteurs exceptionnels.

GROSSLAGE WARTBÜHL

Wartbühl, serré entre deux *Grosslagen* assez quelconques, Kopf et Sonnenbühl, produit des vins supérieurs. Il se distingue peu par les sites, le sol et le microclimat, son seul facteur caractéristique résidant dans l'encépagement, entièrement en raisin blanc, avec une forte proportion de riesling.

STETTEN
✓ **Vignoble** : *Pulvermächer* **Producteurs** : *Weingut Kuhnle, Remstalkellerei Weinstadt*

GROSSLAGE WEINSTEIGE

Fellbach est le meilleur village, bien que dans l'Ortsteil de Bad Cannstadt, sur les terrasses de l'*Einzellage* Zuckerle, on produise des rieslings, trollingers et spätburgunders très réussis.

FELLBACH
✓ **Vignoble** : *Goldberg* **Producteur** : *Weingärtnergenossenschaft Fellbach*

BEREICH WÜRTTEMBERGISCH UNTERLAND

Ce *Bereich* regroupe plus de 70 % des vignobles du Wurtemberg dans ses neuf *Grosslagen* dans les environs d'Heilbronn.

GROSSLAGE HEUCHELBERG

Les sols calcaires les plus riches de cette aire située à l'ouest de Heilbronn donnent certains des plus beaux riesling du Wurtemberg.

DÜRRENZIMMERN
✓ **Vignoble** : *Mönschsberg* **Producteur** : *Winzergenossenschaft Dürrenzimmern*

SCHWAIGERN
✓ **Vignoble** : *Grafenberg* **Producteur** : *Heuchelberg Kellerai-Schwaigern*

GROSSLAGE KIRCHENWEINBERG

Principalement du raisin noir ; le pinot noir prédomine dans ce *Grosslage*.

GROSSLAGE LINDELBERG

Le lemberger rouge élevé en barriques commence à être réputé, mais les rieslings élégants demeurent la spécialité de ce minuscule *Grosslage*.

GROSSLAGE SALZBERG

Ce *Grosslage*, situé entre Heilbronn et le *Grosslage* Lindelberg, produit de beaux rieslings dans ses vignobles les plus pentus.

AFFALTRACH
✓ **Vignoble** : *Dieblesberg* **Producteur** : *Schlosskellerei Affaltrach - Dr. Baumann*

EBERSTADT
✓ **Vignoble** : *Eberfürst* **Producteur** : *Weingärtnergenossenschaft Eberstadt*

LEHRENSTEINFELD
✓ **Vignoble** : *Steinacker* **Producteur** : *Weingärtnergenossenschaft Lehrensteinsfeld*

GROSSLAGE SCHALKSTEIN

Le vignoble Käsberg, spécialisé dans les vins rouges de style sombre et ample, est le plus beau de ce *Grosslage*.

GROSSLAGE SCHOZACHTAL

Vins blancs essentiellement, avec de beaux rieslings. Quelques expériences encourageantes ont été faites avec des lembergers et des spätburgunders élevés en barriques.

GROSSLAGE STAUFENBERG

Ce *Grosslage* comprend Heilbronn, ses *Ortsteile*, et plusieurs villages alentour.

ERLENBACH
✓ **Vignoble** : *Kayberg* **Producteur** : *Genossenschaftskellerei Heilbronn*

HEILBRONN
✓ **Vignoble** : *Stiftsberg* **Producteur** : *Genossenschaftskellerei Heilbronn*

NECKARSULM
✓ **Vignoble** : *Scheuerberg* **Producteur** : *Albrecht-Kiesling*

WEINSBERG
✓ **Vignoble** : *Schemelsberg* **Producteur** : *Lehranstalt Weinsberg* • **Vignoble** : *Ranzenberg* **Producteur** : *Genossenschaftskellerei Heilbronn*

GROSSLAGE STROMBERG

Grosslage où les cépages noirs prédominent.

BÖNNIGHEIM
✓ **Vignoble** : *Sonnenberg* **Producteur** : *Ernst Dautel*

ROSSWAG
✓ **Vignoble** : *Halde* **Producteur** : *Sonnenhof Bezner-Fischer*

GROSSLAGE WUNNENSTEIN

Schloss Shauback, au sud de cette zone, produit d'excellents vins. Il faut également goûter au superbe brüssele riesling de Graf Adelmann.

HOHENBEILSTEIN
✓ **Vignoble** : *Schlosswengert* **Producteur** : *Schlossgut Hohenbeilstein*

KLEINBOTTWAR
✓ **Vignoble** : *Süssmund* **Producteur** : *Graf Adelmann, Schloss Shaubecken*

BEREICH KOCHER-JAGST-TAUBER

Bereich spécialisé dans les vins blancs, du reste rarement excellents.

GROSSLAGE KOCHERBERG

Pas de production exceptionnelle, même si le village de Criesbach produit de bons vins.

GROSSLAGE TAUBERBERG

Ce *Grosslage* est arrosé par le Tauber. Le riesling, le traminer et le muscat donnent d'excellent résultats.

BEREICH OBERER NECKAR

Minuscule *Bereich* sans villages, vignobles ou producteurs exceptionnels.

BEREICH WÜRTTEMBERGISCH BODENSEE

Bereich qui ne couvre qu'un seul *Einzellage*, situé sur le lac de Constance.

BEREICH BAYERISCHER BODENSEE

Ce *Bereich* comprend un *Grosslage* composé de quatre *Einzellagen*. Les conditions climatiques ne permettent pas la culture du riesling. La petite production se compose essentiellement de müller-thurgau blancs, de spätburgunder rouges et de spätburgunder weissherbst.

GROSSLAGE LINDAUER SEEGARTEN

Bien qu'elles soient plus près du *Grosslage* de Sonnenufer, au pays de Bade, et qu'elles soient rattachées administrativement à la Bavière qui comprend les QbA de Franconie, la législation rattache ces vignes excentrées au Wurtemberg.

PAYS DE BADE

On considère souvent le pays de Bade (Baden) comme la plus méridionale des régions viticoles d'Allemagne. En fait, il s'agit moins d'une région que de la réunion administrative de zones diverses qui produisaient autrefois du vin dans l'ancien duché de Bade.

La partie la plus au nord du pays de Bade traverse la Franconie et le Wurtemberg parallèlement à la Moselle, tandis qu'au sud de Baden-Baden, les vignobles sont l'image inversée de ceux d'Alsace, de l'autre côté du Rhin. Trois vignobles, isolés aux abords du lac de Constance, sont les plus méridionaux d'Allemagne, après le *Grosslage* voisin de Lindaueur Seegarten, appartenant au Wurtemberg. La grande diversité des conditions géographiques, géologiques et climatiques se reflète dans la vaste gamme de vins élaborés, du tendre sylvaner au ruländer corsé, au gutedel léger et épicé, sans oublier le *Weissherbst* de couleur rose, spécialité de la région, qui produit aussi une bonne proportion des meilleurs vins rouges. La principale caractéristique du vin du pays de Bade est sa chaleur, sa rondeur, son velouté.

NORMES DE QUALITÉ ET RÉPARTITION DE LA RÉCOLTE

° OECHSLE MINIMAL	CATÉGORIE	RÉCOLTE 1992	1993	1994	1995
50–55°	*Deutscher Tafelwein*	10%	–	6%	1%
55°	*Landwein*			90%	
60–72°	* *QbA*	85%	61%	3%	73%
76–85°	* *Kabinett*	4%	29%	1%	25%
86–92°	* *Spätlese*	1%	9%		1%
100–105°	* *Auslese*				
128°	*Beerenauslese*	–	1%	–	–
128°	*Eiswein*				
154°	*Trockenbeerenauslese*				

*Le degré Oechsle minimal varie en fonction du taux de sucre naturel du cépage. S'il est plus bas, le vin peut passer en catégorie inférieure

LA RÉGION EN CHIFFRES

Superficie plantée de vigne : 16 371 ha

Rendement moyen : 68 hl/ha

Vin rouge : 28%

Vin blanc : 72%

Cépages principaux : müller-thurgau 33%, spätburgunder 27%, grauerburgunder 9%, gutedel 8%, riesling 8%, autres 15%

Infrastructure : 8 *Bereiche*; 16 *Grosslagen*; 306 *Einzellagen*

Note : Les vignobles de cette région sont répartis sur 315 *Gemeinden* (communes) dont les noms peuvent figurer sur l'étiquette.

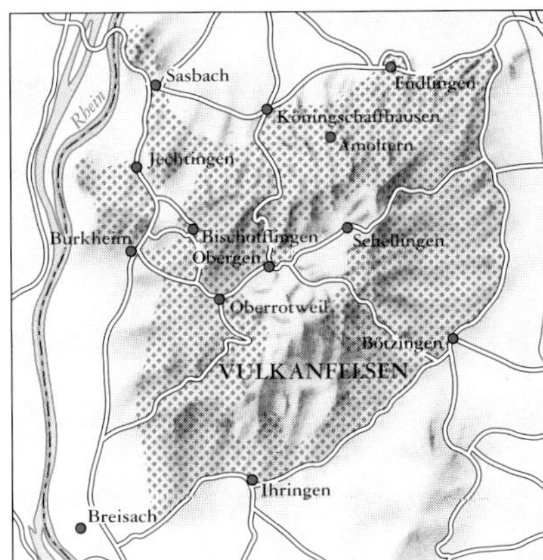

LE PAYS DE BADE, ***voir aussi*** p. 261
Les vignobles de cette immense région viticole sont pour la plupart situés sur une bande qui s'étend le long de la limite ouest de la Forêt Noire, entre celle-ci et la frontière avec la France. En médaillon à droite, les vignobles septentrionaux du Bereich *de Tauberfranken, et ci-dessus le* Grosslage *de Vulkanfelsen agrandi pour montrer tous les villages recommandés de ce secteur de grande classe.*

VIGNOBLE DE RIESCHEN

Les deux châteaux, l'ancien et le nouveau, au-dessus du vignoble de Rieschen, sur la rive nord du lac de Constance à Meersburg.

Le pays de Bade est actuellement considéré comme l'une des régions viticoles allemandes les plus récentes. Pourtant, jusqu'en 1800, avec quelque 27 000 ha de vigne, il constituait le vignoble le plus étendu, soit près du double de la superficie exploitée aujourd'hui. Toutefois, et paradoxalement, après 1871 et l'annexion de l'Alsace, aux vins nombreux et de haut niveau, les vignobles du pays de Bade ont commencé à décliner. Ce recul s'est poursuivi malgré la création, en 1881, par Heinrich Hansjakob, d'une association des vignerons du pays de Bade. Même lorsque l'Alsace a été restituée à la France en 1918, la production du pays de Bade a continué de diminuer, principalement par faute d'investissements. Dans les années 1920, la production a encore été affaiblie par les lois sur la succession, qui ont morcelé davantage les vignobles. Vers 1950, avec à peine 6000 ha, la viticulture du pays de Bade était au plus bas.

La renaissance de l'industrie du vin a débuté en 1952, avec la formation de la Zentralkellerei Kaiserstuhler Winzergenossenschaften (Cave centrale de Kaiserstuhl) qui, deux ans plus tard, s'agrandissait pour devenir la Zentralkellerei Badischer Winzergenossenschaften (Cave centrale du pays de Bade), ou ZBW. Celle-ci fit construire une usine de vinification et de stockage de 250 millions de francs à Breisach, laquelle contribua à relever le niveau de qualité dans toute la région. Elle adopta, en outre, une énergique politique commerciale sur le marché national. Le pays de Bade devint ainsi la troisième région viticole d'Allemagne par sa production, laquelle resta cependant longtemps méconnue à l'étranger. En effet, la ZBW ne s'investit vraiment dans l'exportation qu'au début des années 1980. Le pays de Bade est malheureusement victime, aujourd'hui, de son propre succès. LA ZBW, qui assure environ 90% de la production de la région, a donné une image tellement précise de ses vins qu'on a généralement l'impression que le pays de Bade ne produit qu'un seul style de vins, bien faits, mais simples et sans caractère. S'il est vrai que ce style unique constitue l'essentiel de la production, la ZBW et les viticulteurs indépendants proposent une riche gamme de vins. Il est temps que la ZBW utilise ses compétences commerciales pour mettre l'accent sur le nombre relativement restreint des vins de très grande qualité du pays de Bade et pour les promouvoir comme vins de domaine, pour le bénéfice des viticulteurs comme des consommateurs.

BODENSEE (LAC DE CONSTANCE)

Ces vignes du sud du pays de Bade, à Meersburg, le meilleur village du Grosslage *Sonnenufer, sont parmi les plus australes d'Allemagne.*

FACTEURS AFFECTANT LE GOÛT ET LA QUALITÉ

SITUATION
Le pays de Bade s'étend sur 400 km, de la Franconie au nord, au-delà du Wurtemberg et de la Bergstrasse de Bade, jusqu'au lac de Constance, où sont plantés les vignobles les plus méridionaux du pays.

CLIMAT
Comparé au reste de l'Allemagne, le pays de Bade, protégé par la Forêt noire et les montagnes de l'Odenwald, bénéficie d'un climat relativement chaud et ensoleillé.

SITE
La plupart des vignobles sont plantés sur des terres plates ou en pente douce. Certains sont cependant situés plus haut sur les collines, moins exposées aux gelées que dans le fond des vallées.

SOL
Les sols sont riches et fertiles, avec des graves qui retiennent bien la chaleur près du lac de Constance, du calcaire, des marnes, des argiles, du granite, des dépôts de lœss, du calcaire et du Keuper, une marne sableuse, dans le Kraichgau et le Taubergrund. Le sous-sol de la plus grande partie de la région est formé d'une couche de roches volcaniques.

VITICULTURE ET VINIFICATION
Ces vignobles plats et fertiles se prêtent à la mécanisation. Bien que l'étendue géographique et la diversité des sols aient conduit à un grand nombre de styles de vins différents, ceux-ci sont masqués par les *QbA* tendres et neutres commercialisés par la ZBW. Plus de 90% de la production sont assurés par ses 54 coopératives, mais il reste certains domaines indépendants de haut niveau parmi les 26 000 viticulteurs de la région. L'une des spécialités du pays de Bade est le Badisch Rotgold, un rosé délicat et souple obtenu en pressurant ensemble ruländer et spätburgunder.

CÉPAGES PRINCIPAUX
Müller-thurgau, ruländer, spätburgunder

CÉPAGES SECONDAIRES
Gutedel, kerner, nobling, riesling, sylvaner, traminer, weissburgunder.

LES APPELLATIONS DU

PAYS DE BADE

BEREICH TAUBERKLINGE

Ce *Bereich*, le plus septentrional des vignobles du pays de Bade, relie le Wurtemberg à la Franconie. Les vins ressemblent à ceux de ces deux régions. Nerveux, secs et aromatiques, avec quelques notes de terre, les vins de müller-thurgau et de sylvaner rappellent plutôt ceux de la Franconie. Seule cette partie du *Bereich*, extérieure à la Franconie, a le droit d'utiliser la célèbre *Bocksbeutel*.

GROSSLAGE TAUBERKLINGE

Outre Königshofen, les villages de Beckstein, Königheim, Königshofen et Tauberbischofsheim produisent de bons vins.

KÖNIGSHOFEN

✓ **Vignoble** : *Turmberg* **Producteur** : *Winzergenossenschaft Beckstein*.

BEREICH BADISCHE BERGSTRASSE KRAICHGAU

Ce *Bereich* compte quatre *Grosslagen*, deux dans la Bergstrasse de Bade, au nord et au sud de Heidelberg, et deux dans le Kraichgau, plus vastes mais aux vignobles plus disséminés. Seul un des *Grosslagen*, Stiftsberg, dans le Kraichgau, bénéficie d'une certaine réputation. La moitié du *Bereich*, plantée de müller-thurgau, donne des vins généralement ternes et sans éclat. Quand ils sont réussis, les meilleurs vins sont les rülanders et les rieslings.

GROSSLAGE HOHENBERG

Pas de production exceptionnelle, même si le village de Weingarten produit de bons vins.

GROSSLAGE MANNABERG

Situé immédiatement au sud-est de Mannheim, ce *Grosslage* inclut la vieille ville universitaire d'Heidelberg et ses quelques vignobles pentus dominant le Neckar.

HEIDELBERG

✓ **Vignoble** : *Herrenberg* **Producteur** : *Seeger/Leimen*

WIESLOCH

✓ **Vignoble** : *Spitzenberg* **Producteur** : *Winzerkeller Wiesloch*

GROSSLAGE RITTERSBERG

Pas de villages, de vignobles ou de producteurs exceptionnels, encore que les villages de Leutershausen, Lützelsachen, Schriesheim, et Weinheim produisent de bons vins.

GROSSLAGE STIFTSBERG

Situé dans le Kraichgau, à l'est de Mannaberg, ce *Grosslage* est le meilleur du *Bereich*. Près de la moitié de ses vignobles sont classés « pentus », c'est-à-dire d'une déclivité supérieure à 20°, ce qui contribue à donner des rülanders extrêmement fruités et des rieslings au caractère relativement racé.

MICHELFELD

✓ **Vignoble** : *Himmelberg* **Producteur** : *Reichsgraf und Marquis zu Hoensbroech*

SULZFELD

✓ **Vins non-Einzellagen** : **Producteurs** : *Sulzfelder Derfle, Burg Ravensburg*

BEREICH ORTENAU

Protégé par les hautes collines de la Forêt Noire, ce *Bereich* produit certains des plus grands vins, généralement amples, fruités et souvent très épicés, du pays de Bade. Le riesling montre une belle finesse, compte tenu de la puissance et des nuances épicées que prend ici ce cépage. Le müller-thurgau est particulièrement bon et plein, et l'on produit un beau badisch rotgold à partir de spätburgunder et de rulander. Le gewürztraminer est souvent appelé ici « clevner », qui est en général un synonyme de pinot blanc – ce qui crée une certaine confusion.

GROSSLAGE FÜRSTENECK

Ce *Grosslage* comprend quelques-uns des meilleurs domaines du pays de Bade. La gamme des cépages, plus diversifiée qu'ailleurs, donne de nombreux types de vins. Les rieslings sont tantôt fermes et épicés, tantôt fins et délicats ; le gewürztraminer est puissant ; le müller-thurgau compte parmi les meilleurs d'Allemagne et certains gutedels sont extraordinaires. Nombre de vins sont de plus en plus secs, bien que certains domaines soient renommés pour leurs vins moelleux de vendanges tardives.

DURBACH

✓ **Vignoble** : *Schloss Grohl* **Producteur** : *Gräflich Wolff Metternich'sches Weingut* • **Vignoble** : *Schlossberg* **Producteurs** : *Gräflich Wolff Metternich'sches Weingut, Alfred Männle* • **Vignoble** : *Plauelrain* **Producteurs** : *Andreas Laible, Gräflich Wolff Metternich'sches Weingut, Staatliches Weinbauinstitut* • **Vignoble** : *Kochberg* **Producteurs** : *Heinrich Männle, Winzergenossenschaft Durbach, B. Vollmer* • **Vignoble** : *Steinberg* **Producteur** : *Staatliches Weinbauinstitut*

FESSENBACH

✓ **Producteur** : *Winzergenossenschaft Fessenbach*

OBERKIRCH

✓ **Producteur** : *Winzergenossenschaft Oberkirch*

GROSSLAGE SCHLOSS RODECK

Outre l'excellente coopérative recommandée ci-dessous, spécialisée dans le *Rotwein*, qui produit certains des meilleurs QmP de spätburgunder, les viticulteurs des vignobles suivants proposent de très bons vins : Mauerberg, également à Neuweier, Stich den Buben à Steinbach, Betschgräber à Eisental, Alde Gott à Sasbach-walden et Hex vom Dasenstein à Kappelrodeck.

BÜHL

✓ **Vins non-Einzellagen** : **Producteur** : *Affentaler Winzergenossenschaft*

NEUWEIER

✓ **Vignoble** : *Mauerberg* **Producteur** : *Schloss Neuweier*

✓ **Vins non-Einzellagen** : **Producteur** : *Winzergenossenschaft Neuweier*

BEREICH BREISGAU

La ville ancienne de Breisgau ne fait pas partie de ce *Bereich* dont les vins ne sauraient se comparer à ceux de son illustre voisin du sud, le *Bereich* Kaisenstuhl Tuniberg, bien qu'ils soient parfois séduisants et qu'ils se laissent boire facilement. On y produit un müller-thurgau fruité, tendre et quasi sec, un rulânder ample et succulent, et un *Weissherbst* de spätburgunder très apprécié.

GROSSLAGE BURG LICHTENECK

Outre le village recommandé ci-dessous, Altdorf produit aussi de bons vins.

KENZINGEN

✓ **Vins non-Einzellagen** : **Producteur** : *Kirchberghof - Gert Hügle*

GROSSLAGE BURG ZÄHRINGEN

Pas de villages, de vignobles ou de producteurs exceptionnels, même si le village de Glottertal produit de bons vins.

GROSSLAGE SCHUTTER-LINDENBERG

Pas de villages, de vignobles ou de producteurs exceptionnels, même si le village de Friesenheim produit de bons vins.

BEREICH KAISERSTUHL

Autrefois partie du Kaiserstuhl-Tuniberg, ce *Bereich* est dominé par un volcan éteint célèbre, le Kaiserstuhl, et offre un bel exemple des résultats obtenus grâce à la *Flurbereiningung*, nom donné à la restructuration qui a permis de transformer des vignobles traditionnels en terrasses en rangs de vignes palissées sur fil de fer, épousant la pente. Bien que ce *Bereich* soit le plus chaud et le plus sec d'Allemagne, plusieurs microclimats favorisent certains sites protégés par le Kaiserstuhl. C'est de ces *Einzellagen* que proviennent certains des meilleurs vins du pays de Bade, bien que l'essentiel de la production soit vendu sous le nom du *Bereich*, auquel s'ajoute généralement celui du cépage.

Le müller-thurgau prédomine, mais la réputation du *Bereich* s'appuie sur le rulånder blanc, très ample, et le weissherbst ruländer, bien typé ; elle est confirmée et renforcée par du spätsburgunder, riche et fin.

GROSSLAGE VULKANFELSEN

Vulkanfelsen est le plus grand et le meilleur des deux *Grosslagen* de l'ex-Kaiserstuhl-Tuniberg. Comme son nom l'indique (Vulkanfelsen signifie « roche volcanique »), il comprend les vignobles qui couvrent les pentes, très favorables, du Kaiserstuhl. Ce sont surtout les vins de ruländer du Kaiserstuhl, amples, d'une intensité fougueuse, qui ont valu à ce *Grosslage* sa réputation.

AMOLTERN
✓ **Vignoble** : *Steinhalde* **Producteur** : *Freiherr von Gleichenstein*

BISCHOFFINGEN
✓ **Vignoble** : *Steinbuck* **Producteurs** : *Winzergenossenschaft Bischoffingen, Karl-Heinz Johner*
Vins non-Einzellagen : **Producteur** : *Karl-Heinz Johner*

BÖTZINGEN
✓ **Vignoble** : *Eckberg* **Producteur** : *R. Zimmerlin*
Vins non-Einzellagen : **Producteurs** : *Höfflin Schambachbhof, Winzergenossenschaft Bötzingen*

BREISACH
✓ **Vignoble** : *Eckartsberg* **Producteur** : *Kageneck*

BURKHEIM
✓ **Vignoble** : *Feuerberg* **Producteur** : *Gebrüder Bercher* • **Vignoble** : *Schlossgarten* **Producteur** : *Gebrüder Bercher*

ENDINGEN
✓ **Vignoble** : *Engelsberg* **Producteurs** : *L. Bastian, Rheinbold & Cornelia Schneider*

JECHTINGEN
✓ **Vignoble** : *Eichert* **Producteur** : *Gebrüder Bercher* • **Vignoble** : *Hochberg* **Producteur** : *Winzergenossenschaft Jechtingen*

IHRINGEN
✓ **Vignoble** : *Winklerberg* **Producteurs** : *Dr. Heger, Winzergenossenschaft Ihringen, Stigler*

KÖNIGSSCHAFFHAUSEN
✓ **Vignoble** : *Steingrüble* **Producteur** : *Winzergenossenschaft Königsschaffhausen*

OBERBERGEN
✓ **Vignoble** : *Bassgeige* **Producteurs** : *Franz Keller-Schwarzer Adler, Salwey*

OBERROTTWEIL
✓ **Vignoble** : *Eichberg* **Producteur** : *Winzerverein Oberrottweil, Salwey*

SASBACH
✓ **Vignoble** : *Scheibenbuck* **Producteur** : *Winzergenossenschaft Sasbach*
• **Vignoble** : *Rote Halde* **Producteur** : *Winzergenossenschaft Sasbach*

SCHELINGEN
✓ **Vignoble** : *Kirchberg* **Producteur** : *Th. Schätzle*

BEREICH TUNIBERG

Anciennement rattaché à Kaiserstuhl-Tuniberg, ce *Bereich* est situé au sud du puissant volcan Kaiserstuhl. L'éminence, également volcanique, de Tuniberg, est elle aussi mis à profit pour la culture de la vigne, sur son flanc le plus pentu, à l'ouest. Cependant, elle est beaucoup moins élevée que le Kaiserstuhl et ses vins sont loin d'être aussi performants, en quantité comme en qualité.

GROSSLAGE ATTILAFELSEN

Pas de villages, de vignobles ou de producteurs exceptionnels dans ce *Grosslage* qui couvre l'éminence volcanique de Tuniberg, encore que le village de Tiengen produise de bons vins.

BEREICH MARKGRÄFLERLAND

Le second *Bereich* par ordre d'importance du pays de Bade est planté principalement de gutedel, dont est issu un vin léger, assez sec et neutre, légèrement pétillant et très séduisant quand il est jeune. Parmi les autres cépages importants, le nobling, riche en promesses, donne un vin plus typé que le müller-thurgau, plus léger. Ce dernier peut cependant se montrer séduisant. Le spätburgunder est parfois ample et réussi et le gewürztraminer donne également de beaux résultats.

GROSSLAGE BURG NEUENFELS

La grande majorité des vignobles de ce *Grosslage* sont classés « pentus » (plus de 20° de déclivité), ce qui donne quelques gutedels parmi les plus délicieux.

BRITZINGEN
✓ **Vignoble** : *Sonnhole* **Producteur** : *Winzergenossenschaft Britzingen*

GROSSLAGE LORETTOBERG

Pas de villages, de vignobles ou de producteurs exceptionnels, encore que le village d'Ebringen produise de bons vins.

GROSSLAGE VOGTEI RÖTTLELN

Bien qu'une grande partie du vin soit vendue sous le nom du *Grosslage*, on trouve ici deux vignobles exceptionnels qui sont surtout connus pour leur gutedel et, dans une moindre mesure, leur spätburgunder.

EFRINGEN-KIRCHEN
✓ **Vins non-Einzellagen** : **Producteur** : *Bezirkskellerei Markgräflerland*

BEREICH BODENSEE

Les environs du lac de Constance donnent des vins qui, sans être exceptionnels, sont honnêtes. Le müller-thurgau produit des vins fruités et vifs, et le spätburgunder à la fois des *Rotweine* et des *Weissherbst*.

GROSSLAGE SONNENUFER

Si les bords escarpés du lac de Constance autour de Meersburg possèdent les vignobles les plus spectaculaires, c'est l'*Einzellage* de Fohrenberg, en pente douce et situé dans la ville même, qui donne les vins les meilleurs. Le premier domaine d'état d'Allemagne, Winzerverein Meesburg, datant de 1802, n'a jamais déçu.

MEERSBURG
✓ **Vignoble** : *Fohrenberg* **Producteur** : *Winzerverein Meerburg*

DURBACH, BADEN
Un tracteur transportant du raisin dans la rue principale de Durbach, sur la route des vignes, dans le Bereich Ortenau. Au loin, les cîmes de la Forêt Noire.

SAALE-UNSTRUT ET SAXE

Ces deux avant-postes viticoles à l'est sont les plus septentrionaux des vignobles allemands. Malgré la rénovation de ces terrasses replantées et l'installation de chais modernes, ces vins ne seront jamais mieux qu'une curiosité touristique.

Paradoxalement, c'est peut-être le moyen de s'en sortir pour les vins de Saale-Unstrut et de Saxe (Sachsen) que d'être bien trop modestes et rustiques pour avoir la moindre chance de concurrencer les vastes quantités de piquette sortant des coopératives des régions de viticulture plus intensive. Par ailleurs, Meissen et Dresde étant désormais des centres touristiques prospères, leurs vins se doivent d'atteindre un niveau de qualité minimum afin de satisfaire des touristes au palais infiniment plus raffiné que celui des consommateurs à l'époque de la mauvaise gestion par la RDA. Espérons que les entrepreneurs locaux comme les investisseurs venus de l'ouest vont le comprendre et organiser l'infrastructure en vue d'une production rationnelle mais sans excès, susceptible de tirer le meilleur parti d'un potentiel limité. À l'exception de Köppelberg à Pforten (Saale-Unstrut) et de Heinrichsburg à Diesbar-Seusslitz (Saxe), peu d'*Einzellagen* se sont montrés suffisamment prometteurs pour pouvoir être comparés aux meilleurs vins des grandes régions de vins QbA.

FACTEURS AFFECTANT LE GOÛT ET LA QUALITÉ

SITUATION
Régions viticoles les plus septentrionales, la Saale-Unstrut se trouve à mi-chemin entre Berlin et la Franconie, la Saxe est à environ 130 km à l'est, non loin de Dresde, près de la frontière tchèque.

CLIMAT
Malgré la position septentrionale de la région, le climat est continental, avec des étés chauds et des hivers longs et froids. La saison est relativement courte et sèche, en comparaison du reste de l'Allemagne, avec des risques de gelées en automne et au printemps entraînant des pertes allant parfois de 20 à 70% en Saale-Unstrut, et jusqu'à 90% en Saxe.

SITE
Les vignes poussent sur des coteaux orientés sud et sud-est, mais les terrasses ayant souffert sous le régime communiste sont toujours en cours de reconstruction – et pour un certain temps encore.

SOL
Calcaire et des traces de grès en Saale-Unstrut ; terre fertile et lœss sur granit en Saxe, avec un sous-sol volcanique.

VITICULTURE ET VINIFICATION
Avant la réunification, les rendements étaient très faibles, mais le développement de la production, réel, est souvent compromis par les fortes gelées, le délabrement des terrasses, la mort des ceps et des méthodes rustiques de production. Néanmoins il serait dommage d'arracher les vieux cépages traditionnels en faveur des croisements sans caractère mais à haut rendement.

CÉPAGES PRINCIPAUX
Müller-thurgau, sylvaner
CÉPAGES SECONDAIRES
Bacchus, dornfelder, elbling, gewürztraminer, grauerburgunder gutedel, kerner, morio-muskat, portugieser, weissburgunder

L'AVENIR - ÉVOLUTION DES CÉPAGES

Lors de la réunification de l'Allemagne en 1989, le müller-thurgau était le cépage le plus cultivé dans les vignobles délabrés de la RDA. Si c'est encore le cas aujourd'hui, cela ne saurait durer. En effet, le

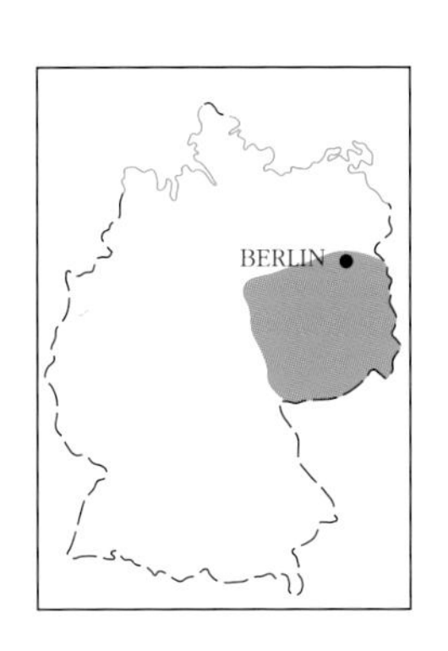

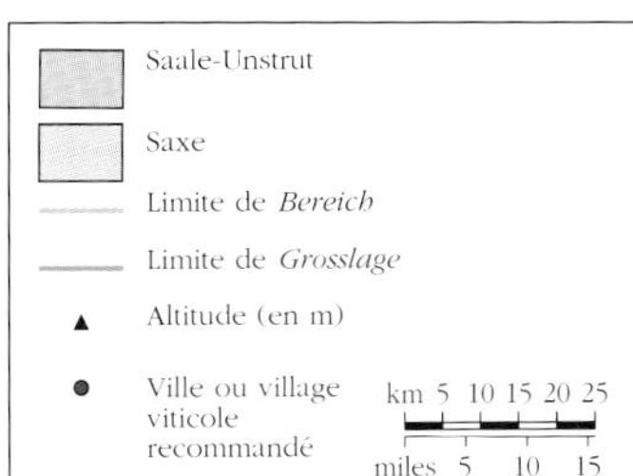

SAALE-UNSTRUT ET SAXE
Voir aussi p. 261
Les vignes s'étendent sur près de 700 hectares dans ce secteur de l'ex-RDA dont les centres de production sont Bad Kosen, Freyburg et enfin Naumberg, à proximité du confluent de la Saale et de l'Unstrut.

LA RÉGION EN CHIFFRES	
Superficie plantée de vigne : 690 ha **Rendement moyen :** 50 hl/ha **Vin rouge :** 6% **Vin blanc :** 94%	**Cépages principaux :** muller-thurgau 37%, sylvaner 16%, weissburgunder 7%, autres 40% **Infrastructure :** 5 *Bereiche*; 8 *Grosslagen*; 35 *Einzellagen* **Note :** Le vignoble de Saale-Instrut et de Saxe sont répartis sur 63 *Gemeinden* (communes) dont les noms peuvent apparaître sur l'étiquette.

VIGNOBLE DE L'ELBE
La majorité des vignobles de Saxe sont en terrasses et surplombent l'Elbe ainsi qu'un de ses affluents.

meilleur raisin allemand, le riesling, va certainement dépasser ses 5% actuels, ne serait-ce que pour des raisons de fierté nationale. Toutefois, la région convient davantage aux vins riches et pleins, au goût de terroir, que donne le sylvaner, ainsi qu'aux cépages de vin rouge, même si cela peut surprendre dans une région aussi froide et septentrionale. Le climat continental de Saale-Unstrut, et de Saxe surtout, est synonyme d'étés chauds où les rouges sont non seulement envisageables, mais même plus adaptés. Le choix se porte aujourd'hui sur le portugieser pour son goût prononcé de framboise, et sur le dornfelder pour la robe. Tôt ou tard, quelqu'un va sans doute essayer le trollinger, majoritaire à Wurtembourg, non loin de là, et il n'est pas interdit d'espérer que le spätburgunder (pinot noir) convienne à cette région.

LES APPELLATIONS DE

SAALE-UNSTRUT ET DE SAXE

ANBAUGEBIET SAALE-UNSTRUT

Ce secteur produit du vin depuis bientôt mille ans, mais il a suffi de 50 ans de RDA pour faire oublier jusqu'au nom de ses appellations, autrefois réputées chez les amateurs. La région comporte deux *Bereiche*, et le müller-thurgau y est majoritaire. Ce cépage représente 35% des cultures, et le raisin noir 10%.

BEREICH SCHLOSS NEUENBURG

De loin le plus grand des deux *Bereiche* de Saale-Unstrut, Schloss Neuenburg recouvre toute la région à l'exception d'une petite parcelle à l'extrême sud, ainsi qu'un îlot de vignes à l'ouest de Halle.

GROSSLAGE BLÜTENGRUND

Ce *Grosslage* ne possède aucun village, vignoble ou producteur exceptionnel.

GROSSLAGE GÖTTERSITZ

Il est bien trop tôt pour se prononcer sur l'éventuel caractère supérieur des vignobles de ce *Grosslage*; toutefois, depuis la réunification, les vins de Pforten sont les seuls à s'être fait régulièrement remarqués.

PFORTEN
✓ **Vignoble** : *Köppelberg* **Producteur** : *Weingut Lützkendorf*

GROSSLAGE KELTERBERG

Pas de villages, de vignobles ou de producteurs exceptionnels.

GROSSLAGE SCHWEIGENBERG

Un producteur commence à se faire remarquer dans deux villages de ce *Grosslage* jusque-là sans éclat.

FREYBURG
✓ **Vins non-Einzellagen** : *Weingut Lützkendorf*

KARSDORF
✓ **Vins non-Einzellagen** : *Weingut Lützkendorf*

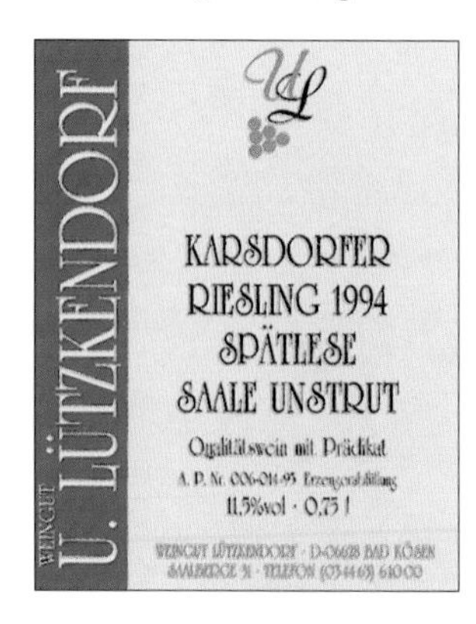

BEREICH THÜRINGEN

La pointe sud de la région de Saale-Unstrut ne comporte aucun *Grosslage*, seulement deux *Einzellagen*, l'un à Grossheringen, l'autre à Bad Sulza.

BEREICHFREI ET GROSSLAGENFREI MARK BRANDEBURG

Mark Brandeburg englobe les vignobles autour de Werder, qui n'ont pas produit, jusqu'à présent, de vins exceptionnels.

ANBAUGEBIET SACHSEN

Comprenant Dresde et Meissen, cet *Anbaugebiet* produit des vins cultivés le long de l'Elbe (la Saxe s'appelait autrefois Elbethal). Cette région est encore plus sensible aux gelées que la Saale-Unstrut, et le riesling y est plus cultivé (13% contre 5%). La quantité de raisin noir est très faible.

BEREICH MEISSEN

À l'extrémité septentrionale de la région de Saxe, Meissen risque de rester toujours mieux connu pour sa porcelaine ancienne que pour ses vins, bien que la région ait joui d'une certaine réputation, dans le domaine viticole, au début du XIXe siècle. Les amateurs de vin devront attendre pour voir si la région a vraiment le potentiel pour retrouver un jour cette renommée déjà ancienne.

GROSSLAGE SPAARGEBIRGE

Pas de villages, de vignobles ou de producteurs exceptionnels.

GROSSLAGE SCHLOSS-WEINBERG

Au nord de Meissen, les meilleurs vins sont produits dans un méandre de l'Elbe à Diesbar-Seusslitz, où les vignobles sont orientés au sud.

SEUSSLITZ
✓ **Vignoble** : *Heinrichsburg* **Producteur** : *Seusslitzer Weinstuben-Joachim Lehmann*

BEREICH DRESDEN

Ce *Bereich* s'étend sur la majeure partie de la moitié sud de la Saxe.

GROSSLAGE LÖSSNITZ.

Pas de villages, de vignobles ou de producteurs exceptionnels à recommander.

GROSSLAGE ELBHÄNGE

Pas de villages, de vignobles ou de producteurs exceptionnels à recommander.

BEREICH ELSTERTAL

Ce *Bereich* réunit trois villages à l'extrême sud de la Saxe. Il y a relativement peu de vignes et, à ce jour, aucun village n'a produit de vin exceptionnel.

LE CHOIX DE L'AUTEUR

Le Beerenauslese, le Trockenbeerenauslesen et l'Eiswein sont sans doute de grands vins, par définition, mais correspondent à des catégories allemandes et sont donc des anomalies ; c'est pourquoi ils ne figurent donc pas dans ce choix. J'ai préféré insister sur les meilleurs styles de kabinett pour chaque région QbA d'Allemagne. Je cite également quelques-uns des meilleurs vins trocken.

PRODUCTEUR	VIN	STYLE	DESCRIPTION	
Weingut Bercher	Burkheim Weisser Burgunder, Trocken Auslese (*voir* p.300, Grosslage Vulkanfelsen)	BLANC	Il s'agit, avec le Dalsheimer Auslese Trocken de Weingut Keller, du meilleur pinot blanc du monde. Bercher a un léger avantage pour sa complexité, mais tous deux ont des saveurs délicieuses de fruits exotiques.	2 à 5 ans
Georg Breuer	Rüdesheim Berg Schlossberg, Riesling (*voir* p.283, Grosslage Burgweg)	BLANC	Commercialisé simplement comme *Qualitätswein*, le Rüdesheim Berg Schlossberg Riesling de Breuer est invariablement de qualité Spätlese, et sec, comme tous les vins des domaines de la Charte. Il a un riche fruité au goût d'abricot qui prend rapidement un caractère typique d'essence, tout en vieillissant avec élégance.	3 à 10 ans
Weingut Ernst Dautel	Lemberger - S - Deutscher, Tafelwein Neckar (*voir* p.296, Grosslage Stromberg)	ROUGE	Un lemberger en *Tafelwein* peut sembler bien modeste, tant par le cépage que par la qualité, mais il donne pourtant une bonne idée du Wurtemberg. Si le Brüssele de Graf Adelmmann est le meilleur lemberger de garde, ce cépage sans prétention est fait pour donner des vins faciles à boire jeunes, et c'est ce que réussit si bien Ernst Dautel, qui se fait un nom avec ce cépage vieilli sans emphase en barriques.	3 à 5 ans
Weingut Göttelmann	Münsterer Rheinberg, Riesling Kabinett (*voir* p.279, Grosslage Schlosskapelle)	BLANC	Ce vin provient de la partie basse de l'*Einzellage* Rheinberg. Göttelman fait un riesling spätlese vraiment excellent, mais aussi le meilleur kabinett de la Nahe. Ce dernier vin a le goût fleuri caractéristique de la région, mais les fruits sont si mûrs et si intenses qu'il en prend une nuance de noyau de pêche comparable aux rheingau. Ailleurs dans le Rheinberg, Göttelman produit un chardonnay *Auslese* fameux.	2 à 8 ans
Dr. Heger	Ihringer Winklerberg, Spätburgunder Spätlese Trocken (*voir* p.300, Grosslage Vulkanfelsen)	ROUGE	Le spätburgunder, ou pinot noir, est le seul grand raisin à vin rouge en Allemagne, et produit un nombre réduit mais grandissant de vins de grande classe. Le meilleur est régulièrement ce vin soyeux et d'un rouge intense, dont le goût de cerise noire, de fraise et de framboise, est étayé par des tanins sans discrétion, avec une finale de chêne, de vanille et de fumé.	3 à 6 ans
Juliusspital-Weingut	Würzburger Stein, Sylvaner Spätlese Trocken (*voir* p.294, Grosslage Marienberg)	BLANC	J'ai choisi ce vin sensationnel comme meilleur représentant du sylvaner typique de Franconie, juste devant le weinbau egon schäffer. Ses arômes merveilleux d'ananas mûr, son acidité rafraîchissante et son fruité intense, le distinguent des autres vins avec leurs notes de terre.	2 à 4 ans
Weingut Keller	Dalsheimer Steig, Weisser Burgunder Auslese Trocken (*voir* p.286, Grosslage Burg Rodenstein)	BLANC	Vin voluptueux, débordant d'un fruit liquoreux richement botryrisé et pourtant sans lourdeur.	2 à 5 ans
Staatsweingüter Kloster Eberbach	Heppenheimer Centgericht, Grauer Burgunder Spätlese Trocken (*voir* p.291, Grosslage Schlossberg)	BLANC	Il n'a pas le goût épicé d'un grand pinot gris d'Alsace, non plus d'ailleurs que les autres vins allemands issus de ce cépage. Toutefois, avec son fruité de sorbet, plus délicat que d'ordinaire, et un léger perlé pour mettre en valeur la finale nerveuse, il offre le meilleur de ce que peut donner ce cépage en Allemagne.	2 à 4 ans
Staatsweingüter Kloster Eberbach	Heppenheimer Centgericht, Riesling Spätlese Trocken (*voir* p.291, Grosslage Schlossberg)	BLANC	Son arôme de pêche très intense, mais pourtant délicieux et agréable, en fait de loin le meilleur riesling de la Bergstrasse de Hesse.	2 à 7 ans
Weingut Josef Albert Lambrich	Oberweseler Römerkrug Riesling Auslese Trocken (*voir* p.273, Grosslage Schloss Schönburg)	BLANC	Les fruits que Lambrich met dans ce vin sont si riches, grâce à la pourriture noble, qu'il serait criminel, quel que soit son millésime, de le boire avant dix ans – bien qu'il soit irrésistible dès sa mise en bouteilles.	5 à 15 ans
Weingut Lanius-Knab	Engehöller Goldemund Riesling Kabinett (*voir* p.273, Grosslage Schloss Schönburg)	BLANC	Par son acidité à couper au couteau et son intense fruité, ce vin est généralement le meilleur riesling *kabinett* du Rhin moyen, preuve que cette région est très sous-estimée.	2 à 10 ans
Dr. Loosen	Erdener Treppchen Riesling Kabinett (*voir* p.277, Grosslage Schwarzlay)	BLANC	J'ai sélectionné l'Erdener Treppchen de Loosen comme meilleur riesling *kabinett* de la Moselle parce qu'il offre invariablement des arômes puissants de pomme acidulée quand il est jeune, avant de devenir un riesling classique et racé après quelques années de bouteille.	3 à 12 ans
Weingut Schmitt's Kinder	Randersackerer Pfülben Riesling Kabinett (*voir* p.294, Grosslage Ewig Leben)	BLANC	Issu du vignoble de Pfülben, le schmitt's kinder donne régulièrement le meilleur riesling *kabinett* de Franconie ; son intensité est telle qu'il est amer quand il est jeune mais, après un vieillissement suffisant en bouteille, il développe des arômes si personnels et si riches qu'il ne ressemble à aucun autre riesling allemand.	7 à 15 ans

Les VINS *d'*

ITALIE

La vigne pousse partout sur la péninsule italienne, des Alpes à la Sicile, et les Grecs de l'Antiquité la nommèrent à juste titre « Oenotria » (pays du vin). La tradition vinicole est ancrée dans le passé et ce sont les légions romaines qui répandirent la vitiviniculture dans la plus grande partie de l'Europe occidentale, jusqu'en Angleterre. On trouve aujourd'hui en Italie plus de cépages indigènes dignes d'intérêt que dans tout autre pays vinicole, y compris la France, et le pays produit une diversité étonnante de vins. Pourtant, les consommateurs n'arrivent pas à situer mentalement les vins italiens sur la carte, comme ils le font pour les vins français. Non seulement les cépages et les types de vins se confondent au sein des provinces, mais ils dépassent leurs frontières, ce qui embrouille encore davantage un tableau déjà confus. Malgré cela, l'Italie, tout comme la France, représente le quart de la production mondiale de vin et ses exportations sont toujours plus florissantes. Le jour où l'Italie parviendra à offrir une image cohérente, basée sur des styles régionaux bien distincts, la France aura en face d'elle une sérieuse rivale.

VIGNOBLE DE COTEAU AU-DESSUS DE FUMANE (VÉNÉTIE)
Fumane est une des cinq vallées formant l'aire d'appellation historique du valpolicella classico.

✧ ITALIE ✧

Il est assez étonnant de constater qu'un quart des vins du monde sont italiens. Ce pays a une tradition viticole vieille de quatre millénaires, mais l'industrie italienne du vin est en mutation permanente depuis trente ans et la prochaine décennie promet de nouveaux bouleversements.

Les énormes volumes de vin produits en Italie donnent à de nombreux consommateurs, pourtant avisés, une fausse idée du véritable potentiel qualitatif du pays. L'Italie est capable de produire bon nombre de grands vins, et c'est ce qu'elle fait, mais ils ont toujours été entourés d'une telle masse de vin ordinaire qu'il n'est pas facile de les repérer. Comme l'Italie, la France débite une quantité colossale de vins, parmi lesquels on peut trouver une certaine part de rebut, mais le nom des grands vins français est sur toutes les lèvres, même chez les gens les moins initiés et, à tort ou à raison, la France a pu s'en sortir indemne; l'Italie, jamais. C'est dommage car l'Italie a un potentiel au moins aussi important sur le plan de la diversité des terroirs, et les cépages autochtones y sont légion. La question de l'identité est fondamentale : en Italie, la vigne pousse aux quatre coins du pays; en France, elle se limite surtout à une demi-douzaine de grandes régions, dont chacune a son style bien reconnaissable et sa réputation.

Si les Italiens veulent rehausser leur image viticole, il leur suffit de réfléchir aux difficultés que rencontreraient les vins français sans des noms régionaux, tels que Bordeaux ou Bourgogne, pour réunir les quelque 50 appellations diverses qu'ils englobent. Si l'ensemble de la région viticole de Toscane s'appelait Chianti, par exemple, on pourrait établir une hiérarchie de dénominations qui placerait les meilleurs vins du Chianti (qu'il s'agisse de brunello, carmignano, vino nobile, ou chianti classico) au sommet de la pyramide Chianti. Avec un système aussi simple et aisément identifiable, non seulement les consommateurs comprendraient sans peine l'origine de chaque vin, mais les critiques seraient aussi indulgents pour le chianti générique qu'ils le sont pour le bordeaux de base. Si les Français avaient donné à l'ensemble de l'appellation Bordeaux le rang suprême, comme les Italiens l'ont fait avec le Chianti DOCG (*Denominazione di Origine Controllata e Garantita*), les critiques dénonceraient le caractère quelconque de ces vins. En revanche, si le chianti devenait la plus modeste DOC (*Denominazione di Origine Controllata*) de la région, sa médiocrité même serait attendue, et saluée comme une nécessité du processus de sélection permettant aux plus grands vins de la région d'atteindre le plus haut niveau et de s'y maintenir.

MONTALCINO
Montalcino et ses célèbres vignes de brunello, au premier plan, baignent dans le soleil de Toscane. Les vins rouges de la région, qui jouissent d'un grand prestige, sont très tanniques et exigent un long vieillissement en cave.

LA LOI DE LA MÉDIOCRITÉ

La législation italienne sur les DOC est entrée en vigueur en 1963, mais souffrait d'un vice fondamental : elle ne créait pas un petit nombre de régions bien identifiables, pourvues chacune d'un nom générique et d'un style. Elle a aussi activement contribué à l'accroissement des volumes en accordant une reconnaissance officielle aux cépages les plus productifs et en classant les zones à haut rendement situées en bordure d'appellations célèbres. La fin des années 1950 et le début des années 1960 ont été une période cruciale pour le développement de l'industrie moderne du vin en Europe; le système italien des DOC a encouragé les plus grosses entreprises du secteur à quitter les zones *classico* de collines à petit rendement, donnant de meilleurs vins que les plaines fertiles, mais où le travail de la vigne est plus difficile, donc plus cher. La production de masse a alors progressivement dominé l'industrie italienne du vin. La plupart des entreprises vinicoles se sont transformées en usines sans âme et la qualité des plus célèbres vins italiens a chuté au rythme de l'augmentation des volumes.

Par respect pour le Sénateur Paolo Desana, père du concept de DOC, l'Italie a d'abord voulu ignorer les critiques suscitées à l'étranger par sa nouvelle législation viticole. Mais, au début des années 1980, ses appellations les plus réputées étaient si dépréciées que bon nombre de ses meilleurs vins portaient la mention *vino da tavola*, ce qui ridiculisait tout le système des DOC. Les Italiens, même les plus conservateurs, ont alors fini par admettre qu'il fallait faire quelque chose. Durant les dix années suivantes, les efforts des ministres de l'Agriculture successifs pour réviser la législation viticole italienne ont

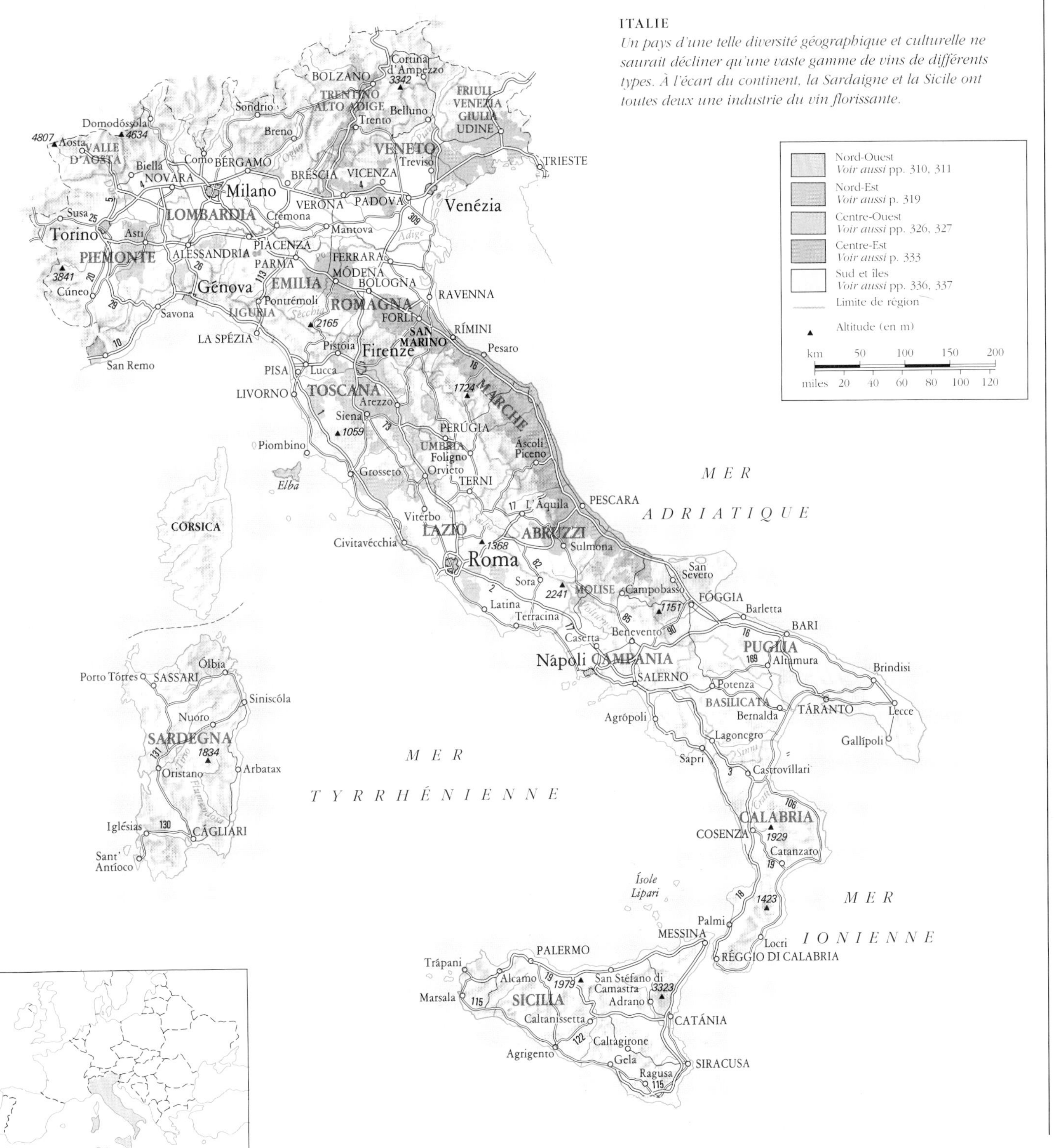

ITALIE

Un pays d'une telle diversité géographique et culturelle ne saurait décliner qu'une vaste gamme de vins de différents types. À l'écart du continent, la Sardaigne et la Sicile ont toutes deux une industrie du vin florissante.

LES MILLÉSIMÉS RÉCENTS EN ITALIE

1996 Après les belles, mais peu abondantes, vendanges de 1995, l'industrie italienne espérait cette année un millésime généreux, comme du reste la plupart des importateurs de vins italiens qui redoutaient une forte hausse des prix. Ces prières ont presque été entendues. Les volumes de 1996 sont normaux, sans pour autant combler la pénurie créée par le millésime précédent : les prix ont donc augmenté. Dans l'ensemble, la qualité a été bonne, surtout dans le Piémont et en Lombardie, mais la Vénétie, le Latium, la Sicile et la Sardaigne ont eu moins de chance.

1995 La meilleure année depuis l'extraordinaire millésime 1990, avec des blancs et des rouges de très grande qualité presque partout : c'est le millésime à acheter. Comme il n'a pas plu pendant les vendanges, les cépages rouges à maturité tardive ont réellement donné des vins exceptionnels.

1994 Une année généralement trop chaude dans le Sud et gâtée par la pluie au Nord. Des pluies tardives ont dilué le barbera et le nebbiolo au Nord-Ouest, mais le dolcetto et les cépages blancs (muscat, arneis, etc.) ont été vendangés dans d'excellentes conditions. La Toscane s'en est mieux sortie que les autres régions : les meilleurs domaines ont produit de l'excellent chianti et les super *vini da tavola* à base de cabernet sont encore meilleurs. Les rouges de Campanie sont également réussis.

1993 La pluie a gâché un millésime potentiellement excellent en Piémont, où le barolo et le barbaresco ont été un peu légers. Mais le dolcetto était mûr avant que les nuages ne crèvent et a donné d'excellents vins bien colorés.

1992 À cause de la pluie, les vins sont minces et d'une qualité moyenne. C'est dans l'ensemble le plus mauvais millésime en Italie, entre les grandes années de 1990 et 1995. Pourtant, grâce à une sélection rigoureuse, certains producteurs ont obtenu des chiantis décents.

échoué en raison de l'influence politique des embouteilleurs industriels qui gagnaient gros en inondant le marché de vins à bas prix. Le ministre de l'Agriculture Giovanni Goria a annoncé son intention de réclamer des changements plus radicaux, mais il ne fut donc guère pris au sérieux. Personne n'aurait parié une lire sur sa réussite; pourtant, moins de trois mois après sa nomination, un « nouveau code disciplinaire pour l'appellation de vins d'origine » était ratifié par le Sénat.

LA LOI GORIA

En février 1992, la loi 164, désormais baptisée « loi Goria », a remplacé la législation viticole due à Paolo Desana. À son entrée en vigueur, on a accordé une grande attention à la création d'une toute nouvelle catégorie, les IGT (*Indicazioni Geagrafiche Tipiche*) – l'équivalent du « vin de pays » français – censées faire tampon entre les DOC et les *vini da tavola*, Goria ayant refusé à ces derniers le droit d'arborer la moindre indication de provenance géographique en dehors de la mention Italie. Chaque IGT proviendrait d'une zone de production officiellement reconnue, mais ne pourrait rien revendiquer de plus précis, comme d'être le produit d'un village, d'une micro-zone, d'un domaine ou d'un vignoble particulier, ces mentions étant réservées, aux termes de la loi 164, aux vins DOC ou DOCG.
Dans l'euphorie des premiers mois suivant la nouvelle loi, on prédisait la création de 150 à 200 IGT, totalisant quelque 12 millions d'hectolitres de vin et devant représenter – selon les plans de Goria – jusqu'à 40% du total de la production italienne de vin, soit 10% de la production mondiale. Mais, pendant près de cinq ans, aucun statut d'IGT ne fut réclamé. Privés du droit de mentionner une origine spécifique, tout en devant respecter les mêmes critères que pour un vin DOC, les producteurs n'en voyaient pas l'intérêt, alors qu'ils pouvaient tout aussi bien choisir la DOC ou se contenter de produire un *vino da tavola*. Ainsi, le principal dispositif de cette loi novatrice passa pour mort-né, même en Italie. Après les vendanges de 1996, les demandes affluèrent : il existe actuellement pas moins de 126 IGT classées.

UN NOUVEAU RESPECT POUR LES DOC ?

La loi Goria a-t-elle réussi à remédier aux défauts fondamentaux des DOC et DOCG? Oui et non. Non parce que les vins italiens ne développeront jamais leur véritable potentiel tant qu'ils ne pourront se regrouper, comme en France, au sein d'une demi-douzaine de grandes régions réputées et dotées d'un style reconnaissable (*voir* Le manque de spécificité des DOC, ci-après). Giovanni Goria n'a même pas essayé de s'attaquer à cet aspect de la question. En outre, les plus beaux vins d'Italie ne bénéficieront pas du prestige international qu'ils méritent tant que leurs aires d'appellation n'auront pas été réduites à leur cœur historique, les collines de la zone *classico*, ce dont la loi Goria ne traite pas non plus. La solution de ces problèmes est capitale pour la renaissance des grands vins d'Italie, mais les effets positifs de la loi Goria sur la réputation des DOC et DOCG sont loin d'être insignifiants. Elle a posé les premières bases d'un statut officiel pouvant s'appliquer à l'élite des *vini da tavola*, porte-drapeaux du vin italien de qualité aux heures les plus sombres du système des DOC. Avant la loi Goria, beaucoup de vins n'avaient pas droit à un statut officiel, le système d'appellation italien définissant les caractéristiques de chaque DOC, sans vouloir prendre en considération les cépages étrangers et les méthodes de vinification non traditionnelles utilisés pour la plupart des meilleurs *vini da tavola*. Goria a eu l'intelligence de comprendre qu'un système excluant certains des plus grands vins du pays était totalement discrédité. Il a ainsi facilité l'intégration des « excès » de ces vins au sein de DOC établies et – au cas où un *consorzio* local exercerait son droit à maintenir des critères plus traditionnels – il a donné la possibilité à de nouveaux classiques de créer leur propre DOC, même dans le cas d'appellations limitées à un seul vin. Pour prétendre au statut de DOC, le ou les vins doivent compter au moins cinq ans de production. Toute DOC totalisant cinq ans d'existence peut revendiquer le statut de DOCG, à condition d'avoir acquis « une réputation et un impact commercial national et international ».

LE MANQUE DE SPÉCIFICITÉ DES DOC

La difficulté pour les vins italiens de projeter une image bien définie vient, en partie, du fait qu'un vin DOC peut donner lieu à de multiples interprétations. Un système d'appellation devrait soit recouvrir et protéger un style déterminé – donc la qualité – par le biais d'une réglementation détaillée, soit simplement veiller à la mention de la provenance d'un vin en garantissant son origine, même s'il s'agit d'un assemblage de différentes zones. La dernière chose que l'on attende d'une législation viticole quelconque, c'est une recette compliquée fixant des pourcentages de cépages et des limitations géographiques précises, tout en décrétant que le vin peut être sec, demi-sec, doux, tranquille, *passito*, *frizzantino* (légèrement pétillant ou perlant), *frizzante* (pétillant) ou *spumante* (effervescent). Cela ne fait qu'entretenir la confusion dont pâtit depuis longtemps l'image des vins italiens.

RIONERO, EN BASILICATE

Ferme du XVIIe siècle sur le domaine de la Conca d'Oro (région du Vulture), où la maison Fratelli D'Angelo produit un grand vin rouge, l'aglianico del vulture.

TOUT CE QUI MOUSSE

Aucun pays ne compte autant d'appellations de vins mousseux que l'Italie, où la clause du « peut être *spumante* » figure dans plus de cent DOC, dont certains de ses plus grands vins rouges. Pourtant, en dépit de ces multiples possibilités, l'Italie n'a pas eu d'appellation spécifique réservée à un vin sec effervescent avant 1995, date à laquelle le Franciacorta – la première et la seule appellation actuelle imposant la méthode classique – a reçu le statut de DOCG. Les autres appellations italiennes de mousseux, souvent peu connues, font toutes appel à la cuve close, méthode idéale pour produire des mousseux doux, tel l'asti, mais qui ne convient pas à un vin sec effervescent aspirant à une reconnaissance internationale. Non que la cuve close soit une méthode inférieure en soi; elle pourrait, en théorie, donner d'aussi bons vins secs effervescents que la méthode classique (*voir* p. 38). Dans la pratique, ce n'est pourtant pas le cas. Il s'agit d'un procédé industriel, réservé aux vins de base les moins chers. Personne n'aurait l'idée de mettre en cuve close des vins de grande qualité, encore moins de les y laisser deux ou trois ans: il faudrait alors adapter l'équipement pour remettre les lies en suspension. De plus, utiliser la méthode classique pour des vins de base bon marché entraînerait des complications et des frais que personne n'est prêt à accepter. La deuxième fermentation en bouteilles n'est pas une garantie de qualité, mais elle encourage les producteurs à aller dans la bonne direction. Voilà pourquoi c'est un tort d'élaborer n'importe quel vin DOC sec effervescent par un autre procédé. Tant que l'Italie conservera ses DOC de cuve close, aucun vin sec effervescent italien ne sera pris au sérieux et les efforts du Franciacorta pour mettre en valeur la première appellation de brut classique du pays resteront vains.

COMMENT LIRE LES ÉTIQUETTES DE VIN ITALIEN

LeCASALTE
RISERVA
Vino Nobile di Montepulciano
Denominazione di origine controllata e garantita
1991
Imbottigliato all'origine da Paola Silvestri Barioffi nella Fattoria Le Casalte Montepulciano - Italia Prodotto in Italia
e 0,750 l L 4-336 14,0% vol.
NON DISPERDERE IL VETRO NELL'AMBIENTE

NOM DU VIN
Beaucoup de vins italiens ne portent qu'un nom de lieu : barolo, chianti ou soave. D'autres portent le nom du cépage, suivi du nom du lieu où il a été cultivé : par exemple, barbera d'Alba désigne simplement du barbera cultivé à Alba. Il y a aussi des exceptions. Ainsi, les vins de Montalcino sont depuis longtemps considérés comme de grands vins, d'où leur nom de « vino nobile di Montalcino », ou vin noble de Montalcino.

MILLÉSIME
Souvent, les mots *annata* (année) ou *vendemmia* (vendange) précèdent ou suivent le millésime. Au moins 85% du vin doit être issu de l'année indiquée.

PRODUCTEUR OU EMBOUTEILLEUR
Ici, le producteur est Paola Silvestri Barioffi, dont le domaine Le Casalte produit régulièrement un grand vino nobile di Montalcino.

VOLUME
La contenance des bouteilles (non des demi-bouteilles) est désormais fixée à 75 cl.

DÉSIGNATION DE QUALITÉ
Denominazione di Origine Controllata (DOC). Il existe actuellement plus de 250 DOC, mais comme certaines appellations englobent de nombreuses variétés et peuvent compter jusqu'à 12 vins de cépages différents, leur nombre dépasse en réalité 600. On trouve dans cette catégorie un nombre croissant des plus grands vins d'Italie, mais aussi encore une bonne proportion des plus médiocres. Les autres catégories sont *Denominazione di Origine Controllata e Garantita* (DOCG), comme ci-contre, supérieure à la DOC, et *Vino da Tavola* (VdT), une catégorie qui inclut la plupart des vins italiens bas de gamme, mais aussi certains des plus grands.

MISE EN BOUTEILLES AU DOMAINE
Les mots *Imbottigliato all'origine da, messo in bottiglia nell'origine* ou *del produttore all'origine* équivalent tous à « mis en bouteilles au domaine ».

PRODUCT OF ITALY
La mention du pays d'origine n'est obligatoire que pour l'exportation.

DEGRÉ ALCOOLIQUE
Celui-ci est exprimé en pourcentage du volume.

Autres indications de style ou de qualité pouvant figurer sur l'étiquette :

ABBOCCATO Légèrement doux.

AMABILE Plus doux qu'*abboccato*.

AMARO Amer ou très sec.

ASCIUTTO Très sec.

AUSLESE Terme allemand utilisé dans le Haut-Adige pour les vins issus de raisins sélectionnés.

AZIENDA, AZIENDA AGRICOLA, AZIENDA AGRARIA *ou* **AZIENDA VITIVINICOLA** Domaine.

BIANCO Blanc.

CANTINA SOCIALE *ou* **COOPERATIVA** Coopérative.

CASCINA Terme du nord de l'Italie désignant une ferme ou un domaine.

CERASUOLO Rouge cerise, s'applique aux rosés de couleur vive.

CHIARETTO Intermédiaire entre le vin rouge très clair et le rosé véritable (équivalent de clairet).

CLASSICO Désigne la meilleure partie d'une zone DOC.

CONSORZIO Groupement de producteurs qui contrôle le vin et assure sa promotion, souvent selon des critères plus stricts que ceux autorisés par la DOC.

DOLCE Très doux

FERMENTAZIONE NATURALE Méthode d'élaboration de vins effervescents par refermentation naturelle en cuve ou en bouteilles.

FIORE Fleur. Souvent rencontré dans un nom de vin, ce mot est un signe de qualité car il indique que seul le moût du premier pressurage a été utilisé.

FRIZZANTE Équivalent de pétillant.

FRIZZANTINO Légèrement pétillant ou perlant.

LIQUOROSO Désigne le plus souvent un vin muté et doux, mais également parfois un vin sec riche en alcool.

LOCALITÀ, RONCO *ou* **VIGNETO** Vin monocru (provenant d'un seul lieu-dit, ou vignoble).

METODO CLASSICO Méthode classique (qui remplace la mention « méthode champenoise » désormais interdite).

PASSITO Vin à fort degré, souvent doux, issu de raisins passerillés.

PASTOSO Demi-sec.

RAMATO Vin à robe cuivrée, issu de raisins de pinot gris ayant macéré brièvement avec leurs peaux.

RECIOTO Vin doux à fort degré, issu de raisins passerillés.

RIPASSO Vin ayant refermenté sur les lies d'un vin *recioto*.

RISERVA *ou* **RISERVA SPECIALE** Vin DOC élevé pendant un nombre d'années réglementaire (le *speciale* est plus vieux).

ROSATO Rosé.

ROSSO Rouge.

SECCO Sec.

SEMI-SECCO Demi-sec.

SPUMANTE Effervescent.

STRAVECCHIO Vin très vieux élevé selon les règles de la DOC.

SUPERIORE Vin DOC qui est généralement plus riche en alcool et parfois de qualité supérieure. Ce terme ne figure plus dans la loi Goria, mais certains producteurs continuent de l'utiliser.

TALENTO Marque déposée qui désigne un vin effervescent élaboré selon la méthode dite classique.

UVAGGIO Assemblage de différents cépages.

VECCHIO Vieux.

VIN SANTO *ou* **VINO SANTO** Vin blanc le plus souvent doux, parfois sec, issu de raisins passerillés et conservé pendant plusieurs années dans de petits fûts scellés et non ouillés.

VINO NOVELLO Vin primeur, équivalent italien du beaujolais nouveau.

VINO DA PASTO Vin ordinaire.

NORD-OUEST DE L'ITALIE

Cette zone inclut la grande région viticole du Piémont, ainsi que la Ligurie, la Lombardie et le Val d'Aoste. Les vins sont en général plus amples et plus étoffés que ceux du Nord-Est de l'Italie, région plus montagneuse dans l'ensemble.

Peu de régions ont une topographie aussi contrastée que le Nord-Ouest de l'Italie, des pistes de ski du Val d'Aoste et des Apennins de Ligurie aux plaines alluviales du Pô. Le contraste est également flagrant entre ses deux vins les plus célèbres : le barolo DOCG, puissant, sombre et tannique, et l'asti DOCG, pâle, léger, effervescent et fruité.

PIÉMONT

Le Piémont est dominé par deux cépages noirs (nebbiolo et barbera) et un cépage blanc (muscat). Le nebbiolo donne le barolo, un vin d'une ampleur prodigieuse, doté d'une note fumée, mais aussi l'élégant barbaresco DOCG, plus délicat et pourtant parfois tout aussi puissant. Le barbera a un rendement nettement supérieur au nebbiolo, mais il pourrait produire des vins presque aussi beaux. Ses tanins sont plus souples et son acidité au moins égale; il excelle aux alentours d'Alba et, dans une moindre mesure, près d'Asti. L'asti blanc, issu du muscat, est le vin de qualité le plus populaire d'Italie.

PRODUCTION MOYENNE ANNUELLE

RÉGION	PRODUCTION DE VIN	PRODUCTION TOTALE
Piémont	1 million hl	4 millions hl
Lombardie	400 000 hl	2 millions hl
Liguria	7 000 hl	400 000 hl
Val d'Aoste	500 hl	300 000 hl

Pourcentage de la production italienne totale : Piémont, 5,2% ; Lombardie, 2,6% ; Liguria, 0,52% ; Val d'Aoste, 0,04%

Tranquille, *frizzantino* ou *spumante*, l'asti est léger, doux et doté d'un fruité exquis rappelant le raisin frais. L'asti effervescent ne porte plus le nom d'asti *spumante* parce que ce terme, comme celui de mousseux, a pris une connotation péjorative. L'asti est certainement le meilleur vin effervescent de dessert au monde.

LOMBARDIE

Au nord-est du Piémont, la Lombardie s'étend des plaines de la vallée du Pô aux sommets enneigés des Alpes. Les plus beaux vins

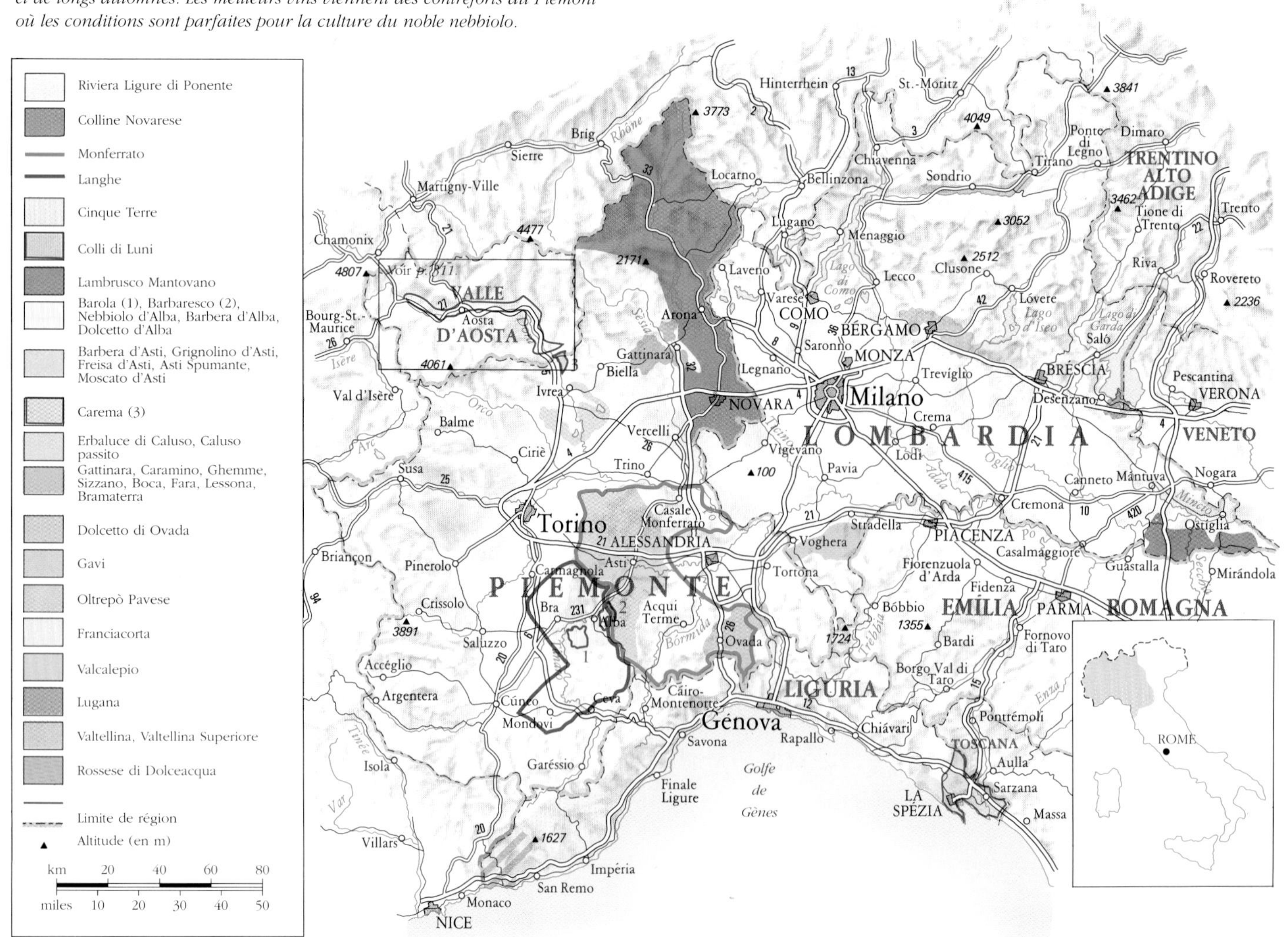

NORD-OUEST DE L'ITALIE, *voir aussi* p. 307
Grâce à la proximité des Alpes, cette région vallonnée jouit d'étés chauds et de longs automnes. Les meilleurs vins viennent des contreforts du Piémont où les conditions sont parfaites pour la culture du noble nebbiolo.

FACTEURS AFFECTANT LE GOÛT ET LA QUALITÉ

SITUATION
Bordé par les Alpes au nord et à l'ouest, et par la mer Ligure au sud, le Nord-Ouest de l'Italie regroupe quatre régions : le Piémont, la Lombardie, la Ligurie et le Val d'Aoste.

CLIMAT
Les hivers sont rigoureux, accompagnés de fréquents brouillards qui montent des vallées. Les étés sont chauds, mais sans excès, avec des risques de grêle. Les automnes prolongés sont propices à la culture du nebbiolo, cépage à maturité tardive.

SITE
Cette zone englobe des contreforts montagneux et la vallée du Pô, le plus long fleuve d'Italie. Les vignes sont plantées sur des coteaux bien drainés et bien exposés. Dans les régions réputées, comme Barolo, tous les coteaux orientés au sud sont tapissés de vigne, tandis qu'en Lombardie, les vignobles s'étendent jusqu'aux riches plaines alluviales du Pô.

SOL
Les sols sont très divers ; les marnes calcaires prédominent (*voir* p. 28), parfois mêlées de sable et d'argile.

VITICULTURE ET VINIFICATION
Les grands vins rouges de la région ont souffert par le passé d'un élevage trop prolongé dans de larges cuves en bois, car de nombreux vignerons ne mettaient leur vin en bouteilles qu'au moment de le vendre. Cette pratique desséchait le fruit et oxydait le vin. Aujourd'hui, beaucoup de vins sont mis en bouteilles au bon moment, mais il n'y a toujours pas de consensus quant au contenant idéal pendant l'élevage. L'emploi de la cuve close pour les vins doux et fruités d'Asti fut un succès et ils sont exportés dans le monde entier. Certains producteurs de *spumante* utilisent désormais la méthode classique pour élaborer des vins effervescents secs de grande qualité, issus du pinot et du chardonnay.

CÉPAGES PRINCIPAUX
Barbera, muscat (*syn.* moscato), nebbiolo (*syn.* chiavennasca)

CÉPAGES SECONDAIRES
Arneis, blanc de Morgex, bonarda, brachetto (*syn.* braquet), brugnola, cabernet franc, cabernet sauvignon, casalese, chardonnay, cortese, croatina (*syn.* bonarda en Lombardie, mais ce n'est pas la vraie bonarda du Piémont), dolcetto (*syn.* ormeasco en Ligurie), erbaluce, favorita, freisa, fumin, gamay, grenache, grignolino, gropello, incrocio terzi (*barbera x cabernet franc*), lambrusco, malvasia, marzemino, mayolet, merlot, neyret, petit rouge (*syn.* oriou), petite arvine, pigato, pignola valtellinese, pinot blanc (*syn.* pinot bianco), pinot gris (*syn.* pinot grigio), pinot noir (*syn.* pinot nero), prematta, riesling (*syn.* riesling renano), rossese, rossola, ruché, schiava gentile, syrah, timorasso, tocai friulano (cépage distinct du pinot gris et de la malvasia), trebbiano (*syn.* ugni blanc, buzzetto), ughetta, uva rara, vermentino, vespolina, vien de nus, welschriesling (*syn.* riesling italico)

VIGNES CONDUITES SUR PERGOLA
Ces vignes de nebbiolo, cultivées près de Carema, sont conduites sur pergola piémontese. Elles donnent un vin rond et aromatique.

de la région sont les rouges corsés de Franciacorta et ses bruts effervescents classiques, promus DOCG, ainsi que les meilleurs sassella rouges de la Valteline. Relativement méconnus en comparaison des barolos ou barbarescos piémontais, ces vins ont un bon rapport qualité/prix.

LIGURIE

La Ligurie est l'une des plus petites régions d'Italie, plus connue pour sa Riviera – contrastant avec de superbes paysages alpins à l'arrière-plan – que pour ses crus. Son vin le plus réputé est le cinque terre, allusion à cinq villages dont les vignes en terrasses escarpées surplombent la côte ligure comme une sorte de grande pyramide aztèque. En dehors du cinque terre, on peut citer le rossese di dolceacqua, souple et épicé, et l'albenga rose vif de Riviera ligure di Ponente DOC. Le colli di luni est presque toscan ; une partie de son appellation chevauchant cette région, il n'est pas étonnant qu'on y trouve du sangiovese convenable. Pourtant, la plupart des vins ligures sont de ceux qu'on se contente d'apprécier pendant les vacances et certains des meilleurs vignobles ont été arrachés pour loger les touristes qui les boivent.

VAL D'AOSTE, *voir aussi* ci-contre
Ici, l'hiver est froid et enneigé, mais l'été peut être très chaud dans la vallée, avec toutefois des nuits fraîches, et ce contraste peut donner des vins intéressants.

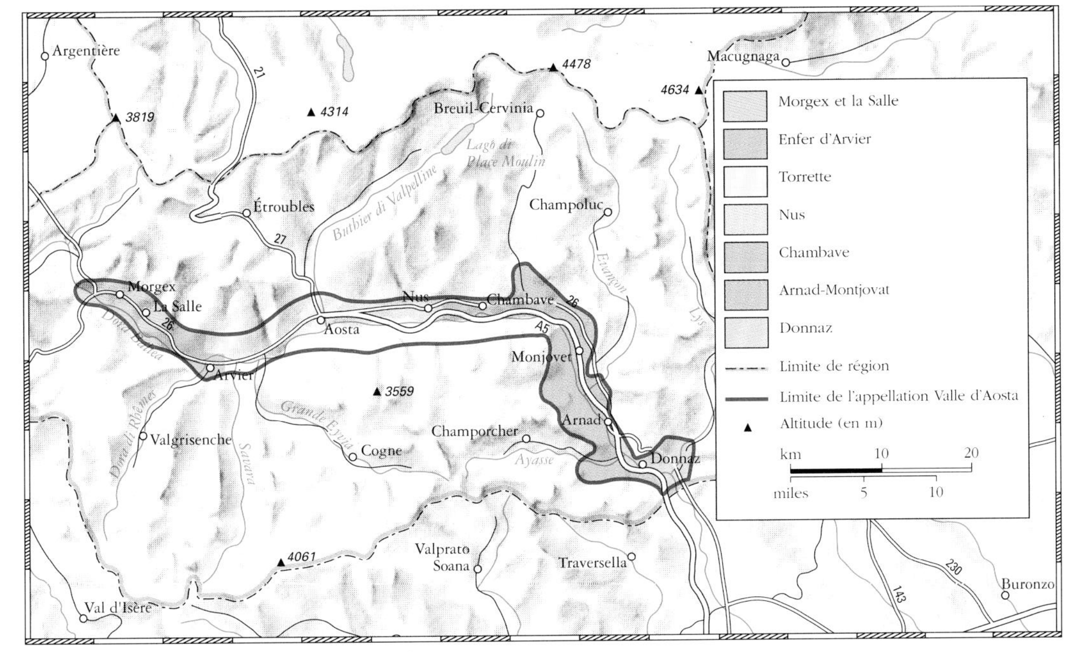

VAL D'AOSTE

Si la Ligurie est une zone viticole marginale, le vignoble du Val d'Aoste est encore plus confidentiel. Perchée dans les Alpes, aux pieds du Mont-Blanc et du Cervin, la région semble pouvoir aussi bien appartenir à la France ou à la Suisse qu'à l'Italie. Toutefois, son seul accès naturel passe par le Piémont, le long de la rivière Dora Baltea. C'est le vignoble le plus exigu et le plus montagneux d'Italie, doté de pittoresques vignes cultivées en altitude qui donnent des vins agréables – en particulier le chambave, le nus et le torrette, trois vins parmi les vingt de la Valle d'Aosta DOC. Ce sont cependant pour l'essentiel des vins de vacances ; les meilleurs sont faciles à boire et sans prétention.

LES APPELLATIONS DU
NORD-OUEST DE L'ITALIE

BRUTS EFFERVESCENTS CLASSIQUES

Tous ces vins sont élaborés par la méthode classique.

Sans attendre – pour toutes les régions

✓ **Lombardie** *Bellavista Cuvée Brut* • *Bellavista Gran Cuvée pas Opéré* • *Berlucchi Brut Cuvée Impériale* • *Berlucchi Brut Cuvée Impériale Millesimato* • *Berlucchi Brut Cuvée Impériale Max Rosé* • *Ca' del Bosco Franciacorta Pinot Brut* • *Ca' del Bosco Franciacorta Pas Dose* • *Ca' del Bosco Franciacorta Crémant Brut* • *Doria Pinot Brut* • *Mirabella Franciacorta Brut* • *Villa Mazzucchelli Brut* • *Villa Mazzucchelli Pas Dose* **Piémont** *Stefano Barbero* • *Luigi Bosca Brut Nature* • *Contratto Brut*

ALBENGA DOC

Ligurie

De couleur vive, les rosés ligures les plus réputés sont secs, corsés et font désormais partie de l'appellation Riviera Ligure di Ponente DOC. *Voir* Riviera Ligure di Ponente DOC.

ARENGO

Piémont

Un vin rouge de barbera hors DOC, souple, léger et fruité, que l'on trouve chez plusieurs producteurs d'Asti.

ARNAD-MONTJOVAT DOC

Val d'Aoste

Cette sous-appellation de l'appellation régionale Valle d'Aosta DOC est réservée à des vins rouges issus du nebbiolo et pouvant comporter jusqu'à 30% de dolcetto, freisa, neyret, pinot noir et vien de nus. *Voir* Valle d'Aosta DOC.

ARNEIS DI ROERO DOC

Piémont

Ces vins sont issus de l'arneis, cépage blanc traditionnel cultivé dans les collines au nord d'Alba. Chers et réputés, ces ex-*vini da tavola* font désormais partie de l'appellation Roero DOC. Les meilleurs sont souples et équilibrés, finement pétillants et d'une puissance aromatique étonnante. La plupart sont secs, mais certains le sont moins et le bric tupin de Deltetto a ouvert la voie à une version voluptueusement moelleuse. *Voir* Roero DOC.

3-5 ans

✓ *Ceretto* (Blangé) • *Castello di Neive* • *Carlo Deltetto* • *Bruno Giacosa* • *Vietti*

ASTI DOCG

Piémont

Ex-Asti Spumante. L'adjectif *spumante* (effervescent) a été banni ; comme les termes de mousseux en France ou de *Sekt* en Allemagne, il a été dévalorisé par des vins bas de gamme. Ce vin est aujourd'hui vendu sous le nom d'asti et a reçu le statut de DOCG. Les meilleurs produits le méritent, mais un nombre croissant de vins médiocres en sont indignes. L'asti est le plus grand vin effervescent d'Italie et l'un des plus célèbres au monde ; il est élaboré en cuve close, la meilleure méthode pour produire un vin mousseux doux et aromatique. Les raisins sont récoltés dans 52 communes des provinces d'Asti, Cuneo et Alessandria.
Les meilleurs asti ont une jolie mousse faite de bulles minuscules, des arômes de raisin frais, une douceur succulente et un fruité délicat rappelant la pêche. L'asti devrait être bu aussi jeune que possible ; en effet, l'un des principaux composants de l'arôme de muscat est le géraniol, délicieux quand il est frais, mais qui prend en bouteille une violente odeur de géranium. Le meilleur asti que j'aie jamais dégusté est une cuvée de Gancia issue d'une sélection spéciale et baptisée Camillo Gancia. *Voir aussi* Moscato d'Asti DOC.

Sans attendre

✓ *Araldica* • *Villa Banfi* • *Barbero* • *Batasiolo* • *Bersano* • *Villa Carlotta* • *Redento Dogliotti* • *Cinzano* • *Giuseppe Contratto* • *Cora* • *Chiarlo-Duca d'Asti* • *Fontanafredda* • *Gancia* • *Kiola* • *Martini & Rossi* • *Sperone* • *Tosti* • *Cantina Sociale Vallebelbo*

BARBACARLO

Lombardie

Vin rouge de garde, sec et *frizzante*, ayant un temps fait partie de l'Oltrepò Pavese DOC. Mais Lino Maga a officiellement été reconnu producteur exclusif et son vin est redevenu un *vino da tavola*.

BARBARESCO DOCG

Piémont

Souvent plus fin et féminin que le barolo, le barbaresco a une structure plus souple, un fruité plus tendre et un charme plus immédiat, bien que certains producteurs adoptent le style plus dense du barolo. Issus du nebbiolo, le plus noble cépage autochtone d'Italie, ces vins doivent être élevés pendant au moins deux ans, dont un en fût de chêne ou de châtaignier.

5-20 ans

✓ *Produttori di Barbaresco* • *Ceretto* • *Pio Cesare* • *Fratelli Cigliuti* • *Giuseppe Cortese* • *Angelo Gaja* • *Bruno Giacosa* • *Piero Busso* • *Cantina del Glicine* • *Marchesi di Gresy* • *Moccagatta* • *Castello di Neive* • *Alfredo Prunotto* • *Bruno Rocca* • *Scarpa*

BARBERA

Piémont

S'il n'est pas cultivé sur un terroir approprié, ce cépage peut donner un vin un peu rustique, exagérément acide et manquant d'élégance. Mais certains producteurs – qui souhaitent échapper aux limitations de la DOC et s'abstiennent donc de la revendiquer – obtiennent aussi de remarquables *vini da tavola*, souvent élevés en barrique, issus de terroirs classiques.

✓ *Giacomo Bologna* (Bricco dell'Uccellone) • *Castello di Neive* (Rocca del Mattarello)

BARBERA D'ALBA DOC

Piémont

Cépage le plus productif du Piémont – ce qui l'a exagérément dévalorisé. C'est en fait l'un des grands cépages italiens. Les meilleurs barberas d'alba sont des vins superbement étoffés et très

aromatiques, pouvant pratiquement rivaliser avec les barolos et barbarescos par leur qualité intrinsèque ; leur production est très réduite, voire infime, par rapport à celle de barbera d'asti.

5-12 ans

✓ *Abbona* • *Pio Cesare* • *Fratelli Cigliuti* • *Clerico* • *Aldo Conterno* • *Giacomo Conterno* • *Conterno Fantino* • *Damonte* • *Franco Fiorina* • *Angelo Gaja* • *Gepin* • *Elio Grasso* • *Manzone* • *Prunotto* • *Renato Ratti* • *Bruno Rocca* • *Varja* • *Vietti* • *Roberto Voerzio*

BARBERA D'ALBA COLLINE NICESI DOC

Piémont

Le rendement restreint de cette sous-zone de l'appellation Barbera d'Alba devrait servir de transition à un statut de DOCG pour tout ou partie des vins actuellement produits comme Barbera d'Alba DOC.

BARBERA D'ASTI DOC

Piémont

Proche du barbera d'alba, en plus souple ; les vins génériques sont plus simples, mais les vins monocrus ont une complexité équivalente.

3-8 ans

Marchesi Alfieri • *Bava* (Stradivario) • *Alfiero Boffa* • *Giacomo Bologna* (Bricco della Bigotta) • *Cascina Castelet* (Passum) • *Chiarlo* (Valle del Sole) • *Coppo* • *Cossetti (Cascina Salomone)* • *Neirano* (Le Croci) • *Antica Casa Vinicola Scarpa* • *Zonin* (Castello del Poggio)

BARBERA DEL MONFERRATO DOC

Piémont

Le vin ressemble le plus souvent à un barbera d'asti de petite qualité. Existe aussi en demi-sec et en *frizzante.*

CS di Castagnole Monferrato (barbera vivace)

BAROLO DOCG

Piémont

Barolo est sans aucun doute la plus noble appellation d'Italie et les meilleurs vins expriment la quintessence du nebbiolo. Les plus beaux vignobles sont tous situés dans une petite zone surélevée, aux pentes souvent arrondies mais parfois escarpées, encerclée par les collines des Langhe. Le sol se compose surtout de marnes calcaires (*voir* p. 28), avec beaucoup de magnésium et de manganèse au nord-ouest, et plus de fer au sud-est. C'est sans doute à cette légère différence que les barolos du nord-ouest doivent leur surcroît d'élégance, et ceux du sud-est, leur ample structure. Dans la qualité du barolo, c'est pourtant l'homme, et non le sol, qui joue le premier rôle, surtout depuis la tendance – apparue il y a une dizaine d'années – à vinifier séparément la fine fleur des barolos et à les vendre sous leur nom de lieudit. Un nom de cru n'est pas forcément une garantie d'excellence, mais les plus beaux barolos ne sont pratiquement plus jamais assemblés et la qualité devrait continuer à augmenter avec la loi Goria (*voir* p. 308). Celle-ci exige des rendements nettement inférieurs pour tout vin revendiquant le statut de monocru. Les grands barolos sont incomparables, mais on en trouve encore de médiocres, bien

qu'ils soient beaucoup moins nombreux qu'à la fin des années 1980. Même à cette époque, l'émergence d'une nouvelle vague de barolos plus fruités était assez évidente. Au départ, cela a divisé l'appellation; les vins « modernes » avaient plus de fruit, des tannins plus mûrs et plus souples et leur élevage se faisait en barriques neuves, alors que les producteurs les moins intéressants du groupe « traditionaliste » continuaient à produire des vins épais, tanniques et desséchés.Attribuer cette sécheresse propre à tant de barolos traditionnels à une mise en bouteilles trop tardive n'est qu'à moitié justifié. La vérité, c'est qu'ils sont – ou étaient – mis en bouteilles à la demande. Cela signifiait qu'une partie des bouteilles d'un même millésime était plus décharnée que d'autres. De nombreux producteurs se perçoivent encore comme traditionnels, mais cela signifie simplement qu'ils évitent la barrique et le bois neuf. La plupart des traditionalistes embouteillent désormais leur barolo quand le vin l'exige, non à la commande, c'est-à-dire plus tôt, en effet. Ils tendent aussi à vendanger plus tard et ont commencé à diminuer leur rendement avant même la loi Goria de 1992. Aujourd'hui, on trouve de splendides barolos chez les tenants de l'une et l'autre écoles. Les vins « modernes » sont plus mûrs et plus crémeux, marqués par la note vanillée du bois neuf; les barolos de style traditionnel sont peut-être plus complexes, les arômes de tabac, goudron et fumée remplaçant la vanille. Dans les deux groupes toutefois, les meilleurs vins se caractérisent par une robe intense, parfois d'un noir d'encre, et un fruité éclatant. Un barolo devrait toujours être puissamment charpenté, même les plus élégants, destinés à être bus plus jeunes. Tous ont une finesse surprenante pour des vins aussi denses.

8-25 ans

Abbona • *Accomasso* • *Elio Altare* • *Azelia* • *Fratelli Barale* • *Giacomo Borgogno* • *Bricco Roche* • *Fratelli Brovia* • *Giuseppe Cappellano* • *Cavalotto* • *Ceretto* • *Clerico* • *Aldo Conterno* • *Giacomo Conterno* • *Paolo Conterno* • *Conterno-Fantino* • *Corino* • *Franco-Fiorina* • *Fratelli Oddero* • *Angelo Gaja* • *Bruno Giacosa* • *Manzone* • *Marcarini* • *Bartolo Mascarello* • *Alfredo Prunotto* • *Renato Ratti* • *Giuseppe Rinaldi* • *Luciano Sandrone* • *Antica Casa Vinicola Scarpa* • *Vietti* • *Roberto Voerzio*

BAROLO CHINATO DOCG

Piémont

Du barolo aromatisé à la quinine et pourtant DOCG : un peu comme si l'on décrétait que le Lillet, l'apéritif bordelais, est un cru classé.

BLANC DE COSSAN

Val d'Aoste

Un Blanc de Noirs frais et acerbe, issu de grenache cultivé à Cossan, tout près d'Aoste, et vinifié par l'Institut agricole régional.

BOCA DOC

Piémont

Vin rouge de nebbiolo relativement corsé et épicé. Il est difficile à trouver – bien qu'on en produise ici depuis l'époque romaine – mais peut présenter un bon rapport qualité/prix.

3-6 ans

Antonio Vallana • *Podere ai Valloni*

BOTTICINO DOC

Lombardie

Vin rouge de barbera, ample, doté d'un bon degré alcoolique et d'une structure tannique légère.

3-5 ans

Miro Bonetti • *Benedetto Tognazzi*

BRACHETTO

Piémont

Le brachetto hors DOC est un vin rouge et doux, souvent proposé par des producteurs d'asti.

Batasiolo

BRACHETTO D'ACQUI DOC

Piémont

Vin rouge doux, pétillant ou effervescent, dont le fruité évoque le muscat.

BRAMATERRA DOC

Piémont

Vin rouge corsé, d'un bon rapport qualité/prix. Il est surtout fait à base de nebbiolo, mais peut comporter une part de bonarda, croatina et vespolina.

3-6 ans

Luigi Perazzi • *Fabrizio Sella*

BUTTAFUOCO DOC

Lombardie

Voir Oltrepò Pavese DOC

CABERNET FRANC

Lombardie

Cépage beaucoup plus répandu en Lombardie que le cabernet sauvignon, pourtant au premier plan aujourd'hui. Surtout utilisé en assemblage.

CABERNET-MERLOT

Lombardie

Relativement nouveau en Lombardie, ce classique assemblage bordelais se révèle très prometteur.

Bellavista (Solesine) • *Ca' del Bosco* (Maurizio Zanella)

CABERNET SAUVIGNON

Piémont

Se développe très bien en Piémont, où il donne des *vini da tavola* d'une qualité et d'un prix excellents.

Angelo Gaja (Darmagi)

CALUSO PASSITO DOC

Piémont

Vin blanc moelleux, corsé et aromatique, issu de raisins d'erbaluce passerillés.

3-5 ans

Vittorio Boratto

CAPRIANO DEL COLLE DOC

Lombardie

Un vin rouge assez rare, issu du sangiovese assemblé avec du marzemino, du barbera et du merlot, et un blanc de trebbiano plutôt acerbe.

CAREMA DOC

Piémont

Vin rouge souple et d'ampleur moyenne, issu du nebbiolo cultivé dans les vignobles montagneux proches du Val d'Aoste. Bon et fiable, mais guère passionnant.

2-5 ans

Luigi Ferrando

CASALESE

Piémont

Cépage local pouvant donner un vin blanc sec léger et délicat, doté d'une finale amère caractéristique; existe en DOC et en *vino da tavola.*

CELLATICA DOC

Lombardie

Vin rouge aromatique et savoureux, produit depuis quatre siècles sur les collines qui surplombent Brescia. Les cépages autorisés sont barbera, marzemino, schiava gentile et incrocio terzi.

2-6 ans

Barbi

CHAMBAVE DOC

Val d'Aoste

Sous-appellation de la DOC régionale Valle d'Aosta, Chambave produit des vins rouges vifs et aromatiques, à base de petit rouge assemblé avec 40% maximum de dolcetto, gamay et pinot noir. Cette DOC autorise également deux vins blancs de muscat : l'un de type *passito,* doux et de garde, l'autre sec à demi-sec, très aromatique, à boire jeune. *Voir* Valle d'Aosta DOC.

2-3 ans (rouge et *passito*) sans attendre (blanc)

La Crotta di Vegneron • *Ezio Voyat*

CHARDONNAY

Lombardie, Piémont et Val d'Aoste

Le chardonnay cultivé en Lombardie est surtout destiné à l'élaboration de vins effervescents « méthode classique », souvent sans mention d'origine ou dans les DOC Franciacorta et Oltrepò Pavese. On trouve cependant un nombre croissant d'excellents *vini da tavola* de chardonnay, élevés en barriques, dont beaucoup ont une ampleur et une vigueur étonnantes. Contrairement au Val d'Aoste, les *vini da tavola* 100% chardonnay sont très répandus en Piémont. La qualité est inégale, mais quand il s'agit d'un bon chardonnay piémontais, les vins sont étoffés et onctueux, bien structurés et d'une qualité rarement rencontrée dans les autres régions viticoles d'Italie. Bon nombre seront certainement promus DOC dans les années à venir. Quelques vins élevés en barriques témoignent de l'intérêt de ce cépage dans le Val d'Aoste, mais il y est encore assez peu cultivé, bien qu'il soit reconnu par la DOC régionale.

✓ **Lombardie** *Bellavista* • *Ca' del Bosco* • *Cascina La Pertica* • *Tenuta Castello* • *Tronconero*
Piémont *Angelo Gaja* • *Pio Cesare*

CINQUE TERRE OU CINQUETERRE DOC

Ligurie

Ces spectaculaires vignobles de côte donnent de bons, mais non spectaculaires, blancs secs au fruité délicat, ainsi que le Cinque Terre Sciacchetrà, un intéressant *passito* demi-sec.

⊩ 1-3 ans

✓ *Forlini Cappellini*

COLLI DI LUNI DOC

Ligurie

Des rouges à base de sangiovese et des blancs de vermentino produits dans l'est de la Ligurie, aux marges de la Toscane.

⊩ 2-5 ans (rouge) et 1-2 ans (blanc)

✓ *La Colombiera*

COLLI MORENICI MANTOVANI DEL GARDA DOC

Lombardie

La culture de la vigne au bord du lac de Garde a des origines très anciennes, mais son importance est aujourd'hui très réduite. Les vins sont rouges, blancs ou rosés, secs, légers et issus d'un assemblage de cépages.

COLLINE NOVARESE DOC

Piémont

Une nouvelle DOC pour des vins rouges et blancs de la région de Novare, au nord-ouest de Milan. Le blanc est sec et issu à 100% d'erbaluce; le rouge est un assemblage d'au moins 40% d'uva rara et 30% de nebbiolo, avec 30% maximum de vespolina et croatina.

COLLI TORTONESI DOC

Piémont

De robustes rouges de barbera corsés et un peu rustiques, et des blancs de cortese, vifs, secs et légers, parfois *frizzante*.

CORTESE DELL'ALTO MONFERRATO DOC

Piémont

Blanc sec et vif, tranquille, pétillant ou mousseux, souvent dénué de finesse pour un vin de cortese.

CORTESE DI GAVI DOC

Voir Gavi DOC

DIANO D'ALBA DOC

Voir Dolcetto di Diano d'Alba DOC

DOLCETTO

Piémont

Le dolcetto hors DOC peut être un vin d'un excellent rapport qualité/prix, souple, tendre et débordant de fruit.

✓ *Clerico* • *Corino* • *Marchesi di Gresy* • *Marcarini* • *Luciano Sandrone*

DOLCETTO D'ACQUI DOC

Piémont

Le dolcetto donne un raisin charnu et peu acide, traditionnellement utilisé pour produire des vins de type beaujolais, gais et colorés, à boire jeunes.

⊩ 1-3 ans

✓ *Viticoltori dell'Acquese* • *Villa Banficut*

DOLCETTO D'ALBA DOC

Piémont

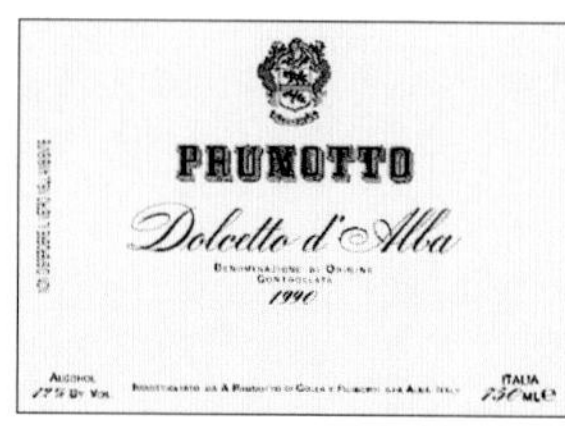

Vin tendre, souple et succulent, à boire dans sa jeunesse, tant qu'il est frais et fruité.

⊩ 1-3 ans

✓ *Elio Altare* • *Azelia* • *Batasiolo* • *Fratelli Brovia* • *Ceretto* • *Pio Cesare* • *Fratelli Cigliuti* • *Aldo Conterno* • *Cascina Drago* • *Franco Fiorina* • *Elio Grasso* • *Bartolo Mascarello* • *Pira* • *Roberto Voerzio*

DOLCETTO D'ASTI DOC

Piémont

Vin plus léger que le dolcetto d'alba.

DOLCETTO DELLE LANGHE MONREGALESI DOC

Piémont

Ce vin est produit en très petites quantités par une poignée de vignerons. Il est réputé pour son exceptionnelle qualité aromatique.

DOLCETTO DI DIANO D'ALBA OU DIANO D'ALBA DOC

Piémont

Diano est un village juché sur une colline au sud d'Alba. Son dolcetto est légèrement plus plein et plus fruité que la plupart des autres.

⊩ 3-5 ans

✓ *Alario* • *Casavecchia* • *Colué* • *Fontanafredda* • *Cantina della Porta Rossa* • *Mario Savigliano* • *Veglio & Figlio*

DOLCETTO DI DOGLIANI DOC

Piémont

Le dolcetto de Dogliani donnait surtout des vins frais et fruités à boire jeunes; aujourd'hui, il sert plus souvent à produire un vin plus ambitieux. Les meilleurs prennent une séduisante finesse aromatique après quelques années de bouteille.

✓ *Chionetti* • *Luigi Einaudi* • *Angelo Gaja* • *Pira* • *Roberto Voerzio*

DOLCETTO DI OVADA DOC

Piémont

Le dolcetto le plus ample et le plus ferme.

⊩ 3-6 ans (jusqu'à 10 ans pour les meilleurs)

✓ *Casina Scarsi Olivi*

DOLCETTO-NEBBIOLO

Piémont

Soutenu par la structure et la fermeté du nebbiolo, le fruité tendre et généreux du dolcetto garde une remarquable fraîcheur après de longues années de bouteille.

✓ *Cascina Drago* (Bricco del Drago, surtout Vigna le Mace).

DONNAZ OU DONNAS DOC

Val d'Aoste

Passé du statut de DOC à celui de sous-appellation de la Valle d'Aosta DOC, Donnaz produit un rouge de nebbiolo tendre et équilibré, à la finale agréablement amère.

Voir aussi Valle d'Aosta DOC.

ENFER D'ARVIER DOC

Val d'Aoste

Passé du statut de DOC à celui de sous-appellation de la Valle d'Aosta DOC, l'enfer d'Arvier est un vin rouge discret et moyennement corsé, surtout à base de petit rouge, avec apport éventuel de dolcetto, gamay, neyret, pinot noir et vien de nus. *Voir aussi* Valle d'Aosta DOC.

ERBALUCE DI CALUSO DOC OU CALUSO DOC

Piémont

Vin blanc frais, sec et léger, issu de l'erbaluce, un cépage relativement neutre. La version *passito* est bien plus intéressante et sans doute à l'origine de la réputation surfaite de l'erbaluce, du moins localement. *Voir aussi* Caluso Passito DOC.

⊩ 1-3 ans

✓ *Luigi Ferrando*

FARA DOC

Piémont

Vinifié par un Luigi Dessilani, le fara DOC s'avère sousestimé : c'est un très agréable vin à base de nebbiolo, débordant de fruit et d'arômes épicés.

✓ *Luigi Dessilani* (Caramino)

FAVORITA

Piémont

Parent du vermentino, et autrefois un raisin de table très populaire, ce cépage donne aujourd'hui des *vini da tavola* blancs, secs et vifs, promus Langhe Favorita DOC depuis 1995. Les meilleurs vins ont un arôme floral délicat et une acidité rafraîchissante.

FLÉTRI

Val d'Aoste

Dans cette région bilingue, le terme « flétri » peut être utilisé de préférence à l'italien *passito*.

FRANCIACORTA DOCG

Lombardie

Les vins effervescents blancs et rosés produits en Franciacorta ont été promus DOCG en septembre 1995. Élaborés selon la méthode classique, avec 25 mois de vieillissement sur lies (37 pour les *riserva*), les Franciacortas avaient déjà prouvé, lors de la première édition de cet ouvrage, leur capacité à donner de beaux bruts biscuités et des rosés effervescents à la fois amples et légers. Non seulement ils méritent leur prestigieuse promotion, mais ils sont un exemple pour toute l'industrie italienne du vin, pour deux raisons bien différentes. D'abord, les vins tranquilles, parmi lesquels d'excellents rouges corsés, ont conservé leur statut de DOC (*voir* Terre di Franciacorta DOC), ce qui fait de la DOCG l'une des plus prestigieuses appellations du pays. Le fait de l'avoir réservée aux seuls vins mousseux souligne ce nouveau statut, alors que promouvoir l'ensemble d'une DOC le dévalorise. Les régions ne disposent pas toutes d'une catégorie d'élite à mettre en avant, comme la Franciacorta, mais elles pourraient, par exemple, réserver la promotion à la zone *classico* originelle et à un rendement restreint. La même région aurait ainsi une DOC et une DOCG : dans l'esprit du consommateur, le « G » deviendrait alors la garantie réelle d'une qualité supérieure, équivalant, par exemple, à un grand cru. Second mérite de la Franciacorta : première appellation italienne de mousseux à exiger une fermentation en bouteilles, c'est pour l'instant la seule apte à produire un vin effervescent sec ayant droit au respect du reste du monde. *Voir* Terre di Franciacorta DOC pour les vins tranquilles.

2-5 ans

Barboglio de Gaiocelli • Bellavista • Berlucchi • Cà del Bosco • Cavalleri • Cornaleto • Villa Mazzucchelli • Monte Rosa

FREISA
Piémont

La freisa est un cépage noir d'une acidité rafraîchissante, qui donne des vins rouge rubis, dotés d'arômes caractéristiques de framboise et de pétale de rose, à boire jeunes. Les vins hors DOC abondent, surtout autour d'Alba, où ce cépage excelle malgré l'absence de toute reconnaissance officielle.

Clerico • Aldo Conterno • Coppo

FREISA D'ASTI DOC
Piémont

Connu depuis des siècles et apprécié du roi Victor-Emmanuel, c'est le freisa d'origine et le plus réputé. Ces vins rouges fruités peuvent être effervescents, pétillants ou tranquilles, secs ou demi-secs.

FREISA DI CHIERI DOC
Piémont

Même type de vin que le freisa d'Asti DOC, produit dans les environs de Turin.

FUMIN
Val d'Aoste

On sait fort peu de choses sur ce cépage. D'habitude il est assemblé, mais donne à l'occasion un robuste vin rouge de cépage, étiqueté Valle d'Aosta DOC ou *vino da tavola*.

GABIANO DOC
Piémont

Le rouge corsé de barbera de Castello di Gabiano augurait bien de cette DOC, mais l'appellation n'a pas décollé et les vins restent confidentiels.

GAMAY
Val d'Aoste

Vins de gamay hors DOC, légers et dotés d'un fruité discret.

GAMAY-PINOT NERO
Val d'Aoste

Vin léger et fruité de type passetoutgrain.

GATTINARA DOCG
Piémont

Assemblage de nebbiolo et bonarda (10% maximum), provenant de la rive droite de la Sésia, dans le nord du Piémont. Peut donner un beau vin, non un grand vin, surtout depuis que l'obtention de la DOCG a fait baisser les rendements. Le vin jeune offre un fruité qui peut sembler robuste et rustique en comparaison au barbaresco ou au barolo, mais les meilleurs gattinaras s'affinent avec le temps, en prenant une saveur soyeuse et un gracieux parfum de violette. Gattinara a été promu DOC, puis DOCG, grâce aux efforts quasi solitaires de Mario Antoniolo, dont les vins ont toujours été parmi les plus beaux de la région. D'autres ont suivi son exemple, mais trop peu nombreux et trop lentement pour donner à Gattinara la réputation que devrait avoir une appellation de classe mondiale.

6-15 ans

Mario Antoniolo • Le Colline • Travaglini

GAVI OU CORTESE DI GAVI DOC
Piémont

La qualité et le caractère de ces vins très en vogue sont vraiment inégaux, pour un prix uniformément élevé. Les meilleurs sont des blancs secs et souples, légèrement perlants dans leur jeunesse. Après deux ans de bouteille, ils peuvent présenter une note de miel. Mais, parmi eux, beaucoup ont perdu tout intérêt pour avoir été fermentés à basse température, ce qui leur donne un arôme de bonbon anglais, et certains sont carrément pétillants.

2-3 ans

Nicola Bergaglio • Chiarlo (Fior di Rovere) *• Carlo Deltetto • La Scolca*

GHEMME DOC
Piémont

ANTICHI VIGNETI DI CANTALUPO
COLLIS BRECLEMAE
GHEMME
DENOMINAZIONE DI ORIGINE CONTROLLATA
VINTAGE
1983
DRY RED WINE — NUMBERED BOTTLE

Vin à base de nebbiolo de la rive opposée à celle de Gattinara, le ghemme est généralement jugé inférieur à son voisin. Pourtant, les rendements y sont plus bas et la qualité plus constante. Même si les vins n'atteignent pas les sommets du gattinara d'un Antoniolo, la plupart sont aussi colorés, corsés et savoureux que l'ensemble des gattinaras et ont, au départ, un bouquet plus fin et un fruité plus élégant. L'apport de vespolina et le bonarda est autorisé.

4-15 ans

Antichi Vigneti di Cantelupo • Le Colline • Luigi Dessilani

GRIGNOLINO D'ASTI DOC
Piémont

Vin rouge légèrement tannique à la finale un peu amère.

GRIGNOLINO DEL MONFERRATO CASALESE DOC
Piémont

Grignolino rouge léger, frais et vif produit dans la région de Casale Monferrato.

GRUMELLO DOC
Lombardie

Voir Valtellina Superiore DOC

INFERNO DOC
Lombardie

Voir Valtellina Superiore DOC

LAMBRUSCO MANTOVANO DOC
Lombardie

Le lambrusco ne vient pas en totalité d'Émilie-Romagne et celui-ci est produit dans les plaines entourant Mantoue. Ex-*vino da tavola*, le mantovano est un vin rouge sec ou doux *frizzante* à l'écume rosée.

Sans attendre

CS di Quistello

LANGHE DOC
Piémont

Cette aire d'appellation chevauche les DOCG et DOC Barbaresco, Barolo, Nebbiolo d'Alba, Dolcetto d'Alba et Barbera d'Alba. Utilisée intelligemment, en pratiquant la sélection, elle pourrait assurer à ces vins une très grande qualité. Le vin peut être blanc ou rouge et six cépages sont autorisés : dolcetto, freisa et nebbiolo en rouge, arneis, favorita et chardonnay (en blanc).

Chionetti • Aldo Conterno • Giuseppe Mascarello

LESSONA DOC
Piémont

Vin rouge pouvant offrir des arômes délicieux, un fruité généreux et une certaine finesse.

LOAZZOLO DOC
Piémont

Muscat *passito* venant du village de Loazzolo. Deux ans d'élevage, dont six mois en barriques, donnent à ce vin doré une saveur riche, une texture voluptueuse d'une douceur exotique. Si la garde est possible, il est meilleur jeune.

2-4 ans

Borgo Maragliano • Borgo Sambui • Bricchi Mej • Giancarlo Scaglione

LUGANA DOC
Lombardie

Vin blanc de trebbiano, sec, tendre et souple, récolté sur les rives du lac de Garde, c'est-à-dire presque en Vénétie, au nord-est de l'Italie. Beaucoup de ces vins sont sans intérêt, mais les meilleurs luganas transcendent la médiocrité habituelle de ce cépage.

1-2 ans

Ca' dei Frati • Visconti

MALVASIA

Lombardie

Dans bien des cas, les mentions malvasia ou malvoisie désignent en fait le pinot gris, mais le malvasia de Lombardie est issu de la vraie malvoisie – qui n'a rien à voir avec celle du Val d'Aoste. En fait, il en existe de nombreuses variétés en Italie, de teinte et de qualité variables. On retrouve donc ce cépage protéiforme dans des vins blancs ou rouges, tranquilles ou mousseux, secs ou doux, légers ou généreux, neutres ou aromatiques.

La Muiraghina

MALVASIA DI CASORZO D'ASTI DOC

Piémont

Vins rouges et rosés doux, à l'arôme léger, tranquilles ou mousseux.

1-2 ans

Bricco Mondalino

MALVASIA DI CASTELNUOVO DON BOSCO DOC

Piémont

Séduisant vin rouge doux, à l'arôme léger, tranquille ou mousseux.

1-2 ans

Bava

MALVOISIE

Val d'Aoste

Le malvoisie du Val d'Aoste est en fait issu de pinot gris. Sec, demi-sec ou *passito*, le vin n'est nullement épicé, mais souple et souvent doté d'une pointe d'amertume, aussi bien dans la version DOC qu'en *vino da tavola*.

MONFERRATO DOC

Piémont

DOC créée en 1995 pour un vin rouge, blanc ou *ciaret*, alias *chiaretto* (rosé), issu de dolcetto, de casalese et de freisa cultivés dans une vaste zone comprise dans la région d'Asti.

MORGEX ET LA SALLE DOC

Val d'Aoste

Sous-appellation de la DOC régionale Valle d'Aoste. Atteignant jusqu'à 1 300 m d'altitude, les vignobles de ces deux communes sont parmi les plus hauts d'Europe. La plupart des vignes sont cependant cultivées entre 900 et 1 000 m, ce qui est déjà remarquable puisque, en théorie, le raisin ne peut mûrir au-dessus de 800 m dans le Val d'Aoste. Il mûrit pourtant, et donne un bon blanc sec *frizzantino*. Il existe aussi en *spumante* brut, extra-brut et demi-sec. *Voir aussi* Valle d'Aosta DOC.

1-3 ans

Alberto Vevey

MOSCATO (MUSCAT)

Lombardie et Piémont

De bons vins hors DOC sont produits en Lombardie et le moscato di scanzo est certainement le meilleur. En Piémont, le muscat hors DOC abonde dans tous les styles.
On trouve même un muscat de type sec et vif, rivalisant avec celui d'Alsace, chez Alasia (une alliance entre le vinificateur volant Martin Shaw et le groupement de coopératives Araldica).

Lombardie *Celinate Ronchello* • *Il Cipresso* • *La Cornasella*
Piémont Alasia (surtout Muscaté Sec)

MOSCATO D'ASTI DOC

Piémont

Vin proche de l'asti par sa saveur, mais avec une pression minimale de trois atmosphères au lieu de cinq. Il peut être tranquille, légèrement *frizzantino* ou franchement *frizzante*. Ceux qui présentent une certaine effervescence ont été mis en bouteilles sans aucun dosage, au cours de la première fermentation, au contraire de l'asti proprement dit, vinifié en cuve close. Comparé à l'asti, le moscato d'asti est généralement – mais non nécessairement –, moins alcoolisé (5,5 à 8% vol., au lieu de 7,5 à 9% vol.) et presque toujours beaucoup plus doux. La seule critique concernant ce céleste nectar pourrait porter sur une regrettable tendance à accroître l'effervescence : le moscato d'asti moderne n'est guère différent de l'asti. Il est devenu rare de trouver un moscato d'asti à peine perlant. Cela dit, c'est la DOC d'Asti qu'il faut rechercher. La production étant inférieure à 3 millions de bouteilles, au lieu des 85 millions d'asti, le vin est plus cher et les meilleurs, comme La Caliera de Borgo Maragliano, d'une classe tout à fait à part, sont vraiment remarquables.

Sans attendre

Araldica • *Castello Banfi* • *Alfiero Boffa* • *Borgo Maragliano* • *Redento Dogliotti* • *Gatti* • *Marchesi di Gresy* • *Villa Lanata* • *Luciana Rivella* • *La Spinetta-Rivetti*

NEBBIOLO

Piémont

La plupart des *vini da tavola* issus de ce cépage sont des vins rouges assez simples, les meilleurs terroirs de nebbiolo étant depuis longtemps répertoriés et devenus des DOCG célèbres. Toutefois les meilleurs producteurs de barolo et de barbaresco ont obtenu des vins exceptionnels dans les grandes années mais, maintenant qu'ils disposent aussi des DOC Nebbiolo d'Alba et Langhe Nebbiolo pour commercialiser ces vins, il faudra voir s'ils auront toujours cette qualité.

Elio Altare • *Clerico* (Arté) • *Corino* • *Cascina Drago* • *I Paglieri* (Opera Prima)

NEBBIOLO-BARBERA

Piémont

Un magnifique assemblage de *vini da tavola*, auquel l'élevage en barriques convient aussi bien que l'eau à un poisson. Cela donne un vin rouge délicieux et élégant, au fruité éclatant soutenu par des tannins fondus et une note fumée. Certains vins, comme le Monprà de Conterno Fantino, contiennent plus de barbera que de nebbiolo. *Voir aussi* Petit rouge.

Giacomo Aschieri (Bric Milieu) • *Chiarlo* (Barilot) • *Valentino Migliorino* (Bricco Manzoni) • *Conterno Fantino* (Monprà) • *Vietti* (Fioretto) • *Roberto Voerzio* (Vignaserra) • Orion (Valle d'Aoste)

NEBBIOLO D'ALBA DOC

Piémont

Des vins 100% nebbiolo produits entre Barolo et Barbaresco. La plupart sont de qualité et amples, étoffés et fruités. Ils peuvent aussi être doux ou effervescents.

4-10 ans

Aschiseri • *Tenuta Carretta* • *Ceretto* • *Pio Cesare* • *Aldo Conterno* • *Giacomo Conterno* • *Franco Fiorina* • *Angelo Gaja* • *Bruno Giacosa* • *Giuseppe Mascarello* • *Vietti*

NUS DOC

Val d'Aoste

Sous-appellation de la Valle d'Aosta DOC. Le nus est un intéressant vin rouge à base de vien de nus, de petit rouge et de pinot noir. Un vin blanc sec ou *passito* est issu de pinot gris ou de malvasia de nus. *Voir aussi* Valle d'Aosta DOC.

2-4 ans

La Crotta di Vegneron

OLTREPÒ PAVESE DOC

Lombardie

L'aire de production couvre 42 communes au sud du Pô. Une grande part de la production n'est pas vendue sous cette DOC, mais à des firmes spécialisées du Piémont qui en font du *spumante*

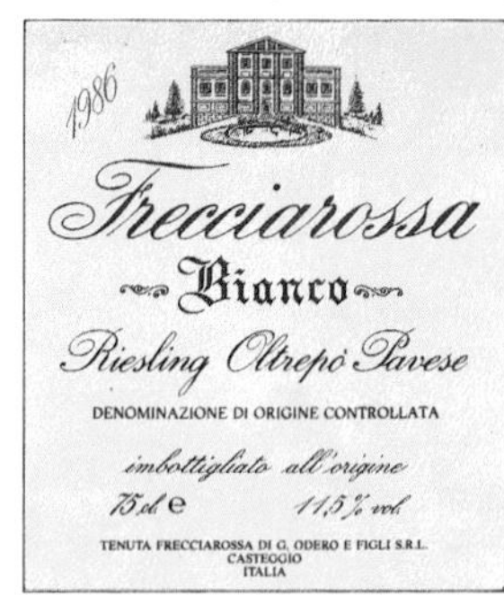

hors DOC par la méthode de la cuve close ou la méthode classique. Il existait auparavant trois sous-appellations géographiques, mais le barbarcarlo a été reconnu comme une exclusivité de Lino Maga et a retrouvé son statut de *vino da tavola*. Les deux sous-appellations restantes sont **Oltrepò Pavese Buttafuoco** (« boutefeu »), un vin *frizzante* d'un rouge intense, fruité, sec ou demi-sec, et **Oltrepò Pavese Sangue di Giuda** (« sang de Judas »), un *spumante* rouge tendre et doux. Ces deux vins proviennent uniquement des vignes entourant les villages de Broni, Canetto Pavese, Castana, Cigognola, Montescano, Pietra de Giorgi et Stradella. Outre les vins rouges, blancs et rosés, issus d'un assemblage, l'Oltrepò Pavese autorise huit vins de cépage : barbera, bonarda (en réalité croatina) et pinot noir (tranquille et *spumante*) en rouge ; cortese, muscat (tranquille, *spumante* ou *liquoroso*), pinot gris et riesling (qui peut malheureusement contenir jusqu'à 100% de welschriesling) en blanc.

1-3 ans (blanc, rosé et mousseux)
2-5 ans (rouge)

Giacomo Agnes • *Angelo Ballabio* • *Bianchina Alberici* • *Doria* (pinot nero) • *Maga Lino* (*voir aussi* barbacarlo) • *Monsupello* • *Piccolo Bacco dei Quaroni* • *Tronconero* (Bonarda) • Zonin (moscato spumante)

ORMEASCO

Ligurie

L'ormeasco est le nom ligure du dolcetto et peut produire de délicieux vins rouges fruités, tendres et faciles à boire.

PETIT ROUGE

Val d'Aoste

Ce cépage local à faible rendement donne un vin d'un rouge sombre et profond, très aromatique, qui existe en version DOC et en *vino da tavola*. La famille du petit rouge comporte de nombreuses variétés dérivant toutes de l'oriou, nom qui désignera peut-être à l'avenir les vins de ce cépage. Depuis le début des années 1990, il y a eu des mouvements en faveur de ce changement d'identité, l'adjectif « petit » étant jugé péjoratif – même s'il qualifie la taille du grain et non la qualité du vin. La plupart des cépages nobles ont pourtant des grains plutôt petits ce qui devrait être considéré comme un attribut positif.

PIEMONTE DOC

Piémont

Instituée en 1995, cette DOC englobe toutes les autres aires DOC du Piémont. À l'exception du muscat du piémont et du muscat du piémont *passito*, qui doivent comporter 100% de muscat, tous les vins revendiquant cette appellation doivent avoir au moins 85% du cépage indiqué. Cépages rouges autorisés : barbera, bonarda, brachetto, dolcetto et pinot noir; outre le muscat déjà cité, les cépages blancs admis sont le cortese et les pinots blanc et gris. La création de cette DOC régionale explique probablement l'absence de vins IGT en Piémont et il est peu probable que cela change.

PINOT NERO

Lombardie

L'essentiel du pinot noir cultivé dans le nord-ouest de l'Italie sert à l'élaboration de bruts *spumante* classiques. Il existe des vins tranquilles d'appellation Oltrepò Pavese DOC (celui de Doria est remarquable) et quelques exemples hors DOC. Les deux vins cités ci-dessous sont élevés en barriques et d'une qualité exceptionnelle.

✓ *Ca' del Bosco • Tenuta Mazzolino*

PREMETTA

Val d'Aoste

Ce cépage local donne un vin rouge cerise aux tanins légers, qui existe en version DOC et en *vino da tavola*.

RIVIERA DEL GARDA BRESCIANO OU GARDA BRESCIANO DOC

Lombardie

Cette zone produit un vin rouge léger, fruité et légèrement amer, guère plus intéressant que le flot de valpolicella produit sur l'autre rive du lac de Garde. C'est le plus souvent un assemblage de gropello, sangiovese, marzemino et barbera, mais il existe des vins de pur gropello, souvent supérieurs. Les blancs peuvent être exclusivement issus du riesling, mais il peut s'agir de vrai riesling (*renano*) comme de welschriesling (*italico*). Comme il est en outre possible d'y ajouter jusqu'à 20% d'autres cépages locaux, le garda bresciano *bianco* n'a guère présenté d'intérêt jusqu'ici. Le vin le plus réussi est le rosé, ou *chiaretto* : issu des mêmes cépages que le rouge, il peut cependant être beaucoup plus tendre et plaisant à boire.

Sans attendre

✓ *Costaripa*

RIVIERA LIGURE DI PONENTE DOC

Ligurie

Quatre ex-*vini da tavola* sont réunis dans cette appellation qui recouvre l'ouest de la Riviera ligure : l'ormeasco, vin rouge cerise offrant le fruité éclatant du dolcetto, à saveur de framboise; le pigato, vin rouge savoureux bien qu'assez précoce; le rossese, un rouge aromatique et typé; le vermentino, un blanc sec, ample et plein de caractère.

ROERO DOC

Piémont

Cette DOC comporte des vins rouges de nebbiolo, légers, faciles à boire et bon marché, mais aussi des vins blancs d'arneis, très réputés et coûteux, provenant des collines du Roero au nord d'Alba. *Voir* Arneis di Roero.

1-2 ans

✓ *Carlo Deltetto*

ROSSESE DI DOLCEACQUA OU DOLCEACQUA DOC

Ligurie

Ce vin rouge, léger et facile à boire, offre parfois un fruité généreux, une texture tendre et une finale agréablement épicée.

1-4 ans

✓ *Giobatta Cane • Lupi • Antonio Perrino*

RUBINO DI CANTAVENNA DOC

Piémont

Vin rouge corsé issu d'un assemblage de barbera, grignolino et parfois freisa. Il est produit par la coopérative Rubino, seule responsable de la création de cette DOC. Faute d'avoir intéressé d'autres producteurs, l'appellation ne s'est pas imposée.

RUCHÉ

Piémont

Le ruché est un cépage plutôt mystérieux, d'origine inconnue, qui donne généralement un vin rubis clair assez aromatique; avec un petit rendement, on obtient un vin nettement plus sombre et plus étoffé.

✓ *Scarpa*

RUCHÉ DI CASTAGNOLE MONFERRATO DOC

Piémont

Cultivé sur les hauteurs de Castagnole Monferrato, le ruché est censé produire un vin rouge aromatique évoluant à la manière du nebbiolo. Un apport de 10% maximum de barbera et de brachetto est autorisé.

3-5 ans

✓ *Piero Bruno • Ruché del Parrocco*

SAN COLOMBANO AL LAMBRO OU SAN COLOMBANO DOC

Lombardie

Cette DOC produit un vin rouge étoffé et solide, quoiqu'un peu rustique, issu de croatina, de barbera et d'uva rara. San Colombano est l'unique DOC de la province de Milan.

2-5 ans

✓ *Carlo Pietrasanta*

SAN MARTINO DELLA BATTAGLIA DOC

Lombardie

Vin blanc sec et corsé, à l'arôme floral et à la finale légèrement amère; il existe aussi un vin doux *liquoroso*, issu du tocai friulano.

SANGUE DI GIUDA DOC

Voir Oltrepò Pavese DOC

SASSELLA DOC

Lombardie

Voir Valtellina Superiore DOC

SAUVIGNON BLANC

Piémont

Ce vin est presque inconnu dans la région, bien que sol et climat paraissent propices. L'alteni di brassica d'Angelo Gaja, un 100% sauvignon élevé en barrique, est particulièrement prometteur.

✓ *Angelo Gaja* (Alteni di Brassica)

SIZZANO DOC

Piémont

Bon vin rouge corsé issu d'un assemblage de type gattinara, au bord de la rivière Sésia, au sud de Ghemme.

SPANNA

Piémont

Nom local du nebbiolo. Le spanna correspond aux vins les plus simples issus de ce cépage. Pourtant, chez certains vignerons, il peut surpasser bien des barolo et barbaresco génériques.

✓ *Luciano Brigatti • Villa Era*

SYRAH

Val d'Aoste

Depuis la fin des années 1980, l'Institut agricole régional a produit un vin de syrah très intéressant, élevé en barriques.

TERRE DI FRANCIACORTA DOC

Lombardie

Après avoir fait partie depuis 1967 de l'appellation Franciacorta, ces vins tranquilles ont été rebaptisés Terre di Franciacorta en 1995, année où la mention Franciacorta tout court a été réservée à la nouvelle DOCG de vins effervescents. Ces vins rouges proviennent de collines proches du lac Iseo, au nord-est de Milan. Colorés et plutôt corsés, ils sont issus de cabernet franc et cabernet sauvignon, avec un apport éventuel de barbera, de nebbiolo et de merlot. Beaucoup sont bien fruités, généreusement pourvus en arômes et non sans finesse. Surtout à base de chardonnay, avec parfois un petit apport de pinot blanc, les vins blancs secs ont énormément progressé.

3-8 ans (rouge), 1-3 ans (blanc)

✓ *Enrico Gatti • Longhi-de Carli • Ragnoli*

TIMORASSO

Piémont

Parfois présenté comme le prochain cépage blanc à la mode, le timorasso a jusqu'ici produit quelques *vini da tavola* et, surtout, de la *grappa*. Walter Massa, sur les hauteurs de Val Curone, a été le premier à vinifier un vin de timorasso, presque par hasard – quand Antonella Bocchino, productrice de *grappa*, s'est intéressée à ce cépage. Elle avait remarqué sa présence dans des documents du XIXe siècle, mais le croyait disparu, avant d'en retrouver la trace dans une parcelle du domaine Massa. La maison Bocchino n'ayant d'autre but que de faire de la *grappa* à partir du marc de raisin, Massa s'est retrouvé avec le vin sur les bras – et celui-ci s'est avéré bien plus qu'une curiosité. Massa a fourni des boutures à d'autres domaines et plusieurs vignerons produisent désormais du timorasso. Ce cépage connaîtra peut-être le succès du gavi et de l'arneis.

TORRETTE DOC

Val d'Aoste

Sous-appellation de la Valle d'Aosta DOC, réservée au vin rouge. Le torrette est un vin à la robe intense, bouqueté et corsé ; il est à base de petit rouge, avec 30% maximum de dolcetto, de fumin, de gamay, de mayolet, de pinot noir, de prematta et de vien de nus. *Voir aussi* Valle d'Aosta DOC.

Elio Cassol • Grosjean

VALCALEPIO DOC

Lombardie

Une appellation prometteuse pour un vin rouge bien coloré et savoureux, issu du merlot et du cabernet sauvignon, et pour un vin blanc sec léger et délicat, à base de pinots blanc et gris.

1-3 ans (blanc), 3-7 ans (rouge)

Tenuta Castello

VALLE D'AOSTA OU VALLÉE D'AOSTE DOC

Val d'Aoste

DOC régionale réunissant 20 types de vins différents. Cette appellation a englobé les deux seules DOC existant auparavant dans la région, Donnas et Enfer d'Arvier. Ce sont désormais deux des sept sous-appellations de la nouvelle DOC, les cinq autres étant Arnad-Montjovet, Chambave, Morgex et La Salle, Nus et Torrette (*voir* ces entrées). Cette appellation régionale a revitalisé la petite production locale de vins relativement insignifiants. Outre des vins rouges, blancs et rosés issus d'assemblage, les vins de cépage suivants sont autorisés : fumin, gamay, nebbiolo, petit rouge, pinot noir et premetta, en rouge ; chardonnay, müller-thurgau, petit arvine et pinot gris, en blanc. Il existe aussi un bianco de pinot noir, parfois étiqueté Blanc de Noirs de pinot noir, tous les vins valdôtains ayant droit à un nom français officiel.

1-3 ans

Grosjean • La Crotta de Vegneron

VALGELLA DOC

Lombardie

Voir Valtellina Superiore DOC

VALTELLINA DOC

Lombardie

Cette appellation, regroupant 19 communes de la province de Sondrio, au nord de la Lombardie, offre des vins rouges à l'arôme léger, peu corsés, simples mais souvent plaisants. De nombreux spécialistes trouvent l'appellation très surfaite – et la DOC générique l'est à coup sûr – mais les meilleurs vins appartiennent presque tous à la catégorie Valtellina Superiore. *Voir aussi* Valtellina Superiore DOC.

VALTELLINA SUPERIORE DOC

Lombardie

Les meilleurs vins de Valtellina proviennent d'une étroite bande de vignobles sur la rive nord de l'Adda, près de la frontière suisse. Ils doivent contenir au moins 12% vol. d'alcool (contre 11% vol. pour le valtellina générique) et sont pour la plupart issus de quatre sous-vignobles : **grumello** (le plus léger), **inferno** (censée être la partie la plus chaude et rocheuse de la vallée), **sassella** (le meilleur) et **valgella** (le plus productif et le moins bon). Le vin est surtout à base de nebbiolo, mais admet 5% maximum de pinot noir, de merlot, de rossola, de brugnola et de pignola valtellina. L'ampleur des meilleurs de ces vins n'empêche pas l'élégance. Bien colorés, ils peuvent prendre une finesse exquise après plusieurs années de bouteille. Vinifié à partir de raisins passerillés, le *sfursat* ou *sforzato* – littéralement « forcé » – est un vin rouge sec et concentré titrant au moins 14,5% vol. d'alcool (il faut goûter celui de Nino Negri), ce qui en fait l'équivalent de l'*amarone*.

5-15 ans

Enologica Valtellinese • Sandro Fay • Fondazione Fojanini • Nino Negri • Conti Sertoli-Salis • Fratelli Triacca

VIEN DE NUS

Val d'Aoste

Cépage très semblable au petit rouge, mais ce dernier est très répandu dans tout le Val d'Aoste, alors que la culture du vien de nus est limitée aux vignobles entourant le village de Nus.

VIN DE CONSEIL

Val d'Aoste

Vin blanc sec aromatique produit par l'Institut agricole régional à partir de petit arvine.

NOUVEAUX VINS IGT

Les vins d'Indicazioni Geografiche Tipiche suivants ont été agréés ces dernières années, mais il faudra voir comment ils évolueront sur le plan du style, de la qualité et de la régularité :

Ligurie *Colline Savonesi • Golfo del Tigullio • Val Polcevera*

Lombardie *Alto Mincio • Benaco Bresciano • Bergamasca • Colina del Milanese • Quistello • Ronchi di Brescia • Sabbioneta • Sebino • Terrazze Retiche di Sondrio*

Piémont *aucun*

Val d'Aoste *aucun*

LE PRINTEMPS À MORGEX, DANS LE VAL D'AOSTE

Cultivées à plus de 900 m d'altitude, ces vignes apportent chaque année un démenti à la théorie selon laquelle le raisin ne peut mûrir au-dessus de 800 m dans le Val d'Aoste.

NORD-EST DE L'ITALIE

Les régions du Nord-Est de l'Italie – Trentin-Haut-Adige, Frioul-Vénétie Julienne et Vénétie – donnent des vins frais et vifs, au caractère variétal très pur. Cette netteté se transforme malheureusement en une totale absence de fruité dans les vins de production industrielle.

LE VIGNOBLE DE TERMENO, DANS LE HAUT-ADIGE
Le bourg de Termeno, ou Tramin, est situé entre Bolzano et Trento, dans le Haut-Adige. C'est d'ici que le traminer aromatico – ou gewurztraminer – est censé tirer son origine, mais la variété locale est beaucoup plus discrète que son classique homonyme d'Alsace et son caractère n'a rien de particulièrement épicé.

Le Nord-Est du pays est plus montagneux que le Nord-Ouest (à l'exception du Val d'Aoste) ; un peu plus de la moitié des terres sont occupées par les Dolomites et leurs contreforts escarpés. Certains des meilleurs vins proviennent des vignobles verdoyants du Sud-Tyrol, dans le Haut-Adige, pratiquement à la frontière autrichienne. Une bonne partie de la production est exportée, principalement des soaves et valpolicellas sans grand intérêt. On trouve sur place des vins bien plus variés et d'un meilleur rapport qualité/prix. Outre de remarquables cépages locaux, un certain nombre de cépages français et allemands sont cultivés et des producteurs passionnés multiplient les expériences. L'influence viticole de l'Autriche, au nord, et de la Slovénie, à l'est, se fait sentir.

NORD-EST DE L'ITALIE, *voir aussi* p. 307
La diversité des sites qu'offrent les montagnes et les collines de cette région permet de cultiver nombre de cépages importés à côté des variétés autochtones. Les vins les plus intéressants proviennent des vignobles d'altitude du Sud-Tyrol, des collines du Frioul et des environs de Vicence, en Vénétie.

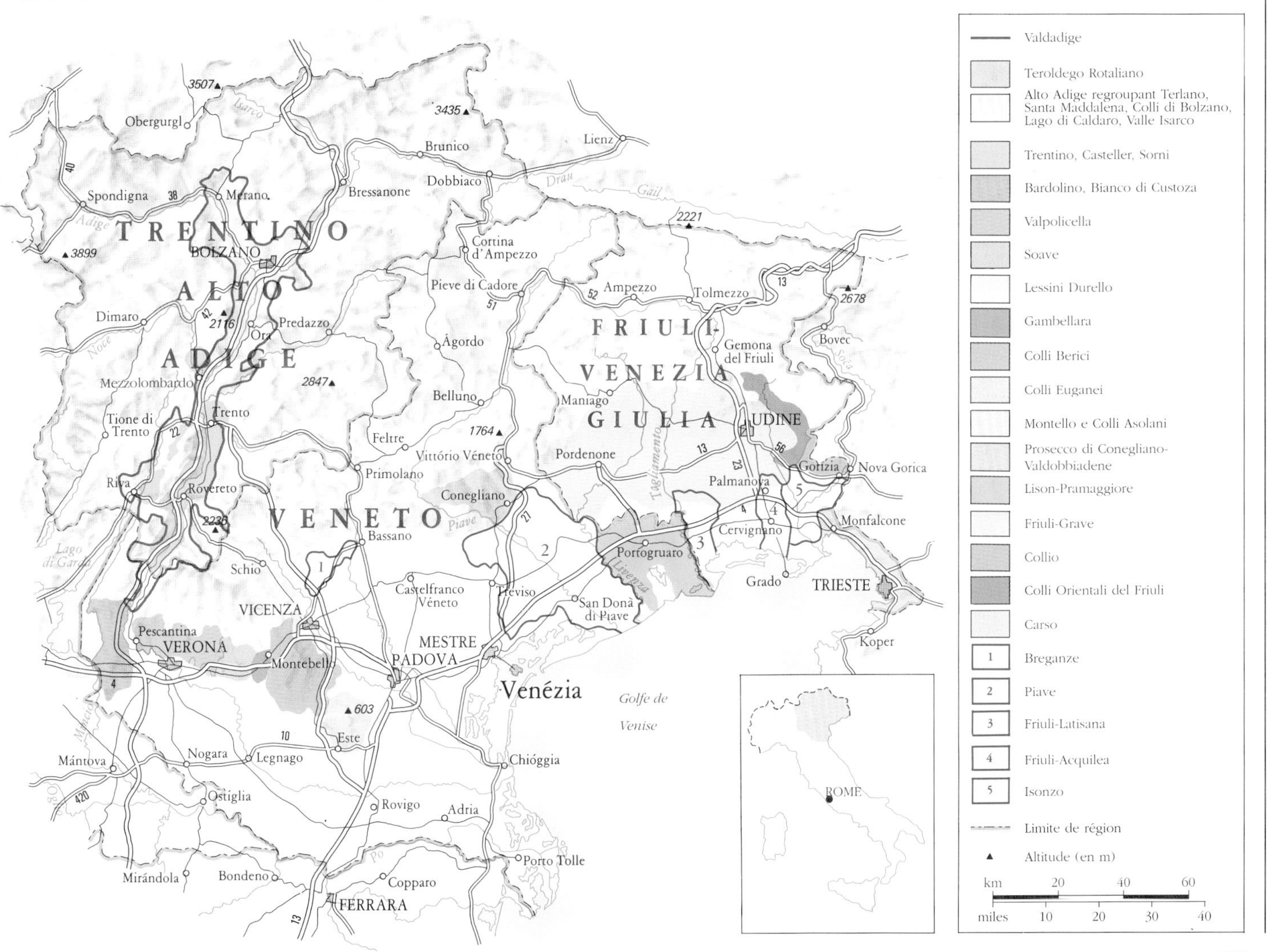

PRODUCTION ANNUELLE MOYENNE		
RÉGION	PRODUCTION DE VIN DOC	PRODUCTION TOTALE
Vénétie	1,5 million hl	10 millions hl
Trentin-Haut- Adige	700 000 hl	1,5 million hl
Frioul-Vénétie Julienne	420 000 hl	1,6 million hl

Pourcentage de la production italienne totale : Vénétie, 13% ; Trentin-Haut-Adige, 2% ; Frioul-Vénétie Julienne, 1,5%

VIGNOBLES DE BARDOLINO

Le raisin en train de mûrir dans les vignes de Bardolino, en Vénétie. Elles sont réputées pour leurs vins rouges légers et leurs rosés.

TRENTIN-HAUT-ADIGE

Des trois régions formant le Nord-Est de l'Italie, c'est la plus occidentale et la plus accidentée, avec plus de 90% de montagnes. Elle comporte deux provinces autonomes, le Trentin italophone, au sud, et Bolzano ou Sud-Tyrol, de langue allemande, au nord, où les vins peuvent porter un nom allemand et une mention QbA (*Qualitätswein Bestimmter Anbaugebiete*). L'Alto Adige DOC générique (Südtiroler QbA) est un vin remarquable qui constitue un tiers de la production totale des DOC de la région. Ces vignobles d'altitude à climat frais donnent également de nombreux grands vins.

LA VÉNÉTIE

La Vénétie s'étend du Pô à la frontière autrichienne; elle est bordée par le Trentin-Haut-Adige, à l'ouest, et le Frioul-Vénétie Julienne, à l'est. La plupart des vins sont issus des plaines alluviales du sud de cette région. Autrefois connue – plus récemment, en mal – pour son soave et son valpolicella, la Vénétie recèle également certains des meilleurs vins italiens issus d'assemblage de type bordelais et il semble que même les appellations déchues citées plus haut commencent à retrouver un peu de leur ancienne respectabilité.

LE FRIOUL-VÉNÉTIE JULIENNE

Située à l'extrémité nord-ouest du pays, cette région très montagneuse s'est dotée de nombreux cépages d'origine étrangère depuis que le phylloxéra a ravagé ses vignobles à la fin du XIXe siècle. Les vignerons frioulans, qui avaient le goût de l'innovation (comme ceux du Sud-Tyrol), saisirent cette occasion pour replanter leurs vignobles avec des cépages de meilleure qualité, à commencer par le merlot, introduit dans la région en 1880 par le sénateur Pecile et le comte Savorgnan. Depuis un siècle, le Nord-Est n'a cessé de prouver que l'emploi de cépages supérieurs et la recherche de rendements assez bas permettaient une amélioration considérable du niveau des vins.

Le Frioul produit certains des meilleurs vins du pays, notamment une bonne partie de ses assemblages complexes à base de cabernet. Le montsclapade de Girolamo Dorigo, chef de file d'un groupe de vins exceptionnels, est un assemblage typiquement frioulan composé des deux cabernets, du merlot et du malbec. Ce dernier cépage est rare en Italie, mais donne ici de bons résultats et pourrait bien être à l'origine de la complexité de ces vins. On rencontre aussi quelques assemblages peu conventionnels, dont le plus inhabituel est le ronco dei roseti, un vin « international » de l'Abbazia di Rosazzo : il allie les quatre cépages bordelais au limberger allemand, au refosco italien et à l'obscur tazzelenghe. Un autre vin de l'Abbazia di Rosazzo, le ronco delle acacie, est un chef-d'œuvre rare de la nouvelle école italienne des *vini da tavola* blancs et secs de grand luxe – une catégorie fort coûteuse, mais le plus souvent décevante.

Ce sont les Colli Orientali del Friuli, l'une des deux zones de collines du Frioul, proche de l'ancienne frontière yougoslave, qui produisent le plus grand volume de vins fins du Nord-Est, dont beaucoup sont issus d'un seul cépage. Ils méritent tous d'être découverts, à l'exception du picolit, un vin doux très surfait et scandaleusement cher d'où qu'il vienne. Celui des Colli Orientali del Friuli est le seul d'Italie à jouir du statut de DOC, mais il ne vaut guère mieux que les autres vins de ce type répandus dans le pays.

FACTEURS AFFECTANT LE GOÛT ET LA QUALITÉ

SITUATION
Le Nord-Est de l'Italie est délimité par les Dolomites, au nord, et l'Adriatique, au sud.

CLIMAT
Les étés sont chauds et les hivers rigoureux, mais les brouillards sont moins fréquents que dans le Nord-Ouest et les risques de grêle, accrus. Les variations météorologiques sont imprévisibles d'une année sur l'autre et le millésime compte, surtout pour les vins rouges.

SITE
Les vignobles occupent des sites divers, des coteaux montagneux et escarpés du Trentin-Haut-Adige aux plaines alluviales de Vénétie et du Frioul-Vénétie Julienne. Les meilleurs vignobles se trouvent toujours en terrain vallonné.

SOL
La plupart des vignobles sont plantés sur des moraines glaciaires, mélange de sable, de graves et de sédiments. Le sol est généralement argileux ou sablo-argileux, avec souvent des marnes et beaucoup de calcaire dans les meilleurs sites. Le sol léger et pierreux du Sud-Tyrol doit être fertilisé tous les ans.

VITICULTURE ET VINIFICATION
Les producteurs de ces régions se sont précocement intéressés à la culture des cépages étrangers et aux techniques modernes de vinification. Ils ont été les premiers en Italie à utiliser la fermentation à basse température; au début, les vins étaient si nets qu'ils manquaient de caractère. Actuellement, de nombreuses expérimentations visent à rehausser la saveur en employant du chêne neuf.

CÉPAGES
Blauer Portugieser (*syn.* portoghese), cabernet franc, cabernet sauvignon, chardonnay, cortese (*syn.* bianca fernanda), corvina (*syn.* corvinone ou cruina), durello, fraconia (*syn.* limberger), garganega, gewurztraminer, incrocio manzoni 215 (*prosecco x cabernet sauvignon*), incrocio manzoni 6013 (*riesling x pinot blanc*), kerner, lagrein, lambrusco a foglia frastagliata, malbec, malvoisie (*syn.* malvasia), marzemino, merlot, molinara (*syn.* rossara ou rossanella), mondeuse (*syn.* refosco ou terrano), muscat, nosiola, petit verdot, picolit, pinella ou pinello, pinot blanc, pinot gris, pinot noir, prosecco (*syn.* serprina ou serprino), raboso (*syn.* friularo), ribolla, riesling, rossola (*syn.* veltliner), sauvignonasse (*syn.* tocai friulano), sauvignon, schiava (*syn.* vernatsch), schioppettino, tazzelenghe, teroldego, tocai, ugni blanc (*syn.* trebbiano), verduzzo, vespaiolo

LES APPELLATIONS DU

NORD-EST DE L'ITALIE

LES MEILLEURS BRUTS EFFERVESCENTS CLASSIQUES

Ces vins proviennent tous du Trentin-Haut-Adige et sont élaborés par la méthode classique.

✓ *Equipe 5 Brut Riserva* • *Equipe 5 brut rosé* • *Ferrari brut* • *Ferrari Brut de Brut* • *Ferrari brut rosé* • *Ferrari brut nature* • *Ferrari Riserva Giulio Ferrari* • *Methius brut* • *Spagnolli brut* • *Vivaldi brut* • *Vivaldi extra brut*

ALTO ADIGE OU SÜDTIROLER DOC

Trentin-Haut-Adige

Cette appellation générique couvre l'ensemble du Haut-Adige ou Sud-Tyrol, moitié septentrionale du Valdadige DOC. Sa production est remarquablement constante en qualité si l'on considère qu'elle représente plus de 30% du volume total de la région. Les noms allemands sont indiqués entre parenthèses.
Il existe sept vins de cépage rouges : le cabernet est issu du cabernet sauvignon, du cabernet franc ou des deux. Cela donne d'agréables vins de tous les jours, mais aussi des vins plus colorés, amples et étoffés, qui prennent de la rondeur et des notes épicées au bout de cinq à dix ans. Le lagrein scuro (lagrein dunkel) est issu d'un cépage autochtone sousestimé et offre parfois une jolie robe et un beau caractère typé. Le malvasia (malvasier), vinifié ici en rouge, serait meilleur en blanc ou en rosé. Le merlot peut être simplement léger et fruité, ou montrer plus d'ambition, avec de bons arômes épicés et poivrés et une belle texture soyeuse. Le pinot noir (blauburgunder), est un cépage difficile à apprivoiser, mais ceux de Mazzon sont une bonne spécialité de cette région (leur étiquette porte la mention Mazzoner). Le schiava (vernatsch) représente le cinquième des bouteilles produites sous cette appellation et c'est le vin de bistrot le plus apprécié. Le schiava grigia (grauervernatsch) a récemment été ajouté à la liste, ainsi que deux vins rouges d'assemblage, cabernet-lagrein et cabernet-merlot.
On dénombre dix vins blancs de cépage : le chardonnay est tantôt léger et neutre, tantôt délicatement fruité, voire *frizzantino* ou presque *spumante*. Les vins les plus amples ont des caractéristiques variétales bien marquées, sans pourtant atteindre la densité et l'intensité gustative d'un bourgogne, même générique.
Le moscato giallo (goldenmuskateller) donne de délicieux vins de dessert. Le pinot bianco (weissburgunder) est le cépage blanc le plus cultivé et la plupart des grands vins blancs du Haut-Adige en sont issus. Le pinot grigio (rülander) pourrait donner d'aussi bons résultats, mais n'occupe pas toujours les meilleurs sites. Le riesling italico (welschriesling) est insignifiant, en qualité comme en quantité.
Le riesling renano (rheinriesling), fin, délicat et séduisant au niveau le plus modeste, devient parfois extraordinaire dans les grands millésimes. Le *riesling x sylvaner* (müller-thurgau) est plutôt rare, et c'est dommage, car il donne ici des vins vifs et épicés. Très peu planté jusqu'au début des années 1980, le sauvignon s'est développé à mesure que grandissait l'engouement à son égard; ses vins vifs, secs et d'un type variétal très pur figurent parmi les plus réussis du Haut-Adige. Le sylvaner est destiné à être bu jeune et frais.
Le traminer aromatico (gewürztraminer) est nettement moins expressif que son homonyme alsacien classique, même si certains le déclarent originaire du village de Tramin, ou Termeno, entre Bolzano et Trento. Pour apprécier son arôme délicat et sa saveur discrète, il faut oublier le caractère épanoui et épicé du vin d'Alsace.
Seuls trois rosés (*rosato* ou kretzer) de cépage sont autorisés : le lagrein *rosato* (lagrein kretzer) est très fruité, rond et souple.
Le merlot *rosato* (merlot kretzer) est assez récent et donne un vin curieusement herbacé et poivré. Le pinot *nero rosato* (blauburgunder kretzer) est plus réussi en rosé qu'en rouge.
Le moscato rosa (rosenmuskateller) donne des vins flamboyants, du rose vif au rouge écarlate, demi-secs à doux avec une forte acidité naturelle, d'intenses arômes floraux et un goût de muscat prononcé.
Il existe une appellation de vin mousseux, issu de pinot blanc et/ou de chardonnay, avec 30% maximum de pinot gris et de pinot noir, élaboré soit en cuve close, soit selon la méthode classique.
En 1994, cinq DOC existantes ont été intégrées en tant que sous-appellations géographiques à l'Alto Adige, ou Südtiroler. Le Colli di Bolzano DOC (ou Bolzner Leiten) produit un vin rouge tendre et fruité à boire jeune, issu de schiava cultivée sur la rive gauche de l'Adige et les deux rives de l'Isarco, près de Bolzano. Le Meranese ou Meranese di Collina DOC (ou Meraner Hügel) est un vin rouge léger à l'arôme délicat, provenant des collines qui entourent Merano, au nord de Bolzano. Il peut être étiqueté burgravito, ou burggräfler s'il est issu d'une zone du Meranese ayant autrefois appartenu au comté du Tyrol. Le Santa Maddalena DOC (ou Sankt Magdalener) vient du cœur des Colli di Bolzano (*voir* ci-dessus) ; le cépage schiava y donne un vin rouge tout aussi tendre et fruité, mais plus corsé et d'une texture plus veloutée. Le fait que Mussolini l'ait rangé, à tort, parmi les plus grands d'Italie, n'est plus guère évoqué aujourd'hui. L'aire du Terlano DOC (ou Terlaner) chevauche une bonne partie de celle du Caldaro DOC sur la rive droite de l'Adige et s'étend à près de 16 km au nord-ouest de Bolzano à 24 km au sud. Elle produit divers vins blancs – un assemblage, un *spumante* et de nombreux vins de cépage : pinot bianco (weissburgunder), chardonnay, riesling italico (welschriesling), riesling renano (rheinriesling), sylvaner, müller-thurgau et sauvignon. Enfin, le Valle Isarco DOC (ou Eisacktaler) peut provenir des deux rives de l'Isarco, du nord de Bolzano à celui de Bressanone. L'altitude des vignobles est élevée et la vigne est conduite très bas pour bénéficier de la chaleur du sol. On produit ici six vins blancs de cépage : kerner, müller-thurgau, pinot grigio ou rülander, sylvaner, traminer aromatico ou gewurztraminer, et veltliner. Cette appellation inclut également un vin rouge d'assemblage appelé klausner leitacher, issu des villages de Chiusa (ou Klausen), Barbiano, Velturno et Villandro. À base de schiava (60% minimum), il peut comporter 40% maximum de portoghese et de lagrein. En outre, tous les vins valle isarco DOC produits à Bressanone ou Varna ont droit à la mention « di Bressanone » ou « brixner ».

⊩ 2-10 ans (rouge et rosé), 2-5 ans (blanc), 1-3 ans (mousseux)

✓ *Klosterkellerei Eisacktaler* • *Anton Gojer, Giorgio Grai* • *Klosterkellerei Muri Gries* • *Franz Haas* • *Josef Hofstätter* • *Kettmeir* • *Klosterkellerei Schreckbichl* • *Alois Lageder* • *Mazo Foradori* • *Stiftskellerei Neustift* • *Niedermayr* • *Heinrich Rottensteiner* • *San Michele* (Sanct Valentin) • *Santa Margherita* • *Schloss Rametz* • *Schloss Sallegg* • *Schloss Schwanburg* • *Tiefenbrunner* • *Wilhelm Walch* • *Baron Georg von Widmann*

AMARONE DELLA VALPOLICELLA OU RECIOTO DELLA VALPOLICELLA AMARONE DOC

Vénétie

Voir Valpolicella DOC

AQUILEA DOC

Frioul-Vénétie Julienne

Voir Friuli Aquilea DOC

BARDOLINO DOC

Vénétie

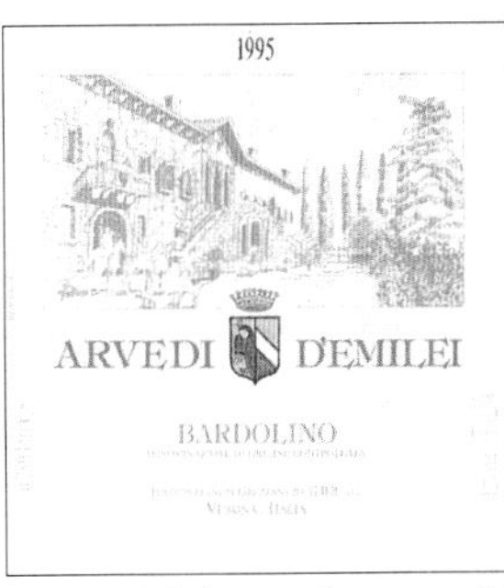

Vin rouge ou rosé (*chiaretto*) sec, parfois *frizzante*, provenant de la rive sud-orientale du lac de Garde. Les rouges, à base de corvina, de molinara et de negra, pourraient être très intéressants, mais la plupart des producteurs ont malheureusement tendance à se contenter de vins légers et assez neutres.

⊩ 1-3 ans

✓ *Guerrieri-Rizzardi*

BIANCO DI CUSTOZA DOC

Vénétie

C'est le vin blanc de l'aire du bardolino. Il peut être aromatique et souple en finale et il est parfois mousseux. Certains le comparent au soave, ce qui résume bien son niveau de qualité. Il est à base de trebbiano, de garganega, de tocai friulano, de cortese et de malvasia.

BOLZNER LEITEN OU COLLI DI BOLZANO DOC

Trentin-Haut-Adige

Voir **Alto Adige DOC**

BREGANZE DOC

Vénétie

Une des grandes DOC méconnues d'Italie, grâce surtout au talent de Fausto Maculan. Le breganze rouge générique est un excellent vin à base de merlot, avec apport éventuel de pinot noir, de freisa, de marzemino, de gropello gentile, de cabernet franc et de cabernet sauvignon. Le breganze blanc est frais, vif et sec, issu du tocai friulano avec apport éventuel de pinot blanc, de pinot gris, de welschriesling et de vespaiolo. Mais cette DOC produit surtout des vins de cépage, deux rouges (cabernet et pinot nero) et trois blancs (pinot bianco, pinot grigio et vespaiolo).

2-5 ans (rouge), 1-2 ans (blanc)

Bartolomeo da Breganze • *Maculan*

CABERNET FRANC

Vénétie

Ici, le cabernet est le plus souvent un vin DOC, mais il existe une poignée de hors DOC toujours dignes d'attention dans la mesure où ce sont généralement des sélections de vins élevés en barriques, au fruité bien mûr, sans trop de notes herbacées.

Quintarelli (Alerzo)

CABERNET-MERLOT

Trentin-Haut-Adige et Vénétie

La première région compte tant de DOC pour le cabernet que les producteurs s'obstinant à faire un *vino da tavola* sont rares. Dans cette catégorie, le San Leonardo est le meilleur et coûte une fortune. En Vénétie, à une remarquable exception près, les assemblages à base de cabernet ne sont pas aussi courants qu'on pourrait le croire.

Trentin-Haut-Adige *Tenuta San Leonardo* (Vallagrina)
Vénétie *Conte Loredan Gasparini* (Venegazzù della Casa, Venegazzù Capo di Stato)

CABERNET SAUVIGNON

Vénétie

Ce cépage est ici moins répandu que le cabernet franc et rares sont les vins de pur cabernet sauvignon possédant un bon niveau de qualité et de concentration. Mais ceux d'Anselmi et Le Vigne di San Pietro peuvent être splendides.

3-6 ans

Anselmi (Realda) • *Le Vigne di San Pietro* (Refolà)

CALDARO OU LAGO DI CALDARO OU KALTERER OU KALTERERSEE DOC

Trentin-Haut-Adige

Comme cette aire DOC chevauche celle de Terlano, elle pourrait tout aussi bien constituer une autre sous-appellation de l'Alto Adige DOC, au même titre que Terlano et les autres DOC aujourd'hui absorbées. Elle produit un vin rouge à base de schiava, avec apport éventuel de lagrein et de pinot noir. Il est généralement tendre, fruité et facile à boire, avec une légère note d'amande.

CARSO DOC

Frioul-Vénétie Julienne

Le carso terrano doit comporter au moins 85% de terrano (*alias* mondeuse ou refosco), ce qui donne un vin d'un rouge sombre et intense, ample, voire gras et charnu. Le carso malvasia est un vin blanc sec ample et un peu épicé.

1-3 ans

Edy Kante

CASTELLER DOC

Trentin-Haut-Adige

L'étroite bande de coteaux dont provient ce vin est pratiquement englobée dans la zone du Trentino DOC. Elle donne des vins rouges et rosés ordinaires, secs ou demi-secs, issus des cépages schiava, merlot et lambrusco a foglia frastagliata.

CHARDONNAY

Nord-Est de l'Italie

Il y a une dizaine d'années, la région ne comptait que deux DOC de pur chardonnay : Alto Adige et Grave del Friuli. Aujourd'hui, ce cépage est l'un des plus répandus, mais les vins hors DOC qui en sont issus restent d'excellente qualité moins chers.

Azienda Agricola Inama (Campo dei Tovi) • *Jermann* (Where The Dreams Have No End)

COLLI BERICI DOC

Vénétie

Outre un vin blanc effervescent à base de garganega, cette DOC comporte trois vins de cépage rouges (merlot, tocai rosso et cabernet) et cinq blancs (garganega, tocai bianco, pinot bianco, sauvignon et chardonnay). Le cabernet peut être ample, marqué de notes végétales et chocolatées. Le tocai rouge est original et intéressant, le chardonnay, convenable, comme d'habitude. Mais les autres vins de la zone, au sud de Vicence, sont assez quelconques.

2-5 ans (rouge), 1-2 ans (blanc)

Castello di Belvedere • *Villa dal Ferro*

COLLI DI BOLZANO OU BOLZNER LEITEN DOC

Trentin-Haut-Adige

Voir **Alto Adige DOC**

COLLI EUGANEI DOC

Vénétie

Voisinant avec l'aire des Colli Berici, au sud-est, cette zone produit des vins rouges tendres et corsés, secs ou demi-secs, issus d'assemblage à base de merlot (plus cabernet franc, cabernet sauvignon, barbera et raboso), ainsi que des vins de cépage (cabernet sauvignon, cabernet franc, merlot). Il existe aussi des vins blancs secs ou demi-secs d'assemblage (prosecco, garganega et tocai friulano, avec apport éventuel de chardonnay, pinot blanc, pinella et welschriesling) et des vins blancs de cépage : chardonnay; fior d'arancio (issu de moscato giallo, de type doux *frizzantino*, *spumante* et *liquoroso*) ; moscato (vin doux *frizzantino* et *spumante*) ; pinella ou pinello; pinot bianco; serprina ou serprino (vin doux ou sec, en version tranquille, *frizzantino*, *frizzante* ou *spumante*) ; tocai italico.

2-5 ans (rouge), 1-2 ans (blanc)

Villa Sceriman • *Vignalta*

COLLI ORIENTALI DEL FRIULI DOC

Frioul-Vénétie Julienne

Zone plus vaste que le Collio voisin et autrefois plus prestigieuse, mais ces deux DOC ont désormais prouvé leur excellent potentiel. Outre un *rosato* générique d'assemblage, il existe divers vins de cépage rouge (cabernet franc, cabernet sauvignon, merlot, pinot nero, refosco et schioppettino) et blanc : chardonnay, malvasia, picolit, pinot bianco, pinot grigio, ramandolo (un vin de dessert issu du verduzzo), ribolla, riesling renano, sauvignon, tocai friulano et verduzzo friulano. Les blancs sont particulièrement excellents, mais le plus réputé – le picolit – est surfait et beaucoup trop cher, même s'il fut le seul picolit d'Italie à avoir eu le statut de DOC, ce qui devrait lui donner une réputation à maintenir.

3-8 ans (rouge), 1-3 ans (blanc)

Abbazia di Rosazzo • *Borgo del Tiglio* • *Girolamo Dorigo* • *Livio Felluga* • *Dorino Livon* • *Ronco del Gnemiz* • *Torre Rosazza* • *Volpe Pasini*

COLLIO OU COLLIO GORIZIANO DOC

Frioul-Vénétie Julienne

Large gamme de vins, blancs pour la plupart, issus d'une zone vallonnée proche de la Slovénie. L'appellation inclut aujourd'hui 19 vins différents. Grâce à l'excellence de certains producteurs de premier plan, il est clair qu'un statut de DOCG l'attend dans un avenir proche. Outre un vin blanc sec d'assemblage (privilégiant ribolla, malvasia et tocai friulano), parfois légèrement *frizzantino*, et un rouge d'assemblage (merlot, cabernet sauvignon et cabernet franc, plus pinot noir et un ou deux autres cépages éventuels), il existe divers vins de cépage rouge (cabernet franc, cabernet sauvignon, merlot et pinot nero) et 12 vins de cépage blancs (chardonnay, malvasia, müller-thurgau, picolit, pinot bianco, pinot grigio, riesling italico, riesling renano, tocai friulano, ribolla, sauvignon et traminer aromatico).

1-4 ans (rouge), 1-3 ans (blanc)

Borgo Conventi (sauvignon) • *Borgo del Tiglio* • *Livio Felluga* • *Marco Felluga* • *Gradnik* • *Gravner* • *Jermann* • *Dorino Livon* • *Ca' Ronesca* • *Puiatti* • *Mario Schiopetto*

CORVINA

Vénétie

Sans doute le meilleur cépage de Vénétie. Le corvina joue un rôle-clé dans le bardolino et le valpolicella – surtout de type *recioto* et *amarone* pour ce dernier – mais il donne aussi quelques *vini da tavola* recherchés.

✓ *Allegrini* (Pelara, La Poja)

EISACKTALER OU VALLE ISARCO DOC

Trentin-Haut-Adige

Voir Alto Adige DOC

ETSCHTALER DOC

Trentin-Haut-Adige

Voir Valdadige DOC

FRANCONIA OU BLAUFRANKISCH

Frioul - Vénétie Julienne

Franconia est le nom italien du cépage allemand limberger. Le vin est ici plus sombre et plus ample que dans son pays d'origine, tout en gardant le même fruité léger.

FRIULI AQUILEA DOC

Frioul-Vénétie Julienne

Appelée auparavant « Aquilea », cette vaste appellation comprend quatre vins de cépage rouge (merlot, cabernet franc, cabernet sauvignon et refosco) ; huit vins de cépage blanc (chardonnay, tocai friulano, pinot bianco, pinot grigio, riesling renano, sauvignon, traminer et verduzzo friulano) ; un rosé générique comportant au moins 70% de merlot, plus cabernet franc, cabernet sauvignon et refosco. Il existe aussi un *spumante* de chardonnay. Ces vins sont dans l'ensemble légers, vifs et équilibrés, mais certains producteurs excellent les bonnes années.

1-4 ans (rouge), 1-3 ans (blanc, rosé et mousseux)

✓ *Zonin* (Tenuta Cà Bolani)

FRIULI-GRAVE DOC

Frioul-Vénétie Julienne

Appelée auparavant Grave del Friuli, cette énorme appellation, qui assure plus de la moitié de la production totale de la région, s'étend de part et d'autre du Tagliamento, entre Sacile, à l'ouest, et Cividale di Friuli, à l'est. Cette DOC vaste et compliquée recouvre de multiples cépages et enregistre de rapides progrès : plusieurs producteurs y vinifient régulièrement de grands vins. Outre les assemblages génériques en rouge et en blanc, il existe cinq vins de cépage rouge (cabernet franc, cabernet sauvignon, merlot, refosco et pinot nero) et huit blanc (chardonnay, pinot bianco, pinot grigio, riesling renano, sauvignon, tocai friulano, traminer aromatico et verduzzo friulano). On trouve également un chardonnay *frizzante*, un verduzzo *frizzante*, un chardonnay *spumante* et un *spumante* générique d'assemblage.

1-4 ans (rouge), 1-3 ans (blanc, rosé et mousseux)

✓ *Borgo Magredo* • *Pighin* • *Vigneti la Monde* • *Vigneti Pittaro*

FRIULI LATISANA OU LATISANA DOC

Frioul-Vénétie Julienne

Cette aire s'étend du milieu des Grave del Friuli jusqu'à la côte Adriatique, à Lignano Sabbiadoro. Outre un rosé générique (cépages bordelais) et un *spumante* (chardonnay et pinot), elle produit cinq vins de cépage rouge (merlot, cabernet sauvignon, franconia (limberger), pinot nero et refosco) et neuf vins de cépage blanc (chardonnay, malvasia, pinot bianco, pinot grigio, riesling renano, sauvignon, tocai friulano, traminer aromatico et verduzzo friulano). Chardonnay, malvasia et pinot nero existent également en version *frizzante*.

GAMBELLARA DOC

Vénétie

Cette DOC produit un vin blanc aromatique, sec ou parfois demi-sec; un *recioto* blanc demi-sec et fruité, de type tranquille, pétillant ou mousseux; un *vin santo* souple et doux.

2-5 ans

✓ *La Biancara*

GARGANEGA

Vénétie

Cépage principal du soave. Chez un bon producteur, le garganega peut donner un vin blanc sec merveilleusement étoffé et pourtant délicatement équilibré, mais il a tendance à être trop productif et les vins sont trop souvent neutres.

GRAVE DEL FRIULI DOC

Frioul-Vénétie Julienne

Voir Friuli-Grave DOC

ISONZO OU ISONZO DEL FRIULI DOC

Frioul-Vénétie Julienne

Cette petite appellation, située au sud du Collio, produit un très bon vin en progrès constant. On y trouve des vins génériques rouges et blancs d'assemblage, plus quatre vins de cépage rouge (cabernet, merlot, franconia (limberger) et refosco) et dix vins de cépage blanc (chardonnay, malvasia, pinot bianco, pinot grigio, riesling italico, riesling renano, sauvignon, tocai friulano, traminer aromatico et verduzzo friulano), ainsi qu'un pinot *spumante*.

1-4 ans (rouge), 1-3 ans (blanc)

✓ *Borgo Conventi* • *Gallo* (Vie di Romans)

KALTERER OU KALTERERSEE DOC

Trentin-Haut-Adige

Voir Caldero DOC

LAGREIN

Trentin-Haut-Adige

Ce cépage traditionnel du Haut-Adige était connu de Pline sous le nom de lageos. Ce n'est pas le plus noble des cépages cultivés dans la région, mais il donne cependant l'un des vins les plus originaux et les plus expressifs du Haut-Adige : un vin doté, dans sa jeunesse, d'un fruité généreux et charnu, relativement acide, mais capable d'acquérir une finesse soyeuse, nuancée de violette après quelques années de bouteille.

LATISANA DOC

Frioul-Vénétie Julienne

Voir Friuli Latisana DOC

LESSINI DURELLO DOC

Vénétie

Au nord-est de l'aire du Soave, on produit ce vin blanc sec – tranquille, *frizzantino* ou mousseux – issu du durello, avec apport éventuel de garganega, de trebbiano, de pinot blanc, de pinot noir et de chardonnay.

✓ *Marcato*

LISON-PRAMAGGIORE DOC

Vénétie et Frioul-Vénétie Julienne

Située à l'extrémité est de la Vénétie et chevauchant une petite partie du Frioul, cette DOC a d'abord réuni trois appellations (cabernet di pramaggiore, merlot di pramaggiore et tocai di lison) en une. Aujourd'hui, elle regroupe sept vins blancs de cépage (chardonnay, pinot bianco, pinot grigio, riesling italico, sauvignon, tocai italico et verduzzo) et plusieurs rouges (cabernet franc, cabernet sauvignon et refosco dal peduncolo rosso). Cabernet et merlot restent les meilleurs, dans un style étoffé et succulent, avec une note chocolatée.

3-8 ans (rouge), 1-3 ans (blanc)

✓ *Santa Margherita* • *Russola* • *Tenuta Sant'Anna* • *Villa Castalda* (cabernet franc)

LUGANA DOC

Vénétie

Voir Lugana DOC (Lombardie) dans le chapitre Nord-Ouest de l'Italie.

MARZEMINO

Trentin-Haut-Adige

Ce cépage a sans doute été apporté de Slovénie en Italie par les Romains. Au XVIIIe siècle, il était assez réputé pour être cité dans le *Don Giovanni* de Mozart, en prélude à la séduction de Zerlina. Un cep de marzemino donne de grosses grappes lâches qui produisent un vin rouge aromatique à boire jeune, en version DOC (Trentin) ou en *vino da tavola*.

MERANESE OU MERANESE DI COLLINA OU MERANER HÜGEL DOC

Trentin-Haut-Adige

Voir Alto Adige DOC

MERLOT

Frioul-Vénétie Julienne

Cépage très répandu dans le Nord-Est de l'Italie, où il est cultivé depuis près de deux-cents ans. Les vins dilués abondent, mais les meilleurs producteurs obtiennent un résultat de qualité en diminuant les rendements et pratiquant une stricte sélection. Le merlot est présent, en tant que vin de cépage, dans la plupart des DOC du Frioul-Vénétie Julienne, mais les seules réellement réputées pour cela sont les Colli Orientali – où l'on produit les merlots les plus étoffés – et le Collio, où la qualité est moins constante, mais où les meilleurs vins sont charnus et savoureux.

✓ *Borgo del Tiglio* (Rosso della Centa)

MONTELLO E COLLI ASOLANI DOC

Vénétie

Ces vignobles cultivés au pied du mont Grappa, le bien-nommé, donnent surtout des vins de cépage : deux rouges (merlot et cabernet), quatre blancs (prosecco, chardonnay, pinot bianco et pinot grigio) et trois *spumante* (chardonnay, pinot bianco et prosecco).

Les vins rouges sans nom de cépage sont surtout des assemblages de cabernet et de merlot.

1-3 ans

Fernando Berta • *Abazia di Nervesa*

NOSIOLA

Trentin-Haut-Adige

Parmi les cépages traditionnels du Trentin, c'est sans doute le moins connu, parce qu'il sert surtout à la production du *vin santo.* Il donne pourtant aussi un vin blanc sec de cépage et, bien qu'il s'améliore par assemblage avec des variétés plus aromatiques, comme dans le Sorni DOC, il commence à être réputé en tant que *vino da tavola* de prix.

Pravis (Le Frate)

PIAVE OU VINI DEL PIAVE DOC

Vénétie

Située à l'ouest de Lison-Pramaggiore, cette aire étendue produit cinq vins de cépage rouge (merlot, cabernet, cabernet sauvignon, pinot nero et raboso) et quatre blancs (chardonnay, tocai italico, pinot bianco, pinot grigio et verduzzo). Le cabernet et le raboso peuvent être particulièrement réussis.

1-3 ans

Reichsteiner

PICOLIT DOC

Frioul-Vénétie Julienne

Voir **Colli Orientali del Friuli DOC**

PROSECCO

Vénétie

Bien qu'originaire du village de Prosecco, dans l'appellation frioulane de Carso, c'est l'un des cépages les plus traditionnels de Vénétie. Les *Latin lovers* raffolent du tendre mousseux qui en est issu, mais les bouteilles sont le plus souvent sans intérêt et il faudra une révolution qualitative pour me convaincre que ce cépage convient à la production de vins effervescents secs.

PROSECCO DI CONEGLIANO-VALDOBBIADENE DOC

Vénétie

Vin blanc mousseux sec ou demi-sec, d'une qualité passable, bien que trop souvent doté de grosses bulles et d'un goût fruste et terne. Existe aussi en vin tranquille.

Sans attendre

Adami Adriano (Vigneto Giardino) • *Fratelli Bartolin Spumante* • *Carpenè Malvolti*

RABOSO

Vénétie

Le raboso, un cépage autochtone, produit depuis longtemps un vin rouge d'un excellent rapport qualité/prix, au fruité éclatant et chaleureux, pouvant s'améliorer après deux à trois ans de bouteille. Il en existe deux clones distincts et localisés : le raboso del piave est le plus souvent vinifié en vin de cépage, tandis que le raboso veronese, plus productif et d'un caractère moins ample et moins intéressant, ne sert qu'en assemblage. La plupart des vins sont des *vini da tavola*, les autres portent l'appellation Piave DOC.

RECIOTO BIANCO DI CAMPOCIESA

Vénétie

Vin blanc doux hors DOC, doré, tendre et aromatique, issu de raisins passerillés.

RECIOTO DELLA VALPOLICELLA OU RECIOTO DELLA VALPOLICELLA AMARONE DOC

Vénétie

Voir **Valpolicella DOC**

RECIOTO DI SOAVE DOC

Vénétie

Soave naturellement doux, issu de raisins passerillés, élaboré en vin *liquoroso* ou *spumante*. La plupart ont un caractère trop oxydé, mais celui de Pieropan est excellent et celui d'Anselmi, exceptionnel – tous deux purs comme de la neige fraîche.

Anselmi (I Capitelli) • *Pieropan* (Le Colombare Vendemmia Tardiva)

REFOSCO

Frioul-Vénétie Julienne

Appelé « terrano » dans l'aire du Carso DOC, le refosco n'est autre que la mondeuse savoyarde. Il produit un vin rouge à la robe intense, au fruité tendre, charnu et peu acide, qui peut manquer de complexité. C'est dans les Colli Orientali et le Friuli-Grave qu'il donne les meilleurs résultats.

SANTA MADDALENA OU SANKT MAGDALENER DOC

Trentin-Haut-Adige

Voir **Alto Adige DOC**

SCHIAVA

Trentin-Haut-Adige

Ce cépage est le plus cultivé du Haut-Adige, où il occupe 60% du vignoble. Dans le Tyrol, sans doute sa terre d'origine, son nom est vernatsch, mais la plupart des ampélographes l'appellent « schiava ». Il en existe quatre sous-variétés : schiava grossa, schiava gentile, schiava grigia et schiava meranese. Les vins de schiava sont en général moyennement corsés, dotés d'une nuance d'amande et d'une finale légèrement amère.

SCHIOPPETTINO

Frioul-Vénétie Julienne

Cépage frioulan d'origine ancienne, le schioppettino avait pratiquement disparu quand il est soudain devenu à la mode, dans les années 1980. Il donne des vins ronds et mûrs, dotés d'un beau bouquet épicé et d'un fruité généreux, qui a besoin de temps pour s'affiner.

Ronchi di Cialla • *Ronco del Gnemiz* • *Giuseppe Toti*

SOAVE DOC

Vénétie

Voir **Recioto di Soave DOC**

La plupart des vins restent issus de rendements intensifs, ce qui les rend maigres et acides, mais les meilleurs producteurs continuent de produire des vins délectables à base de garganega et de trebbiano dans la zone *classico*, où les vignes en coteau ont un rendement limité. Quelques vignerons, comme Stefano Inama, de l'Azienda agricola Inama, obtiennent des résultats prometteurs.

1-4 ans

Anselmi (Capitel Foscarino, Capitel Croce) • Bolla (Castellaro, Vigneti di Froscà) • Pieropan (Vigneto Calvarino, Vigneto la Rocca) • *Fratelli Tedeschi* (Monte Tenda)

SORNI DOC

Trentin-Haut-Adige

Petite DOC située au sud de Mezzolombardo, au confluent de l'Avisio et de l'Adige. Le rouge tendre à base de schiava est souvent amélioré par un apport de teroldego et de lagrein. À base de nosiola, le vin blanc léger, frais et délicat, contient généralement une bonne dose de müller-thurgau, de sylvaner et de pinot blanc.

2-3 ans (rouge), jusqu'à 18 mois (blanc)

Maso Poli

SÜDTIROLER DOC

Trentin-Haut-Adige

Voir **Alto Adige DOC**

TACELENGHE OU TAZZELENGHE

Frioul-Vénétie Julienne

Ce cépage tire son nom du terme dialectal *tazzalingua*, ou « langue acérée », ce qui indique bien le caractère tannique du vin. Celui-ci s'adoucit cependant après cinq ou six années de bouteille.

TERLANO OU TERLANER DOC

Trentin-Haut-Adige

Voir **Alto Adige DOC**

TEROLDEGO

Trentin-Haut-Adige

Cépage autochtone à l'épaisse peau bleutée, le teroldego est assez productif et donne un vin rouge sombre, aromatique, étoffé et tannique, à saveur de framboise. Cette charpente s'assouplit avec le temps et le vin prend une finesse soyeuse, nuancée de violette. Ces qualités ont rendu le teroldego très précieux dans les assemblages, mais on commence peu à peu à le vinifier seul et même à le proposer en *vino da tavola* de luxe.

Foradori (Granato)

TEROLDEGO ROTALIANO DOC

Trentin-Haut-Adige

Vin rouge corsé, issu de teroldego cultivé dans la plaine de Campo Rotaliano, sans doute la zone d'origine de ce cépage. Il existe aussi une version *superiore*, plus ample et plus concentrée, ainsi qu'un séduisant rosé.

1-4 ans

✓ *Foradori* (Vigneto Morei) • *Conti Martini*

TERRANO

Frioul-Vénétie Julienne

Voir Refosco

TREBBIANO

Vénétie

Le trebbiano de Soave et de Lugana est censé être supérieur à celui de Toscane, mais on trouve beaucoup de vins médiocres dans ces deux DOC : le producteur fait la différence.

TRENTINO DOC

Trentin-Haut-Adige

Cette appellation constitue la moitié méridionale du Valdadige DOC. Les vins sont généralement plus souples et moins racés que ceux du Haut-Adige, au nord, et le nombre des vins de cépage y est tout aussi déroutant. En l'absence d'un nom de cépage, les vins blancs sont un assemblage de chardonnay et de pinot blanc, les rouges alliant cabernet et merlot. Il existe six vins de cépage rouges (cabernet franc, cabernet sauvignon, lagrein, marzemino, merlot et pinot nero) et neuf blancs (chardonnay, moscato giallo, müller-thurgau, nosiola, pinot bianco, pinot grigio, riesling italico, riesling renano et traminer aromatico). Le nosiola peut en outre être vinifié en *vin santo*, tandis que les pinots blanc, gris et noir peuvent donner un vin effervescent. On trouve enfin un moscato rosa rouge vif et doux ; de plus, le moscato rosa, comme le moscato giallo, peuvent être de type *liquoroso*.

✓ *Barone de Cles* • *Càvit* • *La Vis* • *Longariva* • *Madonna delle Vittorie* • *Conti Martini* • *Pojer & Sandri* • *Giovanni Poli* • *Tenuta San Leonardo* • *Armando Simoncelli* • *de Tarczal* • *Vallarom* • *Roberto Zeni*

VALDADIGE OU ETSCHTALER DOC

Trentin-Haut-Adige et Vénétie

Cette énorme appellation générique regroupe toutes les DOC et une quantité de sous-appellations du Haut-Adige et du Trentin, et déborde largement sur la Vénétie. Peu de producteurs l'utilisent, car elle est généralement considérée comme la DOC la plus médiocre du Trentin-Haut-Adige. Si le concept d'IGT proposé par la loi Goria entrait réellement en vigueur, la taille et l'emplacement du Valdadige en feraient un candidat idéal : les producteurs pourraient réserver leurs meilleurs vins aux appellations Alto Adige, Trentino et autres, et vendre le reste en vin ordinaire sans prétention sous la mention Valdadige. Comme il s'agit déjà d'une DOC, personne n'ose suggérer de la rétrograder au statut d'IGT : résultat, presque personne ne s'en sert. Les rares exceptions concernent des vins blancs ou rouges, secs à demi-secs, qui lui valent inévitablement une piètre réputation, alors que les mêmes vins, présentés comme IGT, feraient figure d'honnête introduction et d'un bon rapport qualité/prix, aux vins plus élégants du Trentin-Haut-Adige.

VALLE ISARCO OU EISACKTALER DOC

Trentin-Haut-Adige

Voir Alto Adige DOC

VALPANTENA DOC

Vénétie

Voir Valpolicella DOC

Sous-appellation de Valpolicella ; existe en *rosso* normal, mais aussi en *recioto*, *amarone* et *spumante*.

VALPOLICELLA DOC

Vénétie

Dans la première édition de cet ouvrage, je partageais l'avis de l'Américain Robert Parker, qualifiant la plupart des valpolicella de « rebut industriel et insipide ». Cependant, depuis une dizaine d'années, la technologie a modifié la situation : si beaucoup de vins restent industriels et insipides, peu méritent d'être traités de rebut. Issu d'au moins 80 % de corvina, avec apport éventuel de rossignola, de negrara, de trentina, de barbera et de sangiovese, le valpolicella est le plus souvent un vin rouge clair et léger, doté d'un petit arôme de cerise et d'une finale un peu amère. Le nombre de vins au fruité plus vigoureux (toujours cerise) augmente, mais ils restent minoritaires. Pour trouver des vins d'une réelle qualité dans cette appellation, il faut rechercher

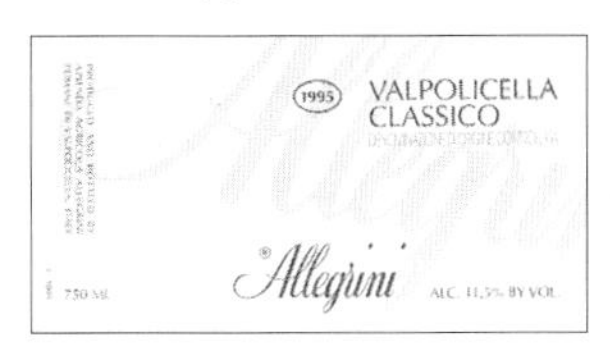

les très belles bouteilles vinifiées par la poignée de producteurs cités ci-dessous.
Le valpolicella *recioto* est un vin de couleur intense, doux-amer, mais très souple, issu de raisins passerillés et qui rappelle le porto, mais il peut aussi être de type *spumante*. L'*amarone* dérive du *recioto*, dont il a la couleur profonde, mais dans un style sec ou presque sec, ce qui semble renforcer le goût de porto, avec des nuances chocolatées et épicées et une finale nettement marquée d'amertume. Le fruité de l'*amarone* a quelque chose de très particulier, parfaitement décrit un jour par le *wine writer* Oz Clarke comme une « aigre meurtrissure ». Ce caractère oxydatif peut déplaire aux amateurs de vins à la saveur nette et franche, mais il apporte une complexité incontestable et ces vins supportent magnifiquement la garde. Quintarelli est le producteur le plus remarquable, talonné par Allegrini.

Sans attendre, dans la plupart des cas 2-5 ans, pour les vins recommandés

✓ **Valpolicella** Allegrini *(La Grola)* • *Bolla* (Vigneti di Jago) • *Guerrieri-Rizzardi* (Villa Rizzardi Poiega) • *Quintarelli* • *La Ragose* • *Serègo Alighieri* • *Fratelli Tedeschi* (Capitel delle Lucchine, Capitel del Nicalò) • *Tommasi* (Vigneto del Campo Rafael) *Recioto della Valpolicella Allegrini* (Gardane) • *Masi* (Mazzanella) • *Quintarelli* • *Serègo Alighieri* (Casel dei Ronchi) • *Fratelli Tedeschi* (Capitel Monte Fontana)

Recioto della Valpolicella *Amarone Allegrini* (Fieramonte) • *Bertani* • *Masi* (Mazzone) • *Fratelli Pasqua* (Vigneti Casterna) • *Quintarelli* • *Serègo Alighieri* (Vaio Armoron) • *Fratelli Tedeschi* (Fabriseria, Capitel Monte Olmi) • *Tommasi*

VALPOLICELLA « RIPASSO »

Vénétie

Le vin *ripasso* (littéralement « re-passé ») est une ancienne tradition de Vénétie. Les meilleurs vins jeunes de valpolicella sont mis dans des cuves ou des fûts contenant encore les lies du *recioto* de l'année précédente. Les cellules de levure actives dans ces sédiments déclenchent une deuxième fermentation du vin jeune, ce qui élève son degré alcoolique tout en lui apportant des nuances de *recioto*. Le vin ainsi modifié ne peut généralement porter l'appellation Valpolicella et sera vendu en *vino da tavola* sous divers noms de marque, mais certains valpolicellas sont renforcés par *ripasso* sans que cela apparaisse sur l'étiquette.

6-15 ans

✓ *Allegrini* (Palazzo alla Torre) • *Boscaini* (Le Cane) • *Fratelli Tedeschi* (Capitel San Rocco) • *Masi* (Campo Fiorin)

VINI DEL PIAVE DOC

Vénétie

Voir Piave DOC

WILDBACHER

Vénétie

Ce cépage noir semble limité à la Vénétie et, en Autriche, à la Styrie occidentale, où il est appelé blauer wildbacher. Il est surtout utilisé en assemblage, mais sa qualité aromatique particulière et son acidité élevée sont parfois exploitées dans des vins de cépage hors DOC.

✓ *Le Case Bianche*

NOUVEAUX VINS IGT

Les vins *d'Indicazioni Geografiche Tipiche* suivants ont été agréés ces dernières années, mais il faudra voir comment ils évolueront sur le plan du style, de la qualité et de la régularité :

Frioul-Vénétie Julienne *Alto Livenza* • *Delle Venezie* • *Venezia Giulia*

Trentin-Haut-Adige *(Trentin) Atesino* • *Delle Venezie* • *Vallagarina* + *(Haut-Adige) Mitterberg tra Cauria e Tel ou Mitterberg zwischen Gfrill und Toll*

Vénétie *Alto Livenza* • *Colli Trevigiani* • *Conselvano* • *Delle Venezie* • *Marca Trevigiana* • *Provincia di Verona o Veronese* • *Vallagarina* • *Veneto* • *Veneto Orientale*

CENTRE-OUEST DE L'ITALIE

Le centre de l'Italie est aussi au cœur de ses exportations de vins de qualité, dominées par les célèbres vins rouges de sangiovese issus des collines et des petites vallées de Toscane, entre Florence et les limites de l'Ombrie et du Latium.

TOSCANE

Patrie de la vinification traditionnelle, la Toscane a également été le principal foyer d'expérimentation des vins italiens. Son rouge, le puissant vino nobile di Montepulciano, a reçu la première DOCG d'Italie, suivi par brunello di montalcino, chianti, carmignano et vernaccia di San Gimignano. Mais le fait que ces appellations n'aient pas le monopole des grands vins est une réalité reconnue par les producteurs toscans eux-mêmes : ils recherchaient pour le chianti la solution idéale du statut DOCG, tout en commençant à investir dans des vins chers, non soumis aux restrictions du statut DOC. C'est la qualité intransigeante de leurs vins, baptisés « super-toscans », qui a encouragé la floraison des *vini dà tavola* de haut niveau partout dans le pays. Le statut DOCG du chianti n'a malheureusement pas connu la même réussite. Deux solutions raisonnables se présentaient : soit réserver la DOCG à l'aire du chianti classico et à quelques zones isolées, comme certaines parties de Rufina et des Colli Fiorentini, d'où l'on tire depuis toujours les meilleurs vins, le reste demeurant simple Chianti DOC; soit accorder le statut DOCG à 10% des meilleurs vins, quelle que soit leur origine. Dans les deux cas, la réussite du chianti était assurée. Mais les gros producteurs de chianti ont eu plus d'influence que l'élite vitivinicole et la nouvelle réglementation accorda la DOCG à toute l'aire de production et à l'ensemble des chiantis, sans souci d'origine ni de qualité. C'est vrai que le trebbiano toscano, un clone bien localisé, est un trebbiano haut de gamme et qu'il peut donner des vins très plaisants, mais ce n'est pas un cépage noble. Pour le moment, la Toscane ne dispose pas, en blanc, d'une variété d'une qualité équivalente à celle de son sangiovese en rouge. Jusqu'ici son meilleur cépage pour le blanc sec reste le chardonnay, un raisin qui excelle dans pratiquement n'importe quel vignoble un peu convenable. Le vermentino pourrait devenir *le* cépage blanc de Toscane, bien qu'il soit d'origine sarde et à ce jour limité essentiellement au littoral toscan. Il serait temps que quelqu'un fasse renaître un vieux cépage toscan blanc en voie de disparition en lui assurant un succès commercial, comme les Piémontais l'ont fait pour l'arneis – opération qu'ils vont, d'après moi, bientôt essayer avec le timorasso.

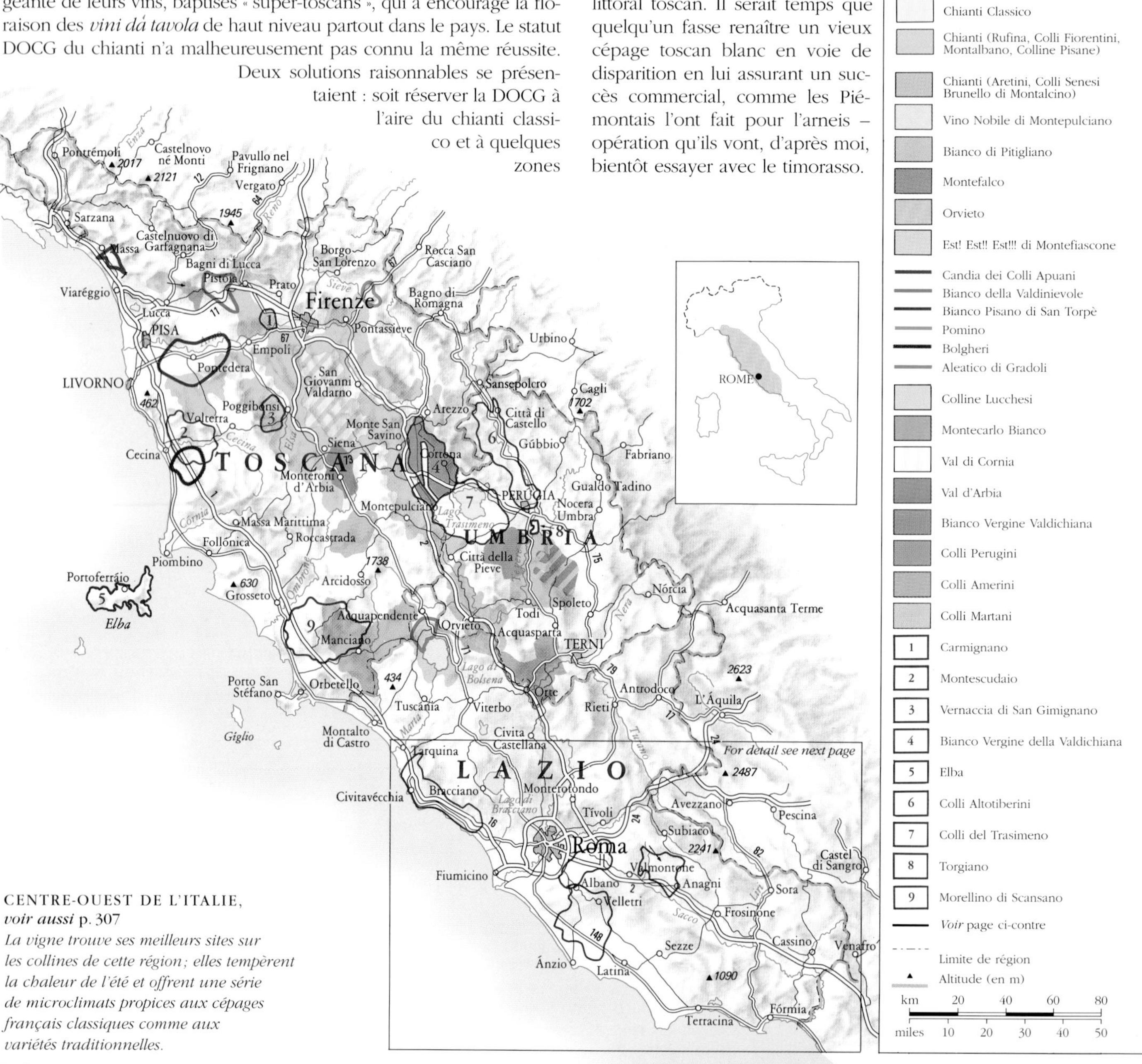

CENTRE-OUEST DE L'ITALIE, *voir aussi* p. 307

La vigne trouve ses meilleurs sites sur les collines de cette région ; elles tempèrent la chaleur de l'été et offrent une série de microclimats propices aux cépages français classiques comme aux variétés traditionnelles.

FACTEURS AFFECTANT LE GOÛT ET LA QUALITÉ

SITUATION
Entre les Apennins, au nord et à l'est, et la mer Tyrrhénienne, à l'ouest.

CLIMAT
Les étés sont longs et assez secs, et les hivers moins rigoureux que dans le Nord de l'Italie. Durant le cycle végétatif, toute la région souffre parfois de la chaleur et du manque de pluie.

SITE
Les vignobles sont généralement plantés sur les collines pour bénéficier d'un bon drainage et d'un bon ensoleillement. L'altitude permet de limiter les effets de la chaleur : les cépages rouges sont cultivés jusqu'à 550 m et les blancs jusqu'à 700 m. Plus l'altitude des vignes est élevée, plus la maturation du raisin est tardive et son acidité marquée.

SOL
Sols très complexes où prédominent les affleurements de graves, calcaire et argile. En Toscane, la plupart des meilleurs vignobles s'étendent sur un sol pierreux et schisteux appelé localement *galestro*.

VITICULTURE ET VINIFICATION
Après bien des expériences menées sur des cépages français classiques, en particulier en Toscane, la tendance actuelle porte sur la pleine exploitation du potentiel des cépages autochtones. Les splendides vins « super-toscans » à base de cabernet restent nombreux, et ils le seront toujours, mais les producteurs d'élite sont en quête de clones, de terroirs et de techniques permettant d'intensifier le fruité et l'harmonie de leurs propres cépages nobles. L'une des spécialités traditionnelles de la région est le *vin santo*, un blanc doux issu de raisins *passiti*, séchés dans les greniers. Il peut rester scellé jusqu'à six ans en petit fût, souvent avec un peu de vin « mère ».

CÉPAGES PRINCIPAUX
Sangiovese (*syn.* brunello, morellino, prugnolo, sangioveto, tignolo, uva canina), malvasia, trebbiano (*syn.* procanico)
CÉPAGES SECONDAIRES
Abbuoto, aglianico, albana (*syn.* greco, mais non grechetto), albarola, aleatico, barbera, bellone, bombino, cabernet franc, cabernet sauvignon, canaiolo (*syn.* drupeggio en Ombrie), carignan (*syn.* uva di spagna), cesanese, chardonnay, ciliegiolo, colorino, gamay, grechetto (*syn.* greco, pulciano), inzolia (*syn.* ansonica), mammolo, merlot, montepulciano, moscadelletto, muscat (*syn.* moscadello, moscato), nero buono di cori, pinot blanc (*syn.* pinot bianco), pinot gris (*syn.* pinot grigio), roussanne, sagrantino, sauvignon, sémillon, syrah, verdello, vermentino, vernaccia, welschriesling

TRADITION ET INNOVATION
Ce paysage paisible semble n'avoir pas changé depuis des siècles. Mais, si la Toscane reste fidèle à sa tradition viticole, elle innove aussi en cultivant de nouveaux cépages et en expérimentant l'élevage en barriques.

ROME ET SES ENVIRONS, *voir aussi* p. ci-contre
La récente prolifération d'appellations dans les collines qui entourent la capitale de l'Italie témoigne de la dégradation du système vitivinicole – les vins italiens ont besoin de cohésion et non d'un surcroît de diversité.

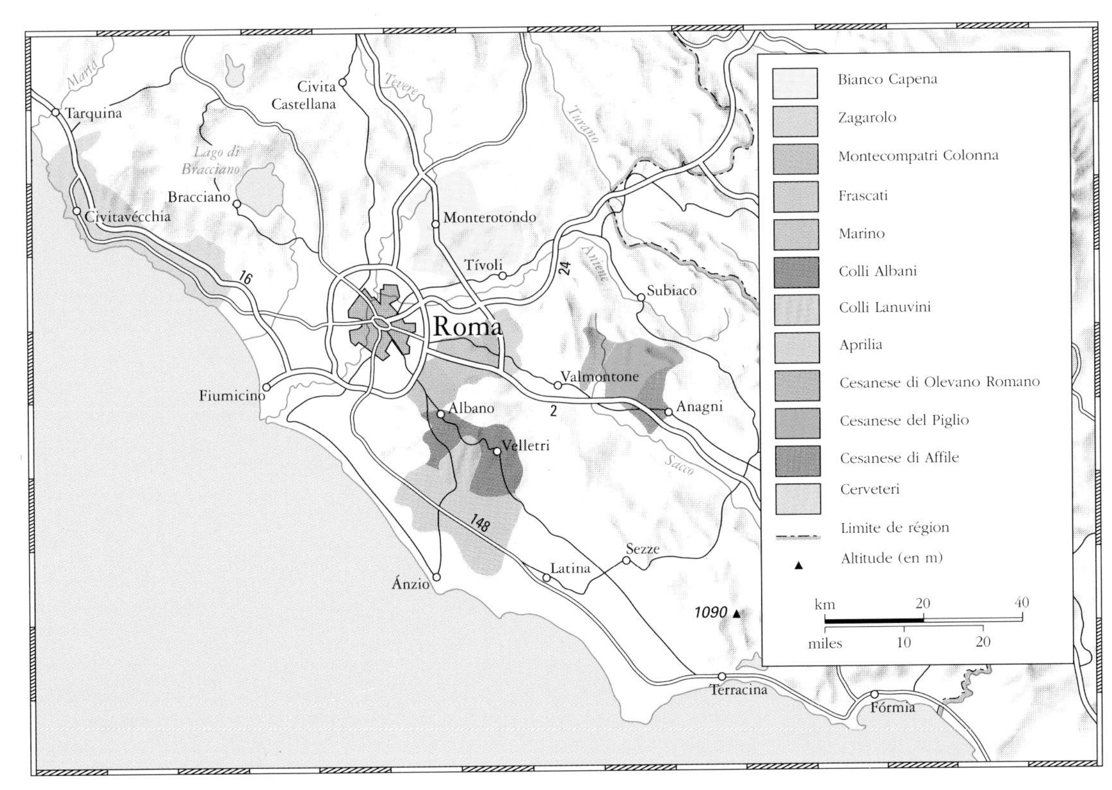

LA NAISSANCE DES « SUPER-TOSCANS »

Il y a dix ans, la plupart des grands vins de Toscane appartenaient au groupe alors relativement nouveau des « super-toscans », tous élevés en barrique. Leur histoire a débuté en 1968, avec le premier millésime vendu du sassicaia, vin devenu célèbre, produit par le marquis Incisa della Rocchetta à partir de plants de cabernet sauvignon, dont certains donnés par le Château Lafite-Rothschild. Dès 1944, le marquis avait planté du cabernet pour son propre usage, désireux d'obtenir un grand vin de type bordelais – bien longtemps avant que l'idée ne fasse fureur dans le monde du vin. La réussite fut telle qu'à la suite du millésime 1971, un nouveau vin baptisé tignanello, fut lancé par son neveu Piero Antinori : avec 80% de sangiovese et 20% de cabernet sauvignon, il mariait la Toscane à Bordeaux. Le cabernet était présent

VIGNES DE VERNACCIA EN AUTOMNE
Ces vignes sont exclusivement cultivées autour de la cité médiévale de San Gimignano, en Toscane, dont on voit au loin les tours imposantes. Chez les bons producteurs, le vernaccia est un vin blanc sec, délicieusement vif et fruité.

PRODUCTION ANNUELLE MOYENNE		
RÉGION	PRODUCTION DOC	PRODUCTION TOTALE
Toscane	1 million hl	4 millions hl
Latium	540 000 hl	6 millions hl
Ombrie	165 000 hl	1,7 million hl

Pourcentage de la production italienne :
Latium, 7,8% ; Toscane, 5,2% ; Ombrie, 2,2%.

depuis plus de cent ans à Nipozzano, dans le chianti de la famille Frescobaldi, et on le cultivait dans la zone de Carmignano depuis le XVIIIe siècle, mais personne n'avait réellement perçu l'harmonie pouvant exister entre ces deux cépages avant l'apparition du tignanello. L'assemblage de ce dernier rappelait la classique proportion cabernet-merlot, sauf que la saveur résultant du renforcement et de l'équilibrage du sangiovese par le cabernet était plus satisfaisante. Le tignanello déclencha donc une nouvelle vague de « super » *vini da tavola*. Leur prolifération devint embarrassante quand il devint clair que les meilleurs vins toscans se situaient presque tous hors DOC. Dans le même temps bon nombre des créateurs de ces « super-toscans » sous influence française travaillaient à l'amélioration du sangiovese. Après d'intenses sélections clonales et parcellaires, une baisse des rendements, un perfectionnement des techniques viti-vinicoles, une nouvelle race de « super-toscans » vit le jour : des assemblages à dominante de sangiovese, à l'instar du tignanello, puis des vins de pur sangiovese. Aujourd'hui, la loi Goria a ouvert la porte aux plus beaux *vini da tavola* d'Italie; beaucoup de ceux qui avaient quitté le giron des DOC tirent parti de l'expérience acquise dans la régénération du sangiovese pour restaurer le prestige des grandes appellations du passé – Chianti, Brunello di Montalcino, Vino Nobile di Montepulciano – en produisant des vins complets, sans l'aide de cépages étrangers.

OMBRIE

L'orvieto est le vin le plus connu d'Ombrie, mais aussi celui qu'il vaudrait mieux oublier. Avec le frascati et le soave, c'est l'appellation qui a donné lieu aux pires abus dans les restaurants italiens du monde entier. Il existe quelques bons orvieto et une poignée de passionnants *muffato* (la version botrytisée), mais ils sont tristement minoritaires. L'un des rares vins d'Ombrie méritant sa célébrité est le rubesco torgiano de Lungarotti, dont la réputation a conduit à la création du Torgiano DOC et, plus récemment, à la promotion du torgiano riserva au statut de DOCG. Lungarotti est également en tête de la nouvelle école dans la région qui produit d'excellents vins à partir de différents cépages autochtones et français, dans divers styles, presque toujours élevés dans des barriques de chêne neuf.

LATIUM (LAZIO)

Cette région est l'une des plus vastes du pays et produit l'un de ses vins les plus vendus, le frascati – équivalent latin du liebfraumilch – ainsi que l'est est!, sans doute le plus insipide de tous les vins pour touristes. C'est ici qu'est né le falerne, cru classique de l'Antiquité, mais le Latium ne compte plus guère que deux vins de haut niveau, le fiorano *rosso* de Boncompagni Ludovisi et le torre ercolana de Cantina Colacicchi, deux excellents assemblages cabernet/merlot nouveau style.

LES APPELLATIONS DU

CENTRE-OUEST DE L'ITALIE

BRUTS EFFERVESCENTS CLASSIQUES

Les meilleurs bruts effervescents sont élaborés en Toscane par la méthode classique.

✓ *Brut di Capezzana • Falchini Brut • Villa Banfi Brut*

ALEATICO

Toscane

Vin rouge doux, étoffé et plutôt rare.

ALEATICO DI GRADOLI DOC

Latium

Vin rouge doux, parfois muté, mais sans la réputation de l'Aleatico di Puglia DOC.

APRILIA DOC

Latium

Cette DOC comprend deux vins de cépage rouge (merlot, sangiovese) et un blanc de trebbiano insignifiant. Leur saveur diluée prouve que les rendements autorisés sont bien trop élevés.

ASSISI

Ombrie

Assise produit un vin rouge agréable et tendre, ainsi qu'un vin blanc frais et facile à boire.

✓ *Sasso Rosso • Fratelli • Sportoletti • Tili*

BARCO REALE DI CARMIGNANO DOC

Toscane

Une fois Carmignano élevé au statut de DOCG, cette appellation a été adoptée pour les vins rouges faciles à boire, à base de sangiovese (avec un brin de cabernet), en vue de préserver le statut DOC. Cela permet une sélection propice au maintien et au renforcement de la qualité de l'appellation supérieure. *Voir aussi* Carmignano DOC et Carmignano DOCG.

BIANCO CAPENA DOC

Latium

Large DOC au nord-est de Rome qui produit de modestes vins blancs, secs et demi-secs, à base de trebbiano.

BIANCO DELL'EMPOLESE DOC

Toscane

Un vin blanc de trebbiano surfait, trop cher et plutôt médiocre, provenant des collines d'Empoli, à l'ouest de Florence. Il existe aussi une version *passita* vendue en *vin santo*.

BIANO DELLA VAL DEL NIEVALE OU BIANCO DELLA VALDINIEVOLE DOC

Toscane

Vin blanc sec légèrement *frizzante* et *vin santo* souple, surtout à base de trebbiano.

BIANCO DI PITIGLIANO DOC

Toscane

Vin blanc sec à base de trebbiano, frais et délicat, facile à boire. Meilleur avec un apport éventuel de malvasia, de grechetto, de verdello, de chardonnay, de sauvignon, de pinot blanc et/ou de welschriesling.

1-2 ans

✓ *La Stellata*

BIANCO PISANO DI SAN TORPÉ DOC

Toscane

Vin blanc sec et *vin santo* sec à demi-sec, issus du trebbiano cultivé dans une vaste zone au sud-est de Pise.

BIANCO VERGINE DELLA VALDICHIANA DOC

Vin blanc à base de trebbiano, légèrement moelleux, à la finale amère. Les meilleurs ont un arôme floral plus délicat.

1-2 ans

✓ *Poliziano*

BOLGHERI DOC

Toscane

Relativement anonyme jusqu'à une époque récente, cette DOC produisait des vins plaisants, mais sans rien de particulier : un blanc sec et délicat et un *rosato* sec de sangiovese, à l'arôme discret. Le vin rouge en était exclu, malgré la présence ici du sassicaia, l'un des plus grands vins d'Italie. Le rouge étant désormais admis, le sassicaia a même droit à sa propre sous-appellation, et deux vins blancs de cépage (sauvignon et vermentino) ont été ajoutés à la liste, ainsi qu'un *vin santo* œil-de-perdrix. On peut parier que le sassicaia sera bientôt promu DOCG, laissant ainsi une appellation Bolgheri DOC renforcée et plus connue, animée, espérons-le, par de nouveaux vins aspirant à réitérer son succès. À suivre : le nouveau vermentino de Piero Antinori, qui promet d'être le premier grand vin blanc de Toscane issu d'un cépage italien ; et les « super-toscans » confirmés, comme l'ornellaia de Lodovico Antinori, lui aussi promu DOC à la suite du sassicaia.

1-3 ans (blanc), 3-7 ans (la plupart des rouges), 8-25 ans (sassicaia et vin santo)

✓ *Antinori* (Guado al Tasso) • *Tenuta San* Guido (Sassicaia surtout)

BRUNELLO DI MONTALCINO DOCG

Toscane

L'un des plus prestigieux vins d'Italie, issu du brunello, clone local du sangiovese. Beaucoup de producteurs parmi les moins connus proposent des vins répondant au modèle classique d'un brunello bien épais et pourvu de tannins durs, exigeant au moins vingt ans de maturation. S'il s'agit de tannins de peaux de raisin mûr et si le fruité est suffisant, la formule peut donner un vin de noble stature. Mais le brunello macère souvent trop longtemps, sans éraflage, en acquérant des tannins incapables de se fondre, même dans les vins les plus coûteux. Les vins des producteurs cités ci-dessous réclament au moins dix ans de maturation, mais ils débordent d'un fruité évoluant vers une saveur charnue, riche et complexe, aux nuances fumées et épicées. À suivre tout particulièrement, les nouveaux vins Frescobaldi-Mondavi du domaine de Solaria.

10-25 ans

✓ *Altesino* • *Tenuta di Argiano* • *Villa* Banfi (surtout Poggio all'Oro) • *Fattoria dei Barbi* (Vigna del Fiore) • *Campogiovanni* • *Tenuta Caparzo* • *Casanova* • *Case Basse* • *Castelgiocondo* • *Col d'Orca* • *Conti Costanti Frescobaldi* • *Lisini* • *Pertimali* • *Poggio Antico Tenuta Il Poggione* • *Talenti* • *Val di Suga*

CABERNET-MERLOT

Centre-Ouest de l'Italie

Le classique assemblage de cépages bordelais cabernet-merlot se révèle particulièrement adapté à la Toscane.

✓ **Toscane** *Villa di Capezzana* (Ghiaie della Furba) • *Tenuta dell'Ornellaia* (Ornellaia) **Latium** *Cantina Colacicchi* (Torre Ercolana) • *Fiorano rosso* • *Colle Picchioni* (Vigna del Vassello)

CABERNET SAUVIGNON

Toscane

En accord parfait avec le sol et le climat toscans.

✓ *Villa Banfi* (Tavernelle) • *Villa Cafaggio* (Cortaccio) • *Frescobaldi* (Mormoreto) • *Isole e Olena* • *Monsanto* (Nemo) • *Fattoria di Nozzole* (Il Pareto) • *Poliziano* (Le Stanze) • *Castello di Querceto* (Cignale)

ASSEMBLAGES CABERNET-SANGIOVESE

Toscane

La plupart comportent au moins 80 % de cabernet sauvignon pour 20 % de sangiovese et sont l'antithèse de la vague montante d'assemblages à dominante de sangiovese.

✓ *Antinori* (Solaia) • *Tenuta di Bossi* (Mazzaferrata) • *Castellare di Castellina* (Coniale di Castellare) • *Castello di Gabbiano* (R e R) • *Lungarotti* (San Giorgio) • *Tenuta dell'Ornellaia* (Le Volte) • *Castello di Querceto* (Il Querciolaia) • *Castello dei Rampolla* (Sammarco) • *Rocca delle Macie* (Roccato)

CANAIOLO

Toscane

Ce cépage toscan peut donner un vin rouge fruité, tendre et séduisant.

CANDIA DEI COLLI APUANI DOC

Toscane

Vin blanc sec ou demi-sec délicatement aromatique, issu du vermentino et de l'albarola cultivés sur les coteaux de Massa Carrara.

CARMIGNANO DOC

Toscane

Depuis que le Carmignano rouge a été promu DOCG, la DOC est réservée au *rosato*, au *vin santo* et à un *vin santo* rosé, dit *occhio di pernice* (bien que ces styles n'aient pas été admis avant la promotion). Les rouges de Carmignano déclassés ont droit à l'appellation Barco Reale di Carmignano DOC.

CARMIGNANO DOCG

Toscane

Seul le carmignano rouge traditionnel de cette aire minuscule située à l'ouest de Florence a droit à la DOCG. Les autres vins portent les appellations Carmignano DOC ou Barco Reale di Carmignano DOC. Le vin DOCG comporte 45 à 65 % de sangiovese, 10 à 20 % de canaiolo nero, 6 à 10 % de cabernet sauvignon, 10 à 20 % de trebbiano, de canaiolo bianco ou de malvasia et jusqu'à 5 % de mammolo ou de colorino. Le résultat ressemble à un chianti moyennement corsé, en moins acide ; le cabernet donne un fruité finement chocolaté. *Voir aussi* Carmignano DOC et Barco Reale di Carmignano DOC.

4-10 ans

✓ *Fattoria di Ambra* • *Fattoria di Artimino* • *Fattoria di Bacchereto* • *Contini* Bonacossi (Villa di Capezzana, Villa di Trefiano) • *Fattoria Il Poggiolo*

CASTELLI ROMANI

Latium

Vins blancs, secs à demi-secs, mais aussi rouges et rosés, tous rarement intéressants.

CERVETERI DOC

Latium

Des vins provenant du littoral, au nord-ouest de Rome : un rouge rustique, à base de sangiovese, et un honnête vin blanc ordinaire, sec à demi-sec, issu de trebbiano et de malvasia.

CESANESE

Latium

Ce cépage local donne un vin rouge moyennement corsé, sans rien de particulier ; il peut être sec ou doux, tranquille ou effervescent.

CESANESE DEL PIGLIO OU PIGLIO DOC

Latium

Cette appellation couvre toute une gamme de vins rouges assez simples, issus du cesanese cultivé dans une zone de coteaux au sud-est de Rome. Le vin peut être sec, demi-sec, moelleux ou doux, tranquille, *frizzantino*, *frizzante* ou *spumante*.

CESANESE DI AFFILE OU AFFILE DOC

Même type de vins que le cesanese del piglio voisin.

CESANESE DI OLEVANO ROMANO OU OLEVANO ROMANO DOC

Latium

Aire bien plus réduite que ses deux voisines citées plus haut, offrant le même type de vins.

CHARDONNAY

Toscane et Ombrie

Le noble, quoiqu'omniprésent, chardonnay a fait son entrée dans la liste officielle des vins toscans quand il a été adopté par l'appellation Pomino DOC, mais ses plus belles réussites continuent d'être des *vini da tavola*. L'Ombrie compte peu de grands vins de chardonnay, mais ce cépage a un vrai potentiel dans la région, qu'il soit vinifié seul, comme chez Lungarotti, ou assemblé avec un peu de grechetto, comme dans le castello della sala d'Antinori.

✓ **Toscane** *Castello di Ama* (Colline di Ama) • *Caparzo* (Le Grance) • *Villa Banfi* (Fontanelle) • *Felsina Berardenga* (I Sistri) • *Isole e Olena* • *Ruffino* (Cabreo Vigneto la Pietra)
Ombrie *Antinori Castello della Salla* (Cervaro della Sala) • *Lungarotti* (Vigna I Palazzi)

CHIANTI DOC

Toscane

Lorsque le chianti fut promu DOCG, le rendement fut réduit, la présence de cépage blanc dans le chianti *classico* quasi éliminée et l'on autorisa un apport de 10 % de cabernet sauvignon dans l'assemblage. Mais, accordée à l'ensemble de l'aire du chianti, la DOCG ne pouvait devenir une garantie de qualité. La plupart des chianti restent donc des vins médiocres, quoique dans un style plus net qu'auparavant. Le meilleur chianti de base est cependant gorgé de notes fruitées (cerise, framboise, prune) qui en font un agréable vin de soif, ce qui n'a rien à voir avec le concept de DOCG. Seuls les plus grands chiantis méritent ce statut et ils sont d'ordinaire vendus sous la mention *classico* (le cœur historique et vallonné du Chianti), bien que Rufina (petite aire au nord-est de Florence, à ne pas confondre avec Ruffino, un nom de marque) et Colli Fiorentini (entre les aires Classico et Rufina), deux zones situées en dehors de l'aire Classico, produisent des vins d'une qualité de type *classico*. Elles ont toutes deux des rendements inférieurs à ceux du reste du Chianti, celui de la zone Classico restant néanmoins le plus bas de tous.

Quoi que les embouteilleurs industriels inventent pour pouvoir continuer à ternir la réputation du chianti, il faut garder en mémoire que les meilleurs vins de ces trois zones sont parmi les plus beaux du monde. Rufina et Colli Fiorentini ne sont, malgré tout, que deux des six sous-appellations regroupées sous le nom de Chianti Putto, qui désigne une aire entourant celle du Chianti Classico. Les autres sont : Colli Senesi (la plus vaste, la plus variée, si irrégulière que peu de vins revendiquent cette origine; deux de ses composantes sont plus connues comme Brunello di Montalcino et Vino Nobile di Montepulciano) ; Colli Pisani (le plus léger des chiantis) ; Colli Aretini (un chianti jeune et vif) ; et Montalbano (le deuxième vin de Carmignano, ou plutôt le troisième, puisque ce dernier s'est dédoublé).

Si l'on se décide un jour à donner une réglementation adéquate à cette appellation, le Chianti deviendra pour l'Italie un porte-drapeau de la qualité aussi important que Bordeaux l'est pour la France. En attendant, il faut rechercher sur le col des bouteilles le label du Gallo Nero, un coq noir, emblème du *Consorzio*. Ce n'est pas une garantie absolue – certains domaines d'élite n'en font pas partie et ses membres ont parfois des défaillances – mais c'est un bon conseil empirique, facile à retenir.

Les chiantis non *classico* doivent comporter 75 à 90% de sangiovese, avec apport possible de 5 à 10% de canaiolo nero, 5 à 10% de trebbiano ou de malvasia, et 10% maximum de cabernet ou d'autres cépages noirs prévus. Cette formule s'appliquait au chianti *classico* jusqu'en 1995, quand elle a été modifiée pour autoriser jusqu'à 100% de sangiovese – un pas important pour les vignerons attachés à la mise en valeur de ce cépage difficile. Avec une proportion de cabernet et d'autres cépages noirs portée à 15%, cette DOC ouvre largement la porte à la qualification de bon nombre de « super-toscans » comme chianti *classico*; le prestige de cette appellation au noble passé devrait en être considérablement rehaussé.

3-5 ans (vin ordinaire peu onéreux), 4-8 ans (chianti plus intéressant), 6-20 ans (les meilleurs classico)

✓ *Antinori* (Peppoli) • *Badia a Coltibuono* • *Castellare di Castellina* • *Castell'in Villa* • *Castello di Ama* • *Castello di Cacchiano* • *Castello Querceto* • *Castello di Rampolla* • *Castello di San Polo in Rosso* • *Castello di Volpaia* • *Felsina Berardenga* • *Fontodi* • *Isole e Olena* • *Monsanto* (Il Poggio) • *Podere Il Palazzino* • *Poggerino* • *Riecine* • *San Felice* • *San Giusto* • *Terrabianca* • *Uggiano* • *Vecchie Terre di Montefili*

COLLI ALBANI DOC

Latium

Vin blanc tendre et fruité, sec ou demi-sec, parfois *spumante*.

COLLI ALTOTIBERINI DOC

Ombrie

Cette DOC est située dans la haute vallée du Tibre. On y produit d'intéressants vins blancs secs de trebbiano et de malvasia et des vins rouges fermes et fruités de sangiovese et de merlot. Mais ce sont les rosés vifs et aromatiques, issus de ces mêmes cépages rouges, qui ont le plus de succès.

COLLI AMERINI DOC

Ombrie

Vin blanc sec de trebbiano, avec apport éventuel de grechetto, de verdello, de garganega et de malvasia; vins rouge et rosé de sangiovese, avec apport éventuel de montepulciano, de ciliegiolo, de canaiolo, de merlot et de barbera. Il existe aussi un vin blanc sec de malvasia.

COLLI DELL'ETRURIA CENTRALE DOC

Toscane

L'idée était bonne : proposer une appellation pour les vins rouges, blancs et rosés les plus modestes de l'aire du Chianti, afin d'établir une sélection rehaussant la DOCG. Mais le nom est trop difficile à dire : on serait tenté de croire qu'il a été agréé par des producteurs en quête d'une bonne excuse pour ne pas l'utiliser et continuer ainsi à débiter un flot de chianti médiocre. Le vin rouge peut être qualifié de *vermiglio* (vermeil), terme à connotation historique dans le Chianti, et la DOC inclut la possibilité d'un *vin santo*.

COLLI DEL TRASIMENO DOC

Ombrie

Appellation très étendue à la limite de la Toscane. Elle propose des vins blancs secs ou quasi secs ordinaires, et des rouges plus intéressants, dans lesquels la pointe d'amertume du sangiovese est adoucie par la présence de gamay, de ciliegiolo, de malvasia et de trebbiano.

2-5 ans

✓ *La Fiorita*

COLLI DI LUNI DOC

Toscane

Voir Colli di Luni DOC (Ligurie, Nord-Ouest de l'Italie)

COLLI LANUVINI DOC

Latium

Vin blanc souple qui peut être sec ou demi-sec.

COLLINE LUCCHESI DOC

Toscane

Vin rouge léger et tendre, de type chianti, et vin blanc sec et neutre, à base de trebbiano.

COLLI MARTANI DOC

Ombrie

Quatre vins de cépage – sangiovese, trebbiano, grechetto et le monocru grechetto di todi – provenant d'une aire étendue, mais prometteuse, qui englobe le montefalco DOC.

COLLI PERUGINI DOC

Ombrie

Vin blanc sec et légèrement fruité, à base de trebbiano; vin rouge corsé et rosé sec et frais, à dominante de sangiovese. Située entre les Colli del Trasimeno et le Tibre, l'aire de production couvre six communes de la province de Pérouse et une de la province de Terni.

CORI DOC

Latium

Vin blanc peu répandu et sans grand intérêt, sec, demi-sec ou doux, et vin rouge souple et vineux.

ELBA DOC

Toscane

La gamme de cette île de vacances s'est élargie à dix sortes de vins : blanc sec à base de trebbiano; rouge et *riserva* rouge à base de sangiovese; rosé; ansonica dell'elba (un blanc sec issu d'ansonica, cépage sicilien plus connu comme inzolia) ; ansonica *passito* dell'elba; aleatico dell'elba; *vin santo* dell'elba; *vin santo* dell'elba *occhio di pernice*; et un *spumante* blanc. Ils sont surtout destinés aux touristes.

In situ uniquement

✓ *Acquabona*

EST ! EST !! EST !!! DI MONTEFIASCONE DOC

Latium

Leur nom est le principal intérêt de ces vins blancs secs ou demi-secs, issus de trebbiano et de malvasia cultivés autour du lac de Bolsena, à la limite de l'aire du soave. On raconte qu'au XIIe siècle, un évêque allemand du nom de Johann Fugger avait dû se rendre à Rome pour le couronnement d'Henri V. Afin d'être sûr de boire du bon vin durant son voyage, il envoya son domestique visiter les auberges le long de la route, en lui demandant de marquer celles qui servaient le meilleur vin du mot « Est », pour « *vinum est bonum* ». Arrivé à Montefiascone, celui-ci trouva le vin local si à son goût qu'il nota : « Est! Est!! Est!!! ». Fugger dut être d'accord avec lui, car, parvenu à Montefiascone, et après avoir goûté le vin, il renonça à aller plus loin et y demeura jusqu'à sa mort. La part de vérité contenue dans cette histoire reste incertaine : l'église du village recèle bien une tombe au nom de Fugger, mais on ne saura jamais qui l'occupe ni depuis combien de temps. Quant au vin, Hugh Johnson l'a parfaitement décrit comme un blanc sans rien d'extraordinaire, qui exploite au mieux son nom excentrique.

FALERNO OU FALERNUM

Latium

Le falerne était le grand cru de la Rome antique. Son équivalent moderne est un vin d'aglianico sombre et étoffé, assez rustique; le meilleur exemple en est le villa matilde *riserva* qui a un arôme généreux et un meilleur équilibre que la plupart. Il existe aussi un vin blanc sec.

FRASCATI DOC

Latium

La plupart de ces vins étaient autrefois mous ou oxydés. Les progrès techniques en matière de vinification les ont rendus frais et nets, mais beaucoup s'en tiennent à un caractère de bonbon anglais insignifiant. Les rares exceptions viennent pratiquement de la même poignée d'excellents producteurs qu'il y a dix ans : ces vins se distinguent par une ampleur remarquable en bouche, quoique dans un style frais et incisif. Le frascati est à base de trebbiano et de malvasia et il est généralement sec, mais on en trouve également de type demi-sec, doux ou *spumante*.

1-2 ans

✓ *Colli di Catone* (surtout Colle Gaio – autres étiquettes : Villa Catone et Villa Porziana) • *Fontana Candida* (Vigneti Santa Teresa) • *Villa Simone*

GALESTRO

Toscane

Ce vin blanc sec très net, frais et délicatement fruité est produit par un *consortium* de producteurs du Chianti selon des normes établies. Il devrait prochainement être promu DOC.

GRECHETTO OU GRECO

Ombrie

Un vin blanc net et frais, sec ou doux, doté d'un agréable arôme floral : intéressant, mais rarement excellent, hormis le marrano de Bigi, élevé en fût de chêne. Le maremma (*voir* ci-dessous) est un vin rouge, blanc ou rosé, sec, bien fait, léger et fruité, qui provient des collines côtières de Maremma.

✓ *Bigi* (Marrano) • *Maremma* (Tuscany)

MARINO DOC

Latium

Un typique assemblage de trebbiano et de malvasia, léger et sans grand intérêt, qui peut être sec, demi-sec ou *spumante*. Le colle picchioni oro de Paola Di Mauro, un vin caramélisé et délicieusement étoffé, sort du lot grâce à une forte proportion de malvasia, à une macération pelliculaire avant fermentation et à un élevage en barrique.

1-4 ans

✓ *Colle Picchioni* (Oro)

MERLOT

Toscane

Le masseto est le seul grand merlot classique produit en Toscane. C'est l'un des plus coûteux vins rouges d'Italie, mais certains millésimes supportent la comparaison avec de pétrus, ce qui peut le transformer en bonne affaire ; tout est question de point de vue.

✓ *Villa Banfi* (Mandrielle) • *Tenuta dell'Ornellaia* (Masseto)

MONTECARLO DOC

Toscane

On commence à trouver d'intéressants vins blancs dans cette région à mi-chemin entre Carmignano et la côte. Le trebbiano, cépage neutre, y domine, mais l'assemblage peut comporter 30 à 40% d'autres variétés (roussane, sémillon, pinot gris, pinot blanc, sauvignon et vermentino). Les vignerons peuvent ainsi créer leur propre style, tantôt léger et délicat, tantôt ample et riche, avec ou sans élevage en barrique. Les vins rouges peuvent être issus de sangiovese, de canaiolo, de ciliegiolo, de colorino, de syrah, de malvasia, de cabernet franc, de cabernet sauvignon et de merlot. Il existe également un *vin santo* blanc et un *vin santo* rosé *occhio di pernice*.

4-10 ans

✓ *Fattoria del Buonamico* • *Carmignani* • *Fattoria Michi* • *Vigna del Greppo*

MONTECOMPATRI COLONNA OU MONTECOMPATRI OU COLONNA DOC

Latium

Ce vin blanc sec ou demi-sec à base de malvasia peut porter le nom de l'une ou l'autre des communes ci-dessus, voire des deux.

MONTEFALCO DOC

Ombrie

La différence de qualité est nette entre ces vins génériques rouges et blancs et la DOCG Sagrantino di Montefalco, au caractère plus affirmé et plus intéressant.

MONTEFALCO SAGRANTINO DOCG

Ombrie

Promus DOCG en 1992 et séparés de l'appellation générique, ces vins rouges particuliers, de type sec ou *passito*, sont exclusivement issus du cépage sagrantino, cultivé au sud-ouest de Pérouse, sur les coteaux les mieux orientés. La tradition du vin *passito* est ancienne puisqu'elle remonte au XVe siècle, mais le vin sec, à l'arôme de mûre fraîchement cueillie, est le meilleur et le plus régulier.

3-12 ans

✓ *Fratelli Adanti* • *Antonelli* • *Villa Antico* • *Arnaldo Caprai*

MONTEREGIO DI MASSA MARITTIMA DOC

Toscane

Vins rouge, blanc, rosé, *novello* et *vin santo* du nord de la province de Grosseto. L'appellation inclut en outre un vin blanc de vermentino et un *passito* rosé *occhio di pernice*.

MONTESCUDAIO DOC

Toscane

Un vin blanc à base de trebbiano, un rouge tendre et légèrement fruité à base de

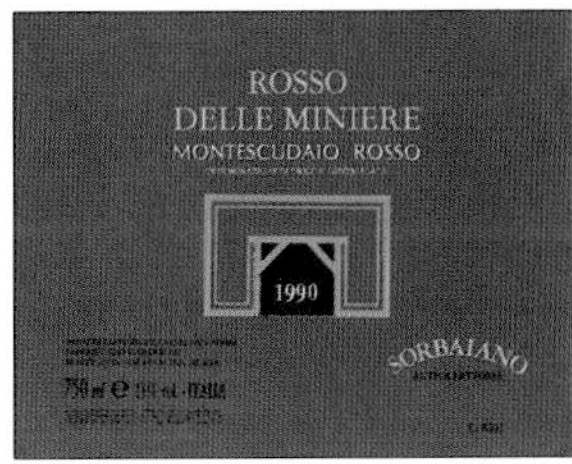

sangiovese, et un *vin santo* de la vallée de Cecina.

1-3 ans

✓ *Poggio Gagliardo* • *Sorbaiano*

MORELLINO DI SCANSANO DOC

Toscane

De bons vins de garde de type brunello, issus de pur sangiovese et dotés d'un fruité mûr et savoureux.

4-8 ans

✓ *Erik Banti* • *Motta* • *Fattoria Le Pupille*

MOSCADELLO DI MONTALCINO DOC

Toscane

Un muscat à l'ancienne, doux et aromatique, réputé bien avant le brunello. Existe aussi en vin muté et en vin doux *frizzante*.

Sans attendre

✓ *Villa Banfi* (Vendemmia tardiva) • *Col d'Orca* • *Tenuta Il Poggione*

MOSCATO

Toscane

Le muscat toscan n'a qu'une DOC – Moscadello di Montalcino – mais il existe quelques *vini da tavola* rosés délicatement moelleux, issus du moscato rosa. C'est un vin exquis dont la recherche vaut la peine.

Sans attendre

✓ *Castello di Farnatella* (Rosa Rosae)

ORVIETO DOC

Ombrie et Latium

Les vignobles produisant ce vin blanc sec ou demi-sec à base de trebbiano se situent surtout en Ombrie. Très populaire et largement exporté, l'orvieto est en général décevant, mais le vigneto torricella de Bigi reste remarquable et un nombre croissant de vins tentent de l'égaler. Les meilleurs vins demi-secs, ou *abboccato*, ont un peu de raisins botrytisés. L'orvieto *muffato*, totalement botrytisé, est très rare, mais son fabuleux mélange d'élégance, de concentration et de succulence juvénile mérite qu'on se donne du mal.

Sans attendre

✓ *Antinori* (Campogrande) • *Barberani* (Castagnolo) • *Bigi* (Torricella) • *Decugnano dei Barbi* • *Palazzone* (Terre Vineate)

PARRINA DOC

Toscane

Les vins blancs secs de cette DOC, la plus méridionale de Toscane, sont moins intéressants que les rouges, à base de sangiovese. Autrefois

tendres, légers et charmeurs, ceux-ci ont récemment acquis une robe plus sombre, de l'ampleur et un côté plus étoffé, comme un chianti boisé, avec une note vanillée en finale et même, à l'occasion, un arrière-goût de menthe.

3-7 ans

✓ *Franca Spinola*

POMINO DOC

Toscane

Remonte à 1716. La famille des marquis de Frescobaldi a vendu du pomino en chianti monocru bien avant que ce nom ne ressuscite sous forme de DOC en 1983. Le blanc est un assemblage de pinot blanc, de chardonnay et de trebbiano ; le benefizio des Frescobaldi est un vin pur chardonnay. Le rouge est un assemblage de sangiovese, de canaiolo, de merlot, de cabernet franc et de cabernet sauvignon. Il existe aussi un *vin santo* demi-sec, en rouge et en blanc.

1-3 ans (blanc d'assemblage), 3-7 ans (rouge et Il Benefizio)

✓ *Frescobaldi* • *Fattoria Petrognano*

ROSATO DELLA LEGA

Toscane

Vin rosé sec, produit par les membres du *consortium* du Chianti Classico.

ROSSO DELLA LEGA

Toscane

Vin rouge ordinaire, à prix raisonnable, produit par les membres du *consortium* du Chianti Classico.

ROSSO DI MONTALCINO DOC

Toscane

Vins de Brunello di Montalcino de moindre qualité, déclassés ou provenant de jeunes vignes. La tendance récente a conduit à la production de vins plus sombres et plus concentrés, mais les meilleurs rossos di montalcino restent en général plus accessibles dans leur jeune âge que les brunellos, que certains lecteurs peuvent leur préférer.

5-15 ans

Altesino • *Castelgiocondo* • *Conti Costanti* • *Lisini* • *Tenuta Il Poggione* • *Val di Suga*

ROSSO DI MONTEPULCIANO DOC

Toscane

Appellation réservée au vino nobile di montepulciano de moindre qualité. Comme pour le Rosso di Montalcino DOC, les vins sont plus souples et plus accessibles dans leur jeune âge.

5-15 ans

Avignonesi • *Bindella* • *Podere Boscarelli* • *Le Casalte* • *Contucci* • *Fattoria de Cerro* • *Poliziano* • *Tenuta Trerose*

SAGRANTINO

Ombrie

Encore un cépage italien sauvé *in extremis* de la disparition. Le sagrantino produit traditionnellement des vins rouges secs (récolte normale) ou doux. Selon certains, son nom vient du mot *sagra* (fête), ce qui ferait croire que son vin était à l'origine réservé aux jours de fête.

SANGIOVESE OU À DOMINANTE DE SANGIOVESE

Toscane et Ombrie

Il y a dix ans, personne ne croyait au succès de ce cépage vinifié seul, mais il a suffi de diminuer les rendements et de sélectionner les terroirs. Avec un élevage en barriques adéquat, sans exagération, et une mise en bouteilles en temps voulu, pour optimiser le fruité, le sangiovese peut donner un vin ample, généreux et complet, doté de nuances d'épices et de bois de cèdre d'une délectable complexité. Il est très répandu en Ombrie, mais les vins exceptionnels à base de sangiovese sont relativement rares.

Toscane *Altesino* (Palazzo Altesi) • *Avignonesi* (I Grifi) • *Badia a Coltibuono* (Sangioveto) • *Castello di Cacchiano* (RF, Rocca di Montegrossi) • *Villa Cafaggio* (San Martino, Solataia Basilica) • *Podere Capaccia* (Querciagrande) • *Felsina Berardenga* (Fontalloro) • *Fontodi* (Flaccianello della Pieve) • *Isole e Olena* (Cepparello) • *Monsanto* (Bianchi Vigneti di Scanni) • *Podere Il Palazzino* (Grosso Senese) • *Poliziano* (Elegia) • *Castello di Querceto* (La Corte) • *Ruffino* (Cabreo Il Borgo) • *Guicciardini Strozzi* (Sodole) • *Terrabianca* (Campaccio, Piano del Cipresso) • *Monte Vertine* (Le Pergole Torte) **Ombrie** *Lungarotti*

SANGIOVESE-CABERNET (ASSEMBLAGE DE)

Toscane

Au départ, le cabernet sauvignon a été assemblé avec le sangiovese pour en accentuer le fruité et le rendre plus accessible, tout en préservant la structure d'un grand vin classique.

Altesino (Alte d'Altesi) • *Antinori* (Tignanello) • *Caparzo* (Cà del Pazzo) • *Monsanto* (Tinscvil) • *Querciabella* (Camartina) • *Castello di Volpaia* (Balifico)

SANGIOVESE-AUTRES CÉPAGES ITALIENS

Toscane

Castellare di Castellina *(I Sodi di San Niccolo)* • Ricasoli-Firidolfi *(Geremia)* • Monte Vertine *(Il Sodaccio)*

SAUVIGNON

Toscane

Le sauvignon ne semble pas vraiment chez lui en Toscane, bien qu'on ait du mal à le croire devant la remarquable réussite du poggio alle gazze d'Ornellaia.

Tenuta dell'Ornellaia (Poggio alle gazze)

SYRAH

Toscane

Ce cépage classique du Rhône révèle un formidable potentiel, à des prix tout aussi imposants.

Fontodi (Case Via) • *Isole e Olena* (l'Eremo)

TORGIANO DOC

Ombrie

Cette DOC doit son existence à la réputation d'un seul producteur, Lungarotti (*voir aussi* Torgiano DOCG). Comme auparavant, l'appellation inclut des assemblages génériques en rouge et rosé (sangiovese, canaiolo, trebbiano, ciliegiolo et montepulciano), en blanc (trebbiano, grechetto, malvasia et verdello), ainsi qu'un mousseux (pinot nero et chardonnay) et cinq vins de cépage : chardonnay, pinot grigio, riesling italico, cabernet sauvignon et pinot nero.

3-8 ans (rouge), 1-5 ans (blanc et rosé)

Lungarotti

TORGIANO RISERVA DOCG

Ombrie

Meilleur vin rouge de Lungarotti, le *riserva* est l'exemple même de la manière dont toutes les appellations DOCG devraient fonctionner. Pour cette raison, il a bien mérité d'être distingué de la DOC.

4-20 ans

Lungarotti

VAL D'ARBIA DOC

Toscane

Vaste zone au sud de l'aire du Chianti Classico, qui produit un vin blanc sec et fruité, à base de trebbiano, bien soutenu par le malvasia et le chardonnay. Les raisins peuvent être séchés avant fermentation pour obtenir un *vin santo* sec, demi-sec ou doux.

VAL DI CORNIA DOC

Toscane

Vaste appellation de vignobles éparpillés dans les collines, à l'est de Piombino et au sud de Bolgheri. On ne rencontre guère ses vins – un blanc sec à base de trebbiano, un rouge et un rosé à base de sangiovese – qui peuvent porter les sous-appellations Campiglia Marittima, Piombino, San Vincenzo et Surveto.

VELLETRI DOC

Latium

Un blanc sec ou demi-sec sans grand intérêt, et un rouge vineux, provenant de l'aire des Castelli Romani.

VERNACCIA DI SAN GIMIGNANO DOCG

Toscane

Ce vin blanc sec a reçu la première DOC d'Italie; le passage à la DOCG était donc inévitable, même si la plupart des vins sont assez neutres. Les meilleurs ont toujours été délicieusement vifs et gorgés d'un fruité vibrant; cela les rend tout à fait dignes d'intérêt, mais pas jusqu'à d'un statut DOCG, si celui-ci est supposé distinguer l'un des plus grands vins du monde.

1-3 ans

Falchini • *Panizzi* • *Terruzzi & Puthod*

VIGNANELLO DOC

Latium

Une nouvelle DOC – encore non testée – qui offre des vins génériques rouge, blanc et rosé issus d'assemblage, plus un blanc sec de grechetto, tranquille ou effervescent.

VIN SANTO

Toscane et Ombrie

Vin rouge ou blanc *passito*, qui peut être doux, demi-sec, voire sec.

VINO NOBILE DI MONTEPULCIANO DOCG

Toscane

Ces vins proviennent de Montepulciano et sont largement faits à base de prugnolo gentile, un clone de sangiovese, complété par des apports de canaiolo et d'autres cépages locaux, notamment blancs. Ils étaient pour la plupart surestimés et excessivement chers. Un certain nombre le sont toujours, mais les vins d'un nombre croissant de producteurs méritent aujourd'hui leur statut de DOCG. Les meilleurs ressemblent à un grand chianti *classico riserva*, avec un caractère plus exubérant et de généreuses notes de cerise et de prune bien mûres.

6-25 ans

Avignonesi • *Bindella* • *Podere Boscarelli* • *Le Casalte* • *Contucci* • *Fattoria de Cerro* • *Poliziano* • *Tenuta Trerose*

ZAGAROLO DOC

Latium

Petite production de vin blanc sec ou demi-sec, à base de trebbiano et de malvasia, cultivés à l'est de Frascati, dans une région où les vins étaient plus célèbres il y a un demi-millénaire qu'aujourd'hui.

NOUVEAUX VINS IGT

Les vins d'Indicazioni Geografiche Tipiche suivants ont été agréés ces dernières années, mais il faudra voir comment ils évolueront sur le plan du style, de la qualité et de la régularité :

Latium *Castelli Romani* • *Circeo* • *Civitella d'Agliano* • *Colli Cimini* • *Colli della Sabina* • *Colli Etruschi Viterbesi* • *Frusinate ou del Frusinate* • *Lazio* • *Nettuno*

Toscane *Alta Valle della Greve* • *Colli della Toscana centrale* • *Maremma Toscana* • *Orcia* • *Toscano ou Toscana* • *Val di Magra*

Ombrie *Allerona* • *Assisi* • *Bettona* • *Cannara* • *Lago di Corbara* • *Narni* • *Spello* • *Umbria*

CENTRE-EST DE L'ITALIE

Cette zone englobe quatre régions : Émilie-Romagne, les Marches, les Abruzzes et Molise. Les meilleurs vins proviennent des Marches et des Abruzzes, mais le lambrusco d'Émilie-Romagne, largement exporté, est le plus connu.

Cette partie du pays, qui couvre presque toute la largeur de l'Italie septentrionale jusqu'au Piémont, constitue bien une entité géographique car elle est tout entière située à l'est des Apennins, sur des terres vallonnées qui font progressivement place à des plaines alluviales en allant vers l'Adriatique.

ÉMILIE-ROMAGNE (EMILIA-ROMAGNA)

L'Émilie-Romagne est protégée sur son flanc ouest par les Apennins d'où jaillissent sept cours d'eau principaux et de nombreuses petites rivières. Du fait de la richesse du sol, le raisin pousse en abondance. Les trois cépages les plus productifs sont le lambrusco, le trebbiano et l'albana. Ce dernier donne un vin blanc rustique, dont on s'explique mal pourquoi il a été le premier vin blanc d'Italie classé DOCG. On trouve cependant en Émilie-Romagne quelques *vini da tavola* de très grande qualité, comme le vigna del dosso de la Fattoria Paradiso, un vin rouge issu du barbarossa, et surtout un remarquable assemblage cabernet-merlot de la Fattoria Zerbina, baptisé marzeno di marzeno.

LES ABRUZZES (ABRUZZO)

En dépit de la diversité des sols et des microclimats offerte par leurs nombreuses collines, les Abruzzes ne produisent qu'un seul grand vin, le montepulciano d'abruzzo. Les vignerons d'ici sont conservateurs et seulement l'un d'entre eux, Santoro Corella, s'emploie à expérimenter de nouveaux cépages.

FACTEURS AFFECTANT LE GOÛT ET LA QUALITÉ

SITUATION
Cette région s'étend le long de la côte Adriatique, du Molise, au sud, jusqu'à l'Émilie-Romagne, au nord.

CLIMAT
L'influence de la Méditerranée donne généralement des étés chauds et secs – de plus en plus chauds à mesure que l'on descend vers le sud – et des hivers frais. Dans les régions vallonnées, les variations d'altitude et de site créent de nombreux microclimats.

SITE
Les meilleurs vignobles se trouvent toujours sur des sols bien drainés au pied des montagnes, mais la vigne occupe les terres les plus variées. Sa présence est très importante en plaine, en particulier dans la vallée du Pô, en Émilie-Romagne, où le raisin pousse en abondance.

SOL
Sols alluviaux, avec affleurements de granit et de calcaire.

VITICULTURE ET VINIFICATION
Les techniques sont extrêmement variées. La région donne de gros volumes de vin en vrac, mais certains producteurs restent fidèles aux meilleures traditions tout en les associant aux méthodes modernes.

CÉPAGES
Aglianico, albana (*syn.* biancame, bianchello, greco di ancona ou passerina), ancellotta, barbarossa, barbera, beverdino, bombino bianco (*syn.* pagadebit ou pagadebito), cabernet franc, cabernet sauvignon, chardonnay, ciliegiolo, croatina (*syn.* bonarda), fortana (*syn.* fruttana ou uva d'oro), incrocio Bruni 54 (verdicchio x sauvignon), lacrima (*syn.* gallioppa ou galloppo), lambrusco, maceratino, malvasia, merlot, mondeuse (*syn.* cagnina, refosco ou terrano), montepulciano, montuni (*syn.* montù ou bianchino), muscat (*syn.* moscato), ortrugo (*syn.* altra uva), pecorino, perricone (*syn.* pignoletto), pinot blanc (*syn.* pinot bianco), pinot gris (*syn.* pinot grigio), pinot noir (*syn.* pinot nero), sangiovese, sauvignon (*syn.* spergola), toscano, ugni blanc (*syn.* campolese, trebbiano ou albanella), verdea, verdicchio, vernaccia nera, welschriesling (*syn.* riesling italico)

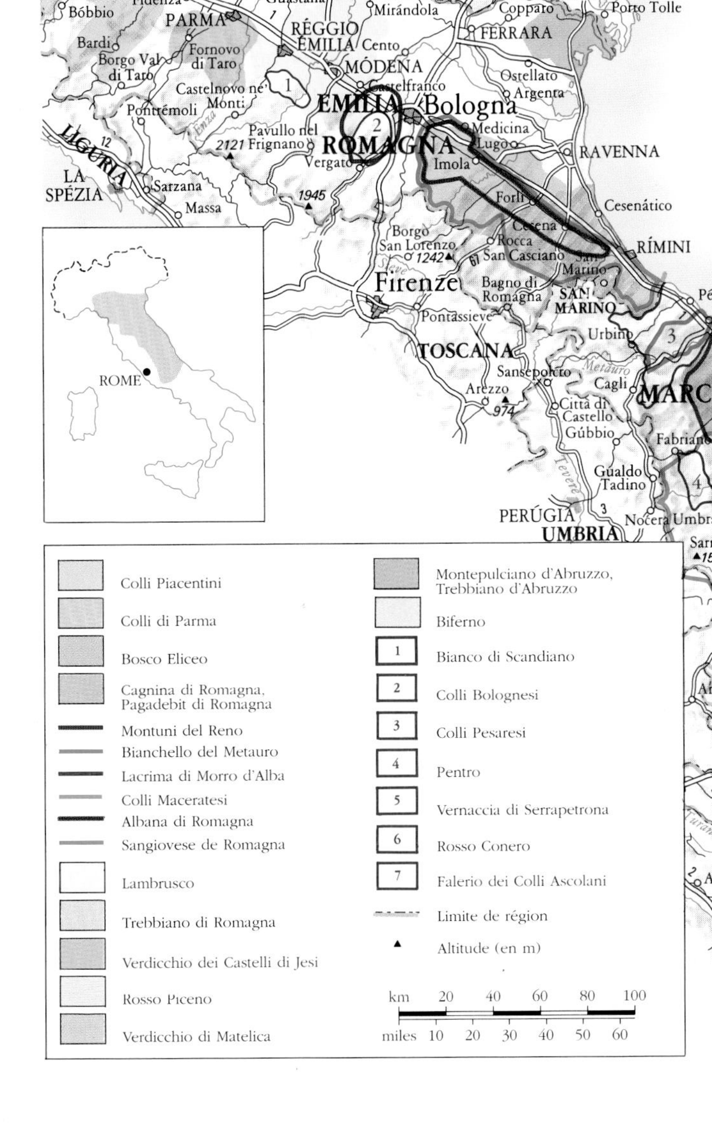

CENTRE-EST DE L'ITALIE
Voir aussi p. 307
Bornés à l'ouest par la chaîne des Apennins, les vignobles de la région s'étendent de la plaine qui longe l'Adriatique jusqu'aux contreforts montagneux.

LES MARCHES (MARCHE)

Le tourisme a contribué au succès des vins des Marches, bornés de la côte sur l'Adriatique où les vacanciers savourent le vin blanc sec du pays, le verdicchio. Les excellentes DOC de Rosso Cònero et Rosso Piceno offrent pourtant des vins plus intéressants ainsi que parfois l'appellation Sangiovese dei Colli Pesaresi. Il existe aussi de très bons *vini da tavola*, tel le rosso di corinaldo et le tristo di montesecco.

MOLISE

Dans cette région pauvre, gravement touchée par le chômage, le secteur viticole est mal équipé. Rattachée aux Abruzzes jusqu'en 1963, elle n'a obtenu sa première DOC qu'en 1983. Toutefois, selon l'expert en vins italiens Burton Anderson, le Molise pourrait un jour produire des vins de très grande classe.

PRODUCTION ANNUELLE MOYENNE

REGION	PRODUCTION DE VINS	PRODUCTION TOTALE
Émilie-Romagne	600 000 hl	11 millions hl
Molise	450 000 hl	550 000 hl
Les Marches	275 000 hl	2,5 millions hl
Les Abruzzes	250 000 hl	4,5 millions hl

Pourcentage de la production italienne totale : Émilie-Romagne 14% ; Les Abruzzes 6% ; les Marches 3% ; Molise 0,7%.

LES APPELLATIONS DU

CENTRE-EST DE L'ITALIE

ALBANA

Émilie-Romagne

Ce devrait être le plus grand cépage blanc d'Italie, puisque l'albana di romagna a été le premier vin blanc DOCG du pays. En réalité, ce cépage productif donne un vin plutôt rustique, presque ordinaire; la baisse des rendements l'améliore seulement jusqu'à un certain point.

ALBANA DI ROMAGNA DOCG

Émilie-Romagne

Vin blanc franc et fruité, sec ou parfois demi-sec, tranquille ou effervescent, que l'on peut aussi vinifier en vin doux, éventuellement à partir de raisins *passiti*. Voilà le portrait exact de l'appellation qui a eu l'honneur de recevoir, en 1987, la première DOCG accordée à un vin blanc. Cela fleure évidemment l'opération politique, ce qui n'aurait rien de bien surprenant au pays de la *combinazione*, mais c'est une erreur monumentale après la controverse qui a entouré l'attribution, tout aussi discutable, de la DOCG à l'ensemble du Chianti. C'est un peu comme si la France créait une super-AOC d'élite pour l'attribuer en premier lieu au muscadet. Le bon côté de l'affaire, c'est que les producteurs d'albana di romagna ont été tellement critiqués qu'ils ont dû travailler dur pour améliorer leur vin – celui-ci est d'ailleurs aujourd'hui au-dessus de la moyenne pour un vin blanc italien DOC.

Sur place uniquement

Fattoria Paradiso

ANCELLOTTA

Émilie-Romagne

Utilisé pour renforcer la couleur du lambrusco.

BARBAROSSA

Émilie-Romagne

Cépage propre à l'Émilie-Romagne; il produit l'un des meilleurs vins rouges de la région.

Fattoria Paradiso (Vigna del Dosso)

BERTINORO DOC

Émilie-Romagne

Voir **Pagadebit di Romagna DOC**

BIANCHELLO DEL METAURO DOC

Les Marches

Vin blanc sec et délicat, issu de bianchello (avec apport éventuel de malvasia) cultivé dans la basse vallée du Metauro.

BIANCO DI SCANDIANO DOC

Émilie-Romagne

Vin blanc corsé, sec et demi-sec, qui peut également être *spumante* ou *frizzante*.

BIFERNO DOC

Molise

Vin rouge souple aux tannins discrets, et rosé fruité, issus de montepulciano, de trebbiano et d'aglianico; vin blanc sec à l'arôme léger, à base de trebbiano, de bombino et de malvasia.

BOSCO ELICEO DOC

Émilie-Romagne

Vaste zone côtière au nord-est de l'Émilie-Romagne, à l'écart des autres vignobles de la région. Elle produit un vin de cépage rouge, rustique et fruité, à partir du fortana, alias uva d'oro, une variété mystérieuse qui semble inconnue ailleurs. Le bosco eliceo fortan peut être sec ou doux, et il est doté d'une finale tannique légèrement amère; *frizzante*, il rappelle un peu le lambrusco. On trouve aussi un blanc générique d'assemblage (trebbiano, sauvignon et malvasia – parfois *frizzante*) ; et deux autres vins de cépage, un merlot (parfois *frizzantino*) et un sauvignon (parfois *frizzantino*, lui aussi).

CAGNINA DI ROMAGNA DOC

Émilie-Romagne

Vin rouge tannique, mais doux et fruité, équilibré par une acidité élevée.

COLLI BOLOGNESI DOC

Émilie-Romagne

Aussi appelée Colli Bolognesi dei Castelli medioevali ou Colli Bolognesi di Monte San Pietro, cette DOC offre un vin blanc générique à base d'albana et de trebbiano; trois vins de cépage rouges : barbera, cabernet-sauvignon et merlot; cinq blancs : riesling italico, sauvignon (le meilleur, parfois *rizzantino*), pinot bianco, pignoletto et chardonnay (les trois derniers vins peuvent être tranquilles, *frizzante* ou *spumante*).

1-3 ans

Terre Rosse

COLLI MACERATESI DOC

Les Marches

Très vaste appellation qui produit un vin blanc d'assemblage; autrefois dominé par le trebbiano, il doit aujourd'hui contenir au moins 80% de maceratino, complétés si possible par de verdicchio, de malvasia et de chardonnay.

COLLI DI PARMA DOC

Émilie-Romagne

Vin rouge robuste et légèrement *frizzantino*, et deux vins de cépage blanc (malvasia, sauvignon), secs ou doux, tranquilles, *frizzante* ou *spumante*.

COLLI PESARESI DOC

Les Marches

Auparavant vouée au sangiovese, l'appellation propose aujourd'hui quatre vins différents. Le rouge à base de sangiovese, dense et savoureux, prédomine, les meilleurs témoignant d'une classe et d'une finesse évidentes. Le focara, autre rouge des Colli Pesaresi, peut contenir jusqu'à 15% de pinot noir, mais le sangiovese domine. Il existe aussi un vin blanc générique à base de trebbiano, et un vin très analogue, appelé roncaglia.

3-8 ans

Costantini (La Torraccia) • *Tattà* • *Umani Ronchi* • *Vallone* • *Villa Pigna*

COLLI PIACENTINI DOC

Émilie-Romagne

Quatorze vins sont recensés dans cette vaste appellation des collines de Plaisance, où le beau-père de Jules César produisait un vin qu'il servait dans un grand cratère (le *gutturnium*), d'où le nom attribué au cru le plus connu de la DOC, le gutturnio, un rouge à base de barbera et de bonarda, le plus souvent sec et tranquille, parfois demi-sec, *frizzantino* ou *frizzante*. Il existe aussi deux blancs d'assemblage : un vin aromatique, le monterosso val d'arda (malvasia, muscat, trebbiano et ortrugo, plus apport éventuel de beverdino et de sauvignon), de type sec, doux, tranquille, *frizzantino* ou *frizzante*, et un autre vin un peu moins expressif, le val nur, tiré des mêmes quatre cépages de base, sec ou doux, tranquille, *frizzante* ou *spumante*. Divers vins de cépage blanc (chardonnay, trebbiano val trebba, malvasia, ortrugo, pinot grigio et sauvignon) existent en version *frizzantino, frizzante* ou *spumante*. Les chardonnays, pinots grigio et sauvignons doivent être secs, mais les autres peuvent aussi être doux. Il existe en outre trois vins de cépage rouges (barbera, cabernet sauvignon et pinot nero) de type sec ou doux, tranquille, *frizzantino, frizzante* ou *spumante*.

FALERIO DEI COLLI ASCOLANI DOC

Les Marches

Vin blanc sec à l'arôme léger, à base de trebbiano, de passerina, de verdicchio, de malvasia, de pinot blanc et de pecorino.

1-3 ans

Cocci Grifoni (Vigneti San Basso)

FOCARA DOC

Les Marches

***Voir* Colli Pesaresi DOC**

GUTTURNIO OU GUTTURNIO DEI COLLI PIACENTINI DOC

Émilie-Romagne

***Voir* Colli Piacentini DOC**

LACRIMA DI MORRO D'ALBA DOC

Les Marches

Aucun rapport avec le lacryma christi, ni avec la ville d'Alba, dans le Piémont. Vin rouge tendre, moyennement corsé, issu de lacrima, mystérieux cépage cultivé à Morro d'Alba et aux alentours, dans la province d'Ancône. Cette DOC, aux apparences de monocru, couvre en réalité la plus vaste aire d'appellation Les Marches. Les cépages montepulciano et verdicchio sont aussi autorisés.

LACRYMA (OU LACRIMA) CHRISTI DOC

Campanie

***Voir* Vesuvio DOC (Sud de l'Italie et îles)**

LAMBRUSCO

Émilie-Romagne

La plupart des lambruscos, et la quasi-totalité de ceux qui sont exportés, sont des vins hors DOC, puisqu'ils sont généralement vendus dans des bouteilles munies d'un bouchon à vis – interdit par la réglementation des DOC; qu'ils soient ou non DOC, ils ont peu d'intérêt. Le vin est rouge cerise, pratiquement sec, mousseux et peu alcoolisé (le vin DOC l'est davantage), avec une saveur de cerise mûre. Les vins d'exportation sont le plus souvent doux. Le lambrusco existe en blanc et en rosé, et son effervescence va du simple *frizzantino* au quasi *spumante*. Parmi les nombreuses provenances, Grasparossa, Salamino et Sorbara offrent les vins les plus agréables. D'autres ont nom *Foglia frastagliata*, Maestri, Marani, Monterrico et Viadanese.

LAMBRUSCO DI SORBARA DOC

Émilie-Romagne

Vin rouge ou rosé le plus souvent sec, mais parfois demi-sec, peu corsé et *frizzantino*, plus corsé et plus savoureux que beaucoup.

LAMBRUSCO GRASPAROSSA DI CASTELVETRO DOC

Émilie-Romagne

Vin rouge ou rosé, sec ou demi-sec, vineux et *frizzantino*, généralement supérieur aux lambruscos hors DOC, mais n'égalant pas tout à fait le lambrusco de sorbara.

LAMBRUSCO REGGIANO DOC

Émilie-Romagne

Vin rouge ou rosé, sec ou demi-sec, *frizzante*; le plus léger des lambruscos DOC.

LAMBRUSCO SALAMINO DI SANTA CROCE DOC

Émilie-Romagne

Vin rouge ou rosé, sec ou demi-sec, vineux et pétillant. C'est le plus aromatique des lambruscos et il peut rivaliser avec celui de Sorbara.

MONTEPULCIANO D'ABRUZZO DOC

Les Abruzzes

Seul grand vin des Abruzzes, il en existe de deux types. Issus de montepulciano avec au maximum 15% de sangiovese, tous deux ont une robe très dense, mais l'un est doté d'un fruité tendre et charnu, l'autre est plus tannique et plus ferme. Il y a encore le *cerasuolo*, un vin rose cerise, frais et fruité, mais il est rarement aussi intéressant.

4-8 ans ou 8-20 ans (rouge), 1-3 ans

Illuminati • *Emidio Pepe* • *Tenuta del Priore* • *CS di Tollo* (Collo Secco) • *Valentini*

MONTEROSSO VAL D'ARDA DOC

Émilie-Romagne

***Voir* Colli Piacentini DOC**

MONTUNI DEL RENO DOC

Émilie-Romagne

Vin blanc léger, sec ou doux, tranquille ou mousseux, doté d'une finale légèrement amère.

PAGADEBIT DI ROMAGNA DOC

Émilie-Romagne

Vin blanc sec ou demi-sec, tranquille ou *frizzante*, issu du bombino bianco, dont le nom local est « pagadebit ». Cette DOC englobe un vin monocru lié à la commune de Bertinoro, qui présente les mêmes caractéristiques, tout en possédant un meilleur potentiel.

PENTRO OU PENTRO DI ISERNIA DOC

Molise

Vin rouge souple, légèrement tannique; rosé fruité à base de montepulciano et de sangiovese; vin blanc sec et frais, issu de trebbiano et de bombino.

PIGNOLETTO

Émilie-Romagne

Probablement un lointain cousin du riesling.

RONCAGLIA DOC

Les Marches

***Voir* Colli Pesaresi DOC**

ROSSO CÒNERO DOC

Les Marches

De beaux vins rouges de montepulciano, qui gagnent à être élevés en barriques. Robe dense, bouche étoffée.

6-15 ans

Garofoli (Agontano) • *Umani Ronchi* (San Lorenzo) • *Marchetti* • *Mecvini*

ROSSO PICENO DOC

Les Marches

Il est désormais admis d'ajouter un peu de trebbiano et de passerina à cet excellent vin de sangiovese et de montepulciano. Les meilleurs sont rouge rubis, fermes et dotés d'un fruité souple. Élevage en barriques fréquent.

4-10 ans

Cocci Grifoni • *Villamagna* • *Villa Pigna*

SANGIOVESE-CABERNET

Émilie-Romagne

Cet assemblage est relativement rare dans la région.

Fattoria Zerbina (Marzeno di Marzeno)

SANGIOVESE DI ROMAGNA DOC

Émilie-Romagne

Un robuste vin rouge, rarement passionnant, sauf quand il provient d'un vignoble exceptionnel.

3-7 ans

Fattoria Paradiso (Vigneti delle Lepri)

TREBBIANO D'ABRUZZO DOC

Les Abruzzes

Vin blanc généralement sec, neutre et plutôt médiocre, mais certains offrent des arômes délicats et une texture veloutée.

1-3 ans

Emidio Pepe • *Tenuta del Priore* • *Valentini*

TREBBIANO DI ROMAGNA DOC

Émilie-Romagne

Vin blanc sec et neutre, qui existe en version *spumante* (sec, demi-sec ou doux).

VAL NUR OU VAL NUR DEI COLLI PIACENTINI DOC

Émilie-Romagne

***Voir* Colli Piacentini DOC**

VERDICCHIO DEI CASTELLI DI JESI DOC

Les Marches

Vin blanc sec, populaire, à boire frais, le plus souvent maigre et inintéressant. Existe aussi en version *spumante, frizzante* et *frizzantino*.

1-4 ans

Brunori • *Bucci* • *Fazi Battaglia* (Le Moie) • *Garofoli* • *Monte Schiavo* • *Umani Ronchi* • *Zaccagnini*

VERDICCHIO DI MATELICA DOC

Les Marches

Issu d'une zone vallonnée au centre de l'aire du Verdicchio, ce vin est un peu plus gras que le castelli di jesi, mais tout aussi inintéressant dans la plupart des cas.

1-4 ans

Fratelli Bisci • *La Monacesa*

VERNACCIA DI SERRAPETRONA DOC

Les Marches

Vin rouge *spumante* demi-sec ou doux, à base de vernaccia, avec apport de sangiovese, de montepulciano ou de ciliegiolo.

NOUVEAUX VINS IGT

Les vins d'Indicazioni Geografiche Tipiche suivants ont été agréés ces dernières années, mais il faudra voir comment ils évolueront sur le plan du style, de la qualité et de la régularité :

les Abruzzes *Alto Tirino* • *Colli Aprutini* • *Colli del Sangro* • *Colline Frentane* • *Colline Pescaresi* • *Colline Teatine* • *Del Vastese ou Histonium* • *Terre di Chieti* • *Valle Peligna*

Émilie-Romagne Bianco del Sillaro • *Bianco di Castelfranco Emilia* • *Colli Imolesi* • *Emilia ou dell'Emilia* • *Forlì* • *Fortana del Taro* • *Modena ou Provincia di Modena* • *Ravenna* • *Rubicone* • *Val Tidone*

les Marches *Marche*

Molise *Molise* • *Osco ou Terre degli Osci* • *Rotae*

LE SUD DE L'ITALIE ET LES ÎLES

Avec ses terres vallonnées, son sol volcanique et son climat chaud, l'Italie méridionale est une région viticole ancienne et féconde. Le problème de la surproduction demeure, mais un ensemble de vins bien faits ont commencé, il y a plus de dix ans, à démentir l'image d'un Sud à vocation pinardière. Depuis lors, une série de vinificateurs volants ont produit, à partir de cépages locaux, des vins de remarquable expression.

Comme fichés dans les eaux bleues de la Méditerranée, les vignobles du Sud de l'Italie reçoivent très peu de précipitations et rôtissent sous un soleil impitoyable. Ce climat donne des vins colorés, forts en goût et en alcool – des vins lourds qui ne correspondent plus au goût moderne. Pratiquement invendables, ils continuent pourtant d'être produits en abondance. Un changement subtil est cependant en cours. Avec des vins plus fins, plus nets et plus expressifs – encore peu nombreux, mais en progression constante – l'Italie méridionale réussira peut-être à prendre pied sur un marché mondial toujours plus averti. Cette évolution bénéficie du soutien d'investissements étrangers et de vinificateurs volants, mais la consolidation des réussites isolées se heurte à un obstacle majeur : la pauvreté qui pèse depuis si longtemps sur cette partie du pays.

POUILLES (PUGLIA)

Grâce à leurs plaines extrêmement fertiles, les Pouilles sont l'une des plus importantes régions viticoles d'Italie, mais jusqu'aux années 1970, leurs vins semblaient surtout voués à servir au coupage ou à l'élaboration du vermouth. Soucieuse de rompre avec cette piètre réputation, une bonne partie des producteurs a amorcé une transformation radicale. Les vins très ordinaires sont encore légion, mais la situation s'est beaucoup améliorée. La mise en place de systèmes d'irrigation, l'introduction de cépages moins productifs et de meilleure qualité, dont nombre de cépages classiques français, et le déclin – plus contestable – de la conduite des vignes dite en *alberello* (gobelet) au profit du système moderne de palissage sur fil de fer, ont permis à la fois l'élaboration de vins nouveaux plus appréciés et l'amélioration de certains vins traditionnels. Les deux cépages principaux sont désormais le primitivo, aujourd'hui identifié au zinfandel de Californie, qui est la variété la plus précoce cultivée en Italie, et l'uva di troia, dont le nom fait référence à l'antique ville de Troie, en

ITALIE DU SUD, *voir aussi* p. 307
Le Sud de l'Italie produit d'énormes volumes de vin. Les Pouilles offrent quelques vins distingués, mais la qualité est très inégale en dehors des vins d'aglianico provenant de Basilicate et de Calabre.

LA CÔTE D'AMALFI
Vignes et agrumes cultivés en terrasses sur les falaises.

Asie mineure, d'où le raisin serait originaire. Celui-ci fut introduit dans la région par les premiers colons grecs venus s'installer près de Tarente.

CAMPANIE (CAMPANIA)

Le vin le plus célèbre de la *Campania felix*, comme l'appelaient les Romains, est le lacryma christi (larme du Christ), mais le meilleur est le taurasi DOCG issu d'aglianico, un cépage méconnu. Falerno del Massico est une DOC en plein essor, basée sur l'aglianico. Le reste ne présente guère d'intérêt, en dehors des vins de quelques producteurs isolés, comme Mastroberardino et Antica Masseria Venditti.

BASILICATE (BASILICATA)

La Basilicate est une région pittoresque et sauvage dominée par le mont Vulture, un volcan éteint. L'industrie représente moins de 1% du produit de la région et la configuration montagneuse empêche la mécanisation de l'agriculture. Deux habitants sur trois sont sans emploi. Dénuée de ressources financières, la Basilicate n'a pas les moyens de moderniser son industrie vinicole. En dehors de quelques exceptions magistrales : l'aglianico del vulture (unique DOC de Basilicate), un vin somptueux et bien particulier; le canneto de Fratelli d'Angelo, un merveilleux aglianico hors DOC; les délicieux muscats et malvoisies de Fratelli D'Angelo et Paternoster. La scène viticole est donc aussi dépouillée que le paysage, alors qu'elle pourrait se révéler un terrain fertile pour des vinificateurs volants.

PRODUCTION ANNUELLE MOYENNE

RÉGION	PRODUCTION DE VINS	PRODUCTION TOTALE
Sicile	270 000 hl	10 millions hl
Sardaigne	260 000 hl	2,5 millions hl
Pouilles	198 000 hl	11 millions hl
Calabre	33 000 hl	1,2 million hl
Campanie	12 500 hl	2,5 millions hl
Basilicate	6 300 hl	0,42 million hl

Pourcentage de la production italienne totale : Pouilles 14% ; Sicile 13% ; Campanie 3,3% ; Sardaigne 3,3% ; Calabre 1,6% ; Basilicate 0,6%.

LES ÎLES, *voir aussi* p. 307
La Sicile et la Sardaigne sont d'habitude englobées dans l'Italie du Sud, parce qu'elles se trouvent à la même latitude. Il a fallu les séparer sur les cartes de la présente édition en raison de la prolifération de nouvelles appellations, parmi lesquelles un très contesté statut DOCG attribué au vermentino di gallura, en Sardaigne.

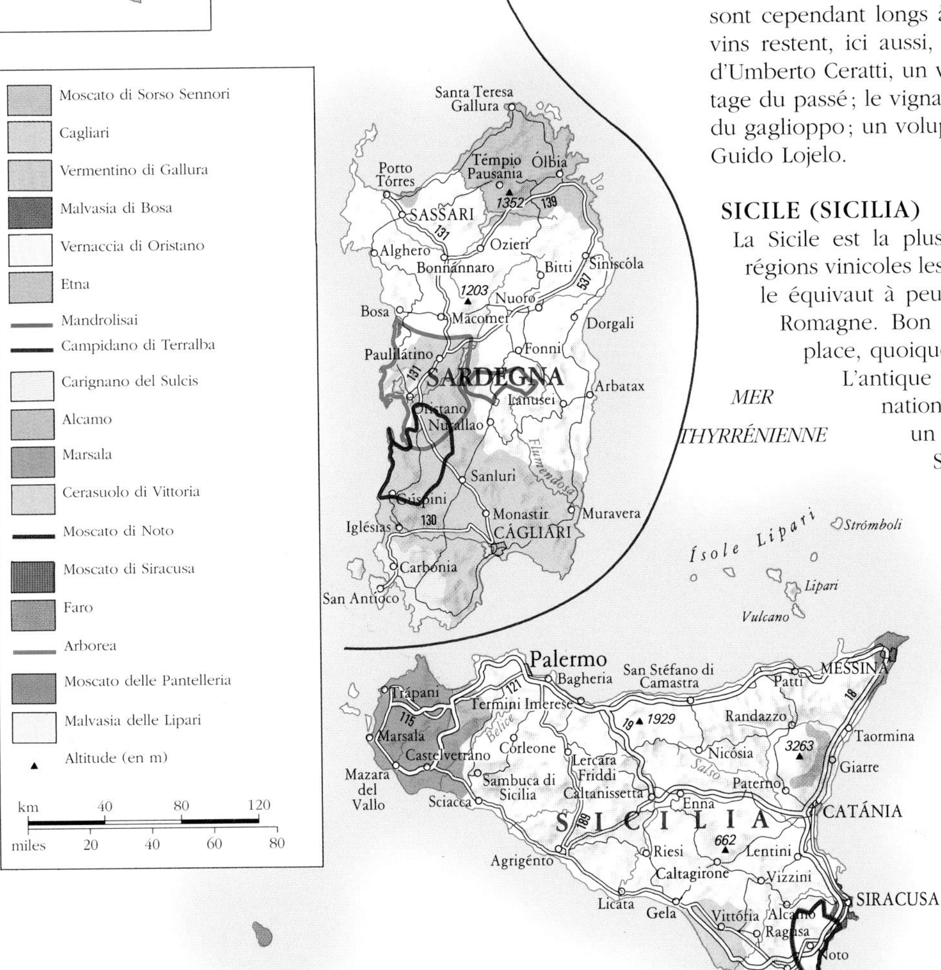

CALABRE (CALABRIA)

Le déclin en volume de la production calabraise, depuis les années 1960, s'est traduit par une amélioration de la qualité. Les terres les moins propices à la viticulture ont été abandonnées et les treize DOC actuelles, situées en terrain montagneux ou vallonné, pourraient finir par donner des vins de qualité. Les progrès techniques sont cependant longs à s'implanter et, pour le moment, les bons vins restent, ici aussi, l'exception : le succulent greco di bianco d'Umberto Ceratti, un vin de dessert de classe internationale, héritage du passé; le vigna vecchia d'Odoardi, un vin rouge fruité issu du gaglioppo; un voluptueux *vino da tavola* de muscat, œuvre de Guido Lojelo.

SICILE (SICILIA)

La Sicile est la plus grande île de Méditerranée et l'une des régions vinicoles les plus productives d'Italie : la récolte annuelle équivaut à peu près à celle de la Vénétie ou de l'Émilie-Romagne. Bon nombre de ces vins sont consommés sur place, quoique la marque Corvo soit largement exportée. L'antique port de Marsah-el-Allah, bâti sous la domination arabe, a donné son nom au marsala, qui fut un temps le vin classique le plus apprécié de Sicile. Dans l'ancienne Rome, on faisait bouillir le vin pour le rendre plus doux, mais c'est l'Anglais John Woodhouse, de Liverpool, qui eut l'idée, en 1773, de muter le vin de Marsala pour lui faire supporter la traversée jusqu'en Angleterre. Le succès vint rapidement et l'amiral Nelson en fit même la boisson des équipages de sa flotte de Méditerranée. Vers 1850, le marsala avait évolué vers un style à mi-chemin entre madère et xérès. Ce vin muté traditionnel ne correspond plus vraiment au goût moderne. Les producteurs s'efforcent pourtant de réagir; ils ont notamment renoncé aux versions aromatisées au profit de la catégorie *vergine*, d'un style plus léger. Tout aussi classique, mais plus rare, est le succulent muscat doux de l'île de Pantelleria, plus proche, à vrai dire, de la Tunisie que de la Sicile.

LES MONTS POLLINO, EN CALABRE
Au printemps, un tapis de fleurs recouvre les pentes qui dominent Frascineto, aux pieds des monts Pollino, petite chaîne montagneuse donnant son nom au vin fruité que l'on tire des cépages gaglioppo, greco nero, malvasia et guarnaccia.

SARDAIGNE (SARDEGNA)

Deuxième île de Méditerranée par la superficie, la Sardaigne élabore pratiquement tous les styles de vins, mais c'est dans les blancs que s'est manifesté le plus radicalement, depuis la fin des années 1970, la modernisation de son industrie viticole. Si l'île ne produit pas de grands vins au sens classique du terme, ils sont généralement bien vinifiés et agréables à boire. Un petit nombre de producteurs de qualité fait des vins intéressants dans les appellations Carignano del Sulcis DOC et Cagliari DOC, et l'on trouve d'exceptionnels *vini da tavola* de malvoisie chez Gian Vittorio Naitana. Le vermentino di gallura était un vin DOC plaisant, mais sa promotion controversée au statut de DOCG constitue le cas d'abus le plus flagrant depuis celui de l'albana di romagna. Le potentiel viticole de la Gallura est bien le plus favorable de l'île, mais pour le vin rouge, non le blanc. Ses sols vallonnés restreignent le rendement des cépages noirs, si l'on veut qu'ils parviennent à maturité, et pourraient donner des vins rouges de garde intensément aromatiques, à partir de cépages locaux intéressants comme le cannonau, variante sarde du grenache.

FACTEURS AFFECTANT LE GOÛT ET LA QUALITÉ

SITUATION
Cette partie du pays regroupe quatre régions du continent – Pouilles, Campanie, Basilicate et Calabre – ainsi que les îles de Sicile et de Sardaigne.

CLIMAT
C'est de loin la zone la plus sèche et la plus chaude d'Italie, encore que le climat des régions côtières et des îles soit tempéré par les vents marins.

SITE
Collines et montagnes dominent, mais la vigne est également cultivée sur les terres plates et les pentes douces des Pouilles. Les meilleurs sites se trouvent toujours sur les versants exposés au nord, où les vignobles reçoivent moins de soleil et bénéficient des effets de l'altitude, donc d'un cycle végétatif plus long.

SOL
Sol essentiellement granitique et volcanique, avec des affleurements isolés d'argile et de calcaire.

VITICULTURE ET VINIFICATION
Avec le Midi de la France, c'est la principale source de vins ordinaires en Europe. Les producteurs qui cultivent à plus haute altitude des cépages de meilleure qualité obtiennent cependant des vins méritant plus de considération. Les vinificateurs volants ont joué un grand rôle en montrant ce qu'il était possible de faire.

CÉPAGES
Aglianico, albana (*syn.* greco, mais non grechetto), aleatico, alicante bouschet, asprinio (*syn.* asprino, olivese, ragusano ou uva asprina), barbera, bianco d'alessano, biancolella (*syn.* biancolelle, ianculillo, ianculella, petit blanche ou teneddu), bombino, bombino nero, cabernet franc, calabrese (*syn.* nero d'avola ou niura d'avola), carignan (*syn.* carignano ou uva di spagna), carricante, catarratto (*syn.* catarratti), chardonnay, cinsault (*syn.* ottavianello), coda di volpe (*syn.* caprettone, coda di pecora ou palagrello bianco), damaschino, falanghina, fiano, forastera, francavidda (*syn.* francavilla), gaglioppo (*syn.* arvino, gaioppo, lacrima nera, magliocco, mantonico nero ou montonico nero), garganega (*syn.* grecanico), girò, grechetto, greco nero, grenache (*syn.* cannonadu, cannonatu, cannonao, cannonau ou canonau), grillo, guarnaccia (*syn.* cannamelu ou uarnaccia), impigno, incrocio Manzoni 6013 (riesling x pinot blanc), inzolia (*syn.* ansolia, ansonica ou nzolia), malbec, malvasia, malvasia nera, mantonico, marsigliana, monastrell (*syn.* bovale ou muristrellu), monica (*syn.* monaca, munica, niedda, pacali, passale ou tintilla), montepulciano, muscat (*syn.* moscato), nasco (*syn.* nascu ou nusco), negroamaro, nerello (*syn.* frappato), nocera, notar domenico, nuragus (*syn.* abbondosa, axina de margiai, axina de poporus, meragus ou nuragus trebbiana), pampanuto (*syn.* pampanino), perricone (*syn.* pignatello), piedirosso (*syn.* palombina nera, pedepalumbo, per'e palumme, per'e palummo ou pied di colombo), pinot blanc (*syn.* pinot bianco), pinot gris (*syn.* pinot grigio), pinot noir (*syn.* pinot nero), sangiovese, sauvignon, sciascinoso (*syn.* olivella), susumaniello, torbato, ugni blanc (*syn.* trebbiano), uva di troia, verdeca, vermentino, vernaccia, zibibbo (*syn.* muscat d'alexandrie), zinfandel (*syn.* primitivo ou agarese).

LES APPELLATIONS DE

L'ITALIE DU SUD ET DES ÎLES

AGLIANICO

Basilicate

Ce cépage noir, que certains rapprochent du barbera, inspire le respect depuis l'Antiquité, époque à laquelle il donnait le célèbre falerne. Dans l'Italie actuelle, deux vins l'illustrent de manière remarquable : l'aglianico del vulture (Basilicate) et le taurasi (Campanie). Son meilleur producteur, Fratelli d'Angelo, est également à l'origine du plus bel aglianico hors DOC.

6-20 ans

Fratelli d'Angelo (Canneto)

AGLIANICO DEL TABURNO DOC

Campanie

Voir Taburno DOC

AGLIANICO DEL VULTURE DOC

BASILICATE

L'unique DOC de Basilicate englobe les pentes volcaniques du mont Vulture et les collines environnantes, qui sont les meilleurs sites pour la culture de l'aglianico. Cela donne un vin massif, mais équilibré, d'un beau rouge profond, au fruité généreux nuancé de cerise et de chocolat, aux tannins fermes. Un peu rustique dans sa jeunesse, il prend avec l'âge

une finesse soyeuse. On peut penser que c'est le plus grand aglianico et qu'il recevra sans aucun doute le statut de DOCG. La mention *vecchio* indique un élevage de trois ans minimum, cinq ans pour le *riserva*; dans les deux cas, le vin aura passé au moins deux ans dans le bois. L'aglianico del vulture existe aussi en demi-sec et en *spumante*.

6-20 ans

Fratelli d'Angelo • *Paternoster*

ALCAMO OU BIANCO ALCAMO DOC

Sicile

Vin blanc sec et légèrement fruité, à base de catarratto, avec apport éventuel de damaschino, de garganega et de trebbiano. Un sol trop riche et des rendements bien trop élevés donnent des vins privés de tout caractère.

ALEATICO DI PUGLIA DOC

Pouilles

Produit dans toute la région, mais en très petite quantité, ce vin est rarement exporté. Opulent et aromatique, il offre une saveur ample, chaude et souple, aux nuances exotiques. Parfois très doux et muté (*liquoroso* ou *liquoroso dolce naturel*), il peut aussi être demi-sec et non muté (*dolce naturel*). Le *riserva* doit être élevé au moins trois ans à compter de la vendange ou, pour un *liquoroso*, à compter du mutage.

Sans attendre

Francesco Candido

ALEZIO DOC

Pouilles

Une DOC créée en 1983 pour des vins rouges et rosés à base de negroamaro, avec apport éventuel de sangiovese, de montepulciano et de malvasia nera. Le rouge est alcoolisé, légèrement tannique et sans grand intérêt, mais le rosé peut être tendre, savoureux et délicatement fruité.

Sans attendre (rosé)

Michele Calò (Mjère)

ARBOREA DOC

Sardaigne

Trois vins de cépage : rouge et rosé de sangiovese, blanc de trebbiano sec ou demi-sec.

ASPRINIO

Basilicate

Ce cépage est toujours cultivé franc de pied et donne un vin blanc nerveux, voire terriblement acide, souvent *frizzante*.

ASPRINIO DI AVERSA DOC

Campanie

Vin blanc frais et vif de type *vinho verde*, issu d'asprinio cultivé en faisant grimper la vigne sur les arbres, selon une antique technique. Le plus souvent tranquille, *frizzantino* ou *frizzante*, parfois carrément mousseux.

BIANCOLELLA

Campanie

Cépage presque exclusivement cultivé sur l'île d'Ischia, où d'Ambra en tire un vin de cépage.

BRINDISI DOC

Pouilles

Vin rouge souple et vineux, et vin rosé sec, léger et fruité. Tous deux sont surtout à base de negroamaro, mais avec un apport de montepulciano, de malvasia nera, de sangiovese et de susumaniello autorisé.

3-6 ans (rouge)

Cosimo Taurino (Patriglione)

CABERNET (ASSEMBLAGE DE)

Calabre

Peu de vins à dominante de cabernet sortent du lot, mais le gravello et le montevetrano sont d'une qualité exceptionnelle.

Silvio Imparato (Montevetrano) • *Librandi* (Gravello)

CACC'E MMITTEE DI LUCERA DOC

Pouilles

Le nom de cet *uvaggio* (assemblage) rouge corsé, issu de sept cépages différents, conseille de « s'en jeter derrière la cravate » – *cacc'e* veut dire « bois » et *mmittee* « verse » – ce qui convient à ce vin rouge simple et facile à boire.

CAGLIARI DOC

Sardaigne

Quatre vins de cépage : malvasia (vin blanc souple et délicatement aromatique, sec, doux ou *liquoroso*) ; moscato (riche et savoureux vin blanc doux, qui peut être muté) ; nasco (vin blanc sec ou doux, délicat et aromatique, qui peut être *liquoroso*) ; nuragus (vin blanc produit en abondance, sec ou demi-sec, parfois *frizzante*).

1-2 ans

Meloni

CAMPIDANO DI TERRALBA OU TERRALBA DOC

Sardaigne

Vin rouge tendre, mais corsé, issu du monastrell (*syn.* local : bovale).

CAMPI FLEGEREI DOC

Campanie

Deux vins d'assemblage génériques, un rouge (piedirosso, aglianico et sciascinoso) et un blanc (falanghina, biancolella et coda di volpe) ; un vin de cépage rouge (piedirosso), sec ou *passito* variant de sec à doux; un vin de cépage blanc (falanghina), tranquille ou *spumante*.

CANNONAU DI SARDEGNA DOC

Sardaigne

DOC de qualité variable qui recèle quelques bons vins. Le cannonau, alias grenache, donne des vins rouges et rosés, de type sec, demi-sec, doux, ou *liquoroso*.

CAPRI DOC

Campanie

Vin blanc sec facile à boire, peu distribué en dehors de Capri. Le sol et le climat de l'île devraient donner un vin bien meilleur, mais les terrains viticoles sont rares et chers, ce qui incite les vignerons à tirer un rendement maximum des vignobles existants.

CARIGNANO DEL SULCIS DOC

Sardaigne

Vins rouge et rosé prometteurs, à base de carignan, avec un petit apport éventuel de monica, de pascale et d'alicante bouschet.

1-4 ans

CS di Santadi (Riserva Rocca Rubia, Terre Brune)

CASTEL DEL MONTE DOC

Pouilles

Cette DOC, la plus connue de la région, tire son nom du célèbre château octogonal bâti au XIIIe siècle par l'empereur Frédéric II de Hohenstaufen. À l'exception du *riserva* rouge il falcone (le faucon), de Rivera, les vins sont moins imposants que leur appellation ne le suggère. Outre les rouges et rosés génériques, à base d'uva di troia et d'aglianico, et le blanc sec ordinaire, issu de pampanuto et de chardonnay, la DOC inclut deux vins de cépage rouge (pinot nero et aglianico) ; quatre vins blancs de cépage (chardonnay, pinot bianco, bianco da pinot nero et sauvignon) et un rosé d'aglianico.

2-6 ans (rouge, mais 8-20 ans pour il falcone)

Rivera (surtout il falcone et terre al monte)

CASTEL SAN LORENZO DOC

Campanie

Cette DOC relativement nouvelle couvre plusieurs communes de la province de Salerne. Elle inclut des vins rouges et rosés génériques, à base de barbera et sangiovese; un blanc générique (trebbiano et malvasia), ainsi qu'un rouge de barbera et un muscat blanc doux, tranquille ou *spumante*.

CERASUOLO DI VITTORIA DOC

Sicile

Vin rouge cerise du sud-est de la Sicile, issu de nerello et de calabrese.

CERDÈSER

Sicile

Vins rouges, blancs et rosés produits à Cerda et dans les alentours, près de Palerme.

CILENTO DOC

Campanie

Les vignes peinent dans les sols caillouteux de Cilento, où l'on produit des vins rouges et rosés génériques à base d'aglianico, de piedirosso et de barbera, ainsi qu'un blanc de fiano, de trebbiano, de greco et de malvasia. Il existe aussi un vin de pur aglianico, mais il doit encore faire ses preuves.

CIRÒ DOC

Calabre

Puissants et alcoolisés, le rouge et le rosé à base de gaglioppo, et le blanc à base de greco s'en remettent beaucoup trop à l'antique prestige de leur appellation.

CONTESSA ENTELLINA DOC

Sicile

Cette nouvelle DOC couvre des vignobles de la commune du même nom, dans la province de Palerme. Elle produit un blanc délicat à base d'inzolia, de catarratto, de garganega, de chardonnay, de sauvignon et de müller-thurgau; et trois vins blancs de cépage : chardonnay, grecanico (alias garganega) et sauvignon.

COPERTINO DOC

Pouilles

Cette DOC doit son nom à la ville de Copertino, bien que les vignes puissent également appartenir à cinq autres communes. Les vins rouges, souples et étoffés, et les rosés finement aromatiques sont à base de negroamaro, avec apport éventuel de malvasia nera, de montepulciano et de sangiovese.

2-5 ans

CS di Copertino (riserva)

CORVO

Sicile

Cette marque désigne les vins rouges, blanc, *spumante* et mutés « Stravecchio di Sicilia » de la société Duca di Salaparuta. Toute la gamme se situe hors DOC, mais les vins de la Corvo sont sans doute les plus connus de Sicile. Le rouge ample, souple et fruité est le plus réussi et le plus régulier.

CREMOVO ZABAIONE VINO OU CREMOVO ZABAIONE VINO AROMATIZZATO DOC

Sicile

Voir Marsala DOC

DONNICI DOC

Calabre

Vins rouges et rosés (*chiaretto*) fruités de couleur cerise, issus de gaglioppo et de greco nero cultivés dans la province de Cosenza. À boire jeunes.

ELORO DOC

Sicile

Cette appellation est à cheval sur les provinces de Raguse et Syracuse; elle produit des vins rouges et rosés d'assemblage (calabrese, frappato et pignatello). Si le vin contient au moins 80% de calabrese, il a droit à l'appellation Pachino. Ces cépages sont également vinifiés séparément; le calabrese est alors vendu sous son nom local, nero d'avola.

ETNA DOC

Sicile

C'est avec ce vin qu'Ulysse enivre les Cyclopes, dans l'*Odyssée* d'Homère. Il en existe trois versions : un rouge ample, un rosé fruité, tous deux issus de nerello, et un blanc tendre, mais assez neutre, à base de carricante et de catarratto, avec apport éventuel de trebbiano.

FALERNO DEL MASSICO DOC

Campanie

Cette appellation rend hommage au falerne, le grand cru de la Rome antique, produit au nord-ouest de la Campanie et du Latium. Coloré, corsé et d'une vigueur un peu rustique, le vin rouge générique est à base d'aglianico et de piedirosso, avec apport éventuel de primitivo et de barbera. Le blanc générique, rond et fruité, est en fait un vin de cépage (falanghina). Le primitivo donne également un vin de cépage rouge.

3-7 ans (rouge), sans attendre (blanc et rosé)

Villa Matilde • *Michele Moio* (Primitivo)

FARO DOC

Sicile

Vin rouge rubis, moyennement corsé, mais savoureux, à base de nerello et de nocera cultivés autour de Messine. Calabrese, gaglioppo et sangiovese sont également autorisés.

2-5 ans

Bagni

FIANO DI AVELLINO DOC

Campanie

Le vignadora de Mastroberardino est le meilleur représentant de cette DOC de vin blanc très supérieure à la moyenne. Elle produit des vins issus du fiano cultivé dans les collines entourant Avellino.

1-3 ans

Mastroberardino

GIOIA DEL COLLE DOC

Pouilles

Cette vaste DOC de la province de Bari produit des vins rouges et rosés d'assemblage (primitivo, montepulciano, sangiovese, negroamaro et malvasia nera) ; un vin blanc d'assemblage (trebbiano et divers autres) ; et deux vins de cépage : un primitivo demi-sec et un aleatico doux (parfois muté).

GIRÒ DI CAGLIARI DOC

Sardaigne

Un vin rouge souple et alcoolisé, sec ou doux, ainsi qu'un vin muté sec ou doux.

GRAGNANO DOC

Campanie

Voir Penisola Sorrentina DOC

GRAVINA DOC

Pouilles

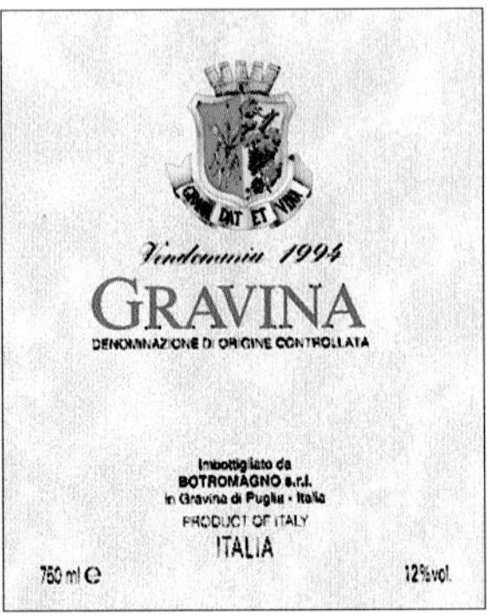

Vin blanc sec ou demi-sec, tranquille ou *spumante*, à base de malvasia, de greco et de bianco d'alessano, avec apport éventuel de bombino, de trebbiano et de verdeca.

GRECO DI BIANCO DOC

Calabre

Vin produit à l'extrémité de la Calabre, autour de Bianco, à partir du cépage grechetto, localement appelé greco bianco. C'est un *passito* plutôt simple, hormis celui d'Umberto Ceratti, qui est exceptionnel. Ceratti vendange de petits raisins déjà flétris et les plonge, semble-t-il, aussitôt dans l'eau bouillante – en une sorte de pasteurisation éclair qui supprime, ou limite, le recours au soufre. Son greco di bianco est un vin doux puissant, succulent et souple, très aromatique, doté d'un fruité exubérant et d'une finale soyeuse.

3-5 ans

Umberto Ceratti

GRECO DI TUFO DOC

Campanie

Vin blanc sec, délicat et fruité, parfois *spumante*, issu du véritable greco, cultivé au nord d'Avellino.

Sans attendre

Mastroberardino (Vignadangelo)

GUARDIA SANFRAMONDI OU GUARDIOLO DOC

Campanie

Située dans les collines de Bénévent, cette DOC produit un vin blanc générique (malvasia et falanghina, plus 30% maximum d'autres variétés), des vins rouges et rosés à dominante de sangiovese, un vin blanc de falanghina, parfois *spumante*, et un rouge d'aglianico.

ISCHIA DOC

Campanie

Vin rouge moyennement corsé et vineux (guarnaccia et piedirosso, plus 20% d'autres cépages) ; vin blanc sec légèrement aromatique, parfois *spumante*, à base de forastera et biancolella ; deux blancs de cépage (biancolella et forastera) ; un rouge de piedirosso, sec ou *passito*.

2-4 ans (rouge), sans attendre (blanc et rosé)

D'Ambra

LAMEZIA DOC

Calabre

Une DOC réservée auparavant à un vin rouge léger et délicatement fruité, mais assez banal, issu de nerello, de gaglioppo, de greco nero et de marsigliana. Elle inclut désormais un vin blanc sec de grechetto, de trebbiano et de malvasia, ainsi qu'un vin blanc de pur greco, nom local du grechetto. En outre, le rouge léger s'est dédoublé en un rouge et un rosé.

LETTERE DOC

Campanie

Voir Penisola Sorrentina DOC

LEVERANO DOC

Pouilles

Vin rouge vineux et alcoolisé, et rosé frais et fruité (à base de negroamaro, avec apport éventuel de sangiovese, montepulciano et malvasia nera) ; vin blanc sec et tendre (malvasia, complétée par bombino et trebbiano). L'élégant vigna del sareceno rouge de Conti Zecca sort du lot.

3-7 ans (rouge)

Conti Zecca (Vigna del Sareceno)

LIZZANO DOC

Pouilles

Vins rouges et rosés, tranquilles ou de type *frizzante*, à base de negroamaro, avec apport éventuel de montepulciano, de sangiovese, de bombino nero, de pinot noir et de malvasia nera. Le rosé peut aussi être *spumante*, à l'instar du vin blanc générique à base de trebbiano et chardonnay, avec apport éventuel de malvasia, de sauvignon et de bianco d'alessano. Ce blanc existe aussi en vin tranquille ou *frizzante*. Il y a encore deux vins de cépage rouge (negroamaro et malvasia nera) et un rosé de negroamaro, tous trois secs et tranquilles.

LOCOROTONDO DOC

Pouilles

Vin blanc sec et légèrement fruité, tranquille ou *spumante*, d'une qualité en hausse. Il est à base de verdeca et bianco d'alessano, avec apport éventuel de fiano, de malvasia et de bombino.

Sans attendre

CS di Locorotondo

MALVOISIE (MALVASIA)

Basilicate et Sardaigne

Ce cépage suit de près le muscat dans la catégorie des *vini da tavola*. Le vin est en général doux, parfois mousseux. En Sardaigne, la plupart sont mutés et classés DOC, mais le malvasia della planargia reste un *vino da tavola* – bien qu'il soit considéré par beaucoup comme le meilleur vin de l'île.

Basilicate *Fratelli d'Angelo* • *Paternoster*
Sardaigne *Gian Vittorio Naitana* (Vigna Giagonìa, Vigna Murapiscados)

MALVASIA DELLE LIPARI DOC

Sicile

Aromatique *passito* d'antique tradition, ressuscité par Carlo Hauner, un vigneron inspiré, aujourd'hui disparu.

MALVASIA DI BOSA DOC

Sardaigne

Ample vin blanc de type doux ou sec, et vin *liquoroso* doux ou sec ; généralement plus corsé que le malvasia di cagliari.

MALVASIA DI CAGLIARI DOC

Sardaigne

Ample vin blanc de type doux ou sec, et vin *liquoroso* doux ou sec. Plus léger, plus fin et plus élégant que le malvasia di bosa, et traditionnellement plus sec.

MALVASIA NERA

Pouilles

Le malvoisie à peau noire est très répandu dans la région de Salento et vient traditionnellement compléter le negroamaro local, mais on en tire parfois un vin de cépage, qui peut être DOC ou *vino da tavola*. Vinifiés seuls, il donne un vin rouge vif au fruité discret, sec, mais doté d'une finale veloutée.

MANDROLISAI DOC

Sardaigne

Vins rouges et rosés à la finale amère, issus de bovale (monastrell), de cannonau (grenache) et de monica.

MARSALA DOC

Sicile

Ce vin muté est l'œuvre de John Woodhouse, qui commença à l'exporter en 1773. Son nom vient de l'arabe *Marsah-el-Allah*, qui désignait autrefois le port de Marsala. Il est élaboré à partir de grillo (le cépage d'origine du marsala, toujours considéré comme le meilleur), de catarratto, de pignatello, de garganega, de calabrese, de damaschino, de nerello et d'inzolia. Le vin est muté par ajout d'alcool et peut parfois être adouci par un agent édulcorant issu de raisin de production locale. Le marsala peut être sec (*secco*), demi-sec (*semi-secco*) ou doux (*dolce*). Il se définit aussi par sa couleur – or (*oro*), ambré (*ambra*) ou rouge (*rubino*) – et son style – *fine, superiore, vergine* ou *solera*. Le marsala *fine*, catégorie inférieure, n'a qu'un an d'élevage (non obligatoirement dans le bois) et un degré alcoolique de 17% vol. minimum. Comme l'écrit David Gleave MW, spécialiste en vins italiens, le marsala *fine* est « généralement tout sauf fin, une parodie médiocre et bon marché. » Le marsala *superiore*

est élevé au moins deux ans sous bois (quatre pour le *riserva*), avec un degré alcoolique de 18% vol. minimum. Le marsala *vergine* est élevé au moins cinq ans sous bois (dix s'il est *riserva* ou *stravecchio*), obligatoirement *secco* (agent édulcorant interdit) et son degré alcoolique minimum est fixé à 18% vol. Le marsala *solera*, issu d'un système de vieillissement analogue à celui du xérès, obéit aux mêmes règles que le *vergine*. Certaines étiquettes portent encore des mentions historiques : IP (Italy Particular, marsala *fine*) ; LP (London Particular, marsala *superiore*) ; SOM (Superior Old Marsala, marsala *superiore*) ; GD (Garibaldi Dolce, marsala *superiore*). Le marsala aromatisé, un vin de cuisine qui a beaucoup nui à l'image du marsala, n'a plus droit à l'appellation, mais aux mentions *Cremovo zabaione vino* ou *Cremovo zabaione vino aromatizzato* (cette sorte de lait de poule contient 80% minimum de vin de marsala, des œufs et au moins 200 g/l de sucre résiduel), ou *Preparato con l'impiego di vino marsala* (autres produits contenant 60% minimum de vin de marsala). On trouve encore toutes sortes de breuvages à base de marsala, aromatisés à la banane, au chocolat, à l'orange, etc. Je dois avouer que, à l'exception de quelques rares vieilles bouteilles de *vergine* ou de *solera*, la plupart des marsala me laissent froid, tandis que les versions aromatisées me révoltent. Les meilleurs producteurs sont bien connus.

Sans attendre

Cantina de Bartoli • *Florio* • *Carlo Pellegrino*

MARTINA OU MARTINA FRANCA DOC

Pouilles

Vin blanc sec, tranquille ou *spumante*, très similaire à celui de Locorotondo.

MATINO DOC

Pouilles

Vin rouge robuste et vin rosé légèrement vineux issus de negroamaro, avec apport éventuel de malvasia nera.

MELISSA DOC

Calabre

Vin rouge corsé (gaglioppo, greco nero, grechetto, trebbiano et malvasia) et vin blanc sec et vif (grechetto, trebbiano et malvasia).

MENFI DOC

Sicile

Ces vins rouges et blancs d'une qualité acceptable, produits à la pointe ouest de la côte méridionale de l'île, ont récemment reçu le statut de DOC.

METAPONTUM

Basilicate

Vini da tavola ordinaires produits dans l'est de la Basilicate, autour de Metaponto, dans la plaine qui longe la mer Ionienne.

MONICA DI CAGLIARI DOC

Sardaigne

Voir Cagliari DOC

MONICA DI SARDEGNA DOC

Sardaigne

Voir Sardegna DOC

MOSCATO

Basilicate et Calabre

En Basilicate, les deux meilleurs producteurs de ces *vini da tavola* croient fermement au potentiel du muscat cultivé aux abords du mont Vulture, toujours doux, généralement *spumante.* Ce cépage est présent dans toute la Calabre, mais plus souvent vinifié en *passito* qu'en *spumante.*

✓ **Basilicate** *Fratelli d'Angelo* • *Paternoster*
Calabre *Guido Lojelo*

MOSCATO DI CAGLIARI DOC

Sardaigne
***Voir* Cagliari DOC**

MOSCATO DI NOTO DOC

Sicile

Vins de muscat, de type tranquille, *spumante* ou muté (demi-sec ou doux). Rares.

MOSCATO DI PANTELLERIA DOC

Sicile

Le meilleur muscat de Sicile vient de l'île de Pantelleria, plus proche de la Tunisie que de la Sicile. Il peut être tranquille, *spumante* ou muté (demi-sec ou doux).

✓ *De Bartoli* (Passito Bukkuram) • *Cantine Florio* (Morsi di Luce) • *Salvatore Murana*

MOSCATO DI SARDEGNA DOC

Sardaigne
***Voir* Sardegna DOC**

MOSCATO DI SIRACUSA DOC

Sicile

Vins doux et souple, issus de raisins semi-passerillés. Rares.

MOSCATO DI SORSO-SENNORI DOC

Sardaigne

Un muscat moelleux et généreux, et un *liquoroso* doux et aromatique, plus étoffés que le moscato de cagliari ou le moscato di sardegna.

MOSCATO DI TRANI DOC

Pouilles

Petite production d'un muscat onctueux et très souple, parfois muté. Vins de grande qualité et de caractère.

⊩ Sans attendre
✓ *Fratelli Nugnes*

NARDO DOC

Pouilles

Rouge robuste et alcoolisé, et rosé délicat, de couleur cerise, issus de negroamaro, avec apport éventuel de malvasia nera et de montepulciano.

NASCO DI CAGLIARI DOC

Sardaigne
***Voir* Cagliari DOC**

NEGROAMARO

Pouilles

Cépage très productif donnant un vin rouge sombre, doté d'une pointe d'amertume. Autrefois vendu en vrac comme vin de coupage, il commence à être réputé pour lui-même. Il fournit un délicieux rosé dans l'appellation Alezio DOC, mais, à moins d'une vinification très soignée, le rouge a tendance à être trop alcoolisé, grossier et amer. Le vigno spano de Calò, élevé en barrique, et le graticcia *passito* de Vallone, tous deux *vini da tavola*, sont des exceptions.

✓ *Michele Calò* (Vigna Spano) • *Vallone* (Graticcia)

NEGROAMARO-MALVASIA NERA

Pouilles

L'assemblage traditionnel des vins rouges de Salento.

✓ *Cosimo Taurino* (Notarpanaro)

NURAGUS DI CAGLIARI DOC

Sardaigne
***Voir* Cagliari DOC**

ORTA NOVA DOC

Pouilles

Vin rouge corsé et rosé sec, à base de sangiovese cultivé dans les communes d'Orta Nova et Ordona, dans la province de Foggia.

OSTUNI DOC

Pouilles

Vin blanc sec et délicat à base d'impigno et de francavidda ; vin rouge léger de cinsault, localement appelé ottavianello, avec apport éventuel de negroamaro, de notar domenico, de malvasia nera et de susumaniello.

OTTAVIANELLO DOC

Pouilles
***Voir* Ostuni DOC**

PELLARO

Calabre

Un puissant *chiaretto* à base d'alicante, cultivé à l'extrême pointe de la botte, au sud de Reggio di Calabria.

PENISOLA SORRENTINA DOC

Campanie

DOC relativement récente attribuée à d'anciens *vini da tavola* de la péninsule de Sorrente. Elle inclut un vin rouge générique (piedirosso, avec apport éventuel de sciascinoso, d'aglianico et autres cépages non aromatiques), parfois *frizzante*, et un vin blanc sec (falanghina, avec apport éventuel de biancolella, de greco et autres cépages non aromatiques). Si l'étiquette mentionne les sous-zones de Sorrento (blanc et rouge tranquille), Gragnano, ou Lettere (rouge *frizzante*), les vins doivent répondre à des critères plus stricts, notamment sur la maturité des raisins.

PIEDIROSSO

Campanie

Ce très ancien cépage décrit par Pline est généralement assemblé avec des variétés plus nobles, mais il est vinifié seul par D'Ambra sur l'île d'Ischia, où il est appelé per'e palummo.

POLLINO DOC

Calabre

Vin *chiaretto* charnu et fruité, à base de gaglioppo, de greco nero, de malvasia et de guarnaccia.

PRIMITIVO

Pouilles

Ce cépage est bien le zinfandel, mais il donne généralement un vin qui n'a rien de comparable au zinfandel d'Outre-Atlantique.

PRIMITIVO DI MANDURIA DOC

Pouilles

Vin rouge corsé, sec à demi-sec, parfois muté (sec ou doux). Je n'avais jamais dégusté un primitivo présentant la moindre qualité avant de découvrir le 1993 de Giordano.

⊩ 3-10 ans (Giordano à partir de 1993)
✓ *Giordano* • *Vinicola Savese*

ROSSO BARLETTA DOC

Pouilles

Vin rouge rubis ordinaire, moyennement corsé, à base d'uva di troia, avec apport éventuel de montepulciano, de sangiovese et d'un peu de malbec. La plupart des vins sont bus sur place et sans attendre.

ROSSO CANOSA DOC

Pouilles

Vin rouge vineux et légèrement tannique, à base d'uva di troia, avec apport éventuel de montepulciano et de sangiovese.

ROSSO DI CERIGNOLA DOC

Pouilles

Rare vin rouge plutôt rustique, à base de negroamaro et uva di troia, avec apport éventuel de sangiovese, de barbera, de montepulciano, de malbec et de trebbiano.

SALICE SALENTINO DOC

Pouilles

Rouge corsé et rosé souple et puissant, issus de negroamaro avec apport éventuel de malvasia nera. Depuis peu, la DOC inclut deux blancs de cépage sec (un chardonnay parfois *frizzante* et un pinot bianco parfois *spumante*), et un rouge doux d'aleatico, qui peut être muté. Le vin rouge à base de negroamaro reste néanmoins le meilleur.

⊩ 3-7 ans
✓ *Francesco Candido* • *Leone de Castris* • *Cosimo Taurino* • *Vallone*

SAN SEVERO DOC

Pouilles

Vins rouges et rosés secs et vineux, à base de montepulciano et de sangiovese ; vin blanc sec et frais de bombino et de trebbiano, avec apport éventuel de malvasia et de verdeca.

SANT'AGATA DEI GOTI DOC

Campanie

Cette DOC relativement récente produit des vons génériques à base de piedirosso et d'aglianico : un rouge, un rosé et un blanc sec (qui est donc Blanc de Noirs). Elle produit aussi deux vins de cépage rouge (aglianico et piedirosso) ; deux vins de cépage blanc (greco et falanghina qui peut être *passito*).

SANT'ANNA DI ISOLA CAPO RIZZUTO DOC

Calabre

Vins rouges et rosés vineux à base de gaglioppo, de greco nero et de guarnaccia, cultivés dans les collines surplombant la mer Ionienne.

SAN VITO DI LUZZI DOC

Calabre

Une nouvelle DOC qui inclut un rouge et un rosé génériques (gaglioppo et malvasia nera, avec apport éventuel de greco nero et sangiovese), ainsi qu'un blanc sec (malvasia, grechetto et trebbiano), produits dans la commune de Luzzi, dans la province de Cosenza.

SARDEGNA DOC

Sardaigne

Cette DOC s'étend à des vins pouvant provenir de l'ensemble de l'île, mais elle se limite en pratique à ceux des vignobles traditionnels. En ce qui concerne le muscat, l'altitude des vignes ne doit pas dépasser 450 m. Le moscato di sardegna est doux et étonnamment délicat, le plus souvent tranquille, bien qu'on en trouve du *spumante*. Les sous-appellations Tempio Pausania, Tempio et Gallura sont réservées à des vins mousseux de Gallura. Le monica di sardegna est un vin rouge aromatique sec ou doux, tranquille ou *frizzante*, mais jamais muté, au contraire du monica di cagliari. Le vermentino di sardegna est un blanc sec léger, tendre et net, mais banal, dont les arômes sont le plus souvent anéantis par les techniques de fermentation à froid.

SAVUTO DOC

Calabre

Vins rouges et rosés frais et fruités, à base de gaglioppo, de greco nero, de nerello, de sangiovese, de malvasia et de pecorino, cultivés dans la province de Catanzaro.

SCAVIGNA DOC

Calabre

Vins rouges et rosés (gaglioppo, nerello et aglianico), ainsi qu'un vin blanc sec et fruité (trebbiano, chardonnay, grechetto et malvasia), provenant des communes de Nocera Terinese et Falerna, dans la province de Catanzaro.

SOLOPACA DOC

Campanie

Vins rouges et rosés génériques, souples et tendres, à base de sangiovese et d'aglianico, avec apport éventuel de piedirosso, de sciascinoso et jusqu'à 30% de cépages divers; vin blanc générique (trebbiano, falanghina, malvasia et coda di volpe) ; un rouge d'aglianico et un blanc de falanghina (tranquille ou *spumante*). Le solopaca est produit depuis des siècles dans la vallée de Calore, entre les monts Sanniti et Tavurno.

1-4 ans

Antica Masseria Venditti

SORRENTO DOC

Campanie

Voir Penisola Sorrentina DOC

SQUINZANO DOC

Pouilles

Vin rouge corsé et rosé légèrement aromatique, à base de negroamaro, avec apport éventuel de sangiovese et de malvasia nera, cultivés à Squinzano et dans les communes environnantes.

2-4 ans (rouge), sans attendre (rosé)

Villa Valletta

TABURNO DOCG

Campanie

D'abord appelée Aglianico del Taburno DOC, cette appellation incluait un vin rouge et un rosé, mais elle est de celles qui ne cessent de croître. Elle comprend maintenant : un vin rouge générique (sangiovese et aglianico), un vin blanc (trebbiano et falanghina, plus 30% de cépages divers), un *spumante* (coda di volpe et falanghina, plus 40% de cépages divers) ; trois vins blancs de cépage (falanghina, greco et coda di volpe), et un rouge de piedirosso.

TAURASI DOCG

Campanie

Vin rouge à dominante d'aglianico (avec apport éventuel limité à 15% maximum de barbera, piedirosso et sangiovese), provenant de Taurasi et de seize communes voisines. Il a été promu DOCG en 1993. Avec l'aglianico del vulture de Basilicate, plus étoffé en bouche, c'est le plus grand vin issu de ce cépage longtemps méconnu. Tous deux présentent la même aptitude à la garde. Le *riserva* de Mastroberardino se distingue.

5-10 ans (certains peuvent attendre 20 ans)

Mastroberardino • Giovanni Struzziero

TERRALBA DOC

Sardaigne

Voir Campidano di Terralba DOC

VERMENTINO DI GALLURA DOCG

Sardaigne

Le meilleur vermentino de Sardaigne. Le terroir vallonné de la Gallura donne des vins dont la saveur intense résiste au matraquage des fermentations à basse température. Ce vin a été promu DOCG en 1997, mais il pourrait être bien meilleur, à un coût de production moindre, si la température de fermentation remontait légèrement.

1-2 ans

Tenuta di Capichera • CS di Gallura • CS del Vermentino

VERMENTINO DI SARDEGNA DOC

Sardaigne

Voir Sardegna DOC

VERNACCIA DI ORISTANO DOC

Sardaigne

Vin blanc sec et légèrement amer, de type xérès. Existe également en version *liquoroso* (doux ou sec).

Sans attendre

Contini

VESUVIO DOC

Campanie

Les vignes de cette appellation sont cultivées sur les pentes du Vésuve. Elles produisent un vin blanc sec (coda di volpe et verdeca, avec apport éventuel de falanghina et greco) et un rosé (piedirosso et sciascinoso, avec apport éventuel d'aglianico). Les vins portant la mention Lacryma (ou Lacrima) Christi del Vesuvio sont généralement des blancs secs, mais on peut en trouver de type *spumante* ou muté (doux).

NOUVEAUX VINS IGT

Les vins d'Indicazioni Geografiche Tipiche suivants ont été agréés ces dernières années, mais il faudra voir comment ils évolueront sur le plan du style, de la qualité et de la régularité :

Pouilles *Daunia • Murgia • Puglia • Salento • Tarantino • Valle d'Itria*

Basilicate *Basilicata*

Calabre *Arghilli • Bivongi • Calabria • Condoleo • Costa Viola • Esaro • Lipuda • Locride • Palizzi • Scilla • Val di Neto • Valdamato • Valle del Crati*

Campanie *Colli di Salerno • Dugenta • Epomeo • Galluccio • Irpinia • Paestum • Pompeiano • Roccamonfina • Sannio beneventano • Terre del Volturno*

Sardaigne *Barbagia • Colli del Limbvara • Isola dei Nuraghi • Marmilla • Nurra • Ogliastro • Parteolla • Planargia • Provincia di Nuoro • Romangia • Sibiola • Tharros • Trexenta • Valle del Tirso • Valli di Porto Pino*

Sicile *Camarro • Colli Ericini • Dellia Nivolelli • Fontanarossa di Cerda • Salemi • Salina • Sciacca • Sicilia • Valle Belice*

LA PLAINE DE MARSALA, EN SICILE

Dans les plaines chaudes et arides de l'ouest de la Sicile, le sol, peu fertile, donne le meilleur marsala. Plus à l'est dans l'aire d'appellation, la terre est plus fertile et les vins n'ont pas la même qualité.

LE CHOIX DE L'AUTEUR

Je pourrais facilement remplir cette liste en me limitant à de superbes barolos. Je pourrais même le faire en me limitant aux vins du seul Aldo Conterno. Pour inclure quelques-uns des plus beaux vini da tavola d'Italie et certaines DOC moins connues, mais passionnantes, j'ai dû me contenter d'effleurer les plus grandes appellations.

PRODUCTEUR	VIN	STYLE	DESCRIPTION	
Elio Altare	Barolo DOCG (*voir* p. 313)	ROUGE	Le barolo générique d'Altare surclasse régulièrement bien des barolos monocrus de très grands producteurs, avec son fruité crémeux et étoffé, et sa splendide finale grillée-boisée.	4 à 12 ans
Elio Altare	Vigna Aborina VdT (Piémont) (*voir* p. 316, Nebbiolo)	ROUGE	Ce pur nebbiolo d'un noir d'encre, massivement fruité et élevé en barrique, évolue vers une grande complexité.	4 à 12 ans
Altesino	Brunello di Montalcino DOC (*voir* p. 329)	ROUGE	Grand dans tous les sens du terme, de son intense fruité à sa ferme structure tannique, ce vin s'arrondit avec le temps en prenant une délectable et chaleureuse complexité, marquée d'une nuance de cèdre.	8 à 20 ans
Altesino	Palazzo Altesi VdT, Toscane (*voir* p. 332, Sangiovese)	ROUGE	Un sensationnel monocru de sangiovese, dont les notes grillées adoucissent le caractère variétal, fruité et épicé, ferme et étoffé.	6 à 15 ans
Avignonesi	Vino Nobile di Montepulciano DOCG (*voir* p. 332)	ROUGE	Le plus régulier et le plus élégant des vino nobile, ce vin possède un équilibre très sûr, masqué par l'ampleur de son fruité caractéristiques. Son intensité gustative lui confère une finale d'une remarquable longueur. Extrême finesse.	2 à 12 ans
Anselmi	I Capitelli, Recioto di Soave DOC (*voir* p. 324)	BLANC	Ce vin botrytisé d'une voluptueuse douceur offre une superbe robe dorée, un bouquet opulent marqué de miel, de fleurs, de noix et de mélasse, une bouche d'une fabuleuse richesse, moelleuse et complexe aux nuances de miel et d'épices, à l'élégante finale crémeuse et légèrement fumée.	3 à 10 ans
Anselmi	Capitel Foscarino, Soave Classico DOC (*voir* p. 324)	BLANC	Si ce vin témoigne de ce que fut le soave *classico*, on comprend que l'appellation ait eu une telle renommée. L'un des secrets de Roberto Anselmi réside dans le modeste rendement de ses vignes à forte densité de plantation, et il sacrifie des grappes entières pendant l'été pour diminuer encore la vendange potentielle.	2 à 4 ans
Anselmi	Capitel Croce, Soave Classico DOC (*voir* p. 324)	BLANC	Ce soave étoffé et mûr offre des nuances de fruits exotiques, sans rien perdre de sa vivacité. L'arôme vanillé du bois neuf est très présent. Je n'aimerais pas voir tous les soaves adopter ce style, mais une vinification aussi expressive et novatrice mérite d'être encouragée.	2 à 4 ans
Antinori	Solaia VdT, Toscane (*voir* p. 329, Cabernet-Sauvignon)	ROUGE	Avec 80% de cabernet sauvignon et 20% de sangiovese, le solaia est plus proche du style californien que le tignanello. C'est un vin franc et opulent, dont le fruité, merveilleusement doux, évoque parfois la confiture et un boisé aux notes fumées	7 à 20 ans
Antinori	Tignanello VdT, Toscane (*voir* p. 332, Sangiovese-cabernet assemblage de)	ROUGE	Classique assemblage de sangiovese et de cabernet, vin étoffé et élégant, doté d'un boisé opulent et fumé, bien toscan par son caractère.	8 à 20 ans
Braida (G. Bologna)	Bricco della Figotta, Barbera d'Asti DOC (*voir* p. 313)	ROUGE	Tout le fruité du barbera, concentré à l'extrême, soutenu par une structure tannique légère et souple et équilibré par la douceur onctueuse du bois neuf.	4 à 10 ans
Ca' del Bosco	Maurizio Zanella VdT, Lombardie, (*voir* p. 313, Cabernet-Merlot)	ROUGE	À ce jour, l'un des plus beaux assemblages de type bordelais produits en Italie. Un vin à la robe intense, ample et étoffé, très marqué par le bois neuf, mais d'une finesse évidente. Il tire son éclatant et délicieux fruité de l'ajout d'une petite proportion de vin issu de macération carbonique.	3 à 10 ans
Aldo Conterno	Barolo DOCG monocrus (*voir* p. 313)	ROUGE	Aldo Conterno est le plus grand producteur de barolo monocru. Son vigna cicala est le plus séduisant, gorgé d'un fruité somptueux et franc à l'attrait immédiat, mais apte à une longue garde. Le vigna del colonnello est un vin d'une concentration colossale, qui exige de longues années de patience et les récompense par une finesse extrême et une complexité à rendre fou, marquée de notes fumées. Le gran bussia est aussi charpenté que le vigna del colonnello et doté d'une complexité potentielle équivalente, mais sa finesse se révèle plus tôt. Tous sont produits en très petites quantités, à un prix extrêmement élevé.	8-25 ans (10-30 ans pour le vigna del colonnello)
Cascina Drago	Bricco del Drago, Vigna le Mace VdT, Piémont (*voir* p. 314, Dolcetto-Nebbiolo)	ROUGE	Le bricco del drago de base est un délicieux assemblage de dolcetto et nebbiolo élevé en barrique, mais son *riserva* est un vin plus étoffé, débordant de tous les fruits de l'été (surtout la cerise noire et bien juteuse), au boisé doux et mûr.	4 à 12 ans
Felsina Berardenga	Fontalloro VdT, Toscane (*voir* p. 332, Sangiovese)	ROUGE	Peu de vins 100% sangiovese présentent autant de gras et d'attrait immédiat que ce *vino da tavola* monocru, aux généreux arômes de confiture et de bon bois neuf.	4 à 10 ans

PRODUCTEUR	VIN	STYLE	DESCRIPTION	
Felsina Berardenga	Rancia Riserva, Chianti Classico DOCG (*voir* p. 330)	ROUGE	Ce domaine est réputé pour ses grands chiantis *classico* sombres et étoffés, mais les raisins les plus mûrs donnent ce vin monocru aux tannins bien serrés, le plus intense de la gamme. Après un élevage en bouteilles adéquat, le rancia révèle cependant un fruité très doux, mûr et dense. Incontestablement un vin de repas.	7 à 20 ans
Angelo Gaja	Sori San Lorenzo, Barbaresco DOCG (*voir* p. 312)	ROUGE	Angelo Gaja est sans aucun doute le plus grand producteur de Barbaresco et si certains s'imaginent que le barbaresco ne peut rivaliser avec le barolo en termes de puissance ou de qualité, ils devraient goûter le majestueux barbaresco sori tildin de Gaja. Aussi imposant, sinon aussi sculptural, le sori san lorenzo de Gaja lui est cependant supérieur en finesse. Son délicieux fruité, riche et crémeux, est soutenu par des tannins souples et la complexité d'un bois neuf aux notes fumées.	10 à 25 ans
Giordano	Primitivo di Manduria DOC (*voir* p. 342)	ROUGE	Le millésime 1993 de ce vin est le premier grand primitivo que j'aie jamais dégusté. Ce cépage correspond au zinfandel, mais il n'a jamais donné un vin d'une qualité et d'un caractère comparables aux meilleures expressions californiennes. Le primitivo di manduria de Giordano est cependant un grand vin étoffé et boisé, qui peut rivaliser avec les plus beaux zinfandels de la côte Ouest des États-Unis, bien que sa densité, son gabarit, sa classe et sa complexité le rapprochent davantage d'un barolo.	3 à 8 ans
Isole e Olena	L'Eremo VdT, Toscane (*voir* p. 332, Syrah)	ROUGE	Vers 1995, le marché italien offrait un certain nombre de vins de pure syrah. Celui d'Isole e Olena a été le premier du genre et aucun ne l'a encore égalé sur le plan de la qualité, de la finesse et de l'intensité du caractère variétal.	5 à 15 ans
Jermann	Vintage Tunina VdT, Frioul-Vénétie Julienne (*voir* p. 322)	BLANC	L'un des plus beaux blancs italiens de luxe non boisés, ce vin succulent et charnu mérite son prix relativement élevé. Issu de chardonnay, de pinot blanc, de sauvignon, de ribolla, de malvasia et de picolit de vendanges tardives, il présente des arômes et une saveur proches d'un grand pinot blanc d'Alsace, mais s'apparente aussi à un bourgogne blanc, tout en conservant un style typique du Nord-Est de l'Italie.	3 à 8 ans
Jermann	Where The Dreams Have No End VdT, Friuli-Venezia Giulia (*voir* p. 322, Chardonnay)	BLANC	Silvio Jermann a cédé, première et unique concession, à la demande de produire des vins élevés en barrique. Ce vin coûteux au nom mystérieux figure parmi les plus grands chardonnays de toute l'Italie.	3 à 8 ans
Maculan	Prato di Canzio, Breganze DOC (*voir* p. 322)	BLANC	Cet assemblage hédoniste de tocai friulano, de pinot blanc et de riesling est le meilleur vin blanc sec de cette appellation de Vénétie. Sa saveur généreuse et merveilleusement relevée naît d'un équilibre très ajusté entre le fruit (mûr) et l'acidité (vive), avec un brin d'épices et un soupçon de boisé moelleux.	2 à 5 ans
Maculan	Torcolato VdT, Vénétie (*voir* p. 322)	BLANC	Ce vin est plus étoffé et d'une douceur plus succulente que les autres *passiti*, et dépourvu du caractère oxydatif propre à cette catégorie, ce qui accroît son élégance. Il se rapproche en fait davantage d'un barsac que tout autre vin italien.	4 à 10 ans
Tenuta dell'Ornellaia	Masseto VdT Bolgheri, Toscane (*voir* p. 331, Merlot)	ROUGE	Des quantités infimes de ce merlot monocru sont vendues au triple du prix de l'ornellaia lui-même (ci-après). Un vin rouge sombre et opaque, corsé, aux arômes intenses de cassis, d'épices et de bois neuf.	5 à 20 ans
Tenuta dell'Ornellaia	Ornellaia VdT Bolgheri, Toscane (*voir* p. 329, Cabernet-Merlot)	ROUGE	Ce vin de Lodovico Antinori présente incontestablement un air de famille avec le solaia de son frère Piero, bien que l'ornellaia ait une personnalité encore plus affirmée et que son fruité opulent se révèle plus tôt. L'ornellaia est un assemblage cabernet-merlot, alors que le solaia est un cabernet-sangiovese ; tous deux illustrent le niveau suprême auquel peuvent aspirer les vins italiens.	5 à 20 ans
Pertimali	Brunello di Montalcino DOC (*voir* p. 329)	ROUGE	La quintessence du brunello di montalcino, un vin à la robe profonde, corsé, aux riches nuances de cassis, mûre et cerise noire. Très concentré, à multiples facettes, il est doté de tannins souples et d'un boisé moelleux aux notes rôties et grillées. Sa complexité et sa finesse potentielles sont extrêmes.	8 à 20 ans
Poggerino	Chianti Classico DOCG (*voir* p. 330)	ROUGE	Le jeune Piero Lanza est l'étoile montante du Chianti et produit les vins les plus intensément fruités de la région.	4 à 8 ans
Rivera	Il Falcone, Castel del Monte Riserva DOC (*voir* p. 339)	ROUGE	L'un des plus grands vins des Pouilles. Il a une robe intense, une saveur puissante et corsée, et développe avec le temps un superbe bouquet d'une grande élégance.	8 à 20 ans
Tenuta San Guido	Sassicaia, Bolgheri DOC (*voir* p. 329)	ROUGE	Grand pionnier des « super-toscans » et du cabernet sauvignon, le sassicaia a été promu DOC en 1994 et semble bien parti pour être le premier *vino da tavola* à passer DOCG. Au cours d'une lente évolution en bouteilles, ce cabernet sauvignon de classe mondiale perd son caractère variétal pour prendre une forte identité toscane.	8 à 25 ans

Les VINS *d'*

ESPAGNE *et du* PORTUGAL

L'Espagne continue de produire des vins réellement intéressants, en nombre et en qualité, au-delà de toute attente. Le tempranillo est le seul cépage indigène de grande classe et les seuls terroirs de dimension internationale se trouvent dans certains secteurs de la Rioja, du Penedès et de la Ribera del Duero. Et pourtant, on trouve de plus en plus de grands vins d'Espagne, et ceux de moindre niveau sont tout aussi dignes d'attention. La plupart des vignobles ne sont pas sans réelles possibilités – sans quoi d'ailleurs, la révolution à laquelle nous avons assisté n'aurait pas pu se faire. Il y a vingt ans à peine, à l'exception des vins de la Rioja, les vins espagnols étaient généralement soit oxydés soit trop soufrés. C'est la première fois qu'une grande nation viticole se reprend en main si vite et si complètement. Or le Portugal paraît sur le point de réitérer le phénomène espagnol, en amplifiant la renommée des grands vins de liqueur de Porto.

VIGNES EN AUTOMNE À LAROCO (BALDEORRAS)
Avant l'entrée en scène de Rías Baixas, Laroco était le site le plus prometteur pour les vins blancs de Galice.

ESPAGNE

Au début des années 1970, la mauvaise réputation des vins d'Espagne était propre à faire oublier les problèmes des vins italiens. Or, à la fin des années 1980, ce sont les vins espagnols, et non pas ceux d'Italie, que l'on prenait au sérieux.

Il faut attribuer ce redressement spectaculaire de la qualité des vins d'Espagne à la volonté de ce pays de se retirer du marché des vins en vrac, sinon totalement, du moins en évitant que ce produit bas de gamme domine ses exportations. C'est la quantité de ces vins qui dilue et dévalorise la réputation du pays producteur. Dans les années 1970, ils étaient si mauvais en Espagne qu'ils aggravaient encore l'image du pays qui voyait ses parts de marché menacées au moment précis où le goût pour le vin se développait aux États-Unis, en Grande-Bretagne et sur d'autres marchés porteurs. Bien entendu, l'industrie viticole ne s'est pas réunie tout entière autour d'une table

ESTAMPILLES DU CONSEJO REGULADOR

Chaque DO et DOC possède sa propre estampille qui figure, en général, sur l'étiquette et garantit l'authenticité du vin.

COMMENT LIRE LES ÉTIQUETTES DE VIN ESPAGNOL

APPELLATION
L'origine du vin fournit une première indication de sa qualité et son style. Dans le cas présent, il s'agit d'un rioja, suivi de la mention « Denominación de Origen Calificada », la meilleure appellation officielle. Jusqu'à présent le rioja est le seul vin à recevoir ce label DOC, la plupart recevant la simple mention « Denominación de Origen » (DO, appellation contrôlée), ou bien *vino de la tierra* (qualité Vins délimités de qualité supérieure DQS), ou encore *vino comarcal* (vin de pays).

ESTAMPILLE D'UN CONSEJO REGULADOR
Le *Consejo regulador* garantit l'origine du vin ; son estampille peut figurer sur l'étiquette ou sur la capsule (*voir* ci-dessus).

STYLE DE VIN
Il existe diverses mentions indiquant le style de vin : *blanco* (blanc), *cava* (vin mousseux DO obtenu par la méthode classique), *clarete* (clairet, mais ce terme est souvent remplacé par *tintillo*), *rosado seco* (rosé sec), *cosechero* (vin de l'année, généralement synonyme de *nuevo*), *espumoso* (vin mousseux élaboré selon n'importe quelle méthode), *generoso* (vin de liqueur ou vin doux), *nuevo* (style « nouveau », frais et fruité), *tintillo* (vin rouge clairet, synonyme de *clarete*), *tinto* (rouge), *viejo* (vieux, mais cette mention n'est pas réglementée), *vino de aguja* (vin pétillant), *vino de mesa* (vin de table), *vino de pasto* (vin ordinaire, bon marché, souvent léger).

NOM
Il peut s'agir du nom de la marque ou d'un vignoble en particulier, voire simplement de la bodega qui a produit le vin. il est accompagné parfois d'autres mentions : *anejado por* (« vieilli par »), *bodega* (littéralement « *cave à vins* », fait souvent partie du nom d'une firme, ici Bodegas Carrion), *criado por* (« assemblé et/ou élevé par »), *criado y embottellado por* (« assemblé et mis en bouteilles par »), *elaborado por* (comme *criado por* mais peut aussi signifier « fabriqué par »), *embottellado por* (« mis en bouteilles par »), *viña* ou *viñedo* (littéralement « vignoble », mais compose souvent le nom d'une marque qui ne se rapporte à aucun vignoble précis).

MILLÉSIME
Depuis l'adhésion de l'Espagne, en 1986, à la Communauté européenne (aujourd'hui Union européenne) chaque bouteille portant un millésime (*cosecha*) doit contenir au moins 85% de vin produit dans l'année indiquée.

DOUX
En Espagne, le caractère plus ou moins doux des vins blancs est souvent indiqué sur l'étiquette – les producteurs français feraient bien de s'inspirer de leurs voisins. Les termes utilisés sont : *brut* (en général pour les mousseux), *seco* (sec), *semi-seco* (demi-sec), *abocado* (demi-doux) et *dulce* (moelleux ou doux).

Autres indications de style ou de qualité pouvant figurer sur l'étiquette

SIN CRIANZA
Vins qui n'ont pas été élevés en fûts, soit tous les blancs, vinifiés à basse température et mis en bouteilles précocement, ainsi que la plupart des rosés.

VINO JOVEN
L'équivalent du *vin nouveau*, à boire dans l'année. Certains voudraient substituer cette indication à celle de *sin crianza*, or certains vins *sin crianza* non vieillis en fûts vieilliront bien en bouteilles.

CON CRIANZA OU CRIANZA
Vin qui a été élevé en fûts pendant au moins un an s'il est rouge, six mois s'il est blanc ou rosé.

RESERVA
Dans les bonnes années, les meilleurs vins d'une région sont vendus comme *Reservas*. Les vins rouges doivent être élevés pendant au moins trois ans et les vins blancs et rosés pendant deux ans. Les vins rouges auront passé au minimum un an en fûts de chêne et les blancs et rosés au moins six mois. Dans la Rioja, la meilleure région espagnole, seulement 7% des vins vendus sont des *Reservas*.

GRAN RESERVA
Catégorie réservée, en général, aux vins de garde des meilleurs millésimes. Les vins rouges séjournent pendant au moins deux ans en fûts de chêne et trois en bouteilles, ou inversement. L'élevage d'un *Gran Reserva* blanc ou rosé dure au minimum quatre ans, dont six mois au moins en fûts de chêne. Même dans la Rioja, les *Gran Reserva* représentent à peine 5% des vins vendus.

DOBLE PASTA
Cette mention s'applique aux vins rouges qui ont macéré avec une proportion de peaux de raisin deux fois supérieure à la normale (*voir* p. 36). Ces vins sont opaques, d'une couleur intense. Ils peuvent être vendus purs ou coupés avec des vins plus légers.

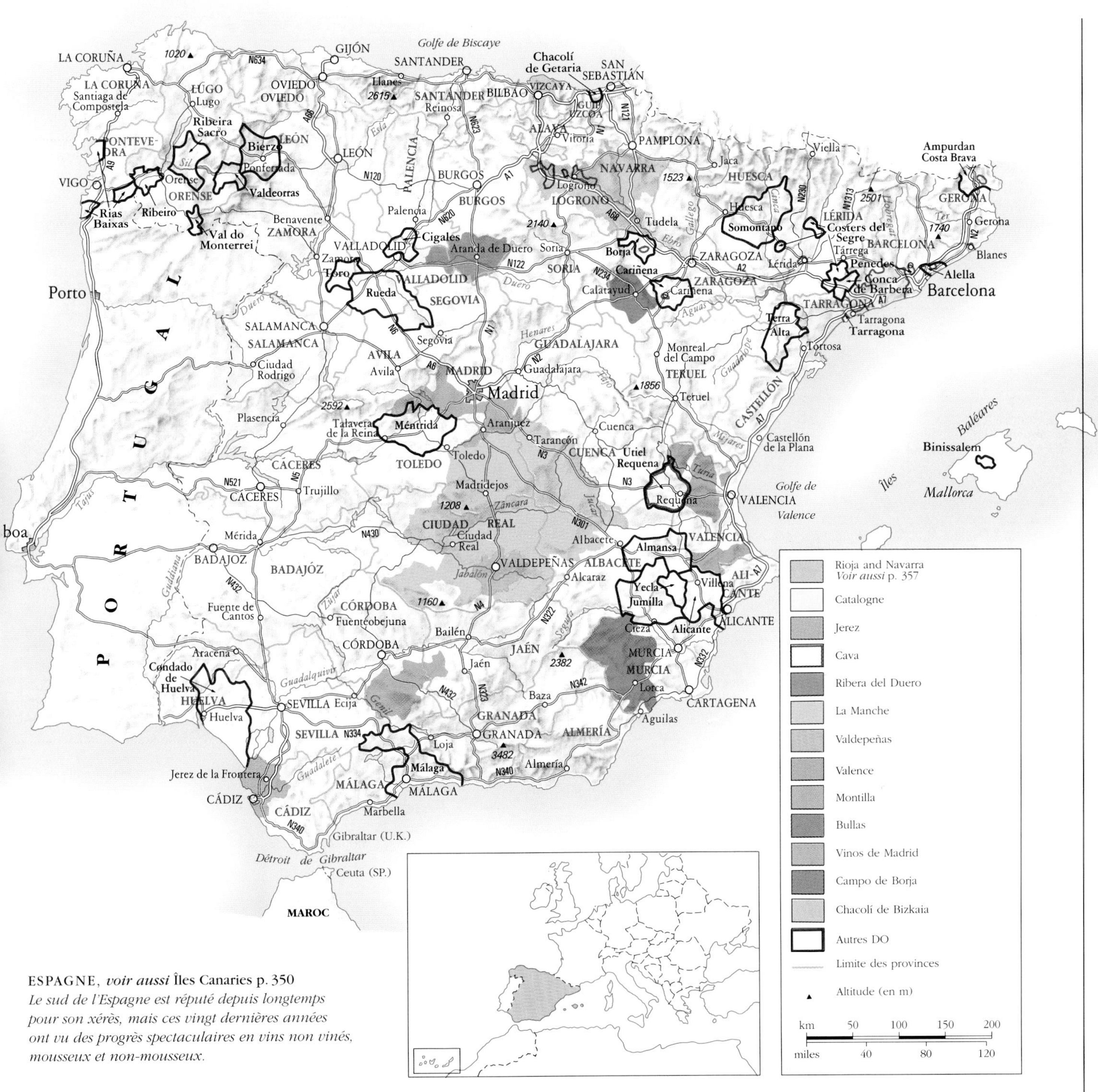

ESPAGNE, *voir aussi* Îles Canaries p. 350
Le sud de l'Espagne est réputé depuis longtemps pour son xérès, mais ces vingt dernières années ont vu des progrès spectaculaires en vins non vinés, mousseux et non-mousseux.

pour voter le changement. Néanmoins, il a dû y avoir une prise de conscience générale qui a permis un redressement aussi rapide. Malgré la relative pauvreté de l'Espagne en matière de cépages et de terroirs, sa réputation a dépassé celle de l'Italie, et elle figure aujourd'hui parmi les valeurs sûres de l'Europe.

DES ORIGINES LOINTAINES

Ce sont, pense-t-on, les Phéniciens qui plantèrent les premières vignes en Espagne, sur les coteaux autour de Cadix, vers 1100 avant J.-C. Ces lointains ancêtres du vin de Xérès semblent avoir été riches, doux et lourds. Par la suite, durant toute la période où les Maures étaient maîtres du sud du pays, du début du VIIIe à la fin du XVe siècle, la viticulture n'était pas à l'ordre du jour dans cette région musulmane. Les Maures n'étaient pas totalement sobres pour autant; en effet, le dernier roi maure de Séville, Al-Motamid, aimait tant le vin qu'il se moquait en public de quiconque buvait de l'eau. Les Maures appréciaient également le jus de raisin non fermenté, mais, devant l'interdiction officielle de l'alcool, la viticulture a stagné. En conséquence, si l'histoire viticole de l'Espagne remonte à trois mille ans, la diversité de ses vignobles et de ses styles ne date que depuis 1490 environ, trente ans à peine avant la plantation par les Espagnols des premières vignes en Amérique. Donc, du point de vue de la viticulture, le Nouveau Monde n'est pas si nouveau et l'Ancien guère si ancien que ces termes ne le laissent entendre.

LES MEILLEURS CRUS ESPAGNOLS ET LE SYSTÈME DES APPELLATIONS

Le vega sicilia, provenant de la Ribera del Duero, est le plus cher des vins espagnols. De là à y voir le plus grand est un pas que beaucoup n'hésitent pas à franchir. Si cela est certainement vrai des meilleurs millésimes, pour les autres, il y a plusieurs concurrents, notamment dans la région voisine de Pesquera et ailleurs – dans la

Rioja (contino, barón de ley, muga prado enea, murrieta castillo ygay gran reserva), et dans le Penedès (torres et jean léon) ; on pourrait citer aussi certains vins sans appellation tels le marqués de griñon. Tous ces vins peuvent rivaliser avec le vega sicilia, et à des prix bien plus raisonnables.

La Denominación de Origen (DO) est l'équivalent espagnol de l'AOC française. La seule catégorie supérieure est la « Denominación de Origen Calificada » (DOC), introduite en 1981 mais à laquelle seul a droit à ce jour le rioja, en attendant d'autres promotions probables – je songe aux ribera del duero, navarra, penedès et autres cava. Il est une chose sur laquelle les Italiens ont péché – et les Espagnols feraient bien d'en tirer les enseignements –, c'est de négliger les vins exceptionnels sans appellation. Ainsi, un des très grands vins d'Espagne, le cabernet sauvignon du Marqués de Griñon, au sud de Madrid, devrait passer directement en DOC, faute de quoi l'Espagne risque de tomber dans le même travers que l'Italie, où les meilleurs *vini da tavola* ont dû se forger une réputation au détriment du régime officiel.

LES MILLÉSIMES RÉCENTS EN ESPAGNE

1996 Seules les grandes régions de vins rouges sont concernées par cette rubrique. 1996 marquait la fin de cinq années de sécheresse et, paradoxalement, l'introduction de l'irrigation. La pluie a permis de retrouver de bons rendements, dans plusieurs régions, mais l'irrigation va le perpétuer, mettant définitivement l'Espagne sur un pied d'égalité avec le Nouveau Monde. La qualité de ce millésime est généralement bonne.

1995 Faibles rendements et qualité excellente à peu près partout. Année moins exceptionnelle cependant que 1994.

1994 Meilleur millésime dans la Rioja depuis celui de 1982. Des rouges merveilleux partout en Espagne, et surtout ceux de Ribera del Douro.

1993 Millésime tout juste passable sauf au Penedès où les rouges ont été assez bons.

1992 Millésime au-dessus de la moyenne pour l'ensemble de l'Espagne; avantage à la Rioja, qui a produit de bons vins rouges.

STYLE TRADITIONNEL, STYLE MODERNE

On parlait naguère de la nouvelle vague de vins espagnols en réaction à la tradition consistant à laisser vieillir en fûts de chêne au-delà de ce que les viticulteurs considèrent comme raisonnable. Ainsi la jeune génération a-t-elle produit des vins aussi frais, propres et déboisés que possible. Or, si le style ancien favorisait des rouges secs et des blancs oxydés, le nouveau style était si net et si austère qu'il ne valait guère mieux. Aujourd'hui, on a tendance à parler plutôt que de nouvelle vague, de style moderne, avec des vins beaucoup plus fruités et l'usage des fûts – plutôt français qu'américains – non pas banni, mais mesuré, et davantage à des fins de fermentation que de vieillissement.

LA VILLE AU SOMMET DE LAGUARDIA
Sur ce fond majestueux du sommet de la Sierra de Cantabria, la ville de Laguardia possède quelques vignobles parmi les meilleurs de la Rioja Alava.

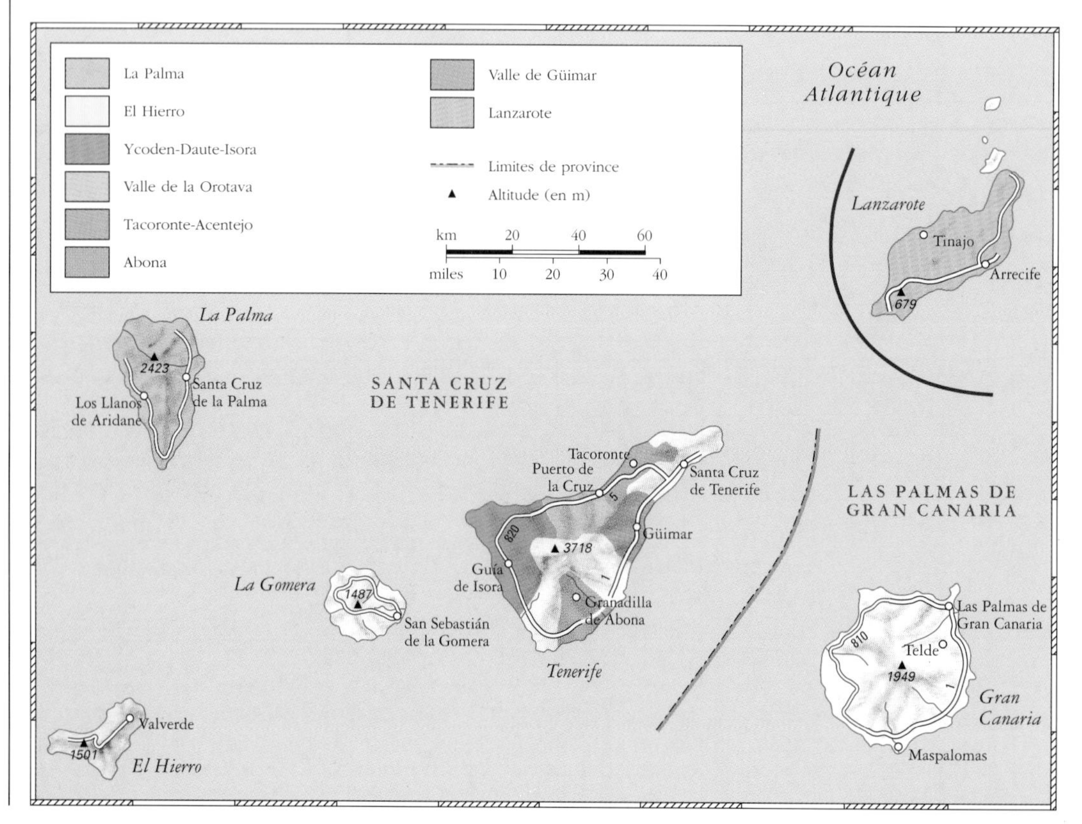

ÎLES CANARIES
La première appellation remonte à 1992, même si le vin blanc sec des Canaries était réputé déjà au temps de Shakespeare.

ÉCHANTILLONS DE XÉRÈS
L'évolution en fûts d'un xérès permet de déterminer le style futur du vin.

APPELLATIONS INFÉRIEURES À LA DÉNOMINACIÓN DE ORIGEN

Ce que le régime viticole d'Espagne a de plus déconcertant est le double niveau de classement des vins de pays. Le *vino de la tierra* (VDLT, littéralement, « vin de pays ») est plutôt de qualité VDQS (vins délimités de qualité supérieure) puisqu'il a vocation à devenir DO (*Denominación de Origen*), alors que le *vino comarcal* (VC, vin local du pays) correspondrait mieux à l'appellation inférieure *vins de pays*.

ABANILLA VDLT
Murcie Ce secteur aride et plat possède quelques vignobles dispersés dont les vins sont traditionnellement coupés avec d'autres vins de Murcie.

ALJARAFE VC
Andalousie Ces vins de liqueur prolongent en quelque sorte l'appellation Condado de Huelva.

ALTO JILOCA VC
Aragon Produit surtout à partir des cépages garnacha et macabéo, ces vins étaient jadis commercialisés avec ceux de Daroca sous l'appellation alto jiloca-daroca.

ANOIA VC
Catalogne Principalement des rosés doux et fades du cépage sumoll, les blancs partant en vrac chez les producteurs de cava au Penedès.

AZUAGA VC
Estrémadure Pas de réputation et je ne connais pas.

BAGES VDLT
Catalogne Ancien zone du *vino comarcal* artés, ce secteur de Barcelone a changé son appellation pour Bages, en devenant le seul *vino de la tierra* de Catalogne.

BAJO ARAGÓN VDLT
Aragon Ces vins sont principalement *tinto* ou *blanco*, de cépage garnacha rouge et blanc, bien que pas mal de macabéo, de mazuelo, voire de cabernet sauvignon, soit cultivé dans cette grande région dont la renommée se limite encore à ses garnachas rouges, foncés et rugueux.

BAJO-EBRO-MONSTIA VC
Catalogne Le meseguera (dont le nom local est exquitxagos) est le cépage le plus cultivé ici, où la vigne fait peu à peu place aux céréales.

BELCHITE VC
Aragon Pas de réputation, je ne connais pas.

BENIARRÉS VC
Valence Cette région produit des rouges robustes à fort taux d'alcool, ainsi que du moscatel doux d'Alicante.

BENAVENTE VC
Castille-León. Cette région n'a pas encore renoué avec l'ancienne renommée de son rosé pétillant.

BETANZOS VC
Galice Quelques vins légers et acides, de style « vinho verde », à Alicante et à Mencia, et de l'albariño est cultivé sur les rives du Mandeo.

CADIZ VDLT
Andalousie Ce sont des vins de table blancs légers de xérez, dont Barbadillo fut le pionnier et le promoteur – ils sont frais, sans rien d'exceptionnel.

CAMPO DE CARTAGENA VDLT
Murcie Surtout des blancs oxydés et quelques rouges rustiques, mais la qualité semble s'améliorer.

CAÑAMERO VDLT
Estrémadure Ces blancs rustiques sont produits sur les contreforts de la Sierra de Guadalupe.

CEBREROS VDLT
Castille-León Une bonne source de vins de garnacha fruités et bon marché, appelés à devenir des vins DO à part entière.

CILLEROS VC
Estrémadure Pas de réputation, je ne connais pas.

CONCA DE TREMP VC
Catalogne Cette région viticole autrefois connue bénéficie, aux pieds des Pyrénées, d'un microclimat relativement chaud qui pourrait donner des vins intéressants, mais il y a encore peu de vignobles pour l'instant.

CONTRAVIESA-ALPAJURA VDLT
Andalousie Anciennement nommés costa-albondón, ces vins de liqueur rustiques et fortifiés proviennent de Grenade.

DAROCA VC
Aragon À base de raisins garnacha et macabéo, ces vins étaient jadis commercialisés avec ceux d'Alto Jiloca, sous l'appellation Alto Jiloca-Daroca.

FERMOSELLE-ARRIBES DEL DUERO VDLT
Castille-León Grande région viticole mais qui rétrécit peu à peu, où un cépage secondaire, le juan garcía, pourrait s'avérer le plus intéressant.

GALVEZ VDLT
Castille-La Manche Le tempranillo et la garnacha sont les cépages cultivés dans cette grande région, au sud-ouest de Tolède.

GRAN CANARIA-EL MONTE VDLT
Îles Canaries Ces vins de cépage negra común proviennent de Grande Canarie, où le meilleur secteur (vins rouges) se trouve entre La Caldera de Bandama et Monte Lentiscal. Sur les hauteurs de Santa Brígida et de San Mateo, le raisin, moins mûr, donne un rosé léger.

LA GOMERA VDLT
Îles Canaries Ces vins de cépage forastera et palomino proviennent des coteaux aux pentes spectaculaires et aux terrasses très étroites de La Gomera. Les vignobles les plus connus sont à Montoro, El Palmar et Tagaluche de Hermigua.

LA RIBERA DEL ARLANZA VC
Castille-León Cette région viticole est en déclin, malgré des vignobles prometteurs, plantés de tempranillo, sur les hauteurs.

LA SIERRA DE SALAMANCA VC
Castille-León Ce secteur a sans doute du potentiel, mais 70% de ses terrasses granitiques peu profondes dominant la rivière Alagón sont plantées d'un médiocre cépage portugais à haut rendement, le rufete.

LAUJAR VC
Andalousie Surtout des rosés dans cette région mieux adaptée à la production de raisin de table.

LEBRIJA VC
Andalousie Pas de réputation, je ne connais pas.

LLIBER-JAVEA VC
Andalousie Pas de réputation, je ne connais pas.

LOPERA VC
Andalousie Il s'agit de pedro ximénez non vinés, vendus en vrac.

LOS PALACIOS VC
Andalousie Ces vins sont principalement des *mistelas* (la mistelle est du moût de raisin additionné d'alcool) de cépage mollar ou bien des vins blancs légers de cépage airén.

MANCHUELA VDLT
Castille-La Manche Ce sont en fait les vins inférieurs des secteurs DO de Jumilla, La Manche et Utiel-Requena.

MATANEGRA VDLT
Estrémadure Très grande région qui produit des blancs assez ternes, mais aussi des rouges assez intéressants à base de tempranillo.

MONDÉJAR-SACEDÓN VDLT
Castille-La Manche *Voir* Sacedón-Mondéjar

MONTANCHEZ VDLT
Estrémadure Assez grande région de la province de Cáceres, où l'on produit des rouges et des blancs rustiques à partir de divers cépages.

MUNIESA VC
Aragon La garnacha prédomine ici, donnant des vins un peu sombres et robustes.

O BOLO VC
Galice Pas de réputation, je ne connais pas.

PLA I LLEVANT DE MALLORCA VDLT
Îles Baléares Le mallorca cherche à imiter le célèbre binissalem de Majorque – qui lui-même ne dépasse pas le cadre local.

RIBEIRA DO ULLA VC
Galice L'albarella (*syn.* alborello) est considéré comme le meilleur cépage de cette zone.

RIBERA ALTA DEL GUADIANA VDLT
Estrémadure Les cépages indigènes et étrangers sont tous prometteurs ici.

RIBERA BAJA DEL GUADIANA VDLT
Estrémadure Ce secteur est plus proche (raisin, sol, climat) de la Tierra de Barros qu'avec sa voisine, Ribera Alta.

POZOHONDO VDLT
Castille-La Manche Les rouges sont toujours à base de monastrell, les blancs d'airén. Leur réputation est encore à faire.

SACEDÓN-MONDÉJAR VDLT
Castille-La Manche Région au sud-ouest de Madrid qui produit surtout des rouges jeunes à base de tempranillo, de couleur très soutenue, souvent vendus en vrac. Autre nom : Mondéjar-Sacedón.

SAN MATEO VC
Valence Pas de réputation, je ne connais pas – et sans rapport avec le festival San Mateo de Rioja.

SIERRA DE ALCARAZ VDLT
Castille-La Manche Pas de réputation, je ne connais pas.

TIERRA BAJA DE ARAGÓN VDLT
Aragon Ces rouges assez frustes à dominante de garnacha pourraient s'améliorer dans les années à venir grâce, à la multiplication des pieds de tempranillo et de cabernet sauvignon.

TIERRA DE BARROS VDLT
Estrémadure Les Bodegas Inviosa sont en passe de démontrer le potentiel de cette région en matière de rouges fruités et bon marché.

TIERRA DEL VINO DE ZAMORA VDLT
Castille-León Entre Toro et Zamora, cette région viticole traditionnelle est surtout connue pour ses rouges à base de tempranillo.

VALLE DEL MIÑO VDLT
Galice Ces vins étaient vendus sous le nom de ribeira del sil jusqu'au passage des meilleurs vignobles au statut de DO et des autres à celui de *vino de la tierra.*

VALDEVIMBRE-LOS OTEROS VDLT
Castille-León La plus prometteuse de toutes les régions VDLT de Castille-León! De chaque côté de la rivière Elsa, les terrasses argilo-rocheuses sont plantées de prieto picudo, donnant des vins similaires aux tempranillo, en moins colorés, et qui sont traditionnellement coupés avec de la garnacha et avec une variété sous-estimée, la mencía.

VALDJALON VDLT
Aragon Même évolution que celle du calatayud, mais cette appellation, qui n'a pas le même potentiel, lui demeure inférieure.

VALTIENDAS VC
Castille-León Pas de réputation, je ne connais pas.

VILLAVICIOSA VC
Andalousie Vins de Cordoue peu connus.

LES APPELLATIONS D'

ESPAGNE

Note : Les régions ou provinces où se situent les appellations sont données en caractères gras après le nom. « DO » signifie *Denominación de Origen*. Les synonymes de cépage sont marqués *syn.*

ABONA DO

Îles Canaries

Cette nouvelle appellation a été créée en 1996 pour les vins blancs du sud de Ténériffe, où la vigne partage les terrasses avec la pomme de terre. Avant d'obtenir le statut DO, ces vins s'appelaient granadilla, san miguel ou vilaflor.

listán (*syn.* palomino), malvasía

ALELLA DO

Catalogne

Minuscule appellation à dominante de blancs, au nord de Barcelone, où le raisin est cultivé en principe sur des coteaux granitiques et venteux, mais où, en 1989, le développement urbain a poussé le secteur DO vers les vallées calcaires, plus froides, de la Cordillère catalane. Les vins rouges d'Alella sont colorés et

moyennement corsés, avec de tendres arômes de fruits. Les blancs et les rosés, pâles, frais et délicats, ont une bonne acidité s'ils sont faits avec le raisin des meilleurs coteaux exposés au nord.

chardonnay, chenin blanc, garnacha, grenache blanc (*syn.* garnacha blanca), garnacha peluda, pansá rosada, tempranillo (*syn.* ull de llebre), xarel-lo (*syn.* pansá blanca)

1 à 5 ans (rouges), 1 à 2 ans (blancs et rosés), 1 à 4 ans (moelleux)

Alta Alella Chardonnay • *Alellasol – Marfil* • *Bodegas Parxet* (Marqués de Alella)

ALICANTE DO

Valence

Ces vins rouges, blancs et rosés sont cultivés sur un sol calcaire noir, sous le climat tempéré des coteaux derrière Alicante. Les rouges sont âpres et d'une couleur naturellement soutenue, voire noire comme de l'encre, dans le style *doble pasta*, bien qu'on assiste à la naissance de styles nouveaux, plus jeunes et fruités – et de même pour les blancs et les rosés. Les moscatel vinés sont légers et rafraîchissants. Le fondillón est un vin de liqueur réputé, localement fait de raisin monastrell, dans un style *tawny port*.

airén, bobal, garnacha, garnacha tinta, meseguera (*syn.* merseguera), moscatel romano, mourvèdre (*syn.* monastrell), planta fina, tempranillo, viura (*syn.* macabéo)

6 à 12 ans (rouges)

Hijo de Luis Garcia Poveda (Costa Blanca)

ALMANSA DO

Castille-La Manche

Appellation de rouge et de rosé au nord de Jumilla et de Yecla, qui traverse les hauteurs des plaines centrales de La Manche et la plaine de Valence.

Vins rouges corsés à la robe soutenue, les meilleurs sont soyeux et fruités. Les bons *rosado* sont fruités et nets.

airén, garnacha, meseguera (*syn.* merseguera), monastrell, tempranillo (*syn.* cencibel)

3 à 10 ans (rouges), 1 à 3 ans (rosés)

Alfonso Abellan • *Bodegas Carrion* • *Bodegas Piqueras*

AMPURDAN-COSTA BRAVA DO

Catalogne

Aux pieds de la partie la plus étroite des Pyrénées, il s'agit de l'appellation espagnole la plus proche de la France. La production est essentiellement constituée de rosés destinés aux touristes, bien inférieurs aux rouges couleur cerise foncé, assez corsés et au goût de prune. Fruités et demi-secs voire un peu doux, les blancs sont pâles, souvent légèrement verdâtres, parfois pétillants.

carignan (*syn.* cariñena), grenache (*syn.* garnacha), grenache blanc (*syn.* garnacha blanca), viura (*syn.* macabéo)

2 à 5 ans (rouges), 9 à 18 mois (blancs et rosés)

Cavas de Ampurdán • *Convinosa* • *Oliveda*

BIERZO DO

Castille-León

L'une des plus intéressantes des nouvelles DO espagnols, Bierzo offre des vins rouges, blancs et rosés. Les meilleurs sont les rouges jeunes qui comportent un minimum de 70% de mencía, cépage sous-estimé qui donne pourtant des vins aux arômes séduisants.

doña blanca, garnacha, godello, malvasía, mencía, palomino

1 à 4 ans (rouges), 9 à 18 mois (blancs et rosés)

Bodegas CA del Bierzo • *Bodegas Palacio de Arganza* • *Pérez Caramés* • *Casa Valdaiga*

BINISSALEM DO

Îles Baléares

Cette appellation doit surtout son existence à José Ferrer, mais il y a à Majorque au moins deux autres producteurs dignes d'une visite – sans aller jusqu'à ramener une caisse de leur vin dans l'avion du retour. Les blancs et les rosés sont simples, les rouges un peu plus sérieux, non sans potentiel.

un minimum de 50% de manto negro (rouges) ou de 70% de mollo (*syn.* prensal blanco) (blancs), plus callet, mourvèdre (*syn.* monastrell), viura (*syn.* macabéo)

sans attendre

José L. Ferrer • *Jaume Mesquida* • *Bodegas Miguel Oliver*

BULLAS DO

Murcie

Grande région au sud de Jumilla où le sol est si pauvre que la vigne est seulement accompagnée d'oliviers et d'amandiers. Les jeunes vins rouges, principalement à base de monastrell, sont les plus prometteurs, mais quelques blancs et rosés sont également autorisés. Cette nouvelle appellation doit encore démontrer sa valeur.

airén, garnacha, monastrell, tempranillo (*syn.* cencibel)

CAMPO DE BORJA DO

Aragon

Nom dérivé de la famille Borgia qui, au faîte de sa gloire (fin du XVe siècle), était propriétaire ici. Les blancs sont frais mais assez neutres. Les rouges et les rosés sont amples, robustes et parfois alcoolisés, mais en progrès. Leur caractère et les expériences avec le cabernet sauvignon rappellent la Navarre d'autrefois. Région à suivre.

garnacha, garnacha blanca, viura (*syn.* macabéo)

3 à 8 ans (rouges), 9 à 15 mois (blancs et rosés)

Bodegas Bordeje • *Agricola de Borja* (Borsao) • *CA del Campo Union* • *Agraria del Santo Cristo* • *CA del Campo San Juan Bautista*

CARIÑENA DO

Aragon

La faible pluviosité est responsable de la teneur alcoolique élevée de ces vins, aujourd'hui plus légers, frais, fruités et aromatiques grâce aux méthodes modernes. Les rouges sont les meilleurs. On produit encore quelques vins *rancio* de type volontairement madérisé.

cabernet sauvignon, carignan (*syn.* cariñena), garnacha, grenache blanc (*syn.* garnacha blanca), juan ibáñez, moscatel romano, mourvèdre (*syn.* monastrell), parellada, tempranillo, viura

1 à 5 ans (rouges), 9 à 18 mois (blancs et rosés)

CA de Borja • *CA de San Valero*

CALATAYUD DO

Aragon

Des vignobles éparpillés, plantés surtout de garnacha, luttent avec les arbres fruitiers sur un sol rocheux et pauvre, de couleur ocre. Le potentiel sera amélioré en introduisant du tempranillo et des cuves en inox à température contrôlée, mais les rosés frais et fruités demeurent les meilleurs vins.

carignan (*syn.* mazuelo), grenache (*syn.* garnacha), grenache blanc (*syn.* garnacha blanca), juan ibáñez (*syn.* miguel de arco), malvasía, moscatel romano, mourvèdre (*syn.* monastrell), tempranillo, viura

sans attendre

CA del Campo San Isidro (Viña Alarba) • *CA de Maluenda* (Marqués de Aragón)

CAVA DO

Voir Cava et Penedès, p. 364

CHACOLÍ OU TXAKOLINA DO

Cantabrique

Cette appellation réunit deux aires : Chacolí de Guetaria (ou Getariako Txakolina) et Chacolí de Vizcaya (ou Bizkaiko Txakolina). Je mets entre parenthèses les noms basques, qui risquent de s'imposer. Les vins sont généralement blancs, secs et légèrement pétillants, avec un peu de vin rouge. Comme souvent dans cette zone du nord-est ibérique, ce sont des vins d'une bonne acidité et peu alcoolisés.

hondarribi beltza, hondarribi zuri

Txomin Etxaniz

CIGALES DO

Castille-León

Appellation créée en 1991 ; surtout des rouges et rosés frais, fruités et légers.

albillo, garnacha, palomino, tempranillo (*syn.* tinto del país), verdejo, viura

CA de Cigales (Escogido del Año, Viña Torondos) • *Frutos Villa* (Conde Ansurez, Viña Calderona, Viña Cansina, Viña Morejona)

CONCA DE BARBERA DO

Catalogne

Appellation autrefois peu connue qui, avec ses rouges, blancs et rosés de l'arrière-pays montagneux du Penedès, promet de compter parmi les régions les plus intéressantes. Le chardonnay est ici exceptionnel, que ce soit pour les vins légers de vendanges précoces d'un Ryman, ou les vins riches, sérieux et potentiellement complexes d'un Torres. Le cépage rouge d'avenir est le merlot, mais le trepat réserve peut-être quelques bonnes surprises pour des rouges et *rosados* faciles à boire.

cabernet sauvignon, grenache (*syn.* garnacha), merlot, parellada, tempranillo (*syn.* ull de llebre), trepat, viura (*syn.* macabéo)

1 à 5 ans

Hugh Ryman (Santarra Chardonnay, Santarra Merlot) • *Torres* (Milmanda Chardonnay)

CONDADO DE HUELVA DO

Andalousie

Avant de devenir l'un des ingrédients de l'assemblage du xérès, les vins doux de cette région, coincée entre le pays du xérès et l'Agarve au Portugal, furent célèbres jadis puisque Chaucer y fait allusion dans ses *Contes de Cantorbéry* (fin du XIVe siècle).

Il existe ici deux types de vin de liqueur : *pálido* (vins jeunes, secs, austères, couleur paille titrant entre 14 et 17 % vol.) et *viejo* (élevés selon le système de la *solera*, secs ou moelleux, volontairement oxydés, couleur acajou, titrant entre 15 et 23 % vol.). Plus récemment, des vins secs et légers sont produits pour la consommation locale.

garrido fino, palomino (*syn.* listán), zalema

sans attendre

COSTERS DEL SEGRE DO

Catalogne

Appellation haut de gamme qui comprend quatre secteurs de caractères différents de la province de Lérida : Les Garrigues et Valls du Riu (vins blancs surtout), Artesa (presque exclusivement des cépages noirs), et Raimat (où dominent les cépages étrangers et qui est rapidement devenu un classique grâce au domaine Raimat du novateur Codorníu).

cabernet sauvignon, carignan (*syn.* cariñena, mazuelo), chardonnay, grenache (*syn.* garnacha), grenache blanc (*syn.* garnacha blanca), merlot, mourvèdre (*syn.* monastrell), parellada, trepat, tempranillo (*syn.* gotim bru, ull de llebre), viura (*syn.* macabéo), xarel-lo

2 à 6 ans (rouges), 1 à 4 ans (blancs)

Raimat • *Castell del Remei*

EL HIERRO DO

Îles Canaries

Cette nouvelle appellation, pour les vins de Frontera et Valverde, date de 1996. L'île est la plus petite et la plus à l'ouest, pourtant la coopérative fait partie des plus modernes de l'archipel des Canaries. Les meilleurs secteurs sont Valle de Golfo, El Pinar et Echedo.

notamment : listán (*syn.* palomino), malvasia, moscatel, negramoll (le meilleur pour les rouges et rosés), pedro ximénez, verdello, verijadiego (le meilleur pour les blancs)

JEREZ OU JEREZ-XÉRÈS-SHERRY DO

Voir Le pays du xérès, p. 366

JUMILLA DO

Murcie

Les coteaux élevés de Jumilla n'ayant jamais été touchés par le phylloxéra, 90% des vignes sont toujours non greffées. Les vins, presque exclusivement rouges, étaient encore récemment assez ternes, sauf ceux de style *doble pasta*, c'est-à-dire si épais et si intenses qu'ils sont très demandés pour les assemblages, en Espagne et ailleurs. Les meilleurs rouges sont les jumillas monastrells, parfois très soyeux, fruités et aromatiques, qui vieillissent bien. Aujourd'hui, les vendanges plus précoces et la fermentation à température contrôlée donnent des vins plus légers et accessibles jeunes, y compris quelques blancs et rosés tendres et fruités.

airén, grenache (*syn.* garnacha), meseguera (*syn.* merseguera), mourvèdre (*syn.* monastrell), pedro ximénez, tempranillo (*syn.* cencibel)

1 à 3 ans (rouges, mais jusqu'à 6 pour les *doble pasta*), 9 à 15 mois (blancs et rosés)

Bodegas Bleda (Castillo Jumilla) • *Bodegas Señorio de Condestable* • *Jumilla Union Vitivinícola* (Cerrillares, Incunable) • *Bodegas Vitivino* (Altos del Pio)

LANZAROTE DO

Îles Canaries

Cette nouvelle appellation a été créée en 1995 pour l'île de Lanzarote, où le paysage lunaire est ponctué de vignes plantées dans des sortes de cratères entourés de petits murs de pierre. L'exemple le plus spectaculaire de cette viticulture étrangement belle se trouve à La Geria, vignoble de 2000 ha à l'ouest d'Arrecife.

notamment : caleta, diego, listán (*syn.* palomino), malvasia

LA PALMA DO

Îles Canaries

Cette nouvelle appellation, pour l'île de La Palma, date de 1995. Le célèbre « Canary sack » (blanc sec issu de malvasia) de l'époque shakespearienne venait de Fuencaliente dans le sud de l'île. Ce cépage est encore cultivé au milieu de quatre volcans fumants, dans des sortes de cratères, caractéristiques de Lanzarote. Le nord de l'île produit un curieux « vin de thé », vieilli en fûts de pin, réservé uniquement aux fanatiques de retsina.

notamment : bujariego (le meilleur pour les blancs), gual, listán (*syn.* palomino), malvasia, negramoll (le meilleur pour les rouges)

MÁLAGA DO

Andalousie

Immédiatement au nord-est de Jerez, au sud de l'Espagne, les vignobles côtiers de Màlaga produisent l'un des vins doux classiques les plus sous-estimés du monde. Le système de la *solera* à six échelles est fréquent (*Voir* Le pays du xérès, p. 366). L'assemblage se fait à la manière d'un xérès, au moyen de divers colorants et édulcorants à base de raisin (*arrope, vino de color, vino tierno* ou *vino maestro*). La couleur varie entre le doré et le rouge en passant par le *tawny* (fauve) ou brun, selon le style, l'âge, la méthode d'élevage, le taux de sucre et le cépage.

Voici les différents styles de málaga : *dulce color*, sombre et moyennement corsé, édulcoré à l'*arrope*. Le *lágrima*, le plus onctueux, est du pur vin de goutte. Le *moscatel* est un vin moelleux, au goût riche de raisin, de moyennement corsé à corsé, encore plus onctueux que son cousin de Jerez. *Old solera* est le plus fin, le plus profond et le plus long de tous les málagas, plutôt complexe qu'onctueux, de moyennement corsé à corsé, toujours moelleux et pourtant sec en finale. L'*oscuro* est doux, de couleur foncée, édulcoré à l'*arrope* et coloré au *vino de color*. Le *pajarette* ou *paxarete* est de couleur plutôt foncée, moins doux et plus alcoolisé que les autres. Comparable à son cousin de Jerez, le *pedro ximénez* est un vin de cépage doux et soyeux, à la saveur intense. Le *seco* est un vin pâle et sec à la saveur forte et crémeuse de noisette.

moscatel, pedro ximénez

sans attendre (peut cependant tenir, sans se bonifier, durant plusieurs années)

Scholtz Hermanos • *Pérez Texeira* • *Larios*

LA MANCHA DO

Castille-La Manche

Malgré sa production toujours énorme (40% du total de l'Espagne), le pays de Don Quichotte est en progrès spectaculaire depuis 20 ans. Les vendanges sont souvent beaucoup plus précoces, la fermentation à températures plus basses (voire trop basses), donnant des vins plus frais, plus légers et plus aromatiques. On trouve beaucoup de très bons vins fruités dans une région qui pourrait bientôt être coupée en trois appellations indépendantes. Les meilleurs sont produits à Valdepeñas.

airén, cabernet sauvignon, grenache (*syn.* garnacha), merlot, moravia, pardina (*syn.* pardilla, pardillo), tempranillo (*syn.* cencibel), viura (*syn.* macabéo)

1 à 4 ans (rouges), 9 à 15 mois (blancs et rosés)

Bodegas Ayuso (Estola Gran Reserva) • *Vinicola de Castilla* (Castillo de Alhambra, Señorio de Guadianeja) • *Jesús Diaz e hijos* • *Bodegas C. Españolas* (Fuente del Ritmo) • *Bodegas Hermanos Morales* (Gran Créacion) • *CA del Campo* • *Nuestra Señora de Manjavacas* (Zagarrón) • *CA del Campo Nuestra Padre Jesús de Perdon* (Casa la teja, lazarillo, yuntero) • *Bodegas Piqueras* (Castillo de Almansa, Marius Gran Reserva) • *Rama Corta* • *Rodriguez y Berger* (Viña Santa Elena) • *Julían Santos* • *Bodega Torres Filoso* (Arboles de Castollejo)

MANZANILLA DO

Voir **Le pays du xérès, p. 369**

MÉNTRIDA DO

Castille-La Manche

Vins bon marché de consommation locale ; gros rouges corsés de couleur foncée, rosés alcoolisés.

garnacha, tempranillo (*syn.* cencibel, tinto madrid)

MONTILLA-MORILES DO

Andalousie

Apéritif de style xérès mais non viné, du secteur le plus chaud et sec de la région de Cordoue, où le sol riche en chaux est gris pâle, et principalement planté de pedro ximénez. Le montilla est un vin complètement fermenté et totalement sec qui atteint 15% vol. d'alcool sans vinage. Il existe aujourd'hui toutefois une gamme commerciale complète de vins doux et vinés.

baladí, lairén (*syn.* airén), moscatel, pedro ximénez, torrontés

peut se garder, mais à consommer aussitôt débouché

Marqués de la Sierra • *Alvear* • *Bodegas Mora Chacon* • *Gracia Hermanos* • *Perez Barquero* • *Rodriguez Chiachio*

NAVARRA DO

Voir **Rioja et Navarre, p. 357**

PENEDÈS DO

Voir **Cava et Penedès, p. 363**

PRIORATO DO

Catalogne

Climat sec et sols pauvres : les racines des vignes s'enfoncent désespérément à la recherche d'un peu d'eau (on dit qu'elles en extraient même de la pierre). Les meilleurs vins actuels viennent des hauteurs de Gratallops et sont produits par une jeune équipe dirigée par l'œnologue de la Rioja, Alvaro Palacios, formé à Bordeaux d'où il a ramené une riche expérience de Château Pétrus. Les nouveaux vins rouges sont très amples, sérieux et d'une richesse étonnante, ceux dans le vieux style sont lourds, trop alcoolisés et oxydés, les meilleurs vins traditionnels étant entre les deux. L'une des plus vieilles appellations, le Priorato, fera sûrement figure de vedette au siècle prochain.

cabernet sauvignon, carignan (*syn.* cariñena, mazuelo), grenache (*syn.* garnacha), grenache blanc (*syn.* garnacha blanca), merlot, mourvèdre (*syn.* monastrell), pedro ximénez, syrah, viura (*syn.* macabéo)

5 à 15 ans (rouges)

Bodegas Alvaro Palacios (Finca Dofi, Clos l'Ermita, Las Terrasses) • *René Barbier* (Clos Mogador) • *Clos Erasmus* • *Costers del Siurana* (Clos de l'Obac, Miserere) • *Masia Barril* • *De Muller* • *Scala Die* (Cartoixa, el Cipres, Novell) • *Vinicola del Priorato* (Mas d'Alba, Onix)

RÍAS BAIXAS DO

Galice

Étoile montante du firmament des DO, cette appellation recouvre une diversité de vins rouges, blancs et rosés ; les plus connus et les plus agréables étant les blancs doucement parfumés et pleins de saveur issus d'albariño à faible rendement, capables de beaucoup de profondeur, de fruité, et de fraîcheur acide. Certes j'ai toujours aimé les meilleurs d'entre eux, mais je me suis souvent demandé s'ils valaient leur prix, qui semble vouloir déraper. Toutefois, à table, ils accompagnent si admirablement la cuisine gastronomique que même les plus chers ne paraissent pas excessifs.

albariño, brancellao, caiño blanco, caiño tinto, espadeiro, loureira blanca, loureira tinta, mencía, sousón, torrontés, treixadura

1 à 3 ans

Albariño do Salnes • *Pazo de Barrantes* • *Bodegas Cardallal* • *Lagar de Cevera* • *Bodegas del Palacio de Fefiñanes* • *Granxa Fillaboa* • *Morgadio-Agromiño* • *Bodegas de Vilariño Cambados* (Martin Codax, Organistrum) • *Santiago Ruiz*

RIBEIRA SACRA

Galice

Le palomino est ici le cépage le plus commun, mais sur les terrasses pentues, l'albariño est bien plus intéressant, et le mencía promet de très bons vins rouges.

albariño, brancellao, caiño, doña blanca, espadeiro, ferrón, godello, grenache (*syn.* garnacha), loureira, loureira tinta, mencía, merenzao, negrada, palomino, sousón, torrontés

1 à 3 ans

Adegas Moure (Albariño Abadia da Cova)

RIBEIRO DO

Galice

Avec le climat océanique de cette zone au nord-ouest de l'Espagne, les rouges et blancs de Ribeiro ressemblent aux vinhos verdes portugais, en plus fruités et plus aromatiques.

albariño, albillo, brancellao, caiño, ferrón, garnacha (*syn.* alicante), godello, jerez (*syn.* palomino), loureira, mencía, sousón, tempranillo, torrontés, treixadura, viura (*syn.* macabéo)

9 à 18 mois

Bodegas Alanis • *Bodegas Arsenio Paz* • *Bodegas Rivera* • *CA del Ribeiro*

RIBERA DEL DUERO DO

Castille-León

Depuis le haut Duero (le fleuve s'appelle Douro à partir de la frontière portugaise), les rosés sont frais, secs et fruités, de style *clarete* ou *claro*, surclassés toutefois par les meilleurs rouges, à la robe dense, gorgés de saveurs de prune et de cassis richement boisé.

Ribera del Duero DO a bâti sa réputation sur le vin espagnol le plus coûteux, le vega sicilia. Lors de la première édition de ce livre, je disais sans détour que, contrairement aux dires de nombre d'œnologues et malgré son potentiel, il ne s'agissait certainement pas du plus grand vin rouge d'Espagne. En effet, les dix années et plus d'élevage en fûts, qui anéantiraient bon nombre des plus grands bordeaux, se faisaient nettement sentir sur le fruité.

L'élevage des vins de vega sicilia ne suivait aucune logique, avec des fûts de taille et d'âge différents ; les différents millésimes devaient toutefois sortir des chais pour faire place à la récolte suivante. C'est ce qui explique les résultats en dents de scie des dégustations des divers crus.

Si ce système aléatoire donnait parfois miraculeusement des résultats phénoménaux – ce fut le cas notamment des millésimes 1982, 1976, 1975, 1962 ou 1953 –, l'œnologue avait souvent l'impression que même les très bons millésimes auraient pu être bien meilleurs encore.

Or, depuis la première édition, l'élevage du vega sicilia s'est beaucoup discipliné, avec un maximum de six années en barriques neuves. Je ne prétends pas y être pour quelque chose car il fut un temps où ces vins étaient vieillis 25 ans en fûts, et c'est donc la suite d'une évolution naturelle. Je salue néanmoins ces changements tardifs qui permettront au vega sicilia de rester parmi les très grands vins d'Espagne.

cabernet sauvignon, grenache *(syn.* garnacha), malbec, merlot, pardina *(syn.* albillo), tempranillo *(syn.* tinto fino, tinto del país)

3 à 8 ans (rouges modernes), 5 à 25 ans (rouges traditionnels), 1 à 2 ans (rosés)

Ismael Arroyo • *Balbás* • *Bodegas Alejandro Fernandez* (Tinto Pesquera) • *Grandes Bodegas* (Marqués de Velilla) • *Hijos de Antonio Barcelo* (Viña Mayor Reserva) • *Bodegas Mauro* • *Hermanos Pérez* (Viña Pedrosa) • *Pago de Carraovejas* • *Dominco de Pingus* • *Bodegas Reyes* • *Señorio de Nava* (Reserva) • *Bodegas Valduero – Vega Sicilia* (y compris Alion, qui a remplacé le plus jeune des deux vins de Valbuena) • *Viñedos y Bodegas* (Matarromera)

RIOJA DOC

Voir Rioja et Navarre, p. 357

RUEDA DO

Castille-León

Ce petit secteur en aval de Ribeiro del Duero produit principalement des blancs frais et secs, issus presque exclusivement de cépage verdejo. Les styles traditionnels, vinés en *fino* (paliodo rueda) ou *rancio* (dorado rueda), sont encore trouvables de nos jours ainsi qu'un rueda espumoso méthode classique.

palomino, sauvignon blanc, verdejo, viura *(syn.* macabéo)

1 à 2 ans

Agricola Castellana • *Marqués de Griñon* • *Marqués de Riscal*

SHERRY OU JEREZ-XÉRÈS-SHERRY DO

Voir Le pays du xérès, p. 366

SITGES

Catalogne

Vin de liqueur non DO, célèbre mais rare, fait immédiatement au sud de Barcelone, à partir de raisin malvasia et moscatel qu'on laisse se flétrir sur la vigne.

Cellers Robert

SOMONTANO DO

Aragon

Aux pieds des Pyrénées, entre le Penedès et la Navarre, Somontano DO est destinée à devenir l'une des grandes régions viticoles de l'Espagne. Si le chardonnay est de loin le meilleur cépage pour les blancs sérieux élevés en fûts, le tempranillo comme le cabernet sauvignon promettent beaucoup en matière de rouges parfumés et richement fruités.

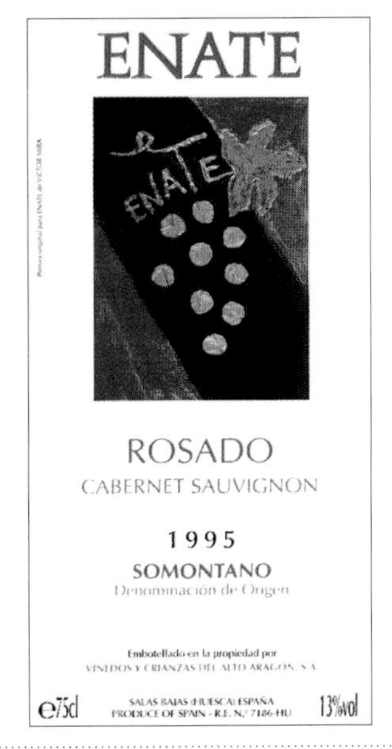

alcañòn, cabernet sauvignon, chardonnay, grenache *(syn.* garnacha), grenache blanc *(syn.* garnacha blanca), moristel (*sic*, non monastrell), parreleta (*sic*, non parellada), tempranillo, viura *(syn.* macabéo)

2 à 5 ans (rouges), 1 à 3 ans (blancs)

Aragónesa, (merlot/cabernet sauvignon Reserva) • *COVISA* (Viñas del Vero) • *Enate* • *Lalanne* • *Bodegas Pirineos* (Montesierra, Señorio de Lazán)

TACORONTE-ACENTEJO DO

Îles Canaries

Créée en 1992, c'est la plus ancienne des appellations des Canaries, et la meilleure jusqu'à présent car il est trop tôt pour se prononcer sur les autres.

notamment : castellano, gual, listán *(syn.* palomino), listán negra, malvasia, marmajuelo, negra común, negramoll, pedro ximénez, tintillo, torrentés, verdello

Bodegas Monje • *Viña Norte*

TARRAGONA DO

Catalogne

La plus vaste appellation catalane au potentiel plus modeste cependant que son voisin le Penedès. Toutefois, les viticulteurs australiens Nick Butler et Mark Nairn se sont appliqués à améliorer le niveau à Pedro Rovira, par des moyens non-interventionnistes visant à en préserver le caractère naturel. Les meilleurs rouges, blancs et rosés peuvent être agréablement frais et fruités. Même le vin de liqueur, le tarragona *classico*, est parfois digne d'intérêt.

carignan *(syn.* cariñena), grenache *(syn.* garnacha), grenache blanc *(syn.* garnacha blanca), parellada, tempranillo *(syn.* ull de llebre), viura *(syn.* macabéo), xarel-lo

1 à 5 ans (rouges) 1 à 2 ans (blancs et rosés)

CA de Valls • *José Lopez Beltran* (Don Beltran) • *Pedro Masana* (vins non-DO) • *De Muller* (Moscatel Seco, Parxete) • *Pedro Rovira*

TERRA ALTA DO

Catalogne

Cette appellation, dans les hauteurs et loin de la mer, s'améliore lentement, donnant de bons rouges et blancs de tous les jours. Le *mistela* local, vin doux viné, est à éviter.

cabernet sauvignon, carignan *(syn.* cariñena, mazuelo), grenache *(syn.* garnacha), grenache blanc *(syn.* garnacha blanca), merlot, moscatel, parellada, tempranillo, viura *(syn.* macabéo)

1 à 2 ans

CA Gandesa • *CA la Hermandad* • *Pedro Rovira* (Alta Mar, Viña d'Irto)

TORO DO

Castille-León

J'ai dit un jour au gérant de la coopérative locale que pour ce qui est de la saleté, la sienne battait les records – et pourtant, j'en ai vu ! Il y a toujours eu ici quelques producteurs au-dessus du lot, mais le niveau s'est élevé et les meilleurs vins (rouges) sont aujourd'hui moins tanniques et plus accessibles jeunes, tout en vieillissant bien.

grenache *(syn.* garnacha), malvasia, tempranillo *(syn.* tinto de toro), verdejo blanco

2 à 8 ans (rouges), 1 à 3 ans (blancs)

Bodegas Frutos Villar • *Bodegas Fariña* (Gran Volegiata surtout)

TXAKOLINA DO

Voir Chacoli DO

UTIEL-REQUENA DO

Valence

Cette importante région, située à l'extrême ouest de la province de Valence, produit principalement des vins rouges.

Les vins distillés et *doble pasta* d'autrefois ont fait place à des rouges plus tendres et agréables, et à des rosés parfois étonnamment frais et délicats pour un climat aussi ensoleillé.

boba, grenache *(syn.* garnacha), meseguera *(syn.* merseguera), planta nova *(syn.* tardana), tempranillo, viura *(syn.* macabéo)

2 à 5 ans (rouges), 9 à 18 mois (rosés)

Augusto Egli (Casa lo Alto)

VALDEORRAS DO

Galice

C'était l'étoile montante de la Galice jusqu'à l'arrivée de Rías Baixas sur la scène vinicole. Avec des vignobles plantés en terrasses, des coteaux d'ardoise le long de la rivière Sil, un climat septentrional humide, sous influence océanique, les vins à l'acidité rafraîchissante et séduisante n'ont donc jamais été trop alcoolisés, comme tant d'autres autrefois. Les meilleurs chais ont été modernisés et sont encore plus performants, en particulier pour les vins blancs issus de godello.

garnacha, godello, gran negro, lado, maria ardoña, mencía, merenzao, palomino, valenciana *(syn.* doña blanca)

1 à 4 ans (rouges), 1 an (blancs et rosés)

Bodegas Godeval • *Bodegas Jesus Nazareno* • *Joaquin Rebolledo*

VALDEPEÑAS DO

Castille-La Manche

La seule région de vins fins de La Manche. Malgré la chaleur torride (neuf mois d'hiver, trois mois d'enfer, dit-on) et l'apathie de beaucoup trop de producteurs, une minorité produit des vins superbes, d'un très bon rapport qualité/prix. Sous un sol caillouteux, riche et rouge se cache un socle calcaire qui retient l'eau et compense en partie la faible pluviosité.

Les meilleurs rouges sont des tempranillos de moyennement corsés à corsés, à la saveur merveilleusement riche mais équilibrée, de plus en plus sous influence de chêne neuf. Les rosés sont parfois soyeux et fruités, mais il faudrait replanter des vignes d'un cépage correct pour sauver les blancs, encore que rien n'excuse leur manque de fraîcheur.

airén, tempranillo *(syn.* cencibel)

2 à 6 ans (rouges), 9 à 18 mois (rosés)

Bodegas Los Llanos • *Bodegas Luis Megia* (Marqués de Gastañaga) • *Bodegas Felix Solis* (Viña Albali Reserva) • *Casa de la Viña* (Vega de Moriz)

VAL DO MONTERREI DO

Galice

Ce secteur a été provisoirement promu DO au début des années 1980, mais a été rétrogradé pour cause de manque d'intérêt des producteurs en matière de modernisation. Toutefois, les progrès de la fin des années 1980 lui ont permis de devenir définitivement une DO – qui doit cependant encore confirmer l'amélioration de ses vins.

alicante, doña blanca, gran negro, mencía, mouratón, palomino *(syn.* jerez), verdello *(syn.* godello)

VALENCIA DO

Valence

Autrefois célèbre pour son *vino de mesa,* gros vin de table lourdement alcoolisé, cette région offre partout aujourd'hui des vins plus légers et frais qui, au moins, se laissent boire. Le monastrell donne quelques bons rouges, soyeux et moyennement corsés, et parfois même vieillis en fûts. Le moscatel, au goût de raisin, délicieusement moelleux est toujours d'un bon rapport qualité/prix, même comparé en dégustation à l'aveugle à un muscat français de Beaumes de Venise, deux fois plus cher.

forcayat, grenache *(syn.* garnacha), malvasia, *(syn.* riojana), meseguera *(syn.* merseguera), mourvèdre *(syn.* monastrell), moscatel, pedro ximénez, planta fina, tempranillo, tortosí, viura *(syn.* macabéo)

1 à 4 ans (rouges), 9 à 18 mois (blancs et rosés), aussitôt débouché (moscatel)

CA de Villar • *Vincente Gandia* • *Augusto Egli* (Moscatel d'un rapport qualité/prix exceptionnel) • *Vincente Grandia* • *Bodegas Schenk* (Cavas Murviedro) • *Bodegas Tierra Hernández*

VALLE DE GÜIMAR DO

Îles Canaries

Cette nouvelle appellation a été créée en 1996 pour les vins du côté est de Ténériffe, au sud de la ville de Santa Cruz. Les vignobles bénéficient de l'irrigation des champs attenants. Avant d'obtenir le statut DO, ces vins n'étaient même pas commercialisés localement, mais consommés uniquement par les producteurs eux-mêmes.

principalement : listán *(syn.* palomino), listán negra, magramoll

VALLE DE LA OROTAVA DO

Îles Canaries

Appellation créée en 1996 pour les vins de cette riche contrée luxuriant au nord de Ténériffe, entre les appellations Tacoronte-Acentejo et Ycoden-Daute-Isora. Vins autrefois commercialisés comme *vino de la tierra* de La Orotava-Los Realos.

principalement : listán *(syn.* palomino) et listán negra

VINOS DE MADRID

Madrid

Très admirés par Casanova, qui s'est réfugié à Madrid à une époque où la capitale grandissante envahissait les vignobles, ces vins ont probablement acquis de la valeur davantage en raison de leur rareté que de leur qualité. Les vins de Madrid ont été réinventés en 1990 bien au-delà des anciennes limites du XVIIIe siècle, vouées à disparaître. Mais il faudrait décidément en être encore plus entiché qu'un Casanova pour leur adresser des louanges, à quelques exceptions près : l'une d'elles, Jesús Diaz e Hijos, est exceptionnelle en tous points.

airén, albillo, grenache *(syn.* garnacha), malvar, tempranillo *(syn.* tinto fino)

sans attendre (2 à 3 ans recommandés pour les rouges)

Bodega Francisco Figuero • *Jesús Diaz e Hijos*

YCODEN-DAUTE-ISORA DO

Îles Canaries

Appellation créée en 1995 pour les vins du secteur nord-ouest de Ténériffe, où le raisin est cultivé sur des terrasses souvent irriguées. Les vins étaient précédemment commercialisés comme *vinos de la tierra* de Icod de Los Vinos, nom qui rappelle leur célébrité d'antan puisqu'après la bataille de Trafalgar, la Royal Navy fréquentait volontiers ces îles dont les vins blancs orangés plaisaient à tous les grades.

principalement : listán *(syn.* palomino) et listán negra

YECLA DO

Murcie

Situés entre Alicante et Jumilla, ces vignobles caillouteux et calcaires sont décevants, même s'ils donnent quelques vins corrects.

Les rouges sont soit des *doble pasta,* couleur d'encre, soit fruités, corsés et couleur cerise. Les vins rouges ou rosés du secteur de Campo Arriba, au nord, peuvent ajouter leur nom à cette appellation à condition d'être issus de pur monastrell à rendement presque de moitié inférieur à la norme de l'appellation. Les blancs sont au mieux frais, nets et fruités.

grenache *(syn.* garnacha), meseguera *(syn.* merseguera), mourvèdre *(syn.* monastrell), verdil

2 à 5 ans (rouges, yecla campo arriba 3 à 6 ans), 1 à 2 ans (blancs et rosés)

Bodegas Castaño (Pozuelo, Las Gruesas) • *Ochoa Palao* (Cuvee Prestige)

YECLA CAMPO ARRIBA DO

Voir **Yecla DO**

XÉRÈS OU JEREZ-XÉRÈS-SHERRY DO

Voir **Le pays du xérès, p. 366**

RIOJA ET NAVARRE

Le vin de Rioja est le premier, et jusqu'à présent le seul, à obtenir le classement suprême de DOC, la Rioja étant incontestablement la meilleure région viticole d'Espagne. Autrefois considérée comme une excellente source de rosado, mais sans plus, sa voisine, la Navarre, après avoir modernisé ses vignobles et ses chais, offre peu à peu une gamme de vins plus diversifiée.

Non loin des tristes faubourgs de la ville commerciale de Bilbao, le paysage de la vallée révèle un pittoresque incontestable, avec ses trésors architecturaux du XIIe siècle, ses *pueblos* isolés au sommet des collines, à la population affable et à la cuisine généreuse.

RIOJA

Le rioja a définitivement des saveurs de chêne. Toute tentative pour lui ôter cette caractéristique est vouée à l'échec puisque c'est précisément le chêne qui est à l'origine de la renommée, jamais démentie, de ces vins. Si les connaisseurs n'ont pas tort d'estimer que le consommateur moderne, plus sophistiqué, peut trouver cette influence excessive, sans ce goût de chêne, le rioja serait bien peu de chose. Ce sont des Français qui, les premiers, ont donné aux vins de la région leurs nuances inimitables de chêne et de vanille. Dès le XVIIIe siècle, certains Riojanos avisés tournaient leurs regards vers la France, en particulier vers le Bordelais, dans l'espoir d'améliorer leurs techniques de vinification. Quelques changements en découlèrent, mais la véritable révolution est bien plus récente. Lorsque le phylloxéra a ravagé le vignoble français entre 1840 et 1860, un certain nombre de vignerons, bordelais pour la plupart, mais aussi quelques Bourguignons, renonçant à tout espoir de ressusciter leurs propres vignobles, sont venus fonder de nouvelles bodegas dans la Rioja. La qualité et le style du rioja s'en sont trouvés aussitôt transformés, tandis que d'autres Français, pour la plupart des négociants bordelais, cherchant désespérément à combler le déficit de leurs propres vignobles dévastés, ouvraient ce nouveau marché d'emblée très lucratif.

Origines

La Rioja produit du vin depuis au moins la conquête romaine au IIe siècle avant J.-C. En 1560, sa réputation était telle que les producteurs interdirent l'emploi de raisin venu d'ailleurs, afin de garantir l'authenticité de leurs vins, sanctionnée par une marque sur

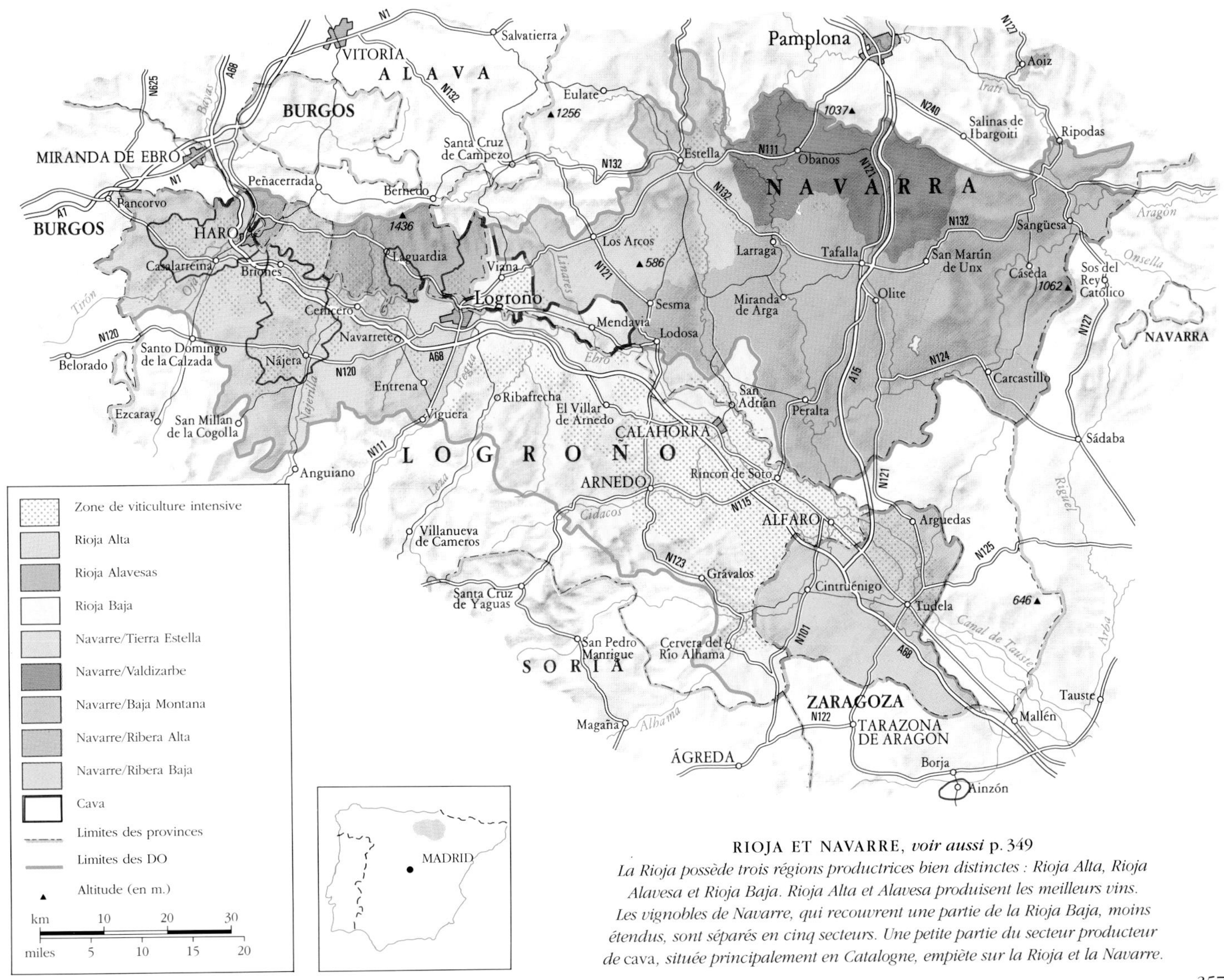

RIOJA ET NAVARRE, *voir aussi* p. 349

La Rioja possède trois régions productrices bien distinctes : Rioja Alta, Rioja Alavesa et Rioja Baja. Rioja Alta et Alavesa produisent les meilleurs vins. Les vignobles de Navarre, qui recouvrent une partie de la Rioja Baja, moins étendus, sont séparés en cinq secteurs. Une petite partie du secteur producteur de cava, située principalement en Catalogne, empiète sur la Rioja et la Navarre.

les *pellejos*, ou peaux de chèvres, servant à leur transport. Introduits au XVIIIe siècle, les fûts de bois avaient cinq fois la taille de ceux d'aujourd'hui, les premières barriques bordelaises ne faisant leur apparition chez Marqués de Riscal qu'en 1860. Un Français particulièrement influent, Jean Pineau, fut employé comme consultant afin d'enseigner les méthodes françaises aux viticulteurs locaux. Ce contrat terminé, en 1868, Pineau alla travailler pour Marqués de Riscal, Don Camilio Hurtado de Amezaga, grand admirateur des vins du Médoc qui avait passé quinze années à Bordeaux. dirigé par Don Camilio avait planté son domaine de cabernet sauvignon dès 1863, et a chargé Pineau de développer et de gérer sa nouvelle bodega suivant les méthodes employées dans les châteaux bordelais les plus performants.

LES SECTEURS CLASSIQUES DE LA RIOJA

Le vignoble de la Rioja s'étend le long de la vallée de l'Èbre, entre Haro et Alfaro, et dans l'arrière-pays, notamment sur les rives des affluents de l'Èbre. L'un deux, l'Oja, a donné son nom à la région. La plupart des riojas sont des assemblages de vins ou de cépages rouges (tempranillo et garnacha principalement) provenant des trois secteurs de la région (Rioja Alta, Rioja Alavesa et Rioja Baja), bien que les meilleurs soient souvent issus d'un seul secteur, et même parfois récemment d'un seul domaine.

Rioja Alta

Les principales communes de la région, Logroño et Haro, sont toutes deux dans la Rioja Alta. Logroño est un très gros bourg ; Haro, situé à l'extrémité ouest de la région, au sommet d'un colline, est à la fois plus petit, plus charmant et plus traditionnel. Le vin de la Rioja Alta, le plus fruité et le plus concentré, peut avoir une souplesse veloutée. Les Bodegas Muga produisent de beaux exemples de purs rioja alta, de même que la CVNE (Compañía Vinícola del Norte de España) – dans sa gamme « Imperial » – neuf années sur dix.

Rioja Alavesa

La Rioja Alavesa n'abrite aucune grande ville et son climat est comparable à celui de la Rioja Alta. Les riojas produits ici sont les plus corsés et montrent un caractère bien plus ferme et une plus forte acidité que ceux des deux autres zones. C'est dans ce secteur que Pedro Domecq, après des années de recherches intensives, a installé son vaste domaine de 400 ha où il a préféré le palissage des vignes sur fil de fer. Outre les Bodegas Domecq qui produisent surtout des purs alavesa, le remélluri et le contino, qui proviennent de vignobles uniques, sont des vins typiques du secteur Rioja Alavesa.

Rioja Baja

La Rioja Baja est une aire quelque peu aride, influencée par la Méditerranée, plus chaude, plus ensoleillée et plus sèche que l'Alta et l'Alavesa. Les précipitations annuelles varient entre 38 et 43 cm, mais ne dépassent pas 25 cm à Alforo, dans le sud. Environ 20% des vignes cultivées dans la Rioja Baja peuvent prétendre également à l'appellation Navarra. Les vins sont de couleur profonde et très alcoolisés – parfois jusqu'à 18 % vol. – mais manquent d'acidité, d'arôme et de finesse, et servent plutôt aux assemblages.

NAVARRE (NAVARRA)

Sans jouer tout à fait dans la même division que la Rioja, la Navarre, qui empiète en partie sur la Rioja Baja, est néanmoins capable de produire quelques très beaux vins d'un rapport qualité/prix exceptionnel. Les récents succès commerciaux ont mis fin à une période de déclin des vignobles. Cette renaissance a encouragé des expériences ambitieuses avec des cépages étrangers comme le merlot, ou encore le cabernet sauvignon qui est passé du stade expérimental au statut de cépage recommandé. Selon l'Estación de Viticultura y Enología de Navarra (EVENA), le centre de recherches viticole et œnologique le plus avancé d'Espagne, ces cépages bordelais conviendraient parfaitement au sol et au climat navarrois.

Un passé rose

Autrefois connue presque exclusivement pour son vin *rosado*, la Navarre continue d'assurer la moitié de la production de rosés, mais le vrai frein de cette région a été la garnacha (grenache), cépage médiocre qui peut faire un bon rosé, mais rarement un bon rouge, sauf en assemblage. Or, 65% des vins de Navarre étant produits à partir de ce raisin, la région a encore du chemin à faire avant de dépasser ses rosés. En outre, le tempranillo, sans aucun doute le meilleur raisin rouge d'Espagne et qui a fait la réputation des riojas, n'est planté que sur 15% du vignoble navarrois. Toutefois, ce chiffre ayant doublé en dix ans (le tempranillo représente aujourd'hui 60% des nouvelles vignes, le cabernet sauvignon 20%), on peut s'attendre à une amélioration spectaculaire de la qualité dans les dix années à venir. Selon Javier Ochoa, ancien œnologue en chef à l'EVENA, l'assemblage parfait en Navarre serait voisin de 50% de tempranillo, 30% de garnacha et 20% de cabernet sauvignon. Il me semble toutefois que dans son esprit, une telle proportion de garnacha est tout simplement une fatalité puisqu'à la fin du programme de replantation, il y aura toujours des surfaces importantes plantées de ce cépage. En fait, s'il n'y avait aujourd'hui que, disons, 2 ou 3 % de garnacha dans la région, je suis certain qu'Ochoa ne s'aviserait pas de réclamer son extension jusqu'à 30%.

LES CÉPAGES DE LA RIOJA

Malgré une tendance récente vers des vins de cépage unique (notamment le tempranillo en *tinto* ou la viura en *blanco*), les vins de la Rioja étant en principe issus de plusieurs cépages, leur qualité et leur caractère dépendent dans une large mesure du style de chaque producteur. Celui-ci s'efforce d'assembler les vins selon les faiblesses et les points forts des divers terroirs, et essaie en outre d'équilibrer les différentes caractéristiques variétales des cépages autorisés : tempranillo, garnacha, graciano, mazuelo, viura, malvasia et garnacha blanca (peu employée).

UN RIOJA ROUGE TYPIQUE

Tempranillo 70%, pour le bouquet caractéristique, une bonne acidité et l'aptitude au vieillissement. Le raisin mûrit quelque deux semaines avant la garnacha. Dans d'autres régions d'Espagne, on l'appelle cencibel, tinto fino ou ull del lebre. Le tempranillo a un faible taux d'enzymes oxydants, donnant une longévité exceptionnelle au vin.

Garnacha 15%, pour le corps et l'alcool – en excès, elle risque de rendre le vin dur. La garnacha n'est autre que le grenache de la vallée du Rhône ; on l'appelle aussi llandoner et aragonés. C'est le cépage dominant de la Rioja Baja, où il peut donner des vins titrant jusqu'à 16 % vol.

Graciano 7,5%, pour la fraîcheur, la saveur et l'arôme. C'est un raisin singulier ; il a une peau noire fine et cependant très dure.

Mazuelo 7,5%, pour la couleur, le tanin et une bonne aptitude au vieillissement. C'est le carignan français, aussi appelé cariñena. Aux cépages précédents s'ajoute parfois une petite proportion de raisin blanc, par exemple 5 ou 10% de viura, mais c'est là une tradition en voie de disparition. Le cabernet sauvignon n'est pas un cépage autorisé dans la Rioja. Son utilisation est seulement tolérée par certaines bodegas qui en font usage depuis longtemps (ainsi le domaine Marqués de Riscal, 15 à 60%) ou bien à titre expérimental. Bien que nombre de bodegas l'expérimentent de cette façon, le cabernet sauvignon est sans incidence sur la grande majorité des vins de la Rioja.

UN RIOJA BLANC TYPIQUE

Viura 95%, pour la fraîcheur et le parfum. Ce cépage a une acidité correcte et une bonne résistance à l'oxydation. On l'appelle également macabéo et alcañon, et c'est l'un des trois cépages principaux utilisés pour faire le cava.

Malvasía 5%, pour la richesse, le parfum, l'acidité et la complexité. Ce cépage, appelé aussi rojal blanco et subirat, tend à rougir lorsqu'il est mûr ; il faut donc le pressurer rapidement pour éviter que le moût ne soit teinté. La plupart des vins blancs sont de purs viuras, mais certains sont composés pour moitié de malvasia. Certaines bodegas ajoutent une quantité infime de garnacha blanca, en particulier dans les années les moins bonnes, pour augmenter l'alcool, mais au prix d'une certaine fraîcheur et de l'arôme.

LES SECTEURS DE LA NAVARRE

La région est divisée en cinq secteurs :

Baja Montana

Situé dans les contreforts montagneux, ce secteur est le plus humide et le plus élevé de Navarre, et les vendanges sont bien plus tardives qu'au sud de la région. Le tempranillo précoce y joue donc un rôle plus important qu'ailleurs. Les précipitations, abondantes, font que les rendements dépassent de 50 à 100% les autres secteurs. On produit ici certains rosés qui comptent parmi les meilleurs de Navarre ; ils livrent des arômes et des saveurs frais et fruités.

Ribera Alta

Avec une surface de vignobles deux fois plus grande que celle de la Baja Montana ou de la Tierre Estella, la Ribera Alta, qui borde la Rioja Alta, est le plus vaste des cinq secteurs de Navarre et produit certains des plus beaux vins de la région. Les rosés sont souples et aromatiques, les rouges tendres et fruités. Dans ce secteur, où jusqu'à 40% des vignes sont plantées de viura, les blancs sont de bonne qualité, tendres, secs et frais.

Ribera Baja

Ce secteur, très chaud et très sec, recouvre à peu près 20% de la Rioja Baja et produit des vins rouges de couleur profonde, pleins et robustes, à dominante de garnacha. 10% des vignes sont plantées de muscat à petits grains et donnent un vin doux de type moscatel.

TIERRA ESTELLA, NAVARRE

Le joli village de Maneru est situé près d'Estella, au sud-ouest de Pampelune. Le tempranillo est le cépage le plus cultivé dans la région.

Tierra Estella

Le climat, dans le nord de cette zone, rappelle celui de Valdizarbe, mais devient plus sec vers le sud. La Tierra Estella, où la viticulture est aussi importante que dans la Baja Montana, produit quelques vins blancs nerveux de viura et des vins rouges et rosés agréables et fruités, issus de tempranillo, cépage commun ici – les vins de garnacha tendant à s'oxyder. On trouve aussi quelques blancs nerveux issus de viura.

Valdizarbe

Le climat, dans ce petit secteur, est un peu plus sec que dans celui de la Baja Montana. Les vins rouges et rosés de tempranillo sont d'un excellent rapport qualité/prix, encore que certains aient parfois tendance à s'oxyder.

FACTEURS AFFECTANT LE GOÛT ET LA QUALITÉ

SITUATION
Situées dans le nord de l'Espagne dans la vallée de l'Èbre, la Rioja et la Navarre sont limitées au nord-est par les Pyrénées et au sud-ouest par la Sierra de la Demanda. Les vignobles de Navarre sont les plus septentrionaux d'Espagne.

CLIMAT
Les monts Cantabriques, chaîne d'altitude modeste mais de structure impressionnante, contribuent à la qualité des vins puisqu'ils protègent la région des vents dévastateurs qui soufflent du golfe de Gascogne et limitent l'influence de l'Atlantique et de la Méditerranée. La température monte et les précipitations diminuent progressivement en direction de la Méditerranée. Les Pyrénées, au nord, protègent également la région, mais les hivers peuvent être froids et brumeux. La Rioja reçoit parfois des orages de grêle et peut souffrir du *solano*, un vent chaud et sec.

SITE
Les vignobles occupent des sites divers, depuis les contreforts pyrénéens de Navarre jusqu'aux terres plus plates de la Rioja Baja, dans le sud-est. Les contrées vallonnées centrales de la Rioja Alta et de la Rioja Alavesa abritent la plupart des meilleurs vignobles.

SOL
Les sols sont variés mais le calcaire est présent partout. En Navarre, il contient 25 à 45% de chaux « active », et il est recouvert d'une couche d'alluvions limoneux près de l'Èbre, de calcaire délité et de grès dans les régions plus sèches. Associé à du grès ou à des dépôts d'argile calcaire et d'ardoise, il prédomine dans la Rioja Alta et la Rioja Alavesa. Il s'étend sous de l'argile ferrugineuse et sous un limon vaseux dans la Rioja Baja.

VITICULTURE ET VINIFICATION
La plupart des vins sont issus d'au moins trois cépages cultivés dans différents secteurs ; les vins provenant d'un cépage ou d'un domaine unique sont très peu nombreux. La vinification traditionnelle, encore en usage pour le *vino nuevo*, est une forme fruste de macération carbonique réalisée dans des cuves ouvertes, le raisin étant foulé après quelques jours de fermentation. Cette méthode rappelle celle qu'on utilisait autrefois pour le beaujolais, mais les vins sont ici bien plus durs, ils ont une robe prune foncé et beaucoup de tanins. Les vins, en majorité, sont vinifiés normalement, mais élevés plus longtemps que d'autres. Si l'élevage en fûts a été écourté au profit d'un long mûrissement en bouteilles, le caractère du rioja reste fortement tributaire du chêne, et il est essentiel pour son avenir qu'il le demeure.

CÉPAGES PRINCIPAUX
Tempranillo, viura (*syn.* macabéo)

CÉPAGES SECONDAIRES
Cabernet sauvignon, carignan (*syn.* mazuelo), chardonnay, cinsault, garnacha (*syn.* grenache), garnacha blanca (*syn.* grenache blanc), graciano, malvasia, mourvèdre (*syn.* monastrell), muscat (*syn.* moscatel).

LES SECTEURS DE LA RIOJA

CÉPAGES CULTIVÉS (EN HECTARES)

RAISIN NOIR	RIOJA BAJA	RIOJA ALAVESA	RIOJA BAJA	TOTAL RÉGION
Tempranillo	14470	8960	7616	31046
Garnacha	2002	171	6980	9153
Mazuelo	500	89	1224	1813
Graciano	93	52	250	395
Autres	4	-	170	174
Experimental	28	52	92	172
TOTAL	17097	9324	16332	42753

RAISIN BLANC	RIOJA BAJA	RIOJA ALAVESA	RIOJA BAJA	TOTAL RÉGION
Viura	4471	1442	1675	7588
Malvasia	79	30	18	127
Garnacho blanco	28	-	16	44
Autres	147	12	43	202
Experimental	4	4	9	17
TOTAL	4729	1488	1761	7978
TOTAL (Tous cépages)	21826	10812	18093	50731

VIN PRODUIT EN HECTOLITRES ET EN POURCENTAGE ARRONDI

	RIOJA ALTA		RIOJA ALAVESA		RIOJA BAJA		TOTAL	
Rouge	836000	74 %	572000	92 %	339000	80 %	1747000	80 %
Blanc	150000	13 %	33000	5 %	18000	5 %	201000	10 %
Rosé	144000	13 %	19000	3 %	65000	15 %	228000	10 %
TOTAL	1130000	100 %	624000	100 %	422000	100 %	2176000	100 %

LES VINS DE
RIOJA ET NAVARRE

Note : Sauf indication contraire, toutes les recommandations (y compris « gamme complète ») concernent uniquement les vins rouges. Les rouges des deux régions sont généralement bons à boire dans la troisième année, les meilleures cuvée peuvent attendre dix ans et quelques vins exceptionnels vieillissent bien pendant des décennies. La plupart des blancs et rosés sont à consommer sans attendre. Pour une description des styles de vin, *voir* p. 350.

BODEGAS AGE
Rioja
***Voir aussi* Campo Viejo et Marqués del Puerto**

Appartenant à Bebidas (anciennement Savin), cette bodega a le même propriétaire que Campo Viejo et Marqués del Puerto. Si les vins de base sont assez quelconques, les meilleurs offrent un excellent rapport qualité/prix. Quelques étiquettes : Agessimo, Azpilicueta Martínez, Credencial, Don Ernesto, Marqués del Romeral (le meilleur style traditionnel), Siglo (style moderne).

Reserva • Gran Reserva

BODEGAS ALAVESAS
Rioja

Produit quelques vieux *reserva* et *gran reserva* d'une qualité et d'une élégance étonnantes. Quelques étiquettes : Solar de Samaniego (premier vin), Castillo de Bodala (deuxième vin).

Reserva • Gran Reserva

AMEZOLA DE LA MORA

Rioja

J'ai rencontré quelques vins intéressants du domaine d'Inigo Amezola (Rioja Alta). À suivre.

Viña Amezola • Señorio de Amezola

ARAEX
Rioja

Fondé en 1983, ARAEX est un groupement de neuf bodegas qui commercialisent les étiquettes suivantes de rioja : Bodegas don Balbino, Bodegas luis Canas (quelques excellents *reservas* de garde – dix ans et plus), Viña Diezmo, Bodegas Larchago (voluptueusement fruité), Viña Lur, Bodegas Heredad de Baroja (énormément de fruit, tanin structuré), Bodegas Muriel, Solagüen, Valserano.

BARÓN DE LEY
★★☆V

Rioja
***Voir aussi* El Coto**

Un rioja passionnant issu d'un seul domaine, produit par Barón de Ley dans du chêne non pas américain mais exclusivement français. L'un des deux meilleurs riojas actuels (l'autre étant le contino).

gamme complète

BARÓN DE OÑA
★☆

Rioja
***Voir aussi* La Rioja Alta**

La plus petite bodega, fondée à paganos vers la fin des années 1980, mais vendue à Rioja Alta en 1995, bien avant qu'on ait pu distribuer ses excellents vins en Espagne ou à l'étranger. Fabriqué dans une cuverie moderne entièrement en Inox et 100% de barriques françaises neuves, le barón de oña est un vin à suivre.

gamme complète

BODEGAS BERBERANA
☆V

Rioja

Ce producteur est parfois décevant en bas de gamme, mais ses vins de *reserva* et *gran reserva* sont bons à très bons – amples, gras voire parfois empâtés, et tendrement fruités avec une nuance de chêne. Les vieux millésimes sont d'un bon rapport qualité/prix. Quelques étiquettes : Preferido (style *joven*), Carta de Plata (style plus jeune), Carta de Oro (plus ample et riche), et Berberana *Reserva* et *Gran Reserva* (la meilleure).

Reserva • Gran Reserva • Tempranillo • Dragon Tempranillo

BODEGAS BERCEO
Rioja

Peu de vignobles, vins ordinaires mais bons vins *reserva* et *gran reserva*. Implantées à Haro, les bodegas berceo ont le même propriétaire que les Bodegas Luis Gurpegui Muga à San Adrian, là où la Rioja Baja empiète sur la Navarre.

Gonzalo de Berceo Gran Reserva

BODEGAS BERONIA
Rioja

Les vins rouges fermes aux nuances de chêne et vins blancs frais de Gonzalez Byass.

Reserva • Gran Reserva

BODEGAS BILBAINAS
☆

Rioja

Gros producteurs de riojas traditionnels. Quelques étiquettes : Viña Pomal (couleur soutenue, goût prononcé de chêne et de prune), Viña Zaco (goût de chêne), Vendimia Especial (excellent dans les vieux millésimes), Royal Carlton (l'une des marques de Cava de la Rioja).

Reserva • Gran Reserva

BODEGAS RAMON BILBAO
☆

Rioja

Peu de vignobles et petite production surtout à partir de raisin venu d'ailleurs, viña turzaballa est le meilleur vin de Ramon Bilbao. Cet assemblage comporte 90% de tempranillo, le vin reste longtemps en fûts avant de vieillir jusqu'à six ans en bouteilles.

Viña Turzaballa Gran Reserva

BODEGAS CAMPILLO
★V

Rioja
***Voir aussi* Faustino Martínez**

Souvent présenté comme un nouveau rioja, ces vins étaient auparavant vendus comme deuxième étiquette de Faustino Martinez. Déjà, au moment de la parution de la première édition de cette encyclopédie, en 1988, ces vins étaient « souvent meilleurs que le grand vin » car Faustino les utilisait pour « faire » ses barriques neuves. Au moins Faustino aura-t-il eu le bon sens de reconnaître ses erreurs et de lancer une nouvelle bodega sous le nom de Campillo.

gamme complète

BODEGAS CAMPO VIEJO
★V

Rioja
***Voir aussi* Bodegas AGE et Marqués del Puerto**

Gros producteur ayant le même propriétaire que Bodegas AGE et Marqués del Puerto, Campo Viejo mérite sa réputation de vins fins d'un bon rapport qualité/prix. Ses *tintos* sont corsés, aux nuances riches de fruits mûrs et de chêne aux parfums de vanille. Quelques étiquettes : Albor (style *joven*), Viña Alcorta (vins à cépage unique vieillis en fûts), San Asensio (d'un fruité exubérant), Marqués de Villamagna (vin tout en finesse fait pour vieillir en bouteilles).

Reserva • Gran Reserva • Marqués de Villamagna Gran Reserva

BODEGAS CASTILLO DE MONTJARDIN
★

Navarre

Voici une nouvelle étoile montante qui cultive beaucoup de tempranillo et de cépages français. Ses vins rouges et blancs, vieillis ou non en fûts, sont frais et crémeux. Cette bodega a énormément de potentiel.

chardonnay • Tinto Crianza

BODEGAS JULIAN CHIVITE
Navarre

Produit des vins souvent tendres, souples et boisés, à la saveur crémeuse de noix de coco.

Chivite Reserva • Gran Feudo • Viña Marcos

CONTINO
★★☆

Rioja

Propriété de la CVNE et d'un groupe de viticulteurs (qui regroupe ainsi toute la surface du vignoble), le contino n'est pas le premier rioja issu d'un vignoble unique, mais son succès fait des émules et suscite un intérêt pour le chêne français (au lieu de l'américain).

Contino Rioja Reserva

BODEGAS CORRAL
Rioja

Bodega discrète mais en progrès. Elle possède assez peu de vignobles. La gamme don jacobo est la plus familière mais le corral gran reserva, sous-estimé, est de loin son meilleur vin.

Corral Gran Reserva

COSECHEROS ALAVESES
☆V

Rioja

Parmi les meilleures coopératives, sans doute en raison de sa petite taille qui en fait à peine une coopérative, au sens habituel de ce terme, et de l'emplacement idéal de ses vignobles autour de Laguardia (Rioja Alava). Ici, le style des vins est toujours brillant et fruité.

Artadi, (y compris blanco) *• Orobio • Valdepomares*

BODEGAS EL COTO
★☆

Rioja
***Voir aussi* Barón de Ley**

Le coto de imaz et, plus récemment, le barón de ley sont issus d'un seul vignoble et illustrent bien la perfection de style, de grâce et de finesse de ces vins.

El Coto • Coto de Imaz Reserva

CVNE (CAMPAÑIA VINÍCOLA DEL NORTE DE ESPAÑA)
☆

Rioja
***Voir aussi* Contino**

La Compañia Vinícola del Norte de España Rioja, appelée aussi Cune (prononcez couné) comptait autrefois les producteurs de rioja les plus traditionnalistes, produisant des millésimes vraiment légendaires, capables de vieillir trente ans et plus ; c'est pourquoi l'installation d'une cuverie ultra moderne d'environ 120 MF a provoqué quelques difficultés. Toutefois, elles sont aujourd'hui en voie d'être surmontées. Les millésimes récents de la « CVNE » sont meilleurs, annonçant, on l'espère, un retour à la qualité 2 étoiles qui fut longtemps la sienne. Les vins de la gamme imperial montrent de la finesse, le viña real est plus gras, le monopole *blanco* allie agréablement la fraîcheur du fruit aux nuances crémeuses de chêne.

✓ *Gran Reserva* • *Monopole*

BODEGAS DOMECQ

Rioja

La célèbre maison de xérès n'a pas seulement construit le plus grand domaine de la Rioja, mais a encore homogénéisé un ensemble unique de vignobles, au lieu de s'éparpiller, comme les autres, sur toute la région. Il s'agit d'une sorte de grand Contino à propriétaire unique. L'idée, au départ, était de commercialiser un rioja issu d'un vignoble unique sous l'étiquette du domaine de Domecq, ajoutant le prestige aux ventes considérables du marqués de arienzo, assemblage inférieur de raisin du domaine et de raisin acheté. Les vins du domaine n'étaient pas assez riches ni assez bons pour que ce projet réussisse, et ils étaient commercialisés en Espagne sous une autre appellation (Privilegio Rey Sancho). Le domecq aurait pu devenir un superbe rioja issu de vignoble unique. Aujourd'hui, le marqués de arienzo est devenu le premier vin de cette bodega, le second se nomme viña eguia. Le style demeure plutôt léger et raffiné que corpulent et passionnant. Préférez le *gran reserva.*

✓ *Gran Reserva*

BODEGAS FAUSTINO MARTÍNEZ

★

Rioja

Suffisamment vieillis en bouteilles (cinq ans ne sont pas de trop), les faustinos *reserva* et *gran reserva* peuvent atteindre une finesse exceptionnelle, souvent dépassée cependant par le campillo, autrefois deuxième vin chargé d'atténuer le goût boisé des barriques neuves de cette bodega.

✓ *Faustino V* (Reserva) • *Faustino I* (Gran Reserva)

BODEGAS FRANCO ESPAÑOLAS

Rioja

Maison ancienne, qualité moyenne. Quelques étiquettes : Viña Soledad (*blanco*), Bordón (jeune et fruité), et Royal (léger).

BODEGAS GUELBENZU

½★

Navarre

Le vin de base est un assemblage intéressant de cabernet, de merlot et de tempranillo, la proportion des cépages bordelais augmentant avec la qualité. Le meilleur, l'evo, est entièrement vieilli en fûts de chêne français. Le jardin est issu de vignes de garnacha plus que trentenaires. Bodega à suivre.

✓ *Jardin* • *Guelbenzu* • *Evo*

BODEGAS GURPEGUI

Rioja

À San Adrian (Rioja Baja), où elle produit les gammes viñadrian et dominio de la plana, Bodegas Gurpegui est également propriétaire des Bodegas Berceao en Rioja Alta.

BODEGAS IRACHE

Navarre

Chai moderne qui produit des vins fruités sans prétention.

✓ *Viña Irache* • *Gran Irache*

BODEGAS LAGUNILLA

Rioja

Vins convenables et fiables mais rarement passionnants, bien que 100 % tempranillo. L'une des étiquettes, le viña herminia, est appréciée en Espagne, mais mieux vaut se fier aux vieux millésimes et aux *gran reservas.*

BODEGAS LAN

Rioja

Ces vins de bonne qualité ont connu une période difficile au début des années 1990. Les millésimes vieillis plus longtemps en fûts sont commercialisés sous l'étiquette Lander, ou Viña Lanciano pour les plus vieux.

BODEGAS MAGAÑA

★

Navarre

Juan Magaña est connu surtout pour ses vins de cépage, en particulier son excellent merlot, moins fin toutefois que son merlot-tempranillo.

✓ *Eventum* • *merlot*

MARQUÉS DE CÁCERES

Union Viti-Vinícola de Logroño Rioja

Souvent cité en exemple à l'école moderne de la Rioja, il s'agit en fait d'un style bordelais traditionnel aux vins plus légers et moins rustiques, vieillissant bien en bouteilles. L'antea est un excellent blanc fermenté en barriques. Autres étiquettes : Constanilla, Gran Vendema, Grandeza, Rivarey.

✓ *Antea* • *Reserva* • *Gran Reserva*

MARQUÉS DEL GRIÑON

★½★ V

Rioja

Peut-être plus connue pour ses grands vins non-DO du sud de Madrid, avec Berberana, cette maison produit depuis 1990 une excellente série de riojas modernes.

✓ *gamme complète*

MARQUÉS DEL PUERTO

Rioja

***Voir aussi* Bodegas AGE et Campo Viejo**

Anciennement Bodegas Lopez Agos, Marqués del Puerto appartient, comme Bodegas AGE et Campo Viejo, à Bebidas (anciennement Savin). Ses riojas au fruit fondu et délicieux sont élégants et d'une bonne acidité.

✓ *Reserva*

MARQUÉS DE MURRIETA

★★½★

Rioja

Le *blanco reserva* de cette bodega, qui appartient à Dominos de Creixell, propriétaire de Pazo de Barrantes (*voir* Aías Baixas DO, « Les vins d'Espagne », p. 354) est prisé par les amateurs du vieux style oxydé, même s'il ressemble parfois à du thé qu'on aurait fait infuser dans une barrique de chêne neuf. Beaucoup le considèrent cependant comme le modèle du genre. Les vins blancs sont aujourd'hui plus fruités, surtout le nouveau vin de cépage misela de murrieta. Les vins rouges de cette bodega sont excellents, en particulier la remarquable gamme de millésimes anciens qui restent disponibles dans le commerce. Son fleuron est le castillo ygay.

✓ *misela* • *Ygay Etiqueta Blanca* • *Ygay Reserva* • *Castillo Ygay*

MARQUÉS DE RISCAL

Rioja

À la sortie de la première édition de ce livre, l'importateur suisse de Riscal a faxé à Francisco Hurtado de Amexaga une copie de cette page disant que « les vins rouges de la plus célèbre des bodegas de la Rioja ont un caractère désagréable de champignon moisi ». Le même Hurtado a aussitôt appelé son meilleur chef de chai de Rueda, pour éclaircir la chose. Ce goût bizarre remonte en fait aux années 1960, et il s'est installé peu à peu. Auparavant, le vin se classait toujours parmi les trois meilleurs riojas. La maison ayant une réputation très solide et très ancienne, personne n'osait mettre les pieds dans le plat, jusqu'à la fameuse phrase de cet ouvrage, en 1988. Sans vraiment me donner raison, Hurtado de Amexaga a eu l'honnêteté d'admettre que sur une telle durée, les « palais des chais » de Riscal avaient pu s'habituer, à la longue, à ce goût. Chacune des 20 000 barriques a été dégustée, et 2 000 ont été détruites sans autre forme de procès, ce qui représente 600 000 bouteilles ; 2 000 autres barriques ont été marquées, en vue de leur remplacement, l'année suivante dans le cadre d'un programme de renouvellement complet sur dix ans. Avec un tel dispositif, le millésime 1986 a été nettoyé, et celui de 1988 a montré une pureté de fruit jamais vue depuis vingt ans. Mais ce sont surtout les vins de 1989 et de 1990 qui témoignent d'une différence frappante, en raison des vins supérieurs et des barriques en partie neuves. En réagissant de façon aussi énergique et rapide, sans regarder à la dépense, Hurtado de Amexaga a fait preuve de toute la détermination dont Riscal a besoin pour retrouver son rang parmi les meilleurs vins du monde.

✓ *Reserva* • *Gran Reserva* • *Baron de Chirel*

BODEGAS MARTINEZ BUJANDA

★

Rioja

Ce chai à la haute technologie produit toujours des blancs frais et purs et des rouges fins, fermes et fruités.

✓ *Conde de Valdemar*

DOMINO DE MONTALVO

★

Rioja

Un *blanco* pur viura, entièrement fermenté en fûts.

✓ *Domino de Montalvo Viura*

BODEGAS MONTECILLO

½★

Rioja

Propriété d'Osborne de Jerez, Montecillo offre une gamme complète, allant des rouges *crianza* fruités aux grands rouges *gran reserva*, en passant par des *blancos.*

✓ *Viña Cumbrero* (blanco) • *Reserva* • *Gran Reserva*

BODEGAS MUGA

★★☆

Rioja

Rosado délicieux, mais vins rouges de grande classe surtout le prado enea. Le simple muga *crianza* est bien plus jeune et plus frais, mais gagne en vieillissant une élégance comparable et la belle finale soyeuse du prado enea.

✓ *gamme complète*

BODEGAS MURUA

Rioja

Petit chai spécialisé dans la production d'un rioja alta pur tempranillo assez fin.

✓ *Reserva* • *Gran Reserva*

BODEGAS MUERZA

Rioja

Les rouges les moins chers ici sont des vins passe-partout, légers et poivrés, qui nuisent à la réputation de cette bodega dont les *reserva* et *gran reserva*, relativement bon marché, fermes et boisés présentent une bonne acidité qui les protège.

✓ *Rioja Vega* (Reserva Gran Reserva)

BODEGAS NEKEAS

★★

Navarre

Grande découverte du challenge international de 1996 : contre quelques-uns des plus grands chardonnays de Bourgogne et du nouveau monde, Nekeas a remporté alors le Trophée Chardonnay. C'est l'œuvre de l'ancien ministre de l'agriculture espagnol, Francisco San Martin, qui s'y connaît.

✓ *gamme complète*

BODEGAS OCHOA

Navarre

Cette bodega réputée déçoit aujourd'hui, mais je suis convaincu que l'ancien chef œnologue de l'EVENA (*voir* p. 358) possède le matériel et le savoir-faire pour produire encore de grands vins de Navarre. C'est pourquoi, je réserve encore mon jugement.

BODEGAS OLARRA

Rioja

Cette bodega ultramoderne produisait une gamme de bons riojas; cependant, à partir de 1985 environ les vins se sont dégradés, jusqu'au 1990 qui a marqué un début de redressement, confirmé ensuite. Je croise donc les doigts. Parmi les étiquettes, on relève la catedral.

✓ *gammes Añares et Cerro Añon*

BODEGAS PALACIO

Rioja

Vieille bodega excellente depuis le début des années 1990, qui utilise du chêne français et américain. Les vins vont d'un pur tempranillo, cosme palacio y hermanos, rioja traditionnel (toujours le meilleur de l'endroit), au milfores, l'un des meilleurs vins *joven*, débordant de fruit juteux.

✓ *Cosme Palacio y Hermanos* • *Glorioso* • *Milfores*

PALACIO DE LA VEGA

★☆

Navarre

Alicia Eyaralar, la viticultrice la plus douée d'Espagne, produit – uniquement avec le raisin de ce domaine – des vins élégants, joliment emballés et pleins de fruit et de finesse.

✓ *cabernet sauvignon* (Reserva)

PALACIO DE MURUZABAL

Navarre

Je dois avouer que le Palacio de Muruzabal m'est inconnu, mais puisque le gourou américain du vin, Robert Parker, en parle comme du plus grand chardonnay d'Espagne, j'en prends note en vue d'une visite prochaine en Navarre et pour le signaler au lecteur.

FEDERICO PATERNINA

Rioja

Ce sont des vins légers et incomplets, surtout le plus connu, le banda azul. Les *reserva* sont plus riches, mais les *gran reserva* (conde de los andes) sont très inconstants – tantôt de pures merveilles, tantôt totalement volatils.

✓ *Viña Vial* (Reserva)

BODEGAS PIEDMONTE

★

Navarre

Bodega d'avenir qui produit un excellent cabernet sauvignon, soyeux en bouche et finement épicé. À suivre.

✓ *Oligitum cabernet sauvignon*

BODEGAS PRINCIPE DE VIANA

☆✪

Navarre

Anciennement appelé Agronavarra Cenal, et ayant intégré les Bodegas Canalsa, le principe de viana est devenu la production phare de cette unité, ce qui explique le changement de nom. Les vins sont sans doute une bonne affaire, surtout comparés à ceux des autres grands du marché de cette région de Navarre, dont les prix ont augmenté avec la qualité. Sans avoir la finesse des meilleurs, ils sont bien moins chers et ont un goût riche de noix de coco que j'attribue au chêne américain – malgré l'emploi de barriques françaises pour certains. Parmi les étiquettes : Agramont, Campo Nuevo.

✓ *cabernet sauvignon* • *chardonnay*

REMÉLLURI

La Granja Nuestra Señora de Remélluri Rioja

L'harmonie exquise, l'élégance et la finesse de ces riojas, issus d'un vignoble unique de Labastida de Alava, n'ont d'égales que leur grande richesse en fruit et leur longue finale aux notes vanillées de chêne.

✓ *Labastida de Alava*

LA RIOJA ALTA

Rioja

Le viña alberdi *crianza* constitue une excellente introduction à ces vins, mais on en vient aux choses sérieuses avec les viña arana et viña ardanza *reservas*, élégants et très complexes, et qui pourtant représentent plus de la moitié de la production de la firme. Le *gran reserva 904* est très racé et d'une concentration exceptionnelle, tandis que le *reserva 890* est un vin exquis, s'il en est.

✓ *Baron de Oña* • *Viña Alberdi* • *Viña Ardanza* (Reserva) • *Gran Reserva 904* • *Gran Reserva 890*

BODEGAS RIOJANAS

Rioja

Bodega traditionnelle réputée pour ses vins rouges, en particulier les versions *reserva* et *gran reserva* du viña albina, aux belles nuances de chêne, ou du monte real, aux saveurs de prune, de vanille et d'épices.

✓ *Cànchales* (Vino Nuevo) • *Viña Albina* (Reserva) • *Monte Real* (Reserva)

BODEGAS RIOJA SANTIAGO

Rioja

Le souvenir des excellents millésimes des années 1950, dégustés dans les années 1970, s'efface malheureusement devant le niveau actuel, acceptable sans plus. Autre étiquette : Vizconde de Ayala.

✓ *Gran Condal* (Reserva, Gran Reserva)

BODEGA DE SARRIA

Navarre

Grand domaine bien équipé, dont les chais modernes donnent des vins sains et fruités, en progrès constants malgré la disparition de Francisco Morriones, l'oenologue à qui la bodega doit sa réputation actuelle. Quelques étiquettes : Viña del Portillo, Viña Ecoyen, Viña del Perdón.

✓ *Gran Vino del Señorio de Sarria* • *Viña del Perdon* • *Viña Ecoyen* • *Blanco Seco* • *Rosado*

BODEGAS CARLOS SERRES

Rioja

Bodegas fondées par le Français Charles (Carlos) Serres en 1869, un an après l'arrivée de son compatriote Jean Pineau aux Bodegas Marqués de Riscal. Le style est plutôt léger, mais les *reserva* et *gran reserva* montrent souvent une richesse élégante.

✓ *Carlomagno* (Reserva) • *Carlos Serres* (Gran Reserva)

BODEGAS SIERRA CANTABRIA

Rioja

Ces propriétaires de vignobles étendus offrent une grosse production d'un rioja d'un style facile à boire, gras mais au goût prononcé de cerise. Autre étiquette : Bodegas Eguran.

✓ *Codice* • *Reserva*

VIÑA IJALBA

Rioja

C'est l'une des bodegas les plus jeunes, les plus petites et peut-être les plus passionantes de la Rioja. Elle donne à découvrir des styles étonnants, avec un pur graciano fort rare. Je serais surpris qu'elle ne décroche pas sa deuxième étoile dès la prochaine édition.

✓ *Ijalba* (graciano) • *Solferino* (tempranillo)

VIÑA SALCEDA

Rioja

Surtout des rouges *crianzas* frais et faciles à boire, mais les *gran reservas* sont immenses, riches et sérieux.

✓ *Gran Reserva*

VIÑA TONDONIA

López de Heredia Viña Tondonia Rioja

Tondonia occupe la même colline que les Bodegas Muga. Il ne saurait exister établissement plus traditionnel : les toiles d'araignée envahissent la salle de dégustation et les bouteilles sont toutes religieusement cachetées à la cire, comme si elles contenaient du porto. Les vins sont riches, marqués par le chêne et capables de vieillir longuement. Le tondonia est le meilleur vin, le bosconia le plus gras et le cubillo le plus jeune.

✓ *Viña Bosconia* • *Viña Cubillo* • *Viña Tondonia* (y compris blanco)

VINICOLA DE LABASTIDA

Rioja

Probablement la meilleure coopérative de la région.

✓ *Gastrijo* (Reserva) • *Castillo Labastida* (Gran Reserva)

VINICOLA NAVARRA

Navarre

Des vins riches en couleur et en saveur, parfois au goût de porto, mais toujours bon marché et d'un bon rapport qualité/prix. Vinicola Navarra appartient au vaste empire Bebidas (Bodegas AGE, Campo Viejo, etc.)

✓ *Las Campanas* • *Castillo de Tiebas* (Reserva)

PENEDÈS : LE PAYS DU CAVA

Le succès mondial du cava – seul vin de DO espagnol élaboré selon la méthode classique – et la magie du génie vinicole de Miguel Torres ont fait du Penedès la région la plus célèbre de Catalogne, de sorte que tous les vins de la région sont aujourd'hui vendus à l'exportation.

Avant le phylloxéra, qui a frappé le Penedès en 1876, plus de 80% des vignobles se composaient de cépages noirs. Mais lorsqu'on a replanté des vignes greffées sur des porte-greffes américains, pour répondre à la vogue croissante des vins mousseux, la priorité a été donnée aux cépages blancs. Dans les vignobles, les cépages classiques sont toujours palissés sur fil de fer, tandis que les variétés espagnoles traditionnelles sont conduites en arbuste.

LES SECTEURS DU PENEDÈS

La région du Penedès compte trois secteurs distincts : le Bajo Penedès, le Mejo Penedès, et le Penedès Superior.

Bajo (ou Baix) Penedès

Les cépages cultivés dans les vignobles du Bajo Penedès sont les suivants : monastrell, malvasia, grenache (*syn.* garnacha), cariñena et divers cépages, noirs pour la plupart.

Cette bande côtière est le plus chaud des trois secteurs. Les terres y sont basses et plates, les sols calcaires, argileux et sableux. Cette zone produit de plus en plus de vins rouges corsés, tel le sangredetoro de Torres.

Medio Penedès

Les cépages cultivés dans les vignobles du Medio Penedès sont les suivants : essentiellement xarel-lo et macabéo; c'est aussi l'aire la plus favorable au tempranillo, au cabernet sauvignon, au merlot et au monastrell.

Ce secteur médian du Penedès est légèrement vallonné, parfois plat, à une altitude moyenne de 200 m, à l'ouest de Barcelone : le sol est essentiellement calcaire et argileux, et le climat est plus frais que dans le Bajo Penedès, correspondant en moyenne aux régions II et III selon le système californien de sommation des températures (*voir* p. 448). Spécialisé dans le cava, il offre également les meilleurs vins rouges « nouveau style » ainsi que les divers coronas de Torres.

Penedès Superior

Les cépages cultivés dans cette zone sont presque exclusivement blancs, surtout le parellada, plus le riesling, le gewurztraminer et le muscat. On y cultive aussi un peu de pinot noir.

Ce secteur est le plus éloigné de la côte et la vigne pousse dans des contreforts calcaires à une altitude de 500 à 800 m. Le climat est plus frais qu'ailleurs – équivalent aux régions I et II – au point que le cabernet sauvignon ne peut y mûrir et que presque tous les vins sont blancs. Le Penedès Superior convient bien au pinot noir;

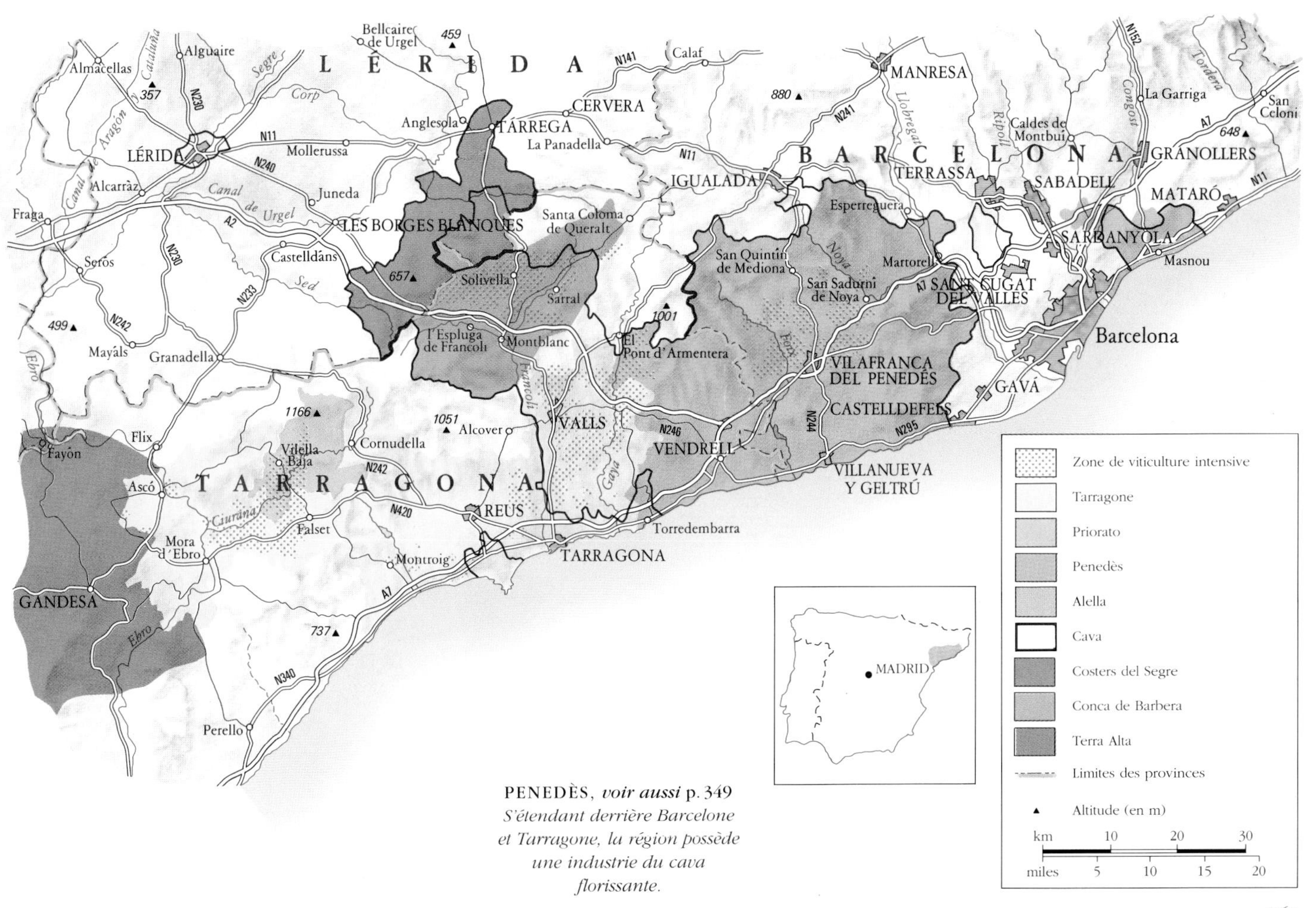

PENEDÈS, *voir aussi* p. 349
S'étendant derrière Barcelone et Tarragone, la région possède une industrie du cava florissante.

FACTEURS AFFECTANT LE GOÛT ET LA QUALITÉ

SITUATION
Située dans le nord-est de l'Espagne là où l'Èbre se jette dans la Méditerranée, le Penedès est partie intégrante de la Catalogne qui inclut aussi : Alella, Tarragone, Priorato et Terra Alta.

CLIMAT
Un climat méditerranéen doux prévaut dans le Penedès; il devient peu à peu plus continental (avec des étés plus chauds et des hivers plus rigoureux) vers l'ouest et vers l'intérieur des terres, en direction de la Terra Alta.
De même, les risques de brouillard dans le nord-est sont remplacés par le danger des gelées au sud-ouest. Dans les hauts vignobles de l'Alto Penedès, les cépages blancs et aromatiques qui apprécient des températures assez fraîches sont cultivés à une altitude plus élevée.

SITE
La vigne occupe toutes sortes de sites, depuis les plaines de Tarragone jusqu'aux vignobles de l'Alto Penedès, à 800 m d'altitude, en passant par les hauts plateaux de la Terra Alta (400 m). En altitude, la température diminue de 1 °C tous les cent mètres.

SOL
Les sols sont de nature très diverse : du granit dans l'Alella, de l'argile calcaire, de la craie et du sable dans le Penedès, un mélange de calcaire, de craie, de granit et des dépôts alluviaux en Tarragone. Le sol du Priorato est inhabituel, en ardoise rougeâtre, avec des particules de mica réfléchissant.

VITICULTURE ET VINIFICATION
La Catalogne est une pépinière d'expérimentation. Les maisons de cava comme Codorníu et les spécialistes de grands vins comme Torres ont introduit ici des techniques de vinification ultramodernes.
À l'exception des pratiques très traditionnelles en usage dans le Priorato, les techniques de viticulture et de vinification sont assez modernes dans l'ensemble de la Catalogne.
Chez Raimat, à Lérida, on trouve à la fois le pressoir continu le plus récent et le plus efficace (« Sernagiotto »), qui est utilisé pour le gros de la production, et des pressoirs rudimentaires qui n'extraient du raisin que 50 à 60% de son jus.

CÉPAGES PRINCIPAUX
Cabernet sauvignon, carignan (*syn.* cariñena, mazuelo), garnacha (*syn.* lladoner, aragonés), mourvèdre (*syn.* alcayata, monastrell), samsó, tempranillo (*syn.* ull de llebre), viura (*syn.* macabéo), xarel-lo (*syn.* pansà blanca)
CÉPAGES SECONDAIRES
Cabernet franc, chardonnay, chenin blanc, gewurztraminer, merlot, muscat d'Alsace, parellada, pinot noir, riesling, sauvignon, subirat-parent (*syn.* malvasia riojana)

Torres le cultive à San Marti pour l'élaboration du viña magdala. La plupart des vins sont vinifiés à basse température; ils sont frais et possèdent parfois un bel arôme et une bonne acidité.

LE VIN MOUSSEUX D'ESPAGNE : LE CAVA

On pense généralement que c'est Jos Raventos, patron de Codorníu, qui a élaboré le tout premier vin mousseux d'Espagne, en 1872. Or, selon Antonio Ribas, le procédé remonterait à 1862. La production était encore artisanale au lendemain de la seconde guerre mondiale puisqu'en 1950, elle atteignait à peine six millions de bouteilles. Les exportations ne seront enregistrées officiellement qu'à partir de 1974.

Le Cava est aujourd'hui la deuxième appellation méthode classique du monde. Le terme, qui signifie tout simplement « cave », remonte à 1970 et désigne tout vin espagnol préparé selon cette méthode, quelle qu'en soit l'origine. Or, l'adhésion de l'Espagne à la CEE en 1986 a entraîné son adhésion au régime vinicole européen, fondé sur la notion d'origine. Pour satisfaire aux exigences de Bruxelles, les autorités espagnoles se sont contentées de délimiter les diverses régions de production, c'est-à-dire non seulement la Catalogne (95% du total, principalement dans le Penedès), mais encore d'autres régions : Aragon, Navarre, Rioja.

LE CARACTÈRE ESPAGNOL DU CAVA

Deux maisons assurent l'essentiel de la production de cava, en l'occurrence Codorníu et Freixenet. Cette dernière s'est toujours violemment opposée à l'arrivée massive de cépages étrangers qui risquaient de nuire au caractère espagnol du cava. En dehors de la France, le cava est le seul vin sec mousseux de renom, et un cépage à la réputation internationale comme le chardonnay pourrait en effet en gommer la spécificité. Néanmoins, Codorníu a montré qu'il était possible d'obtenir un cava autrement corsé en y ajoutant du chardonnay plutôt qu'en se limitant aux cépages traditionnels (macabéo, parellada, xarel-lo).

Lors d'un dîner de négociants en cava en 1991, au cours duquel le président de Freixenet, Manuel Duran, émettait des réserves sur la capacité des cépages utilisés à donner un bon vin mousseux, il lui fut demandé, non seulement de trouver un remplaçant espagnol pour le chardonnay, mais encore d'essayer les cépages noirs. Malgré la réticence de certains traditionnalistes, pour des raisons bizarres, qui ont toujours considéré comme un sacrilège de faire du blanc avec des cépages noirs, Duran a relevé le défi. Après un premier vin trop gras, sa cuvée monastrell-xarel-lo était bien meilleure en 1997. Toutefois, cette technique reste à maîtriser, et c'est pourquoi il y a de fortes chances pour ce vin continue de s'améliorer. Jusqu'alors, Codorníu était le seul à faire du blanc de noirs, et son cava à base de pinot noir compte parmi les vins mousseux espagnols les plus somptueux qui soient.

Je crois effectivement que le cava, un jour ou l'autre, finira par bénéficier de cépages noirs espagnols, monastrell, grenache, trepat, tempranillo ou autre. Ce jour-là, Codorníu, j'en suis sûr, répondra présent, comme il n'hésitera pas non plus à utiliser un cépage blanc à la manière d'un chardonnay pour donner de la rondeur à ses cuvées.

LE CAVA DU PENEDÈS
Bon nombre de producteurs de cava utilisent aujourd'hui des girasols manuels ou à commande numérique, permettant le remuage par pallettes entières. Cependant, on voit encore des pupitres chez les firmes plus traditionnelles, telle l'entreprise familiale de Juvé y Camps.

PRINCIPAUX PRODUCTEURS DE
CAVA ET PENEDÈS

Note : Pour les vins recommandés des autres appellations catalanes, voir les DO listées sous « Les vins d'Espagne », page 352. Seuls les vins des appellations cava DO et Penedès DO sont donnés ci-dessous. Les penedès rouges sont généralement bons à boire dans la troisième année, les meilleures cuvées peuvent attendre dix ans, alors que quelques vins exceptionnels vieillissent bien sur des décennies. La plupart des penedès blancs et rosés et les cavas mousseux sont à consommer sans attendre.

ALBET I NOYA
☆

Fondée seulement en 1981, la maison Josep Albet i Noya a su s'imposer rapidement comme producteur d'un cava frais et vigoureux et de bons penedès blancs, mais aussi aujourd'hui quelques rouges spectaculaires.

✓ *Cava* (millésimé) • *blanc novell* • *cabernet sauvignon* • *tempranillo*

MASÌA BACH
☆

Renommée pour son extrísimo bach, vin blanc moelleux élevé en fûts, cette firme, qui appartient à Codorníu, semble accorder maintenant plus d'importance à ses vins rouges, comme en témoigne l'étonnant millésime 1985 étiqueté simplement masía bach.

✓ *Masía Bach* (Reserva) • *Viña Estrísima* (Reserva)

RENÉ BARBIER
☆

Propriété de Freixenet, cette firme a bâti sa réputation autour de ses blancs, notamment de la marque Kraliner; pourtant les rouges sont bien plus intéressants.

✓ *Priorato* (Clos Mogador)

CAN RAFOLS DELS CAUS
★

Petit domaine plein d'avenir qui produit d'excellents cabernets (franc et sauvignon) et un assemblage à base de merlot : le gran caus. Autre vin, le petit caus.

✓ *Gran Caus*

CASTELL DE VILARNAU
★

Producteur trop irrégulier, qui a cependant toujours été capable de cavas plus riches et complexes, même avant l'amélioration générale du milieu des années 1990.

✓ *Cava* (millésimé)

CASTELLBLANCH
☆V

La propriété de Freixenet, cette firme produit un cava extrêmement régulier.

✓ *Cava* (Brut Zero)

CAVAS HILL
★

Vieux domaine familial qui produit d'élégants cavas et quelques très bons vins tranquilles.

✓ *Cava* (Reserva oro brut) • *Blanc Cru* • *Gran Civet* • *Gran Toc*

CODORNÍU
★

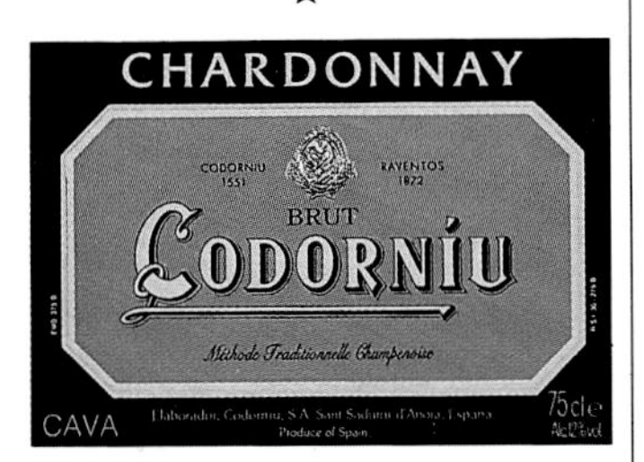

Producteur le plus important (volume bien supérieur à celui de Moët & Chandon en Champagne) et le plus novateur, Codorníu est à l'origine de la controverse sur l'introduction de cépages étrangers, puisqu'il a introduit le chardonnay, d'abord dans le raimat cava de Conca de Barberà, puis dans ses propres vins. Certes le chardonnay améliore la qualité, la profondeur et la finesse du cava, mais certains, craignant que ce vin perde son caractère typiquement espagnol, s'opposent à l'emploi d'autres cépages que les variétés indigènes traditionnelles.

✓ *Cava* (en particulier Anna de Codorníu chardonnay)

CONDE DE CARALT
☆

Ce cava fiable est produit par une partie du groupe Freixenet.

✓ *Cava* (brut)

COVIDES
☆

Cette coopérative produit un cava d'une richesse étonnante.

✓ *Cava* (Duc de Foix Brut, Duc de Foix Vintage)

FREIXENET
★

Deuxième maison de cava par la taille, Freixenet produit sans doute le cava le plus célèbre. Parmi les autres cuvées : Castellblanch, Conde de Caralt, Paul Cheneau et Segura Viudas.

✓ *Cava* (cuvée DS, brut nature, carta nevada, cordon negro 1991)

GRAMONA
★

Parmi des cavas alertes, le celler battle délivre en finale une rare finesse aux saveurs de vanille.

✓ *Celler Battle* • *Imperial*

JUVÉY CAMPS

Je n'ai trouvé à ce vin aucune des hautes qualités que certains œnologues lui trouvent, mais je m'empresse d'ajouter qu'il n'y a rien non plus à redire aux vins de cette entreprise familiale traditionnelle et respectée.

JEAN LÉON
★☆

J'espère que les changements envisagés ici ne vont rien bouleverser, si ce n'est en ce qui concerne la régularité, car ces vins amples et richement boisés sont tantôt étonnants tantôt décevants.

✓ *cabernet sauvignon* • *chardonnay*

MARQUÉS DE MONISTROL

Propriété de Martini & Rossi, cette firme compétente dans le cava produit aussi un beau penedès reserva rouge et un merlot jeune et frais.

✓ *Cava* • *Penedès Reserva* • *merlot*

CAVAS MASCARÒ
☆

Petite entreprise familiale créée au lendemain de la guerre, connue surtout pour son eau-de-vie don narciso, mais sa gamme de vins est sous-estimée.

✓ *Cava* (brut) • *Anima cabernet sauvignon*

MAS RABASSA
☆

Mas Rabassa fait des vins délicieux frais dans le style nouveau.

✓ *xarel-lo* • *macabéo*

MESTRES
☆

Petite maison de cava très traditionnelle. Ses nombreux vins montrent un beau caractère autolytique.

✓ *Cava* • *Clos Nostre Senyor* • *Mas-Via*

MONT MARCAL
☆

Cava bien fait, produit par une firme familiale.

✓ *Cava* (nature, chardonnay)

PARXET
★

Cette maison, appartenant au même propriétaire que Marqués de Alella, est capable de produire des vins mousseux raffinés. Sa cuvée dessert, légèrement rosée, est plus douce qu'un demi-sec et doit être gardée quelques années. Ce producteur ne craint pas de ne pas faire comme tout le monde.

✓ *Cava* (Brut Nature, Brut Reserva)

CELLARS PUIG AND ROCA
★☆

Il s'agit des vins, passionnants, du domaine de Josep Puig, ancien expert de chez Torres. Puig, très entreprenant, produit même un vinaigre 100% cabernet sauvignon vieilli en fûts de châtaignier!

✓ *Augustus* (cabernet sauvignon, cabernet sauvignon rosado, chardonnay, merlot)

RAIMAT
★☆V

Ce domaine de la Conca de Barberà appartient à Codorníu et utilise un équipement ultramoderne pour produire, outre son cava, premier vin mousseux d'Espagne 100% chardonnay, plusieurs beaux vins issus de cépages français classiques (abadia, tempranillo, cabernet sauvignon, merlot).

✓ *Cava* (chardonnay)

RAVENTÓS I BLANC
☆

Josep Maria, le mouton noir de la famille Raventós, a quitté Codorníu pour se mettre à son compte; ses cuvées de cava sont parfois excellentes car fraîches et vigoureuses.

✓ *Cava* (Brut)

SEGURA VIUDAS
★V

Cette maison de cava est la meilleure de l'immense groupe Freixenet. Ses vins ont plus de richesse et de longévité.

✓ *Cava* (Aria, Vintage Brut)

JAUME SERRA
☆

Cette maison produit du bon cava, mais ses penedès tranquilles sont encore meilleurs, faits dans le style moderne très fruité en collaboration avec le viticulteur chilien Ignacio Recabarren.

✓ *Cava* (Cristalino) • *Viña de Mar*

TORRES
★★

Le nom de Torres évoque les cépages français et des tirages limités de vins parmi les meilleurs du monde. Il s'agit d'une des plus grandes maisons familiales d'Espagne, avec 800 ha de vignes et des ventes annuelles de 1,4 million de caisses. Le modeste et robuste sangre de toro rouge est d'une qualité remarquable et représente le quart de la production (300 000 caisses).

✓ *gamme complète* (mais surtout Fransola, Viña Esmeralda, Mas de la Plana cabernet sauvignon, Las Torres merlot)

LE PAYS DU XÉRÈS

Le 1er janvier 1996, le xérès a retrouvé ses droits exclusifs à l'utilisation de son nom en Europe, après des décennies de faux « xérès » produits par des pays comme la Grande-Bretagne ou l'Irlande dont le gouvernement avait donné son veto lors de l'adhésion de l'Espagne à la CEE en 1986.

Les lenteurs administratives de l'Union européenne sont telles qu'il aura fallu dix ans pour que le nom de xérès (ou jerez, ou sherry) soit réservé aux célèbres vins de liqueur produits dans le sud de l'Espagne autour de Cadix et Jerez de la Frontera. À force de chercher à concurrencer ces imitations bon marché à la limite de l'escroquerie, les vignobles de Jerez ont dû faire face, dès le début des années 1990, à un problème de surproduction en arrachant des milliers d'hectares de vignobles (10600 aujourd'hui au lieu de 17500), mais heureusement les moins intéressants.

LES ORIGINES DU XÉRÈS

Les origines du xérès remontent à 3000 ans, à l'époque où les Phéniciens fondèrent Gadir, aujourd'hui Cadix, en 1100 avant J-C. Pour fuir le *levante*, ce vent chaud dont on dit qu'il rend fou, ils s'enfoncèrent bientôt à l'intérieur des terres où ils bâtirent Xera, qui correspond peut-être à l'actuelle Xérès – ou Jerez. Ce sont, croit-on, les Phéniciens qui ont introduit la viticulture dans la région, ou bien les Grecs, qui apportèrent avec eux leur *hepsema*, le précurseur des *arropes* et *vinos de color* qui ajoutent substance, douceur et couleur aux xérès doux ou crémeux d'aujourd'hui.
Au Moyen Âge, les Maures introduisirent une invention arabe baptisée « alambic », qui permit aux habitants de Jerez de distiller leur surplus de production. Associée à l'*arrope* et au *vino de color*, l'eau-de-vie ainsi obtenue était ajoutée ensuite aux vins nouveaux. Ainsi naquirent les premiers xérès authentiques. La renommée de ces vins s'est peu à peu répandue à travers le monde civilisé, en particulier grâce aux marchands anglais qui avaient fondé des maisons de négoce en Andalousie dès la fin du XIIIe siècle. Après que Henry VIII eut rompu avec Rome, les Anglais installés en Espagne vécurent longtemps sous la menace de l'Inquisition. Francis Drake, après avoir mis le feu à la flotte espagnole dans la baie de Cadix, en 1587 (on dit que ce jour-là il avait « roussi la barbe du roi d'Espagne » et ce fut en effet la plus audacieuse de ses expéditions), rentra chez lui avec 2900 fûts de xérès en guise de butin. Nul ne sait précisément quelle était la capacité de ces barriques, mais on estime que le total représentait plus de 150000 caisses, soit une cargaison gigantesque pour l'époque. Elle fut cependant consommée par une clientèle relativement restreinte que la guerre avait privée des vins espagnols. Depuis lors, l'Angleterre est demeurée, de loin, le premier importateur de xérès, que les Britanniques appellent *sherry*.

JEREZ DE LA FRONTERA
Les ceps de palomino sur le sol blanc pur d'albariza à Montigillilo, superbe vignoble de 120 hectares, au nord de Jerez.

FACTEURS AFFECTANT LE GOÛT ET LA QUALITÉ

SITUATION
Cette région viticole est située dans la province de Cadix, autour de Jerez de la Frontera, dans le sud-ouest de l'Espagne.

CLIMAT
Région viticole la plus chaude d'Espagne. Le climat, généralement méditerranéen, devient plus continental à l'intérieur des terres, autour de Montilla-Moriles, et l'influence de l'Atlantique est sensible près du Portugal. Le *pontete*, qui souffle de l'Océan, produit la *flor* du xérès *fino*, c'est-à-dire la levure.

SITE
La vigne est cultivée dans des sites très divers : le manzanilla provient de plaines côtières; les vignobles du xérès, un peu plus vallonnés, atteignent près de cent mètres en altitude; les coteaux de Montilla-Morilles sont un peu plus élevés, et, à Malaga, la vigne monte jusqu'au plateau ondulé d'Antequerra, à environ 500 m.

SOL
À Jerez, l'*albariza* prédomine. Elle est riche en chaux, retient bien l'humidité et sa couleur blanche et brillante réfléchit sur la base des vignes la lumière du soleil. Les sols sableux et argileux conviennent aussi à la viticulture mais donnent des xérès moins réussis. Le sol, également brillant, à l'est de Jerez n'est pas de l'*albariza* mais une argile schisto-calcaire.

VITICULTURE ET VINIFICATION
La naissance de ces grands vins de liqueur procède de techniques de vinification uniques qui ont rendu cette région fameuse, à juste titre. Le développement d'une *flor* et l'oxydation, obtenue en ne remplissant pas complètement les barriques, sont des éléments essentiels, de même que le système *solera* qui assure l'homogénéité de la production au fil des années. Le résultat est meilleur quand la *solera* est très large, car il y a davantage de tonneaux. Le montilla est vinifié comme le xérès, mais il n'est pas toujours viné étant naturellement plus fort en alcool.

CÉPAGES
Palomino, pedro ximénez, moscatel

LE XÉRÈS : UN VIN UNIQUE

C'est l'alliance de son sol et de son climat qui fait de Jerez de la Frontera l'unique patrie du xérès. Dans bien des pays à travers le monde, des vignerons se sont appliqués à imiter ce vin, mais sans jamais y parvenir vraiment. À cet égard, Jerez rappelle le cas de la Champagne; c'est grâce à un accident de la nature que la région est mieux armée que toute autre pour produire un type de vin spécifique. La ressemblance va plus loin : le champagne et le xérès sont tous deux issus de vins de base neutres et déséquilibrés, lesquels sont peu intéressants avant d'avoir subi le processus élaboré qui les transforme en produits finis de grande qualité, à l'équilibre parfait.

Le fameux sol d'albariza

L'*albariza* de Jerez qui doit son nom à sa surface blanche et brillante, n'est pas de la craie mais une marne tendre d'origine organique, formée par la sédimentation d'algues diatomées à la grande période triasique. L'*albariza* prend une couleur jaune à une profondeur d'environ un mètre, puis devient bleuâtre après cinq mètres. Lorsqu'elle est humide la roche s'effrite et est extrêmement absorbante, mais elle devient très dure en séchant, d'où les avantages de l'*albariza* pour la viticulture. À Jerez, la chaleur est cuisante et le climat sec de l'automne au printemps ; il pleut en moyenne 70 jours par an et les précipitations atteignent environ 50 centimètres. L'*albariza* absorbe l'eau telle une éponge et, avec le retour de la sécheresse, le sol en surface s'aplanit et durcit en formant une sorte de coquille imperméable à l'évaporation. Les pluies de l'hiver et de l'automne sont emprisonnées sous cette croûte et restent à la disposition des vignes, dont les racines descendent à quatre mètres sous la surface. L'*albariza* fournit juste assez d'eau à la vigne, ne la rendant ni paresseuse ni trop productive. Le fort taux de chaux encourage la maturation des raisins étonnamment acides pour un climat aussi chaud. Cette acidité facilite à son tour la fermentation et donne un vin plus frais. Elle le protège en outre d'une oxydation involontaire avant le vinage.

L'ÉLABORATION D'UN GRAND XÉRÈS

Les vendanges

Il y a une vingtaine d'années ou plus, il était de tradition de commencer les vendanges dans la première semaine de septembre. Après la cueillette, les raisins de palomino étaient laissés au soleil pendant 12 à 24 heures, le pedro ximénez et le moscatel pendant 10 à 21 jours. Les vieilles vignes étaient vendangées avant les jeunes et le pedro ximénez et le moscatel cueillis en premier. La nuit, les grappes étaient couvertes de nattes d'herbe qui les protégeaient de la rosée. Cette exposition au soleil, dite *soleo,* a pour principal effet d'augmenter la teneur en sucre tout en réduisant la proportion des acides malique et tannique. Bien que certains producteurs pratiquent encore le *soleo*, la plupart vendangent dans la deuxième semaine de septembre et renoncent à cette méthode, sauf pour le pedro ximénez et le moscatel utilisés pour les xérès les plus doux. Dans ce cas, le raisin est exposé au soleil beaucoup moins longtemps qu'autrefois.

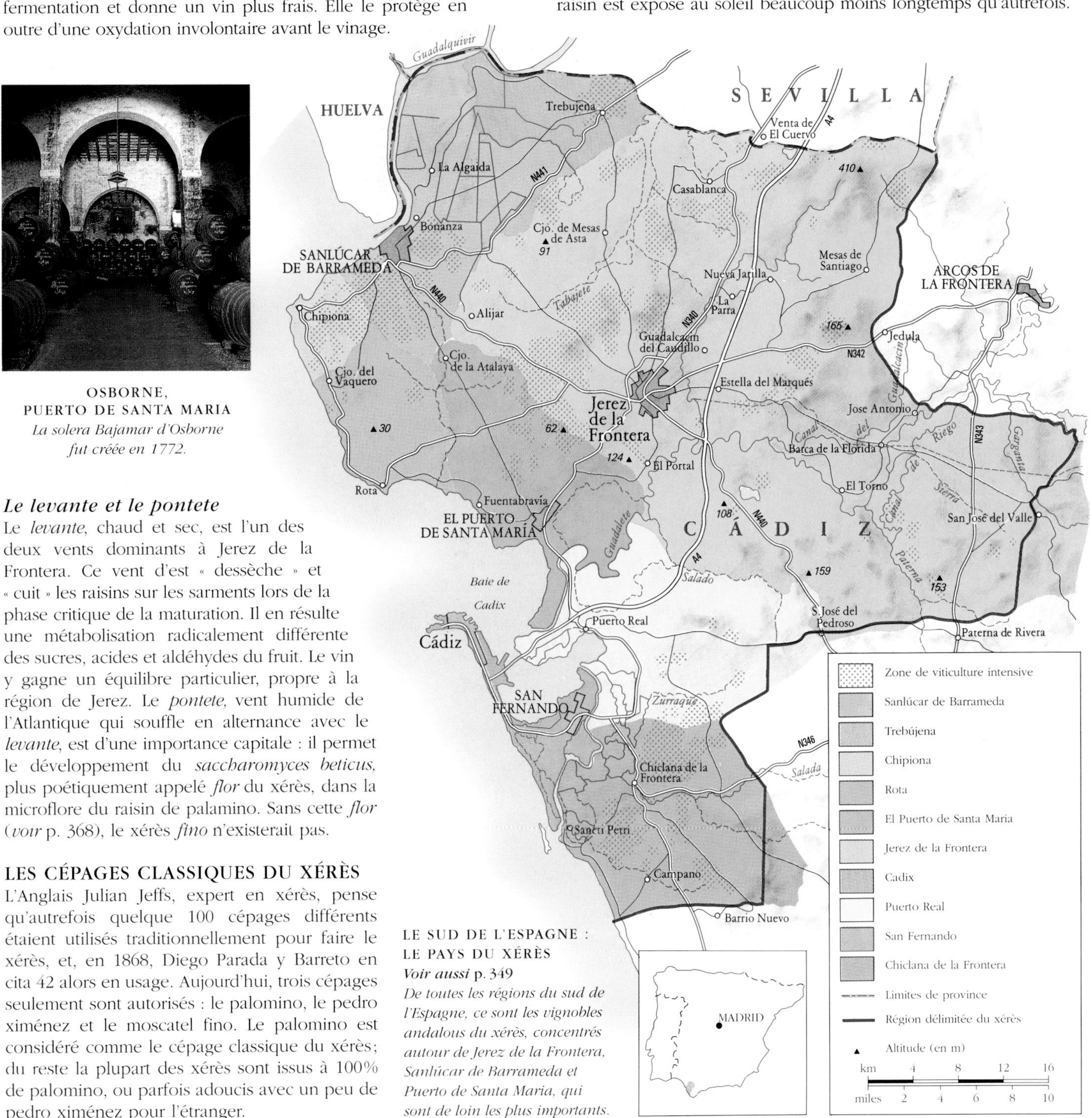

OSBORNE, PUERTO DE SANTA MARIA
La solera Bajamar d'Osborne fut créée en 1772.

Le levante et le pontete

Le *levante*, chaud et sec, est l'un des deux vents dominants à Jerez de la Frontera. Ce vent d'est « dessèche » et « cuit » les raisins sur les sarments lors de la phase critique de la maturation. Il en résulte une métabolisation radicalement différente des sucres, acides et aldéhydes du fruit. Le vin y gagne un équilibre particulier, propre à la région de Jerez. Le *pontete*, vent humide de l'Atlantique qui souffle en alternance avec le *levante*, est d'une importance capitale : il permet le développement du *saccharomyces beticus*, plus poétiquement appelé *flor* du xérès, dans la microflore du raisin de palamino. Sans cette *flor* (*voir* p. 368), le xérès *fino* n'existerait pas.

LES CÉPAGES CLASSIQUES DU XÉRÈS

L'Anglais Julian Jeffs, expert en xérès, pense qu'autrefois quelque 100 cépages différents étaient utilisés traditionnellement pour faire le xérès, et, en 1868, Diego Parada y Barreto en cita 42 alors en usage. Aujourd'hui, trois cépages seulement sont autorisés : le palomino, le pedro ximénez et le moscatel fino. Le palomino est considéré comme le cépage classique du xérès ; du reste la plupart des xérès sont issus à 100% de palomino, ou parfois adoucis avec un peu de pedro ximénez pour l'étranger.

LE SUD DE L'ESPAGNE : LE PAYS DU XÉRÈS
Voir aussi p. 349
De toutes les régions du sud de l'Espagne, ce sont les vignobles andalous du xérès, concentrés autour de Jerez de la Frontera, Sanlúcar de Barrameda et Puerto de Santa Maria, qui sont de loin les plus importants.

LES STYLES DE XÉRÈS SUIVANT LES RÉGIONS

Les grandes bodegas aiment entourer leurs vins d'un certain mystère et disent ignorer dans quels fûts se développera la *flor*. Il y a du vrai dans cette attitude car un fût peut fort bien posséder en effet une *flor* fabuleuse – elle ressemble à une mousse savonneuse sale –, et son voisin ne pas en avoir du tout. Ceux qui renferment une bonne *flor* deviendront des *finos*; les autres sont répartis dans les différentes catégories en fonction de l'importance relative de leur *flor*. Il est impossible de prévoir l'évolution d'un vin, mais selon les zones, certains styles se développent de préférence à d'autres.

ZONE	STYLE	ZONE	STYLE
Añina	*fino*	Madroñales	*moscatel/doux*
Balbaina	*fino*	Miraflores	*fino/manzanilla*
Carrascal	*oloroso*	Rota	*moscatel/doux*
Chipiona	*moscatel/doux*	Sanlúcar	*fino/manzanilla*
Los Tercios	*fino*	Tehigo	*vins colorants*
Macharnundo	*amontillado*	Torrebreba	*manzanilla*

Le yeso

Avant le pressurage, on ôte les rafles et on ajoute une petite proportion de yeso (gypse) pour précipiter les cristaux de tartre et augmenter le taux d'acide tartrique. Cette pratique est née après avoir observé que les raisins couverts de poussière d'*albariza* donnent de meilleurs vins que les fruits propres. Or, l'*albariza* a une forte teneur en carbonate de calcium.

Le pressurage

Traditionnellement, quatre ouvriers, les *pisadores*, se plaçaient dans chaque *lagar* (cuve ouverte) pour fouler le raisin. Ils n'étaient pas pieds nus mais chaussés de *zapatos de pisar*, des bottes cloutées conçues pour retenir les pépins et les rafles. Chacun parcourait sur place l'équivalent de 58 km, commençant à minuit pour finir à midi. Les pressoirs horizontaux automatiques, souvent pneumatiques, sont maintenant d'un usage courant.

La fermentation

Dans les petites maisons, le vin fermente dans des fûts en chêne de faible taille remplis seulement à 90% de leur capacité. La fermentation commence, en général, après 12 heures; elle dure de 36 à 50 heures à des températures variant entre 25 et 30 °C. À l'issue de ce traitement, jusqu'à 99% des sucres sont transformés en alcool; l'achèvement du processus nécessitera 40 à 50 jours supplémentaires. Les cuves de fermentation en acier inoxydable donnent des vins plus alcoolisés d'un degré, puisqu'il n'y a ni absorption ni évaporation.

LA *FLOR* MAGIQUE

Pour la majorité des amateurs, le *fino* représente la quintessence du xérès. C'est un phénomène naturel, la *flor*, qui détermine si le xérès sera ou non un *fino*. La *flor* est une pellicule gris-blanc formée par une souche de levure appelée *saccharomyces beticus*. Celle-ci se trouve naturellement dans la microflore du palomino cultivé dans la région de Jerez. Elle est présente dans tous les récipients qui servent à la fermentation du xérès et du manzanilla; qu'elle puisse ou non dominer le vin et se développer en *flor* dépend de sa force et des conditions biochimiques. L'effet de la *flor* sur le xérès est d'absorber les traces de sucre résiduel, de diminuer la glycérine et les acides volatils et d'augmenter considérablement les esters et les aldéhydes. Pour se développer, la *flor* nécessite :

- Un degré alcoolique compris entre 13,5 et 17,5 % vol. – idéalement 15,3, niveau auquel l'*acetobacter*, qui produit le vinaigre, est anéanti.
- Une température de 15 à 30 °C
- Un taux d'anhydride sulfureux inférieur à 0,018%
- Un taux de tanin de moins de 0,01%
- L'absence virtuelle de sucres fermentescibles.

LE PREMIER CLASSEMENT DES FÛTS ET LE VINAGE

Le rôle du chef de cave est de humer tous les fûts de xérès et de les marquer à la craie selon leur évolution, selon un système de classement préétabli (*voir* encadré). À ce stade, les vins de qualité inférieure qui ont peu ou pas de *flor* sont vinés jusqu'à ce qu'ils atteignent 18 % vol., ce qui anéantit la *flor* et fixe définitivement leur caractère tout en les protégeant des dangers d'acétification. La *flor* est une protection contre l'*acetobacter* qui peut transformer le vin en vinaigre, mais elle n'est pas invincible, le risque existe tant que le vin ne titre pas 15,3 % vol. ou plus – la norme pour le *fino* – et jusqu'à la mise en bouteilles. À Jerez, les producteurs refusent d'ajouter au vin un alcool très fort, craignant une réaction trop violente. Ils utilisent donc pour le vinage un mélange appelé *mitad y mitad*, *miteado* ou *combinado* composé pour moitié d'alcool pur et pour moitié de jus de raisin. Certains préfèrent remplacer le jus de raisin par du xérès parvenu à maturité.

Classements ultérieurs des fûts

Les vins sont souvent soutirés avant d'être vinés, et toujours après. Deux semaines après, ils sont soumis à un second classement, plus précis mais sans être vinés, puis plus rien pendant neuf mois. Ils sont ensuite classés régulièrement pendant deux ans jusqu'à détermination de leur style définitif.

LE CLASSEMENT DES FÛTS DANS LA CAVE

MARQUE À LA CRAIE	CARACTÈRE DU VIN	STYLE PROBABLE DU XÉRÈS	INTERVENTION
	PREMIER CLASSEMENT DES FÛTS		
/ *una raya*	léger et bon	*fino/amontillado*	viné jusqu'à 15,5 % vol.
/' *raya y punto*	un peu moins prometteur	indéterminé	viné jusqu'à 15,5 % vol.
// *dos rayas*	moins prometteur	oloroso	viné jusqu'à 18 % vol.
/// *tres rayas*	dur ou acide	–	généralement distillé
ve *vinaigre*	–	–	retiré aussitôt
	DEUXIÈME CLASSEMENT DES FÛTS		
Y *palma*	vin racé	avec *flor*	–
/ *raya*	plus plein	sans *flor*	–
// *dos rayas*	un peu dur	sans *flor*	–
# *gridiron*	mauvais	sans *flor*	–
	CLASSEMENTS ULTÉRIEURS DES FÛTS		
Y *palma*	léger et délicat	*xérès fino*	–
Ⲯ *palma cortada*	plus plein que le *fino*	*fino-amontillado ou amontillado*	–
+ *palo cortado*	sans *flor*, mais exceptionnel, corsé et délicat	*Palo cortado*	–
/ *raya*	plus foncé et plein, *flor* quelconque	oloroso de qualité moyenne	–
// *dos rayas*	plus foncé et plein mais plus dur	*oloroso* médiocre servant aux xérès bon marché généralement édulcorés	–
✓ *pata de gallina*	raya qui a acquis le vrai parfum d'un bel olorosa	*oloroso* de première qualité; doit vieillir et rester sec	–

Le système d'assemblage : la solera

Le style de xérès établi, les vins sont élevés selon un système appelé *solera* qui repose sur l'usage de fûts à différentes étapes du mûrissement. Le stade ultime est appelé la *solera*; les stades précédents, qui l'alimentent, sont des *criaderas*. Il y a jusqu'à sept *criaderas* dans un xérès *solera*, et jusqu'à quatorze dans une manzanilla *solera*. Jusqu'à un tiers (le maximum légal) de la *solera* est puisé chaque année pour être assemblé et mis en bouteilles; toutefois, les producteurs consciencieux se limitent parfois à un cinquième pour les *soleras* plus vieilles de très grande qualité. Le volume prélevé sur la *solera* à maturité est aussitôt remplacé par un volume équivalent puisé dans la première *criadera*, laquelle est complétée par du vin de la deuxième *criadera*, et ainsi jusqu'à la dernière *criadera*. Lorsque celle-ci a perdu un tiers de son vin, elle reçoit une quantité identique d'*añada*, ou vin nouveau, composé de xérès produits dans l'année en cours, élevés jusqu'à 36 mois, et classés dans la même catégorie.

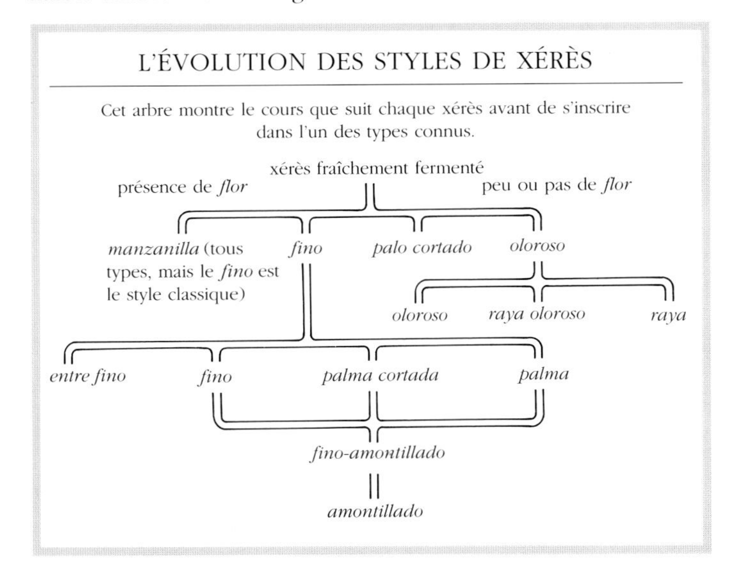

L'ÉVOLUTION DES STYLES DE XÉRÈS

Cet arbre montre le cours que suit chaque xérès avant de s'inscrire dans l'un des types connus.

AGENTS ÉDULCORANTS ET COLORANTS À BASE DE RAISIN

PX Raisins pedro ximenéz surmûris et séchés au soleil. C'est l'agent édulcorant le plus traditionnel et le plus important dans la production du xérès, mais il est remplacé peu à peu par de moins onéreux. Après le *soleo* (*voir* p. 367), le taux de sucres passe de 23 à 43-54%. Le PX est alors pressuré et versé dans des fûts qui abritent de l'eau-de-vie de raisin – c'est le mutage; il titre ensuite 9 % vol. et contient 430 g/l de sucre. Ce mélange est mis sous bondes et laissé pendant quatre mois au cours desquels se produit une légère fermentation qui augmente la teneur en alcool de 1% et abaisse la teneur en sucre de 18 g. Le vin subit alors un second mutage, qui porte son titre alcoométrique à 13 % vol. et sa richesse en sucre à 380 g/l.
Il existe d'autres agents édulcorants et colorants.

MOSCATEL
La préparation est identique à celle du PX, mais le résultat n'est pas aussi riche, et l'emploi du moscatel, qui a toujours été beaucoup moins répandu, n'est pas autorisé par la réglementation des DO.

DULCE PASA
Palomino préparé selon la même méthode que le PX et le moscatel. Cet agent de plus en plus utilisé peut atteindre une concentration en sucre de 50% avant le mutage, à distinguer du *dulce racimo* et du *dulce apagado*, des édulcorants naguère importés d'autres régions et dont l'emploi est maintenant prohibé.

DULCE DE ALMIBAR OU DULCE BLANCO
Combinaison de glucose et de lévulose mélangée avec du *fino* puis mûrie, qui sert à édulcorer les xérès de couleur pâle.

SANCOCHO
Sirop de couleur foncé, sucré, poisseux et non alcoolisé obtenu par réduction à feu doux de jus de raisin local non fermenté à 1/5e de son volume. Il sert à la production du *vino de color*.

ARROPE
Cet agent, obtenu par réduction de jus de raisin local non fermenté à 1/5e de son volume, possède les mêmes caractéristiques que le *sancocho* et sert à la production de *vino de color*.

COLOR DE MACETILLA
C'est le meilleur *vino de color*. On l'obtient en mélangeant deux volumes d'*arrope* ou de *sancocho* avec un volume de jus de raisin local non fermenté. Le vin titre 9 % vol. et contient 235 g/l de sucre. Les stocks les plus précieux sont souvent élevés selon le système *solera*.

COLOR REMENDADO
Vino de color moins cher, obtenu en mélangeant de l'*arrope* ou du *sancocho* à du vin local.

LES STYLES DE

XÉRÈS

L'évolution d'un xérès peut être naturelle. Ainsi un fino, sans vinage supplémentaire, peut-il se transformer en oloroso (un *oloroso* naturel peut donc se développer en présence de *flor*, tandis que le vinage supplémentaire permettant d'ordinaire de transformer un *fino* en *oloroso* empêchera le développement de *flor*). Un *palo cortado* peut provenir d'un *amontillado* ou d'un *oloroso*. Un vieux xérès *fino* authentique peut se transformer soudain en *oloroso*.

MANZANILLA

Les vents maritimes des environs de Sanlúcar de Barrameda créent des températures encore plus stables et un taux d'humidité encore plus élevé qu'à Jerez. L'ouillage (remplissage) moins fréquent des barriques de manzanilla produit la *flor* la plus épaisse et blanche et vigoureuse de la région. La forme la plus classique est le *fino*, mais le *pasada* (nom local du *fino-amontillado*) est tout aussi renommée. La région offre aussi des *amontillados*, des *olorosos* et tous les styles intermédiaires commercialisés cependant comme simple xérès plutôt que comme manzanilla, même lorsqu'ils sont exclusivement composés de celle-ci.

MANZANILLA *FINA* OU *FINO*

Le manzanilla (xérès fait à Sanlúcar de Barrameda) est un *fino* relativement moderne, issu de raisins vendangés précocement. Sa production diffère de celle du *fino* traditionnel : le vinage est moins important et la *solera* plus complexe. Le manzanilla *fina* authentique est pâle, léger, sec et délicat; il a un arôme de *flor* caractéristique et un arrière-goût légèrement amer, parfois salin. Ces vins sont en général de purs palomino et titrent entre 15,5 et 17 % vol.

✓ *Barbadillo* (Eva) • *Diez-Mérito* (Don Zoilo) • *Duff Gordon* (Cabrera) • *Dom Ramos* (Very Dry)

MANZANILLA *PASADA*

Lorsqu'un manzanilla commence à vieillir, il perd sa *flor*, gagne de l'alcool et devient l'équivalent d'un *fino-amontillado*, rebaptisé *pasada* à Sanlúcar de Barrameda. Ce vin est fait uniquement de palomino et peut titrer jusqu'à 20,5 % vol.

✓ *Barbadillo* (Solear) • *Delgado Zuleta* (Amontillado Fino, La Goya) • *Hidalgo* (Pasada)

MANZANILLA *AMONTILLADO*

Plus ample qu'un *pasada*, mais plus léger et plus aromatique qu'un *amontillado* de Jerez, c'est un style plus rare que les deux précédents, mais parfois excellent.

✓ *Barbadillo* (principe)

PUERTO

Il s'agit d'un xérès de type manzanilla cultivé à El Puerto de Santa Maria, aux vents presque aussi légendaires que ceux de Sanlúcar de Barrameda.

✓ *Burdon* (Puerto Fino Superior Dry) • *Osborne* (Coquinera Amontillado)

FINO

Les *palmas* correspondent aux meilleurs xérès *finos*; ils suivent une échelle de qualité croissante : *dos palmas, tres palmas, cuatro palmas*. Le *palma cortada* est un *fino* qui a acquis plus de corps, qui possède une saveur d'amande sèche mais souple, et qui tourne à l'*amontillado*. Un *entre fino* n'a pas beaucoup de qualité. Le style des *finos* se modifie très souvent au cours du vieillissement en fûts, c'est

pourquoi l'« Old Fino Sherry » authentique est rare. Le *fino* est léger, sec et délicat ; son nez de *flor* doit l'emporter sur l'odeur d'acétaldéhyde. Ce style est mieux apprécié pris directement au fût car il perd sa vitalité en bouteille et décline encore rapidement une fois celle-ci débouchée. Jusqu'au jour où les producteurs seront obligés d'indiquer la date de mise en bouteilles sur l'étiquette (ce n'est pas demain la veille), mieux vaut acheter un *fino* le jour même et tout boire sans en garder. Les *finos* sont toujours de purs palomino et titrent entre 15,5 et 17 % vol.

✓ *Tomàs Abad* • *Domecq* (La Ina) • *Gonzalez Byass* (Tio Pepe) • *La Riva* (Tres Palmas) • *Williams & Humbert* (Pando)

PALE DRY

Synonyme de *fino*.

PALE CREAM

Synonyme d'un *fino* édulcoré, en principe de qualité inférieure.

AMONTILLADO

En vieillissant, le *fino* développe une couleur ambrée et devient un *fino-amontillado*, puis après au moins huit ans, un *amontillado* proprement dit – vin plus corsé qui livre des notes de noisette. Le vrai *amontillado* est complètement sec et titre entre 16 et 18 % vol., mais il est souvent exporté en version demi-doux.

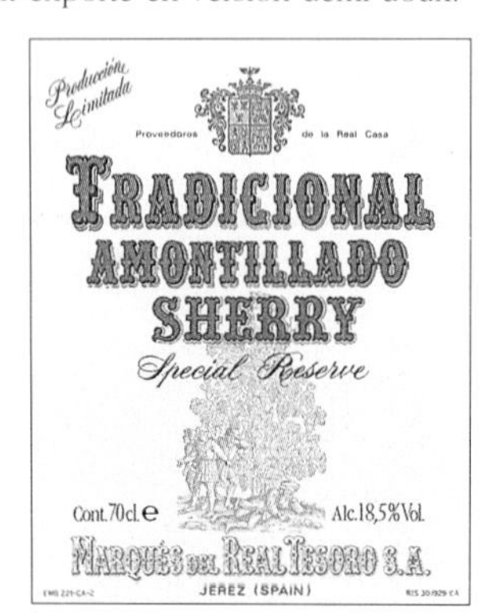

Le terme *amontillado*, signifiant littéralement « dans le style de Montilla », servait à l'origine à distinguer les vins de ce qui était alors une région de Jerez (*voir* p. 366). Bizarrement, un *amontillado* peut être fait à partir d'un xérès mais non d'un montilla, le style étant interdit aux producteurs de ce vin !

✓ *Domecq* (Botaina) • *Gonzalez Byass* (Duque) • *Harveys* (« 1796 ») • *Sandeman* (Bone Dry Old Amontillado) • *Valdespino* (Coliseo, Don Tomás) • *Wisdom & Warter* (Very Rare Solera Muy Viejo)

MILK

Il s'agit d'un *amontillado* édulcoré, généralement de qualité inférieure.

OLOROSO

Oloroso signifie « parfumé ». Quand il est vraiment sec, riche et complexe, c'est peut-être le plus fin et le plus beau des vins de Jerez. Son caractère découle notamment d'un taux d'alcool plus important au moment du vinage et de la proportion généreuse de glycérine qui se développe en l'absence de *flor*. Il titre généralement entre 18 et 20 % vol. On produit aussi quelques excellents vins *oloroso* plus doux.

✓ **Sec** *Barbadillo* (Oloroso Seco) • *Diego Romero* (Jerezana) • *Diez-Mérito* (victoria regina) • *Domecq* (Rio Viejo) • *Gonzalez Byass* (Alfonso, Apostles) • *Hidalgo* (Oloroso Seco) • *Lustau* (Don Nuno, Emperatriz Eugenia, Principe Rio, Tonel) • *Osborne* (Bailen, Alonso el Sabio) • *Sandeman* (Dry Old Oloroso) • *Valdespino* (Don Gonzalo)
Doux *Gonzalez Byass* (Mathùsalem) • *Harveys* (« 1796 ») • *Sandeman* (Royal Corregedor) • *Valdespino* (Solera 1842)

BROWN

Un *oloroso* édulcoré souvent – mais pas toujours - de qualité inférieure à l'*oloroso*. Des xérès de grande qualité de ce type étaient jadis très populaires en Écosse.

✓ *Williams & Humbert* (Walnut Brown)

CREAM OU DARK CREAM

Un *oloroso* de qualité diverse, du meilleur au commercial, édulcoré en principe au pedro ximénez.

✓ *Diego Romero* (Jerezana) • *Lustau* (Premium Solera, Vendimia)

EAST INDIA

Certains font remonter ce xérès aussi richement moelleux qu'un madère à 1617. Mais la pratique des allers et retours maritime en Orient avec du xérès, courante au XIXe siècle, a disparu avec l'avènement du bateau à vapeur, à l'exception d'une occasion, en 1958, lorsque les propriétaires de la ligne Ben et un négociant édimbourgeois, Alastair Campbell, firent effectuer un voyage vers l'Orient de 32 000 km à une barrique de valdespino *oloroso*. Aujourd'hui, comme pour le madère, le style survit, mais les effets du voyage sont simulés dans les chais.

✓ *Lustau* (Old East India) • *Osborne* (India Rare Solera Oloroso)

PALO CORTADO

Ce vin ne peut être produit délibérément et on ne peut même pas encourager sa naissance (une *solera* de *palo cortado* serait très difficile à réaliser). Un fût sur mille seulement se transforme en un *palo cortado* authentique. Le style de ce vin naturellement sec se situe entre l'*amontillado* (au nez) et l'*oloroso* (en bouche). Il faut y goûter pour comprendre l'étonnante richesse,

la complexité de noisette et la finesse fabuleuse de ce vin. Selon sa qualité, il est appelé *dos cortados, tres cortados* ou *cuatro cortados*.

✓ *Domecq* (Sibarita) • *Harveys* (« 1796 ») • *Hidalgo* (Jerez) • *Lustau* (Peninsula) • *Rosario Fantante* (Dos Cortados) • *Sandeman* (Dry Old) • *Valdespino* (Cardenal) • *Williams & Humbert* (Dos Cortados)
Doux *Osborne* (Abocado Solera) • *Sandeman* (Royal Ambrosante) • *Wisdom & Warter* (Tizón)

MOSCATEL

Ce vin est quelque fois un vrai délice, au goût de raisin.

✓ *Lustau* (Las Cruzes, Solera Reserva Emelin)

PEDRO XIMÉNEZ

Bien que l'essentiel de la production soit réservé à l'agent édulcorant, ce vin est parfois disponible en quantité limitée. Il est toujours très vieux et absolument merveilleux, ample, sombre, profond, et d'une puissante richesse, avec une abondance d'arômes complexes et pourtant délicieux de raisin et de muscade.

Ces vins ont autant de qualité, de poids et d'intensité, sinon de caractère que les muscats de liqueur australiens les plus vieux et les plus rares.

✓ *Gonzalez Byass* (Noe) • *Lustau* (Murillo, San Emilio) • *Sanchez Romate* (Superior) • *Valdespino* (Solera Superior) • *Wisdom & Warter* (Viale Viejisimo)

ALMACENISTA OU BODEGAS DE ALMACENADO

Il s'agit non pas d'un style mais d'une catégorie de plus en plus cotée parmi les amateurs de xérès. Un *almacenista* est un entrepreneur privé qui entrepose des xérès purs, comme un investissement, sur trente ans ou plus, au terme desquels ils sont très recherchés par les grandes bodegas en vue d'améliorer leurs assemblages. C'est Lustau, lui-même *almacenista* jusqu'aux années 1950, et aujourd'hui membre du groupe Caballero, qui a eu l'idée de lancer ce concept en commercialisant des xérès très purs et en déposant la marque *almacenista*. Tous les styles de xérès et de manzanilla existent sous cette forme – par définition d'une très haute qualité. L'étiquette porte une fraction, par exemple 1/8, 1/17, 1/40 etc., indiquant le nombre de barriques que comportait la *solera* d'où provient le vin. Plus le second chiffre, le dénominateur, est faible, plus le vin est rare – et le prix s'en ressent évidemment.

✓ *Lustau*

✧ PORTUGAL ✧

Autrefois voués aux deux vins de liqueur classiques – le porto et le madère – les viticulteurs portugais, ayant enfin compris le potentiel des terroirs et des cépages indigènes, ont fait de ce pays une pépinière d'innovations.

Si j'avais revu cette encyclopédie ne serait-ce qu'il y a deux ans seulement, malgré les signes avant-coureurs et mes sérieux espoirs, dès la première édition, d'une amélioration des vins portugais, je n'aurais pas pu rendre compte de l'extraordinaire effervescence qui s'était produite autour des vignobles portugais. C'est en effet seulement à partir des millésimes du milieu des années 1990 que l'embellie s'est confirmée.

Par le passé, les rouges desséchés, sans fruit, ainsi que les blancs ternes, lourds et oxydés du Dão donnaient l'image typique des vins que l'on attendait du Portugal. Or, en 1995, on a pu apprécier des rouges francs délicieusement fruités, et des blancs frais et acides.

Comme dans toute révolution, le mouvement est parti de la base, des plus modestes tels l'alta mesa ou le ramada d'Estrémadure – alors qu'ils étaient considérés autrefois comme de la « bibine ». Ils comptaient – et ils comptent d'ailleurs toujours – parmi les vins les moins chers du monde mais, à partir de 1994 et de l'année suivante, ils sont devenus deux fois plus fruités, ce qui les a rendus fort plaisants : du jour au lendemain, ils ont atteint une réputation internationale.

VIGNOBLES DE SETÚBAL
Dans cette région, le cépage moscatel (muscat d'Alexandrie) donne un vin de liqueur renommé qui bénéficie de sa propre Denominação de Origem Controllada.

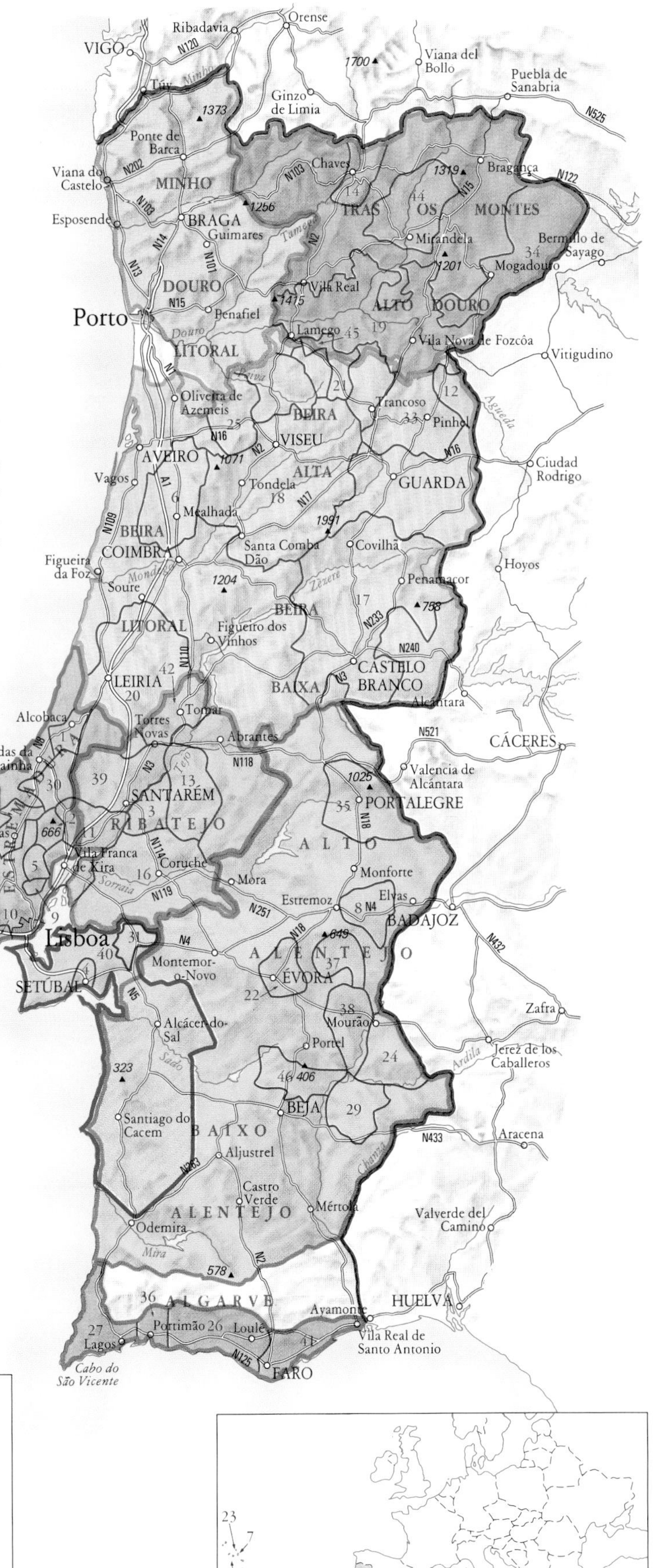

PORTUGAL
C'est dans le nord du pays que sont produits les vins les plus célèbres – le porto et le vinho verde – et les vins les plus prometteurs, le barraida et le dão.

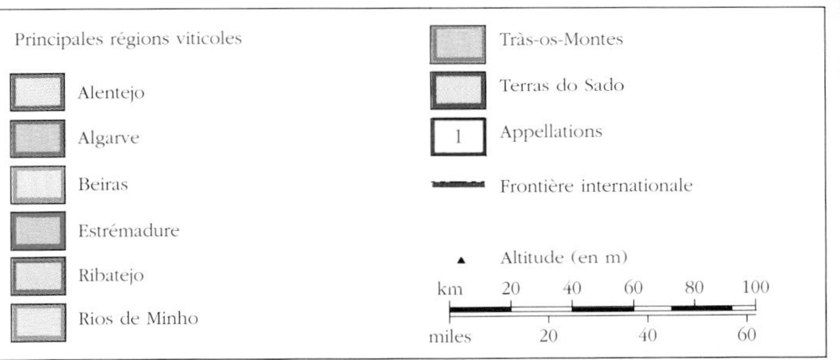

LES MILLÉSIMES RÉCENTS DU PORTUGAL

1996 Les vignobles portugais sont déjà relativement bien établis, c'est pourquoi les vignes, profondément enracinées, qui se sont gorgées d'eau à la suite des fortes pluies hivernales, n'ont pu éviter de donner une grande quantité de vins dilués. Les meilleurs domaines n'ont évité le désastre que par la taille en vert et ont donné des vins intéressants – mais aucune région ne se détache.

1995 Excellente qualité partout sauf pour les portos, bons sans être exceptionnels.

1994 Des gelées tardives ont tué de nombreus ceps, et ont parfois réduit la vendange de moitié, mais la qualité est généralement nettement au-dessus de la moyenne. Excellent millésime pour le porto, et bon pour le dão et le bairroda.

1993 La région la plus favorisée, le Dão, a donné des vins tout juste passables. Le millésime est médiocre presque partout ailleurs.

1992 Le plus grand millésime de porto depuis au moins 1985, et d'aucuns pensent qu'il va atteindre les sommets de 1977 ou de 1963. Bon pour le dão, tout juste au-dessus de la moyenne pour le bairroda.

LA TENDANCE ACTUELLE

L'émergence d'un caractère fruité commence seulement à se révéler. C'est dû, en partie, à l'arrivée tardive sur le marché des vins les plus sérieux. En effet, les estrémadures et autres vins régionaux comme l'alentejo ou le terras do Sado 1994 et 1995 étaient déjà bien entamés lorsque les dãos et les bairradas 1991 et 1992 sont arrivés sur les rayons. Quelques producteurs, comme Duque de Viseu dans le Dão, avaient pris les devants dès le début des années 1990, mais d'autres non – en sorte qu'il a fallu attendre après le millésime désastreux de 1993 pour pouvoir juger des performances de ces régions célèbres.

Il est une autre raison à ce retard des meilleures zones : les producteurs, jusqu'à une date relativement récente, n'avaient le droit que d'acheter du vin, et non du raisin – c'est incroyable, mais c'est comme ça ! C'est pourquoi, dans leur majorité, ils ignorent tout des secrets de la culture de la vigne, sans parler de la vinification. Cette salutaire révolution permet aujourd'hui à des maisons comme Sogrape (producteur de duque de vieu) de mieux contrôler la qualité du produit final. Le jour où ces viticulteurs auront appris à cultiver correctement notre arbuste préféré, je vous prédis de grands bouleversements, et que l'amélioration récente paraîtra alors encore bien timide pour les meilleures régions portugaises.

COMMENT LIRE LES ÉTIQUETTES DE VIN PORTUGAIS

STYLE DU VIN
Plusieurs termes figurant sur les étiquettes portugaises se rapportent au style du vin. L'exemple à droite est marqué *branco*, blanc. *Adamado* signifie doux, *aperitivo*, apéritif, *bruto*, adapté du français « brut », désigne un vin mousseux. *Clarete* signifie clairet, *claro*, vin « nouveau » et *doce*, doux. L'*espumante* est un vin effervescent ; en l'absence d'autres précisions, il peut être élaboré selon n'importe quelle méthode. Le *generoso*, vin « généreux », d'apéritif ou de dessert, est riche en alcool et généralement doux ; le *licoroso* est un vin de liqueur. *Maduro*, littéralement « mûri », désigne un vin qui a été conservé en cuves ; le consommateur portugais le préfère desséché et oxydé. *Quinado* signifie vin médicinal, *rosado*, rosé, *séco*, sec, et *tinto*, rouge.

NOM DU DOMAINE
La présence de *casa, palacio* ou *solar* dans le nom d'un vin peut aussi indiquer que ce vin provient d'un vignoble unique. Celui-ci est fait à Quinta de Saes, et la mention *Produzido e Engarrafado* ou, plus communément *Engarrafado na origem*, confirme qu'il a été mis en bouteilles au domaine. Les producteurs portugais commencent tout juste à mesurer l'importance du concept de « mise en bouteilles au domaine » sur les marchés internationaux et, par conséquent, beaucoup de nombreux domaines ne sont pas équipés pour élaborer leur vin et le mettre en bouteilles. *Vinha* signifie vignoble. *Adega*, littéralement « cave », est l'équivalent de la *bodega* espagnole ; ce terme entre souvent dans le nom d'une firme ou d'une coopérative.

MIS EN BOUTEILLES AU DOMAINE
La mention *engarrafado*, « mis en bouteilles », est suivie du nom de l'embouteilleur ou du domaine ; ici, Quinta de Saes. *Produzido e Engarrafado* indique que le vin a été mis en bouteilles au domaine ; cette information qui compte parmi les plus utiles est cependant l'une des plus rares. Le terme quinta, associé au nom d'un vin, devrait indiquer que celui-ci provient d'un domaine unique. Comme le mot « château », il a donné lieu à quelques abus mais, sans être une garantie de qualité supérieure, il est fiable aujourd'hui à 95% et son emploi, régi par des textes communautaires, sera de plus en plus contrôlé.

DENOMINAÇÃO DE ORIGEM CONTROLLADA (DOC)
Indique que le vin est produit dans l'une des régions portugaises officiellement délimitées de premier niveau. Dans le cas présent, il s'agit d'un vinho verde récolté près d'Amares, dans le Minho. Le niveau immédiatement inférieur est *Indicação de Provência Regulamentada* (IPR). Un certain nombre de vins IPR ont récemment été promus DOC. Vient ensuite le *Vinho Regional* (VR), comparable à un vin de pays.

Autres mentions importantes ou intéressantes pouvant figurer sur l'étiquette :

CARVALHO Chêne
Le vin a été élevé en fûts de chêne.

CASTA Cépage
figure souvent sur l'étiquette des vinhos verdes. Les plus répandus sont l'alvarinho, l'avesso, l'azal, le loureiro, la pederña et la trajadura. *Casta predominante* désigne bien sûr le cépage dominant.

COLHEITA Millésime
Ce terme est suivi de l'année des vendanges.

ESCOLHA Choix ou sélection

GARRAFA Bouteille

GARRAFEIRA
Ce terme est réservé aux vins millésimés dont le taux alcoolique n'excède pas de 0,5 % vol., le minimum requis. Les vins rouges doivent être élevés pendant trois ans, dont un en bouteilles, les vins blancs pendant un an, dont six mois en bouteilles. Ils peuvent provenir d'une région délimitée mais ce n'est pas obligatoire. Il peut même s'agir de l'assemblage de vins issus d'aires différentes.

RESERVA
Ce terme ne peut être utilisé que pour qualifier un millésime de « qualité exceptionnelle » d'un vin titrant au moins 0,5 % vol. de plus que le minimum requis. Les *reserva* peuvent provenir d'une région délimitée ou résulter de l'assemblage de vins issus d'aires différentes.

VELHO
Littéralement « vieux »
Ce terme, autrefois sans définition légale, ne peut s'appliquer aujourd'hui qu'à des vins rouges d'au moins trois ans ou à des vins blancs d'au moins deux ans.

VINHO DE MESA
Vin de table
En l'absence d'indication de DOC ou de la mention *garrafeira* (*voir* à gauche) il s'agit d'un vin de coupage bon marché.

LES APPELLATIONS DU

PORTUGAL

Note DOC signifie *Denominação de Origem Controllada*, l'équivalent d'appellation d'origine contrôlée.

IPR signifie *Indicação de Provência Reglamentada*, à peu près l'équivalent d'un VDQS, et en attente de DOC – plusieurs des vins concernés ayant été promus récemment.

VR signifie *Vinho Regional*, vin de pays.

ALCOBAO IPR

Carte (N° 1)

Ces vins, principalement blancs, issus des coteaux qui s'élèvent autour de la ville monastique d'Alcobaço, d'un rendement trop élevés, ont un taux alcoolique nettement plus bas que leurs voisins.

pour l'ensemble des vins : arinto, baga, fernão pires, malvasia, periquita, tamarez, trincadeira, vital

ALENTEJO VR

Les plaines de l'Alto et du Baixo Alentejo, s'étendant depuis l'Algarve, représentent environ un tiers du Portugal. Cette région faiblement peuplée aux grands domaines et aux vignobles disséminés, est plus connue pour ses bouchons que pour ses vins. Elle a toutefois produit quelques-unes des meilleures bouteilles du pays, aussi bien avec des cépages indigènes qu'importés.

abundante, alfrocheiro preto, alicante bouschet, antao vaz, arinto, cabernet sauvignon, carignan, chardonnay, diagalves, fernão pires, grand noir, manteudo, moreto, palomino (*syn.* perrum), periquita, rabo de ovelha, tempranillo (*syn.* aragonez), trincadeira

1 à 3 ans (nouveau style fruité)
2 à 5 ans (autres vins)

Apostolo • *Esporao* (Monte Velha, parmi d'autres marques) • *JP Vinhos* (Quinta da Anfora) • *Mouchao* • *José de Sousa* • *Pêra Manca* • *AC de Reguengos* • *Quinta do Carmo* • *Sogrape* (Vinha do Monte)

ALENQUER IPR

Carte (N° 2)

Les vignobles, à flanc de coteaux sont très favorables et le raisin y mûrit sans problème pour donner des rouges amples et mûrs, aux arômes poivrés et épicés, ainsi que des blancs à la fois secs et onctueux, tendres et faciles à boire.

arinto, camarate (parfois la même chose que castelao nacional), fernão pires, graciano (*syn.* tinta miúda), jampal, mortágua, periquita, preto martinho, vital

1 à 3 ans (nouveau style fruité)
2 à 5 ans (autres vins)

Quinta de Abrigada • *Quinta de Plantos*

ALGARVE VR

La qualité est moyenne mais la relégation de l'algarve au rang de vinho regional n'était qu'un écran de fumée en vue de faire accepter les nouvelles DOC de Lagos, Portimao, Lagoa et Tavira, sur les mêmes terres. Lagoa était jadis réputé pour ses blancs de liqueur, ce qui n'est guère surprenant étant donné la proximité de Jerez, mais aujourd'hui, vinés ou non, ces vins sont sans intérêt. Il est bon de savoir que les appellations de cette région sont régies non pas par la qualité mais par les contraintes économiques liées au tourisme.

arinto, bastardo, diagalves, moreto, negra mole, periquita, perrum, rabo de ovelha, tamarez d'Algarve (parfois la même chose que roupeiro)

ALMEIRIM IPR

Carte (N° 3)

Secteur prometteur de la région de Ribatejo, qui se fait un nom pour son *vinho de mesa* (nom local : *lezíria*), des rouges et blancs fruités et bon marché, souvent cultivés en plaine. Les vignes en terrasses, sur la rive gauche du Tage, semblent avoir davantage de potentiel.

arinto, baga (*syn.* poeirinha), castelao nacional, fernão pires, periquita, rabo de ovelha, tinta amarela (*syn.* trincadeira preta), trincadeira das pratas (*syn.* tamarez d'azeitao), ugni blanc (*syn.* talia), vital

6 à 18 mois

AC de Almeirim (y compris les étiquettes Falcoaria et Quinta das Verandas)

ARRABIDA IPR

Carte (N° 4)

Ce secteur de la péninsule de Setúbal, aux sols calcaires bien drainés, pourrait produire de bons vins, particulièrement des rouges. Reste à voir si cette appellation peut concurrencer le terras do sado VR plus ample et plus souple.

alfrocheiro, arinto, cabernet sauvignon, periquita (*syn.* castelão francêrs), fernão pires, muscat d'Alexandrie (*syn.* moscatel de setúbal), rabo de ovelha, roupeiro

ARRUDA IPR

Carte (N° 5)

Ces vins rouges fruités, parmi les moins chers du Portugal, mais pourtant fiables, sont issus des cultures intensives des coteaux autour d'Arruda, dans la région d'Estrémadure.

camarate (parfois la même chose que castelao nacional), fernão pires, graciano (*syn.* tinta miúda), jampal, trincadeira, vital

1 à 3 ans (nouveau style fruité)
2 à 5 ans (autres vins)

AC de Arruda

BAIRRADA DOC

Carte (N° 6)

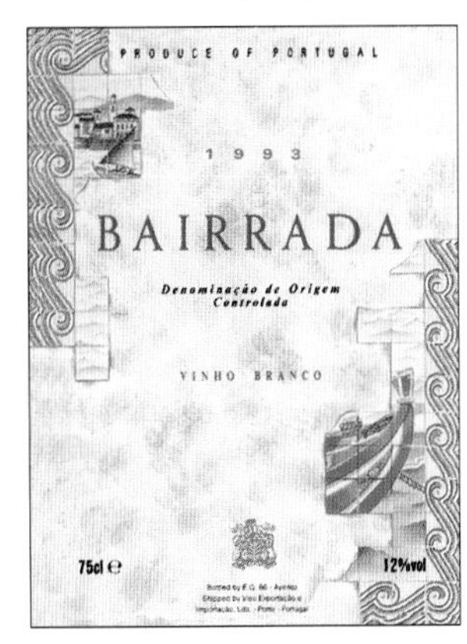

De ce secteur vient l'un des deux vins rouges les plus importants du Portugal ; les meilleurs ont une robe soutenue, de bons tanins et un beau caractère fruité de poivron et de cassis. Les vins blancs commencent tout juste à montrer leurs possibilités. Le nobilis de Sogrape est typique du nouveau style de rosés de Barraida, frais et fruités à souhait.

baga, borrado das moscas (*syn.* bical), castelão francês, fernão pires (*syn.* maria gomes), rabo de ovelha, tinta pinheira

3 à 12 ans (rouges)
1 à 3 ans (blancs et rosés)

José Maria da Fonseca • *Gonçalves Faria* (Reserva) • *Luis Pato* (surtout le Quinta do Ribeirinho Vinhos Velhas) • *Quinta de Pedralvites* • *Casa de Saima* • *Caves Sao Joao* • *Sogrape* (Reserva, Nobilis Rosé) • *Terra franca tinto*

BEIRAS VR

Situées au nord du Portugal, les trois provinces de Beiras (Alta, Baixa et Litoral) comprennent les DOC Dão et Bairrada, et les IPR Castelo Rodrigo, Cova de Beira, Lafoes, Lamego, Pinhel, Varosa, Encostas da Nave, ainsi que la majeure partie d'Encostas d'Aire. On y produit tous les styles imaginables, avec plus ou moins de bonheur.

arinto, baga, bastardo, borrado das moscas (*syn.* bical), camarate (parfois la même chose que castelao nacional), cerceal, esgana-cão, fernão pires, jaen, malvasia, marufo, monvedro, periquita, rabo de ovelha, rufete, tinta amarela (*syn.* trincadeira preta), touriga nacional, verdelho, vital

1 à 3 ans (nouveau style fruité)
2 à 5 ans (autres vins)

Bright Brothers (Baga) • *Buçaco* • *Conde de Santar* (Reserva) • *Entre Serras* • *Joao Pato* • *Quinta de Foz de Arouce*

BISCOITOS IPR

Carte (N° 7)

Vins de liqueur assez rares, produits sur l'île de Terceira (Açores).

arinto, terrantez, verdelho

BORBA DOC

Carte (N° 8)

Première sous-appellation de la région d'Alentejo à acquérir une audience internationale, en particulier pour ses vins rouges séveux et bon marché.

aragonez, periquita, perrum, rabo de ovelha, roupeiro, tamarez, trincadeira

1 à 3 ans

AC de Borba (Reserva)

BUCELAS DOC

Carte (N° 9)

Le cépage arinto réussit bien sur le sol gras de ce petit secteur, mais les méthodes de vinification surannées tirent encore en arrière cette appellation de blanc au potentiel réel. Une fermentation à froid, une mise en bouteilles plus précoce et un soupçon de chêne neuf sont les clefs pour le succès international de ce vin, trop souvent desséché et oxydé. Plus constant, le quinta da romeira est à suivre, bien qu'il n'ait pas encore tenu ses promesses.

arinto, esgana-cão

sans attendre

Quinta da Romeira (Prova Régia)

CARCAVELOS DOC

Carte (N° 10)

Célèbre dans tout le pays depuis la fin du XVIIIe siècle, alors que le Marquis de Pombal était ici propriétaire d'un vaste domaine et d'une cave. Le vignoble le plus ancien, Quinta do Barao, a fermé en 1991, mais un autre assez récent, Quinta dos Pesos, cherche désespérément à rallumer la flamme. Rarement exporté, le carcavelos est un vin de liqueur demi-sec et velouté, couleur topaze, aux arômes délicats de noisette et d'amande.

arinto, boal, galego dourado, negra mole, trincadeira torneiro

5 à 20 ans

Quinta dos Pesos

CARTAXO IPR

Carte (N° 11)

Plaine fertile à cheval sur les régions d'Estrémadure et de Ribatejo. Vins rouges fins et blancs fruités d'un bon rapport qualité/prix.

arinto, castelao nacional, fernão pires, periquita, preto martinho, tinta amarela (*syn.* trincadeira preta), trincadeira das pratas (*syn.* tamarez d'azeitao), ugni blanc (*syn.* talia), vital

1 à 3 ans

Almeida

CASTELO RODRIGO IPR

Carte (N° 12)

Très prometteurs, ces vins rouges amples et épicés de la région de Beiras, près de la frontière espagnole au sud du Douro, doivent encore faire leurs preuves au plan international.

arinto, assario branco (*syn.* arinto do dao), bastardo, codo, fonte-cal, marufo, rufete, touriga nacional

1 à 3 ans (nouveau style fruité)
2 à 5 ans (autres vins)

Quinta do Cardo

CHAMUSCA IPR

Carte (N° 13)

Cette sous-appellation de Ribatejo, voisine d'Almeirim, produit des vins similaires, moins prometteurs cependant.

arinto, castelao nacional, fernão pires, periquita, tinta amarela (*syn.* trincadeira preta), trincadeira das pratas (*syn.* tamarez d'azeitao), ugni blanc (*syn.* talia), vital

CHAVES IPR

Carte (N° 14)

Cette appellation du cours antérieur du Tâmega (Trás-os-Montes VR) donne un vin comparable au douro DOC, en plus léger.

bastardo, boal, codega (parfois la même chose que roupeiro), gouveio, malvasia fina, tinta carvalha, tinta amarela

COLARES DOC

Carte (N° 15)

Ce petit secteur viticole est célèbre pour ses ceps de ramisco plantés dans des tranchées, dans les dunes de Sintra qui les protègent à la fois des vents chargés de sel brûlant de l'Atlantique et du puceron à l'origine du terrible phylloxéra. Ce vin historique a besoin, pour se mettre au goût du jour, d'une vinification plus moderne – les grands châteaux bordelais l'ont fait, pourquoi pas Colares? Les rouges corsés et colorés sont excessivement tanniques et astringent en bouche, ne devenant soyeux qu'après un long vieillissement qui en gomme le fruité. Si l'on vendangeait le raisin en fonction du mûrissement des tanins et non du fruit, et si l'on fermentait avec plus de soin, le colares compterait parmi les meilleurs vins du monde. Les blancs secs de style *maduro* traditionnel sont à éviter.

arinto, jampal, galego dourado, malvasia, ramisco

15 à 30 ans (rouges)

Antonio Bernardino Paulo da Silva (Chitas)

CORUCHE IPR

Carte (N° 16)

Cette appellation concerne des vins provenant des plaines sableuses, bien irriguées, de la moitié sud de la région de Ribatejo. Ils sont rares et doivent encore se faire un nom.

fernão pires, periquita, preto martinho, tinta amarela (*syn.* trincadeira preta), trincadeira das pratas (*syn.* tamarez d'azeitao), ugni blanc (*syn.* talia), vital

COVA DE BEIRA IPR

Carte (N° 17)

Dans la Beira Alta, entre les secteurs de Vinho Verde et de Dão, il s'agit de la plus étendue des IPR du Portugal. Comme celle de Bairas VR, elle produit une gamme complète de vins de qualité variable, les rouges légers étant les plus connus.

arinto, assario branco (*syn.* arinto do dão), jaen, marufo, periquita, pérola, rabo de ovelha, rufete, tinta amarela

DÃO DOC

Carte (N° 18)

Cela fait vingt ans qu'on nous dit que ces vins ont plus de fruit et moins de tanin, et seulement cinq que cela se vérifie dans les verres. Le dão nouveau style est assez fruité pour être consommé bien plus jeune, et possède une structure et une finesse sèche et épicée, à la manière typiquement portugaise. Les meilleurs blancs sont parfois nets et frais sans plus, sauf le quinta de saes *branco,* dont la qualité surprend, très approprié pour arroser un repas.

alfrocheiro preto, assano branco (*syn.* arinto do dão), barcelo, bastardo, borrado das moscas, cercial, encruzado, jaen, tempranillo (*syn.* tinta roriz), tinta pinheira, touriga nacional, verdelho

3 à 8 ans (rouges), 1 à 3 ans (blancs)

José Maria de Fonseca (Garrafeira P) • *Campos da Silva Olivera* • *Casa da Insua* • *Duque de Viseu*

DOURO DOC

Carte (N° 19)

Bien qu'elle soit connue surtout pour ses portos, la vallée du Douro produit autant de vins de table, cultivés sur les sols granitiques, le schiste étant réservé aux meilleurs portos. Je ne comprends toujours pas que l'on n'ait pas essayé ici la syrah, cépage qui pousse bien sur les sols granitiques et chauds du nord de la vallée du Rhône, alors qu'il a été expérimenté dans la région d'Alentejo – qui s'y prête nettement moins. Le potentiel de cette contrée est clairement démontré par le vin de table le plus cher du Portugal, le barca velha, produit par Ferreira à Quinta do Vale de Meao – et le deuxième vin, la reserva especial, est aussi bon, sinon meilleur. Il est vrai que c'est de l'autre côté de la frontière, où le Douro devient le Duero, que l'on élabore le vega sicilia, le vin le plus cher d'Espagne. Ces vins de table n'ont rien à voir avec le porto; ils rappellent plutôt le clairet pour les plus légers, et le bourgogne pour les plus riches et les plus pleins. Le chêne neuf est pratiquement de rigueur pour les vins haut de gamme.

bastardo, donzelinho branco, gouveio, malvasia fina, rabigato (probablement différent du rabigato *syn.* rabo de ovelha), mourisco tinto, tempranillo (*syn.* tinta roriz), tinta amarela, tinta barroca, tinta cào, touriga nacional, touriga francesa, viosinho

2 à 10 ans (rouges, jusqu'à 25 pour le barca velha), 1 à 4 ans (blancs)

Bright Brothers • *Ferreirinha* (Barca Velha, Reserva Especial) • *Niepoort* (Redoma et surtout Quinta da Gaivosa) • *Quinta do Côtto* (Grande Escholha) • *Quinta do Crasto* • *Quinta de Passadouro* • *Quinta de la Rosa* • *Quinta do Vale da Raposa* • *Ramos-Pinto* (Duas Quintas) • *Sogrape* (Reserva) • *Vale do Bomfim* (reserva)

ENCOSTAS DA AIRE IPR

Carte (N° 20)

À cheval sur les régions de Beiras et d'Estrémadure, les coteaux calcaires de cette appellation devraient produire des vins excellents, malheureusement, jusqu'à présent, la plupart sont légers et un peu secs.

arinto, baga, fernão pires, periquita, tamarez, tinta amarela (*syn.* trincadeira preta), vital

ENCOSTAS DA NAVE IPR

Carte (N° 21)

À ne pas confondre avec Encostas da Aire. Il s'agit d'une petite appellation de la région de Beiras, voisine de Varosa, aux vins beaucoup plus amples, dans le style du Douro juste au nord, mais qui doivent encore s'imposer.

folgosao, gouveio, malvasia fina, mourisco tinto, tinta barroca, touriga francesa, touriga nacional

ESTRÉMADURE VR

L'Estremadure s'étend de Lisbonne jusqu'à la région de Barraida au nord, et comprend les DOC de Bucelas, Carcavelos et Colares, et les IPR d'Alenquer, Arruda, Obidos, Torres Vedras, ainsi qu'une partie de Encostas d'Aire (Beiras pour l'autre partie) et de Cartaxo (Ribatejo pour l'autre partie). Moins étendue que les Beiras et Alentejo, c'est la première région viticole en termes de quantité, et à ce titre elle est souvent considérée comme une source de vins quelconques et bon marché. De fait, certains sont bel et bien bon marché, mais sont en même temps loin d'être inintéressants, et quelques quintas proposent des vins plus fins à des prix très raisonnables.

alfrocheiro preto, antao vaz, arinto, baga, bastardo, borrado das moscas (*syn.* bical), cabernet sauvignon, camarate (parfois la même chose que castelao nacional), chardonnay, esgana-cão, fernão pires, graciano (*syn.* tinta miúda), jampal, malvasia, moreto, periquita, rabo de ovelha, ramisco, tamarez, tinta amarela (*syn.* trincadeira preta), trincadeira das pratas (*syn.* tamarez d'azeitao), ugni blanc (*syn.* talia), vital

2 à 4 ans (rouges, 4 à 8 ans pour les meilleurs), 1 à 3 ans (blancs)

AC do Arruda (Cuvées Sélectionnées) • *AC de Sao Mamede da Ventosa* • *AC do Torres Vedras* (Cuvées Sélectionnées) • *Espiga* • *Quinta da Folgorosa* • *Quinta de Pancas* • *Palha Canas*

EVORA IPR

Carte (N° 22)

Appellation de la région d'Alentejo destinée à devenir l'une des plus remarquables, notamment pour ses rouges corsés, riches et soyeux.

aragonez, arinto, periquita, rabo de ovelha, roupeiro, tamarez, tinta caida, trincadeira

2 à 5 ans

Heredad de Cartuxa • *Pêra Manca* (Branco)

GRACIOSA IPR

Carte (N° 23)

Vins de table légers de l'île de Graciosa (Açores), assez rares.

arinto, fernão pires, terrantez, verdelho

GRANJA AMARELEJA IPR

Carte (N° 24)

Le climat rude et les sols schisteux de cette sous-appellation de la région d'Alentejo donnent parfois des rouges puissants et épicés, qui ne se sont pas encore imposés sur le marché international ou d'exportation.

manteudo, moreto, periquita, rabo de ovelha, roupeiro, trincadeira

LAFOES IPR

Carte (N° 25)

Vins rouges et blancs légers et acides, provenant d'un petit secteur chevauchant les régions du vinho verde et du dão.

amaral, arinto, cerceal, jaen

LAGOA DOC

Carte (N° 26)

Cette sous-appellation de l'Algarve, jadis connue pour ses vins blancs de liqueur (toujours diffusés, mais sans intérêt), ne mérite pas son classement en DOC.

crato branco, negra mole, periquita

LAGOS DOC

Carte (N° 27)

Ces vins de l'Algarve ne méritent pas leur classement en DOC.

boal branco, negra mole, periquita

MADEIRA DOC

Carte (N° 28)

Voir Les styles de madère, p. 384

MOURA IPR

Carte (N° 29)

Dans ce secteur chaud de l'Alentejo, le sol frais d'argile rouge prolonge la période de mûrissement du raisin, donnant ainsi une certaine finesse au fruité charnu délicieux du vin. Appellation très prometteuse qui doit encore s'imposer.

alfrocheiro, antao vaz, fernão pires, moreto, periquita, rabo de ovelha, roupeiro, trincadeira

OBIDOS IPR

Carte (N° 30)

Les vins blancs sont distillés depuis toujours, mais les rouges fermes, au goût de cèdre et de chêne, pourraient avoir de l'avenir.

arinto, bastardo, camarate (parfois la même chose que castelao nacional), fernão pires, periquita, rabo de ovelha, tinta miúda, vital

PALMELA IPR

Carte (N° 31)

Ce secteur, qui doit sa célébrité au joao pires, blanc demi-sec, issu de vendanges précoces du muscat, produit aussi aujourd'hui des rouges corsés d'égale valeur – et le joao pires, inspiré, de forte production, revendique désormais l'appellation plus vaste de Terras do Sado.

alfrocheiro, arinto, fernão pires, muscat d'Alexandrie (*syn.* moscatel de setúbal), periquita, rabo de ovelha, tamarez, tinta amarela (*syn.* espadeiro, sans rapport avec l'espadeiro de Vinho Verde)

PICO IPR

Carte (N° 32)

Vins de liqueur de l'île de Pico (Açores), assez rares.

arinto, terrantez, verdelho

PINHEL IPR

Carte (N° 33)

Dans la région de Beiras, au sud de Douro, ces vins blancs secs et complets, au goût de terroir, sont principalement destinés aux producteurs de mousseux.

arinto, assario branco (*syn.* arinto do dao), bastardo, codo, fonte-cal, marufo, rufete, touriga nacional

PLANALTO MIRANDES IPR

Carte (N° 34)

Dans la région de Trás-os-Montes, au nord-est du Portugal, sur la frontière espagnole, ces zones produit sont des rouges corsés et des blancs lourds.

bastardo, gouveio, malvasia fina, mourisco tinto, rabo de ovelha (*syn.* rabigato), tinta amarela, touriga francesa, touriga nacional, viosinho

PORTO DOC

Voir Les styles de porto, p. 380

PORTALEGRE DOC

Carte (N° 35)

Dans l'Alentejo, près de la frontière espagnole, ce secteur produit des rouges puissants et pourtant élégamment épicés, et des blancs assez lourds et alcoolisés.

aragonez, arinto, assário, fernão pires, galego, grand noir, manteudo, periquita, roupeiro, trincadeira

PORTIMAO DOC

Carte (N° 36)

Ces vins de l'Algarve ne méritent pas leur classement en DOC.

crato branco, negra mole, periquita

REDONDO DOC

Carte (N° 37)

Sous-appellation de l'Alentejo, aux installations modernes, Redondo propose des rouges fruités, francs et luxuriants, si fréquents aujourd'hui au Portugal.

aragonez, fernão pires, manteudo, moreto, periquita, rabo de ovelha, roupeiro, tamarez, trincadeira

1 à 3 ans

AC de Redondo

REGUENGOS DOC

Carte (N° 38)

DOC d'avenir de l'Alentejo qui produit des rouges qui se laissent boire et d'autres beaucoup plus fins, ainsi que des blancs en constante progression. À suivre.

aragonez, manteudo, moreto, periquita, perrum, rabo de ovelha, roupeiro, trincadeira

1 à 3 ans (nouveau style fruité)
2 à 5 ans (autres vins)

AC de Reguengos (tinto) • *JP Vinhos* (Quinta da Anfora)

RIBATEJO VR

Cette grande province, entre l'Estremadure et l'Alentejo, comprend les IPR suivantes : Almeirim, Cartaxo (une partie), Chamusca, Coruche, Santarém, Tomar et Valada do Ribatejo. Le climat tempéré et la richesse des alluvions du Tage favorisent de gros rendements, ce qui place la région au second rang du Portugal pour le volume. Certains producteurs font d'excellents vins en limitant leurs rendements – c'est notamment le cas de Peter Bright dans les vignobles de la famille Fuiza.

arinto, cabernet sauvignon, camarate (parfois la même chose que castelao nacional), carignan, chardonnay, esgana-cão, fernão pires, jampal, malvasia fina, malvasia rei (parfois la même chose que palomino), merlot, periquita, pinot noir, rabo de ovelha, sauvignon, syrah, tamarez, tinta amarela (*syn.* trincadeira preta), tinta miúda, touriga nacional, trincadeira das pratas (*syn.* tamarez d'azeitao), ugni blanc (*syn.* talia), vital

1 à 5 ans (rouges), 1 à 3 ans (blancs)

Bright Brothers • *Falua* • *Fuiza* • *Terra de Lobos*

RIOS DO MINHO VR

Sorte de vinho verde (« vin de pays »), à cela près que les cépages étrangers sont admis. Léger, comme il fallait s'y attendre.

alvarinho, arinto (*syn.* paderna), avesso, azal branco, azal tinto, batoca, borracal, brancelho (*syn.* alvarelho), cabernet sauvignon, chardonnay, espadeiro, loureiro, merlot, padreiro de basto, pedral, rabo de ovelha, riesling, trajadura, vinhao (parfois la même chose que sousão)

SANTARÉM IPR

Carte (N° 39)

Nouvelle appellation, autour de santarém la capitale du Ribatejo, qui devrait s'imposer dans les prochaines années.

arinto, castelao nacional, fernão pires, periquita, preto martinho, rabo de ovelha, tinta amarela (*syn.* trincadeira preta), trincadeira das pratas (*syn.* tamarez d'azeitao), ugni blanc (*syn.* talia), vital

SETÚBAL DOC

Moscatel de Setúbal Carte (N° 40)

On attribue l'invention de ce style de vin de liqueur de muscat à José-Maria da Fonseca, dont la vénérable maison en conserve toujours le quasi-monopole. Plusieurs styles de vins vieillis en fûts : 5 à 6 ans pour la fraîcheur et les saveurs de raisin et d'abricot; 20 ou 25 ans pour un vin plus sombre et bien plus complexe, aux bouffées intenses (raisin, noisette, caramel et abricot), mais le setúbal millésimé reste le meilleur.

muscat d'Alexandrie (*syn.* moscatel de setúbal), moscatel do douro, moscatel roxo, et jusqu'à 30% de : arinto, boais, diagalves, fernão pires, malvasia, olho de lebre, rabo de ovelha, roupeiro, tália, tamarez, vital

sans attendre (mais peut se garder de longues années)

✓ *J.-M. Fonseca*

TAVIRA DOC

Carte (N° 41)

Ces vins de l'Algarve ne méritent pas leur classement en DOC.

crato branco, negra mole, periquita

TERRAS DO SADO VR

Sans doute l'appellation la plus judicieuse que le Portugal pouvait créer. C'est une zone étendue englobant l'estuaire du Sado et allant bien au-delà de la péninsule de Setúbal, d'où proviennent de nombreux vins originaux, dont le développement a été menacé par l'extension de la banlieue sud de Lisbonne. Les vins sous cette appellation peuvent provenir d'une zone bien plus étendue; ainsi joao pires, periquita, quinta de camarate et quinta de bacalhôa ont tous revendiqué cette modeste VR sans que leur prix en pâtisse. Terras do Sado est donc, à n'en pas douter, une appellation attractive, à suivre de près pour les vins qui vont apparaître.

Rouges Au moins 50% d'aragonez, cabernet sauvignon, merlot, moscatel roxo, periquita (castelao francês), tinta amarela (*syn.* trincadeira preta) et touriga nacional, et jusqu'à 50% d'alfrocheiro preto, alicante bouschet, bastardo, carignan, grand noir, monvedro, moreto, tinto miúda

Blancs Au moins 50% d'arinto, chardonnay, fernão pires, malvasia fina, muscat d'Alexandrie (*syn.* moscatel de setúbal), roupeiro, et jusqu'à 50% de : antao vaz, esgana-cão, sauvignon, rabo de ovelha, trincadeira das pratas (*syn.* tamarez d'azeitao), ugni blanc (*syn.* talia)

1 à 3 ans (nouveau style)
2 à 5 ans (autres vins)

✓ *J.-M. Fonseca* (Joao Pires, Periquita, Quinta de Camarate Tinto) • *JP Vinhos* (Quinta de Bacalhôa, Cova da Ursa)

TOMAR IPR

Carte (N° 42)

Les coteaux calcaires de la rive droite du Tage, dans le Ribatejo, donnent des vins rouges et blancs.

arinto, baga, castelao nacional, fernão pires, malvasia, periquita, rabo de ovelha, ugni blanc (*syn.* talia)

TORRES VEDRAS IPR

Carte (N° 43)

Le « Vedras » a été ajouté à la demande de Miguel Torres; ces vignobles à haut rendement, de l'Estrémadure fournissent depuis toujours des vins en vrac aux gros producteurs de *vinho de mesa*.

arinto, camarate (parfois la même chose que castelao nacional), fernão pires, graciano (*syn.* tinta miúda), jampal, mortágua, periquita, rabo de ovelha, seara nova, vital

TRÁS-OS-MONTES VR

Cette province du nord-est compte les IPR de Chaves, Valpaços et Planalto-Mirandês. Le style varie entre les vins légers des hauteurs et ceux, corsés et alcoolisés, du sud. Le vin principal, pour ce qui concerne les volumes produits, est un rosé effervescent et demi-doux.

bastardo, cabernet franc, cabernet sauvignon, chardonnay, donzelinho, gewurztraminer, gouveio, malvasia fina, merlot, mourisco tinto, pinot noir, rabo de ovelha (*syn.* rabigato), sauvignon blanc, sémillon, tempranillo (*syn.* tinta roriz), tinta amarela, tinta barroca, tinta cão, touriga francesa, touriga nacional, viosinho

1 à 3 ans (nouveau style)
2 à 5 ans (autres vins)

✓ *Casal de Valle Pradinhos* • *Quintas dos Bons Ares*

VALPAÇOS IPR

Carte (N° 44)

Rouges fermes et rosés légèrement pétillants du cours antérieur de la Tua, qui se jette dans le Douro, dans la région de Trás-os-Montes.

bastardo, boal, codega (parfois la même chose que roupeiro), cornifesto, fernão pires, gouveio, malvasia fina, mourisco tinto, rabo de ovelha (*syn.* rabigato), tempranillo (*syn.* tinta roriz), tinta amarela, tinta carvalha, touriga francesa, touriga nacional

VAROSA IPR

Carte (N° 45)

Comme Pinhel, il s'agit d'une sous-appellation de Beiras qui doit toujours s'imposer autrement que comme source de vins de base à l'industrie du vin effervescent.

alvarelhao, arinto, borrado das moscas, cercial, chardonnay, fernão pires, folgosão, gouveio, malvasia fina, pinot blanc, pinot noir, tempranillo (*syn.* tinta roriz), tinta barroca, touriga francesa, touriga nacional

VIDIGUEIRA DOC

Carte (N° 46)

Dérivé de *videira*, qui signifie « vin », le nom de cette appellation est celui d'une des trois villes entourées de vignobles sur sol volcanique – preuve que la vigne est cultivée depuis fort longtemps dans cette partie de l'Alentejo.

alfrocheiro, antao vaz, manteudo, moreto, periquita, perrum, rabo de ovelha, roupeiro, trincadeira

VINHO VERDE DOC

Les vignes poussent ici dans les arbres, sur les poteaux télégraphiques et les clôtures, bref, sur tout ce qui peut les porter. Ce palissage permet à plus de 60 000 paysans du Minho de cultiver, aux pieds des ceps, les légumes (choux, maïs, haricots) dont ils ont besoin pour vivre, tout en produisant du raisin destiné aux grands établissements vinicoles ou à la production locale, à l'intention des touristes. Le vinho verde authentique est mordant, parfois légèrement pétillant, mais doit être totalement sec, avec un caractère plus ou moins délicat selon les cépages utilisés. Parmi ces derniers, les meilleurs sont l'alvarinho et le loureiro. Le premier est une variété à faible rendement, plus adapté au secteur nord du Minho, entre la vallée de la Lima et la frontière espagnole. Il donne les vinhos verdes les plus alcoolisés, titrant à 12,5 % vol. – au lieu de 9,5 à 10 % vol. pour la moyenne. La référence pour ce cépage, le palacio da brejoeira, est de l'avis général largement hors concours en matière de vinho verde. Le loureiro donne des vins aromatiques, avec un rendement beaucoup plus élevé. Le vinhao, suivi de l'azal tinto et de l'espadeiro, sont les meilleurs cépages de vinho verde rouge; les plus réussis, parmi ces vins à la robe pourpre soutenu, ont un goût poivré attachant, même s'il disparaît assez rapidement dans le flux de bulles.

alvarinho, arinto (*syn.* paderna), avesso, azal, azal tinto, brancelho (*syn.* alvarelho) borracal, espadeiro, loureiro, perdal, trajadura, vinhao (parfois la même chose que sousão)

sans attendre (9 à 18 mois au maximum)

✓ **Rouges quinta unique** *Caso do Valle* • *Ponte de Lima*
Blancs quinta unique *Casa de Sezim* • *Morgadio de Torre* • *Palacio da Brejoeira* • *Ponte de Lima* • *Quinta de Azevedo* • *Quinta de Franqueira* • *Quinta da Tamariz* • *Solar de Bouças*
Assemblages commerciaux, blancs *Cepa Velha* (Alvanrinho) • *Chello* • *Gazzela* • *Grinalda*

LE PORTO : LA VALLÉE DU DOURO

On ne peut rêver deux régions voisines produisant des vins plus différents que le porto du Douro – vin de liqueur de couleur profonde, riche, chaud et épicé – et le vinho verde du Minho – léger, très clair et pétillant.

« Il doit donner une impression de feu liquide dans l'estomac [...] il doit brûler telle la poudre [...] il doit avoir la couleur de l'encre [...] il doit être doux tel le sucre du Brésil et d'une saveur aromatique telles les épices de l'Inde... » C'est ainsi que l'Association des Négociants de Vins de Porto voyait ce vin en 1754, et cette description pourrait s'appliquer au grand vin de liqueur que nous connaissons aujourd'hui.

L'ORIGINE DU PORTO

On a peine à imaginer que ce « vin d'hiver » par excellence ait pu être créé sous un climat aussi chaud et ensoleillé que celui du Portugal. Les amateurs croient parfois que ce ne sont pas précisément les Portugais qui l'ont inventé, mais les Anglais, en quoi ils s'écartent un peu de la réalité. Les Portugais ont imaginé ce vin de liqueur des plus classiques et, plus tard seulement, les Britanniques exploitèrent cette idée.

En 1678, deux gentilshommes anglais furent envoyés par un marchand de vin de Liverpool à Viana do Castello, au nord de Porto, pour y apprendre le commerce du vin. Ils passèrent quelques jours de vacances au bord du fleuve Douro où ils furent royalement reçus par l'abbé de Lamego. Trouvant son vin « très agréable, un peu doux et extrêmement souple », ils lui demandèrent ce qui le distinguait de tous les autres vins portugais. L'abbé finit par avouer qu'il ajoutait un peu d'eau-de-vie, mais les deux Anglais étaient tellement conquis qu'ils achetèrent tout son stock et l'expédièrent en Angleterre.

LE DÉVELOPPEMENT DU NÉGOCE DU PORTO

La maison C.N. Kopke & Co faisait le commerce des vins du Douro depuis près de 40 ans quand eut lieu la rencontre avec l'abbé de Lamego. En 1670, l'Anglais John Clark avait entrepris d'établir une firme qui, plus tard, deviendra Warre & Co. La maison Croft & Co fut fondée en 1678, suivie par Quarles Harris en 1680 et Taylor's en 1692. Lorsque le traité de Methuen de 1703 accorda aux vins portugais des tarifs douaniers préférentiels en Grande-Bretagne, les négociants anglais et écossais se rendirent en nombre à Porto pour y fonder des maisons. D'autres négociants européens suivirent – Néerlandais, Allemands et Français –, mais les Britanniques avaient le quasi-monopole du commerce et abusaient souvent de cette position. En 1755, le marquis de Pombal, qui régnait avec poigne sur le Portugal depuis cinq ans, freina l'activité des commerçants britanniques en réduisant les privilèges que leur octroyaient deux traités séculaires. Il fonda également la Compagnie des Vins de Porto à laquelle il attribua des pouvoirs comparables à ceux des Britanniques. Négligeant les protestations, Pombal décida de

VENDANGEURS PRÈS D'AMARANTE, AU SUD DU MINHO
Pour vendanger ces vignes conduites en hauteur, il faut s'aider d'échelles.

LE DOURO ET LE MINHO, ***voir aussi*** **carte p. 371**
Ces deux régions produisent des vins illustres et le rôle du fleuve Douro a longtemps été primordial dans le négoce du Porto.

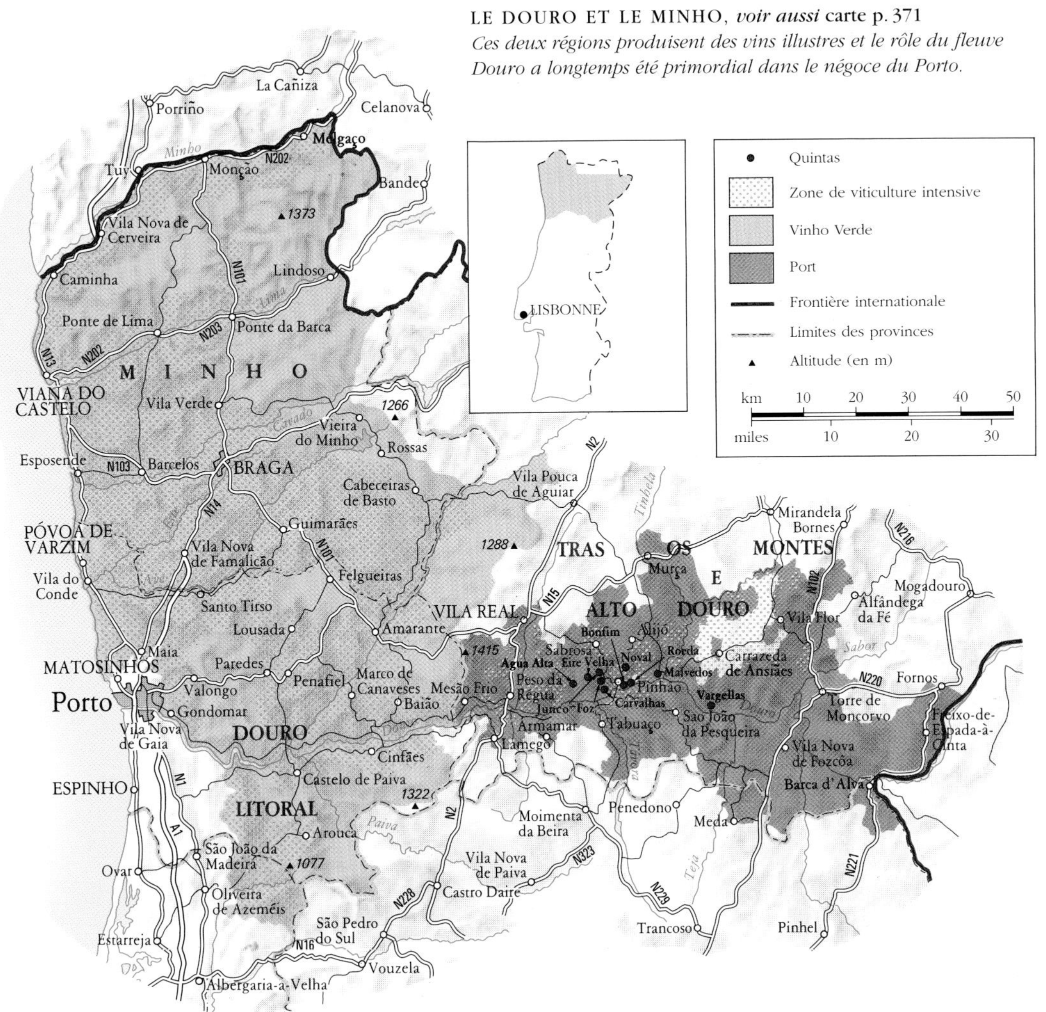

LES CÉPAGES DU PORTO

48 cépages sont autorisés pour la production du porto ; ce simple fait explique, pour une large part, la grande diversité de caractère et de qualité qui existe pour un même style. Les cépages font l'objet d'un classement officiel :

TRÈS BONS CÉPAGES NOIRS
bastardo, donzelinho tinto, mourisco, tinta roriz, tinta francisca, tinta cão, touriga francesa, touriga nacional.

BONS CÉPAGES NOIRS
cornifesto, malvasia preta, mourisco de semente, periquita, rufete, samarrinho, sousão, tinta amarela, tinta da barca, tinta barroca, tinta carvalha, touriga brasileira.

CÉPAGES NOIRS MOYENS
alvarelhão, avesso, casculho, castela, coucieira, moreto, tinta bairrada, tinto martins.

TRÈS BONS CÉPAGES BLANCS
donzelinho, esgana-cão, folgosão, gouveio (ou verdelho), malvasia fina, malvasia rei, rabigato, viosinho.

BONS CÉPAGES BLANCS
arinto, boal, cercial, côdega, malvasia corada, moscatel galego.

CÉPAGES BLANCS MOYENS
branco sem nome, fernão pires, malvasia parda, pedernã, praça, touriga branca.

LES SIX MEILLEURS CÉPAGES DU PORTO
Les viticulteurs et les producteurs estiment généralement que six cépages dominent les autres par leur qualité.

Touriga nacional :
Presque toujours considérée comme le meilleur cépage du porto. Ses petits fruits donnent un vin noir aux intenses propriétés aromatiques, gorgé d'extraits et de tanins. La touriga nacional préfère les situations chaudes mais n'est jamais très productrice. Des clonages sont en cours visant à accroître le rendement de 15% et le taux de sucre de 10%. Le clone le plus réussi jusqu'à présent est le R110.

Tinta cão :
Ce cépage peut apporter de la complexité et de la finesse à un assemblage. Il aime les situations assez fraîches et doit être palissé sur fil de fer pour donner une récolte satisfaisante. Avec les méthodes de cultures traditionnelles, le rendement faible et les viticulteurs n'aiment pas trop le cultiver. La survie de la tinta cão dépendra de la volonté des négociants à la maintenir dans leurs grands domaines.

Tinta roriz :
Ce cépage n'appartient pas vraiment à la famille des tintas et on l'appelle parfois simplement roriz. Il s'agit en fait du célèbre cépage espagnol tempranillo, qui joue un rôle primordial dans la Rioja. Il aime la chaleur et s'épanouit surtout dans les premiers rangs, bien ensoleillés, des vignobles en terrasses orientés au sud ou à l'ouest. Ses grains ont une pellicule épaisse ; ils sont foncés, juteux, très sucrés et peu acides, et donnent beaucoup de couleur et de tanins dans les assemblages. Certains l'estiment supérieur au touriga nacional.

Tinta barocca :
Ce cépage donne un vin assez précoce, utile pour élaborer les portos destinés à être bus plutôt jeunes ou pour adoucir des vins trop tanniques ou trop typés. Comme le tinta cão, il préfère les situations fraîches, en particulier les coteaux exposés au nord.

Touriga francesa :
Ce cépage de la famille des tourigas n'a aucun lien avec la tinta francisca, qui appartient à la famille des tintas. Selon Bruce Guimaraens, des firmes Fonseca et Taylor's, ce cépage de grande qualité est précieux pour combler les espaces entre les vignes qui aiment la chaleur et celles qui préfèrent la fraîcheur. Il donne du bouquet à un assemblage.

Tinta amarela :
Ce cépage de qualité, très productif, donne des fruits foncés. Sensible à la pourriture, il est cultivé de préférence dans les lieux les plus chauds et les plus secs. La tinta amarela prend une importance croissante depuis quelques années.

surcroît de nouvelles réformes aussi audacieuses et impopulaires, comme la limitation de l'aire de production de Douro aux meilleurs vignobles, l'interdiction de la fumure, qui réduisit les rendements mais augmenta considérablement la qualité, et la prohibition des baies de sureau utilisées comme colorant.

La technique d'élaboration du porto n'était pas encore définitivement établie à cette époque. Cinquante ans après la rencontre avec l'abbé de Lamego, la profession avait largement admis la pratique du vinage, mais sans réellement s'interroger sur la quantité d'eau de vie à additionner ou le meilleur moment pour le faire. Curieusement, le vin de l'abbé était supérieur parce que l'eau-de-vie était ajoutée pendant, et non après, la fermentation, dont elle interrompait alors le processus (par mutage) pour créer ce vin doux qui avait séduit les deux Anglais.

FACTEURS AFFECTANT LE GOÛT ET LA QUALITÉ

SITUATION
Le Douro et le Minho sont situés dans le nord du Portugal. Le porto est produit dans trois zones de la vallée du Douro – Cima Corgo, Baixo Corgo et haut Douro.

CLIMAT
Les étés sont chauds et secs et les hivers doux et humides dans le Minho. Le climat devient plus continental dans le haut Douro, où les étés sont très chauds, avec de fortes précipitations (52 cm), et les hivers peuvent être très froids.

SITE
Les vignobles sont plantés, en général, sur des terres vallonnées parfois très escarpées.

SOL
Le Douro est composé de sols durs granitiques et schisteux, cuits par le soleil. Le rôle du schiste, qui prédomine en amont, est essentiel dans la production du porto, c'est pourquoi les sols granitiques sont réservés aux vins de table du Douro.

VITICULTURE ET VINIFICATION
La disposition en terrasses des vignobles est répandue dans le Douro puisqu'elle permet une exploitation maximale des terres, bien que la tendance actuelle préfère des terrasses assez larges pour accueillir les machines. Sur certains sites moins pentus, les rangs de vignes sont perpendiculaires à la pente. Les terrasses escarpées sont très gourmandes en main-d'œuvre et les sols durs du Douro doivent être dynamités avant la plantation. Les vins de Porto sont faits et vinés dans le Douro, mais la plupart sont assemblés et mis en bouteilles dans les chais de Vila Nova de Gaia.

CÉPAGES
Voir Les cépages du porto (encadré à gauche).

Même après plusieurs siècles, les Britanniques dominent toujours le commerce du porto, à tel point que l'on peut généraliser entre les vins des maisons appartenant aux Britanniques d'une part, et ceux des maisons appartenant aux Portugais d'autre part. Les premiers préfèrent les vins amples, foncés, sucrés et fruités, en se spécialisant dans le porto millésimé, tandis que les seconds optent pour un style plus léger, plus élégant et plus souple, notamment des tawnies très joliment vieillis. Il fut un temps où les firmes portugaises ne déclaraient même pas de millésime, se concentrant sur les tawnies, et les pays d'exportation ne voulaient pas de ces vins prétendus inférieurs. Si certains l'étaient en effet, beaucoup d'autres étaient seulement différents. Aujourd'hui, bien entendu, le marché mondial impose les mêmes millésimes aux Portugais qu'aux Anglais.

Lorsqu'on compare ces deux styles de porto, sans doute serait-il plus exact de parler de style non pas britannique mais nord-européen, puisqu'il recueille la préférence également des négociants hollandais, allemands et français.

L'ÉLABORATION DU PORTO

S'il est un vin qui donne l'impression d'avoir été foulé, c'est bien le porto, sans doute parce que le pressurage et la vinification se faisaient traditionnellement, jusqu'à une date relativement récente, dans des locaux assez « rustiques ». Il est rare aujourd'hui que le

L'ANTIQUE BARCO RABELO
Inspirées des drakkars, ces embarcations à fond plat, chargées de pipes de porto, suivaient le cours capricieux du fleuve depuis le haut-Douro jusqu'à Porto.

LA CLASSIFICATION DES QUINTAS

La vallée du Douro couvre 243 000 hectares, dont 33 000 sont cultivés. Au sein de cette aire, on compte 80 000 vignobles qui appartiennent à 29 620 viticulteurs. Les vignobles sont classés selon un système de points attribués pour chacun des paramètres ci-dessous. Plus le vignoble reçoit de points, plus le prix de vente officiel de son raisin est élevé et plus sa production autorisée est forte.

CATÉGORIE	MINIMUM	MAXIMUM
Situation	-50	+600
Site	1 000	+250
Altitude [plus faible = le meilleur]	(-900)	(+150)
Déclivité [plus forte = le meilleur]	(-100)	(+100)
Sol	-350	+100
Schiste	(N/A)	(+100)
Granit	(-350)	(N/A)
Mélange	(-150)	(N/A)
Microclimat (plus abrité = le meilleur)	0	+60
Cépages (suivant classement officiel)	-300	+150
Âge des vignes (plus vieux = le meilleur)	0	+60
Densité des vignes (plus faible = le meilleur)	-50	+50
Rendement (plus faible = le meilleur)	-900	+120
Entretien du vignoble	-500	+100
TOTAL	-3,150	+1,490

Les vignobles sont classés de **A**, pour les meilleurs, à **F**, pour les moins bons, de la manière suivante : **classe A** (1 200 points ou plus), **classe B** (1 001-1 199 points), **classe C** (801-1 000 points), **classe D** (601-800 points), **classe E** (401-600 points), **classe F** (400 points ou moins).

CLASSE A
Aciprestes (Royal Oporto), *Atayde* (Cockburn), *Bomfin* (Dow), *Bom-Retiro* (Ramos-Pinto), *Carvalhas* (Royal Oporto), *Carvelheira* (Cálem & Filho), *Boa vista* (Offley Forrester), *Corte* (société privée, gérée par Delaforce), *Corval* (Royal Oporto), *Cruzeiro St. Antonio* (Guimaraens), Cavadinha (Warre), *Eira Velha* (société privée, gérée par Cockburn), *Ervamoira* (Ramos-Pinto), Fontela (Cockburn), *Fonte Santa* (Kopke), *Foz* (Cálem & Filho), *La Rosa* (société privée), *Lobata* (Barros Almeida), *Madalena* (Warre), *Malvedos* (Graham), *Mesquita* (Barros Almeida), *Monte Bravo* (société privée, gérée par Dow), *Nova* (société privée, gérée par Warre), *Panascal* (Guimaraens), *Passa Douro* (Sandeman), *Sagrado* (Cálem & Filho), *Santo Antonio* (Cálem & Filho), *Sibio* (Royal Oporto), *St. Luiz* (Kopke), *Terra Feita* (Taylor's), *Tua* (Cockburn), *Vale de Mendiz* (Sandeman), *Vale Dona Maria* (Smith Woodhouse), *Vargellas* (Taylor's), *Vedial* (Cálem & Filho), *Zimbro* (société privée, gérée par Dow).

CLASSE A-B
Aradas (Noval), *Avidagos* (Da Silva), *Casa Nova* (Borges & Irmao), *Ferra dosa* (Borges & Irmao), *Hortos* (Borges & Irmao), *Junco* (Borges & Irmao), *Leda* (Ferreira), *Marco* (Noval), *Meao* (famille Ferreira), *Noval* (Noval), *Porto* (Ferreira), *Roeda* (Croft), *Seixo* (Ferreira), *Silho* (Borges & Irmao), *Silval* (Noval), *Soalheira* (Borges & Irmao), *Urqueiras* (Noval), *Velho Roncao* (Pocas), *Vezuvio* (famille Symington).

CLASSE B
Carvoeira (Barros Almeida), *Dona Matilde* (Barros Almeida), *Laranjeira* (Sandeman), *San Domingos* (Ramos-Pinto), *Urtiga* (Ramos-Pinto)

CLASSE B-C
Sta Barbara (Pocas)

CLASSE C
Porrais (famille Ferreira), *Quartas* (Pocas), *Valado* (famille Ferreira)

CLASSE C ET D
Sidro (Royal Oporto)

CLASSE C, D ET E
Granja (Royal Oporto)

CLASSE D
Casal (Sandeman), *Confradeiro* (Sandeman)

CLASSE NON DIVULGUÉE
Agua Alta (Churchill), *Alegria* (Santos), *Cachão* (Messias), *Côtto* (Champalimaud), *Crasto* (société privée), *Fojo* (société privée), *Forte* (Delaforce), *Infantado* (société privée), *Rosa* (société privée), *Val de Figueria* (Cálem & Filho), *Vau* (Sandeman)

porto soit foulé, mais certaines maisons conservent des *lagars* à l'intention des touristes. Bon nombre de maisons ont des « autovinificateurs » – engins assez démodés qui utilisent la pression du gaz carbonique libéré au cours de la fermentation pour faire remonter le moût au-dessus du chapeau formé par les peaux. Il s'agit d'extraire des peaux le plus de matière colorante possible pour anticiper la perte qui découle du mutage. Beaucoup de producteurs emploient d'autres types de cuves, à la fois plus simples et plus modernes, qui permettent d'obtenir le même résultat.

FERMENTATION ET MUTAGE

Durant la phase initiale, la fermentation du porto ne diffère guère de celle des autres vins, si ce n'est que les températures atteignent souvent 32 °C. Celles-ci n'ont manifestement aucun effet néfaste sur le porto et expliquent sans doute son arôme chocolaté, sa complexité et son pH élevé. Le vin est viné lorsqu'il atteint à peu près 6 à 8 % vol. Pour le xérès, au contraire, le processus de fermentation suit son cours naturel. Le porto doit sa douceur à des sucres non fermentés, tandis que le xérès doux est un vin parfaitement sec auquel on ajoute des édulcorants. C'est le taux de sucre, et non le degré alcoolique, qui détermine le moment où se fait l'adjonction d'eau-de-vie. Lorsque le degré-sucre du moût en fermentation est tombé à environ 90 grammes de sucre par litre, le taux d'alcool est normalement entre 6 et 8 % vol. Il varie cependant en fonction de la richesse du moût, laquelle dépend à son tour du cépage, de la situation du vignoble et du millésime.
Le mot « eau-de-vie » est quelque peu trompeur : il ne s'agit pas d'un alcool ressemblant au cognac, mais de *l'aguardente*, un alcool de raisin clair et sans saveur qui titre 77 % vol. *L'aguardente* renforce le degré alcoolique du porto sans lui ajouter de saveur ni d'arôme. Cette eau-de-vie provient soit de vins du sud de Portugal, soit des excédents de production du Douro même. Son prix et sa distribution aux différents négociants sont strictement contrôlés. La quantité ajoutée s'élève en moyenne à 110 litres pour 440 litres de vin, soit au total 550 litres de porto – c'est la capacité d'une pipe du Douro, utilisée autrefois pour le transport du vin par bateau, depuis la vallée jusqu'aux « loges » ou chais de Vila Nova de Gaia. Le porto plus sec a une fermentation un peu plus longue et demande moins de 100 litres d'*aguardente*, tandis qu'un porto très doux (ou *geropiga)* est muté très tôt avec jusqu'à 135 litres. Correctement dosée, l'eau-de-vie additionnée pour arrêter la fermentation s'harmonise à terme avec le caractère fruité et la douceur naturelle du vin. L'équilibre « idéal » entre fruit, alcool et douceur dans un porto varie évidemment selon les goûts et les habitudes de chaque producteur. Le vigneron du Douro emploiera sans doute une proportion d'alcool bien plus forte pour le porto destiné à sa propre consommation que pour celui qu'il élabore à la demande d'un commerçant. Les négociants britanniques préfèrent généralement plus de fruit et moins d'eau-de-vie que les Portugais, mais toutes les firmes commerciales, portugaises et étrangères, estimeraient sans doute qu'un porto « fermier » du Douro ne possède pas assez de corps pour équilibrer l'eau-de-vie.

MÛRISSEMENT ET ASSEMBLAGE

Jusqu'en 1986, la loi stipulait que tout porto devait être élevé et mis en bouteilles à Vila Nova de Gaia, sur la rive gauche de l'estuaire du Douro, en face de Porto, soit à quelque 75 kilomètres de la région de production. À l'échelle de la France, ce serait obliger les producteurs de champagne élever leurs vins à Paris ou au Havre! Cette loi, qui date de 1756, a été imposée par les gros exportateurs afin d'empêcher les petits producteurs, qui n'avaient pas les moyens d'acquérir un chai à Vila Nova de Gaia, d'exporter eux-mêmes leurs vins. Vers la fin du XVIIIe siècle, la majorité des grands noms du porto était déjà établie et la loi permettait de maintenir le statu quo, et des profits importants. Aujourd'hui, les choses sont en train de changer et, si la plus grande partie du porto vient toujours des loges des grands exportateurs, de nombreux portos nouveaux, issus de *quintas* privées du Douro, trouvent leur place sur le marché.

LES STYLES DE
PORTO

Note : Les deux types de porto de base dont sont issues toutes les variantes, à l'exception du porto blanc sont le ruby et le tawny, vieillis respectivement en bouteilles et en fûts.

LES STYLES DE RUBY

Il s'agit par ordre de prix et de qualité de : ruby (comprenant fine old ruby, reserve, etc.), vintage character, late-bottled vintage, crusted, single-*quinta*, et vintage. Tous (sauf le bas de gamme) peuvent se garder et doivent souvent être décantés pour enlever le dépôt.

RUBY

Les portos rouges les moins chers ont de zéro à un an de fûts. Vendus dès leur mise en bouteilles, ils ne se bonifient pas et présentent une saveur de raisin et de poivre, parfois assez ardente. Tout en gardant le caractère fruité, épicé et chaud, les catégories supérieures sont plus homogènes, étant assemblées à partir de plusieurs millésimes et élevées jusqu'à quatre ans, sans rien perdre des qualités d'un jeune ruby.

sans attendre

✓ *Cockburn* (Special Reserve) • *Fonseca* (Bin 27) • *Graham* (Six Grapes) • *Quinta de la Rosa* (Finest Reserve) • *Warre* (Warrior)

VINTAGE CHARACTER

Il est inexact de soutenir que ces portos, assemblages de vins d'années différentes, élevés jusqu'à quatre ans en fûts, ont le caractère d'un vintage. Il peut s'agir de beaux portos, mais leur caractère est celui d'un fine old ruby.

sans attendre

✓ *Cálem* • *Churchill* • *Ferreira* • *Royal Oporto* (The Navigator's) • *Sandeman* (Signature)

CRUSTED

Le meilleur ruby non millésimé, obtenu par assemblage de vins de grande qualité, de deux ou plusieurs années. Il vieillit jusqu'à 4 ans en fûts et parfois plus de 3 ans en bouteilles. Il est plus franc que le vintage mais forme un dépôt analogue, d'où son nom, qui signifie « croûté ». Prêt à boire dès sa diffusion, après une décantation poussée, ce porto doit s'acclimater après un changement des conditions de garde, lorsqu'un nouveau dépôt précède la reprise de sa lente maturation.

1 à 10 ans

✓ *Churchill* • *Martinez* • *Smith Woodhouse*

LATE-BOTTLED VINTAGE (LBV)

Pur porto vintage d'un bon millésime – mais pas nécessairement d'un très grand – généralement non déclaré, assez léger et assez précoce, moins cher qu'un vintage. Il passe de 4 à 6 ans en fûts pour accélérer encore son vieillissement. On peut le boire dès qu'il est en vente, mais il continue de se bonifier pendant 5 ou 6 ans dans la bouteille.

5 à 10 ans

✓ *Burmester* • *Churchill* • *Graham* • *Quinta de la Rosa* • *Ramos-Pinto* • *Smith Woodhouse* • *Warre*

SINGLE-*QUINTA*

Ce porto provient d'un seul vignoble. Il peut s'agir d'un porto vintage classique d'une maison établie. Pour la plupart, ils sont prêts à boire dès leur diffusion, comme le LBV car, une fois mis en bouteilles, ces vins sont entreposés jusqu'à ce qu'ils soient prêts. Les deux catégories ont souvent le même âge, le single-*quinta* ayant passé plus de temps en bouteille le LBV plus de temps en fûts. L'attrait grandissant de ces vins, le changement de la loi autorisant la maturation chez le producteur, ainsi que le prestige accordé aux vins de domaine, amèneraient même cette catégorie à dépasser un jour le porto vintage.

8 à 25 ans

✓ *Cálem* (Quinta de Foz) • *Champalimaud* (Quinta do Cotto) • *Churchill* (Quinta de Agua Alta) • *Ferreira* (Quinta do Seixo) • *Fonseca* (Quinta do Panascal) • *Niepoort* (Quinta do Passadouro) • *Quinta de la Rosa* • *Quinta de Vesuvio* • *Quinta do Noval* • *Quinta do Sagrado* • *Ramos-Pinto* (Quinta da Urtiga) • *Taylor* (Quinta de Vargellas) • *Warre* (Quinta da Cavadinha)

VINTAGE PORT

La loi stipule que le porto vintage doit être mis en bouteilles avant deux ans. Le vieillissement en bouteilles est plus court que l'élevage en fûts, et le vin garde un fruité que ne possède aucun fine old tawny, si grand soit-il. À maturité, avec son bouquet capiteux et sa saveur sensuelle, le porto vintage offre une expérience gustative unique. Après le passage du vin, la gorge conserve une sensation de chaleur, une sorte d'incandescence, plutôt qu'un arrière-goût. Le raisin et l'eau-de-vie sont parfaitement fondus et la bouche est emplie de saveurs chaudes, épicées et fruitées.

12 à 30 ans (mais voir les producteurs individuels)

✓ *Churchill* • *Champalimaud* (Quinta do Cotto) • *Ferreira* • *Fonseca* • *Fonseca Guimaraens* • *Gould Campbell* • *Niepoort* • *Quinta do Noval* (en particulier Naçional) • *Taylor*

LES STYLES DE TAWNY

Il s'agit par ordre de prix et de qualité du : porto tawny, (comprenant le fine old tawny), aged tawny, single-*quinta*, et vintage-dated tawny (colheita). Le prix et la qualité des trois dernières catégories sont comparables.

TAWNY

Le porto tawny de base est souvent obtenu par assemblage de portos blancs et rouges. Même les dégustateurs experts ne peuvent distinguer certains assemblages habiles d'un tawny « naturel ». En règle générale, mieux vaut mettre un peu plus cher pour être sûr d'acheter un produit authentique. Les meilleurs ont huit ans, mais cet âge est rarement indiqué.

sans attendre

✓ *Delaforce* (His Eminence's Choice) • *Dow's* (Boardroom) • *Warre* (Nimrod)

AGED TAWNY

Ces vieux portos de 10, 20, 30, 40 ans et plus ont le nom traditionnel de « fine old tawny » (FOT), mais comme le « fine old ruby », cette appellation n'est pas réglementée. Après de constants soutirages pendant 10, 20 ans ou davantage, le vin prend une couleur *tawny*, c'est-à-dire rousse ou tuilée, se clarifie et ne forme plus de dépôt. Il acquiert une texture souple et moelleuse de noisette, et une grande finesse. Le nez livre des arômes persistants qui marient le café fraîchement moulu, le chocolat, le raisin sec, la muscade et la cannelle. L'âge n'est donné qu'à titre d'indication – ainsi, un porto de la dernière récolte pourrait passer pour un tawny de 20 ans d'âge à condition que l'institut viticole n'y voie que du feu. Mais c'est une assez bonne indication tout de même. La plupart des œnologues trouvent que 20 ans est l'âge idéal, sans que les plus vieux soient nécessairement trop vieux : toutefois le vin finit presque par se transformer en liqueur.

sans attendre

✓ **10 ans** : *Cálem* • *Churchill* • *Cockburn* • *Croft* • *Dow* • *Ferreira* (Quinta do Porto) • *Fonseca* • *Graham* • *Niepoort* • *Offley* (Baron Forrester) • *Ramos-Pinto* • *Robertson* (Pyramid) • *Smith Woodhouse* • *Taylor* • *Warre* (Sir William)
20 ans : *Barros Almeida* • *Burmester* • *Cálem* • *Cockburn* • *Croft* (Director's Reserve) • *Dow's* • *Ferreira* (Duque de Bragança) • *Fonseca* • *Graham* • *Niepoort* • *Noval* • *Offley* (Baron Forrester) • *Robertson's* (Privateer Reserve) • *Sandeman* (Imperial) • *Taylor*
30 ans : *Cálem* • *Croft* • *Dow* • *Fonseca* • *Niepoort* • *Ramos-Pinto*
40 ans : *Cálem* • *Fonseca* • *Graham* • *Noval* • *Taylor*

SINGLE-*QUINTA*

Bien que les portos issus d'un seul vignoble soient en principe de style vintage ou ruby, on trouve aussi quelques tawnies, avec indication de l'âge ou du millésime.

sans attendre

✓ **10 ans** : *Quinta do Sagrado* • *Ramos-Pinto* (Quinta da Ervamoira)
20 ans : *Ramos-Pinto* (Quinta do Bom-Retiro)
Millésimé : *Borges* (Quinta do Junco)

TAWNY MILLÉSIMÉ OU COLHEITA

Ces vins, souvent sublimes et d'un excellent rapport qualité/prix, sont issus d'un cépage unique ; ils peuvent séjourner 20 ou 50 ans en fûts. Pour éviter qu'on ne les confonde avec les porto vintage, plus charnus et plus fruités qui passent moins de trois ans en fûts, les étiquettes devraient comporter la date de mise en bouteilles, ou une mention telle que « Élevé en fûts ». Certaines firmes se contentent d'appeler « vintage » les portos vintage et « colheita » les tawnies. Les autres indications sont : « reserve », « reserva » ou « Bottled in (année) ».

sans attendre

✓ *Barros Almeida* • *Burmester* • *Cálem* • *Offley* (Baron Forrester) • *Niepoort* • *Noval*

PORTO BLANC

La plupart des portos blancs secs ressemblent à des xérès trop mous, mais il existe de beaux portos blancs doux, comme le superior white, tendre et crémeux de Ferreira. Le porto blanc vraiment moelleux est commercialisé sous le nom de *lagrima*. Le pur moscatel de Niepoort peut remplacer avantageusement le moscatel de setúbal.

sans attendre

✓ *Superior White de Ferreira*

LES PRODUCTEURS DE LA
VALLÉE DU DOURO

Note : L'indication de l'apogée donne le meilleur moment pour boire le porto vintage (seulement lorsque cette catégorie est recommandée). Lorsque toute la gamme est recommandée, et sauf indication contraire, elle concerne tous les vins sauf le ruby et le tawny de base, ainsi que le porto blanc.

BARROS
Barros Almeida

½★ V

Ancien garçon de bureau chez Almeida & Co, Manuel de Barros a fini par reprendre la firme et par bâtir un véritable empire, avec ses descendants, en rachetant Douro Wine Shippers & Growers, Feist, Feuerheerd, Hutcheson, Kopke, Santos Junior et Viera de Sousa. Seuls Kopke et Barros Almeida gardent un peu d'autonomie, les autres étant réduits à des noms de marque.

✓ *20-Year-Old Tawny • Vintage-Dated Tawny • Colheitas*

BORGES & IRMAO

Maison portugaise fondée en 1884, connue principalement pour ses soalheira 10-year-old et tawnies ronçao 20-year-old, mais la qualité a souffert depuis sa reprise en main par l'état portugais.

BURMESTER

Cette maison sous-cotée, d'origine anglo-allemande, fait surtout des tawnies très mûrs et du bon vintage.

✓ *Late-Bottled • Vintage • 20-Year-Old Tawny • Colheitas • Vintage*

CÁLEM

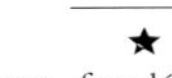

Cette maison, fondée en 1859, appartient toujours à la famille Cálem qui produit régulièrement d'élégants portos tawnies, single-*quinta* et vintage.

entre 15 et 25 ans

✓ *10, 20, 30 et 40 Year-Old Tawny • Vintage Character • Quinta de Foz • Vintage*

CHAMPALIMAUD
Quinta do Cotto

★½

Miguel Montez Champalimaud, dont les ancêtres sont viticulteurs dans la vallée du Douro depuis le XIIIe siècle, ne s'est lancé dans le porto qu'en 1982, lorsqu'il a produit le premier *single-quinta* mis en bouteilles au domaine, se plaçant ainsi en tête du peloton de la nouvelle vague de producteurs privés.

entre 12 et 25 ans

✓ *Quinta do Cotto*

CHURCHILL

Cette première maison de porto à s'établir de nos jours, puisque fondée en 1981 par Johnny Graham de Graham (Churchill étant le nom de jeune fille de sa femme Caroline), n'a pas tardé à s'imposer.

entre 12 et 25 ans

✓ *gamme complète*

COCKBURN

Cette maison, fondée en 1815 par Robert Cockburn, qui a épousé Mary Duff, dont lord Byron fut l'ardent admirateur, est restée britannique (Allied-Domecq). Quoique produits en quantité industrielle, le special reserve et le fine old ruby sont, comme les portos vintage, d'une qualité toujours exceptionnelle. *Voir aussi* Martinez.

entre 15 et 30 ans

✓ *gamme complète*

CROFT

La firme Croft est surtout connue pour ses xérès, et pourtant c'est une des plus anciennes maisons de porto, fondée en 1678. Son style élégant est mieux adapté au fine old tawny, plutôt de type portugais qu'anglais. Ses portos sont généralement plus légers que les autres. *Voir aussi* Morgan.

✓ *10, 20 et 30 Year-Old Tawny*

CRUZ

⊗

Ce porto terne en dit long sur l'attitude du Français moyen envers le meilleur vin de liqueur du monde. Dans un pays qui représente la moitié des exportations, c'est cette marque qui se vend le mieux. S'il s'agissait de cuisiner avec, passe encore, mais le boire!

DELAFORCE

½★

Bien qu'elle appartienne à IDV (International Distillers and Vintners, Grand Met) depuis 1968, tout comme Croft et Morgan, cette maison a su garder sa dimension familiale sous la direction de David Delaforce, représentant de la cinquième génération. Les vins sont élaborés dans un style léger qui convient à merveille au « his eminence's choice », un vieux tawny exquis doté d'un bon équilibre et d'un parfum persistant.

✓ *His Eminence's Choice Superb Old Tawny*

DOURO WINE SHIPPERS & GROWERS
Voir **Barros Almeida**

DIEZ
Diez Hermanos

Producteur discret aux millésimes récents intéressants. À suivre.

DOW
Silva & Cosens

La marque s'appelle Dow mais la maison, fondée en 1862, s'appelle Silva & Cosens. James Ramsay Dow a été reçu comme associé en 1877 lorsque sa firme Dow & Cos., négociants en porto depuis 1798, a fusionné avec Silva & Cosens. Dow est l'une des nombreuses marques de la famille Symington. Son porto vintage est régulièrement l'un des tout meilleurs. *Voir aussi* Gould Campbell, Graham, Quarles Harris, Smith Woodhouse, Warre.

entre 18 et 35 ans

✓ *gamme complète*

FEIST
Voir **Barros Almeida**

FERREIRA

★★

La maison Ferreira, fondée en 1761 et reprise en 1988 par Sogrape, est aujourd'hui la première marque portugaise. Pourtant, elle n'a acquis sa réputation actuelle qu'au milieu du XIXe siècle, entre les mains de Dona Antonia Adelaide Ferreira, qui a constitué le plus vaste ensemble de vignobles du Douro et a laissé, à sa mort en 1896, une fortune estimée à 34 millions de francs courants. Que la spécialité de Ferreira soit le tawny n'est guère étonnant, compte tenu de ses racines portugaises. De style plus léger, son porto vintage, moelleux et souple, est également très fiable et vieillit bien.

entre 12 et 30 ans

✓ *gamme complète*

FONSECA
Fonseca Guimaraens

★★½

Cette maison, qui s'appelait à l'origine Fonseca, Monteiro & Cos., a changé de nom en 1822 lorsqu'elle a été rachetée par Manuel Pedro Guimaraens. Rattachée à Taylor, Fladgate & Yeatman depuis 1948, elle est cependant autonome, ayant ses propres *quintas* et fournisseurs. Même le fonseca guimaraens, deuxième vin après le fonseca, ferait rougir bien des producteurs de porto.

entre 15 et 30 ans

✓ *gamme complète*

FEUERHEERD
Voir **Barros Almeida**

GOULD CAMPBELL

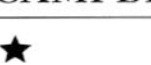

Maison fondée vers 1797. Bien que représentant du bas de gamme du groupe Symington, Gould Campbell produit des portos vintage très fins et parfois fantastiques. *Voir aussi* Dow, Graham, Quarles Harris, Smith Woodhouse, Warre.

entre 12 et 25 ans

✓ *Vintage*

GRAHAM'S
W & J Graham & Co

★★½

À sa fondation, Graham était une firme de textile; elle ne s'est lancée dans le négoce du porto qu'en 1826, lorsque son bureau de Porto, dit-on, a accepté du vin en paiement d'une créance. Plus tard, Graham a repris Smith Woodhouse avant de rejoindre ensemble l'empire de Symington en 1970. Si elle doit sa réputation à son porto vintage, tous ses vins sont d'un niveau comparable chacun dans sa catégorie. *Voir aussi* Dow, Gould Campbell, Quarles Harris, Smith Woodhouse, Warre.

entre 18 et 40 ans

✓ *gamme complète, y compris six Grapes Ruby*

GUIMARAENS
Voir **Fonseca**

HUTCHESON
Voir **Barros Almeida**

KOPKE
Voir **Barros Almeida**

MARTINEZ
Martinez Gassiot

★½ V

Cette maison, fondée en 1797 par l'Espagnol Sebastian González Martinez, a rejoint Cockburn au début des années 1960. Elle produit en petite quantité un porto vintage dont la qualité est sous-estimée, ainsi qu'un crusted d'un excellent rapport qualité/prix, tout en proposant des portos « own label ». *Voir aussi* Cockburn.

entre 12 et 20 ans

✓ *gamme complète*

MORGAN

½★ V

L'une des maisons les plus anciennes, Morgan a été rachetée en 1952 par Croft (aujourd'hui rattachée à IDV et donc à Grand Met). Elle produit un porto aux arômes de prune, mais elle est aussi connue pour ses portos « own label », notamment avec son 10-Year-Old Tawny. *Voir aussi* Croft.

Tawny marques de distributeur

NIEPOORT

★½

Petite maison néerlandaise connue surtout pour ses tawnies, riches et élégants (en particulier les colheitas) mais qui offre aussi un porto vintage sous-estimé.

entre 12 et 25 ans

gamme complète

NOVAL

Quinto do Noval

(*Naçional* ★★★)

Cette maison d'origine portugaise, fondée par Antonio José da Silva en 1813, était contrôlée par la famille néerlandaise Van Zeller depuis quatre générations, jusqu'à son rachat par le groupe français AXA (*voir* p. 60). Le nom de la firme est Quinta do Noval, mais la plupart des vins sont vendus sous la marque Noval, l'étiquette Quinta do Noval étant réservée au porto issu uniquement du domaine.

entre 15 et 35 ans (25 à 70 ans pour le naçional)

Vintage • *Naçional* • *20 et 40 Year Old Tawny*

OFFLEY

Offley Forrester

★½

Fondée en 1737, cette maison, ancienne propriété du baron Forrester, appartient à Sogrape. Les colheitas sont d'excellente qualité, le porto vintage est élégant et le single-*quinta* boa vista exhibe une robe soutenue.

entre 12 et 25 ans

Vintage • *Boa Vista* • *Colheita* • *10 et 20-Year-Old Tawny*

POÇAS

Poças Junior

Fondée en 1918, comme beaucoup de firmes portugaises, cette maison ne déclare ses portos vintage que depuis peu (les années 1960) ; elle est connue surtout pour ses tawnies et ses colheitas. Seconds vins : lopes, pousada, seguro.

QUARLES HARRIS

Fondée en 1680 et deuxième maison de porto au XVIIIe siècle, jusqu'à son rachat par Warre, cette firme est l'une des plus petites du groupe Symington, très dynamique. *Voir aussi* Dow, Gould Campbell, Graham, Smith Woodhouse, Warre.

QUINTA DE LA ROSA

★

Ce porto single-*quinta*, mis en bouteilles au domaine, est plein de promesse. À suivre, le nouveau 10-year-old tawny...

entre 8 et 25 ans

Finest Reserve • *Late Bottled Vintage* • *Vintage*

QUINTA DO COTTO

Voir Champalimaud

QUINTA DO INFANTADO

Ce porto single-*quinta*, mis en bouteilles au domaine, a été un peu léger, mais le late bottled vintage de 1991 est une révélation. Les vins de ce producteur indépendant méritent donc d'être suivis.

QUINTA DO NOVAL

Voir Noval

QUINTA DO VESUVIO

Cette énorme propriété (400 ha), plantée au XIXe siècle, était alors considérée comme la plus grande des *quintas* du Douro. Après Ferreira, c'est le groupe Symington qui l'a rachetée en 1989. Son porto vintage est d'ores et déjà exceptionnel ; reste à savoir ce qu'il va devenir.

entre 12 et 30 ans

Vintage

RAMOS-PINTO

Adriano Ramos-Pinto avait tout juste vingt ans quand il fonda sa société en 1880. Sa famille ne la vendra qu'en 1990, aux champagnes Louis Roederer. Les tawnies sont toujours excellents, en particulier le single-*quinta* 10 et 20-year-old et les colheitas. Mais le porto vintage 1994 présage un bel avenir pour ce style.

entre 12 et 25 ans

Late-Bottled Vintage • *Single-Quinta* (Quinta de Ervamoira 10-Year-Old, Quinta do Bom-Retiro 20-Year-Old) • *Colheitas* • *Vintage* (à partir de 1994)

REBELLO VALENTE

Voir Robertson Brothers and Cos.

ROBERTSON BROTHERS AND COS.

½

Petite maison fondée en 1881, aujourd'hui filiale de Sandeman, propriété de Seagram. Les tawnies et les portos vintage de style traditionnel (le célèbre rebello valente) sont les plus connus.

entre 12 et 25 ans

10 et 20-Year-Old Tawny • *Vintage*

ROYAL OPORTO

Real Companhia Velha

½ Ⓥ

Maison fondée en 1756 par le marquis de Pombal pour réglementer le négoce. Son futur propriétairte n'est pas encore connu (à l'heure où j'écris ces lignes), mais ses excellents portos vintage et vintage character, d'un prix intéressant, devraient assurer sa survie.

Vintage Character (The Navigator's)

ROZES

Rozes, qui appartient au groupe géant Moët-Hennessy, n'est connu qu'en France, mais puisque le globe-trotter de chez Moët & Chandon, Richard Geoffroy, s'en mêle, il faut s'attendre à tout.

SANDEMAN

Également producteur de xérès et de madère, la firme Sandeman, fondée en 1791, et qui a aquis Robertson et Rebello Valente en 1881, puis Diez et Offley (aujourd'hui propriété de Sogrape), est maintenant contrôlée par Seagram. Le porto vintage est variable et rarement extraordinaire, mais les tawnies sont fiables, en particulier l'imperial 20-year-old.

20-Year-Old Tawny (Imperial) • *Vintage Character* (Signature)

SANTOS JUNIOR

Voir Barros Almeida

SILVA & COSENS

Voir Dow & Cos.

SILVA, C DA

Petite maison néerlandaise offrant des portos bon marché et des tawnies parfois d'un très bon rapport qualité/prix.

SMITH WOODHOUSE

★½Ⓥ

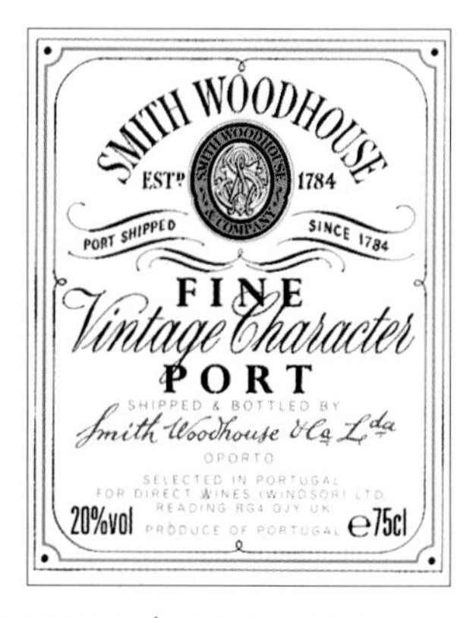

La gamme des vins, toujours d'un excellent rapport qualité/prix, de cette célèbre firme d'origine britannique – qui a produit des portos vintage parmi les plus grands de tous les temps – est surtout très appréciée sur le marché international. *Voir aussi* Dow, Gould Campbell, Graham, Quarles Harris, Warre.

entre 12 et 25 ans

gamme complète

GROUPE SYMINGTON

Les Symington, l'une des plus célèbres et des plus grandes familles du porto, possèdent six marques dont aucune ne porte leur nom. *Voir aussi* Dow, Gould Campbell, Graham, Quarles Harris, Smith Woodhouse, Warre.

TAYLOR'S

Taylor, Fladgate & Yeatman

Cette maison, fondée en 1692 par Job Bearsley, a connu 21 dénominations différentes avant de recevoir son nom actuel que lui ont légué trois associés : Joseph Taylor en 1816, John Fladgate en 1837 et Morgan Yeatman en 1844. Elle s'appelait anciennement Webb, Campbell, Gray & Cano (Joseph Cano est apparemment le seul Américain à avoir été associé dans une maison de porto). En 1744, pour la première fois, un négociant a acheté un domaine dans le Douro : c'était Taylor's! Mais son domaine le plus célèbre est Quinta de Vargellas, acquis en 1890. Cette prestigieuse propriété donne une âme à l'ensemble des portos vintage de Taylor's.

entre 20 et 40 ans

gamme complète

VIERA DE SOUSA

Voir Barros Almeida

WARRE

Cette firme, fondée en 1670, n'a pris son nom actuel qu'en 1729, avec l'arrivée de William Warre à la direction, et seule la maison d'origine allemande, Kopke, peut se prévaloir d'une plus grande ancienneté. La marque Warre, qui appartient aujourd'hui à la famille Symington, dispute habituellement à Graham la paternité du porto vintage le plus foncé et le plus concentré après celui de Taylor's. *Voir aussi* Dow, Gould Campbell, Graham, Quarles Harris, Smith Woodhouse.

entre 18 et 35 ans

gamme complète

WEISE & KROHN

Maison fondée en 1865 par deux Norvégiens d'origine allemande, Theodore Weise et Dankert Krohn. Propriété de la famille Carneiro depuis les années 1930, elle fait des portos vintage relativement insipides et surtout des tawnies.

Colheitas

MADÈRE

L'île de Madère donne son nom au seul vin du monde qu'il faille mettre au four! C'est un vin de liqueur délibérément chauffé pour simuler les voyages d'antan au cours desquels le vin se madérisait de lui-même sous le climat équatorial.

Au XVe siècle, le prince Henry le Navigateur chargea le capitaine Jão Gonçalves d'aller à la recherche de terres nouvelles. À la suite d'une blessure à l'œil, reçue en combattant les Maures, ce brave s'était vu gratifié du surnom de Zarco (le loucheur), qu'il accolait fièrement à son nom. Ce sobriquet est véridique même s'il paraît pour le moins curieux pour un navigateur qui se doit, par sa fonction, de guetter l'horizon, surtout à une époque où les marins craignaient de voir leur vaisseau tomber comme une pierre en arrivant au bout du monde. Il est vrai qu'il ne faut qu'un œil pour le river à une longue-vue!
Quoi qu'il en soit, Zarco réussit non seulement à naviguer en toute sécurité, mais encore à faire des découvertes : en 1418, il arrive devant l'île de Madère, alors qu'il cherche la Guinée... L'ayant prise pour un nuage, il s'étonne de son immobilité. Un jour entier, il fait voile vers ce nuage figé, et tombe tout droit sur l'île : c'est la vapeur d'eau dégagée par la végétation luxuriante qui donnait l'impression d'un nuage sous le soleil levant. Lorsqu'il y débarque, il se heurte à une forêt si touffue qu'il est impossible d'y pénétrer : c'est elle qui va donner son nom à Madeira – l'île du bois. Zarco emploie les grands moyens : il allume un incendie, s'assoit et attend que le feu lui ouvre un passage. Mais il attendra longtemps, très longtemps même, car le feu va courir sept ans durant, consumant jusqu'à la moindre brindille, imprégnant ainsi de potasse le sol volcanique, ce qui va le rendre particulièrement propice à la culture de la vigne!

LA CÔTE DE L'ÎLE DE MADÈRE
Dans les zones côtières, des vignobles en terrasses, irrigués par un réseau d'aqueducs, sont accrochés au rocher.

L'ORIGINE DU VIN DE MADÈRE

Source d'eau et de vivres, l'île ne tarde pas à devenir une escale régulière pour les navires en route vers l'Orient. Ceux-ci y chargeaient souvent, en même temps, des barriques de vin de Madère qu'ils vendaient en Australie ou en Extrême-Orient. Ce vin, au cours des six mois de voyage, atteignait une température de 45 °C puis se refroidissait, ce qui lui conférait un caractère très particulier et très séduisant. Les producteurs de vin de Madère ignorèrent totalement ce fait jusqu'à ce qu'un chargement invendu revienne dans l'île. On conçut bientôt des fours spéciaux, les *estufas*, afin de reproduire, par le procédé de l'*estufagem*, ce processus d'échauffement et de refroidissement du vin. Tous les madères subissent ainsi une fermentation parfaitement normale avant de passer à l'*estufagem*. Les vins les plus secs sont fortifiés avant, les plus doux après.

L'AVENIR DU MADÈRE

Si les ventes de madère sont en hausse, elles partent cependant d'un niveau relativement bas comparé à la célébrité de ce vin au XIXe siècle, lorsqu'il s'exportait principalement en Russie, où un seul grand duc achetait l'équivalent de 76000 caisses par an. Aujourd'hui, le madère est trop souvent un vin bon marché, issu du médiocre cépage tinta negra mole et vendu en vrac, souvent comme vin de cuisine, en France, en Allemagne et en Belgique. Or, si l'on veut que le madère survive, il faudra améliorer la qualité, replanter des cépages classiques, encourager une nouvelle vague de viticulteurs indépendants, interdire les vins en vrac et mettre l'accent sur le vin millésimé. Cet effort serait d'ailleurs logique étant donné le relief escarpé de l'île où les besoins en main-d'œuvre sont tels que, du point de vue économique, la production d'un vin bon marché est un contresens.

MADÈRE, ***voir aussi*** p. 371
Située en plein Atlantique, à l'ouest du Maroc, l'île de Madère est renommée pour ses vins de liqueur. La plupart des entrepôts à vins se trouvent à Funchal, la capitale.

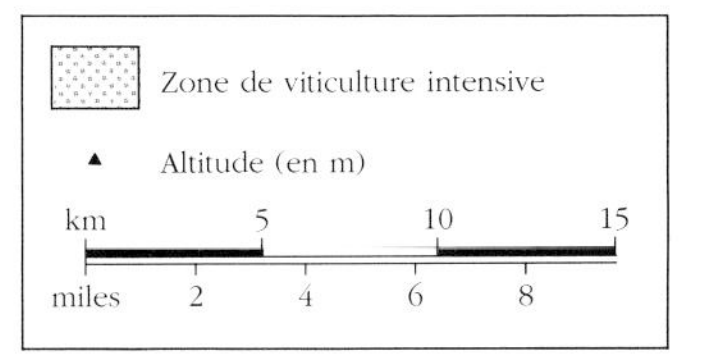

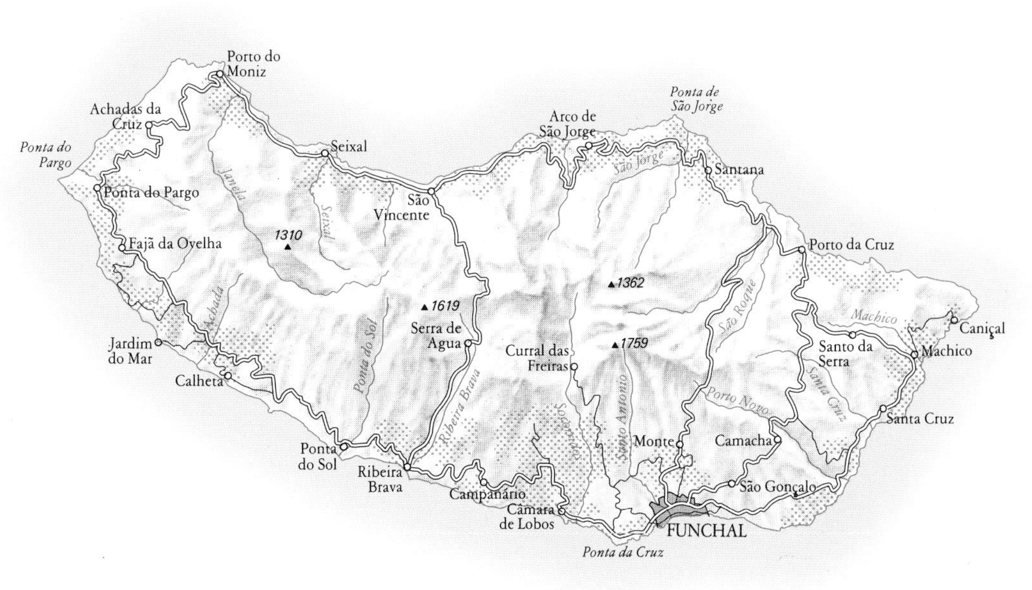

LES STYLES DE

MADÈRE

Traditionnellement, il existait quatre types fondamentaux de madère, tous issus d'un cépage différent : sercial, verdelho, bual ou malmsey. Durant tout le XXe siècle cependant, une grande partie de la production a été un assemblage à base de tinta negra mole (ou de sa variante complexa) ou d'hybrides américains. Ces derniers sont interdits depuis 1990. En outre, depuis janvier 1993, les qualificatifs de style cités ci-après sont interdits aux vins à base de tinta negra mole, qui n'ont droit qu'aux qualificatifs de douceur : *seco*, sec, *meio seco*, demi-sec, *meio doce*, demi-doux, et *doce*, doux, accompagnés d'un terme descriptif tel que pale, dark, full ou rich. Tout vin de cépage doit contenir au moins 85% du raisin indiqué.

Note : Dès qu'il est proposé à la vente, tout madère doit être prêt à boire et sa durée de vie est pratiquement infinie. C'est pourquoi je n'indique pas de période de garde.

MADÈRE FINEST OU 3 ANS D'ÂGE

Madère de base, sans indication d'âge, issu principalement de tinta negra mole et d'un peu de moscatel. Or, aucun madère digne de ce nom ne se fait en trois ans : il s'agit d'un vin de cuisine peu recommandable, vendu en vrac.

MADÈRE RESERVE OU 5 ANS D'ÂGE

Comme c'est l'âge minimum pour les cépages nobles (sercial, verdelho, bual, malmsey, bastardo, terrantez), en l'absence d'indication on peut être sûr qu'il s'agit principalement – sinon en totalité – de tinta negra mole. Les cépages classiques ayant beaucoup progressé, cinq ans suffisent parfois à donner des vins de cépage d'un bon rapport qualité/prix.

✓ *Barbeito* (Malmsey) • *Blandy* (Sercial, Bual, Malmsey) • *Cossart* (Sercial)

MADÈRE SPECIAL RESERVE OU 10 ANS D'ÂGE

Cette catégorie offre les premiers madères sérieux, même en assemblage car, si on trouve encore du tinta negra mole, pour une durée aussi longue, les producteurs ne risquent évidemment que les meilleurs vins de ce cépage.

✓ *Blandy* (Sercial, Malmsey) • *Cossart* (Verdelho, Malmsey) • *Henriques & Henriques* (Sercial, Malmsey) • *Power Drury* (Malmsey) • *Rutherford & Miles* (Bual, Malmsey)

MADÈRE EXTRA RESERVE OU PLUS DE 15 ANS D'ÂGE

Ce style est rare, mais le vin est toujours nettement plus riche et plus complexe que le 10 ans d'âge. La mention 15 ans d'âge est absente sur certains vins nettement plus vieux.

✓ *Barbeito* (Bual 25 ans d'âge) • *Cossart* (Malmsey 15 ans d'âge, Very Old Duo Centenary Celebration Bual, Very Old Duo Centenary Celebration Sercial)

MADÈRE SOLERA

Un vieux *solera* ne contient que quelques molécules du millésime sur lequel il est basé et qui figure sur l'étiquette, mais les meilleurs madères soleras authentiques (tous ne le sont pas) sont délicieusement tendres et sensuels.

✓ *Blandy Solera 1863 Malmsey* • *Blandy Solera 1880 verdelho* • *Cossart Solera 1845 Bual*

MADÈRE VINTAGE

Tous les madères portaient autrefois un millésime, mais c'est devenu rare car il s'agit aujourd'hui, en général, d'assemblages ou des productions de *soleras*. Le règlement actuel exige un minimum de vingt ans en fûts, mais le succès futur du madère implique le remplacement de ce régime suranné par un système comparable à celui régissant le porto vintage. Si les vingt ans de vieillissement demeurent évidemment souhaitables, ils ne devraient plus être obligatoires. Pour le consommateur international, le vin millésimé est supérieur, et il ne va pas chercher plus loin – même si c'est parfois le contraire qui est vrai. Aussi, si le madère veut trouver une large audience, il faut le commercialiser beaucoup plus jeune en laissant au consommateur le soin de le garder. Cela aurait aussi l'avantage d'alimenter le marché des investisseurs des salles des ventes, qui à force de déguster, de discuter et de rendre compte de madères, sensibiliseraient le public tout en améliorant la réputation de ces vins.

SERCIAL

Ce cépage, connu sur le continent portugais sous le nom d'*esgana cao*, « étrangleur de chien », est cultivé dans les vignobles les plus frais de l'île. C'est le madère le plus pâle, léger et sec, qui développe une saveur riche non sans acidité, avec des arômes d'agrume et d'épices. Le sucre résiduel est limité à 18 à 65 g/l (le vin est déjà sec à 40 g/l, et la valeur minimale donne un vin extra-sec pour ses 17 % vol. et ses saveurs intenses).

✓ Voir *les styles par âge, ci-dessus*

VERDELHO

Ce raisin noir ou blanc donne parfois un vin aussi pâle que le sercial, mais généralement un madère qui devient de plus en plus doré en vieillissant. Le style est toujours demi-sec à demi-doux, plus corsé que le sercial, trompeusement doux et épanoui, mais tout aussi acide pour finir. Le sucre résiduel légal est situé entre 49 et 78 g/l.

✓ Voir *les styles par âge, ci-dessus*

BUAL

Plus doux et plus foncé que les précédents, le bual se reconnaît dans les dégustations à l'aveugle à sa couleur kaki. Il a un tendre fruité perceptiblement gras et mûr, que soulignent des arômes rôtis et fumés. Le sucre résiduel légal est situé entre 78 et 96 g/l.

✓ Voir *les styles par âge, plus haut*

MALMSEY

Fait de malvasia noir et blanc, le malmsey est la référence pour le madère, et c'est celui que, personnellement, je préfère – le plus délicieux, le plus doux, le plus mielleux. En outre, il peut potentiellement offrir la plus grande complexité et longévité, et gagne en vieillissant un arôme soyeux et délicieux de chocolat et de café, infiniment persistant. Le sucre résiduel légal est situé entre 96 et 135 g/l.

TERRANTEZ

Ce cépage blanc est en voie de disparition mais les madères des vieux millésimes, d'une douceur acide, richement parfumés et aux saveurs puissantes, sont toujours très prisés lors des ventes. Si les Jeunes Turcs s'installent jamais à Madère, c'est le cépage qu'il vont replanter en priorité.

BASTARDO

On attend avec impatience le retour du bastardo, autre rarissime souvenir d'un passé glorieux, peut-être un cousin de son homonyme du Douro et certainement de grande qualité.

MOSCATEL

Le moscatel a donné quelques madères intéressants, devenus quasi introuvables aujourd'hui. Compte tenu de la concurrence internationale entre les muscats de haut niveau, ce cépage devrait être réservé aux assemblages de madère.

RAINWATER

Cette « eau de pluie » est une version plus pâle et plus tendre d'un verdelho demi-sec; toutefois, puisque les cépages ne sont jamais mentionnés, il y a fort à parier que cet excellent verdelho n'est pas gaspillé pour ce vin. Il s'agit, plus probablement, d'un madère issu de tinta negra mole, dans une version claire, qui essaie de rappeler le verdelho. Il existe deux théories pour expliquer le nom curieux de ce style de madère. Selon la première, le vin proviendrait de coteaux impossibles à irriguer autrement que par les eaux pluviales; selon la seconde, un négociant aurait débarqué à Boston un chargement acccidentellement dilué par la pluie, sans renoncer à le vendre; à son grand étonnement, il aurait constaté que les Américains l'aimaient tellement qu'ils en redemandaient!

LE CHOIX DE L'AUTEUR

J'avais l'intention de citer les meilleurs exemples représentatifs des vins d'Espagne anciens et nouveaux, typiques des meilleurs styles dans les meilleures appellations, mais devant la difficulté du choix, j'ai sorti vingt noms d'un chapeau, d'où l'éclectisme de ma sélection. Quant au Portugal, il s'agit surtout – très logiquement – de portos millésimés.

PRODUCTEUR	VIN	STYLE	DESCRIPTION	
ESPAGNE				
Albet i Noya (*voir* p. 365) V	Tempranillo, Penedès DO	ROUGE	Gras, opulent et velouté, ce tempranillo donne un vin de poids qui pourtant se déguste bien lorsqu'il est jeune, tendre et fruité.	2 à 5 ans
Barón de Ley (*voir* p. 360) V	Reserva, Rioja DOC	ROUGE	Vin soyeux de grande classe, d'une finesse exceptionnelle et aux arômes d'une élégante richesse, qui ne cessent de prendre de l'ampleur en bouche. Il est issu d'un seul domaine et d'une nouvelle bodega qui utilise exclusivement du chêne français.	5 à 15 ans
Bodegas Muga (*voir* p. 362)	Prado Enea Gran Reserva, Rioja DOC	ROUGE	Vin rouge opulent dans le style d'un bourgogne souple, libérant en bouche des notes délicieuses de cerises noires et rouges, de fruits d'été épicés, et une belle complexité d'arômes fumés.	7 à 20 ans
Bodegas Palacio (*voir* p. 362)	Cosme Palacio y Hermanos, Rioja DOC	ROUGE	Généreusement ample et délicieusement fruité, ce vin élégant et expansif compte parmi les purs tempranillos les plus joliment équilibrés de la planète.	5 à 10 ans
Costers del Siurana	Clos de l'Obac, Priorato DO (*voir* p. 354)	ROUGE	Riche et fruité, ce priorato nouveau style a tous les arômes de chêne français d'un bordeaux ou d'un châteauneuf-du-pape racé, avec de bons tanins et des nuances d'épices espagnoles.	5 à 20 ans
Contino (*voir* p. 360)	Reserva, Rioja DOC	ROUGE	Ce pur alavesa rioja, issu d'un vignoble unique, a une belle robe pourpre foncé, un bouquet aromatique, une saveur riche et crémeuse de cassis et de mûre, et une finale voluptueuse et vanillée.	5 à 15 ans
Dominco de Pingus	Ribera del Duero DO (*voir* p. 355)	ROUGE	Corpulent et noir, avec un goût intense de confitures et une acidité étincellante pour un rouge, ce vin recèle des tanins merveilleusement souples et des arômes de chêne et de pain grillé.	2 à 8 ans
Enate V	Tempranillo-Cabernet Sauvignon, Somontano DO (*voir* p. 355)	ROUGE	Bien que le tempranillo soit majoritaire, c'est le cabernet qui domine ce vin élégant et structuré, idéal pour les repas.	3 à 8 ans
Emilio Lustau V	Premium Solera Cream Sherry (*voir* p. 370)	VIN DE LIQUEUR	Exceptée sa douceur, relativement légère, ce xérès commercial a plutôt le nez et la richesse en bouche d'un vieux *oloroso* haut de gamme.	aussitôt débouché
Emilio Lustau V	Old East India Sherry (*voir* p. 370)	VIN DE LIQUEUR	Dans le style d'un xérès fabuleusement riche, rare et délicieusement moelleux, cet old east india a été vinifié un peu comme un madère. Si vous vous demandez à quoi peut ressembler un bual ou un malmsey lorsqu'il est élaboré en Espagne, goûtez ce vin extraordinairement voluptueux.	aussitôt débouché
Marqués de Griñon (*voir* p. 361) V	Domino de Valdepusa, Cabernet Sauvignon (non-DO)	ROUGE	Avec une robe foncée et un parfum intense, ce vin regorge d'un flot de cassis juteux et délicieux, bien étayé par le chêne aux notes onctueuses de vanille. Ce n'est qu'en 1986 que le Marqués de Griñon a connu le succès franc et massif qu'il méritait – sans doute parce que le raisin provient de Malpica de Tajo, au sud-ouest de Madrid – un trou perdu pour ce qui concerne les vins fins.	4 à 12 ans
Marqués de Griñon (*voir* p. 361) V	Domino de Valdepusa Syrah (non-DO)	ROUGE	Ce vin opaque et sombre, charmeur et plein de richesse, offre des arômes fruités judicieux, de cassis et de myrtille, avec des notes de fumé, et des arômes de chêne, de vanille et de pain grillé.	4 à 12 ans
Marqués de Murrieta (*voir* p. 361)	Castillo Ygay, Gran Reserva, Rioja DOC	ROUGE	Au moment où j'écris, Murrieta met en danger le mythe entourant les vénérables millésimes de castillo ygay en lançant des vins âgés de vingt ans à peine! Si cela vous paraît vieux, songez que lors la première édition de ce livre, c'est le 1942 qui était en vente. Ce castillo ygay 1942 est pour moi la référence; débordant d'arômes fruités fondants et épanouis, il déploie une grande longueur en bouche et un velouté soyeux qui ne lui viennent qu'après 40 années de fût (rafraîchi, au cours du processus, par un vin plus jeune, ce qui est un procédé parfaitement légal à condition de ne pas dépasser les 15% du volume total).	20 à 50 ans

PRODUCTEUR	VIN	STYLE	DESCRIPTION	🍾
Pazo de Barrantes	Albariño, Rías Baixas DO (*voir* p. 354)	BLANC	Très bel exemple d'albariño, le rías baixas DO possède un élégant fruité aux saveurs de pêche et une acidité très intense.	1 à 3 ans
Diego Romero Ⓥ	Solera Jerezana, Rich Cream Sherry (*voir* p. 370)	VIN DE LIQUEUR	Le cream sherry cher aux Anglais a donné des styles trop doux, mais celui-ci est une merveille. Profond, riche et délicieusement moelleux, c'est un xérès éclatant, plein de saveurs, ample et fondu.	aussitôt débouché
Scholtz Hermanos	Solera 1885, Màlaga DO (*voir* p. 354)	VIN DE LIQUEUR	Ce vin a un délicieux nez de moscatel aux notes riches de caramel, et un arrière-goût de chocolat à la crème de café.	sans attendre
Torres (*voir* p. 365)	Gran Coronas Mas la Plana, Penedès DO	ROUGE	Depuis 1978, le célèbre gran coronas « black label » de Torres, un pur cabernet sauvignon de provenance unique, compte chaque année parmi les grands d'Espagne par son fruité extrêmement riche, son chêne parfaitement intégré et sa finale délicieuse et suave.	5 à 20 ans
Vega Sicilia	Reserva Especial, Ribera del Duero DO (*voir* p. 355)	ROUGE	Tous les vins de Vega Sicilia sont à base de tempranillo et de cabernet sauvignon, complétés d'un peu de malbec, de merlot ou d'albillo. Celui-ci est un assemblage de millésimes de vieux unicos, et il est toujours remarquablement jeune de goût, comme une version ultra suave de l'unico lui-même. Bien qu'il semble promis à une grande longévité, je n'en ai jamais gardé au-delà de deux ou trois ans, de peur de voir les divers millésimes qui le composent évoluer chacun à son rythme, détruisant la belle harmonie initiale.	dans quelques années suivant l'achat
Vega Sicilia	Unico, Ribera del Duero DO (*voir* p. 355)	ROUGE	Un grand millésime d'unico est toujours une surprise : comment un vin aussi corsé, corpulent et complexe, exhibant une robe aussi profonde et foncée, peut-il montrer une si grande élégance? Encore jeune à 12 ans, il allie un fruité richement concentré aux nuances de cassis et de cerise noire, aux nuances douces et épicées du chêne. Au fil des décennies, ce caractère débordant de vitalité s'assouplit, avec des notes de grillé, voire de rôti, pour générer un ensemble complexe d'arômes et d'arrière-goûts mêlant tabac, épices et café.	12 à 45 ans
Vega Sicilia	Valbuena, Ribera del Duero DO (*voir* p. 355)	ROUGE	Avant l'introduction de l'alion, autre vin de Vega Sicilia issu de vignobles acquis récemment, ce « deuxième vin » était mis en bouteilles en deux fois, après trois années de fût, puis après cinq années. Dans bien des millésimes, je préfère la vivacité d'un valbuena à la promesse incertaine de l'unico : au moment où j'écris ces lignes, le valbuena 1975 est aussi bien coté que l'unico 1975. Maintenant que le vieillissement en barriques a été incroyablement réduit (un an peut-être au lieu de 22), la différence en termes de qualité va devenir plus évidente d'année en année.	8 à 30 ans
PORTUGAL				
Churchill (*voir* p. 381)	Vintage Port	VIN DE LIQUEUR	Churchill est un nouveau producteur qui a rapidement imposé son vintage intensément fruité à la robe foncée, au moelleux épicé et à la structure tannique classique.	12 à 25 ans
Cockburn (*voir* p. 381)	Vintage Port	VIN DE LIQUEUR	Cockburn a produit récemment quelques millésimes remarquables. Ce vin a une bonne couleur et de la profondeur, un beau fruité, une texture soyeuse et des arômes de chocolat.	15 à 30 ans
Cossart	Very Old Duo Centenary Celebration, (Over 15-years-old, *voir* p. 384) Madeira DOC	VIN DE LIQUEUR	Avec ces vins vieillis en fûts pendant 15 à 60 années, le sercial atteint à une délicieuse élégance que l'on trouve rarement dans un madère sec; quant au bual, fabuleusement opulent, on dirait un malmsey vintage à son apogée.	aussitôt débouché
Dow (*voir* p. 381)	Vintage Port	VIN DE LIQUEUR	Ce vintage, noir et massif, est régulièrement l'un des meilleurs; c'est un vin concentré d'une grande profondeur, qui recèle des arômes fruités, épicés et chocolatés et un caractère complexe, tannique, un peu plus sec que de coutume.	18 à 35 ans
Duque de Viseu Ⓥ	Dão DOC (*voir* p. 374.)	ROUGE	Ce vin corsé, sombre et soyeux, au fruité délicieux, avec un soupçon d'épice, confirme tout le bien que l'on pensait des vignobles du Dão.	4 à 8 ans
Espiga Ⓥ	Estrémadure VR (*voir* p. 375) Duque de Bragança 20-Years-	ROUGE	Ce vin est l'œuvre de José Neiva, un des viticulteurs portugais les plus talentueux; avec un fruité délicieusement riche, sur une charpente de chêne onctueux, le très racé espiga est aussi très bien pour un repas – et son prix est dérisoire.	2 à 5 ans

PRODUCTEUR	VIN	STYLE	DESCRIPTION	(tire-bouchon)
Ferreira (*voir* p. 381)	Old Port	VIN DE LIQUEUR	C'est l'un des portos tawnies les plus élégants et riches qui soient! Souple et soyeux, avec des arômes de café et de caramel, il témoigne d'un long vieillissement en barriques.	aussitôt débouché
Ferreirinha	Barca Velha, Douro DOC (*voir* p. 374)	ROUGE	C'est la réponse du Portugal au célèbre vega sicilia espagnol, mais l'élevage excessif en barriques est remplacé avantageusement par un vieillissement en bouteilles qui donne un vin plus finement soyeux que son concurrent espagnol. Malheureusement, son prix est aussi astronomique.	6 à 20 ans
Fonseca (*voir* p. 381) V	Vintage Port	VIN DE LIQUEUR	Ce porto vintage, sans être aussi massif que celui de Taylor's, montre un style comparable. Sa couleur profonde, sa délicieuse bouche riche et épanouie, et ses notes sensuelles de chocolat et de raisin sec le placent parmi les meilleurs.	15 à 30 ans
José Maria da Fonseca	20-Year-Old Setúbal DOC (*voir* p. 376)	VIN DE LIQUEUR	Ce moscatel acajou foncé conserve un goût de raisin, mais il est cependant dominé par des arômes intenses de caramel, d'épices et de raisin sec.	aussitôt débouché
Graham (*voir* p. 381)	Vintage Port	VIN DE LIQUEUR	Graham, qui fait partie de l'empire Symington depuis 1970, conserve intacte la réputation de son porto vintage – noir, massif, joliment doux et d'une grande longévité.	18 à 40 ans
Palacio da Brejoeira	Vinho Verde DOC (*voir* p. 376)	BLANC	En principe, un vinho verde se boit aussi jeune que possible, mais ce premier grand cru du Minho, un peu plus ample et à peine acide, se bonifie pendant quelque temps en bouteille.	1 à 2 ans
Palha Canas	Estrémadure VR (*voir* p. 375)	ROUGE	C'est un autre vin de José Neiva, plus souple et plus boisé que l'espiga (*voir* ci-dessus), mais d'un soyeux et d'une finesse exquis, avec des arômes de café et de caramel.	2 à 5 ans
J. M. Fonseca V	Joao Pires, Terras do Sado VR (*voir* p. 376)	BLANC	Le raisin de muscat, récolté en vendanges précoces pour ce vin blanc sec déliceusement fruité, provenait antérieurement de Palmela, sous-appellation de Terras do Sado. Le joao pires est plutôt demi-sec que sec – mais c'est précisément là l'astuce de ce vin dont le sucre résiduel donne au fruit une apparence d'opulence épanouie, séveuse et exotique.	sans attendre
J. M. Fonseca V	Quinta da Bacalhôa, Terras do Sado VR (*voir* p. 376)	ROUGE	Propriété d'un Américain, Tom Scoville, cette *quinta* produit un vin de niveau international – vinifié par l'Australien Peter Bright et commercialisé par la firme portugaise J.-P. Vinhos. Le mérite en revient surtout à l'Américain, en avance sur son temps lorsqu'il plantait, dès le milieu des années 1970, du cabernet sauvignon et du merlot sur une pente calcaire exposée au nord. Le vin a une robe soutenue, un riche fruité évoquant le cassis, des tanins souples, et une charpente de chêne neuf, onctueux et épicé.	3 à 15 ans
Quinta do Côtto V	Douro DOC (*voir* p. 374)	ROUGE	Champalimaud utilise ses meilleurs raisins pour faire ce vin richement crémeux, au fruité voluptuesement boisé – le solde étant viné en porto vintage. Il prend ainsi le contre-pied des autres *quintas* du Douro, ce qui explique sans doute pourquoi son vin est si sensationnel.	12 à 25 ans
Quinta do Noval (*voir* p. 382)	Naçional Vintage Port	VIN DE LIQUEUR	Malgré l'excellence du porto vintage, le vin le plus célèbre de ce domaine n'est pas seulement un single-*quinta*, mais un porto vintage provenant d'un vignoble unique de 5 000 vignes d'avant le phylloxera! Le rendement y est si faible que la robe de ce vin est la plus dense et la plus profonde de la catégorie. Puissamment charpenté, le naçional est extrêmement concentré et prend tout son temps pour vieillir; il est d'une énorme richesse et tellement « surmûri » qu'il paraît épaissi par de la réglisse et de la mélasse – tout en restant très fort en épices et remarquable de grâce et de finesse.	25 à 70 ans
Taylor's (*voir* p. 382)	Vintage Port	VIN DE LIQUEUR	À l'exception du quinta do noval naçional, il s'agit du porto vintage le plus massif, qui montre le plus de couleur et de profondeur, et qui est le mieux coté lors des ventes aux enchères.	20 à 40 ans
Warre (*voir* p. 382)	Vintage Port	VIN DE LIQUEUR	Ce porto vintage noir et massif fait régulièrement partie des plus grands, offrant un contraste saisissant avec les tawnies de Warre, d'une rare élégance.	18 à 35 ans

Les VINS *du*

RESTE *de* L'EUROPE *et du* PROCHE-ORIENT

On découvrira peut-être avec étonnement qu'il existe en Grande-Bretagne plus de cinq cents vignobles, mais que dire alors des vins hollandais, voire danois? Si ces vignobles ne sont guère prolifiques, ils existent bel et bien, et ceux dont il est question ici ne sont pas mis sous cloche, ils affrontent les éléments. Mais il s'agit surtout de curiosités, et ces pages sont d'abord consacrées aux pays regroupés sous les termes de Sud-Est de l'Europe, notamment la Bulgarie, la Hongrie et la Roumanie. On trouve là de bons vins abordables, mais surtout un grand potentiel qui ne pourra se développer qu'après un redressement économique entravé par cinquante ans de régime communiste. Enfin, il y a la Grèce, où est née la viticulture. Mais les vins grecs ont déçu pendant des décennies, peut-être des siècles, et il est réconfortant de constater ces dernières années une nette amélioration de la qualité.

FOUDRES DE 18 000 LITRES À SUHINDOL, EN BULGARIE
Dans les années 1970, le domaine de Suhindol a ouvert la voie à une production de vins bulgares bon marché, mais sûrs, issus de cabernet-sauvignon.

✧ LA GRANDE-BRETAGNE ✧

Le sort des vins anglais se décidera au XXIe siècle, lorsque les müller-thurgau, seyval blanc et autres hybrides français ou croisements allemands, qui dominent dans ce vignoble, seront arrachés. Non que ces variétés ne donnent à l'occasion d'excellents vins, mais leur présence sur une étiquette détourne la plupart des consommateurs.

Les vignerons anglais qui n'auront pas le courage de planter des cépages à succès risquent d'être condamnés à terme. Si la viniculture britannique est vouée à demeurer au stade artisanal, ce n'est pas parce qu'elle manque de talent, mais pour deux raisons simples : l'engouement pour la viticulture est un phénomène très récent en Grande-Bretagne, et, sur cette île à la population dense, il sera toujours difficile d'étendre le vignoble. Le potentiel des vins anglais rencontre donc un obstacle de taille. De plus, s'il avait jamais existé de grands crus dans ce pays, ils seraient actuellement coulés dans le béton ou sous l'asphalte. Tout se passe un peu comme si l'on voulait créer à partir de rien une viniculture à la française sur un territoire deux fois plus petit que la France, deux fois plus peuplé, et affligé d'un climat très défavorable.

DENBIES ESTATE, DANS LE SURREY

En 1985, la Grande-Bretagne comptait 430 ha de vignes, dont 325 ha en production. En 1995, le total de terres encépagées dépassait 1 000 ha, avec 500 vignobles réputés en Angleterre et au pays de Galles.

FACTEURS AFFECTANT LE GOÛT ET LA QUALITÉ

SITUATION
La plupart des vignes de Grande-Bretagne s'étendent en Angleterre et au pays de Galles au-dessous d'une ligne allant de Birmingham au golfe du Wash à l'est.

CLIMAT
La Grande-Bretagne est située à la latitude extrême de la viticulture, mais le Gulf Stream adoucit suffisamment le climat pour la rendre possible. Les précipitations sont relativement importantes et les conditions météorologiques très variables d'une année à l'autre, rendant les vendanges aléatoires. Si les vents constituent un danger important, les gelées hivernales ne sont pas aussi redoutables que dans bien d'autres régions vinicoles.

ORIENTATION
Les vignes sont plantées dans tous les types de paysage, mais les meilleurs vignobles, en général abrités et exposés au sud, bénéficient ainsi d'un microclimat, élément déterminant dans cette région vinicole marginale.

SOL
Les vignes sont plantées dans une grande variété de sols, allant du granit au calcaire, en passant par le gravier et l'argile.

VITICULTURE ET VINIFICATION
Le grand problème de la vigne est sa vigueur : la sève, qui ne s'arrête pas aux fruits, déploie un feuillage luxuriant au détriment de la taille des grappes, retardant leur mûrissement et exprimant des arômes herbacés excessifs. La difficulté est redoublée par l'utilisation de plants vigoureux, mais l'exemple du Nouveau Monde a déjà fait sentir ses effets bénéfiques en encourageant l'introduction de plants à développement lent. Malgré un climat des plus défavorable pour la culture de raisins noirs, un volume croissant de rouge et de rosé a été élaboré dès le début des années 1990; mais c'est le vin pétillant fermenté en bouteilles qui commence à dominer la production, et deux domaines s'y consacrent déjà entièrement.

CÉPAGES
Auxerrois, bacchus, blauberger, blauer potugieser, cabernet sauvignon, cascade, chardonnay, chasselas, dornfelder, dunkelfelder, ehrenfelser, faberebe (ou faber), findling, gagarin blue, gamay, gewurztraminer, gutenborner, huxelrebe, kanzler, kerner, kernling, léon-millot, madeleine angevine, müller-thurgau, optima, ortega, perle, pinot blanc, pinot gris, pinot meunier, pinot noir, regner, reichensteiner, riesling, sauvignon blanc, scheurebe, schönburger, seibel, seyval blanc, siegerrebe, triomphe, wrotham pinot, würzer, zweigeltrebe.

LES ANCIENS BRETONS

La viniculture en Grande-Bretagne n'est pas si nouvelle puisqu'elle remonte à l'an 43, époque de la conquête romaine où toutes les grandes villas possédaient leur carré de vigne. En 1995, on mit au jour à Wollaston, dans le Northamptonshire, un vignoble romain d'une dizaine d'hectares, qui révélait pour la première fois l'étendue de la viticulture ancienne sur le sol anglais. Le recueil cadastral du Domesday Book mentionne l'existence d'une quarantaine de vignobles au temps de Guillaume le Conquérant, puis, plus tard au Moyen Âge, on compte quelque trois cents vignes, cultivées pour la plupart par des moines. La peste fit des ravages au milieu du XIVe siècle et, presque deux cents ans plus tard, la dissolution des monastères mit pratiquement fin à la viticulture anglaise. À l'exception d'un ou deux vignobles au milieu du XVIIIe siècle, puis deux autres à la fin du XIXe siècle, le commerce du vin anglais demeura à peu près inexistant jusqu'à la création de Hambledon en 1951. Les vignobles commencèrent alors à se multiplier à la fin des années 1960 et leur croissance atteignit son apogée au début des années 1970, avec près de cinq cents encépagements, sur lesquels deux cents peuvent prétendre à une vocation commerciale et moins de la moitié de ce nombre à un semblant de réputation.

Peu de vignobles au Royaume Uni dépassent la moyenne de 800 °C/jours, très inférieure au minimum exigé en viniculture de 1 000 °C/jours, aussi même les coteaux les mieux exposés risquaient l'échec dès leur plantation. Les cinq cents vignobles existants ont démontré que ces conditions théoriques n'étaient que cela : théoriques.

PERSPECTIVES D'AVENIR

Que le vin anglais soit à jamais condamné à l'artisanat ne l'empêche pas pour autant de se forger une réputation de qualité. Des normes élevées impliquent toutefois que les petits producteurs rencontreront des difficultés à commercialiser leurs vins en raison de frais généraux importants. Ce problème avait été résolu par un système contractuel, par lequel les domaines vinicoles les plus anciens et les plus vastes offraient leurs services aux plus modestes n'ayant pas intérêt à investir dans une cuverie. Depuis le début des années 1990, des coopératives se sont toutefois créées pour obtenir des volumes importants de vins abordables en assemblant les cuvées, chaque membre commercialisant par ailleurs le produit de sa vigne. Le Harvest Group est l'exemple le plus connu, et l'Heritage Fumé son assemblage en vrac le plus prospère. L'étape suivante consistera à débarrasser le vignoble britannique de ses hybrides et de ses croisements, ce qui n'a rien à voir ni avec le bannissement des hybrides par la réglementation européenne, ni avec l'idée reçue qui les fait considérer comme des cépages inférieurs. S'il est vrai que *Vitis vinifera* donne des variétés beaucoup plus intéressantes, il est également facile d'en tirer de mauvais vins, tandis que faire de très bons vins avec certains hybrides présente peu de difficultés. Les vins fins d'hybrides de la qualité la plus constante sont les *icewines* canadiens, vendus sous l'appellation Icewine, et non sous le nom de l'hybride vidal.

LE VALLON DE DENBIES, À DORKING, DANS LE SURREY
Dans le paysage du Surrey, le domaine de Denbies est le plus vaste de Grande-Bretagne, son vignoble s'étendant sur plus de 100 ha.

Pour que le vin anglais ait des chances de succès, les producteurs doivent admettent que les hybrides renvoient une image négative dans l'esprit du consommateur. Les amateurs de vin ont une préférence marquée pour les variétés classiques; ils sont même prêts à expérimenter d'obscurs cépages de *Vitis vinifera*, notamment lorsqu'ils vivent au voisinage de lieux de production, mais, soit ils ne comprennent pas les hybrides, soit cela les rebute. Quant aux croisements allemands, comment les vignerons anglais ou gallois peuvent-ils établir leur réputation sur un reichensteiner ou un siegerrebe?

Les producteurs britanniques les plus avisés s'étaient déjà émus de cette situation en renonçant à indiquer les noms de variétés sur les étiquettes de vins tels que l'Heritage Fumé, mais il s'agit là d'une politique de court terme, car les consommateurs voudront savoir à quels cépages ils ont affaire et pourquoi on ne les indique plus. La seule réponse définitive consiste à remplacer ces cépages rébarbatifs par des variétés plus commerciales, et si le vignoble ne peut offrir des normes suffisamment élevées, alors le vin britannique est sans avenir. Pour autant, cet avenir ne tiendra pas seulement à la qualité du vignoble. Si le Royaume Uni veut avoir quelque rayonnement en dehors de sa sphère vinicole minuscule, il doit asseoir sa réputation sur quelque chose. Le climat donnant des vins peu alcoolisés et très acides, le plus grand potentiel de ce pays réside donc dans le vin pétillant fermenté en bouteilles, notamment dans la région du sud-est, dont le sol crayeux est exactement le même qu'en Champagne.

LES RÉGIONS VINICOLES DE

GRANDE-BRETAGNE

Les caractéristiques régionales n'ont pas encore été clairement établies en Grande-Bretagne, et il n'est pas sûr qu'elles le soient un jour. Il semble pourtant difficile de susciter une représentation spatiale convenable du vignoble britannique sans que celui-ci ne soit d'abord fractionné en zones significatives. Les régions suivantes sont toutes officiellement reconnues par l'UKVA (United Kingdom Vineyard Association), qui a remplacé en 1996 l'EVA (English Vineyard Association). Les vignerons anglais auraient tout intérêt à obtenir que ces régions deviennent des appellations, figurant sur l'étiquette en même temps qu'une indication plus locale.

WEALD AND DOWNLAND

East and West Sussex, Kent, London South, Surrey

Cette région couvre le « jardin anglais », ce qui en dit assez. Ici, le climat est moins humide qu'à l'ouest et plus doux qu'en Est-Anglie, mais pas aussi chaud qu'en Thames and Chiltern. Les sols sont de calcaire. La craie y forme un bassin qui se prolonge par les falaises de Douvres, traverse la Manche et ressurgit en Champagne.

WESSEX

Dorset, Hampshire, Isle of Wight, Wiltshire

L'élément qui distingue cet ensemble est l'intéressante formation d'isothermes qui prend naissance au sud de l'île de Wight, faisant bénéficier cette zone d'un climat plus doux que celui des régions voisines.

SOUTHWEST AND WALES

Avon, Cornwall, Devon, Gloucestershire, Herefordshire, Somerset, Worcestershire

Cette région est la plus vaste, son vignoble s'étendant jusqu'en Cornouailles, où le Gulf Stream apporte le plus de douceur, mais dont le climat est humide. Le North Wales subit en plein les influences atlantiques. Bien que les vents d'ouest dominants donnent des conditions difficiles à la pointe des Cornouailles et du pays de Galles, la région est en général plus clémente que la côte est. Y alternent reliefs montagneux et zones de plaine, descendant parfois au-dessous du niveau de la mer. La nature des sols est diverse : on y rencontre du calcaire, du schiste argileux, de l'argile, de la tourbe et du granite.

THAMES AND CHILTERN

Berkshire, Buckinghamshire, London West, Oxfordshire

Cette région est la plus chaude et la plupart des vignes sont plantées dans des sols qui retiennent l'humidité. De nombreuses nappes phréatiques permettent de lutter contre la sécheresse.

EAST ANGLIA

Bedfordshire, Cambridgeshire, Essex, Hertfordshire, London North, Norfolk, Suffolk

L'East Anglia, ou Est-Anglie, la région la plus plate et la plus ouverte, est exposée aux vents mordants d'est et nord-est; des sols fertiles autorisent des rendements supérieurs à ceux d'autres régions.

MERCIA

Cheshire, Derbyshire, Leicestershire, Northamptonshire, Nottinghamshire, Rutland, Shropshire, Staffordshire, Warwickshire, West Midlands, West Yorkshire

Cette région très vaste et naturellement diverse est plantée de vignes de coteaux ou de plaine, aux sols sableux légers ou d'argile lourde. Le trait commun est la présence de madeleine angevine, un cépage parmi les plus sûrs.
Au moment d'écrire ces lignes, une dizaine d'autres vignobles ont été plantés, mais ne produisent pas encore.

LES PRODUCTEURS DE
GRANDE-BRETAGNE

1. ADGESTONE
Adgestone, île de Wight (Wessex)
Un seul vin d'assemblage vinifié en sec ou demi-sec selon la cuvée, mais qui devrait être pétillant.

2. ASTLEY
Stourport on Severn (Southwest and Wales)
buxelvaner • *kerner* • *Madeleine Angevine*

3. BARDINGLEY
Hauwkenbury, Kent (Weald and Downland)
Estate White

4. BARKHAM MANOR VINEYARD
Uckfield, Sussex (Weald and Downland)
bacchus • *kerner* • *schöburger*

5. BARTON MANOR
East Cowes, île de Wight (Wessex)
Vignoble primé sous la direction des nouveaux propriétaires depuis le début des années 1990.

6. BATTLE WINE ESTATE
Whatlington, Sussex (Weald and Downland)
Saxon Valley Schönburger

7. BEAULIEU
Nr Brockenhurst, Hampshire (Wessex)
Entreprise aristocratique conduite avec enthousiasme depuis 1958.

8. BEENLEIGH MANOR
Harbentonford, Devon (Southwest and Wales)
rosé

9. BIDDENDEN
Biddenden, Kent (Weald and Downland)
müller-thurgau • *ortega*

10. BOOKERS
Bolney, Sussex (Weald and Downland)
Depuis l'extension récente du vignoble, les résultats sont attendus.

11. BOSMERE
Nr Chippenham, Wiltshire (Wessex)
huxelrebe

12. BOTHY
Frilford Health, Oxfordshire (Thames and Chiltern)
huxelrebe & perle • *ortega & optima*

13. BOZE DOWN
Whitchurch-on-Thames, Oxfordshire (Thames and Chiltern)
Dry Red • *Dry White*

14. BOYTON VINEYARDS
Stoke-by-Clare, Suffolk (East Anglia)
huxelrebe

15. BREAKY BOTTOM
Northease, Sussex (Weald and Downland)
müller-thurgau • *seyval blanc*

16. BRENCHLEY
Nr Tunbridge Wells, Kent (Weald and Downland)
Schönburger

17. BRUISYARD
Bruisyard, Suffolk (East Anglia)
Saint-Peter

18. CANE END
Cane End, Oxfordshire (Thames and Chiltern)
Late Harvest Bacchus • *Medium White*

19. CARDEN
Tarpoley, Cheshire (Mercia)
Ce vignoble fait partie du Carden Park Leisure Centre. Depuis 1996, les nouveaux propriétaires consacrent toute leur production au vin pétillant.

20. CARR TAYLOR
Westfield, Sussex (Weald and Downland)
pinot blanc (Kemsley Dry) • *reichensteiner*

21. CHAPEL DOWN
Tenterden, Kent (Weald and Downland)
Epoch 1

22. CHÂTEAU LE CATILLON
Jersey, Channel Islands (Southwest and Wales)
sec

23. CHIDDINGSTONE
Chiddingstone, Kent (Weald and Downland)
rosé

24. CHILFORD HUNDRED
Linton, Cambridgeshire (East Anglia)
rosé cuvée • *Firmin Lifget*

25. CHILTERN VALLEY
Hambleden, Oxfordshire (Thames and Chiltern)
Noble Bacchus

26. CODDINGTON
Nr Ledbury, Herefordshire (Southwest and Wales)
Malvern Hill Bacchus

27. CROFFTA
Pontyclun, Glamorgan (Southwest and Wales)
Au XIXe siècle, le marquis de Bute tenta de faire renaître le vin anglais au château voisin de Coch.

28. DEBEN VALLEY VINEYARD
Bromeswell, Suffolk (East Anglia)
müller-thurgau

29. DENBIES
Dorking, Surrey (Weald and Downland)
chardonnay • *Late Harvest* • *pinot blanc* • *pinot gris* • *pinot rosé brut* • *Special Reserve Noble*

30. DITCHLING
Ditchling, Sussex (Weald and Downland)
müller-thurgau

31. EGLANTINE
Costock, Nottinghamshire (Mercia)
Plus de 80 variétés à l'essai.

32. ELHAM VALLEY
Barham, Kent (Weald and Downland)
müller-thurgau (Medium Dry)

33. ELMHAM PARK
North Elmham, Norfolk (East Anglia)
Madeleine Angevine • *Medium White*

34. GIFFORD'S HALL
Hartest, Suffolk (East Anglia)
Blush

35. HALFPENNY GREEN
Bobbington, West Midlands (Wessex)
Madeleine Angevine

36. HAMBLEDON
Hambledon, Hampshire (Wessex)
Hambledon

37. HARVEST GROUP
Stanlake Park, Berks (Thames and Chiltern)
Heritage Fumé

38. HEADCORN
Headcorn, Kent (Weald and Downland)
seyval blanc

39. HIDDEN SPRINGS
Horham, Sussex (Weald and Downland)
Dark Fields Red • *Dry White Reserve* • *ortega* • *rosé* (Sussex Sunset) • *seyval blanc* • *Vintage Brut*

40. HIGHFIELD
Tiverton, Devon (Southwest and Wales)
Madeleine Angevine • *siegerrebe*

41. KENTS GREEN
Taynton, Gloucestershire (Southwest and Wales)
Late Harvest

42. LA MARE
Jersey, Channel Islands (Southwest and Wales)
Le premier vignoble des Channel Islands (îles Anglo-Normandes) et le seul qui soit ouvert aux visiteurs.

43. LAMBERHURST
Lamberhurst, Kent (Weald and Downland)
bacchus • *Blush* • *müller-thurgau*

44. LEVENTHORPE VINEYARD
Woodlesford, West Yorkshire (Mercie)
Le vignoble le plus septentrional de Grande-Bretagne n'est pas une curiosité, car il vendange des raisins mûrs tous les ans et possède sa cuverie.

45. LLANERCH VINEYARD
Hensol, Glamorgan (Southwest and Wales)
Cariad (Dry White, Rosé Dry)

46. LODDISWELL
Lilwell, Devon (Southwest and Wales)
reichensteiner

47. MERSEA
Mersea Island, Essex (East Anglia)
Dry White

48. MOORLYNCH
Bridgwater, Somerset (Southwest and Wales)
Somerset Moorlynch

49. NEW HALL
Purleigh, Essex (East Anglia)
bacchus • *chardonnay* • *müller-thurgau*

50. NORTHBROOK SPRINGS
Bishop Waltham, Hampshire (Wessex)
Noble Dessert

51. NUTBOURNE MANOR
Nr Pulborough, Sussex (Weald and Downland)
bacchus • *schönburger*

52. NYETIMBER
Pulborough, Sussex (Weald and Downland)
Blanc de Blancs Brut • *Vintage Brut*

53. OATLEY VINEYARD
Cannington, Somerset (Southwest and Wales)
Kernling

54. PARTRIDGE VINEYARD
Tarrant Keynston, Dorset (Southwest and Wales)
bacchus

55. PERNBERTH VALLEY VINEYARD
St Buryan, Corwall (Southwest and Wales)
Le vignoble britannique situé le plus au sud-ouest.

56. PENGETHLY MANOR
Nr Ross-on-Wye, Herefordshire (Southwest and Wales)
Une auberge qui a commencé à vinifier du reichensteiner en 1995.

57. PENSHURST
Penshurst, Kent (Weald and Downland)
ehrenfelser • *seyval blanc*

58. PILTON MANOR
Shepton Mallet, Somerset (Southwest and Wales)
Dry White • *Westholme Late Harvest*

59. PULHAM
Pulham Market, Norfolk (East Anglia)
müller-thurgau

60. QUEEN COURT
Ospringe, Kent (Weald and Downland)
schönburger

61. RIDGEVIEW ESTATE
Ditchling, Sussex (Weald and Downland)
Production entièrement consacrée au vin pétillant, bientôt mise sur le marché.

62. ROCK LODGE
Scayne's Hill, Sussex (Weald and Downland)
Spécialistes du vin pétillant.

63. ST. GEORGES
Nr Heathfield, Sussex (Weald and Downland)
müller-thurgau • *reichensteiner*

64. ST. NICHOLAS OF ASH
Ash, Kent (Weald and Downland)
müller-thurgau • *schönburger*

65. SANDHURST VINEYARDS
Sandhurst, Kent (Weald and Downland)
bacchus (Oak Aged) • *seyval blanc*

66. SCOTT'S HALL
Smeeth, Kent (Weald and Downland)
rosé brut

67. SEDLESCOMBE
Robertsbridge, Sussex (Weald and Downland)
Vins biologiques.

68. SHARPHAM
Aspringtоn, Devon (Weald and Downland)
bacchus

69. SHAWSGATE
Framlingham, Suffolk (East Anglia)
bacchus • *müller-thurgau* • *müller-thurgau/seyval Blanc*

70. STAPLE ST. JAMES
Staple, Kent (Weald and Downland)
müller-thurgau • *huxelrebe* • *reichensteiner*

71. STAPLECOMBE
Staplegrove, Somerset (Southwest and Wales)
kerner

72. STAVERTON
Woodbridge, Suffolk (East Anglia)
bacchus

[21] TENTERDEN
Tenterden, Kent (Weald and Downland)
rosé • *seyval* (Reserve)

[37] THAMES VALLEYVINEYARD
Stanlake Park, Berkshire (Thames and Chilten)
Clocktower Gamay Brut • *Clocktower Selection Pinot Noir*

73. THORNCROFT
Leatherhead, Surrey (Weald and Downland)
Noble Harvest • (et « Champagne » elderflower)

74. THREE CHOIRS
Newent, Gloucestershire (Southwest and Wales)
bacchus • *huxelrebe* • *rosé*

75. THROWLEY
Throwley, Kent (Weald and Downland)
ortega

76. TILTRIDGE
Upton-on-Severn, Worcestershire (Southwest and Wales)
huxelrebe

77. WELLOW
Romsey, Hampshire (Wessex)
Entreprise ambitieuse dans un site au climat exceptionnel. Ce domaine effectue son retour après une période de marasme.

78. WOOLDINGS
Whitchurch, Hampshire (Wessex)
Vintage Brut (mais pas 1995) • *Dry Red* • *schönburger*

79. WOOTTON
Shepton Mallet, Somerset (Southwest and Wales)
auxerrois • *Trinity*

80. WYKEN
Stanton, Suffolk (East Anglia)
auxerrois • *bacchus* • *kernling* • *pinot gris*

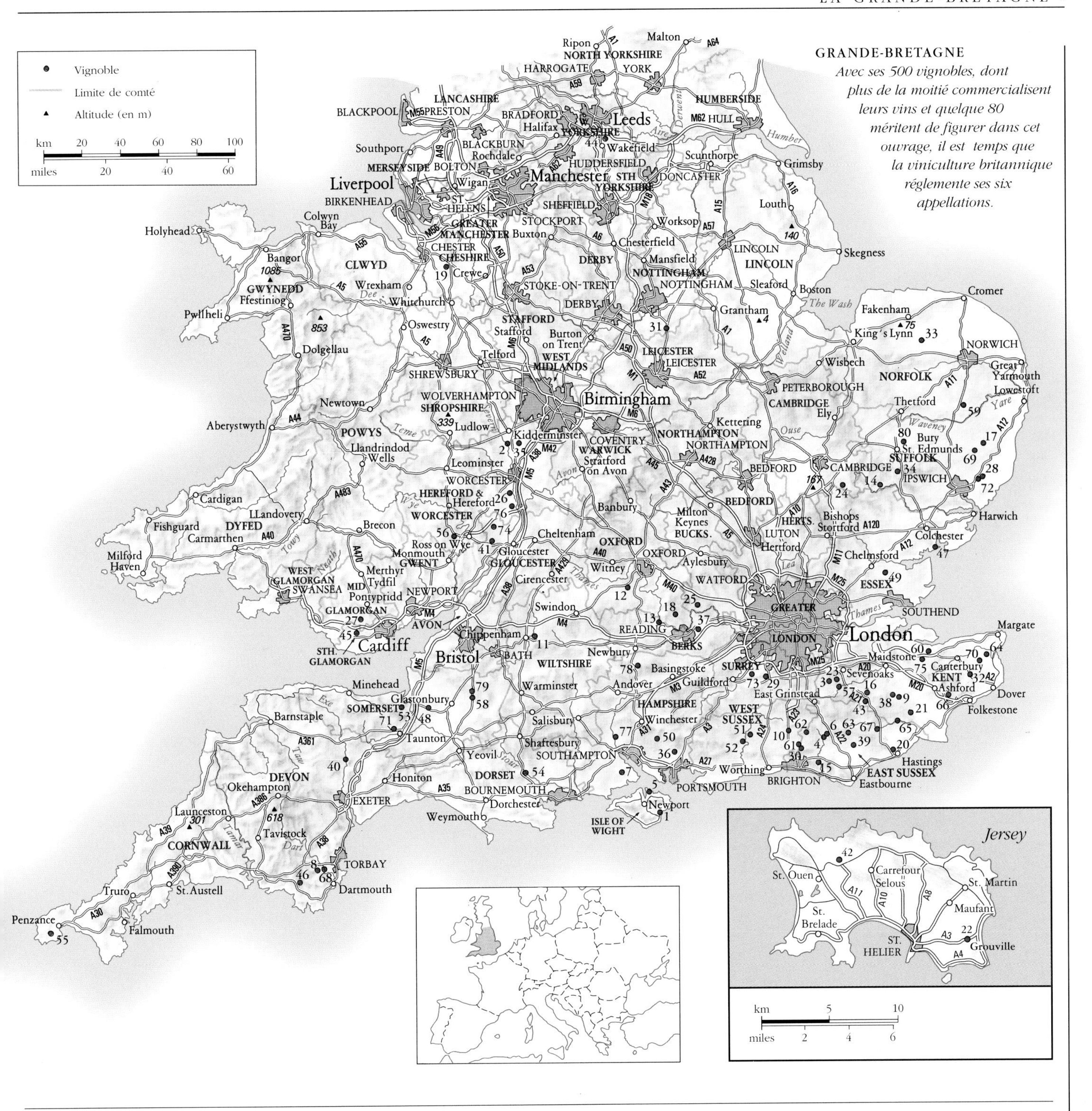

GRANDE-BRETAGNE

Avec ses 500 vignobles, dont plus de la moitié commercialisent leurs vins et quelque 80 méritent de figurer dans cet ouvrage, il est temps que la viniculture britannique réglemente ses six appellations.

LES STYLES DE VIN DE

GRANDE-BRETAGNE

Étant donné les variations climatiques en Grande-Bretagne et une viniculture en constante évolution, certains domaines n'élaborent pas nécessairement tous les ans les styles de vin recommandés ci-dessous.

AUXERROIS

Cette variété peut donner des vins frais, riches et crémeux bien adaptés au bois; elle a aussi son utilité pour les assemblages de vins pétillants fermentés en bouteilles.

✓ *Wooton • Wyken*

BACCHUS

Ce raisin gras et aromatique, au riche fruité de muscat à maturité, donne des taux de sucre élevés même en climat frais, ce qui en fait un des croisements allemands les plus appréciés en Grande-Bretagne. Toutefois, il développe des arômes herbacés et de sureau assez intenses les années fraîches, voire de pipi de chat lorsque la vendange est trop verte.

✓ *Barkham • Coddington* (Malvern Hills) *• Lamberhurst • New Hall • Nutbourne Manor • Partridge • Sharpham • Shawsgate • Staverton • Three Choirs • Wyken*

CABERNET

Cultivé à Beenleigh sous tunnel de plastique avec du merlot, un fruit profond et racé a toujours trompé les espoirs à la vinification.

CHARDONNAY

Planté essentiellement pour donner du vin pétillant, ce cépage a aussi été utilisé par Denbies pour élaborer du vin tranquille. Les producteurs devraient suivre l'exemple de la Nouvelle-Zélande pour vinifier ce cépage sous un climat à influence maritime.

✓ *Denbies • New Hall*

EHRENFELSER

Penshurst s'est spécialisé dans ce cépage, qui est le chéri de la Colombie-Britannique au Canada mais, à mon avis, il réussit beaucoup mieux dans le Kent où, les années chaudes, il donne un fruit doux et mûr avec un arôme de pêche intense de riesling qui se développe bien.

✓ *Penshurst*

GAMAY

Le climat britannique ne se prête pas à un bon vin de gamay, mais si Thames Valley soutient ses efforts, ce cépage peut se révéler des plus utile pour élaborer du vin pétillant fermenté en bouteilles.

✓ *Thames Valley* (Clocktower Gamay Brut)

HUXELREBE

Cépage facile ayant parfois une attaque d'herbe et de pamplemousse; sureau ou pipi de chat s'expriment les mauvaises années.

✓ *Bosmere* • *Boyton Vineyard* • *Staple St. James* • *Three Choirs* • *Tiltridge*

KERNER

Plus aromatique en Grande-Bretagne qu'en Allemagne, sa terre d'origine, le kerner ne convient pas au chêne, mais on le cultive souvent pour ses deux qualités : un bourgeonnement tardif (qui évite le gel) et un taux de sucre élevé.

✓ *Astley* • *Barkham Manor* • *Staplecombe*

MADELEINE ANGEVINE

Cépage à l'arôme léger, floral, au parfum persistant, qui peut aussi exprimer une note d'abricot, mais doit lutter contre une âpreté de sureau.

✓ *Astley* • *Highfield* • *Elmham Park* • *Helfpenny Green*

MÜLLER-THURGAU

Ce cépage est caractéristique du style allemand. S'il exprime parfois des notes de sureau ou de pipi de chat, il peut aussi donner des vins bien parfumés. Le St.-Peter de Bruisyard, par exemple, a souvent du gras et du caractère.

✓ *Biddenden* • *Breaky Bottom* • *Bruisyard* (St. Peter) • *Ditchling* • *Elham Valley* (Medium Dry) • *Lamberhurst* • *New Hall* • *Pulham* • *St. George's* • *Shawsgate* • *Staple St. James* • *Whitstone*

ORTEGA

Gras, exprimant des arômes confiturés à maturité, ou herbacés les années fraîches, avec des notes de sureau ou de groseille blanche en cas de vendange verte.

✓ *Biddenden* • *Hidden Springs* • *Throwley*

PINOT BLANC

Il peut être délicieux, gouleyant, rappelant ce que l'Alsace peut tirer de ce cépage.

✓ *Carr Taylor* (Kemsley Dry) • *Denbies*

PINOT GRIS

Le pinot gris de Grande-Bretagne n'est pas le plus épicé au monde, mais il offre plus de richesse fruitée par gramme d'acidité que le pinot blanc ou le chardonnay. Il réussit bien en chêne, bien que le meilleur exemple, le Special Release 1995 de Denbies, excessivement boisé, aurait gagné à être mélangé avec une autre variété.

✓ *Denbies* • *Wyken*

PINOT NOIR

Certains producteurs craignent que le climat anglais et la sensibilité de ce cépage à la pourriture ne fassent pas bon ménage, mais les viticulteurs qui ont choisi le clone approprié ont moins de problèmes que prévu. Les bons millésimes donnent des vins rouges élégants aux arômes de cerise et de framboise très séduisants. Les moins bonnes années, l'extraction colorée laisse à désirer et certains pensent qu'il faudrait dans ce cas consacrer la production au vin pétillant. Mais le pinot noir qui ne peut donner de rouge léger ne fera pas non plus un bon vin pétillant, et il vaudrait mieux alors élaborer un demi-sec du type blanc de noirs américain.

✓ *Thames Valley* (Clocktower Selection Pinot Noir)

REICHENSTEINER

Appréciée pour sa résistance à la pourriture et pour son taux de sucre élevé, cette variété donne néanmoins un vin neutre qui n'enthousiasme guère les amateurs, mais il existe des exceptions.

✓ *Carr Taylor* • *Loddiswell* • *St. George's* • *Staple St. James*

SCHÖNBURGER

Doux aux arômes de pêche à maturité, les bons exemples doivent exprimer au moins de légères notes épicées. Rien n'est pire que le schönburger sec d'une année fraîche, au nez de pipi de chat.

✓ *Barkham Manor* • *Battle Wine Estate* (Saxon Valley) • *Brenchley* • *Nutbourne Manor* • *Queen Court* • *St. Nicholas of Ash* • *Wooldings*

SEYVAL BLANC

Cépage relativement neutre et susceptible de vieillir sous bois, le seyval blanc donne surtout un vin anglais classique vif, sans bois, avec une intensité piquante d'herbes et de sureau, évoquant le sauvignon; mais, contrairement à ce dernier, le bon seyval blanc vieillit bien en bouteilles. Une vendange insuffisamment mûrie exprimera le pipi de chat.

✓ *Breaky Bottom* • *Headcorn* • *Hidden Springs* • *Penshurst* • *Tenterden* (Reserve)

SIEGERREBE

Ce croisement de madeleine angevine et de gewurztraminer peut donner des vins gras au fruit piquant, quelquefois moustillant.

✓ *Highfield*

TRIOMPHE

Ce raisin s'appelait triomphe d'Alsace, car il est originaire de cette région. Mais l'Alsace n'en a jamais cultivé et, quand l'Union européenne a proscrit les hybrides, elle a abrégé son nom. Le triomphe est un hybride à vin rouge exprimant un arrière-goût foxé, mais ce défaut peut s'effacer dans un assemblage judicieux, tel que le Boze Down, qui contient jusqu'à 60% de triomphe. Le rouge de Wooldings, du pur triomphe, n'exprime aucune touche de renard; certaines années, il a la rusticité du pinot noir roumain, avec parfois une agréable note de café lorsque le vinificateur Charles Cunningham a utilisé cette année-là plus de copeaux de chêne qu'à l'ordinaire.

✓ *Wooldings* • *Boze Down*

AUTRES STYLES

ROSÉ

Si le climat britannique rend difficile (mais aucunement impossible) de produire avec constance un authentique vin rouge, cette viniculture sur le fil devrait réunir les conditions idéales pour élaborer des rosés pas tout à fait secs, vifs et très rafraîchissants. Quelques domaines commencent à prendre conscience de ce potentiel.

✓ *Beeleigh* • *Chiddingstone* • *Chilford Hundred* (cuvée Firmin Lifget) • *Gifford's Hall* (Blush) • *Hidden Springs* (Sussex Sunset) • *Lamberhurst* (Blush) • *Llanerch* (Cariad Dry) • *Tenterden* • *Three Choirs*

COUPAGES EN BLANC SANS BOIS

Les coupages de variétés différentes vinifiées de façons différentes donnent souvent des vins plus complets. Compte tenu de la tendance à omettre la mention des cépages, il est possible que, parmi les vins recommandés ci-dessous, certains soient d'une variété pure.

✓ *Astley* (Huxelvaner) • *Bardingly* (Estate White) • *Bothy Vineyard* (Huxelrebe & Perle, Ortega & Optima) • *Boze Down* (Dry) • *Cane End* (Medium) • *Château le Catillon* (Sec) • *Elmham Park* (Medium) • *Hambledon* • *Llanerch* (Cariad Dry) • *Mersea* (Dry) • *Pilton* (Dry) • *Shawsgate* (Müller-Thurgau/Seyval-Blanc)

BLANCS SOUS BOIS

Comme au Etats-Unis, il semble que les producteurs britanniques aient adopté le terme « fumé » pour désigner le vieillissement en fûts de chêne. Des conditions climatiques incertaines donnent des vins beaucoup moins structurés que ceux des autres pays d'Europe ou d'outre-Atlantique, où le bois peut facilement dominer; c'est pourquoi son usage se restreint. En principe, seules les variétés non aromatiques telle que le seyval blanc sont élevées sous bois, mais le bacchus constitue une étonnante exception.

✓ *Harvest Group* (Heritage Fumé) • *Hidden Springs* (Dry Reserve) • *Sandhurst* (Bacchus Oak Aged) • *Tenterden* (Seyval Reserve) • *Wootton* (Auxerrois, Trinity)

COUPAGES EN ROUGE

La plupart des rouges anglais sont légers et sans matière, mais l'influence du Nouveau Monde encourage l'élaboration de vins plus souples, d'attaque plus fruitée.

✓ *Boze Down* • *Chapel Down* (Epoch 1) • *Hidden Springs* (Dark Fields)

POURRITURE NOBLE OU VENDANGE TARDIVE

Il est hors de doute que le Royaume-Uni peut assurer un taux d'humidité matinale suffisant pour que la pourriture se développe, mais il faut également deux semaines de soleil pour que cette pourriture se transforme en botrytis, ce qui n'est pas si fréquent. Lorsque c'est le cas, les vins obtenus peuvent surprendre par leur piquant.

✓ *Cane End* (Late Harvest Bacchus) • *Chiltern Valley* (Noble Bacchus) • *Denbies* (Late Harvest, Noble Harvest) • *Kents Green* (Late Harvest) • *Northbrook Springs* (Noble Dessert) • *Pilton* (Westholme Late Harvest) • *Thorncroft* (*Noble Harvest*)

PÉTILLANT FERMENTÉ EN BOUTEILLES

Les meilleurs vins utilisent des variétés non aromatiques, de préférence les cépages traditionnels de la Champagne. Stephen Skelton, l'un des vignerons les plus respectés de Grande-Bretagne, pense que le chardonnay ne mûrira que les années d'exception et que le pinot noir pourrira; mais, avec l'aide des experts et les clones appropriés, Stuart Moss a montré à Nyetimber que ces cépages peuvent mûrir tous les ans avec succès.

✓ *Chapel Down* (Scott's Hall Brut Rosé) • *Harvest Group* (Clocktower Gamay Brut) • *Hidden Springs* (Vintage Brut) • *Nyetimber* • *Wickham* (Premier Cuvée) • *Wooldings* (Vintage Brut, mais non le 1993)

✧ LA SUISSE ✧

Sous leur meilleur jour, les vins suisses sont aussi frais et francs que l'air alpin. Bien qu'on y cultive de nombreux cépages, ce pays est la terre d'élection du chasselas. En France, il s'agit surtout d'un raisin de table, mais les Suisses en tirent un vin sec, léger et perlant, délicieux et délicat, le parfait accompagnement de la fondue au fromage.

Le chasselas apparaît sous le nom de dorin dans le canton de Vaud et de perlan à Genève; mais c'est surtout le célèbre fendant du Valais. Bien que ce cépage populaire entre tous représente 40% du vignoble, près de la moitié du vin suisse se fait en rouge.

Plus précisément, on trouve jusqu'à 27% de pinot noir, 14% de gamay et, dans des proportions bien moindres, mais en nette augmentation, le merlot, qui couvre quelque 6% du vignoble; il ne reste plus aux autres variétés que 13% de l'encépagement total.

La qualité s'est assurément améliorée ces dix dernières années, mais les rendements restent beaucoup trop élevés (80 hl par hectare en moyenne, certains cantons produisant jusqu'à 120 hl à l'hectare) pour que les vins suisses puissent acquérir une renommée internationale.

Les producteurs qui maintiennent des rendements bas savent faire des vins magnifiques, mais ils demeurent en trop petit nombre pour renverser la situation. La philosophie admise est qu'une monnaie forte et un haut niveau de vie fixent des tarifs élevés, notamment pour les vins les plus réputés. Les Suisses, consommant deux fois plus de vin qu'ils n'en produisent et ayant l'habitude de la vie chère, n'ont pas d'intérêt particulier à exporter leurs vins et ne sont donc pas incités à en relever la qualité. La question des prix mise à part, les vins blancs suisses les plus fins peuvent être délicieux; quant aux meilleurs rouges, ils gagnent chaque année en profondeur et en velouté.

UN VIGNOBLE DE SCHAFFHOUSE
Le vignoble Munot, situé à Schaffhouse même en Suisse alémanique, est l'un des plus fins de ce canton. Les rangs de vigne bien ordonnés reflètent le souci helvétique de la netteté.

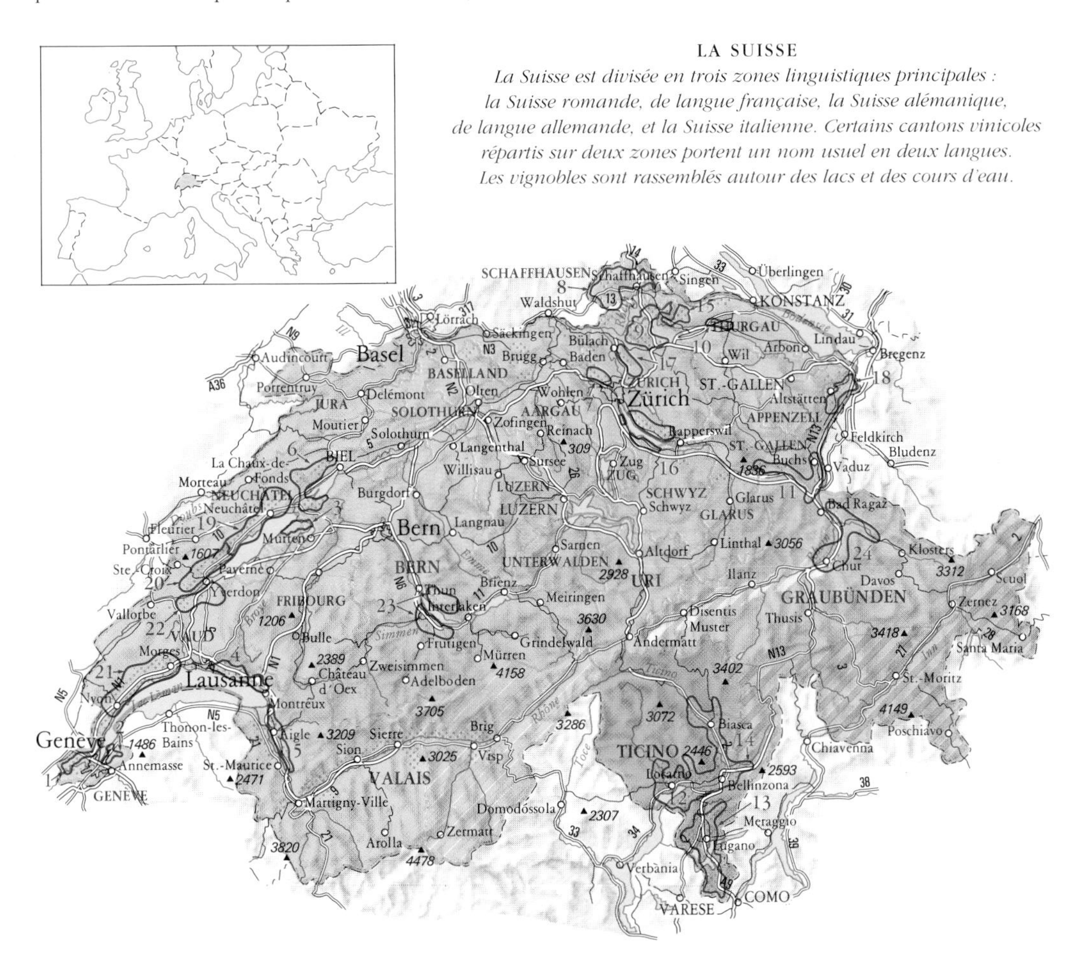

LA SUISSE
La Suisse est divisée en trois zones linguistiques principales : la Suisse romande, de langue française, la Suisse alémanique, de langue allemande, et la Suisse italienne. Certains cantons vinicoles répartis sur deux zones portent un nom usuel en deux langues. Les vignobles sont rassemblés autour des lacs et des cours d'eau.

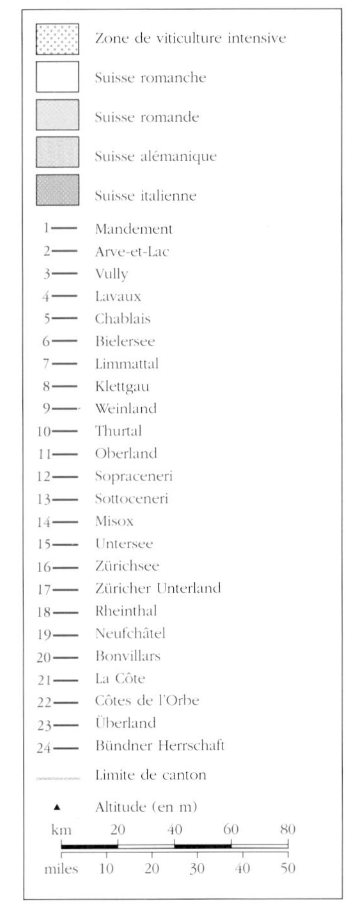

FACTEURS AFFECTANT LE GOÛT ET LA QUALITÉ

SITUATION
La Suisse est bordée par l'Allemagne au nord, l'Italie au sud et la France à l'est.

CLIMAT
Le climat continental domine, avec des variations locales dues à l'altitude, à l'influence adoucissante des lacs et à la présence protectrice des chaînes montagneuses. Un vent alpin, le fœhn, élève la température dans certaines vallées. Le taux de précipitations est assez bas et certaines régions, notamment le Valais au sud, sont très sèches. Les gelées de printemps sont redoutées sur la plupart du territoire.

ORIENTATION
Le vignoble occupe divers types de paysage, fonds de vallées, rives de lacs, contreforts alpins abrupts, situés à une altitude moyenne de 750 m, mais qui atteint près de 1 200 m au sud de Visp, où seraient plantées les vignes les plus élevées d'Europe. Les meilleurs coteaux sont exposés au sud, ce qui garantit le plus fort ensoleillement, mais leur forte déclivité ne permet que des rendements bas.

SOL
Les sols sont constituées pour l'essentiel de moraines glaciaires, schistes détritiques et ardoisiers, ou, souvent, calcaires recouvrant le massif calcaire sédimentaire, mais aussi argileux et sableux. Dans le Vaud, Dézaley est connu pour son poudingue; on trouve dans le Chablais des marnes calcaires, Ollon et Bex présentent des dépôts gypseux.

VITICULTURE ET VINIFICATION
Les versants les plus abrupts doivent être cultivés en terrasses, et irrigués (par les eaux de montagne) dans les zones les plus sèches, notamment le Valais. La viticulture demande donc un travail intense, à l'exception des pentes plus douces, par exemple sur les rives du lac Léman, où l'on pratique une viticulture mécanisée. Une vinification soignée autorise des volumes importants. Les trente dernières années ont vu augmenter la production de vin rouge dans une région vouée traditionnellement aux vins blancs.

CÉPAGES PRINCIPAUX
Aligoté, amigne, ancelotta, bacchus, bonarda, bondola, cabernet franc, cabernet sauvignon, chardonnay, charmont, chasselas (syn. Dorin, fendant, gutedel, perlan), chenin blanc, completer, cornalin (*syn.* Landroter), diolinoir, doral, elbling (*syn.* Raüschling), freisa, freishamer (*syn.* Frieburger), gamaret, gamay, gewurztraminer (*syn.* païen), gouais (*syn.* gwäss), himbertscha, humagne blanc, humagne rouge, kerner, lafnetscha (peut-être identique au completer), malbec, marsanne (*syn.* ermitage), merlot, müller-thurgau (*syn.* riesling x sylvaner), muscat à petits grains, petite arvine, pinot blanc, pinot gris (*syn.* malvoisie, ruländer), pinot noir (*syn.* blauburgunder, clevner), rèze, riesling, sauvignon blanc, seibel (*syn.* plantet), sémillon, seyval blanc, sylvaner (*syn.* silvaner), syrah, traminer (*syn.* heida, païn, savagnin)

LES APPELLATIONS DE

SUISSE

Selon la réglementation fédérale, tous les cantons ont droit à leur appellation propre de même que, dans chaque canton, toutes les localités vinicoles. Genève est le premier canton à suivre cette réglementation en 1988, suivi par le Valais en 1991, Neuchâtel en 1993 et enfin le Vaud en 1995. En dehors des appellations communales, chaque canton peut encore définir des appellations génériques et stylistiques de district, dont le nombre ne cesse de croître.

SUISSE ROMANDE

Cantons *Fribourg, Genève, Jura, Neuchâtel, Valais, Vaud*

Districts Appellation *Vully* (en partie sur Fribourg, en partie sur Neuchâtel) *; Arve-et-Lac, Arve-et-Rhône, Mandement* (Genève) *; Bonvillars, Chablais, la Côte, Côtes-de-l'Orbe, Lavaux* (Vaud)

Stylistic Appellations *Œil-de-Perdrix* (Genève, Neuchâtel, Valais, Vaud) ; *perlan* (Genève) ; *amigne, arvine, cornalin, dôle, dôle-blanche, ermitage, fendant, goron, heidawein, höllenwein, pinot noir, vin-de-pain, vin-du-glacier* (Valais) *; dorin, salvagnin* (Vaud)

La Suisse romande ne représente que 16% du territoire helvétique, et peut néanmoins se targuer de posséder 80% de son vignoble. Les deux tiers du vin se font en blanc, avec 90% de chasselas, tandis que le pinot noir et le gamay couvrent à eux deux 99% de l'encépagement de raisins noirs.
Le Valais est le plus ancien des cantons vinicoles, le plus célèbre et, de loin, le plus intensivement cultivé, son vignoble s'étendant sur 50 km au bord du Rhône, depuis le lac Léman jusqu'à Brig, en territoire germanophone. Le Valais compte pour plus d'un tiers dans la production totale, et les localités les plus modestes produisent des vins d'une qualité au moins aussi égale aux meilleurs des autres cantons. Le Vaud couvre près du quart du vignoble suisse, ce qui le place au deuxième rang.

✓ **Communes** *Auvernier • Cortaillod* (Neuchâtel) ; *Salgesch • Saint-Léonard • Vétroz* (Valais) • *Calamin • Dézalay* (Vaud)
Producteurs *Château de Vaumarcus • André Ruedin* (Neuchâtel) *; Charles Bonvin • Caves de Riondaz • Château Lichten • Domaine du Mont-d'Or • Charles Favre • Maurice Gay • Alphonse Orsat • Louis Vuignier* (Valais) • *Henri Badoux • Château d'Allaman • Château Maison-Blanche • Château de Vinzel • Clos-de-la George • Hammel • Domaine de la Lance • Domaine du Martheray • Domaine de Riencourt • Robert Isoz • Gérard Pinget • Rouvinez • J. & P. Testuz (Vaud)*

SUISSE ALÉMANIQUE

Cantons *Aargau* (Argovie), *Basel* (Bâle), *Bern* (Berne), *Graubünden* (Grisons, en partie), *St-Gallen* (Saint-Gall), *Schwyz, Schaffhausen* (Schaffhouse), *Thurgau* (Thurgovie)

Districts Appellation *Bielersee, Uberland* (Berne) *; Bündner Herrschaft* (Graubünden) *; Oberland, Rheinthal* (St-Gallen) *; Klettgau* (Schaffhausen) *; Thurtal, Untersee* (Thurgau) *; Flaachtal, Limmattal, Rafzerfelder, Züricher, Unterland, Weinland* (Zürich)

Stylistic Appellations *Clevner*

De loin le plus vaste des ensembles linguistiques de la Confédération, la Suisse alémanique couvre près des deux tiers du territoire, mais n'englobe qu'un sixième du vignoble. L'Aargau est surtout réputé pour ses vins rouges, mais produit aussi des blancs légers et parfumés, pas tout à fait secs et peu alcoolisés. Le canton de Bâle n'élève que du vin blanc. Si l'on trouve à Berne des rouges étriqués, on y élabore surtout des blancs vifs et parfumés, d'une acidité rafraîchissante. Dans le vignoble de Graubünden, sur le haut Rhin, le pinot noir mûrit bien et donne des vins assez colorés et étoffés. Saint-Gall, également aux sources du Rhin, vinifie surtout en rouge. Le sud de Graubünden est limitrophe de l'aire linguistique de l'italien, où le canton prend le nom de Grisons. Les vignes de Schaffhausen s'étendent à proximité des célèbres chutes du Rhin. Le Thurgau a vu naître le célèbre Dr Müller, qui a marqué l'histoire de la viticulture grâce au müller-thurgau, le prolifique croisement qui porte son nom; celui-ci pousse évidemment dans le canton, même si plus de 50% du vignoble local est encépagé en pinot noir, variété fruitée qui donne des vins bien supérieurs. Zürich est le canton germanophone le plus important, qui produit parmi les vins les plus chers et les moins intéressants de toute la Suisse; malgré tout, le pinot noir cultivé sur les pentes abritées les mieux exposées donne des vins fruités séduisants.

✓ **Communes** *Brestenberger • Goldwand • Netteler (Aargau) ; Schafis (Bern) ; Fläsch • Jenins • Maenfeld • Malans (Graubünden) ; Leutschen (Schwyz) ; Hallau • Schaffhausen (Schaffhausen)*
Producteurs *Adelhaid von Randenburg • Graaf von Spiegelberg • Hans Schlatter (Schaffhausen)*

SUISSE ITALOPHONE

Cantons *Ticino* (Tessin), *Grissons* (Grisons, en partie)

Districts Appellation *Misox* (Grisons) *; Sopraceneri, Sottoceneri* (Tessin)

Stylistic Appellations *Bondola, merlot del Ticino, nostrano*

La Suisse italophone comprend le canton du Tessin (*Ticino* en italien) et la partie la plus méridionale du canton des Grisons (*Graubünden* en allemand). Plus de 80% du vignoble sont complantés en merlot. Je trouve que les vins de merlot produits au Tessin, notamment ceux qui sont élevés en barriques, font partie des meilleurs vins rouges suisses. Qui plus est, ils présentent l'avantage de compter aussi parmi les plus abordables.

✓ **Commune** *Grisons* (Misox)
Vignerons tessinois recommandés : *Figli fu Alberto Daldini, Tamborini, Valsangiacomo*

LES STYLES DE VINS

SUISSES

AMIGNE

Valais

Blanc Ancienne variété du Valais cultivée à Vétroz, est un vin sec plein, rustique et souple.

1-2 ans

ARVINE

Valais

Blanc Un autre cépage ancien du Valais qui donne un vin sec encore plus riche, au fruité de pamplemousse et d'une bonne acidité. La petite arvine (à distinguer de la grosse arvine, de moindre qualité) convient aux vendanges tardives et est très estimée par les amateurs de vin suisse.

1-3 ans

BLAUBURGUNDER

Suisse alémanique

Rouge Le blauburgunder est en Suisse alémanique synonyme de pinot noir. Les vins les mieux colorés et les plus veloutés proviennent de Bündner Herrschaft.

2-7 ans

BONDOLA

Ticino (Tessin)

Rouge Le bondola, cépage local, donne des vins rustiques. Les meilleures vignes donnent le nostrano, un assemblage comprenant aussi du bonarda, du freisa et d'autres variétés locales.

BONVILLARS

Vaud

Blanc Délimité aux vignes de chasselas cultivées autour du lac de Neuchâtel, sur les communes de Côtes-de-l'Orbe et Vully, le bonvillars est plus léger, délicat et vif que les vins vaudois plus méridionaux issus de cette variété.

1-2 ans

CHABLAIS

Vaud

Blanc Délimité aux vignes de chasselas cultivées sur les communes d'Aigle, Bex, Ollon, Villeneuve et Yvorne, le chablais est le plus raffiné des vins vaudois issus de ce cépage; il devrait exprimer une certaine complexité minérale.

1-2 ans

CHASSELAS

Blanc Appelé fendant dans le Valais, dorin dans le Vaud et perlan à Genève, le chasselas est le cépage le plus important en Suisse. Il peut être agréablement aromatique, souvent d'une pétillance charmante. Cultivé sur des sols sableux légers, il exprime parfois un arôme de citron vert. Sensible à la nature du sol, ce raisin varie selon qu'il croît sur du calcaire, du silex, du gypse, de la marne, du schiste ou tout autre type de sol. Même s'ils peuvent être plus pleins et d'une certaine longévité, ces vins se boivent surtout jeunes.

1-3 ans

CLEVNER

Suisse alémanique

Rouge Un autre synonyme du pinot noir utilisé en Suisse alémanique. *Voir* blauburgunder.

COMPLETER

Graubünden

Blanc Cépage ancien, rare, qui donne un vin riche étonnant, dans le style Auslese.

3-7 ans

CORNALIN

Valais

Rouge la plupart des vignes de cette variété locale sont très vieilles et donnent des vins sombres puissants, riches et concentrés, avec une complexité épicée.

3-10 ans

LA CÔTE

Vaud

Blanc Délimité aux vignes de chasselas cultivées sur les communes d'Aubonne, Begnins, Bursinel, Coteau de Vincy, Féchy, Luins, Mont-sur-Rolle, Morges, Nyon, Perroy et Vinzel, la côte est le plus floral et aromatique des vins issus du chasselas vaudois.

1-2 ans

CÔTES-DE-L'ORBE

Vaud

Rouge Ce sont surtout des vins légers, frais et fruités.

1-2 ans

DÔLE

Valais

Rouge Vin léger comprenant au moins 50% de pinot noir et jusqu'à 50% de gamay. C'est l'équivalent du passetoutgrains de Bourgogne.

3-7 ans

DÔLE-BLANCHE

Valais

Blanc La variante blanc de noirs est appréciée, mais n'a pas droit à son appellation.

1-3 ans

DORIN

Vaud

Blanc Un vin de chasselas d'un style léger, frais et gouleyant.

9-18 ans

ERMITAGE

Valais

Blanc Un synonyme du marsanne de la vallée du Rhône. On en tire des vins secs délicatement riches, quelquefois tout à fait raffinés, que certains enthousiastes gardent en bouteille plus longtemps qu'il ne faudrait à mon sens.

1-4 ans

FENDANT

Valais

Blanc Chasselas assez étoffé, à l'arôme de silex et de citron vert

1-3 ans

GAMAY

Valais, Vaud

Rouge Ce cépage du Beaujolais dans sa forme variétale pure donne des vins sans grande distinction mais, mélangés au pinot noir, ils peuvent être réussis.

1-3 ans

GAMAY DE GENÈVE

Genève

Rouge Vins légers et frais, faciles à boire, peu colorés et gentiment fruités.

1-2 ans

GORON

Valais

Rouge Ce dôle non classé, issu de raisins qui n'atteignaient pas le degré de maturité requis, a maintenant son appellation.

1-2 ans

HEIDAWEIN OU HEIDIA

Valais

Blanc Vin frais légèrement aromatique, en sec et demi-sec, issu du traminer.

1-2 ans

HERMITAGE

Voir **AOC ermitage**

HUMAGNE BLANC

Blanc L'humagne blanc est d'une teneur en fer assez élevée, ce qui explique peut-être qu'on en ait donné aux bébés, mais il est plus probable que les chers petits se soient mis à pleurer en biberonnant ce vin à l'arôme de haricot vert ou de poivron, avec des notes de fruits exotiques en bouche et une touche d'amertume sur la finale.

⊩ 1-3 ans

HUMAGNE ROUGE

Valais

Rouge Vieux cépage du Valais, ce raisin à peau sombre est originaire du Val d'Aoste ; il donne des vins rustiques et vigoureux, riches, convenant bien au gibier à plumes.

⊩ 4-8 ans

JOHANNISBERG

Valais

Blanc Il ne s'agit pas du riesling allemand de Johannisberg, mais d'un synonyme officiel du sylvaner dans le Valais. On le dit musqué, mais je n'ai jamais décelé de complexité dans ces vins, qui sont le plus souvent séveux et savoureux, d'une certaine douceur.

⊩ 1-3 ans

LAVAUX

Vaud

Blanc Délimité aux vignes de chasselas cultivées sur les communes de Calamin, Chardonne, Dézaley, Épesses, Lutry, Saint-Saphorin, Vevey-Montreux et Vilette, le lavaux est le plus doux mais aussi le plus plein des vins vaudois issus de cette variété.

⊩ 1-2 ans

MALVOISIE

Valais

Ce synonyme du pinot noir désigne des vins doux.

⊩ 2-5 ans

MERLOT DEL TICINO

Tessin

Rouge Le merlot couvre 80% du vignoble de Suisse italienne, donnant des vins jeunes et légers ou plus pleins, étoffés et colorés, à l'arôme variétal agréable et souvent élevés en fût. La dénomination VITI sur les bouteilles de merlot del Ticino a été considérée comme un gage de qualité, mais, actuellement, elle indique simplement que le vin a vieilli un an avant d'être mis en bouteilles.

⊩ 2-4 ans (pour les plus légers)
3-10 ans (pour les vins élevés en fût)

MÜLLER-THURGAU

Suisse alémanique

Blanc Ce cépage des plus prolifique (ou supposé tel), croisement de riesling et de sylvaner, a été créé en 1882 par le Dr Hermann Müller, du canton de Thurgau (Thurgovie), qui lui a donné son nom. Il est curieux que l'on appelle localement ce raisin *riesling x sylvaner* plutôt que par le nom qui rend hommage à son origine helvétique, compte tenu des doutes qui entachent maintenant sa généalogie (beaucoup pensent qu'il provient d'un riesling auto-pollinisé, *voir* p. 44). Le vin qui en est tiré, coulant et à l'arôme variétal, n'est pas plus excitant ici qu'ailleurs, même si l'on trouve en Aargau des exemples d'une qualité supérieure.

⊩ 1-2 ans

MUSCAT

Valais

Blanc Le muscat à petits grains est traditionnellement cultivé dans le Valais, et en petite quantité. Il donne un vin très léger, au parfum floral caractéristique de la variété.

⊩ 1-2 ans

NEUCHÂTEL

Neuchâtel

Blanc Ce pinot noir, au fruit élégant, est fondu, mais il n'a ni le corps, ni la couleur, ni la structure des vins du Valais.

Rouge Pur chasselas léger, délicat et perlant.

⊩ 2-4 ans (en rouge), 1-2 ans (en blanc)

NOSTRANO

Tessin

Rouge Il s'agissait d'un assemblage de vin de table, tiré de cépages qui n'ont pu mériter d'appellation à l'époque, mais c'est maintenant chose faite car la qualité s'est incontestablement améliorée. Nostrano, qui veut dire « nôtre », désigne les variétés locales, par opposition aux hybrides américains.

⊩ 2-4 ans

ŒIL-DE-PERDRIX

Genève, Neuchâtel, Valais, Vaud

Rosé L'expression œil-de-perdrix désigne une couleur de rosé clair, obtenu sans macération. Ce pinot noir est coulant et fruité.

⊩ 1-3 ans

PERLAN

Genève

Blanc Ce chasselas floral et perlant doit mentionner le canton de Genève ou le nom d'une des communes suivantes : l'Allondon, Bardonnaex, Dardagny, Jussy, Lully, Peissy, Russin ou Satigny.

⊩ 9-18 mois

PETITE ARVINE

Voir Arvine

PINOT NOIR

Valais

Rouge En Suisse, où l'on adore le bourgogne, il n'est pas étonnant que les meilleurs vignerons élaborent à partir de pinot noir les plus sérieux de leurs vins rouges. Ceux-ci sont bien colorés, veloutés, à l'arôme de cerise, avec une note de chêne.

⊩ 3-6 ans (jusqu'à 10 ans dans les cas exceptionnels)

PINOT NOIR

Rouge On produit du pinot noir sans appellation ailleurs en Suisse, notamment dans le Vaud, mais même les meilleurs de ces vins ne peuvent rivaliser en couleur et en intensité avec leurs homologues du Valais.

⊩ 2-4 ans

RAÜSCHLING

Suisse alémanique

Blanc Cette variété rare est en déclin ; on ne la trouve plus que sur les rives du lac de Zurich, où on apprécie son parfum très frais et sa fine acidité.

⊩ 9-18 mois

RIESLING

Valais

Blanc On en cultive peu et, mis à part quelques vins botrytisés d'exception, le riesling n'a pas ici la qualité de celui d'Allemagne ou d'Autriche. C'est un mystère, car les coteaux les plus chauds du Rhône valaisien ne devraient rien avoir à envier à ceux de Moselle-Sarre-Ruwer et de Wachau.

⊩ 2-4 ans (jusqu'à 20 ans pour les vins botrytisés)

SALVAGNIN

Vaud

Rouge Cet assemblage souple de pinot noir et de gamay est l'équivalent vaudois du plus réputé vin de Dôle.

⊩ 1-3 ans

SÜSSDRUCK

Suisse alémanique

Rosé Rosé sec, rond et frais tiré exclusivement de pinot noir de goutte.

⊩ 1-2 ans

SYRAH

Valais

Rouge Ce cépage a pour berceau les coteaux du nord de la vallée du Rhône et, dans le Valais, le Rhône est on ne peut plus septentrional. Ce vin exprime des arômes poivrés de fruits rouges.

⊩ 3-10 ans

VIN DE PAIN

Valais

Blanc Vin blanc sec de traminer, frais et agréablement aromatique.

⊩ 1-3 ans

VIN DU GLACIER

Valais

Bien que cet équivalent suisse des vins de glace allemands tende à un excès d'oxydation, cette rareté a ses enthousiastes.

⊩ 2-5 ans

✧ L'AUTRICHE ✧

Si l'Autriche vinicole a pu être considérée comme un clone de l'Allemagne, elle a ces dix dernières années réussi à se définir une identité, et produit maintenant quelques vins rouges d'une finesse remarquable.

À la fin des années 1970, l'Autriche, dont la production augmentait en même temps que la consommation nationale diminuait, se trouva à la tête du plus grand réservoir de vins en dehors de l'Union européenne. Le marché naturel de cette exportation était l'Allemagne. À l'issue de plusieurs vendanges exceptionnellement abondantes, le débouché allemand se tarit, mais la surproduction autrichienne ne s'arrêta pas. À tout prendre, le prétendu scandale de l'« antigel », qui éclata en 1985, fut pour la viniculture autrichienne une aubaine. Qu'on l'appelle escroquerie, fraude, tromperie ou scandale, ce ne fut pas en fin de compte le grave problème de santé publique annoncé.

L'AUSBRUCH, UN VESTIGE DE L'EMPIRE AUSTRO-HONGROIS

Toujours apprécié, l'Ausbruch est un style de vin qui remonte aux beaux jours de l'Autriche-Hongrie, et que l'on produit encore dans ce dernier pays.
Atteignant 138° de sucre sur l'échelle Oechsle (*voir* p. 262), l'Ausbruch se situe entre les catégories Beerenauslese (127°) et Trockenbeerenauslese. Son nom signifie « casser » ; le vin est élaboré à partir des grappes les plus concentrées en pourriture noble, dont les grains sont si desséchés qu'il est pratiquement impossible de les presser sans en humidifier d'abord la masse en la « cassant » avec un jus de la qualité Spätlese.
Un authentique Ausbruch est dominé par un arôme intense de raisin, qui peut être encore plus botrytisé qu'un Trockenbeerenauslese. Mais le vin lui-même n'a pas besoin d'être aussi riche.

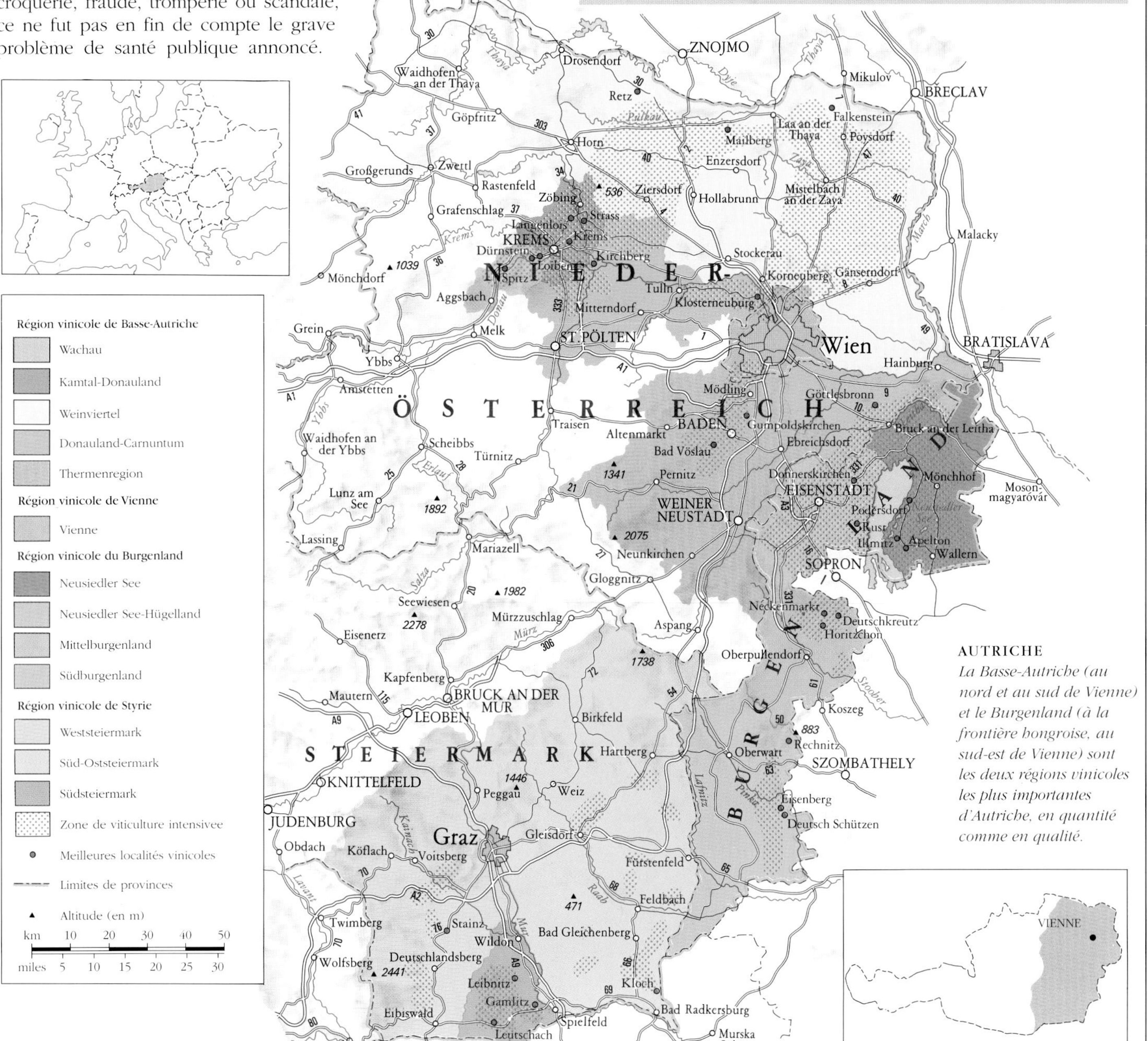

AUTRICHE
La Basse-Autriche (au nord et au sud de Vienne) et le Burgenland (à la frontière hongroise, au sud-est de Vienne) sont les deux régions vinicoles les plus importantes d'Autriche, en quantité comme en qualité.

L'événement eut pour conséquence de pousser un gouvernement autrichien sous pression à prendre des mesures énergiques, et l'industrie vinicole du pays est maintenant l'une des plus contrôlées et sûres au monde.

LE SCANDALE DE L'ANTIGEL

En 1985, une poignée de producteurs, parmi les quarante mille que compte le pays, utilisèrent du diéthylèneglycol pour sucrer artificiellement leurs vins. Un tollé international dénonça cet empoisonnement des vins autrichiens à l'antigel, ce que, bien sûr, n'était pas cette substance (l'antigel est de l'éthylèneglycol). Ce produit chimique, moins toxique que l'alcool, diminuait en fait la nocivité du vin.

LE COMMERCE MODERNE DU VIN

Les passionnés savent depuis longtemps que l'Autriche produit parmi les meilleurs vins blancs de pourriture noble au monde, et on en eut la confirmation éclatante lorsque Willy Opitz, tout petit producteur de vins de dessert par la taille de son vignoble, mais l'un des plus grands par le talent, fit le tour des marchés mondiaux pour parler de ses vins. Ces dernières années, les viticulteurs ont porté le cabernet-sauvignon et le chardonnay à un degré de qualité très élevé, et même l'obscur saint-laurent a donné des résultats étonnants. L'Autriche doit maintenant promouvoir ses grands rieslings, qui peuvent rivaliser avec ceux de l'Allemagne, et exporter ses meilleurs Grüner Veltliner, sans relâcher ses efforts.

COMPARAISON AUTRICHE/ALLEMAGNE

Les deux pays pratiquent une classification des vins fondée sur le degré de maturité des raisins, mesuré par la quantité de sucre qu'ils contiennent au moment des vendanges. Comme en Allemagne, les vins autrichiens sont classés entre Tafelwein et Qualitätswein jusqu'au Trockenbeerenauslese. Le tableau ci-dessous montre que la plupart des vins autrichiens atteignent des normes plus élevées que leurs homologues allemands. Plus significatif encore est le fait que la réglementation s'appliquant à chaque catégorie est rigide, d'où l'existence de styles marqués. Le consommateur peut donc choisir en toute connaissance de cause, tandis qu'en Allemagne les catégories équivalentes reposent sur le cépage utilisé et son lieu d'origine ; ainsi, dans ce pays, seule l'expérience révélera qu'un auslese de Moselle, par exemple, n'est pas plus moelleux qu'un spätlese d'autres régions. De même, en Autriche, la dénomination Süssreserve ne peut être portée par les vins Prädikat, alors qu'en Allemagne les vins Kabinett le peuvent.

MINIMUMS SUR L'ÉCHELLE OECHSLE

CATÉGORIE	AUTRICHE	ALLEMAGNE
Tafelwein	63°	44–50°
Landwein	63°	47–55°
Qualitätswein	73°	50–72°
Kabinett	83,5°	67–85°
Spätlese	94°	76–95°
Auslese	105°	83–105°
Beerenauslese	127°	110–128°
Eiswein	127°	110–128°
Ausbruch	138°	N/A
Trockenbeerenauslese	156°	150–154°

STEINER HUND, EN WACHAU

Vue aérienne de vignes cultivées en terrasses parmi les plus escarpées d'Autriche. Le Steiner Hund produit certains des meilleurs rieslings du pays.

LE WACHAU

Le charme de ses paysages fait de l'Autriche un lieu de villégiature apprécié. Ici, un vignoble opulent s'intègre dans un site typique de la Basse-Autriche.

FACTEURS AFFECTANT LE GOÛT ET LA QUALITÉ

SITUATION
Les vignobles sont situés à l'est du pays, au nord et au sud de Vienne, aux frontières de la République tchèque, de la Hongrie et de la Yougoslavie.

CLIMAT
Le climat est de type continental, sec avec des précipitations variant entre 57 cm et 77 cm. La région la plus sèche et la plus chaude est le Burgenland, où, en automne, les brouillards provenant du lac de Neusiedler favorisent la formation de *Botrytis cinerea* (la pourriture noble).

ORIENTATION
Les vignes sont cultivées dans tous les types de paysage : plaines et vallées du Danube (ces dernières, parfois très encaissées, cultivées en terrasses), collines du Burgenland, versants montagneux de Styrie.

SOL
Les sols se composent de schistes caillouteux, de calcaire et de graviers (parfois enrichis de limon) au Nord, de sables sur les rives du lac de Neusiedler en Burgenland, enfin la Styrie présente essentiellement des terrains argileux et quelques sols volcaniques.

VITICULTURE ET VINIFICATION
Il n'est pas étonnant que les méthodes autrichiennes soient semblables à celles de l'Allemagne, mais, alors que dans ce pays on applique les dernières techniques, l'Autriche produit beaucoup plus de vin par des méthodes traditionnelles. Plus de 85 % du vignoble est cultivé selon le système Lenz Moser, qui consiste à conduire la vigne au double de la hauteur normale, ce qui, grâce à la mécanisation des vendanges, permet des rendements supérieurs à coût égal. Ce système, qui a valu la gloire à son inventeur, Lenz Moser, est adopté par au moins un vigneron dans chaque pays viticole. La vendange s'effectue par *tries*, notamment sur les coteaux les plus abrupts et pour les vins moelleux.

CÉPAGES PRINCIPAUX
Blauburger, blauer portugieser, blauer wildbacher, blaufränkish, bouviertraube, cabernet franc, cabernet sauvignon, chardonnay, frühroter veltliner (*syn.* malvasia), furmint, gewürztraminer, goldburger, grüner veltliner, müller-thurgau, muskateller, muscat-ottonel, neuburger, pinot blanc, pinot gris, pinot noir, riesling, roter veltliner, rotgipfler, saint-laurent, sauvignon blanc, scheurebe, silvaner, trollinger, welschriesling, zierfandler, zweigelt

LES STYLES DE VINS AUTRICHIENS

BLAUBURGER

Rouge Croisement de blauer portugieser et de blaufränkisch qui donne un vin bien coloré, sans grand caractère, mais qui tend à s'améliorer en bouteille.

1-3 ans

Weingut Schützenhof Fam. Korpe • *Willi Opitz*

BLAUER PORTUGIESER

Rouge Ce raisin noir, naguère le plus planté d'Autriche, se rencontre encore couramment en Basse-Autriche, notamment à Paulkautal, Retz et en Thermenregion, où il donne des vins légers, mais bien colorés, doucement aromatiques, avec une note de violette.

1-2 ans

Johann Gipsberg • *H. V. Reinisch*

BLAUER WILDBACHER

Rosé Cette variété, connue aussi sous le nom de schilcher, produit traditionnellement un rosé pâle, léger, sec et vif.

1-2 ans

E. & M. Müller

BLAUFRÄNKISH

Rouge Nommé lamberger en Allemagne et kékfrankos en Hongrie, cette variété est appréciée dans les régions du lac de Neusiedl-Hügelland et Burgenland, où elle donne des vins acérés et fruités, assez tanniques, aux notes discrètes de cerise et d'épices. Les meilleurs exemples sont gras et vieillissent parfois en fûts de chêne.

2-4 ans

Weingut Gesselmann (Creitzer) • *Feiler-Artinger* • *Weingut Fam. Igler* • *Weingut H. und M. Krutzler*

BOUVIER

Blanc Raisin de table à maturité précoce, d'une acidité naturellement basse, souvent utilisé pour les appellations de Prädikatswein.

1-3 ans (Qualitätswein)

Willi Opitz

CABERNET-SAUVIGNON

Rouge Ce cépage était très peu cultivé en Autriche. Jusqu'en 1982, le seul cabernet-sauvignon commercialisé appartenait à Schlumberger à Bad Voslaü. Puis, par autorisation spéciale, Lenz Moser en cultiva 2,5 ha à Mailberg, et, en 1986, le premier vignoble de cette variété vit le jour en Basse-Autriche. Actuellement, chacun semble s'être entiché de cabernet-sauvignon.

5-6 ans (Qualitätswein)
10-15 ans (Prädikatswein)

Lenz Moser (Siegendorf Prestige) • *Weingut Fam. Igler* • *Weingut Gessellmann*

CHARDONNAY

Blanc Connu aussi en Autriche sous le nom de feinburgunder, ce cépage est cultivé depuis plusieurs dizaines d'années en Styrie, où on l'appelle morillon. Le chardonnay, qui connaît une rapide ascension depuis le début des années 19990, donne des vins riches et gras.

2-5 ans

Weingut Bründlmayer (Kabinett) • *Juris-Stiegelmar* (Classic) • *H. V. Reinisch* • *Andreas Schafler* • *Weingut Gottfried Schellmann* • *Weingut Tement*

FRÜHROTER VELTLINER

Blanc Parfois connu sous le nom de Malvasia, ce vin sec a plus d'alcool et de corps que le Grüner Veltliner, le vin blanc le plus prolixe d'Autriche.

1-2 ans

Weingut Leth

FURMINT

Blanc. Cépage hongrois donnant des vins rarement rencontrés, secs, d'assez étoffés à pleins, riches et fruités, qui réussissent bien à Rust, dans le Burgenland.

3-5 ans

Weinbau Ladislaus und Robert Wenzel

GEWÜRZTRAMINER

Blanc Le plus souvent appelés « Traminer » ou « Rote Traminer », les vins issus de ce cépage peuvent être légers, d'arôme floral, ou intensément aromatiques, et de sec à liquoreux. Ce sont les plus pleins, les plus riches et les plus nerveux des Trockenbeerenauslesen.

3-6 ans

Weingut Rheinbold Polz • *Andreas Schaefler* (traminer)

GOLDBURGER

Blanc Il s'agit d'un croisement de welschriesling et d'orangetraube donnant des vins d'assemblage.

1-3 ans

GRÜNER VELTLINER

Blanc Les rives du Danube produisent les meilleurs vins de grüner veltliner, dont les arômes embrasent, rappelant le poivre fraîchement moulu. Il ne s'agit pas là des vins ordinaires issus de ce cépage presque partout ailleurs en Autriche.

1-4 ans (Qualitätswein)
3-10 ans (Prädikatswein)

Weingut Bründlmayer (Langenloiser Berg Vogelsang Kabinett, Ried Lamm, Spätlese Trocken) • *Freie Weingärtner Wachau* (Weissenkirchner Achleiten 'Smaragd') • *Graf Hardegg* (Dreikreuzen Kabinett, Maximilian Kabinett) • *Weingut Hirtzberger* (Rotes Tor 'Smaragd', Spitzer Honifogl) • *Lenz Moser* (Knights of Malta) • *Weingut Mantlerhhof* (notamment pour les millésimes anciens) • *Metternich-Sandor* (Princess) • *Weingut Franz Prager* • *Weingut Wieninger* (Ried Herrenholz)

JUBLINÄUMSREBE

Blanc Cet autre croisement *blauer portugieser x blaufränkisch* n'a droit qu'aux appellations de Prädikatswein, sa douceur naturelle étant transformée par la pourriture noble.

3-7 ans

MERLOT

Rouge On en cultive par petites quantités à Krems, Mailberg et Furth en Basse-Autriche, et quelques parcelles éparpillées dans le Burgenland. Ce cépage a de l'avenir en Autriche, car il peut donner des vins richement colorés, aux arômes épicés de fruits blancs, mais, jusqu'à tout récemment, il est demeuré sous-exploité.

1-3 ans (Qualitätswein)
3-5 ans (Prädikatswein)

Hofkellerei des Fürsten von Liechtenstein (Herrenbaumgärtner Spätlese)

MÜLLER-THURGAU

Blanc Souvent appelé *riesling x silvaner*, le müller-thurgau est le raisin le plus prolifique d'Autriche après le grüner veltliner. Les exportateurs autrichiens devraient reconnaître la valeur de ce croisement pour enrichir les vins de grüner veltliner, dont la plupart manquent de cette acidité et d'une certaine profondeur de fruit, le goût, en dehors de l'Autriche, étant aux vins moins poivrés et plus fruités. Les meilleurs vins autrichiens de müller-thurgau expriment une finesse épicée que l'on ne trouve pas en moyenne chez leurs homologues allemands.

1-2 ans

Weingut Hirtzberger • *Weingut Schützenhof Fam. Korper*

MUSKATELLER

Blanc Le muskateller est un cépage sous-exploité donnant parmi les vins les plus fins d'appellation Prädikatswein et qui réussit très bien dans les vignobles abrités de Styrie.

1-3 ans (Qualitätswein)
2-10 ans (Prädikatswein)

Weingut Leth • *Weinhof Platzer* • *Weinbau Ladislaus und Robert Wenzel*

MUSCAT-OTTONEL

Blanc Moins étoffés que les vins de muskateller, ceux qui son tirés de ce cépage offrent une séduction aromatique plus immédiate et doivent se boire jeunes.

2-4 ans

Willi Opitz

NEUBURGER

Blanc Cette variété autrichienne, qui réussit dans les sols crayeux, donne des vins pleins à l'arôme caractéristique de fruits secs, dans toute la gamme du moelleux.

2-4 ans (Qualitätswein)
3-8 ans (Prädikatswein)

Dip.-Ing. Kasl Alpart • *H. V. Reinisch*

PINOT BLANC

Blanc Souvent dénommé klevner ou weisser burgunder, cette variété donne des vins ordinaires frais, légers et gouleyants. Les grandes années, les meilleurs dans la catégorie Prädikatswein expriment une richesse épicée.

2-4 ans (Qualitätswein)
3-8 ans (Prädikatswein)

Weingut Skoff (Kabinett)

PINOT GRIS

Blanc Ces vins, vendus le plus souvent sous les noms de Ruländer ou Grauer Burgunder, sont les versions plus étoffées et épicées des pinots blancs, avec une richesse de fruits secs caractéristique.

2-4 ans (Qualitätswein)
3-8 ans (Prädikatswein)

Weingut Tement

PINOT NOIR

Rouge Vendus sous les noms de Blauer Burgunder, Blauer Spätburgunder ou Blauburgunder, les vins issus de ce cépage sont souvent décevants, malgré quelques excellents vignerons.

1-3 ans

Weingut Bründlmayer • *Johann Gipsberg* • *Juris-Stiegelmar* • *H. V. Reinisch*

RIESLING

Blanc en Autriche, les vins tirés de ce cépage doivent porter les dénominations Weisser Riesling ou Rheinriesling pour les distinguer des Welschrieslings. Les rieslings de Wachau et de Kremser supportent la comparaison avec leurs homologues allemands.

2-6 ans (Qualitätswein)
4-12 ans (Prädikatswein)

Weingut Bründlmayer (Spätlese) • *Freie Weingärtner Wachau* (Weissenkirchner Achleiten 'Federspiel' et 'Smaragd') • *Weingut Hirtzberger* (Spitzer Steinterrassen 'Federspiel') • *Hofkellerei des Fürsten von Liechtenstein* (Spätlese) • *Weingut Thiery-Weber* (Kremser Sandgrube)

ROTER VELTLINER

Blanc Le roter veltliner produit un vin assez neutre le plus souvent mélangé pour donner un blanc sec léger.

1-3 ans

ROTGIPFLER

Blanc Les vins obtenus rappellent un peu les Zirfandlers; ils sont robustes, pleins et épicés, en général secs, bien que le demi-sec de Gumpoldskirchen soit sans doute le meilleur exemple de ce cépage.

3-7 ans

Weinbau Franz Kurz • *Weingut Hoffer* • *Weingut Gottfried Schellmann*

SAINT-LAURENT

Rouge Ce cépage est typique de ceux qui donnent des vins légers, parfumés et gouleyants; on le dit apparenté au pinot noir. Depuis 1990, il faut souligner que des producteurs tels que Weingut Umathum en Neusiedler See-Hügelland et Weingut Gesselmann en Mittelburgenland savent élaborer des vins délicieux et veloutés de la qualité et dans le style de pinots noirs.

1-3 ans

Weingut Gesselmann • *Johann Gipsberg* • *Weingut Umathum* (Vom Stein)

SAUVIGNON BLANC

Blanc Également appelé muscat-silvaner (et parfois weisser sauvignon), ce cépage de Styrie donne en principe un vin sec austère, mais aussi, aux plus hauts niveaux de la catégorie Prädikatswein, des vins remarquables.

2-4 ans (Qualitätswein)
4-10 ans (Prädikatswein)

Weingut Fam. Kollwentz (Römerhof) • *Weingut Rheinhold Polz* • *Weingut Skoff* (Gamlitz Eckberg Edel Kabinett) • *Weingut Tement*

SCHEUREBE

Blanc Les vins de ce cépage ne réussissent pas très bien dans la catégorie Qualitätswein, mais expriment un caractère magnifiquement aromatique aux plus hauts niveaux de la catégorie Prädikatswein.

2-4 ans

Weingut Gessellmann • *Willi Opitz*

SILVANER

Blanc Vins rarement vus, à l'arôme de tomate.

1-2 ans

Weingut Sonnhof Josef Jurtschitsch

WELSCHRIESLING

Blanc Le troisième cépage le plus prolifique d'Autriche donne des vins secs très ordinaires, mais qui peuvent être riches et distingués aux plus hauts niveaux de la catégorie Prädikatswein.

1-3 ans (Qualitätswein)
2-8 ans (Prädikatswein)

Weingut Bründlmayer • *Willi Opitz* • *Weinhof Platzer* • *Weingut Tement*

ZIERFANDLER

Blanc Aussi appelée « spätrot », cette variété donne des vins secs pleins et aromatiques.

2-6 ans

Weinbau Franz Kurz • *Weingut Hoffer* • *Weingut Gottfried Schellmann*

ZWEIGELT

Rouge Cet autre cépage doux à vin rouge s'appelle parfois blauer zweigelt ou rotburger. Les meilleurs, au fruité poivré puissant, possèdent une structure convenant à la gastronomie, mais, d'ordinaire, les vins sont plutôt légers et plats.

1-3 ans

Johann Gipsberg • *Weingut Walter Glatzer* (Dornenvoge) • *Weingut Maria Magdalena Romer* (Schweizerreid)

AUTRES STYLES

ASSEMBLAGES EN ROUGE

Les plus fins de ces assemblages vieillissent en général en fûts de chêne neuf. C'est le cabernet-sauvignon qui les structure, auquel le blaufrankish, le saint-laurent et, parfois, le zweigelt, apportent douceur et fruité.

2-8 ans

Weingut Gessellmann (Opus Eximium) • *Weingut Igler* (Cuvée Vulcano) • *Weingut Josef Pöckl* (Admiral) • *H. V. Reinisch* (Cabernet-Merlot) • *Schlossweingut Malteser Ritterorden* (cabernet-sauvignon merlot) • Weingut Umathum (Ried Hallebühl Cuvée Rot)

ASSEMBLAGES EN BLANC

On trouve beaucoup d'assemblages en blanc bon marché en Autriche, tandis que les plus fins sont rares. Franz Mayer propose un intriguant assemblage de grüner veltliner, müller-thurgau, riesling, silvaner et zierfandler.

Weingut Franz Mayer (Grinzinger Reisenberg)

PÉTILLANT

Le pétillant fermenté en bouteilles le plus connu en Autriche est le Schlumberge, élaboré à Vienne. Malheureusement, il se distingue rarement par ses qualités. Un petit vigneron du Süd-Oststeiermark fait le meilleur pétillant autrichien qu'il m'ait été donné de goûter.

Weinhof Platzer (Pinot Cuvée)

LES APPELLATIONS D'

AUTRICHE

BURGENLAND

La région vinicole d'Autriche la plus orientale est la plus chaude, produisant très régulièrement des raisins surmûris, qui garantissent presque tous les ans un certain volume de *Prädikatswein*. Le Mittelburgenland et le Südburgenland sont voués à la production de vin rouge, les raisins noirs comptant pour 75% de l'encépagement.

NEUSIEDLER SEE (LAC DE NEUSIEDLER)

Ces vignobles, comme ceux de Neusiedler See-Hügelland, poussent sous l'influence du lac de Neusiedler. Ce microclimat donne plus de grappes à pourriture noble que partout ailleurs dans le monde.

Localités : *Apetlon* • *Illmitz* • *Podersdorf*
Producteurs : *Juris-Stiegelmar* • *Alois Kracher* • *Willi Opitz* • *Weingut Josef Pöckl* • *Weingut Umathum*

NEUSIEDLER SEE-HÜGELLAND

Voir Neusiedler See

Localités : *Donnerskirchen* • *Rust*
Producteurs : *Feiler-Artinger* • *Weingut Fam. Kollwentz* (Römerhof) • *Weinbau Ladislaus und Robert Wenzel*

MITTELBURGENLAND

Le Mittelburgenland, qui faisait à l'origine partie de l'ancienne province de Rust-Neusiedler See, est géographiquement séparé du Neusiedler See par la région vinicole hongroise de Sopron. Ces vins tiennent davantage leur caractère du passerillage que de la pourriture noble. Région à vin rouge, 75% de la production provient de cépages tels que le blaufränkisch et le zweigelt.

Les vins n'offrent ni le corps, ni cet équilibre entre tanins et acidité que présentent même les plus modestes des vins rouges.

✓ **Localités** : *Deutschkreuz* • *Horitschon*
Producteurs : *Weingut Gesellmann* • *Weingut Fam. Igler*

SÜDBURGENLAND

Vins rouges surtout issus de blaufränkisch, sans grandes qualités. On trouve aussi des vins de catégorie Prädikatswein d'une finesse surprenante, issus du modeste welschriesling.

✓ **Localités** : *Deutsch Schützen* • *Eisenberg* • *Rechnitz*
Producteurs : *Weingut Schützenhof Fam. Korper* • *Weingut H. und M. Krutzler*

KÄRNTEN (CARINTHIE)

Les vins de Carinthie sont produits dans une aire délimitée située immédiatement au sud-ouest de la Styrie, comprenant quelques vignobles disséminés entre Klagenfurt et St-Andrä (non le St-Andrä de Styrie du Sud). On trouve des vins blancs, rouges, du Schilcher et du Bergwein, tous de qualité très modeste, commercialisés par une ou deux petites sociétés.

NIEDERÖSTERREICH (BASSE-AUTRICHE)

Première région de vins secs d'Autriche, réputée pour ses grüner veltliner poivrés et ses rieslings élégants. Ces derniers, légers et aériens dans leur jeunesse, acquièrent de la richesse après quelques années de bouteille et un équilibre racé digne des meilleurs rieslings allemands. Le style dominant de ces vins classiques est le Kabinett ; on produit les années les plus chaudes des Spätlese, parfois même des Auslese.

WACHAU

Wachau est, avec Kamtal-Donauland, l'aire vinicole la plus performante de Basse-Autriche. On y produit des vins fins, notamment des grüner veltliner, les plus nombreux, et des rieslings, les meilleurs.

✓ **Localités** : *Durnstein* • *Loiben* • *Spitz*
Producteurs : *Weingut Hirtzberger* • *Weingut Franz Prager* • *Freie Weingärtner Wachau*

KAMTAL-DONAULAND

On y élabore de meilleurs rieslings encore qu'à Wachau.

✓ **Localités** : *Krems* • *Lanngenlois* • *Strass*
Producteurs : *Weingut Bründlmayer* • *Graf Hardegg* • *Weingut Sonnhof Josef Jurtschitsch* • *Weingut Mantlerhhof* • *Metternich-Sandor* • *Weingut Thiery-Weber*

DONAULAND-CARNUNTUM

Aire viticole plus importante par son histoire que par la qualité réelle de ses vins, intéressants mais n'atteignant pas à l'excellence. La réputation de ces vignobles remonte à l'époque romaine, et le Donauland-Carnuntum peut se targuer d'avoir possédé le premier collège viticole, à Klosterneuburg. À Göttelsbrunn, une vigne de brauner veltliner de deux siècles, sans doute la plus vieille d'Europe, produit encore 5 hl (55 caisses) les bonnes années.

✓ **Localités** : *Göttelsbrunn* • *Kirchberg* • *Klosterneuburg*
Producteurs : *Weingut Leth* • *Weingut Fam. Pittnauer* • *Weingut Neumayer*

WEINVIERTEL

Cette aire vaste comprend les deux anciens districts de Retz, au nord du Donauland-Carnuntum, et de Falkenstein, au nord de Vienne, à la frontière de la République tchèque. On y élabore surtout du vin blanc, et du rouge. Peu atteignent à l'excellence, mais ils sont bien faits, se laissent boire et représentent un excellent rapport qualité-prix.

✓ **Localités** : *Falkenstein* • *Mailberg* • *Retz*
Producteurs : *Hofkellerei des Fürsten von Liechtenstein* • *Lenz Moser* • *Schlossweingut* • *Malteser Ritterorden*

THERMENREGION

Il s'agit d'une des régions d'Autriche les plus chaudes, qui produit des vins rouges et des vins blancs issus des cépages dominants blauer portugieser et neuburger. Les vins de zierfandler et de rotgipfler sont des spécialités de Gumpoldskirchen.

✓ **Localités** : *Bad Vöslau* • *Gumpoldskirchen*
Producteurs : *Dip.-Ing. Kasl Alpart* • *Johann Gipsberg* • *Weingut Hoffer* • *H. V. Reinisch* • *Andreas Schafler* • *Weingut Gottfried Schellmann*

OBERÖSTERREICH (HAUTE-AUTRICHE)

Cette vaste province, qui s'étend à l'ouest de la Haute-Autriche, ne compte que 85 ha seulement de vignes situées au voisinage de Linz. À ma connaissance, tous ces vins sont vendus sous la marque « Weinbauer » dans une *gasthof* de Hofkirchen.

STEIERMARK (STYRIE)

Occupant le sud-est de l'Autriche, la Styrie connaît des périodes de précipitations abondantes entrecoupées de périodes de grand ensoleillement et de fortes chaleurs. On y produit des vins rouges et des blancs très secs ; peu sont d'une grande qualité, mais il existe de nombreuses spécialités locales intéressantes, la plus célèbre étant le Schilcherwein, issu de l'obscur blauer wildbacher, sorte de petit rosé résultant d'une très brève macération des peaux. On distingue en Styrie trois régions vinicoles.

SÜDSTEIERMARK

Les meilleurs vins présentent une forte acidité naturelle caractéristique de la Styrie, mais alliée à des arômes de fruits purs et délicats, donnant des vins d'une finesse exceptionnelle, notamment en gewurztraminer, chardonnay (appelé ici « morillon ») et riesling.

✓ **Localités** : *Gamlitz* • *Leibnitz* • *Leutschach*
Producteurs : *Weingut Muster* • *Weingut Rheinhold Polz* • *Weingut Skoff* • *Weingut Tement*

WESTSTEIERMARK

Élaboré avec quelque 70 % de Schilcherwein, le Zwiebelschilcher est un rosé pelure d'oignon provenant des pentes dominant Stainz. Une autre spécialité est le sauvignon blanc, appelé localement muscat-silvaner, un synonyme prêtant à confusion car les vins extrêmement secs produits par ces vignes ne rappellent en rien ni le muscat ni le sylvaner, et le sauvignon blanc n'a évidemment aucun rapport avec ces deux cépages.

✓ **Localités** : *Stainz*
Producteurs : *E. & M. Müller*

SÜD-OSTSTEIERMARK

Le welschriesling et le müller-thurgau réussissent étonnamment bien dans cette région, et le gewurztraminer peut être le plus expressif d'Autriche. La maison de grande tradition Weingut Gräflich Stügkh'sches est de renommée ancienne, mais les vins de Manfred Platzer sont plus expressifs.

✓ **Localités** : *Kloch*
Producteurs : *Weinhof Platzer*

VIENNE

Jusqu'à ce que Madrid ressuscite son ancienne appellation, Vienne était la seule capitale d'Europe à détenir un vignoble. Ce vin se consomme surtout en pichet à moins d'un an, sous le nom de Wiener Heuriger, dans les nombreux bars de la ville, les Heuriger ou Buschenschanken. Les assemblages comptent pour 28 % de la production, mais on fait de plus en plus de vins de cépages classiques.
Il n'existe pas de districts distincts, mais des localités vinicoles dépendant de Vienne, dont la plus célèbre est Grinzing.

✓ **Producteurs** : *Weingut Franz Mayer* • *Weingut Wieninger*

TYROL

Le domaine Zirler Weinhof produit à Zirl quelque 135 hl (1 500 caisses) de vin très ordinaire sur seulement 1,5 ha de müller-thurgau, blauer portugieser et zweigelt. Il semblerait assez incongru de cultiver la vigne au Tyrol, n'était la station touristique de Seefeld, située fort à propos sur la route du vignoble.

VORARLBERG

Le Vorarlberg est la région la plus occidentale d'Autriche. Elle pouvait s'enorgueillir de posséder quelque 100 ha de vignes, mais il n'en existe plus que 6 ha, étirés entre Bregenz, sur le lac de Constance, et Frastanz, près du Liechtenstein. La qualité du vin est des plus ordinaire, et seule une demi-douzaine de vignerons vendent leur production.

✧ LE SUD-EST DE L'EUROPE ✧

Les vignobles du Sud-Est de l'Europe s'étendent de Bohême en République tchèque, non loin de la frontière allemande, jusqu'au littoral du Kazakhstan sur la mer Caspienne. Cet ensemble produit autant de styles de vins qu'il compte de régions vinicoles, et les méthodes employées y vont des plus rustiques aux plus modernes.

Cette partie du monde a été le théâtre de tant d'événements depuis la première édition de cette encyclopédie il y a dix ans qu'on serait presque tenté d'oublier l'état de l'Europe d'alors.

Les enjeux restent tels qu'il paraît encore hasardeux de tabler sur des frontières internationales définitives, et à plus forte raison de juger de la situation vinicole dans certains pays. On peut craindre que l'avenir ne soit pas aussi rassurant que certains observateurs ne veulent le croire. S'il y a lieu de garder un bel optimisme sur les vins du Sud-Est de l'Europe et sur le formidable potentiel qu'ils représentent, ces ressources ne pourront être pleinement exploitées avant longtemps. Si l'ancienne Allemagne de l'Est a besoin de vingt ans pour se hisser au niveau des normes occidentales grâce aux 110 milliards de dollars que l'Allemagne fédérale lui octroie chaque année, combien de temps faudra-t-il aux anciens pays d'Europe de l'Est, y compris la Russie, pour réaliser les mêmes performances?

À l'exception du matériel fourni ici ou là par les « vinificateurs volants » et de quelques « vitrines » (essentiellement situées en Hongrie et en Bulgarie), la viniculture de cette partie de l'Europe emploie des moyens si frustes que tout y est à reconstruire. La vigne doit être encépagée avec les clones et les plants adéquats; quant au transport des grappes, il prend beaucoup trop de temps et utilise bien souvent d'énormes bennes rouillées au lieu de petites caisses de plastique, aussi ces récoltes massives sont loin d'offrir le vin qu'on pourrait en escompter, et le raisin qui présenterait la qualité suffisante est en partie jeté aussitôt que vendangé. Équiper les chais existants serait gaspiller l'argent : il faut voir plus loin. S'il existe incontestablement au Sud-Est de l'Europe des vins de qualité, et certains d'exception, on ne doit pas être conduit à penser que cette partie du monde deviendra une autre Australie. Les investissements nécessaires seraient colossaux, et le vin n'est certes pas pour ces pays sur la liste des priorités.

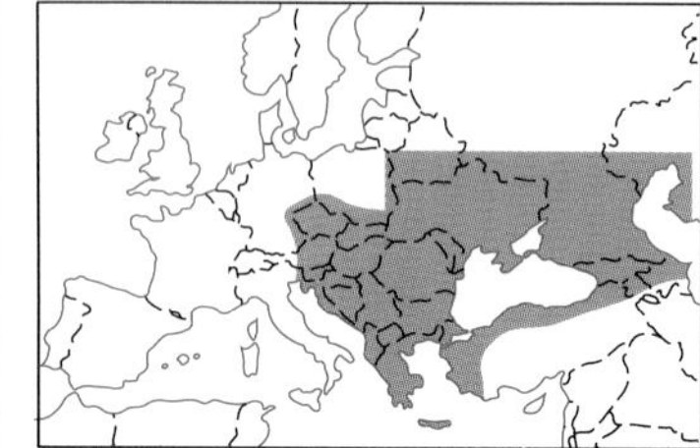

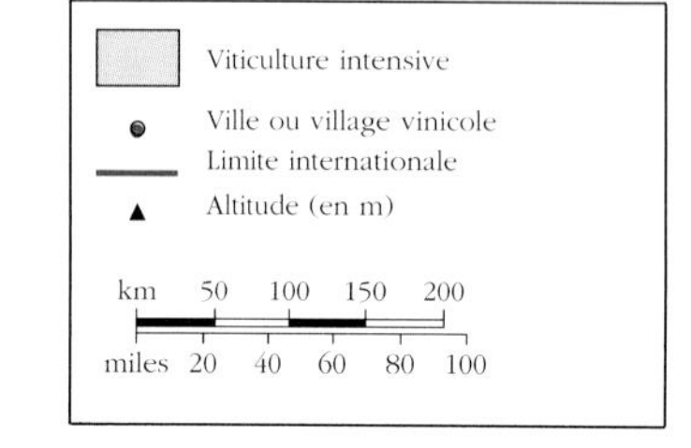

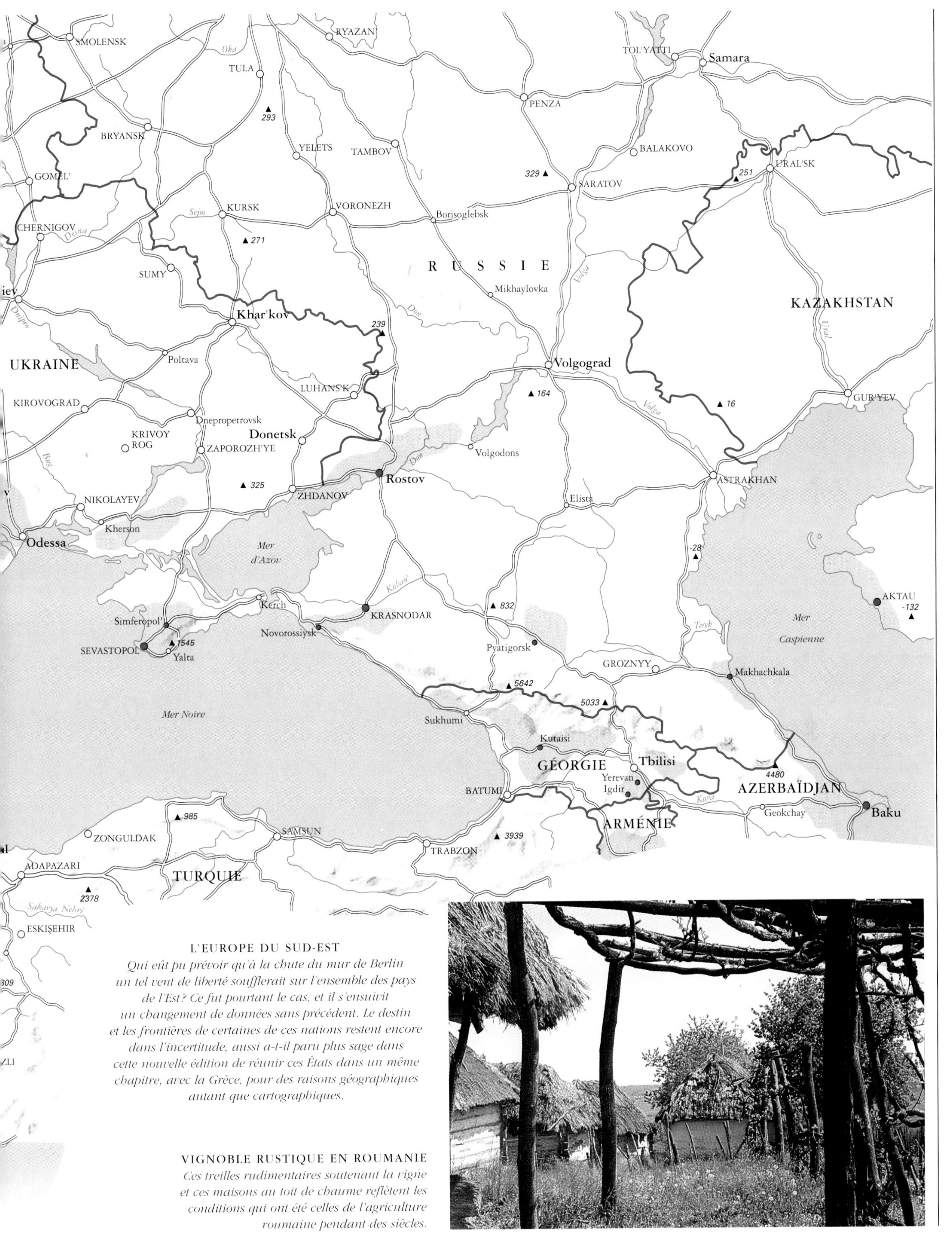

L'EUROPE DU SUD-EST

Qui eût pu prévoir qu'à la chute du mur de Berlin un tel vent de liberté soufflerait sur l'ensemble des pays de l'Est? Ce fut pourtant le cas, et il s'ensuivit un changement de données sans précédent. Le destin et les frontières de certaines de ces nations restent encore dans l'incertitude, aussi a-t-il paru plus sage dans cette nouvelle édition de réunir ces États dans un même chapitre, avec la Grèce, pour des raisons géographiques autant que cartographiques.

VIGNOBLE RUSTIQUE EN ROUMANIE

Ces treilles rudimentaires soutenant la vigne et ces maisons au toit de chaume reflètent les conditions qui ont été celles de l'agriculture roumaine pendant des siècles.

LA BULGARIE

La Bulgarie fut il y a peu l'un des producteurs de vins les plus sérieux d'Europe du Sud-Est, dont le cabernet-sauvignon bon marché était apprécié dès 1975, mais ce pays ne représente plus la source principale de vins intéressants et ses lauriers risquent de se faner. La privatisation de la viticulture a néanmoins permis une grande extension du vignoble et, si les assemblages n'offrent plus les produits fiables de naguère, les meilleurs vins se sont personnalisés.

LA CUVERIE DE SLIVEN
Les immenses cuves d'acier inoxydables de Sliven en Bulgarie produisent l'un des merlots les moins chers du monde.

Les Bulgares cultivent la vigne depuis plus de trois millénaires, mais l'Empire ottoman a donné un coup d'arrêt à cette activité en imposant la loi musulmane de 1396 à 1878. Il fallut attendre 1918 pour que la viniculture bulgare reprenne son essor, et 1975 pour que le pays s'efforce de commercialiser ses vins. Au milieu des années 1970, le cabernet-sauvignon fut à l'honneur; en même temps, la dépression qui atteignait les pays occidentaux conduisit les consommateurs à rechercher des vins plus accessibles que les bordeaux.

VINS D'EXPORTATION

Le cabernet-sauvignon bulgare de la région de Suhindol n'était pas seulement bon marché en 1975, il était aussi remarquablement fait, d'une robe profonde, étoffé, fruité, à l'arôme variétal de cassis et une note boisée en finale. Aiguillonnée par ce succès, la Bulgarie devint bientôt le quatrième pays exportateur de vins dans le monde, et les subventions d'État maintenaient des prix de vente intéressants.

MELNIK
Au sud-ouest de la Bulgarie, ces vignes dominent la ville de Melnik et donnent au loin sur les monts Pirin.

Pendant bien des années, les vins bulgares restèrent fiables et attractifs, mais la réforme de Mikhaïl Gorbatchev sur les alcools au milieu des années 1980 aboutit à l'arrachage de nombreuses vignes, et la qualité du vin s'en ressentit. Le second élément négatif fut paradoxalement la démocratisation; en ouvrant la voie à la privatisation, ce tournant politique priva les grands domaines vinicoles d'État de leurs meilleures sources d'approvisionnement en raisins. Il en résulta une situation bâtarde, où certains domaines étaient complètement privatisés, tandis que la plupart conservaient le statut de coopératives. Ainsi, de nombreux exploitants privés ont mis leur production (leurs raisins pour l'instant, mais certainement leurs vins dans l'avenir) sur le marché pour la première fois. En 1991, le domaine Boyar de Sofia devint la première société vinicole privée à s'établir en Bulgarie depuis 1947, ce qui lui donnait une large avance sur ses concurrentes en matière d'approvisionnement grâce aux liens créés avec dix des meilleurs producteurs du pays : Domaine Sakar Lubimetzm, LKV Targovischte, Lovico Suhindol, Menada Stara Zagora, Vincom Burgas, Vinex Preslav, Vinex Slaviantzi, Vinis Iambol, Vinprom Pomorie et Vinzavod Assenovgrad.

Il existe bien sûr d'autres bons producteurs en Bulgarie et, bien que l'on trouve beaucoup plus de vins frustes qu'auparavant et que la maîtrise du chêne laisse fortement à désirer dans quelques cuveries, de nets progrès ont aussi été accomplis. L'apparition de cabernets et de merlots jeunes à la demande d'une marque de grande surface britannique a montré ce que ces vins pouvaient donner grâce à une mise en bouteilles effectuée avant que le fruité dans sa toute première et merveilleuse fraîcheur ne se perde en cuve. Toutefois, pour les inconditionnels du chêne, il existe aussi d'excellents vins de réserve. Quant au vin blanc, de grands bonds ont été réalisés dans son élaboration grâce aux experts australiens. Ainsi l'avenir semble sourire à la Bulgarie, et l'époque où ce pays était exclusivement voué au vin rouge paraît révolue.

LES APPELLATIONS DE

BULGARIE

Les vins bulgares de qualité se classent en deux catégories : vins d'origine géographique déclarée (OGD), recouvrant les appellations sous-régionales, de district, de ville ou de village, et vins Controliran, de qualité supérieure, qui doivent être issus des cépages autorisés dans certaines aires OGD.

RÉGION NORD (DUNAVSKA RAUNINA)

Régions OGD : *Pleven, Vidin (et les sous-régions de Dunavski, Mizia, Novosleski, Rabishki, Vidinski)*
Districts OGD : *Aleksandrovo, Bjala, Bjala Cerkva, Bjala Slatina, Dimca, Dve Mogili, Dolni Dâbnik, Elena, Kamen, Komarevo, Krivodol, Levski, Lom, Magura, Mihajlovgrad, Nikopol, Orahovo, Polski Trâmbes, Resen, Rupci, Sevlievo, Strakika, Trojan, Varbovka, Vraca*
Controliran : *Lyaskovetz, Lositza, Novo Selo, Pavlikeni, Russe, Suhindol, Svichtov*

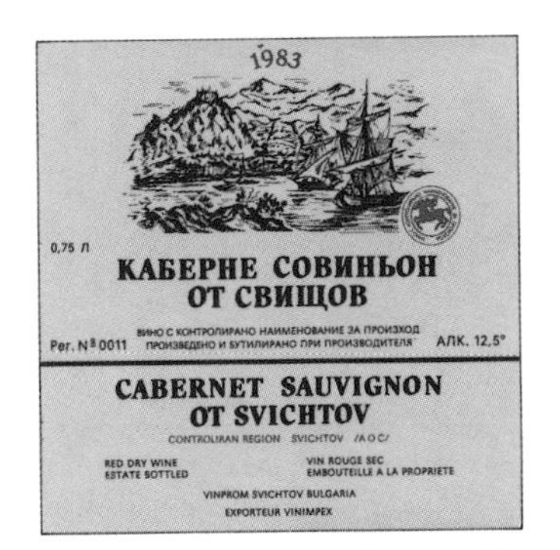

Cette région, qui couvre 35% du vignoble bulgare, rassemble deux OGD sous-régionales. La réputation de Suhindol s'est fondée sur l'énorme succès de son cabernet-sauvignon, mais deux autres vins de la même aire de production valent la peine d'être goûtés : le gamza, fruité et boisé, de catégorie Controliran, et un intéressant assemblage merlot-gamza, de niveau égal, mais qui n'a droit qu'à l'appellation OGD. Le cabernet-sauvignon de Svichtov est si riche qu'il gagnerait à renforcer des cabernets de qualité nférieur. Russe (ou Rousse, ou encore Ruse) a produit des rouges délicieusement fruités, prétendûment « sans cuvaison » et, sous la direction du vinificateur Kym Milne, Lyaskovetz élabore des assemblages de blancs avantageux et faciles à boire. Russe produit un sauvignon blanc appelé Début Fumé, incroyablement bon marché et se laissant boire.

cabernet sauvignon, chardonnay, gamza, gamay, muscat ottonel, pinot noir, misket rouge, katsiteli, sauvignon blanc, traminer, vrachanski misket

RÉGION SUD (THRAKIISKA NIZINA)

Régions OGD : *Cirpan/Chirpan, Dolinata na Maritza, Haskovo, Iambol, Pazardzik, Plovdiv, Stara Zagora, Strandja*
Villages OGD : *Blatec, Brestovica, Brezovo, Dalboki, Elhovo, Gavrilovo, Granit, Kalugerovo, Korten, Liubimec, Nova Zagora, Perustika, Septemvri, Sivacevo, Svoboda, Vetren, Vinogradec, Zlatovrah*
Controliran : *Assenovgrad, Brestnik, Oriachovitza, Sakar, Stambolovo*

Cette région représente 22% du vignoble bulgare et comprend huit OGD. La cave d'Assenovgrad est à juste titre renommée pour son mavrud à robe sombre, sec, au fruité épicé de prune, pouvant se garder dix ans ou plus. On élabore à Plovdiv un cabernet-sauvignon ferme et fin, à l'arôme de cassis, de même que dans le district de Stara Zagora, où un superbe cabernet-sauvignon-merlot Controliran est vinifié à Oriachovitza ; la Réserve cabernet-sauvignon de cette même cave est d'une grande distinction. Du secteur de Strandja émerge le cabernet de Sakar, un des tout premiers vins à réussir une percée à l'exportation, mais c'est le merlot qui a droit à l'appellation Controliran. À l'est de Stara Zagora, Iambol (ou Jambol) vinifie une Réserve cabernet-sauvignon très riche, où le chêne dévoile parfois des notes épicées et caramélisées complexes ; tout à fait à l'est, Elhovo est résolu à produire un cabernet beaucoup plus abordable, à l'arôme prononcé de noix de coco, qui devrait convenir aux amateurs de chêne soucieux de leurs deniers. Le merlot de Stambolovo est dans le même style.

aligoté, cabernet sauvignon, dimiat, gamay, mavrud, merlot, misket rouge, pamid, pinot noir, sauvignon blanc

RÉGION EST (TSCHERNOMORSKI RAION)

Régions OGD : *Burgas, Razgrad, Targovischte, Tolbuhin*
Villages OGD : *Ajtos, Bjala, Dragoevo, Euxinograd, Kabelskovo, Kavarna, Kamen Brjag, Kubrat, Medovetz, Pliska, Pomorie, Popovo, Preslav, Prosenik, Provadija, Sabla/Shabla, Silistra, Tutraken, Zarev Dol*
Controliran : *Jujen Briag (Côte du Midi), Khan Krum, Kralevo, Novi Pazar, Varna*

Cette région, qui couvre 30% du vignoble bulgare, rassemble quatre OGD. L'aire de Schumen est renommée de longue date pour ses vins blancs, notamment ceux de Khan Krum, mais ils n'ont atteint les normes internationales que récemment, grâce aux experts australiens. Des chardonnays appréciés proviennent de Novi Pazar et Preslav, qui élabore également des assemblages de chardonnay-sauvignon gouleyants. Khan Krum est encore réputé pour un riesling-dimiat frais et vigoureux. Le rosé Côte du Midi est un cabernet-sauvignon demi-sec de Burgas, secteur vinicole sous-estimé qui produit des « vins de pays » bon marché mais agréables.

aligoté, bolgar, cabernet sauvignon, chardonnay, dimiat, gewurztraminer (*syn.* traminer), misket rouge, pamid, rkatsiteli, riesling (*syn.* rheinriesling), sauvignon blanc, tamianka, ugni blanc, varneski misket, welschriesling (*syn.* riesling italien)

RÉGION SOUS-BALKANIQUE (PODBALANSKI RAION)

Régions OGD : *Sliven*
Villages OGD : *Banja, Cernica, Hissar, Karnobat, Kasanlak, Pâderovo, Straldza*
Controliran : *Karlovo, Rozova Dolina (Vallée des Roses), Slaviantzi, Sungurlare*

Cette région couvre 7% du vignoble et ne comprend qu'une seule OGD. Le misket Rozova Domina provient de l'aire de Karlovo et le misket Sungurlare de Slaviantzi. Ces deux vins offrent une robe légèrement dorée, des arômes floraux et musqués. Sliven élabore les merlots les plus avantageux au monde, auxquels du pinot noir ajoute la touche d'élégance qu'il faut à ces vins très gouleyants.

chardonnay, misket rouge, riesling, ugni blanc

RÉGION SUD-OUEST (JOLINAJA NA STRUMA)

Régions OGD : *Blagoevgrad, Kjustendil, Molina Dolina, Petric*
Villages OGD : *Bobosevo, Damjanica, Melnik, Sandanski*
Controliran : *Harsovo*

Cette région ne représente que 6% du vignoble bulgare et comprend quatre OGD. Son vin le plus renommé est le melnik, issu du shiroka melnishka loza (ou « grande vigne de Melnik »), abrégé en « melnik ». Ce vin est en général bien coloré, riche et chaleureux, tannique ou rond, selon la manière dont il est vinifié. Le melnik de Damianitza est très moelleux et riche.

cabernet sauvignon, chardonnay, melnik (*syn.* shiroka melnishka loza), tamianka

CUVES ROTATIVES
Dans les caves de Sliven, on évalue les performances des nouvelles cuves de fermentation rotatives.

LA HONGRIE

Dans la première édition de cette encyclopédie, j'écrivais que la Hongrie avait peu à offrir à l'amateur de vin en dehors du tokay. J'observais en même temps que ce pays présentait un énorme potentiel, dont témoignaient notamment les vins expérimentaux élaborés dans les stations de recherche (malgré les limites de la microvinification) et, depuis 1993, nous avons vu une partie de ce potentiel se réaliser.

ÉCHANTILLONNAGE DANS UNE CAVE DE TOKAY

Gyula Borsos, second maître de chai à Tolcsva, où j'ai pu goûter un essencia de 640 g/l de sucres résiduels. Poursuivant encore sa fermentation au bout de treize ans, il n'atteignait pas même 2 % de taux alcoométrique.

Lorsque le processus de démocratisation débuta en 1989, la Hongrie avait sur les autres pays de l'Est l'avantage d'avoir vécu l'expérience d'une économie mixte sous le régime socialiste, aussi la privatisation n'y provoqua pas la tourmente que ce fut ailleurs et attira sans attendre les capitaux étrangers.

L'INVESTISSEMENT DANS LE TOKAY

La première région à bénéficier de ces investissements fut le Tokay (Tokaj-Hegyalja), ce qui se comprend, car le grand vin liquoreux du même nom qu'elle produit est le seul vin de toute l'Europe de l'Est à s'être acquis une renommée de légende. L'afflux de capitaux fut tel que le gouvernement hongrois dut restreindre la part étrangère du vignoble à 10 %. Hugh Johnson et l'œnologue anglo-danois Peter Vinding-Diers, formé à l'école australienne, achetèrent la Royal Tokay Wine Company à Mád et 63 hectares de vignes. Il est intéressant de noter que ces parcelles n'ont jamais été une propriété d'État (tous les autres investisseurs ayant dû acquérir leurs vignes auprès de Borkombinat, le monopole d'État), et que près de 60 % d'entre elles sont classées (certaines depuis 1700), comprenant trois premiers crus (Nyulaszo, Szt Tamas et Betsek) et un deuxième cru (Birsalmas). À la suite de ce duo dynamique, d'autres professionnels sont venus s'établir, français pour la plupart, mais aussi un Espagnol. L'investisseur français le plus important est le groupe AXA (*voir* p. 60), dirigé par le redoutable Jean-Michel Cazes, qui a acquis 130 hectares de vignes et entièrement rénové les installations. Les autres investisseurs français, également des groupes d'assurances, sont le GMF (75 % de parts dans l'ancien domaine royale de Hétszölö, comprenant les caves et 36 hectares de vignes, maintenant replantées) et le Gam Audy (prise de contrôle des vignobles de Château Megyer et Pajzos, pour 140 hectares), tandis que les Espagnols ont investi dans Oremus Kft, détenant 37 hectares au-dessus de Tolcsva et plusieurs kilomètres de caves.

Le point commun qui réunit ces investisseurs est un changement de méthode dans la production du tokay. On prête ainsi aux Français l'intention d'en faire du sauternes, ce qui blesse l'amour-propre des Hongrois, et des critiques se demandent si le tokay « ne devrait pas légitimement demeurer un vin oxydatif comme le porto tawny ». Mais le tokay n'est pas simplement un vin oxydatif, il subit une oxydation naturelle. Les seuls éléments de comparaison sont les vins de voile, xérès et vin jaune (*voir* p. 367 et 223), mis dans des fûts en semi-vidange pour que se forme à leur surface un voile de levure, la *flor*, entretenu par ouillage, et qui leur donne leur style et leur caractère. Dans la vinification du tokay, rien ne justifie ce procédé, les levures mycodermiques oxydant naturellement le vin.

Le tokay nouvelle manière est d'une richesse de fruit étonnante, auquel la botrytisation apporte une complexité miraculeuse, et il faut rendre grâce à Johnson, Vinding-Diers, Cazes *et al.* pour avoir mené cette révolution. Peut-être maintenant peuvent-ils porter leur attention sur l'egri bikavér, le « sang-de-taureau », qui n'est ni un vin classique ni un vin fin, mais dont la réputation haute en couleur remonte à 1552. Le plaisir renouvelé de le boire ferait beaucoup pour le rayonnement vinicole de la Hongrie.

LE TOKAY IMPÉRIAL

Le plus prestigieux des vins hongrois est le tokay impérial, ou tokay *aszú essencia*, un nectar si prisé par les tsars de Russie qu'un détachement de cosaques avait pour mission d'escorter les convois du liquide précieux jusqu'aux caves impériales de Saint-Pétersbourg. Grâce à une longévité qui dépasserait trois siècles, il n'est pas étonnant qu'on ait considéré ce vin comme un élixir de jouvence. Jusqu'à la Seconde Guerre mondiale, les anciens négociants en vins Fukier de Varsovie détenaient trois cent vingt-huit bouteilles de tokay 1606, mais, à ma connaissance, aucune n'est apparue en enchères depuis 1945. Ce que l'on vend actuellement comme tokay *aszú* ou tokay *aszú essencia* n'a pas le même caractère, bien qu'il puisse s'agir de grands vins.

L'ÉLABORATION TRADITIONNELLE DU TOKAY

Comme tous les grands vins liquoreux, le tokay provient de raisins (furmint et hárslevelü) à demi desséchés, très concentrés, et atteints par le *Botrytis cinerea*, ou pourriture noble. Ces baies flétries, appelées *aszú* (prononcer « ossou »), sont laissés de six à huit

huit jours dans des petits cuvons de bois, les *puttonyos*, période pendant laquelle un jus extrêmement concentré se rassemble au fond du baquet : c'est l'essencia. Chaque *putton*, qui contient 25 kg d'*aszú*, ne donne que 0,2 litre d'*essencia* pur. Le reste du raisin est réduit en pâte et ajouté à une base de vin sec en fût de bois de 140 litres, le *gönc*. Ce vin de base se compose de furmint et d'hárslevelü non botrytisés (les vins Muskotály Aszú contiennent 100% de muskotály). Le *gönc* n'est pas rempli jusqu'au bord, l'espace de vidange ayant pour rôle de donner au tokay son caractère oxydatif. Le degré de moelleux dépend du nombre de *puttonyos* ajoutés au vin de base. L'*essencia* correspond actuellement à huit *puttonyos*.

Ce concentré retiré du *putton* est ce qui se rapproche le plus du breuvage mythique du passé. Il est si chargé en sucre qu'il lui faut des levures spéciales pour fermenter et, même dans ces conditions, il demande des dizaines d'années de bouteille pour atteindre seulement 5 ou 6% vol. d'alcool. J'ai eu la chance de goûter, dans la cave d'État de Tolcsva, du pur *essencia* qui fermentait depuis treize ans et n'avait pas même atteint 2% vol. d'alcool. Avec 640 g/l de sucre résiduel, il coulait comme de l'huile, exprimant un incroyable bouquet, qui s'épanouissait comme la rose du matin. N'étaient les 38 g/l d'acidité, on aurait cru boire un sirop. Cette liqueur était d'une douceur intense, franche, au goût de raisin prononcé.

La région du Tokay ne produit pas que des vins d'*aszú*. Le szamorodni, décliné en sec *(száraz)* et en moelleux *(édes)* est également un tokay de furmint et d'hárslevelü, mais le raisin est rarement botrytisé. Trois autres tokay de cépage, le Tokaji Furmint, le Tokaji Hárslevelü et le Tokaji Muskotályos se font également en *száraz* et en *édes*.

LE SANG-DE-TAUREAU ET AUTRES VINS HONGROIS

Le tokay n'est pas le seul vin de Hongrie sur lequel se soient penchés les œnologues étrangers. Ce pays a attiré une véritable escouade de vinificateurs volants : Nick Butler, Steve Donnelly, Lynette Hudson, Kym Milne, Hugh Ryman et Adrian Wing, tous ont apporté leur contribution, et, parmi ceux avec qui ils ont collaboré émergent les futures stars hongroises de la vinification, notamment Benjamin Bardos, Agi Dezsenyi, Marta Domokos, Akos Kamocsay et Sandor Nemes.

Situé entre Budapest et le Tokay, l'Eger est le berceau de la légende de l'egri bikavér, ou « sang-de-taureau de l'Eger ». Ce récit remonte à 1552, alors que la forteresse d'Eger, assiégée par les troupes ottomanes supérieures en nombre et conduites par Ali Pacha, était défendue pied à pied par István Dobó et ses Magyars. Ces derniers, disait-on, consommaient de grandes quantités du vin local et les Turcs, voyant les barbes de leurs farouches ennemis teintées de rouge, se seraient enfuis épouvantés, croyant que les Magyars buvaient du sang de taureau pour y puiser leur force. C'est ainsi que l'egri bikavér fut baptisé. Ce vin sans prétention, issu essentiellement du kadarka, est néanmoins robuste, de structure ferme et d'arôme puissant.

Depuis les années 1980, le sang-de-taureau s'est montré inégal, en qualité comme en caractère. La Hongrie ne pourra asseoir sa réputation sur l'ampleur et la profondeur de ses vins sans que le plus célèbre d'entre eux après le tokay ne retrouve, pour modeste qu'il soit, tout son niveau. L'egri leányka est un blanc demi-sec doré de la même région.

À l'ouest de l'Eger s'étend la région de Mátraalja où, à Gyöngyös, le vinificateur britannique Hugh Ryman, élevé à l'école australienne, a élaboré pour la première fois un excellent chardonnay hongrois, qui n'a cessé de s'améliorer. Après un nouveau saut qualitatif franchi en 1995, ce vin exprimait un délicieux arôme d'ananas. Mais le sauvignon donne encore du fil à retordre. Le muscat demi-sec, frais et floral, de Kiskunhalas, était encore il y a peu le seul vin à sortir du rang parmi les ternes olaszrizlings secs de la Grande Plaine, mais Kiskörös produit maintenant des blancs d'assemblages sans prétention, frais et vifs, gouleyants, au fruité de sorbet. La région d'Azar-Neszmély commence à se faire un nom grâce à des vins blancs presque donnés. La cave de Neszmély, d'école australienne, élabore un pinot gris riche aux nuances épicées. Au sud la région de Mór produit un gewurztraminer qui développe lentement ses arômes d'épices en bouteille, et un chardonnay débordant de fruits, avec un perle de gaz, tout aussi bon marché

Le potentiel du lac Balaton ne s'est guère concrétisé avant le début des années 1990, quand Kym Milne a commencé à élaborer un chardonnay très riche élevé en fût à la cave de Balatonboglár, sous le nom de Chapel Hill. À Pécs, on produit de l'olaszrisling demi-sec, et du nagyburgundi très parfumé, quoiqu'un peu lourd. Les meilleurs vins proviennent de Villány, notamment des kadarkas sombres et épicés, et des cabernet-sauvignon qui s'améliorent beaucoup dans l'ensemble, mais de qualité variable. Certains vignerons de Villány conduisent toujours leurs vignes sur un piquet et non sur fils de fer, ce qui demande quatre fois plus de travail et réduit le rendement à 15 ou 20 hectolitres par hectare, au lieu des 60 habituels. On suivra avec intérêt les vins de crus issus de ces cépages, lorsque les vignerons commenceront à élaborer et commercialiser les produits de leurs vignes.

À l'est du pays, le Sopron, qui mettait un peu trop l'accent sur des rouges légers de kékfrancos, devrait être à même de produire des vins fins; il y a quelques années, on a vu paraître de séduisants assemblages de cabernet-sauvignon et de cabernet franc aux arômes de framboise.

LE MONT BADACSONY

Des vignes plantées sur le volcan éteint du mont Badacsony dominent le lac Balaton, non loin de la cave de Balatonboglar, où le vinificateur volant Kym Milne (Master of Wine) a élaboré des vins exceptionnels sous la marque Chapel Hill.

LA ROUMANIE

Il y a, en Roumanie, un potentiel au moins aussi grand que dans d'autres pays vinicoles d'Europe de l'Est, et l'on y a produit, récemment, des vins de pinot noir dont la qualité a été reconnue.

Le véritable problème est l'inconstance des vins. Le pinot noir peut être très élégant, mais plus souvent assez rustique, voire franchement maladroit ou sale. L'apparition en 1993 d'un gewurztraminer de Transylvanie portant l'appellation Posta Romana aurait pu rivaliser avec certains vins d'Alsace, mais, alors qu'il n'y eut pas de millésime 1994, 1995 donna des demi-secs neutres de la qualité vin de table.

NOUVELLES VIGNES À DEALUL MARE
Une parcelle plantée de piquets attend ses nouvelles vignes à Dealul Mare en Munténie.

LES APPELLATIONS DE
ROUMANIE

BANAT

Aires vinicoles : *Minis, Recas-Tirol, Teremia*

La plaine sablonneuse de Teremia est surtout connue pour ses vins blancs agréables produits en grande quantité, tandis que les collines de Minis offrent d'excellents vins rouges bon marché issus de vignes plantées de cadarca, de pinot noir et de merlot sur des terrasses pierreuses. Les versants montagneux de Recas-Tirol produisent le Valea Lunga, un agréable rouge léger.

cabernet-sauvignon, cadarca, feteasca regala, merlot, mustoasa, pinot noir, riesling

DOBROUDJA

Aires vinicoles : **Murfatlar, Saricia-Niculitel**

Murfatlar est le centre vinicole le plus important et le plus ancien de la Dobroudja ; des vignobles bien organisés s'y étendent sur les collines proches de la mer Noire et une station expérimentale d'État a introduit de nombreux cépages classiques. La notoriété de la Dobroudja a reposé sur le prestige de vins trop vieux, oxydés et lourds, mais ils sont maintenant nets et bien équilibrés. Un gewurztraminer de vendange tardive délicieux et stylé en est un bon exemple.

cabernet-sauvignon, chardonnay, gewurztraminer, muscat ottonel, pinot gris, pinot noir, riesling

MOLDAVIE

Aires vinicoles : *Cotnari, Dealurile-Moldovei, Odobesti (subdivisions : Catchiest, Nicoresti), Tecuci-Galati*

Les vignobles d'Odobesti environnant le centre industriel de Focsani produisent une grande quantité de rouges et de blancs assez ordinaires. Il y a toutefois des exceptions : Cotesti, par exemple, est apprécié pour ses pinots noirs et ses merlots, tandis que Nicoresti est réputé pour son vin rouge coloré et épicé issu du babeaska. La célébrité des vignobles de Cotnari date du XVe siècle ; elle repose sur son vin de dessert qui n'est pas san rappeler le tokay, en moins complexe. Les collines de Visan et de Doi Peri surplombant la capitale Iasi bénificient d'un climat frais qui donne des cabernet-sauvignon vifs aux arômes végétaux.

babeaska, cabernet-sauvignon, feteasca alba, feteasca neagra, grasa, merlot, pinot noir, welschriesling

MUNTÉNIE

Aires vinicoles : *Dealul Mare (subdivision Pietroasele)*

La région de Dealul Mare est située au nord de Bucarest et s'étend sur les contreforts des Carpates orientés au sud-est. Les vignobles de Pietroasele, plantés en sol crayeux, bénéficient d'un microclimat convenant notamment à l'élaboration de vins blancs doux bien équilibrés par leur acidité. Le tamîioasa, ou frankincense, est une variété de muscat qui donne des vins dorés très expressifs, d'une douceur opulente. L'un des vins roumains les plus remarquables que j'ai goûtés était un magnifique rosé botrytisé dans le style *Edelbeerenlese*, issu du feteasca neagra habituellement terne.

babeasca neagra, cabernet-sauvignon, feteasca neagra, feteasca regala, galbena, merlot, pinot gris, pinot noir, riesling, tamîioasa

OLTÉNIE

Aires vinicoles : *Arges-Stefanesti, Ragasani, Drobeta-Turnu, Severin, Segarcea*

Dans la région de Dragasani, Simburesti produit les meilleurs vins rouges d'Olténie, notamment un rouge sec étoffé issu du feteasca neagra, et du cabernet-sauvignon. Sur la rive ouest de l'Olt, on trouve d'intéressants vins moelleux. Les vignobles d'Arges-Stefanesti, plantés près des rives de l'Arges, donnent surtout des vins blancs. Segarcea est une région de vin rouge ; le pinot noir est bon, mais n'a pas la réputation du cabernet-sauvignon.

cabernet-sauvignon, feteasca neagra, feteasca regala, muscat ottonel, pinot noir, riesling, sauvignon, tamîioasa

TRANSYLVANIE

Aires vinicoles : *Alba Iulia-Aiud, Bistrita-Asaud, Tirnave*

La Transylvanie est peut être la région vinicole de Roumanie la plus intéressante. La vivacité fruitée et la bonne acidité de ses vins blancs occupent une place entre l'Alsace et le Sud-Tyrol. Les vignobles escarpés de Tirnave produisent des vins blancs de qualité, d'une délicatesse qui rappelle bien le style germanique. Et il n'est pas surprenant que les Allemands installés dans cette région y aient acclimaté leurs cépages. Le feteasca local réussit également bien.

feteasca alba, feteasca regala, muscat ottonel, pinot gris, riesling, sauvignon blanc, traminer, welschriesling

LA GRÈCE

Enfin la Grèce s'est avisée de son retard sur presque tous les autres pays viticoles. Maintenant que la vinification ne laisse plus autant à désirer, les nouveaux producteurs élaborent des vins fins, fruités et nets, bien caractérisés.

C'est encourageant, bien sûr, mais, lorsque des amis allaient passer leurs vacances en Grèce et demandaient ce qu'il fallait boire, il était alors si facile de répondre : « N'ouvrez que les bouteilles qui portent sur l'étiquette "Boutaris", "Tsantalis" ou "Carras". Quant au retsina, versez-le dans les toilettes comme désinfectant à la résine de pin. » Les vins cités valent toujours la peine d'être bus, mais on trouve désormais de nombreuses caves commerciales d'avenir; c'est encore plus vrai des coopératives, naguère le fléau de l'industrie vinicole grecque, qui élaborent maintenant d'agréables vins nets. Quant au retsina, il désinfecte encore très bien.

LES VINS DE L'ANTIQUITÉ

Entre le XIIe siècle et le XIe siècle avant notre ère, bien avant que n'existe un seul de ces vignobles de renommée internationale, la viticulture grecque atteignait son apogée, formant, avec le blé et les olives, l'essentiel de son économie. Les vins classiques de la Grèce antique passaient assurément pour de grands vins. Les écrits d'Hippocrate, d'Homère, Platon, Pline, Virgile et de bien d'autres montrent que la viti-viniculture était très élaborée pour son époque. On plantait déjà les vignes en rangs parallèles bien espacés, et l'on pratiquait au moins six méthodes de conduite, selon le cépage, le type de sol et la force des vents.

Ce sont les Grecs qui ont transmis leur science aux Romains, et ces derniers ont implanté la viticulture en Gaule, en Germanie, et ailleurs dans l'empire. La culture du vin, qui occupait une place si vitale en Grèce antique, a décliné en même temps que cette civilisation, et ce commerce ne représente plus actuellement que quelque 2% du produit national brut.

LES VINS ACTUELS

Il y a dix ans, au moment de la première édition de cette encyclopédie, je rapportais un échange avec Yannis Boutaris, alors l'un des quelques producteurs décents du pays, à qui j'avais demandé pourquoi les vins Grecs étaient invariablement oxydés, madérisés ou simplement mauvais. Il me répondit en souriant que les Grecs aimaient les vins oxydés et que, si la plupart des producteurs commençaient à élaborer des vins frais et nets, ils ne pourraient les vendre sur le marché intérieur et devraient les exporter. Or, pour le consommateur étranger, le vin grec était soit du retsina soit n'importe quoi, et personne n'achèterait ces vins.

Il avait sans doute raison car, si les vins grecs se sont grandement améliorés ces dernières années, le marché de l'export n'a guère suivi. En Grèce même, la consommation a chuté, comme dans d'autres pays européens, les jeunes consommateurs refusant les vins oxydés dont leurs pères raffolent encore : ils boivent simplement moins, mais mieux. Dans ces conditions, la seule façon pour l'industrie vinicole grecque d'absorber l'afflux de nouveaux producteurs consistait à réduire sa production, qui, grâce aux subventions de l'UE pour l'arrachage de vignes, a diminué d'un tiers en dix ans.

C'est l'armateur milliardaire John Carras qui créa la première cave commerciale, avec l'ambition de faire le meilleur vin grec. Ce n'était pas trop difficile à l'époque, mais il s'agissait de faire retrouver tout son lustre à la viniculture du pays. John Carras fit bâtir la cuverie non loin de son luxueux complexe hôtelier de Sithonia, l'une des trois péninsules de Chalcidique, dans l'est de la Macédoine, qui s'avancent dans la mer Égée. Conseillé par Émile Peynaud, l'armateur entoura ses installations de 350 hectares de vignes, dont une large proportion de cépages bordelais. Lorsque l'œnologue remarqua que certaines collines n'avaient pas la bonne morphologie ou étaient mal situées, Carras rectifia son vignoble au bulldozer. Le premier millésime fut 1972, mais le vinificateur grec commit des erreurs et dut quitter son poste. Émile Peynaud jeta la majeure partie de la production et le contenu des quelques fûts conservés servit aux assemblages de l'année suivante, cette fois sous la direction d'Evangelos Gerovassiliou, un ancien élève de l'œnologue à Bordeaux.

Le Château Carras est devenu légendaire. Gerovassiliou élabore toujours ce vin, mais il a créé sa propre cave commerciale, tout aussi excellente bien qu'à une échelle beaucoup plus modeste. Les nouveaux venus s'appellent aussi Nicholas Cosmetatos, de Céphalonie, l'un des premiers à se demander pourquoi les Grecs aimaient tant les vins oxydés. Son premier vin, le Gentilini, après un début d'une netteté presque clinique, est en passe de devenir l'un des vins blancs les plus fringants du pays. Une netteté grinçante constitua aussi l'obstacle de Calligas, mais son meilleur blanc, le Château Calligas, a pris du gras depuis le début des années 1990, que renforce une petite perle de gaz.

Ces dernières années, de nombreuses caves de grand talent ont essaimé, notamment Aidarinis, Antonopolou, Castanioti, Chriso-

VENDANGES

Les vendanges au domaine Carras, dont le vignoble a été façonné au bulldozer sur les pentes de la presqu'île de Sithonia, en Chalcidique.

hoou, Emery, Hatzimichali, Château Lazaridi, Mercouri, Œnoforos, Papaioannou, Château Pegasus, Semeli, Sigalas, Skouras et Strofiia. Nul doute que bien d'autres encore attendent de venir au grand jour.

LE RETSINA, BÉNÉDICTION OU MALÉDICTION ?

Le retsina est un vin, le plus souvent blanc, auquel de la résine de pin a été ajoutée lors de la fermentation. Cette pratique remonte à l'Antiquité, où l'on entreposait le vin en amphores. Ces récipients n'étant pas à l'abri de l'air, les vins s'y dégradaient rapidement. On apprit donc à sceller les vases avec un mélange de plâtre et de résine, et l'on attribua l'augmentation de longévité des vins aux vertus antiseptiques de la résine, qui communiquait son arôme au vin. C'était une vue de l'esprit, mais, en attendant les découvertes de Pasteur, qui n'apporteraient leurs lumières scientifiques que quelque vingt-cinq siècles plus tard, on croyait que plus le vin était résiné, mieux il se conservait. On prit donc l'habitude d'ajouter directement la résine au vin, et ce qui distingue le retsina actuel de son ancêtre est que l'apport de cette substance a lieu au moment de la fermentation et non après. Les retsinas les plus réputés viennent d'Attique, d'Eubée et de Boétie, et la meilleure résine, qui doit provenir du pin d'Alep, est celle de l'Attique.

Le retsina n'est pas du vin au sens strict. Il le serait si son caractère résiné venait de la maturation en fûts de pin, mais le fait que la résine soit ajoutée classe le retsina parmi les vins aromatisés, comme le vermouth. Dans la première édition, je plaisantais sur la possibilité qu'un vin puisse vieillir en fûts de pin, mais j'ai découvert depuis à La Palma un « vin de thé », qui est exactement cela. Pour insignifiant en quantité et insolite qu'il soit, si on peut le réaliser aux Canaries, pourquoi pas en Grèce?

LE DOMAINE CARRAS

Dominant Maramas, un village de pêcheurs sur la mer Égée, le domaine Carras, outre son vignoble, comprend un complexe touristique de luxe, Porto Carras.

LES APPELLATIONS DE

GRÈCE

AO = appellation d'origine
AT = appellation traditionnelle

AGIORITIKOS

Macédoine

Ces vins excellents proviennent de 60 ha de vignes situés sur le mont Athos (Agioritikos), la péninsule la plus orientale de Chalcidique. Loués au monastère Hourmistas par la cave Tsantalis, les vignes sont cultivées par des moines russes sous la direction du régisseur de la société.
Le meilleur vin est un rouge sec, fin et étoffé, issu de cabernet-sauvignon et de limnio. En blanc, un vin sec et un demi-sec sont tous deux frais, nets et fruités; il existe aussi un délicieux rosé sec.

AT CHROMITSA, AN AREA NEAR THE MONASTERY OF ST. PANTELEIMON, AT THE HOLY MOUNTAIN OF AGION OROS, WE PLANTED OUR VINEYARDS OF THE FINE GREEK GRAPE VARIETIES OF ASYRTIKO, ATHIRI AND RODITIS.

FROM THESE VARIETIES WE PRODUCE OUR WINE, AGIORITIKOS, WITH RESPECT TO THE TRADITION OF GOOD WINEMAKING.

CONTAINS SULFITES

cabernet-sauvignon, limnio, sauvignon blanc
3-8 ans (rouge), 1-2 ans (blanc et rosé)
Tsantalis

AO AMYNTEON

Macédoine

La plus septentrionale des appellations grecques. Les vignes y sont cultivées à une altitude de 650 m et les baies atteignent rarement la surmaturation. La qualité est irrégulière, comme en témoigne le douteux breuvage de la coopérative locale, mais quelques joyaux marquent un réel potentiel.

xynomavro

AO ANCHIALOS

Thessalie

Il s'agit d'un blanc sec assez étoffé provenant de l'aire de Nea Anchalia, près de Volos, sur le golfe de Pegassitikos. Le vin de la coopérative est net, mais peu excitant.

savatiano, rhoditis, sykiotis

AO ARCHANES

Crète

J'ai goûté au vin de table Armani de la coopérative, mais non au vin rouge de cette appellation, apparemment élevé en vieux fûts de chêne.

kotsifali, mandilaria

AO CÔTES DE MELITON

Macédoine

Cette appellation comprend les vins rouges, blancs et rosés de Sithonia, la péninsule médiane de Chalcidique. Tous proviennent du domaine Porto Carras, créé par feu John Carras, et atteignent donc un niveau de qualité élevé. Cette entreprise a été supervisée par l'œnologue bordelais Émile Peynaud, et la vinification opérée par l'un de ses anciens élèves Evangelos Gerovassiliou. Élaborés selon des méthodes modernes, ces vins sont en général légers et se boivent de préférence jeunes. Tout en haut de la gamme, le Château Carras fait exception; d'une robe profonde, richement aromatique, étoffé, c'est un authentique vin de garde.

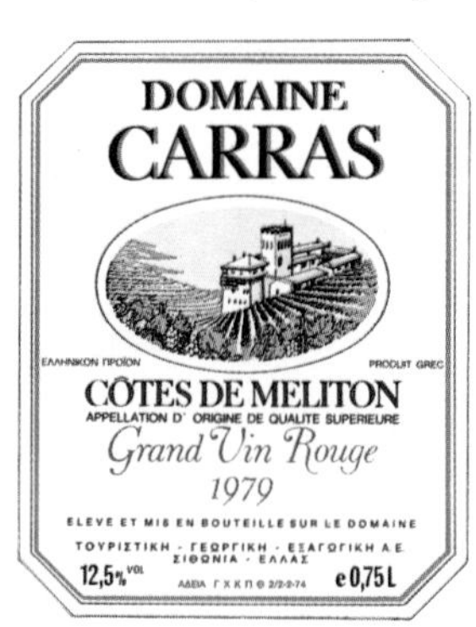

assyrtico, athiri, cabernet franc, cabernet sauvignon, cinsault, greanche, limnio, petite syrah, rhoditis, sauvignon blanc, savatiano, ugni blanc, xynomavro
1-2 ans (Château Carras : 5-8 ans les petites années, 10-20 ans les grandes années)

Domaine Carras (Château Carras, Château Carras Cabernet-Sauvignon, Limnio, Melisanthi)

AO DAPHNES

Crète

Je n'ai pas goûté les vins rouges secs et moelleux de cette appellation.

liatiko

AO GOUMENISSA

Macédoine

Vin rouge léger de Goumenissa, au nord-est de Naousa. Le meilleur, fruité et d'une certaine élégance, vieillit un peu sous bois et peut développer des arômes assez riches.

xynomavro, negoska

3-8 ans

Aidarinis • *Boutaris*

AO KANTZA

Grèce centrale

Ce vin rouge sec d'Attique est du retsina sans résine de pin. Le seul que j'ai goûté est de Cambas et, bien que net, je ne lui ai rien trouvé de particulier.

savatiano

AO LEMNOS OU LIMNOS

Égée

Vin blanc sec de l'île de Lemnos, rond et floral, au fruité net et au caractère de muscat. Celui de la coopérative locale est toujours bien fait.

limnio

à l'achat

CA de Lemnos

LESBOS

Égée

Les vins de l'île de Lesbos sont consommés localement ; aucun n'est exporté.

AO MANTINIA

Péloponnèse

Vin blanc sec issu des vignes de montagne entourant les ruines de Mantinée au centre du Péloponnèse. Situé à 650 m d'altitude, ce vignoble donne des vins jeunes et frais, au fruité vif et agréable.

moscophilero

à l'achat

Antonopolou • *Tselepos*

AO MAVRODAPHNE DE CÉPHALONIE

Îles Ioniennes

Je n'ai pas goûté ce vin de liqueur rouge, qui devrait ressembler au mavrodaphne de Patras.

mavrodaphne

AO MAVRODAPHNE DE PATRAS

Péloponnèse

Il s'agit d'un vin de liqueur rouge, riche, à la finale veloutée finement boisée. Souvent comparé à un Recioto della Valpolicella, un bon mavrodaphne est à mon avis bien supérieur. Un des aspects les plus agréables de ce vin est qu'on le boit avec autant de plaisir jeune et fruité ou mûr et fondu ; mais il est vrai qu'il exprime lui aussi un caractère oxydé de xérès.

mavrodaphne

1-20 ans

Achaia Clauss

AO MUSCAT DE CÉPHALONIE

Îles Ioniennes

L'un des vins moelleux de muscat méconnus. Je l'ai goûté une fois et l'ai trouvé acceptable, bien que je ne puisse juger de sa constance.

muscat blanc à petits grains

AO MUSCAT DE LEMNOS

Îles de la mer Égée

Un muscat de dessert supérieur, plus riche et doux que le Patras, mais qui n'atteint pas le niveau du Samos.

muscat d'Alexandrie

à l'achat

CA de Lemnos

AO MUSCAT DE PATRAS

Péloponnèse

Muscat de dessert à robe dorée séduisant, délicieux lorsqu'il garde son caractère variétal. C'est le vin de liqueur grec le plus exporté.

muscat blanc à petits grains

à l'achat

CA de Patras Moschato

AO MUSCAT DE RHODES

Dodécanèse

Muscat de liqueur de qualité, doré et riche, pour moi à l'égal du muscat de Patras.

muscat blanc à petits grains, traini muscat

à l'achat

CAIR

AO MUSCAT DE SAMOS

Îles de la mer Égée

L'un des grands vins de liqueur du monde. La coopérative produit le Samos, le Samos grand cru, le Nectar et l'Anthemis, de complexité croissante, mais tous superbes, parfaitement équilibrés, riches et miellés. Il existe aussi un Samena délicieusement sec et frais, qui n'a pas droit à l'appellation ; d'une netteté irréprochable, il dévoile des arômes de fruits délicats marqués par la fleur d'oranger.

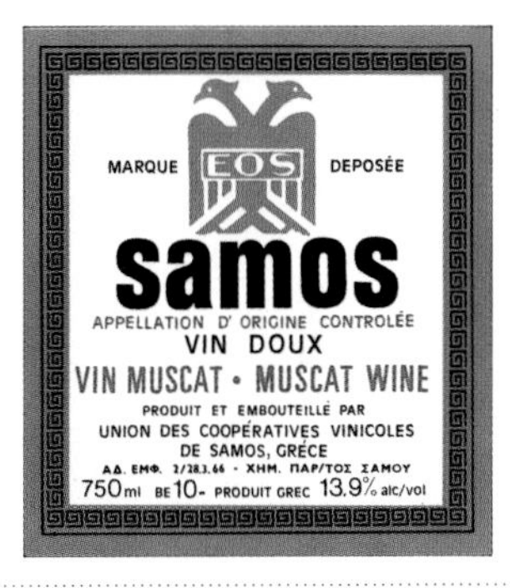

muscat blanc à petits grains

à l'achat

Cambas • *CA de Samos*

AO MUSCAT RION DE PATRAS

Péloponnèse

En tout point semblable au muscat de Patras, mais je ne l'ai pas goûté, ni même jamais vu.

muscat blanc à petits grains

AO NAOUSA

Macédoine

Ces vins rouges sont élaborés à l'ouest de Thessalonique, à partir de vignes situées à 350 m d'altitude sur les versants sud-est du mont Velia. Le nombre des références indiscutables données ici a doublé depuis la première édition, Castanioti et Chrisohoou étant les nouveaux arrivants à suivre. Il y a fort à parier qu'aucun des vins de cette appellation ne risque de décevoir, les vignerons qui les élèvent ayant un goût du métier qui n'est pas si répandu. Un bon Naousa est coloré, riche et aromatique, débordant de fruits épicés et long en bouche.

xynomavro

4-15 ans

Boutaris • *Castanioti* • *Chrisohoou* • *Château Pegasus* • *Tsantalis*

AO NEMEA

Péloponnèse

Appellation relativement fiable, où règne le même amour du métier qu'à Naousa. L'agiorgitiko est cultivé dans la région de Corinthe à une altitude oscillant entre 250 m et 800 m ; ce cépage donne des vins rouges à robe profonde, pleins et épicés, qui peuvent souffrir d'un excès de fruits secs ou d'un manque de fruité. Baptisé sang-d'Hercule, parce que le héros fut blessé en terrassant le lion de Némée, ce vin existe depuis 2 500 ans.

agiorgitiko

5-20 ans

Boutaris • *Kourtakis* • *Papaioannou* • *Semeli*

AO PAROS

Cyclades

Je n'ai goûté qu'une seule fois ce vin rouge léger issu du mandilaria. Mes notes relèvent un arôme étrange difficile à décrire. Il existe également un blanc sec riche de monemvassia (qui, pour certains, serait la malvasia d'origine), mais je ne le connais pas.

mandilaria, monevasia

AO PATRAS

Péloponnèse

Blanc sec léger des collines de Patras. Je n'ai goûté qu'au vin de la coopérative, que j'ai trouvé terne et flasque. Cette coopérative peut néanmoins produire des vins de grande qualité, comme en témoignent son mavrodaphne et son muscat.

rhoditis

AO PEZA

Crète

Mon expérience de ces vins, qui n'est basée que sur ceux de la coopérative, me laisse penser que le blanc sec Regalo tirerait un grand bénéfice à se passer de fermentation malolactique et que les rouges Mantiko gagneraient à être mis en bouteilles très tôt et vendus jeunes, car ces deux styles de vin manquent de fraîcheur et de vivacité.

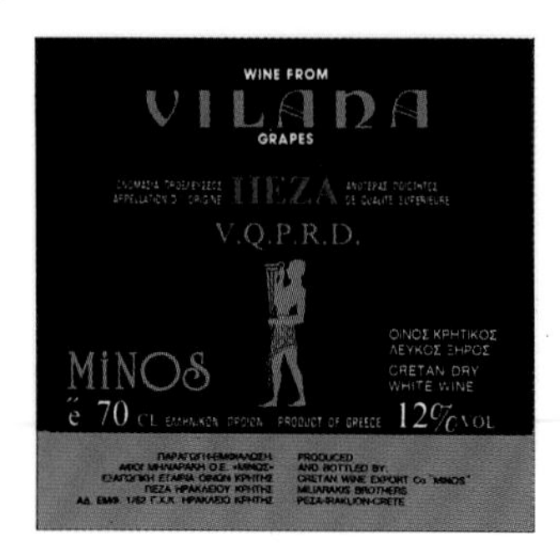

kotsifali, mandilaria, vilana

AO RAPSANI

Thessalie

J'ai traversé cette région viticole proche du mont Olympe et n'ai pas eu l'occasion d'en goûter les vins. Les vignes, situées en terrain plat, m'ont semblé peu engageantes.

xynomavro, krassato, stavroto

AT RETSINA

Grèce centrale

Bien qu'on trouve du rosé, le retsina est presque exclusivement en blanc. Le savatiano rentre pour 85 % de l'assemblage ; il peut s'agir de vins de régions différentes ou, au contraire, d'origine délimitée, le plus souvent de qualité supérieure, mais, dans tous les cas, la seule dénomination qui s'applique est l'AT, appellation qui reconnaît la pratique traditionnelle du vin résiné, dont l'Union européenne a réservé l'exclusivité à la Grèce. Les degrés de traitement à la résine de pin vont du plus léger au plus lourd et la qualité de la résine varie : meilleure elle est, meilleur sera le retsina. Mais, malgré son arôme pénétrant, cette substance ne peut dissimuler un vin fatigué, flasque, oxydé ou simplement mauvais. Personnellement, je n'aime pas le retsina, mais je reconnais que l'arôme d'une résine de qualité peut être rafraîchissant et que ce vin a une action bénéfique lorsqu'il accompagne une nourriture grecque très riche.

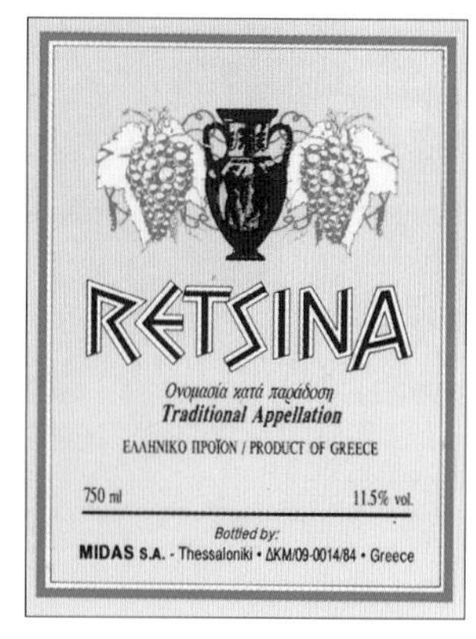

rhoditis, savatiano

aussi jeune et frais que possible

appellations *Attica* • *Evia* • *Viota* • *Thebes* **marques** Boutaris • Thives

AO RHODES

Dodécanèse

Des vins produits par la CAIR, la coopérative de Rhodes, j'ai expérimenté un vin blanc sec, terne et huileux appelé Ilios ; un vin effervescent sec ou doux, fort mais grossier ; enfin, un muscat rouge doux bien équilibré appelé Amandia. D'autres vins proviennent de cette île touristique, mais je ne les ai pas goûtés.

amorgiano, athiri

à l'achat

CAIR

AO RHOBOLA DE CÉPHALONIE

Îles Ioniennes

Un vin blanc sec qui peut être frais et floral, au nez presque racé et à l'arôme citronné, vif et délicat, d'une certaine richesse. Il est malheureusement trop souvent gâché par une vinification bâclée.

robola

1-2 ans

SANTA MAVRA

Îles Ioniennes

Vin rouge à robe profonde, étoffé, de réputation locale, issu de vignes cultivées en terrasses à une altitude maximale de 800 m sur l'île de Lefkas.

AO SANTORINI

CYLADES

Ce vin sec étoffé présente jusqu'à 17 % vol. d'alcool naturel et un taux d'acidité élevé ; quoique intéressant et inhabituel, il ne me paraît pas particulièrement agréable. On trouve aussi un vin de paille, le *liastos* de Santorini.

asssyrtiko, aidani

2-5 ans

Boutaris • *Sigalas* (Oia Cask)

AO SITIA

Crète

Vins rouges secs ou de liqueur robustes, à robe profonde.

liatiko

VERDEA

Îles Ioniennes

Vin blanc sec astringent, souvent oxydé, élaboré dans l'île de Zante et réputé pour son bouquet délicat.

pavlos, skiadopopoylo

AO ZITSA

Épire

Vins blancs secs ou demi-secs, nets et délicatement fruités, à peine perlants, provenant de six villages autour de Zitsa, au nord-ouest de Ioannina, où les vignes croissent à une altitude de 600 m. La majeure partie de la production est vinifiée par la coopérative agricole de Ioannina, à recommander.

debina

à l'achat

AC de Ioánnina

AUTRES VINS SANS APPELLATION

D'excellents vins grecs ne portent pas d'appellation, simplement parce que la réglementation ne reconnaît pas certains cépages ou assemblages de telle ou telle région.

Rouge *Achaia Clauss* (Château Clauss) • *Antonopolou* (Kaberne Nea Dris) • *Boutaris* (Grande Réserve) • *Calligas* (Nostos) • *Gerovassiliou* (Ktima) • *Hatzimichali* (Cava, Merlot) • *Château Lazaridi* (Maghiko Vuono) • *Mercouri* • *Semeli* (vin de table non millésimé, Château Semeli) • *Skouras* (Mega Oenos) • *Strofiia* • *Thebes* (Saviatano [seuls quelques bons millésimes]) • *Tsantalis* (Rapsani)
Blanc *Antonopolou* (Adoli ghis) • *Calligas* (Château Calligas) • *Chrisohoou* (Prekniariko) • *Cosmetatos* (Fumé, Gentilini) • *Gerovassiliou* (Fumé, Ktima) • *Château Lazaridi* (Maghiko Vuono) • *Château Matsa* • *Oenoforos* (Asproliti) • *Papaioannou* (Chardonnay) • *CA de Samos* (Samena [mais doit être très frais]) • *Vatis* (Château Vatis)
Rosé sec *Emery* (Grand Rosé) • *Oenoforos* (Espiritis)
Vins de liqueur *Cosmetatos* (Amano, blanc moelleux) • *Montolfi* (Vin de Liqueur, blanc demi-sec)

AUTRES APPELLATIONS D'

EUROPE DU SUD-EST

RÉPUBLIQUE TCHÈQUE

La République tchèque est plus connue pour sa bière que pour son vin, dont l'exportation est négligeable. De la Bohême ou de la Moravie, cette dernière est la région vinicole la plus importante.

MORAVIE

La Moravie couvre la majeure partie du vignoble tchèque, divisé en deux grandes aires de production, Hustopece-Hodonin, sur la Morava, et Znojmo-Mikulov, sur la Dyje. Les cépages principaux sont le blauer portugieser, le grüner veltliner, le müller-thurgau, le pinot blanc, le pinot gris, le pinot noir, le saint-laurent, le sauvignon blanc et le traminer. Un grand professionnalisme permet d'obtenir des vins blancs à l'élégance variétale, légers et aromatiques. On produit du bon cabernet-sauvignon à Pavlovice, et, dans les villes de Mikulov et de Bzenec, des vins effervescents en cuve close ou par la méthode continue.

BOHÊME

Cette région, qui s'étend au nord-est de Prague, compte moins de 1% du vignoble tchèque. Les cépages cultivés comprennent le limberger, le neuburger, le pinot blanc, le pinot noir, le blauer portugieser, le rynski silvan et le welschrizling. La plupart des vignes se rassemblent autour des villes de Melnik et de Velke Zernoseky, sur les rives de l'Ohre et de la Labe (l'Elbe). Les vins présentent une affinité naturelle avec ceux d'Allemagne, mais ne sont que rarement exportés.

SLOVAQUIE

Ce pays, qui faisait partie de l'ex-Tchécoslovaquie jusqu'en 1993, compte deux fois plus de vignobles que la République tchèque pour une superficie moindre. La plupart des vins proviennent des régions des Petites Carpates et de Nitra. Les cépages cultivés comprennent l'ezerjó, le grüner veltliner, le leányka, le müller-thurgau, le muscat ottonel, le rulandské (pinot gris), le rynski rizling (vrai riesling), le sylvaner, le traminer et le vlásskyrizling (welschriesling). Les vins effervescents de Sered existent depuis 1825 et se vendent toujours sous la marque Hubert, mais la qualité n'est pas très élevée. Les autres aires vinicoles sont la Slovaquie orientale, Hlohovec-Trnava, Modry Kamen, Skalica-Záhorie et une partie du Tokay, réputé pour donner des vins semblables à leurs prestigieux homologues hongrois.

SLOVÉNIE

De loin le pays le plus prospère de l'ex-Yougoslavie, avec un revenu par tête proche de celui de l'Autriche, la Slovénie – souvent morcelée dans son histoire entre les États voisins – a toujours maintenu des liens avec les pays occidentaux. Le territoire viticole est divisé en Slovénie continentale et Slovénie maritime.

SLOVÉNIE CONTINENTALE (KONTINENTALNA SLOVENIJA)

Deux régions viticoles s'étendent entre l'Autriche, la Hongrie et la Croatie, divisée chacune en plusieurs aires : la Podravina (Haloze, Lutomer-Ororske, Maribor, Prekmurje, Rågdona-Kapela, Slovenske) et la Posavina (Belakrajina, Bizeljsko-Sremic, Dolenjska, Smarje-Virstajn). Les cépages comprennent le cabernet-sauvignon, le sipon, le traminer, le pinot blanc, le riesling, le sauvignon blanc et le welschriesling. Ces vignobles, situés sur des collines abruptes à la même latitude que le centre de la France, ont toujours produit les meilleurs vins blancs de Yougoslavie. Le plus réputé est de loin celui de Lutomer; les meilleurs proviennent du gewurztraminer, du sauvignon blanc et du cabernet-sauvignon.

SLOVÉNIE MARITIME (PRIMORSKA SLOVENJA)

Cette région proche de l'Italie comprend quatre aires viticoles : Brda, le Karst, Koper et Vipava. Le climat est méditerranéen, sauf à Vipara et à Briski Okolis, où se fait sentir l'influence modératrice des Alpes. Les cépages cultives comprennent le barbera, le cabernet franc, le cabernet-sauvignon, le chardonnay, le merlot, le picolit, le pinot blanc, le pinot gris, la rebula, le sauvignon blanc, le teran (refosco), le tocai friulano et le zelen (rotgipfler). Le vin le plus réputé est un rouge, le Kraski Teran.

CROATIE

Avant le conflit, la Croatie était, avec la Slovénie, le pays le plus développé de la Yougoslavie; elle connaît actuellement une certaine stabilité, pour autant que cette notion ait quelque sens s'agissant des Balkans. De nombreuses vignes ont été détruites aux pires heures de la guerre, mais les surfaces viticoles, qui correspondent toujours à des aires déterminées, connaissent un début de replantation, les Croates n'aspirant qu'à retrouver une vie normale. Le vignoble est divisé en Croatie continentale et Croatie maritime.

CROATIE CONTINENTALE

On distingue trois aires vinicoles : Bilogora-Drava, Kupa, Moslavina, Plesivica, Prigorje, Slavonski et Zagorje-Medimurje. Cette région se pare toujours d'un bel amphithéâtre de vignes plantées en terrasses, situé dans un paysage de collines, où l'on cultive surtout du traminer, du muscat ottonel, du pinot blanc, du pinot noir, du riesling, du sauvignon blanc, du sylvaner et du gravesina (welschriesling). Le Kutjevacka Gravesina est un vin de Kutjevo, jaune paille, à l'arôme fruité. On trouve aussi d'intéressants vins de traminer, muscat ottonel et pinot blanc; les meilleurs proviennent des pentes de Baranja.

CROATIE MARITIME

Cette région comprend quatre aires vinicoles : l'Istrie, Hrvatsko Primorje, Kvarner et la Dalmatie. De nombreux cépages y sont cultivés, notamment le babic, la bogdanusa, le debit-grk, le dobricic, la malvazija, le merlot, le teran, le trebjac, le vranac, le vugava et le zlahtina, mais c'est du plavac mali, un raisin noir, que l'on tire les meilleurs vins de la région. Le plus réputé est le Dingac, élaboré dans la presqu'île de Peljesac : c'est un rouge à robe profonde, étoffé, qui porte la première appellation à avoir été réglementée sous le régime titiste. Ce même cépage donne encore le Prestup de Peljesac, le Faros de l'île de Hvar et le Bolski Plavac de l'île de Brac. Le plus ancien et le plus courant des vins d'Istrie est un rouge léger, le Motovunski Teran.

BOSNIE-HERZÉGOVINE

Avant le conflit, on trouvait des vins dans le Sud, où le climat et un sol pierreux favorisaient deux variétés locales, le zilavka en blanc et le blatina en rouge; le Samotok était un rosé de goutte.

SERBIE

Bien que l'armée fédérale ait attenté à la souveraineté de la Slovénie et de la Croatie, et qu'elle ait soutenu les Serbes de Bosnie, elle n'a mené aucun combat sur son propre territoire, si bien que le vignoble y reste jusqu'ici intact. On distingue trois grandes régions viticoles : le Kosovo, la Voïvodine et la Serbie proprement dite.

SERBIE

La région est divisée en cinq aires vinicoles : Sumadija-Velika Morava, Nisava-Juzna Morava, Pocerina-Podgora, Timok et Zapadna Morava. On y cultive notamment le cabernet-sauvignon, le gamay, le pinot noir, le plemenka, le plovdina, le prokupac, le riesling et le smederevka. C'est de loin la plus vaste région vinicole de l'ex-Yougoslavie, et Sumadija-Velika Morava l'aire la plus étendue. Les vignobles serbes les plus réputés environnent la ville de Zupa. Le procupac, qui domine, donne un rosé sec léger. Le cabernet-sauvignon, notamment celui d'Oplenac, est très réussi; on trouve également un assemblage de pinot noir et de gamay. On dit que le smederevka provient de Smederevo, où il compte pour 90% de l'encépagement, et donne des vins blancs demi-secs doux et fruités.

KOSOVO

Avant le conflit, on distinguait au Kosovo deux aires vinicoles : Severni et Juzni, où l'on cultivait notamment le cabernet franc, le gamay, le pinot noir et le riesling, sur une superficie encore

LE SUD DE L'ARMÉNIE

Des vignes en gobelet bien espacées s'étendent au pied des collines qui s'élèvent au-dessus de la plaine d'Ararat.

moins importante qu'en Bosnie-Herzégovine. La collaboration de commerciaux allemands et de producteurs locaux a donné l'Amselfelder Kosovsko Vino. Les vins, rouges pour l'essentiel, se faisaient en sec et demi-sec, le rosé et le blanc comptant chacun pour 10% de la production. On trouvait encore des vins rouges de cabernet franc et de spätburgunder en petite quantité. Mais le style de ces vins manquait d'intérêt et la qualité était décevante.

VOJVODINA (VOÏVODINE)

Au nord de la Serbie, limitée par la Croatie, la Hongrie et la Roumanie, la Voïvodine compte quatre aires vinicoles : Banat, Srem, Subotica et Pescara. Les cépages cultivés comprennent l'ezerjó, le traminer, le kadarka, le merlot, le riesling du Rhin, le sauvignon blanc, le sémillon et le welschriesling; bien que cette dernière variété s'appelle localement grasevinahere ou kreaca, le vin se vend sous l'appellation Banatzki Rizling. Le vin de traminer est plus intéressant et le merlot doux et fruité d'un bon rapport qualité-prix pour les amateurs de vin rouge.

MONTÉNÉGRO

La viticulture du Monténégro est presque aussi insignifiante que celle du Kosovo. Dans les trois aires de Crnogorsko, Titogradski, Primorje, on cultive principalement le kratosija, le krstac, le merlot et le vranc. Les vins les plus réputés proviennent des vignes en terrasses orientées au sud du lac Skadar dans la région de Crnogorsko. Au XIXe siècle, ce vin, appelé Crmnicko Crno, tiré du vranac et du kratosija, était cher. Actuellement connu sous le nom de Crnogorski Vranac et provenant exclusivement de ce dernier cépage, son prix reste très raisonnable. Le merlot est parfois très réussi. La mention du 13 juillet sur une étiquette ne correspond pas à une date limite de vente, mais au nom de la coopérative d'État.

MACÉDOINE

À la suite de la reconnaissance internationale de la Slovénie et de la Croatie en 1991, la Macédoine acquit sa souveraineté en 1993. On y distingue trois régions viticoles, Povadarje, Plina-Osogovo et Pelagonija-Polog, où l'on cultive notamment le grenache, le kadarka, le kratosija, le plovdina, le prokupac, le temjanika et le vranac. Le phylloxéra, qui a ravagé les vignobles européens à la fin du XIXe siècle, n'atteignit la Macédoine qu'en 1912. Le vin le plus apprécié est le Kratosija, issu du kratosija et du vranac; c'est un rouge profond typé, étoffé, aux arômes souples en bouche. Mis en bouteilles au bout de deux ans, lorsqu'il a développé tout son bouquet, il doit se boire très jeune. Le prokupac et le kadarka donnent des rouges intéressants. Parmi les blancs, on trouve un Belan de grenache neutre et un Temjanika aromatique.

ALBANIE

La viticulture remonte en Albanie à l'époque romaine mais, bien que le régime communiste y ait fait dominer l'athéisme, la tradition musulmane, majoritaire, freine la consommation d'alcool; enfin, en l'absence de marchés d'exportation, la viniculture du pays n'a connu aucun développement depuis quarante ans. La démocratisation a permis une ouverture commerciale et le gouvernement a fait appel à des experts étrangers. Les résultats devraient se faire sentir mais, pour l'instant, seule la coopérative d'État de Dürres, l'Étoile rouge, est bien connue; on y produit surtout des vins de welschriesling et de mavrud.

UKRAINE

La viticulture comptant pour un cinquième d'une agriculture récemment remise sur pied, ce secteur pèsera sur le futur commerce extérieur du pays, facteur indispensable pour rééquilibrer les échanges avec la Russie, dont l'Ukraine reste dépendante. L'industrie vinicole d'État produit essentiellement des vins blancs tranquilles, même si l'on trouve en Crimée des rouges, des vins effervescents et de dessert, une spécialité locale. Le pétillant Krym, élaboré par la méthode traditionnelle dite « champenoise », se décline en cinq styles, du brut au doux, et en rouge demi-sec. Les cépages comprennent le chardonnay, le pinot noir, le rizling, l'aligoté et le cabernet. Les vins, grossiers, ne s'améliorent pas avec l'addition traditionnelle de cognac; en rouge, le brut et le demi-sec sont largement exportés à des prix de lancement. Le Ruby de Crimée, un assemblage de saperavi, de matrassa, d'aleatika, de cabernet et de malbec, est un rouge robuste, rustique et corsé que l'on rencontre dans divers pays.
Nikolaïev-Kherson, au nord-est de la Crimée, et Odessa, près de la frontière moldave, produisent des blancs pétillants et des vins de dessert. Les plus appréciés sont des blancs secs tels que les Perlina Stepu, Tropjanda Zakarpatjia et Oksamit Ukrainy.
Il ne fait aucun doute que ce pays peut non seulement produire de bons vins, mais également de grands vins de garde. En 1990, le *Master of Wine* David Molyneux-Berry mit en vente chez Sotheby's de Londres des lots exceptionnels provenant des fameuses caves de Massandra, construites à la périphérie de Yalta, en Crimée, par la cour de Russie à la fin du XIXe siècle. Ce n'était pas une cuverie, mais un vaste chai de vieillissement rassemblant les bouteilles de quelque vingt-cinq installations vinicoles annexes. Les cuveries se trouvaient sur les collines voisines de Krymskiye Gory, dans les vignobles, si bien que le raisin, traité sur place, ne perdait rien de ses qualités. Il s'agissait d'un projet ambitieux, même au regard des normes actuelles.
Les vins que Molyneux-Berry proposa à la dégustation précédant la vente étaient extraordinaires. La collection de Massandra rassemblait des vins vinés, et ce n'est certes pas les dévaluer de constater qu'ils reproduisaient les classiques du genre tels que le madère et le porto. Comment d'ailleurs pourrait-on décrier un faux porto blanc de 1932 qui, à près de soixante ans, surpassait en classe, en arômes et en finesse tout ce qui avait pu se faire à Oporto même? Celui de 1940 était desservi par un nez alcooleux, mais je n'aurais jamais gardé un authentique porto blanc cinq ans, encore moins cinquante, et pourtant, en bouche, il reléguait le 1932 loin derrière. Un muscat de 1929 exprimait autant de fruits exotiques et caramélisés que les meilleurs muscats australiens, mais avec un équilibre qui le plaçait indéniablement dans l'hémisphère nord. Les meilleurs vins de Massandra que j'ai goûtés ce jour-là étaient des madères, l'un de 1937, l'autre de 1922 (n° 31). Si l'on souhaite en effet voir de nouveau de tels vins (les vins mutés actuels ne soutiennent pas la comparaison), il n'est pas pour autant pensable que la Crimée se consacre tout entière aux vins vinés de style classique. Bien au contraire, dans certaines régions où les vignes, les rendements et les méthodes de vinification seront adaptés, on produira de grands vins en Ukraine.

MOLDAVIE

Petit pays équivalent en superficie à la Belgique, la Moldavie est en fait une extension de cette ancienne province de Roumanie, qui, par le passé, n'a fait qu'une. Parmi les mesures à prendre, il faudrait replanter la majeure partie du vignoble, pratiquer une taille plus rigoureuse et, pour éviter que le raisin vendangé ne soit jeté dans d'immenses bennes où il s'oxyde pendant le transport, installer les cuveries à proximité. Quant aux installations existantes, même les plus modernes doivent être remplacées. Je n'ai visité la Moldavie qu'une fois, en 1993, après que la guerre civile a été évitée, et l'on y coupait les bouchons en deux par économie. Pour importants que soient les investissements à réaliser, leur nécessité ne fait pas de doute car, dans ces conditions de précarité économique, la Moldavie n'en continuait pas moins à produire des vins fins. C'est ainsi que, grâce à quelques aménagements, deux vinificateurs volants, Hugh Ryman, puis Jacques Lurton, ont élaboré des vins surprenants à partir de cépages aussi bien locaux qu'internationaux.
On distingue six régions viticoles importantes : Pucari, Beltsy, Ialoveni, Stauceni, Hincesti, Romanesti et Cricova. Pucari se trouve à 160 km au sud de la capitale. Cette terre de prédilection du vin rouge produit notamment le Negru de Pucari, à robe profonde et structure ferme, issu de cabernet-sauvignon et de saperavi; le Purpuriu est un assemblage plus léger de merlot et de pinot et le Rosu un rosé soutenu à base de cabernet-sauvignon, de merlot et de malbec. Les vignes, majoritaires dans le Nord, ont été arrachées sous Mikhaïl Gorbatchev; elles sont maintenant concentrées dans la région de Beltsy, où dominent l'aligoté, le rkatsiteli et le sémillon. Le vignoble de Ialoveni voisine la capitale, où l'aligoté, le riesling et le sauvignon blanc donnent le xérès moldave. Non loin, à Stauceni, où l'on trouve la plus grande cuverie du pays, les vignes sont cultivées par les élèves de l'école vinicole locale. Plus au sud, c'est à Hincesti que

KRASNODAR
Vignoble de Krasnodar en Russie, sur la mer Noire.

Hugh Ryman vinifie son Kirkwood Chardonnay ; la société australienne Penfolds a également investi dans cette région. À 50 km au nord s'étendent les vignes de Romanesti, ainsi baptisées en l'honneur du tsar Alexandre Ier Romanov, qui rendit son essor à la viniculture moldave en établissant ici sa propre cuverie ; les cépages cultivés comprennent l'aligoté, le cabernet-sauvignon, le malbec, le merlot, le pinot noir et le rkatsiteli, mais ce sont les variétés bordelaises qui réussissent le mieux. À mi-chemin de Romanesti et de Kichinev (Chisinau) se trouve le vignoble de Cricova, où l'on élabore des vins effervescents sans qualités remarquables et souvent défectueux dans le complexe souterrain, lui, le plus remarquable et le plus sophistiqué qui soit. On y accède par un portail d'acier aménagé dans une paroi rocheuse, assez large pour laisser passer les plus grands semi-remorques, lesquels, à 80 m de profondeur, manœuvrent dans une véritable ville creusée dans la montagne. Égalant en superficie quelque vingt-cinq villages, la cité est quadrillée par un réseau de 65 km de routes, équipé de ses feux et de sa signalisation, et alimentant quelque 120 km de galeries, qui représentent une capacité de stockage de bouteilles presque égale à celle de toute la Champagne. Comment expliquer que ce centre soit équipé de halls de réception luxueux, d'un restaurant dont on ne voit l'équivalent nulle part ailleurs en Europe centrale, enfin d'une cave garnie de mouton-rotschild, de romanée-conti et de bien d'autres prestigieux millésimes ? La seule réponse vraisemblable est que le politburo soviétique devait s'y réfugier en cas de guerre nucléaire.

LA RÉGION DE VAIK EN ARMÉNIE

Ces vignes de muscadine, conduites en treillis dans la région montagneuse de Vaik en Arménie, donnent des vins vinés doux.

RUSSIE

Le climat russe ne convient guère à priori à la viticulture. Pendant l'hiver, la température descend souvent à – 30 °C et, dans certaines régions, les vignes doivent être recouvertes de terre pour survivre au froid intense. Les étés sont très chauds et secs et, si la mer Noire et la mer Caspienne n'apportaient leur influence modératrice, la culture de la vigne serait probablement une impossibilité. On distingue cinq grandes régions viticoles : la Tchétchéno-Ingouchie, le Daghestan, Krasnodar, Rostov-sur-le-Don et Stavropol ; on cultive notamment l'aligoté, le cabernet, le muscatel, le pinot gris, le pinot noir, le plechistik, le pukhljakovski, le rizling, le rkatsiteli, le sylvaner et le tsimlianski. On produit surtout du blanc et du vin effervescent dans le Nord et l'Ouest, du rouge au Sud et à l'Est.

Au milieu des années 1950, la « méthode continue » fut conçue en Union soviétique pour obtenir des vins effervescents, facilement, rapidement et à moindre coût, au moyen d'une seconde fermentation. Les vignes les plus réputées du Krasnodar, aux pentes exposées au sud-ouest, donnent sur la mer Noire. Abrau produit des vins effervescents secs de rizling (riesling), cabernet et durso. Anapa, au nord du littoral, élabore également du rizling, tandis qu'au sud la spécialité de Gelendzhik est l'aligoté. À l'est du Krasnodar, dans le nord du Caucase, le Stavropol est réputé pour ses rizlings et ses silvaners secs, ainsi que pour ses vins de dessert Muscatel Praskoveiski. Le vignoble de Rostov-sur-le-Don, qui s'étend du confluent du Don et du Kan jusqu'à l'estuaire de Taganrog, donne un vin de dessert réputé, le riche Ruby du Don. Le plechistik, utilisé pour charpenter le tsimlianski, donne aussi un peu partout dans le pays de bons vins rouges secs. Les vignobles de la république du Daghestan occupent les versants orientaux du Caucase sur la Caspienne. Ses vins rouges secs corsés et aromatiques sont réputés ; les meilleurs proviennent de Derbent au Sud. Les vignobles de la Tchétchéno-Ingouchie (comprenant les républiques de Tchétchénie et d'Ingouchie) s'étendent à l'intérieur des terres sur les pentes nord du Caucase, au sud-est de Stavropol. Les vins produits sont surtout du type porto.

GÉORGIE

Les troubles intérieurs menacent la paix de cet État du Caucase, dont la tradition vinicole est l'une des plus anciennes au monde. De nombreuses vallées bénéficiant de microclimats devraient mettre la Géorgie au premier rang des régions vinicoles d'Europe centrale, mais, en dehors même de ses dissensions internes, le pays ne semble pas prendre conscience de son potentiel.

On dit qu'il existe un millier de variétés cultivées en Géorgie ; les plus importantes sont le saperavi, le tsinandali, le gurdzhaani, le tsolikouri, le chinuri, le murkhranuli et le tasitska.

ARMÉNIE

Quand elle a acquis son indépendance en 1991, l'Arménie était encore sous le choc du tremblement de terre qui l'a frappée en 1989. Un dixième de ses habitations et de son potentiel industriel ont alors été détruits, y compris la centrale nucléaire d'Erevan, qui fournissait 40% de l'électricité du pays. Si l'on ajoute à ces causes naturelles le conflit de la Géorgie voisine et celui qui oppose l'Arménie à l'Azerbaïdjan, on comprend qu'une économie de marché embryonnaire n'ait pu se concrétiser davantage.

Les cépages cultivés dans ce pays montagneux comprennent le chilar, le muscadine, le muscatel, le sersial, le verdelho et le voskeat, qui donnent des vins forts, rouges de table ou vins de dessert. Dans la région d'Echmiadzin, on produit des vins forts et fins de type madère, porto et xérès à partir de chilar, de sersial, de verdelho et de voskeat, tandis que les raisins blancs et roses du muscadine donnent des vins de dessert. Les blancs de table les plus réputés proviennent également d'Echmiadzin, et les meilleurs rouges de Norashen.

AZERBAÏDJAN

L'Azerbaïdjan est le moins développé des États de Transcaucasie, bien qu'il n'ait pas été autant éprouvé, à l'extérieur comme à l'intérieur de ses frontières, que l'Arménie ou la Géorgie. Une population à 87% musulmane (de 11% en Géorgie et pratiquement absente en Arménie) a toutefois freiné le développement de la viniculture.

La plus vaste zone viticole d'Azerbaïdjan s'étend de Kirovabad à Akstafa. On y cultive notamment le bayan shirei et le tavkveri. Les vins les mieux connus sont les blancs secs de Sadilly, ainsi qu'un rouge épicé et rond, le Matrassa. L'Akstafa et l'Alabashli sont des vins vinés forts de style porto. Parmi les vins de dessert de réputation locale, on peut citer le Mil, le Shamakhi, le Kjurdamir et le Kara-Chanakh.

KAZAKHSTAN

Le Kazakhstan est la plus grande des quinze républiques de l'ex-Union soviétique et la plus riche en ressources naturelles. L'avenir de cet État devrait s'annoncer brillant, n'était la présence, sur une population de six millions d'habitants, d'un tiers de Russes, naguère privilégiés et maintenant laissés-pour-compte. Si le Kazakhstan parvient à résoudre ce problème, il peut devenir une région vinicole prometteuse. La plus grande concentration de vignobles se trouve entre Tchimkent et Almaty (Alma-Ata) sur les contreforts du Tien-Chan, non loin de la frontière chinoise, et donc en Asie. On cultive aussi la vigne sur les rives de la Caspienne.

✧ LE PROCHE-ORIENT ✧

À l'exception d'un vin remarquable, le château Musar de la vallée de Bekaa au Liban et, dans une moindre mesure, le château Kefraya (également au Liban), enfin de la cave du Plateau du Golan en Israël, il n'existe pas de vin fin au Proche-Orient.

Le vin est né vers 4 000 avant notre ère en Mésopotamie, dont le territoire correspond à peu près à l'Iraq actuel. Plus récemment, les vignes du Proche-Orient ont surtout donné du raisin de table et des raisins secs. Le succès du château Musar de Serge Hochar au Liban nous oblige néanmoins à réviser notre jugement sur le potentiel de certains pays de cette région du monde.

TURQUIE

Aires vinicoles : *Thrace-Marmara, Ankara, Côte méditerranéenne, Côte de la mer Noire, Anatolie centrale, Anatolie orientale.* Ce pays se situe au cinquième rang mondial pour la superficie de son vignoble mais, en raison de sa population en majorité musulmane, les vignes produisent surtout du raisin de table et des raisins secs. Les vins turcs sont en général flasques, trop alcoolisés, lourds, excessivement sulfités et souvent oxydés. Les plus connus sont le Trakya (sémillon sec de Thrace), le Trakya Kirmisi (assemblage en rouge de cépages indigènes), et le duo portant le nom plaisant de Hosbag (gamay de Thrace) et Buzbag (rouge de cépages indigènes du Sud-Est). Malgré leur réputation locale, il vaut mieux éviter ces vins. Le meilleur est le Villa Doluca, un pur gamay bien fait, franc et équilibré.

CHYPRE

Aires vinicoles : *Marathassa Afames, Pitsilia, Monts Maheras, Monts Tróodhos, Mesaoria*

La tradition vinicole de cette belle île remonte à plus de quatre mille ans, et le vin le plus célèbre de Chypre, le Commandaria, ou Commanderie, est l'un de ceux qui peuvent prétendre au titre de vin le plus ancien du monde. C'est en 1191 que l'on en trouve la première trace, date à laquelle Richard Cœur de Lion conquit l'île au cours de la IIIe croisade. Ce dernier la céda aux chevaliers

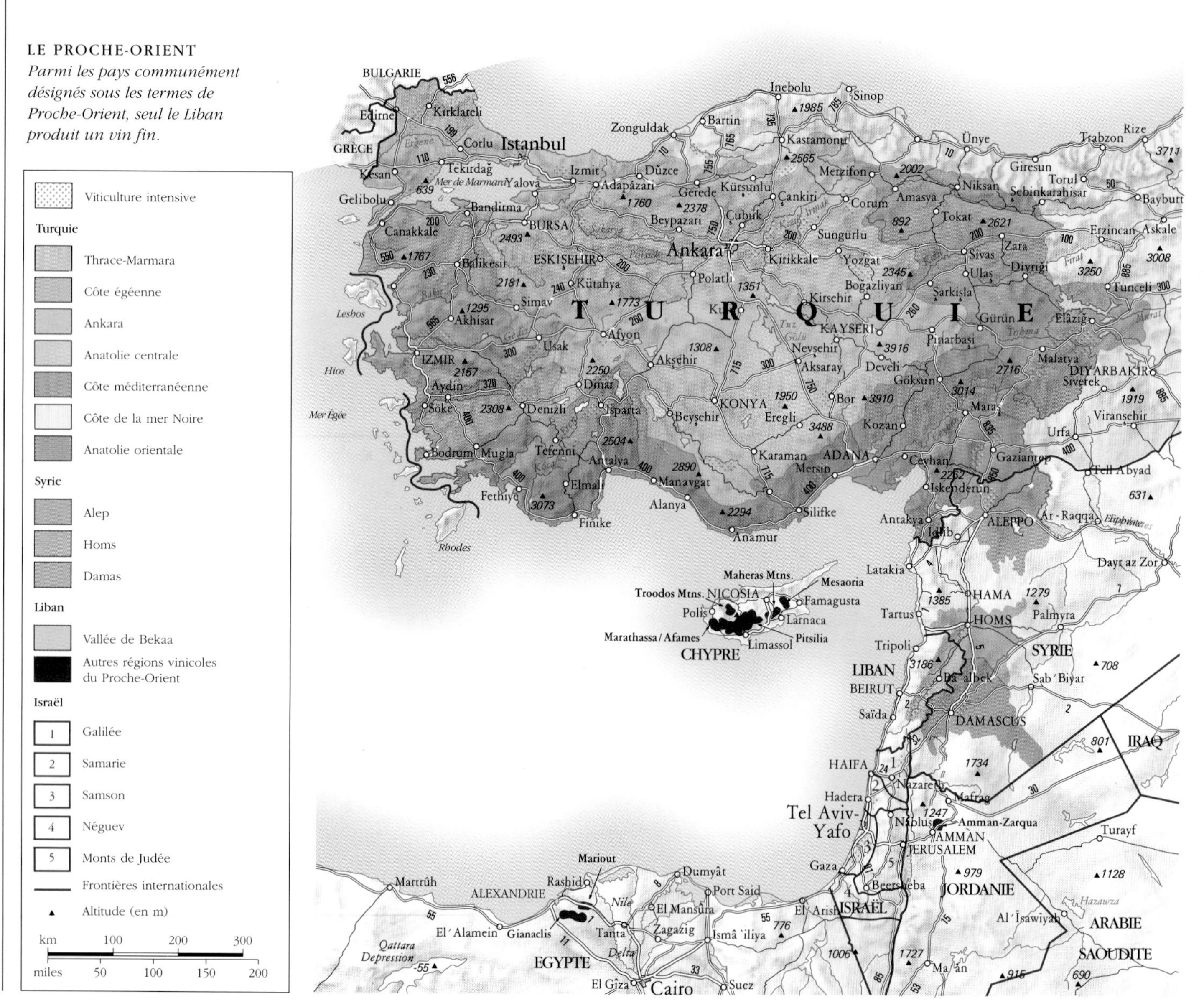

LE PROCHE-ORIENT
Parmi les pays communément désignés sous les termes de Proche-Orient, seul le Liban produit un vin fin.

VIGNOBLE CHYPRIOTE
L'un des vignobles les plus prospères de l'île s'étend sur les contreforts des monts Tróodhos.

du Temple, devenus plus tard chevaliers de Saint-Jean-de-Jérusalem et dont l'ordre fonda des commanderies. Le Commandaria est un vin de dessert de type *solera* (*voir* p. 369), issu d'un assemblage de raisins rouges et blancs séchés au soleil pendant les dix à quinze jours qui suivent la vendange pour en concentrer les sucres. Le vin actuel n'a plus grand-chose à voir avec le riche nectar aux fins arômes grillés d'antan. Qui a eu la chance de goûter une de ces raretés datant du tournant du siècle dernier pourra en témoigner.

Plus récemment, les vendanges précoces, les cuves en acier inoxydable à contrôle de température et diverses méthodes de vinification ont permis d'obtenir des vins plus légers, plus nets et vifs. Peu sont réellement excitants, mais le centre vinicole KEO, le plus important et le plus moderne de l'île, produit des vins que l'on peut boire en toute confiance, notamment le domaine d'Ahera (rouge sec léger), le Bellapais (blanc effervescent fruité, demi-sec), le Thisbé (blanc doux fruité), l'Heritage (rouge élevé en fût), l'Othello (rouge ferme) et le rosella (rosé sec frais).

SYRIE

Aires vinicoles : *Alep, Homs, Damas*

La Syrie compte environ 90 000 ha de vignes, qui donnent essentiellement du raisin de table et des raisins secs. La très grande majorité de la population étant musulmane, le volume de vin excède rarement 8 000 hl (90 000 caisses) par an. Ce sont les troupes françaises, stationnées pendant la seconde guerre mondiale, qui semblent à l'origine de l'industrie vinicole syrienne car, comme tout Français, ces soldats demandaient du vin. Tous ces vignobles sont situés sur des pentes basses.

LIBAN

Aire vinicole : *Vallée de Bekaa*

Le principal vinificateur libanais, Serge Hochar, réalise une sorte de miracle dans la vallée de Bekaa. Qu'il puisse garder le sourire alors que son vignoble a subi le feu des tanks syriens et des missiles israéliens est déjà étonnant.

Le vin de cette région est élaboré à partir de cabernet-sauvignon, de cinsault et de syrah cultivés sous un climat frais à mille mètres d'altitude, sur des graves reposant sur un socle calcaire. Les vignes ne reçoivent pas moins de trois cents jours d'ensoleillement par an et aucune pluie pendant les vendanges. Le vin rappelle parfois le bordeaux, ce qui ne déplaît pas à Serge Hochar, d'école bordelaise, mais, le plus souvent, on y perçoit les arômes cuits des meilleurs côtes-du-rhône méridionaux de vieille tradition, du temps où on ne les coupait pas de vins algériens ou marocains. Ce n'est en rien le décrier, car il s'agit toujours d'un vin de garde qui, certaines années, exprime une remarquable finesse. L'improbable succès de Serge Hochar a suscité les critiques, qui prétendent que ce vin n'est plus ce qu'il était. Certains se demandent même si le cabernet-sauvignon fait encore partie des cépages cultivés. Mon opinion est que ce vin a gardé toutes ses qualités, son style se situant entre le Bordelais et la vallée du Rhône, mais qu'il nous étonne moins qu'auparavant.

Les autres vins libanais intéressants proviennent du château Kefraya, naguère domaine de Kefraya. On ne peut nier la richesse de ce rouge à dominante de cabernet. Musar et Kefraya produisent également du blanc mais, malgré un rajeunissement récent, ils ne suscitent pas l'enthousiasme. Il existe à Ksara une cave conduite par des jésuites, qui donne des blancs nets, mais sans intérêt. La plupart des autres producteurs utilisent des méthodes trop frustes.

ISRAËL

Aires vinicoles : *Galilée (Galil), Samarie (Shomron), Samson (Simshon), Monts de Judée (Harey Yuhuda), Néguev*

Il existe maintenant cinq régions viticoles en Israël, et au moins 85 % du vin en bouteilles portant ces appellations doit provenir de l'aire en question. La Galilée est la première de ces régions vinicoles, notamment le plateau du Golan ; la Samarie est la plus vaste ; le Samson correspond à l'appellation la plus répandue ; les Monts de Judée couvrent les vignobles les plus récents et le Néguev en est encore au stade expérimental.

Ce n'est pas avant 1987 que sont apparus des vins nets et expressifs, ainsi le cabernet-sauvignon de Gamla et le sauvignon blanc de Yarden. Ils ont été élaborés avec l'aide de l'UC Davis (département d'œnologie de l'université de Californie), à partir de vignes d'altitude plantées sur le plateau du Golan où la température, même en plein été, dépasse rarement 25 °C. Ces deux vins aux vibrants arômes fruités s'améliorent presque d'année en année. La cave du Plateau du Golan produit aussi un vin effervescent fermenté en bouteilles, du sauvignon blanc et un excellent merlot. La toute nouvelle cave de Barkan est à suivre. Parmi les autres producteurs, citons Askalon (une entreprise de famille élaborant de bons vins rouges également appelés Segal ou Carmel Zion), Baron (vieille maison produisant des vins blancs fins), Carmel (la plus grande et la plus ancienne coopérative d'Israël), Efrat et Eliaz (deux maisons appréciées localement pour leurs vins à bas prix).

JORDANIE

Aire vinicole : *Amman-Zarqua*

La Jordanie, où jadis la vigne fut florissante, n'en compte plus que 3 000 ha, dont seulement une petite partie est consacrée au vin, pour un volume de 6 000 hl par an. Les Jordaniens ne sont pas buveurs de vin ; ils préfèrent l'arak, cet alcool anisé que l'on retrouve dans tout le Proche-Orient.

ÉGYPTE

Aire vinicole : *Abu Hummus*

Lorsqu'on se rend dans le delta du Nil, on est invité à s'abstenir de glaçons, et il devrait en être de même pour l'imbuvable vin égyptien, à éviter à tout prix. Le vignoble couvre 20 000 ha, qui produisent un volume de 15 000 hl par an.

LES CÉPAGES DU PROCHE-ORIENT

À part le mavro, qui compte pour 45 % du vignoble chypriote, les autres variétés cultivées au Proche-Orient sont nombreuses. On peut citer notamment : l'aramon, le cabernet franc, le carignan, le chardonnay, le chasselas, le cinsault, la clairette, le gamay, le grenache, plusieurs muscats, l'obaideh (peut-être identique au chardonnay), le palomino, le pinot noir, le riesling, le sémillon, la syrah et l'ugni blanc.

AUTRES PAYS VINICOLES D'EUROPE

Dans la précédente édition de ce livre, il n'était pas fait mention ni du Luxembourg ni d'autres petits producteurs de vin européens. Ces pays ont maintenant leur place, aussi minuscule que soit leur vignoble, et, si la Belgique, les Pays-Bas et le Liechtenstein ne m'étaient pas inconnus, les vins du Danemark constituent pour moi une totale découverte.

LA MOSELLE AU LUXEMBOURG
Vignes dominant Ehnen, entre Lenninger et Wormeldange, au cœur de la longue bande viticole du Luxembourg.

BELGIQUE

En Belgique, la viticulture remonte à l'époque romaine. Actuellement, un peu plus de 100 ha de vignes sont cultivés par une centaine de vignerons. Elles sont plantées de différents cépages, müller-thurgau, auxerrois, pinots blanc, gris et noir, et de divers croisements d'origine allemande. Ce vignoble se situe, essentiellement au sud de la Belgique, dans le Hainault, au nord-est de Charleroi, dans le Brabant, le long des vallées de la Demer, les bords de Meuse à Liège, et le Semois dans le Luxembourg (la province belge et non l'État).

Les vins belges sont légers, surtout ceux de pinot noir; si le climat leur donne quelque mal, ils peuvent néanmoins être frais et vifs et, les bonnes années, tout à fait fruités. À part Hagelander d'Aarschot, dans le Brabant, la plupart des producteurs n'ont qu'une renommée locale.

DANEMARK

Bien qu'il n'existe pas de cave commerciale au Danemark, il est surprenant de constater non seulement que la vigne peut être cultivée sous cette latitude, mais qu'une Association des viticulteurs danois compte trente-cinq membres. Les cépages sont des hybrides et des croisements semblables à ceux du vignoble britannique, que les Danois, si désireux de se perfectionner, ont visité en 1995. En 1996, ils ont demandé à devenir membres d'outre-mer de la United Kingdom Viticultural Association.

IRLANDE

Pays de la bière brune et du whisky, l'Irlande ignorait tout de la viticulture quand, en 1972, Michael O'Callaghan planta des vignes à Mallow, dans le comté de Cork. Comment l'idée lui est-elle venue qu'il pouvait vendanger des raisins mûrs sous un climat encore plus inhospitalier que celui de l'Angleterre? À cette question, il répondit ceci : « Je me souviens d'une réflexion d'Eamon De Valera, soigné à l'étranger pour un problème oculaire. Voyant des vignes de la fenêtre de sa chambre d'hôpital, il se demanda pourquoi on ne pouvait pas en planter « chez nous ». Eh bien, De Valera était mon héros et ses désirs étaient des ordres. J'ai donc planté des vignes, et vous savez quoi? Elles poussent! »

Michael O'Callaghan possède un peu plus d'un hectare de reichensteiner et c'est le restaurant de son auberge, qui a pour nom Longueville House, qui a l'exclusivité de son vin.

Il n'existe qu'un autre vignoble en Irlande, situé à environ cinq kilomètres de Mallow : Blackwater Valley. Sachant que la viticulture était possible, le Dr Christopher planta deux hectares entre 1985 et 1988, étendus actuellement à cinq hectares, qui donnent des vins de reichensteiner et de madeleine angevine. Produisant quatre fois plus que Longueville House mais ne possédant pas d'hôtel, le Dr Christopher vend son Blackwater Valley aux restaurants et aux boutiques.

LIECHTENSTEIN

Cette petite principauté située entre la Suisse et l'Allemagne possède un vignoble de 15 ha pour une superficie totale de 160 km^2. Il s'agit essentiellement de pinot noir et de chardonnay, propriété presque exclusive du souverain par l'intermédiaire de sa cuverie, la Hofkellerei Fürsten von Liechtenstein. Les vins sont légers, frais et bien faits.

LUXEMBOURG

Le vignoble luxembourgeois occupe les rives calcaires de la Moselle, qui forme la frontière naturelle avec l'Allemagne. Il s'étend sur 1 400 ha en une bande de 42 km allant de Schengen au sud à Wasserbilling au nord. Plus de sept cents vignerons se le partagent, mais la distribution est dominée par l'entreprise Vinsmoselle, qui commercialise la production de cinq coopératives (Greiveldange, Remerschen, Stadtbredimus, Wellenstein et Wormeldange) et conditionne 70% du volume total. Les 30% restants sont pris en charge par une cinquantaine de producteurs indépendants, dont une douzaine de négociants.

Plus de la moitié du raisin planté est du müller-thurgau, une variété douce et fruitée qui donne un vin dénommé Rivaner. L'elbling, cultivé depuis l'époque romaine, occupe le deuxième rang, mais les vins secs et vifs qu'on en tire sont de moins en moins demandés. Vient ensuite l'auxerrois, qui occupe quelque 10% du vignoble et rencontre un succès croissant. Si le vin obtenu ne rivalise, ni en quantité ni en qualité, avec l'auxerrois d'Alsace, il n'en est pas moins étonnamment riche, plein et gras. Le riesling décline, bien que les meilleurs vins des bonnes années puissent exprimer, après une bonne maturation en bouteilles, une extraordinaire finesse. Le pinot blanc reste heureusement rare car il tend à la platitude; les producteurs feraient bien de tirer la leçon des Alsaciens en l'assemblant à l'auxerrois. Le pinot gris se montre rond et souple, exprimant de manière lointaine le caractère épicé de son incomparable modèle alsacien. On produit encore en petite quantité un pinot noir très léger. Le vin effervescent, élaboré en cuve close ou fermenté en bouteilles, a beaucoup de succès; Bernard Massard, de Grevenmacher, en est la marque la plus connue à l'export.

Dans l'ensemble, les rendements demeurent trop élevés (de 130 à 150 hl/ha), et le contrôle manque de rigueur. Il n'existe qu'une appellation, Moselle luxembourgeoise, qui s'applique à tous les vins, quels qu'en soient l'origine, le cépage ou le style. L'existence d'un système de classement officiel – débutant par la mention « marque nationale » et atteignant les catégories prétendument supérieures de « vin classé », « premier cru » ou « grand cru » – ne semble pas répondre à des normes de qualité réelles. Au demeurant, les dénominations de premier cru ou de grand cru ne correspondent pas à des vignobles déterminés, ce qui contrevient aux dispositions de l'Union Européenne spécifiant bien qu'un cru est un terroir de qualité supérieure, et non une notation quelconque. En attendant que ce système trouve ses marques, on se fiera à la mention Domaine et Tradition, décernée par un organisme privé dont les critères sont beaucoup plus rigoureux que ceux de l'appellation officielle (mais ils pourraient se montrer plus sévères encore), et qui prône la prise en compte du terroir pour distinguer les vins d'un même cépage.

MALTE

La petite île méditerranéenne de Malte compte presque mille hectares de vignes et sa tradition viticole remonte à l'époque des Phéniciens. Pour répondre à la demande touristique, les vins produits sur place sont malheureusement coupés avec des vins d'importation. On n'en élabore pas moins des vins authentiques à Malte, et la maison italienne Antinori s'y est lancée dans un nouveau projet.

PAYS-BAS

Bien que les Pays-Bas se trouvent au nord de la Belgique, et paraîtraient encore moins convenir à la culture de la vigne, la majeure partie du vignoble se situe à l'est de Maastricht, autrement dit à une latitude inférieure à celui du Brabant. Mais, au total, il n'existe probablement pas plus de 10 ha de vignes dans tout le pays, une superficie dépassée même par le Liechtenstein. Si la viticulture remonte en Hollande au XIVe siècle, il s'agissait alors d'une activité si négligeable qu'elle disparut complètement au début du XIXe siècle, et ne reprit qu'à la fin des années 1960. Les variétés cultivées comprennent le riesling, le müller-thurgau, l'auxerrois et les inévitables croisements allemands. Les vins hollandais voyagent rarement en dehors de leur pays d'origine, mais, si l'on s'intéresse à ces produits, on contactera le centre néerlandais d'information du vin, ou l'office équivalent dans le pays de résidence.

LE CHOIX DE L'AUTEUR

L'Autriche est représentée par son meilleur rouge et l'un des plus grands producteurs de vins botrytisés au monde. Mon choix pour l'Angleterre s'est basé sur le seul vin de classe internationale. S'il n'y a que des blancs pour l'Autriche, quelques excellents rouges devraient apparaître bientôt. J'ai également cité le Lebanon dans mon tour d'horizon.

PRODUCTEUR	VIN	STYLE	DESCRIPTION	
GREAT BRITAIN Nyetimber (*voir* p.392)	Premiere Cuvée Chardonnay Brut	BLANC EFFERVESCENT	Ce vin, qui a les qualités d'un bon champagne, se situe au sommet de sa catégorie. Il se développe lentement, avant et après dégorgement, ce qui est la marque d'un vin effervescent classique, et dévoile une complexité crémeuse et biscuitée. Ce jugement est fondé sur le premier millésime de Nyetimber, mais l'assemblage chardonnay-pinot noir de 1993 se montre encore plus étonnant, avec de grands espoirs pour 1994 et 1995 (notamment le chardonnay 1995).	5 à 10 ans
AUSTRIA Weingut Gesselmann (*voir* p.402)	Opus Eximium (*voir* p. 402, assemblage en rouge) et cabernet-sauvignon	ROUGE	Sans conteste le meilleur vinificateur en rouge d'Autriche. L'Opus Eximium déborde d'arômes et le cabernet-sauvignon, tout aussi riche, reste très abordable.	5 à 8 ans
Willi Opitz (*voir* pp.400-402)	Toute la gamme de ses vins	ROUGE ET BLANC	Willi Opitz élabore de toutes petites quantités de vins toujours fabuleux, quel que soit le style qu'il a choisi. Il est surtout un maître incontesté de vins botrytisés, non seulement en Autriche, mais sur la scène internationale. Il décline de somptueux Beerenauslese et Trockenbeerenauslese dans une large gamme de cépages. Et pourtant, même les plus fervents admirateurs de Willi Opitz devront se cramponner à leur chaise en goûtant son Weisser Schilfmandl, une manière de vin de paille puissance dix.	2 à 20 ans
BULGARIA Domaine Boyar (*voir* p.406)	Chardonnay-sauvignon blanc millésimé	BLANC	Un délicieux chardonnay aux arômes de chêne, excité par une pointe de sauvignon et exprimant incontestablement une touche de magie australienne.	1 à 2 ans
HUNGARY Balaton Boglár Estate Winery (*voir* p.409) V	Chardonnay Chapel Hill élevé en fût	BLANC	Élaboré par le *Master of Wine* Kim Milne, qui sélectionne le meilleur de ce chardonnay élevé en fût de chêne, un vin si riche et satisfaisant qu'un plat ne pourrait que le trahir.	sans attendre
Gyöngyös Estate V (*voir* p.409)	Chardonnay, Mätraalja	BLANC	L'un des premiers vins qui aient assuré la réputation de Hugh Ryman. Pas aussi ample que le chardonnay de Kym Milne, il s'exprime davantage sur le fruit, avec une fraîcheur d'ananas délicieuse.	sans attendre
The Royal Tokay Company (*voir* p.408)	Royal Tokaji Aszü 5 Puttonyos	BLANC	Ce vin d'une expression pure, nette et magnifique de pourriture noble est le meilleur tokay du marché. Mais on surveillera les futurs 6 *puttonyos* et *essencia*.	5 à 25 ans
LEBANON Serge Hochar (*voir* p.419)	Château Musar	BLANC	Cet assemblage à dominante de cabernet bien étoffé peut être un peu trop cuit, mais les meilleurs millésimes se fondent magnifiquement avec l'âge.	5 à 25 ans

Les VINS *d'*

AFRIQUE DU NORD *et* DU SUD

L'ancien et le nouveau monde viticole
se rencontrent sur le même continent,
mais à plusieurs milliers de kilomètres
de distance. L'Algérie, le Maroc et la Tunisie
ne recèlent pas de merveilles,
ni même de vins vraiment intéressants,
mais le potentiel existe – il faut seulement
du temps pour qu'une volée de viticulteurs
arrive et l'exploite. Il y a fort à parier qu'alors,
les vins d'Afrique du Nord changeront du tout
au tout. Le Kenya, avec un seul vignoble et
une seule cave, sur le lac Naivasha,
dans la superbe Rift Valley, suscite la curiosité.
Quant au Zimbawe, il a les moyens
d'exporter beaucoup de vins que l'on pourrait
bien voir arriver en masse, un jour ou l'autre,
sur les rayons des supermarchés.
Mais c'est bien sûr l'Afrique du Sud
qui mérite l'attention, avec ses vins largement
exportés depuis la fin
de l'apartheid.

FRANKSCHOEK VALLEY, DANS LA RÉGION DE PAARL, EN AFRIQUE DU SUD
Vue aérienne des vignobles les plus élevés, sur les pentes les plus raides, de la région de Paarl : ils excellent dans le vin rouge.

✧ AFRIQUE DU NORD ✧

En Algérie, au Maroc et en Tunisie, l'industrie du vin et le système des appellations qui l'encadre ont évidemment été légués par la France. Aujourd'hui, l'administration de chacun de ces pays joue un rôle actif et cherche, de manière plus ou moins efficace, à améliorer la qualité. Cependant, aucun grand vin n'a encore émergé. Il y a toutefois de belles réussites, les meilleures étant les rouges du Maroc et les muscats de Tunisie. À l'heure actuelle, il est vrai qu'il y a du raisin sur la planche, mais les possibilités sont indéniables.

FEMMES BERBÈRES DANS UN VIGNOBLE, EN TUNISIE
Les meilleurs vins d'AOC de Tunisie sont les muscats, bien que le rosé ait connu un succès éphémère après la seconde guerre mondiale.

ALGÉRIE

Secteurs viticoles de la wilaya d'Oran : *Coteaux de Mascara, Coteaux de Tlemcen, monts de Tassalah, Mostaganem, Mostaganem-Kenenda, Oued Imbert*
Secteurs viticoles de la wilaya d'Alger : *Aïn-Bessem-Bouïra, Coteaux du Zaccar, Haut-Dabra, Médéa*
On le sait, l'Algérie a été le premier des pays d'Afrique du Nord à subir la colonisation française et la viticulture y a pris quelques longueurs d'avance. La production l'a toujours emporté sur celle des autres pays du Maghreb, sinon en qualité, du moins en quantité. L'effondrement de cette industrie, au moment de l'indépendance, a démontré – si tant est que cela restât à faire – que les vins algériens étaient bel et bien liés, aux bourgognes, qu'ils avaient pour mission de renforcer. En fait, l'opération était bénéfique dans les deux sens dans la mesure où seuls les bourgognes les plus faibles et les plus étiques se voyaient prescrire le traitement. Ils en sortaient en ayant totalement perdu leur caractère de bourgogne – mais meilleurs! Depuis l'indépendance, la superficie du vignoble algérien a dimi-

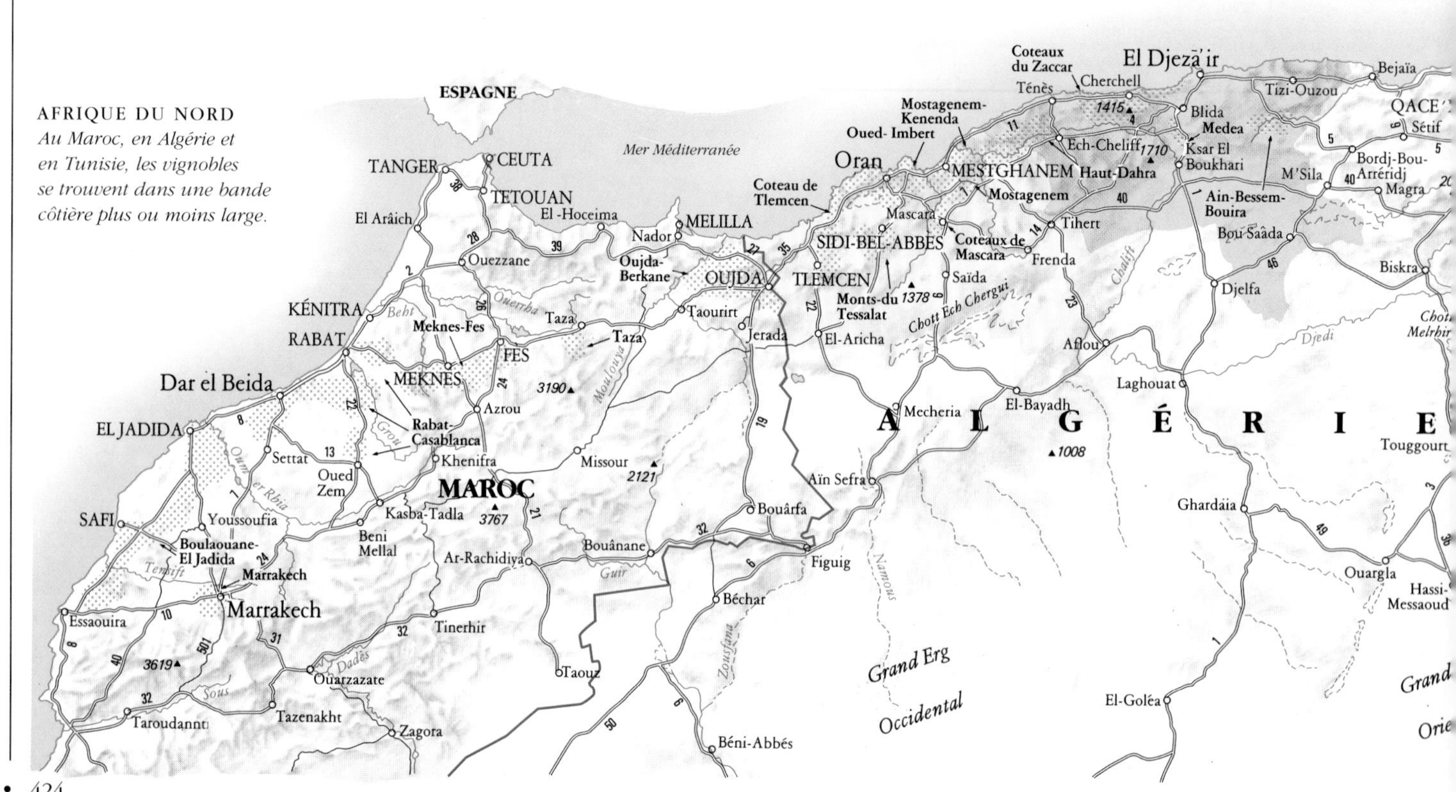

AFRIQUE DU NORD
Au Maroc, en Algérie et en Tunisie, les vignobles se trouvent dans une bande côtière plus ou moins large.

nué de moitié. Les vins rouges ne coupent plus les vins français mais ils ne se sont pas améliorés, contrairement aux blancs et aux rosés qui gagnent en fraîcheur chaque année. Parmi les quelques rouges recommandables, les meilleurs sont ceux des Coteaux de Mascara, élaborés dans un style rustique, charpenté mais quelque peu grossier.

MAROC

Zones viticoles : *Meknès-Fès, Rabat-Casablanca, Oujda-Berkane, Marrakech*

La viticulture, présente dès l'époque romaine, n'a pas résisté à 1 000 ans d'islam. Au XXe siècle cependant, avec la colonisation française (et espagnole pour une petite part), on s'est mis à planter de la vigne, et même à en planter beaucoup. Lorsque le Maroc a obtenu son indépendance, en 1956, le nouveau gouvernement a instauré un système de contrôle de la qualité comparable aux Appellations d'Origine Contrôlée (AOC) françaises, puis a nationalisé l'industrie vinicole, en 1973. Toutefois, très peu de vins marocains portent la mention officielle AOG (Appellation d'Origine Garantie). Certains rosés, à la robe très pâle, appelés « vins gris », sont agréables à boire frais, mais les rouges sont incontestablement meilleurs. Les plus appréciés à l'exportation sont deux vins des Trois Domaines, le tarik et le chante-bled, élaborés à partir de carignan, cinsault et grenache, et issus de la zone de Meknès et Fès. Le tarik est plus corpulent et le chante bled plus souple. Mais la plus grande partie de la production est destinée à la vente aux touristes, pour des prix incroyablement élevés (malgré des conditions de stockage désastreuses) – les vins européens étant eux inabordables, étant donné les taxes.

KHEMIS MILIANA, ALGÉRIE

Vignobles doucement ondulés au sud de Cherchell, dans la région d'Alger, à l'ouest du Haut-Dabra.

VIEUX CEPS DE MUSCAT

Vignoble à Bizerte, dans la région Bizerte-Mateur-Tébourda, au nord de la Tunisie.

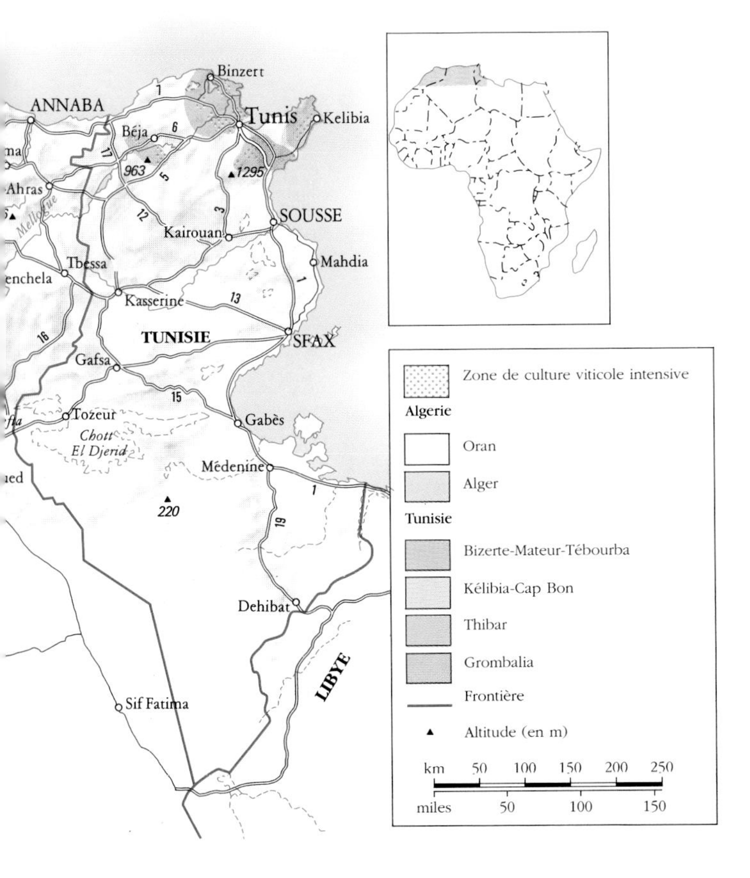

TUNISIE

Zones viticoles : *Grombalia, Bizerte-Mateur-Tébourba, Kélibia-Cap Bon, Thibar*

Carthage faisait déjà du vin à l'époque phénicienne mais, comme dans les autres pays du Maghreb, les préceptes religieux ont abouti à la disparition de la vigne. Du temps de la France, à partir de 1881, la viticulture a connu un grand essor et elle était florissante au moment de l'Indépendance, en 1955.

On a créé alors deux grandes désignations, Vin Supérieur de Tunisie, pour les vins de table, et Appellation Contrôlée Vin Muscat de Tunisie, pour les muscats liquoreux. Mais, il n'existait aucun contrôle sérieux sur la production et, en 1957, les autorités ont instauré un système de classification à quatre niveaux : les VCC (Vins de Consommation Courante), les VS (Vins Supérieurs), les VDQS (Vins de Qualité Supérieure) et les AOC, (Appellations d'Origine Contrôlée). Les meilleurs vins tunisiens sont issus du cépage muscat, depuis le vin de muscat de Tunisie, délicieux, doux, riche et onctueux, jusqu'aux muscats secs, frais et délicats, tel celui de Kelibia. Il existe aussi quelques bons vins rouges (château feriani, domaine karim et royal tardi) faits de cinsault et de carignan.

✧ AFRIQUE DU SUD ✧

Depuis les changements politiques intervenus dans ce pays et l'avènement d'une démocratie multiraciale, le niveau s'est nettement amélioré. Les vins sont apparus sur des marchés internationaux toujours avides de nouveauté. Les profits qui en résultent sont les bienvenus pour investir et produire des vins encore meilleurs.

Tout d'abord, l'amélioration est passée par une meilleure sélection et par l'investissement dans le chêne neuf, lorsqu'il était justifié. Mais une partie des profits de l'exportation a été investie dans un programme de développement de la viticulture, le VIP (*Vine Improvement Programme*). La première phase de celui-ci concerne la sélection des clones et l'amélioration des porte-greffes, et la deuxième phase est axée sur leurs possibilités de combinaisons dans les différents terroirs. Le projet est très ambitieux et il n'ira peut-être jamais à son terme, mais après un isolement international prolongé, il était nécessaire pour redonner leur vitalité aux vignobles. Et le VIP a d'ores et déjà produit ses effets, avec des vins au caractère variétal plus riche et d'une plus grande complexité. L'Afrique du Sud, hier en retard, est maintenant à la pointe de la recherche pour la viticulture.

L'ORIGINE

Presque tous les vignobles d'Afrique du Sud se trouvent dans un rayon de 150 kilomètres autour de la ville du Cap. Ici, les premiers ceps ont été plantés en 1655 – mais les vins d'alors n'étaient pas très réussis, si l'on en croît les chroniques. Simon van der Stel, arrivé en 1679, se plaignait de leur « terrible aigreur ». Il s'évertua d'y remédier en fondant Constantia, l'exploitation viticole la plus célèbre du pays (scindée ensuite en trois propriétés : Groot Constantia, Klein Constantia et Buitenverwachting).

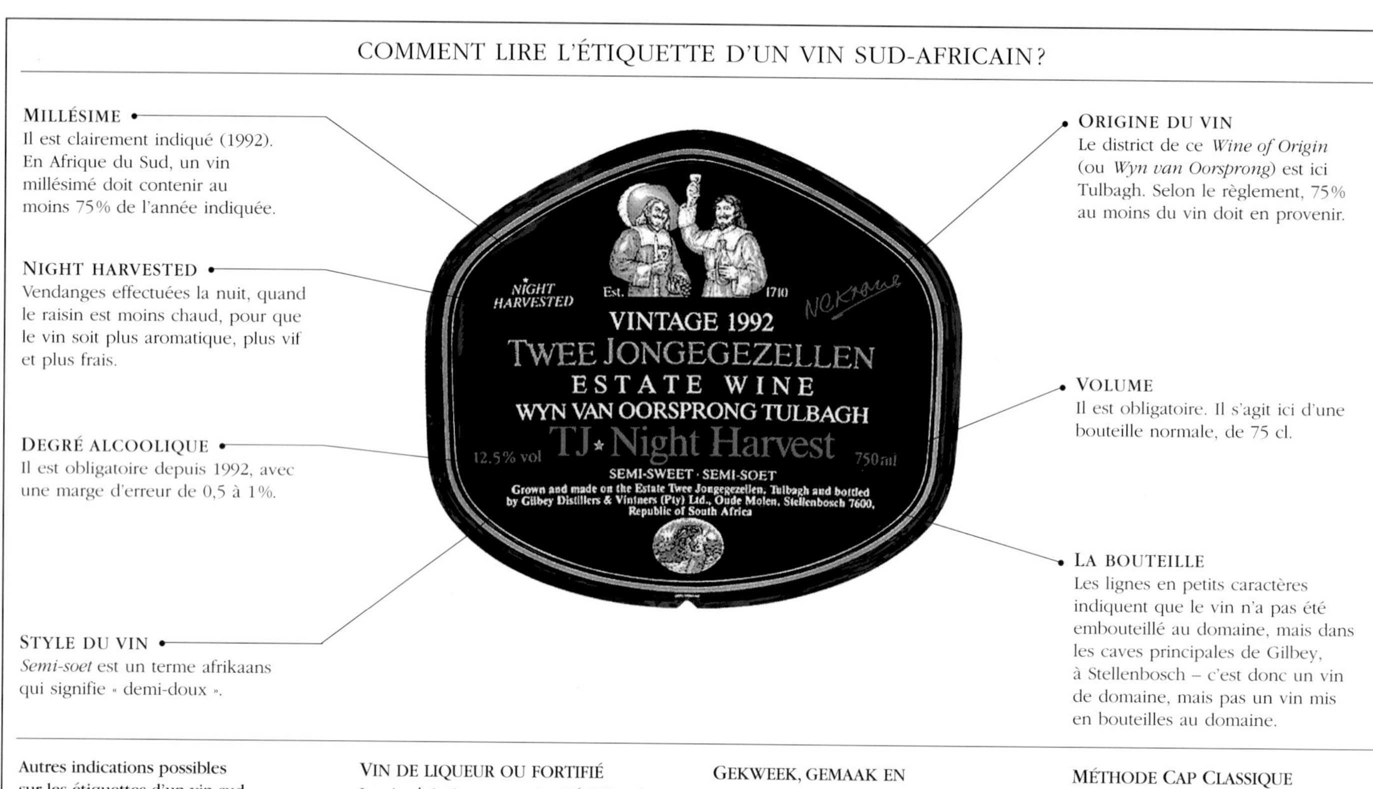

Autres indications possibles sur les étiquettes d'un vin sud-africain.
Je mentionne ici essentiellement les termes en afrikaans, les autres étant faciles à comprendre.

CULTIVAR
Abréviation de *cultivated variety* (variété cultivée). Un cépage est un cultivar.

EDEL LAAT-OES (Noble Late Harvest)
Vendange tardive dont les raisins peuvent être botrytisés. Le vin doit contenir un minimum de 50 g/l de sucre résiduel.

EDELKEUR
Pourriture noble.

VIN DE LIQUEUR OU FORTIFIÉ
Le vin doit titrer au moins 16,5 % vol. et, au plus, 22 % vol. À cette catégorie appartiennent le porto et le xérès, ainsi que des vins spécifiquement sud-africains tel le jerepigo.

GEBOTTEL IN…
Mis en bouteilles à…

GEPRODUSER EN GEBOTTEL IN…
Produit et mis en bouteilles à…

GEPRODUSER EN GEBOTTEL IN DIE REPUBLIEK VAN SUD-AFRICA
Produit et mis en bouteilles en République d'Afrique du Sud.

GEKWEEK EN GEMAAK OP…
Élaboré et élevé à… (non mis en bouteilles au domaine).

GEKWEEK, GEMAAK EN GEBOTTEL OP…
Élaboré, élevé et mis en bouteilles à… (mis en bouteilles au domaine).

JEREPIGO OU JERIPKO
Vin de liqueur très doux comportant au moins 160 grammes de sucre résiduel par litre. Ce muscadelle jerepigo est très populaire.

KOÖPERATIEWE, KOÖPERATIEVE, KOÖPERASIE, KOÖPERATIEF
Coopérative.

LANDGOEDWYN
Vin de domaine.

LAAT-OOS
Late Harvest, ou vendange tardive. Le vin doit titrer au moins 10 % vol. et doit contenir de 10 à 30 g/l de sucre résiduel.

MÉTHODE CAP CLASSIQUE
Concerne les vins effervescents fermentés en bouteille.

MOSKONFYT
Moût concentré.

OESJAAR
Millésime.

SPESIALE LAAT-OOS
Special Late Harvest Vin de vendange tardive élaboré – en général mais pas obligatoirement – avec des raisins botrytisés. Il doit titrer au moins 10° et contenir de 20 à 50 g/l de sucre résiduel.

STEIN
Vin demi-sec, en général à base de chenin.

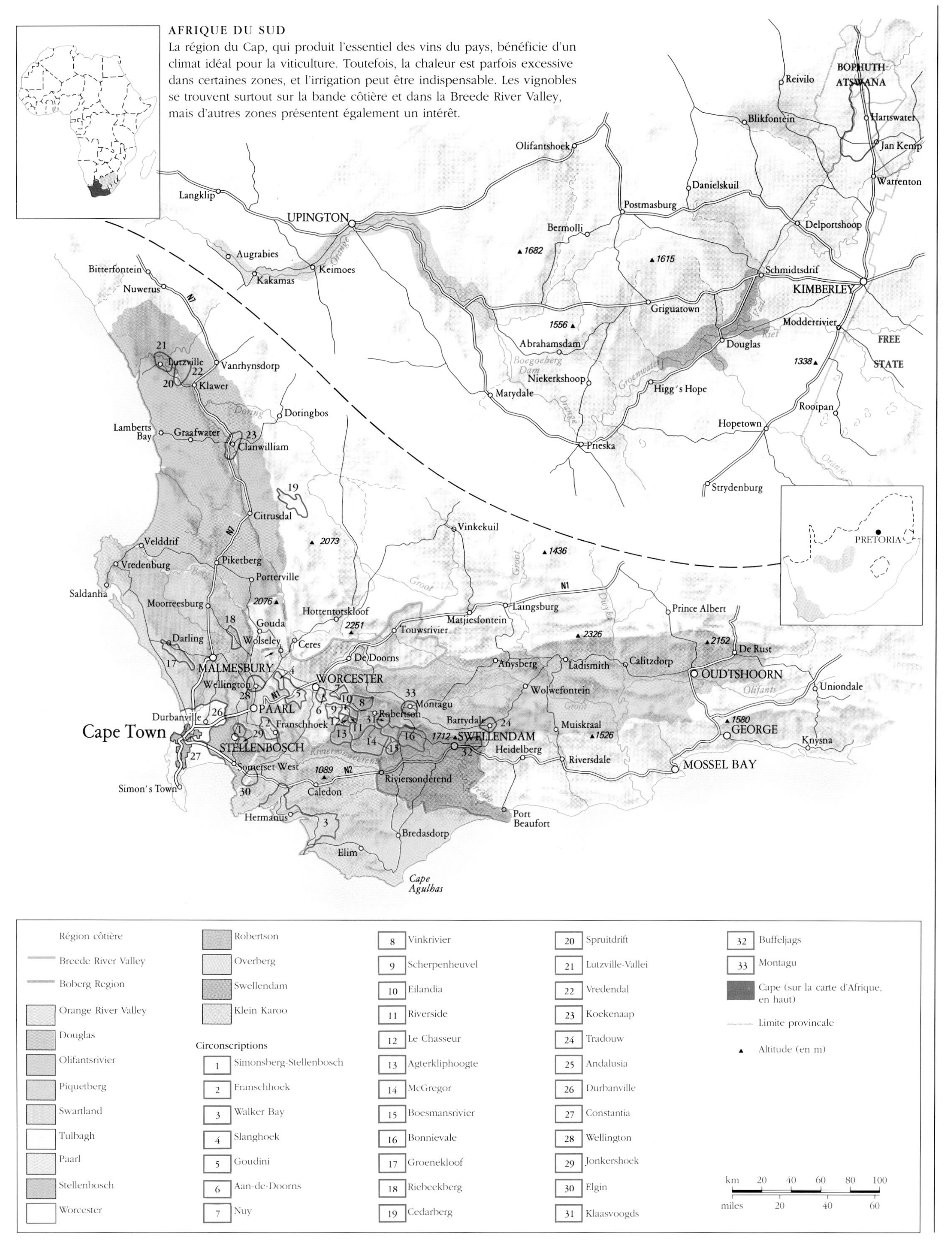

AFRIQUE DU SUD

La région du Cap, qui produit l'essentiel des vins du pays, bénéficie d'un climat idéal pour la viticulture. Toutefois, la chaleur est parfois excessive dans certaines zones, et l'irrigation peut être indispensable. Les vignobles se trouvent surtout sur la bande côtière et dans la Breede River Valley, mais d'autres zones présentent également un intérêt.

VIGNOBLES DE THELEMA MOUNTAIN
Ces superbes vignobles, sur le Simonsberg, dans la région de Stellenbosch, appartiennent à Thelema Mountain, une des caves les plus dynamiques d'Afrique du Sud.

Trois siècles de vinification

L'arrivée des huguenots français, passés maîtres dans l'art de la viticulture et de la vinification, a entraîné une amélioration des vins du Cap qui, au début du XVIIIe siècle, étaient déjà tenus en haute estime. Plus tard, en 1806, lorsque les forces françaises sont entrées en Hollande, les Anglais ont occupé le Cap et, étant donné la pénurie des vins français, ils ont exporté ceux d'Afrique du Sud aux quatre coins de leur empire. Après une telle promotion, les exportations vers l'Angleterre ont atteint 45 000 hectolitres (en 1859). Toutefois, Cobden (« l'apôtre du marché libre ») et Gladstone ont négocié un accord commercial avec la France qui a porté un coup très dur aux vins sud-africains. L'exportation est tombée à 22 000 hectolitres en 1860, à 5 700 l'année suivante, et à 4 200 vers 1865.

Les temps difficiles

Malgré ce recul, la production a continué. Les afflux de population, attirée par la découverte d'or et de diamants, à la fin du XIXe siècle,

LES MILLÉSIMES RÉCENTS D'AFRIQUE DU SUD

Les différences de millésimes sont surtout marquées dans la région côtière et dans l'Overberg, mais beaucoup moins dans les zones chaudes. Par ailleurs, la qualité croît régulièrement depuis 1994, quelles que soient les conditions climatiques, étant donné l'amélioration de l'encépagement.

1996 Excellent millésime, surtout pour les blancs.

1995 Il a fait chaud et sec et les rendements ont été faible, avec une très bonne maturité. Les vinificateurs ont réussi à s'adapter à ces conditions pour faire des rouges corpulents, musclés et concentrés, alors que les blancs ont été tributaires de l'époque de la vendange (par exemple, le sauvignon, vendangé tôt, est en général meilleur que le chardonnay, plus tardif).

1994 C'est l'année la plus sèche et la plus chaude depuis plus d'un quart de siècle (mais elle a été battue par 1995!). La qualité est irrégulière, selon le comportement des vignobles sous la canicule. Certains vins sont excellents et très concentrés, mais d'autres sont ratés. Dans l'ensemble, ils sont légèrement au-dessus de la moyenne.

1993 Bon ou assez bon millésime, dans toutes les zones.

1992 Année record pour le volume de la vendange, et très bon millésime, surtout pour les rouges.

FACTEURS AFFECTANT LE GOÛT ET LA QUALITÉ

SITUATION
Extrémité australe du continent africain.

CLIMAT
Le climat est généralement de type méditerranéen doux, mais les zones côtières reçoivent plus de précipitations que l'arrière-pays et sont plus fraîches au printemps et en automne. Toutes les zones côtières sont rafraîchies par la brise marine. Le secteur le plus frais est celui de l'Overberg, classé en zone I selon l'échelle de Winkler, et suivi par Constantia et Stellenbosch, tous deux en zone III. Ceux de Klein Karoo, Tulbagh, Olifants River et certaines parties de Paarl (Dal Josaphat) sont les plus chauds, se classant entre le haut de la zone IV et le bas de la zone V (*voir* p. 448).

SITE
La plupart des vignes sont cultivées sur des fonds de vallées, plats ou légèrement vallonnés. Toutefois, de plus en plus, les vignobles montent à l'assaut des pentes montagneuses, tels ceux de Klein Constantia, Thelema Mountain, Bellingham et Boschendal.

SOL
Graviers et terres fortes de grès et d'origine schisteuse et granitique dans la plaine côtière, sols alluviaux profonds, sableux ou riches en calcaire, schistes rouges dans les vallées.

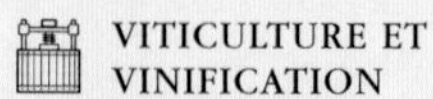

VITICULTURE ET VINIFICATION
Contrairement à ce qu'on pourrait croire, le raisin du Cap n'arrive pas toujours à complète maturation, même si, dans nombre de zones chaudes, il souffre de coups de chaleur et surmûrit. L'irrigation est souvent nécessaire (Robertson, Worcester, Vredendal) et le succès des cultures dépend alors des disponibilités en eau. Lorsque la chaleur est très intense, on vendange de nuit, sous projecteur. L'Afrique du Sud a souvent été touchée par la surproduction (*voir* KWV International, p. 435), due à un excès de terres en vigne, à des cépages de faible qualité, à des clones médiocres et à des rendements trop importants. À l'heure actuelle, les autorités s'emploient à corriger ces défauts, notamment à l'aide de clones et de porte-greffes bien adaptés. Les rendements ont baissé pour s'adapter aux exigences du marché, et les vignobles s'implantent de plus en plus en altitude.

CÉPAGES PRINCIPAUX
Cabernet sauvignon, chardonnay, chenin blanc (*syn.* steen), cinsault, colombard, crouchen (*syn.* cape riesling), muscat d'Alexandrie (*syn.* hanepoot), pinotage, sauvignon blanc

CÉPAGES SECONDAIRES
Alicante bouschet, auxerrois, barbarossa, barbera, bastardo, bourboulenc, bukettraube, cabernet franc, carignan, chenel (*syn. chenin blanc* x *trebbiano*), clairette blanche, cornichon, cornifesto, emerald riesling, false pedro, ferdinand de lesseps, fernao pires, flame tokai (*syn.* vlamkleur tokai), folle blanche, gamay, gewurztraminer, grenache (*syn.* rooi grenache), harslevelü, malbec, merlot, morio muscat, muscadel, muscat de Hambourg, muscat ottonel, palomino, pedro ximénez, petit verdot, pinot gris, pinot noir, riesling (*syn.* rhine riesling, weisser riesling), sémillon (*syn.* greengrape), souzao, shiraz (*syn.* syrah), tinta amarela (*syn.* malvasia rey), tinta barocca, tinta francisca, tinta roriz, ugni blanc, zinfandel

a entraîné une extension des vignobles. Mais la richesse soudaine des immigrants a causé la guerre des Boers et les ventes ont diminué, dans le pays comme à l'exportation. Mais on a continué à produire du vin
En 1905, les autorités ont encouragé la constitution de coopératives, mais rien n'a été fait pour diminuer la production ou stimuler la demande. Aussi, en 1918, lorsque la KWV (Koöperatiewe Wijnbouwers Vereniging) a été constituée, sous les auspices officiels, la première décision a-t-elle été de distiller en eau-de-vie la moitié de la production, et d'améliorer la qualité des vins du Cap. Et la politique d'assemblage des excédents, pour en faire des produits exportables, a tout simplement sauvé l'industrie sud-africaine du vin.

NOUVELLES ZONES ET VINS MEILLEURS

Paarl et Stellenbosch sont considérés comme les meilleurs secteurs vinicoles du pays. Toutefois, on considère que depuis l'établissement à Hermanus de l'excellent vignoble de Hamilton Russell, dans la zone de la Walker Bay dans l'Overberg au sud-est, il est certain que ce dernier terroir a du potentiel. Si Hermanus ne compte pour l'heure que deux domaines, Elgin se révèle aussi comme une très bonne région pour la vigne : il s'agit là du verger à pomme de la ville du Cap et, comme on l'a appris à Washington aux États-Unis, là où les producteurs de pommes s'installent, la vigne à vin, de bon niveau, n'est jamais très loin. Neil Ellis offre un excellent sauvignon blanc issu de cette région d'Elgin. Plus surprenant encore, l'établissement de Buitenverwachting et de Klein Constantia, respectivement en 1985 et 1986, a représenté un nouveau stade dans la prospection de nouvelles zones viticoles. Constantia, qui n'était auparavant que le berceau de la vinification dans ce pays, est aujourd'hui une excellente source de blancs de bonne qualité. De même, Mossel Bay, excentré à l'est du district du Cap, a beaucoup de potentiel, en particulier pour des cépages de vins blancs aromatiques, riesling ou sauvignon blanc – et même, selon certains, pinot noir.
En 1995, les propriétés vinicoles du pays ont reçu l'autorisation d'acheter du raisin dans d'autres zones, non pas pour le mélanger au leur, mais pour étendre leur gamme en proposant des vins de vignoble issus d'autres terroirs. Ainsi, plutôt que de s'escrimer à cultiver, disons du sauvignon blanc dans une zone de vin rouge afin de répondre à la demande du consommateur, un domaine peut fort bien acheter le raisin dans une contrée plus propice, et arracher ses pieds de sauvignon afin de replanter des cépages plus adaptés. Ainsi, chaque terroir est en position de cultiver les variétés lui convenant le mieux, ce qui correspond à la seconde phase du plan de développement (VIP) et représente une promesse d'amélioration pour l'avenir proche.

LES APPELLATIONS DE
L'AFRIQUE DU SUD

Note Les circonscriptions (*wine wards*) sont les types d'appellation de WO (*Wine of Origin*) les plus spécifiques. Il peut y avoir plusieurs circonscriptions WO dans un district WO, ou plusieurs districts dans une région WO.

ANDALUSIA WO

Bien que cette circonscription soit considérée comme un district, sa situation, à 80 km au nord de Kimberley, en fait une partie intégrante de la région de l'Orange River, pour toutes sortes de raisons. Étant donné les gros rendements, liés à l'irrigation, cette zone n'était qu'une source de vins en vrac, mais la coopérative locale (Vaalharts) propose quelques bons vins au prix intéressant et en bouteilles.

BENEDE ORANJE WO

Appellation de circonscription unique constituée d'une bande de terre de 10 km, de l'Orange River, près d'Augrabies.

BOBERG WO

Districts Paarl WO, Tulbagh WO

Cette WO régionale est limitée aux vins fortifiés, dans les deux districts cités.

BREEDE RIVER VALLEY WO

Districts Robertson WO, Swellendam WO, Wworcester WO

Les vignobles de cette région se trouvent à l'est des Drakenstein Mountains; irrigués, ils donnent surtout des blancs et des vins fortifiés. La coopérative De Wet est la cave la plus connue.

CAPE WO

Nouvelle appellation concernant toute la province du Cap; elle est destinée au vin générique de qualité inférieure et permet aux producteurs de diffuser des vins d'assemblage en vrac.

CEDARBERG WO

Zone excentrique, à l'est de la partie méridionale de la région de l'Olifants River, où la coopérative, Cedarberg Kelders, offre des vins d'un bon rapport qualité/prix, dont un excellent cabernet sauvignon.

COASTAL REGION WO

Districts Paarl WO, Stellenbosh WO Swartland WO, Tulbagh WO

C'est l'appellation la plus courante; elle comprend deux districts extérieurs (Constantia WO et Durbanville WO), en plus des quatre districts cités et leurs circonscriptions.
Les vignobles de Constantia se trouvent sur les pentes de granit rouge, exposées à l'est, du mont Constantia, au sud de la ville du Cap. Avec la mer des deux côtés, le climat est doux et méditerranéen, mais les précipitations sont malgré tout abondantes (1 200 mm).
Ceux de Durbanville sont situés dans les parties basses des collines de Tygerberg; les précipitations y sont plus faibles mais le sol profond et bien amélioré, sur une base de granit rouge, offre une bonne rétention de l'eau, et les vignes sont rafraîchies et asséchées par les vents marins venant de False Bay.

DOUGLAS WO

Au sud-est de Kimberley, ce district n'a acquis son statut de WO qu'en 1981, mais c'est en fait une extension de l'appellation de l'Orange River. La coopérative de Douglas est renommée pour son excellent vin de dessert de muscat d'Alexandrie.

KLEIN KAROO WO

Circonscriptions Montagu WO, Tradouw WO

Bande de terre longue et étroite, s'étendant de Montagu à l'ouest, à De Rust à l'est. Le climat est chaud et sec et il faut irriguer les vignobles. Les sols typiques de schistes argileux, ou les terres alluvionnaires près des nombreux cours d'eau, sont très fertiles et favorables au jerepigo, muscadelle et autres vins de dessert qui ont fait la renommée de ce secteur. Le Boplas Estate élabore le meilleur « porto » d'Afrique du Sud et Die Drans fait aussi du bon vin fortifié, mais les coopératives contrôlent l'essentiel de la production.

MOSSEL BAY

S'il ne s'agit pas d'une zone de WO, on peut toutefois en attendre des vins très fins, de riesling et de sauvignon blanc et, sans doute aussi, de pinot noir.

OLIFANTS RIVER OU OLIFANTSRIVIER WO

Circonscriptions Koekenaap WO, Lutzville-Vallei WO, Spruitdrift WO, Vredendal WO

Dans ce district long et étroit, la vigne pousse sur du grès ou des sols alluvionnaires calcaires. Le climat est riche et chaud, avec des précipitations limitées à 260 mm – encore plus faibles près de côtes. Il n'y a pas de vins de domaine et la vinification est assurée par une demi-douzaine de coopératives. La plus importante, Vredendal Winery, offre quelques très bons vins.

ORANGE RIVER OU ORANJERIVIER REGION WO

Appelée aussi Lower Orange River, cette zone viticole septentrionale est complètement isolée du reste du vignoble. Le climat est chaud et sec, l'irrigation indispensable, et les sols fertiles donnent de gros rendements. Il n'y a pas de vins de domaine et la vinification est assurée par les coopératives.

OVERBERG WO

Circonscriptions Elgin WO, Walker Bay WO

Anciennement Caledon WO, cette zone, au sud-est de Paarl et Stellenbosch, est relativement peu cultivée. Il y a dix ans, il n'y avait qu'un seul producteur, Hamilton Russell Vineyards, à Walker Bay, mais c'était manifestement l'un des districts au meilleur potentiel du pays. Peter Finlaysson, vinificateur de Hamilton Russell, en était bien persuadé quand il s'est associé à Michael Clarke pour créer sa propre cave qui, ensuite, a bénéficié d'investissements français pour prendre le nom de Bouchard-Finlaysson. Toutefois, les vignobles sont encore rares et les établissements vinicoles plus encore – et ils n'ont pas tous fait leurs preuves. Mais beaucoup de vins produits ici se sont révélés de belles réussites, parmi les plus dignes d'intérêt de toute l'Afrique du Sud.

PAARL WO

Circonscriptions Franschhoek WO, Wellington WO

Ce secteur comprend la vallée fertile de la Berg River et les vignobles autour de Franschhoek, Wellington et, bien sûr, Paarl. Les vignes sont établies sur trois grands types de sol : granit pour la zone de Paarl, grès pour celle de Table Mountain, et ardoise pour celle de Malmesbury, au nord. Le climat est méditerranéen avec des hivers humides et des étés chauds et secs. Les précipitations annuelles sont de 650 mm, et elles diminuent vers le nord-est. Si la région est essentiellement vouée au vin blanc, les vignobles d'altitude donnent souvent des rouges d'excellente qualité.

PICKETBERG OU PIQUETBERG WO

Vaste district entre le Swartland et le Tulbagh, au sud, et l'Olifants River, au nord. Le climat chaud, avec des précipitations annuelles de 175 mm, n'est guère propice à la viticulture.

ROBERTSON WO

Circonscriptions Agterkliphoogte WO, Boesmansrivier WO, Bonnievale WO (chevauchant en partie le district Swellendam), Le Chasseur WO, Eilandia WO, Klaasvoogds, McGregor WO, Riverside WO, Vinkrivier WO

Bordé au sud par les monts Riversonderend et, au nord, par la chaîne du Langeberg, ce district présente des sols, un climat et une topographie assez proches, pour l'essentiel, de ceux du Karoo (même si le climat est un peu plus tempéré).

STELLENBOSCH WO

Circonscriptions Jonkershoek WO, Simonsberg-Stellenbosch WO

Entre la False Bay, au sud, et Paarl, au nord, ce secteur présente trois types de sol : granite à l'est, très favorable aux vins rouges, grès pour la zone de Table Mountain, à l'ouest, excellents pour les blancs, et alluvions autour de l'Eerste River. L'été est chaud et sec, l'hiver frais et humide et, avec des précipitations de 500 mm, l'irrigation est en général superflue, sauf dans quelques zones et au plus fort de l'été. Les meilleurs vins viennent actuellement de Somerset West.

SWARTLAND WO

Circonscriptions Groenekloof WO, Riebeekberg WO

Ce district remplace celui de Malmesbury WO. Les terres arables en occupent la plus grande partie alors que les vignes sont limitées à la zone sud, autour de Darling, Malmesbury et Riebeek. Sur des sols de grès (Table Mountain) et d'ardoise (Malmesbury), les précipitations annuelles de 240 mm environ rendent l'irrigation en général superflue, même si quelques vignobles la supportent étonnamment bien.

SWELLENDAM WO

Circonscriptions Bonnievale WO (chevauchant en partie le district Robertson), Buffeljags WO

Les vignobles produisent un gros volume de vins en vrac sous la houlette d'une demi-douzaine de coopératives de niveau moyen, mais on trouve aussi, ici et là, d'excellents producteurs.

TULBAGH WO

Au nord de Paarl, à la limite esr du Swartland, ce district comprend Wolseley, mais il fait partie, du point de vue viticole, de la région de Breede River. Établis sur des sols sableux et de schistes argileux, les vignobles sont entourés de hautes montagnes. Le climat chaud et assez sec, avec des précipitations annuelles de 350 mm, rend l'irrigation nécessaire même si les vignes proches des pentes montagneuses sont plus arrosées.

WORCESTER WO

Circonscriptions Nuy WO, Goudini WO, Slanghoek WO, Scherpenheuvel WO, Aan-de-Doorns WO

Entre les secteurs de Little Karoo, à l'ouest, et de Paarl, à l'est, ce district est couvert de vignes qui s'étalent dans le cours supérieur de la Breede River. Les sols sont un composé des grès de Table Mountain et des schistes argileux, rouges et fertiles, de Little Karoo. Le climat chaud est tempéré à l'ouest par de fortes précipitations, alors que l'est est nettement plus sec. Il y a ici quelques bons domaines viticoles, dont l'excellent Bergsig, mais la première place revient aux coopératives, très performantes, qui proposent des vins blancs et fortifiés très fins.

LES STYLES DE VIN D'

AFRIQUE DU SUD

CABERNET FRANC

Comme tous les Pays Neufs en matière viticole, l'Afrique du Sud a quelque peu négligé ce cépage. Toutefois, un certain nombre de producteurs ont découvert que le cabernet franc est capable de donner de superbes vins de cépage et, si c'est vrai pour Warwick, ce pourrait l'être aussi pour la région du Cap.

✓ *Warwick Estate*

CABERNET SAUVIGNON

Pur et assemblage Si les vins de style ferme et sérieux sont traditionnels, on observe une évolution vers un caractère plus extraverti, dominé par des arômes épanouis et séveux de sirop de cassis, avec des connotations complexes de chêne vanillé et épicé et de cèdre. Ces vins de type nouveau sont délicieux jeunes, mais savent aussi se bonifier en bouteille.
Les assemblages à base de cabernet donnent en général les meilleurs rouges d'Afrique du Sud. Il s'agit souvent de mariage avec le cabernet franc et le merlot, mais parfois aussi avec le malbec ou même, dans le cas de Boschendal Lanoy, avec un peu de shiraz (les assemblages dominé par le shiraz sont traités ci-dessous).

⊪— 3 à 7 ans (nouveau style), 5 à 10 ans (style traditionnel et parfois nouveau style)

✓ **Pur** *Avontuur* (Reserve) • *Backsberg* • *Blaauwklippen* (Reserve) • *Bloemendal* • *Boland* • *Le Bonheur* • *Buitenverwachting* • *Cathedral Cellar* • *Clos Malverne* • *Eikendal* • *Eikehof* • *Neil Ellis* • *Goed Hoop* • *Kanonkop* • *Helderberg* • *Lievland* • *Middelvlei* • *Montestell* • *La Motte* • *Muratie* • *Nederburg* (Private Bin) • *Neethlingshof* • *L'Ormarins* • *Plaisir de Merle* • *Rustenberg* • *Rust-en-Vrede* • *Saxenburg* • *Simonsvlei* • *Stellenryck Collection* • *Stellenzicht* • *Thelema* (surtout Reserve) • *Uiterwyk* (Carlonet) • *Vlottenburg* • *Zonnebloem*

Assemblage *Backsberg* (Klein Babylonstoren) • *Bertrams* (Robert Fuller Reserve) • *Boschendal* (Jean de Long Grande Reserve) • *Buitenverwachting* (Christine) • *Cathedral Cellar* (Triptych). *Claridge* (Wellington) • *Doc Craven* (Vin de Trois) • *Delheim* (Grand Reserve) • *Diamant* • *Eikendal* (Classique) • *Neil Ellis* (cabernet sauvignon-merlot) • *Fairview* • *Glen Carlou* (Grande Classique, Les Trois) • *Grangehurst* (cabernet-merlot) • *Groot Constantia* (Gouverneur's Reserve) • *Kanonkop* (Paul Sauer) • *Klein Constantia* (Marlbrook) • *Hartenberg* (cabernet sauvignon-shiraz) • *Lievland* (DBV) • *Meerlust* (Rubicon) • *La Motte* (Millennium) • *Mulderbosch* (Faithful Hound) • *Muratie* (Ansela) • *Neethlingshof* (Lord Neethlingshof Reserve) • *L'Ormarins* (Optima) • *Overgaauw* (Tria Corda) • *Rust-en-Vrede* (Estate Wine) • *Stellenzicht* • *Thelema* (cabernet sauvignon-merlot) • *Vergenoegd* (Reserve) • *Villeria* (Cru Monro) • *Von Ortloff* (cabernet-merlot) • *Vriesenhof* (Kallista) • *Warwick Estate* (Trilogy) • *Welgemeend* (Estate Wine, Douelle) • *Yonder Hill* (iNanda) • *Zonnebloem* (Laureat)

CHARDONNAY

C'est le vin de cépage d'Afrique du Sud qui a bénéficié de l'amélioration la plus marquée, mais il faut dire qu'il partait de très bas. En fait, lorsque le chêne neuf est devenu largement disponible, beaucoup de viticulteurs se sont précipités et ont fait des chardonnays lourds et terriblement dominés par le bois. En outre, ils souffraient de la piètre qualité des ceps. Les choses ont changé avec une meilleure sélection des clones et un choix des terroirs plus approprié. Les meilleurs chardonnays élevés sous chêne sont souvent fermentés en barriques, et non simplement vieillis en fûts, avec juste une petite pichenette de chêne neuf; toutefois, on trouve aussi des vins moins racés, mais tout de même très agréables, avec une belle dominante de chêne aux notes de noix de coco. Parmi les chardonnays qui ne voient pas le chêne, les meilleurs, tel le grey label de De Wetshof, sont purs et bien équilibrés, comme s'ils n'étaient pas natifs d'une région chaude.

1 à 3 ans (sans chêne), 1 à 5 ans (sous chêne)

L'Avenir • *Graham Beck* (Lone Hill) • *Bellingham* • *Boland* • *Boschendal* • *Bouchard-Finlayson* • *Buitenverwachting* • *Claridge* • *Paul Cluver* • *Delaire* • *Neil Ellis* • *Fairview* • *Glen Carlou* (surtout Reserve) • *Groot Constantia* • *Hamilton Russell* • *Hartenberg* • *Jordan* • *Louisvale* • *Meerlust* • *Middelvlei* • *Montestell* • *La Motte* • *Mulderbosch* • *Nederburg* (Private Bin) • *Neethlingshof* • *L'Ormarins* • *Overgaauw* • *Plaisir de Merle* • *John Platter Wines* (Clos du Ciel) • *Saxenburg* • *Simonsig* • *Stellenryck Collection* • *Thelema* • *Vlottenburg* • *Von Ortloff* • *Vriesenhof* (Talana Hill) • *Weltevrede* • *De Wetshof* (Grey Label) • *Zonnebloem*

CHENIN BLANC

Ce cépage, appelé localement *steen*, est cultivé dans un tiers des vignobles d'Afrique du Sud. Il donne en général des vins blancs agréables et bon marché, plus ou moins secs, mais

également quelques vins très secs, plus intenses, parfois fermentés en barrique. Puisque le chenin blanc se sent mieux dans la région du Cap que dans la vallée de la Loire, pourquoi n'y a-t-il pas, ici, de vins botrytisés? On s'approche toutefois d'un grand vouvray moelleux avec le délicieux et onctueux noble late harvest 1990, de pur chenin blanc, élaboré par la coopérative Perdeberg, à Paarl.

Sans attendre

Fairview • *Long Mountain* • *Swartland* (surtout steen) • *Villiera* • *Zonnebloem* (Blanc de Blancs)

CINSAULT

Pur et en assemblage Ce cépage de la vallée du Rhône donne en général, en Afrique du sud, des vins rouges aqueux, osseux et légers. Il y a toutefois des exceptions – le vergenoegd, et aussi l'eikendal, avec un assemblage dominé par le cinsault.

Sans attendre

Pur *Vergenoegd*
Assemblage *Eikendal* (rouge)

COLOMBARD

Ce cépage donne des vins blancs très frais, floraux, secs ou, plus souvent, très secs, dont les meilleurs sont agréables, avec des arômes de fruits tropicaux et une finale nerveuse.

Sans attendre

Nuy • *Swartland*

GAMAY

Ce cépage donne ici des vins rouges proches d'un cinsault léger, mais avec un fruité plus exubérant. Ce ne sont pas des vins très fins mais ils sont bon marché et, quand ils sont frais, ils valent mieux qu'un beaujolais nouveau.

Sans attendre

Fairview

MALBEC

Il y a peu de vins de cépage malbec; ce dernier a une histoire semblable à celle du cabernet franc (*voir* ci-dessus). Toutefois, Backsberg fait un vin fantastique qui devrait encourager les autres à donner au malbec – qui, ne l'oublions pas, est le cépage du cahors – une vraie chance.

3 à 7 ans

Backsberg

MERLOT

Pur et en assemblage Les viticulteurs du Cap ont suivi le même chemin que ceux de Californie; ils ont commencé avec le cabernet sauvignon, puis se sont orientés vers des encépagements du type du Bordelais, avant de se tourner vers des vins de pur merlot ou, parfois, d'assemblage dominés par le merlot qui apporte son caractère délicieux et ouvert. Les meilleurs de ces vins ont une persistance d'arôme qui dément leur souplesse.

2 à 5 ans

Pur *Avontuur* • *Backsberg* • *Bodega* • *Boschendal* (Jean de Long) • *Eikendal* • *Fairview* • *Meerlust* • *La Motte* • *Overgaauw* • *Plaisir de Merle* • *Rust-en-Vrede* • *Saxenburg* (Private Collection) • *Thelema* • *Vergelegen* • *Villiera* • *Vriesenhof* • *Warwick Estate* • *Yonder Hill* • *Zonnebloem*
Assemblage *Buitenverwachting* (Buitenkeur) • *Delaire* (Barrique) • *Rozendal* • *Rustenberg* (merlot-cabernet) • *Vriesenhof* (Kestrel) • *Westpeak*

MUSCAT

Le muscat non fortifié n'est nulle part aussi abondant que le fortifié, mais sous le soleil du Cap, ses arômes fruités purs et très concentrés sont pourtant plus séduisants.

Sans attendre

Nederburg (Eminence) • *Thelema* (muscat de Frontignan) • *Weltevrede* (muscat de Hambourg)

PINOTAGE

Ce cépage est à l'Afrique du Sud ce que le zinfandel est à la Californie et le shiraz à l'Australie. Malheureusement, il n'a pas le potentiel de ces deux variétés et les viticulteurs se creusent toujours un peu les méninges pour savoir comment l'accommoder. Le pinotage est un croisement de cinsault et de pinot noir qui donnait, traditionnellement, des breuvages charpentés et rustiques, aux arômes volatils, jusqu'aux tentatives d'un style moderne, proche du beaujolais nouveau, avec une mâche de chewing-gum due au chêne. À l'heure actuelle, les meilleurs vins se situent entre les deux, avec une robe profonde et très foncée, et juste assez de macération carbonique pour éviter un caractère excessivement fruité, sans aller jusqu'au chewing-gum, mais avec de bons tanins pour l'étayer. Ce qui est curieux c'est que même très bons, ces vins se bonifient rarement longtemps en bouteille.

Sans attendre

Avontuur • *Backsberg* • *Cathedral Cellar* • *Clos Malverne* • *Diamant* • *Fairview* • *Grangehurst* • *Groot Constantia* • *Kanonkop* (surtout Auction Reserve) • *Middelvlei* • *Saxenburg* (Private Collection) • *Simonsig* (surtout Auction Reserve) • *Warwick Estate* (Traditional Bush Vine) • *Trawal* • *Wilderkrans* • *Zonnebloem*

PINOT NOIR

Pour ce cépage capricieux, l'Afrique du Sud est loin de pouvoir concurrencer la Bourgogne, ni même la Californie, l'Oregon ou la Nouvelle-Zélande. Toutefois, quelques producteurs talentueux réussissent à le faire briller.

2 à 5 ans

Bouchard-Finlayson • *Cabriere* • *Hamilton* • *Russel* • *Meerlust*

RHINE RIESLING

Sauf lorsqu'il s'agit de vins de vendanges tardives ou botrytisés, le riesling, en Afrique du Sud, ne me paraît pas avoir l'acidité fruitée ni l'élégance que j'attends de ce cépage – mais je constate la même chose dans tous les nouveaux pays viticoles. D'autres les apprécient davantage que moi, et je suis peut-être un peu partial. En revanche, tout le monde est d'accord sur la qualité exceptionnelle des vins cités ci-dessous.

Buitenverwachting • *Paul Cluver* • *Groot Constantia* • *Lievland* • *Neethlingshof* • *Thelema* • *Vlottenburg*

RUBY CABERNET

Ce cépage sous-estimé est capable de donner des arômes fruités séduisants d'orange sanguine et de tomate juteuse et mûre. J'aimerais que d'autres producteurs suivent la voie de Vredendal.

✓ *Vredendal*

SAUVIGNON BLANC

Ce n'est pas le cépage qui convient le mieux à l'Afrique du Sud, malgré les nombreux vins cités ci-dessous. En fait, les professionnels semblent décidés à tout mettre en œuvre pour tirer, à la fin des fins, le meilleur du sauvignon blanc, et si l'expérience montre que certains y réussissent avec dextérité, je dois avouer qu'il m'a fallu me plonger dans une mer de breuvages les plus curieux pour réussir à les pêcher. Si, dans leur majorité, ces vins de sauvignon blanc ne seront jamais à la hauteur de ceux de Nouvelle-Zélande, c'est sans doute l'Elgin qui pourrait se rapprocher le plus de Marlborough (notez que les mentions « fumé blanc » ou « blanc fumé » sont utilisées pour le sauvignon blanc fermenté en barrique ou élevé sous chêne). Un producteur, toutefois, se distingue haut la main, c'est Le Bonheur, qui réussit à donner ce que j'attends du sauvignon blanc : le bonheur!

Sans attendre

✓ *Backsberg* (John Martin) • *Bellingham* • *Buitenverwachting* • *Le Bonheur* (blanc fumé) • *Bouchard-Finlayson* • *Cloete* • *Neil Ellis* (elgin, Groenkloof) • *Hamilton Russel* • *Jordan* • *La Motte* • *Mulderboscho Plaisir de Merle* • *Simonsig* • *Steenberg* • *Stellenryck Collection* (blanc fumé) • *Thelema* • *Vergelegen* • *Villiera* (Traditional Bush Vine) • *Zevenwacht* • *Zonnebloem*

SÉMILLON

En Afrique du Sud, ce cépage a beaucoup de potentiel et peut donner des vins riches mais raffinés, sur lesquels des vinificateurs habiles savent greffer la complexité des arômes de lie. Je ne cite pas beaucoup de vins parce que peu de viticulteurs prennent au sérieux les possibilités de ce cépage. S'ils lui accordaient ne serait-ce que la moitié des efforts qu'ils consacrent au sauvignon blanc, les vins de sémillon figureraient vite parmi les meilleurs du pays.

18 mois à 5 ans

✓ *Boschendal* (Jean de Long) • *Eikehof* • *Stellenzicht*

SHIRAZ

Pur et assemblage Puisqu'il occupe moins de 1% des terres en vigne, le shiraz (tel est le nom que les viticulteurs d'ici donnent à la syrah) est bien moins cultivé qu'en Australie. Toutefois, les meilleurs producteurs d'Afrique du Sud sont parfaitement à même d'en remontrer aux Australiens, mais dans un style moins extraverti, plus proche de l'opulence des vins de syrah français. Ils découvrent également l'intérêt du shiraz dans les assemblages.

2 à 8 ans

✓ **Pur** *Bertrams* • *Blaauwklippen* • *Boschendal* (Jean de Long) • *Fairview* (Reserve) • *Groot Constantia* • *Hartenberg* • *Lievland* • *La Motte* • *L'Ormarins* • *Rust-en-Vrede* • *Saxenburg* (Private Collection) • *Simonsig* • *Simonsvlei* • *Stellenzicht* • *Zandvliet* • *Zonnebloem*
Assemblage *Fairview* (shiraz-merlot) • *Goed Hoop* (Vintage Rouge) • *Middelvlei* • *Villeria* (Blue Ridge Rouge) • *Vlottenburg* (Reserve)

STEEN

Nom local du chenin blanc.

STEIN

À ne pas confondre avec le steen. Il s'agit d'un nom générique pour les assemblages de blancs de qualité commerciale, dans un style tendre. Il peut contenir du chenin – du moins, on dirait – mais ce n'est pas certain.

TINTA BARROCA

Cépage portugais de porto, utilisé surtout dans les assemblages.

2 à 5 ans

✓ *Rust-en-Vrede*

ZINFANDEL

C'est le cépage *made in* Californie, mais il est aussi capricieux ici que là-bas. Pourtant, la recette est simple : un bon terroir (coteau ou pente), le palissage (en cordon), le rendement (très faible) et, surtout, des vendanges soignées (pour éviter le raisin sous ou sur-mûri).

2 à 7 ans

✓ *Blaauwklippen* (surtout Reserve) • *Hartenberg*

AUTRES STYLES DE VIN

BLANC CLASSIQUE D'ASSEMBLAGE

Cette catégorie (*classic blended white*) regroupe des vins d'assemblage issus de trop de combinaisons pour que je puisse les énumérer ici. Le Fairview, par exemple, comprend du sémillon et du chardonnay fermenté en fûts, en proportion égale, et 20% de pinot noir vinifié en blanc. Le Premier Cuvée de Boschendal est fait de 90% de pinot noir vinifié en blanc, avec un peu de chardonnay (et une touche de chêne). L'Inglewood est essentiellement un assemblage de sauvignon et de chenin, avec parfois une giclée de chardonnay, mais il ne voit jamais le bois. Beaucoup, tel le Bellingham de Sauvenay, sont un assemblage de sauvignon et de chardonnay.

✓ *Bellingham* (Sauvenay) • *Boschendal* (Premier Cuvée) • *Buitenverwachting* (Buiten Blanc) • *Eersterivier* (chardonnay-sauvignon blanc) • *Neil Ellis* (Inglewood blanc de blancs) • *Fairview* • *Hamilton Russel* (chardonnay-sauvignon blanc) • *Nederburg* (Prelude) • *Stellenzicht* (Grand Vin Blanc/Collage) • *Trawal* (Classic Dry White) • *Weltevrede* (Privé du Bois)

CAP CLASSIQUE

C'est le terme utilisé ici pour la vinification des vins effervescents avec deux fermentations. Toutefois, et sans doute parce que l'expérience fait encore défaut, ceux-ci ne sont pas très réussis en Afrique du Sud. Ce sont des breuvages fruités qui font des bulles, et seuls ceux que je cite ci-dessous sont plus sérieux. Mais il se pourrait que vienne une vraie révolution des vins effervescents, comme celle du chardonnay.

Sans attendre

✓ *Graham Beck* (chardonnay Blanc de Blancs Brut) • *Bergkelder* (Pongràcz) • *Bloemendal* (brut) • *Boschendal* (brut) • *Cabriere* (Pierre Jourdan Blanc de Blancs) • *J.-C. Le Roux* (pinot noir) • *Twee Jongezellen* (Krone Borealis) • *Villiera* (Grande Cuvée Tradition)

STYLE PORTO

Le vrai porto vient de la vallée du Douro, au Portugal, mais on fait des vins de même style aux quatre coins du monde, et l'Afrique du Sud y excelle tout particulièrement.

En général dès l'achat, mais il s'améliore après 25 ans, voire plus.

✓ *Boplaas* (Vintage Reserve Port) • *Glen Carlou* • *KWV* (Full Tawny, Limited Release, Vintage) • *Die Krans* (Vintage Reserve) • *Muratie* • *Overgaauw* (Vintage) • *Rustenberg*

VINS DE DESSERT FORTIFIÉS

Parmi les vins fortifiés les meilleurs, le muscadelle blanc ou rouge est souvent appelé « hanepoot » quand il est issu du muscat d'Alexandrie (pour le blanc comme pour le rouge). Le jerepigo (ou jerepko) est l'équivalent sud-africain du vin de liqueur, pour lequel on ajoute l'alcool de raisin avant la fermentation (alors que pour le vin doux naturel, on l'ajoute quand la fermentation a atteint un taux d'alcool de 5 à 8 % vol.). Les rouges exhibent une robe allant du rouge cerise à l'orangé doré, et deviennent plus légers avec l'âge, alors que les blancs prennent de la profondeur en vieillissant (il est difficile de distinguer si les très vieilles bouteilles sont rouges ou blanches car elles prennent toutes une teinte vieil or).

✓ **Rouge** *Nuy* (Red Muscadel) • *Rooiberg* (Rooi Jerepiko, Red Muscadel) • *Du Toitskloof* (Hanepoot Jerepigo) • *Weltevrede* (Oupa se Wyn)
Blanc *Badsberg* (Hanepoot) • *Bon Courage* (Muscadel) • *Die Krans* (Jerepigo) • *Goudini* (Soet Hanepoot) • *Nuy* (White Muscadel) • *Robertson* (Muscadel) • *Simonsvlei* (White Muscadel) • *Weltevrede* (White Muscadel)

VINS DE VENDANGES TARDIVES ET BOTRYTISÉS

Ce style regroupe plusieurs catégories. Un late harvest peut contenir entre 10 et 30 g/l de sucre résiduel, un special late harvest entre 20 et 50 g/l (ce qui peut impliquer, mais pas nécessairement, une part de raisin botrytisé) et un noble late harvest, un minimum de 50 g/l (raisin botrytisé). Il y a aussi des vins de dessert naturellement doux, non fortifiés et non botrytisés, et notamment de petites merveilles comme le vin de constance de Klein Constantia, et le vin d'or de Boschendal. Tous ces vins sont délicieux dès leur diffusion, mais presque tous sont aussi capables de prendre un peu de complexité en bouteille.

Sans attendre et jusqu'à 20 ans pour le late harvest, parfois 50 ans et plus pour les vins les plus riches.

✓ **Late Harvest** *Trawal*
Special Late Harvest *Bon Courage* (gewurztraminer) • *Delheim* • *Robertson* (Rheingold) • *Du Toitskloof* • *Trawal* • *Twee Jongezellen* (gewurztraminer, Night Nectar) • *Vlottenburg* • *Weltevrede* (Therona) **Noble Late Harvest** *Delaire* (Rhine Riesling) • *Klein Constantia* (sauvignon blanc) • *Delheim* (Edelspatz) • *Groot Constantia* • *Lievland* • *Nederburg* (surtout edelkeur, sauvignon blanc) Private Bin Weisser Riesling) • *Neethlingshof* • *Perdeberg* • *Stellenzicht* • *Twee Jongezellen* (TJ Engeltjiepipi)
Autres *Boschendal* (Vin d'Or) • *Klein Constantia* (Vin de Constance)

LES PRODUCTEURS DE VIN D'

AFRIQUE DU SUD

THE AFRICA COLLECTION
Voir Longridge Winery

ALLESVERLOREN ESTATE
Swartland

C'est toujours l'un des meilleurs producteurs de porto du Cap. La propriétaire, Fanie Malan, fait aussi un beau shiraz, mais je trouve ses autres vins de cépage trop costauds.

✓ *Port* • *Shiraz*

ALPHEN WINES
Alphen est le nom d'un domaine presque aussi ancien que celui de Groot Constantia, mais aujourd'hui il est utilisé pour commercialiser une gamme de vins issus de vignobles de Stellenbosch et faits par Gilbeys.

ALTO ESTATE
Stellenbosch

Propriété de Hempies du Toit, Alto propose un style musclé et corpulent, qui demande une garde de 10 ou 15 ans en bouteille.

ALTYDGEDACHT ESTATE
Durbanville

Le propriétaire, Oliver Parker, a appris la vinification en Californie et en Nouvelle-Zélande. Les meilleurs vins sont le barbera et le tintoretto (assemblage de barbera et de shiraz).

ASTONVALE
Voir Zandvliet

L'AVENIR
Stellenbosch

★

À côté du chardonnay riche et onctueux, on trouve un pinotage prometteur et un cabernet sauvignon.

✓ *chardonnay*

AVONTUUR
Stellenbosch

Ⓥ

J'ai parfois trouvé certains de ces vins un peu trop extravertis (le cabernet-merlot 1996 par exemple) et le pinotage peut atteindre des sommets (le 1995) ou plafonner un peu plus bas (le 1996). Mais qui pourrait reprocher au vinificateur, Jean-Luc Sweerts, de chercher à faire des vins exubérants, et qui n'applaudirait pas un homme qui met accidentellement son chardonnay dans une barrique préalablement remplie de merlot, et qui remporte un tel succès avec ce vin rose (sous le nom de « Le Blush ») qu'il doit recommencer tous les ans?

✓ *cabernet* (Reserve) • *chardonnay* (Le Chardon) • *merlot* (Reserve) • *Pinotage*

BACKSBERG ESTATE
Paarl

★★

Ce domaine est la propriété de Sydney Back, trois fois champion des maîtres de chai, qui propose des vins parmi les plus racés et réguliers du pays, à la fois riches, fins et complexes, et récompensés par un grand succès. Pour Noël, j'ai offert une caisse de son cabernet-sauvignon 1991 à des amis fous de bordeaux – c'est tout dire!

✓ *cabernet sauvignon* • *Klein Babylonstoren* (Cabernet Blend) • *malbec* • *merlot* • *Pinotage*

BADSBERG COOPERATIVE
Worcester

Cette coopérative jouit d'une belle réputation pour un vin de dessert, son hanepoot à la robe couleur de miel doré, immensément riche et sensuel.

✓ *Hanepoot*

BAY VIEW
Voir Longridge Winery

GRAHAM BECK WINERY
Robertson

★☆Ⓥ

Le propriétaire, Graham Beck, est aussi celui de Bellingham et produit des vins bon marché sous l'étiquette Madeba. Toutefois, ceux qu'il diffuse sous l'étiquette Graham Beck sont à un tout autre niveau et son vin effervescent pur chardonnay est bien au-dessus du madeba brut.

✓ *Cap Classique* (chardonnay Blanc de Blancs brut) • *chardonnay* (Lone Hill)

BELLINGHAM
Paarl

★☆Ⓥ

Sous les auspices de Graham Beck (*voir* ci-dessus), Bellingham a bien changé. Après avoir diffusé des vins commerciaux, d'un bon rapport qualité/prix et de diverses origines, il propose actuellement une belle gamme de vins fins de ses propres vignobles, certes un peu plus chers mais qui restent de bonnes affaires.

✓ *chardonnay* • *Sauvenay* (Classic blended white) • *sauvignon blanc* • *shiraz*

BERGKELDER
Cette maison, basée à Stellenbosch, et dans le groupe Oude Meester, met en bouteilles et commercialise des vins issus de treize domaines, dont certains sont sa propriété alors que d'autres appartiennent à des personnes privées ou associées. Ce sont Allesverloren, Alto, Bonfoi, Le Bonheur, Jacobsdal, Meerendal, Meerlust, Middelvlei, La Motte, L'Ormarins, Rietvallei, Theuniskraal et Uitkyk. Bergkelder vend ses propres vins sous les étiquettes « Fleur du Cap » et « Stellenryck ».

BERTRAMS WINES
Stellenbosch

☆Ⓥ

Propriété de Gildey, Bertrams propose des vins commerciaux d'un prix intermédiaire, les meilleurs étant d'un bon rapport qualité/prix.

✓ *cabernet sauvignon* • *Robert Fuller Reserve* (assemblage de cabernet) • *shiraz*

BLAAUWKLIPPEN
Stellenbosch

★☆

Pionnier de l'élevage sous chêne neuf, Blaauwklippen a été l'un des grands novateurs du Cap. Ses meilleurs vins sont des rouges riches, chauds, avec des notes de cèdre, et le zinfandel le plus fin peut-être du pays.

✓ *cabernet sauvigon* (Reserve) • *shiraz* • *zinfandel* (surtout Reserve)

BLOEMENDAL
Durbanville

★

Cette maison en plein devenir a déjà une belle réputation pour un cabernet sauvignon racé et pour un vin effervescent de pur chardonnay.

✓ *cabernet sauvignon* • *Cap Classique* (Brut)

BODEGA
Paarl

☆

Cette petite maison, sans chichis, se taille une réputation pour son délicieux merlot.

✓ *merlot*

BOLAND WINE CELLAR
Paarl

☆Ⓥ

Cette coopérative mérite l'estime pour son excellent cabernet élevé sous chêne, mais elle fait aussi un chardonnay riche et délicieux. Ses vins bon marché sont vendus avec bouchon vissé, sous l'étiquette Bon Vino.

✓ *cabernet sauvignon* • *chardonnay*

BON COURAGE
Robertson

☆

Bien que les vins de ce domaine aient été vendus en vrac jusqu'en 1985, André Bruwer, le propriétaire, a été deux fois champion des maîtres de chai – et je crois que la qualité est encore meilleure depuis que son fils Jacques a pris les commandes, en 1995. Le Cap Classique est prometteur.

✓ *Gewurztraminer Special Late Harvest* • *White Muscadel*

LE BONHEUR ESTATE
Stellenbosch

★☆

Seul dans toute l'Afrique du Sud, ce domaine utilise le terme de « blanc fumé » comme en France, en référence au cépage. Ce blanc fumé est considéré comme l'un des meilleurs vins de sauvignon blanc sans élevage sous chêne, mais le cabernet sauvignon est aussi racé et plus complexe.

✓ *cabernet sauvignon* • *blanc fumé*

BOPLAAS ESTATE
Klein Karoo

☆

Dans une large gamme de vins commerciaux acceptables, le vintage-reserve-port domine aisément, de la tête et des épaules, tous les autres « portos » sud-africains.

✓ *Vintage Reserve Port*

BOSCHENDAL ESTATE
Paarl

★

Bien que ce grand domaine soit surtout connu pour avoir utilisé le premier la « méthode champenoise » au Cap, il diffuse aussi une vaste gamme de vins tranquilles dont beaucoup, surtout les rouges, sont plus intéressants. Ses vins de réserve sont aussi vendus sous l'étiquette « Jean de Long ».

✓ *Cap Classique* (Boschendal Brut) • *chardonnay* • *Lanoy* • *Jean de Long* (merlot, Grand Reserve – assemblage de cabernet, de sémillon et de shiraz) • *Premier Cuvée* (classic blended white) • *Vin d'Or* (vin de dessert)

BOUCHARD-FINLAYSON
Overberg

★★

Cette petite maison, encore récente, a été créée par Peter Finlayson, maître de chai de Hamilton Russell, et un associé, et le Bourguignon Paul Bouchard les a ensuite rejoints. Finlayson a l'aspect d'un bon géant, et son vin lui ressemble, prenant en bouche une profondeur et une élégance remarquables. Les vins des propres vignobles de Bouchard-Finlayson sont vendus comme Walker Bay WO, ou encore comme Elgin WO quand ils viennent de Oak Valley (Elgin). Quant aux vins d'assemblage, ils sont vendus comme Overberg WO, plus générique (de même, d'ailleurs, que le superbe kaaimansgat, de pur chardonnay, de Villiersdorp, qui n'a pas d'appellation propre). Chez Bouchard-Finlayson, les vignes sont plantées très serrées sur les rangs et sont en concurrence, ce qui donne des rendements très bas, mais ce qui retarde aussi le métabolisme des arbustes. C'est pourquoi je crois qu'il faut attendre le millésime 2000 pour voir les vins du domaine dans toute leur splendeur. Toutefois, il y a aussi ceux de la Oak Valley, qui comptent également parmi les meilleurs.

✓ *chardonnay* • *pinot noir* • *sauvignon blanc*

JP BREDELL
Stellenbosch

Ce spécialiste du porto est devenu une valeur sûre.

✓ *Port* (Vintage, Vintage Character, Vintage Reserve)

BUITENVERWACHTING
Constantia

★★

À l'origine partie intégrante du domaine Constentia, Buitenverwachting a été séparé de Klein Constantia dans les années 1970, et rénové et replanté. Il a donné son premier millésime en 1985 et, en 1988, il était déjà très prometteur. Il est maintenant à un haut niveau, dans toutes les catégories.

✓ *Buiten Blanc* (classic blended white) • *Buitenkeur* (assemblage de merlot) • *cabernet sauvignon* • *chardonnay* • *Christine* (assemblage de cabernet) • *Rhine Riesling* • *sauvignon blanc*

CABRIERE ESTATE
Paarl

★

Ce domaine appartient à Achim von Arnim, anciennement maître de chai à Boschendal, qui tout naturellement est resté fidèle à lui-même en se spécialisant dans les vins effervescents. Mais il semble aussi vouloir améliorer de très grands vins rouges de pinot noir.

✓ *Cap Classique* (Pierre Jourdan Blanc de Blancs) • *pinot noir*

CAPE LANDS
Voir Longridge Winery

CATHEDRAL CELLAR
Voir KWV International

CHÂTEAU LIBERTAS

Il ne s'agit pas d'un domaine, mais d'un assemblage basé sur le cabernet, de diverses origines. Il a

connu des difficultés dans les années 1970, lorsque le cabernet sauvignon est devenu à la mode et qu'il était difficile de s'en procurer, mais le vin a retrouvé toute sa dimension dans les années 1980 et il compte de nouveau parmi les meilleurs – avec une production abondante.

CLARIDGE WINES
Paarl

★☆Ⓥ

Cette petite maison, pratiquant des prix bas, propose des vins des cépages de Bourgogne potentiellement complexes, et un bon rouge d'assemblage.

✓ *chardonnay* • *pinot noir* • *Wellington* (assemblage de cabernet)

CLOETE WINES
Stellenbosch

☆

Ce producteur fait un sauvignon énergique, de Somerset West.

✓ *sauvignon*

CLOS MALVERNE
Stellenbosch

★

Maison assez récente, à suivre pour ses vins bien colorés, puissants, qui évoluent lentement.

✓ *cabernet sauvignon* • *Pinotage* (Reserve)

PAUL CLUVER
Overberg

☆

Vins intéressants des vignobles d'Elgin.

✓ *chardonnay* • *Weisser Riesling*

CRAIGHALL
Stellenbosch

Gamme de vin assez intéressante, proposée par Gilbeys.

DOC CRAVEN
Stellenbosch

❓

Je n'ai pas goûté ces vins, mais on m'en a dit beaucoup de bien. Il s'agit d'assemblages de sélection provenant de trois domaines appartenant à des anciens Springboks et dirigés par Craven : Alto, Rust-en-Vrede et Vriesenhof.

✓ *Vin de Trois* (assemblage de cabernet)

CULEMBORG WINES
Paarl

Vins sains et nets, se laissant boire, au prix intéressant.

DELAIRE
Stellenbosch

★☆

Ce domaine a été créé par John Platter, le plus connu des critiques spécialisés dans le vin. Bien qu'il ait changé de mains, il est toujours fiable avec des assemblages dans le style du bordeaux et un joli riesling botrytisé.

✓ *Barrique* (assemblage de merlot) • *chardonnay* • *Noble Late Harvest* (Rhine Riesling)

DELHEIM WINES
Stellenbosch-Simonsberg

Ⓥ

Toujours un bon rapport qualité/prix, avec des vins bons et réguliers plutôt qu'exceptionnels – mais une vinification à la néo-zélandaise leur donnerait de la fraîcheur.

✓ *Grand Reserve* (Cabernet blend) • *Noble Late Harvest* (Edelspatz) • *Special Late Harvest*

DIAMANT
Paarl

☆Ⓥ

Cette petite maison familiale s'est vite fait un nom pour un rouge d'assemblage parfumé et un pinotage.

✓ *Diamant Rouge* (assemblage de cabernet) • *Pinotage*

DIEU DONNE VINEYARD
Paarl

★

Ce domaine est maintenant renommé pour son chardonnay gras et complexe et pour son cabernet riche et velouté. Son merlot aussi a du potentiel.

✓ *cabernet sauvignon* • *shardonnay*

EERSTERIVIER CELLAR
Stellenbosch

☆Ⓥ

Cette coopérative remporte beaucoup de prix. Elle est surtout renommée pour ses vins blancs.

✓ *chardonnay-sauvignon blanc*

EIKEHOF
Paarl

★☆

Vins riches et fruités qui se bonifient souvent dans la bouteille.

✓ *cabernet sauvignon* • *chardonnay* • *sémillon*

EIKENDAL VINEYARDS
Stellenbosch

Propriété de citoyens suisses, ce domaine est sans doute connu pour son chardonnay massif, mais il produit aussi des rouges racés et même un vin d'assemblage dominé par le cinsault, très fin. Les seconds vins sont diffusés sous l'étiquette du Duc de Berry.

✓ *cabernet sauvignon* • *Classique* (assemblage de cabernet) • *chardonnay* • *eikendal rouge* • *merlot*

NEIL ELLIS VINEYARD SELECTION
Stellenbosch

★☆

Le premier et le principal éleveur-négociant du Cap a montré une étonnante habilité pour trouver du raisin dans des vignobles peu connus mais excellents, et aussi pour en faire des vins parmi les plus racés du pays. Quant à ses vins bon marché, il les vend sous l'étiquette Inglewood.

✓ *cabernet sauvignon* • *cabernet sauvignon-merlot* • *chardonnay* • *elgin Sauvignon blanc* • *groenkloof sauvignon blanc* • *inglewood Blanc de Blancs* (classic blended white)

FAIRVIEW ESTATE
Paarl

★★Ⓥ

Ce domaine est dirigé par Charles Back – le neveu du Sydney Back de Backsberg Estate. C'est l'un des plus novateurs du pays et il offre une large gamme, qui grandit toujours. Les vins les moins bons sont très bons, et les meilleurs le sont beaucoup plus.

✓ *cabernet sauvignon* • *chardonnay* • *Charles Gerard* (sauvignon blanc-sémillon) • *Fairview* (assemblage de grande classe, rouge et blanc) • *merlot* • *pinotage* • *shiraz-merlot* • *Shiraz Reserve*

FLEUR DU CAP
Stellenbosch

★Ⓥ

Fait et diffusé par Bergkelder à Stellenbosch, ces vins se distinguent par leur haute qualité, étant donné leur caractère commercial. Dans certains millésimes, les vins de cépages cités sont vraiment superbes.

✓ *cabernet sauvignon* • *chardonnay* • *merlot* • *shiraz*

GILBEYS

Filiale sud-africaine d'IDV (International Distillers), Gildeys appartient pour partie à Rembrandt (qui englobe aussi Bergkelder) et produit les gammes de vins suivantes : Alphen, Bertrams, Craighall, Mondial et Stellenvale.

GLEN CARLOU
Paarl

★★

Cette maison jeune et dynamique est dirigée par Walter Finlaysson et son fils David. Walter, qui s'est fait les dents à Blaauwklippen, est le seul à avoir remporté deux fois consécutives le trophée annuel du Diners Club Winemaker. Quant à David, il a travaillé à Bordeaux et en Australie.

✓ *chardonnay* (surtout Reserve) • *Grande Classique* (assemblage de cabernet) • *Les Trois* (assemblage de cabernet) • *Port*

GOEDE HOOP ESTATE
Stellenbosch

☆

Ce domaine, qui a appartenu à Bergkelder, élargit sa gamme.

✓ *cabernet sauvignon* • *Vintage Rouge* (assemblage de shiraz)

GOUDINI
Worcester

☆Ⓥ

Coopérative en net progrès.

✓ *Soet Hanepoot*

GRANGEHURST
Stellenbosch

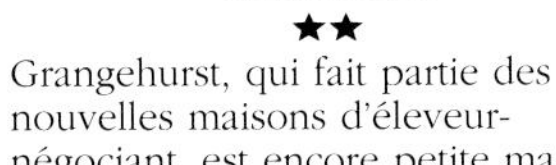

★★

Grangehurst, qui fait partie des nouvelles maisons d'éleveur-négociant, est encore petite mais fait des vins très bons, bien tournés, élégants et cependant sérieux.

cabernet-merlot • *Pinotage*

GROOT CONSTANTIA ESTATE
Constantia

★☆

Propriété de l'État, ce domaine est une partie de l'ancienne ferme Constantia, le plus ancien et le plus célèbre des domaines du Cap, et il est toujours dirigé avec passion et compétence.

chardonnay • *Gouverneur's Reserve* (assemblage de cabernet) • *Noble Late Harvest* • *Pinotage* • *shiraz* • *Weisser Riesling*

HAMILTON RUSSEL VINEYARDS
Overberg

★★

Créée par Tim Hamilton Russell, cette propriété est la plus septentrionale d'Afrique du Sud. Les investissements n'ont pas été ménagés pour faire de ce domaine l'un des meilleurs du Cap et

le vinificateur Peter Finlayson a contribué à transformer ce rêve en réalité. Ce dernier est finalement parti pour créer sa propre cave (juste à côté), maintenant dirigée par Anthony, le fils de Hamilton Russell dont le vinificateur, Kevin Grant, propose toujours les vins de cépage les plus enchanteurs du Cap.

chardonnay • *chardonnay-sauvignon blanc* • *pinot noir* • *sauvignon blanc*

HARTENBERG VINEYARDS
Stellenbosch

★☆

Anciennement appelée « Montagne », cette cave a changé de nom après avoir été achetée par Gilbeys. Elle est maintenant entre les mains d'un nouveau propriétaire qui l'a rénovée, et elle propose des vins superbes.

cabernet sauvignon-shiraz • *chardonnay* • *shiraz* • *Weisser Riesling* • *zinfandel*

HELDERBERG CO-OPERATIVE
Stellenbosch

☆V

Cette coopérative en plein devenir est la préférée de beaucoup de vinificateurs et propose un fort joli cabernet-sauvignon.

cabernet sauvignon

HELDERENBERG
Stellenbosch

Je n'ai pas goûté les vins de ce producteur, établi en 1994, mais on dit que son sauvignon-blanc est intense, et ses autres vins de cépage ont encore plus de potentiel.

HERMANUSRIVIER
Overberg

Je n'ai pas encore goûté les vins de ce producteur récemment établi, dans cette remarquable zone de Walker Bay, mais on dit qu'ils sont intéressants.

INGLEWOOD
Voir **Neil Ellis**

JORDAN VINEYARDS
Stellenbosch

★☆

Cette propriété produit des vins sous sa propre étiquette depuis 1993, et elle a rapidement conquis une belle réputation pour des vins blancs riches et vibrants.

chardonnay • *sauvignon blanc*

KANONKOP ESTATE
Stellenbosch

★★

Beyers Truter, le vinificateur, est en général considéré comme l'un des meilleurs sorciers pour les vins rouges de Stellenbosch.

cabernet sauvignon • *Paul Sauer* (assemblage de cabernet) • *Pinotage* (surtout Auction Reserve)

KLEIN CONSTANTIA ESTATE
Constantia

★★

À l'origine, cette propriété était partie constituante du domaine Constantia, de Simon van der Stel. Elle a été replantée dès 1982, et a remporté le prix du meilleur vin blanc d'Afrique du Sud avec son sauvignon blanc. Quant au vin de constance, ce n'est pas un vin botrytisé ni fortifié, mais une réplique fidèle du fameux constantia d'antan.

chardonnay • *Marlbrook* (assemblage de cabernet) • *Noble Late* • *Harvest sauvignon blanc* • *Rhine Riesling* • *sauvignon blanc* • *Vin de Constance* (vin de dessert)

DIE KRANS ESTATE
Klein Karoo

☆V

Spécialiste du vin fortifié.

Vintage Reserve Port • *White Jerepigo*

KWV INTERNATIONAL
Paarl

☆V

Jusqu'à 1995, cette super-coopérative regroupait plus de 70 coopératives locales ou régionales et contrôlait officiellement toute l'industrie vinicole sud-africaine. Aujourd'hui, elle a le même statut que les autres producteurs du Cap, bien qu'aucun ne puisse seulement l'approcher pour ce qui est de l'importance. Le but de l'opération, c'est de donner davantage de dynamisme à cette grosse machine puisque avant 1995, elle n'était pas autorisée à vendre en Afrique du Sud et se cantonnait aux marchés internationaux – où elle était très connue. Elle ne diffuse pas seulement sous son nom, mais également sous beaucoup d'autres : Bon Esperance (bon marché et sain), Cape Country (bon marché, fruité et gouleyant) et Cathedral Cellar (gamme de vins supérieurs). *Voir aussi* Laborie Estate.

Cathedral Cellar (assemblage de cabernet, de pinotage, et *triptych* de cabernet) • *KWV* (Full Tawny Port, Limited Release Port, Noble Late Harvest, Pinotage-Shiraz, Vintage Port)

LABORIE ESTATE

★

Le vin porte-drapeau de KWV est maintenant fait, élevé et mis en bouteilles dans cette cave qui a été modernisée en 1995 et 1996. Pour la seconde étiquette, Granite Creek, on ajoute du raisin acheté.

chardonnay • *sauvignon blanc*

LANDSKROON ESTATE
Paarl

☆V

Très grand domaine de vignes en cordon, à faible rendement, qui donnent des vins pleins, souples et veloutés.

cabernet sauvignon • *Port* • *shiraz*

DE LEUWEN JAGT
Paarl

☆

beaucoup de vins intéressants, mais le phénix de cette cave est le muscadel issu de vignes âgées de 80 printemps.

muscadel

LIEVLAND
Stellenbosch

★★

Cette propriété, qui doit son nom à une baronne russe, propose des vins de classe, parmi les meilleurs du Cap.

cabernet sauvignon • *DBV* (assemblage de cabernet) • *Noble Late Harvest* • *shiraz* • *Weisser Riesling*

JEAN DE LONG
Voir **Boschendal Estate**

LONG MOUNTAIN
Stellenbosch

Cette nouvelle gamme de vins, prometteuse, a été lancée par Pernod-Ricard, sous la houlette de Robin Day, l'homme qui a fait le succès du Jacob's Creek d'Orlando (Australie).

chenin blanc

LONGRIDGE WINERY
Stellenbosch

Cet éleveur-négociant retient l'attention par un bon vin effervescent et divers vins de cépage. Il utilise aussi les étiquettes Bay View, Cape Lands et The Africa Collection.

LOUISVALE
Stellenbosch

★

Ce producteur offre une jolie gamme de vins bien tournés, mais il est renommé pour son solide chardonnay sur lie.

chardonnay

MADEBA
Voir **Graham Beck Winery**

MEERLUST ESTATE
Stellenbosch

★★

Cette excellente maison du cap a pour capitaine Hannes Myburg, et pour vinificateur le très doué Giorgio Dalla Cia. Le cabernet sauvignon racé et fruité a une réputation déjà très ancienne – il est bon, mais il y a beaucoup mieux dans cette cave. Le merlot et le carbernet-merlot, créés ensuite, ont été considérés l'un et l'autre comme des vins novateurs. Le pinot noir s'est distingué aussi par son originalité; on craignait que le domaine ne fût trop chaud, mais beaucoup de millésimes ont atteint un haut niveau. Le chardonnay est ici le vin le plus récent, et c'est le premier vin blanc de Meerlust : il est puissant, riche et épanoui, avec une belle complexité, et des notes de chêne.

chardonnay • *merlot* • *pinot noir* • *Rubicon* (assemblage de cabernet)

MIDDELVLEI ESTATE
Stellenbosch

★

Ce domaine a construit sa réputation avec le pinotage, mais produit aussi un superbe cabernet-sauvigon depuis 1981. Récemment, il a diffusé un pinotage nouveau style extra, et ensuite un chardonnay superbe, riche et racé.

cabernet sauvignon • *chardonnay* • *Pinotage* • *shiraz*

MONDIAL

Cette gamme de vins supérieurs de Gilbeys a été lancée en 1995, avec un bon chardonnay, marqué par le chêne.

MONTESTELL
Stellenbosch

★★

Julias Lazlo, ancien maître de chai de Bergkelder, s'est établi éleveur-négociant en s'associant avec Toni Rupert et, manifestement, a du mal à répondre à la demande enthousiaste.

cabernet sauvignon • *chardonnay*

MORGENHOF

Stellenbosch

★★

Ce très vieux domaine est la propriété d'immigrants français de Champagne et de Cognac, qui ont rapidement redoré son blason avec des vins réellement racés.

cabernet sauvignon • *chardonnay* • *merlot* • *sauvignon blanc*

LA MOTTE ESTATE

Paarl

★★

Propriété de la fille d'Anton Rupert, deuxième fortune d'Afrique du Sud, avec pour vinificateur le grand sorcier Jacques Borman, ce domaine propose une gamme assez restreinte, mais constituée uniquement de vins remarquables.

cabernet sauvignon • *chardonnay* • *merlot* • *Millennium* (assemblage de cabernet) • *sauvignon blanc* • *shiraz*

MULDERBOSCH VINEYARDS

Stellenbosch

★★

Les vignobles, superbement situés sur une montagne, donnent des vins très bien faits et de haut niveau.

chardonnay • *Faithful Hound* (assemblage de cabernet) • *sauvignon blanc*

MURATIE ESTATE

Stellenbosch

❷

Ancienne maison qui vient d'être rénovée par un nouveau propriétaire.

Ansela (assemblage de cabernet) • *cabernet sauvignon* • *Port*

NEDERBURG WINES

★V

Les vins sont vinifiés et diffusés par Stellenbosch Farmers' Winery (SFW). Comme pour la Fleur du Cap de Bergkelder, la qualité est remarquable pour une gamme commerciale, et certains millésimes des vins recommandés ci-dessous atteignent des sommets.

cabernet sauvignon (surtout Private Bin) • *chardonnay* (surtout Private Bin) • *muscat de Frontignan* (Eminence) • *Noble Late Harvest* (surtout Edelkeur, Sauvignon blanc, et Private Bin Weisser riesling) • *Prelude* (blanc d'assemblage) • *shiraz* (Private Bin)

NEETHLINGSHOF ESTATE

Stellenbosch

★☆

Les vignobles ont gagné en surface, comme d'ailleurs la cave, depuis le rachat de ce domaine en 1995. Les vins, déjà réputés, ont encore progressé, et ce n'est sans doute pas fini.

cabernet sauvignon • *chardonnay* • *Lord Neethlingshof Reserve* (assemblage de cabernet) • *Noble Late Harvest* • *Weisser Riesling*

NUY COOPERATIVE

Worcester

★V

On dit parfois que cette coopérative est la meilleure du pays, mais étant donné le niveau général, il est difficile de décerner la couronne. En tout cas, ses vins de colombard sont de tout premier plan, et ses muscadels délicieux rivalisent avec les meilleurs des meilleurs domaines.

colombard • *Red Muscadel* • *White muscadel*

L'ORMARINS ESTATE

Paarl

★☆

Dirigé par Toni Rupert, fils d'Anton (deuxième fortune du pays), avec des moyens presque illimités, ce domaine s'est hissé sans difficulté au premier rang du peloton des producteurs du Cap. Si Toni Rupert a choisi L'Ormarins, c'est parce que les vignobles sont superbement situés. Et on ne peut pas dire que ce domaine a servi de jouet à un gosse de riche, parce qu'un caprice passe vite, que ce professionnel pratique la viticulture depuis maintenant 15 ans, et que son enthousiasme est plus grand aujourd'hui qu'hier.

cabernet sauvignon • *chardonnay* • *Optima* (assemblage de cabernet) • *shiraz*

OUDE MEESTER GROUP

Ce groupe possède une douzaine de maisons de vins et d'alcools, dont Bergkelder qui produit la Fleur du Cap, les gammes de Stellenryck et commercialise les vins de 13 domaines associés.

OVERGAAUW ESTATE

Stellenbosch

★

Ce domaine réussit la prouesse de produire de nombreux vins de classe avec très peu d'anhydride sulfureux. Depuis déjà un quart de siècle, il est à la pointe de la novation.

chardonnay • *merlot* • *Tria Corda* (assemblage de cabernet) • *Vintage Port*

PERDEBERG COOPERATIVE

Paarl

☆V

Cette coopérative s'est bâtie une belle réputation pour son vin de chenin blanc dans un pays qui commence seulement à prendre conscience des grandes possibilités de ce cépage.

chenin blanc • *Noble Late Harvest*

PLAISIR DE MERLE

Stellenbosch

★★

De nombreux vins de Nederburg ont dépendu du raisin de ce domaine jusqu'en 1993, année où son propriétaire, Niel Bester, a rompu avec la Stellenbosch Farmers Winery et a engagé comme conseiller Paul Pontallier du Château Margaux. Il n'a jamais regretté sa décision.

cabernet sauvignon • *chardonnay* • *merlot* • *sauvignon blanc*

JOHN PLATTER WINES

Stellenbosch

★★

Le critique et écrivain spécialisé dans le vin et de renommée mondial, mais décrié dans son pays, a établi un petit vignoble, appelé « Clos du Ciel », au pied des collines d'Helderberg, où il produit un excellent chardonnay depuis 1990.

Clos du Ciel chardonnay

PONGRACZ

Stellenbosch

★

Fait par Bergkelder, ce fut l'un des premiers vins effervescents avec fermentation dans la bouteille, et il reste l'un des meilleurs.

Cap Classique (Pongracz)

RHEBOKSLOOF ESTATE

Paarl

Relativement récente (premier millésime en 1990), cette maison a fait de bons vins, mais sans plus. Elle a pourtant beaucoup de potentiel et un nouveau propriétaire (depuis 1995), épaulé par un vinificateur différent, pourrait bien faire des merveilles.

RIETVALLEI ESTATE

Robertson

☆

Spécialiste de muscadel rouge, doux et fortifié, qui collectionne les médailles.

Rietvallei Rooi Muskadel

ROBERTSON WINERY

Robertson

☆V

Cette coopérative produit de nombreux vins de cépage à prix intéressants et quelques très bons vins de dessert.

muscadel • *Special Late Harvest* (Rheingold)

ROOIBERG COOPERATIVE

Robertson

☆V

Coopérative renommée pour les vins fortifiés, qui collectionne les médailles.

Jerepiko (Rooi) • *Red Muscadel*

J.-C. LE ROUX

Cette étiquette de Bergkelder était auparavant réservée aux vins effervescents, mais elle sert maintenant pour des vins tranquilles.

Cap Classique (pinot noir)

ROZENDAL

Stellenbosch

★☆

Ce propriétaire offre un vin d'assemblage dominé par le merlot, de très longue garde pour son style.

Rozendal (assemblage de merlot)

RUSTENBERG ESTATE

Stellenbosch

★

S'il s'étend sur quelque 1 000 hectares, cet énorme domaine n'en compte que 65 en vigne. Il fait désormais des vins dans un style plus fruité.

cabernet sauvignon (Reserve) • *merlot-cabernet* • *Port* • *Rustenberg Gold*

RUST-EN-VREDE

Stellenbosch

★

Le propriétaire, Jannie Engelbrecht, ancien Spingbok, ne fait que des vins qu'il aime boire – rouges, riches, denses et équilibrés – qu'il ne diffuse que quand ils sont prêts.

cabernet sauvignon • *Estate Wine* (assemblage cabernet-shiraz) • *merlot* • *shiraz* • *Tinta barocca*

HUGH RYMAN

Stellenbosch

☆V

Ryman s'est établi en 1993 et, après des débuts quelque peu cahoteux, les choses sont allées en s'améliorant. Il a alors fondé une petite maison avec quelques partenaires locaux.

merlot-cabernet • *Pinotage*

SABLE VIEW

Stellenbosch

Gamme de vins commerciale de qualité moyenne, produite par SFW.

SAXENBURG

Stellenbosch

★

Propriété d'un Suisse, cette maison à suivre offre des vins complexes.

cabernet sauvignon • *chardonnay* • *merlot* (Private Collection) • *Pinotage* (Private Collection) • *shiraz* (Private Collection)

SIMONSIG ESTATE

Stellenbosch

☆

Cette maison a une grosse production et ses vins vont d'une qualité moyenne à un haut niveau.

chardonnay • *Pinotage* (surtout Auction Reserve) • *sauvignon blanc* • *shiraz*

SIMONSVLEI WINERY

Paarl

☆V

Cette coopérative est renommée depuis 40 ans pour ses vins fins à des prix très intéressants.

cabernet sauvignon • *shiraz* • *White Muscadel*

STEENBERG

Constantia

☆

Cette nouvelle maison en plein devenir, de Constantia, offre un petit volume d'un sauvignon somptueux de fraîcheur. Il faut suivre aussi les autres vins.

sauvignon blanc

STELLENBOSCH FARMERS' WINERY OU SFW

Concurrent de Oude Meester Group, SFW possède une demi-douzaine de maisons, fait le Château Libertas et commercialise les gammes de Nederburg, Sable View et Zonnenbloem.

STELLENRYCK COLLECTION

Durbanville

Gamme de vins de haute qualité, commercialisée par Bergkelder pour compléter, à un niveau supérieur, celle de la Fleur de Mai. Elle a en outre innové puisque son blanc fumé a été le tout premier vin de cépage de sauvignon blanc, dès le milieu des années 1980.

✓ *blanc fumé* • *cabernet sauvignon* • *chardonnay*

STELLENVALE

Cape

Gamme supérieure de Gibleys créée en 1995 proposant un cabernet-shiraz riche, un chardonnay marqué par le chêne, un chardonnay-sauvignon nerveux et un pinotage terne.

STELLENZICHT

Stellenbosch

Avec le même propriétaire que Neethlingshof, ces vignobles de montagne donnent quelques-uns des meilleurs vins récents du pays.

✓ *cabernet sauvignon* • *Grand Vin Blanc* (blanc d'assemblage appelé aussi « Collage ») • *Noble Late Harvest* • *sémillon* • *shiraz* • *Stellenzicht* (assemblage de cabernet)

SWARTLAND WINE CELLAR

Swartland

★Ⓥ

Cette coopérative ancienne mais dynamique diffuse maintenant tous ses vins en bouteille et exporte énormément. Outre son expérience dans la manipulation du raisin et de la vinification, elle doit l'exceptionnelle qualité de ses vins à l'absence d'irrigation malgré le climat chaud qui règne sur les vignobles (vignes en cordon).

✓ *chenin blanc* (surtout Steen) • *colombard* • *sauvignon blanc*

THELEMA MOUNTAIN

Stellenbosch

★★

Une des maisons récentes les plus en vue, produit des vins d'une richesse et d'une complexité remarquables.

✓ *cabernet sauvignon* • *cabernet sauvignon-merlot* • *chardonnay* • *merlot* • *muscat de Frontignan* • *Reserve Cabernet* • *Rhine Riesling* • *sauvignon blanc*

THEUNISKRAAL ESTATE

Tulbagh

Producteur de vins blancs.

DU TOITSKLOOF COOPERATIVE

Worcester

Ⓥ

Cette coopérative, qui a gagné beaucoup de récompenses pour ses vins de table, propose maintenant des vins de dessert de classe.

✓ *Hanepoot Jerepigo* • *Special Late Harvest*

DE TRAFFORD

Stellenbosch

★

Très récente et très petite maison, mais avec déjà une belle réputation pour son cabernet fort bien tourné – et mon petit doigt m'a parlé d'un chenin blanc fermenté en barrique.

✓ *cabernet sauvignon*

TRAWAL WINE CELLAR

Olifants River

Cette coopérative ne commercialise des vins sous sa propre étiquette que depuis 1992, mais leur qualité remarquable et leur excellent rapport qualité/prix n'ont pas manqué d'être notés par les œnophiles.

✓ *Classic Dry Wine* (vin blanc d'assemblage) • *Late Harvest* • *Pinotage* • *Special Late Harvest*

TWEE JONGEZELLEN ESTATE

Tulbagh

★Ⓥ

La marque de vin effervescent selon la méthode traditionnelle, Krone Borealis, est devenue très vite plus connue que le nom de son producteur, Twee Jongezellen Estate. D'abord simple mousseux fruité, il a été grandement amélioré, a acquis la rondeur et, après une année en bouteille, les notes de biscuit qui sont la caractéristique d'un vin effervescent classique. C'est de fait un des rares mousseux sud-africains dignes d'éloge. Nicky Krone, propriétaire vinificateur de l'entreprise, élabore aussi le Cuvée Cap Mumm pour la célèbre maison champenoise, mais je n'ai pas encore eu l'occasion de le goûter.

✓ *Cap Classique* (Krone Borealis) • *Noble Late Harvest* (TJ Engeltjiepipi) • *Special Late Harvest* (gewurztraminer, Night Nectar)

UITERWYK

Stellenbosch

Intéressant pour son pinotage.

UITKYK ESTATE

Stellenbosch

Ce domaine au nom imprononçable est connu pour son carlonet époustouflant. C'était autrefois un assemblage, mais il est maintenant fait de pur cabernet sauvignon

✓ *carlonet*

VAN LOVEREN

Robertson

☆Ⓥ

Les vins les plus fins de la maison sont le très solide chardonnay, le river-red d'assemblage, souple et velouté, et le special late harvest gewurztraminer, doux, élégant et séveux. Mais Van Loveren est surtout intéressant pour son habileté à vinifier des vins remarquables sous le rapport qualité/prix, et diffuse largement son très fougueux red-muscadel (blanc de noirs), demi-doux aux arômes de muscat, avec en bouche des notes fruitées de pêche fondante et de rose. Si l'anjou rosé était moitié aussi bon, j'en achèterais!

✓ *Blanc de Noirs* (Red Muscadel, Shiraz) • *chardonnay* • *Special Late Harvest* (gewurztraminer) • *River Red*

VEENWOUDEN

Paarl

Cette cave a été créée récemment par Deon van der Walt, le plus grand ténor sud-africain, avec Giorgio Dalla Cia, de Meerlust, comme consultant.

✓ *merlot* • *Veenwouden* (assemblage de cabernet)

VERGELEGEN

Stellenbosch

★☆

Ce domaine ancien, très bien restauré, produit des vins complexes et de haut niveau. Il est la propriété d'Anglo-Américains proches de Château Lafite.

✓ *merlot* • *sauvignon blanc*

VERGENOEGD ESTATE

Stellenbosch

C'est aujourd'hui la sixième génération des propriétaires de ce vieux domaine qui se distingue par sa Reserve, dans le style du bordeaux, mais qui fait aussi un excellent cinsault.

✓ *cinsault* (Reserve)

VILLIERA ESTATE

Paarl

Domaine aujourd'hui en bonne place parmi les producteurs du Cap.

✓ *Blue Ridge Rouge* (assemblage de shiraz) • *Cap Classique* (Grande Cuvée, Tradition Reserve) • *Cru Monro* (assemblage de cabernet) • *merlot* • *sauvignon blanc* (Traditional Bush Vine)

VLOTTENBURG CO-OPERATIVE

Stellenbosch

★Ⓥ

Cette coopérative collectionne les récompenses et offre une large gamme de vins fruités au prix intéressant.

✓ *cabernet sauvignon* • *chardonnay* • *merlot* • *Reserve* (assemblage de shiraz) • *riesling* • *Special Late Harvest*

VON ORTLOFF

Paarl

★

Cette maison n'a diffusé son premier millésime qu'en 1994, mais elle est déjà largement saluée pour ses vins fins et complexes.

✓ *cabernet-merlot* • *chardonnay*

VREDENDAL WINERY

Olifants River

☆Ⓥ

La plus grosse coopérative du pays (anciennement Olifantsrivier Koöp Wynkelder), elle traite annuellement l'équivalent de la vendange totale de Nouvelle-Zélande. Elle propose un des meilleurs ruby cabernet, aux arômes d'orange sanguine.

✓ *Ruby Cabernet*

VREDHENHEIM

Stellenbosch

Ⓥ

Ce producteur diffusait autrefois du vin en vrac. Aujourd'hui il vend du vin en bouteille, directement du domaine. Elsabé Bezuidenour, le vinificateur, élabore des rouges gouleyants.

✓ *Dry Red*

VRIESENHOF

Stellenbosch

★

Petit domaine dirigé par Jan Boland Coetzee que sa passion pour la Bourgogne a conduit à l'activité de négociant-éleveur.

✓ *chardonnay* • *Kallista* (assemblage de cabernet) • *Kestrel* (assemblage de merlot) • *merlot*

WARWICK ESTATE

Stellenbosch

★☆

Avec des vins riches et complexes, Warwick est l'un des producteurs les plus récents, les plus petits et les plus intéressants du Cap.

✓ *cabernet franc* • *merlot* • *Pinotage* (Traditional Bush Vine) • *Trilogy* (assemblage de cabernet)

WELGEMEEND ESTATE

Paarl

☆

Ce spécialiste de vin rouge de qualité, avec une production faible, est établi depuis la fin des années 1980, et il s'est toujours maintenu à un très bon niveau.

✓ *Douelle* • *Estate Wine*

WELTEVREDE ESTATE
Robertson

Weltevrede signifie « très satisfait » – et j'ai le plaisir de confirmer que c'est toujours ici la devise du client.

✓ *chardonnay* • *muscat de Hambourg* • *Privé du Bois* (classic blended white) • *Red Muscadel* (Oupa se Wyn) • *Special Late Harvest* (Therona) • *White Muscadel*

WESTPEAK WINES
Stellenbosch

★

Créée en 1994 par le groupe britannique Lay & Wheeler, cette maison offre des vins très intéressants.

✓ *cabernet-merlot*

DE WET CO-OPERATIVE
Breede River

À ne pas confondre avec le domaine privé De Wetshof dont les vins sont faits – pour ajouter à la confusion – par Danie de Wet! Elle offre une large gamme de vins, dont une curiosité, un vin de pur cépage fernao pires.

DE WETSHOF ESTATE
Robertson

Comment Danie de Wet peut-il faire des vins aussi fantastiques que son grey label chardonnay (surtout le 1993), alors que les pierres des vignobles sont assez brûlantes pour y cuire un œuf? C'est un grand mystère – un de ces mystères qui rendent le monde du vin si fascinant.

✓ *Rhine Riesling* • *chardonnay* • *sauvignon blanc* • *Edeloes* (botrytis)

WHALEHAVEN
Overberg

Cette maison existe depuis 1995, mais je n'ai pas goûté les vins. Toutefois, je crois qu'ils sont prometteurs, surtout le cabernet-sauvignon, le chardonnay et le pinot-noir.

WILDERKRANS
Overberg

☆

Cette cave a diffusé son premier millésime en 1993 mais elle s'est déjà taillé une belle réputation avec son pinotage profond et fruité.

✓ *Pinotage*

YONDER HILL
Stellenbosch

★

Cette maison récente propose de beaux vins issus de vignobles de montagne, sur le Helderberg. Le terme « iNanda » signifie « beau site » en zoulou.

✓ *iNanda* (assemblage de cabernet) • *merlot*

ZANDVLIET ESTATE
Robertson

☆

Cette maison est renommée pour son shiraz. Astonvale est la seconde étiquette.

✓ *shiraz*

ZEVENWACHT
Stellenbosch

Ce producteur a connu un développement rapide dans les années 1980. Il propose des vins francs et aromatiques, mais sans grand intérêt. Deux exceptions : un sauvignon blanc et un millésime rarissime (1994) d'un pinot-noir solide et corpulent.

✓ *sauvignon blanc*

ZONNEBLOEM WINES

★Ⓥ

Cette gamme de vins de haut niveau, produite par SFW, est renommée pour ses vins rouges, mais elle a fait un gros effort sur les blancs ces dernières années, avec quelques très jolies réussites. Tous les vins sont d'un excellent rapport qualité/prix.

✓ *cabernet sauvignon* • *chardonnay* • *chenin blanc* (Blanc de Blancs) • *Laureat* (assemblage de cabernet) • *merlot* • *Pinotage* • *sauvignon blanc* • *shiraz*

AUTRES VINS D'

AFRIQUE

KENYA

Je suis tombé de ma chaise lorsque j'ai appris que les premiers vins de cépage du Kenya étaient sur le marché – juste assez tôt pour que je gribouille quelques mots dans la première édition de cet ouvrage. Depuis, j'ai eu la chance de visiter ces vignobles et je dois avouer que j'ai été impressionné, non par leur beauté ou leur qualité, mais parce que c'est incroyable de faire du vin dans cette zone équatoriale. Les vignes poussent sur des sols volcaniques, près du lac Naivasha, à 1900 m d'altitude, dans la Rift Valley, c'est-à-dire au milieu des fleurs puisque cette région bénie des dieux approvisionne tous les fleuristes de la planète. Ici, on peut cultiver n'importe quoi, avec deux récoltes par an. La vigne ne fait pas exception comme l'ont montré John et Elli d'Olier, qui ont ramené leurs premières boutures de Californie, en 1982. John est kenyan, de souche huguenote – son père étant venu d'Irlande durant la première guerre mondiale -, et Elli est californienne. Ils ont produit leur premier vin de cépage en 1986, après avoir remporté une médaille d'argent à Lisbonne, en 1985, pour leur vin de papaye, boisson traditionnelle du Kenya, très forte, épaisse et huileuse, qui n'est pas exactement le genre de bouillie qu'affectionne le palais – trop timoré? – des amateurs de vin. Tout le monde vous dira que le climat équatorial est parfait pour tout, sauf pour produire un vin qui tienne debout. Mais ces vignes du lac Naivasha me font douter de cette loi. Ce n'est pas que ces vins soient fantastiques, mais ils sont sains, nets et bien faits, sans rien de cuit ni sans aucun des autres défauts qu'on pouvait craindre au royaume du soleil.

On dit que la vigne, en climat équatorial, pousse trop vite et fait des feuilles, au détriment des fruits. C'est sans doute vrai, mais les d'Ollier prouvent qu'il existe des zones, sous ces latitudes, où l'arbuste donne du bon raisin et où la fraîcheur des nuits apporte une acidité étonnamment forte. Le véritable problème, dans un pays équatorial, est la difficulté qu'éprouvent les producteurs, étant donné leur isolement, à acquérir des installations et une technologie adéquates. En outre, même quand les vins sont parfaitement sains, il faut les transporter jusqu'à la prochaine ville, pour les mettre en bouteilles dans des conditions on ne peut plus défavorables.

Ensuite, il n'est pas certain que les techniciens qui effectuent cette opération soient assez expérimentés et, enfin, les conditions de stockage sont déplorables (y compris pour les vins d'importation).

Handicap insurmontable? Ces vignes du lac Naivasha prouvent que non : le colombard-sur-lie, avec quelques bulles, est frais, léger et convivial, et le sauvignon-blanc est frais et suffisamment vif, s'il n'a pas trop le caractère du cépage. Le plus décevant a été pour moi un vin rouge de carnelian, trop grossier, mais j'ai aimé le cabernet-sauvignon et j'ai été séduit par un vin effervescent fermenté en bouteille, de 1992. Comme je me méfiais de l'influence envoûtante sur mes sens des superbes paysages, je l'ai ramené en Angleterre pour le goûter un jour de froidure, à côté d'autres vins effervescents. Mais je n'ai pas encore ouvert la bouteille.

ZIMBABWE

Durant les dix dernières années, beaucoup de choses ont changé, au Zimbabwe, dans l'industrie du vin : arrachage des cépages médiocres, irrigation au goutte à goutte, fermentation à basse température et formation des techniciens.

Cette activité est encore très jeune puisqu'elle date du milieu des années 1960 et qu'elle ne touche, à l'exportation, que les pays africains voisins. Mais tout pourrait évoluer très vite.

Les maisons qui étaient un peu connues ont disparu, comme Philips and Monis, absorbé par Muskuyu Winery, et la gamme Flame Lily, qui s'était montrée ici et là, en Europe, sur différents rayons, s'est elle aussi évanouie du paysage.

Les cépages cultivés au Zimbabwe sont les suivants : bukettraube, cabernet sauvignon, cinsault, clairette blanche, colombard, chenin blanc (*syn.* steen), cruchen (*syn.* cape riesling), gewurztraminer, merlot, pinotage, rielsing, ruby cabernet, sauvignon blanc et seneca.

Le pays ne compte à l'heure actuelle que deux producteurs, African Distillers et Mukuyu. Le premier (appelé aussi Stapleford Wines) est établi au nord d'Harere et possède 180 ha de vignobles à Bulawayo, Odzi et Gweru – où se trouvent aussi les installations. Il utilise également le raisin de domaines privés qui représente environ 40% des 550000 caisses de vin annuelles. Les vins à pichet sont vendus sous l'étiquette Green Valley, et les meilleurs sous celle de Private Cellar.

Monis n'existe plus, mais les activités continuent sous le nom de Mukuyu qui, à l'origine, était la cave de prestige de la maison. Celle-ci est actuellement la propriété de Cairns Holdings dont les installations et les 100 ha de vignobles se trouvent au sud d'un village, Marondera, à 100 km à l'est d'Harare. La production annuelle (environ 165 000caisses) provient uniquement de ce domaine. Légèrement supérieurs aux vins à pichet (sous l'étiquette New Vineyard), les vins diffusés sous l'étiquette Symphony sont fruités et agréables, surtout les rouges. La gamme Meadows comprend un blanc sec, l'étoile, assemblage de divers cépages dont le gewurztraminer et le riesling. Il y a aussi des vins de cépage (sauvignon blanc, pinot noir et merlot) vendus dans les gammes Select et Mikuyu avec, dans cette dernière, un vin effervescent brut de brut, vinifié selon la méthode de la seconde fermentation.

Ce pays, très isolé dans le monde du vin, a besoin de compter davantage de producteurs pour entrer vraiment sur les marchés internationaux, mais c'est peut-être pour bientôt étant donné l'encépagement et la fermentation à basse température qu'il pratique.

CHOIX DE L'AUTEUR

Ce sont évidemment les vins sud-africains qui constituent cette sélection. Celle-ci est difficile puisque les producteurs sont confrontés à la demande d'un marché en évolution, et que beaucoup de vins fluctuent.

PRODUCTEUR	VIN	STYLE	DESCRIPTION	
Backsberg (*voir* p. 433)	Cabernet sauvignon	ROUGE	Ce cabernet-sauvignon, élaboré par le producteur que je préfère en Afrique du Sud, constitue le haut d'une gamme de rouges remarquables, avec beaucoup de classe et de finesse.	4 à 12 ans
Graham Beck Winery (*voir* p. 433) Ⓥ	Chardonnay Blanc de Blancs Brut, Cap Classique	BLANC EFFERVESCENT	Dans le monde entier, les vins effervescents sont en progrès, pour la qualité et le style. C'est vrai en Afrique du Sud, où les producteurs doivent refaire beaucoup de terrain après une longue période d'isolement. Le blanc-de-blanc de Graham Beck est actuellement le meilleur du pays dans cette catégorie, avec une belle complexité d'arômes malolactiques, et des connotations de gâteau sec et de pain grillé qui apportent du moelleux à un vin au caractère joliment fruité.	1 à 2 ans
Buitenverwachting (*voir* p. 434)	Cabernet sauvignon	ROUGE	Ce vin foncé, épicé et riche offre une puissante vague fruitée de cassis, avec une bonne charpente de tannins soyeux.	5 à 10 ans
Fairview Estate (*voir* p. 434) Ⓥ	Shiraz Reserve	ROUGE	En passant du shiraz de base à cette réserve, on a l'impression de sauter quelques étages tant ce vin est somptueux, débordant d'un fruité épanoui et d'une superbe complexité.	4 à 7 ans
Glen Carlou (*voir* p. 434)	Chardonnay Reserve	BLANC	Un chardonnay que l'on prend en pleine figure, corpulent et riche, marqué par le chêne! Cependant, il n'est pas du tout trop plantureux – mais très parfumé et délicieux en bouche.	1 à 4 ans
Hamilton Russell Vineyards (*voir* p. 435)	Chardonnay	BLANC	Chardonnay au fruité onctueux, avec toute la richesse du cépage, malgré une solide charpente et des notes de chêne et de citron.	2 à 5 ans
Hamilton Russell Vineyards (*voir* p. 435)	Pinot noir	ROUGE	Vin superbe qui fait étinceler le caractère du cépage, avec des arômes fruités de fraise et de groseille, bien structurés, et des tanins sérieux.	3 à 7 ans
Kanonkop Estate (*voir* p. 435)	Paul Sauer	ROUGE	Assemblage somptueux et souple, de cabernet et de merlot, ce vin montre une complexité précoce et des arômes de chêne assouplis.	3 à 8 ans
Kanonkop Estate (*voir* p. 435)	Pinotage	ROUGE	Quiconque a aimé le pinotage de Beyers Truter, qu'il étiquette sous son nom (plutôt que sous celui de Kanonkop ou du détaillant) adorera cette version riche, plus épanouie et encore beaucoup plus délicieuse.	4 à 8 ans
Klein Constantia (*voir* p. 435)	Vin de Constance	BLANC	Si Klein Constantia fait beaucoup de bons vins, celui-ci est l'un des meilleurs du pays dans la catégorie des vins de dessert et, puisqu'il s'agit d'une réplique d'un vin historique, il n'est pas question de l'omettre dans cette sélection. Rendu fameux par Jane Austen, Alexandre Dumas et Henry Longfellow, le constantia était apprécié de Napoléon et de Bismarck. Comme l'original, ce vin de constance a la délicatesse, la richesse et la douceur d'un vendanges tardives, mais il n'est ni fortifié ni botrytisé.	jusqu'à 20 ans
Lievland (*voir* p. 435)	DVB	ROUGE	Marqué par le chêne, cet assemblage cabernet-merlot libère de belles notes de cassis épicé et de vanille, et évolue gracieusement.	3 à 12 ans
Meerlust (*voir* p. 435)	Merlot	ROUGE	Lequel choisir, du carbernet-sauvignon, du rubicon ou du merlot? Le premier a été aussi le premier vin sud-africain de classe que j'aie goûté (millésime 1975). Le second (dont j'ai dégusté d'abord le millésime 1980) a vraiment représenté le franchissement du Rubicon pour la vinification du Cap. Le troisième – qui l'emporte finalement – né en 1988, est vraiment du pur plaisir en bouteille.	3 à 6 ans
Hugh Ryman (*voir* p. 436) Ⓥ	Jacana Pinotage Reserve, Stellenbosch	ROUGE	Hugh Ryman, britannique formé en Australie, a manifestement pensé à la Californie en concoctant ce vin du cépage typique d'Afrique du Sud. En effet, ce breuvage à la robe pourpre-noir rappelle un zinfandel de faible rendement et de haute qualité, avec ses énormes arômes de petits fruits et sa claque de chêne américain.	2 à 5 ans
Thelema Mountain (*voir* p. 437)	Reserve Cabernet	ROUGE	Un très sérieux client! Si la corpulence n'est pas toujours à conseiller, elle est ici la bienvenue.	5 à 15 ans
De Wetshof Estate (*voir* p. 438)	Grey Label Chardonnay	BLANC	Étonnant que ce montagnard de Danie de Wet puisse produire un chardonnay si délicat issu de vignes poussant dans les plaines brûlées de soleil de Robertson! Mais c'est pourtant la réalité!	1 à 3 ans

Les VINS *d'*

AMÉRIQUE

Les régions vinicoles d'Amérique du Nord
et du Sud les plus renommées se trouvent sur
la côte Pacifique. En effet, la côte Atlantique
est en général trop humide et trop exposée
aux gelées hivernales. La Californie est la plus
célèbre et celle dont la production est la plus
abondante. On y fait des vins de cabernet,
de merlot, de zinfandel et de chardonnay qui
peuvent rivaliser avec les meilleurs du monde.
Les vins des États de Washington et
de l'Oregon sont aussi divers que fascinants,
bien que moins connus car le volume de
leur production est très inférieur.
L'industrie vinicole du Canada est récente,
mais en pleine expansion.
En Amérique du Sud, le Chili est largement
en tête pour la qualité tandis que quelques
producteurs d'Argentine démontrent que les
vins de leur pays pourraient un jour égaler
ceux du Chili si le souci de la qualité
remplaçait celui de la quantité.

FLEURS DE MOUTARDE DANS UN VIGNOBLE DE CALIFORNIE
Habitat naturel des ennemis de la vigne, la moutarde prévient aussi l'évaporation et engraisse la terre du vignoble.

✧ AMÉRIQUE DU NORD ✧

Les vins d'Amérique du Nord ne se résument pas à ceux de la Californie. Si le volume de sa production la place au sixième rang mondial, on fait aussi du vin aux États-Unis dans trente-neuf autres États et lorsque l'on recense les vignobles d'Amérique du Nord, il ne faut pas négliger ceux de l'Ontario, de la Colombie Britannique et du Canada (voir *p. 494*), *ni ceux de la Basse Californie et de la Sierra Madre au Mexique* (voir *p. 502*).

VIGNOBLE D'AUGUSTA
La première appellation fut créée en 1980 à Augusta, dans le Missouri.

Lorsqu'ils entreprirent la conquête du Mexique en 1521, les conquistadores y plantèrent de la vigne et en tirèrent le premier vin d'Amérique du Nord. Quatorze ans plus tard, en remontant le Saint-Laurent pour atteindre la Nouvelle-France, Jacques Cartier découvrit au milieu du fleuve une île couverte de vigne sauvage qu'il envisagea d'appeler « île de Bacchus », mais qu'il finit par baptiser « île d'Orléans » en l'honneur du duc d'Orléans, fils de François Ier. Vers 1564, les colons jésuites venus de France seraient devenus les premiers vignerons de ce qui allait devenir le Canada. C'est en Floride que fut élaboré le premier vin sur le territoire des futurs États-Unis : entre 1562 et 1654, des colons français huguenots commencèrent à vinifier le cépage indigène scuppernong qu'ils avaient découvert à l'emplacement où sera créée par la suite la ville de Jacksonville.

CÉPAGES INDIGÈNES D'AMÉRIQUE DU NORD

Tous les cépages classiques appartiennent à une seule espèce, *Vitis vinifera*, mais les cépages indigènes d'Amérique du Nord appartiennent à différentes espèces dont aucune n'est *Vitis vinifera* (*voir* p. 20). Les premiers colons d'Amérique du Nord trouvèrent partout de la vigne sauvage dont ils tirèrent parti pour faire leurs premiers vins, alors que les colons d'Australie ne trouvèrent sur place aucune vigne indigène et durent faire venir des boutures d'Europe (et d'Afrique du Sud) pour créer leurs vignobles. Au XIXe siècle, des vignerons des États-Unis importèrent de nombreux cépages européens, mais jusqu'à des temps assez récents, presque tous les vins d'Amérique du Nord, hors ceux de la Californie, étaient issus de cépages indigènes.

L'espèce indigène la plus répandue en Amérique du Nord, *Vitis labrusca*, donne des vins au goût très particulier, que l'on qualifie de « *foxy* » (goût de renard, de fourrure mouillée). Ils sont d'une douceur écœurante qui envahit l'arrière-bouche et qui rebute tous les palais normalement constitués. Il paraît donc surprenant que les pionniers qui étaient vignerons n'aient pas harcelé leurs compatriotes restés au pays pour qu'ils leur envoyent des boutures de cépages donnant des vins normaux.

JEKEL VINEYARD, EN CALIFORNIE
Conduite d'irrigation longeant un vignoble dans une des parties les plus sèches du comté de Monterey, au sud de San Francisco.

LA PROHIBITION AUX ÉTATS-UNIS

La prohibition a été imposée à l'ensemble des États-Unis de 1920 à 1933. Mais, déjà, en 1816, la première interdiction des boissons alcoolisées a vu le jour sur le plan local et le Maine fut le premier État à adopter le « régime sec », en 1846. Quand entra en application, en 1920, le XVIIIe amendement de la Constitution interdisant la fabrication, le transport, la vente et l'achat de toute boisson contenant plus de 0,5% d'alcool, trente-trois États étaient déjà strictement « secs ».

La prohibition mena au chaos. Il priva le gouvernement de ressources légitimes et permit aux *bootleggers* de faire fortune. Le nombre de brasseries et d'alambics clandestins se multiplia et les *speakeasies* (bars clandestins) proliférèrent dans les grandes villes. Dans bien des cas, les autorités furent corrompues ou préférèrent fermer les yeux plutôt que de mener un combat perdu d'avance; le pouvoir fédéral trouva même utile d'ouvrir à New York son propre bar clandestin! Une grande quantité du vignoble fut arrachée, mais une partie du raisin de table, légalement cultivé, servit à fabriquer du jus de raisin concentré conditionné dans ce que l'on appela des « briques de raisin ». Ces briques étaient vendues accompagnées d'une capsule de levure et du mode d'emploi : il suffisait de faire dissoudre la levure dans un galon d'eau tiède, d'y ajouter le concentré et de laisser faire la nature. Le mode d'emploi comprenait une mise en garde : il précisait que l'addition de levure risquait de provoquer la fermentation et de transformer le jus de raisin en vin et « que ce serait illégal ».

Prohibition et industrie vinicole

Dans la seconde moitié du XIXe siècle, la réputation des vins de Californie était telle que de grandes régions vinicoles françaises comme la Champagne créèrent des syndicats de producteurs pour se protéger d'une concurrence menaçante. Treize ans de prohibition firent régresser l'industrie vinicole de Californie d'une centaine d'années, au moment où la viticulture européenne, qui venait d'effacer les conséquences dramatiques de l'épidémie de phylloxéra (*voir* p. 448), œuvrait pour restaurer sa réputation et ouvrir de nouveaux marchés.

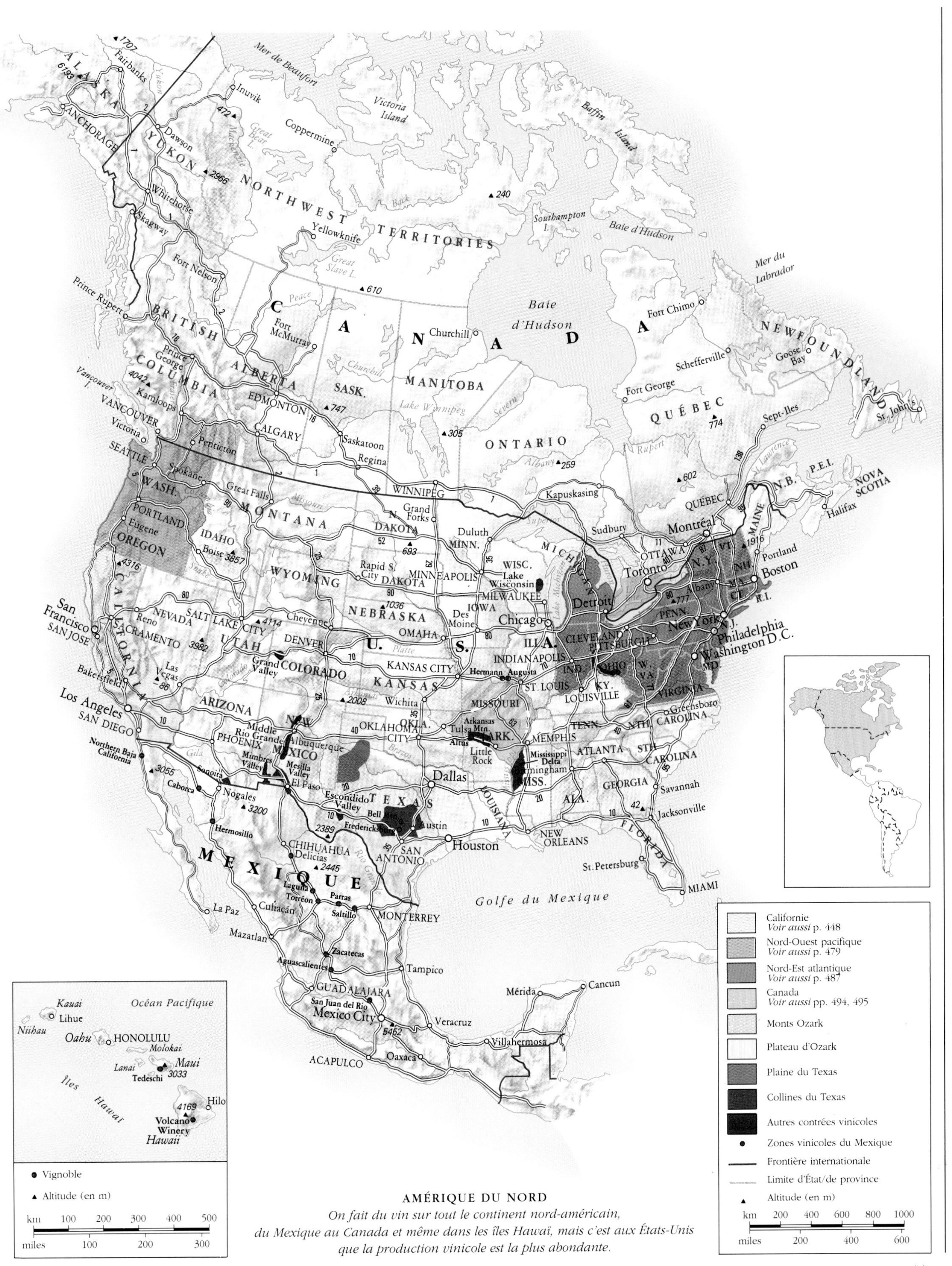

AMÉRIQUE DU NORD

On fait du vin sur tout le continent nord-américain, du Mexique au Canada et même dans les îles Hawaï, mais c'est aux États-Unis que la production vinicole est la plus abondante.

VIGNOBLES DANS L'ÉTAT DE NEW YORK
Ces vignobles dessinent une mosaïque vert émeraude dans le nord de l'État de New York, où les Finger Lakes (à l'arrière-plan) exercent une influence modératrice sur le climat.

En Europe, la première guerre mondiale avait presque anéanti la génération montante des vignerons, mais la tradition vinicole était suffisamment ancrée dans le passé pour que l'on puisse attendre, sans pertes irréparables, l'émergence de la suivante. En France, l'après-guerre vit l'institution des lois sur les appellations d'origine contrôlée, un système garantissant la qualité de la production si efficace que de nombreux pays vinicoles, soucieux de qualité allaient ensuite s'en inspirer pour leur propre réglementation.
Aux États-Unis, ce n'est pas la Grande Guerre, mais la prohibition et l'importante crise économique qui mirent à mal une viticulture encore fragile. La seconde guerre mondiale acheva de la désorganiser. À la fin des années 1940, les producteurs américains, restés à l'écart des progrès de la viticulture européenne, faisaient surtout des vins foxés détestables issus de la *labrusca*. Il est vrai que la Californie disposait de cépages plus nobles, mais ils élaboraient surtout des vins à la mode d'autrefois, lourds, sucrés et vinés. Le fait que certains vins de Californie puissent rivaliser aujourd'hui avec les meilleurs crus de l'Ancien Continent et que l'industrie vinicole des États-Unis se soit développée si vite qu'elle est devenue compétitive sur le marché international prouve que l'esprit d'entreprise est toujours dynamique dans cet immense pays et que ses possibilités sont pour ainsi dire infinies.

SYSTÈME DES APPELLATIONS AUX ÉTATS-UNIS

La première génération d'appellation était fondée sur les frontières des États ou les limites des comtés. Dans les années 1970, le Bureau des alcools, tabacs et armes à feu du département du Trésor (BATF) étudia un nouveau système fondé sur la topographie et le climat. En septembre 1998, il édicta la loi et le règlement des *Approved Viticultural Areas (AVA)* – aires viticoles agréées – destinées à compléter l'ancien système. La loi reconnaît à chaque État et à chacun des comtés qui les composent le droit à leur propre appellation d'origine. Il existe également des appellations géographiquement plus limitées ou plus étendues. Les catégories d'appellation sont aujourd'hui les suivantes :

Appellation vin américain

Cette appellation concerne les vins de cépage ou d'assemblage venant de n'importe quelle région des États-Unis, y compris le district fédéral de Columbia et le *commonwealth de* Porto Rico. Ces vins, analogues aux vins de table français, ne peuvent être millésimés, ce qui est irrationnel à mon avis. C'est la seule appellation autorisée pour les vins exportés en vrac.

Appellation couvrant plusieurs États

S'applique aux coupages de vins venant de deux ou trois États limitrophes. La proportion des vins de chaque État doit figurer sur l'étiquette.

Appellation d'État

S'applique au vin de tout État, sous réserve qu'au minimum 75% du raisin dont il est issu ait été cultivé dans l'État indiqué. Ainsi, un vin portant l'appellation de Californie peut contenir jusqu'à 25% de raisin originaire d'un autre État ou de plusieurs autres États. La même disposition s'applique aux appellations de comté.

Appellation couvrant plusieurs comtés

S'applique aux coupages de vins venant de plusieurs comtés du même État. La proportion des vins de chaque comté doit figurer sur l'étiquette.

Appellation de comté

S'applique au vin de tout comté, sous réserve qu'au minimum 75% du raisin dont il est issu ait été cultivé dans le comté indiqué.

STATUT DES APPELLATIONS AUX ÉTATS-UNIS

Le système des appellations des États-Unis est totalement différent de celui imposé en Europe et notamment en France. Il n'y a pas de réglementation sur l'aire de production, les cépages cultivés, la méthode de conduite de la vigne, le rendement, la technique de vinification et la teneur en alcool, et il n'y a ni analyse ni dégustation de contrôle de la qualité. On peut pourtant dire que dans certaines AVA, certains cépages et styles de vin sont encouragés, mais la liberté est totale pour la plupart et tout laisse à penser qu'elle le restera. Ce système est vivement critiqué par certains commentateurs, mais les AVA sont à l'image de la sacro-sainte libre entreprise et l'industrie vinicole ne s'en porte que mieux. Certains se plaignent que le BAFT ne connaît rien au vin et que de nombreuses AVA n'ont pour rôle que de permettre aux producteurs d'étiqueter « mis en bouteille au domaine » des vins de coupage d'origines diverses. Mais cela a-t-il vraiment de l'importance? Tout ce que demande le consommateur est d'être certain que l'AVA mentionnée existe bel et bien et que le vin n'a pas une autre origine que celle indiquée. Les mesures draconiennes prises en Europe pour faire respecter une réglementation tatillonne ont montré leurs limites et l'on sait que les vins du Vieux Continent sont sévèrement concurrencés sur le marché international par ceux des Pays Neufs. Peut-être les vins de France bénéficieraient-ils d'un peu de laisser-aller de la part d'autorités de contrôle qui, à mon avis, ne connaissent rien au vin.

ÉTIQUETAGE ET SANTÉ

Chaque bouteille de vin vendue aux États-Unis doit obligatoirement porter les mises en garde suivantes : « 1. Les femmes ne devraient pas boire de vin pendant la grossesse en raison des risques encourus par l'enfant à naître; 2. La consommation de boissons alcoolisées peut diminuer votre capacité à conduire un véhicule ou à utiliser des machines et mettre la santé en péril. » À mon avis, ces mises en garde sont trompeuses et comportent des demi-vérités et des affirmations non prouvées.
La première partie est exacte vu que les bébés des femmes alcooliques peuvent être déformés par le « syndrome alcoolique du fœtus », mais la conclusion d'une étude menée en Australie sur deux mille femmes a été la suivante : « Il n'y a aucune relation significative entre une consommation modérée d'alcool et la déformation du fœtus. » Quant à la seconde partie, s'il est indiscutable que l'ébriété rend dangereuse la conduite d'un véhicule automobile ou de machines, la mise en garde concernant la santé n'est que partielle-

ment justifiée. Les autorités n'ont pas précisé que c'est la consommation exagérée de boissons alcoolisées qui peut compromettre la santé. De fait, une consommation modérée est au contraire bénéfique. Des études et des tests menés dans le monde entier, y compris aux États-Unis par des instituts réputés, ont consisté en des comparaisons entre, d'une part, des sujets consommant avec modération des boissons alcooliques et, d'autre part, des non-buveurs et de gros buveurs. Ces études ont prouvé que les premiers :

- ont de meilleures facultés cognitives (National Academy of Sciences, *Journal of the American Geriatic Society*, *Journal of the American Medical Association*, etc.) ;
- sont moins sujets au stress, à l'hypertension et aux crises cardiaques (55% de risques en moins avec trois verres de vin par jour), à la thrombose cérébrale (le risque de la forme d'attaque cérébrale la plus courante est divisé par deux chez les buveurs modérés), au rhumatisme articulaire, au diabète rénal (sans hyperglycémie), aux leucoarioses (associées aux dysfonctionnements mentaux, à la démence vasculaire, à la maladie d'Alzheimer et aux troubles cérébro-vasculaires), à l'ostéoporose post-ménauposiques (fragilité osseuse), aux calculs biliaires (17% de risques en moins avec deux verres de vin par jour, 33% avec trois ou quatre verres, 42% avec plus de quatre verres) ;
- ont une meilleure protection contre les bactéries alimentaires telles que salmonelle, E-coli et *shygella dysenterioe* (le vin est plus efficace que le salicylate de bismuth, principal composants des médicaments contre les diarrhées des voyageurs) ; ont une résistance supérieure de 85% contre une des cinq formes de grippes virales;
- ont une espérance de vie plus longue de deux à cinq ans que celle des non-buveurs.

La consommation excessive d'alcool est néfaste, mais une consommation modérée est bénéfique et les autorités américaines ne devraient pas dissimuler cet état de fait. Si elles examinaient objectivement toutes les données disponibles à l'heure actuelle, elles devraient faire figurer sur les étiquettes le conseil suivant : « Le contenu de cette bouteille, s'il est consommé avec modération, vous est bénéfique – notamment pour votre cœur – et pourrait prolonger votre vie jusqu'à cinq ans. » (texte suggéré par Kathryn McWhiter, du journal anglais *The Independant on Sunday*).

Ce qui m'étonne le plus est que, dans un pays connu comme le plus procédurier du monde, l'industrie ne soit pas assez sûre de son bon droit pour se défendre vigoureusement. Pourquoi ne pas engager le meilleur cabinet d'avocats, poursuivre le *Surgeon General*, le BAFT et le gouvernement des États-Unis et leur réclamer mille millions de dollars de dommages et intérêts? D'après les renseignements que j'ai à ma disposition, le *Surgeon General* ne serait pas capable de prouver ses dires sur les risques courus par l'enfant à naître.

LECTURE D'UNE ÉTIQUETTE DE VIN AMÉRICAIN

PRODUCTEUR
Selon la loi, l'étiquette doit porter le nom et l'adresse du producteur. Celle-ci figure sur le côté. La Brainbridge Island Winery se situe un peu à l'ouest de Seattle.

MILLÉSIME
Au moins 95% du vin doit provenir du millésime indiqué. Jusqu'au début des années 1970, cette proportion devait être de 100%, mais les vignerons, surtout ceux élaborant des vins de garde de qualité, élevés en barriques, obtinrent le droit de compléter le niveau avec du vin d'un autre millésime, à concurrence de 5%.

CÉPAGE
Le vin doit être issu d'au moins 75% du cépage indiqué (90% en Oregon). Bien que l'intérêt d'un étiquetage selon le cépage fut reconnu dès les années 1920 en Alsace, le succès des vins de cépage sur le marché international a son origine dans l'habitude des vignerons californiens de donner à leur vin un nom de cépage.

TENEUR EN ALCOOL
Mention obligatoire.

MISE EN GARDE
Les lois fédérales obligent à mettre en garde le consommateur contre le danger pour la santé de la consommation de vin (*voir* les commentaires ci-dessus et sur la page de gauche).

APPELLATION
L'appellation est toujours la première chose à chercher sur l'étiquette. Malheureusement, la réglementation n'oblige pas à faire suivre le nom de l'appellation du sigle AVA : dans cet exemple, comment le consommateur pourrait-il savoir que « Puget Sound » est une appellation officielle? Il serait aussi opportun de préciser, le cas échéant, qu'il s'agit d'une appellation de comté (*County Appellation*) et dans quel État est situé ledit comté. De même, il serait bon d'ajouter, ne serait-ce que pour le marché d'exportation, l'indication *State Appellation* quand il s'agit d'un vin d'une appellation d'État.

Autres renseignements pouvant figurer sur l'étiquette :

TABLE WINE OU LIGHT WINE
Vin dont la teneur en alcool n'atteint pas 14% vol.

NATURAL WINE
Cette mention ne peut figurer que si le vin n'a pas été viné avec de l'eau-de-vie ou tout autre alcool.

DESSERT WINE
Désigne des vins dont la teneur en alcool est d'au moins 14% vol. et de 24% vol. au plus. La teneur en alcool des vins étiquetés « *sherry* » doit être d'au moins 17% vol. Celle des vins qui portent les noms de « *angelica* », « *madeira* » (madère), « *muscatel* » ou « *port* » (porto) doit être d'au moins 17% vol. Si les vins mentionnés ci-dessus ont une teneur en alcool supérieure à 14% vol. mais inférieure à 18% vol. (ou 17% vol. dans le cas du sherry), leur nom doit être précédé du terme *light* (léger), par exemple *light sherry* ou *light madeira*.

VOLUME
Devrait légalement figurer sur chaque bouteille.

SPARKLING WINE
Ce terme s'applique à tout vin effervescent, qu'il ait été élaboré en cuve close ou par la méthode traditionnelle de seconde fermentation en bouteilles. Si la bouteille ne porte pas d'autre indication, il s'agit probablement d'un mousseux très ordinaire en cuve close.

On trouve aussi les indications suivantes :

CHAMPAGNE
Vin effervescent obtenu par deuxième fermentation en bouteilles « dans un récipient en verre d'une contenance n'excédant pas un galon » (3,785 l).

BOTTLE FERMENTED
Tout mousseux par seconde fermentation en bouteilles, mais en général un mousseux décanté et filtré sous pression avant d'être mis en bouteilles.

FERMENTED IN THIS BOTTLE
« Fermenté dans *cette* bouteille ».
Tout mousseux obtenu par la méthode de seconde fermentation en bouteilles.

CRACKLING WINE
Même définition que pour le « champagne », mais moins effervescent. Désigné aussi par les termes « pétillant », « frizzante » ou « crémant ».

CRACKLING WINE - BULK METHOD
Comme ci-dessus, mais obtenu en cuve close.

CARBONATED WINE
Vin tranquille rendu mousseux par addition de gaz carbonique, méthode utilisée pour la production de la limonade ou les divers sodas.

Note Pour la lecture des étiquettes mexicaines, *voir* p. 503.

LES APPELLATIONS DES ÉTATS-UNIS

Alexander Valley Californie
(23 novembre 1984)

Altus Arkansas
(29 juin 1984)

Anderson Valley Californie
(19 septembre 1983)

Arkansas Mountain Californie
(27 octobre 1986)

Arroyo Grande Valley Californie
(5 février 1990)

Arroyo Seco Californie
(16 mai 1983)

Atlas Peak Californie
(23 janvier 1992)

Augusta Missouri
(20 juin 1980)

Bell Mountain Texas
(10 novembre 1986)

Ben Lomond Mountain Californie
(8 janvier 1988)

Benmore Valley Californie
(18 octobre 1991)

California Shenandoah Valley Californie
(27 janvier 1983)

Carmel Valley Californie
(15 janvier 1983)

Catoctin Maryland
(14 novembre 1983)

Cayuga Lake New York
(25 mars 1988)

Central Delaware Valley Pennsylvanie et New Jersey
(18 avril 1984)

Chalk Hill Californie
(21 novembre 1983)

Chalone Californie
(14 juillet 1982)

Cienega Valley Californie
(20 septembre 1982)

Clarksburg Californie
(22 février 1984)

Clear Lake Californie
(7 juin 1984)

Cole Ranche Californie
(16 mars 1983)

Columbia Valley Oregon et Washington
(13 décembre 1984)

Cucamonga Valley Californie
(31 mars 1995)

Cumberland Valley Maryland et Pennsylvanie
(26 août 1985)

Dry Creek Valley Californie
(6 septembre 1983)

Dunnigan Hills Californie
(13 mai 1993)

Edna Valley Californie
(11 mai 1982)

El Dorado Californie
(14 novembre 1983)

Escondido Valley Texas
(15 mai 1992)

Fenville Michigan
(19 octobre 1981)

Fiddletown Californie
(3 novembre 1983)

Finger Lakes New York
(1er octobre 1982)

Fredericksburg Texas
(22 décembre 1988)

Grand River Valley Colorado
(25 novembre 1991)

Guenoc Valley Californie
(21 décembre 1981)

Hames Valley Californie
(27 mars 1994)

Herman Missouri
(10 septembre 1983)

Howell Mountain Californie
(30 janvier 1984)

Hudson River Region New York
(6 juillet 1982)

Isle St. George Ohio
(20 septembre 1982)

Kanawha River Valley Virginie occidentale
(8 mai 1986)

Knights Valley Californie
(21 novembre 1983)

Lake Erie New York, Pennsylvanie
(21 novembre 1983)

Lake Michigan Shore Michigan
(14 novembre 1983)

Lake Wisconsin Wisconsin
(5 janvier 1994)

Lancaster Valley Pennsylvanie
(11 juin 1982)

Lime Kiln Valley Californie
(6 juillet 1982)

Linganore Michigan
(19 septembre 1983)

Livermore Valley Californie
(1er octobre 1982)

Lodi Californie
(7 mars 1986)

Loramie Creek Ohio
(27 décembre 1982)

Los Carneros Californie
(19 septembre 1983)

Madera Californie
(7 janvier 1985)

Malibu-Newton Canyon Californie
(13 juin 1996)

Martha's Vineyard Massachusetts
(4 février 1985)

McDowell Valley Californie
(4 janvier 1982)

Mendocino Californie
(16 juillet 1984)

Merritt Island Californie
(16 juin 1983)

Mesilla Valley New Mexico et Texas
(18 mars 1985)

Middle Rio Grande New Mexico
(2 février 1988)

Mimbres Valley New Mexico
(23 décembre 1985)

Mississippi Delta Louisiane, Mississippi et Tennessee
(1er octobre 1984)

Monterey Californie
(16 juillet 1984)

Monticello Virginie
(22 février 1984)

Mt. Harlan Californie
(29 novembre 1990)

Mt. Veeder Californie
(22 mars 1990)

Napa Valley Californie
(27 février 1981)

Northern Neck - George Washington Birthplace Virginie
(21 mai 1987)

Northern Sonoma Californie
(17 juin 1985)

North Coast Californie
(21 octobre 1983)

North Fork of Roanoke Virginie
(16 mai 1983)

North Yuba Californie
(30 août 1985)

Oakville Californie
(2 juillet 1993)

Ohio River Valley Indiana, Ohio, Virginie occidentale et Kentucky
(7 octobre 1983)

Old Mission Peninsula Michigan
(8 juillet 1987)

Ozark Highlands Missouri et Oklahoma
(1er août 1986)

Pacheco Pass Californie
(11 avril 1984)

Paicines Californie
(15 septembre 1982)

Paso Robles Californie
(3 novembre 1983)

Potter Valley Californie
(14 novembre 1983)

Paget Sound Washington
(4 octobre 1994)

Redwood Valley Californie
(23 décembre 1993)

Rocky Knob Virginie
(11 février 1983)

Rogue Valley Oregon
(22 février 1992)

Russian River Valley Californie
(21 novembre 1983)

Rutherford Californie
(2 juillet 1983)

San Benito Californie
(4 novembre 1983)

San Lucas Californie
(2 mars 1987)

San Pasqual Valley Californie
(16 septembre 1981)

San Ysidro District Californie
(5 juin 1990)

Santa Clara Valley Californie
(28 mars 1989)

Santa Cruz Mountain Californie
(4 janvier 1982)

Santa Maria Valley Californie
(4 septembre 1981)

Santa Ynez Valley Californie
(16 mai 1983)

Shenandoah Valley Virginie
(27 janvier 1983)

Sierra Foothills Californie
(18 décembre 1987)

Solano County Green Valley Californie
(28 janvier 1983)

Sonoita Arizona
(26 novembre 1984)

Sonoma Coast Californie
(13 juillet 1987)

Sonoma County Green Valley Californie
(21 décembre 1983)

Sonoma Mountain Californie
(22 février 1985)

Sonoma Valley Californie
(4 janvier 1982)

Southeastern New England Connecticut, Rhode Island et Massachusetts
(27 avril 1984)

Spring Mountain District Californie
(13 mai 1983)

St. Helena Californie
(11 septembre 1995)

Stag's Leap District Californie
(27 janvier 1989)

Suisun Valley Californie
(27 décembre 1982)

Temecula Californie
(23 novembre 1984)

Texas Hi-han Plains Texas
(2 mars 1992)

Texas Hill Country Texas
(29 novembre 1991)

The Hamptons Long Island New York
(17 juin 1985)

Umpqua Valley Oregon
(30 avril 1984)

Virginia's Eastern Shore Virginie
(2 janvier 1991)

Walla Walla Valley Washington et Oregon
(7 mars 1984)

Warren Hills New Jersey
(8 août 1988)

Western Connecticut Highlands Connecticut
(9 février 1988)

Wild Horse Valley Californie
(30 novembre 1988)

Willamette Valley Oregon
(3 janvier 1984)

Willow Creek Californie
(9 septembre 1983)

Yakima Valley Washington
(4 mai 1983)

York Mountain Californie
(23 septembre 1983)

CALIFORNIE

La Californie a toujours été la terre d'élection des cépages nobles et depuis que les vignerons ont découvert l'équilibre entre la puissance et la finesse, au début des années 1980, une abondance de vins de classe internationale a vu le jour dans cette région privilégiée.

La Californie, d'abord colonisée par les Espagnols, fut annexée en 1822 par le Mexique nouvellement indépendant puis cédée en 1848 aux États-Unis dont elle devint le 38e État deux ans plus tard. Le premier vin californien fut élaboré en 1782 à San Juan Capistrano par les pères Pablo de Mugártegui et Gregorio Amurrió avec un cépage nommé « mission » (de l'espèce *Vitis vinifera),* dont des boutures avaient été apportées par Don José Camacho à bord du *San Antonio* qui avait jeté l'ancre à San Diego le 16 mai 1778. Ce n'est pourtant pas avant 1883 que la première entreprise vinicole commerciale fut créée par un Bordelais, Jean-Louis Vignes, premier vigneron californien à importer des cépages d'Europe qui fut aussi le premier, en 1840, à exporter du vin de Californie.

L'ÉTONNANT HARASZTHY

Huit ans avant que la Californie ne passe sous la souveraineté des États-Unis, un exilé politique hongrois nommé Agoston Haraszthy de Mokesa s'installa au Wisconsin. Personnage haut en couleur, de la trempe de Barnum et de Champagne Charlie, jamais à court d'idées nouvelles et tout sauf modeste, il fonda au Wisconsin une ville à laquelle il donna bien entendu son nom, mais qui fut ensuite rebaptisée Sauk City; il exploita un bateau à vapeur sur le Mississippi et créa le premier vignoble du Wisconsin... Tout cela dès les deux premières années où il vécut aux États-Unis.

En 1849, Haraszthy partit pour San Diego avec sa famille en confiant la défense de ses intérêts à son associé, lequel fit courir le bruit de sa disparition pendant son voyage transcontinental et s'empressa de vendre leur affaire commune avant de s'évanouir dans la nature avec tout l'argent. Haraszthy était ruiné mais il ne lui fallut que six mois pour se retrouver à la tête d'un ranch de soixante-cinq hectares. Pressé de refaire fortune, il acquit en l'espace de quelques mois une boucherie à San Diego et une écurie de chevaux de louage à Middelton, un quartier de San Diego où se trouve encore aujourd'hui une rue qui porte son nom. Doué d'une formidable énergie, il dirigea en même temps une compagnie d'omnibus, créa une entreprise de construction, fut élu premier shérif de San Diego, puis membre du conseil municipal et devint lieutenant dans la garde nationale. Toujours intéressé par la viticulture, il fit venir d'Europe des boutures de différents cépages.

MILLÉSIMES RÉCENTS DE CALIFORNIE

1996 Pourrait être excellent, en particulier pour les blancs, un mois de septembre assez froid ayant prolongé la durée du mûrissement, d'où des vins très aromatiques ayant une acidité exceptionnelle.

1995 Millésime sauvé par l'été indien.

1994 Bons blancs, notamment à Carneros; rouges sensationnels, surtout à Napa et Sonoma; meilleur millésime depuis 1991 et meilleur millésime de la décennie pour le pinot noir de Santa Barbara.

1993 Bon millésime, mais pas exceptionnel, pour la plupart des cépages dans toute la Californie. Vins à boire jeunes.

1992 Blancs au-dessus de la moyenne, les chardonnays de Napa et de Sonoma étant encore meilleurs. Bons rouges partout, surtout à Carneros.

VIGNOBLES DE NAPA VALLEY

Napa Valley est la plus connue des régions vinicoles de Californie et ses vins sont les plus recherchés. Les premières vignes y furent plantées en 1838 et aujourd'hui les vignobles en damier, qui comptent un nombre étonnant de cépages différents, tapissent le fond de la vallée.

L'entreprise vinicole de Buena Vista

En 1857, disposant de boutures de 165 cépages différents, Haraszthy acheta 230 hectares près de Sonoma, dans la vallée de la Lune, créa une entreprise vinicole qu'il baptisa « Buena Vista », creusa six caves dans une colline de grès qui se trouvait sur ses terres et planta son vignoble. C'est ainsi qu'il se trouva à la tête de la première entreprise vinicole d'importance dans le nord de la Californie. Ses vins, d'une qualité jusqu'alors inconnue, remportèrent de nombreuses médailles et il devint la figure de proue de la région. En 1861, le gouverneur de Californie lui confia une mission de grande importance : se rendre en Europe et lui faire un rapport sur la viticulture. Haraszthy s'embarqua sans délai, visita les principales régions vinicoles de France, d'Allemagne, d'Italie, d'Espagne et même de Suisse. Il consulta toute la documentation disponible, rencontra des milliers de vignerons et revint aux États-Unis avec non moins de 100 000 boutures de 300 cépages différents. Quand il rendit compte de sa mission et présenta une note de frais de 12 000 dollars, le sénat de Californie refusa de le défrayer alors même que la valeur des seules boutures était trois fois plus élevée. Qui plus est, une grande partie de celles-ci ne fut jamais distribuée aux autres viticulteurs et finit par pourrir.

Haraszthy ne se laissa pas décourager : sept ans plus tard, l'étendue du domaine de Buena Vista avait été portée de 230 à 2 430 hectares. Grâce à lui, le centre de gravité de l'industrie vinicole de Californie

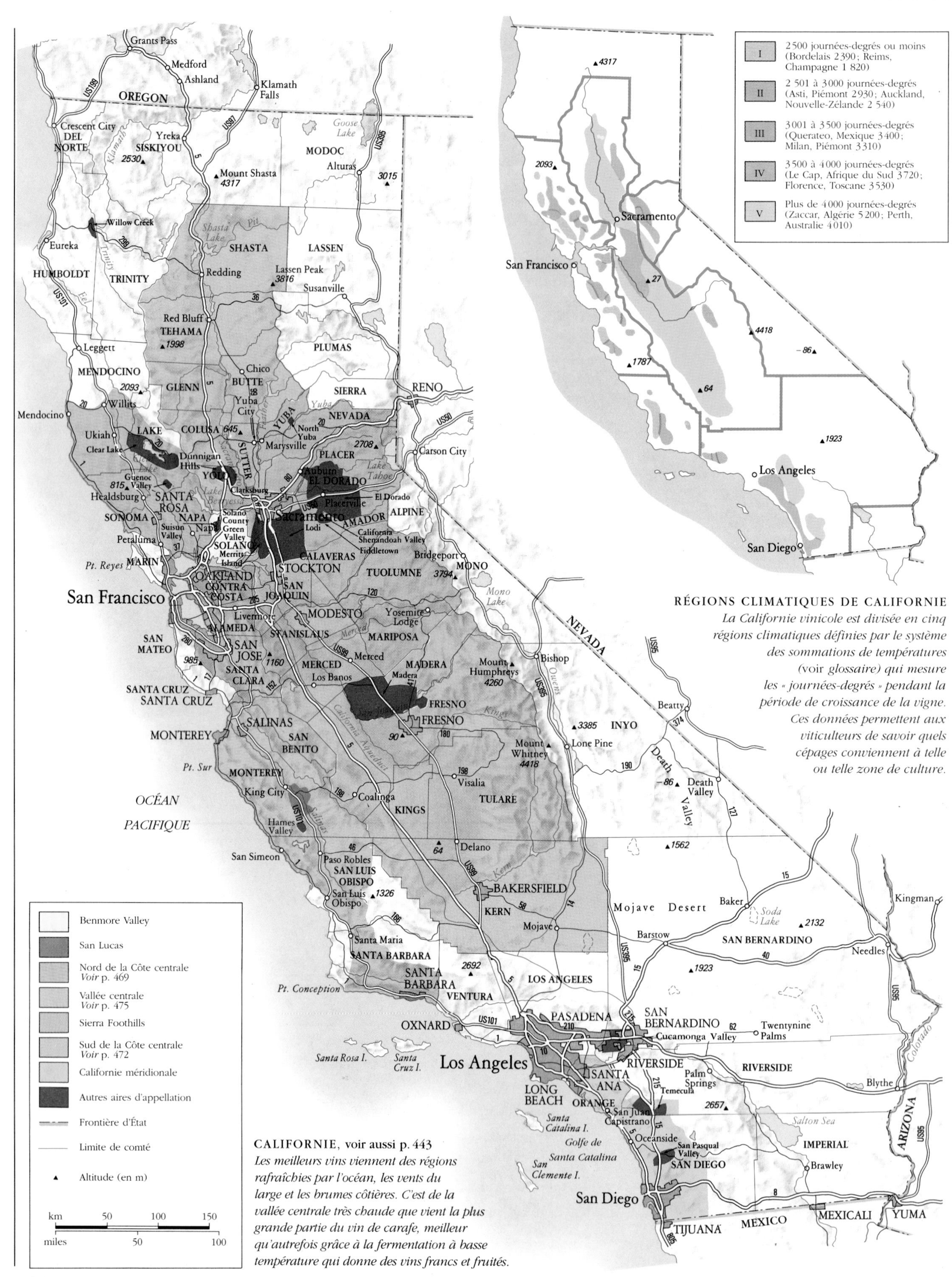

RÉGIONS CLIMATIQUES DE CALIFORNIE

La Californie vinicole est divisée en cinq régions climatiques définies par le système des sommations de températures (voir glossaire) qui mesure les « journées-degrés » pendant la période de croissance de la vigne. Ces données permettent aux viticulteurs de savoir quels cépages conviennent à telle ou telle zone de culture.

CALIFORNIE, voir aussi p. 443

Les meilleurs vins viennent des régions rafraîchies par l'océan, les vents du large et les brumes côtières. C'est de la vallée centrale très chaude que vient la plus grande partie du vin de carafe, meilleur qu'autrefois grâce à la fermentation à basse température qui donne des vins francs et fruités.

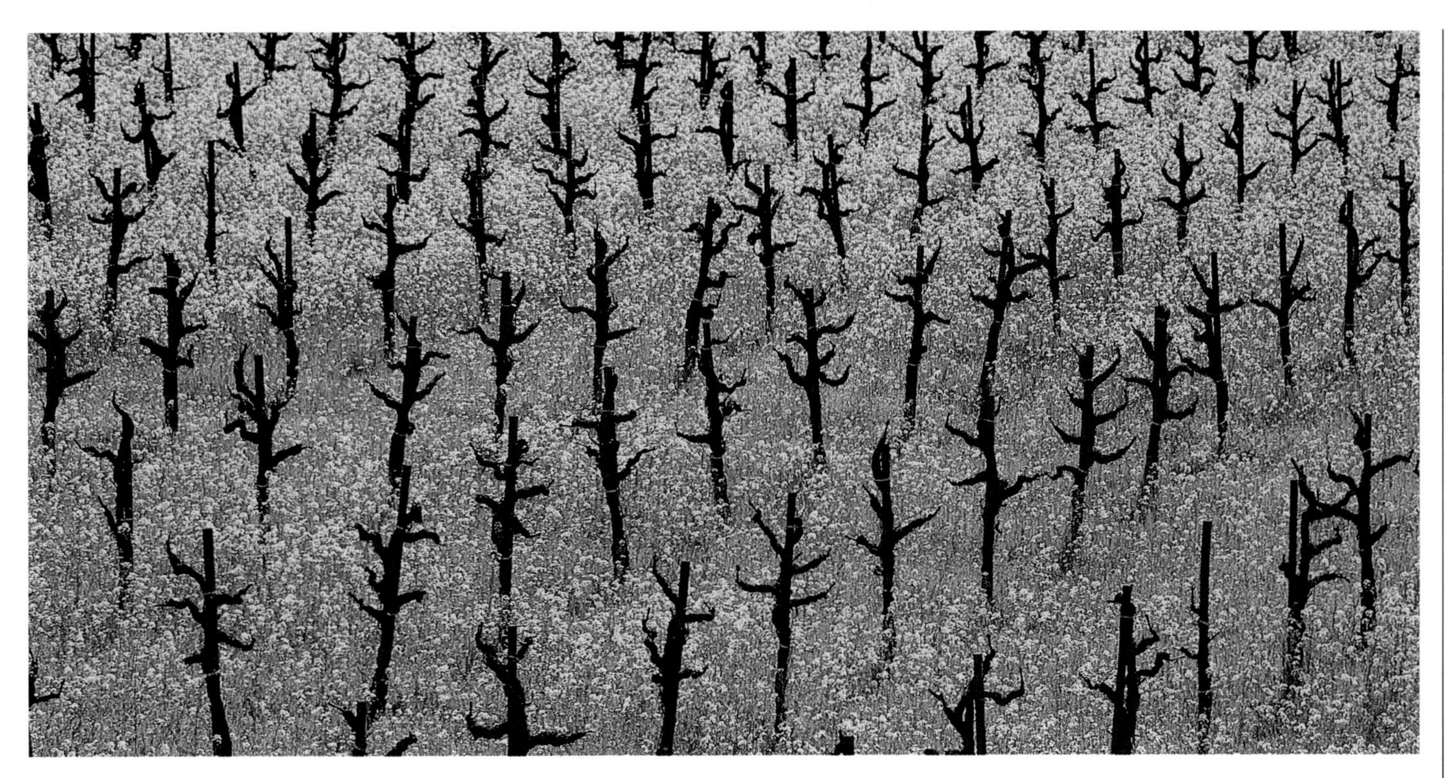

MOUTARDE EN FLEURS DANS NAPA VALLEY
La moutarde qui tapisse le sol entre les plants de vigne sera bientôt enfouie lors du labourage pour l'engraisser.

était passé du sud au nord de l'État. Pourtant, si, au faîte de sa gloire, Buena Vista disposait de bureaux à San Francisco, Philadelphie, Chicago, New York et même à Londres, l'entreprise était fragile. On disait alors que c'était « le plus grand domaine vinicole du monde, mais le moins rentable ». Haraszthy perdit aussi beaucoup d'argent à la bourse et une nouvelle taxe sur les eaux-de-vie entraîna une forte diminution de ses revenus. Un incendie détruisit une grande partie de son stock de vin et les banques lui retirèrent leur appui. C'en était trop, même pour un Agoston Haraszthy de Mokesa. Il abandonna la partie et quitta la Californie pour le Nicaragua où il réussit à obtenir du gouvernement un contrat de distillation du rhum. Cet aventurier de génie, qui avait plusieurs fois fait fortune avant de tout perdre et de recommencer, ne pouvait mourir dans son lit : il disparut mystérieusement en 1869, peut-être dévoré par des crocodiles.

MORT ET RÉSURRECTION

Le phylloxéra, qui s'attaque à la racine de la vigne, fut transporté des États-Unis en Europe où il détruisit presque complètement le vignoble. Il fallut pour le reconstituer greffer la vigne sur des plants d'origine américaine résistant au phylloxéra, ce qui explique pourquoi on croit en général que les vignobles de Californie restèrent indemnes. Rien n'est plus éloigné de la vérité. La région d'origine du phylloxéra se trouve à l'est des montagnes Rocheuses où les vignes indigènes comme *berlandieri* et *riparia* ont acquis une résistance naturelle. Quand les cépages européens de l'espèce *vinifera* furent introduits en Californie, ils furent aussi attaqués par le puceron meurtrier parvenu dans la région avec les trains venant de l'est des États-Unis.

UN ENNEMI NATUREL DU PHYLLOXÉRA

Le phylloxéra fut identifié à Sonoma en 1873 et le hasard voulut qu'un autre insecte américain, le *Tyroglyfus*, fût expédié en France au même moment. Celui-ci ne s'attaque pas à la vigne, c'est au contraire un ennemi mortel du phylloxéra. L'idée de l'utiliser pour le combattre était ingénieuse ; malheureusement, contrairement au phylloxéra, il n'aima pas le climat européen et refusa de se multiplier.

En Californie, le phylloxéra se révéla aussi meurtrier qu'en Europe. En 1891, le vignoble Napa Valley comptait 7 200 hectares. À la fin du siècle, il avait été réduit à 1 200 hectares. À l'instigation du professeur Hilgard, directeur du département de viticulture et d'œnologie de l'université Davis, les vignerons californiens adoptèrent les mêmes méthodes que leurs confrères européens et greffèrent leurs vignes sur des plants résistants au puceron, qu'ils firent venir d'Europe car ils n'apprirent que plus tard que ces plants étaient en réalité originaires de la côte Atlantique des États-Unis. Ils n'avaient greffé que la moitié du vignoble lorsqu'ils furent frappés par un fléau plus redoutable encore : la prohibition. À la fin des années 1940, l'université californienne Davis avait rassemblé une des équipes d'experts en viticulture et en œnologie les plus efficaces du monde. Dirigée par des figures aussi légendaires qu'Amerine, Olmo et Winkler, l'université hissa l'industrie vinicole de Californie au niveau qui est aujourd'hui le sien. Pourtant, ces experts commirent des erreurs, comme celle de donner la priorité au rendement et à la perfection technique. La principale fut le choix d'un mauvais porte-greffe.

L'HISTOIRE DU AXR#1

Malgré les mises en garde des Européens qui en avaient fait l'expérience, les experts de l'université Davis recommandèrent le choix du porte-greffe AxR#1 pour les vallées fertiles comme celle de Napa en raison de sa capacité à augmenter le rendement de la vigne. Ainsi que Winkler et son équipe l'écrivirent dans leur ouvrage *General Viticulture* (University of California Press), « C'est un cas où le choix du porte-greffe ne doit pas être entièrement fondé sur sa résistance au phylloxéra. »

À la faculté d'œnologie de l'université Davis, on aurait voulu oublier ce conseil imprudent quand, dans les années 1980, les vignes greffées sur l'AxR#1 dépérirent lentement, mais inexorablement, et que le coupable, le phylloxéra, fut identifié. Les trois quarts des vignes de toute la Californie devront être remplacées, ce qui ruinera nombre de producteurs. Mais, finalement, l'industrie vinicole de Californie dans son ensemble bénéficiera de cette nouvelle catastrophe : non seulement les vignes indésirables seront remplacées par des clones de cépages de meilleure qualité, mais de plus ils seront greffés sur des plants moins productifs cultivés avec une densité accrue. Je me demande si quelqu'un aura l'idée de ressusciter l'idée géniale du XIXe siècle en contaminant délibérément le vignoble avec le grand ennemi du phylloxéra, le *Tyroglyphus*.

La recherche de l'équilibre

Avec un climat aussi ensoleillé que celui de Californie et le goût du gigantisme que la plupart des Européens attribuent aux Américains, il était peut-être inévitable que les vins de cabernet sauvignon des années 1950 et le début des années 1960 fussent de très gros calibre, noirs comme de l'encre et fortement tanniques. Vers la fin des années 1960, l'adoption de techniques de vinification ultra-modernes et l'utilisation de barriques neuves se traduisirent par une évolution heureuse vers un style moins massif, des vins plus fruités et le remplacement des tannins durs par des tannins plus souples. Le milieu des années 1970 fut marqué par l'irrésistible ascension du chardonnay, mais on en tira des vins outrageusement riches et boisés. La recherche de la finesse alla ensuite trop loin et donna les vins délavés, sans personnalité, acerbes, trop acides et d'une minceur affligeante des millésimes 1982 et 1983. Certains vinificateurs sacrifièrent le caractère voluptueux inhérent à cet État ensoleillé au profit d'une vaine recherche de vins à l'allure européenne se développant lentement et capables d'une longue garde (tous n'ont pas abandonné cette voie sans issue). Le superbe millésime 1985, le meilleur depuis 1974, marqua un tournant dans l'industrie vinicole de Californie. Depuis, les vins de tous ceux qui ont recherché l'élégance sans sacrifier l'expressivité ont démontré que la recherche de la finesse n'était pas une idée utopique. Tous ces tâtonnements ont permis aux vignerons de Californie d'apprendre qu'ici comme partout ailleurs, le secret des vins de qualité réside dans leur équilibre et que l'on ne l'obtient pas dans le cuvier, mais dans le vignoble.

Le problème de la longévité

Maintenant que la plupart des vignerons de Californie ont trouvé leur voie, la température des chais de vieillissement est le principal obstacle qui les empêche de parvenir à l'excellence. La climatisation est indispensable en Californie, mais peu de producteurs semblent se rendre compte qu'à une température de 14 °C (ici la norme), la qualité des meilleurs vins blancs se dégradera après deux ou trois ans et que la longévité des vins rouges, même les meilleurs, sera réduite de moitié. La dépense nécessaire pour abaisser la température des chais de quelques degrés est considérable, mais on ne peut l'éviter : dès que le mûrissement en bouteilles a commencé, il est en effet possible de l'accélérer mais pas de le ralentir. Les Champenois en savent quelque chose puisque même leurs vins les moins prestigieux sont placés pendant plusieurs années dans des caves dont la température est de 10 à 11 °C. Ainsi, dès que la plupart des chais seront équipés pour une température n'excédant pas 12 °C, on s'apercevra que la réputation d'une longévité insuffisante attribuée aux vins de Californie n'était pas fondée.

LES CÉPAGES DE CALIFORNIE

La surface viticole de la Californie a décru d'environ 4000 hectares depuis une décennie. Mais cette donnée est trompeuse car elle associe raisin de table et raisin de cuve et qu'un programme de replantation, dû à la destruction d'une partie du vignoble par le phylloxéra (*voir* p. 449), est en cours et se poursuivra encore dans le prochain millénaire. Malgré l'arrachage d'une partie du vignoble, l'aire de culture du seul raisin de cuve a augmenté de 4 598 hectares tandis que celle attribuée au raisin de table et au raisin sec a décru. L'aire consacrée aux porte-greffes a été accrue de 70%. La répartition de la surface viticole était en 1995 la suivante :

CATÉGORIE DE CÉPAGE	ACRES	AIRE EN HECTARES
Raisin de cuve	354,417	143,431
Raisin pour raisin sec	277,190	112,177
Raisin de table	85,539	34,617
Porte-greffe	1,597	646
TOTAL	718,743	290,871

On verra dans les données ci-dessous sur la proportion relative des cépages rouges et blancs que les premiers, largement majoritaires en 1975, avaient presque été rattrapés en 1995 par les seconds. Dans les années 1980, au plus fort de la vague de popularité du chardonnay, la proportion des cépages blancs monta à 57%. On ne sait pas pour l'instant si le recul des cépages blancs constaté depuis quelques années n'a été qu'une péripétie du remplacement des vignes victimes du phylloxéra ou si ce fut une conséquence de la diffusion par une grande chaîne de télévision d'une émission sur le « French Paradox » (*voir* le glossaire).

CÉPAGES (COULEUR)	AIRE EN 1975 (EN HECTARES)	1975 ACRES	%	AIRE EN 1995 (EN HECTARES)	1995 ACRES	%
Rouge	52,886	130,681	62%	72,737	179,733	51%
Blanc	31,880	78,775	38%	70,694	174,684	49%
TOTAL	84,766	209,456	100%	143,431	354,417	100%

PRINCIPAUX CÉPAGES ROUGES EN POURCENTAGE DE L'AIRE VITICOLE TOTALE

Durant la décennie 1985-1995, la proportion des trois cépages les plus cultivés est passée d'un peu plus de 40% à près de 60% de l'aire viticole consacrée aux cépages rouges. Deux cépages, le zinfandel et le cabernet sauvignon, ont confirmé leur position respectivement au premier et au deuxième rang, tandis que le merlot, parti de presque rien, s'est hissé au troisième rang des cépages rouges les plus abondants.

CÉPAGES	1985		1995
1 zinfandel	17 %	(1)	24%
2 cabernet sauvignon	15%	(2)	21%
3 merlot	2%	(11)	14%
4 grenache	10%	(4)	6%
5 barbera	10%	(5)	6%
6 rubired	5%	(6)	6%
7 pinot noir	5%	(7)	5%
8 carignan	11%	(3)	5%
9 ruby cabernet	7%	(6)	4%
10 petite Sirah	3%	(9)	1%
autres	15%	–	9%
TOTAL	100%		100%

Note : Les pourcentages ont été arrondis. Le rang occupé par les cépages en 1985 figure entre parenthèses (l'alicante bouschet figurait au 10e rang en 1985).

PRINCIPAUX CÉPAGES BLANCS EN POURCENTAGE DE L'AIRE VITICOLE TOTALE

La proportion des trois cépages blancs les plus cultivés a toujours été plus importante que celle des trois cépages rouges, mais elle a encore progressé de 70% environ en 1975 à 80% en 1998, principalement à cause de la vague de popularité du chardonnay qui s'est hissé au premier rang.

[1] Y compris muscat d'alexandrie, muscat blanc et orange muscat.

[2] Riesling johannisberg authentique.

CÉPAGES	1985		1995
1 chardonnay	14	(3)	41 %
2 colombard	38%	(1)	26%
3 chenin blanc	21%	(2)	13%
4 sauvignon blanc	8%	(4)	7%
5 muscat 1	1%	(13)	4%
6 riesling 2	5%	(5)	2%
7 malvasia	1%	(12)	2%
8 burger	1%	(10)	1%
9 gewurztraminer	2%	(6)	1%
10 sémillon	2%	(7)	1%
autres	7%	–	2%
TOTAL	100%		100%

L'emerald riesling, le palomino et le pinot blanc, qui ne figurent pas dans la liste de 1995 occupaient respectivement en 1985 les 8e, 9e et 11e places.

LES VINS DE

CÉPAGE ET LES AUTRES

ALICANTE BOUSCHET

L'alicante bouschet fut un cépage très prisé pendant la prohibition car il donne des vins à la robe très colorée. Afin de s'enrichir encore plus vite, les *bootleggers* pouvaient l'allonger avec de l'eau sucrée. La culture de ce cépage teinturier est maintenant descendue à moins de 2% de l'ensemble des cépages rouges de Californie. Aujourd'hui, il n'est plus que rarement utilisé pour l'élaboration de vin de cépage.

5 à 8 ans

✓ *Cotturi* (Ubaldi Vineyard) • *Il Podere dell'Olivos* • *Preston*

BARBERA

Ce cépage italien est surtout cultivé dans Central Valley où sa forte acidité fait merveille dans les assemblages. Il est aussi cultivé à plus petite échelle dans les régions de production de grands vins, en particulier Sonoma et Mendocino. Plus de trente producteurs élaborent du barbera de cépage.

3 à 6 ans (exceptionnellement jusqu'à 10 ans)

✓ *Bonny Doon* • *Eberle* • *Robert Mondavi* • *Pellegrini* • *Il Podere dell'Olivos* • *Preston*

ROUGES DE STYLE BORDELAIS

Je ne crains pas d'affirmer que, dans l'ensemble, les vins d'assemblage de style bordeaux rouge sont mieux réussis que les vins issus du seul cabernet sauvignon. Pourtant, il a été difficile de persuader les consommateurs californiens de les payer autant, sinon plus, que les vins de cépage. C'est pourquoi a été créée la Meritage Association (*voir* Meritage), mais tous les producteurs n'en sont pas membres et l'étiquette de certains des meilleurs vins d'assemblage ne portent pas cette mention. Les vins que je recommande ci-dessous sont ou ne sont pas des Meritages.

3 à 5 ans (bon marché) ; 5 à12 ans (meilleurs producteurs) ; 8 à 25 ans ou plus (vins exceptionnels)

✓ *Beringer* (Alluvium) • *Buena Vista* (L'Année) • *Cain Cellars* (Cain Five) • *Carmenet* (Sonoma Estate Red) • *Clos Pegase* (Hommage) • *Cosentino* (The Poet Meritage) • *Dalla Valley* (Maya) • *Deblinger* • *Dominus* (dès 1990) • *Ferrari-Carano* (Reserve Red) • *Flora Springs* (Trilogy) • *Franciscan Vineyards* (Oakville Estate Magnificent Meritage) • *Geyser Peak* (Reserve) • *Guenoc* (Langtree Meritage) • *Havens* (Bouriquot) • *Kendall-Jackson* (Cardinale Meritage) • *Laurel Glen* (Terra Rosa) • *Merryvale* (Profile) • *Peter Michael* (Les Pavots) • *Moraga* (Bel Air) • *Newton* (Claret) • *Niebaum-Coppola* (Rubicon) • *Opus One* • *Pahlmeyer* (Cadwell Vineyard) • *Joseph Phelps* (Insignia) • *Rancho Sisquoc* (Cellar Select) • *Ravenswood* (Pickberry) • *Stag's Leap Wine Cellars* (Cask 23) • *Stonestreet* (Legacy) • *Viader* • *White Rock* (Claret)

BLANCS DE STYLE BORDELAIS

La bonne réputation de l'association sauvignon-sémillon n'est plus à faire. Dans le Bordelais, le sauvignon apporte l'arôme, la fraîcheur, l'acidité et la nervosité, le sémillon le gras, l'ampleur, la profondeur et la complexité indispensables. Pourtant, dans certains pays neufs, y compris en Californie, le sauvignon est trop souple et neutre pour tenir le même rôle, c'est pourquoi il joue plutôt celui du sémillon. Qui plus est, le sémillon, s'il est vendangé assez tôt, donne un vin herbacé qui est plus sauvignon que le sauvignon lui-même. Leur assemblage, dans lequel ils échangent les rôles, donne un vin de style similaire à celui du bordeaux.

2 à 4 ans

✓ *Beringer* (Alluvium) • *Hidden Cellars* (Alchemy) • *Merryvale* (Vignette) • *Ojai* (Cuvée Spéciale Sainte-Hélène) • *Rabbit Ridge* (Mystique) • *Simi* (Stendal)

VINS BOTRYTISÉS ET DE VENDANGE TARDIVE

Certains des meilleurs vins du monde botrytisés ou de vendange tardive sont élaborés en Californie où l'ensoleillement abondant donne au riesling d'admirables nuances de pêche mûre et aux chenin blanc et muscat des flaveurs savoureuses de fruits tropicaux. On fait aussi ici d'excellents vins de glace (*voir* p. 471), y compris celui que réalise à Bonny Doon Vineyard un Randall Graham, lequel ne cache pas qu'il loge son raisin dans un congélateur avant de le pressurer!

Prêts à boire dès l'embouteillage (mais peuvent bien vieillir)

✓ *Arrowood* (Preston Ranch Late Harvest White Riesling) • *Bonny Doon* • *Far Niente* (Dolce) • *Château St. Jean* (Special Late Harvest Johannisberg Riesling) • *Freemark Abbey* (Edelwein Gold Late Harvest Johannisberg Riesling) • *Robert Pecota* (Moscato di Andrea) • *Joseph Phelps* (Muscat Vin du Mistral) • *Renaissance* (Riesling, Sauvignon Blanc) • *St. Francis* (Muscat Canelli Late Harvest) • *Swanson* (Late Harvest Sémillon)

VINS MOUSSEUX

La médiocrité des mousseux de Californie a longtemps été notoire. Ce ne fut qu'au début des années 1970, où Schramsberg et Domaine Chandon montrèrent la voie, que leur réputation commença à s'améliorer. Des vins dégustés en 1991 m'ont convaincu que plusieurs producteurs maîtrisaient désormais cette technique délicate. Les vins de Roederer Estate notamment étaient – et sont toujours – dans une classe à part. Nombre d'autres producteurs ayant depuis amélioré le style et la finesse de leurs vins, je n'hésite pas à affirmer que la qualité des mousseux de Californie a quadruplé entre 1991 et 1995.

2 à 5 ans (jusqu'à 10 ans dans des cas vraiment très exceptionnels)

✓ *S. Anderson* (Vintage Brut, Vintage Rosé) • *Codornui Napa* (NV brut, Vintage Carneros Cuvée) • *Domaine Carneros* • *Domaine Chandon* (Reserve, Rosé Brut) • *Gloria Ferrer* (NV Brut) • *Handley* (Vintage Blanc de Blancs, Vintage Brut, Vintage Rosé) • *Robert Hunter* (Vintage Brut de Noirs) • *Iron Horse* (Vintage Brut, Vintage Blanc de Blancs, Vintage Rosé) • *Jordan* (« J ») • *Mumm* (NV Sparkling Pinot Noir, Vintage DVX, Vintage Blanc de Blancs, Vintage Blanc de Noirs – étiqueté « Rosé » à l'exportation –, Vintage Winery Lake) • *Piper Sonoma* (Blanc de Noirs, NV Brut, Tête de Cuvée) • *Roederer Estate* (Quartet à l'exportation – NV Brut, NV Rosé, L'Ermitage) • *Scharffenberger* (Blanc de Blancs, NV) • *Schramsberg* (Blanc de Blancs, Reserve, J. Schram) • *Thornton* (Vintage Blanc de Noirs Brut Reserve)

CABERNET FRANC

La surface consacrée à ce cépage bordelais dans le vignoble californien a triplé entre 1983 et 1988. À cette époque, il servait avant tout à équilibrer les vins d'assemblage à base de cabernet sauvignon. Les seuls vins de cépage que l'on pouvait rencontrer étaient alors les rosés de la côte nord. Depuis lors, la surface occupée par le cabernet franc a encore doublé et les vins de cépage issus de ce cépage, vont bientôt devenir monnaie courante. Le meilleur cabernet franc de Californie donne des vins dont l'arôme et la finesse ne sont guère différents de ceux issus des meilleurs vignobles de Saint-Émilion.

1 à 4 ans

✓ *Deblinger* • *The Grainey Vineyard* (Limited Selection) • *Ironstone* • *Konocti* • *Longoria* • *Madrona* • *Niebaum-Coppola* • *Rancho Sisquoc* • *Sebastiani* • *Vita Nova*

CABERNET SAUVIGNON

Le cabernet sauvignon compte pour 21% des cépages rouges de Californie. Bien que le chardonnay lui ait volé la vedette quand la vague de popularité du vin blanc sec a déferlé, il a toujours été incontestablement le meilleur cépage. Dans les zones trop froides, le vin de cabernet sauvignon peut avoir un caractère végétal de poivron ou de petits pois. Mais, presque partout ailleurs, il associe des flaveurs de cassis bien mûr à une texture veloutée et à des arômes de violette ou de menthe. Le chêne est maintenant dosé avec doigté et le cabernet sauvignon est associé, comme dans les grands vins de Bordeaux, au merlot et au cabernet franc pour donner certains des vins les plus intéressants (*voir* Rouges de style bordelais et Meritage).

3 à 5 ans (bon marché) ; 5 à 12 ans (meilleurs producteurs) ; 8 à 25 ans ou plus (vins exceptionnels)

✓ *Araujo* (Eisel Vineyards) • *Arrowood* (Reserve Speciale) • *Caymus* (surtout Special Selection) • *Château Souverain* (Library Reserve, Winemaker's Reserve) • *Château Woltner* (surtout Titus Reserve) • *B.R. Cohn* (Olive Hill) • *Clos du Val* (Reserve) • *Dalla Valle* • *Deblinger* • *Diamond Creek* (Red Rock Terrace, Lake Vineyard, Gravelly Meadow, Volcanic Hill) • *Duckhorn* • *Dunn* • *Eberle* • *Elyse* (Morisoly Vineyard) • *Etude* • *Gary Farrell* (Lad's Vineyard) • *Far Niente* • *Flora Springs* (Reserve) • *Forman* • *Foxen Vineyard* • *Freemark Abbey* (Bosché, Sycamore Vineyards) • *Geyser Peak* (Reserve) • *Girard* (surtout

Reserve) • *Gundlach-Bundschu* (Rhinefarm Vineyard) • *The Hess Collection* (surtout Reserve) • *Jordan* • *La Jota* • *Kenwood* (Jack London Vineyard) • *Kunde* (Reserve) • *Laurel Glen* • *Long Vineyards* • *Robert Mondavi* (Oakville, Reserve) • *Monticello* (Corley Reserve) • *Mount Eden* (Old Vine Reserve) • *Newton* • *Niebaum-Cappola* • *Joseph Phelps* (Bakus, Eisele) • *Pine Ridge* (Andrew Reserve, Stags Leap District) • *Rochioli* (Reserve) • *St. Francis* (Reserve) • *Seavey* • *Sequoia Grove* • *Shafer* (Hillside Reserve) • *Signorello* (Founder's Reserve) • *Silver Oak* (Alexander Valley) • *Simi* (Reserve) • *Spottswoode* • *Staglin* • *Stag's Leap Wine Cellars* (Fay Wineyard, S.L.V.) • *Stonestreet* • *Swanson* • *Philip Togni* • *Whitehall Lane* (Morisolo Vineyard) • *ZD*

CARIGNAN

Cépage abondant dans le Midi de la France, surtout dans l'Aude et l'Hérault où il joue un grand rôle dans la production de vin ordinaire. Ce cépage à fort rendement donnant un vin tannique bien coloré, très aromatique, un peu rustique est utilisé en Californie – où on le nomme souvent « carignane » – pour les vins d'assemblage. Dans les districts côtiers, où il est moins âpre, certains producteurs en tirent un vin de cépage.

3 à 6 ans (jusqu'à 10 ans dans des cas exceptionnels)

La Jota (Little J) • *Pellegrini* • *Trentadue*

CHARBONO

C'est le corbeau français, qui a presque totalement disparu dans son pays d'origine. Il est encore cultivé dans quelques endroits de Californie où il donne un vin aux flaveurs vibrantes de cerise, avec une bonne acidité, assez proche du barbera. Inglenook Vineyards fut le premier producteur à en tirer un vin de cépage et le baptisa « barbera » jusqu'au moment où l'université Davis l'identifia comme étant le charbono.

2 à 4 ans

Duxoup

CHARDONNAY

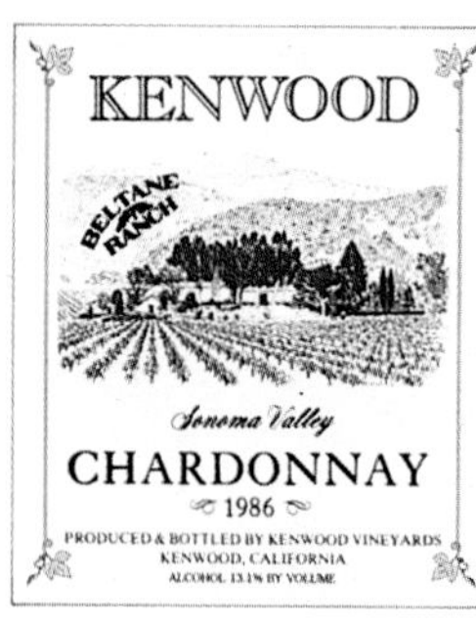

À la mode du cabernet a succédé celle du chardonay, autrement envahissante, qui ne cesse de croître malgré les efforts de la mafia de l'ABC pour décourager les consommateurs – ABC veut dire au choix *Anything But Chardonnay* (« tout sauf du chardonnay ») ou *Anything But Cabernet* (« tout sauf du cabernet »). J'aime tous les bons vins, quel que soit le cépage ou l'assemblage, mais je refuse que des gens qui ne représentent qu'eux-mêmes m'obligent à boire ou à ne pas boire tel ou tel vin. On peut être irrité par la prolifération des vins de chardonnay partout dans le monde, mais il n'en reste pas moins que ce cépage est l'un des meilleurs et qu'il le restera. Il y a toujours eu de grands chardonnays californiens, même quand la mode était aux vins massifs de gros calibre envahis par le chêne. De nos jours, le mot-clé est « finesse », mais il reste aux producteurs californiens de chardonnay de qualité la difficile mission de convaincre le consommateur américain moyen que chardonnay et chêne ne sont pas des synonymes. Faites-lui goûter un grand bourgogne blanc non boisé, il refusera d'admettre que c'est un vin de chardonnay.

2 à 8 ans (15 ans ou plus dans des cas très exceptionnels)

Arrowood (Cuvée Michel Berthod) • *Au Bon Climat* • *Belvedere* (surtout Preferred Stock) • *Byron* (Reserve) • *Chalone* • *Clos du Bois* (surtout Calcaire et Flintwood) • *Château Souverain* (Allan Vineyard, Rochioli Vineyard, Sangiacomo Vineyard) • *Clos du Val* (Carneros) • *Conn Valley* • *Crichton Hall* • *Dehlinger* (Montrachet Cuvée) • *Durney* • *Flora Springs* (Barrel Fermented) • *Forman* • *Foxen Vineyard* • *Franciscan Vineyards* (Oakville Estate) • *Freemark Abbey* (Carpy Ranch) • *The Gainey Vineyard* (Limited Selection) • *Girard* (Reserve) • *Hanzell* • *Hartford Court* (Arrendell Vineyard) • *The Hess Collection* (Mount Veeder) • *Kendall-Jackson* (Camelot) • *Kistler* (surtout les mises en bouteilles au domaine) • *Kunde* (Kinneybrook, Wildwood) • *Longoria* • *Long Vineyards* • *Marcassin* • *Martinelli* • *Merryvale* • *Peter Michael* • *Robert Mondavi* (Reserve) • *Mount Eden* (Santa Cruz) • *Newton* • *Niebaum-Coppola* • *Pahlmeyer* • *Joseph Phelps* (Ovation) • *Rabbit Ridge* • *Rochioli* (surtout Reserve, Allen Vineyard, South River Vineyard) • *St. Francis* (Reserve) • *Salmon Creek* (Bad Dog Ranch) • *Sanford* (surtout Barrel Select Sanford & Benedict) • *Santa Barbara Winery* (Lafond Vineyard) • *Shafer* (en particulier Red Shoulder Ranch) • *Signorello* (Founder's Reserve) • *Silverado Vineyards* (Limited Reserve) • *Sonoma-Cutrer* (Les Pierres) • *Sonoma-Loeb* (Private Reserve) • *Stag's Leap Wine Cellars* (surtout Reserve) • *Steele* (surtout Lolonis Vineyard, Du Pratt Vineyard, Sangiacomo Vineyard) • *Stony Hill* • *Trefethen* (Library Selection) • *Swanson* • *Robert Talbott* (surtout Diamond T) • *White Rock* • *Williams-Selyem* (Allen Vineyard) • *ZD*

CHENIN BLANC

Ce cépage est réputé pour les vins de la Loire, notamment le vouvray moelleux ou même liquoreux, riche en flaveurs miellées et le savennières, sec et intensément parfumé. En Californie le chenin blanc, qui compte pour un peu plus du dixième des cépages blancs, réussit moins bien qu'en France, bien qu'un effort ait été récemment réalisé pour donner aux vins une acidité plus marquée. N'étant pas moi-même amateur des vins de chenin blanc, sinon les plus grands, il m'est difficile de me passionner pour ceux de Californie. Je m'étonne pourtant que tous les livres répètent inlassablement que Clarksburg soit la seule AVA à produire un chenin blanc dont l'origine soit identifiable. De fait, il est bien difficile de trouver un vin d'une des appellations de Central Valley. La petite sirah de Cook, qui fut le producteur le plus prolifique de vins de l'appellation Clarksburg, était meilleur que son chenin blanc, un vin frais et gouleyant, sans plus (l'étiquette ne mentionnait pas d'AVA, aussi n'est-il pas sûr que le raisin venait véritablement de la région). Le chenin de Hacienda est l'un de ceux dont on dit le plus grand bien, mais, là encore, aucune AVA n'est mentionnée. À mon avis, c'est à Napa Valley que l'on fait les meilleurs vins de chenin blanc. Ceux que je recommande ci-dessous sont tous secs ou demi-secs. Pour les autres, *voir* plus haut Vins botrytisés et de vendange tardive.

1 à 4 ans

Alexander Valley Vineyards • *Chalone* • *Chappellet* • *Foxen Vineyard* (Barrel Fermented) • *Girard* • *Hacienda* • *Husch Vineyards* • *Robert Mondavi* • *Pine Ridge* • *Simi* • *Stearn's Wharf* (La Presta Vineyard)

CINSAULT

Jusqu'à la révolution des vins californiens, dans le style du Rhône, ce cépage était appelé « black malvoisie ». On en cultive très peu et on n'en tire rien de remarquable, sinon celui que Frick fait à Dry Creek (Sonoma) avec le raisin de vignes de cinsault vieilles de trente ans.

2 à 5 ans

Frick

COLOMBARD

Comptant pour environ un quart des cépages blancs de Californie, le colombard a toujours donné des vins plus que convenables, mais la véritable valeur de ce cépage a été révélée après l'adoption de la fermentation à basse température (*voir* p. 37). Le vin issu du seul colombard est sans prétention, agréable, jeune et frais, et présente un excellent rapport qualité/prix.

Dès l'achat

Carmenet • *Paraducci*

VINS VINÉS

Oubliez les « xérès », les portos et muscats vinés de Californie sont excellents.

Dès la vente, mais ces vins vieillissent bien en bouteilles

Ficklin (NV, Vintage) • *Il Podere dell' Olivos* (Pronto) • *Quadry* (surtout muscats Electra et Essencia) • *Trentadue* (Porto de Merlot)

FUMÉ BLANC

Comme « blanc de noirs », le terme « fumé blanc » a pris dans le Nouveau Monde une signification particulière. Il est devenu un terme générique pour désigner le sauvignon boisé, soit vinifié en barrique, ce qui lui donne une certaine subtilité, soit élevé dans le chêne, ce qui le rend excessivement boisé. *Voir* sauvignon blanc.

1 à 3 ans

Benzinger • *Château St. Jean* (La Petite Étoile) • *Chimney Rock* • *Dry Creek* • *Ferrari-Carano* (surtout Reserve) • *Grgich Hills Cellars* • *Kendall-Jackson* • *Robert Mondavi* (Reserve, Tokalon Estate) • *Murphy-Goode* (Reserve, Reserve Il la Deuce) • *Preston* (Cuvée de Fumé) • *Ivan Tamas*

GAMAY

Également nommé « napa gamay », c'est le gamay à jus blanc qui a rendu le beaujolais célèbre. Il donne dans de nombreuses régions des vins gouleyants et fruités, parfois excellents. S'il ne peut rivaliser avec les crus du Beaujolais, la qualité moyenne du gamay de Californie est bien supérieure à celle du beaujolais français courant.

1 à 3 ans

Duxoup • *J. Lohr* (Wildflower) • *Robert Pecota*

GAMAY BEAUJOLAIS

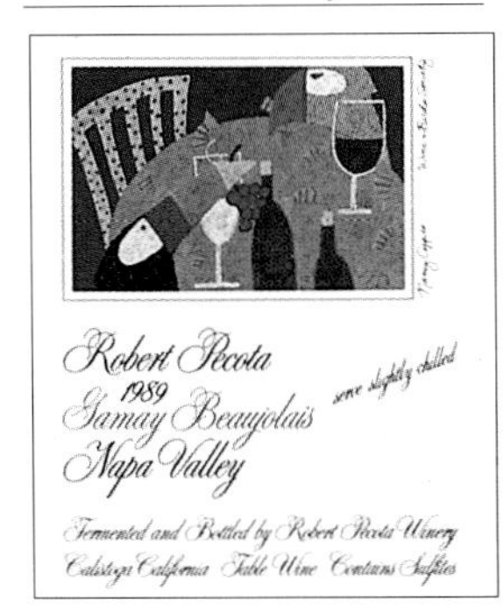

Ce cépage a été identifié il y a des années comme clone de pinot noir et on rejette catégoriquement l'idée qu'il ait une quelconque relation avec le vrai gamay. Il pourrait pourtant y avoir un rapport car de nombreux ampélographes soutiennent que le gamay est dérivé d'un vieux clone de pinot noir. Le nom de « gamay beaujolais » a été banni par le BATF en 1993, mais on le rencontre encore ici et là. Je ne comprends pas que l'on puisse trouver un intérêt quelconque à vendre un vin de pinot noir sous le nom de gamay.

1 à 3 ans

Beringer

GEWURZTRAMINER

On produit peu de vins de gewurztraminer en Californie où le cépage constitue seulement 1% du vignoble blanc. Ils font cependant certainement partie des plus surestimés. Qu'ils soient portés aux nues ne cesse de me stupéfier : la plupart n'ont pas la personnalité que l'on attend de vins issus de cépages classiques et ceux qui les élaborent s'entêtent à acidifier des vins par définition peu acides. La seule manière d'extraire le caractère épicé qu'aiment les amateurs de ce cépage est de procéder à une macération préfermentaire, mais les arômes épicés ne seront pas perceptibles d'emblée : ils ne se développeront que pendant le mûrissement en bouteilles. Les phénols extraits de la peau du raisin durant la macération préfermentaire sont essentiels à l'équilibre et à la longueur en bouche des vins aussi peu acides que le gewurztraminer. Ils leur donnent aussi leur étonnante longévité. Le problème est que presque tous les vinificateurs de Californie se sont convaincus que les phénols sont le pire ennemi des vins blancs. Si quelqu'un voulait m'accuser de défendre ici une thèse par trop européenne sur ce sujet, je ne pourrais faire mieux que de citer le grand Robert Parker : « Quiconque a goûté un excellent gewurztraminer français doit être consterné par ce qui est vendu sous ce nom en Californie. » La seule chose que le gewurztraminer californien a en commun avec celui de France reste la rareté des versions totalement sèches.

1 à 3 ans

Bouchaine • *Lazy Creek* • *Navarro*

GRENACHE

Bien que le grenache ait décliné dans le vignoble californien, il compte encore pour 6% des cépages rouges. Connu en France pour son rôle majeur dans le châteauneuf-du-pape, il ne sert guère ici qu'à des rosés demi-secs et des vins vinés de type porto tawny. On en tire depuis peu quelques vins de cépage de grande qualité.

1 à 3 ans

Bonny Doon (Clos de Gilroy) • *Forman* (La grande Roche)

JOHANNISBERG RIESLING

Connu aussi sous le nom de « white riesling », il ne compte plus que pour 2% des cépages blancs de Californie. À l'exception de quelques vins sensationnels, secs et délicieusement aromatiques, il donne des vins un peu doux, dépourvus du caractère propre à ce noble cépage. Leur style va du bon vin assez discret, au vin vif et juteux, en passant par le vin à l'arôme classique de kérosène (le Renaissance étant exemplaire de ce dernier style). Pour les vins moelleux, *voir* plus haut Vins botrytisés et de vendange tardive.

1 à 3 ans

Alexander Valley Vineyards • *Bonny Doon* (Pacific Rim) • *Château Montelena* (Potter Valley) • *Firestone* • *Greenwood Ridge* • *Navarro* • *Fess Parker* • *Rancho Sisquoc* • *Renaissance*

MALBEC

Bien que quelques producteurs en fassent du vin de cépage, le malbec n'a que rarement été apprécié pour lui-même en Californie. S'il n'est pas totalement ignoré, il est simplement considéré comme un complément utile dans les assemblages, comme c'est le cas pour les vins de Bordeaux. Peut-être les vignerons californiens feraient-ils mieux de s'inspirer du vin noir de Cahors, célèbre au XIXe siècle. Lorsqu'il n'est pas greffé ou qu'il est greffé sur des plants à faible rendement, il peut donner d'excellents vins à la robe profonde, charnus et fruités. Il a aussi démontré qu'il est capable de personnalité et de complexité dans la plupart des climats chauds, particulièrement quand il est cultivé sur des sols argilo-graveleux ou argilo-marneux.

2 à 5 ans

Arrowood • *Benzinger* • *Clos du Bois* (L'Étranger)

MERITAGE

Ce mot bizarre, qui a été formé en associant « merit » et « heritage », est une marque déposée destinée à désigner les vins d'assemblage haut de gamme, au style inspiré par celui des grands bordeaux. Il n'existe aucune restriction quant à l'utilisation de cette marque, sinon que le producteur doit être, d'une part, membre de l'association méritage et, d'autre part, être à jour de ses cotisations. On tient en général pour acquis que les assemblages doivent être composés de deux ou plus des cépages suivants : cabernet sauvignon, cabernet franc, merlot, malbec et petit verdot pour les vins rouges; sauvignon, sémillon et muscadelle pour les vins blancs. Certainement pas le plus inspiré des noms de marque, Meritage a toutefois été adopté par de nombreux producteurs et des restaurateurs le font souvent figurer séparément sur leur carte. *Voir* p. 451 Rouges de style bordelais et Blancs de style bordelais pour les meilleurs Meritages et autres « bordeaux » d'assemblage.

MERLOT

Il a toujours été évident que le merlot possédait tout ce qu'il faut pour donner en Californie des vins de cépage comptant parmi les meilleurs et c'est ce qui est arrivé au début des années 1990. Son fruit voluptueux et sa texture veloutée s'expriment admirablement sous ce climat. L'addition de cabernet sauvignon à concurrence de 15% pour renforcer leur charpente est autorisée dans les vins dits de cépage.

3 à 8 ans

Beaucanon • *Bellerose* • *Beringer* (Bancroft Vineyard) • *Château St. Jean* • *Château Souverain* • *Cain Cellars* • *Clos du Val* • *Clos Pegase* • *Duckhorn* (Three Palms) • *Gary Farrell* (Lad's Vineyard) • *Ferrari-Carano* • *Franciscan Vineyards* (Oakville Estate) • *Havens* • *Lewis Cellars* (Oakville Ranch) • *Matanzas Creek* • *Newton* • *Pahlmeyer* • *Pine Ridge* (Carneros) • *St. Francis* (Reserve) • *Seavey* • *Shafer* • *Whitehall Lane* (Summer's Ranch)

MEUNIER

Servant parfois à épauler les vins effervescents, le meunier, que l'on appelle aussi pinot meunier comme en Champagne, donne quelques rares vins rouges de cépage, tendres et fruités.

1 à 3 ans

Bonny Doon • *Domaine Chandon* (seulement au restaurant du domaine) • *Etude*

MOURVÈDRE

Le mourvèdre (ou mataro), l'un des cépages du Rhône les plus sous-estimés, peut donner un vin tendre, souple et soyeux à la robe foncée, que l'on peut comparer au vin de syrah, mais en moins riche et moins dense. En Californie, on l'apprécie pour ses vins bon marché aux flaveurs de framboise et de confiture qui sont aussi un compagnon idéal dans les assemblages. Quelques vins de cépage intéressants sont apparus récemment.

2 à 5 ans

Bonny Doon (Old Telegram) • *Cline Cellars* (surtout Reserve) • *Edmunds St. John* • *Jade Mountain* • *Ridge* (Mataro) • *Sean Thackrey* (Taurus) • *Trentadue* (Old Patch)

MUSCAT BLANC

Voir muscat canelli

MUSCAT CANELLI

Synonyme du muscat de Frontignan (muscat blanc à petits grains), appelé aussi « muscat blanc » ou « moscato canelli », ce cépage réussit étonnamment bien en Californie où il donne des vins floraux allant du demi-sec au vin de dessert très sucré. Pour les vins moelleux, *voir* plus haut Vins botrytisés et de vendange tardive.

Dès l'achat

Eberle

ORANGE MUSCAT

Mis à part le vin viné de Quadry, je ne connais qu'un seul orange muscat californien, le Moscato di Fior au style distinctif, vinifié en sec par Mosby, dans le comté de San Barbara.

1 à 3 ans

Mosby (Moscato di Fior)

PETITE SIRAH

Dans la première édition, j'ai suggéré que l'ignorance était peut-être une bénédiction pour la petite sirah de Californie car sa popularité s'est ridiculement écroulée dès qu'elle a été identifiée comme étant le durif – un cépage tenu pour si médiocre par les Français qu'ils ne le cultivent plus – bien que plusieurs producteurs en aient tiré régulièrement d'excellents vins. Certains assurent maintenant qu'il ne s'agit pas du durif, mais de la vraie syrah. Avant même que cette théorie ne soit connue, les vins de petite sirah avaient retrouvé de chauds partisans, mais le cépage est resté le plus sous-évalué de Californie.

4 à 8 ans

Christopher Creek • *Concannon* • *Field Stone* • *Foppiano* (Reserve) • *Hop Kiln* • *La Jota* (Howell Mountain) • *Marrietta Cellars* • *Ridge* (York Creek) • *Stag's Leap Wine Cellars* • *Stag's Leap Winery* • *Sean Thackrey* (Sirius) • *Turley Cellars*

PINOT BLANC

S'il est vinifié en barriques, il est pour ainsi dire impossible de distinguer le pinot blanc du chardonnay, en particulier s'il vient de Napa, Monterey et Sonoma. Il y a des vignerons sérieux qui font d'excellents vins issus du seul pinot blanc, mais ce cépage est celui dont la Californie exploite le moins les possibilités.

1 à 3 ans

Arrowood (Saralee's Vineyard) • *Benzinger* • *Byron* • *Chalone* • *Etude* • *Frick* • *Mirassou* (Harvest Reserve) • *Murphy-Goode* (Barrel Fermented) • *Steele* (Santa Barbara) • *Wild Horse Winery*

PINOT GRIS

Même le meilleur pinot gris de Californie n'est qu'un pâle reflet du vin épicé et corpulent élaboré en Alsace. Il ressemble plutôt au pinot grigio que font les Italiens, mais avec un fruit plus mûr et plus franc.

Dès l'achat

Edmunds St. John • *Elliston* • *Etude* • *Sterling*

PINOT NOIR

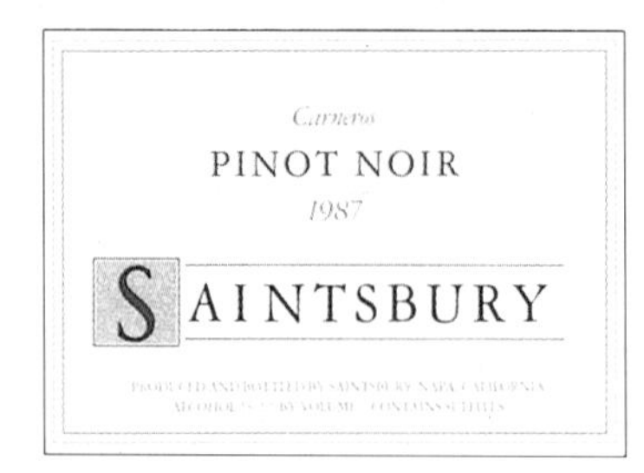

Contrairement à toute attente, ce célèbre cépage bourguignon a trouvé une seconde patrie dans certaines parties de la Californie. Il se plaît bien dans Russian River Valley (Sonoma), la région de Carneros (qui chevauche Napa et Sonoma) et Santa Ynez Valley (Santa Barbara). À mon avis, la région de Santa Barbara est la plus prometteuse. On fera un excellent pinot noir ailleurs, mais au bout du compte, la majorité des producteurs de pinot noir sera certainement concentrée dans cette région méridionale. Les régions de San Benito, Monterey et Arroyo Grande offrent aussi des possibilités.

2 à 5 ans

Acacia (Carneros) • *Au Bon Climat* • *Babcock* • *Calera* • *Carneros Creek* (Signature) • *Chalone* • *Château St. Jean* (Durell Vineyard) • *Conn Valley* (Valhalla Vineyard) • *Dehlinger* (surtout Goldridge Vineyard et New Octagon Vineyard) • *Etude* • *Gary Farrell* (surtout Howard Allen Vineyard) • *The Gainey Vineyard* (surtout Sanford & Benedict) • *Hanzell* • *Hartford Court* (Arrendel Vineyard) • *Hartley & Ostini* (The Hitching Post) • *Kent Rasmussen* (Carneros) • *Kistler* (surtout les mises en bouteilles du domaine) • *Longoria* • *Marcassin* • *Martinelli* • *Robert Mondavi* (surtout Reserve) • *Morgan* (surtout Reserve) • *Rochioli* (surtout East Block, Little Hill Block, Three Corner Vineyard, West Block) • *Sanford* (surtout Barrel Select, Sanford & Benedict) • *Santa Barbara Winery* (Reserve) • *Steele* (Sangiacomo Vineyard) • *Marimar Torres* • *Lane Turner* (Sanford & Benedict) • *Williams-Selyem* (surtout Allen Vineyard, Rochioli Vineyard)

ROUGES DE STYLE RHÔNE

Vers la fin des années 1980, Randall Graham, de Bonny Doon, était presque le seul à faire des vins dans le style des côtes du rhône. Ils furent bientôt l'objet d'un véritable culte. Graham continue à faire des vins exceptionnels, mais d'autres producteurs l'ont imité et les plus sérieux l'ont même dépassé. La plupart des vins de ce style font appel à au moins deux – en général trois – des cépages suivants : carignan, mourvèdre, grenache, petite sirah et syrah.

3 à 7 ans

Bonny Doon (Cigare Volant) • *Cline Cellars* (Côtes d'Oakly) • *Edmunds St. John* (Les Côtes Sauvages) • *Jade Mountain* (Côtes du Soleil, La Provençale) • *Joseph Phelps* (Le Mistral) • *R.H. Phillips* (Alliance) • *Preston* (Faux Castel, Sirah-Syrah) • *Quivira* (Dry Creek Cuvée) • *Qupé* (Los Olivos) • *Rabbit Ridge* (Allure) • *Zaca Mesa* (Cuvée Z)

BLANCS DE STYLE RHÔNE

La popularité croissante de ces vins blancs est en passe d'égaler celle des vins rouges. Ils sont en général faits d'un ou deux des cépages suivants : marsanne, roussanne, viognier.

1 à 4 ans

Bonny Doon (Le Sophiste) • *Jade Mountain* (Marsanne et Viognier)

SANGIOVESE

Depuis la fin des années 1980, la surface du sangiovese a été multipliée par plus de vingt, ce qui s'explique par le grand nombre de viticulteurs d'origine italienne. La qualité du vin dépend du choix du site, de préférence là où la vigne doit lutter pour survivre, ce qui présente également l'avantage d'éviter la taille en vert, grosse consommatrice de main-d'œuvre.

3 à 7 ans (exceptionnellement 15 ans ou plus)

Adelaida Cellars • *Atlas Peak* • *Beringer* (Knights Valley) • *Coturri* (Jessandre Vineyard) • *Flora Springs* • *Saddleback* • *Staglin* (Stagliano) • *Swanson* • *Trentadue* • *Viansa*

SAUVIGNON BLANC

Aussi connu sous le nom de « fumé blanc », ce terme est maintenant adopté de préférence pour les vins boisés dont il a été question plus haut. Nombre de vins étiquetés « sauvignon blanc » sont également boisés, mais il serait trop compliqué d'en dresser une liste séparée. C'est pourquoi je donne ci-dessous une liste par ordre alphabétique des vins étiquetés sauvignon blanc, qu'ils soient boisés ou non. Le sauvignon blanc non boisé de Californie devrait idéalement être nerveux, avec les arômes propres aux cépages mis en évidence et soutenus par une bonne acidité. Beaucoup ne correspondent malheureusement pas à cette définition car ils sont mous, neutres et parfois franchement délavés. Aussi séduisants soient-ils, même les meilleurs sauvignons de France, de Nouvelle-Zélande, de Californie ou d'ailleurs se fatiguent vite en bouteilles. Il n'y a pas intérêt à les conserver longtemps, à moins que l'on aime les arômes d'asperge et de petits pois en boîte…

Dès l'achat

Adler Fels • *Babcock* (surtout 11 Oaks Ranch) • *Byron* (Reserve) • *Cain Cellars* (Musqué) • *Cakebread* • *Caymus* • *Clos du Bois* • *Cronin* • *Duckhorn* • *Flora Springs* (Soliloquy) • *The Gainey Vineyard* (Limited Selection) • *Hidden Cellars* • *Husch Vineyards* • *Kendall-Jackson* (Grand Reserve) • *Kunde* (Magnolia Lane) • *Matanzas Creek* • *Peter Michael* (L'Après-Midi) • *Ojai* • *Parducci* • *Robert Pecota* • *Robert Pepi* • *Quivira* • *Rancho Sisquoc* • *Renaissance* • *Rochioli (Reserve)* • *Sanford* • *Santa Barbara Winery* (Reserve Musqué) • *Signorello* (Barrel Fermented) • *Spottswoode* • *Stonestreet* (Alexander Mountain) • *Strong* (Charlotte's Home Vineyard) • *Swanson* • *Trefethen* (White Riesling)

SÉMILLON

Connu aussi sous le nom de « chevrier », ce cépage plaît depuis longtemps aux vignerons de Californie mais non, semble-t-il, aux consommateurs. On en tire pourtant d'excellents vins secs vinifiés en barriques qui commencent à recevoir les éloges qu'ils méritent. *Voir aussi* Vins botrytisés et de vendange tardive.

1 à 5 ans

Kalin • *Kendall-Jackson* (Vintner's Reserve) • *Signorello* (Barrel Fermented) • *Vita Nova* (Reservatum)

SYLVANER

En Californie, on l'appelle aussi « franken riesling », « monterey riesling » ou « sonoma riesling ». Il y donne un vin qui n'a rien à voir avec le riesling, neutre et un peu doux. Une exception toutefois : celui de Rancho Sisquoc à Santa Barbara, issu de vignes exceptionnellement vieilles, donc à très faible rendement, qui déploie de beaux arômes exubérants.

Dès l'achat

Rancho Sisquoc

SYMPHONY

Ce croisement *muscat d'alexandrie x grenache* est devenu plus abondant dans le vignoble californien au milieu des années 1990. Il donne un vin un peu doux, fruité et floral, avec l'arôme typique du muscat.

SYRAH

Ce cépage classique de la vallée du Rhône illustre combien les choses bougent vite en Californie. Il y a quelques années, dans la première édition, je m'étonnais que la syrah n'occupe pas une place plus importante dans le vignoble californien. Depuis, elle est passée de 45 ha à 539 ha et l'on prévoit que cette surface sera doublée d'ici à l'an 2000. En Californie, la syrah a un caractère somptueux qu'elle ne montre ni en France, ni en Australie, et elle y engendre des vins bien différents de ceux de ces deux pays. Pourtant, quand elle est bien mûre, elle partage avec eux un caractère soyeux, des flaveurs de cassis et la capacité de développer une belle complexité fumée et épicée. La liste ci-dessous montre que la syrah se plaît dans plusieurs régions de Californie, mais les vins de la région chaude de Santa Barbara semblent les mieux réussis.

3 à 10 ans

Araujo (Eisel Vineyards) • *Arrowood* (Saralee's Vineyard) • *Beringer* • *Bonny Doon* • *Cambria* (Tepusquet Vineyard) • *Christopher Creek* • *Dehlinger* • *Duxoup* • *Edmunds St. John* (surtout Durell Vineyard) • *Ferrari-Carano* • *Havens* • *Ironstone* (Shiraz) • *Jade Mountain* • *Kendall-Jackson* (Durell Vineyard) • *Kunde* • *Joseph Phelps* (Vin du Mistral) • *Ojai* • *Fess Parker* • *Qupé* • *Swanson* • *Sean Thackrey* (Orion) • *Zaca Mesa* (Zaca Vineyard)

TOCAI FRIULANO

Ce cépage ne serait autre que le sauvignonasse, une variété insipide que presque toutes les entreprises vinicoles du Chili ont utilisée à un moment ou un autre pour des vins vendus sous l'étiquette « sauvignon blanc ».

Robert Mondavi • *Wild Horse Winery*

VIOGNIER

Il n'y avait pas un seul plant de viognier en Californie avant que Joseph Phelps n'en mette un peu dans son vignoble en 1985, c'est pourquoi il n'existait pas encore en 1988, lors de la première édition de ce livre. À cette époque, le viognier occupait 4,5 ha et 5,7 ha supplémentaires lui étaient réservés. Son progrès a été si considérable qu'il compte aujourd'hui quelque 200 ha et que le nombre de plants double tous les quinze mois. Si la vigne pousse bien, le vin ne révèle que rarement le caractère particulier du cépage. On a pu dire autrefois la même chose du château grillet et du condrieu, mais si les vignerons français sont parvenus à surmonter ce problème, on ne voit pas pourquoi ceux de Californie ne le pourraient pas y parvenir. Le plus inquiétant à mon avis est que le viognier, un cépage notoirement capricieux, pousse si facilement en Californie, que la fructification en soit si étonnamment régulière et que le rendement soit tellement élevé. Ce qui m'amène à suspecter l'authenticité du cépage vendu sous le nom de « viognier » en Californie, à me demander s'il s'agit bien du même cépage qu'en France, et à m'interroger sur les manipulations que les spécialistes de l'université lui ont fait subir pendant les huit ans dont ils ont eu besoin pour éliminer la virose des boutures avant d'en autoriser la plantation.

Dès l'achat

Arrowood (Saralee's Vineyard) • *Beringer* (surtout Hudson Ranch) • *Calera* • *Edmunds St. John* • *Kendall-Jackson* (Grand Reserve) • *Kunde* • *La Jota* • *Ojai* (Roll Ranch) • *Joseph Phelps*

ZINFANDEL

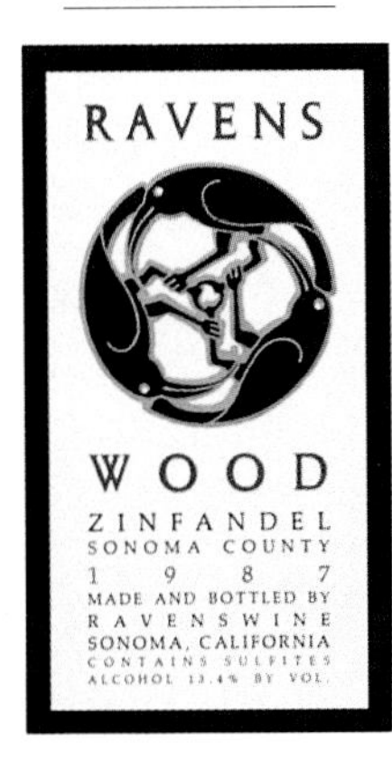

On a pensé autrefois que le zinfandel était le seul cépage indigène de l'espèce *Vitis vinifera*. Il fut par la suite authentifié comme le primitivo du sud de l'Italie grâce à la méthode Isozyme des « empreintes digitales » qui permet d'enregistrer la structure moléculaire des enzymes, différente pour chaque variété. Il y a pourtant un doute car on n'a observé le primitivo en Italie qu'à la fin du XIXe siècle, alors que le zinfandel figurait déjà dans le catalogue des boutures de William Prince, dressé aux États-Unis mêmes, à Long Island, en 1830. Selon la méthode de vinification utilisée, le zinfandel donne des vins de styles très différents, du vin riche et très foncé au vin léger et fruité, du vin sec au vin moelleux, du blanc au rosé et au rouge, et même des vins de dessert et des vins effervescents. Cette variété de style s'explique entre autres par le fait qu'il est pour ainsi dire impossible de vendanger du zinfandel avec toutes les grappes ayant la même maturité : lorsque la plupart sont parfaitement mûres, certaines sont encore vertes ; mais si le viticulteur attend qu'elles mûrissent toutes, les premières auront séché. Il existe plusieurs solutions mais toutes exigent une main-d'œuvre abondante, donc une dépense élevée. Ce qui explique pourquoi le zinfandel n'est jamais bon marché. Le grand zinfandel est un vin riche et profondément coloré que seuls les Californiens savent produire, avec un fruit mûr et épicé, des notes intenses de réglisse et des nuances végétales et chocolatées complexes. Jeunes, ces vins sont charnus avec les flaveurs classiques de petits fruits qui peuvent évoluer vers la cerise noire ou même la confiture. Le zinfandel est le seul cépage qui exige absolument l'arôme de noix de coco du chêne américain. Il est souvent additionné d'un peu de petite sirah pour renforcer sa charpente. Le zinfandel exige un peu de bouteille pour développer son caractère épicé. Ce n'est pas le vin de Californie à la longévité la plus remarquable, mais si l'on ne lui laisse pas le temps d'évoluer, il est simplement riche en chêne et en petits fruits et dénué de complexité.

2 à 5 ans (bons vins d'un prix abordable), 5 à 15 ans (vins plus chers et plus sérieux)

Adelaida Cellars • *Cakebread* (Howell Mountain) • *Cline Cellars* (surtout Big Break, Bridgehead Vineyard et Reserve) • *Clos du Val* (Stags Leap District) • *De Loach* (surtout OFS) • *Dry Creek Vineyard* (Ol Vines) • *Eberle* • *Elyse* (Howell Mountain) • *Edmeades* (surtout Zeni Vineyard) • *Edmunds St. John* • *Gary Farrell* • *Franciscan Vineyard* (Oakville Estate) • *Ferrari-Carano* • *Fritz Cellars* (80 Year Old Vines) • *Green and Red* (Mill Vineyard) • *Gundlach-Bundschu* (Rhinefarm Vineyard) • *Hartford Court* (Hartford Vineyard) • *Hartley & Ostini* (The Hitching Post) • *Heitz* • *Hidden Cellars* (surtout Pacini Vineyard) • *Hop Kiln* (Primitivo) • *Kendall-Jackson* (Ciapusci Vineyard, Dupratt Vineyard, Proprietor's Grand Reserve) • *Kunde* (Century Vines) • *Lava Cap* • *Martinelli* • *Robert Mondavi* • *Mosby* (Primitivo) • *Murphy-Goode* • *Quivira* • *Rafanelli* • *Ravenswood* (surtout Old Hill Vineyard) • *Nalle* • *Rabbit Ridge* • *Ridge* (Dusi Ranch, Lytton Springs, Pagain Ranch, Paso Robles) • *Rosenblum* • *St. Francis* (Old Vines) • *Steele* (Catfish Vineyard) • *Storybook Mountain* (Eastern Exposure) • *Joseph Swan* (Stellwagen Vineyard, Zeigler Vineyard) • *Whaler* (Flagship) • *Williams-Selyem* (Leo Martinelli Vineyard)

ROSÉ OU BLANC DE NOIRS

Des vins souvent mésestimés, pourtant les rosés sont bien faits, sans prétention et peuvent être délicieux. Tous les vins recommandés sont secs ou demi-secs.

Dès l'achat

Bonny Doon (Pinot Meunier, Vin Gris de Cigare) • *Heitz* (Grignolino) • *Joseph Phelps* (Vin du Mistral Grenache Rosé) • *Sanford* (Pinot Noir Vin Gris) • *Simi* (Rosé of Cabernet Sauvignon)

AUTRES ASSEMBLAGES ROUGES CLASSIQUES

Le terme « classique » désigne des assemblages conçus pour la qualité et non pour baisser le prix. Les assemblages du genre bordeaux ont déjà été examinés, aussi les vins recommandés ont tous été obtenus par divers assemblages d'autres cépages. Ils ont tous en commun de posséder une certaine distinction et de la personnalité, qu'ils soient chers ou bon marché. Il est possible que dans une prochaine édition, il faudra examiner séparément les assemblages de style italien, notamment les versions californiennes des super-toscans, mais ils ne sont pas assez nombreux aujourd'hui.

Atlas Peak Consenso (cabernet-sangiovese) • *Elyse Nero Misto* (petite sirah-zinfandel) • *Ferrari-Carano* (Siena) • *Jade Mountain* • *Les Jumeaux* (cabernet-mourvèdre) • *Marietta Cellars Old Vine Red Lot 18* (petite sirah-cabernet-zinfandel-carignan) • *Robert Pepi Due Baci* (cabernet-sangiovese) • *R.H. Phillips* (Night Harvest Cuvée Rouge) • *Ridge Vineyards Geyserville* (zinfandel-carignan-petite sirah) • *Shafer Firebreak* (sangiovese-cabernet) • *Viansa Thalia* (cabernet-sangiovese)

AUTRES ASSEMBLAGES BLANCS CLASSIQUES

« Classique » désigne des assemblages conçus pour la qualité et non pour baisser le prix.

1 à 3 ans

Benzinger White Burgundy Imagery Series (chardonnay-pinot blanc-meunier) • *Caymus Conundrum* (chardonnay-muscat-sémillon-sauvignon-viognier) • *Geyser Peak Semchard* (sémillon-chardonnay)

LE COMTÉ DE MENDOCINO

Les meilleurs vignobles sont situés au sud, sur des embranchements de Navarro Valley et de Russian River, dans la région d'Anderson Valley qui s'est fait connaître par la qualité de ses vins effervescents, surtout depuis que le champagne Roederer s'y est installé. Le climat est si varié qu'on y fait aussi un excellent zinfandel et que les cépages aromatiques s'y plaisent aussi.

La maison champenoise Louis Roederer a investi en 1982 quelque quinze millions de dollars dans la plantation d'un vignoble de 200 hectares et la création d'une entreprise vinicole à Anderson Valley, une région du comté de Mendocino qui jouit d'un climat beaucoup plus frais que celui de ses voisines. Son premier mousseux, un non-millésimé, principalement à base de vin de 1986, fut assez quelconque, mais le suivant fut le meilleur du monde, champagne mis à part, et la qualité de la production n'a pas fléchi depuis. La diversité des terroirs d'Anderson Valley est telle que l'on y trouve des vins au style très contrasté. Scharffenberger par exemple, pourtant installé non loin de Roederer, produit un mousseux très différent. Tandis que le Roederer est riche, bien structuré et complexe, directement inspiré par celui produit en Champagne, le Scharffenberger est tout de légèreté et d'élégance, et sa finesse est chaque année plus remarquable. Le terroir seul n'explique pas cette différence, il y a notamment la main de l'homme. Je pense que nous avons assisté à la naissance d'une industrie de vin effervescent de première grandeur. Les vignobles vont s'y multiplier, de nouvelles entreprises verront le jour et Anderson Valley sera d'ici vingt ans, j'en suis persuadé, la plus importante région de Californie pour les mousseux.

LA CROISSANCE DE L'INDUSTRIE VINICOLE

On avait tendance autrefois à cultiver des cépages à haut rendement destinés à la production de vin de carafe dans les parties du comté de Mendocino trop chaudes pour l'élaboration de vins de qualité. Toutefois le climat est diversifié : certaines régions sont soumises à l'influence du Pacifique et d'autres bénéficient du climat plus frais des zones I et II (*voir* p. 448). C'est la raison pour laquelle la culture des cépages de qualité a beaucoup augmenté depuis la fin des années 1970 et que les entreprises vinicoles se sont multipliées : on en comptait 16 en 1981, 29 en 1985 et 41 en 1995.

FACTEURS DU GOÛT ET DE LA QUALITÉ

EMPLACEMENT
Situé à 160 km au nord de San Francisco, Mendocino est le plus septentrional des grands comtés vinicoles proches de la côte.

CLIMAT
Les montagnes entourant le cours supérieur de Russian River et Navarro River s'élèvent jusqu'à 1070 m. Elles forment la barrière naturelle qui crée le « climat de transition » de Mendocino. La région se trouve successivement, pour des périodes plus ou moins longues, sous l'influence de la côte et celle de l'intérieur des terres. L'hiver y est en général relativement chaud et l'été assez frais. Pendant la période de croissance, la vigne bénéficie de nombreuses journées chaudes et sèches et de nuits fraîches. Ukiah Valley a la belle saison la plus courte et la plus chaude du nord de San Francisco.

SITES
Le fond plat des vallées et les pentes douces des contreforts montagneux sont situés à une altitude de 75 à 445 m, allant parfois jusqu'à 490 m. Les vignobles sont en général orientés à l'est, sauf au sud d'Ukiah où ils sont tournés vers l'ouest.

SOLS
Sols alluvionnaires profonds sur les terrains plats proches des rivières, graveleux-limoneux dans certaines parties de la vallée de Russian River et éboulis peu profonds sur ses pentes.

VITICULTURE ET VINIFICATION
Période de croissance de 268 jours en moyenne contre 308 à Sonoma (où le débourrement a lieu 10 jours plus tôt) et 223 jours dans le comté de Lake.

CÉPAGES PRINCIPAUX
Cabernet sauvignon, carignan, chardonnay, chenin blanc, colombard, sauvignon, zinfandel
CÉPAGES SECONDAIRES
Barbera, burger, cabernet franc, charbono, early burgundy (abouriou), flora, folle blanche, gamay, gamay beaujolais, gewurztraminer, grenache, grey riesling, green hungarian, malvasia bianca, merlot, muscat blanc, palomino, petite sirah, pinot blanc, pinot noir, ruby cabernet, sauvignon vert, sémillon, sylvaner, syrah, white riesling

PAYSAGE VITICOLE
Vignoble plat typique de Mendocino, appartenant à Parducci, grosse entreprise qui produit une gamme étendue de vins avantageux.

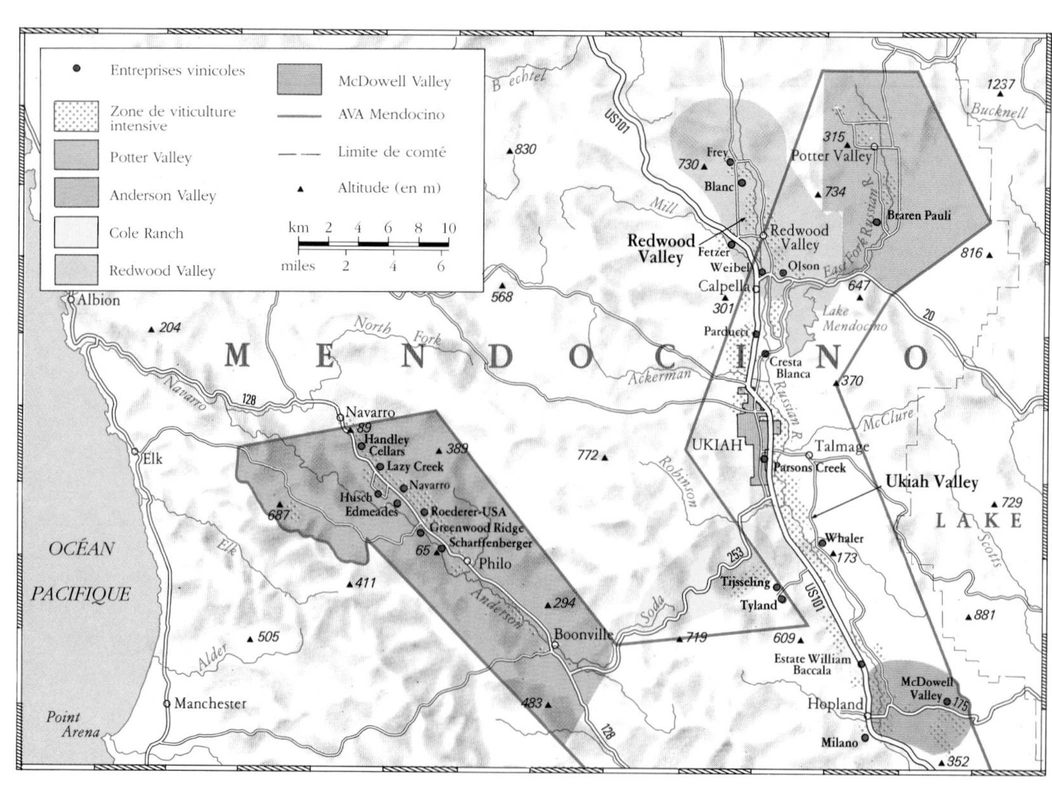

MENDOCINO, *voir* p. 448
Cette région est située dans le nord de la Californie vinicole, mais son climat n'est pas nécessairement froid. Les vignobles de l'intérieur sont protégés par le relief montagneux.

APPELLATIONS DU

COMTÉ DE MENDOCINO

ANDERSON VALLEY AVA

L'aire de l'appellation Anderson Valley compte 23 300 ha, mais le vignoble n'en couvre pour l'instant que 240. Grâce à la proximité de la côte, la vallée jouit d'un microclimat plus frais que le « climat de transition » particulier du reste de Mendocino. La vallée contient plus de vingt sortes de sols d'origine alluvionnaire, ce qui donne aux vignobles d'entreprises telles que Roederer et Scharffenberger la diversité souhaitable pour la culture du raisin destiné à l'élaboration des vins de base pour des mousseux de qualité. Le microclimat d'Anderson Valley devrait aussi convenir à des cépages aromatiques comme le gewurztraminer et le pinot gris.

COLE RANCH AVA

Située dans une petite vallée étroite à l'est d'Anderson Valley, l'appellation Cole Ranch ne compte que 25 ha de cabernet sauvignon, chardonnay et johannisberg riesling. Tout le vignoble appartient à la famille Cole. Il est cultivé sur des sols argilo-graveleux-limoneux tantôt profonds, tantôt minces.

MCDOWELL VALLEY AVA

McDowell Valley bénéficie d'une protection naturelle offerte par ses montagnes. On ne cultive la vigne que sur un sol graveleux-limoneux à environ 300 m d'altitude, les autres sols ne convenant pas. Un microclimat particulier protège cette AVA des gelées printanières frappant les autres zones viticoles de Mendocino. En revanche, il y fait un peu plus froid pendant la période de croissance.

MENDOCINO AVA

Seuls les vins élaborés avec du raisin provenant du tiers méridional de la région peuvent revendiquer l'AVA Mendocino. Celle-ci englobe les cinq autres aires viticoles agréées ainsi que les vignobles qui les entourent.

MENDOCINO COUNTY AO

Cette appellation, qui n'est pas une AVA, s'applique à tous les vins produits dans la totalité du comté de Mendocino.

POTTER VALLEY AVA

Appellation située au nord-ouest du lac de Mendocino couvrant 11 130 ha dont 4 430 sont pour l'instant consacrés à la viticulture. Les vignobles se trouvent sur le fond de la vallée et sont protégés par des collines.

REDWOOD VALLEY AVA

C'est ici que furent plantées les premières vignes de Mendocino. La région a pris le nom de Redwood Valley quand elle fut défrichée, au milieu des années 1850. L'aire d'appellation couvre 90 km² et compte pour l'instant quelque 930 ha de vignobles. Le raisin, qui mûrit plus tard que dans la région d'Ukiah, plus chaude et plus sèche, est plus coloré, tannique et acide.

MEILLEURS PRODUCTEURS DE

MENDOCINO

EDMEADES VINEYARDS

Philo

☆

Petite entreprise produisant des vins de cépage de bonne qualité. Le zinfandel est nettement le meilleur.

✓ *zinfandel* (en particulier Zeni Vineyard)

FETZER VINEYARDS

Redwood Valley

★Ⓥ

Fetzer, qui appartient au distillateur Brown-Forman, connu notamment pour le whiskey Jack Daniels et la liqueur Southern Comfort, a la réputation de produire des vins d'un excellent rapport qualité/prix. Le pinot noir Barrel-Select est parfois délicieux, avec un goût de fraise succulent, mais sa qualité est irrégulière.

✓ *chardonnay* (Sundial) • *petite sirah* (Special Reserve) • *zinfandel*

GREENWOOD RIDGE VINEYARDS

Philo

Bien que créé en 1972, ce vignoble ne commença à vendre son propre vin mis en bouteilles au domaine qu'en 1980. Allan Green s'est fait un nom avec le riesling, qui est resté son meilleur vin. Il achète ailleurs du raisin pour offrir une gamme étendue de vins de cépage dont un remarquable Sonoma Zinfandel.

✓ *Vhite Riesling*

HANDLEY

Philo

★

Handley élabore par deuxième fermentation en bouteilles un Vintage Blanc de Blancs tendre et citronné, un vintage brut nerveux avec des nuances crémeuses et vanillées et un vintage rosé pâle et exotique.

✓ *Vintage Blanc de Blancs* • *Vintage Brut* • *Vintage Rosé*

HIDDEN CELLARS

Ukiah

★

Excellente coopérative de vinification groupant une poignée de viticulteurs, installée dans le plus vieux ranch d'Ukiah Valley.

✓ *Alchemy* (genre bordeaux blanc) • *sauvignon blanc* • *zinfandel* (en particulier Pacini Vineyard)

HUSCH VINEYARDS

Philo

☆Ⓥ

Créée par Tony Husch, cette entreprise a été cédée en 1979 à Hugo Oswald qui élabore lui-même ses vins; il possède également de grands vignobles dans Anderson Valley et Ukiah Valley d'où vient le raisin qui donne des vins de cépage blancs sans prétention, les meilleurs produits ici.

✓ *chenin blanc* • *sauvignon blanc*

LAZY CREEK VINEYARD

Philo

☆

On produit ici ce qui est probablement le meilleur gewurztraminer de toute la Californie, que Michel Salgues, de l'entreprise Roederer voisine, aime tout particulièrement. Il est plus sec que la plupart des autres, mais ne possède pas le caractère épicé caractéristique du cépage.

✓ *gewurztraminer* • *pinot noir*

NAVARRO VINEYARDS

Philo

☆

Encore un des meilleurs gewurztraminers de Californie, qui pourrait pourtant être encore plus remarquable. Navarro fait aussi un pinot noir excellent pour un spécialiste du vin blanc.

✓ *gewurztraminer* (Late Harvest Gewurztraminer) • *pinot noir* • *sauvignon blanc*

PARDUCCI WINE CELLARS

Ukiah

☆Ⓥ

Cette entreprise fut fondée en 1918 à Sonoma puis transférée à Ukiah en 1931 où de nouvelles installations de vinification furent construites en vue de l'abrogation imminente de la prohibition. Le vignoble de Parducci compte aujourd'hui 142 ha dont on tire des vins francs et fruités, remarquables pour leur prix.

✓ *French Colombard* • *sauvignon blanc* • *petite sirah* • *zinfandel*

ROEDERER ESTATE

Philo

★★☆

Entreprise créée en 1982 par la maison champenoise Louis Roederer. Le second mousseux produit ici (avec un vin de base de 1987) fut le premier au monde comparable, non seulement à un champagne moyen, mais aussi à un champagne de grande qualité; depuis le maître de chai Michel Salgues l'a gardé à ce niveau élevé. Son style est nettement plus champenois que californien et si j'avais une critique à formuler, c'est qu'il est mis sur le marché sans avoir suffisamment attendu après le dégorgement. Ce problème paraît avoir été résolu pour le marché anglais (où le vin est vendu sous l'étiquette « Quartet »), mais peut-être est-ce l'importateur qui le laisse vieillir avant de le distribuer. En revanche, aux États-Unis, le Roederer Estate peut être si jeune qu'il est encore vert. C'est le seul vin effervescent de Californie qui exige, à mon avis, de vieillir avant d'être consommé : un an après le dégorgement pour être buvable, deux ans pour commencer à montrer sa classe et sa qualité, trois ans pour déployer toutes ses flaveurs de biscuit et de crème. En revanche, la plupart des autres mousseux californiens ne s'améliorent pas en vieillissant en bouteilles. Au contraire, ils se dégradent un ou deux ans après leur dégorgement.

✓ *NV brut* • *NV rosé* • *l'ermitage*

SCHARFFENBERGER CELLARS

Ukiah

★☆

Appartenant autrefois à Pommery, mais transféré à Veuve Clicquot quand ces deux maisons furent acquises par LVMH, cette entreprise est donc devenue en quelque sorte une sœur de Domaine Chandon. Ses mousseux, surtout le Blanc de Blancs, ont énormément gagné en élégance et en finesse depuis le début des années 1990. Le NV de Scharffenberger s'améliore de manière spectaculaire si on a la patience de l'attendre neuf à douze mois.

✓ *blanc de blancs* • *NV*

WHALER VINEYARDS

Ukiah

❓

Petite entreprise remarquable, spécialisée dans la production d'un zinfandel foncé et épicé.

✓ *zinfandel* (Flagship)

COMTÉ DE SONOMA

Six vallées fertiles font du comté de Sonoma la région vinicole la plus prolifique de Californie. Elle produit autant de vins rouges que de vins blancs dont la réputation de qualité est en passe d'égaler celle des vins du comté voisin de Napa.

En raison de l'énorme volume de sa production, la réputation du comté de Sonoma n'a guère dépassé, jusqu'à la fin des années 1960, celle d'une source abondante de vins de coupage. Certes, ses vins étaient meilleurs que ceux de Central Valley, mais ils n'étaient destinés qu'à améliorer les vins en vrac anonymes. En 1969, Russell Green, un ancien magnat du pétrole déjà propriétaire d'un vignoble d'Alexander Valley en pleine expansion, fit l'acquisition de Simi, une entreprise vinicole créée en 1876, autrefois réputée, mais sur le déclin. Green avait des projets ambitieux pour Simi, peut-être trop ambitieux car il dépensa une fortune et fut contraint de revendre en 1973. Pourtant, en quatre ans, il avait réussi à restaurer la réputation dont Simi jouissait avant la prohibition en faisant élaborer des vins de cépage de très grande qualité. Sa réussite ne passa pas inaperçue et incita d'autres producteurs à l'imiter.
De nombreuses entreprises installées depuis longtemps à Sonoma révisèrent donc leur politique et une pléthore de vins de grande qualité vit le jour, ce qui eut pour conséquence d'attirer un sang neuf dans la région. On comptait déjà 93 entreprises vinicoles à Sonoma. Dix ans plus tard, elles étaient 160.

FACTEURS DU GOÛT ET DE LA QUALITÉ

EMPLACEMENT
Au nord de San Francisco, entre Napa et le Pacifique.

CLIMAT
Le climat varie, selon l'échelle des journées-degrés (*voir* p. 448), de chaud dans le nord (Région III) à froid dans le sud (Région I), principalement à cause de l'influence du vent soufflant du Pacifique. La brume est abondante autour de Petaluma.

SITES
Le petit cours d'eau qui traverse la vallée de Sonoma se jette dans la baie de San Francisco et Russian River directement dans le Pacifique. On cultive la vigne sur des plateaux à une altitude d'environ 120 m, sur les pentes qui en descendent et à flanc de coteau.

SOLS
On trouve des sols de nature diverse : limoneux dans la vallée de Sonoma et la région de Santa Rosa, alluviaux et très fertiles dans la vallée de Russian River, calcaire à Cazadera, graveleux à Dry Creek, d'origine volcanique dans la région du mont Santa-Helena.

VITICULTURE ET VINIFICATION
Grosse production de vin en vrac dans la vallée de Russian River, mais de petites entreprises produisant des vins de cépage de qualité prennent le relais.

CÉPAGES PRINCIPAUX
Cabernet sauvignon, chardonnay, chenin blanc, colombard, gewurztraminer, merlot, petite sirah, pinot blanc, pinot noir, sauvignon blanc, white riesling, zinfandel
CÉPAGES SECONDAIRES
Aleatico, alicante bouschet, barbera, cabernet franc, carignan, chasselas doré, folle blanche, gamay, gamay beaujolais, grenache, malbec, malvasia, muscat blanc, palomino, pinot saint-georges (grapput), ruby cabernet, sauvignon vert, sémillon, sylvaner, syrah

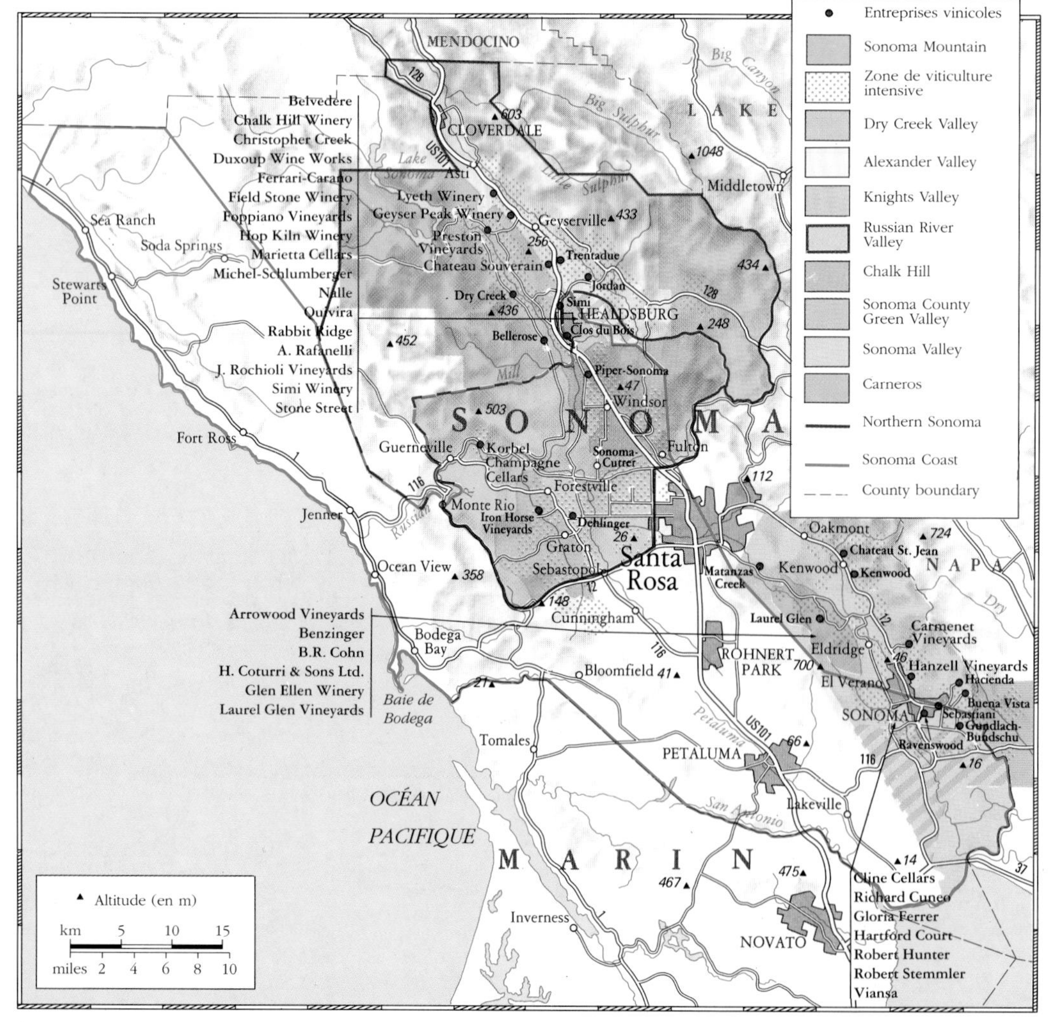

DRY CREEK VALLEY
Dry Creek Valley jouxte les AVA Russian River et Alexander Valley. Humide et fertile, la vallée possède un sol graveleux unique à Sonoma qui lui a valu de bénéficier d'une AVA séparée.

LE COMTÉ DE SONOMA
(*voir aussi* p. 448)
Une des plus importantes régions vinicoles de Californie, aux sols et climats variés, donc une gamme de vins très étendue. Le hasard veut que son nom soit une sorte d'hommage au beau bouquet de ses vins, « sonoma » signifiant « nez » dans la langue de la tribu indienne des Wintun.

APPELLATIONS DU

COMTÉ DE SONOMA

ALEXANDER VALLEY AVA

Située dans le nord-est du comté, cette appellation créée en 1984 s'étend des rives de Russian River aux contreforts des monts Mayacamas. Agrandie en 1986, si bien qu'elle déborde sur Russian River, ses limites ont été repoussées une fois encore en 1990 pour qu'elle englobe le Gauer Ranch de sir Peter Michael et le vignoble de Chestnut Springs appartenant à Ellis Alden, au pied des collines à l'est de Geyserville. Le cabernet sauvignon et le merlot se plaisent ici où l'on fait aussi de bons vins de nebbiolo, de sangiovese et de chardonnay.

CHALK HILL AVA

L'appellation Chalk Hill, créée en 1983, s'étend sur 85 km² et compte 650 ha de vignobles cultivés à une altitude de 60 à 400 mètres. Bien qu'elle soit nommée « colline de craie », son sol n'est pas calcaire : elle doit sa blancheur à des cendres volcaniques quartzifères qui, rejetées par le mont Santa-Helena et mêlées à des sables alluvionnaires, forment un sol profond qui n'est pas particulièrement fertile. La région est protégée par une barrière thermique grâce à laquelle on vendange en septembre et non en octobre comme dans les régions voisines.

DRY CREEK VALLEY AVA

Cette appellation jouxte Alexander Valley dont elle est séparée par Russian River. Son climat est généralement plus chaud et plus humide que dans les régions voisines et la période de croissance de la vigne est plus longue qu'elle ne l'est plus au sud. On y cultive une gamme étendue de cépages allant du sauvignon au zinfandel.

KNIGHTS VALLEY AVA

Cette appellation, située dans l'est de Sonoma, s'étend sur 14 km² et compte 400 ha de vignobles situés sur un sol rocailleux et graveleux peu fertile, à une altitude plus élevée que dans les appellations voisines. Elle est donc particulièrement bien adaptée à la culture du cabernet sauvignon.

LOS CARNEROS AVA

Los Carneros, en général appelé simplement « Carneros », couvre une zone onduleuse formée de collines peu élevées qui s'étend sur les deux comtés de Sonoma et de Napa. Autrefois consacrée à l'élevage du mouton, la région est balayée par la brise froide venant de la baie de San Pablo, au sud, ce qui lui donne un climat favorable à la culture du chardonnay et du pinot noir. On y produit de bons mousseux.

NORTHERN SONOMA AVA

Très vaste, Northern Sonoma englobe six appellations de la région : Alexander Valley, Chalk Hill, Dry Creek Valley, Knights Valley, Russian River Valley et Sonoma County Green Valley. Elle est séparée de l'appellation Sonoma Valley, au sud, par la ville de Santa Rosa.

RUSSIAN RIVER VALLEY AVA

Le nom de Russian River a commencé à être porté sur les étiquettes en 1970, mais on cultive la vigne ici depuis le XIXᵉ siècle. Les brumes matinales montant de la côte rendent cette AVA plus fraîche que ses voisines et le pinot noir s'y plaît. Certains des vins qu'on en tire sont les meilleurs de la Californie.

SONOMA COAST AVA

Cette vaste appellation couvre 1940 km². Elle s'étend sur tout l'arrière-pays de la côte pacifique du comté de Sonoma, qui forme sa limite occidentale, et se prolonge au sud-est jusqu'à la baie de San Pablo. Elle est nettement plus fraîche que les autres appellations du comté grâce aux brumes persistantes qui enveloppent la chaîne des Coast Ranges, visible du Pacifique.

SONOMA COUNTY GREEN VALLEY AVA

On avait l'intention d'appeler simplement « Green Valley » cette AVA englobée dans celle de Russian River Valley, mais afin d'éviter toute confusion avec l'AVA Solano Country Green Valley, il fut finalement décidé de lui donner le nom qu'elle porte. Un climat plus frais que celui du reste de Russian River et un sol de limon sableux permettent la production d'excellents mousseux.

SONOMA MOUNTAIN AVA

Petite appellation englobée dans celle de Sonoma Valley, l'air y est froid et les brumes qui descendent des hauteurs et enveloppent les pentes situées en contrebas créent un microclimat caractérisé par des températures plus basses que dans le reste de la région.

SONOMA VALLEY AVA

Les premières vignes ont été plantées ici en 1825 par la mission San Francisco de Sonoma. Les pluies sont moins abondantes que dans le reste du comté et les brumes sont rares. Convenant bien à la culture du cabernet sauvignon et du zinfandel, c'est donc une région de vins rouges.

MEILLEURS PRODUCTEURS DE

SONOMA

ADLER FELS WINERY

Santa Rosa

David Coleman attrapa le virus du vin en dessinant des étiquettes pour le Château St. Jean puis acquit ce vignoble perché sur une colline appelée « le Nid d'Aigle », qui domine la Vallée de la Lune.

✓ *chardonnay* (Coleman Reserve) • *sauvignon blanc*

ARROWOOD VINEYARDS

Glen Ellen

★Ⓥ

Ancien maître de chai de Château Saint Jean, Richard Arrowood fait des vins dont la qualité s'améliore chaque année. Ceux portant sa seconde étiquette, « Domaine de Grand Archer », ont un excellent rapport qualité/prix.

✓ *cabernet sauvignon* (Reserve Speciale) • *chardonnay* (Cuvée Michel Berthod) • *malbec* • *merlot* • *pinot blanc* (Saralee's Vineyard) • *syrah* (Saralee's Vineyard) • *viognier* (Saralee's Vineyard) • *white riesling* (Preston Ranch Late Harvest)

BELLEROSE VINEYARD

Healdsburg

Vins riches ayant du caractère, issus d'un vignoble de Dry Creek Valley en culture biologique.

✓ *Cuvée Bellerose* (genre bordeaux rouge) • *merlot*

BELVEDERE

Healdsburg

Grand vignoble appartenant à Bill Hambrecht. Gamme étendue de vins dont le meilleur, et de loin le plus régulier, est le chardonnay.

✓ *chardonnay* (surtout Preferred Stock)

BENZINGER

Glen Ellen

★☆Ⓥ

Depuis qu'il a cédé les marques Glen Ellen et MG Vallejo à Heublein, Benzinger s'est débarrassé de son image de producteur de vins trop chers pour ce qu'ils valent.

✓ *fumé blanc* • *Imagery Series* (malbec, viognier, white burgundy) • *pinot blanc*

BRYANT FAMILY VINEYARD

Napa

❷

Petite entreprise de style nouvelle boutique. Son cabernet sauvignon a la réputation d'être un chef-d'œuvre.

BUENA VISTA WINERY

Sonoma

Vignoble créé en 1857 par l'étonnant Haraszthy (*voir* p. 447), Buena Vista a toujours produit de bons vins, mais rien d'exceptionnel avant le début des années 1990.

✓ *cabernet sauvignon* (Private Reserve) • *chardonnay* • *L'Année* (genre bordeaux rouge)

CARMENET VINEYARD

Sonoma

★

Appartenant à Chalone Vineyards de Monterey, Carmenet produit une large gamme de vins excellents. Dommage que son Dynamite à base de cabernet sauvignon ne tienne pas en bouche les promesses de son étiquette.

✓ *chardonnay* (Sangiacomo Vineyard) • *colombard* (Old Vines) • *Sonoma Estate Red* (genre bordeaux rouge)

CHALK HILL WINERY

Healdsburg

★

Ce domaine, appelé « Donna Maria Vineyards » quand il se bornait à cultiver et à vendre du raisin, fut rebaptisé « Chalk Hill » en 1981 quand il commença à élaborer et à vendre son propre vin.

✓ *cabernet sauvignon* • *chardonnay* (Reserve) • *pinot blanc* (surtout Reserve)

CHÂTEAU ST. JEAN

Kenwood

★

Cette entreprise prestigieuse a appartenu au groupe japonais Suntory avant d'être cédée à Beringer. Certains de ses vins ont perdu leur richesse au profit de l'élégance. La qualité demeure, mais les critiques spécialisés n'ont pas tous apprécié ce changement.

✓ *cabernet sauvignon* (Alexander Valley Reserve, Belle Terre Vineyard) • *chardonnay* (Robert Young Vineyard) • *cinq cépages* (genre bordeaux rouge) • *fumé blanc* (La Petite Étoile) • *johannisberg riesling* (Special Late-Harvest) • *merlot* • *pinot noir* (Durell Vineyard)

CHÂTEAU SOUVERAIN

Geyserville

☆V

Production abondante de vins bon marché d'un excellent rapport qualité/prix, mais rarement passionnants, jusqu'à ce que leur qualité fasse un bon, il y a peu de temps. Le chardonnay est particulièrement remarquable.

✓ *cabernet sauvignon* (Library Reserve, Winemakers Reserve) • *Chardonnay* (Allan Vineyard, Rochioli Vineyard, Sangiacomo Vineyard) • *merlot*

CHÂTEAU WOLTNER

Angwin

Comment se fait-il que les Bordelais, quand ils viennent en Californie, se mettent au chardonnay? Celui-ci est de style nettement bourguignon, avec l'accent mis sur la structure plutôt que sur le fruit. Un vin floral et fin avec une complexité un peu minérale.

✓ *chardonnay* (notamment Titus Vineyard)

CHRISTOPHER CREEK

Healdsburg

Anciennement dénommée « Sotoyme Winery », cette entreprise a été rachetée par l'Anglais John Mitchell qui y élabore un vin de petite sirah merveilleusement riche, profond et épicé ainsi qu'un vin de syrah soyeux et élégant encore meilleur.

✓ *petite sirah* • *syrah*

CLINE CELLARS

Sonoma

Excellents vins de style côtes-du-rhône allant du succulent et juteux côtes d'oakly au mourvèdre boisé et sérieux. Mais c'est une gamme de zinfandels superbes qui a fait la célébrité de l'entreprise.

✓ *côtes d'oakly* (rouge genre côtes-du-rhône) • *mourvèdre* • *zinfandel* (surtout Big Break, Bridgehead Vineyard et Reserve)

CLOS DU BOIS

Healdsburg

★☆

Entreprise dont les vignobles ne couvrent pas moins de 405 ha. Elle appartient depuis 1988 au grand groupe anglais Allied-Hiram Walker. La belle gamme de Clos du Bois compte des vins charnus, bien charpentés et souvent primés, élaborés depuis 1990 par la remarquable Margaret Davenport.

✓ *cabernet sauvignon* • *chardonnay* (notamment Calcaire et Flintwood) • *malbec* (L'Étranger) • *marlstone* (genre bordeaux rouge) • *sauvignon blanc*

B.R. COHN

Glen Ellen

☆?

On doit parfois recracher quelques particules contenues dans ces vins dont la qualité est indéniable.

✓ *cabernet sauvignon* (Olive Hill) • *chardonnay* • *merlot* (Silver Label)

H. COTURRI & SONS LTD

Glen Ellen

Une belle gamme de vins de cépage, excellents comme souvent ceux produits par des adeptes de la culture biologique. Ils sont tantôt rustiques, tantôt brillants et, si on les boit jeunes, il faut choisir parmi les suivants qui peuvent être époustouflants :

✓ *alicante bouschet* (Ubaldi Vineyard) • *cabernet sauvignon* (Remick Ridge Vineyard) • *sangiovese* (Jessandre Vineyard)

RICHARD CUENO

Sonoma

☆V

La cuvée de chardonnay sous l'étiquette « Sebastiani » est un mousseux bien structuré, qui peut déployer une belle complexité et des nuances de biscuit.

✓ *cuvée de chardonnay*

DEHLINGER WINERY

Sebastopol

Tom Dehlinger est réputé pour son pinot noir élégant et très fin, mais il ne faut pas négliger ses autres vins de cépage et particulièrement celui qu'il a étiqueté sans fausse honte « Chardonnay Montrachet Cuvée ».

✓ *cabernet franc* • *cabernet-merlot* (genre bordeaux rouge) • *cabernet sauvignon* • *chardonnay* (Montrachet Cuvée) • *pinot noir* (surtout Goldridge Vineyard et le nouvel Octagon Vineyard) • *syrah*

DE LOACH VINEYARDS

Santa Rosa

On connaît surtout cette entreprise pour ses chardonnays riches et beurrés, mais elle fait des zinfandels beaucoup plus intéressants, sans doute les plus tendres que vous pourrez trouver : des vins élégants débordant de fruit épicé et de chêne bien intégré.

✓ *chardonnay* • *zinfandel* (notamment OFS et Papera Vineyard)

DRY CREEK VINEYARD

Healdsburg

★

Tous les vins de David Stare ne viennent pas de l'AVA Dry Creek Valley, mais sa réputation est pourtant sans tache pour le fumé blanc et le chardonnay. Depuis le début des années 1990, il a aussi commencé à produire un grand zinfandel, riche et épicé.

✓ *chardonnay* • *fumé blanc* • *zinfandel* (Old Vines)

DUXOUP WINE WORKS

Healdsburg

La première fois que je m'y suis rendu, je me suis trompé de route et j'ai demandé que l'on pardonne mon retard de deux heures. Andy Cutter m'a répondu : « Ne vous inquiétez pas, quand vos collègues Robert Joseph et Charles Metcalfe sont venus me voir, ils avaient deux jours de retard. » Je suis heureux de dire que ses vins méritent le détour.

✓ *charbono* • *gamay* • *syrah*

GARY FARRELL

Forestville

Qualité exceptionnelle depuis les années 1990.

✓ *cabernet sauvignon* (Ladi's Vineyard) • *chardonnay* (Howard Allen Vineyard) • *merlot* (Ladi's Vineyard) • *pinot noir* (surtout Ladi's Vineyard) • *zinfandel*

FERRARI-CARANO

Healdsburg

★☆

Don et Rhonda Carano ont vendu leur casino de Reno pour acheter 200 ha de vignobles à Sonoma en 1981. Leurs vins de style italien sont toujours excellents.

✓ *fumé blanc* (surtout Reserve) • *merlot* • *Reserve red* (genre bordeaux rouge) • *siena* (assemblage rouge classique) • *syrah* • *zinfandel*

FIELD STONE WINERY

Healdsburg

☆V

Vins frais et fruités mésestimés.

✓ *cabernet sauvignon* • *petite sirah*

FISHER VINEYARDS

Santa Rosa

Avec deux vignobles de coteau, dans les monts Macayamas et dans Napa Valley, Fred Fisher a toujours élaboré quelques vins de grande qualité, notamment de cabernet sauvignon.

✓ *cabernet sauvignon* (Coach Insigna, Lamb Vineyard, Wedding Vineyard) • *chardonnay* (Whitney's Vineyard) • *merlot* (RCF Vineyard)

FOPPIANO VINEYARDS

Healdsburg

☆

Après une période de production irrégulière, cette entreprise familiale élabore de nouveau des vins de cépage aux flaveurs profondes. Sa deuxième étiquette est « Riverside Vineyard ».

✓ *petite sirah* (Reserve)

FRITZ CELLARS

Cloverdale

★

Plus connu pour son chardonnay et son sauvignon, c'est son zinfandel intense et d'une longévité extraordinaire qui m'a passionné.

✓ *zinfandel* (80 Year Old Vines)

GEYSER PEAK WINERY

Geyserville

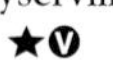

La firme australienne Penfolds a possédé 50% de cette entreprise de 1989 à 1992, mais elle a revendu ses parts à son associé, la famille Trione. Le vinificateur australien Daryl Groom est resté et ne l'a jamais regretté. Il élabore des vins dont la qualité est toujours excellente.

✓ *cabernet sauvignon* (Reserve) • *Reserve* (genre bordeaux rouge) • *semchard* (blanc d'assemblage classique) • *shiraz* • *Soft Johannisberg Riesling*

GLEN ELLEN WINERY

Glen Ellen

?

Benzinger a vendu cette entreprise à Heublein (un groupe qui possède aussi Beaulieu à Napa Valley). La qualité des vins s'en est ressentie, mais certains présentent parfois un bon rapport qualité/prix.

GLORIA FERRER

Sonoma

☆

Entreprise créée en 1982 par Freixenet, le géant du mousseux espagnol Cava, et à laquelle son président, José Ferrer, a donné le nom de sa femme. Gloria Ferrer a vite mis sur le marché un NV brut de qualité acceptable, mais guère passionnant, et des mousseux millésimés excellents comme le Carneros Cuvée 1985. Le NV brut a maintenant rejoint Cordonui – un autre Espagnol – au deuxième rang des mousseux californiens, derrière Piper Sonoma (de la maison champenoise Piper-Heidsieck).

✓ *NV brut*

GUNDLACH-BUNDSCHU WINERY

Sonoma

★

Cabernet et zinfandel de grande qualité produits par la cinquième génération des Gundlach. L'entreprise me paraît prometteuse pour d'autres vins de cépage.

✓ *cabernet sauvignon* (Rhinefarm Vineyard) • *zinfandel* (Rhinefarm Vineyard)

HACIENDA WINERY

Sonoma

Comprenant une partie du vignoble de Buena Vista créé autrefois par Haraszthy, l'Hacienda Winery a été cédée en 1993 à la Bronco Wine Company qui possède aussi Forest Glen, Grand Cru, Laurier, Napa Creek et Rutherford Vintners. *Voir* aussi Laurier.

✓ *chardonnay* (Claire de Lune) • *Dry Chenin Blanc*

HANZELL VINEYARDS

Sonoma

C'est James Zellerbach, le fondateur de cette petite entreprise, qui a révolutionné l'industrie vinicole de Californie en 1957 quand il a élevé son vin de chardonnay dans des barriques en chêne français qu'il avait fait venir de Bourgogne.

✓ *chardonnay* • *pinot noir*

HARTFORD COURT
Sonoma

★☆

Une des entreprises faisant partie du groupe Kendal-Jackson « Artisans & Estates ». On y fait des pinots noirs et des chardonnays dans le style à la mode et un zinfandel monumental et boisé qui ne peut passer inaperçu.

✓ *chardonnay* (Arrendell Vineyard) • *pinot noir* (Arrendell Vineyard) • *zinfandel* (Hartford Vineyard)

HOP KILN WINERY
Healdsburg

L'entreprise loge dans la touraille (où l'on faisait autrefois sécher le houblon et où loge), classée monument historique. Ses meilleurs vins sont les rouges voluptueux et fruités, à la robe profonde.

✓ *petite sirah* • *zinfandel* (Primitivo)

ROBERT HUNTER
Sonoma

☆

Robert Hunter doit à son ami Dan Duckhorn l'idée d'utiliser le pinot noir qu'il cultive pour élaborer du vin effervescent.

✓ *Vintage Brut de Noirs*

IRON HORSE VINEYARDS
Sebastopol

★☆

Cette entreprise a pris le nom de « Iron Horse » qui fut autrefois celui de l'unique station de chemin de fer de la Green Valley de Sonoma. Son second vin porte le nom d'une locomotive, « Tin Pony ». J'ai toujours pensé que son mousseux était admirablement fruité pour un vin élaboré par seconde fermentation en bouteilles, mais il peut être trop austère quand on le boit sans l'encaver un certain temps. Il ressemble en cela au Roederer californien. Tout a changé, comme chez Roederer, avec le vintage blanc de blancs de 1987 qui était beaucoup plus fin que toute autre cuvée des années précédentes. Le blanc de blancs millésimé d'Iron Horse est resté jusqu'à aujourd'hui le plus complexe de toute la Californie. Tous les mousseux de cette entreprise devraient attendre au moins dix-huit mois après l'achat pour être consommés, à l'exception du vintage rosé, un vin à la belle robe couleur fraise, vif, fruité et très désaltérant, qu'il faut boire le plus vite possible. Ne manquez pas le nouveau Prestige Cuvée, produit en association avec la maison champenoise Laurent-Perrier.

JORDAN
Healdsburg

★☆

Le cabernet sauvignon, riche et complexe, a toujours été le meilleur vin de Jordan jusqu'au lancement du vin effervescent étiqueté « J ». Le premier millésime avait des notes inopportunes de térébenthine qui avaient disparu dans le millésime 1990, mais c'est à partir du millésime 1991, d'une élégance étonnante, que le « J » est devenu véritablement d'une classe internationale. Jordan possède maintenant Piper Sonoma.

✓ *cabernet sauvignon* • *Sparkling* (« J »)

KENWOOD VINEYARDS
Kenwood

★

Cette entreprise élabore des vins qui sont toujours concentrés, avec une bonne attaque.

✓ *cabernet sauvignon* (Jack London Vineyard) • *merlot* (Jack London Vineyard) • *sauvignon blanc* • *zinfandel* (Jack London, Mazzoni)

KISTLER VINEYARDS
Trenton

Mark Bixler et Steve Kistler sont des spécialistes du chardonnay issu d'un seul vignoble. Ils font maintenant un pinot qui est un chef-d'œuvre.

✓ *chardonnay* (surtout les cuvées issues d'un seul vignoble) • *pinot noir* (surtout les cuvées issues d'un seul vignoble)

KORBEL CHAMPAGNE CELLARS
Guerneville

En tête des mousseux de Californie pour consommateurs peu fortunés.

KUNDE ESTATE
Kenwood

Entreprise créée par un groupe de viticulteurs importants de Sonoma qui voulaient produire eux-mêmes leurs vins. Commercialisés à partir de 1990, ils ont été bien accueillis par la critique et les consommateurs.

✓ *cabernet sauvignon* (Reserve) • *chardonnay* (Kinneybrook, Wildwood) • *sauvignon blanc* (Magnolia Lane) • *viognier* • *zinfandel* (Century Vines)

LANDMARK VINEYARDS
Windsor

☆

Surtout réputé pour un chardonnay beaucoup plus gras, plus riche et plus complexe qu'autrefois, Landmark est en train de se faire connaître comme producteur d'un bon pinot noir.

✓ *chardonnay* (notamment Reserve) • *pinot noir*

LAUREL GLEN VINEYARD
Glen Ellen

★☆

Laurel Glen jouit d'une excellente réputation pour son cabernet sauvignon succulent. Des vins moins chers sont commercialisés sous les étiquettes « Counterpoint » et « Terra Rosa », la première pour des vins de moins bonne qualité issus du vignoble de l'entreprise, la seconde pour des vins plus amples et plus complexes faits avec du raisin acheté à d'autres viticulteurs.

✓ *cabernet sauvignon* • *terra rosa* (genre bordeaux rouge)

LAURIER
Forestville

Autrefois appelé Domaine Laurier, avec un petit vignoble de seulement 12 ha, c'est maintenant une marque appartenant à la Bronco Wine Company qui possède aussi d'autres entreprises (*voir* Hacienda Winery). Laurier fait des vins de pinot chardonnay et de pinot noir apparemment excellents mais que je n'ai pas dégustés récemment.

LYETH WINERY
Geyserville

Cette entreprise était pleine d'intérêt dans les années 1980. Mais, après la mort de son créateur dans un accident d'avion en 1988, elle fut vendue et appartient maintenant au négociant bourguignon Boisset. Christophe est la seconde étiquette.

✓ *Lyeth* (genre bordeaux rouges et blancs)

MARIETTA CELLARS
Healdsburg

★

Chris Bilbro élabore lui-même les vins de cette entreprise qu'il a créée après avoir vendu ses parts de la Bandeira Winery qu'il avait fondée quand il dirigeait l'hôpital municipal de Sonoma. Il s'est fait une bonne réputation avec un merlot voluptueux et d'autre vins présentant un bon rapport qualité/prix.

✓ *cabernet sauvignon* • *merlot* • *Old Vine Red lot 18* (un rouge classique) • *petite sirah* • *zinfandel* (Cuvée Angeli)

MARTINELLI VINEYARDS
Fulton

★

Viticulteurs d'expérience, les Martinelli décidèrent au début des années 1990 de vinifier eux-mêmes leur raisin. Avec l'aide de Helen Turley, ils élaborent des vins très savoureux.

✓ *chardonnay* • *pinot noir* • *zinfandel*

MATANZAS CREEK WINERY
Santa Rosa

★

Petite production d'excellents vins, riches, fruités, ayant une bonne acidité.

✓ *chardonnay* • *merlot* • *sauvignon blanc*

PETER MICHAEL WINERY
Calistoga

★☆

Sir Peter Michael, un Anglais ayant choisi de vivre en Californie, s'est vite fait un nom avec des vins de qualité ayant du caractère. Sans lésiner sur les investissements, il a adapté les techniques du Nouveau Monde aux méthodes les plus traditionnelles. La climatisation est essentielle en Californie et il a équipé ses chais d'un système de régulation de l'humidité piloté par ordinateur qui a réduit à presque rien l'évaporation du vin logé en barriques neuves. Ses vins de style nettement californien ont aussi les qualités typiques des bons vins français dont celles d'être suffisamment discrets pour être servis avec les repas et de révéler dans le verre toute leur finesse et leur complexité.

✓ *chardonnay* (Clos du Ciel et Monplaisir pour l'élégance, Cuvée Indigènie et Cuvée Pointe Rouge pour la puissance) • *Les Pavots* (genre bordeaux rouge) • *L'Après-Midi* (sauvignon blanc)

MICHEL-SCHLUMBERGER
Healdsburg

Entreprise créée par le Suisse Jean-Pierre Michel, naguère appelée « Domaine Michel Winery », maintenant exploitée avec le concours de la famille alsacienne Schlumberger.

NALLE
Healdsburg

★☆

Doug Nalle était vinificateur de Quivira quand il commença en 1984 à faire du zinfandel sous son propre nom. Il ne possède pas de vignoble mais achète le raisin de parcelles à faible rendement situées sur des coteaux ou dans la montagne. Son vin est en tout point exemplaire.

✓ *zinfandel*

PELLEGRINI FAMILY VINEYARDS
South San Francisco

Ce domaine produit un barbera délicieux aux flaveurs intenses et un excellent carignan très fruité avec des notes boisées.

✓ *barbera* • *carignan*

PIPER SONOMA
Windsor

❷

Le champagne Piper-Heidsieck s'est associé à Sonoma Vineyards pour créer cette entreprise et resta propriétaire de la marque quand Jordan racheta les installations. Les vins eurent d'abord une curieuse odeur résineuse, mais ils devinrent bien meilleurs vers la fin de la décennie, puis frais et vifs au début des années 1990. Le Piper Sonoma est sans doute aujourd'hui le meilleur brut NV de la Californie. Il faudra quelques années avant que l'on sache si les mousseux Piper Sonoma conserveront la même qualité avec la nouvelle organisation puisqu'ils continuent à être élaborés dans les installations qui appartiennent maintenant à Jordan.

✓ *Blanc de Noirs* • *NV brut* • *Tête de Cuvée*

PRESTON VINEYARDS
Healdsburg

★

Ce vignoble de l'AVA Dry Creek Valley est complanté avec une étonnante collection de bons cépages dont on tire des vins de grande qualité.

✓ *barbera* • *Cuvée de Fumé* • *Faux Castel* (rouge genre côtes-du-rhône) • *sirah-syrah* • *zinfandel*

QUIVIRA
Healdsburg

★

Cette entreprise innovatrice a été créée en 1981 par Henry et Holly Wendt qui lui ont donné le nom du royaume américain légendaire que les Européens ont vainement cherché pendant deux siècles. Faute de le découvrir, les pionniers ont appelé « Quivira » la partie du nord de la Californie qui fut rebaptisée Sonoma par la suite. Les Wendt se sont faits connaître pour leur zinfandel qui est resté le meilleur vin de l'entreprise. Maintenant sous la houlette de Doug Wendt, Quivira produit aussi d'autres excellents vins de cépage et, depuis 1992, des vins de style côtes-du-rhône qui comptent parmi les meilleurs de Californie.

✓ *Dry Creek Cuvée* (rouge genre côtes-du-rhône) • *sauvignon blanc* • *zinfandel*

RABBIT RIDGE
Healdsburg

★Ⓥ

Erich Russell, qui devint vinificateur de Belvedere en 1988, est co-propriétaire de cette entreprise qui produit une gamme étonnante de délicieux vins fruités à prix modérés. Clairveaux et Meadow Glen sont ses secondes étiquettes.

✓ *Allure* (rouge genre côtes-du-rhône) • *chardonnay* • *Mystique* (genre bordeaux blanc) • *zinfandel*

A. RAFANELLI
Healdsburg

★

On a toujours dit que les vins d'Americo Rafanelli, mort en 1987, étaient faits comme dans le passé. Il aurait été fier de ceux, puissants et charnus, qu'élabore son fils David avec le raisin de son petit vignoble de coteau non irrigué.

✓ *zinfandel*

RAVENSWOOD
Sonoma

★★

Joel Peterson est un maître quand il s'agit de faire un zinfandel massif. Il fait partie des vignerons dont les parcelles à flanc de coteau ont un rendement si bas que leurs vins sont concentrés au point qu'ils ne peuvent être bus tels quels. Son assemblage à base de zinfandel est sensationnel. Il ne faut pas négliger pour autant ses vins de cépage de grande classe.

✓ *cabernet sauvignon* (Gregory) • *chardonnay* (Sangiacomo) • *merlot* • *Pickberry* (genre bordeaux rouge) • *zinfandel* (notamment Old Hill)

J. ROCHIOLI VINEYARDS
Healdsburg

★☆

La famille Rochioli exploite ce vignoble depuis les années 1930 mais ne s'est équipée pour élaborer elle-même ses vins qu'en 1984. La gamme de ses excellents vins séduisants mis en bouteilles au domaine est étendue.

✓ *cabernet sauvignon* (Reserve) • *chardonnay* (surtout Reserve, Allen Vineyard, South River Vineyard) • *pinot noir* (surtout East Block, Little Hill Block) • *sauvignon blanc* (Reserve)

ST. FRANCIS VINEYARD
Kenwood

★☆Ⓥ

Située en face de Château St. Jean, de l'autre côté de la route, cette entreprise, qui n'a pas la réputation qu'elle mérite, appartient à Joseph Martin et Lloyd Canton. Quelques-uns des vins qu'ils y produisent sont admirables, toujours intenses et rarement chers.

✓ *cabernet sauvignon* (Reserve) • *chardonnay* (surtout Reserve) • *merlot* (Reserve) • *muscat canelli* (Late Harvest) • *zinfandel* (Old Vines)

SEBASTIANI
Sonoma

❓Ⓥ

Il faut bien dire que les vins de Sebastiani sont bon marché, mais si quelques-uns représentent de véritables affaires, leur qualité est irrégulière. Je recommande les vins avec cette réserve. Autres étiquettes : Pepperwood Grove, Talus, August Sebastiani, Vendange et Richard Cueno (*voir* ce nom).

✓ *cabernet franc* (étiquette Sebastiani) • *cabernet sauvignon* • *gewurztraminer* • *muscat* • *zinfandel*

SIMI WINERY
Healdsburg

★

Vins d'une qualité qui s'améliore chaque année. Ils sont d'un style 110% californien : puissants, débordant d'un fruit mûr, mais, curieusement, ils ne manquent jamais d'élégance.

✓ *cabernet sauvignon* (Reserve) • *chardonnay* • *chenin blanc* • *rosé* (de cabernet sauvignon) • *sendal* (genre bordeaux blanc)

SONOMA-CUTRER VINEYARDS
Windsor

★

Cette entreprise, spécialisée dans l'élaboration des vins de chardonnay, en fait trois de bonne qualité, de styles totalement différents. Parmi ceux-ci, Les Pierres s'est toujours révélé le meilleur.

✓ *chardonnay* (Les Pierres)

SONOMA-LOEB
Geyserville

☆

Ce domaine appartient à John Loeb, ancien ambassadeur des États-Unis au Danemark. Il exploite le vignoble depuis le début des années 1970, mais n'a commencé à faire son vin et à le vendre sous sa propre étiquette qu'en 1988.

✓ *chardonnay* (Private Reserve)

ROBERT STEMMLER
Sonoma

Robert Stemmler produisait autrefois une large gamme de vins dans sa propre entreprise de Healdsburg. Le pinot noir qui a fait sa réputation est le seul portant aujourd'hui une étiquette à son nom. Cette marque a été vendue à Buena Vista qui élabore le vin et le commercialise.

✓ *pinot noir*

STONESTREET
Healdsburg

★☆

Une des entreprises affiliées au groupe Kendal-Jackson « Artisans & Estates », Stonestreet produit un bon chardonnay, un sauvignon brillant, un cabernet sauvignon et un merlot somptueux, et se dépasse avec un vin d'assemblage de style bordeaux rouge absolument superbe.

✓ *cabernet sauvignon* • *legacy* (genre bordeaux rouge) • *merlot* • *sauvignon blanc* (Alexander Mountain)

RODNEY STRONG VINEYARDS
Windsor

★

Il arrive à Rodney Strong Vineyards de produire des vins de cabernet sauvignon riches et de chardonnay agréablement souples, mais manquant de caractère. Un sauvignon frais et gouleyant s'est révélé être son meilleur vin.

✓ *sauvignon blanc* (Charlotte's Home Vineyard)

JOSEPH SWAN VINEYARDS
Forestville

Entreprise dirigée depuis la mort de Joseph Swan par Rod Berglund, lequel continue la quête du zinfandel ultime commencée par son beau-père.

✓ *zinfandel* (Stellwagen Vineyard, Zeigler Vineyard)

TOPOLOS RUSSIAN RIVER VINEYARDS
North Forestville

Parmi les vins un peu rustiques que Topolos fait avec le raisin de vignes proches de l'entreprise et celui de vignobles de l'AVA Sonoma Mountain, on découvre parfois un véritable joyau.

✓ *Alicante bouschet* • *petite sirah* (Rossi Ranch)

MARIMAR TORRES VINEYARDS
Sebastopol

★

Miguel Torres a complanté le vignoble de sa sœur de chardonnay et de pinot noir et y a ajouté une parcelle expérimentale de 1/2 ha de parellada (qui n'est pas un de mes cépages favoris – heureusement Marimar Torres va l'arracher et le remplacer avec un cépage catalan plus noble comme le tempranillo). La densité de plantation est quatre fois supérieure à la norme de Californie, aussi les pieds de vigne se gênent-ils et leur rendement est faible, encore que le rendement à l'hectare reste le même. L'avantage est qu'on obtient un raisin de bien meilleure qualité. Le vin de chardonnay est bon, mais cette forte densité convient mieux au pinot noir donnant un vin dont le fruit soyeux, la finesse et la longévité sont presque inconnus ailleurs en Californie.

✓ *chardonnay* • *pinot noir*

TRENTADUE WINERY
Geyserville

☆Ⓥ

Cette entreprise produit un beau choix de vins de cépage d'un excellent rapport qualité/prix qui sont rarement filtrés, s'ils le sont jamais.

✓ *carignan* • *merlot port* • *Old Patch* (genre côtes-du-rhône) • *petite sirah* • *sangiovese*

VIANSA
Sonoma

☆

Entreprise logée dans de beaux bâtiments de style toscan, créée en 1990 seulement, mais produisant déjà des vins dignes d'intérêt.

✓ *sangiovese* • *Thalia* (rouge d'assemblage classique)

WILLIAMS-SELYEM
Fulton

★

Cette entreprise a été créée en 1981 par Burt Williams et Ed Selyem qui se sont fait depuis une excellente réputation avec une petite production de vins admirablement équilibrés et très fins.

✓ *chardonnay* (Allen Vineyard) • *pinot noir* (notamment Allen Vineyard, Rochioli Vineyard) • *zinfandel* (Leo Martinelli Vineyard)

COMTÉ DE NAPA

Napa est le cœur et l'âme de la viticulture californienne. On y trouve une plus forte concentration de vignobles et un plus grand nombre de producteurs que dans tout autre comté et on y fait plus de vin de qualité que dans le reste du continent nord-américain.

On a peine à croire que les premières vignes furent plantées dans la vallée de la Napa bien après celles de Sonoma (treize ans exactement). Le premier vignoble fut créé ici en 1838 par un trappeur de Caroline-du-Nord, George Young, qui avait acquis quelques ceps du cépage mission que le général Mariano Vallejo cultivait dans son vignoble de Sonoma, et les avait replantés près de sa cabane, à quelque trois kilomètres de la ville actuelle de Yountville. Sa seule ambition était de faire un peu de vin pour sa consommation personnelle et il ne pouvait se douter que toute la vallée de la Napa serait un jour submergée par un océan de vignes. La sixième année, il récolta assez de raisin pour faire neuf cents litres de vin. D'autres pionniers l'imitèrent et le nombre de vignoble ne cessa de croître. En 1859, un ancien mormon devenu millionnaire, Samuel Brannan, acheta 8 km² de terres fertiles et y planta des boutures de divers cépages qu'il avait rassemblées lors de ses voyages en Europe. Vingt ans plus tard, les vignobles du comté couvraient plus de 7 300 ha, soit plus de la moitié de la surface viticole actuelle et plus du double de celle du comté de Mendocino. La réputation vinicole de Napa Valley s'est répandue de nos jours dans le monde entier. Ses vins, notamment de chardonnay et de cabernet sauvignon, sont les plus estimés sur le continent nord-américain, et ils ont créé la sensation lors de dégustations comparatives organisées en Europe.

VIGNOBLES DE NAPA
Dans la plus renommée des régions vinicoles de Californie, les vignobles occupent surtout le fond fertile des vallées, mais ils sont de plus en plus nombreux à escalader les flancs, là même où les pionniers plantèrent leurs vignes.

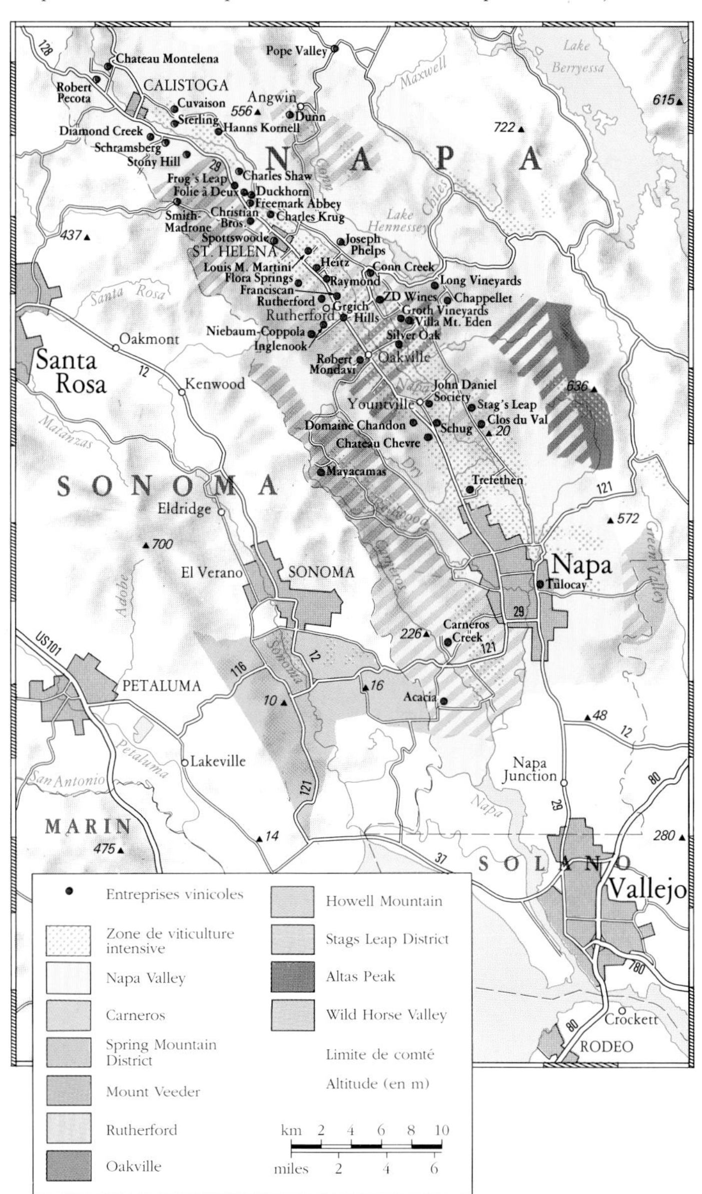

LE COMTÉ DE NAPA, voir aussi p. 448
La zone de viticulture intensive de cette région illustre forme un long ruban qui se confond parfois avec des appellations du comté de Napa ou en est proche. Les entreprises les plus célèbres jalonnent La route 29.

FACTEURS DU GOÛT ET DE LA QUALITÉ

EMPLACEMENT
La Napa prend sa source au mont Santa-Helena, parcourt toute la vallée et débouche dans la baie de San Francisco à 54 kilomètres au sud-est. Le comté est bordé à l'ouest par Sonoma Valley et à l'est par le lac Berryessa.

CLIMAT
Le climat est varié : frais (Région I, *voir* p. 448) dans la région proche de la baie, souvent brumeux à Carneros, chaud (Région III, *voir* p. 448) dans le nord de Napa Valley et dans Pope Valley.

SITES
La plupart des vignobles se trouvent sur le fond de la vallée, mais quelques-uns sont cultivés sur ses pentes. Le fond de la vallée a l'air presque plat, pourtant son altitude va de 5 m à Napa même à 70 m à Santa-Helena, au centre de la vallée, et s'élève à 122 m au nord, à Calistoga. L'après-midi, l'ombre des pentes boisées, à l'ouest, s'ajoute à l'influence modératrice de l'altitude. C'est pourquoi le versant occidental convient bien aux cépages blancs et l'oriental aux cépages rouges.

SOLS
Terrains argileux fertiles et limons argileux dans le sud de la région, limons graveleux mieux drainés et beaucoup moins fertiles dans le nord.

VITICULTURE ET VINIFICATION
On trouve dans la vallée toute la gamme des entreprises vinicoles, des petites exploitations familiales aux grandes entreprises utilisant les techniques les plus modernes, auxquelles s'ajoutent les micro-entreprises de style « boutique ». Celles-ci ont une petite production traditionnelle, souvent améliorée par le recours judicieux aux techniques modernes. Ce sont les grands vins des entreprises prestigieuses qui ont fait la réputation de Napa.

CÉPAGES PRINCIPAUX
Cabernet sauvignon, chardonnay, chenin blanc, merlot, pinot noir, sauvignon blanc, white riesling, zinfandel

CÉPAGES SECONDAIRES
Aleatico, alicante bouschet, barbera, black malvoisie, burger, cabernet franc, carignan, early burgundy, colombard, flora, folle blanche, gamay, gamay beaujolais, gewurztraminer, grey riesling, green hungarian, grenache, malbec, malvasia bianca, mataro, mission, muscat blanc, palomino, petite sirah, pinot blanc, pinot saint-georges, ruby cabernet, sauvignon vert, sémillon, sylvaner, syrah.

APPELLATIONS DU
COMTÉ DE NAPA

ATLAS PEAK AVA
Cette appellation comte 4 600 ha situés sur le mont Atlas Peak et alentours. Plus du quart du cépage italien sangiovese de Californie est cultivé ici.

CARNEROS AVA
Aussi connu que « Los Carneros », cette AVA s'étend sur les comtés de Napa et de Sonoma. *Voir aussi* Los Carneros, Sonoma.

HOWELL MOUNTAIN AVA
Le plateau relativement plat de Howell Mountain forme une sous-appellation de l'appellation Napa Valley. Son aire est de 57 km² et compte 81 ha de vignobles cultivés à des altitudes allant de 420 à 800 m. Les premières vignes y furent plantées en 1880. Le terroir de cette AVA convient bien au cabernet sauvignon, mais on y cultive aussi le zinfandel et le chardonnay qui donnent des vins de premier ordre.

MOUNT VEEDER AVA
Située sur les pentes orientées à l'est des monts Macayamas, cette appellation doit son nom au pic volcanique qui la domine. L'appellation Mount Veeder se trouve dans une région de collines où se sont réfugiés des vignerons qui trouvaient trop fertile le sol du fond de la vallée de la Napa. La brise fraîche de la baie de San Pablo et des brumes marines occasionnelles tempèrent le climat, ce qui protège la vigne des gelées. Le chardonnay et le cabernet sauvignon sont les cépages dominants. Le second donne des vins intenses dont la structure est complètement de celle des cabernets voluptueux du fond de la vallée.

NAPA COUNTY AO
Cette appellation, qui n'est pas une AVA, s'applique au raisin cultivé sur tout le territoire du comté.

NAPA VALLEY AVA
Cette appellation couvre toute la surface du comté de Napa à l'exception des alentours de Putah Creek et du lac Berryessa. L'AVA Napa Valley est longue de 40 km et large de 12 à 16 km. Elle est protégée par deux chaînes de montagnes parallèles. La plus grande partie des vignobles occupe le sol de la vallée, et ce, sans interruption de la ville de Napa à celle de Calistoga. La vigne a commencé à escalader les flancs de la vallée.

OAKVILLE AVA
Si l'AVA Rutherford a la plus grande concentration de vignobles célèbres pour leur cabernet sauvignon, l'AVA Oakville voisine est particulièrement renommée pour la diversité de sa production. On y fait de grands vins de cabernet sauvignon, de merlot et de chardonnay. Même le sauvignon peut être extraordinaire.

RUTHERFORD AVA
Un des noms les plus célèbres de Napa. Rutherford n'est pourtant devenue une AVA qu'en 1993. De nombreux viticulteurs craignaient en effet que diviser le cœur de Napa Valley en petites sous-appellations sans doute plus prestigieuses ne finisse par diluer la réputation de l'AVA générique Napa Valley. Elle compte plus de trente entreprises, y compris quelques-uns des plus célèbres vignobles, dont un grand nombre des meilleurs vignobles de cabernet sauvignon de Napa.

SANTA-HELENA AVA
Juste au nord de Rutherford, c'est la dernière AVA créée pour fragmenter la vallée en sous-appellations à l'instar de ce qui s'est fait il y a longtemps dans le Médoc.

SPRING MOUNTAIN DISTRICT AVA
Cette AVA devait s'appeler à l'origine « Spring Mountain », mais c'était déjà un nom de marque, aussi a-t-on adopté celui de « Spring Mountain District » pour éviter toute confusion. Elle est enclavée dans l'AVA Napa Valley, juste à l'ouest de Santa-Helena, sur le flanc oriental des monts Macayamas et s'étend sur 3 480 ha, dont seulement 800 ha environ sont couverts de vignes.

STAGS LEAP DISTRICT AVA
Il est bien étrange que Stags Leap puisse s'orthographier de trois manières : avec une apostrophe avant le « s » pour la célèbre Stag's Leap Wine Cellars ; avec une apostrophe après le « s » pour la Stags' Leap Winery ; moins connue et sans apostrophe dans l'AVA. Stag's Leap est devenue célèbre quand son cabernet sauvignon a devancé les plus grands bordeaux lors d'une dégustation à l'aveugle à Paris. Cette AVA rivalise avec celle de Rutherford comme étant la meilleure pour le cabernet sauvignon, mais elle produit de bons vins de petite sirah, d'excellents de merlot et d'époustouflants rouges de style bordeaux.

WILD HORSE VALLEY AVA
Bien que cette appellation soit rattachée à Napa, elle déborde des limites du comté. Sa partie la plus grande se trouve même sur Solano.

MEILLEURS PRODUCTEURS DU
COMTÉ DE NAPA

ABREU
Napa

?

Je n'ai pas l'expérience de ce cabernet sauvignon, mais Robert Parker a couvert de louanges les millésimes 1993, 1994 et 1995 qu'il a cotés 94 à 96 sur 100. Une telle appréciation par un personnage aussi célèbre mérite d'être confirmée plutôt qu'ignorée, aussi je me promets de goûter ces vins à la première occasion.

ACACIA WINERY NAPA
★½

Spécialiste des cépages bourguignons, Acacia fait un beau chardonnay avec une note épicée et un délicieux pinot noir débordant de cerises et de vanille.

✓ *chardonnay* (Marina Vineyard) • *pinot noir* (Carneros)

S. ANDERSON VINEYARD
Napa

★

Petite entreprise qui produit du chardonnay et du cabernet du district de Stags Leap, mais élabore également d'impressionnants mousseux par seconde fermentation en bouteilles.

✓ *cabernet sauvignon* (Richard Chambers Vineyard) • *sparkling* (Vintage Brut, Vintage Rosé)

ARAUJO ESTATE
Calistoga

★

Bart et Daphne Araujo possèdent maintenant ce vignoble réputé, au nord de Cuvaison. Le cabernet sauvignon y est d'une qualité superbe.

✓ *cabernet sauvignon* (Eisele Vineyard) • *syrah* (Eisele Vineyard)

ATLAS PEAK
Atlas Peak

★

Cette entreprise passionnante bénéficie des gros moyens du groupe Allied-Hiram Walker (qui possède aussi Clos du Bois et William Hill) et de l'assistance technique fournie par le champagne Bollinger et d'Antinori, le célèbre producteur de chianti.

✓ *Consenso* • *sangiovese*

BARNETT VINEYARDS
Santa-Helena

★½

Des vins de cabernet sauvignon délicieux et très élégants.

✓ *cabernet sauvignon*

BEAUCANON
Santa-Helena

Le meilleur achat est le merlot bien structuré, mais il y a aussi d'intéressantes curiosités comme le chardonnay 1990 de vendanges tardives.

✓ *merlot*

BEAULIEU VINEYARD
Rutherford

Fut le centre de l'innovation en Californie sous la direction du légendaire André Tchelistcheff.

✓ *cabernet sauvignon* (Georges de Latour)

BERLINGER VINEYARDS
Santa-Helena

★★

Bien que les vins de Berlinger comptent indiscutablement parmi les meilleurs de Californie, vous ne perdrez pas votre argent si vous êtes prêts à payer un peu plus pour les meilleures cuvées ou les vins issus d'un vignoble unique dont la qualité s'est envolée depuis le début de la décennie.

✓ *cabernet sauvignon* (surtout Chabot Vineyard et Private Reserve) • *chardonnay* (surtout Private Reserve et Sbragia Select) • *gamay beaujolais* • *alluvium* (rouge et blanc) • *merlot* (Bancroft Vineyard) • *sangiovese* (Knights Valley) • *syrah* • *viognier* (surtout Hudson Bay)

BIALÉ VINEYARD
Napa

❓

Lors d'un de mes voyages dans Napa Valley, un ami m'a fait goûter un vin étonnant, puissant, riche et glorieusement mûr, issu de vignes de soixante ans, qui avait survécu à la prohibition. Je me promets d'aller voir ce vignoble.

✓ *zinfandel* (Aldo's Vineyard)

BOUCHAINE VINEYARDS
Napa

★

Rarement mentionnés par la critique d'outre-Atlantique, le pinot noir et le chardonnay de Bouchaine sont sans doute trop discrets et trop élégants pour convenir aux palais américains, mais leur pureté et leur finesse devraient plaire aux Européens.

✓ *pinot noir*

BUEHLER VINEYARDS INC.
Santa-Helena

Ce domaine produit de nouveau un cabernet sauvignon dont l'ampleur et la qualité rappellent celles du vin légendaire d'autrefois.

✓ *cabernet sauvignon*

BURGESS CELLARS
Santa-Helena

★

Le vinificateur Bill Sorenson élabore souvent des vins corpulents et boisés de belle qualité.

✓ *chardonnay* (Triere Vineyard) • *zinfandel*

CAIN CELLARS
Santa-Helena

★

Vins intéressants, innovateurs et bien faits.

✓ *Cain Five* (genre bordeaux rouge) • *merlot* • *sauvignon musqué*

CAKEBREAD CELLARS
Rutherford

Réputé pour son beau zinfandel épicé, Bruce Cakebread fait aussi un sauvignon délicieux.

✓ *sauvignon blanc* • *zinfandel* (Howell Mountain)

CARNEROS CREEK WINERY
Napa

★

Carneros Creek a eu un passage à vide au début des années 1980, mais a retrouvé la forme à la fin de la décennie et produit aujourd'hui quelques vins délicieux.

✓ *pinot noir* (Signature)

CAYMUS VINEYARDS
Rutherford

★★

Entreprise haut de gamme produisant une série étonnante de vins de cabernet sauvignon. Sa seconde étiquette est « Liberty School ».

✓ *cabernet sauvignon* (surtout Special Selection) • *Conundrum* (blanc d'assemblage classique) • *sauvignon blanc*

CHAPPELLET VINEYARD
Santa-Helena

★½

Excellente entreprise qui produit toute une gamme de vins d'une grande finesse soigneusement élaborés.

✓ *cabernet sauvignon* • *chardonnay* • *chenin blanc* • *johannisberg riesling* • *merlot*

CHÂTEAU MONTELENA WINERY
Calistoga

★

Le style de cette petite entreprise prestigieuse a changé au cours des années mais ses vins, notamment le cabernet, ont toujours été de grande qualité.

✓ *cabernet sauvignon* • *chardonnay* • *johannisberg riesling* (Potter Valley) • *zinfandel*

CHÂTEAU POTELLE
Mount Veeder

½

Entreprise créée en 1985 par un couple de Bordelais. Elle est en fait surtout connue pour son excellent chardonnay à évolution très lente.

✓ *cabernet sauvignon* • *chardonnay* • *zinfandel*

CHIMNEY ROCK
Napa

½

Vers 1980, Hack Wilson, ancien cadre de Pepsi-Cola et ancien président de la brasserie Rheingold, acheta le golf de Chimney Rock, défonça neuf trous au bulldozer et planta un vignoble.

✓ *Elevage* (genre bordeaux rouge) • *fumé blanc*

CLOS DU VAL
Napa

★½

Jean Goelet est le propriétaire, Bernard Portet le directeur-vinificateur. Goelet possède aussi Taltarni, en Australie, dont son frère Dominique est le directeur.

✓ *cabernet sauvignon* (Reserve) • *chardonnay* (Carneros) • *merlot* • *zinfandel* (District de Stags Leap)

CLOS PÉGASE
Calistoga

★

Un chêne discret, un fruit voluptueux et des vins d'une certaine élégance.

✓ *cabernet sauvignon* • *chardonnay* • *Hommage* (genre bordeaux rouge) • *merlot*

CODORNÌU NAPA
Napa

½

À Carneros, isolé à flanc de coteau dans ce qui ressemble à un bunker, le géant du mousseux espagnol Cava, Codornìu, après des débuts difficiles, fait maintenant un vin effervescent admirable.

✓ *NV Brut* • *Vintage Carneros Cuvée*

COLGIN-SCHRADER CELLARS
Napa

❓

Je n'ai pas dégusté les vins de ce nouveau venu, mais j'ai entendu dire que le cabernet sauvignon de Herb Land Vineyard, sur le mont Howell, pourrait bien compter parmi les plus grands vins de Napa.

CONN CREEK WINERY
Santa-Helena

Appartenant à Stimson Lane, qui possède aussi Château Sainte-Michelle, Columbia Crest et Villa Mount Eden, l'entreprise Conn Creek s'est surtout fait connaître avec un cabernet sauvignon souple et fruité.

✓ *cabernet sauvignon* • *Triomphe* (genre bordeaux rouge)

CONN VALLEY
Santa-Helena

★½

Créée en 1988, cette entreprise impressionnante produit une brochette de vins spectaculaires.

✓ *cabernet sauvignon* • *chardonnay* • *pinot noir* (Valhalla Vineyard)

CORISON
Santa-Helena

★½

Après avoir vinifié les vins de Chappellet pendant dix ans, Cathy Corison décida de voler de ses propres ailes et ne l'a jamais regretté. Elle achète les meilleurs raisins de Napa Valley dont elle tire des vins de cabernet sauvignon souples et généreux, d'une longévité surprenante.

✓ *cabernet sauvignon*

COSENTINO
Yountville

½

Cette entreprise de Modesto (Central Valley) s'est installée à l'endroit où Mitch Cosentino fait des vins au fruit et au chêne exubérants. Il faut tous les goûter au moins une fois.

✓ *The Poet Meritage* (genre bordeaux rouge) • *The Zin*

CRICHTON HALL
Rutherford

½

Crichton Hall est surtout connu pour son chardonnay nerveux aux nuances de pain grillé, mais il fait aussi un bon merlot et un pinot noir sérieux et de garde.

✓ *chardonnay* • *merlot* • *pinot noir*

CUVAISON
Calistoga

Des rouges meilleurs que les blancs dans cette entreprise suisse.

✓ *merlot*

DALLA VALLE
Oakville

★½

Un grand cabernet en plus d'un vin d'assemblage à base de cabernet véritablement héroïque.

✓ *cabernet sauvignon* • *Maya*

DIAMOND CREEK VINEYARD
Calistoga

★½

Petite entreprise spécialisée dans les vins de cabernet sauvignon d'une longévité étonnante.

✓ *cabernet sauvignon* (Red Rock Terrace, Lake Vineyard, Gravelly Meadow, Volcanic Hill)

DOMAINE CARNEROS
Napa

★

La façade toute neuve est à l'image de celle du château de la Marquetterie que Taittinger possède en Champagne. La première vendange eut lieu en 1987 et les deux premiers vins furent parmi les pires jamais faits en Californie par une entreprise française. Ils comptent maintenant parmi les meilleurs.

✓ *Vintage Blanc de Blancs* • *Bintage Brut*

DOMAINE CHANDON
Yountville

★

Entreprise créée avec des capitaux français et la bénédiction du champagne Moët & Chandon, qui a donné le coup d'envoi de l'industrie du mousseux californien. Avant elle, il n'existait qu'un producteur sérieux : Schramsberg.

✓ *Reserve* • *Rosé Brut*

DOMINUS
Yountville

★½

Christian Moueix du célèbre Château Pétrus et ses associées américaines, les filles de John Daniel, produisent au vignoble historique de Napanook le Dominus, un vin d'assemblage impérial de style bordeaux, au sommet depuis le millésime 1990.

✓ *Dominus*

DUCKHORN VINEYARDS
Santa-Helena

★½

Des vins superbes, sombres et tanniques, qui font l'objet d'un véritable culte.

✓ *cabernet sauvignon* • *merlot* (Three Palms) • *sauvignon blanc*

DUNN VINEYARDS
Angwin

★½

Randy Dunn fait une petite quantité d'un cabernet sauvignon haut de gamme issu de son vignoble de Howell Mountain.

✓ *cabernet sauvignon*

DUNNEWOOD
Santa-Helena

Très grosse entreprise qui vend des vins de cépage de consommation courante un peu plus cotés que ceux de la compagnie jumelle Almadén (sous le contrôle de Canandaigua, qui possède aussi Inglenook et Cooks).

ELYSE
Napa

★½

J'ai goûté ces vins la première fois à Londres en 1955, quand Bibendum les a présentés à la dégustation annuelle des vins californiens. La richesse de leur fruit ainsi que leur puissance expressive m'ont stupéfait.

✓ *cabernet sauvignon* (Morisoli Vineyard) • *Nero Misto* (rouge d'assemblage classique) • *zinfandel* (Howell Mountain)

ETUDE
Oakville

★

Entreprise appartenant à Tony Soter, un des grands experts de Napa qui conseille notamment Araujo, Dalla Valle, Moraga, Niebaum-Coppola et Spottswoode et bien d'autres. Il élabore ici, avec du raisin acheté à des viticulteurs sélectionnés, des vins modernes, succulents et admirablement équilibrés.

✓ *cabernet sauvignon* • *pinot blanc* • *pinot gris* • *pinot meunier* • *pinot noir*

FAR NIENTE

Entreprise relancée après la prohibition, qui s'est fait connaître dans les années 1980 grâce un chardonnay bon, mais parfois démesuré. Le cabernet sauvignon est plus régulier et plus élégant.

✓ *cabernet sauvignon* • *Dolce*

FLORA SPRINGS
Santa-Helena

Un trio passionnant : un merlot avec deux cabernets, un sauvignon et un chardonnay vinifié en barriques et mis en bouteilles sur lie.

✓ *cabernet sauvignon* (Reserve) • *chardonnay* (Barrel Fermented) • *sangiovese* • *Soliloquy* (sauvignon blanc) • *Trilogy* (genre bordeaux rouge)

FORMAN VINEYARDS
Santa-Helena

½

Rick Forman, autrefois chez Sterling Vineyard, a créé cette petite entreprise en 1983. Il tire de son vignoble, cultivé sur des graves profondes de dix-sept mètres, un cabernet classique et pourtant opulent.

✓ *cabernet sauvignon* • *chardonnay* • *grenache* (La Grande Roche)

FRANCISCAN VINEYARDS
Rutherford

★½

Produit avec régularité depuis le milieu des années 1980, des vins tendres, élégants, de très grande qualité. Autres étiquettes : Estancia (chardonnay gras et floral, cabernet d'abord facile et meritage en progrès) ; Mount Veeder (chardonnay et cabernet intenses et bien boisés) ; Pinnacles (pinot noir léger, gouleyant, et bon chardonnay aux notes de pain grillé).

✓ *chardonnay, Magnificent Meritage, merlot, zinfandel* (Oakville Estate)

FREEMARK ABBEY
Santa-Helena

★

Un peu passé de mode, Freemark Abbey continue à produire des vins admirablement équilibrés.

✓ *cabernet sauvignon* (Bosché, Sycamore Vineyards) • *chardonnay* (Carpy Ranch) • *edelwein gold* (Late Harvest Johannisberg Riesling)

FROG'S LEAP WINERY
Santa-Helena

★

Vins « biologiques » très fins, élaborés par Larry Turley pour les propriétaires de l'entreprise, John et Julie Williams.

✓ *cabernet sauvignon* • *chardonnay* • *sauvignon blanc* • *zinfandel*

GIRARD WINERY
Oakville

★½

Vins souples, de grande qualité et de facture moderne, avec un chêne qui fut autrefois un peu trop présent, mais aujourd'hui bien intégré. Le chenin blanc de Girard est l'un des meilleurs de Californie.

✓ *cabernet sauvignon* (surtout Reserve) • *chardonnay* (Reserve) • *Dry Chenin Blanc*

GRACE FAMILY VINEYARDS
Santa-Helena

★★

Cette petite propriété produit une quantité minuscule de cabernet sauvignon à la robe profonde, avec un fruit, un chêne et des goûts de terroir complexes et merveilleux. Son prix est astronomique.

✓ *cabernet sauvignon*

GREEN AND RED VINEYARD
Santa-Helena

Zinfandel bien structuré exigeant du temps en bouteille, issu d'un vignoble de coteau situé dans Chiles Valley, au sud-est de Howell Mountain.

✓ *zinfandel* (Mill Vineyard)

GRGICH HILLS CELLAR
Rutherford

★

Entreprise appartenant à Mike Grgich, qui fut le vinificateur de Château Montalena. Il y élabore des vins riches, intenses et vifs de très grande qualité.

✓ *cabernet sauvignon* • *chardonnay* • *fumé blanc* • *johannisberg riesling*

GROTH VINEYARDS
Oakville

?

Vins plus irréguliers qu'autrefois, mais Groth peut encore élaborer un cabernet sauvignon qui compte parmi les meilleurs de la Californie.

✓ *cabernet sauvignon* (Reserve)

HARLAN ESTATE
Napa

?

Je ne les ai pas goûtés, mais j'ai entendu dire que certains millésimes rouges de style bordeaux valent les plus grands vins de Napa.

HAVENS WINE CELLARS
Napa

★½

Depuis qu'il a créé cette entreprise en 1984, Mike Havens s'est forgé une réputation enviable avec son Merlot Reserve somptueux, mais il fait aussi un vin de syrah exemplaire et un magistral vin d'assemblage de style bordeaux rouge étiqueté « Bouriquot ».

✓ *bouriquot* (genre bordeaux rouge) • *merlot* (surtout Reserve) • *syrah*

HEITZ WINE CELLARS
Santa-Helena

?

J'aimerais bien savoir jusqu'à quel point le célèbre parfum d'eucalyptus qui émane des vins du vignoble de Martha, appartenant à Heitz, vient du trichloroanisole du chêne. Je me demande parfois s'il ne s'agit pas d'acide trichloracétique.

✓ *grignolino rosé*

THE HESS COLLECTION
Napa

★

David Hess, un collectionneur d'art d'origine suisse, fait des vins destinés à être bus et non collectionnés (bien qu'ils aient une bonne longévité).

✓ *cabernet sauvignon* (surtout Reserve) • *chardonnay* (Mount Veeder)

WILLIAM HILL WINERY
Napa

★

Cette entreprise appartient depuis 1994 au groupe anglais Allied-Hiram-Walker (qui possède aussi Atlas Peak et Clos du Bois) et bénéficie de l'expertise du vinificateur Jill Davies qui a déjà fait ici des merveilles après avoir redonné vie au célèbre domaine Buena Vista, à Sonoma.

✓ *merlot* • *sauvignon*

INGLENOOK VINEYARDS
Rutherford

Fondé en 1879 par Gustave Niebaum, hissé au premier rang des entreprises californiennes par son petit-neveu, John Daniels, Inglenook – les installations et le vignoble – fait maintenant partie du domaine Niebaum-Coppola après être passé entre les mains de Heublein puis celles de Canandaigua. On trouve sous cette étiquette une large gamme de vins à prix abordables.

JADE MOUNTAIN
Angwin

★

Le chêne peut parfois être envahissant dans les excellents vins de cette entreprise spécialisée dans le style côtes-du-rhône.

✓ *Côtes du Soleil* (rouge) • *cabernet mourvèdre* (Les Jumeaux) • *marsanne et viognier* • *mourvèdre* • *La Provençale* (rouge) • *syrah*

LA JOTA
Angwin

★½

Connue pour son cabernet sauvignon aux flaveurs somptueuses, La Jota le devient aussi pour ses vins de cépage de style côtes-du-rhône.

✓ *cabernet sauvignon* • *carignan* (Little J) • *petite sirah* (Howell Mountain) • *viognier*

ROBERT KEENAN WINERY
Santa-Helena

★

Entreprise sur les pentes de Spring Mountain aux cabernet sauvignon et merlot admirablement discrets.

✓ *cabernet sauvignon* • *merlot*

KENT RASMUSSEN
Napa

★½

Bonne source de pinot de Carneros le plus généreux

✓ *pinot noir* (Carneros)

CHARLES KRUG
Santa-Helena

Acheté par les Mondavi en 1943 et dirigée par Peter Mondavi, le frère de Robert Mondavi, cet établissement était autrefois connu pour son cabernet, mais aujourd'hui on y produit surtout du vin de carafe. Les autres vins sont étiquetés « C.K. Mondavi ».

LEWIS CELLARS
Oakville

?

Un ami m'a offert une bouteille de merlot de cette entreprise et j'ai découvert une version californienne d'un grand pomerol. Je ne sais de Lewis Cellars que ce que j'ai lu sur l'étiquette.

✓ *merlot* (Oakville Ranch)

LONG VINEYARDS
Santa-Helena

★½

Entreprise créée dans les années 1970 par Robert et Zelma Long (maintenant séparés mais toujours copropriétaires), surtout connue pour son activité chez Simi. Les vins de Long Vineyards mis en bouteilles au domaine, souples et élégants, sont de très bonne qualité.

✓ *cabernet sauvignon* • *chardonnay*

MARCASSIN
Calistoga
★☆

Appartient à Helen Turley, qui s'est fait un nom chez B.R. Cohn et Peter Michael et qui est un des consultants les plus demandés de Californie. Elle fait ici des vins ayant beaucoup de personnalité.

✓ *chardonnay* • *pinot noir*

MARKHAM VINEYARDS
Santa-Helena
★✪

Propriété des Japonais depuis 1988, Markham fait des vins plus intensément fruités depuis 1993. L'entreprise est connue pour son merlot et son cabernet issus de ses vignobles de Calistoga, Yountville et Oakville, mais ne négligez pas ses blancs remarquablement avantageux.

✓ *cabernet sauvignon* • *merlot*

LOUIS M. MARTINI
Santa-Helena
❓

La réputation de cette entreprise ne tient qu'à un fil, celui qui la relie au cabernet sauvignon de son vignoble de Monte Rosso.

✓ *cabernet sauvignon* (Monte Rosso)

MACAYAMAS VINEYARDS
Napa

Petite entreprise prestigieuse, renommée pour son cabernet sauvignon tannique et de longue garde. Toutefois je trouve son chardonnay meilleur et d'un abord plus facile.

✓ *chardonnay*

MERRYVALE VINEYARDS
Santa-Helena
★

Des vins d'une grande élégance, surtout ceux de style bordeaux.

✓ *chardonnay* (Silhouette) • *Profile* (genre bordeaux rouge) • *Vignette* (genre bordeaux blanc)

ROBERT MONDAVI
Oakville
★☆

Même les moins remarquables des vins de Robert Mondavi produits à Napa surpassent tous ceux qui viennent de la nouvelle Woodbridge Winery construite par Mondavi à Central Valley. Ces vins constituent une initiation peu coûteuse aux vins de Californie.

✓ *barbera* • *cabernet sauvignon* (Napa Reserve, Oakville) • *chardonnay* (Napa Reserve) • *chenin blanc* • *fumé blanc* (Reserve, Tokalon Estate) • *johannisberg riesling* • *malvasia bianca* • *moscato d'oro* • *pinot noir* (surtout Reserve) • *tocai friulano* • *zinfandel*

MONTICELLO CELLARS
Napa
☆

Si l'entreprise fut naguère meilleure pour les blancs que pour les rouges, c'est maintenant son cabernet sauvignon qui est le plus intéressant.

✓ *cabernet sauvignon* (Corley Reserve)

MUMM NAPA VALLEY
Rutherford
★☆✪

Entreprise de mousseux très bien dirigée par Greg Fowler, celui-là même qui élabora les remarquables mousseux de Schramsberg pendant sept ans. Ce vinificateur hors pair s'est dépassé avec son Sparkling Pinot Noir, qui a une robe cerise étonnamment profonde, un arôme de fraise et un goût intense caractéristique du pinot noir.

✓ *NV Sparkling pinot noir* • *Vintage DVX* • *Vintage Blanc de Blancs* • *Vintage Blanc de Noirs* (étiqueté « rosé » à l'exportation) • *Vintage Winery Lake*

MURPHY-GOODE
Geyserville

Vins haut de gamme tous de gros calibre, riches et boisés, mais je tire autant de plaisir du fumé blanc que des vins de cépage moins prestigieux.

✓ *chardonnay* (J. & K. Murphy Vineyard) • *fumé blanc* (Reserve, Reserve II la Deuce) • *pinot blanc* (Barrel Fermented) • *zinfandel*

NEWTON VINEYARDS
Santa-Helena
★☆

Cette remarquable entreprise est réputée depuis longtemps pour ses vins toujours tendres, soyeux, fruités, avec une structure tannique souple et un chêne admirablement fondu.

✓ *cabernet sauvignon* • *chardonnay* • *claret* • *merlot*

NIEBAUM-COPPOLA
Rutherford
★☆

Entreprise créée par le cinéaste Francis Ford Coppola quand il acheta le domaine de Gustave Niebaum avec le vignoble du légendaire cabernet sauvignon d'Inglenook. Depuis 1948, elle produisait le vin de style bordeaux le plus traditionnel de tous ceux de Napa, fait par Steve Beresini qui laissait, dans la mesure du possible, la nature faire son travail. C'est ainsi qu'il obtenait des vins ressemblant spontanément à ceux du Médoc. Tout changea au début des années 1990 quand Coppola fit appel au vinificateur Scott McLoed et aux conseils de l'œnologue Tony Soter (de Etude). Ceux-ci entreprirent de faire un vin plus technique, riche en chêne neuf, typique aujourd'hui des vins les plus luxueux de Napa à base de cabernet sauvignon. Il sera sans doute excellent – et probablement plus cher –, mais on ne peut que déplorer la disparition du dernier vin « naturel » de la vallée.

✓ *Rubicon* • *chardonnay* • *cabernet franc*

OPUS ONE
Oakville
★☆

Issu de la collaboration entre Robert Mondavi et feu le baron Philippe de Rothschild, l'Opus One fut le premier vin franco-californien et l'on ne peut nier la qualité de cet assemblage cabernet-merlot ni oublier qu'il est vendu à un prix astronomique.

✓ *Opus One*

PAHLMEYER
Napa

Créée par un avocat, Jason Pahlmeyer, en 1985, typique des entreprises de type « boutique » fondées depuis quelques années par des gens aisés exerçant une autre profession. Pahlmeyer engagea le remarquable vigneron Randy Dunn pour élaborer ses vins qui sont maintenant faits sous la supervision de Helen Turley.

✓ *Caldwell Vineyard* (genre bordeaux rouge) • *chardonnay* • *merlot*

PATZ AND HALL
Napa
☆

Cet établissement fait un chardonnay riche, un peu exotique, élevé sur ses lies, sa spécialité.

✓ *chardonnay*

ROBERT PECOTA WINERY
Calistoga
★✪

Entreprise méconnue qui a toujours fait des blancs enchanteurs et, depuis peu, un excellent cabernet.

✓ *cabernet sauvignon* (Kara's Vineyard) • *chardonnay* • *gamay* • *moscato di andrea* (vendanges tardives) • *sauvignon blanc*

ROBERT PEPI WINERY
Oakville
★

Toujours excellent pour le sauvignon, Robert Pepi se fait une réputation enviable avec ses intéressants vins d'assemblage de style italien.

✓ *Colline di Sassi* (assemblage rouge classique) • *Du Baci* (assemblage blanc classique) • *sauvignon blanc*

JOSEPH PHELPS VINEYARDS
Santa-Helena
★☆

Cette entreprise prestigieuse a toujours produit une gamme étendue de vins de très grande qualité à laquelle on a ajouté récemment une brochette d'intéressants vins de style côtes-du-rhône, mais l'Insigna reste la figure de proue.

✓ *cabernet sauvignon* (Backus, Eisele) • *chardonnay* (Ovation) • *grenache rosé* (Vin du Mistral) • *Insigna* (style bordeaux rouge) • *Le Mistral* (style rouge côtes-du-Rhône) • *muscat* (Vin du Mistral) • *syrah* (Vin du Mistral) • *viognier*

PINE RIDGE WINERY
Napa

Vins intéressants d'une qualité qui ne l'est pas moins, vendus à des prix moyens.

✓ *cabernet sauvignon* (Andrus Reserve, Stags Leap District) • *chenin blanc* • *merlot* (Carneros)

PLUMPJACK
Napa

Nouvelle entreprise de la famille Getty. Je n'ai pas encore goûté ses vins qui n'ont été mis sur le marché qu'à la fin de 1997.

RAYMOND VINEYARD AND CELLAR
Santa-Helena

La famille Raymond a maintenant des associés japonais, mais le chardonnay, vif et fruité, et le cabernet, bien typé, n'ont pas varié.

✓ *cabernet sauvignon* • *chardonnay*

RUTHERFORD HILL WINERY
Rutherford

Une gamme d'excellents vins bien aromatiques.

✓ *cabernet sauvignon* (XVS) • *chardonnay* (XVS)

SADDLEBACK
Oakville

Nils Venge, autrefois chez Groth, est le grand maître du zinfandel à l'ancienne, massif et ressemblant au porto.

✓ *sangiovese* • *zinfandel*

ST. CLÉMENT VINEYARDS
Santa-Helena
❓

Entreprise japonaise qui a récemment donné des signes indiscutables d'amélioration. Le cabernet sauvignon est actuellement le meilleur vin.

✓ *cabernet sauvignon*

SAINTSBURY
Napa
★☆

David Graves et Dick Ward persistent et font toujours un ravissant pinot noir, charnu et juteux.

✓ *pinot noir* (surtout Reserve)

SCHRAMSBERG VINEYARDS
Calistoga
★

Cette entreprise prestigieuse fit œuvre de pionnier, dès 1965, dans la naissance d'une industrie californienne de vins effervescents. De fait, jusqu'à la création de Domaine Chandon huit ans plus tard, Schramsberg fut le seul aux États-Unis à produire du mousseux de qualité par la méthode de seconde fermentation en bouteilles. Les premiers maîtres de chai de Cordoniu, Franciscan, Kristone, Mumm Napa Valley et Piper-Sonoma, venaient tous de chez Schramsberg – c'est dire combien Jack et Jamie, ses propriétaires, on joué un rôle important dans le développement des autres producteurs de Californie.

✓ *Blanc de blancs* (jeune, pas L.D.) • *Reserve* • *J. Schram*

SCREAMING EAGLE

Oakville

?

Le cabernet sauvignon de Screaming Eagle n'est produit qu'en quantité minuscule, mais il a créé une telle sensation à Napa que je me devais de le mentionner.

SEAVEY

Santa-Helena

★

Seavey produit une petite quantité de cabernet sauvignon, mais il est de grande qualité et élaboré avec beaucoup de soin.

✓ *cabernet sauvignon* • *merlot*

SEQUOIA GROVE

Napa

★

Les frères Jim et Steve Allen font un grand cabernet sauvignon depuis 1978 et proposent maintenant un excellent chardonnay de Carneros.

✓ *cabernet sauvignon* • *chardonnay*

SHAFER VINEYARDS

Napa

★☆

Bien que le cabernet sauvignon étiqueté « Hillside Select » soit, de loin, le meilleur vin de Shafer, il faut mentionner ses très bons merlots et chardonnays et son Firebreak, tendre et délicieux, qui est en quelque sorte un super-Toscan californien.

✓ *cabernet sauvignon* (Hillside Select) • *chardonnay* (surtout Red Shoulder Ranch) • *Firebreak* (rouge d'assemblage classique) • *merlot*

SIGNORELLO VINEYARDS

Napa

★☆

Ray Signorella a acheté un vignoble en 1980, mais il n'est monté que récemment sur le devant de la scène avec une gamme de vins fruités et complexes.

✓ *cabernet sauvignon* (Founder's Reserve) • *chardonnay* (Founder's Reserve) • *sauvignon blanc* (Barrel Fermented) • *sémillon* (Barrel Fermented)

SILVERADO VINEYARDS

Napa

★

Silverado appartient à la veuve de Walt Disney, mais les vins produits ici ne sont pas une plaisanterie.

✓ *cabernet sauvignon* (Limited Reserve) • *chardonnay* (Limited Reserve)

SPRING MOUNTAIN VINEYARDS

Santa-Helena

☆

Connue sous le nom de « Falcon Crest », cette entreprise élabore des vins qui exigent un certain temps en bouteille pour acquérir de la finesse.

✓ *cabernet sauvignon*

STORYBOOK MOUNTAIN VINEYARDS

Calistoga

☆

Créée en 1880, cette entreprise appartient aujourd'hui à Jerry Seps, ancien professeur d'université, qui a consacré 15 ha de son vignoble au zinfandel.

✓ *zinfandel* (Eastern Exposure)

SUTTER HOME WINERY

Santa-Helena

La plus grande partie de l'importante production de cette entreprise est composée de zinfandels de différents styles.

✓ *zinfandel* (Reserve)

SWANSON

Rutherford

★

Clarke Swanson a attrapé le virus du vin dans les années 1960, pendant ses études à l'université de Stanford et a acheté son premier vignoble au début des années 1980. Ses vins très soyeux ont une certaine allure bordelaise ou toscane qui vient sans doute du vinificateur Marco Capelli qui a travaillé dans ces deux régions avant d'être engagé par Swanson en 1986.

✓ *cabernet sauvignon* • *chardonnay* • *sangiovese* • *sémillon* (Late Harvest) • *syrah*

SILVER OAK CELLARS

Oakville

★

Cette entreprise se concentre sur un cépage, le cabernet sauvignon, mais il propose trois cuvées : Napa Valley, Bonny's Vineyard (et aussi Napa Valley AVA) et Alexander Valley. Je préfère la troisième, qui a un chêne plus discret et davantage de finesse, mais ceux qui adorent le cabernet massif et très boisé adoreront les deux premières.

✓ *cabernet sauvignon* (Alexander Valley)

ROBERT SINSKEY VINEYARDS

Napa

★☆

Pinot noir vif et aromatique, élégant claret, merlot voluptueux et chardonnay qui mérite de vieillir.

✓ *Carneros Claret* (genre bordeaux rouge) • *chardonnay* • *merlot* (Los Carneros) • *pinot noir*

SMITH-MADRONE

Santa-Helena

★

Cette entreprise exploite quelque 16 ha de vignes cultivées en altitude dont elle tire une petite gamme de vins de grande qualité.

✓ *johannisberg riesling*

SPOTTSWOODE

Santa-Helena

Sur une terrasse des monts Macayamas, l'œnologue Tony Soter produit une petite quantité de vins puissants mais ne manquant pas d'élégance.

✓ *cabernet sauvignon* • *sauvignon blanc*

STAGLIN

Napa

★☆

Entreprise mésestimée qui produit un cabernet voluptueux, admirablement équilibré et très fin, ainsi qu'un sangiovese étonnamment riche et pourtant soyeux.

✓ *cabernet sauvignon* • *sangiovese* (Stagliano)

STAGS' LEAP WINE CELLARS

Napa

★★

Producteur d'un cabernet sauvignon légendaire, mais il ne faut pas négliger son chardonnay. Hawk Crest est la seconde étiquette.

✓ *cabernet sauvignon* (Fay Vineyard, S.L.V.) • *Cask 23* (style bordeaux rouge) • *chardonnay* (surtout Reserve) • *petite sirah*

STAGS' LEAP WINERY

Napa

☆

Cette seconde entreprise de Stags Leap produit l'un des meilleurs vins de petite sirah de Californie.

✓ *petite sirah*

STERLING VINEYARDS

Castiloga

★

Qualité exceptionnelle dans le milieu des années 1970, déclin après le rachat par Coca-Cola en 1978, mais un retour en forme dès 1983 quand Seagram a repris l'entreprise.

✓ *cabernet sauvignon* (Diamond Mountain Ranch) • *malvasia* (Collection Series) • *merlot* (Three Palms) • *pinot grigio* (Collection Series) • *pinot noir* (Winery Lake)

STONY HILL VINEYARD

Santa-Helena

★

Chardonnay de classe internationale, mais plus gras qu'autrefois.

✓ *chardonnay*

PHILIP TOGNI VINEYARD

Santa-Helena

★

Philip Togni a gagné le respect de tous à Chalone, Chappellet, Cuvaison, Mayacamas et Chimney Rock avant de créer ce vignoble.

✓ *cabernet sauvignon*

TREFETHEN VINEYARDS

Napa

☆

Grande qualité, régularité et bon rapport qualité/prix.

✓ *chardonnay* (Library Selection) • *White Riesling*

TURLEY CELLARS

Napa

★☆

Une entreprise créée en 1983 par Larry et Helen Turley, qui sont frère et sœur et tous deux vinificateurs de métier. Leur premier millésime a déjà été salué par la critique.

✓ *petite syrah* (sic) • *zinfandel*

VIADER

Santa-Helena

★

Petite production d'un rouge d'assemblage de style bordeaux, sombre et concentré, issu d'un vignoble cultivé sur les fortes pentes de Howell Mountain.

✓ *viader*

VICHON WINERY

Oakville

☆

Son nom est la combinaison de trois noms, Vierra, Brucher et Watson, les trois restaurateurs qui l'ont créé. L'établissement a été repris en 1985 par un voisin qui n'est autre que Robert Mondavi.

✓ *Chevrignon* (genre bordeaux blanc)

VILLA MONT EDEN WINERY

Oakville

★V

Propriétaire de Château Sainte-Michelle, Columbia Crest et Conn Creek, Stimson Lane a acquis cette entreprise dans les années 1980. À cette époque très réputée, elle a décliné depuis qu'elle a élargi la gamme de ses vins.

✓ *cabernet sauvignon* (Signature) • *chardonnay* (Grand Reserve) • *pinot blanc* (Grand Reserve)

WHITEHALL LANE WINERY

Santa-Helena

★

Créée en 1979 par un architecte et un chirurgien, vendue en 1988 à une société japonaise puis reprise en 1993 par Tom Leonardi, un marchand de vin de San Francisco. Malgré ces changements, cette entreprise n'a cessé de produire quelques vins inspirés.

✓ *cabernet sauvignon* (Morisoli Vineyard) • *merlot* (Summer's Ranch)

WHITE ROCK

Napa

★

Entreprise centenaire restaurée à la fin des années 1970, réputée pour son claret à base de cabernet sauvignon, mais il ne faut pas négliger son chardonnay.

✓ *chardonnay* • *claret* (genre bordeaux rouge)

ZD WINES

Napa

☆?

ZD Wines produisait naguère des cabernets sauvignons irréguliers, mais ils ont été améliorés et leur qualité a atteint celle d'un autre vin de cépage, le chardonnay.

✓ *cabernet sauvignon* • *chardonnay*

NORD DE LA CÔTE CENTRALE

Caractérisée autrefois par un petit nombre d'entreprises de grande envergure, produisant une mer de vins bon marché, cette région compte maintenant de nombreux producteurs de vins de grande qualité.

JEKEL VINEYARDS
Barriques de chêne prêtes à être remplies dans une entreprise vinicole qui fut naguère à la pointe du progrès. Les vignobles tapissent le fond plat de la vallée de Salinas qui fut brûlante et sèche avant d'être abondamment irriguée. Les vignerons les plus soucieux de qualité commencent à se déplacer dans les collines.

Les premières entreprises vinicoles ont été créées dans le nord de la Côte centrale vers 1830. Elles sont restées groupées dans le comté de Santa Clara et ses environs jusqu'à la fin des années 1950 et le début des années 1960, quand l'urbanisation rapide de la périphérie de San José obligea l'industrie vinicole à chercher d'autres emplacements pour ses vignobles. À la même époque, l'université de Californie publia une étude sur les régions climatiques définies par le système des sommations de températures (*voir* p. 448). Il en ressortait qu'il existait plus au sud, notamment dans le comté de Monterey, des zones plus fraîches favorables à la viticulture de qualité.

LE DÉMÉNAGEMENT À MONTEREY

Mirassou et Paul Mason furent les premières entreprises, en 1957, à déménager dans le comté de Monterey où elles achetèrent quelque 530 hectares dans la vallée de Salinas. Le mouvement s'accéléra et des vignobles furent plantés dans des secteurs trop froids ou trop exposés aux vents côtiers par des viticulteurs qui, ignorant la carte des régions climatiques favorables, ne concevaient pas qu'il puisse exister en Californie des secteurs où le raisin ne mûrissait pas suffisamment.

Ces erreurs furent corrigées et, en 1966, les professeurs Winkler et Amerine, auteurs de l'étude sur la sommation des températures, furent conviés à un banquet organisé en leur honneur, où des toasts furent portés au « premier secteur au monde de production de vins de qualité choisi à partir de la recherche scientifique ». C'était peut-être prématuré, mais le développement ultérieur de la viticulture dans ce comté a apporté la preuve que c'était bien le cas puisque l'on y produit maintenant des vins de grande qualité.

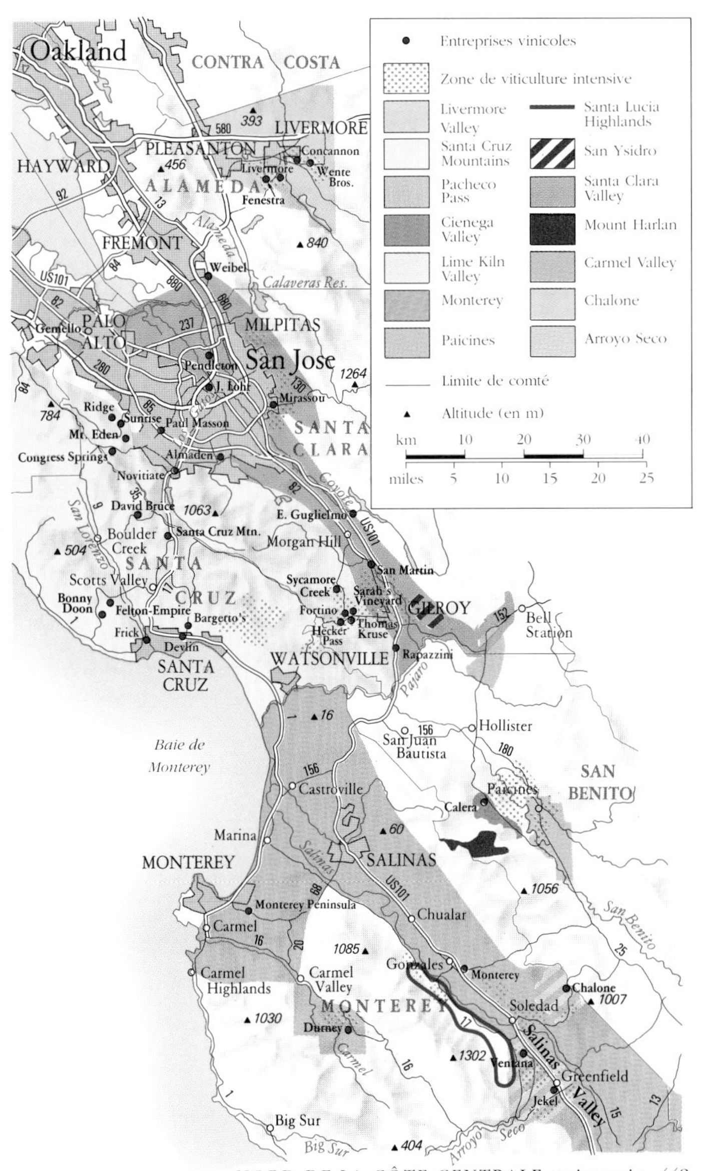

NORD DE LA CÔTE CENTRALE, voir aussi p. 448
Jusqu'à la fin des années 1950, la plupart des entreprises étaient concentrées dans le comté de Santa Lucia. Elles sont maintenant de plus en plus nombreuses dans ceux de Monterey et de Santa Cruz.

FACTEURS DU GOÛT ET DE LA QUALITÉ

EMPLACEMENT
Le nord de la Côte centrale s'étend de la baie de San Francisco au comté de Monterey, au sud.

CLIMAT
Très généralement chaud (Région III, *voir* p. 448), mais pourtant frais (Région I, *voir* p. 448) dans certains secteurs comme l'AVA Santa Cruz Mountains et le nord de la vallée de Salinas. Une faible pluviosité dans le sud exige une irrigation abondante, mais on trouve des microclimats plus pluvieux.

SITES
La vigne est en général cultivée sur les terrains plats ou légèrement inclinés de diverses vallées, mais aussi sur les pentes plus escarpées des monts Santa Cruz et les terrasses en altitude, par exemple celle des Pinnacles, au-dessus de Soledad.

SOLS
Grande variété de limons graveleux, souvent riches en pierres et en calcaire dans la vallée de Livermore ; argilo-graveleux à Santa Clara ; limons sableux et graveleux sur assise calcaire ou granitique à San Benito ; graveleux, bien drainé et peu fertile à Monterey.

VITICULTURE ET VINIFICATION
Quelques grosses entreprises produisent une grande quantité de vin bon marché grâce à des techniques ultra-modernes et une rationalisation de la production. Le nombre de petites entreprises soucieuses de la qualité augmente et certaines sont, à bon droit, renommées.

CÉPAGES
Barbera, cabernet sauvignon, carignan, chardonnay, chenin blanc, colombard, gamay, gewurztraminer, grenache, grey riesling, mourvèdre, muscat, pinot blanc, pinot gris (pinot grigio), pinot noir, petite sirah, riesling, sauvignon blanc, sémillon, syrah, trebbiano, viognier, zinfandel.

APPELLATIONS DU NORD DE

LA CÔTE CENTRALE

ALAMEDA COUNTY AO

S'applique à tous les raisins cultivés dans le comté d'Alameda.

ARROYO SECO AVA

Comté de Monterey

Cette appellation couvre les 73 km² d'une terrasse légèrement inclinée, adjacente à l'Arroyo Seco Creek, un affluent de la rivière de Salinas. Ses vignobles sont épargnés par les gelées et bénéficient d'un bon drainage. Le sol est en général un limon sableux grossier dont la teneur en calcaire est faible.

BEN LOMOND MOUNTAIN AVA

Comté de Santa Cruz

Une appellation récente, créée en 1988, qui s'applique à une zone de 155 km² sur le mont Ben Lomond, au nord-ouest de Santa Cruz. Elle compte 28 ha de vigne.

CARMEL VALLEY AVA

Comté de Monterey

Appellation de 78 km² située au sud-est de Monterey, sur Carmel River et Cachaga Creek. L'altitude relativement élevée de la vallée, la protection assurée par la chaîne des Tularcitos, qui empêche l'intrusion des brumes marines, et un meilleur ensoleillement que partout ailleurs dans le comté créent un microclimat favorable.

CHALONE AVA

Comté de Monterey

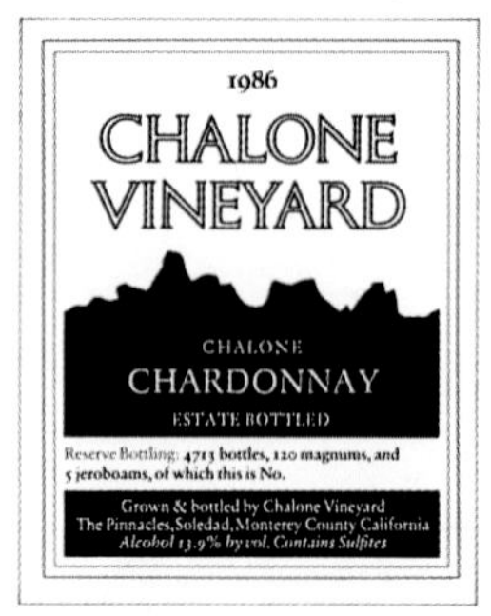

Cette appellation couvre 35 km² d'une terrasse à 500 m d'altitude qui s'étend entre deux pics. Son sol est volcanique et granitique et riche en calcaire. Elle bénéficie en été de pointes de température plus élevées que celles de la vallée de Salinas. Les brumes marines ne montent pas jusqu'ici, mais c'est surtout son altitude qui rend cette AVA – limitée à une seule entreprise (Chalone Vineyards) – particulièrement favorable à la culture des cépages blancs et surtout à celle du chardonnay, du chenin blanc et du pinot blanc.

CIENEGA VALLEY AVA

Comté de San Benito

La vallée de Cienega se trouve au pied de la chaîne des monts Gabilan (ou Gavilan). Les pluies étant insuffisantes, il est obligatoire d'irriguer les vignobles avec les eaux du Pecadero. Le sol est argilo-limoneux-sableux, souvent sur une assise bien drainée de granit effrité.

CONTRA COSTA COUNTY AO

Cette appellation, qui n'est pas une AVA, s'applique à tout le raisin cultivé dans le comté de Contra Costa.

HAMES VALLEY AVA

Comté de Monterey

Hames, une sous-appellation à l'intérieur de l'AVA Monterey County, est située dans le sud du comté, à 5 km à l'ouest de Bradley et à 11 km au nord du lac Nacimiento. Elle a été créée en 1994 et compte aujourd'hui 250 ha de vigne.

LIME KILN VALLEY AVA

Comté de San Benito

Bien qu'elle coïncide avec une partie de l'AVA Cienega Valley, L'AVA Lime Kiln Valley a un climat sensiblement différent de celui de l'appellation principale : elle a une pluviométrie qui lui est plus favorable, allant de 41 cm au fond de la vallée, à l'est, à 102 cm dans la zone montagneuse occidentale. Les sols sont également différents : limoneux-sableux et graveleux-limoneux sur une assise calcaire, avec une forte teneur en magnésium.

LIVERMORE VALLEY AVA

Comté de Alameda

Livermore Valley est l'une des vallées côtières qui entourent San Francisco. Elle bénéficie d'un climat tempéré, rafraîchi par les brises marines et les brumes matinales qui s'élèvent du golfe; pourtant les gelées printannières sont rares. La pluviométrie annuelle est de 58 cm, mais la pluie tombe surtout en hiver et au début du printemps. L'aqueduc de South Bay permet l'irrigation par aspersion.

MONTEREY AVA

Comté de Monterey

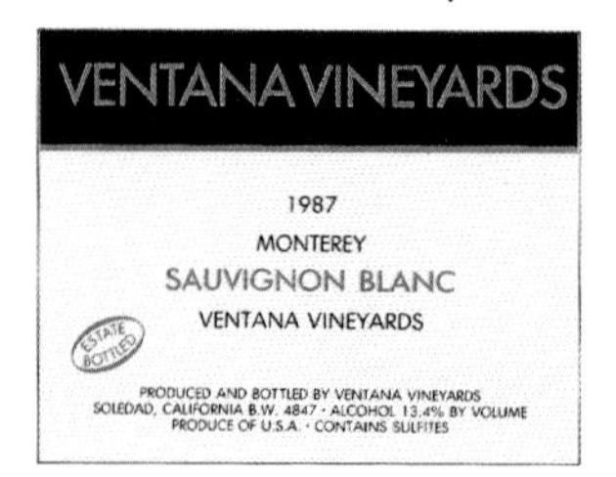

Cette appellation est limitée aux alentours de la baie de Monterey et à la vallée de Salinas où les divers sols sableux-limoneux et graveleux-limoneux sont d'origine alluviale. Elle se distingue aussi par un climat très sec : la pluviométrie annuelle atteint à peine 25 cm, mais les bassins hydrographiques de Santa Lucia, Gabilan et de la chaîne Diabolo fournissent, par l'intermédiaire des nappes aquifères, assez d'eau pour l'irrigation.

MONTEREY COUNTY AO

Cette appellation, qui n'est pas une AVA, s'applique à tout le raisin cultivé dans le comté de Monterey.

MOUNT HARLAN AVA

Comté de San Benito

Comme Chalone, Mount Harlan n'intéresse qu'un seul vignoble (Calera). Cette AVA occupe un rare affleurement géologique calcaire dans la même chaîne de collines (le San Benito Range), mais à l'autre extrémité et sur le flanc opposé. Mount Harlan est situé à une altitude plus élevée (670 m) que Chalone, ce qui permet à Calera de se forger une réputation avec son pinot noir, bien que celui de Chalone ait été planté trente ans avant le sien.

PACHECO PASS AVA

Comtés de Santa Clara et San Benito

Sa topographie distingue cette appellation de ses voisines. Elle occupe une petite vallée presque plate ou légèrement vallonnée qui contraste avec le relief escarpé des collines de Diabolo Range, à l'est et à l'ouest. Pacheco Pass jouit d'un climat plus tempéré et plus humide que celui du bassin de Hollister, au sud.

PAICINES AVA

Comté de San Benito

Les jours y sont chauds et les nuits fraîches. Elle est tombée en désuétude depuis qu'Almadén, qui fut à l'origine de sa création en 1982, a déménagé dans le comté de Santa Clara.

SAN BENITO AVA

Comté de San Benito

À ne pas confondre avec l'AVA San Benito County. Elle englobe les petites AVA de Paicines, Cienega Valley et Lime Kiln Valley.

SAN BENITO COUNTY AO

Cette appellation, qui n'est pas une AVA, s'applique à tout le raisin cultivé dans le comté de San Benito.

SAN LUCAS AVA

Comté de Monterey

Cette AVA couvre 16 km de la vallée de Salinas, entre King City et San Ardo, dans le sud du comté de Monterey. Le sol est principalement fait de limon alluvial.

SAN MATEO COUNTY AO

Cette appellation, qui n'est pas une AVA, s'applique à tout le raisin cultivé dans le comté San Mateo.

SAN YSIDRO AVA

Comté de Santa Clara

Cette appellation est enclavée dans le sud de l'AVA Santa Clara. Elle est située entre deux collines qui forment un canal pour la brise marine fraîche remontant le cours du Pajaro et est réputée pour son chardonnay.

SANTA CLARA COUNTY AO

Cette appellation, qui n'est pas une AVA, s'applique à tout le raisin cultivé dans le comté de Santa Clara.

SANTA CLARA VALLEY AVA

Comté de Santa Clara

Comprenant toute la municipalité de San Jose, au nord, et la célèbre Silicon Valley, au sud, c'est probablement l'appellation la plus urbanisée du monde. Comme toute l'industrie, vinicole ou autre, est concentrée dans le sud, pourquoi ne pas diminuer l'aire de l'appellation et la rebaptiser « Silicon Valley AVA » ?

SANTA CRUZ MOUNTAINS AVA

Comté de Santa Cruz

Le climat de l'ouest de cette appellation est influencé par la brise océane et les brumes qui s'élèvent de la baie de Monterey; l'est quant à lui est modéré par la baie de San Francisco. L'air froid qui descend des montagnes oblige l'air chaud à remonter, ce qui allonge la période de croissance jusqu'à trois cents jours pleins. Le sol particulier à cette région est schisteux.

MEILLEURS PRODUCTEURS DU
NORD DE LA CÔTE CENTRALE

ALMADÉN VINEYARDS
Comté de Santa Clara

Almadén, qui fait maintenant partie de Canandaigua, propriétaire d'Inglenook, Dunnewood et Cooks, est la plus ancienne marque de vin des États-Unis utilisée sans interruption depuis sa création, en 1852. L'entreprise vend une gamme étendue de vins de cépage et d'assemblage en emballages de tailles et de formes diverses.

BONNY DOON VINEYARD
Comté de Santa Cruz

★★

Cette entreprise est l'une des plus intéressantes et des plus innovatrices de Californie, avec des vins dont l'éclat, la finesse et le style ne peuvent qu'enthousiasmer. Je me suis perdu deux fois en tentant de la trouver. La troisième fois fut la bonne et je ne la regrette pas car j'ai rencontré Randal Graham, un vinificateur génial et farfelu. Spécialisé dans les cépages du Rhône, il s'intéresse maintenant aux italiens, fait un pinot noir sublime, a déjà fait du vin de glace (avec un congélateur!) et même du vin de paille.

✓ *barbera* • *Cigare Volant* (genre côtes-du-rhône rouge) • *Clos de Gilroy* (grenache) • *muscat Canelli Vin de Glacier* • *Old Telegram* (mourvèdre) • *syrah* • *Vin gris de Cigare rosé*

DAVID BRUCE
Comté de Santa Cruz

Certains doivent regretter l'époque où David Bruce élaborait un chardonnay vraiment concentré et je me risque à affirmer que c'était nécessaire pour lui, comme pour la Californie en général, mais il s'est assagi et il a civilisé ses vins dont, au bout du compte, le pinot noir est régulièrement le meilleur.

✓ *pinot noir*

CALERA WINE COMPANY
Comté de San Benito

★★

C'est une des entreprises de Californie qui cherche inlassablement à élaborer le pinot noir parfait. Celui de Calera est en puissance probablement le meilleur, mais la quête de l'élégance peut parfois aboutir à des vins un peu trop gracieux.

✓ *pinot noir* (surtout Jensen et Selleck) • *viognier*

CEDAR MOUNTAIN
Comté de Alameda

Entreprise du genre « boutique » créée en 1990. Les premiers millésimes sont prometteurs, mais un peu trop corrects et manquant de personnalité.

✓ *cabernet sauvignon*

CHALONE VINEYARD
Comté de Monterey

Entreprise dont le vignoble de 63 ha forme à lui seul l'AVA Chalone. Elle recherche ardemment la meilleure qualité possible et réussit à élaborer une gamme de vins exquis, complexes et de premier ordre.

✓ *chardonnay* • *chenin blanc* • *pinot blanc* • *pinot noir*

CONCANNON VINEYARD
Comté de Alameda

★☆

Les Concannon créèrent ce vignoble en 1883 et leurs descendants le revendirent en 1962. Il changea de mains plusieurs fois avant d'être acheté en 1992 par un groupe d'actionnaires entraîné par la famille Wente. Malgré ces changements de propriétaires, Concannon a continué à faire un vin de petite sirah qui compte depuis longtemps parmi les meilleurs de Californie. L'origine en est très lointaine puisque presque toutes les vignes dont est issu ce vin ont été plantées il y a près de quatre-vingts ans.

✓ *petite sirah* (surtout Reserve)

CRONIN VINEYARD
Comté de San Mateo

★

Réputé pour être un chardonnay puissant aux nuances de pain grillé, Cronin fait aussi un sauvignon dont la grandeur est indéniable.

✓ *chardonnay* • *sauvignon blanc*

DURNEY VINEYARD
Comté de Monterey

★☆

Depuis la disparition de Bill Durney, le nouveau propriétaire de l'entreprise continue à faire un cabernet sauvignon héroïque, très foncé, riche, puissant et intense. Il élabore aussi un chardonnay de garde splendide.

✓ *cabernet sauvignon* • *chardonnay*

EDMUNDS ST. JOHN
Comté de Alameda

★☆

Steven Edmunds et Cornelia St. John ont installé cette intéressante entreprise en 1985, là où se trouvait autrefois l'East Bay Wine Works. Ils ont vite réussi à y élaborer de main de maître certains des vins les mieux équilibrés de Californie.

✓ *mourvèdre* • *pinot grigio* • *syrah* • *viognier*

FRICK WINERY
Comté de Santa Cruz

★

La Frick Winery est en train de se hisser au niveau des meilleurs avec ses vins de genre côtes-du-rhône.

✓ *cinsault* • *petite sirah*

ELLISTON VINEYARDS
Comté de Alameda

☆Ⓥ

Entreprise créée en 1983 par des instituteurs, Ramon et Amy Awtrey. Ils ont d'emblée réussi à faire un pinot gris passable, qui est devenu récemment délicieusement fruité tout en restant sans prétention.

✓ *pinot gris* (Sunol Valley)

JEKEL VINEYARD
Comté de Monterey

Autrefois connu pour sa gamme fascinante de rieslings, Jekel n'est plus ce qu'il était.

J. LOHR
Comté de Santa Clara

Meilleurs résultats avec un gamay fruité, qui est un vin non seulement agréablement gouleyant, mais encore assez élégant et parfumé, avec une acidité désaltérante.

✓ *gamay* (Wildflower)

PAUL MASSON VINEYARDS
Comté de Monterey

C'est un Bourguignon qui a créé ici l'entreprise californienne de vin de carafe qui a eu le plus de succès. Elle appartient maintenant à Canandaigua (propriétaire d'Almadén, Inglenook, Dunnewood et Cooks) et privilégie les vins de cépage.

MIRASSOU VINEYARDS
Comté de Santa Clara

Connue pour son vin de carafe, Mirassou continue à faire un des meilleurs pinots blancs de Californie.

✓ *pinot blanc* (Harvest Reserve)

MONTEREY PENINSULA WINERY
Comté de Monterey

Nouveau propriétaire, mais toujours un zinfandel qui vaut la peine.

✓ *zinfandel*

MORGAN WINERY
Comté de Monterey

★

Peut-être le pinot noir méritant de vieillir le plus sous-estimé, mais un bon chardonnay qui, toutefois, n'a pas toujours la même classe. Le sauvignon, frais et vif, est en progrès.

✓ *chardonnay* • *pinot noir* (surtout Reserve) • *sauvignon blanc*

MOUNT EDEN VINEYARDS
Comté de Santa Clara

★

Cette entreprise ne produit que trois vins de cépage qui sont tous d'excellente qualité. Le chardonnay est particulièrement bon, mais le cabernet sauvignon, profond, foncé et chocolaté, le suit près.

✓ *cabernet sauvignon* (Old Vine Reserve) • *chardonnay* (Santa Cruz)

MURIETTA'S WELL
Comté de Alameda

Exploité par Phil Wente dont les vins sont plus discrets, mais plus délicats, que ceux de son frère Éric, plus connu, de Wente Bros.

✓ *Vendemia* (rouge d'assemblage classique) • *zinfandel*

RIDGE VINEYARDS
Comté de Santa Clara

★★

Tous ceux qui mettent en doute la capacité des vins californiens à s'améliorer longtemps en bouteilles devraient goûter ces vins étonnants dont certains exigent dix à vingt ans avant de commencer à s'ouvrir. Dans la première édition de cet ouvrage, je les recommandais tous, sauf le Paso Robles, mais je dois dire qu'il est devenu aujourd'hui l'un des meilleurs zinfandels de Ridge.

✓ *cabernet sauvignon* (Monte Bello) • *chardonnay* (Howell Mountain, Santa Cruz Mountain) • *Geyserville* (rouge d'assemblage) • *Mataro* (Evangelo) • *petite sirah* (York Creek) • *zinfandel* (Dusi Ranch, Lytton Springs, Pagain Ranch, Paso Robles)

ROSENBLUM CELLARS
Comté de Alameda

Avec pas moins de cinq cuvées nettement différentes de zinfandel, Rosenblum s'est fait une réputation de spécialiste de ce cépage. Il la confirme avec ses vins issus de crus déterminés.

✓ *zinfandel*

ROBERT TALBOTT VINEYARDS
Comté de Monterey

La famille Talbott est plus connue pour ses installations industrielles de Monterey que pour cette modeste entreprise vinicole.

✓ *chardonnay* (particulièrement Diamond T)

IVAN TAMAS
Comté de Alameda

☆Ⓥ

Ce sont des vins gouleyants et bon marché, pourtant pleins d'intérêt, que font des négociants en vin devenus producteurs. Quiconque est capable d'élaborer des vins délicieux avec le médiocre trebbiano (ugni blanc) mérite de réussir.

✓ *fumé blanc* • *trebbiano*

WENTE BROS
Comté de Alameda

Ⓥ

Une entreprise plus que centenaire qui fait une gamme de vins allant du plus fade au plus fruité. Ils sont toujours bon marché et certains présentent un très bon rapport qualité/prix. Wente possède aussi Concannon Vineyard.

✓ *sauvignon blanc* (Livermore Valley)

SUD DE LA CÔTE CENTRALE

Cette région vinicole en pleine expansion est devenue en peu de temps une des meilleures du monde pour le pinot noir, après la Bourgogne bien entendu. Son chardonnay est tout aussi passionnant et ses vins de type italien pourraient être les plus appréciés du prochain millénaire.

Les premiers vignobles de la région furent plantés à la fin du XVIIIe siècle à Paso Robles, dans le comté de San Luis Obispo et la vallée de Santa Ynez, dans le comté de Santa Barbara, avait une industrie vinicole florissante avant la prohibition. Pourtant il n'y avait pour ainsi dire plus de vigne dans les deux comtés au début des années 1960. C'est seulement après la plantation de beaux vignobles en 1972 par Estrella à Paso Robles et Firestone dans la vallée de Santa Barbara ainsi que l'arrivée d'autres entreprises que l'industrie vinicole commença à revivre.

On ne comprend pas pourquoi Santa Barbara est soudain devenue la Mecque du pinot noir. À la fin des années 1980, la Californie semblait bien être la dernière région du monde à pouvoir rivaliser avec la Bourgogne pour le pinot noir. L'État américain de l'Oregon et la Nouvelle-Zélande paraissaient les mieux placés, mais la production de l'un comme de l'autre s'est révélée trop peu abondante et trop irrégulière. Si ce devait être la Californie, personne n'aurait misé un sou sur Santa Barbara, loin au sud, à une portée de fusil de Los Angeles. Parier sur Carneros ou Russian River semblait bien plus sûr. Les conditions qui allaient permettre plus tard l'élaboration, à Santa Barbara, d'un volume important de vins de pinot noir sublimes ont été involontairement réunies dans les années 1970 quand la terre était encore bon marché. On planta alors beaucoup de pinot noir pour satisfaire les besoins de l'industrie du mousseux installée dans le nord de l'État. On ne sait pas exactement quand les viticulteurs prirent conscience de la valeur de leur raisin pour l'élaboration de vins tranquilles, mais une grande partie des vins de pinot noir les plus admirables de toute la Californie viennent aujourd'hui de cet endroit.

L'AVA Santa Ynez Valley fait le meilleur pinot de Santa Barbara, mais son aire est limitée. À 14 km de l'océan, la vallée est trop froide pour que le raisin mûrisse bien, à 26 km elle est idéale pour le pinot noir, mais elle devient plus chaude au fur et à mesure qu'on la remonte et, à 32 km de la côte, c'est le pays du cabernet. Le meilleur vignoble de pinot noir de la vallée de Santa Ynez est celui de Sanford & Benedict. À Santa Maria Valley, qui convient bien au cépage, le meilleur vignoble est celui de Bien Nacido.

FACTEURS DU GOÛT ET DE LA QUALITÉ

EMPLACEMENT
Au sud de Monterey, le long de la côte, jusqu'au voisinage de Los Angeles, la région comprend les comtés de San Luis Obispo et de Santa Barbara.

CLIMAT
Généralement chaud (Région III, *voir* p. 448) sauf dans les secteurs plus frais proches de l'océan, notamment autour de Santa Maria, au centre de la région (Régions I et II, *voir* p. 448), en raison du voisinage du grand banc de brumes côtières. La pluviosité annuelle varie de 200 à 1 140 mm.

SITES
La plupart des vignobles se trouvent sur les coteaux de San Luis Obispo et sur la terrasse de Santa Barbara exposée au sud, à une altitude de 37 à 120 m dans Edna Valley, de 180 à 305 m à Paso Robles et de 460 m à York Mountain.

SOLS
En grande partie sableux, alluvionnaires ou argilo-calcaires, mais parfois plus alcalins comme le sol graveleux calcaire des pieds des monts Santa Lucia.

VITICULTURE ET VINIFICATION
Au milieu des années 1980, on commença à faire quelques vins tranquilles de pinot noir, à titre expérimental, avec le raisin des vignobles créés une dizaine d'années plus tôt pour satisfaire les besoins croissants de l'industrie du mousseux des régions du nord de l'État; à la fin des années 1980, un certain nombre de pinots noirs de classe internationale avaient vu le jour. Les méthodes de viticulture et de vinification évoluent encore. On utilise surtout des cuves de vinification ouvertes avec enfoncement fréquent du chapeau. Certains vinificateurs incorporent 15 à 30% de raisin entier, mais la plupart y ont renoncé. La macération à basse température est suivie par une fermentation avec des levures naturelles à température assez élevée. Après un pressurage modéré, le vin est élevé en barriques (25 à 50% de bois neuf). Tout le chêne est français, très généralement à grain serré, et de nombreux producteurs préfèrent un brûlage intense des barriques.

CÉPAGES
Barbera, cabernet franc, cabernet sauvignon, chardonnay, chenin blanc, gewurztraminer, malvasia, muscat, pinot blanc, pinot noir, riesling, sangiovese, sauvignon blanc, sémillon, sylvaner, syrah, tocai friulano, zinfandel.

Entreprises vinicoles
Zone de viticulture intensive
York Mountain
Paso Robles
Edna Valley
Santa Maria Valley
Santa Ynez Valley
Arroyo Grande
Limite de comté
Altitude (en m)
km 10 20 30 40 50
miles 5 10 15 20 25 30

SUD DE LA CÔTE CENTRALE, *voir aussi* p. 448
Formée par les comtés de San Luis Obispo et de Santa Barbara, cette région est renommée pour ses pinots noirs de très grande qualité.

APPELLATIONS DU

SUD DE LA CÔTE CENTRALE

ARROYO GRANDE VALLEY AVA

Comté de San Luis Obispo

Zone de quelque 175 km² située à une vingtaine de kilomètres au sud de la ville de San Luis Obispo, juste à l'ouest de Grover City, l'appellation Arroyo Grande Valley bénéficie d'un climat frais (Régions I à II, *voir* p. 448), grâce à la proximité de l'océan et des brumes amenées matin et soir par la brise marine. La vigne est cultivée beaucoup plus haut que dans l'appellation voisine d'Edna Valley, à une altitude de 90 à 300 m, et reçoit un peu plus de pluie. Les vignobles se trouvent à flanc de coteaux sur des pentes plus ou moins raides, au sol argilo-sableux ou argilo-limoneux profond et bien drainé. La température nocturne descendant à 17 °C, le raisin conserve un niveau d'acidité assez élevé, ce qui le rend précieux pour l'élaboration des mousseux. Il n'est donc pas surprenant que la maison Deutz, qui exploite le plus grand vignoble de l'appellation, soit ici la plus connue. Elle a aussi produit un peu de vin tranquille de chardonnay et de pinot noir dont la qualité, discutable, ne révèle pas les vraies possibilités de l'appellation. En revanche, l'entreprise Au Bon Climat – un nom prédestiné – élabore des vins absolument superbes avec ces deux cépages.

EDNA VALLEY AVA

Comté de San Luis Obispo

Cette vallée de forme allongée, située immédiatement au sud de l'AVA Paso Robles, est bien délimitée par les monts Santa Lucia au nord-ouest, la chaîne de San Luis au sud-ouest et un ensemble de collines basses au sud-est. Au nord-ouest, elle rejoint la vallée de Los Osos, formant ainsi un large entonnoir dans lequel s'engouffrent les vents océaniques venant de la baie de Morro. L'air marin pénètre donc librement dans la vallée où il est emprisonné dans des poches formées par la montagne et les collines. Le climat estival est donc tempéré, ce qui n'est pas le cas des zones voisines. La vigne est cultivée sur des sols principalement argilo-sableux, argilo-limoneux et argileux.

PASO ROBLES AVA

Comté de San Luis Obispo

Cette région a reçu son nom au XVIIIe siècle, quand les voyageurs la traversaient pour aller de la mission de San Miguel, au nord, à celle de San Luis Obispo, au sud. Formée de collines onduleuses et de vallées, c'est l'une des plus anciennes régions viticoles de Californie puisque l'on y faisait déjà les vendanges quelques années avant 1800. Protégée des vents côtiers et des brumes marines, elle bénéficie de l'équivalent de cinq cents à mille journées-degrés supplémentaires par rapport aux zones viticoles situées à l'ouest et à l'est, d'où une modification du rythme de mûrissement du raisin qui en fait une région de vins rouges. Les cépages de la vallée du Rhône et le zinfandel s'y plaisent beaucoup.

SAN LUIS OBISPO AO

Cette appellation, qui n'est pas une AVA, s'applique à tout le raisin cultivé dans le comté de San Luis Obispo.

SANTA BARBARA AO

Cette appellation, qui n'est pas une AVA, s'applique à tout le raisin cultivé dans le comté de Santa Barbara.

SANTA MARIA VALLEY AVA

Comté de Santa Barbara

Les vents du Pacifique qui parcourent cette vallée en forme d'entonnoir rendent l'été et l'hiver plus frais et l'automne plus chaud que dans les régions voisines. L'altitude va de 60 à 240 m et la plupart des vignobles sont concentrés à une altitude de 90 m. Le sol, composé de limons tantôt sableux tantôt argileux, ne contient pas de sel. C'est une région de culture de pinot noir de grande qualité. Le vignoble de Bien Nacido, sur la terrasse de Tepesquet, qui livre son raisin à de nombreux producteurs, est de loin le meilleur. On cultive aussi dans la vallée de Santa Maria du chardonnay de qualité supérieure et même une des meilleures syrah de Californie.

SANTA YNEZ VALLEY AVA

Comté de Santa Barbara

L'appellation Santa Ynez Valley est délimitée par des montagnes au nord et au sud, par le lac Cachuma à l'est et par une série de collines basses à l'ouest. La proximité de l'océan et les brumes marines tempèrent le climat et provoquent un abaissement des températures moyennes. Pourtant, les collines de Santa Rita s'opposent à la pénétration des vents froids soufflant du large, ce qui fait que le centre et l'extrémité orientale de la vallée n'ont pas le plus froid des climats côtiers (2680 journées-degrés) alors que Lompoc, qui ne se trouve qu'à 3 km au-delà de la limite occidentale de l'appellation, ne bénéficie que de 1970 journées-degrés. Les vignobles sont cultivés à une altitude de 60 à 120 m au pied des monts San Rafael sur des sols sableux, siliceux et argileux, en général bien drainés. Le meilleur pinot noir de Santa Barbara vient du vignoble Sanford & Benedict (qui livre son raisin à nombre de producteurs), situé à l'ouest. Le royaume du cabernet et du zinfandel se trouve un peu plus haut dans la vallée. On cultive aussi dans l'appellation un chardonnay de très grande qualité.

TEMPLETON

Comté de San Luis Obispo

Templeton est situé à l'intérieur de l'AVA Paso Robles. Il ne s'agit pas d'une AVA, mais je cite ce petit secteur car de nombreuses sources documentaires le classent parmi les AVA. Même les publications du Wine Institute de Californie commettent la même erreur.

YORK MOUNTAIN AVA

Comté de San Luis Obispo

Cette petite appellation, qui ne se trouve qu'à 11 km de l'océan, est située à une altitude de 450 m dans les monts Santa Lucia, à proximité de la limite occidentale de l'AVA Paso Robles. Son classement dans la Région I (*voir* p. 448) et une pluviosité annuelle moyenne de 1140 mm la distinguent des régions voisines, plus chaudes et considérablement plus sèches.

MEILLEURS PRODUCTEURS DU

SUD DE LA CÔTE CENTRALE

ADELAIDA CELLARS

Le meilleur vin de Bill Munch fut le chardonnay, mais qui paraît aujourd'hui dépassé par des vins puissants, riches et délicieusement fruités, issus de sangiovese et du zinfandel.

AU BON CLIMAT

Comté de Santa Barbara

★★½

Je n'ai jamais connu quelqu'un d'aussi bavard que Jim Clendenen. Il n'a pourtant pas besoin de parler autant – ses vins le font pour lui –, mais je l'écoute parce que j'aime ses vins et que je ne peux pas placer un mot. La première fois que je les ai rencontrés, c'est quand Jasper Morris, le marchand de vin anglais, m'a mis un verre sous le nez et m'a demandé : « À votre avis de quoi s'agit-il? » J'ai humé, imbibé mon palais, recraché et répondu : « On dirait un bourgogne d'une appellation communale du sud de la Côte de Beaune, d'une assez bonne année. » Je savais que c'était un piège, mais s'il m'avait dit qu'il s'agissait d'un santenay, je l'aurais cru. C'était en vérité un pinot noir de Santa Barbara vieux de trente mois, qui venait de Au Bon Climat. J'en ai aussitôt acheté une caisse.

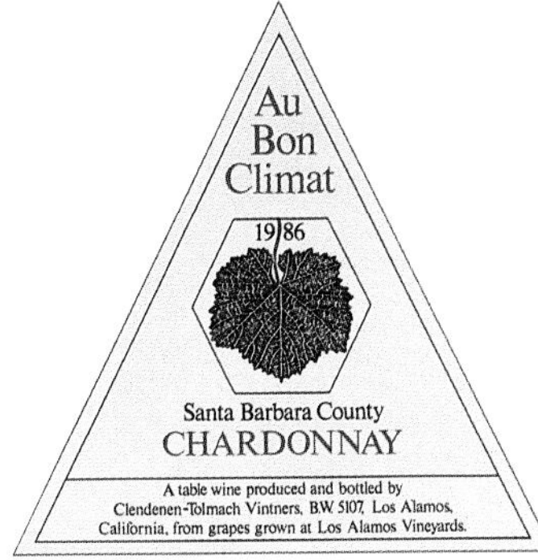

✓ *chardonnay* (surtout Sanford & Benedict) • *pinot noir* (surtout Sanford & Benedict pour la finesse, et Rosemary's Vineyard d'Arroyo Grande pour un vin plus gras et plus mûr)

BABCOCK VINEYARDS

Comté de Santa Barbara

★½

Le pinot noir, tendre et succulent, et le sauvignon, juteux et boisé, sont les meilleurs vins. Un intéressant pinot noir de Santa Ynez, étiqueté « Casa Cassara », vient d'un nouveau vignoble de coteau appartenant à Babcock.

✓ *pinot noir* • *sauvignon blanc* (surtout 11 Oaks Ranch)

BYRON

Comté de Santa Barbara

★½

Appartient à Mondavi depuis 1990, mais les vins sont toujours faits par le créateur de l'entreprise, Byron Ken Brown, dont les vins blancs sont encore meilleurs que son pinot noir.

✓ *chardonnay* • *pinot blanc* • *pinot noir* (Reserve) • *sauvignon blanc* (Reserve)

CAMBRIA

Comté de Santa Barbara

Que deux vins élaborés par Cambria avec des cépages qui exigent des climats diamétralement opposés, le pinot noir et la syrah, soient l'un comme l'autre exceptionnels démontre la diversité des terroirs de la vallée de Santa Maria. L'entreprise appartient maintenant à Kendall-Jackson.

✓ *chardonnay* (surtout Katherine's Vineyard) • *pinot noir* • *syrah* (Tepusquet Vineyard)

CHIMÈRE

Comté de Santa Barbara

★☆ ?

Petite production d'excellents vins de cépages bourguignons. On m'a dit que le propriétaire de Chimère, Gary Mosby, élabore aussi lui-même un nebbiolo intéressant.

✓ *chardonnay* (Santa Barbara) • *pinot noir* (Edna Valley)

EBERLE WINERY

Comté de San Luis Obispo

★☆

Ne cherchez pas plus loin pour un zinfandel massif, mais le cabernet est mieux équilibré et le barbera est l'un des héros méconnus de Californie.

✓ *barbera* • *cabernet sauvignon* • *muscat canelli* • *zinfandel*

EDNA VALLEY VINEYARD

Comté de San Luis Obispo

★☆

Un superbe chardonnay, très riche, aux arômes de pain grillé, et aussi un très bon pinot noir.

✓ *chardonnay* • *pinot noir*

FESS PARKER WINERY

Comté de Santa Barbara

☆

Si vous n'avez pas été un enfant dans les années 1950, il est peu probable que le nom de Fess Parker vous dise quelque chose, mais pour moi, il sera toujours synonyme du légendaire Davy Crockett. Cela m'a beaucoup amusé de voir une Américaine rebondie ayant au moins deux fois mon âge en pâmoison devant son portrait. Elle goûta les vins et les trouva tous trop secs, même le riesling demi-sec, mais elle acheta un poster de Davy Crockett prenant un bain avec, sur la tête, son célèbre bonnet en raton laveur.

✓ *johannisberg riesling* • *syrah*

FIRESTONE VINEYARD

Comté de Santa Barbara

☆

Entreprise très consciencieuse qui élabore des vins excellents. Bien qu'il y ait parfois des accidents, ils sont en général riches et mûrs, parfois même splendides.

✓ *cabernet sauvignon* • *johannisberg riesling*

FOXEN VINEYARD

Comté de Santa Barbara

☆

Je ne suis pas tombé amoureux comme certains du pinot noir de Foxen, mais j'ai le plus grand respect pour presque tous ses autres vins.

✓ *cabernet sauvignon* • *chardonnay* • *chenin blanc* (Barrel Fermented)

THE GAINEY VINEYARD

Comté de Santa Barbara

★☆

Il y a une décennie, Rick Longoria martelait que son pinot noir herbacé et son riesling doux étaient parfaits. Son pinot est aujourd'hui l'un des plus beaux de Santa Barbara.

✓ *cabernet franc* (Limited Selection) • *chardonnay* (Limited Selection) • *pinot noir* (surtout Sanford & Benedict) • *sauvignon blanc* (Limited Selection)

HARTLEY OSTINI

Comté de Santa Barbara

★☆

Frank Ostini est un homme aimable, aimant la plaisanterie, qui est le propriétaire et le chef cuisinier du restaurant Hitching Post à Santa Maria, qui sert ce qui se fait de mieux comme cuisine américaine, sans prétention, de type barbecue. Il aime aussi élaborer lui-même du vin dans un coin de l'entreprise d'un autre original, Jim Clendenen, au Bon Climat.

✓ *The Hitching Post Pinot Noir* (surtout Bien Nacido et Sanford & Benedict) • *The Hitching Post Zinfandel*

KRISTONE

Comté de Santa Barbara

★☆ ?

Le projet de Kendall-Jackson pour un mousseux haut de gamme a vu le jour en 1996 avec le lancement d'un blanc de blancs et d'un blanc de noirs. Fait par « Mad Harry », Harold Osborne (qui fut le premier vinificateur de Schramsberg dans les années 1960 et conseilla Cloudy Bay, en Nouvelle-Zélande, pour l'élaboration de son mousseux Perolus), le premier millésime du blanc de blancs de Kristone était trop gras et empâté, dominé par un chêne torréfié massif. En revanche son blanc de noirs était admirable, avec un fruit succulent et bien équilibré. Mad Harry préfère récolter un raisin parfaitement mûr plutôt que de le vendanger plus tôt, quand il a encore une acidité correcte. Il dit que l'on peut acidifier un vin, mais jamais donner du fruit et de la richesse à un vin fait de raisin encore vert.

LONGORIA

Comté de Santa Barbara

Rick Longoria est si modeste qu'il me fit goûter un seul vin de son vignoble quand je le rencontrai chez Gainey, où il est vinificateur. J'ai découvert plus tard qu'il produit toute une gamme de vins différents.

✓ *cabernet franc* • *chardonnay* • *pinot noir*

IL PODERE DELL' OLIVOS

Comté de Santa Barbara

★☆

Encore un producteur qui fait ses vins au Bon Climat. Son barbera, qui possède une jolie acidité, est l'un des meilleurs de Californie.

✓ *barbera* • *Pronto* (aleatico viné)

MAISON DEUTZ

Comté de San Luis Obispo

Entreprise créée en 1985 par la maison champenoise Deutz et le Californien Beringer. Depuis, j'attends vainement qu'elle fasse des étincelles mais suis persuadé que le talentueux Christian Rogunenant finira un jour par y parvenir.

MOSBY WINERY

Comté de Santa Barbara

Bill et Jeri Mosby animent, parfois de manière quelque peu provocante, cette entreprise qui s'est spécialisée dans les vins de style italien.

✓ *Moscato di Fior* • *primitivo*

QUPÉ

Comté de Santa Barbara

★☆ ?

Ce producteur spécialisé dans les vins de style côtes-du-rhône est l'un de ceux qui travaille dans les installations de Bon Climat. Son marsanne ne m'a pas séduit.

✓ *syrah* (Ben Nacido) • *Los Olivos* (genre côtes-du-rhône rouge)

RANCHO SISQUOC

Comté de Santa Barbara

★

Premier vignoble créé à Santa Barbara. Il occupe 80 ha de l'immense Flood Ranch qui compte 14 500 ha. Les vins sont vifs et bien fruités.

✓ *cabernet franc* • *Cellar Select* (genre bordeaux rouge) • *chardonnay* • *sylvaner* • *sauvignon blanc*

SANFORD WINERY

Comté de Santa Barbara

★★☆

Le Barrel Select Sanford & Benedict élaboré par Richard Sanford est l'un des meilleurs pinots noirs de Californie. Le millésime 1994 est probablement le plus bel exemple de pinot noir que j'ai dégusté hors de Bourgogne.

✓ *chardonnay* (surtout Barrel Select Sanford & Benedict) • *pinot noir* (surtout Barrel Select Sanford & Benedict) • *sauvignon blanc*

SANTA BARBARA WINERY

Comté de Santa Barbara

★☆ Ⓥ

Créée au début des années 1960, c'est la plus vieille entreprise de Santa Barbara. Je ne me suis m'intéressé à sa production qu'une décennie plus tard, quand elle a commencé à faire des vins de qualité. Excellente source de vins d'un bon rapport qualité/prix, notamment issus de cépages bourguignons.

✓ *chardonnay* (Lafond Vineyard) • *pinot noir* (Reserve) • *sauvignon blanc* (Reserve Musqué) • *zinfandel* (Beaujour)

LANE TANNER

Comté de Santa Barbara

Lane Tanner a créé cette petite entreprise en 1989. Depuis il n'a cessé de raffiner ses pinots noirs, délicieusement mûrs, au goût et à l'arôme très purs.

✓ *pinot noir* (Sanford & Benedict Vineyard)

VITA NOVA

Comté de Santa Barbara

★ Ⓥ

Jim Clendenen (Au Bon Climat) et Bob Lindquist (Qupé) se sont associés pour faire des vins élégants et pour lesquels ils ont évité le piège d'un fruit envahissant.

✓ *cabernet franc* • *chardonnay* • *sémillon* (Reservatum)

WILD HORSE

Comté de San Luis Obispo

☆

Maison créée en 1982 par Ken Volk, qui s'est fait connaître par des vins superbes issus de cépages peu courants dont le tocai friulano qui n'est autre que le sauvignonasse donnant au Chili des vins infâmes et dont il réussit à tirer ce qui doit être l'un des plus beaux vins de ce cépage généralement méprisé.

✓ *malvasia* (Barrel Fermented) • *pinot blanc* • *tocai friulano*

ZACA MESA WINERY

Comté de Santa Barbara

Les chardonnays et pinots noirs d'un bon rapport qualité/prix sont maintenant surpassés par les vins de style côtes-du-rhône.

✓ *Cuvée Z* (genre côtes-du-Rhône) • *syrah* (Zaca Vineyard)

VALLÉE CENTRALE

Les zones vinicoles les plus célèbres de Californie et celles les mieux adaptées à l'élaboration de vins de grande qualité se trouvent dans les régions côtières. Elles sont largement surpassées quant à la quantité par Central Valley où l'on produit les trois quarts du vin californien.

L'USINE À VIN FRANZIA À RIPON, PRÈS DE MODESTO
Avec des installations qui évoquent une raffinerie de pétrole, les grandes entreprises ont perfectionné l'élaboration industrielle du vin.

Avant même de mettre en chantier cette édition, j'avais l'intention de donner dans le chapitre consacré à la Californie une place plus importante à Central Valley. Dès la première édition, je me posais la question suivante : « N'y a-t-il vraiment rien à dire sur une région qui produit trois bouteilles de vin californien sur quatre? » Afin d'être en mesure d'y répondre, je me suis rendu deux fois en Californie pour explorer cette vallée centrale et déguster ses vins. Je voulais surtout savoir s'il existait des secteurs où des vins sortent de l'ordinaire et pour quelle raison.

Pourquoi des appellations comme Clarksburg, Merritt Island ou Lodi existent-elles si elles ne signifient rien? Celle de Clarksburg est supposée être bonne pour le chenin blanc et celle de Lodi aurait une réputation meilleure et plus ancienne pour le zinfandel. Si ces réputations ne sont pas usurpées, pourquoi leurs vins ne figurent-ils pas en bonne place sur le marché international? Peut-être y a-t-il, dans cette vallée caractérisée par de gigantesques usines à vin, des petits producteurs élaborant des vins superbes pour leur prix qui n'ont ni les moyens ni le talent de les faire connaître?

Une fois sur place, j'ai demandé à un expert de la région d'organiser à mon intention une dégustation des vins des meilleures AVA. Je pensais qu'il y en aurait plus d'une centaine, mais il ne put en rassembler que trente-six dont un certain nombre de vieux millésimes d'entreprises disparues. Après avoir éliminé ces derniers et ceux dont l'étiquette ne précisait pas, même si c'était le cas, qu'ils étaient issus totalement ou principalement de raisin de la vallée, il n'en resta que huit. Peut-être y en aurait-il quelques autres aujourd'hui, mais il était évident qu'il n'y avait pas beaucoup de chance de découvrir dans la vallée de nombreux vins ayant un caractère affirmé. J'ai goûté quelques chenins de Clarksburg, passables mais sans personnalité, et je ne suis même pas sûr que les meilleurs étaient de cette AVA car elle n'était pas mentionnée sur l'étiquette. Les vins de Bogle Vineyards, sur Merritt Island, au cœur de l'AVA Clarksburg, ne m'ont pas impressionné lors de la dégustation, mais j'ai goûté des millésimes plus récents chez le producteur et il m'a paru évident qu'il était l'un des rares indépendants de Central Valley ayant une chance de percer. Il m'a semblé que les rouges, notamment le merlot, étaient mieux réussis que les blancs, mais comme ils contiennent jusqu'à 60 % de raisin venu d'ailleurs, ils portent l'appellation générique de Californie. Les quelques zinfandels de Lodi revendiquant l'appellation étaient des vins épais à l'ancienne, paraissant madérisés, avec parfois une odeur infecte.

Je n'ai pas découvert de vins d'appellation exceptionnels et j'ai compris que les AVA de Central Valley ne se justifiaient pas car les plus grandes entreprises – Gallo, mais aussi Mondavi à Woodbridge, au cœur de Lodi – les ont ignorées jusqu'à maintenant, même pour mettre en valeur quelques vins sélectionnés.

FACTEURS DU GOÛT ET DE LA QUALITÉ

EMPLACEMENT
La partie consacrée à la viticulture de cette immense vallée fertile au nord de San Francisco s'étend sur pas moins de 640 km, de Redding dans le nord à Bakersfield dans le sud, entre la chaîne côtière à l'ouest et la Sierra Nevada à l'est.

CLIMAT
En général homogène d'un bout à l'autre, il est progressivement plus chaud de la Région IV au nord à la Région V au sud (*voir* p. 448). Seule exception notable : la région de Lodi, rafraîchie par l'air marin remontant le cours du Sacramento.

SITES
La vigne est cultivée sur le fond plat de la vallée, fragmentée par des rivières endiguées qui assurent son irrigation.

SOL
Le sol de la vallée est presque partout constitué d'un limon sableux très fertile.

VITICULTURE ET VINIFICATION
La production d'un océan de vin de carafe de qualité homogène est assurée par les méthodes les plus modernes en mécanisation, irrigation, vinification en continu et embouteillage. Autour de Lodi sont faits des zinfandels et des vins de desserts de qualité un peu meilleure.

CÉPAGES
Barbera, cabernet sauvignon, carnelian, carignan, chenin blanc, colombard, grenache, merlot, mourvèdre, muscat, petite sirah, ruby cabernet, sauvignon blanc, sémillon, zinfandel

UNE MONTAGNE DE CABERNET SAUVIGNON
Dans Central Valley, la mécanisation s'étend à tous les domaines.

APPELLATIONS DE LA

VALLÉE CENTRALE

CLARKSBURG AVA

Comté de Sacramento

Vaste zone au sud de Sacramento, capitale de la Californie, englobant l'AVA Merritt Island, Clarksburg est rafraîchie par la brise marine remontant de la baie de Suisun. La pluviosité annuelle moyenne est de 410 mm, c'est-à-dire plus importante que dans les zones du sud et de l'ouest, mais moins importante que dans celles du nord et de l'est. La zone est sillonnée de cours d'eau et de canaux d'irrigation.

DUNNIGAN HILLS AVA

Comté de Yolo

Appellation récente (1993) située au nord-ouest de Sacramento dans les collines de Dunnigan. La plus grande partie des 445 ha de vigne appartient à R.H. Phillips, une entreprise qui a donné à Dunnigan Hills sa réputation de producteur d'agréables vins de cépage d'abord faciles.

LODI AVA

Comtés de Sacramento et de San Joaquin

Une zone qui comprend à la fois un cône d'alluvions, des plaines sujettes à inondations et des terrasses.

MÂTER AVA

Comtés de Mâter et de Fresno

Une zone de viticulture à ne pas confondre avec le comté de Mâter car elle s'étend à la fois sur celui-ci et le comté de Fresno. L'appellation Mâter compte plus de 14500 ha de raisin de cuve auxquels s'ajoutent des secteurs assez étendus consacrés à la production de raisin sec et de raisin de table.

MERRITT ISLAND AVA

Comté de San Joaquin

Une « île » bordée à l'ouest et au nord par les marécages de Sutter et au sud par le fleuve Sacramento. Elle est tempérée par les brises fraîches qui soufflent du détroit de Carquinez au sud-ouest, près de San Francisco. La température est ici nettement moins élevée qu'à Sacramento, à seulement 10 km au nord. Le sol est principalement sableux-limoneux, mais les secteurs occidentaux ont un sol plutôt argileux et les secteurs méridionaux un sol tourbeux modérément fertile.

NORTH YUBA AVA

Comté de Yuba

Cette appellation est située immédiatement à l'ouest de la Sierra Nevada et au nord de la rivière Yuba. Elle est épargnée par les gelées printanières, les chutes de neige de la Sierra Nevada ainsi que par la chaleur humide et les brumes des basses terres de la vallée de Sacramento. Son climat est plus tempéré que celui des autres AVA.

LES PRODUCTEURS DE LA

VALLÉE CENTRALE

BOGLE VINEYARDS

Comté de Sacramento

Chris Smith, ancien vinificateur en second chez Kendall-Jackson dans le comté de Lake, est chargé d'améliorer la qualité des vins de Bogle, qui possède de grands vignobles sur Merritt Island.

✓ *merlot* • *petite sirah*

FICKLIN VINEYARDS

Comté de Mâter

★

En tête des producteurs californiens spécialisés dans les vins de style porto mis en bouteilles au domaine. Le vignoble est complanté avec des cépages du Douro comme les touriga nacional et tinta cão ainsi qu'avec le souzao du Dão.

✓ *NV Port* • *Vintage Port*

FRANZIA WINERY

Comté de San Joaquin

Franzia produit dans son usine à vin un océan de vins bon marché, souvent outrageusement fruités. Pourtant certains vins de cépage comme le cabernet sauvignon peuvent être plus acceptables.

E. & J. GALLO WINERY

Comté de Stanislaus

Avec une production une fois et demie plus importante que celle de toute l'Australie, Gallo est non seulement la plus grosse entreprise vinicole de Californie, mais aussi le plus gros producteur de vin du monde. Sa seule taille justifierait qu'on lui consacre au moins quarante-cinq pages…

Dire que l'entreprise n'accueille pas les journalistes spécialisés les bras ouverts est rester bien en-deçà de la vérité. Après plusieurs tentatives, je n'ai réussi à être admis dans le gigantesque complexe vinicole de Modesto qu'en 1993, après avoir, il est vrai, menacé d'enfoncer les portes avec ma voiture. Si un journaliste veut visiter le domaine de prestige de Gallo dans la vallée de Sonoma, on déroulera le tapis rouge, mais personne à la direction de l'entreprise ne veut comprendre que quelqu'un veuille explorer son immense usine à vin. La réponse est simple : c'est un miracle œnologique que l'on puisse produire une immense quantité de vin tout en obtenant que celui-ci soit buvable et ce secret doit être jalousement gardé. Vu d'avion, Modesto peut avoir l'air d'une raffinerie de pétrole, mais on découvre un autre univers au niveau du sol. Quand on a franchi les grilles, on découvre des paons en liberté sur des pelouses admirablement entretenues et, lorsque l'on pénètre dans un premier bâtiment, s'ouvre à nous une immense salle de réception en marbre avec des fontaines se déversant dans des bassins entourés d'une végétation tropicale luxuriante, qui contiennent des carpes ayant la taille d'un sous-marin.

Gallo produit non seulement du vin très ordinaire, mais aussi des vins de cépage, bon marché mais buvables. Le vin ordinaire est distribué sous diverses étiquettes (Tott's André, Bartles & James, Carlo Rossi, etc.) et compte des vins pour la soif, des vins doux issus de cépages indigènes foxés comme le concord et la plupart des vins génériques (par exemple de style bourgogne, chablis, vin du Rhin). Les vins de cépage sont vendus sous l'étiquette « Gallo » (le cabernet sauvignon non millésimé est une véritable affaire). Certains génériques comme le Hearty Burgundy et le Chablis Blanc peuvent être raisonnablement – parfois même étonnamment – buvables et les meilleurs portent aussi l'étiquette « Gallo » : il y a une énorme différence entre le Hearty Burgundy ou le Chablis Blanc (Gallo), entre le Burgundy ou le Chablis (Carlo Rossi). C'est ainsi que les frères Ernest et Julio Gallo, deux viticulteurs qui durent emprunter de l'argent pour acheter leur premier fouloir après la prohibition, créèrent l'entreprise qui est devenue le plus gros producteur de vin du monde. Ce succès commercial phénoménal ne suffit pas aux deux frères : ils avaient l'ambition de produire aussi certains des meilleurs vins de Californie. Pour ce faire, ils déplacèrent littéralement une montagne pour niveler leur précieux domaine de Sonoma.

Si Ernest Gallo est satisfait (son frère Julio a trouvé la mort dans un accident de voiture en 1993), il ne devrait pas l'être. Investir une fortune pour créer Gallo Sonoma était pour lui trop facile. S'il veut vraiment susciter le respect et être applaudi, il n'a qu'à relever le défi que je lui lance, à savoir lâcher la bride à ses maîtres de chai de Modesto pour leur permettre deux choses : mettre séparément en bouteilles les vins qu'ils jugeraient exceptionnels et leur donner carte blanche pour mettre leurs idées en pratique.

Je ne fais pas partie de ceux qui condamnent systématiquement les grandes entreprises en raison de leur taille. Plus elles sont grandes, plus elles ont de chance de tomber sur des raisins ou des vins exceptionnels. Le choix entre perdre ces joyaux en les mélangeant avec le tout venant ou leur donner le destin qu'ils méritent fait la différence entre les meilleures et les pires des grandes entreprises.

Il est indiscutable que Gallo dispose d'une armée d'œnologues très qualifiés, mais il est évident que les plus inventifs, plutôt que d'aller exprimer leur talent ailleurs, resteraient dans l'entreprise si on leur laissait prendre des initiatives (par exemple collaborer avec les viticulteurs de Lodi pour faire le meilleur zinfandel imaginable). Avec de telles décisions, Gallo pourrait vite susciter, grâce à des tirages limités de ses meilleurs vins, l'attention des critiques les plus sévères, et mettre en évidence la valeur des meilleurs vignobles de la Central Valley. On saurait enfin si les appellations de cette région représentent autre chose qu'une simple division administrative.

✓ *cabernet sauvignon* (Sonoma County, Northern Sonoma) • *chardonnay* (Northern Sonoma, Stefani Vineyards) • *merlot* (Frei Ranch Vineyard, Three Vineyard) • *zinfandel* (Free Ranch Vineyard)

R.H. PHILLIPS

Comté de Sacramento

★☆Ⓥ

Une entreprise impeccable difficile à trouver sur le Diamond G Ranch, dans les collines de Dunnigan, qui fait des vins superbes au rapport qualité/prix absolument exceptionnel.

✓ *Alliance* (genre côtes-du-rhône rouge) • *Diamond G* (sémillon-sauvignon) • *mourvèdre* (EXP) • *Night Harvest Cuvée Rouge*

QUADY WINERY

Comté de Mâter

★

Un choix éclectique de vins vinés par un spécialiste incontesté.

✓ *Fortified Muscat* (Electra, Elysium, Essensia) • *Port* (Starboard)

LES AUTRES APPELLATIONS DE

CALIFORNIE

Note J'ai réuni ici des renseignements sommaires sur les régions viticoles de Californie qui n'ont pas été étudiées en détails dans les pages précédentes. Chacune des AVA décrites ci-dessous figure sur la carte générale de Californie (*voir* p. 448).

SIERRA FOOTHILLS

Dans les années 1850, la ruée vers l'or a atteint cette contrée aux paysages majestueux. Depuis le début des années 1970, les nouvelles entreprises vinicoles se sont multipliées ici, pour la plupart des entreprises individuelles du genre « boutique ». Bien différente de Central Valley dans laquelle elle est encastrée, c'est l'une des rares régions de Californie où, à cause de l'altitude, la culture du raisin n'est pas toujours possible. Elle attire des vignerons confirmés dont l'ambition est de produire une petite quantité des vins ayant du caractère. Au XIXe siècle, le zinfandel était le roi dans ces vignobles de montagne et il a retrouvé sa couronne dans les années 1980. Le sauvignon et le riesling n'ont pas tardé à contester sa suprématie, suivis du barbera et, sans doute bientôt, du cabernet sauvignon et du merlot.

CALIFORNIA SHENANDOAH VALLEY AVA

Comté d'Amador

Cette vallée a été ainsi nommée par des pionniers venus de la célèbre vallée de Shenandoah, en Virginie, à l'époque de la ruée vers l'or. Les deux vallées sont devenues des AVA en 1983. Les premières vignes ont été plantées en 1881 dans la vallée californienne de Shenandoah – qui se trouve dans la région des Sierra Foothills – par des chercheurs d'or qui, ayant épuisé leurs filons, se firent viticulteurs. Le sol moyennement profond, bien drainé, est en général fait de limon sableux grossier venant de la désagrégation du granit, assis sur des limons lourds souvent argileux.

EL DORADO AVA

Comté d'El Dorado

Le sol est surtout fait de granit désagrégé sauf sur Apple Hill, (« colline des pommes »), à l'est de Placerville, formée d'une coulée de lave. Il y a deux zones viticoles principales : la première, celle d'Apple Hill, comme son nom l'indique, est couverte de vergers; l'arboriculture fruitière a toujours précédé la viticulture. Aux États-Unis, la vigne se plaît particulièrement là où l'on obtenait de belles pommes. La seconde zone se trouve au sud-est de l'AVA, entre Quitingdale et Fairplay. Plus à l'est, les deux ennemis de la vigne sont le froid et le grizzli des Rocheuses.

FIDDLETOWN AVA

Comté d'Amador

L'AVA Fiddletown se trouve dans la section orientale des Sierra Foothills du comté d'Amador. Elle diffère de l'AVA Shenandoah Valley of California, proche de par une altitude plus élevée, une température nocturne plus basse et une plus grande pluviosité. L'irrigation n'est pas nécessaire et les vignobles occupent des limons sableux profonds et modérément drainés.

CALIFORNIE SEPTENTRIONALE

SEIAD VALLEY

Comté de Siskiyou

Située dans l'extrême nord de la Californie, à 21 km seulement de la frontière avec l'État d'Oregon, la petite appellation de Seiad Valley compte 877 ha dont à peine un peu plus d'un hectare de vigne.

WILLOW CREEK AVA

Comté de Humboldt

Cette appellation est soumise à deux influences climatiques majeures : l'océan Pacifique et la vallée de Sacramento, beaucoup plus chaude, située à 160 km à l'est. Elle est balayée par des vents qui baissent sa température estivale et provoquent par intermittence des gelées en hiver. Les zones à l'est de Willow Creek sont plus froides en hiver et plus chaudes en été.

CALIFORNIE MÉRIDIONALE

CUCAMONGA VALLEY AVA

Comtés de Los Angeles et San Bernardino

Appellation située à quelque 70 km à l'est de Los Angeles, qui s'étend sur plus de 40500 ha dans les comtés de San Bernardino et de Los Angeles. Les premières vignes furent plantées ici vers 1840. La surface viticole atteignit sa plus grande extension dans les années 1950 avec plus de 14000 ha, mais le déplacement de l'activité vinicole vers le nord a provoqué son déclin rapide : elle ne compte plus aujourd'hui que 800 ha environ et seulement cinq producteurs de vin.

MALIBU-NEWTON CANYON AVA

Comté de Los Angeles

Appellation qui ne compte qu'un unique vignoble, située sur le flanc orienté au sud de la montagne de Santa Monica.

SAN PASQUAL AVA

Comté de San Diego

Située dans le bassin hydrographique de Santa Ysabel, la vallée naturelle de San Pasqual est irriguée par les affluents du San Diequito et son climat est influencé par la proximité du Pacifique. Les étés sont chauds, mais très rarement torrides, et les brises océanes rafraîchissent, surtout la nuit. Les zones voisines présentent des conditions climatiques différentes et variées, propres aux régions tropicales, montagneuses ou désertiques.

TEMECULA AVA

Comté de Riverside

L'appellation Temecula se trouve dans le comté de Riverside, à l'est de Los Angeles, et comprend les secteurs de Murrieta et de Rancho California. Les brises marines qui remontent par les trouées de Deluz et Rainbow en modèrent la température. Les cépages les plus abondants sont le sauvignon blanc et le chardonnay. Le chenin blanc et le cabernet sauvignon s'y plaisent moins.

COMTÉS DE LAKE, MARIN ET SOLANO

Les autres comtés ayant une importance viticole sont ceux de Lake, Marin et Solano qui font tous partie de l'AVA North Coast. Seul celui de Lake jouit d'une certaine réputation.

BENMORE VALLEY AVA

Comté de Lake

Entouré par les monts Mayacamas qui culminent à 1000 m, cette appellation n'a que 50 ha de vigne, et son raisin est envoyé dans les appellations voisines car elle ne compte aucune entreprise vinicole.

CLEAR LAKE AVA

Comté de Lake

Appellation située entre les monts Macayamas et la réserve forestière nationale de Mendocino. La masse liquide du Clear Lake modère son climat. Cette AVA convient le mieux au chardonnay et au sauvignon blanc, mais on y produit également des vins de cabernet sauvignon bien texturés.

GUENOC VALLEY AVA

Comté de Lake

Cette appellation est située au sud du lac McCreary et à l'est du réservoir de Detert. Englobée dans l'AVA North Coast, la vallée de Guenoc a un climat plus extrême, une pluviosité moindre et un brouillard moins abondant que dans la zone voisine de Middletown.

SOLANO COUNTY GREEN VALLEY AVA

Comté de Solano

Green Valley se trouve entre Napa Valley à l'ouest et Suisun Valley à l'est. Le sol est limoneux-argileux et le climat est tempéré par les vents frais et humides du Pacifique et de la baie de San Francisco qui soufflent presque sans interruption du printemps à l'automne.

SUISUN VALLEY

Comté de Solano

Cette AVA, qui jouxte celle de Solano County Green Valley et se trouve non loin de la Central Valley, est tempérée par les mêmes vents frais et humides. Les sols sont diversement argileux, sableux et limoneux.

AUTRES PRODUCTEURS DE

CALIFORNIE

SIERRA FOOTHILLS

AMADOR FOOTHILL WINERY

Comté d'Amador

Ben Zeitman, un ancien chimiste de la NASA, fait lui-même ses vins avec le raisin de son petit vignoble de la vallée de Shenandoah.

✓ *zinfandel*

BOEGER WINERY

Comté d'El Dorado

☆

Première entreprise viticole à avoir repris l'exploitation des vignobles des Sierra Foothills après la prohibition, elle fait des vins de style sans doute plus européen que californien, discrets et élégants, qui exigent du temps en bouteilles avant d'être ouverts.

✓ *barbera* • *cabernet sauvignon* • *merlot* • *zinfandel*

IRONSTONE

Comté de Calaveras

★

John Kautz n'a créé cette entreprise qu'en 1994, mais il a déjà démontré qu'il était capable de produire un cabernet franc, tendre et sensuel, et un vin de syrah riche et boisé (étiqueté « Shiraz » comme en Australie).

✓ *cabernet franc* • *shiraz*

KARLY WINES

Comté d'Amador

Cette entreprise élabore des vins de grande qualité, haut en goût, étonnamment fins qui ne sont pas reconnus à leur juste valeur.

✓ *sauvignon blanc* • *zinfandel*

LAVA CAP

Placerville

☆Ⓥ

Vins de cépage bon marché et sous-estimés d'un vignoble produit sur le sol volcanique d'Apple Hill, à 700 m d'altitude, dans l'AVA El Dorado.

✓ *zinfandel*

MADRONA VINEYARDS

Comté d'El Dorado

Vignoble créé en 1980 dans les hauteurs des Sierra Foothills par un ingénieur nommé Richard Bush.

✓ *cabernet franc* • *Quintet Reserve* (genre bordeaux rouge)

MONTEVIÑA

Comté d'Amador

Plus connue pour son zinfandel, cette entreprise espère mettre à la mode les vins issus des cépages italiens venant de son vignoble de Shenandoah.

✓ *zinfandel*

RENAISSANCE

Comté de Yuba

★

Entreprise créée par une communauté d'artistes à un endroit absolument idyllique. Les vins, de qualité, sont élaborés par Diana Werner dans un cuvier circulaire astucieusement agencé, entouré d'un amphithéâtre couvert de vigne.

✓ *sauvignon blanc* (Dry, Late Harvest) • *riesling* (Dry, Late Harvest)

SHENANDOAH VINEYARDS

Comté d'Amador

❓

La famille Sobon a fait quelques vins puissants dans les années 1980, mais la production de la décennie suivante s'est révélée irrégulière.

✓ *zinfandel* (Sobon Vineyard)

CALIFORNIE MÉRIDIONALE

CALIFORNIE MÉRIDIONALE

La Californie méridionale, berceau des premiers vignobles de cet État, compte encore moins de vignes que la région des Sierra Foothills. Elle connaît une véritable renaissance depuis 1977, notamment dans le comté de Riverside et, dans une moindre mesure, celui de San Diego.

CALLAWAY VINEYARD AND WINERY

Comté de Riverside

☆

Cette entreprise fut une des premières à apporter la preuve que certaines parties de la Californie méridionale possèdent des microclimats permettant la culture de raisin et l'élaboration de vins de grande qualité.

✓ *chardonnay* (Calla-Lees) • *fumé blanc* • *chenin blanc*

MORAGA

Comté de Los Angeles

★

Cultiver la vigne dans le voisinage immédiat de Hollywood, à Bel-Air, un secteur livré à la spéculation immobilière, sur un terrain de 5,5 ha valant 3 millions de dollars, paraît une folie : cela obligerait, avant même de rentabiliser l'investissement, à vendre chaque bouteille de vin 50 dollars pendant 22 ans. Sur le plan strictement viticole, ce petit canyon gréseux et calcaire qui jouit d'un microclimat avec une pluviosité annuelle de 610 mm (380 mm dans les propriétés voisines) est un endroit idéal. La plus grande partie de la production consiste en un vin tendre à la robe profonde dans le style bordeaux rouge, admirablement fruité avec un chêne fondu, qui déploie en bouche des arômes splendides. Le propriétaire, Tom Jones, fait aussi un peu de sauvignon, frais et délicat. Ma seule suggestion est qu'il devrait aussi essayer le viognier.

✓ *moraga* (Bel Air) • *sauvignon blanc*

LEEWARD WINERY

Comté de Ventura

Cette entreprise produit depuis longtemps un grand chardonnay, riche et boisé.

✓ *chardonnay*

THE OJAI VINEYARD

Comté de Ventura

★☆

Adam Tolmach, autrefois un associé d'Au Bon Climat, a fait équipe avec Helen Hardenbergh pour créer cette « boutique ». La syrah, aux flaveurs de cassis avec des notes fumées, est ici le meilleur vin, mais il ne faut pas dédaigner le sauvignon, notamment la Cuvée Spéciale Sainte Hélène Reserve.

✓ *Cuvée spéciale Sainte Hélène* (genre bordeaux blanc) • *sauvignon blanc* • *syrah* • *viognier*

THORNTON

Comté de San Diego

John Culbertson fait du mousseux depuis le début des années 1980. Je n'ai été impressionné que récemment par son blanc de noirs fruité et élégant.

✓ *Vintage Blanc de Noirs Brut Reserve*

COMTÉS DE LAKE, MARIN ET SOLANO

GUENOC WINERY

Comté de Lake

☆Ⓥ

Guenoc a appartenu à Lillie Langtry (maîtresse du prince de Galles, le futur Édouard VII). Son portrait figure sur l'étiquette d'un de ces vins à l'excellent rapport qualité/prix.

✓ *cabernet sauvignon* • *chardonnay* • *Langtree* (meritage rouge) • *zinfandel*

KONOCTI WINERY

Comté de Lake

Ⓥ

Coopérative de dix-huit viticulteurs soutenus par trois investisseurs, très réputée pour ses vins bon marché d'un abord facile.

✓ *cabernet franc* • *chardonnay* • *fumé blanc*

KALIN CELLARS

Comté de Marin

Terry Leighton, un microbiologiste, élabore sans artifice technique des vins d'une qualité tout à fait exceptionnelle, profonds, amples et riches, fins et complexes.

✓ *chardonnay* (surtout Cuvée CH, Cuvée LD, Cuvée W) • *pinot noir* • *sauvignon blanc* • *sémillon* (Livermore Valley)

KENDALL-JACKSON

Comté de Lake

★★Ⓥ

Quand j'ai écrit la première édition de cette encyclopédie en 1988, Kendall-Jackson n'avait sa propre étiquette que depuis à peine quatre ans, mais sa réputation était déjà bien établie. Depuis, il a créé une étonnante brochette d'entreprises sous la coupe de son groupe « Artisans & Estates » qui comprend Cambria, La Crema, Edmeades, Hartford Court, Kristone, Lakewood, Stonestreet et Vina Calina (la plupart sont décrites dans l'ouvrage). La principale raison du succès des vins de Kendall-Jackson est leur rapport qualité/prix extraordinaire.

✓ *cabernet sauvignon* (Grand Reserve) • *Cardinale Meritage* (genre bordeaux rouge) • *chardonnay* (Camelot) • *sauvignon blanc* (Grand Reserve) • *sémillon* (Vintner's Reserve) • *syrah* (Durell Vineyard) • *viognier* (Grand Reserve) • *zinfandel* (Ciapusci Vineyard, Dupratt Vineyard, Proprietor's Grand Reserve)

STEELE

Comté de Lake

★★

Marque personnelle de Jed Steele, ancien vinificateur de Kendall-Jackson qui est devenu un expert de très grande réputation. Il lança le premier millésime sous une étiquette à son nom en 1991. Ses vins intenses et très élégants ont eu d'emblée un succès considérable.

✓ *chardonnay* (surtout Lolonis Vineyard, Du Pratt Vineyard, Sangiacomo Vineyard) • *pinot blanc* (Santa Barbara) • *pinot noir* (Sangiacomo Vineyard) • *zinfandel* (Catfish Vineyard)

SEAN THACKREY AND COMPANY

Comté de Marin

★

Sean Thackrey, marchand d'art de San Francisco, aime le bourgogne, ce qui l'a amené à créer cette entreprise en 1980 et, tout naturellement, à essayer de sculpter son propre pinot noir. Il ne mit ses vins sur le marché que dix ans plus tard, mais son élégant pinot n'eut pas le même succès que ses vins de cépage de style côtes-du-rhône, riches, charnus et aromatiques.

✓ *mourvèdre* (Taurus) • *petite sirah* (Sirius) • *syrah* (Orion)

NORD-OUEST DE LA CÔTE PACIFIQUE

La plupart des amateurs de vin ont certainement entendu parler du pinot noir de l'Oregon, mais ils seraient sans doute étonnés d'apprendre que l'on cultive aussi la vigne dans l'État de Washington et encore plus surpris que l'on y produit deux fois plus de vin que dans l'Oregon.

Les vins de l'Oregon ont un style bien défini, contrairement à ceux de Washington. C'est probablement la raison pour laquelle nombre d'amateurs, même avertis, les ignorent. Cela va bientôt changer car les producteurs, après avoir longtemps hésité entre les mousseux et les vins blancs aromatiques, ont compris que ce sont les cépages rouges, notamment le merlot, qui se plaisent le mieux chez eux.

ÉTAT DE WASHINGTON

En 1775, les Espagnols revendiquèrent cette contrée. Dix-sept ans plus tard, Robert Gray, capitaine du premier vaisseau américain ayant fait le tour du monde, la revendiqua à son tour pour son pays mais George Vancouver l'avait déjà revendiquée pour l'Angleterre un mois plus tôt. Pourtant, elle resta possession espagnole jusqu'en 1819, bien qu'elle fût de fait contrôlée par les États-Unis qui dominaient le commerce de la fourrure.

Les débuts du commerce vinicole

Les premières vignes de Washington furent plantées vers 1825, à Fort Vancouver au bord du fleuve Columbia, par des marchands de la Compagnie de la Baie d'Hudson (on ignore si l'on en faisait du vin). La première entreprise vinicole fut créée dans les années 1860 à Walla Walla et les premières vignes de *Vinifera* furent plantées à Yakima en 1871. Toutefois une véritable production à grande échelle ne prit son essor qu'après la prohibition, quand la politique de développement économique du New Deal permit de financer un grand programme d'irrigation qui transforma un désert aride en un paradis agricole.

La croissance de l'industrie vinicole de Washington fut rapide : on ne comptait pas moins de 42 entreprises en 1937, mais les vignobles, comme dans toute l'Amérique du Nord, étaient presque entièrement

NORD-OUEST DE LA CÔTE PACIFIQUE, *voir aussi* p. 443
Les vignobles du nord de la côte Pacifique occupent plusieurs régions vinicoles dispersées dans une vaste contrée de plusieurs milliers de kilomètres carrés, bordée à l'ouest par le Pacifique, de la Californie à la frontière canadienne. L'influence modératrice de l'océan ne s'étend pas jusqu'à l'Idaho.

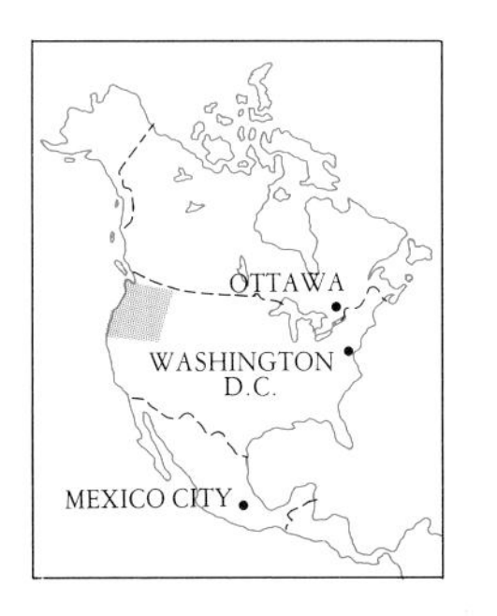

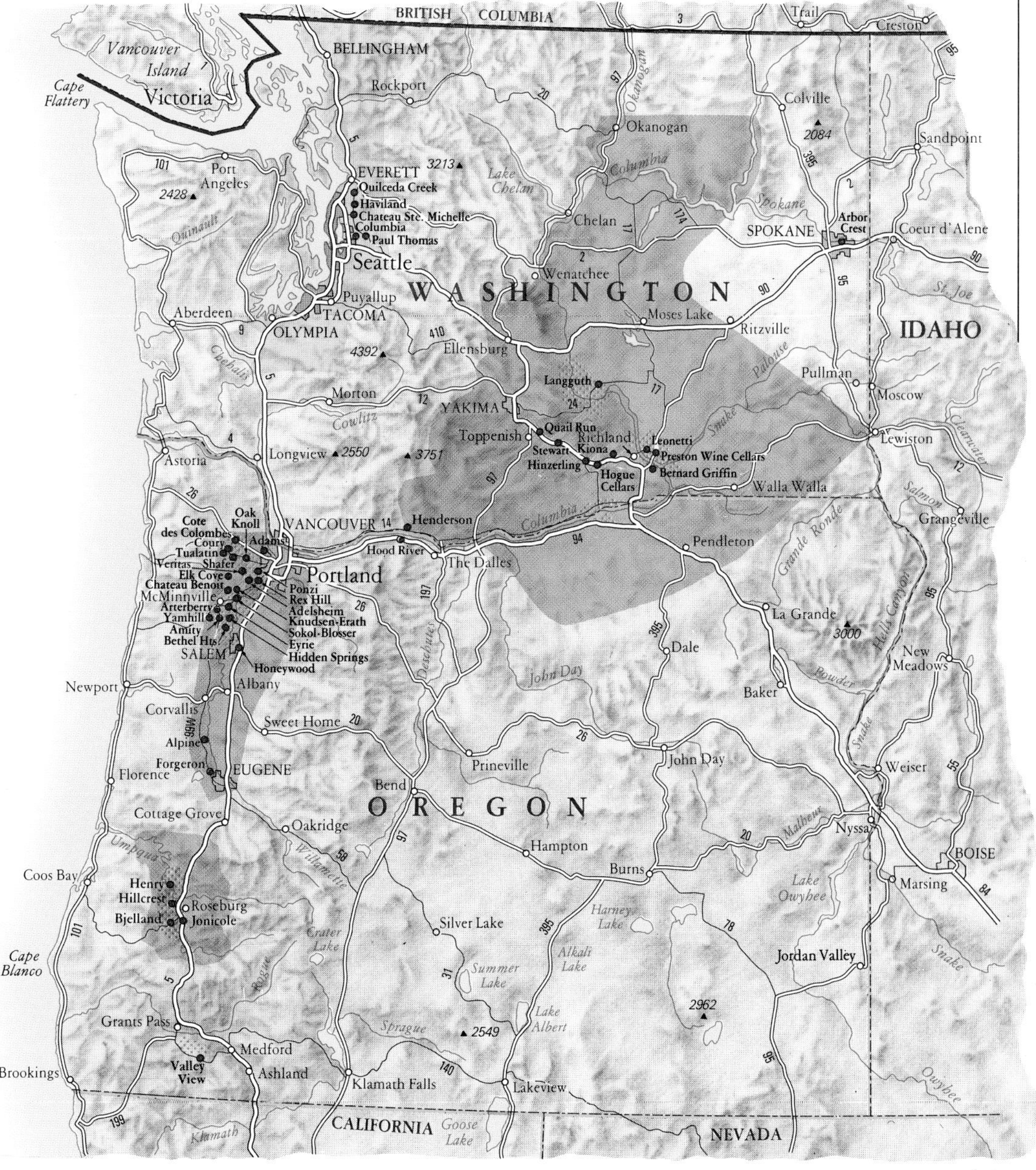

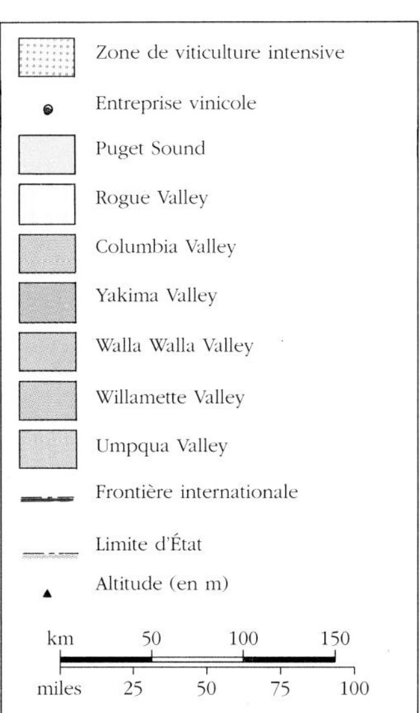

complantés en *labrusca* et autres cépages américains. Elles fournissaient aux entreprises d'autres États du vin de base pour leur infâme mousseux « Cold Duck » (*voir* p. 498) et produisaient des vins sucrés bon marché, souvent vinés, à base de concord, island belle et autres cépages indigènes donnant des vins au goût foxé.
On cultivait pourtant un peu de *Vinifera* (*voir* p. 20) : une entreprise de Yakima produisait des vins de muscat, riesling et sémillon depuis 1934. Cependant, après la prohibition, les premières cultures commerciales de *Vitis vinifera* ne furent entreprises qu'en 1951, mais elles restèrent sans suite. Une étude sérieuse des cépages européens fut menée à la fin des années 1950 par l'université d'État de Washington. Ses conclusions encouragèrent l'entreprise American Wine Growers (maintenant appelée « Château Sainte-Michelle »), puis d'autres producteurs, à créer de grands vignobles de *Vinifera*. En 1978, on comptait quelque 1 000 hectares de *Vinifera* dans l'État de Washington. Il y en a aujourd'hui 5 900 hectares et 85 entreprises produisent 36 millions de bouteilles par an, ce qui place Washington au deuxième rang des producteurs de vins de qualité aux États-Unis.

MILLÉSIMES RÉCENTS DU NORD DE LA CÔTE PACIFIQUE

1996 Le gel a réduit la vendange de l'État de Washington de 40%, mais le pinot noir de l'Oregon semble excellent.

1995 Année catastrophique pour le pinot noir de l'Oregon. Il n'existe pas de vins vraiment bons de ce millésime.

1994 En Oregon, petite production d'un pinot noir exceptionnellement riche, mais des blancs tantôt excellents, tantôt atroces.

1993 Washington : vendange record, vins rouges tendres et très bons blancs nerveux. Oregon : très bon pinot noir, mais inférieur au millésime 1994, plus soyeux et plus élégant.

1992 À Washington, récolte abondante et vins de bonne qualité, vins rouges bien colorés et mûrs, modérément tanniques. Une industrie vinicole encore adolescente a montré ses faiblesses : en Oregon, le pinot noir a souvent été vendangé exceptionnellement mûr, mais trop de vins sont déséquilibrés. Les meilleurs seront encore merveilleux dans dix ans. Quelques chardonnays exceptionnels.

FACTEURS DU GOÛT ET DE LA QUALITÉ

EMPLACEMENT
Regroupement arbitraire de trois États du nord de la côte Pacifique : Washington, Oregon et Idaho. La vallée de Yakima, qui traverse l'État de Washington, se trouve à peu près à la même latitude que le nord du Bordelais et le sud de la Bourgogne.

CLIMAT
L'influence des masses d'air continental est modérée, dans les États d'Oregon et de Washington, par les vents d'ouest soufflant de l'océan Pacifique. L'Oregon est plus froid que l'État de Washington où, à l'exception de Puget Sound, toutes les zones viticoles sont non seulement plus chaudes mais plus sèches que celles de l'Oregon, avec un fort ensoleillement (plus de dix-sept heures par jour en juin) et des nuits froides au moment critique du mûrissement. Le climat est plus continental en Idaho.

SITES
Les vignobles sont cultivés dans le fond des vallées, en général sur des pentes à faible déclivité et, en Oregon, sur les collines de l'intérieur.

SOLS
Les sols, fertiles, sont composés de limons profonds à texture légère, alluvionnaires, sableux et argileux, qui reposent sur un socle volcanique. Ceux de l'Oregon sont parfois un peu plus argileux.

VITICULTURE ET VINIFICATION
Dans l'État de Washington, les vignes sont franches de pied et irriguées dans une large proportion. On protège les vieilles vignes en interrompant l'irrigation avant l'hiver afin qu'elles entrent en dormance avant les grands froids. Différentes enquêtes ont montré qu'il n'y a pour ainsi dire pas de phylloxéra dans les zones viticoles de Washington, mais certains cultivateurs assurent qu'il est abondant dans les vignobles de concord, cépage indigène naturellement résistant. On ne s'explique pas pourquoi il n'attaque pas les vignes de *Vinifera* cultivées dans les vignobles voisins, sur un sol de même nature. Toutefois, on pense généralement que les viticulteurs de Washington devront finalement greffer leurs vignes. L'Oregon se préoccupe également de la sélection clonale et du choix des porte-greffes, procédé dont les avantages restent l'objet à des discussions animées car la réussite du Domaine Drouhin est plutôt attribuée à une forte densité de plantation. Dans plus de la moitié des vignobles, la densité est inférieure à 2000 pieds/ha. Quelques viticulteurs, qui l'ont portée 3000 ou 4000 pieds/ha, assurent qu'il n'y a pas de différence sensible. L'expérience a prouvé qu'une forte densité de plantation n'est bénéfique qu'au-delà de 4500 pieds/ha. Quant à Drouhin, il a planté ses vignes avec une densité de 7450 pieds/ha.

CÉPAGES
Cabernet sauvignon, chardonnay, chenin blanc, gamay, gewurztraminer, merlot, muscat ottonel, pinot gris, pinot noir, riesling, sauvignon blanc, sémillon, zinfandel.

Une évolution rapide et récente

Quand j'ai parcouru l'État de Washington, il y a quelques années, pour préparer la première édition de cet ouvrage, je n'y ai trouvé qu'un seul producteur de vin rouge toujours de bonne qualité, Alex Golitzen. Son entreprise, Quilceda Creek, n'était en vérité faite que d'un matériel sommaire installé dans un coin de son garage où il élaborait une petite quantité de vin. Il jouissait pourtant d'une excellente réputation due, d'une part, à l'indéniable qualité de son vin et, d'autre part, au fait qu'il était le neveu du légendaire André Tchelistcheff, qui fut le pape du vin de qualité.
Les choses ont bien changé depuis. On peut dire que Washington est devenu une des meilleures régions de production de vin rouge, même si 60% du vignoble sont encore occupés par des cépages blancs – il y a quelques années, le blanc comptait pour 70% de la production. La qualité des blancs est bien inférieure à celle des rouges – nombre d'entre eux sont maintenant au niveau des meilleurs rouges du marché international –, aussi la production des vins de merlot, de cabernet sauvignon, de cabernet franc et de syrah prend-elle de plus en plus d'importance.
Alex Golizen, toujours installé à Seattle, continue à produire des vins classiques à Quilceda Creek, mais en plus gros volume. C'est pourquoi il a été contraint de chasser son Oldsmobile du garage pour y installer un équipement plus moderne et de se faire aider par son fils. Les entreprises se sont multipliées, capables de rivaliser avec Quilceda Creek. Après le merlot, le cabernet sauvignon est maintenant le cépage rouge le plus abondant. Loin derrière eux, la culture du cabernet franc a récemment doublé et de nombreux producteurs ont commencé à s'intéresser à d'autres cépages comme le nebbiolo et la syrah.

IRRIGATION DANS L'ÉTAT DE WASHINGTON
Bien que le climat de cet État soit notoirement humide, les régions viticoles de l'est, les plus importantes, doivent être irriguées.

COMPARAISON WASHINGTON/OREGON

Les données ci-dessous montrent pourquoi les vins de ces deux États contigus et longés par l'océan Pacifique sont si différents.

	WASHINGTON	OREGON
Aire viticole	14,200 hectares	3 050 ha
Vinifera	5,900 hectares	3 035 ha
Cépages rouges	41 %	49 %
Cépages blancs	59 %	51 %
Principaux cépages	24 % chardonnay	39 % pinot noir
	21 % merlot	20 % chardonnay
	16 % cabernet sauvignon	14 % pinot gris
	31 % autres	27 % autres

- Washington : la quasi-totalité des vignobles est située à l'est de la chaîne des Cascades, dans une région chaude et aride. Oregon : les vignobles sont à l'ouest de la chaîne, dans une région plus fraîche où il ne pleut parfois pas assez.
- Washington : irrigation. Oregon : pas d'irrigation.
- Washington : climat plutôt continental. Oregon : climat plutôt maritime.
- Seuls les cépages les plus robustes supportent le froid hivernal rigoureux de Washington qui peut tuer les vignes greffées.
- C'est l'extraordinaire ensoleillement de Washington (2021 heures, 1660 en Oregon) plutôt que la chaleur (1240 journées-degrés, 1179 en Oregon) qui permet au cabernet sauvignon et aux autres cépages à peau épaisse de mûrir parfaitement alors qu'ils y parviennent parfois difficilement en Oregon.
- Washington : pas de maladies cryptogamiques. Oregon : la pourriture du raisin est un problème très sérieux.

NEWBERG, OREGON
Jeunes vignes de pinot noir à Newberg, dans les Dundee Hills, où se trouvent certaines des meilleures entreprises vinicoles d'Oregon.

OREGON

Le premier vignoble de *Vinifera* fut planté en 1854 dans la vallée de Rogue River. Celui-ci ainsi que d'autres vignobles créés entre-temps existaient encore au moment où la prohibition fut étendue à l'ensemble des États-Unis. Mais, comme dans l'État voisin de Washington, l'industrie vinicole utilisa presque exclusivement, et ce jusque dans les années 1970, le concord, un cépage foxé de l'espèce indigène *labrusca*. L'encépagement commença à changer quand des entreprises furent créées ici, dans les années 1960 et 1970, par des transfuges de Californie tels que Richard Sommer (Hill Crest), David Lett (The Eyrie Vineyard) et Bill Fuller (Tualatin). L'Oregon devint célèbre d'un jour à l'autre à l'occasion d'une dégustation à l'aveugle organisée en 1979 par Robert Drouhin : le pinot noir 1975 d'Eyrie Vineyard, élaboré par David Lett, fut alors noté en deuxième position derrière le Chambolle Musigny 1959 de Drouhin, surpassant le fabuleux Clos de Bèze 1961 du même vigneron ainsi qu'une d'autres crus prestigieux. Depuis cet événement, nombre de critiques ont proclamé que ce n'était plus qu'une question de temps avant que les autres pinots noirs de l'Oregon puissent rivaliser avec les bourgognes.
Effectivement, la qualité des pinots noirs a été améliorée et, au milieu des années 1980, la réussite semblait à portée de main. Une décennie plus tard, il faut bien constater que l'on n'en trouve guère sur le marché international. Que s'est-il donc passé? Le problème est de savoir si l'Oregon aura un jour suffisamment de vignobles et une production de qualité assez homogène pour transformer un coup d'éclat en réussite commerciale.

Perspectives d'avenir

Aujourd'hui, l'Oregon ne cultive qu'environ 1 200 hectares de pinot noir, ce qui n'est pas grand-chose en regard des 26000 hectares qu'il occupe en Bourgogne. Qui plus est, près de 70% du vin sont consommés dans cet État, ce qui laisse l'équivalent de la production de 360 hectares de ce cépage pour les amateurs du reste des États-Unis et de tous les autres pays où l'on boit du vin. C'est à peu près la production d'une commune de la Côte-de-Nuits comme Fixin. Le bourgogne n'aurait pas acquis la réputation qui est la sienne avec le vin d'une seule commune. Au début des années 1980, quand le vin de David Lett fit sensation, l'Oregon comptait encore moins de pinot noir : moins de 120 hectares! Il est évident, compte tenu de ces données chiffrées, que les perspectives commerciales de l'Oregon furent largement surestimées à l'époque. Même maintenant, après que l'aire de culture du pinot noir ait décuplé durant les quinze dernières années, les pinots noirs n'ont aucune chance d'acquérir une réputation internationale. Pourtant, si cette croissance est maintenue et que la qualité devient plus homogène, il n'est pas impossible que l'on reparle de ces vins vers l'an 2010.

IDAHO

L'Idaho est le plus petit État vinicole du nord de la côte Pacifique. Ses vignobles sont situés en altitude sur Snake River, où les journées sont très ensoleillées, mais les nuits glaciales. Dans de telles conditions, les vins ont une acidité très marquée. C'est pourtant en Idaho que se trouve la quatrième entreprise vinicole de tout le Nord-Ouest : Sainte Chapelle. Le reste de l'industrie vinicole est encore embryonnaire.

AUTRES CÉPAGES DE L'OREGON

Que le pinot noir soit destiné à devenir, au XXIe siècle, le cépage de loin le plus important de l'Oregon n'est pas absolument certain, mais il est indiscutable que c'est aujourd'hui le meilleur.
Même dans la vallée de Willamette, où sont produits la plupart des meilleurs pinots noirs, le chardonnay est aussi prometteur et il est probable que cette région nous donne bientôt des chardonnays superbes.
On cultive également du muscat ottonel en Oregon où, s'il est vendangé relativement tôt, il donne des vins de grande qualité qui comptent parmi les plus mésestimés de cet État.
Pourtant, ce sont certainement, à mon avis, les pinots gris qui sont promis à l'avenir le plus radieux.

APPELLATIONS DU

NORD OUEST DE LA CÔTE PACIFIQUE

COLUMBIA VALLEY AVA

Oregon et Washington

Columbia Valley est la plus grande appellation de l'État de Washington. Elle comprend notamment les deux sous-appellations de Yakima Valley et de Walla Walla Valley et ne compte pas moins de 99% de toutes les vignes de *Vinifera* de cet État. Avec environ 46 500 km², sa surface est une fois et demie plus grande que celle de toute la Belgique. Elle consiste en un grand bassin entourant les rivières de Columbia, Yakima et Snake. On y trouve un vaste plateau situé à une altitude variant de 300 à 600 mètres, dans lequel ces trois rivières ont creusé nombreux de défilés et gorges spectaculaires, en particulier au sud de leur confluence, là où la Columbia forme une épingle avant de marquer la frontière avec l'Oregon, ce qui fait de cette région l'une des plus belles et des plus contrastées des États-Unis. L'appellation Columbia Valley comprend de très nombreux microclimats dont la plupart se situent entre 1 240 et 1 440 journées-degrés, c'est-à-dire à cheval sur les régions I et II sur l'échelle du système californien des sommations de température (*voir* p. 448). En raison de sa latitude septentrionale et d'une nébulosité presque inexistante, elle jouit, en été, de deux heures d'ensoleillement de plus que Napa Valley en Californie. Bien que l'État de Washington dans son ensemble soit le plus humide des États-Unis, la pluviosité annuelle dans l'aire d'appellation n'est que de 380 mm et parfois moins. En plus des deux sous-appellations de Yakima et Walla Walla qui sont décrites plus loin, il y a beaucoup d'autres régions vinicoles reconnues à l'intérieur de l'AVA Columbia Valley. La plus intéressante de toutes est sans doute Canoe Ridge dont certains croient qu'elle est rattachée à l'AVA Walla Walla; c'est en effet là que se trouve l'entreprise vinicole Canoe Ridge, mais elle se trouve en réalité à 80 km à l'ouest, juste au-delà de Paterson. Ses vignobles se situent sur la rive droite de la Columbia et l'on estime qu'ils pourraient être la source de vins de merlot, cabernet et chardonnay d'un niveau international. Toutefois certains vignobles sont balayés par des vents dépassant 40 km/h qui stoppent temporairement le métabolisme de la vigne, ce qui ralentit le mûrissement du raisin. Les autres régions vinicoles de la vaste AVA Columbia Valley qui méritent d'être mentionnées sont : Northern Columbia Valley – qui englobe un assortiment disparate de zones vinicoles (dont Saddle Mountain, Wahluke Slope, Royal Slope et Skookumchuck Creek, un lieu dont la beauté est à couper le souffle, mais c'est rarement le cas de ses vins) – et Snake River, située entre Red Mountain (*voir* Yakima) et Walla Walla, dans les grandes collines, sur le cours inférieur de Snake River, quelques kilomètres à l'est de Pasco, où le cabernet et le merlot semblent le plus à l'aise.

IDAHO AO

Il ne s'agit pas d'une AVA, bien que, selon la réglementation, l'Idaho a la droit à sa propre appellation d'origine comme tout autre État. Il est surprenant qu'une AVA à part entière n'ait jamais été proposée pour l'Idaho jusqu'à aujourd'hui, surtout que ses vins ont acquis une qualité et un style bien distinctifs : ils sont caractérisés par un fruit intense et des arômes vifs soutenus par une bonne acidité.

PAGET SOUND AVA

Washington

Seattle a la réputation d'être une des villes les plus humides du monde (« ils ne bronzent pas à Seattle, disent les Californiens, ils rouillent! ») et les pluies incessantes ont, du moins au début, sévèrement réduit la variété des cépages pouvant être cultivés. Bainbridge Island, se targue de cultiver les vignes les plus proches de la grande ville – müller-thurgau et siegerrebe –, à deux kilomètres par le ferry. Plus au sud, sur la terre ferme, Johnson Creek cultive aussi du müller-thurgau. Bainbridge Island a été le premier vignoble de Paget Sound à planter du pinot noir. Les conditions climatiques de cette AVA sont apparemment contradictoires : elle est nettement plus sèche que la Bourgogne, plus ensoleillée que le Bordelais, mais aussi fraîche que le Val de Loire. Dans un État au sol aussi homogène, le bassin drainé par des cours d'eau qui se jettent dans le Sound est caractérisé par une moraine glacière que l'on ne trouve nulle part ailleurs dans le nord de la côte Pacifique. Il faut toutefois se garder de généraliser car la pluviosité annuelle varie dans Paget Sound de 430 à 1 114 mm, aussi certaines zones sont-elles beaucoup plus humides que la Bourgogne bien que la pluviosité moyenne de l'AVA soit plus basse. Paget Sound inclut le mont Baker et l'île Lopez.

ROGUE VALLEY AVA

Oregon

Située dans le sud, donc assez proche de la Californie, c'est la région la plus chaude de l'Oregon. Avec une grande variation dans l'altitude, l'exposition et les sols – de limoneux à argileux avec des zones de granit décomposé –, les cépages sont nombreux car le choix est difficile. Le chardonnay est, comme de juste, le plus régulier, puis viennent le cabernet sauvignon et le pinot noir, cépages les plus abondamment cultivés. Bien que l'altitude de l'appellation Rogue Valley soit très élevée, c'est la seule région de l'Oregon où l'ensemble des cépages bordelais réussissent régulièrement à mûrir de manière satisfaisante.

UMPQUA VALLEY AVA

Oregon

Avec des altitudes, des expositions et d'autres facteurs topographiques très variés, on cultive dans cette appellation une gamme de cépages plus étendue qu'ailleurs, avec des cépages aussi éloignés que le riesling et le cabernet sauvignon qui sont tout autant appréciés que le sont le pinot noir que le chardonnay.

WALLA WALLA VALLEY AVA

Washington et Oregon

Cette région est appelée « vallée de Walla Walla » depuis que les premiers pionniers s'y sont installés, dans les années 1850, bien avant la création de l'État de l'Oregon ou de celui de Washington. Avec moins de 0,5% du vignoble de l'État, on pourrait penser que Walla Walla ne mérite pas sa propre AVA, mais étant donné qu'elle bénéficie d'une pluviosité qui peut atteindre 500 mm, soit plus du double de celle du reste de la vallée de Columbia, c'est une région viticole tout à fait particulière, où l'on peut faire des vins exceptionnels sans recourir à l'irrigation. De Walla Walla à Blue Mountains, la pluviosité augmente de 16 mm à chaque kilomètre. D'un point de vue viticole, le problème de Walla Walla est que le blé s'y plaît tellement que l'on ne pense que rarement à la vigne. Quand ce n'est pas du blé, c'est le plus souvent de la luzerne, encore qu'une cultivatrice de luzerne, Janet Rindal, a eu l'audace de passer à la vigne et que sa réussite a été extraordinaire. Quelques entreprises étrangères à la région achètent du raisin de Walla Walla : Mountain Dome par exemple fait venir le tiers de son chardonnay et presque tout son pinot noir du vignoble de Whisky Creek. Pourtant, Walla Walla fait très peu de vin issu de son propre raisin, bien qu'elle dispose de sa propre AVA (qui se prolonge légèrement sur le territoire de l'Oregon). Cela devrait changer mais, pour l'instant, la réputation de Walla Walla repose sur un très petit nombre de producteurs dont les vins exceptionnels sont principalement faits avec du raisin acheté hors de la région.

WILLAMETTE VALLEY AVA

Oregon

C'est seulement après qu'un vigneron venu de Californie, David Lett, eût planté du pinot noir dans le vignoble qu'il créa en 1970 dans les Red Hills de Dundee (The Eyrie Vineyards) que ce cépage commença à prendre de l'importance en Oregon. Son pinot noir 1975 ayant surclassé le Clos de Bèze de Drouhin dans une dégustation à l'aveugle en 1979, il n'est pas étonnant que le producteur bourguignon ait ensuite choisi Red Hills pour créer sa propre exploitation en Oregon. Les Eola Hills, dans la même vallée de Willamette, qui partagent le même sol volcanique et se trouvent dans les comtés de Yamhill et Polk, constituent également une zone viticole très prometteuse.

YAKIMA VALLEY AVA

Washington

Sous-appellation de l'AVA Columbia Valley, Yakima Valley a la plus forte concentration d'entreprises vinicoles de Washington et compte 40% des vignobles de cet État. C'est dans la vallée de Yakima qu'est née l'industrie vinicole de Washington et elle en est restée le centre. La plupart des vignobles sont cultivés sur les pentes orientées au sud-est des Rattlesnake Hills, en particulier au centre de la vallée de Sunnyside, à Prosser. Ils partagent avec des pommiers, des cerisiers et des pêchers la zone située entre deux vieux canaux d'irrigation, le Roza et le Sunnyside. Le premier court au-dessus des versants et l'on peut parfois voir au-dessus du canal quelques parcelles de vigne ou des vergers et des arbres plantés pour les protéger du vent. La végétation luxuriante de cette zone irriguée, avec une riche palette de teintes vertes, présente un contraste saisissant avec l'étendue ocre semi-désertique qui l'entoure. La vallée de Yakima est un témoignage du succès des efforts d'irrigation entrepris au tournant du siècle, mais sa prospérité actuelle est due au grand programme d'irrigation du New Deal qui transforma un désert aride en un paradis agricole. Tout pousse ici : pommes, abricots,

asperges, cerises, houblon, poires, lentilles, menthe, petits pois, prunes, pommes de terre et framboises. Les pomiculteurs arrivèrent les premiers et choisirent les meilleurs sites pour leurs pommiers qui ont les mêmes lieux de prédilection que la vigne. Depuis quelques années, les vignobles disputent le terrain aux pommiers. Les anciens vergers de cerisiers se sont aussi révélés favorables à la vigne, mais moins que ceux de pommiers. Les meilleurs sont ceux où l'on cultivait la variété *Red Delicious* (qui exige de la chaleur et craint les gelées).
Red Mountain, Red Willow et Cold Creek sont d'autres aires qui sont reconnues dans l'AVA Yakima Valley. Red Mountain est située juste au nord-est de Benton City, dans une contrée typique du Far West. C'est pourtant là que le noble cabernet sauvignon donne des vins primés comme ceux de Quilceda Creek et Woodward Canyon (cette zone est donc promise à un bel avenir viticole). Red Willow est située à 24 km au sud-ouest de la ville de Yakima, sur l'Ahtanum Ridge, sur le versant de la vallée opposée aux canaux d'irrigation de Roza et Sunnyside. Elle a des pentes à forte déclivité, notamment sur le versant occidental où la couche superficielle du sol est peu profonde car les vents violents en ont dispersé une partie. Le versant occidental donne des raisins à petits grains et à peau épaisse; le versant oriental, moins incliné et au sol plus profond, produit du raisin plus gros et des vins plus tendres et moins tanniques. Mike Sauer, qui fut le premier, en 1973, à cultiver la vigne à Red Willow, a identifié huit microclimats nettement différents. Red Willow est la source de plusieurs vins de la Colombia Winery : son meilleur cabernet sauvignon, sa syrah haut de gamme et son milestone merlot. Une entreprise au moins s'essaie au nebbiolo. Cold Ridge n'est pas loin d'être l'emplacement le plus sec et le plus chaud de l'État et son vignoble est le premier à débuter les vendanges. Pourtant, quand les vignobles autour de Prosser sont déjà couverts d'un tapis de feuilles d'automne, ceux de Cold Ridge sont encore verts, car ils ont la plus longue période de croissance de Washington. Ainsi, ils sont non seulement les premiers mais aussi les derniers à vendanger. Autrefois, surtout connu pour son chardonnay, le vignoble de Cold Creek est maintenant devenu le principal fournisseur de raisin pour les vins de cépage du Château Sainte-Michelle.

PRODUCTEURS DU

NORD-OUEST DE LA CÔTE PACIFIQUE

IDAHO

INDIAN CREEK
Kuna

Bien qu'il soit installé dans une région à riesling, Bill Stowe est un fanatique du pinot noir. Il se débrouille bien avec chacun de ces cépages.

✓ *pinot noir* • *White Riesling*

PINTLER CELLAR
Nampa

En 1982, la famille Pintler a planté un vignoble orienté au sud dans son grand ranch de Snake River Valley, juste à l'ouest de Boise, mais n'a commencé à vendre son vin qu'en 1988.

✓ *chardonnay*

ROSE CREEK VINEYARDS
Hagerman

Ancienne employée de Sainte Chapelle, Jamie Martin élabore un peu de vin très acceptable à Rose Creek Vineyards avec du raisin venant aussi bien de l'Idaho que de Washington.

✓ *johannisberg riesling* (Idaho)

SAINTE CHAPELLE
Caldwella

★

Créée en 1976, Sainte Chapelle est la plus grande entreprise vinicole de l'Idaho et se classe quatrième de toutes celles du nord de la côte Pacifique. Ses vins de haute tenue sont un exemple dont d'autres producteurs feraient bien de s'inspirer.

✓ *Blanc de Noirs Brut* • *riesling* • *chardonnay* • *syrah* (Reserve)

OREGON

ADAMS VINEYARD
Portland

☆

Cette jeune entreprise a vite acquis une belle réputation pour ses vins de cépage de type bourguignon, admirablement équilibrés.

✓ *chardonnay* (surtout Reserve) • *pinot noir*

ADELSHEIM VINEYARD
Newberg

Tous les vins sont bons, mais les pinots noirs sont les plus réussis et comptent parmi la demi-douzaine d'excellents pinots noirs de l'Oregon.

✓ *chardonnay* • *pinot gris* • *merlot* (Layne Vineyards Grant's Pass) • *pinot noir* (surtout Elizabeth's Reserve, Seven Springs Vineyard) • *sauvignon blanc*

ARCHERY SUMMIT
Dundee

★☆

Le Californien Gary Andrus, un nouveau venu, a fait des débuts brillants avec un pinot noir généreux.

✓ *pinot noir*

AMITY VINEYARDS
Amity

☆

Renommé pour un pinot noir qui peut être bien structuré, avec une plus grande longévité que ses voisins. Le Reserve n'est parfois pas assez fruité pour équilibrer ses tanins.

✓ *gamay noir* • *pinot gris* • *pinot noir*

ARGYLE WINERY
Dundee

★

Cal Knudson et Brian Croser (de Petaluma, en Australie) sont ici associés. Allen Holstein assume la responsabilité à la fois du vignoble d'Argyle et de celui de Domaine Drouhin. Argyle fait un excellent riesling et le meilleur mousseux de l'Oregon. Le chardonnay est parfois bon et le pinot noir, naguère désastreux, a fait des progrès spectaculaires.

✓ *Argyle Brut Vintage* (dès 1989) • *pinot noir* (dès 1994) • *riesling* (Dry)

AUTUMN WIND VINEYARD
Newberg

★☆

Petit vignoble des Dundee Hills dont Tom et Wendy Kreutner tirent un pinot noir admirablement équilibré, amplement fruité et très fin.

✓ *chardonnay* • *pinot noir*

BEAUX FRÈRES
Dundee

★☆

Le pape américain du vin, Robert Parker, a une part dans cette entreprise dont l'exploitation est assurée par Mike Etzel, son associé. La densité de plantation est d'environ 6000 pieds/ha. Elle n'est plus élevée qu'au Domaine Drouhin.

✓ *pinot noir* (ni collé, ni filtré)

BENTON-LANE
Sunnymount Ranch

☆Ⓥ

Entreprise appartenant à Stephen Girard (de Girard Winery) et Carl Doumani (de Stag's Leap), l'un et l'autre bien connus pour leur cabernet ou leur petite sirah. Ils sont pourtant passionnés par le pinot noir et sont convaincus que l'Oregon est l'endroit idéal pour ce cépage. C'est pourquoi ils ont acheté ici un ranch de 800 ha au milieu des années 1980 et y ont planté 30 ha de pinot.

✓ *pinot noir*

BETHEL HEIGHTS VINEYARD
Salem

★★Ⓥ

Une des meilleures de la demi-douzaine d'excellentes entreprises de l'Idaho. Son pinot noir courant (et non le First Release, meilleur marché) est souvent aussi bon, sinon meilleur, que celui provenant de parcelles déterminées. Il s'agit d'un des pinots noirs de l'Oregon les plus remarquables et l'un de ceux présentant le meilleur rapport qualité/prix.

✓ *chardonnay* • *pinot noir*

BRICK HOUSE VINEYARD
Newburg

☆

Issu de raisin « biologique », pour ceux qui aiment le pinot noir corpulent, riche en extrait et en chêne torréfié.

✓ *pinot noir*

BRIDGEVIEW
Cave Junction

☆Ⓥ

Entreprise située dans l'Illinois Valley de la chaîne des Cascades. Elle a choisi pour son vignoble de chardonnay une densité de plantation assez élevée, soit 4450 pieds/ha.

✓ *chardonnay* • *pinot noir* (depuis 1994)

BROADLEY VINEYARDS
Monroe

★Ⓥ

Un des pinots noirs de l'Oregon les plus substantiels issu d'un microclimat particulièrement chaud.

✓ *pinot noir*

CALLAHAN RIDGE

Roseburg

☆

Entreprise de la vallée d'Umpqua capable de produire des rieslings de classe internationale.

✓ *White Riesling*

CAMERON WINERY

Dundee

☆Ⓥ

Bons vins sous-estimés, qui se laissent boire avec plaisir, mais dont le style est parfois déroutant.

✓ *chardonnay* (Reserve) • *pinot blanc* • *pinot noir*

CHÂTEAU BENOÎT

Carlton

☆

Une gamme éclectique, dont un vin effervescent qui s'efforce d'être bon mais qui n'y parvient pas toujours. L'entreprise vaut le détour pour la beauté du site.

✓ *sauvignon blanc*

CHÂTEAU LORANE

Lorane

Une gamme étendue de vins de cépage, dont un vin blanc désaltérant issu du muscadet, étiqueté « Melon » (melon de bourgogne est le nom d'origine du muscadet).

✓ *melon*

CHEHALAM

Newburg

Entreprise pleine d'avenir.

✓ *pinot gris* (Ridgecrest Estate) • *pinot noir*

COOPER MOUNTAIN

Beaverton

☆

Chardonnay d'excellente qualité, vinifié en barrique. Le vignoble est cultivé sur un volcan éteint dominant la vallée de Tualatin.

✓ *chardonnay* • *pinot gris*

CRISTOM

Salem

☆

Une entreprise récente déjà réputée pour un pinot noir plus charnu et plus riche que la plupart des autres.

✓ *chardonnay* (Barrel Fermented) • *pinot noir*

DAVIDSON

Tenmile

❓

Certains millésimes du pinot noir de Davidson, un vin qui n'est pas toujours classiquement équilibré, peuvent être très satisfaisants.

DOMAINE DROUHIN

Dundee

Joseph Drouhin a décidé de créer une entreprise en Oregon après que le pinot noir du Californien David Lett (qui a créé The Eyrie Vineyards) se soit classé, dans une dégustation à l'aveugle organisée en Bourgogne, deuxième derrière son Chambolle Musigny 1959, mais devant son Clos de Bèze 1961 et de nombreux autres crus bourguignons. Plus coloré, plus profond et plus complexe que tout autre pinot noir de l'Oregon, tout en préservant la pureté et la finesse propres au cépage, le premier millésime de ce domaine (1988) a stupéfié les producteurs de l'Oregon et les critiques spécialisés. Dans celui créé par Drouhin, l'espace entre les ceps est trois fois et demie plus petit que dans les autres vignobles de l'Oregon, voire dans le monde vinicole international ; on attribua la supériorité de son pinot noir à cette densité de plantation plus élevée. Sur place, on savait que Drouhin n'avait pas utilisé une seule grappe du raisin de son vignoble car ses vignes étaient encore trop jeunes. L'idée qu'une densité de plantation plus élevée donne un meilleur vin ne tarda pas à s'imposer, ce qui ne manque pas de piquant quand on sait que tout le raisin dont était issu ce fameux millésime 1988 avait été acheté par Drouhin à des viticulteurs cultivant leurs vignes comme ils l'avaient toujours fait. Le millésime 1989 fut une révélation et le suivant presque aussi bon. Le 1991 (le premier élaboré par Véronique Drouhin, sa fille) fut d'une qualité tellement plus élevée que tout le monde fut persuadé qu'il s'agissait d'un cru conçu avec 100% du raisin du domaine alors que, en réalité, seul le tiers en provenait. On a pu lire, dans la presse spécialisée, tellement de commentaires contradictoires à ce sujet que je crois utile de préciser l'origine de ces deux autres tiers de raisin : en proportion à peu près égales, Bethel Heights, Canary Hill, Durant, Knudsen, Hyland et Seven Springs. Le Domaine Drouhin 1991 a une structure, une ampleur et une couleur encore plus étonnantes que celles des millésimes précédents, avec, jusqu'à la dernière goutte, un caractère affirmé de pinot noir. Je ne pensais pas qu'un pinot noir de l'Oregon puisse être meilleur que celui-là jusqu'au moment où je l'ai comparé avec le millésime 1992.

✓ *pinot noir*

DOMAINE SERENE

Carlton

☆

Ce domaine a bien débuté avec le millésime 1992, puis a produit des vins de qualité trop irrégulière. Il est de nouveau sur la bonne voie.

✓ *pinot noir*

EDGEFIELD

Troutdale

Cette extraordinaire propriété, autrefois Multnomah County Poor Farm, propose maintenant quelques vins riches et fruités.

✓ *pinot gris*

ELK COVE VINEYARDS

Gaston

☆

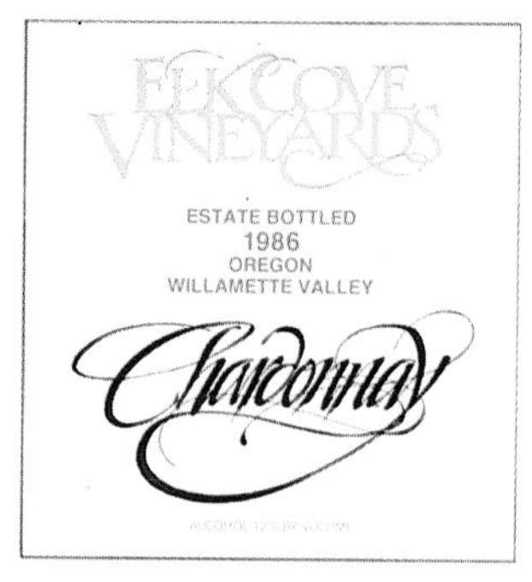

Joe et Pat Campbell peuvent produire un pinot noir qui se laisse boire avec plaisir, mais sa qualité est par trop irrégulière.

✓ *chardonnay* • *pinot gris* • *pinot noir* • *riesling* (Late Harvest)

ERATH WINERY

Dundee

★

Il arrive que cette entreprise, autrefois appelée « Knudsen Erath », soit parfois une des meilleures de tout l'Oregon pour le pinot noir, mais celui-ci a un style variable : il peut être tantôt ferme et tannique, tantôt souple, crémeux et voluptueux. Du chardonnay a été planté en 1994 avec une forte densité, aussi faut-il s'attendre à des vins bien meilleurs à la fin de la décennie.

✓ *chardonnay* • *pinot gris* • *pinot noir*

EVESHAM WOOD

SALEM

★☆

Petite entreprise en pleine expansion, en passe de devenir l'une des meilleures de l'Oregon.

✓ *pinot gris* • *pinot noir* (surtout Cuvée J, Seven Springs Vineyard)

THE EYRIE VINEYARDS

McMinnville

★☆

David Lett, le pionnier du pinot noir, fait aussi un excellent pinot gris à boire jeune.

✓ *chardonnay* • *muscat ottonel* • *pinot gris* • *pinot noir* (Reserve)

FIRESTEED

Seattle

★Ⓥ

Un pinot noir tendre, délicieux et d'un abord facile, qui offre un rapport qualité/prix exceptionnel. Il est élaboré par Howard Rossbach, un négociant installé dans l'État de Washington, avec du raisin qu'il fait venir de divers vignobles de l'Oregon voisin.

✓ *pinot noir*

FLYNN VINEYARDS

Rickreall

Un mousseux élaboré par deuxième fermentation en bouteilles, en progrès depuis le millésime 1988.

FORIS

Cave Junction

☆

Une réputation de faire le meilleur gewurztraminer de l'Oregon, mais je trouve les autres vins bien supérieurs.

✓ *cabernet sauvignon* • *chardonnay* • *merlot* • *pinot gris*

GIRARDET WINE CELLARS

Roseburg

Philippe Girardet, un vigneron d'origine suisse, adore ses hybrides ; mais pourquoi s'entête-t-il à cultiver du seyval blanc et du maréchal foch dans le climat de la vallée d'Umpqua, alors que son pinot noir est, évidemment, bien meilleur ?

✓ *gewurztraminer* (Late Harvest) • *pinot noir*

HENRY ESTATE

Umpqua

☆Ⓥ

Ce n'est pas le producteur le plus régulier, mais il peut faire l'un des meilleurs pinots noirs de l'Oregon quand il est inspiré.

✓ *chardonnay* (Barrel Fermented) • *pinot noir* • *riesling* (Select Clusters)

REX HILL VINEYARDS

Newberg

Rex Hill produit un bon chardonnay et un bon riesling, mais il est plus connu pour sa gamme d'excellents pinots noirs élégants, qui comptent toujours parmi les six meilleurs de l'Oregon.

✓ *chardonnay* • *pinot noir* • *riesling*

HILL CREST

Roseburg

☆

On dit que Richard Sommer, un des pionniers californiens du vin de l'Oregon, produit l'un des meilleurs gewurztraminers, mais son pinot noir est infiniment meilleur et son vin le plus réussi est le riesling.

✓ *riesling*

HINMAN VINEYARDS

Eugene

☆

Un des meilleurs gewurztraminers, d'autres délicieux vins fruités et un pinot noir caractérisé par un bel équilibre entre la richesse et le tanin. *Voir aussi* Silvan Ridge.

✓ *Early Muscat* • *pinot gris* • *pinot noir* • *riesling*

HOOD RIVER VINEYARDS

Hood River

Un zinfandel au goût de raisin sec d'un vignoble situé sur le versant méridional de la gorge de Columbia.

KING ESTATE

Eugene

☆

Vaste vignoble en expansion, sur une colline surmontée par une exploitation ultra-moderne d'une capacité annuelle de 2 400 000 bouteilles.

✓ *chardonnay* • *pinot gris*

LANGE
Dundee

★

Le Californien Don Lange a travaillé dans diverses entreprises de Santa Barbara avant de créer la sienne dans les Red Hills de l'Oregon.

✓ *pinot gris* • *pinot noir*

LAUREL RIDGE
Forest Grove

Entreprise connue pour ses mousseux.

MARQUAM HILL VINEYARDS
Mollala

Un pinot noir souple de Willamette Valley, d'un vignoble entourant un lac au pied des Cascades.

✓ *pinot noir*

MONTINORE VINEYARDS
Forest Grove

❓

La qualité des vins de Montinore est décevante, mais c'est pour l'Oregon une si grosse entreprise qu'elle finira bien par les améliorer.

OAK KNOLL WINERY
Hillsboro

Autrefois l'un des meilleurs pinots noirs de l'Oregon, mais je trouve le riesling aujourd'hui bien supérieur.

✓ *riesling*

PANTHER CREEK
McMinnville

★★

Petite entreprise spécialisée dans la production de pinots noirs opulents qui font partie du peloton de tête de ceux de l'Oregon. Elle fait aussi un vin blanc délicieux issu du muscadet, étiqueté « Melon ».

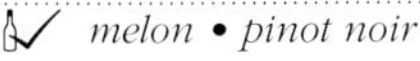

✓ *melon* • *pinot noir*

PONZI VINEYARDS
Beaverton

★★

Un des meilleurs pinots noirs de l'Oregon, mais il ne faut pas négliger pour autant les autres vins qui sont admirablement élaborés.

✓ *chardonnay* • *pinot gris* • *pinot noir* • *Dry White Riesling*

RAINSONG
Cheshire

★✪

Entreprise autrefois appelée « Oregon Cellars », Rainsong produit avec régularité un excellent pinot noir, tendre et crémeux.

✓ *pinot noir*

REDHAWK VINEYARDS
Salem

Le magazine *Decanter* a attribué le prix de « l'étiquette la plus laide » aux vins de cette entreprise qui maîtrise admirablement les cépages bordelais.

✓ *cabernet franc* • *pinot noir* • *sauvignon blanc* (Safari Vineyard)

ST. INNOCENT
Salem

★★

Vins de raisin acheté à différents viticulteurs, vinifiés séparément, dont certains peuvent rivaliser avec les meilleurs pinots noirs de l'Oregon.

✓ *pinot noir* (notamment Freedom Hill)

SECRET HOUSE VINEYARDS
Veneta

Certains admirent cette entreprise pour son chardonnay, mais je n'ai pas été enthousiasmé par les vins au goût de lie que j'ai dégustés. Le pinot noir m'a semblé parfois meilleur.

SEVEN HILLS
Milton-Freewater

☆

Riesling décevant mais rouges bien structurés de la partie de l'AVA Walla Walla situés sur Washington.

✓ *cabernet sauvignon* • *merlot*

SILVAN RIDGE
Hinman Vineyards
Eugene

☆

Pinot noir très variable, tantôt bizarre tantôt brillant, mais le Early Muscat a toujours de glorieuses nuances de pêche et celui de vendanges tardives produit de temps à autres est extraordinaire.

✓ *chardonnay* (non filtré) • *Early Muscat* (y compris une version pétillante) • *Early Muscat-Huxelrebe* (Ultra Late Harvest) • *riesling* (Botrytized Cluster Select)

SOKOL BLOSSER WINERY
Dundee

★☆

Quelques pinots noirs séduisants et voluptueux à boire jeunes qui comptent régulièrement parmi les meilleurs de ceux produits en Oregon.

✓ *chardonnay* • *pinot noir*

SPRINGHILL CELLARS
Albany

☆

Bonne source de riesling et un vin de glace superbe.

✓ *gewurztraminer icewine* • *riesling*

TORII MOR
Dundee

★

Un producteur qui monte et fait un pinot noir gras, juteux et boisé.

✓ *pinot noir* (surtout Reserve)

TUALATIN VINEYARDS
Forest Grove

★

Un chardonnay de gros calibre et un pinot noir élégant.

✓ *chardonnay* • *pinot noir*

TYEE WINE CELLARS
Corvallis

Les gens du coin trouvent bon le gewurztraminer, mais celui que j'ai goûté n'était pas très bon.

VALLEY VIEW VINEYARD
Jacksonville

★

Un des rares producteurs de cabernet sérieux en Oregon. Jacksonville, qui se trouve dans Rogue Valley, est l'une de ces villes idylliques que tout le monde devrait visiter.

✓ *chardonnay* (Anna Maria) • *cabernet sauvignon* (Anna Maria) • *Reserve* (Anna Maria) • *sauvignon blanc* (Anna Maria)

VERITAS VINEYARD
Newberg

☆

Production de vins de cépage bien typés et bien structurés.

✓ *pinot noir*

WEISINGER'S
Ashland

La plupart des vins que j'ai eu l'occasion de déguster étaient légers et ne m'ont pas impressionné, même le pinot noir et un vin d'assemblage de style italien nommé « Mescalore ». Pourtant, le cabernet sauvignon millésime 1989 montre les possibilités de ce terroir.

WILLAMETTE VALLEY VINEYARDS
Turner

Nouvelle entreprise et nouveau vignoble créés grâce aux apports de 4 000 clients. Mis à part un excellent chardonnay, Willamette Valley Vineyards ne maîtrise pas encore bien les autres cépages.

✓ *chardonnay* (Shea Vineyard)

KEN WRIGHT CELLARS
McMinnville

★★

Une nouvelle entreprise de grande qualité fondée par l'ancien propriétaire de Panther Creek. Elle s'est déjà forgée une bonne réputation avec des pinots noirs de classe vendus sous le nom du vignoble dont ils sont issus.

✓ *chardonnay* (Celio Vineyard) • *pinot noir* (surtout Abbey Heights, Whistling Ridge, Carter Vineyard)

WASHINGTON

ANDREW WILL
Vachon

Personne ne s'appelle Andrew Will. Les propriétaires, Chris et Annie Camarda, ont forgé le nom de leur entreprise avec les prénoms de leur fils Andrew et de leur neveu Will.

✓ *cabernet sauvignon* • *merlot* (surtout Ciel du Cheval, Pepper Bridge, « R »)

ARBOR CREST
Spokane

★

Entreprise appartenant aux frères Mielke, qui forment la troisième génération de vignerons spécialisés dans la production de vins blancs. De fait, ils élaborent souvent le meilleur sauvignon blanc de tout le nord-ouest des États-Unis.

✓ *cabernet sauvignon* • *sauvignon blanc* (surtout Bacchus Vineyard) • *riesling* (Late Harvest)

BAINBRIDGE WINERY
Bainbridge Island

❓

Autrefois Gerard et Jo-Ann Bentryn ne cultivaient que des hybrides allemands, mais ils ont planté du pinot noir au début des années 1990.

BARNARD GRIFFIN
Kennewick

★

Deborah Barnard et Rob Griffin se sont fait connaître avec leur merlot et leur chardonnay. Ils font des cabernets splendides depuis le début des années 1990.

✓ *cabernet-merlot* • *cabernet sauvignon* • *chardonnay (Reserve)* • *fumé blanc* (Barrel Select) • *merlot* (Reserve)

BLUE MOUNTAIN CELLARS
Walla Walla

❓

Une nouvelle entreprise dont l'un des propriétaires est Rusty Figgins, le frère de Gary. Il n'a pas l'intention de concurrencer Leonetti Cellars puisque tous ses vins seront issus de cépages du Rhône, à commencer par le grenache, puis la syrah et peut-être même le viognier. Commercialisés sous l'étiquette « Glen Fionia », ils promettent d'être intéressants.

BOOKWALTER
Paco

☆

Diplômé de l'université californienne Davis en 1962, Jerry Bookwalter n'a commencé à voler de ses propres ailes qu'en 1993, après vingt ans à Sagemoor Farms et d'autres propriétés de Washington et de l'Oregon.

✓ *cabernet sauvignon* (Columbia Valley)

W.B. BRIDGMAN
Sunnyside

☆

Je ne sais pas grand-chose de Bridgman mais d'excellents rouges sont apparus récemment sous cette étiquette.

✓ *cabernet sauvignon* • *merlot*

CANOE RIDGE
Walla Walla

★☆

Nouvelle entreprise appartenant à Chalone Vineyards (Californie) utilisant Woodward Canyon et Hyatt Vineyards pour élaborer ses vins avant de construire des installations de vinification à 100 km à l'est de ses vignobles de Canoe Ridge.

✓ *chardonnay* • *merlot*

CHÂTEAU SAINTE MICHELLE

Woodinville

☆

Entreprise appartenant à Stimson Lane. Ses mousseux étaient très prometteurs au début des années 1970, mais ils sont devenus décevants depuis. Des efforts sont faits pour leur redonner leur qualité d'origine. Dans l'intervalle, les vins de cépage semblent être devenus le point fort de Château Sainte-Michelle. C'est le vignoble de Cold Creek qui est la source de raisin la plus régulière.

✓ *cabernet franc* (Cold Creek) • *cabernet sauvignon* (Cold Creek, Horse Heaven) • *chardonnay* (Cold Creek) • *Château Reserve* (genre bordeaux rouge) • *merlot* (Cold Creek)

CHINOOK

Prosser

☆

Le viticulteur californien Clay Mackey fit la connaissance de sa future femme, Kay Simon, une vinificatrice, au Château Sainte-Michelle où tous deux travaillaient. Ils ont créé en 1993 cette entreprise du genre « boutique ». D'abord connue pour ses blancs, Chinook fait maintenant des rouges excellents.

✓ *cabernet sauvignon* • *sémillon* • *merlot*

COLUMBIA CREST

Paterson

★Ⓥ

Ces installations impressionnantes ont été créées par Stimson Lane pour accueillir de très nombreux touristes... qui ne viendront probablement jamais. Étant donné que le tourisme est générateur de ressources et fait beaucoup pour la réputation d'une région vinicole, je ne m'explique pas pourquoi il n'a pas choisi la vallée de Yakima qui a la plus forte concentration d'entreprises vinicoles de Washington et près de la moitié de ses vignobles.

✓ *merlot* • *Reserve* • *sémillon-sauvignon*

COLUMBIA WINERY

Bellevue

★★

Les vins de Bellevue sont élaborés par David Lake, *Master of Wine* et sans conteste l'un des deux ou trois spécialistes des vins rouges de l'État de Washington.

✓ *cabernet sauvignon* (David Lake) • *chardonnay* • *merlot* (Milestone, Red Willow Vineyard) • *syrah* (Red Willow Vineyard)

COVEY RUN

Zillah

☆

Entreprise de vinification créée par plusieurs viticulteurs de Yakima. Les vins étaient vendus sous le nom de « Quail Run », mais après un conflit avec Quail Ridge (Californie), le nom de Covey Run le remplaça.

✓ *cabernet sauvignon* (Columbia Valley, Yakima Valley) • *chardonnay*

DE LILLE CELLARS

Woodinville

Le D2 fut un pur merlot jusqu'au début des années 1990 avant de devenir un assemblage de cabernet sauvignon, merlot et cabernet franc.

✓ *cabernet sauvignon* (Chaleur Estate, Harrison) • *D2* (genre bordeaux rouge) • *sauvignon blanc* (Chaleur Estate)

GORDON BROTHERS

Pasco

☆

Jeff et Bill Gordon, après des débuts difficiles, virent leurs efforts récompensés car ils font maintenant de très bons vins.

✓ *cabernet sauvignon* • *chardonnay* (Reserve) • *merlot*

HEDGES CELLARS

Benton City

★★Ⓥ

Tom Hedges a le rare talent d'élaborer des vins de style bordeaux rouge en grande qualité, généreux, ne manquant ni de complexité ni de finesse, tout en étant éminemment buvables moins d'un an après la vendange. Je n'ai jamais dégusté un vin de Hedges que je n'aurais pas envie de boire.

✓ *cabernet-merlot* • *fumé chardonnay* • *Red Mountain Reserve*

THE HOGUE CELLARS

Prosser

Après avoir pratiqué l'élevage et cultivé de la menthe pour l'industrie du chewing-gum, Warren Hogue a planté un vignoble et a créé une entreprise de taille respectable. Ses vins blancs sont de grande qualité et les rouges s'améliorent vite.

✓ *cabernet sauvignon* (Reserve, Yakima Valley) • *chardonnay* • *blanc fumé* • *merlot* (Reserve)

HYATT VINEYARDS

Zillah

★

Keyland Hyatt s'est équipé afin de vinifier lui-même le surplus de raisin de son vignoble et il a fort bien réussi.

✓ *cabernet sauvignon* (Reserve) • *merlot* (Reserve)

KIONA VINEYARDS

Benton City

★

Le contraste entre la terre aride que l'on voit à l'arrière plan et ce vignoble luxuriant, le plus grand de Red Mountain, illustre bien comment l'irrigation peut transformer un désert. Si les vins de l'entreprise ne sont pas toujours des chefs-d'œuvre, son raisin prouve sa valeur dans les excellents vins de Woodland Canyon et dans ceux de Quilceda Creek où ils comptent pour un tiers.

✓ *cabernet sauvignon* • *gewurztraminer* (Late Harvest) • *limberger*

LATAH CREEK

Spokane

Surtout des vins blancs, mais Latah Creek peut produire un excellent cabernet (comme en 1990).

✓ *cabernet sauvignon*

L'ÉCOLE

Lowden

★☆

Marty Clubb a acquis une réputation élogieuse avec les vins qu'il élabore dans une ancienne école (L'École n° 41 est son nom complet) et particulièrement avec son sémillon, qui a bénéficié de plusieurs critiques dithyrambiques du redoutable Robert Parker. Je trouve que si ce vin est effectivement très bon, il ne vaut toutefois pas les vins rouges qui sont d'une tout autre classe.

✓ *sémillon* • *merlot* • *cabernet sauvignon*

LEONETTI CELLAR

Walla Walla

★★

Gary Figgins est un spécialiste de vins rouges qui font l'objet d'un véritable culte s'étendant même, s'il faut en croire plusieurs critiques publiées par Robert Parker, à celui qui les élabore. Quoi qu'il en soit, les vins de Leonetti Cellar comptent parmi les plus recherchés depuis que le cabernet sauvignon 1990 a reçu une rare note de 100 sur 100 par l'influente revue *Wine Spectator*. Leur qualité est presque toujours époustouflante, quoique certains puissent en trouver certains trop boisés.

✓ *cabernet sauvignon* • *merlot* • *Select*

MOUNTAIN DOME

Spokane

★

Mountain Dome pourrait se classer parmi les meilleurs producteurs de vins effervescents de l'ensemble des États-Unis. Après des débuts hésitants, ces mousseux ont montré une grande classe depuis les millésimes 1990 et, plus encore, 1991. Pourtant, à mon avis, ils seraient encore meilleurs s'ils avaient un peu moins de chêne et un peu plus d'acidité.

✓ *Brut Vintage*

PRESTON WINE CELLARS

Pasco

☆

Dans les années 1970, Bill Preston a pris sa retraite et en a profité pour créer la plus grosse entreprise familiale du nord de la côte Pacifique. La qualité de ses vins peut être très élevée, mais pas avec toute la régularité souhaitable.

✓ *cabernet sauvignon* • *Platinum Red*

QUILCEDA CREEK

Seattle

★★

Premier grand vin rouge de l'État de Washington et toujours parmi l'élite, élaboré en quantité malheureusement réduite par Alex Golitzen et son fils.

✓ *cabernet sauvignon*

STATON HILLS

Wapato

★☆Ⓥ

Cette entreprise a commencé par des vins insolites comme un riesling rosé (coloré avec un peu de vin rouge). Certains de ses vins ont maintenant un des meilleurs rapports qualité/prix et son merlot est l'un des plus réussis de Washington.

✓ *fumé blanc* • *merlot* • *pinot noir*

PAUL THOMAS

Bellevue

★☆Ⓥ

Cette entreprise a été sous-estimée jusqu'à maintenant, car elle s'est d'abord fait connaître par des boissons alcooliques aux fruits (qu'elle fait toujours). Les consommateurs ne l'ont donc pas prise au sérieux quand elle a commencé à élaborer des vins pourtant excellents, vifs et bien fruités.

✓ *cabernet-merlot* • *chardonnay* • *sauvignon blanc*

WALLA WALLA VINTNERS

Walla Walla

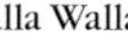

Entreprise si récente que je n'ai pas encore eu l'occasion de goûter ses premiers vins. Si ce que j'en ai entendu se confirme, je pense qu'il vaudra la peine de s'intéresser à ses cabernets francs, cabernets sauvignons et merlots.

WASHINGTON HILLS

Sunnyside

Cette entreprise a produit depuis 1990 une belle série de vins absolument superbes, notamment ceux qui sont distribués sous l'étiquette « Apex » grâce auxquels elle s'est hissée au rang de l'élite des producteurs de l'État de Washington.

✓ *cabernet sauvignon* (Apex) • *chardonnay* (Apex) • *merlot* (Apex) • *riesling*

WOODWARD CANYON WINERY

Lowden

Pour ainsi dire aucun faux-pas depuis sa création, en 1981.

✓ *cabernet sauvignon* (surtout Canoe Ridge) • *chardonnay* (Reserve, Roza Berg Vineyard) • *merlot*

NORD-EST DE LA CÔTE ATLANTIQUE

Ce sont les hivers très rigoureux qui ralentissent le développement vinicole de ces régions. Si ces conditions climatiques n'empêchent pas la culture des cépages classiques, ils mettent en danger la vie des vignes greffées, ce qui rend critique le choix de l'emplacement des vignobles. Si le critère sélection choix était un mûrissement optimal plutôt que la meilleure protection contre le gel, la côte Est pourrait rivaliser avec la Californie car elle a une plus grande variété de sols et de microclimats.

Depuis que les instituts de recherches viticoles ont obtenu les premiers cépages transgéniques, il leur manque encore la découverte de l'identité de deux gènes avant de donner à ces régions les moyens de tirer au mieux parti de leurs possibilités – les gènes qui protègent le *Vitis amurensis* des hivers sibériens et les cépages indigènes du phylloxéra. Dix ans après leur découverte, la Virginie vinicole pourrait bien devenir aussi célèbre que la vallée de la Napa.

LONG ISLAND, NEW YORK
Rangs de vigne très espacés pour permettre la mécanisation de la culture et des vendanges. C'est ici, à Long Island, que furent créés au XVIIe *siècle les premiers vignobles du nord de la côte Atlantique.*

LA PLUS ANCIENNE INDUSTRIE VINICOLE D'AMÉRIQUE

On produit du vin dans le nord-est de l'Amérique depuis le milieu du XVIIe siècle, époque à laquelle furent plantés les premiers vignobles de Manhattan et de Long Island. Toutefois les vignerons n'ont cultivé presque exclusivement que des cépages de l'espèce *labrusca* qui donnent des vins notoirement foxés. Les cépages de l'espèce européenne *Vitis vinifera* n'ont été introduits ici qu'à partir de 1957. Pourtant, la recherche de la qualité a commencé beaucoup plus tôt, dès 1934. Dès la fin de l'époque de la prohibition, Edwin Underhill, président de Gold Seal Vineyards, se rendit en Champagne où il persuada

NORD-EST DE LA CÔTE ATLANTIQUE, *voir aussi* p. 443
L'État de New York est maintenant le plus réputé pour des vins de Vinifera, *mais la Virginie et le Maryland pourraient rivaliser avec lui au* XXIe *siècle. Les vignobles des autres États sont dominés par les cépages indigènes de l'espèce* labrusca.

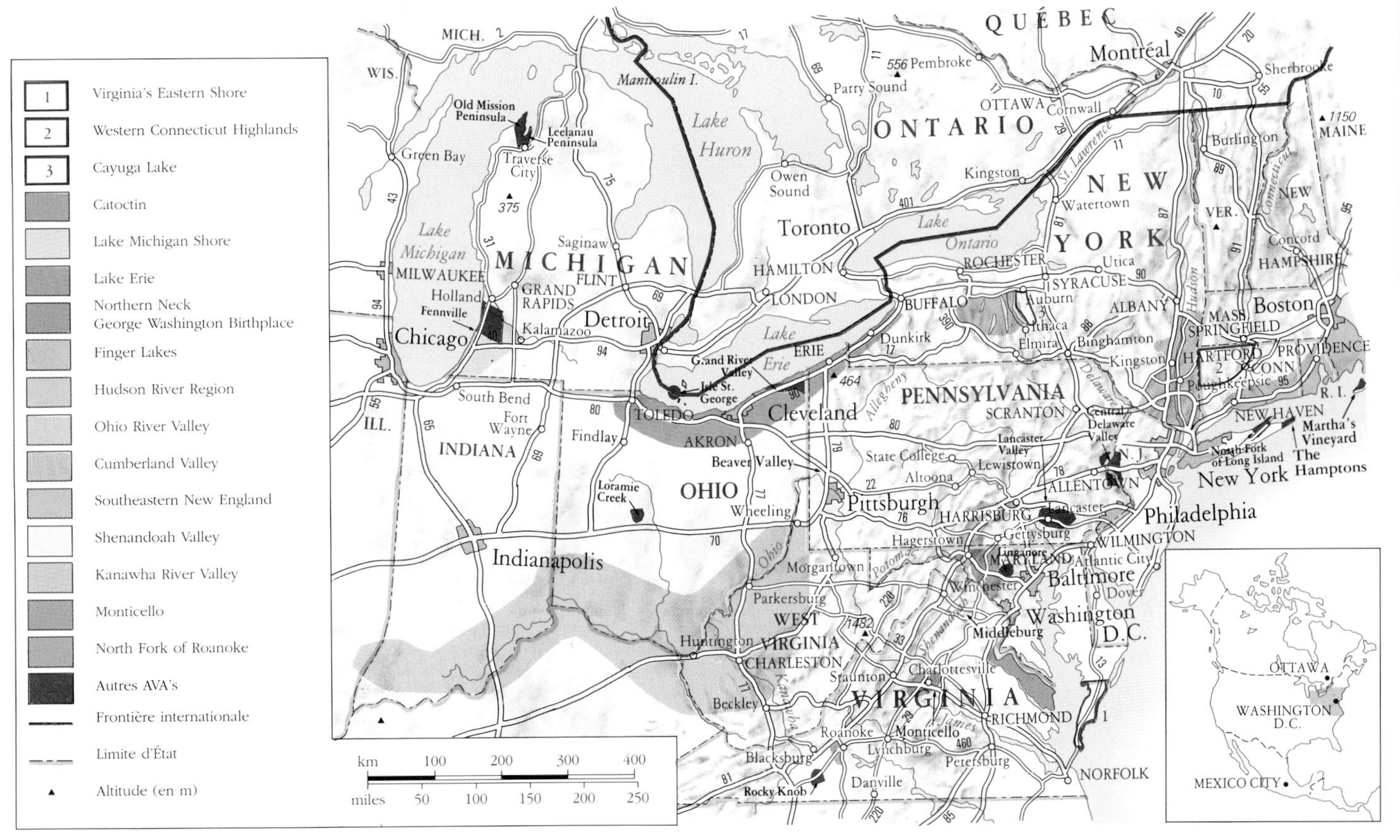

MACHINE À VENDANGER
La culture et la vendange sont mécanisées dans les vastes vignobles de la Taylor Wine Company à Hammondsport, une des entreprises vinicoles les plus renommées de l'État de New York.

Charles Fournier, maître de chai de la maison Veuve Clicquot, de venir travailler pour lui aux États-Unis. Celui-ci trouva les cépages de *labrusca* des vignobles des Finger Lakes, dans l'État de New York, beaucoup trop aromatiques. Convaincu par les viticulteurs américains que les cépages de *Vinifera* ne pourraient résister aux hivers rigoureux, il commença à planter des hybrides franco-américains qu'il fit d'abord venir de France, puis de chez Philip Wagner, vigneron qui avait rassemblé une grande collection d'hybrides dans son vignoble de Boordy (Maryland). En 1953, il entendit parler de Konstantin Frank, un Ukrainien qui ne s'expliquait pas pourquoi les producteurs américains ne cultivaient pas de *Vinifera*. Arrivé en Amérique en 1951, il ne parlait pas l'anglais, n'avait pas d'argent et dut faire la plonge dans les restaurants pour faire vivre sa femme et ses trois enfants. Dès qu'il maîtrisa suffisamment la langue, il sollicita un emploi à la station de recherches viticoles de l'État de New York, à Geneva. Il expliqua qu'il avait étudié la viticulture à Odessa, organisé des fermes collectives en Ukraine, enseigné la viticulture et l'œnologie dans un institut agronomique et dirigé des exploitations agricoles en Autriche et en Bavière. Il assura que son expérience lui permettait d'affirmer que l'hiver nord-américain n'était pas trop froid pour la culture de *Vinifera*. Deux ans plus tard, espérant que Frank avait raison, Fournier l'engagea. Il ne tarda pas à avoir la preuve que l'Ukrainien disait vrai : après les terribles gelées de février 1957, certaines des vignes de *labrusca* les plus robustes ne portèrent aucun raisin alors que moins de 10% des bourgeons de riesling et de chardonnay des vignes de Frank avaient souffert; il vendangea un raisin abondant et parfaitement mûr. Pourtant, dans les années 1980, Frank bataillait encore avec les experts de la station viticole de Geneva: on ne cultivait toujours pas assez de *Vinifera* dans l'État de New York, culture que les responsables de la station prétendaient trop risquée pour être généralisée, seul un expert pouvant la maîtriser. « Les pauvres paysans russes et italiens, armés de leur seule houe, peuvent le faire, rétorquait-il, mais les agriculteurs américains, avec toutes leurs machines, en sont incapables! »

FACTEURS DU GOÛT ET DE LA QUALITÉ

EMPLACEMENT
Groupement arbitraire d'États situés entre les grands lacs et l'océan Atlantique.

CLIMAT
Les hivers sont rudes, mais l'influence modératrice exercée par les grandes masses d'eau de l'intérieur, comme celles des Finger Lakes, crée des microclimats qui permettent la culture de *Vinifera*.

SITES
De nombreux vignobles sont cultivés sur des terrains plats à proximité des rivages des lacs et sur les pentes peu marquées aux pieds des chaînes de montagnes voisines.

SOLS
État de New York : schiste, schiste argileux, schiste ardoisier et calcaire dans la région de l'Hudson. **Virginie** : alluvionnaire, limoneux et graveleux au Rocky Knob, calcaire et gréseux sur la branche nord de la Roanoke. **Michigan** : éboulis glaciaires à Fennville. **Ohio** : sol mince sur calcaire fissuré sur l'île Saint-George. **Pennsylvanie** : calcaire profond dans la vallée de Lancaster.

VITICULTURE ET VINIFICATION
Dans de nombreuses régions, malgré un microclimat favorable, les ceps de *Vinifera* ne peuvent survivre aux rigueurs de l'hiver qu'enterrés profondément. Les mousseux sont la spécialité de l'État de New York et particulièrement de la région des Finger Lakes. Grâce à des pratiques viticoles très soignées, des pulvérisations en temps voulu et des techniques de vinification de pointe, le nombre de vins de cépage issus de *Vinifera* augmente et leur réputation ne cesse de croître.

CÉPAGES
Les cépages indigènes de *labrusca* comme concord, catawba et delaware prédominent encore. L'importance des hybrides franco-américains tels vidal blanc, seyval blanc, chelois, baco noir, maréchal foch et aurore ne cesse d'augmenter. La proportion de cépages de *vinifera*, notamment chardonnay, riesling, cabernet sauvignon et gewurztraminer est encore faible, mais elle augmente aussi.

APPELLATIONS DU NORD DE LA CÔTE ATLANTIQUE

CATOCTIN AVA

Maryland

Située à l'ouest de la ville de Frederick, dans l'État du Maryland, cette région était déjà bien connue avant même la création de l'AVA. Elle coïncide en effet plus ou moins avec la zone de protection des ressources naturelles du Maryland dont les limites furent déterminées par l'État fédéral selon des critères hydrographiques, climatiques et topographiques.

CAYUGA LAKE AVA

New York

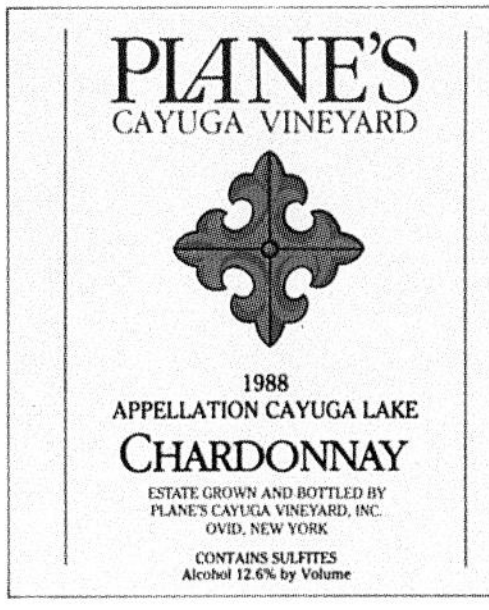

Sous-appellation de l'AVA Finger Lakes, elle s'étend sur les rives du lac Cayuga, sur un sol globalement schisteux. La saison de croissance de la vigne dure un mois de plus que dans l'appellation principale.

CENTRAL DELAWARE VALLEY AVA

Pennsylvanie et New York

Cette appellation couvre 388 m², bien qu'une petite partie de cette superficie soit actuellement consacrée au vin. La rivière Delaware modifie le climat.

CUMBERLAND VALLEY AVA

Maryland et Pennsylvanie

La vallée de Cumberland est située entre les South Mountains et les monts Allegheny. Elle forme un ruban de 120 km qui s'étend d'est en ouest et s'incline en direction du nord-est. Bien qu'elle couvre quelque 3 100 km², ses vignobles sont concentrés dans de petites zones où le sol, le drainage, la pluviosité et la protection contre les rigueurs de l'hiver autorisent la viticulture. Ils occupent de hautes terrasses sur la rive septentrionale du Potomac, des collines et des crêtes de la vallée, et les hautes terres dans la région de South Mountains.

FENNVILLE AVA

Michigan

Cette appellation, qui s'étend sur 310 km², bénéficie, grâce à l'influence modératrice du lac Michigan, d'hivers un peu plus chauds et d'étés plus frais que dans les zones situées au-delà d'un rayon de 48 km. Depuis plus d'un siècle, cette région est consacrée aux cultures fruitières, y compris celle du raisin de cuve. Le sol est surtout fait d'éboulis d'origine glacière.

FINGER LAKES AVA

New York

Grâce à la présence des onze lacs, auxquels elle doit son nom, et à la topographie des environs qui crée un « drainage de l'air », cette région du centre-ouest de l'État bénéficie de conditions climatiques favorables qui modèrent les températures hivernales et estivales.

GRAND RIVER VALLEY AVA

Ohio

Dans cette sous-appellation de l'AVA Lake Erie, le lac protège la vigne des gelées et lui donne une période de végétation plus longue que dans l'appellation principale. La topographie de la vallée engendre un « drainage de l'air » qui crée un microclimat assez différent pour qu'une AVA distincte se justifie.

HUDSON RIVER REGION AVA

New York

Cette appellation englobe les comtés de Columbia, Dutchess et Putnam, la partie orientale des comtés de Sullivan et Ulster, la quasi-totalité du comté d'Orange ainsi que la partie septentrionale des comtés de Rockland et de Westchester. Cet ensemble forme la province orogénique de Taconic dont la composition géologique d'origine glacière est l'une des plus complexes, avec du schiste, du schiste ardoisier ou argileux et des sols calcaires.

ILE ST.-GEORGE AVA

Ohio

L'île Saint-George est la plus septentrionale des îles Bass. On y cultive la vigne depuis 1853 et les vignobles couvrent aujourd'hui la moitié de l'île. Tempéré par la proximité du lac Erie, le climat printanier et estival est plus froid et l'hiver est plus chaud que celui des vignobles situés sur la terre ferme. L'île est à l'abri des gelées deux cent six jours par an, donc plus longtemps que dans n'importe quelle autre région de l'Ohio. Le sol mince sur une assise de calcaire fissuré convient bien à la viticulture.

KANAWHA RIVER VALLEY AVA

Virginie Occidentale

Cette appellation s'applique à une région de 2 600 km². Pourtant, elle ne compte que 6 ha de vigne et une seule entreprise vinicole.

LAKE ERIE AVA

New York, Pennsylvanie et Ohio

Appellation concernant trois États, s'étendant sur la rive du lac Erie et incluant les sous-appellations d'Isle St.-George et de Grand River. La proximité du lac est le facteur principal permettant la viticulture.

LAKE MICHIGAN SHORE AVA

Michigan

Située dans le sud-ouest du Michigan, cette appellation a une topographie et un climat uniformes bien qu'elle comprenne quelques petits terroirs spécifiques comme Fenville, qui bénéficie de sa propre AVA.

LANCASTER VALLEY AVA

Pennsylvanie

On cultive la vigne dans le comté de Lancaster depuis le début du XIXᵉ siècle, mais cette région ne s'est fait remarquer que récemment. Les vignobles sont cultivés sur le fond presque plat de la vallée, à une altitude de 120 mètres, dont le sol calcaire profond est bien drainé. Il retient pourtant l'eau assez longtemps pour que la vigne ait un rendement élevé.

LEELANAU PENINSULA AVA

Michigan

Dans cette appellation située au nord-ouest de Traverse City, la présence du lac Michigan retarde la fructification jusqu'au-delà de la période critique des gelées printanières.

LINGANORE AVA

Maryland

Première appellation du Maryland, située à l'est de Frederick, elle est en général plus chaude et plus humide que les régions à l'est et un peu plus fraîche et sèche que celles à l'ouest.

MARTHA'S VINEYARD AVA

Massachusetts

Cette appellation occupe une île du Massachusetts qui est entourée, au nord, par Vineyard Sound, à l'est par Nantucket Sound, au sud et à l'ouest par l'océan Atlantique. La région viticole de Chappaquiddick, qui est reliée à Martha's Vineyard par un banc de sable, est englobée dans l'appellation. Les vents océaniques retardent l'arrivée du printemps et rendent l'automne plus frais, d'où une période de végétation de 210 jours en moyenne sur l'île contre 180 jours sur le continent.

MONTICELLO AVA

Virginie

Monticello est connu comme l'endroit où se fixa Thomas Jefferson, principal auteur de la Déclaration de l'indépendance. Il y tenta pendant des années, mais vainement, de faire pousser des vignes de *Vinifera*. La plupart des meilleures entreprises de Virginie se trouvent ici.

NORTHERN NECK GEORGE WASHINGTON BIRTHPLACE AVA

Virginie

Cette AVA occupe une péninsule insérée entre le Potomac et le Rappahannock, qui s'étend de la baie de Chesapeake, à l'est, à la ville de Fredericksburg, à l'ouest. Les vignobles sont cultivés sur les sols argilo-sableux des pentes et des collines et sur les sols alluviaux des vallées. L'appellation bénéficie d'un excellent « drainage de l'air » et de l'influence modératrice des masses d'eau.

NORTH FORK OF LONG ISLAND AVA

New York

Bien que le climat de cette AVA soit classé « continental humide », l'océan qui l'entoure en partie le rend plus tempéré que dans les régions continentales situées à la même latitude. La période de végétation est plus longue de deux à trois semaines dans le nord, où le sol est moins limoneux, mais un peu plus fertile.

NORTH FORK OF ROANOKE AVA

Virginie

La vallée est protégée des pluies pendant la période de végétation par les montagnes de l'est et de l'ouest. La vigne occupe des sols calcaires sur les pentes exposées au sud-est, calcaires et gréseux sur celles orientées au nord. Ces sols sont très différents de ceux des collines et sur les crêtes des environs.

OHIO RIVER VALLEY AVA

Indiana, Ohio, Virginie occidentale, Kentucky

Jusqu'en 1859, l'Ohio fut le principal État producteur, mais la guerre de Sécession, le *black rot* et le mildiou ont détruit presque tous les vignobles.

OLD MISSION PENINSULA AVA

Michigan

L'eau qui l'entoure sur trois côtés et le chaud vent d'ouest donnent à cette AVA un climat unique qui rend facile la culture de *Vinifera*.

ROCKY KNOB AVA

Virginie

Le climat de cette appellation située dans la chaîne des Blue Ridge est plus froid au printemps que dans les régions voisines. La floraison ayant donc lieu plus tard, le danger des très fortes gelées du début du printemps est réduit. La nouaison est également retardée et la période de végétation allongée d'environ une semaine. Le sol limono-graveleux est bien drainé.

SHENANDOAH VALLEY AVA

Virginie et Virginie occidentale

La vallée de Shenandoah est située entre la chaîne des Blue Ridge et le mont Allegheny. L'appellation s'étend au-delà de la vallée de Shenandoah, presque jusqu'à Roanoke.

SOUTHEASTERN NEW ENGLAND AVA

Connecticut, Rhode Island et Massachusetts

Cette appellation couvre une partie de la Nouvelle-Angleterre dont le climat est plus modéré grâce à la proximité de diverses étendues d'eau.

THE HAMPTONS LONG ISLAND AVA

New York

Région dont la production agricole est abondante depuis trois ans. Elle se trouve dans le comté de Suffolk, près de la branche nord de Long Island. La rivière et la baie de Peconic forment sa limite septentrionale. l'AVA englobe l'île de Gardiners.

VIRGINIA'S EASTERN SHORE AVA

Virginie

Appellation située dans les comtés de Accomack et de Northampton, longeant sur 120 km la péninsule de Delmarva, entre la baie de Chesapeake à l'ouest, la baie de Delmarva et l'océan Atlantique à l'ouest. Ces grandes masses d'eau atténuent les rigueurs de l'hiver, mais ralentissent le mûrissement, ce qui peut poser quelques problèmes à l'époque des vendanges.

WARREN HILLS AVA

New Jersey

Cette appellation s'applique aux vins de la moitié orientale de la vallée de Delaware qui est formée de cinq petites vallées étroites offrant des pentes mieux exposées à l'ouest et canalisant les vents, ce qui réduit les risques de gel et de pourriture.

WESTERN CONNECTICUT HIGHLANDS AVA

Connecticut

Région de 3 900 km² formée de collines onduleuses s'élevant à une altitude de 150 m et de petites montagnes atteignant une altitude de 460 m : les Western Connecticut Highlands.

PRODUCTEURS DU NORD DE LA

CÔTE ATLANTIQUE

CONNECTICUT

CHAMARD

Clinton

☆

Entreprise moderne située à 3 km de Long Island Sound.

✓ *chardonnay* (Estate Reserve)

STONINGTON VINEYARDS

Stonington

Petite entreprise et petit vignoble créés en 1986, produisant des vins d'hybrides et de *Vinifera*.

✓ *chardonnay* (Estate)

Quelques vins intéressants sont faits par certains des neuf autres producteurs du Connecticut : **Crosswood Vineyard** (johannisberg riesling), **Haight Vineyards** (chardonnay, riesling), **Hamlet Hill Vineyards** (seyval blanc) et **Hopkins Vineyards** (ravat blanc).

INDIANA

CHÂTEAU THOMAS WINERY

Indianapolis

★

Charles Thomas possède une cave bien garnie des meilleurs vins d'Europe. C'est un amateur de vin si passionné qu'il refuse d'acheter le raisin cultivé localement. Il élabore ses vins avec celui qu'il fait venir des meilleurs vignobles de la vallée californienne de Napa.

✓ *chardonnay* • *cabernet sauvignon* • *merlot*

OLIVER WINE COMPANY

Bloomington

☆

Bill et Mary Oliver ont créé en 1972 la première entreprise de l'Indiana d'après la prohibition. Malheureusement, ils échouèrent en raison des conditions climatiques. Ils font tout de même du vin avec du raisin qu'ils font venir de Californie et des États de Washington et New York.

✓ *merlot* • *sauvignon blanc*

MARYLAND

BASIGNANI

Sparks

★

Petite entreprise qui produit un cabernet sauvignon excellent et un merlot digne d'attention.

✓ *cabernet sauvignon* • *Lorenzino* (genre bordeaux rouge) • *merlot*

BOORDY VINEYARDS

Hydes

Vignoble historique où l'on a cultivé les premiers hybrides dans le nord de la côte Atlantique.

BYRD VINEYARDS

Myersville

❷

Pionnier du *Vinifera*, avec notamment des vins de chardonnay, cabernet sauvignon et sauvignon blanc récompensés par des médailles.

CATOCTYN VINEYARDS

Brookeville

☆❷

Un des associés de cette entreprise, Bob Lyon, a appris la viticulture en Californie.

✓ *cabernet sauvignon* (Reserve) • *chardonnay* (Oak Fermented) • *johannisberg riesling*

ELK RUN VINEYARDS

Mount Airy

☆

Le propriétaire, Fred Wilson, a été formé par le légendaire Konstantin Frank (*voir* p. 448).

✓ *cabernet sauvignon* • *chardonnay*

MONTBRAY WINE CELLARS

Westminster

Montbray a produit le premier vin de glace de riesling en 1974.

✓ *chardonnay* • *johannisberg riesling* • *seyval blanc*

MASSACHUSETTS

CHICAMA VINEYARDS

West Tisbury

Première entreprise vinicole de l'État et la première à cultiver du *Vinifera*, dans le vignoble de Martha.

WESTPORT RIVERS

Westport

☆

Domaine du XVIIe siècle consacré à la culture du navet devenu, en 1986, le plus grand vignoble de Nouvelle-Angleterre. Il vinifie son raisin depuis 1989.

✓ *chardonnay*

MICHIGAN

BOSKYDEL VINEYARD

Lake Leelanau

Premier vignoble créé sur la péninsule de Leelanau.

CHÂTEAU GRAND TRAVERS

Traverse City

Vignoble créé en 1974 par Edward O'Keefe et le premier du Michigan exclusivement consacré au *Vinifera*.

✓ *chardonnay* (Sur Lie) • *johannisberg riesling* (Botrytized Select Harvest, Dry Icewine, Late Harvest)

FENN VALLEY VINEYARDS

Fennville

Entreprise créée en 1973, la première à produire des vins de l'AVA Fennville. Ses pinots noirs et gris méritent l'attention.

MADRON LAKE HILLS

Buchanan

Avec un vignoble entièrement complanté en *vinifera*, Madron Lake excelle avec le riesling. Le pinot noir est en progrès et l'on promet des réalisations intéressantes issues de cépages comme le pinot gris et le barbera.

✓ *pinot noir* (Estate) • *white riesling* (Estate Selected Late Harvest)

ST JULIAN WINE COMPANY

Paw Paw

Cette entreprise a eu une histoire mouvementée. Créée en 1921 au Canada par un Italien sous le nom de « Merconi Wine Cellars », elle devint américaine quand elle déménagea à Detroit, de l'autre côté de la frontière, et prit le nom de « Italian Wine Company ». En 1938, elle déménagea encore une fois, à son emplacement actuel, et devint la St Julian Wine Company. Ses mousseux jouissent d'une bonne réputation, mais ses vins issus de cépages hybrides comme les chambourcin, chancellor et vignoles, auraient été autrefois meilleurs.

TABOR HILL BRONTE WINES

Hartford

Entreprise fondée à Detroit sous le nom de « Bronte Winery », elle fut la première à commercialiser un infâme mousseux appelé « Cold Duck », à base de vin de concord et de gaz carbonique, qui a joui d'une vogue invraisemblable dans les années 1960. Avec un passé aussi ignoble, il n'est pas étonnant que l'entreprise ait préféré déménager et prendre une autre identité.

Parmi les autres entreprises du Michigan, **Mawby Vineyard** est prometteuse et les suivantes ont produit des vins valant la peine, à un moment ou un autre : **Leclanau Wine Cellars** (chardonnay), **Lemon Creek Winery** (riesling-vidal), **Lakeside Vineyard** (chardonnay, johannisberg riesling) et **Tabor Hill Vineyards** (chardonnay à ne pas confondre avec celui de Tabor Hill Bronte Wines)

NEW JERSEY

ALBA VINEYARD

Milford

Alba fait occasionnellement un bon cabernet, mais est plus connue pour un vin riche de style porto.

✓ *Vintage Port*

TOMASELLO

Hammonton

☆

Entreprise datant de la fin de la prohibition, qui fait depuis cinquante ans des mousseux d'une qualité tout à fait honorable.

✓ *Sparkling Wine* (Blanc de Noirs)

UNIONVILLE VINEYARDS

Ringoes

☆

Un des producteurs du New Jersey les plus récents et les plus prometteurs.

✓ *riesling*

Parmi les seize autres producteurs du New Jersey, la **Gross Highland Winery** a fait quelques vidals blancs intéressants.

NEW YORK

BEDELL

Cutchogue

★

La première récolte de ce domaine de Long Island a été ravagée en 1985 par un ouragan, mais les millésimes suivants n'ont pas souffert.

✓ *merlot*

BENMARL WINE COMPANY LTD

Marlboro

Une des entreprises les plus performantes de l'État de New York. On cultive *Vinifera* sur un sol marneux-schisteux, mais aussi un hybride, le seyval, dont on tire le vin le plus apprécié ici.

BIDWELL VINEYARDS

Cutchogue

Toujours un bon riesling.

✓ *White Riesling*

BRIDGEHAMPTON

Bridgehampton

★☆

Étoile montante de Long Island, cette entreprise fait des vins très fruités et bien structurés.

✓ *chardonnay* • *Meritage* (genre bordeaux rouge) • *merlot* • *riesling* • *sauvignon blanc*

BROTHERHOOD WINERY

Washingtonville

L'entreprise la plus ancienne des États-Unis. Créée par un cordonnier nommé Jean Jacques qui vendait sa production à l'église presbytérienne, du vin y a été produit sans interruption depuis sa création. Vins de *vinifera* autrefois conçus « à l'ancienne », ils sont maintenant plus frais et plus nerveux.

✓ *Marriage* (genre bordeaux rouge) • *riesling*

CANANDAIGUA WINE COMPANY

Canandaigua

Dans la langue de la tribu indienne des Senecas, *canandaigua* signifie « lieu sacré ». Déjà gros producteur à la fin des années 1980, cette entreprise spécialisée dans les vins de cépage de grande qualité se classe aujourd'hui, en volume, en seconde position derrière Gallo (*voir* p. 476). Ses diverses étiquettes comprennent notamment : Richards, J. Roget et Virginia Dare. Elle possède en Californie Almadén Vineyards, Cooks, Dunnewood, Inglenook, Paul Mason et Taylors. Les vins sont vendus au Brésil sous l'étiquette « Marcus James ».

CASA LARGA VINEYARDS

Fairport

Andrew Coloruotolo, un émigré italien, cultivait surtout des hybrides jusqu'à sa rencontre avec Konstantin Frank. Son vignoble compte maintenant plus de 90% de *vinifera*.

✓ *chardonnay* • *johannisberg riesling*

CHÂTEAU FRANK

Hammondsport

Willy Frank possède et exploite cette entreprise située à une portée de fusil de celle que son père avait créée, Dr. Konstantin Frank's Vinifera Wines Cellars.

CLINTON VINEYARDS

Clinton Corners

Un des meilleurs vins de seyval blanc de l'État de New York.

GLENORA WINE CELLARS

Dundee

★

Proche des chutes de Glenora, cette entreprise produit des vins toujours vifs et élégants.

✓ *chardonnay* • *johann blanc* • *Sparkling Wine* (Vintage Blanc de Blancs)

GOLD SEAL

Hammondsport

Autrefois nommée « Imperial Winery », Gold Seal a forgé sa réputation avec son « New York Champagne ». Les experts champenois qui y ont successivement travaillé ont hissé les vins de Gold Seal à un haut niveau de qualité. Ce furent, dans l'ordre alphabétique : Charles le Breton de Louis Roederer, Jules Crance de Moët & Chandon, Charles Fournier de Veuve Clicquot et Guy Davaux de Marne & Champagne. Fournier a joué un rôle crucial et Gold Seal lui a rendu hommage en portant son nom sur l'étiquette de ses mousseux.

✓ *Charles Fournier Blanc de Noirs*

GREAT WESTERN WINERY

Hammondsport

Autre entreprise historique qui appartient maintenant à la Taylor Wine Company. Ses vins sont peu novateurs malgré quelques bons vins de *vinifera* occasionnels.

GRISTINA

Cutchohue

☆

Entreprise créée en 1984, qui a commencé à être prometteuse au début des années 1990.

✓ *chardonnay* • *merlot*

HARGRAVE VINEYARD

Cutchohue

★

Après avoir hésité entre plusieurs régions vinicoles, y compris la Californie, Alex et Louisa Hargrave ont créé, en 1973, le premier vignoble de Long Island sur ce qui fut un champ de pommes de terre.

✓ *cabernet sauvignon* • *pinot noir* (Le Noiren) • *sauvignon blanc*

HERON HILL VINEYARDS

Hammondsport

Le nom de « Heron Hill » est dû à l'imagination d'un publicitaire, Peter Johnstone, qui se prit d'une telle passion pour les Finger Lakes, lors d'une visite en 1968, qu'il décida de s'y fixer. Il s'associa en 1977 avec John Ingle pour créer ce domaine dont il vinifie lui-même la production.

✓ *chardonnay* (Little Heron, Otter Spring) • *johannisberg riesling* (Ingle Vineyard) • *seyval blanc*

KNAPP VINEYARD

Romulus

☆

Ce producteur a toujours fait des vins de *vinifera* ainsi que d'hybrides, dont l'un des meilleurs seyvals blancs de l'État de New York.

✓ *cabernet sauvignon* • *chardonnay*

LAMOREAUX LANDING

Lodi

★

Dernière étoile montante de Finger Lakes, datant de 1991. Ses vins sont présents sur le marché d'exportation depuis 1994.

✓ *chardonnay* • *riesling* (Dry)

LENZ

Peconic

★

Restaurateurs, Patricia et Peter Lenz se prirent de passion pour le vin et créèrent cette entreprise à l'emplacement d'un champ de pommes de terre.

✓ *chardonnay*

MILLBROOK

★☆

Étoile montante de l'AVA Hudson River Region.

✓ *cabernet Franc* • *chardonnay* (Proprietor's Special River)

PALMER

Aquebogue

★☆

Le vignoble a été créé en 1983 à l'emplacement d'un champ de pommes de terre et de citrouilles ; les installations de vinification furent construites trois ans plus tard. Les vins de Palmer ont vite suscité de l'intérêt. Les vins rouges, notamment, sont les plus riches de tous ceux de l'État de New York.

✓ *cabernet franc* • *chardonnay* • *merlot*

PAUMANOK VINEYARDS

Aquebogue

☆

Encore une étoile montante dans le firmament des Finger Lakes.

✓ *merlot* • *riesling*

PELLEGRINI VINEYARDS

Cutchogue

★☆

Créée récemment, Pellegrini est l'une des entreprises de Long Island les plus prometteuses.

✓ *cabernet sauvignon* • *chardonnay* • *merlot*

PINDAR VINEYARDS

Peconic

Un docteur, Herodotus Dazibaos, décida de se faire vigneron. Pour ce faire, il acquit un champ de pommes de terre sur lequel il créa un vignoble puis, en 1982, des installations de vinification. Il est devenu le plus gros producteur de Long Island et l'un des meilleurs.

DR. FRANK'S VINIFERA WINE CELLARS

Hammondsport

☆

Une gamme fascinante de vins de *Vinifera*, en particulier le vin de dessert Sereksia.

✓ *johannisberg riesling* (Dry, Semi-Dry) • *Sereksia*

WAGNER VINEYARDS

Lodi

★

Vins toujours de grande qualité.

✓ *chardonnay* (Barrel Fermented) • *ravat* (Icewine) • *riesling* (Dry, Icewine) • *seyval blanc* (Barrel Fermented)

HERMANN J. WEIMER VINEYARD

Dundee

☆

Travaille pour un amateur de vins hybrides, Weiner produit également des vins exceptionnels de *vinifera* avec le raisin de son propre vignoble.

✓ *chardonnay* • *johannisberg riesling*

Parmi les 75 autres entreprises de l'État de New York, celles-ci ont produit, à un moment ou à un autre, des vins dignes d'intérêt : **Cascade Mountain** (seyval blanc, Vignoles Late Harvest), **Peconic Bay Vineyards** (cabernet sauvignon, chardonnay, merlot), **Plane's Cayuga Vineyard** (chancellor, chardonnay), **West Park Wine Cellars** (chardonnay), **Windsor Vineyards** (chardonnay), **Woodbury Vineyards** (chardonnay, johannisberg riesling, seyval blanc).

OHIO

CHALET DEBONNÉ

Madison

Petite entreprise créée en 1971 par Tony Debevec dont le grand-père fut le premier à cultiver la vigne dans la vallée de Grand River, sur la rive méridionale du lac Erie. Son vidal blanc est le vin le plus régulier.

FIRELANDS WINERY

Sandusky

☆

Entreprise créée sur le site de l'ancien vignoble de Mantey, qui avait été planté en 1880. Elle réussit à attirer quelque 40 000 visiteurs chaque année.

✓ *chardonnay* (Barrel Select)

MARKKO VINEYARD

Ridge Road, Conneaut

Vignoble d'Arnulf Esterer, le premier disciple de Konstantin Frank à cultiver le *Vinifera* dans l'Ohio.

✓ *cabernet sauvignon* • *chardonnay*

Parmi les 46 autres entreprises de l'Ohio, celles-ci excellent parfois : **Grand River Wine** (seyval blanc), **Harpersfield Vineyard** (Geneva), **Klingshirn Winery** (cabernet sauvignon, chardonnay) **Valley Vineyards** (vidal blanc).

PENNSYLVANIE

ALLEGRO VINEYARDS

Brogue

Bon producteur de cabernet. Le cadenza est particulièrement bon.

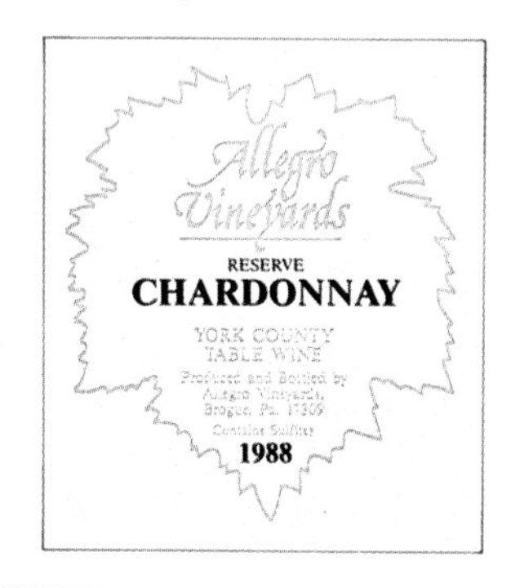

✓ *cabernet sauvignon* • *Cadenza* (Genre bordeaux rouge)

CHADDSFORD WINERY

Chaddsford

★

Il y a dix ans, il était trop tôt pour juger cette entreprise mais, sous la houlette d'Eric et Lee Miller, elle est devenue une des étoiles montantes du nord de la côte Atlantique.

✓ *chardonnay* (Philip Roth Vineyard) • *pinot grigio*

Parmi les 60 autres entreprises de Pennsylvanie, **Naylor Wine Cellars** a fait parfois quelques vins intéressants (chambourcin, riesling).

RHODE ISLAND

SAKONNET VINEYARDS

Little Compton

☆

Première entreprise de Rhode Island ouverte après la prohibition.

✓ *chardonnay*

VIRGINIE

BARBOURSVILLE VINEYARDS

Barboursville

☆

Ancienne propriété de James Barbour, qui fut gouverneur de Virginie, elle appartient aujourd'hui à l'entreprise piémontaise Zonin. Il faut surveiller les progrès du barbera et du pinot grigio.

✓ *malvasia* (Reserve)

CHÂTEAU MORISETTE

Rocky Mount

Créée en 1982, cette entreprise est devenue depuis peu de temps très prometteuse.

✓ *White Riesling*

HORTON

Charlottesville

★☆

En Virginie, Dennis Horton est le spécialiste des cépages du Rhône. Il fait de petits miracles mais ses vignes ayant quelques années seulement, le meilleur est à venir.

✓ *Côtes d'Orange* • *marsanne* • *viognier*

INGLESIDE PLANTATION

Oak Grove

A produit au début des années 1980 le premier mousseux de Virginie, mais son chardonnay et son cabernet sont plus intéressants.

MEREDYTH VINEYARDS

Middleburg

Quand Archie Smith créa ce vignoble en 1972, il devint le premier vigneron de l'histoire récente de Virginie, mais on lui déconseilla la culture de *vinifera*. Il a eu raison de changer d'avis après quelques années puisqu'il fait maintenant des vins classiques de qualité, le meilleur étant le chardonnay.

MONTDOMAINE

Charlottesville

☆

Créé en 1997, ce domaine de Virginie centrale commence seulement à prouver sa valeur après un changement de propriétaire.

✓ *chardonnay* (Monticello Reserve)

NAKED MOUNTAIN

Markham

Petite entreprise en progrès, surtout connue pour son chardonnay.

OASIS VINEYARD

Hume

★

Quand Dirgham Salahi décida de créer ce vignoble en 1975, on le mit comme d'habitude en garde contre les cépages de *Vinifera*. Les gens de la région le traitèrent de fou lorsqu'il ignora leurs recommandations et planta exclusivement des cépages nobles. La suite des événements apporta la preuve qu'il avait raison car il est devenu l'un des meilleurs producteurs de Virginie.

✓ *chardonnay* • *Extra Dry Virginia Champagne*

PIEDMONT VINEYARDS AND WINERY INC

Middleburg

★☆

Quand Elizabeth planta des cépages de *vinifera* en 1973, personne ne chercha à l'en dissuader, probablement parce qu'elle était née en 1898 et que quelqu'un d'assez fou pour embrasser une nouvelle carrière à l'âge de soixante-quinze ans n'aurait certainement rien voulu entendre. Elle se révéla pourtant l'un des meilleurs producteurs de Virginie et le resta jusqu'à sa mort, en 1986. Depuis lors, Elizabeth Worrel, sa fille, continue à faire aussi bien que cette audacieuse vieille dame.

✓ *chardonnay* • *sémillon-sauvignon*

PRINCE MICHAEL

Culpeper

☆

Appartenant à l'industriel français Jean Leducq, Prince Michael exploite le plus vaste vignoble de Virginie. Sa production est encore augmentée par l'apport de raisin venant du vignoble que l'entreprise possède à Napa, en Californie.

✓ *cabernet sauvignon* • *chardonnay* • *Le Ducq* (genre bordeaux rouge)

RAPIDAN RIVER

Leon

☆

Autre entreprise de Jean Leducq.

✓ *riesling*

TARARA

Leesburg

☆

L'entreprise a tiré presque aussitôt de son vignoble de 16 ha, créé en 1989, un chardonnay riche et gras.

✓ *chardonnay* (Barrel Fermented)

WILLIAMSBURG WINERY

Williamsburg

?

Créée en 1984, cette entreprise n'a commencé à prouver sa valeur qu'à partir du millésime 1990.

✓ *chardonnay* (Act 12, John Adlum)

Parmi la quarantaine d'autres entreprises de Virginie, les suivantes sont prometteuses : **Autumn Hill** (chardonnay, riesling), **Burnley Vineyards** (cabernet sauvignon, chardonnay, riesling), **Linden Vineyards** (cabernet, chardonnay, riesling-vidal), **Misty Mountain Vineyards** (chardonnay), **Oakencroft** (seyval blanc, vidal blanc), **Shenandoah Vineyards** (chambourcin, seyval blanc) et **Simeon Vineyards** (vin gris de pinot noir)

VIRGINIE OCCIDENTALE

Des neuf entreprises de Virginie Occidentale produisant actuellement du vin, **West-Whitehill** et **Pliska** se sont montrées les plus prometteuses. La seconde a dans son personnel des adultes handicapés et ses vins ont été servis à l'ambassade américaine à Paris.

AUTRES ÉTATS

Les autres États vinicoles du nord de la côte Atlantique sont : le Maine (**Bartlett Main Estate** à Gouldsboro et **Downeast Country Wines** à Trenton) ; le New Hampshire (**The New Hampshire Winery** à Laconia) et le Vermont (**Joseph Cerniglia Winery** à Proctorsville et **North River Winery** à Jacksonville).

AUTRES RÉGIONS VINICOLES DES ÉTATS-UNIS

ALABAMA

Les premiers vignobles ont été créés ici dans les années 1830 et cet État eut une industrie vinicole florissante jusqu'à la prohibition. La moitié des comtés de l'Alabama sont restés « secs » jusqu'en 1975 et la législation autorisant la création de nouvelles entreprises ne fut adoptée qu'en 1978. Il n'en existe aujourd'hui que quatre dont une seule, Braswell, s'est révélée prometteuse.

ARIZONA

On cultive depuis longtemps du raisin de table dans les zones irriguées du désert de l'Arizona, mais on n'a commencé à cultiver du raisin de cuve que récemment dans la seule AVA de cet État, Sonoita, et ce, uniquement grâce à son altitude élevée, soit de 1 200 à 1 500 m.

SONOITA AVA

Les massifs montagneux de Santa Rita, Huachuca et Whetstone isolent cette AVA. Géologiquement la région est un bassin plutôt qu'une vallée car elle est la source de trois cours d'eau : le Sonoita Creek, le Cienega Creek et le Babocamari qui s'écoulent respectivement vers le sud, le nord et l'est. Les viticulteurs sont convaincus que le *terra rosa* typique de leur appellation est un gage de réussite.

ARKANSAS

Plus de cent entreprises vinicoles virent le jour en Arkansas après l'abrogation de la prohibition, mais la plupart, faute de personnel qualifié, n'ont pas survécu. Les conditions étant favorables à la viticulture, les sept qui restent sont promises à un bel avenir. Pourtant une seule a produit jusqu'à maintenant du vin digne d'intérêt.

ALTUS AVA

L'appellation occupe un plateau situé entre la vallée de l'Arkansas et les monts de Boston qui jouent le rôle d'écran protecteur.

ARKANSAS MOUNTAIN AVA

Cette très vaste appellation se trouve dans la région la plus montagneuse de l'État. Les monts Arkansas modèrent les températures hivernales et protègent les vignobles des vents violents du nord et des chutes brutales de température. On cultive dans cette appellation les cépages nobles européens, mais ceux-ci ne peuvent survivre plus au sud car ils sont victimes de la maladie de Pierce dont peut souffrir *Vinifera* dans certains climats chauds.

OZARK MOUNTAIN AVA

Cinq grands cours d'eau définissent les limites de cette AVA : le Mississippi, le Missouri, l'Osage, le Neosho et l'Arkansas. La plus haute montagne d'Arkansas, le mont Magazine, se trouve dans cette appellation vallonnée ou montagneuse qui déborde sur les États du Missouri et de l'Oklahoma. Le sol pierreux et bien drainé contient de l'argile issue de roches volcaniques décomposées.

COLORADO

La période de végétation est trop courte pour permettre la viticulture dans la plus grande partie du Colorado, mais le nombre d'entreprises vinicoles est passé de deux à quinze en une décennie et d'autres vont suivre. Chardonnay et merlot sont les cépages de *Vinifera* les plus appréciés.

GRAND VALLEY AVA

Cette appellation est située juste à l'ouest de Grand Junction et compte trois localités : Orchard Mesa, Redlands et Vinelands.

FLORIDE

Il n'est pas étonnant que sous le climat semi-tropical de la Floride, favorable à la culture des agrumes, on produise beaucoup de « vin d'orange ». Cet étrange breuvage est meilleur que le vin issu d'un cépage cultivé localement, que l'on nomme « muscadine » et qui résiste à l'humidité et à la maladie de Pierce. Lafayette est la meilleure des quatre entreprises vinicoles de Floride.

GÉORGIE

On cultive depuis 1733 la vigne en Géorgie, qui se classait en 1880 au sixième rang des États viticoles. La muscadine cultivée dans cet État donne des vins dont le goût paraît aujourd'hui étrange, même aux palais des gens du Sud. Cela explique pourquoi il n'existe que huit entreprises vinicoles. Seul le chardonnay, en progrès, de Château Elan à Braselton mérite une mention.

HAWAÏ

Seule l'Alaska paraît moins favorable à une production vinicole, mais on a planté de la vigne dans l'archipel en 1814.

ILLINOIS

Il y avait trois entreprises vinicoles en Illinois jusqu'au déménagement dans l'État de New York, en 1980, de la David Morgan Corporation qui produisait plus d'un million de bouteilles.

IOWA

La plupart des vignes de l'Iowa furent détruites en 1980 par le « 2,4-D », un redoutable pesticide. Les onze entreprises font du vin avec du raisin importé. Seule la Private Stock Winery exploite encore un vignoble.

KANSAS

Cet État produisait plus d'un million de bouteilles jusqu'à l'adoption du régime « sec » en 1880. Il n'y a plus que trois entreprises : Balkan Winery à Girard, Fields of Fair à Paxito et Ludwigshof Winery à Eskridge.

KENTUCKY

La plus grande partie de l'État est restée au régime « sec ». Il n'existe, à ma connaissance, qu'une entreprise : Premium Brand, à Bardstown.

LOUISIANE

Les jésuites y faisaient déjà du vin de messe en 1750 et de nombreuses entreprises y étaient installées avant la prohibition. Le climat ne permettait que la culture du scuppernong, c'est pourquoi était importé du raisin de Californie. Il n'existe que deux entreprises : Church Point et Les Orangers Louisianais.

MINNESOTA

La vigne doit être enterrée profondément pour survivre aux rigueurs de l'hiver. Il n'existe qu'une demi-douzaine d'entreprises qui ne cultivent que des hybrides. Seul Alexis Bailly Vineyard a tenté de cultiver de la *vinifera*.

MISSISSIPPI

La situation du Mississippi était assez comparable à celle du Kentucky jusqu'à l'allégement d'une fiscalité, particulièrement dissuasive, en 1984, lors de la création de l'AVA Mississippi Delta.

MISSISSIPPI DELTA AVA

Une plaine alluviale fertile bénéficiant d'escarpement de loess qui grimpent jusqu'à trente mètres d'altitude le long de tout la partie orientale du delta qui s'étend sur une partie de la Louisiane et du Tennessee.

MISSOURI

Les premiers vins ont été produits dans les années 1830 et cet État avait une industrie vinicole florissante au milieu du XVIIIe siècle. Ce qu'il en reste dépend presque entièrement de la culture d'hybrides, notamment le cynthiana (*labrusca x aestivalis)* pour les vins rouges.

AUGUSTA AVA

La viticulture remonte à 1860 dans cette région qui bénéficie d'une AVA depuis 1980. Le cirque de collines qui la borde à l'ouest, au nord et à l'est ainsi que la présence du Missouri au sud engendrent un microclimat favorable à la vigne.

HERMANN AVA

En 1904, cette région produisait 97% du vin du Missouri. Les sols bien drainés, favorables au développement du système radiculaire, retiennent une humidité suffisante.

OZARK HIGHLANDS AVA

Englobée dans l'AVA Ozark Mountain, cette appellation bénéficie d'un climat particulier, frais au printemps et en automne, mais avec peu de risques de gelées.

MONTANA

Bien que la période de végétation soit en général trop courte pour la viticulture, les vignes proches de Missoula ont donné trois belles vendanges dans les années 1970. Mission Mountain à Drayton est, à ma connaissance, la seule entreprise vinicole ayant survécu.

NEVADA

Même situation que dans le Montana. Il existe pourtant une entreprise vinicole.

NOUVEAU-MEXIQUE

On faisait déjà du vin au Nouveau-Mexique au début des années 1600, mais l'avenir ne paraît guère prometteur malgré la présence de vingt entreprises vinicoles dont deux appartenant à des maisons champenoises.

MESILLA VALLEY AVA

Cette appellation s'étend sur la vallée de Mesilla, traversée par le Rio Grande, du nord de Las Cruces – où sont situés la plupart des vignobles – jusqu'à El Paso, au Texas. Les sols sont alluviaux, stratifiés, profonds et bien drainés.

MIDDLE RIO GRANDE VALLEY AVA

Cette vallée étroite s'étend le long du Rio Grande, d'Albuquerque à San Antonio. Les missions de Franciscains pratiquaient ici la viticulture au XVIIe siècle et une industrie vinicole exista jusqu'à l'époque de la prohibition. À une altitude variant de 1 465 à 1 585 mètres, le climat est caractérisé par une pluviosité réduite et des étés chauds.

MIMBRES VALLEY AVA

Région autour d'un cours d'eau, la Mimbres, du nord de Mimbres au sud de Columbus.

CAROLINE DU NORD

La Caroline du Nord ne compte pas d'AVA et aucune n'est envisagée dans un avenir proche. Le climat brûlant n'autorise que la culture de vignes très robustes et la plupart des vins sont issus du scuppernong, un cépage américain dont le grain est aussi gros qu'une cerise. Au début du siècle, le Virginia Dare pur scuppernong, fait par nombre d'entreprises de la côte Est, était le vin le plus populaire des États-Unis. Après la prohibition, le Virginia Dare fut de nouveau un *best-seller*, mais le raisin de scuppernong n'étant pas assez abondant, bien que les viticulteurs d'autres États du Sud eussent été encouragés à le cultiver aussi, il fallut le couper avec des vins de la Californie. C'est ainsi que le Virginia Dare perdit son caractère distinctif (et, en grande partie, ce goût foxé que les amateurs de vin trouvent aujourd'hui répugnant) et que les ventes s'écroulèrent. Malgré un environnement hostile, la Caroline du Nord compte neuf entreprises vinicoles.

OKLAHOMA

La viticulture en Oklahoma est de peu d'importance, essentiellement à cause de frais de licence particulièrement prohibitifs. Pourtant la Pete Schwarz Winery a réussi à surmonter tous les obstacles administratifs et élabore, depuis 1970, du vin issu de fait de raisin importé et Cimmarron exploite son propre vignoble de maréchal-foch depuis 1983. L'Oklahoma compte aujourd'hui neuf entreprises vinicoles, mais aucun de leurs vins ne mérite un commentaire particulier.

CAROLINE DU SUD

On a commencé à produire du vin ici en 1764 déjà, mais l'industrie vinicole ne s'est jamais remise de la prohibition et rien de ce que font les cinq entreprises restantes ne présente d'intérêt.

TENNESSEE

Bien que le Tennessee compte encore des comtés « secs », une réglementation assouplie depuis quelques années a facilité la création d'entreprises viticoles qui sont aujourd'hui au nombre de quatorze. On a essayé de cultiver des cépages de *vinifera* mais ils n'ont en général pas supporté les rigueurs de l'hiver. La plupart des entreprises achètent du raisin (hybrides, cépages américains comme le scuppernong et *vinifera*) cultivé au Tennessee ou importé. On fait un peu de vin pur Tennessee, mais l'authenticité n'est pas nécessairement synonyme de qualité. Les producteurs les plus connus sont Cordova Cellars, Highland Manor et Laurel Hill.

TEXAS

Les missions franciscaines faisaient déjà du vin ici moins cent trente ans avant la plantation des premières vignes en Californie. La première entreprise vinicole à vocation commerciale, Val Verde, a précédé la première entreprise californienne. L'origine de la renaissance du vin texan fut accidentelle. Robert Reed, un professeur de viticulture de l'université du Texas, eut la curiosité de planter dans son jardin quelques rameaux de vigne et fut stupéfait de la vigueur de leur pousse. Cela l'incita à créer, avec son collègue Clinton McPherson, un vignoble expérimental complanté avec soixante-quinze variétés, qui suscita à son tour la création en 1975 de l'entreprise Llano Estacado. Une dizaine d'années plus tard, le négociant bordelais Cordier créa le grand vignoble Sainte-Geneviève de 405 ha. Le Texas compte aujourd'hui vingt-six entreprises et l'avenir vinicole de cet État paraît prometteur.

BELL MOUNTAIN AVA

Située dans le comté de Gillespie, au nord de Fredericksburg (une autre sous-appellation de l'AVA Texas Hill Country), cette appellation s'applique à un seul domaine viticole de quelque 22 ha cultivé sur les flancs sud et au sud-est du mont Bell. Il est complanté pour un tiers en cabernet sauvignon qui paraît mieux convenir ici que le pinot noir, le sémillon, le riesling et le chardonnay avec lesquels il partage le vignoble. Cette AVA est plus sèche que les vallées de Pedernales, au sud, et de Llano, au nord, et aussi plus fraîche en raison de son altitude plus élevée et d'une brise permanente. Le sol est sableux-limoneux sur un socle argilo-calcaire.

ESCONDIDO VALLEY AVA

Créée à l'initiative de Cordier, l'AVA Escondido Valley, dans le comté de Pecos, englobe comme de juste le domaine Sainte-Geneviève. Les vignobles sont cultivés sur des terrasses à une altitude variant de 800 à 825 mètres.

FREDERICKSBURG AVA

Le nom complet de cette AVA est « Fredericksburg in the Texas Hill Country », mais il est généralement abrégé pour éviter une confusion avec la grande appellation « Texas Hill Country ». Elle ne comptait que huit vignobles à sa création en 1988 car la région est surtout consacrée aux vergers de pêchers. Le climat et le sol convenant aux pêchers s'étant révélés excellents pour la viticulture, de nombreux arboriculteurs en ont planté à titre expérimental et plusieurs ont maintenant des vignobles en production. Le sol est argilo-sableux sur un socle argileux-ferrugineux.

TEXAS HIGH PLAINS AVA

Grande appellation de 32 400 km² au nord-ouest du Texas, s'étendant sur 24 comtés et comptant 800 ha de vignobles. Le sol est en général brun et argilo-limoneux au nord et argilo-sableux fin au sud. La pluviosité varie de 360 mm à l'ouest à 510 mm à l'est.

TEXAS HILL COUNTRY AVA

La vaste AVA Texas Hill Country s'étend sur les deux tiers orientaux du plateau Edwards et englobe deux petites sous-appellations (Bell Mountain et Fredericksburg). Elle compte actuellement quarante vignobles de raisin de cuve et dix entreprises vinicoles. Les sols de la plupart des flancs de collines sont calcaires, gréseux ou granitiques, celui des vallées diversement sableux ou argilo-sableux avec une certaine proportion de calcaire.

WISCONSIN

Cet État est plus connu pour ses boissons fermentées à base de fruits que pour ses vins.

LAKE WISCONSIN AVA

Le lac et la rivière Wisconsin modèrent le climat de cette AVA créée en 1994. L'hiver est plus chaud de plusieurs degrés que dans les régions voisines au sud, à l'ouest et au nord, tandis que la circulation de l'air la protège des gelées et de la pourriture.

UTAH

Malgré l'énorme influence de la puissante église mormone, la secte religieuse qui s'intitule « Église de Jésus-Christ des saints des derniers jours », dont le siège se trouve à Salt Lake City, c'est elle qui fut à l'origine des premiers vignobles de l'Utah. Quand les mormons, qui étaient abstèmes sauf pour la communion, se fixèrent au bord du Grand Lac Salé en 1847, leur chef leur recommanda de planter de la vigne, de produire autant de vin que possible et de le vendre pour financer leur secte (les Dixie Mormons en revanche, qui dirigeaient l'exploitation, gardèrent le meilleur vin pour eux). La production vinicole de l'Utah atteignit son apogée à la fin du XIXe siècle, puis déclina quand l'église mormone interdit formellement le vin. La prohibition acheva sa destruction. L'État compte aujourd'hui deux producteurs.

AUTRES PRODUCTEURS DES

ÉTATS-UNIS

ARIZONA

CALLAGHAN VINEYARDS

Sonoita

Vins très impressionnants. Il faudra s'intéresser à l'avenir à ceux tirés des cépages du Rhône et d'Italie.

✓ *cabernet sauvignon* (Caitlin's Selection) • *Dos Cabezas* (assemblage petite syrah-zinfandel)

ARKANSAS

WIEDERKEHR WINE CELLARS

Altus

La plus ancienne des sept entreprises vinicoles de l'État et celle qui élabore les meilleurs vins (production actuelle de 840 000 bouteilles).

✓ *Altus spumante* • *johannisberg riesling*

COLORADO

PLUM CREEK CELLARS

Palisada

★

L'industrie vinicole du Colorado est embryonnaire. La preuve : cette entreprise, la plus grande de l'État, ne produit que 24 000 bouteilles.

✓ *chardonnay* (Redstone) • *merlot* • *riesling*

HAWAÏ

TEDESCHI VINEYARDS

Maul

On tire du carnelian (*carignan* x *cabernet sauvignon* avec le grenache) cultivé sur les pentes volcaniques de l'île de Maul des vins tranquilles et des vins effervescents. Le blanc de noirs fut le premier mousseux produit par la méthode de deuxième fermentation en bouteille. J'ai visité deux fois l'entreprise et j'ai toujours trouvé ce vin aussi médiocre. Le rosé peu ambitieux et facile à boire était plus satisfaisant, mais, à ma connaissance, on n'en fait plus depuis 1990. Tedeschi produit aussi divers vins tranquilles dont le Maul Nouveau, le Maul Blush et, depuis peu, le Plantation Red (pur carnelian) et le Ulupalakua Red (assemblage à base de carnelian), mais les propriétaires trouvent moins risqué et plus rentable de fabriquer le Maul blanc avec du jus d'ananas fermenté qui, bien que destiné aux touristes, est leur meilleure boisson. Tedeschi envisage pourtant de cultiver des cépages plus nobles qui pourraient donner de meilleurs vins. Étant donné qu'il n'y a pas d'hiver à Hawaï, il prévoit de vendanger deux fois par an.

✓ *Rosé Ranch Cuvée*

VOLCANO WINERY

Hawaï

Doc McKinney, un vétérinaire, a planté en 1987 ce vignoble entre deux volcans très actifs pour préparer sa retraite. Il l'a prise en 1992 et il m'a confié qu'il travaillait maintenant sept jours sur sept au lieu de six quand il était en activité, mais qu'il n'avait jamais regretté sa décision. Soumis aux conséquences d'éruptions volcaniques fréquentes, son vignoble reçoit des pluies tellement acides que sa production est parfois réduite de moitié, comme en 1993. McKinney a essayé plus de vingt cépages, mais il ne cultive que le symphony – dont il dit que c'est le cépage le plus proche du chardonnay. Il pousse bien dans l'île mais rien n'est plus éloigné du chardonnay que ce cépage dont le raisin rappelle le muscat. Il faut toutefois reconnaître qu'il donne un vin dont la fraîcheur et l'arôme exotique se marient bien avec la cuisine hawaïenne. McKinney adore aussi produire des boissons fermentées avec différents fruits, qu'il assemble comme on le fait avec différents vins. Toujours à l'affût d'une nouveauté, il vient de découvrir que la pulpe rappelant la cerise qui entoure les grains de café (son vignoble est situé dans une région réputée pour la qualité de son café) pouvait fermenter, aussi aurons-nous peut-être bientôt l'occasion de déguster le premier vin… de café!

ILLINOIS

ALTO VINEYARDS

Alto Pass

Un ancien professeur, Guy Renzaglia, a planté du chardonnay, du riesling et des hybrides, mais les cépages de *vinifera* n'ont pas survécu.

✓ *chambourcin* • *vidal blanc*

LYNFRED WINERY

Roselle

Fred Koehler n'a pas de vignoble, mais il fait une gamme étendue de vins avec du raisin acheté à divers viticulteurs (même de Californie).

MISSISSIPPI

CLAIRBORNE VINEYARDS

Indianola

Petit vignoble dont on tire des vins de seyval blanc et de sauvignon blanc bien frais.

Il y a au moins trois autres entreprises au Mississippi : **Almaria** à Matherville, **Old South Winery** à Natchez et **Rushing Winery** à Merigold.

MISSOURI

MOUNT PLEASANT VINEYARDS

Augusta

★

Une entreprise vinicole du XIXe siècle, ressuscitée en 1967 par Lucien Dressel qui a obtenu pour Augusta la toute première AVA des États-Unis. Plus connue pour son Vintage Port et ses vins francs de seyval blanc et de vidal blanc, il fait aussi un Rayon d'Or et un Cynthiana étonnamment bons. Il s'est laissé tenter par le chardonnay (Les Copains Vineyard) et les assemblages bordelais (Private Reserve). Il a aussi fait un vin de glace et a étonné tout le monde en 1993 avec un beau Berry Select botrytisé très personnel. Toutefois je ne puis recommander aucun de ses vins pour leur régularité.

STONE HILL WINERY

Hermann

Datant de 1847, Stone Hill est la plus ancienne entreprise du Missouri. Ses caves servirent de champignonnière pendant la prohibition mais retrouvèrent leur destination première en 1965 grâce à Jim et Betty Held qui flirtèrent avec *vinifera* mais renoncèrent vite. Ils font des vins de catabwa et de concord, mais leurs meilleurs vins sont le norton (cynthiana) rouge et le seyval blanc vinifié en barriques.

Autres entreprises dignes d'intérêt : **Hermannoff** (norton, vidal blanc) et **Montelle** (Cynthiana Coyote Crossing Vineyard).

NOUVEAU-MEXIQUE

ANDERSON VALLEY VINEYARDS

Albuquerque

Entreprise créée en 1984 par Patty et Kris Anderson, mère et fils. Ils firent d'abord du chardonnay et de chenin blanc de bonne qualité pour l'époque, mais réussissent mieux aujourd'hui le cabernet sauvignon.

DOMAINE CHEURLIN

Truth or Consequences

★

Domaine créé en 1981 par Jacques Cheurlin dont la famille fait du champagne dans l'Aube. Ses vins sont frais et nerveux.

✓ *New Mexico Brut*

GRUET

Albuquerque

★

La famille Gruet a créé une coopérative à Sézanne, en Champagne. Elle fait ici des mousseux dont certains ont une acidité redoutable.

✓ *VV Brut* • *vintage blanc de blancs*

Il y a dix-sept autres producteurs au Nouveau-Mexique, mais je n'ai guère pas trouvé de vins dignes d'intérêt.

CAROLINE DU NORD

BILTMORE ESTATE WINERY

Ashville

★

Des cépages français classiques ont été plantés ici en 1979 par le petit-fils de George Washington Vanderbilt qui a construit le plus grande demeure de la région (250 pièces) dans son vaste domaine de 3 200 ha. Situé à 1 400 mètres dans la chaîne de Blue Ridge, le vignoble est assez froid pour la culture de *Vinifera*, mais il est même parfois trop froid pour que le raisin mûrisse suffisamment. On doit le compléter par du raisin importé de Californie.

✓ *chardonnay* (Barrel Fermented)

TEXAS

BELL MOUNTAIN

Fredericksberg

Bien que son cabernet sauvignon bien boisé ait remporté des médailles au Texas, Robert Oberhellman a encore beaucoup à apprendre.

CAP*ROCK

Lubbock

★

Entreprise connue naguère sous le nom de « Teysha Cellars ». Elle a changé de mains en 1992 et fut rebaptisée Cap*Rock. Son propriétaire, Tony Soter, vient de Étude, à Napa Valley. Il a décidé de se faire conseiller, aussi sa production devrait-elle s'améliorer. Son Royale est déjà un rosé agréablement gouleyant.

✓ *cabernet* (Reserve, Royale) • *chenin blanc* • *sauvignon blanc*

FALL CREEK VINEYARDS

Austin

★

Ce domaine tient son nom des chutes qui alimentent le lac Buchanan. Il occupe une terre qui a longtemps été consacrée à l'élevage, donc bien engraissée, aussi n'est-il pas étonnant que ses vins soient fruités et éminemment « buvables ».

✓ *cabernet sauvignon* • *chardonnay* (Grande Reserve) • *sauvignon blanc*

LLANO ESTACADO WINERY

Lubbock

★

Cette entreprise est la première à avoir été créée au Texas à l'époque contemporaine. Elle réussit surtout des blancs vifs et nerveux, mais ses rouges sont en progrès.

✓ *chardonnay* • *chenin blanc* • *sauvignon blanc*

MESSINA HOF WINE CELLARS

Bryan

★

La famille de Paul Bonnarrigo a émigré de Messine tandis que celle de sa femme Merril est d'origine allemande, d'où le curieux nom de l'entreprise. Les vins blancs de Messina Hof Wine Cellars sont d'une qualité excellente.

✓ *chenin blanc* • *johannisberg* • *riesling* • *sauvignon blanc*

PHEASANT RIDGE WINERY

Lubbock

★

Robert Cox produit dans cette entreprise certains des rares bons vins rouges du Texas.

✓ *cabernet sauvignon* (Lubbock Reserve)

SAINTE-GENEVIÈVE

Fort Stockton

★

Sainte-Geneviève fut à l'origine une entreprise franco-texane créée pour cultiver 400 ha loués à l'université du Texas puis elle fut dissoute et seul l'associé français, le négociant bordelais Cordier, resta maître à bord. La plus grande parie de l'énorme production est vendue en vrac.

✓ *cabernet sauvignon* (Grand Reserve) • *sauvignon blanc*

SLAUGHTER LEFTWICH

Austin

Ce domaine, qui compte un vignoble de 20 ha, appartient à la famille Slaughter-Leftwich, texane depuis six générations. La production consiste essentiellement en quelque 130 000 bouteilles de vin blanc auxquelles s'ajoutent un peu de cabernet et de rosé.

✓ *chardonnay* • *sauvignon blanc*

UTAH

ARCHES VINEYARD

Spanish Fork

Cette entreprise est la plus prometteuse de l'Utah.

✓ *riesling*

WISCONSIN

WOLLERSHEIM WINERY INC

Prairie du Sac

Cette entreprise fut créée en 1858 par la famille Kehl, de Nierstein, célèbre région vinicole d'Allemagne, puis réouverte en 1972 par Robert et Joan Wollersheim. Ils cultivent des hybrides et des cépages *vinifera*. Le Domaine du Sac, un rouge d'assemblage, est intéressant. Ils produisent aussi un peu de riesling.

Parmi les 12 autres producteurs du Wisconsin : **Cedar Creek** produit quelques vins rouges de qualité raisonnable issus de raisin importé.

✧ CANADA ✧

J'ai écrit dans la première édition de cet ouvrage que l'industrie vinicole du Canada se trouvait à un tournant de son histoire. À vrai dire, je ne pensais qu'à l'Ontario où l'on commençait à cultiver Vinifera *et où le vin rouge de cépages nobles était presque inexistant. La Colombie britannique était à peine mentionnée.*

Au Canada, la production de vin destiné à la vente a débuté vers 1860. Durant les cent premières années, les palais canadiens ont préféré les vins doux issus des cépages de l'espèce américaine *Labrusca*, bien qu'un programme de développement des hybrides eût été lancé par le centre de recherches de l'Ontario dès 1913.

ONTARIO

La plupart des gens, y compris les Canadiens eux-mêmes, pensent que la province la plus méridionale du Canada, l'Ontario, se trouve à la même latitude que la Scandinavie ou, à la rigueur, les Pays-Bas ou la Belgique; rares sont ceux qui savent qu'il s'agit, en fait, de celle de la Toscane. Seuls les hivers rigoureux empêchent la péninsule du Niagara, plus importante région viticole du pays, d'être une autre Californie.

Lors d'une réception organisée pour le lancement de la première édition de cette encyclopédie, persuadé que personne ou presque ne savait que le Canada produisait du vin et surtout pas du vin rouge de cépages nobles, j'ai servi le cabernet sauvignon du Château des Charmes et le pinot noir d'Inniskillin. Quand je me suis rendu pour la première fois

LES APPELLATIONS (VQA)

J'observe attentivement depuis vingt ans les différents systèmes d'appellation du monde entier et cela m'a persuadé qu'aucun ne peut garantir la qualité. Si les plus autoritaires et les plus tatillons engendrent parfois la médiocrité, celui que les producteurs canadiens se sont eux-même imposés, la *Vintners Quality Alliance* (VQA), a pour effet d'élever régulièrement la qualité de leurs vins.

Ses principales dispositions sont les suivantes :

- Appellation provinciale (comme Ontario) : 100% de raisin canadien dont 85% de la province indiquée; mûrissement minimum spécifié.
- Appellation spécifique (*voir* cartes) (comme Okanagan Valley) : 100% de raisin de la province indiquée dont 85% de l'appellation; cépages nobles ou meilleurs hybrides; mûrissement minimum spécifié.
- *Estate Bottled* (mis en bouteilles au domaine) : 100% de raisin du domaine ou cultivé sous la responsabilité de l'entreprise indiquée.
- Les vins portant un nom de vignobles sont issus uniquement du raisin de ce vignoble.

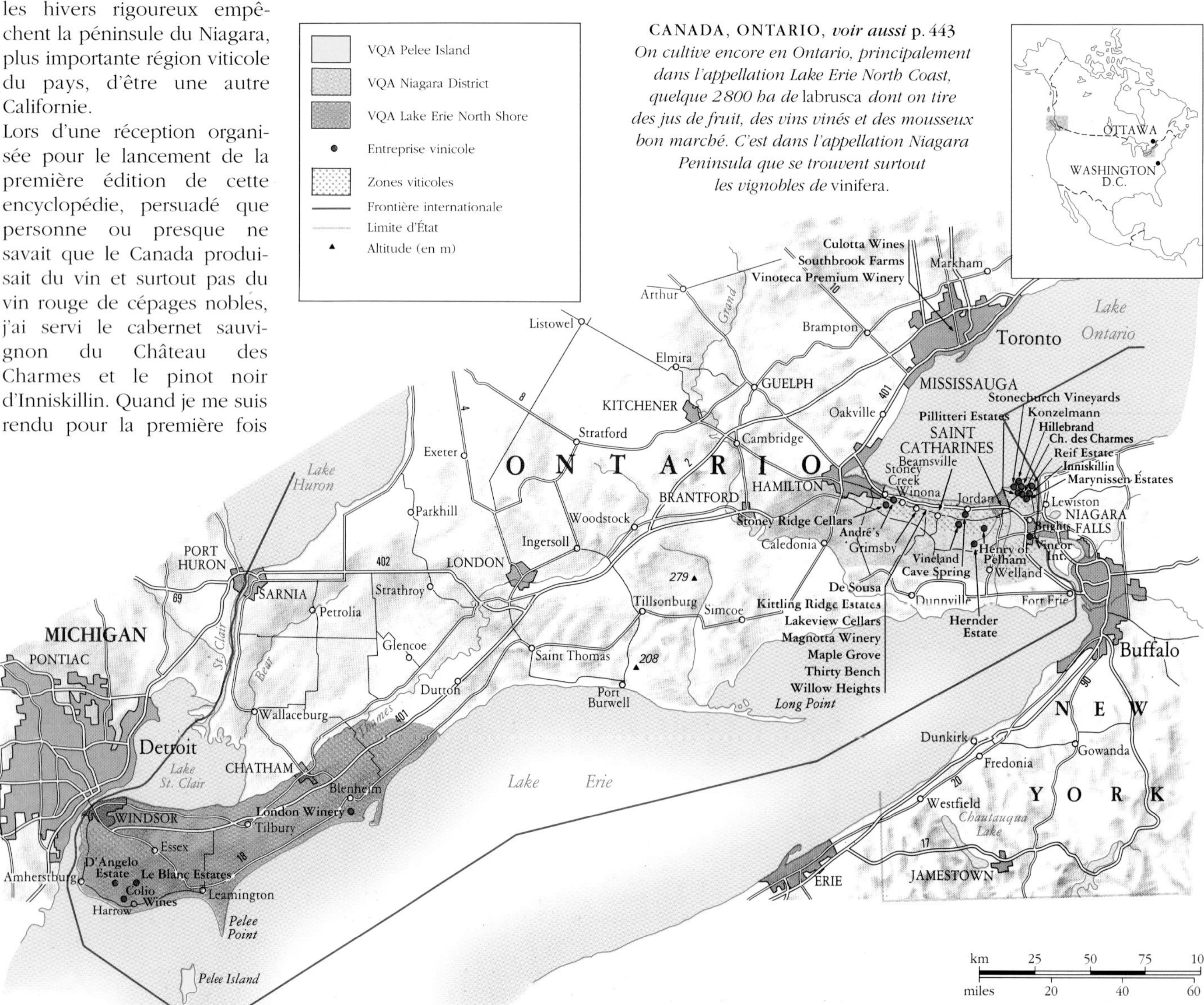

CANADA, ONTARIO, *voir aussi* p. 443
On cultive encore en Ontario, principalement dans l'appellation Lake Erie North Coast, quelque 2800 ha de labrusca *dont on tire des jus de fruit, des vins vinés et des mousseux bon marché. C'est dans l'appellation Niagara Peninsula que se trouvent surtout les vignobles de* vinifera.

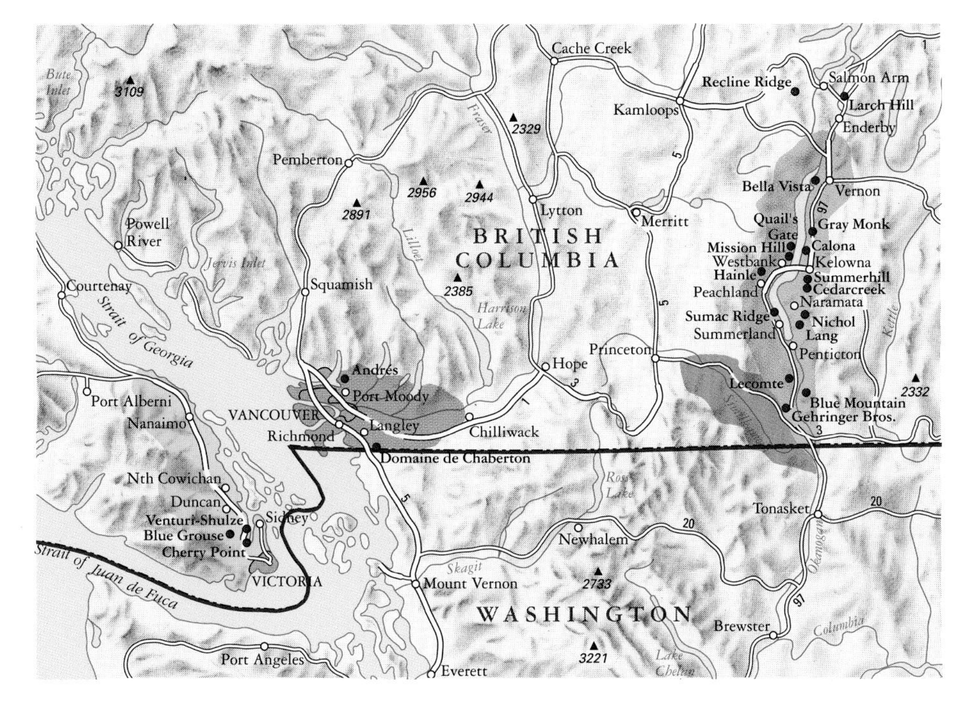

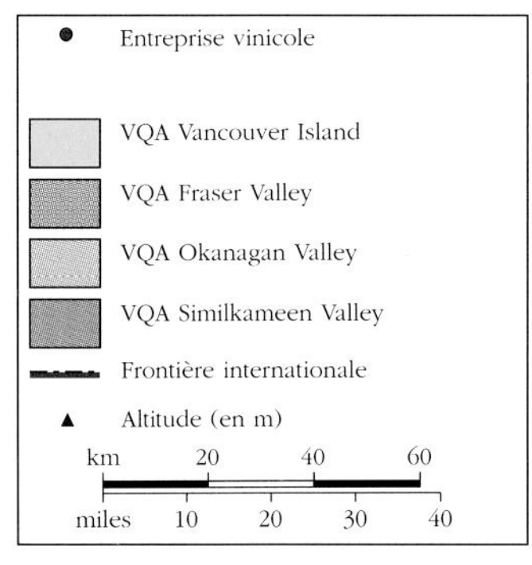

CANADA, COLOMBIE BRITANNIQUE,
voir aussi p. 443
Quand les frontières furent ouvertes aux vins bon marché de Californie après la signature, en 1988, du traité de libre échange avec les États-Unis, l'industrie vinicole du Canada dut améliorer la qualité de sa production pour survivre. La Colombie britannique avait l'avantage de ne cultiver que peu de labrusca *(alors que l'Ontario en avait encore 2800 ha et près de 2000 ha d'hybrides) et elle fit de gros efforts pour remplacer ses hybrides par des cépages de* vinifera.

FACTEURS DU GOÛT ET DE LA QUALITÉ

EMPLACEMENT
Les principales régions vinicoles sont en Ontario la péninsule de Niagara et en Colombie britannique, à 3200 km à l'ouest, la vallée d'Okanagan. On trouve quelques vignobles en Nouvelle-Écosse et au Québec.

CLIMAT
Environ 85% du vignoble canadien se trouve en Ontario, à la même latitude que la Provence et que les collines de Toscane. Les régions viticoles d'Ontario bénéficient de l'influence modératrice des lacs Erie et Ontario, du rôle de coupe-vent que joue l'escarpement du Niagara et des vents circulaires dus à la masse liquide qui mettent la vigne à l'abri des gelées hivernales et printanières.
En Colombie britannique, la vallée d'Okanagan se trouve à une latitude plus septentrionale (entre 49 et 50°N), qui est celle de la Champagne et de la Rhénanie, mais cette région est presque désertique avec une pluviosité n'excédant pas 150 mm dans le sud. En été, la forte chaleur diurne permet au raisin d'accumuler le sucre tandis que les nuits froides lui permettent de conserver une bonne acidité. L'influence modératrice du lac Okanagan retarde l'arrivée de l'hiver, mais le raisin ne mûrit pourtant pas au-delà de la mi-octobre.

SITES
En Ontario comme en Colombie britannique, les vignobles occupent surtout les pentes entourant les lacs. En Ontario, les meilleurs cépages sont cultivés sur la péninsule de Niagara, sur les pentes assez inclinées orientées au nord.

SOLS
Les sols de l'Ontario sont divers, limoneux, sableux, graveleux ou argileux. En Colombie britannique, le sol est limoneux-sableux sur la rive occidentale de l'Okanagan, graveleux et argilo-sableux sur l'autre rive, plus graveleux au sud et plus léger et sableux au nord.

VITICULTURE ET VINIFICATION
Le programme de plantation le plus ambitieux du Canada est celui de l'extrémité sud de la vallée d'Okanagan, une région de vins rouges. Le vignoble de la péninsule de Niagara est en constante extension. Si l'industrie vinicole de l'Ontario a atteint l'âge adulte, celle de la Colombie britannique sort vite de l'adolescence. Comme c'est le cas pour toutes les industries vinicoles encore jeunes, les techniques les plus modernes sont mises en œuvre, mais elles évoluent au fur et à mesure que les producteurs acquièrent de l'expérience. Seule la production du vin de glace reste inchangée.

CÉPAGES
Agawam, alden, aligoté, aurore, auxerrois blanc, baco noir, buffalo, cabernet franc, cabernet sauvignon, canada muscat, catawba, chambourcin, chancellor, chardonnay, chasselas, chelois, chenin blanc, commandant, concord, de chaunac, delaware, dutchess, elvira, fredonia, gamay, gewurztraminer, johannisberg riesling, kerner, léon millot, maréchal foch, merlot, new york muscat, niagara, okanagan riesling, patricia, petite sirah, pinot blanc, pinot gris, pinot noir, président, rosette, rougeon, seyval blanc, siegfried rebe, seyve villard, van buren, vee blanc, veeport, ventura, verdelet, vidal blanc, villard noir, vincent, zinfandel.

sur la péninsule de Niagara, je n'y ai trouvé que trois vins rouges de *Vinifera*. J'y suis retourné récemment et pas moins de 70 vins rouges avaient été rassemblés pour la dégustation organisée à mon intention.
Le vin le plus glorieux de la péninsule de Niagara est le vin de glace, et l'abondance de la neige garantit que cette région en restera le plus gros producteur mondial (l'Allemagne en produit parfois plus, mais seulement exceptionnellement). Le riesling vient largement en tête des vins blancs autres que le vin de glace, mais l'auxerrois blanc et le gewurztraminer ont fait des débuts prometteurs. Parmi les vins rouges, le pinot noir est souvent séduisant au sortir du fût, mais il perd trop souvent ses qualités en bouteille, probablement parce que les vignerons n'ont pas encore appris à maîtriser ce cépage difficile. Le merlot et le cabernet franc réussissent le mieux en Ontario – ces deux cépages étaient inconnus il y a seulement une décennie.

COLOMBIE BRITANNIQUE

La révolution de l'industrie vinicole de l'Ontario durant la dernière décennie a joué le rôle d'aiguillon pour celle de la Colombie britannique, sur la côte Pacifique. On a commencé à y faire du vin vers 1860, comme en Ontario, mais le climat étant plus marginal, l'industrie vinicole est toujours restée moins importante et, jusqu'il y a peu de temps, moins aventureuse. La plantation de vignes de *labrusca* sur grande échelle n'a commencé que dans les années 1930 alors que l'on en comptait déjà 2000 ha en Ontario à la fin du XIXe siècle. Si l'Ontario s'est intéressé aux hybrides dès 1913, la Colombie Britannique n'en a cultivé que dans les années 1950 et 1960. Les premiers cépages de *Vinifera* ont été plantés en 1974, mais ils n'ont pris de l'importance qu'à partir de 1989, quand les deux tiers des vignobles - tous les cépages de *labrusca* et les moins bons des hybrides - furent arrachés pour leur céder la place.
En 1993, je me suis rendu pour la première fois en Colombie britannique où l'industrie vinicole m'a rappelé celle de l'Ontario une dizaine d'années plus tôt. Je n'y ai trouvé que sept vins rouges de cépages nobles, mais de nombreux vins issus d'hybrides. Les producteurs d'Ontario ont vite abandonné les hybrides pour les cépages de *Vinifera*, mais l'évolution de ceux de Colombie britannique est encore plus rapide.
Si l'on excepte ceux de très haut niveau venant trois entreprises d'Ontario - Inniskillin (Klose Vineyard), Reif Estate et Stoney Ridge (Bebenek Vineyard et Puddicombe Vineyard), les chardonnays de

Colombie britannique sont maintenant d'une qualité plus régulière, mais les vins qui excellent sont surtout le pinot blanc et l'auxerrois blanc. Le riesling et plus encore le gewurztraminer sont presque aussi prometteurs qu'en Ontario. Les habitants de cette lointaine province adorent leur ehrenfelser (croisement *riesling x sylvaner*), mais si j'en ai goûté quelques bons exemples, ces vins ne sauraient convenir à d'autres palais que le leur. Quant aux vins rouge, j'ai dégusté un bon merlot de Sumac Ridge, mais ceux issus d'hybrides comme le chelois et le chancellor m'ont paru encore meilleurs. Le pinot noir du Blue Mountain, aussi bon soit-il, n'avait pas le caractère propre à ce noble cépage.

PRODUCTION EN ONTARIO ET EN COLOMBIE BRITANNIQUE

CATÉGORIE	ONTARIO	BRITISH COLUMBIA
Vins de vinifera	3500	2500
Vins d'hybrides	4800	400
Total des vins	8300	2900
Appellations	3	4
Vins rouges	40%	20%
Vins blancs	60%	80%
Exportations	2%	5%

LES APPELLATIONS DU CANADA

FRASER VALLEY VQA

Colombie britannique

Six petites entreprises rurales situées à moins d'une heure de route de Victoria exploitent des vignobles de coteau.

LAKE ERIE NORTH SHORE VQA

Ontario

Située au sud-ouest de l'Ontario, sur la rive du lac Erie, le moins profond et le plus chaud des Grands Lacs, cette région bénéficie du meilleur ensoleillement du Canada. Les vendanges ont lieu plusieurs semaines avant celles des autres régions. *Vinifera* compte pour 2% du vignoble.

NIAGARA PENINSULA VQA

Ontario

Bordant le sud-est du lac Ontario, la péninsule du Niagara est la région qui bénéficie le plus des brises lacustres, ce qui la rend la plus favorable à la viticulture. Elle compte 97% de vignoble de l'Ontario. La plupart des vignobles sont cultivés à une altitude de 90 m sur la pente douce qui descend du pied de l'escarpement du Niagara à la rive du lac. L'escarpement, haut de plus de 180 m, compte de nombreuses terrasses qui intéressent de plus en plus les viticulteurs, notamment dans le secteur de Beamsville.

OKANAGAN VALLEY VQA

Colombie britannique

Région viticole le plus ancienne, la plus vaste et la plus importante, la vallée d'Okanagan, longue de 160 km, compte 970 ha de vigne : plus de 96% du vignoble de Colombie britannique. Des cépages allemands et français sont cultivés à son extrémité septentrionale, mais c'est dans le sud, où la pluviosité n'atteint pas 152 mm et où les cépages rouges se plaisent particulièrement, que les vignobles sont en pleine expansion.

ÎLE PELÉE VQA

Ontario

C'est sur cette île de 200 ha, située sur le lac Erie à 24 km de la côte, que fut créée en 1866 la première entreprise vinicole du Canada. Elle est plus proche de l'équateur que ne l'est Rome. On y commence les vendanges à la fin du mois d'août et elles s'achèvent mi-octobre, même pour les raisins de vendange tardive.

SIMILKAMEEN VALLEY VQA

Colombie britannique

Au sud-est de la vallée d'Okanagan, de l'autre côté des montagnes, dans les hautes terres d'élevage de la vallée de Similkameen, Crowsnest est la figure de proue d'un groupe de petites entreprises innovatrices. Bien qu'elle ne compte que pour 2% du vignoble de Colombie britannique, cette VQA se classe deuxième de la province pour la surface viticole.

VANCOUVER ISLAND VQA

Colombie britannique

Humide et venteuse, l'île de Vancouver est la région vinicole la plus récente, mais paraît loin d'être idéale. Pourtant l'entreprise Divino, qui exploitait le plus beau vignoble de la vallée d'Okanagan, s'y est installée. Classée deuxième de la province pour le nombre d'entreprises vinicoles, elle devrait bientôt occuper aussi la deuxième place pour la surface viticole.

ENTREPRISES VINICOLES DU CANADA

COLOMBIE BRITANNIQUE

ALDERLEA VINEYARD

Duncan

Roger Dosman cultive depuis peu l'auxerrois blanc, le pinot gris et le pinot noir sur l'île de Vancouver.

ANDRÉS WINES

Andrés Wines lança sur le marché canadien le « Baby Duck » (petit canard), un mousseux de *labrusca*, doux, rosé ou rouge, aussitôt populaire et vite imité. Son origine remontait à une boisson gazeuse allemande connue sous le nom de « Kalte Ente » (canard froid) obtenue en mêlant à un mousseux bas de gamme des lies de vins rouges ou blancs. Pour les palais non accoutumés au goût foxé de *labrusca*, la version d'Andrés était encore plus répugnante que l'original germanique, mais elle eut un succès prodigieux sur le marché nord-américain. Quand la production de vins de *vinifera* prit une certaine ampleur, même Andrés fut forcé de vendre des vins de cépages nobles. Pourtant l'entreprise s'aperçut que la clientèle s'intéressant aux vins de qualité n'était guère disposée à acheter des vins d'une marque connue pour son « Baby Duck », et elle distribue les siens sous l'étiquette « Peller Estates » (Andrew Peller est le nom du fondateur d'Andrés), réservée aux seuls vins de *vinifera* bénéficiant d'une appellation VQA. Vous pouvez encore acheter, si vous en avez envie, du « Baby Duck » rouge ou rosé, une version blanche étiquetée « Baby Duck White » et même un « Baby Duck Champagne »!

BELLA VISTA

Vernon

Entreprise connue pour son vin de maréchal foch et des assemblages hybrides-*vinifera* comme le Château Select. Elle a également produit un auxerrois blanc.

BLUE GROUSE

Duncan

Située dans la vallée de Cowichan, sur l'île Vancouver, cette entreprise est connue pour son pinot blanc.

BLUE MOUNTAIN

Okanagan Falls

★

Ian Mavety a fait de tels progrès que son pinot gris, dont le premier millésime (1991) était terne avec un goût de caramel mou, est maintenant l'un des meilleurs de Colombie britannique. Conseillé par Raphael Brisbois, expert s'il en est puisqu'il a joué un rôle essentiel dans l'élaboration en Inde du Omar Khayyam et en Californie de l'Iron Horse, il élabore un vin effervescent qui s'est révélé très prometteur. Cette entreprise fait aussi un pinot noir intéressant.

✓ *pinot blanc* • *pinot gris* • *Sparkling Wine* (Vintage Brut, Vintage Reserve)

CALONA

Kelowna

★

Calona date de l'année 1932. Son demi-sec de style germanique, le Schloss Laderheim, fut un *best-seller* en 1981 et il est devenu encore meilleur.

✓ *merlot* (Cedar Creek) • *sémillon* (Private Reserve)

CARRIAGE HOUSE

Oliver

Ce producteur a fait du pinot blanc, mais il est surtout réputé pour son kerner. Il a enrichi sa gamme en 1997 avec du chardonnay, du merlot et du pinot noir.

CEDAR CREEK

Kelowna

☆

J'ai goûté quelques vins intéressants tirés de la cuve, mais mis à part les vins de dessert (vendange tardive et vin de glace), ils s'affadissent vite en bouteilles. S'ils étaient mis en bouteilles à plus basse température, ils conserveraient leur CO_2, donc leur vivacité.

✓ *chancellor* • *ehrenfelser* (Late Harvest) • *merlot reserve* • *optima* (Select Late Harvest) • *riesling* (Icewine)

CHÂTEAU WOLFF

Nanaimo

Harry von Wolff fait du chardonnay et du pinot noir sur l'île de Vancouver depuis 1996.

CHERRY POINT

Cobble Hill

Wayne et Helena Ulrich cultivent héroïquement *vinifera* sur l'île humide et venteuse de Vancouver. Leur ambition est de faire du pinot noir, mais leurs auxerrois et pinot blanc frais et savoureux sont plus réalistes. Par précaution, ils ont également planté de l'ortega et du müller-thurgau.

CROWSNEST VINEYARDS

Keremeos

Depuis leur premier millésime, en 1994, Andrea et Hugh McDonald, ont acquis une belle réputation avec leur riesling et commencent à affiner leurs vins rouges.

✓ *riesling*

DIVINO WINERY

Cobble Hill

Autrefois installés dans la vallée d'Okanagan, Joe et Barbara Busnardo ont créé un vignoble de 8 ha sur l'île de Vancouver.

DOMAINE DE CHABERTON

Langley

Claude Violet, qui a appris son métier en Suisse et en France, a été le premier à cultiver la vigne dans la vallée de Fraser.

DOMAINE COMBRET

Osoyoos

Connu pour son chardonnay et son cabernet franc, Combret fait aussi du riesling et du gamay.

✓ *chardonnay*

GEHRINGER BROTHERS

Oliver

Plusieurs vins intéressants, mais aucun aussi étrange que le vin de glace rouge au goût de raisin sec issu de l'hybride chancellor.

✓ *ehrenfelser* • *pinot gris* • *riesling* (Dry)

GRAY MONK CELLARS

Okanagan Centre

★✪

Excellente réputation pour le gewurztraminer et celui tiré d'un clone allemand cultivé par Broderson Vineyard et le plus épicé de Colombie britannique.

✓ *gewurztraminer* (Broderson Vineyard, Rotberger) • *pinot blanc* • *pinot auxerrois*

HAINLE

Peachland

★

J'admire l'enthousiasme de Tilman Hainle, mais il va presque toujours trop loin. S'il lui arrive d'élaborer des vins absolument admirables, il peut aussi rater complètement le millésime suivant du même cru. Un riesling sérieux à l'arôme caractéristique de kérosène est aujourd'hui son meilleur vin, mais ne négligez pas les autres pour autant.

✓ *Icewine* (riesling) • *kerner* (Fisher Vineyard) • *pinot gris* (Elizabeth's Vineyard) • *riesling* (Dry Estate)

HAWTHORNE MOUNTAIN VINEYARDS

Okanagan Falls

☆

Albert et Dixie LeComte ont bien fait d'engager Eric von Krosig pour vinifier les vins de leur entreprise qui s'appelait à l'origine « LeComte ». Des vins sont encore produits sous ce nom, mais depuis 1966, l'accent est mis sur ceux qui portent celui, plus anglo-saxon, de Hawthorne Mountain.

✓ *pinot noir* • *riesling*

HESTER CREEK

Oliver

Ancien vignoble de Divino (maintenant installé dans l'île de Vancouver). Premier millésime de la nouvelle entreprise : 1996.

HILLSIDE

Penticton

☆

Vera Klokocka émigra de Tchécoslovaquie après l'intervention soviétique de 1968. Elle cultive ici la vigne depuis le milieu des années 1970 et fait quelques vins merveilleusement gouleyants depuis 1990.

✓ *pinot auxerrois* • *riesling*

HOUSE OF ROSE

Kelowna

Vern Rose produit une gamme éclectique, du Rose rosé au chardonnay de vendange tardive.

INNISKILLIN OKANAGAN

Oliver

★

Don Ziraldo, qui dirigeait une entreprise de relations publiques très active dans le milieu vinicole, est devenu lui-même producteur en 1996 lorsque Inniskillin, l'entreprise qu'il avait créée avec Karl Kaiser, acquit les anciens bâtiments d'Okanagan Vineyards. Son associé, œnologue réputé, s'occupe de la production, tandis que son ancienne assistante, Christine Lerous, assure la gestion quotidienne.

✓ *chenin blanc* (vin de glace) • *merlot* (Inkameep Vineyard) • *pinot blanc*

JACKSON-TRIGGS

Oliver

☆

Cette marque de vins haut de gamme du groupe Vincor se forge une réputation d'élégance.

✓ *riesling* (Dry Proprieter's Reserve, Icewine)

KETTLE VALLEY

Naramata

Une des nombreuses petites entreprises vinicoles innovatrices créées dans les années 1990. Après du pinot noir, du chardonnay et du cabernet-merlot, elle a fait en 1995 des vins de glace originaux avec du chardonnay et du pinot noir puis, un an plus tard, un mousseux de pinot noir selon la méthode traditionnelle.

LAKE BREEZE VINEYARDS

Naramata

Ne manquez pas le vin de glace 1996 issu de l'ehrenfelser.

LANG VINEYARDS

Naramata

Guenther Lang a émigré d'Allemagne en 1980 et a fondé en 1990 la première entreprise vinicole genre boutique de Colombie britannique.

✓ *Icewine* (riesling)

LARCH HILL WINERY

Enderby

Un des vignobles les plus septentrionaux de la vallée d'Okanagan. Son premier millésime fut le 1995.

MISSION HILL VINEYARDS

Westbank

★

Cette entreprise collectionne les médailles depuis qu'un Néo-Zélandais, John Simes, en est devenu le vinificateur, en 1992.

✓ *chardonnay* (Barrel Select) • *chardonnay-sémillon* • *Dune (genre porto)* • *merlot-cabernet* (Grand Reserve) • *pinot blanc*

NICHOL VINEYARD

Naramata

Une des entreprises de la vallée d'Okanagan dont la qualité s'élève le plus vite.

✓ *ehrenfelser* (Select Late Harvest) • *pinot noir*

PARADISE RANCH

Naramata

Ce vignoble a été créé récemment par le Dr Jeff Harries et le matériel de vinification installé en 1997. Je n'ai pas goûté ses vins.

PELLER ESTATES

Port Moody

★

Marque d'Andrés Wines exclusivement réservée aux vins d'appellation. Son vin de glace, Trius Icewine, est issu du raisin de trois cépages venant de deux VQA.

✓ *chardonnay* • *ehrenfelser* (Late Harvest) • *Icewine* (ehrenfelser, Trinity) • *merlot* (Showcase) • *pinot blanc* (notamment Showcase)

PINOT REACH CELLARS

Kelowna

On pourrait penser que cette entreprise, avec un tel nom, ne produit que du pinot, mais elle fait aussi du riesling, du bacchus et de l'optima. Ses pinots sont un pinot blanc, un pinot meunier et un pinot noir.

POPULAR GROVA

Kelowna

Ian et Gitta Sutherland ont fait leur première vendange de cabernet et de merlot en 1995, de chardonnay en 1997. Vins non dégustés.

PRPICH VINEYARDS

Okanagan Falls

Prpich est viticulteur depuis de nombreuses années. Il a décidé de vinifier désormais son raisin, mais je n'ai pas encore goûté ses vins.

QUAIL'S GATE

Kelowna

★

La famille Stewart a créé son vignoble dans les années 1960 et ses vins étaient encore d'une qualité controversée au début des années 1990. Ils sont devenus excellents grâce au vinificateur australien Jeff Martin.

✓ *cabernet sauvignon* (Limited Release) • *chardonnay* (Limited Release) • *optima* (Late Harvest Botrytis Affected) • *pinot noir* (notamment Family Reserve) • *riesling* (Icewine, Late Harvest)

ST HUBERTUS

Kelowna

Des vins de qualité irrégulière dont un pinot blanc à l'arôme étrange, presque foxé (1991) et des rieslings secs tantôt vifs et stimulants.

SLAMKA CELLARS

Lakeview Heights

Une petite entreprise rurale dont la réputation ne cesse de croître.

SUMAC RIDGE

Summerland

★

Entreprise appartenant à Bob Wareham mais dans laquelle un de ses anciens associés, Harry McWatters, joue encore un rôle important. Celui-ci élabore un gewurztraminer (Private Reserve) qui est l'un des plus beaux que l'on puisse trouver hors d'Alsace. Après des débuts décevants, le mousseux se révèle prometteur.

✓ *cabernet franc* • *chardonnay* (Private Reserve) • *chenin blanc* • *gewurztraminer* • *merlot* • *pinot blanc* • *red meritage* • *riesling*

SUMMERHILL ESTATE

Kelowna

★

On ne sait si la pyramide de Khéops en miniature qui se dresse dans ce domaine a des propriétés surnaturelles, mais il ne fait aucun doute que son propriétaire Stephen Cipes est un personnage excentrique. Sans lui, nous n'aurions pas connu le seul « champagne » du monde élevé dans une pyramide. Ses clients locaux apprécient son gewurztraminer, mais son meilleur vin est le pinot blanc.

✓ *chardonnay* • *ehrenfelser* (Reserve) • *Icewine* (Pinot Noir, Riesling) • *johannisberg riesling* (Estate) • *pinot blanc* • *riesling* (Late Harvest) • *Sparkling Wine* (pinot noir brut, Icewine Dosage)

TINHORN CREEK

Oliver

Depuis son premier millésime, en 1994, Sandra Oldfield s'est vite forgée une excellente réputation, notamment pour ses vins rouges.

✓ *Icewine* (kerner-riesling) • *pinot noir*

VENTURI-SCHULZE

Cobble Hill

Giordano Venturi et Marilyn Schulze-Venturi, sur l'île de Vancouver, sont surtout connus pour leur pinot blanc et leur vinaigre balsamique.

VIGNETI ZANATTA

Duncan

Loretta Zanatta est connue pour son pinot blanc, issu du vignoble familial de la vallée de Cowichan, sur l'île de Vancouver.

VINCOR

Oliver

Autrefois appelé « Brights-Cartier », le groupe Vincor est le plus gros producteur du Canada. Il possède Inniskillin et vend ses vins sous les étiquettes « Jackson-Triggs » et « Sawmill Creek ».

WILD GOOSE VINEYARDS

Okanagan Falls

Adolf Kruger, un Allemand de l'Est, fut le premier à créer une exploitation vinicole rurale dans la vallée d'Okanagan. La qualité de ses vins rouges, d'abord un maréchal foch et, plus récemment, un merlot est reconnue.

NOUVELLE-ÉCOSSE

La période de croissance est ici courte et froide et les hivers très rigoureux. La culture de la vigne est plus un acte de foi qu'une activité dictée par la raison. Il y a pourtant une quarantaine de viticulteurs dans la région, mais seulement trois entreprises vinicoles. La plupart des vignobles sont situés dans la vallée d'Annapolis, au sud-ouest, sur la côte. On y cultive surtout des hybrides, seyval blanc, new york muscat, maréchal foch et le cépage sibérien michurinetz, de l'espèce *amurensis*. Roger Dial créa Grand Pré, la première entreprise vinicole. Elle appartient maintenant à Landry et Karen Avery qui ajoutèrent le chardonnay aux cépages précédents. Jost Vineyard a détenu naguère le record du vin de glace le plus cher du Canada tandis que Sainte Family a cultivé avec bonheur l'auxerrois blanc, le chardonnay et le riesling. Les vins de Nouvelle-Écosse sont faits avec une proportion de raisin importé pouvant atteindre 100 %, aussi n'est-il pas possible d'identifier ceux, s'il en existe, issus uniquement de raisin cultivé dans cette province.

ONTARIO

ANDRÉS WINES

Winona

Bien qu'Andrés produise aussi en Ontario des vins sous son étiquette de prestige « Peller Estates », je n'ai goûté que ceux de Colombie britannique.

CAVE SPRING

Jordan

★☆

Grande entreprise créée en 1986 par Léonard Penachetti, qui a l'ambition de produire les meilleurs vins d'Ontario. Ses vignobles sont situés sur la Terrasse de Beamsville, favorable à la culture des cépages aromatiques de *vinifera*.

✓ *chardonnay* (Bench Reserve) • *chardonnay musqué* • *Icewine* (riesling) • *riesling* (Botrytis Affecte, Dry, Indian Summer)

CHÂTEAU DES CHARMES

St Davids

★☆

Créée par Paul Bosc et exploitée par son fils, cette entreprise fait un mousseux honnête et des vins rouges excellents.

✓ *cabernet sauvignon*

• *chardonnay* (Estate Bottled, St David Bench) • *Icewine* (riesling) • *merlot* (Paul Bosc Estate) • *Sparkling Wine* (Brut)

COLIO WINES

Harrow

☆

Entreprise créée par un groupe d'hommes d'affaires italiens pour l'importation de vins d'Udine, dans la région du Frioul-Vénétie Julienne, en Italie du Nord. Ils finirent par s'apercevoir qu'il serait plus avantageux de produire des vins en Ontario.

✓ *cabernet franc* • *pinot gris* • *riesling* (Lake Erie North Shore) • *vidal*.

CULOTTA WINES

Oakville

Cette entreprise fait depuis 1979 des vins d'hybrides et de *vinifera*.

D'ANGELO ESTATE WINERY

Amherstburg

Sal d'Angelo, qui cultivait des hybrides depuis 1984, a décidé en 1990 de les vinifier lui-même. Il produit même un peu de vin de *vinifera*.

DE SOUSA

Beamville

John de Sousa est devenu en 1987 le premier vinificateur portugais à créer une entreprise au Canada.

HENRY OF PELHAM

St Catharines

★☆

Entreprise créée en 1988 par la famille Speck qui cultivait la vigne dans la région depuis 1974. Après une période d'hésitations, elle produit maintenant des vins de grande qualité. Les amateurs d'hybrides ne devraient pas manquer de goûter le baco noir, un des meilleurs du monde.

✓ *Baco Noir* • *cabernet-merlot* • *chardonnay* • *Icewine* (riesling) • *merlot* • *riesling*

HERNDER ESTATES WINES

St-Catharines

Viticulteurs en Ontario depuis 1967, les Hernder sont devenus aussi producteurs de vins depuis 1991. Leur vinificateur est Ray Cornell.

HILLEBRAND

Niagara-on-the-Lake

★

Autrefois nommée « Newark » (ancien nom de Niagara-on-the-Lake), elle fut rebaptisée en 1983 après son rachat par la firme allemande Scholl & Hillebrand, de Rüdesheim.

✓ *cabernet-merlot* (Barrel Fermented Collector's Choice) • *chardonnay* (Trius) • *Icewine* (cépage non précisé) • *Sparkling* (Mounier Brut) • *Trius* (Glenlake Vineyard – assemblage rouge classique)

INNISKILLIN

Niagara-on-the-Lake

★☆

Entreprise créée par Don Ziraldo, agronome spécialisé dans la publicité vinicole, et Karl Kaiser, œnologue et vinificateur de grand talent. Difficile de trouver deux personnalités aussi opposées, mais l'association de Ziraldo l'extraverti et de Kaiser l'introverti a fait beaucoup pour hisser l'industrie vinicole canadienne jusqu'à la position qu'elle occupe depuis quelques années sur le marché international, notamment celui des pays anglo-saxons.

✓ *auxerrois blanc* • *cabernet franc* • *cabernet-merlot* • *cabernet sauvignon* (Klose Vineyard) • *chardonnay* (Reserve, Klose Vineyard, Seegar Vineyard) • *gamay* • *Icewine* (vidal) • *maréchal Foch* • *pinot noir* • *riesling* (Reserve) • *vidal*

KITTLING RIDGE ESTATES

Grimsby

Entreprise relativement récente produisant aussi bien du vin que des eaux-de-vie.

KONZELMANN

Niagara-on-the-Lake

★☆

Entreprise créée en 1984 par Herbert Konzelmann, qui fut le premier à pratiquer le palissage haut dans le vignoble canadien. Un des vinificateurs les plus modestes et les plus talentueux d'Ontario, Konzelmann a toujours admirablement maîtrisé le gewurztraminer. Ma seule critique est le dessin de l'étiquette.

✓ *chardonnay* (dès 1992) • *gewurztraminer* • *Icewine* (gewurztraminer, vidal) • *pinot blanc* • *riesling* • *riesling traminer* (Select Late Harvest) • *vidal* (Late Harvest)

LAKEVIEW CELLARS

Vineland

Eddy Gurinskas a acheté un vignoble sur la Terrasse de Beamville en 1986, a élaboré du vin d'abord comme passe-temps, puis est devenu producteur professionnel en 1991.

LEBLANC ESTATE WINERY

Harrow

Vignoble familial créé en 1984, mais l'entreprise vinicole est récente : premier vin commercialisé en 1993.

LONDON WINERY

London

Entreprise créée en 1925 par les frères Knowles venant des Bahamas. Ils firent du vin « médicinal » pendant la prohibition et stockèrent le surplus pour le commercialiser dès son abrogation.

MAGNOTTA WINERY
Mississauga

Cette entreprise, qui exploite un vignoble sur la Terrasse de Beamsville, fait un chardonnay et un vin de glace intéressants, mais ses mousseux m'ont beaucoup étonné la seule fois où je les ai goûtés : le brut et le blanc de blancs m'ont fait penser à un xérès respectivement non boisé et boisé, agrémentés de bulles.

✓ *chardonnay* (Lenko Vineyards) • *Icewine* (vidal)

MAPLE GROVE
Beamsville

Créée en 1994 par Giovanni Follegot, propriétaire de Vinoteca, Maple Grove met l'accent sur les vins rouges.

MARYNISSEN ESTATES
Niagara-on-the-Lake

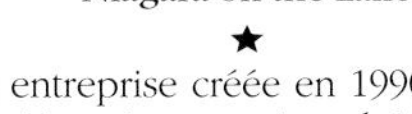

★

Une entreprise créée en 1990 par John Marynissen, qui exploite son propre vignoble, vinifie son raisin, élève ses vins et les vend au domaine. Il cultive *vinifera* sur la péninsule de Niagara depuis plus longtemps que la plupart des autres viticulteurs (il n'a pas hésité à planter du cabernet sauvignon dès 1978). Ce viticulteur s'est révélé être un vinificateur de très grand talent.

✓ *cabernet sauvignon* • *chardonnay* • *merlot* • *pinot Noir*

PELEE ISLAND
Kingsville, Ile Pelée

☆

Il faut une heure au *ferry-boat* pour atteindre l'île Pelée, dans le sud-ouest du lac Erie, VQA de l'Ontario où se trouvent les vignobles les plus méridionaux du Canada. La période de croissance étant la plus longue et le climat le plus chaud, il n'est pas étonnant que Vin Villa, première entreprise vinicole du pays, s'y soit installée dans les années 1860.

PILLITTERI ESTATES WINERY
Niagara-on-the-Lake

La famille Pillitteri cultive la vigne sur la péninsule de Niagara depuis près de cinquante ans.

REIF ESTATE WINERY
Niagara-on-the-Lake

★☆

Une des entreprises de pointe de la péninsule de Niagara, voisine d'Inniskillin, où Klaus Reif produit des vins souvent boisés, toujours caractérisés par une grande élégance, qui sont tous mis en bouteilles au domaine.

✓ *cabernet sauvignon* (non filtré) • *chardonnay* • *riesling*

SOUTHBROOK FARMS
Vaughan

Jeune entreprise créée en 1991 sous les auspices de Brian Croser (propriétaire en Australie de Petaluma et un des premiers vinificateurs volants). Le raisin vient du vignoble de Klaus Reif qui assura également l'élaboration des premiers millésimes. Bien que divers vins de cépage de Southbrook aient remporté des médailles dans des concours internationaux, ils ne m'ont pas autant impressionné – jusqu'à maintenant – que le vin étiqueté « Framboise », un nom qu'il mérite.

✓ *cabernet franc* • *chardonnay* • *Framboise*

STONECHURCH VINEYARDS
Niagara-on-the-Lake

☆

Les Hunse ont été viticulteurs dans cette région pendant plus de vingt ans avant de créer leur propre entreprise vinicole et de faire leurs premiers vins en 1990. Après des débuts hésitants, ils produisent quelques vins très réussis.

✓ *cabernet sauvignon* • *Icewine* (riesling)

STONEY RIDGE CELLARS
Winona

★☆

Créé aussi récemment qu'en 1990, cette entreprise a déjà réussi à se hisser au rang des meilleurs producteurs de tout l'Ontario.

✓ *cabernet franc* • *chardonnay* (Bebenek Vineyard, Eastmann Vineyard, Puddicombe Vineyard) • *Icewine* (Vidal) • *merlot* (Lenko Vineyards) • *riesling* (Late Harvest)

THIRTY BENCH
Beamville

On m'a dit le plus grand bien de cette entreprise et de son petit vignoble. Les étiquettes sont jolies.

VINCOR
Niagara Falls

Vincor fait des vins dans la VQA Niagara Peninsula sous l'étiquette « Jackson-Triggs », mais je n'ai goûté que ceux de Colombie britannique.

VINELAND ESTATES
Vineland

☆

Autrefois propriété de Herman Weiss, dont la famille possède St Urban, dans la partie allemande de la vallée de la Moselle, ce domaine appartient maintenant à John Howard et au vinificateur Allan Schmidt dont le père fut l'un des créateurs de Sumac Ridge, en Colombie britannique.

✓ *Icewine* (vidal) • *riesling* (Late Harvest, Reserve, St Urban Vineyards, Semi Dry)

VINOTECA
Woodbridge

Créé en 1989 par Giovanni et Rosanne Follegot, Vinoteca fut la première entreprise vinicole de la région de Toronto à obtenir une licence, bien que son vignoble soit situé sur la péninsule de Niagara.

WILLOW HEIGHTS
Beamsville

Speranzini est un de ces producteurs de la nouvelle génération qui tiennent absolument à ce que tout le raisin vienne effectivement des vignobles de la péninsule.

QUÉBEC

Si l'on s'étonne que l'on puisse faire du vin en Nouvelle-Écosse, on doit penser que l'existence de vignobles au Québec est le fruit de l'imagination ou alors une astuce pour vendre des vins faits de raisin entièrement importé. C'est effectivement étonnant à cette latitude et avec ce climat rigoureux, mais ces vignobles existent pourtant : je les ai vus et j'ai bu les vins qu'on en tire. Après tout, c'est ici que les jésuites ayant suivi Jacques Cartier firent les tout premiers vins du Canada, vers 1564. Même si le Québec se trouvait au pôle Nord, on peut être certain que les descendants des colons français réussiraient à y faire du vin. Les Français ont ça dans le sang. Le vin est ici une partie de l'art de vivre, d'où la présence d'une vingtaine d'entreprises vinicoles au Québec. Aucune n'est grande ; la plus importante est **L'Orpailleur**. Les autres dignes d'intérêt sont **Dietrich-Joos**, **Domaine des Côtes d'Ardoise**, **La Vitacée** et **Vignoble le Cep d'Argent**. Les vins sont issus d'un mélange d'hybrides et de *vinifera*. Bientôt les producteurs du Québec devraient adhérer au système des VQA et la qualité de leurs vins en bénéficier.

VIGNOBLE D'INNISKILLIN SOUS LA NEIGE

Iniskillin fit son premier vin de glace en 1984, mais ce ne fut pas avant 1986 qu'il atteignit le niveau élevé de qualité qui lui valut une médaille d'or à Vinexpo pour son vidal millésime 1989.

✧ MEXIQUE ✧

Le plus grand obstacle au développement vinicole du Mexique n'est ni le climat chaud, ni l'arrivée récente d'un flot de vins bon marché des États-Unis, mais l'inexistence de culture viticole d'une grande partie de la population.

Ce sont les Espagnols qui apportèrent la viticulture au Mexique et en firent la première contrée vinicole du continent américain. Dès 1521, peu après l'invasion, les conquistadores créèrent des vignobles et commencèrent à faire du vin aussitôt que les vignes entrèrent en production.

En 1524 Hernan Cortés, gouverneur de la Nouvelle-Espagne, accéléra le développement de la viticulture en ordonnant à tous les Espagnols, à qui l'on avait distribué des terres et assigné des Indiens pour les cultiver, de planter annuellement « un millier de ceps par centaine d'Indiens » durant une période de cinq ans. Dès 1595, le pays produisait presque assez de vin pour satisfaire ses besoins et les importations de vin espagnol avaient diminué au point que les producteurs de la mère patrie firent pression sur Philippe II pour obtenir l'interdiction de toute création de nouveaux vignobles dans le Nouveau Monde.

L'ORIGINE DE LA TEQUILA

Lorsque les Espagnols goûtèrent l'étrange boisson fermentée d'un blanc laiteux, le *pulque* ou *mescal*, que les Indiens tiraient de la sève de l'agave (ou aloès américain), ils ne furent guère enthousiasmés. Ils entreprirent alors de la distiller et obtinrent une eau-de-vie incolore convenant mieux à leur goût. Ils la baptisèrent « tequila », du nom de la tribu indienne des Tiquilas. Aujourd'hui, la tequila est l'un des produits mexicains les plus exportés et l'on produit toujours une grande quantité de *mescal* consommée par les Mexicains eux-mêmes.

LE VIN MEXICAIN D'AUJOURD'HUI

Le vignoble mexicain s'étend sur 500000 ha dont près de 40% réservés à la production de raisin de table et de raisin sec. Plus de la moitié de la production vinicole étant distillée, celle de vin destiné à la consommation n'est que de 2,4 millions d'hectolitres environ, l'équivalent de 320 millions de bouteilles.

Il y a pas si longtemps, le meilleur vin mexicain n'était guère meilleur que le mescal. Au moment de la publication en 1988 de la première édition de cet ouvrage, les investissements étrangers et la demande des touristes pour des vins plus buvables avaient déjà provoqué une nette amélioration de la qualité des vins. À cette époque, de nombreux œnologues internationaux prédisaient un bel avenir à une production mexicaine de qualité. Malheureusement, le marché intérieur restant stagnant, plus de la moitié des entreprises furent contraintes de fermer leurs portes. La plupart des Mexicains préfèrent le mescal ou la bière au vin. La consommation de vin par habitant n'est que le treizième de celle des États-Unis, elle-même le dixième de celle de l'Europe. L'industrie vinicole des États-Unis est viable en raison de l'importance et des moyens de sa classe moyenne, mais la classe moyenne mexicaine n'a pas des revenus suffisants pour rentabiliser une production vinicole abondante. De plus, après la signature en 1992 du traité de libre échange nord-américain, la

L'ENTREPRISE PEDRO DOMECQ

Dans ce splendide bâtiment, Domecq élabore ses vins rouges, rosés et blancs dans des cuves en Inox à régulation de température.

SUPERFICIE DU VIGNOBLE MEXICAIN

ÉTATS	HECTARES
Sonora	18200
Baja California Norte	7500
Aguascalientes	6500
Zacatecas	5800
Coahuila	4300
Chihuahua	3500
Querétaro	2500
Durango	1700
TOTAL	50000

FACTEURS DU GOÛT ET DE LA QUALITÉ

EMPLACEMENT
Huit des États cultivent la vigne, de la Baja California, dans le nord, à San Juan del Rio, juste au nord de Mexico

CLIMAT
La moitié du Mexique se trouve au sud du tropique du Cancer, mais l'altitude modère les températures. La plupart des vignobles se trouvent sur le haut plateau central et certains sont rafraîchis par le voisinage de l'océan Pacifique. Les principales difficultés auxquelles se heurtent les viticulteurs sont les grands écarts de température entre le jour et la nuit et le climat est soit trop humide, soit trop sec. Les régions sèches n'ont pas des ressources suffisantes en eau pour l'irrigation et dans les régions humides, la pluviosité est trop élevée pendant la période de croissance.

SITES
Dans les États de Querétaro, Aguascalientes et Zacatecas, on cultive la vigne sur les plateaux et les flancs des petites vallées, à une altitude de 1600 m à 2100 m. En Baja California, les vignobles sont situés dans des vallées et des zones arides à une altitude de 100 à 335 m.

SOLS
Les sols des régions viticoles du Mexique peuvent être classés en deux grandes catégories : ceux du fond des vallées et des flancs sont minces et peu fertiles; ceux des plateaux sont fertiles et plus ou moins profonds. En Baja California, on passe de sols pauvres, alcalins et sableux dans la région de Mexicali à des sols volcaniques mêlés à des sols graveleux, sableux et calcaires qui assurent un bon drainage. Dans l'État de Sonora, les sols de Caborca sont analogues à ceux de Mexicali tandis que ceux de Hermosillo sont alluviaux et limoneux. Les sols des hautes plaines de l'État de Zacatecas sont principalement volcaniques ou alluviaux et argileux, ceux des vallées et des plaines de l'État d'Aguascalientes sont peu profonds avec une couverture calcique. Les sols volcaniques, calcaires et argilo-sableux de l'État de Querétaro sont assez profonds, légèrement alcalins et bien drainés tandis que ceux de La Laguna, alluviaux, limoneux et sableux sont très alcalins.

VITICULTURE ET VINIFICATION
On pratique largement l'irrigation dans les zones arides de Baja California et de Zacatecas. La plupart des entreprises vinicoles sont relativement récentes et bénéficient des conseils d'œnologues qualifiés.

CÉPAGES
Barbera, bola dulce, cabernet sauvignon, cardinal, carignan chenin blanc, french colombard, grenache, malaga, malbec, merlot, mission, muscat, nebbiolo, palomino, perlette, petite sirah, rosa del perú, ruby cabernet, sauvignon blanc, trebbiano, valdepeñas, zinfandel

UN VIGNOBLE DE BAJA CALIFORNIA
La petite sirah mûrit sous un soleil ardent dans ce grand vignoble qui s'étend aux pieds de la Sierra San Pedro Mártir.

déferlante des vins meilleur marché des États-Unis a provoqué une réduction de moitié des revenus de la production vinicole. Paradoxalement, c'est justement cette concurrence du vin de carafe bon marché de l'autre côté de la frontière qui est sans doute la meilleure chance des entreprises vinicoles du Mexique. Il est bien possible que d'ici une décennie seuls les meilleurs vignobles soient encore cultivés et que les producteurs survivent grâce à la production des vins de grande qualité.

LECTURE DE L'ÉTIQUETTE DES VINS MEXICAINS

De très nombreux termes qui peuvent figurer sur les étiquettes mexicaines sont les mêmes que celles que l'on trouve sur les vins espagnols ou sont similaires (*voir* p. 348). Les plus courants sont les suivants :

Vino tinto	Vin rouge	*Viña*	Vignoble
Vino blanco	Vin blanc	*Espumoso*	Mousseux
Variedad	Cépage	*Seco, Extra Seco*	Sec, extra-sec
Contenido neto	Contenance	*Vino de mesa*	Vin de table
Cosechas Seleccionadas	Assemblage spécial	*Bodega*	Entreprise vinicole
		Hecho en Mexico	Fait au Mexique

PRINCIPAUX PRODUCTEURS DU

MEXIQUE

BODEGAS DE SANTO TOMAS

Ensenada

Entreprise créé en 1888 à Ensenada, en Basse-Californie, près des ruines de la mission de Santo Tomas par un chercheur d'or italien qui la revendit en 1920 au général Rodriguez. Lorsque celui-ci devint président du Mexique, il la céda à Esteban Ferro. Elle passa ensuite entre différentes mains avant d'être vendue à Pedro Domecq. Cette bodega appartient maintenant à Elias Pando, un importateur de Mexico.

✓ *cabernet sauvignon*

CASA MADERO

Monterey

Une seule entreprise vinicole du continent américain est plus ancienne que celle-ci. Elle exploite 400 ha de vignobles et vend ses vins sous les étiquettes San Lorenzo et Varietales Madero. Le vinificateur volant John Worontschak a élaboré ici des vins francs d'abord faciles pour la chaîne de grands magasins Marks & Spencer. Il faut souhaiter que Madero profite de cette expérience.

✓ *cabernet sauvignon-merlot* • *San Lorenzo* (rouge)

CAVAS DE SAN JUAN

Cuauhtémoc

☆

Située à 1 600 m d'altitude, cette entreprise possède 250 ha de vignobles et vend ses vins sous l'étiquette « Hidalgo ».

L.A. CETTO

Tijuana

☆

Quand j'ai visité l'antenne commerciale de L.A. Cetto à Mexico, ses vins étaient inconnus hors du Mexique. Déjà à cette époque, ils m'ont paru supérieurs à ceux des autres producteurs. Ils sont élaborés dans la vallée relativement fraîche de Santo Tomas, en Baja California. Le vin de petite sirah est riche et le plus régulier de L.A. Cetto, toutefois il n'est pas aussi bon que certains critiques l'ont proclamé au milieu des années 1990.

✓ *cabernet sauvignon* • *nebbiolo* • *petite sirah* • *zinfandel*

CASA PEDRO DOMECQ

Mexico

☆

Le Château Domecq, produit en Baja California, est toujours un des meilleurs cabernet sauvignons du Mexique.

✓ *Château Domecq*

CAVAS DE ALTIPLANO

Zacatecas

Cette entreprise est située dans une des régions vinicoles les plus élevées du Mexique, avec des vignobles cultivés à 2000 m d'altitude.

MARQUÉS DE AGUAYO

Parras

Créée en 1593, c'est la plus vieille entreprise vinicole de tout le continent américain, mais son vin est distillé pour la production d'eau-de-vie de genre cognac.

MONTE XANIC

Ensenada

★☆

Xanic signifie dans la langue des Indiens de la tribu Cora « la première fleur après la pluie ». Cette entreprise au nom poétique est la meilleure du Mexique.

✓ *cabernet sauvignon* • *cabernet-merlot* • *chardonnay*

PRODUCTOS DE UVA

Tlanepantla

?

Il y a longtemps que je ne me suis pas rendu à Tlanepantla, mais le riesling de ce producteur que j'ai bu à Mexico était le plus pâle, le plus léger et le plus frais du Mexique.

✓ *Riesling*

SALA VIVA

San Juan del Rio

★

Sala Viva, qui appartient à la maison espagnole Freixenet, faisait déjà en 1988 un vin effervescent léger et désaltérant meilleur que certains cavas d'Espagne.

✓ *Brut*

Les autres producteurs mexicains capables de produire des vins intéressants sont les suivants : **Bodegas San Antonio**, **Cavas de Valmar**, **Casa Martell** et **Vergel**.

✧ AMÉRIQUE DU SUD ✧

Les conquistadores cultivèrent la vigne au Mexique dès 1521 puis la répandirent en Amérique du Sud au fur et à mesure de leurs conquêtes. Aujourd'hui, le Chili se caractérise par la qualité de sa production vinicole, l'Argentine par sa quantité, tandis que le Brésil et l'Uruguay sont prometteurs.

Si les prêtres les accompagnant plantèrent partout de la vigne, les conquisadores avaient pour mission première de collecter le plus d'or possible pour le compte du roi d'Espagne. Quand les Indiens se lassèrent de la verroterie que les conquérants troquaient contre leur or, celui-ci leur fut arraché par des méthodes plus directes et plus brutales. Par représailles, les Indiens versaient de l'or fondu dans la gorge des soldats capturés, ce qui assurément étanchait leur soif de métal précieux, mais aussi une réponse aux missionnaires catholiques qui les convertissaient de force et les obligeaient à boire du vin sacramentel.

À l'époque contemporaine, la préférence de la population pour la bière et les boissons fortes a retardé dans toute l'Amérique du Sud le développement de la production et de la consommation de vin, y compris dans les deux principaux pays vinicoles, le Chili et l'Argentine. Toutefois, le Brésil pourrait ouvrir la voie car les jeunes générations abandonnent progressivement la bière au profit du vin. De fait, le Brésil est l'un des rares pays du monde où l'on a constaté une augmentation de la consommation de vin.

VENDANGES AU BRÉSIL
La plus grande région vinicole du Brésil est le Rio Grande do Sul, bordée par l'Atlantique et s'étendant jusqu'à l'Uruguay.

AMÉRIQUE DU SUD
Le climat et une topographie inhospitalière font obstacle à une production vinicole abondante dans une grande partie de l'Amérique du Sud, sauf au Chili et en Argentine, voir *p. 507.*

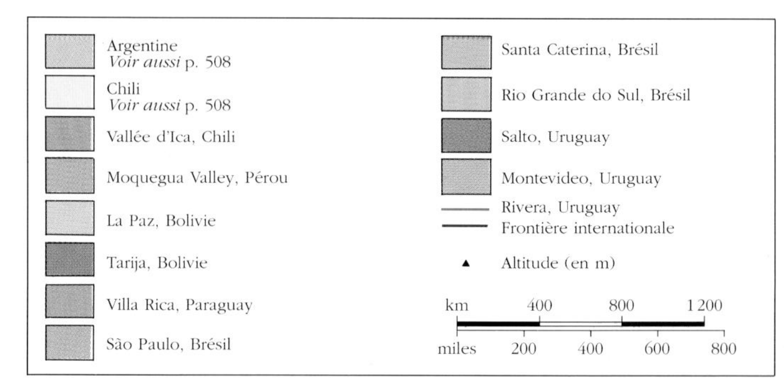

VIGNOBLE DE SAN PEDRO À MOLINA, CHILI
Une partie du plus grand vignoble du Chili, dans la région de Curicó, à 200 km au sud de Santiago, aux pieds des Andes.

SURFACE VITICOLE, PRODUCTION VINICOLE ET RENDEMENT DANS LES PAYS D'AMÉRIQUE DU SUD

PAYS	HECTARES	HECTOLITRES	RENDEMENT
Argentine	207 000	18 200 000	88 hl/ha
Chili	114 000	3 600 000	32 hl/ha
Brésil	60 000	3 000 000	50 hl/ha
Uruguay	11 000	710 000	65 hl/ha
Pérou	10 000	80 000	8 hl/ha*
Bolivie	4 000	20 000	5 hl/ha*
Colombie	1 500		N/A
Venezuela	1 000		N/A
Équateur	250		N/A
Paraguay	négligeable		N/A

• Cette anomalie s'explique car la plus grande partie du vin est distillée. Sans cela le rendement peut s'élever jusqu'à 160 hl/ha

LE TERME « CHAMPAGNE » EST-IL PROTÉGÉ?

J'ai demandé en 1993 à un haut responsable de la maison Moet & Chandon comment il pouvait expliquer que les producteurs champenois s'adressent aux tribunaux pour obtenir l'interdiction des termes « champagne » ou « champaña » pour désigner tout vin effervescent produit hors de l'appellation française champagne alors que son entreprise vendait depuis plus de 30 ans du mousseux sud-américain sous l'étiquette champaña.

Il m'a répondu qu'il avait eu l'intention de supprimer le terme champaña mais que les lois des pays de production l'obligeaient à l'utiliser. J'avoue que je ne comprenais pas pourquoi des maisons champenoises créaient des filiales dans des pays où la réputation de leur propre champagne était ainsi menacée. J'avais posé cette question parce qu'un responsable de Piper-Heidsieck m'avait assuré que ces lois n'existaient pas. Je rétorquai donc que Piper, qui produisait du mousseux en Argentine, affirmait le contraire et que mes deux interlocuteurs ne pouvaient avoir raison l'un et l'autre.

Le responsable de Moët resta sur sa position : « C'est la loi, et j'en suis certain car chaque fois que le CIVC (Comité Interprofessionnel du Vin de Champagne) s'adresse aux tribunaux, je suis amené à prendre la défense de mon entreprise ». Je lui demandai alors de me communiquer le texte de loi en question et il me proposa une traduction utilisée devant un tribunal canadien. Mais j'insistai pour obtenir les textes originaux, en espagnol pour l'Argentine et en portugais pour le Brésil, afin que je puisse les confier à un traducteur indépendant.

Il me promit de me les faire parvenir mais n'en fit rien. En revanche il m'adressa une lettre pour me communiquer des précisions : « La loi de ce pays [l'Argentine] exige que le vin effervescent soit vendu sous une des dénominations suivantes : champagne, champaña, vino espumoso ou vino espumante. Vous devriez savoir qu'en Argentine, étiqueter un mousseux vino espumoso ou vino espumante le déprécie dans l'esprit des consommateurs, aussi personne n'utilise ces termes. » C'est précisément l'argument des producteurs de mousseux du monde entier quand ils sont traînés devant les tribunaux par les Champenois.

Je n'ai pas reçu le texte de la loi brésilienne non plus, mais mon correspondant a jugé bon de m'adresser ce commentaire : « la production est minuscule, moins de 200 000 caisses, aussi n'y a-t-il vraiment pas de problème ».

Je ne sais donc toujours pas de façon certaine si les vins effervescents doivent être ou ne pas être étiquetés « champagne » ou « champaña ». Il reste à savoir si les tribunaux ont donné définitivement raison au CIVC.

LES PETITS PAYS PRODUCTEURS D' AMÉRIQUE DU SUD

BOLIVIE

La vigne a sans doute été cultivée dans cette contrée dès les années 1560. Aujourd'hui, les vignobles sont situés à des altitudes de 1 600 à 2 400 m, sur les hauts plateaux de La Paz au nord et de Tarija au sud. Les sols sont alluviaux et le climat tropical, les deux principaux dangers étant la pourriture due à l'humidité et le phylloxéra. Paradoxalement, la plupart des vignobles doivent être irrigués. Le muscat est de loin le cépage le plus cultivé. Plus de la moitié de la production est distillée pour faire le pisco, l'eau-de-vie nationale.

BRÉSIL

Les Portugais auraient commencé à cultiver la vigne dans la région de São Paulo vers 1532, mais la production vinicole est restée insignifiante jusqu'en 1815, quand le prince régent du Portugal, qui avait fui devant Napoléon en 1807 et s'était fixé à Rio de Janeiro, donna au Brésil un statut égal à celui du Portugal, mettant ainsi fin au monopole du vin importé du Portugal. Après l'indépendance, en 1822, la production locale de vin devint une nécessité.
La région vinicole la plus importante se trouve dans l'État de Rio Grande do Sul qui borde l'Uruguay. Dans le district de Palomas, Santana do Livramento est la région vinicole la plus récente et la plus prometteuse. Les vignobles du secteur de Campanha Gaúcha sont complantés avec plus de 20 variétés de *vinifera* alors que huit cépages sur dix sont de l'espèce *labrusca* dans le reste du pays. La qualité des vins brésiliens a toujours été discutable : les conditions sont réunies pour la production de vin de qualité, mais les vignerons brésiliens n'en ont que rarement tiré parti jusqu'à aujourd'hui.

COLOMBIE

La conquête espagnole de la Colombie débuta en 1525 avec la fondation de Santa Marta par Rodrigo de Bastidas. On y cultiva probablement la vigne dès 1559 quand l'*audienca*, ou cour espagnole de Santa Fé de Bogotá, fut rattachée à la vice-royauté du Pérou. Le pays étant facilement accessible par voie maritime, il était bien plus largement ravitaillé en vins importés d'Espagne que les autres colonies de la Côte pacifique, ce qui freina le développement de la viticulture. La première exploitation vinicole ayant une importance commerciale fut créée vers 1920. La production nationale resta cependant limitée à cause de l'afflux de vins étrangers jusqu'à ce que l'importation de vins d'autres pays que ceux d'Amérique du Sud fût interdite, en 1984. La production nationale a pris rapidement de l'extension depuis. La plupart des vignobles sont concentrés dans trois zones : la vallée de Cauce, la Sierra Nevada de Santa Marta et Ocaña où l'on cultive une gamme étonnante du raisin de table. De nombreuses entreprises font leur vin avec du raisin de table. Le raisin de cuve le plus cultivé est l'isabella (*labrusca*), les cépages de *vinifera* (barbera, cabernet sauvignon, chardonnay, müller-thurgau, muscat, pinot noir, pedro ximénez, riesling et sylvaner) n'ayant qu'une importance marginale. De nombreux vins sont à base de raisin, de jus de raisin ou de jus de raisin concentré importés.

ÉQUATEUR

On a probablement cultivé ici la vigne après la fondation de Villa de San Francisco de Quito en 1534 par Sebastian de Belalcázar et la création de grands domaines agricoles dans la colonie. Les premiers vignobles furent à l'origine plantés dans la région côtière qui bénéficie des brises océanes, mais les plus importants sont aujourd'hui situés en altitude, dans les provinces montagneuses. La production vinicole est minuscule, la boisson nationale étant le café.

PARAGUAY

La culture de la vigne, dans le climat subtropical de ce pays dépourvu d'accès à la mer, a commencé après la fondation d'Asunción par Pedro de Mendoza en 1535. Bien que l'histoire viticole du pays remonte à cette époque lointaine, la production de vin est aujourd'hui moins importante dans l'économie du Paraguay que celle du chou palmiste ou du bouillon de bœuf concentré.

PÉROU

L'une des contrées d'Amérique du Sud où l'on cultive la vigne depuis très longtemps, au moins depuis la création d'un vignoble dans la vallée d'Ica en 1563 par Francesco de Carabantes, mais peut-être le célèbre conquistador Francisco Pizzaro l'avait-il précédé, en 1531. Aujourd'hui, la plus grande partie du vignoble péruvien se trouve toujours dans la province d'Ica, dans une oasis fertile entourée de terres arides où l'irrigation est indispensable. Si les journées sont très chaudes, les nuits sont fraîches, ce qui devrait permettre la production de vins vifs et aromatiques, mais ce n'est pas encore le cas. Le sol profond est alluvionnaire sur un socle rocheux-sableux. Le phylloxéra est menaçant, alors qu'il est inconnu dans le Chili voisin.

URUGUAY

La production a augmenté de manière spectaculaire depuis le début de la commercialisation du vin uruguayen dans les années 1870. Si les Européens trouvent difficile à avaler l'idée que se font les Uruguayens du vin, ceux-ci en revanche adorent leur vin à tel point qu'il n'en reste guère à exporter. Les vignobles sont principalement situés dans les collines onduleuses d'origine volcanique des régions de Montevideo, Canalones, San José, Florida, Soriano, Paysandú, et on en trouve aussi dans la région de Salto, sur la rive du fleuve Uruguay qui se jette dans le Rio de la Plata. L'été est chaud et la pluviosité suffisante. Le cépage le plus abondant est l'harriague qui n'est autre que le tannat du sud-ouest de la France. Il doit son nom à un certain Pascula Harriague, qui fut un des pionniers de la viti-viniculture uruguayenne au XIXe siècle.

VENEZUELA

Les jésuites auraient planté le premier vignoble d'Amérique du Sud à Cumaná, dans le nord-ouest de l'actuel Venezuela. La plupart des vignes cultivées aujourd'hui dans ce pays sont des hybrides, mais on y trouve encore quelques cépages de *vinifera*.

PRODUCTEURS D'

AMÉRIQUE DU SUD

BRÉSIL

AURORA

Bento Goncalves

Coopérative de plus de 1 000 membres (plus du tiers du vignoble brésilien et 95% des exportations). Ses vins sont vendus sous les étiquettes Conde Foucolde, Clos de Nobles et sous la marque Marcus James (qui a un succès phénoménal aux États-Unis). Le vinificateur volant John Worontschak a élaboré chez Aurora des vins pour les supermarchés britanniques. Cette coopérative est un des producteurs du Brésil ayant le plus de succès, mais ses vins, comme ceux de la plupart des autres entreprises, sont d'une qualité discutable.

CASA MOËT & CHANDON

Rio Grande do Sul

★

Cette célèbre maison champenoise produit ici des vins tranquilles et mousseux. Ces derniers sont vendus sur le marché brésilien sous la dénomination champaña.

✓ *M. Chandon* (ou Diamantina)

CASTEL PUJOLS

Santana do Livramento

Producteur uruguayen bien connu qui fait aussi du vin au Brésil.

DREHER

São Paulo

Autrefois appelé Heublein do Brazil, Dreher vend son vin sous diverses étiquettes dont Bratage, Castel Chatelet, Castelet, Lejon et Marjolet.

FORESTIER

Rio Grande do Sul

★

Propriété de Seagram, cette entreprise est du genre boutique, contrairement à Palomas. Elle produit actuellement les meilleurs vins du Brésil.

✓ *cabernet sauvignon*

DE-LANTIER

Garibaldi

Grande entreprise moderne qui appartient à Martini & Rossi. Elle produit certains des meilleurs vins du Brésil. Les vins de cépage haut de gamme sont étiquetés Baron De-Lantier, les autres vins tranquilles Château Duvalier et les mousseux par deuxième fermentation en bouteilles vendus sous le nom de De-Greville.

PALOMAS

Santana do Livramento

Entreprise d'avant-garde qui exploite un magnifique vignoble de 1 200 ha exclusivement complanté en cépages nobles de *vinifera* et qui reste l'une des plus ambitieuses du Brésil. L'intention de ses créateurs était de susciter une amélioration de la qualité de toute l'industrie vinicole, pourtant ses vins restèrent fades même quand ils devinrent les meilleurs du Brésil. Ceux d'autres producteurs leur sont devenus bien supérieurs entre-temps. Personne n'a cru à un miracle proche quand le groupe Seagram prit le contrôle de Palomas en 1989 (quoique Forestier, qui fait les meilleurs vins du Brésil, appartienne à ce groupe), mais tout porte à croire qu'il se produira.

VINICOLE RIOGRANDENSE

Caxias do Sul

Spécialiste depuis les années 1930 des vins de *vinifera* (vendus sous l'étiquette Granja Uniao).

COLOMBIE

Les plus importants des 112 producteurs de Colombie sont les suivants : Bodegas Andaluzas, Vinicola Andiña, Bodegas Añejas, Vinerias del Castillo, Cinzano, Viños de la Corte, Divinos, Pedro Domecq Colombia, Grajales, Inverca, Martini & Rossi, David & Eduardo Puyana, Viña Ramariz, Rojas, Bodegas Sevillanas et Bodegas Venecians.

PÉROU

TACAMA

Ica

Seul producteur ayant une importance significative. Seul le malbec est d'une qualité digne du marché international. Les autres rouges sont fluets ou amers, les blancs frais mais sans grand intérêt et l'effervescence explosive des mousseux est déplaisante. Pourtant deux œnologues bordelais réputés, Peynaud et Ribereau-Gayon, ont naguère conseillé Tacama et le vinificateur volant John Worontschak a élaboré ici pour les supermarchés anglais quelques vins gouleyants (malbec et chenin).

✓ *malbec*

Autres producteurs colombiens : Ocucaje et Vista Alegre.

URUGUAY

CASTILLO VIEJO

San José

L'entreprise Castillo Viejo fait des vins blancs frais et vifs ainsi que des rouges nerveux et fruités dans un domaine privé situé à 100 km au nord-ouest de Montevideo. Le vinificateur volant John Worontschak a élaboré ici des vins sous l'étiquette Pacific Peak pour le compte de la chaîne anglaise de supermarchés Tesco.

✓ *chardonnay-sauvignon* • *tannat-merlot*

ESTABLECIMENTO JUANICO

Canelones

★

Cette entreprise indépendante produit des vins d'un niveau international pour la marque Don Pascual avec l'aide du vinificateur volant Peter Bright.

✓ *chardonnay* • *chardonnay-viognier* • *merlot* • *merlot-tannat*

IRURTIA

Cerro Carmelo

Irurtia, la plus grande entreprise viticole d'Uruguay, exploite un vignoble de 300 ha entièrement complanté en cépages de *vinifera*.

✓ *pinot blanc* (Novello) • *tannat*

H. STAGNARI

Canelones

★

Un gewurztraminer étonnamment bon et un merlot honnête assez savoureux.

✓ *Gewurztraminer*

VINOS FINOS JUAN CARRAU

Cerro Chapeau

Cette entreprise possède des vignobles dans le nord-est de la région de Rivera, près de la région vinicole brésilienne de Santana do Livramento, où le climat et les sols conviennent particulièrement bien à *vinifera*. Pourtant la plupart des vins produits ici sont simplement buvables. L'étiquette Castel Pujol mérite peut-être que l'on s'y intéresse.

✓ *Museo 1752*

VENEZUELA

Parmi la douzaine d'entreprises vinicoles du Venezuela, Bodegas Pomar est la plus prometteuse.

CHILI ET ARGENTINE

Le Chili est la vitrine des pays vinicoles d'Amérique du Sud, l'Argentine son tonneau des Danaïdes. Pourtant des vins comme ceux de Catena ou Weinert montrent que l'Argentine pourrait rivaliser avec le Chili pour la qualité si ses producteurs voulaient bien brider le rendement.

CHILI

Le seul problème viticole du Chili est que la plupart des vignobles ne se trouvent pas où ils devraient être. Il n'est pas surprenant que dans un pays tout en longueur comme le Chili, le gros de la population choisisse de vivre dans la capitale en alentours et y plante ses vignobles, d'autant plus que la fonte de la neige des Andes est une source inépuisable d'eau pour l'irrigations.

Le Chili étant déjà le meilleur pays vinicole d'Amérique du Sud pendant longtemps, ses vignerons n'ont guère été incités à chercher de meilleurs emplacements dans des régions moins habitées et moins accessibles. Les nouveaux vignobles, comme ceux de la vallée de Casablanca, sont en bordure de la région de Secano, qui a tout ce qu'il faut pour être la meilleure zone vinicole du pays. Formée par une chaîne de collines tempérées par la brise océane, où la pluviosité est assez forte pour que l'irrigation ne soit pas nécessaire – à condition que les viticulteurs se contentent d'un rendement modéré – elle s'étend de la vallée de Casablanca au nord à Concepción, loin au sud. Les paysans qui l'habitent ne peuvent s'offrir des canaux d'irrigation et cultivent le pays pour faire du vin destiné à leur propre consommation. Il suffirait de greffer des cépages nobles sur ces cépages médiocres et de tracer des routes pour en faire une région vinicole prospère.

CABERNET SAUVIGNON, CHILI
Cette vigne de cabernet sauvignon franche de pied, qui a plus de cent ans, se trouve dans un vignoble de la vallée de Maipo.

FACTEURS DU GOÛT ET DE LA QUALITÉ

EMPLACEMENT
Au Chili, on cultive la vigne sur 1 200 km le long de la côte Pacifique, mais la plupart des vignobles sont concentrés immédiatement au sud de Santiago. En Argentine, les vignobles se trouvent surtout aux pieds des Andes, dans les provinces de Mendoza et San Juan, et à l'ouest de Buenos Aires.

CLIMAT
Au Chili, les conditions climatiques varient beaucoup du nord au sud. Le nord est extrêmement chaud, le sud très humide. La principale région vinicole, qui entoure Santiago, est sèche avec une pluviosité annuelle de 380 mm. Elle ne souffre pas de gelées printanières et bénéficie d'un bon ensoleillement, le ciel étant rarement nuageux. En raison de la proximité des sommets couverts de neige des Andes, la température nocturne est assez basse pour que le raisin conserve une bonne acidité. Les régions vinicoles relativement nouvelles, comme la vallée de Casablanca, conviennent mieux à la viticulture de qualité, surtout pour la production des vins blancs. C'est pourtant dans la région des collines côtières que se trouve l'avenir du vin chilien. La pluviosité y est suffisante pour permettre, sans irrigation, la culture de la vigne avec des rendements raisonnables. Cette région est la plus exposée au froid glacial dû au courant de Humboldt, mais les collines côtières font écran. En Argentine, le climat de la région de viticulture intensive de Mendoza est continental semi-désertique, avec une pluviosité annuelle encore moindre qu'au Chili, 200 à 250 mm, mais les pluies sont heureusement concentrées en été, saison de croissance de la vigne. La température passe de 10 °C la nuit à 40 °C le jour.

SITES
Dans les deux pays, la vigne est surtout cultivée sur les plaines côtières et les vallées montant jusqu'aux contreforts des Andes. Au Chili, les vignobles non irrigués se trouvent à flanc de coteau dans la zone centrale. Ceux des autres régions sont abondamment irrigués. En Argentine, on a nivelé les collines pour obtenir de faibles pentes rendant l'irrigation plus efficace.

SOLS
Les sols calcaires profonds de certaines parties du Chili sont un des facteurs de la supériorité de ses vins sur ceux d'Argentine, mais l'avantage incomparable dont bénéficient les vignerons chiliens est l'absence totale de phylloxéra. En Argentine, les sols sont tantôt sableux, tantôt argileux, avec une prédominance de sols profonds et meubles d'origine alluviale ou éolienne.

VITICULTURE ET VINIFICATION
Tandis que le Chili met en œuvre les méthodes d'élaboration traditionnelles, souvent d'inspiration bordelaise, pour la plus grande partie de ses vins, l'Argentine en revanche a adopté les techniques de la production en gros volume. Toutefois, on revient aux méthodes traditionnelles pour le nombre croissant de vins de cépages nobles. Au Chili, de nombreuses entreprises se sont équipées à partir de 1974 en matériel moderne, notamment en cuves en Inox. Grâce à Miguel Torres junior, nombre de producteurs de vins de grande qualité ont adopté la fermentation à basse température et d'autres techniques permettant d'obtenir des vins plus frais et plus fruités.

CÉPAGES
Barbera, bonarda, cabernet franc, cabernet sauvignon, carmenère, cereza, chardonnay, chenin blanc, criolla, ferral, grenache, grignolino, johannisberg riesling, lambrusco, malbec, malvasia, merlot, muscat, nebbiolo, país, palomino, pedro ximénez, petite sirah, petit verdot, pinot blanc, pinot gris, pinot noir, refosco, renano, sangiovetto, sauvignonasse, sauvignon blanc, sémillon, sylvaner, syrah, tempranillo, torrontes, ugni blanc

LE PASSAGE DU ROUGE AU BLANC

La qualité des vins chiliens fut grandement améliorée dans les années 1970, les entreprises s'étant équipées en cuves de vinification en Inox munies d'un système de contrôle de la température, mais si le pays faisait des vins rouges excellents, les vins blancs n'étaient pas au même niveau. Du début au milieu des années 1980, l'élevage dans le *raulê*, une variété indigène de hêtre, fut graduellement abandonnée. Ce bois communiquait au vin un arôme particulier auquel les Chiliens s'étaient accoutumés mais que les étrangers trouvaient déplaisants.

Avec des barriques neuves, en général en chêne français, la qualité du chardonnay fut transformée dès le millésime 1989 et l'on pensa que le Chili avait enfin percé le secret du vin blanc de qualité, mais il devint vite évident que même les bons producteurs ne réussissaient pas à améliorer leur médiocre sauvignon.

UN SAUVIGNON QUI N'EN EST PAS UN

Quand j'abordai cette question avec les producteurs, la plupart confessèrent que presque tout leur vin de sauvignon était en fait issu du sauvignonasse, cépage dont la feuille ressemble à celle du sauvignon mais qui n'a aucun rapport avec lui. Dans les premières données chiffrées que j'ai pu obtenir sur l'encépagement du Chili en sauvignon, celui-ci était toujours classé avec le sauvignonasse et le sémillon car, m'assurait-on, ces cépages sont difficiles à distinguer. J'ai finalement réussi à obtenir une estimation : au moins 12500 ha de sauvignonasse, pas plus de 2000 ha de sauvignon blanc et de 2500 à 4000 ha de sémillon. Si ces données étaient véridiques, cela signifierait qu'il n'y avait en moyenne que moins de 12% de sauvignon blanc dans le vin chilien censé être du sauvignon, du moins jusqu'au début des années 1990. J'ai découvert par la suite que même ces données étaient encore trop optimistes. Il n'était donc aucunement surprenant que les caractéristiques propres fussent presque totalement absentes. Toujours insatisfait par les statistiques qui m'avaient été communiquées, j'ai décidé de retourner au Chili pour tenter d'identifier moi-même le sauvignon blanc dans le vignoble. C'est en visitant avec Miguel Torres son vignoble de Curicó que j'ai pris conscience de l'ampleur du problème. « Comment feriez-vous pour identifier ici du sauvignon blanc? » me demanda-t-il. Ayant vu qu'il avait dans sa poche la page même de l'*Ampélographie pratique* de Pierre Galet que j'avais étudiée dans l'avion, je me lançai dans une explication détaillée des différences subtiles des nervures des faces supérieures et inférieures des feuilles de sauvignon, de sauvignonasse et de sémillon qui permettent de les différencier. Mon interlocuteur a probablement été stupéfié par l'étendue et la précision de mes connaissances. Miguel Torres, un des viticulteurs les plus connus au monde, qui a suivi l'enseignement de Galet à Montpellier, trouvait nécessaire d'emporter avec lui dans le manuel de son ancien professeur!

Bien évidemment d'accord avec les données ampélographiques que je venais d'exposer avec une telle facilité, Miguel Torres voulut me désigner les ceps de vrai sauvignon présents dans son vignoble, mais il ne put y parvenir – de fait ce vignoble ne contenait pas un seul cep de pur sauvignon blanc. La conclusion de nos discussions fut que ses vignes étaient probablement une mutation de sauvignon blanc croisée avec le sémillon, mais qu'il était impossible d'en être certain sans un examen plus approfondi. Lors de ce voyage, je me suis rendu dans de nombreux vignobles où j'ai trouvé du sauvignonasse – en grande quantité – et des mutations ou des croisements comme *sémillon x sauvignon, sauvignonasse x sauvignon* et *sauvignonasse x sémillon.* Le seul endroit où j'ai trouvé du sauvignon authentique fut Viña Canepa, là même où travaille

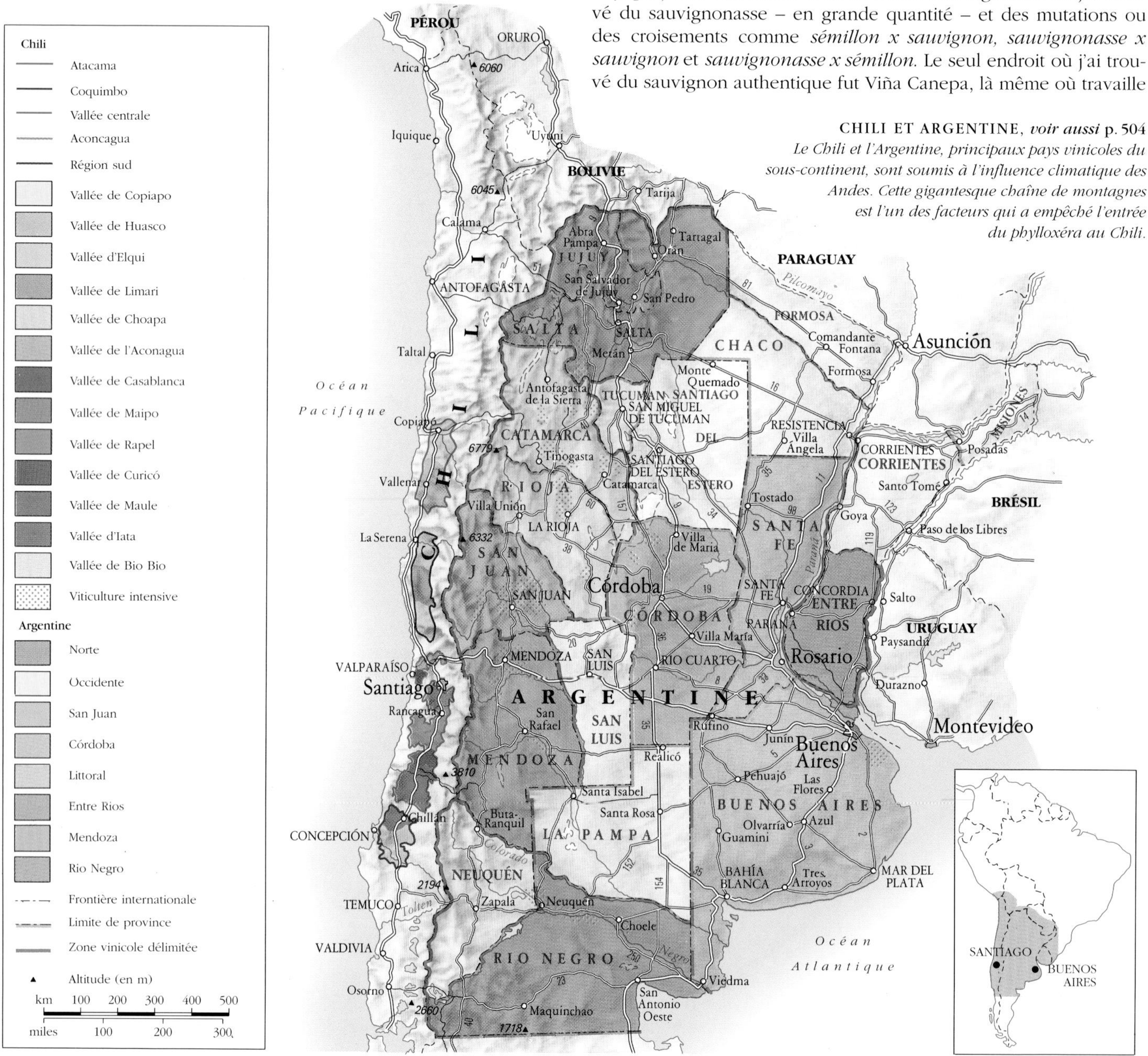

CHILI ET ARGENTINE, *voir aussi* p. 504
Le Chili et l'Argentine, principaux pays vinicoles du sous-continent, sont soumis à l'influence climatique des Andes. Cette gigantesque chaîne de montagnes est l'un des facteurs qui a empêché l'entrée du phylloxéra au Chili.

le seul vigneron ou presque qui fasse un vin ayant indiscutablement le goût caractéristique du cépage.
Après la publication de mon article sur la quasi inexistence du sauvignon dans le vignoble chilien (*Wine & Spirit International*, juillet 1991), de nombreux producteurs du Chili firent venir de France des experts pour passer leurs vignobles au peigne fin. Ceux-ci aboutirent aux mêmes conclusions que les miennes et depuis, de grandes étendues de vignes ont été coupées puis greffées avec des greffons de sauvignon blanc authentique. Dans l'intervalle, la plupart des producteurs ont tenté de tirer de leur sauvignonasse des vins plus proches du sauvignon en vendangeant plus tôt, mais ils ont récolté un raisin insuffisamment mûr (au lieu d'échelonner la vendange comme le font par exemple les néo-zélandais). Ils ont ainsi obtenu des vins terriblement verts et minces. Heureusement, au fur et à mesure que les vignes greffées vieillissent, le sauvignon chilien s'améliore.

ARGENTINE

L'Argentine se classe au cinquième rang mondial pour la quantité et pourrait prendre une place importante pour la qualité pour autant qu'elle réussisse à diminuer ses rendements. Si le Chili a renforcé sa position de premier producteur sud-américain de vin de grande qualité en privilégiant la qualité aux dépens de la quantité, donc en bridant le rendement, l'Argentine a fait l'inverse. Elle a, il est vrai, arraché la moitié de son vignoble, mais porté le rendement de 66 à 88 hl/ha.
En Argentine, une pluviosité insuffisante oblige à pratiquer l'irrigation des vignobles, mais l'eau y est si abondante et si bon marché, que les producteurs n'ont qu'à ouvrir les robinets pour en avoir davantage, obtenir ainsi plus de raisin pour faire de plus en plus de vin. Cette facilité a apparemment irrémédiablement tué la passion pour la qualité chez la plupart des producteurs argentins.
Quelques entreprises comme Catena et Weinert ont résolument refusé de céder à la tentation et leurs vins nous donnent une idée de la qualité que l'industrie vinicole argentine pourrait obtenir. C'est leur exemple que les autres producteurs seraient obligés de suivre s'ils voulaient vendre leurs vins sur le marché international. Des flots de vins ordinaires coulent dans le monde entier et les consommateurs exigent de plus en plus des vins de qualité à prix raisonnable.
L'Argentine a la capacité de répondre à cette demande et si son industrie vinicole décidait de s'orienter vers la production de qualité, les vignerons chiliens auraient du souci à se faire. Pour l'instant, ils n'ont rien à craindre.

APPELLATIONS DU

CHILI ET ARGENTINE

CHILI

ACONCAGUA

Zones vinicoles Vallées de l'Aconcagua et de Casablanca
On connaît surtout la vallée de l'Aconcagua par Errazuriz, sa seule entreprise vinicole d'envergure. On y cultive principalement les cabernets sauvignon et franc, le merlot et, depuis peu, la syrah (que l'on nomme ici shiraz comme en Australie). La vallée de Casablanca, plus fraîche, que le marché international connaît depuis peu, est réputée pour ses vins blancs frais et fruités, notamment le chardonnay et le sauvignon. Le pinot noir et d'autres cépages noirs se révèlent prometteurs.

ATACAMA

Zones vinicoles Vallées de Copiapo et de Huasco
La région côtière est montagneuse et s'étend jusqu'à la cordillère des Andes car il n'y a pas de vallée centrale. Il ne pleut pour ainsi dire jamais, ce qui rend l'irrigation des vignobles indispensable. Les rares années où il pleut, la végétation et les insectes se réveillent : cette région presque désertique qui est l'une des plus arides du monde prend soudain l'allure d'un jardin multicolore. On n'y produit pas de vin de qualité et surtout du raisin de table.

VALLÉE CENTRALE

Districts vinicoles Vallées de Curicó, Maipo, Maule, Rapel
Zones vinicoles Vallées de Lontue, Tenue (vallée de Curicó), Del Claro, Locomilla, Tutaven (vallée de Maule), Cachapoal, Colchagua (vallée de Rapel)
Cette appellation s'applique à la plus ancienne, la plus centrale et la plus traditionnelles des régions vinicoles. Elle comprend quatre districts vinicoles qui s'étendent sur sept zones vinicoles. La vallée de Curicó est située à quelque 200 km au sud de la capitale, Santiago. On y trouve de grandes entreprises comme Caliterra, Montes, Torres et Valdivieso dont les vins dominent le marché. Curicó est surtout connue pour ses chardonnays, mais produit aussi de bons cabernets sauvignons, merlots et pinots noirs. La vallée de Maipo, qui entoure partiellement Santiago, est toujours celle qui compte la plus forte densité de vignobles et donc la plus connue. C'est l'une des plus chaudes du pays, mais bien qu'elle ne soit pas la meilleure, elle produit de très bons vins de qualité régulière, surtout les rouges. La vallée de Maule, beaucoup plus loin au sud, comprend trois zones vinicoles qui conviennent mieux aux rouges qu'aux blancs, mais la qualité générale est très variable et l'on y produit beaucoup de vins de país, un cépage assez rustique, destiné à la consommation locale.

COQUIMBO

Zones vinicoles Vallées d'Elqui, Limari, Choapa
Comme l'appellation Atacama, l'appellation Coquimbo est montagneuse et s'étend sans être interrompue par une vallée centrale jusqu'à la cordillère des Andes. La viticulture n'y est pas possible sans irrigation. La vallée d'Elqui est aussi connue sous le nom de vallée magique car elle se trouve à l'extrémité méridionale du spectaculaire « désert fleuri ». Les vignobles des trois vallées sont discontinus ce qui n'est pas le cas dans l'extrême sud viticole. Les vins, peu acides, ont une teneur alcoolique élevée et servent surtout à la distillation de l'eau-de-vie très populaire au Chili, le pisco. Viña Francisco de Aguirre est, à ma connaissance, la seule entreprise exportant une quantité notable de vin (sous les étiquettes Palo Alto, Piedras Atlas, Tierra Arena et Tierras Atlas).

RÉGION VITICOLE DU SUD

Zones vinicoles Vallées de Iata et Bio Bio
Le país est le cépage le plus communément cultivé dans l'extrême sud. Hormis quelques curiosités comme le gewurztraminer de Concha-y-Toro, les vins de cette région ne sont pas de qualité.

ARGENTINE

CATAMARCA

Il y a ici peu de vignobles. Le vin sert surtout à la distillation de l'eau-de-vie.

LA RIOJA

Région torride dont les vins, peu acides, ont une teneur alcoolique élevée et s'oxydent en général très vite en bouteille.

MENDOZA

Mendoza est la plus importante région viticole et produit plus des deux tiers du vin argentin. Elle compte plus de 30 000 vignerons qui produisent surtout des vins rouges. Le malbec est le cépage le plus cultivé, le cabernet sauvignon celui qui donne les meilleurs vins. On y produit aussi des vins rouges de tempranillo, pinot noir et syrah. Les cépages blancs sont le chardonnay, le chenin blanc, le johannisberg riesling et le muscat.

RIO NEGRO

Région convenant le mieux à la viticulture mais ne comptant qu'un peu moins de 5% du vignoble argentin. Maintenant que le climat politique est plus stable, cette région pourrait bien attirer les investisseurs d'Europe, d'Australie et de Californie ainsi que les techniques vinicoles. Elles pourront ainsi devenir la meilleure région de production de vins de grande qualité.

SALTA

Le vin de Salta ne compte que pour moins de 0,5% de la production du pays, mais sa qualité est raisonnable pour l'Argentine. Si elle bénéficiait du concours d'œnologues étrangers qualifiés, elle pourrait réserver des surprises.

SAN JUAN

Presque tout le raisin de cette région sèche et brûlante sert à la fabrication de jus de raisin concentré destiné à l'exportation.

PRODUCTEURS DU

CHILI ET D'ARGENTINE

CHILI

AGRICOLA DOÑA JAVIERA

El Monte

Ce petit producteur de l'extrémité côtière de la vallée de Maipo élabore des vins francs, frais et d'un abord facile. Ils ont été lancés récemment sous l'étiquette « Arlequin » et le merlot est de loin le meilleur.

DOMAINE PAUL BRUNO

Quebrada de Macul

Après des débuts décevants, ce vin de cabernet sauvignon vendu très cher, issu d'un vignoble récemment planté dans la vallée de Maipo, commence à s'approcher de la qualité voulue par les créateurs de l'entreprise, Bruno Prats de Château Clos d'Estournel, Paul Pontallier de Château Margaux et du Emilio de Solminihac du domaine chilien de Santa Monica.

CALITERRA

Curicó

★

Ce domaine a été créé par l'entreprise chilienne Errazuriz et la californienne Franciscan Vineyards. Quand celle-ci abandonna la partie, la qualité des vins se dégrada (celle du sauvignon devint désastreuse) et Caliterra joua presque le rôle de seconde étiquette d'Errazuriz. Robert Mondavi, qui a acquis la moitié des parts du domaine, voudrait faire du cabernet sauvignon de Caliterra l'équivalent chilien de son Opus One.

✓ *cabernet sauvignon* (Reserve) • *chardonnay*

CANEPA

Santiago

★☆Ⓥ

Entreprise à la pointe du progrès produisant des vins impeccables, avec un fruit très franc et une grande finesse. Des vins au rapport qualité/prix exceptionnel sont aussi vendus sous les étiquettes Petroa, Montenuevo et Rowan Brook.

✓ *cabernet sauvignon* (surtout Magnificum) • *chardonnay* (Rancagua) • *merlot* • *sauvignon blanc* • *zinfandel*

CARMEN

Alto Jahuel

★☆

Fondée en 1830, c'est la plus ancienne marque de vin du Chili. Appartenant au même groupe que Santa Rita, elle a un équipement flambant neuf dont l'utilisation est supervisée par Alvaro Espinoza, un des meilleurs vinificateurs du Chili.

✓ *cabernet sauvignon* • *Grand Vidure* • *merlot* (surtout Reserve) • *petite sirah* • *sémillon*

CARTA VIEJA

Villa Allegre

Ⓥ

Petite entreprise exploitée par la famille Del Pedregal, qui en est propriétaire depuis 1825, elle est plus que jamais à même de produire des vins au bon rapport qualité/prix.

✓ *cabernet sauvignon* (Antigua Selection)

CASA LAPOSTOLLE

Las Condes

★☆

Entreprise franco-chilienne dans laquelle sont associées la famille Marnier-Lapostolle (du Grand Marnier) et la vielle famille chilienne Rabats dont les attaches avec le monde vinicole remontent aux années 1920. Michel Rolland, du Château Le Bon Pasteur (pomerol) est leur œnologue conseil.

✓ *merlot* (surtout Selection, Cuvée Alexandre) • *sauvignon blanc*

CHÂTEAU LOS BOLDOS

Requinoa

★☆Ⓥ

Ce vignoble qui existe depuis longtemps a été récemment rénové par les Massenez, une famille alsacienne de distillateurs qui en est propriétaire. Elle y élabore des vins riches, complexes, fins et d'un excellent rapport qualité/prix.

✓ *cabernet sauvignon* • *chardonnay* • *merlot*

CHONCHA Y TORO

Santiago

★★

L'un des meilleurs producteurs du Chili, avec un vinificateur de grand talent, Pablo Morandé, qui fut le premier à déceler la valeur de la vallée de Casablanca. Il élabore des vins étonnamment riches allant du plus fruité au plus complexe qu'il faut savoir attendre. Son syrah est particulièrement remarquable. Des vins d'un excellent rapport qualité/prix sont faits dans les installations de Santa Emiliana contrôlée par Concha y Toro sous les étiquettes Andes Peak, Palmeras Estate et Walnut Crest. Concha y Toro est un des associés de Villard qui possède aussi Cono Sur.

✓ *cabernet sauvignon* (surtout Don Melchior, Marques de Casa Concha, Palmeras Estate) • *chardonnay* (surtout Amelia, Casillero del Diablo, Cordilliera Estate) • *merlot* (surtout Casillero del Diablo, Marques de Casa Concha, Trio) • *sauvignon blanc* (Casablanca)

CONO SUR

Chimbarongo

★☆Ⓥ

Les vins de Cono Sur sont faits par Viña Tocornal qui appartient à Concha y Toro et que le Californien Ed Flaharty a fait connaître. C'est lui qui vinifiait l'étonnant tempranillo El Liso dans l'appellation espagnole de La Mancha. Il est depuis passé chez Errazuriz à Santiago. Sous sa houlette, Cono Sur s'est graduellement hissé à un haut niveau de qualité et a produit, sous l'étiquette « Isla Negra », quelques vins d'un excellent rapport qualité/prix. L'entreprise a produit à l'intention des supermarchés sous le nom de Tocornal, des vins rouges bon marché, mais souples, fruités, avec un chêne soyeux.

✓ *cabernet sauvignon* • *chardonnay* (Reserve) • *Isla Negra* (chardonnay, Red) • *pinot noir* (Barrel Select, Casablanca Valley)

COOPERATIVA AGRICOLA VITIVINICOLA DE CURICÓ

Curicó

☆Ⓥ

Coopérative créée en 1939 dont les vins ont été grandement améliorés récemment grâce à l'intervention du vinificateur volant Peter Bright. Ils sont distribués sous l'étiquette Viños Los Robles.

✓ *chardonnay* • *sauvignon-sémillon*

COOPERATIVA AGRICOLA VITIVINICOLA DE TALCA

Talca

Cette coopérative peut produire des vins savoureux bon marché.

COUSIÑO MACUL

Santiago

☆

Cette entreprise, qui fut autrefois la meilleure du Chili, a été rachetée par d'autres producteurs qui ne s'étaien t pas taillés sur le marché international une place comparable à celle de Cousiño Macul. Ils ont su tenir compte des critiques constructives des clients étrangers et ont accepté de faire des vins sur mesure à leur attention. Ils sont bons mais paraissent démodés par rapport à ce qu'on attend maintenant des vins exportés par le Chili.

✓ *cabernet sauvignon* (Antigua Reserva) • *merlot* (Limited Release)

DOMAINE ORIENTAL

Talca

C'est dans cette propriété vieille de 150 ans, que Rodolfo Donoso planta les premiers cépages français de la vallée de Maule. Sa famille a continué à exploiter le vignoble pour fournir du raisin à divers producteurs jusqu'à son achat par un groupe d'amateurs de vin de Polynésie française. Ceux-ci ont créé des installations de vinification modernes et commencent seulement à commercialiser leur vin.

ECHEVERRIA

Molina

★

Petite entreprise familiale qui vendait du raisin à divers producteurs et qui a commencé à faire son propre vin en 1992. Elle est devenue depuis une des étoiles montantes du vin chilien.

✓ *cabernet sauvignon* (Family Reserva) • *chardonnay* (surtout Reserva) • *sauvignon blanc*

ERRAZURIZ

Santiago

★☆Ⓥ

Vieille entreprise de la vallée de Maule qui a peu à peu amélioré sa production grâce au Néo-Zélandais Brian Bicknell (aujourd'hui de retour chez lui). Elle devrait continuer à se développer grâce au Californien Ed Flaharty qui a fait connaître Cono Sur. Errazuriz et Robert Mondavi possèdent ensemble Caliterra.

✓ *chardonnay* • *merlot* • *cabernet sauvignon*

LA FORTUNA

Lontue

☆

La famille Güell possède cette entreprise depuis plus de 50 ans mais ne s'intéresse au marché d'exportation que depuis les années 1990. Claudio Barrio, son vinificateur, a fait des sauvignons blancs détestables mais élabore année après année un malbec délicieux et tendre aux arômes de violette et de cerise.

✓ *malbec* (Vallée de Lontue)

LA PALMA

Cachapoal

☆★Ⓥ

Marque de Viña la Rosa, La Palma est un vignoble de 500 ha. Avec de nouvelles installations ayant coûté 6 millions de dollars et un consultant comme Ignacio Recabarren, le succès est garanti.

✓ *cabernet sauvignon* • *chardonnay* • *merlot*

LAS CASAS DEL TOQUI

Rancagua

☆

Entreprise conjointe du Château Larose-Trintaudon (haut-médoc) et de la famille Granella.

✓ *cabernet sauvignon* (Prestige Reserve) • *chardonnay* (Grande Reserve)

LUIS FELIPE

Colchagua

★★Ⓥ

Cette entreprise exploite un vignoble en pleine maturité et produit un cabernet sauvignon extraordinairement avantageux et un chardonnay délicieux aux arômes de fruits tropicaux.

✓ *cabernet sauvignon* (surtout Reserva) • *chardonnay*

MONTES

Curicó

★

Élaborés à son idée par Aurelio Montes, ces vins étaient d'abord trop boisés (sauf pour ceux qui aiment la tisane de chêne). L'envahissant chêne américain a maintenant été abandonné pour le chêne français utilisé avec plus de discrétion. Montes produit aussi quelques vins délicieusement fruités et non boisés. Hugh Ryman y fait aussi des vins.

✓ *cabernet sauvignon* • *malbec* • *merlot*

MONTGRAS

Colchagua

★☆

Entreprise exploitant un vignoble de 250 ha, dont la réputation ne cesse d'augmenter.

✓ *cabernet sauvignon* (Reserva) • *merlot* (Reserva)

PETROA

Voir Canepa

PORTAL DEL ALTO

Requinoa

☆

Appartenant depuis 1970 à un professeur d'œnologie, Alejandero Hernández, cette entreprise fait des vins raffinés.

✓ *cabernet sauvignon* • *chardonnay* • *merlot*

SAN PEDRO

Molina

☆V

Une des premières entreprises grâce auxquelles le vin chilien de qualité s'est fait connaître à l'exportation. Après une période creuse, elle est de retour avec des vins encore meilleurs grâce à une nouvelle installation ultramoderne et l'intervention du Français Jacques Lurton. Des vins meilleur marché sont étiquetés Gato Blanco et Gato Negro. Santa Helena est la marque utilisée pour l'exportation.

✓ *chardonnay* (Castillo de Molina)

SANTA CAROLINA

Santiago

☆V

Les blancs frais, vifs et fruités sont les plus avantageux. L'assemblage bon marché à base de sauvignon est souvent meilleur que le pur sauvignon. Les rouges sont nettement meilleurs. L'entreprise possède aussi Viña Casablanca.

✓ *merlot* • *sauvignon blanc* (Reserve)

SANTA INÉS

Isla de Maipo

Petite entreprise soucieuse de qualité appartenant à la famille De Martino.

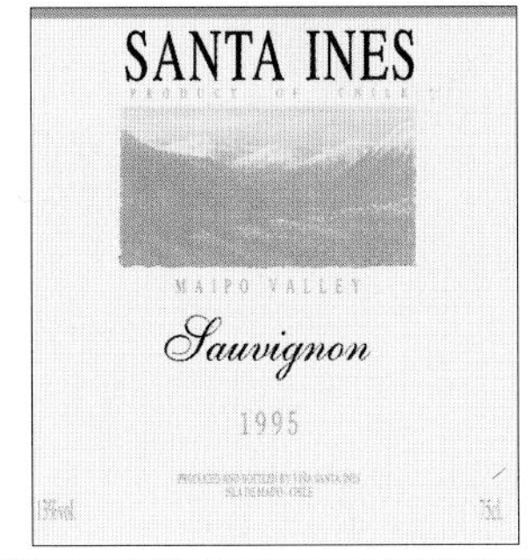

✓ *carmenère*

SANTA MONICA

Rancagua

☆

Entreprise appartenant à Emilio de Solminihac (co-propriétaire du Domaine Paul Bruno), qui élabore ici des vins amples et fruités.

✓ *cabernet sauvignon*

SANTA RITA

Santiago

★

Parmi les vins de Santa Rita, ceux de la gamme des « 120 » (ainsi nommée car Bernardo O'Higgins le libérateur du Chili et ses 120 partisans se sont cachés dans les caves du domaine après la bataille de Rancagua en 1810) ont toujours été d'une qualité régulière. Santa Rita possède aussi Carmen et elle est associée avec Lafite-Rothschild dans Los Vascos.

✓ *cabernet sauvignon* (« 120 », Costa Real) • *sauvignon blanc* (Casa Real) • *merlot* (Medalla Real, Casablanca, Reserve)

SERGIO TAVERSO

Colchagua

★

Taverso est chilien mais il est plus connu aux États-Unis que dans son pays natal car il a été vinificateur et propriétaire d'une exploitation vinicole en Californie pendant 30 ans. Après son retour au Chili, il s'est vite fait connaître sur le marché international avec ses excellents vins classiques, qui sont aussi vendus sous l'étiquette La Parra.

✓ *cabernet sauvignon* • *chardonnay* • *merlot*

TARAPACA

Santiago

?

Cette petite entreprise n'a produit que des vins mis en bouteilles au domaine jusqu'à son récent rachat par la Fosforos Holding Company qui a investi pas moins de 30 millions de dollars dans sa modernisation et l'extension du vignoble. Les premiers 440 ha de nouvelles vignes ne sont entrées en production qu'entre 1995 et 1997, aussi faudra-t-il attendre un peu avant de se prononcer sur la qualité des vins qui en sont issus.

TERRA ANDINA

Camino

Maison créée par le groupe Pernod-Ricard et à Viña José dans l'intention de commercialiser un coupage de vins des différents terroirs du Chili. Étant donné l'importance des partenaires, on peut penser que cette idée originale donnera des résultats probants.

TERRA NOBLE

Talca

★

Ayant bénéficié du concours d'Henry Marionnet, un des vignerons les plus connus de Touraine, Terra Noble produit des vins classiques de qualité.

✓ *merlot* • *sauvignon blanc*

TORREON DE PARADES

Rengo

☆

Grande entreprise familiale de la vallée de Chachapoal (incluse dans celle de Rapel), à 100 km au sud de Santiago. Elle utilise des cuves modernes en Inox et exclusivement du chêne français.

✓ *cabernet sauvignon* • *merlot*

MIGUEL TORRES

Curicó

★V

S'il est vrai que l'exemple donné par Miguel Torres, le plus innovateur des producteurs d'Espagne, a changé la conception que les vignerons chiliens avaient du vin blanc, il n'en a pas été de même pour les rouges. Ceux qu'il produit sont d'une qualité indiscutable, mais ils suscitent des réticences, surtout au Chili même où l'on reste attaché à l'élaboration de vins d'un abord plus facile n'exigeant pas de vieillir. Le seul vin chilien de Torres qui s'est révélé (relativement) décevant est le mousseux expérimental 100% pinot noir qui paraissait pourtant prometteur.

✓ *cabernet sauvignon* (Bella Terra, Santa Digna) • *chardonnay* (Cordillera) • *riesling* • *gewurztraminer* (Don Miguel)

UNDURRAGA

Santiago

?

Cette entreprise fut la première à exporter ses vins aux États-Unis, mais j'en ai rarement trouvé de passionnants. Son évolution a été parallèle à celle de Cousiño Macul. Un investissement se montant à 1,5 million de dollars va sans doute produire une amélioration bienvenue de leur qualité.

VALDIVIESO

Santiago

★☆V

Autrefois appelée Champagne Alberto Valdivieso, cette entreprise produit toujours en grande quantité un mousseux ordinaire, mais elle a diversifié son activité avec des vins de cépage tranquilles vinifiés en barriques dont la qualité est très vite devenue spectaculaire. Le Loco, son vin rouge haut de gamme est un assemblage de plusieurs millésimes de différents vins de cépage. Pour le distinguer du tout-venant (et permettre aux oenophiles de l'encaver et de suivre son évolution), ce vin a été numéroté dès son lancement. Je n'ai encore goûté que le Caballo Loco Number One, mais je le range sans hésitation parmi les plus grands vins d'Amérique du Sud. Les vins moins chers de Valivieso sont vendus sous l'étiquette Casa.

✓ *caballo loco* • *cabernet franc* • *merlot* • *pinot noir*

VILLARD

Casablanca

★

Entreprise de Thierry Villard (qui a élaboré en 1989, dans les installations de Santa Emiliana appartenant à Concha y Toro, ce qui sans doute le premier chardonnay chilien vraiment bon) et deux viticulteurs dont un, Pablo Morandé, est aussi maître de chai de Concha y Toro.

VIÑA BALDUZZI

San Javier

☆V

Petite entreprise genre boutique qui produit des vins frais, élégants, avec un fruit crémeux. La famille Balduzzi a émigré du Piémont au Chili au tournant du siècle mais n'a commencé à exporter ses vins qu'en 1987.

✓ *cabernet sauvignon* • *chardonnay*

VIÑA BISQUERT

Lihueimo

V

Entreprise familiale exploitant un grand vignoble de qualité dans la vallée de Colchagua, qui a commencé à embouteiller son vin au début des années 1990. La qualité de ses vins tendres et d'un abord facile s'améliore vite. Ils offrent un bon rapport qualité/prix.

✓ *cabernet sauvignon* (Reserve) • *sauvignon blanc*

VIÑA CASABLANCA

Casablanca

★★V

Cette entreprise appartient à Santa Carolina mais est dirigée par Ignacio Ricabarren, un des œnologues les plus talentueux du Chili, qui collabore en Espagne à la production du Cava de Jaume Sierra, dans les Penedés et conseille Viña La Rosa dans la vallée de Rapel. Le sauvignon blanc de Casablanca fut le premier du Chili à déployer l'arôme de groseille à maquereau propre au cépage. Ricabarren a même réussi à produire, en 1996, un très bon gewurztraminer réellement épicé.

✓ *cabernet sauvignon* • *chardonnay* • *gewurztraminer* (Santa Isabella) • *sauvignon blanc* (Santa Isabel)

VIÑA FRANCISCO DE AGUIRE

Limari

?

Cette entreprise ultra moderne, la plus septentrionale de celles qui exportent leurs vins, produit des vins de cépages nobles juste au sud du désert d'Atacama. Ses vignobles irrigués au goutte à goutte occupent les terrasses inclinées des contreforts des Andes dont le sol est riche en éléments minéraux. Les vins sont vendus sous les étiquettes Palo Alto, Piedras Atlas, Tierra Arena et Tierras Atlas.

VIÑA GRACIA

Totihue

?

Nouvelle entreprise exploitant 300 ha de vignobles dispersés de la vallée de l'Aconcagua, au nord de Santiago, à la vallée de Bio Bio, loin dans le sud. Il serait prématuré de porter un jugement sur ses vins.

VIÑA LOS VASCOS

Santiago

?

Ce domaine fut acheté en 1755 par la famille basque Ezyguirre qui fit partie de la junte qui s'empara du pouvoir dans la colonie espagnole du Chili en 1810. Il n'y eut que du médiocre vin de país dans le vignoble de Los Vascos jusqu'en 1850, année où il fut remplacé par des variétés bordelaises et bourguignonnes. Il est situé dans la vallée de Limari. La famille s'est associée avec Lafite-Rothschild en 1988, mais l'amélioration de la qualité que l'on imaginait rapide ne s'est pas réalisée. Les Ezyguirre ont cédé leur part en 1996 à Santa Rita, l'un des meilleurs producteurs du Chili. On espère que celui-ci saura aiguillonner le prestigieux français Lafite-Rothschild et que cette association portera enfin ses fruits.

VIÑA SEGU OLLÉ
Linares

Entreprise familiale avec un vignoble de 200 ha dans la vallée de Maule. Ses vins portent les étiquettes Caliboro, Doña Consuelo et La Sierra.

VIÑA PORTA
Chachapoal

Ⓥ

Vins avantageux sous l'étiquette « Casa Porta ».

ARGENTINE

LA AGRICOLA SA
Chuquisaca

☆Ⓥ

L'Australien David Morrison et le Californien Ed Flaharty ont élevé ici le niveau de qualité.

✓ *Mission Peak* (Argentinian Red, Argentinian White) • *Santa Juliana* (torrontes)

BIANCHI
Mendoza

Marque de Seagram très appréciée localement.

BODEGAS LOPEZ
Buenos Aires

☆

Entreprise familiale produisant des vins de qualité moyenne sous l'étiquette Château Montchenot connu comme Don Federico sur certains marchés d'exportation.

BODEGAS LA RURAL
Buenos Aires

☆

Ces vins furent naguère lourds et oxydés mais le nouveau propriétaire, Catena, les a beaucoup améliorés.

✓ *chardonnay* • *malbec* • *merlot*

BODEGAS LURTON
Buenos Aires

☆

Les Lurton de Bordeaux vinrent d'abord au Chili comme vinificateurs volants pour le compte des supermarchés britanniques Tesco, mais aimèrent tant l'Amérique latine qu'ils créèrent, de l'autre côté des Andes, cette entreprise avec l'omniprésent Nicolas Catena.

✓ *tempranillo-malbec*

BODEGAS NACARI
La Rioja

Petite coopérative spécialisée dans le torrontes.

CATENA
Cordoba

★★

Figure de proue du vin argentin, Nicolas Catena a produit ici des vins superbes avec le concours du Californien Paul Hobbs (qui participa à la naissance de l'Opus One de Mondavi-Rothschild). Les vins haut de gamme (pour l'Argentine) sont étiquetés « Catena » et ceux de niveau international « Alta Catena ». D'autres vins, d'un rapport qualité/prix exceptionnel, sont vendus sous les étiquettes Alamos Ridge, Bodegas Esmerelda et Libertad. Catena possède aussi Bodegas La Rural.

✓ *Alta Catena* • *cabernet sauvignon* (Agrelo Vineyard) • *chardonnay* (Agrelo Vineyard) • *malbec* (Agrelo Vineyard)

ETCHART
Buenos Aires

☆Ⓥ

Le torrontes donne ici un vin très frais, nerveux et sec, avec des nuances de muscat. Il est l'exemple des vins de ce cépage argentin, mais le cabernet sauvignon est de loin le meilleur vin de cette entreprise qui appartient maintenant au groupe français Pernod-Ricard.

✓ *cabernet sauvignon* • *chardonnay* (Cafayate) • *malbec* • *torrontes* (Cafayate)

FINCA FLICHMAN
Mendoza

☆

Après de gros investissements, cuves en Inox, barriques de chêne français et le concours du vinificateur volant Hugh Ryman, la qualité et la quantité ont augmenté. Ont été aussi introduits des cépages méditerranéens (barbera, sangiovese et tempranillo) dont les vins servent pour des assemblages réussis avec ceux des cépages classiques qui les ont précédés, malbec, cabernet et merlot.

✓ *cabernet sauvignon* (Caballero de la Cepa) • *sangiovese-malbec* • *syrah*

GOYENECHEA
San Rafael

J'ai trouvé ces vins plutôt démodés, mais Goyenechea est souvent mentionné pour son assemblage cabernet-syrah curieusement nommé « Aberdeen Angus ».

HUMBERTO CANALE
Rio Negro

☆

Vins de cépages intéressants et en progrès, issus de certains des vignobles les plus méridionaux du monde.

✓ *malbec* • *pinot noir*

JOSÉ ORFILA
San Martin

Les meilleurs vins d'Orfila sont distribués sous l'étiquette Cautivo. Curieusement, José Orfila fait des vins effervescents en France qu'il exporte en Argentine où ils sont vendus sous le nom de Champaña.

✓ *cabernet*

LUIGI BOSCA
Buenos Aires

☆

Leoncio Arizu fait des vins de cépage au-dessus de la moyenne.

✓ *cabernet sauvignon* • *chardonnay* • *malbec* • *syrah*

NAVARRO CORREAS
Buenos Aires

☆

Ce groupe de trois entreprises s'était associé avec Deutz pour produire du champaña, mais Roederer y a mis fin après avoir pris le contrôle de l'autre grande marque.

✓ *malbec* • *syrah*

NORTON
Buenos Aires

☆

Bien que cette entreprise date de 1895, ce n'est qu'après son rachat en 1989 par l'homme d'affaires autrichien Gernot Langes-Swarowski à ses propriétaires anglais indolents que ses vins ont commencé à montrer leur vraie valeur. Le sangiovese et le barbera sont les plus intéressants. Malheureusement, ce sont aussi les plus irréguliers.

✓ *cabernet-merlot* • *merlot*

PEÑAFLOR
Buenos Aires

☆Ⓥ

La qualité a été ici beaucoup améliorée grâce à l'intervention des vinificateurs volants de gros calibre, Peter Bright et John Worontschak. Le Country Red est un vin d'assemblage savoureux et bon marché. Peñaflor vend aussi des vins sous les étiquettes Andean Vineyards, Fond de Cave, Parral, Tio Quinto et Trapiche. *Voir aussi* Trapiche.

✓ *cabernet-malbec* • *chenin-chardonnay* • *torrontes* • *tempranillo*

PIPER
Buenos Aires

Quand l'Anglais Trevor Bell dirigeait en France les deux maisons Charles Heidsieck et Piper-Heidsieck, il s'indigna que les maisons champenoises – y compris la sienne – prétendent qu'elles étaient contraintes par la loi argentine d'utiliser le terme « champaña » pour leurs mousseux élaborés en Argentine et que Piper était décidé à mettre fin à cette pratique.

PROVIAR
Buenos Aires

Antenne de Moët & Chandon établie depuis longtemps en Argentine, qui fait surtout du mousseux vendu sans vergogne comme champaña sous les étiquettes « M. Chandon » et « Baron B ». Plus intéressant est le nombre croissant de vins tranquilles dont on espère qu'ils se feront une place sur les marchés d'exportation. Autres étiquettes : Castel Chandon, Clos du Moulin, Comte de Valmont, Kleinburg et Renaud Poirier.

✓ *Castel Chandon* (rouge) • *chardonnay* (Renaud Poirier)

SAN TELMO
Maip

★

Ambitieuse entreprise de style californien exploitant 230 ha de vignobles dont elle tire des vins fruités et aromatiques de très bonne qualité.

✓ *cabernet sauvignon* • *chardonnay* • *chenin blanc* • *malbec*

SANTA ANA
Guaymallen

☆Ⓥ

L'entreprise chilienne Santa Carolina a acquis une part majoritaire du capital de Santa Ana en 1996. La plus grande partie des vins est vendue sous le nom de Santa Ana, mais on utilise aussi l'étiquette Casa de Campo. Santa Ana produit aussi des mousseux, vendus sous l'étiquette Villeneuve.

✓ *merlot-malbec* • *syrah*

SUTER
San Rafael

Entreprise suisse dont les vins de qualité standard sont distribués par Seagram.

PASCUAL TOSO
San José

☆Ⓥ

Vieille entreprise qui produit un cabernet d'une qualité nettement au-dessus de la moyenne.

✓ *cabernet sauvignon*

TRAPICHE
Buenos Aires

⊗

Appartient à Peñaflor, avec une gamme étendue de bons vins. L'œnologue conseil est Michel Rolland du Château Le Bon Pasteur. *Voir aussi* Peñaflor.

✓ *cabernet-malbec* (Medella) • *malbec* (Oak Cask Reserve)

VISTALBA
Mendoza

☆

Entreprise montante qui fait d'intéressants vins de syrah et de barbera pour compléter sa gamme de vins classiques, dont le cabernet sauvignon et le malbec.

✓ *cabernet sauvignon* • *malbec* • *syrah*

VEINER
Buenos Aires

★★

Créé en 1890, Veiner n'est l'un des deux meilleurs d'Argentine que depuis son rachat par le Brésilien Bernardo Weinen. Celui-ci a rénové les installations et modernisé le matériel en 1975 et est devenu un peu plus tard le premier producteur d'Argentine à brider le rendement pour privilégier la qualité au détriment de la quantité. Avec 850 ha de vignobles cela n'a pas été une tâche facile.

✓ *cabernet sauvignon* • *Cavas de Veiner* (malbec-merlot) • *malbec*

LES CHOIX DE L'AUTEUR

Les seuls cabernets et chardonnays californiens auraient pu remplir des pages, mais je me suis limité à quelques exemples de vins de divers cépages représentatifs de style traditionnel ou moderne en Californie et dans le nord de la côte Pacifique. J'ai jugé utile d'y ajouter quelques vins canadiens. Bien que le Chili soit largement en tête en Amérique du Sud, je me suis senti obligé d'inclure les meilleurs vins argentins.

PRODUCTEUR	VIN	STYLE	DESCRIPTION	
CALIFORNIE				
Au Bon Climat (*voir* p. 473)	Sanford & Benedict et Rosemary's Vineyard	ROUGE	Ces deux vins sont élaborés par Jim Clendenen, un spécialiste reconnu du pinot noir de classe internationale. L'un et l'autre ont un fruit très pur et l'arôme caractéristique du cépage. Le premier a davantage de finesse tandis que le second est plus gras, plus mûr et plus extraverti. Les deux sont délicieux.	2 à 5 ans
Beringer Vineyards (*voir* p. 464)	Alluvium	BLANC	Cet assemblage exotique de sauvignon et de sémillon illustre admirablement le fait que les vins de Californie n'ont pas besoin d'être issus d'un cépage unique pour être superbes. Son fruit admirablement pur frais et crémeux, avec une touche de chêne neuf torréfié, crée l'illusion que l'on a affaire à un demi-sec. L'alluvium est un vin à boire pour lui-même.	2 à 4 ans
Bonny Doon Vineyard (*voir* p. 471)	Cigare volant	ROUGE	Pionniers des vins genre côtes-du-rhône, Bonny Doon devait figurer dans cette sélection. Il fallait choisir entre l'Old Telegram (allusion au Vieux Télégraphe) et le Cigare Volant. Le second l'a emporté pour son style somptueux et pour son fruit plus riche. Le Cigare Volant est un vin de style châteauneuf-du-pape et son nom a été choisi pour saluer un arrêté de la municipalité de la Cité des papes datant de 1954 interdisant l'atterrissage des soucoupes volantes sur le territoire de la commune !	3 à 8 ans
De Loach Vineyards (*voir* p. 460)	O.F.S. Zinfandel	ROUGE	Sans le zinfandel, un échantillonnage des vins de Californie serait incomplet. J'ai choisi le De Loach O.F.S (Our Finest Selection) pour ceux qui recherchent la finesse plutôt que la corpulence (*voir aussi* Ravenswood plus bas). C'est un vin tendre, riche et pourtant très élégant, avec un fruit épicé délicieux. Si vous préférez que votre zinfandel soit discrètement boisé plutôt qu'outrageusement tannique, c'est celui-ci qu'il vous faut.	3 à 8 ans
Ironstone Vineyards (*voir* p. 461)	Cabernet franc	ROUGE	Ce vin savoureux et fruité peut être tendre et soyeux, mais il n'est pas entièrement privé du caractère propre au cépage. Il est une merveilleuse expression du cabernet franc dont la culture commence seulement à prendre de l'importance en Californie.	2 à 4 ans
Kistler Vineyards (*voir* p. 461)	Chardonnays monocru	BLANC	Les grands chardonnays californiens sont si nombreux que j'ai hésité. J'ai finalement retenu Kistler pour représenter cette catégorie car il produit toute une gamme de chardonnays monocru superbes issus des vignobles suivants : Camp Meeting Ridge, Durell « Sandhill », Dutton Ranch, Kistler, McCrae, et Vine Hill Road. Il serait difficile de faire un choix parmi eux car, si certains sont encore meilleurs que les autres, nulle hiérarchie n'a pu être établie sur plusieurs années et même les moins remarquables comptent parmi les chardonnays californiens de haut de gamme. Si les différences sont notables dans une dégustation comparative, tous possèdent un fruit abondant, riche, crémeux, avec des nuances tropicales, qui équilibre l'acidité et la complexité malolactique et boisée. Certains aiment faire vieillir ces vins – et ils en sont capables – mais je les préfère quand ils ont encore leur vivacité juvénile.	2 à 7 ans
Peter Michael Winery (*voir* p. 461)	Les Pavots	ROUGE	Mon choix pour le vin de style bordeaux rouge aujourd'hui le plus passionnant s'est porté sur Les Pavots de sir Peter Michael. Tous ses vins portent des noms français sans doute pour souligner qu'il a davantage d'affinité avec le style bordelais qu'avec le californien. Si le pavot est une fleur éphémère, le vin auquel on a donné son nom est de longue garde. Issu d'environ 70% de cabernet sauvignon, le complément étant assuré par le cabernet franc et le merlot, cet admirable vin a une structure tannique classique, ferme mais bien fondue, qui équilibre un fruit riche. Le chêne est nettement perceptible mais pas exécrable comme dans la plupart des vins de Napa. Il apporte au vin encore jeune des notes complexes de fumée et d'épices très utiles pour l'équilibrer avant que les arômes fruités, qui se développent lentement en bouteilles, prennent le relais.	4 à 20 ans

PRODUCTEUR	VIN	STYLE	DESCRIPTION	
Joseph Phelps Vineyards (*voir* p. 467)	Vin de Mistral Muscat	BLANC	Alors que l'on produit du vin viné de muscat presque partout dans le monde, le muscat de vendange tardive est une rareté. Ce vin de dessert rafraîchissant, dans lequel des arômes très vifs sont admirablement équilibrés par des nuances succulentes et exotiques de pêche, est un bel exemple de ce que tout muscat de vendange tardive devrait être. C'est le genre de vin dans lequel les Californiens excellent, mais il est graduellement passé de mode. Avec des muscats comme celui de Joseph Phelps, la prochaine génération d'amateurs de vin pourrait bien se laisser séduire.	dès l'achat
Qupé (*voir* p. 474)	Ben Nacido Syrah	ROUGE	Les vins de syrah opulents sont nombreux, mais quand ils sont élaborés dans un style plus immédiatement accessible, ils peuvent être sirupeux, ce qui est acceptable dans un vin bon marché mais pas dans un vin de cépage de haut de gamme. Le Ben Nacido de Qupé est riche, mais je l'ai choisi pour son élégance et sa finesse. Il est merveilleusement tendre et délicatement fruité.	3 à 6 ans
Ravenswood (*voir* p. 462)	Old Hill Zinfandel	ROUGE	Pour le plus opulent et le meilleur zinfandel, ne cherchez pas plus loin – l'Old Hill est de loin le plus concentré.	10 à 20 ans
Ridge Vineyards (*voir* p. 471)	York Creek Petite Sirah	ROUGE	Je n'ignore pas que la petite sirah de Californie est très souvent un clone, mais je pense que le vin que j'ai choisi, le plus massif, foncé et tannique de tous, qui se bonifie admirablement en bouteilles, est bien issu de ce cépage.	5 à 15 ans
Roederer Estate (*voir* p. 457)	Brut	MOUSSEUX	Le vignoble de 200 ha créé, en 1982, se trouve dans la vallée d'Anderson, à 200 km au nord de San Francisco. Le premier vin, issu de vins de base de la vendange 1986, fut quelconque mais le second, issu de ceux de 1986, fut stupéfiant. Le maître de chai Michel Salgues avait réussi à concentrer dans les douze mois séparant les deux vendanges l'expérience accumulée durant 160 ans par la maison champenoise Louis Roederer. J'ai été tellement impressionné par ce mousseux que, dès que cela m'a été possible, j'ai vainement consacré une dizaine de semaines à parcourir la Californie, l'Australie et la Nouvelle-Zélande à la recherche d'un vin de qualité équivalente. À mon avis, un lent développement des arômes en bouteilles après le dégorgement est la caractéristique de tout mousseux classique, où qu'il soit fait : le Roederer californien exige au moins deux ou trois ans en bouteilles alors que la plupart de ceux des Pays Neufs sont meilleurs quand on les boit aussitôt après l'achat et perdent leur vivacité et s'épaississent après deux ans en bouteilles. En revanche le Roederer, un peu vert, déploie les notes crémeuses et de biscuit classiques si on lui en donne le temps.	2 à 6 ans
Sanford Winery (*voir* p. 474)	Barrel Select Sanford & Benedict	ROUGE	Je n'ai pas à m'excuser d'avoir fait figurer deux pinots noirs de Santa Barbara (*voir aussi* Au Bon Climat p. 513) car cette région est la meilleure du monde pour ce cépage, en dehors de la Bourgogne. Le pinot noir de Richard Sanford, admirablement équilibré, avec un fruit succulent et une structure classique est sans conteste un des meilleurs pinots noirs de Californie.	2 à 7 ans
Shafer Vineyards (*voir* p. 468)	Hillside Select Cabernet Sauvignon	ROUGE	Le choix d'un cabernet sauvignon représentant la Californie a été aussi difficile que celui de chardonnay – il suffit de consulter la liste des cabernets sauvignons recommandés figurant pp. 451 et 452 pour s'en convaincre. J'ai fini par retenir celui de Shafer car, avec sa richesse, sa souplesse et son chêne admirablement intégré, il est exemplaire du style californien le plus achevé. Le Hillside Select, le meilleur de ce producteur a un fruit dense et évolue magnifiquement en bouteilles.	4 à 20 ans
NORD DE LA CÔTE PACIFIQUE				
Bethel Heights (*voir* p. 483) Ⓥ	Pinot Noir	ROUGE	Un des pinots noirs les plus constants d'Oregon, celui de Bethel Heights, est tendre et séduisant, avec des nuances de groseille rouge, de cerise et de fraise soutenues par un chêne vanillé.	2 à 5 ans
Domaine Drouhin (*voir* p. 484)	Pinot Noir	ROUGE	Pas le plus profond et le plus foncé des pinots noirs d'Oregon, mais certainement celui qui conserve le mieux la pureté du fruit propre au cépage. Depuis son premier millésime, il a presque toujours été le plus grand pinot noir de cet État.	3 à 10 ans
Hedges Cellars (*voir* p. 486) Ⓥ	Cabernet Merlot	ROUGE	Comme tous les vins de Tom Hedges, celui-ci est succulent et crémeux dès sa mise en bouteilles. Il ne fait pas de doute qu'il convient admirablement à la dégustation hédoniste.	dès l'achat
Leonetti Cellars (*voir* p. 486)	Cabernet Sauvignon	ROUGE	Washington est une contrée de vins rouges et celui-ci est le plus grand, le plus riche et le plus boisé de tous. Un chêne souple et complexe domine, mais le vin est très riche en extrait.	3 à 15 ans

PRODUCTEUR	VIN	STYLE	DESCRIPTION	
Quilceda Creek (*voir* p. 486)	Cabernet sauvignon	ROUGE	Le pionnier de la production de vin rouge dans l'État de Washington, Alex Golizen élabore toujours, maintenant avec le concours de son fils, un cabernet sauvignon de classe internationale issu de raisin cultivé dans les faubourgs de Seattle. Ce vin profond à la robe obscure a une structure tannique plus médocaine qu'américaine.	8 à 20 ans
CANADA				
Cave Spring (*voir* p. 498)	Chardonnay	BLANC	Cave Spring élabore deux intéressantes cuvées de chardonnay, le Chardonnay Musqué, qui déploie un parfum floral et délicat de muscat et le Chardonnay Bench Reserve, un vin riche, ample et savoureux, très fruité avec de belles nuances de chêne torréfié.	2 à 4 ans
Hainle (*voir* p. 497)	Riesling	BLANC	Tilman Hainle, s'il n'est pas toujours régulier, a un tel enthousiasme qu'il fait rarement une vin inintéressant. Quand il est réussi, le Dry Estate Riesling déploie après un certain temps en bouteilles l'arôme caractéristique de kérosène, avec des notes miellées. Le vin de glace aux flaveurs concentrées d'ananas est aussi onctueux que le riesling peut l'être.	3 à 5 ans, (Dry Estate) 2 à 20 ans (Icewine)
Henry of Pelham (*voir* p. 498)	Baco Noir	ROUGE	C'est mon choix pour ceux qui veulent découvrir ce que peut être un vin d'hybride de grande qualité. Ce vin de baco noir, très riche, fruité et boisé, accompagne bien le repas.	3 à 7 ans
Inniskillin (*voir* p. 498)	Vidal Icewine	BLANC	Inniskillin est l'entreprise qui a fait connaître les vins de glace canadiens sur le marché international. Le Vidal Icewine est un vin de dessert toujours très riche, avec une belle acidité équilibrant en finale une saveur très sucrée.	2 à 20 ans
Konzelmann (*voir* p. 498)	Gewurtraminer	BLANC	Un des gewurztraminers les plus glorieusement épicés produit hors d'Alsace, mais Herbert Konzelmann en fait si peu et il est si recherché que tout cet vin admirable est vendu trop tôt.	1 à 5 ans
Stoney Ridge Cellars (*voir* p. 499)	Cabernet franc	ROUGE	Un vin rouge délicieux, tendre, admirablement équilibré, débordant d'un fruit succulent. Le millésime 1991 fut l'un des meilleurs cabernet francs du monde entier.	2 à 5 ans
Sumac Ridge (*voir* p. 497)	Gewurtraminer Private Reserve	BLANC	L'intensité des arômes épicés du véritable gewurztraminer n'a cessé de surprendre depuis le millésime 1992 de Sumac Ridge.	3 à 5 ans
CHILI				
Canepa (*voir* p. 510) V	Cabernet sauvignon	ROUGE	Un vin rouge massif à la robe foncée, richement aromatique, bien boisé, déployant en bouche des flaveurs savoureuses et complexes de cassis et de réglisse.	3 à 10 ans
Concha y Toro (*voir* p. 510)	Casillero del Diablo, chardonnay	BLANC	Concha y Toro élève ses meilleurs vins dans la « Devil's Cellar » (cave du diable). Ce producteur, afin de protéger ses vins de la convoitise des pillards, a fait courir le bruit que le diable logeait dans cette cave. Le Casillero del Diablo est un gewurztraminer diablement bon, riche, frais et séduisant.	2 à 5 ans
Cono Sur (*voir* p. 510) V	Cabernet sauvignon	ROUGE	Un vin rouge riche, velouté, très fruité avec des nuances de prune, d'épices et une finale mûre. Très bon jeune, il est encore meilleur après deux ou trois ans en bouteilles.	2 à 5 ans
Errazuriz (*voir* p. 510) V	Merlot	ROUGE	Première entreprise du Chili à avoir fait un vin pur merlot, Errazuriz a choisi d'élaborer un vin frais et juteux, sans prétention. Il est délicieux et présente un rapport qualité/prix exceptionnellement favorable.	dès l'achat
Viña Casablanca (*voir* p. 511) V	Sauvignon blanc	BLANC	Comment un sauvignon blanc peut être année après année aussi glorieusement juteux et voluptueux tout en conservant de la vivacité et une bonne acidité est pour moi un mystère. Ce vin devrait briller dans une dégustation à l'aveugle.	1 à 2 ans
ARGENTINE				
Catena (*voir* p. 512)	Malbec	ROUGE	Si le malbec est le plus grand vin d'Argentine, alors Catena produit le meilleur, talonné par celui de Veiner. L'un et l'autre sont probablement plus proches du « vin noir » de Cahors que tout vin produit en France aujourd'hui. Foncé mais pas vraiment noir ni rustique, son fruit riche et voluptueux se mêle à des arômes de violette et à un chêne crémeux.	3 à 8 ans
Weinert (*voir* p. 512)	Cavas de Weinert	ROUGE	Veiner est l'un des deux meilleurs producteurs d'Argentine. Le Cavas de Weinert est sa meilleure cuvée. C'est un vin profond, rouge foncé, riche en flaveurs tendres de fruits noirs, avec des nuances de bois de cèdre, d'épices et de chêne crémeux.	5 à 10 ans

Les VINS *d'*

AUSTRALIE, NOUVELLE-ZÉLANDE *et* ASIE

On a souvent l'impression que la culture vinicole australienne est plus ancienne et plus traditionnelle que la néo-zélandaise, pourtant une trentaine d'années seulement séparent leur origine. En effet, on fait remonter le début de l'industrie vinicole à 1788 en Australie et à 1819 en Nouvelle-Zélande. La plus grande taille et la plus grande diversité de la viniculture australienne renforcent cette impression. À vrai dire, il y a seulement quelques décennies que l'une et l'autre ont commencé à se faire connaître sur le marché international. Nous connaissons surtout l'Australie pour ses chardonnays au style homogène et régulier et ses shiraz (syrahs) tendres, crémeux, épicés et boisés ; la Nouvelle-zélande pour ses sauvignons vivifiants, frais et nerveux. Cependant dans ces deux pays bien d'autres vins restent à découvrir, tandis que ceux d'Asie continuent à évoluer.

HILL OF GRACE VINEYARD DANS EDEN VALLEY (AUSTRALIE MÉRIDIONALE)
La création de ce vieux vignoble remonte aux années 1860. À l'arrière plan, église de Guadenberg.

✧ AUSTRALIE ✧

Les vins australiens ont fait de nombreux adeptes parmi les consommateurs britanniques dès 1985, mais ils ne sont apparus sur le marché américain qu'une décennie plus tard. Aujourd'hui on commence à en trouver en France, même dans les supermarchés.

Comment les Australiens réussissent-ils à obtenir une qualité homogène et des vins d'un style si distinctif qu'on l'identifie facilement, et ce même pour les vins produits par des Australiens dans d'autres pays? La réponse à ces questions se trouve dans les caves de vinification où les techniques ont été affinées et perfectionnées au point que de nombreux techniciens, qui se sont donné eux-mêmes le nom de « vinificateurs volants », vont chaque année les enseigner à l'étranger. Ces techniques font appel à des notions apparemment élémentaires, mais souvent négligées, comme une propreté rigoureuse à toutes les étapes de l'élaboration du vin, le mélange de raisins venant de régions diverses (par exemple, la désignation générique « South Eastern Australia » couvre 95% des vignobles du pays), la régulation rigoureuse des températures et la correction de l'acidité, le choix des levures sélectionnées et l'élevage dans le chêne pendant des périodes relativement courtes. Bien entendu, ces généralités s'appliquent avant tout aux vins australiens de grosse production à base de raisin vendangé à la machine, et non aux très nombreux vins de caractère, plus chers, qui reflètent en général un terroir bien déterminé. Il y a en Australie plus de huit cents entreprises vinicoles, mais quatre seulement (BR Hardy, Mildara-Blass, Orlando et Southcorp) constituent 80% du vin du pays. Leur production paraît toutefois insignifiante comparée à celle de l'entreprise vinicole américaine Gallo qui , à elle seule, une fois et demie plus de vin que toute l'Australie.

LA CROISSANCE DU COMMERCE VINICOLE AUSTRALIEN

Le premier vignoble d'Australie fut créé en 1788 à Farm Cove, en Nouvelle-Galles du Sud, avec des boutures qui ne venaient pas de France mais de Rio de Janeiro et du Cap de Bonne-Espérance. Elles avaient été rassemblées par le premier gouverneur, le capitaine

AUSTRALIE
On fait du vin dans chaque État d'Australie, mais la plupart des vignobles sont concentrés dans le Sud-Est, sur une bande semi-circulaire s'étendant de Sydney en Nouvelle-Galles du Sud à Adélaïde en Australie-Méridionale.

Arthur Phillip, en route pour Sydney à bord du HMS Sirius. Le sol riche de Farm Cove et le climat humide se révélèrent favorables à la pousse de la vigne, mais pas à la production de raisin de cuve. Phillip ne se laissa pas décourager et planta un autre vignoble dans le jardin de Government House à Parramatta, juste au nord de Sydney. Satisfait des résultats obtenus sur un sol et dans un climat plus adéquat, Phillip sollicita officiellement une assistance technique de l'Angleterre qui lui répondit en lui envoyant deux prisonniers de guerre français auxquels on promit la liberté en échange d'un séjour de trois années en Nouvelle-Galles du Sud. L'administration britannique était persuadée que tout Français devait savoir faire du vin, certitude qui se révéla inexacte : le premier prisonnier était tellement incapable qu'on le renvoya bientôt en Angleterre ; le second croyait savoir faire du cidre, mais il choisit des pêches au lieu de pommes !

CORIOLE VINEYARDS, MCLAREN VALE
McLaren Vale est le plus important comté vinicole de la région Southern Vales-Langborne Creek d'Australie méridionale, État qui compte pour près de 60 % de la production australienne.

LECTURE DES ÉTIQUETTES DE VINS AUSTRALIENS

Les étiquettes des vins australiens comptent parmi les plus simples et les plus faciles à comprendre. Elles indiquent clairement quel est le vin, qui l'a élaboré et quelle est son origine. D'autres renseignements figurent (souvent sur une contre-étiquette) sur la vendange, la vinification, l'élevage, auxquels s'ajoutent parfois des notes de dégustation. Certains des termes les plus courants (comme par exemple *burgundy* – bourgogne –, champagne, *Spätlese* – vendange tardive –, etc.) sont en passe d'être bannis suite à des négociations avec l'Union européenne dont le but est de lever certains obstacles à l'importation des vins australiens. Les renseignements de base qui figurent sur l'étiquette de la quasi-totalité des vins australiens sont les suivants :

UNWOODED
Certains consommateurs préfèrent, vu la désaffection pour les vins très boisés, ceux qui se proclament *unwooded* (non boisés). *Wood matured* (élevé dans le bois) ou une expression équivalente est trompeuse car elle signifie probablement l'addition de copeaux de chêne. Les vins véritablement élevés en fût de chêne sont évidemment plus chers.

MARQUE OU ENTREPRISE
Le nom « Chapel Hill » figurant sur cette étiquette est la marque de l'entreprise Chapel Hill Wines Pty. Ltd. dont le nom et l'adresse précise figurent à l'avant-dernière ligne.

MILLÉSIME
Le règlement spécifie qu'au moins 85 % du vin doit être du millésime porté sur l'étiquette.

CÉPAGE
La plupart des grands vins australiens étant issus d'un cépage classique unique, leur étiquette porte des noms comme cabernet-sauvigon, chardonnay, sémillon ou syrah. On trouve également des noms peu connus dont la plupart sont des synonymes des précédents. Quand les noms de deux cépages ou plus sont portés sur l'étiquette, ils figurent dans l'ordre décroissant de leur proportion dans le vin : ainsi un sémillon-chardonnay contient-il plus de sémillon qu'un chardonnay-sémillon, et un syrah-malbec-cabernet contient plus de syrah que de malbec et plus de malbec que de cabernet.

CHAPEL HILL
1994
UNWOODED
CHARDONNAY
SOUTH AUSTRALIA
PRODUCED BY CHAPEL HILL WINERY PTY LTD P.O. BOX 194 MCLAREN VALE STH. AUSTRALIA
750ML PRODUCT OF AUSTRALIA 13% VOL

DISTRICT, RÉGION OU ÉTAT D'ORIGINE
L'origine des vins reportée sur l'étiquette par les producteurs australiens est sans ambiguïté, pour autant que l'on sache interpréter celle-ci. Il s'agit ici d'un vin de l'État d'Australie méridionale. Si la région ou le district indiqués vous sont inconnus, vous trouverez toujours quelque part sur la bouteille le nom d'un des cinq États du continent ou de la Tasmanie. Pour de nombreux vins, comme c'est le cas ici, l'origine indiquée est un État, pour autant qu'ils soient faits d'un assemblage de vins venant de plusieurs régions.

TENEUR EN ALCOOL
La teneur en alcool est indiquée par le pourcentage en volume. Ce renseignement est plus significatif dans les pays qui cultivent la vigne sous une chaleur torride (ce qui n'est toutefois pas le cas de toute l'Australie), où les vins sont d'autant plus grands qu'ils sont plus riches en alcool. En Australie, une forte teneur en alcool est invariablement la preuve d'une conception traditionnelle : plus elle est basse, plus le vin est léger.

ADRESSE
La réglementation ne prescrivant pas que le raisin doit venir, même partiellement, du même secteur que l'entreprise vinicole, la région mentionnée dans l'adresse n'est pas nécessairement celle où il a été vendangé.

CONTENANCE
750 ml, soit 75 cl, est la contenance d'une bouteille de taille standard.

PRODUCT OF AUSTRALIA
Les vins exportés sont étiquetés « Product of Australia » ou « Produce of Australia ».

Autres renseignements que l'on peut trouver sur les étiquettes de vin d'Australie :

BIN NUMBER/CODE, PRIVATE BIN OU RESERVE BIN
Ces termes indiquent les meilleurs vins dans la gamme d'un producteur mais ces indications ne sont pas réglementées.

SHOW OU SHOW RESERVE
Figure uniquement sur l'étiquette des vins australiens primés. La mention d'un prix remporté dans un concours vinicole d'Australie devrait être une preuve incontestable d'excellence car le niveau de ces compétitions est très élevé, le nombre de vins primés est strictement limité ; seul le vin venant de la même cuve ou du même fût que le vin primé peut bénéficier de ces mentions. En théorie, cela devrait empêcher un producteur de remporter des médailles avec une « tête de cuvée » puis d'assembler celle-ci avec du vin de qualité inférieure, et de vendre ce mélange sous l'étiquette du vin primé, mais on trouve toutefois sur le marché une abondance de vins primés !

CAVES DE LINDEMAN'S, HUNTER VALLEY
Lindeman's, qui fait partie du groupe Southcorp, est le plus gros producteur d'Australie avec près de 360 000 hectolitres.

MILLÉSIMES RÉCENTS

1966 Millésime plus abondant de vins de bonne qualité dans la plupart des districts importants. Les cabernets et les syrahs de Barossa Valley sont les meilleurs, tandis que ceux de Hunter Valley sont décevants.

1995 Des réserves d'eau insuffisantes ayant limité l'irrigation, le rendement a baissé, ce qui a fait de ce millésime le meilleur de ces dernières années. Des vins de tout style, d'une qualité absolument étonnante, ont été produits partout.

1994 À l'exception de la Nouvelle-Galles du Sud, excellent millésime pour les rouges et les blancs – exceptionnel en Australie occidentale, plus particulièrement dans Margaret River.

1993 Pluies estivales abondantes dans presque toute l'Australie, pourtant la Nouvelle-Galles du Sud et l'Australie méridionale ont produit d'excellents vins rouges et blancs. Évitez les vins de Victoria et tous ceux d'Australie occidentale à l'exception de ceux de Swan Valley.

1992 Millésime désastreux dû à des conditions climatiques extrêmes allant de la sécheresse pendant la période de croissance en Nouvelle-Galles du Sud, suivie de pluies torrentielles au moment des vendanges, jusqu'à l'été le plus froid qu'ait connu l'Australie méridionale depuis plus d'un siècle. Les meilleurs vins de ce millésime sont ceux de l'État de Victoria, mais dans l'ensemble ce millésime est à éviter.

Pourtant, après ces débuts pour le moins curieux, une industrie vinicole se développa, mais sans l'aide de la mère patrie. Au début, l'industrie vinicole australienne fut façonnée pour répondre aux besoins de l'Empire britannique, puis à ceux du Commonwealth. Elle acquit la réputation de producteur de vins vinés bon marché – non pas pour son incapacité à faire autre chose, mais parce qu'elle était contrainte de satisfaire à la demande de l'Angleterre. Malheureusement, les Australiens s'enthousiasmèrent du même coup pour ces vins. L'Australie produisait – et produit encore – certains des meilleurs vins de dessert (botrytisés ou vinés) au monde, mais la plupart étaient très lourds, très sucrés et tristement mous, à une époque où le reste du monde buvait des vins bien meilleurs et plus légers. L'Australie faisait pourtant une toute petite quantité de vins non vinés excellents, mais jusqu'aux années 1960, elle exportait ceux qui offraient un style remarquablement uniforme, quels que fussent les cépages et les régions d'origine.

LA RENAISSANCE DES VINS AUSTRALIENS

Pendant les trente dernières années, les techniques vinicoles ont énormément progressé et, avec elles, la qualité des vins. Mais la technique ne suffit pas : il faut examiner non seulement le matériel, mais encore les qualités potentielles de chaque cépage et des terroirs, et posséder une bonne dose de persévérance et d'enthousiasme pour élaborer des vins meilleurs et plus expressifs. La technique pure peut parfois masquer des caractéristiques essentielles, mais les Australiens ont su éviter cet écueil. Dès qu'ils décidèrent de pénétrer sur le marché international des grands vins, ils gravirent si rapidement les échelons de qualité qu'ils parvinrent au sommet avant même que les producteurs étrangers se rendent compte qu'un concurrent était né. Jusqu'en 1980, 99% du vin australien était consommée dans le pays. Quand la production augmenta de manière vertigineuse, l'exportation devint essentielle; elle atteint aujourd'hui plus de 40%.

DOMAINE MOUNTADAM, AUSTRALIE MÉRIDIONALE
Les fleurs printanières entourent ce vignoble situé en altitude, sur le High Eden Ridge qui sépare Barossa Valley d'Eden Valley, source de plus en plus réputée de vins de pinot noir.

NOUVELLE-GALLES DU SUD

De l'hermitage corpulent de Hunter Valley au sémillon miellé et vieilli en bouteilles, autrefois vendu comme Hunter Riesling, des vins faciles de la région irriguée de Murrumbidgee aux vins de régions vinicoles en plein développement comme Orange, les vins australiens sont meilleurs et plus variés que jamais.

Alors que les vins francs au goût net sont à la mode, on a peine à imaginer que Hunter Valley avait autrefois la réputation peu enviable de produire des vins rouges de syrah très corpulents, aux odeurs fortes de venaison, de sueur et de cuir et au goût marqué de terroir, presque boueux, que l'on « mâchait » plutôt que l'on avalait. Mais la vallée n'a pas cultivé d'autre cépage rouge avant 1963. On prétendait que cet arôme particulier venait du sol volcanique riche en basalte de Hunter Valley, bien que, dans certaines zones, cette association du basalte et de la syrah donne des vins de cépage poivrés très francs sans la moindre trace d'odeur de sueur et de cuir. Dans la première édition de cet ouvrage, en 1988, j'ai attribué cette odeur au climat brûlant, à des techniques viticoles mauvaises et à une vinification peu soignée. En fait elle est due au mercaptan, né d'une utilisation excessive de soufre dans le vignoble et dans la cave de vinification.

VIGNOBLES À MUDGEE
Contrairement aux autres vignobles de Mudgee qui occupent le flanc ouest du Great Dividing Range, celui-ci se trouve sur un terrain plat.

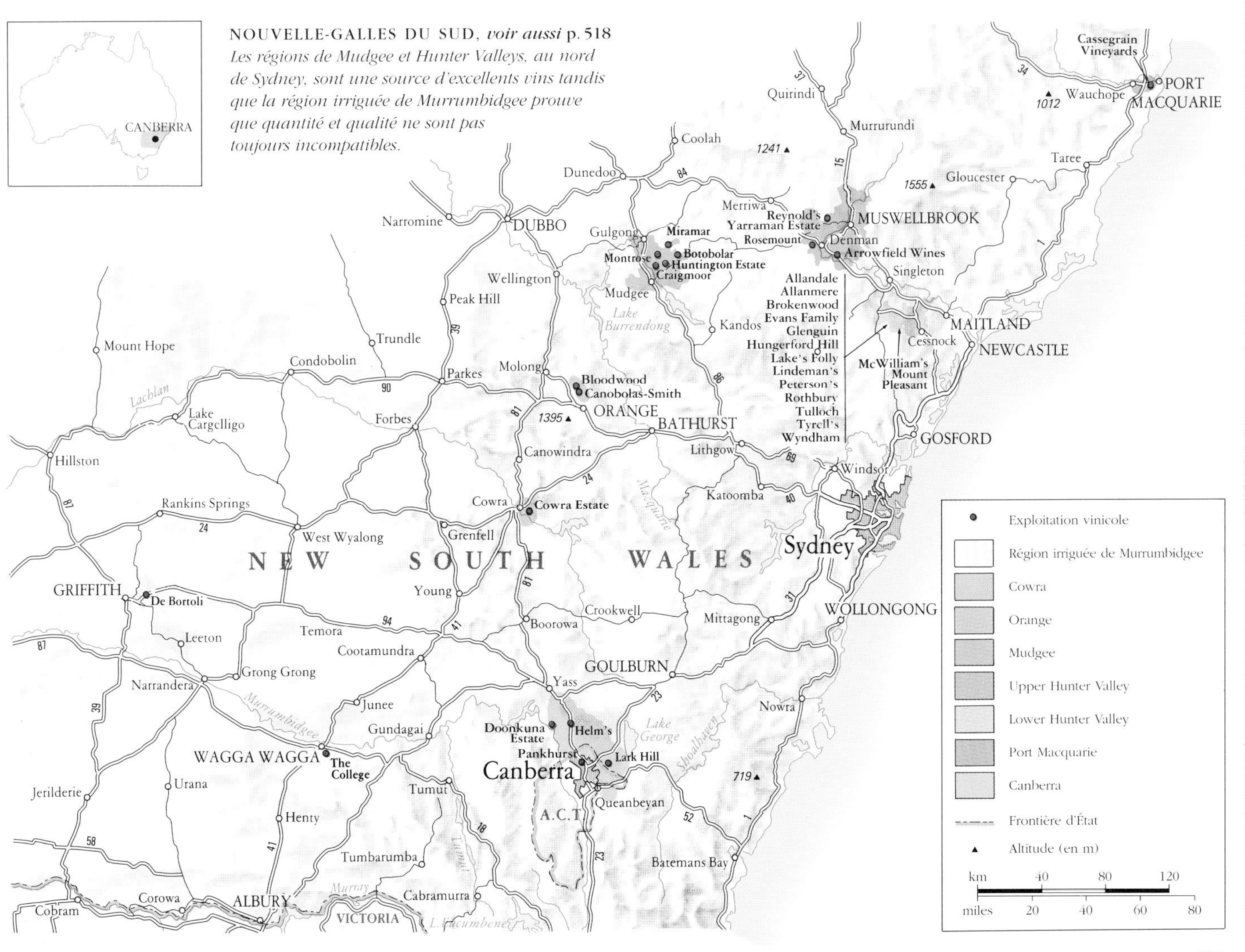

NOUVELLE-GALLES DU SUD, *voir aussi* p. 518
Les régions de Mudgee et Hunter Valleys, au nord de Sydney, sont une source d'excellents vins tandis que la région irriguée de Murrumbidgee prouve que quantité et qualité ne sont pas toujours incompatibles.

FACTEURS DU GOÛT ET DE LA QUALITÉ

EMPLACEMENT
Partie sud de la côte orientale d'Australie, entre les États de Victoria et de Queensland.

CLIMAT
Les températures en période de croissance sont similaires à celles du Languedoc. La nébulosité peut tempérer la chaleur de Hunter Valley mais la pluie y encourage la pourriture. La croissance est plus tardive et le climat plus ensoleillé dans la région de Mudgee, plus torride et plus sec dans celle, irriguée, de Murrumbidgee.

SITES
On cultive en général la vigne à basse altitude sur des terrains plats ou vallonnés, mais aussi sur les pentes de Brokenback Range dans Lower Hunter Valley jusqu'à une altitude de 500 m ainsi que sur les flancs occidentaux de la Cordillère (Great Dividing Range) à une altitude de 800 m.

SOLS
Toutes les régions ont des sols divers, avec un peu partout des limons argileux et sableux de fertilité variable. Des sols de composition différente, comme les terres rouge-brun d'origine volcanique, sont répartis irrégulièrement dans la région de Lawer Hunter Valley. On trouve également dans la partie basse et plate des vallées des lais et des sables alluvionnaires fertiles, mais bien drainés.

VITICULTURE ET VINIFICATION
L'irrigation est générale, notamment dans la région de Murrumbidgee qui produit surtout des vins en vrac. La gamme des cépages s'enrichit et l'on vendange quelques jours plus tôt qu'autrefois pour obtenir des vins plus nerveux. On vinifie habituellement dans des cuves en Inox à régulation de température, mais on utilise avec discernement le chêne neuf.

CÉPAGES
Cabernet sauvignon, chardonnay, chasselas, clairette, colombard, crouchen, doradillo, frontignan, grenache, marsanne, mataro (carignan), muscat d'Alexandrie, palomino, pedro ximénez, pinot noir, riesling, sauvignon, sémillon, syrah, muscadet, gewurztraminer, trebbiano (ugni blanc), verdelho.

CANAL D'IRRIGATION ET VITICULTURE
Une irrigation abondante permet aux producteurs de Riverina, comme ici De Bortoli, de faire de grandes quantités de vin modeste mais buvable.

LES RÉGIONS VINICOLES DE

NOUVELLE-GALLES DU SUD

CANBERRA

Territoire fédéral

Le territoire de la capitale fédérale a été détaché de l'État de Nouvelle-Galles du Sud dans lequel il est enclavé. Il n'en fait donc pas partie mais, avec dix-huit entreprises vinicoles seulement, il ne méritait pas un chapitre séparé. Il peut sembler étrange que les vins de la capitale soient souvent ignorés, mais c'est pourtant le cas, et ce même par le commerce vinicole du reste de l'Australie. Le secteur vinicole est situé à 40 km au nord-nord-est de la ville, autour de la petite localité de Murrumbateman. On pense souvent que Canberra ne peut rivaliser avec les zones vinicoles situées dans des régions plus chaudes, mais il est faux de dire que Canberra est trop froid pour la viticulture. Les étés sont chauds, secs, et les vignerons de la nouvelle génération ont admis que l'irrigation est indispensable. La seule raison expliquant une réputation d'irrégularité propre à Canberra est l'inexpérience de certains de ses vignerons, plus visible dans une région aussi petite.

CENTRAL NORTH-WEST

Autre nom de la région de Forbes-Wellington, à l'ouest de Sydney, Central North-West est un secteur vinicole relativement mineur.

CENTRAL WEST

Voir Cowra

COROWA

Corowa est située à l'est du lac Mulwala en face de Wahgunyah sur l'autre rive de la Murray. Pouvant être considérée géographiquement comme le prolongement de la région de Rutherglen, dans le nord-est de Victoria, Corowa – région productrice de vins de dessert sur le déclin – est la plus méridionale des régions vinicoles de la Nouvelle-Galles du Sud. Comme celle de Rutherglen, la région de Corowa a été peu touchée par l'invasion phylloxérique de la fin du siècle dernier.

COWRA

Petite région vinicole parfois nommée « Central West », située à l'intérieur des terres, à l'ouest de Sydney et au nord de Canberra.

FORBES-COWRA

Nom souvent donné aux vignobles situés dans le triangle Forbes-Cowra-Wellington.

HASTINGS VALLEY

Voir Port Macquarrie

HUNTER VALLEY

Voir Lower Hunter Valley et Upper Hunter Valley

LOWER HUNTER VALLEY

C'est dans Lower Hunter Valley (basse vallée de la Hunter) que furent créés, dans les années 1820, par des pionniers comme William Kelman, de Kirkton, et George Wyndham, de Dalwood, les premiers vignobles de Hunter Valley, plus de cent trente ans avant que l'on ne commence à cultiver la vigne dans Upper Hunter Valley (haute vallée de la Hunter). Cette région, longtemps réputée pour ses riches sémillons (appelés à tort « Hunter rieslings ») et ses puissants shiraz (la syrah de la Côte Rôtie et de l'hermitage), n'est pas idéale pour la vigne : elle est trop chaude et trop humide, encore que l'air frais qui descend la nuit de Brokenback Range rafraîchisse le raisin et empêche une chute trop rapide de son acidité. Contrairement à de nombreuses autres régions d'Australie, l'irrigation n'est pas nécessaire ici. Lindeman's a presque totalement déserté Lower Hunter Valley en faveur des régions plus verdoyantes de Padthaway et Coonawarra en Australie méridionale. Quelques nouvelles exploitations vinicole ont été créées récemment, mais rien n'indique qu'elles vont se multiplier comme ce fut le cas dans les années 1960 et 1970, quand des entreprises renommées telles que Allandale, Brockenwood et Hungerford Hill et d'autres encore s'y installèrent.

MUDGEE

Cette région est surtout connue pour avoir créé sa propre appellation en 1979, sous l'impulsion et avec l'accord des vignerons eux-mêmes. Son statut est donc quelque peu différent de celui de Margaret River, en Australie occidentale, première appellation d'origine officiellement instituée par l'État. Mudgee est l'une des régions les plus sous-évaluées d'Australie. Ses vignobles sont plus frais que ceux de Hunter Valley et l'on y vendange beaucoup plus tard, la saison de mûrissement plus longue permettant d'obtenir un rapport acidité/sucre bien meilleur.

RÉGION IRRIGUÉE DE MURRUMBIDGEE (MIA)

La MIA, également connue sous le nom de Griffith-Leeton Riverina, est irriguée avec l'eau pompée dans le Murrumbidgee, selon le même principe que la Murray qui irrigue le Riverland en Australie méridionale. On cultive maintenant sur cette terre, autrefois infertile, du riz et de nombreux fruits, y compris suffisamment de raisin de cuve pour produire le dixième de tout le vin australien. Ses vins ne sont pas tous du « pinard » bon marché : on y fait certains des vins bortytisés les meilleurs d'Australie.

ORANGE

En pénétrant dans cette ville, la première chose que l'on voit est un immense panneau portant les mots « Welcome to Orange » (bienvenue à Orange), orné d'un grand fruit – une pomme! Orange est en effet réputée pour ses pommes et, depuis quelques années, son raisin. Les premières vignes y ont été plantées en 1986 et, quand j'ai visité la ville, je n'avais pour me guider qu'un guide vinicole qui ne mentionnait que deux producteurs : D'Aquino et Gum Ridge. Le premier n'était rien d'autre qu'un débit de boisson dont le produit le plus intéressant était du cherry brandy, le second un vignoble (qui porte maintenant le nom de « Bloodwood ») exploité par Stephen Doyle, professeur à l'école d'agriculture d'Orange. Dès que je vis ces vignes magnifiques cultivées à une si haute altitude (1 000 m), je compris pourquoi Philip Shaw, le maître de chai du domaine Rosemount à Denman, m'avait dit la veille qu'il avait créé ici un vignoble pour son propre compte. Si Shaw, avec son expérience du raisin cultivé dans tout l'État, avait décidé d'acheter de la terre et d'y planter de la vigne, l'endroit devait être spécial. Son premier vin (Rosemount's Orange chardonnay) était un peu trop boisé, mais son fruit était tellement intense que son équilibre s'est amélioré de manière spectaculaire en bouteilles. Les autres cépages, merlot, cabernet sauvignon, sauvignon et syrah se plaisent beaucoup ici et je prédis qu'Orange produira un jour du pinot noir exceptionnel.

PORT MACQUARIE

Petite région vinicole en expansion où plusieurs vignobles existaient dans les années 1860. La production cessa vers 1930. C'est seulement lorsque John Cassegrain (qui travaillait autrefois chez Tyrrell's Vineyards) y créa un vignoble en 1980 que l'on recommença à y cultiver la vigne.

RIVERINA

Voir Région irriguée de Murrumbidgee

UPPER HUNTER VALLEY

Penfolds a joué un rôle de pionnier dans Upper Hunter Valley (haute vallée de la Hunter) dans les années 1960 et la région s'est fait connaître mondialement grâce à Rosemount Estate, de loin le plus grand domaine du secteur. C'est le Show Reserve chardonnay vanillé de Rosemount qui a créé la sensation sur le marché de l'exportation au début des années 1980. Ce succès fut confirmé par la suite avec le chardonnay, très concentré et plus complexe, de Roxburgh. Bien que la région soit aussi chaude que Lower Hunter Valley et la période de croissance similaire, le climat y est plus sec et l'irrigation du vignoble nécessaire. Pourtant, avec l'irrigation, un terrain alluvial fertile et un fort rendement – les deux derniers facteurs n'étant guère prometteurs –, on y fait quelques vins excellents. Le chardonnay et le pinot noir sont en expansion dans le vignoble et le merlot est de plus en plus mis à contribution pour des assemblages avec le cabernet sauvignon.

YASS VALLEY

Voir Canberra

LES PRODUCTEURS DE

NOUVELLE-GALLES DU SUD

ALLANDALE

Lower Hunter Valley

★½

Allandale est spécialisé en vins de divers vignobles sélectionnés.

✓ *chardonnay* • *sémillon*

ALLANMERE

Lower Hunter Valley

★

Propriété de l'Anglais Newton Potter, Allanmere produit également des vins sous l'étiquette Durham.

✓ *cabernet-syrah* • *chardonnay* • *sémillon*

ARROWFIELD WINES

Upper Hunter Valley

★½ V

La création de ce domaine remonte à 1824, année où le gouverneur Macquarie concéda cette terre à un nommé George Bowman. Le domaine appartient maintenant à un groupe japonais, mais les vins sont toujours élaborés comme autrefois par Simon Gilbert. Ils sont distribués sous différentes étiquettes : Arrowfield, Simon Gilbert, Simon Whitlam, Woolombi Brook.

✓ *chardonnay* (Reserve) • *sémillon*

BLOODWOOD

Orange

Appartient à Stephen Doyle, pionnier de la région. Les vins sont élaborés au domaine Reynolds Yarraman de Upper Hunter Valley.

✓ *cabernet-merlot* • *chardonnay* • *riesling* (en particulier le Ice Riesling).

BOTOBOLAR VINEYARD

Mudgee

½ V

L'altitude du vignoble, dont sont issus ces vins « biologiques » intéressants et de bonne qualité, est la plus élevée de la région de Mudgee. Botobolar élabore certains vins étranges comme un syrah de deux ans, refermenté sur des peaux de raisin frais!

✓ *marsanne* • *riesling* • *St. Gilbert* (assemblage syrah-cabernet) • *syrah*

BROKENWOOD

Lower Hunter Valley

★★½

Vins d'assemblage de bonne qualité sous l'étiquette Cricket Pitch et vins vraiment exceptionnels des vignobles Graveyard et Rayner à petits rendements.

✓ *cabernet sauvignon* (Graveyard Vineyard) • *sauvignon/sémillon* (Cricket Pitch) • *sémillon* • *syrah* (Graveyard Vineyard, Rayner Vineyard)

CANOBOLAS-SMITH

Orange

★★½

J'ai découvert récemment et avec délice ces vins complexes très mûrs, élaborés dès 1986 par Murray Smith. Encore une preuve des possibilités exceptionnelles de la région d'Orange.

✓ *alchemy* (assemblage classique de vins rouges) • *chardonnay*

CASSEGRAIN VINEYARDS

Port Macquarie

★ V

Entreprise créée en 1980 qui donne pourtant l'impression d'être encore en marge, sans doute en raison de la vigueur de l'air marin et de l'abondance des pluies. D'aucuns estiment que le climat maritime n'est guère propice à la viticulture et certains vins sont en effet décevants, mais quelques autres sont dignes d'intérêt et le mousseux expérimental est prometteur.

✓ *chardonnay* • *fromenteau-chardonnay* • *merlot* • *sémillon* • *syrah*

COWRA ESTATE

Cowra

On trouve au milieu du domaine un petit motel comptant quatre suites luxueuses et une piscine. Les vins sont élaborés par Simon Gilbert de l'entreprise Arrowfield Wines.

✓ *cabernet sauvignon* (Directors Club) • *chardonnay*

CRAIGMOOR WINERY

Mudgee

Craigmoor Winery a été rachetée en 1988 par Wyndham Estate, entreprise reprise à son tour en 1990 par l'immense groupe vinicole Orlando. Craigmoor est l'une des marques les plus anciennes existant encore, même si elle n'est aujourd'hui rien de plus qu'une des nombreuses étiquettes d'Orlando.

DE BORTOLI WINES

Murrumbidgee Irrigation Area

★ V

De Bortoli produit une abondance de vins modestes, vendus sous de nombreuses étiquettes, mais l'entreprise est aussi capable de faire en grands volumes d'excellents vins, notamment botrytisés. De Bortoli fait d'autre part quelques vins éblouissants à Yarra Valley et King Valley.

✓ *cabernet-merlot* (Yarra Valley) • *chardonnay* (Vat7, Windy Peak, Yarra Valley) • *muscat viné* (10 Years Old) • *sémillon* (Noble One) • *syrah* (Yarra Valley)

DOONKUNA ESTATE
Canberra

Domaine dirigé par Lady Jane, veuve de l'ancien gouverneur de l'État de Victoria, Sir Brian Murray. Elle a bénéficié au début des excellents conseils de ceux qu'elle a consultés, y compris Tony Jordan (qui travaille maintenant à Wirra Wirra), ce qui se remarque dans la régularité et la qualité des vins mentionnés ci-dessous.

✓ *cabernet sauvignon* • *chardonnay* • *syrah*

EVANS FAMILY
Lower Hunter Valley

★

Le vignoble personnel de Len Evans donne des vins de garde de chardonnay méritant d'être attendus.

✓ *chardonnay*

GLENGUIN
Lower Hunter Valley

Ⓥ

En baptisant ainsi cette entreprise vinicole créée récemment, Robin, Rita et Andrew Tedder ont voulu rendre hommage à leur grand-père, le général d'armée aérienne Tedder, fait baron par le roi George VI pour services rendus pendant la dernière guerre. Quand on lui demanda de choisir un nom, il suggéra Glenguin, qu'il avait repéré sur la carte sans se rendre compte qu'il ne s'agissait ni d'un village ni d'un domaine, mais d'une distillerie de whisky (maintenant Glengoyne)... J'ai fait la connaissance de Robin Tedder, troisième baron de Glenguin, à la *Weinstub* alsacienne de Jean-Marie Stoeckel, Le Sommelier, à Bergheim, où il me confia qu'il allait créer sa propre exploitation vinicole en Australie. Depuis, je m'intéresse à ses activités. Déguster son syrah à partir du millésime 1997 en vaudra la peine dès qu'il aura pris un peu de bouteille.

✓ *chardonnay* (particulièrement Unwooded) • *sémillon*

HELMS
Canberra

Le propriétaire Ken Helms a provoqué la consternation en publiant un article très documenté pour prouver que le phylloxéra était inoffensif dans les régions vinicoles bien irriguées.

✓ *cabernet-merlot*

HUNGEFORD HILL VINEYARDS
Lower Hunter Valley

Ⓥ

Cette entreprise a toujours assemblé des vins de Hunter Valley et de Coonawarra (distants de 1 100 km), ce qui reviendrait à mélanger un rioja avec un vin des grandes plaines de Hongrie... Hungeford Hill a été vendue à Southcorp dont c'est maintenant une des nombreuses marques. Le vin vendu sous cette étiquette vient d'un plus grand nombre de sources, mais principalement de Hunter Valley et des environs, et le résultat est aussi bon qu'autrefois.

✓ *syrah*

HUNTINGTON ESTATE
Mudgee

★Ⓥ

Après des études de droit, Bob Roberts a appris la viniculture en suivant les cours par correspondance d'une école britannique. Ce n'est peut-être pas une formation idéale, mais ses vins élégants, francs, charnus et bien équilibrés sont régulièrement meilleurs que ceux de ses concurrents mieux qualifiés.

✓ *cabernet sauvignon* • *sémillon*

LAKE'S FOLLY
Lower Hunter Valley

★☆

Cette entreprise est la passion de Max Lake, chirurgien à Sydney, qui a introduit le cabernet sauvigon et le chardonnay dans ce qui était alors le royaume de la syrah dans Hunter Valley. Il a aussi été le premier à utiliser du chêne neuf dans cette région. Il produit régulièrement des vins vifs, ensoleillés et élégants.

✓ *cabernet sauvignon* • *chardonnay*

LARK HILL
Canberra

☆

Vignoble le plus élevé de la région de Canberra.

✓ *riesling*

LINDEMAN'S WINES
Lower Hunter Valley

★★Ⓥ

Cette grande entreprise, dont le siège historique est dans Hunter Valley, fait maintenant partie de Southcorp et produit des vins venant de presque toutes les régions, dont la qualité est notée de bonne à excellente. Ceux de Padthaway (Australie méridionale) sont les plus brillants et quelques vieux millésimes de Hunter Riesling (vins de sémillon, *voir* Lower Hunter Valley, p. 522) sont étonnants.

✓ *cabernet-merlot* (Padthaway) • *chardonnay* (Classic Release, Coonawarra, Padthaway) • *Pyrus* (style bordeaux classique) • *riesling* (Nursery Vineyard Coonawarra, Padthaway Botrytis) • *sémillon* (Classic Release) • *syrah* (Bin 50, Nyrang) • *syrah-cabernet* (Limestone Ridge) • *verdelhao* (*sic* - Padthaway)

MCWILLIAM'S MOUNT PLEASANT
Upper Hunter Valley

☆Ⓥ

Mount Pleasant fait partie du vaste réseau d'entreprises vinicoles de McWilliam's Wines qui en compte aussi à Brand (Coonawarra), Lillydale (Yarra Valley), Barwang (Hilltop's Region) et Hanwood/Yenda (Riverina). Ses vins présentent un excellent rapport qualité/prix et le Mount Pleasant Elizabeth, élevé dans le chêne est l'un des meilleurs sémillons d'Australie.

✓ *chardonnay* • *sémillon* (Elizabeth) • *mousseux* (Brut)

MIRAMAR WINES
Mudgee

★Ⓥ

Vins de bonne qualité du style riche et opulent de Mudgee.

✓ *cabernet sauvignon* • *chardonnay* • *sémillon*

MONTROSE WINES
Mudgee

★

Appartient au groupe Orlando et produit des vins de qualité.

✓ *aleatico* (Reserve Classico) • *cabernet-merlot* • *chardonnay* • *Poets Corner* (vin blanc d'assemblage) • *sauternes*

PANKHURST
Canberra

★

Créé en 1986 par Allan et Christine Pankhurst qui produisent le pinot noir le plus réputé de Canberra. Le cabernet sauvignon peut être bon.

✓ *pinot noir*

PETERSONS WINES
Lower Hunter Valley

☆

Après des difficultés au début des années 1990, Petersons produit de nouveau des vins de qualité.

✓ *chardonnay*

REYNOLDS YARRAMAN ESTATE
Upper Hunter Valley

☆

Autrefois appelé « Wybong Estate », appartient aujourd'hui à Jon Reynolds, ex-vinificateur de Houghton, qui possède aussi des vignobles dans la région d'Orange.

✓ *cabernet-merlot* • *chardonnay*

ROSEMOUNT ESTATE
Denman

★★Ⓥ

Une parfaite maîtrise des techniques vinicoles et une politique d'exportation agressive ont fait de Rosemount une des entreprises de pointe sur le marché international. La curiosité toujours en éveil et l'ardeur au travail de Philip Shaw et de Chris Hancock assurent cette position.

✓ *cabernet-sauvignon* (notamment Coonawarra Show Reserve, Kirri Billi) • *chardonnay* (notamment Orange, Roxburgh, Show Reserve) • *merlot* (Kirri Billi) • *sémillon* (Wood Matured) • *syrah* (McClaren Vale) • *syrah* (Balmoral)

ROTHBURY ESTATE
Lower Hunter Valley

★★Ⓥ

Société anonyme qui a maintenu, sous la présidence de l'ancien propriétaire, Len Evans, une qualité extraordinaire, malgré un gros volume de production et le rachat d'autres entreprises vinicoles (Bailey's, St. Huberts et Saltram). Evans est parti en 1966.

✓ *chardonnay* (Barrel Fermented) • *sémillon* (Reserve) • *syrah* (en particulier Reserve)

SOUTHCORP
Millers Point

La création de Southcorp date de 1994, après l'acquisition de Lindeman's par Penfolds et la reprise de l'ensemble par les propriétaires de Seppelt. Outre ces trois marques renommées, ce groupe énorme contrôle également Leo Buring, Coldstream Hills, Devil's Lair, Great Western, Hungeford Hill, Kaiser Stuhl, Killawarra, Matthew Lang, Minchinbury, Queen Adelaïde, Rouge Homme, Ryecroft, Seaview, Tollana, Tulloch, Woodley, Wynns, Wynvale, Loxton (vins à faible taux d'alcool) et le restaurant Lapérouse à Paris.

TRENTHAM ESTATE
Murray River

★☆Ⓥ

Belle qualité, régularité et rapport qualité/prix étonnamment favorable caractérisent les vins rouges.

✓ *merlot* • *syrah*

TULLOCH
Lower Hunter Valley

Autrefois une des entreprises les plus traditionnelles de Hunter Valley, Tulloch n'est plus guère qu'une des nombreuses marques de Southcorp. Toutefois la qualité des vins est en général bonne.

TYRRELL'S VINEYARDS
Lower Hunter Valley

Cette vielle entreprise est restée familiale jusqu'à aujourd'hui. Certains critiques estiment à tort que le chardonnay Vat 47 n'est plus aussi exceptionnel qu'il le fut dans les décennies 1970 et 1980, non pas que sa qualité ait décru mais l'on élabore maintenant en Australie de nombreux grands chardonnays. Les meilleurs vins de Tyrrell sont toujours inconditionnellement riches et complexes qu'ils l'ont toujours été.

✓ *cabernet-merlot* (Old Winery) • *chardonnay* (Vat 47) • *sémillon* (Vat 1) • *syrah* (Old winery, Vat 7)

WYNDHAM ESTATE WINES
Lower Hunter Valley

Wyndham, qui fait partie du groupe français Orlando, est une excellente source de vins d'un bon rapport qualité/prix.

✓ *chardonnay* (Bin 222, Oak Cask – « fût de chêne »)

VICTORIA ET TASMANIE

En Tasmanie, région vinicole la plus récente d'Australie, et à Victoria, une des plus anciennes et des plus traditionnelles –surtout réputée pour ses muscats et ses tokays liquoreux très doux –, la qualité des vins ne cesse de croître. Ces deux régions offrent une gamme de styles plus étendue que ce qu'on peut trouver ailleurs sur le continent.

Ces deux régions font des vins allant de cabernets sauvignons profondément colorés aux arômes de cassis à quelques pinots noirs étonnamment élégants, de vins blancs légers et délicatement aromatiques aux chardonnays et sémillons riches, boisés et pourtant finement structurés, auxquels il faut ajouter ces vins effervescents dont la réputation ne cesse de s'affirmer.

VICTORIA

John Batman fonda Melbourne en 1834 et, quatre ans plus tard, William Ryrie, un éleveur de bétail, planta le premier vignoble de Yarra Valley sur un site connu aujourd'hui sous le nom de Yering.

PIPERS BROOK VINEYARD, EN TASMANIE
Une des deux entreprises vinicoles (l'autre étant Heemskerk) qui dominent la région de Pipers Brook, la plus prometteuse de Tasmanie.

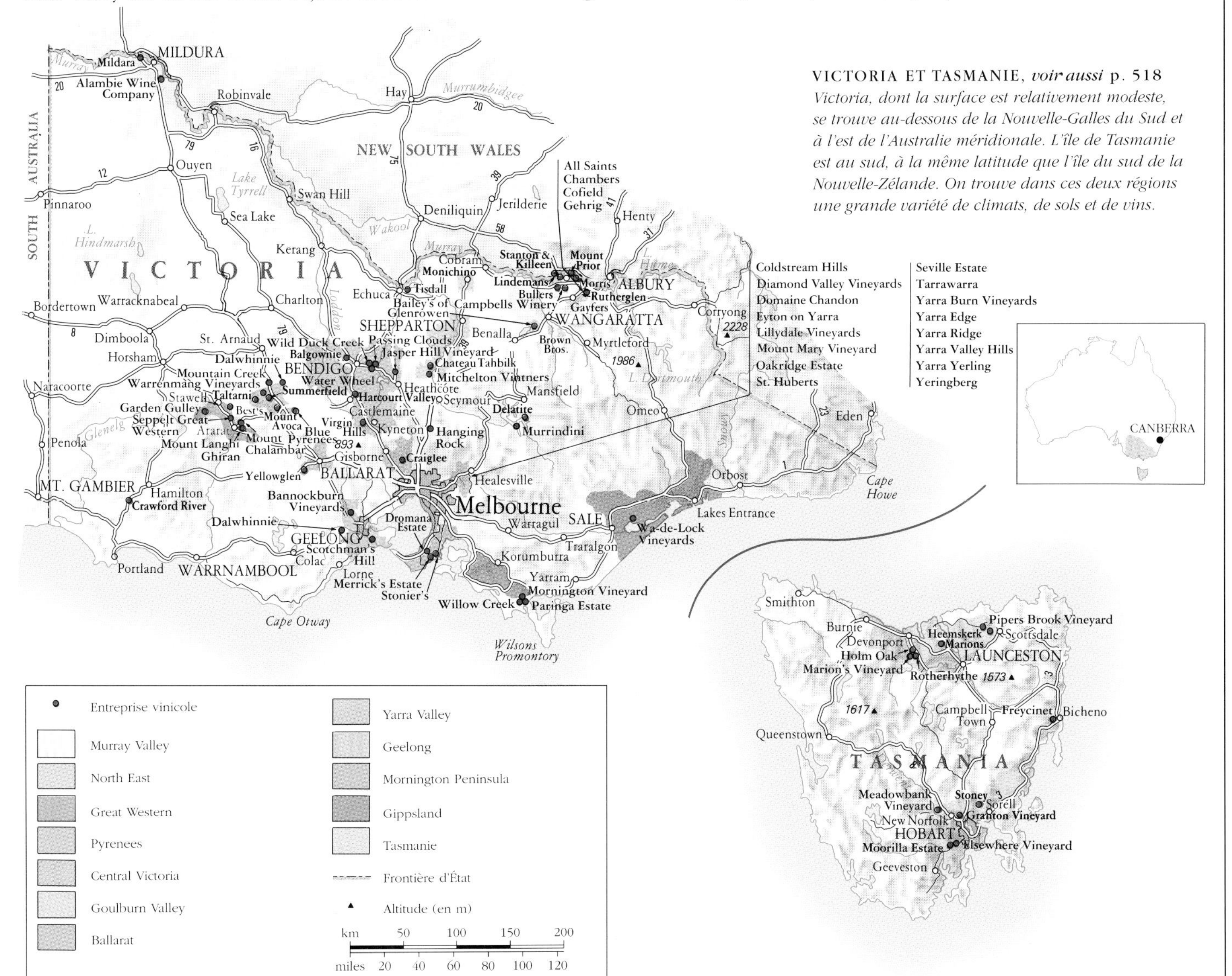

VICTORIA ET TASMANIE, *voir aussi* p. 518
Victoria, dont la surface est relativement modeste, se trouve au-dessous de la Nouvelle-Galles du Sud et à l'est de l'Australie méridionale. L'île de Tasmanie est au sud, à la même latitude que l'île du sud de la Nouvelle-Zélande. On trouve dans ces deux régions une grande variété de climats, de sols et de vins.

CHÂTEAU TAHBLICK, GOULBURN VALLEY
Entreprise vinicole célèbre du XIXe siècle. Ses cabernets les plus tanniques exigent au moins dix ans en bouteilles pour s'assouplir.

Il y eut deux événements primordiaux pour l'histoire vinicole de Victoria : en 1839, la nomination comme préfet de Melbourne de Charles La Trobe, d'origine suisse; en 1846, ce dernier fait venir de son canton d'origine, Neufchâtel, onze vignerons qui établirent les fondations de la future industrie vinicole de Victoria en se fixant dans la région de Geelong et en plantant des vignobles autour de leurs demeures.

TASMANIE

Bien que l'industrie vinicole de Tasmanie soit de création récente, les premières vignes furent plantées dans l'île en 1823, à Prospect Farm, par Bartholomew Broughton, un extraordinaire bagnard grâcié qui finit par acquérir des terres d'une certaine importance. En 1827, la qualité de ses vins incita le *Colonial Times* à les confronter à ceux de Gregory Blaxland dont le premier vin, produit dans son domaine de Parramatta River, non loin de Sydney, fut primé et exporté. Le journal relata qu'un certain docteur Shewin, après avoir dégusté le fameux vin de Blaxton et celui de bourghton, avait jugé que le second lui était « encore plus supérieur qu'un bon porto comparé à de la piquette ». Les bagnards étaient traités si durement dans les pénitenciers britanniques des colonies que Broughton ne jouit pas longtemps de sa liberté retrouvée puisqu'il s'éteignit en 1828 à l'âge de trente-deux ans. Mais il avait fait des émules puisqu'en 1865, on ne compta pas moins de quarante-cinq cépages différents, cultivés en divers endroits de l'île. Le capitaine Charles Swanston avait acquis le domaine de Bourghton, mais son successeur ne s'intéressait pas à la viticulture. Une faillite personnelle et la ruée vers l'or firent le reste : vers 1870, il ne restait pour ainsi dire plus de vignobles sur l'île. Mis à part un retour éphémère de la viticulture dans les années 1880, on ne fit plus de vin en Tasmanie jusqu'à la renaissance d'une industrie vinicole dans les années 1950, sous l'impulsion du Français Jean Miguet.

Miguet n'était pas vigneron : il était venu en Tasmanie pour prendre part à la construction d'une usine hydroélectrique. Son lieu de résidence, à La Provence, au nord de Launceston, lui rappelait sa Haute-Savoie natale; un massif forestier le protégeant des vents océaniques, il pensa que du raisin pourrait y mûrir suffisamment et défricha une ronceraie pour y planter un vignoble. Sa réussite incita un autre Européen, Claudio Alcorso, à en créer un en 1958, au bord d'une rivière, la Dervent. Le domaine Moorilla établi par Alcorso est toujours prospère, mais la maladie obligea Miguet à abandonner le sien quinze ans après sa création et à retourner en France où une leucémie l'emporta en 1974.

Trente ans après, l'industrie vinicole en Tasmanie est encore de taille modeste, mais de grande qualité. Sa destinée est de produire le vin blanc le plus aromatique d'Australie et, très probablement, certains des meilleurs vins effervescents obtenus par seconde fermentation en bouteilles. Pour les vins rouges, le pinot noir paraît être le cépage idéal.

GREAT DIVIDING RANGE, VICTORIA
Les vignobles tapissent le grand plateau du Victoria, au pied du Great Dividing Range qui s'étire sur 300 km.

FACTEURS DU GOÛT ET DE LA QUALITÉ

EMPLACEMENT
Victoria est le plus petit des États de l'Australie continentale, situé dans l'angle sud-est du pays. L'île de Tasmanie se trouve au sud de Victoria, dont elle est séparée par le détroit de Bass, large de 160 km.

CLIMAT
Le climat de Victoria est extrêmement varié, allant du climat continental très chaud au nord-ouest, dans la région de Mildura, au climat côtier tempéré sur les hauteurs de Yarra Valley. Quant à celui de l'île de Tasmanie, il est nettement plus froid.

SITES
On cultive la vigne sur toutes sortes de terres, des plaines plates ou onduleuses à basse altitude où l'on produit une grande quantité de vins de consommation courante, aux pentes plus marquées choisie pour les vins de qualité, où la vigne grimpe jusqu'à une altitude de 500 m voire plus.

SOLS
Les sols de Victoria sont extrêmement variés. La terre rouge du nord-est engendre les fameux vins vinés; les sols alluviaux sableux du bassin de la Murray conviennent aux vignes à haut rendement donnant surtout des vins en vrac; le sol des Pyrenees, graveleux et riche en quartz et schiste sur un sol argileux, donne des vins de grande qualité; celui de la région de Geelong est peu drainé. En Tasmanie, les vignobles occupent des sols argileux.

VITICULTURE ET VINIFICATION
Victoria est le seul État à avoir été totalement dévasté par le phylloxéra (1875-1881). Ainsi, toutes les vignes de Victoria, contrairement à celles de l'Australie méridionale, doivent être greffées sur des plants américains. On y met en œuvre des techniques vinicoles de haut niveau. Le Nord-Est était traditionnellement la région de production des vins de dessert, mais ici comme ailleurs en Australie, les producteurs ont recherché des secteurs jouissant d'un climat plus frais pour la production de vins de cépage de grande qualité, en expansion depuis le début des années 1970. Les célèbres mousseux de la région Great Western ont souffert de la concurrence de ceux de la région de Bendigo, à l'est, réalisés sous influence française. La Tasmanie, dont le climat frais convient aux cépages clasiques, s'est aussi lancée dans les mousseux. Culture et vinification évoluent constamment grâce à de nouvelles petites entreprises à la recherche de leur propre style.

CÉPAGES
Cabernet blanc, cabernet sauvignon, chardonnay, chasselas, chenin blanc, cinsault, dolcetteo, folle blanche, frontignan, gewurztraminer, malbec, marsanne, mataro, merlot, müller-thurgau, muscat d'alexandrie, pinot meunier, pinot noir, riesling, rubired, sauvignon, syrah, sémillon, tokay, traminer, troia.

LES RÉGIONS VINICOLES DE
VICTORIA ET TASMANIE

AVOCA
Ancien nom donné aux vignobles situés autour du mont Avoca, de Redbank et de Moonanbel. *Voir aussi* Pyrenees.

BALLARAT
Cette région est située dans Central Victoria, à quelque 120 km au nord-ouest de Melbourne. On trouve des vignobles à 430 m d'altitude, à Scarsdale, Creswick et Ballan. Le climat est plus frais que celui de Bendigo. Ballarat pourrait devenir une des meilleures régions d'Australie pour les vins effervescents.

BAROOGA
Voir Murray River

BENDIGO
Le climat de Bendigo, dans Central Victoria au nord de Ballarat, à environ 160 km au nord-ouest de Melbourne, est sec. Pourtant, quelques vignobles seulement sont irrigués. Pour survivre, la plupart des vignes doivent enfoncer leurs racines profondément dans le sous-sol. On a commencé à en cultiver ici au moment de la ruée vers l'or des années 1850. Les principaux secteurs vinicoles sont Baynton, Big Hill, Bridgewater, Heathcote, Harcourt, Kingower, Maiden Gully, Mandurang et Mount Ida. Surtout réputée pour ses vins rouges aux arômes de menthe poivrée et d'eucalyptus, Bendigo bénéficie d'une terre rouge ferrugineuse et quartzeuse qui donne d'excellents syrahs, mais le cabernet sauvignon et le chardonnay s'y plaisent aussi.
Le domaine Chandon – Green Point sur le marché de l'exportation – a prouvé que l'on peut y faire des vins effervescents de grande qualité.

BEVERFORD
Voir Murray River

CENTRAL VICTORIA
La désignation générique Central Victoria s'applique à plusieurs régions viticoles distinctes dont les plus importantes sont Bendigo, Ballarat et Macedon.

COASTAL VICTORIA
Région côtière à l'est de Melbourne comprenant East Gippsland et South Gippsland, plus souvent appelée « Gippsland », elle revit dans les années 1970 quand Dacre Stubbs planta le vignoble Lulgra. Mis à part quelques bons vins – cabernet sauvignon, pinot noir et chardonnay – élaborés parfois par une ou deux petites entreprises, la région ne s'est guère distinguée jusqu'à maintenant.

DRUMBORG
Région isolée dans le sud-ouest de Victoria, surtout connue pour les installations édifiées par Seppelt dans les années 1960, époque à laquelle cette grande entreprise cherchait de nouvelles sources de raisin pour sa production croissante de vins effervescents. Le sol y est volcanique et le climat si froid que certains cépages mûrissent difficilement. Il est donc surprenant que l'on réussisse à y produire un bon cabernet sauvignon. Le riesling et le traminer s'y plaisent également. Un certain nombre d'autres entreprises vinicoles s'y sont installées depuis.

EAST GIPPSLAND
Voir Coastal Victoria

GEELONG
Les vignobles côtiers de cette région située au sud de Ballarat, qui se prolongent maintenant dans l'arrière-pays de Corio Bay, avaient été créés au milieu du XIXe siècle par des vignerons suisses. Ils avaient disparu quand on leur redonna vie en 1966, avant même que d'autres régions vinicoles ne fussent redécouvertes, notamment quand les Sefton plantèrent le vignoble d'Idyll. La combinaison d'un climat frais et d'un sol volcanique donne des vins à l'acidité suffisante, révélant bien le caractère du cépage.

GIPPSLAND
Voir Coastal Victoria

GLENROWAN
Cette région, qui fait partie de la désignation générique North East, est plus connue hors d'Australie sous le nom de « Milawa », adopté par l'entreprise Brown Brothers pour les vins qui sont essentiellement exportés, alors que les autres producteurs préfèrent « Glenrowan ». Bien qu'elle soit spécialisée dans les vins de dessert, certains producteurs tels Koombahla et Meadow Creek font un cabernet sauvignon vif, à l'arôme de cassis, ainsi que d'autres vins de cépage excellents.

GOULBURN VALLEY

Pendant des années, l'excellent château-tahbilk fut le seul vin de qualité de cette région vinicole traditionnelle située à 120 km au nord de Melbourne. D'autres entreprises vinicoles se sont fait connaître depuis une dizaine d'années. Le cabernet sauvignon remporte ici la palme, soit comme vin de cépage, soit associé à la syrah. Le chardonnay et le riesling peuvent être éblouissants et Mitchelton produit un excellent vin de marsanne élevé dans le bois.

GREAT WESTERN
La création récente de nouveaux vignobles a donné un regain d'intérêt à cette région de Central Victoria, connue depuis longtemps pour ses vins effervescents. Les meilleurs vins de la nouvelle génération sont un chardonnay délicieusement nerveux et délicat et un riesling vif et épicé. Montara, Mount Chalambar et Seppelt Great Western sont les meilleurs producteurs.

IRYMPLE
Voir Murray River

KARADOK
Voir Murray River

LAKE BOGA
Voir Murray River

LINDSAY POINT
Voir Murray River

MACEDON
Ce secteur de la région de Central Victoria est en expansion, comptant 90 ha de vignobles dans les environs de Mount Macedon, Sunbury, Romsey, Lancefield et Kyneton. La composition du sol et la topographie sont très variables, le seul point commun étant la violence des vents. Cabernet sauvignon, chardonnay et riesling sont les cépages qui ont le mieux réussi jusqu'à présent. Les meilleures entreprises sont ici Craiglee Vineyard et Virgin Hills.

MERBEIN
Voir Murray River

MID-MURRAY
Sous-région de Murray River, elle comprend les secteurs de Swan Hill, Lake Boga et Mystic Park. *Voir aussi* Murray River.

MILAWA
Milawa et Glenrowan désignent la même région vinicole, encore que Milawa devrait théoriquement se rattacher aux environs immédiats de la localité portant le même nom et Glenrowan au secteur plus vaste situé sur la rive orientale du lac Mokoan. *Voir aussi* Glenrowan.

MILDURA
À ne pas confondre avec les vins du grand groupe vinicole Mildara-Blass. Mildura, dans la région de Murray River, est un vaste secteur irrigué de grande production. *Voir aussi* Murray River.

MORNINGTON PENINSULA
Après des tentatives infructueuses dans les années 1950, un certain nombre de viticuleurs se sont installés dans le secteur dominant Port Phillip Bay, au sud de Melbourne, mais quelques-uns seulement vinifient eux-mêmes leur raisin. Pour autant que les vignobles soient bien protégés des vents violents qui balaient la baie, le climat frais et souvent humide de la péninsule est propice à la production de vins de grande qualité.

MURRAY RIVER
Cette région porte le nom d'un des grands fleuves vinicoles d'Australie. En amont, on trouve Rutherglen, cœur de l'industrie vinicole de Victoria et, juste en aval, le Riverland, « tonneau sans fond » de l'Australie méridionale. La région de Murray River, qui regroupe plusieurs secteurs vinicoles généralement irrigués, situés sur le cours moyen du fleuve, compte deux sous-régions : Sunraysia (Mildura, Robinvale, Merbein, Irymple et Karadoc) et Mid-Murray (Swan Hill, Lake Boga et Mystic Park). La plupart des entreprises sont relativement récentes et produisent du vin en vrac à grand rendement et de qualité honnête ainsi qu'une gamme de chardonnays et de sauvignons plus respectables. La qualité devrait progresser au fur et à mesure que les vignes prendront de l'âge – la plupart ont été plantées dans les années 1970 – et les entreprises vinicoles devraient diversifier leur production avec des vins en édition limitée se situant plus haut sur l'échelle de qualité.

MYSTIC PARK
Voir Murray River

NORTH EAST
Les régions de Rutherglen et Milawa/Glenrowan forment le cœur de l'industrie vinicole de

Victoria. Groupées dans le terme générique North East, elles sont particulièrement renommées pour leurs vins de dessert vinés. Elles sont en pleine mutation car les vignobles ont été déplacés sur les collines où un climat plus frais permet la production de bons vins de cépage. Cependant, les grands vins de dessert sont toujours aussi fabuleux. *Voir aussi* Rutherglen et Glenrowan.

PYRENEES

Portant naguère le nom d'Avoca, les vignobles situés autour de Mount Avoca, Redbank et Moonambel forment l'appellation Pyrenees, mais leur ancien nom restera sans doute en usage encore un certain temps. Pyrenees, nom d'une chaîne de montagnes proche bien connue, a été choisi par les producteurs de la région pour faciliter la commercialisation de leurs vins. À l'origine, Avoca était surtout réputée pour des vins rouges séduisants caractérisés par leur arôme de menthe. Grâce aux efforts de Taltarni et Château Remy, la région se forge vite une réputation de contrée de vins blancs, notamment pour ses vins de riesling, de sauvignon, ses vins effervescents et, plus récemment, ses vins de chardonnay.

ROBINVALE

Voir Murray River

RUTHERGLEN

La région de Rutherglen, à laquelle on rattache souvent le secteur de Milawa/Glenrowan, a toujours été le cœur de la région North East et l'âme de l'industrie vinicole de Victoria. Elle compte un grand nombre de vignobles et d'entreprises groupées de part et d'autres de la grand-route de Murray Valley, entre Lake Mulwala et Albury, sur la rive gauche de la Murray. On cultive également la vigne sur l'autre rive du fleuve, en Nouvelle-Galles du Sud. Quand un système d'appellation officiel sera institué à l'échelle de l'Australie, les vignobles des deux rives devraient logiquement être associés dans une même appellation. Une production de vins plus légers très intéressants se développe à Rutherglen où des vignerons innovateurs ont créé des vignobles sur des sites plus frais. Les vins de chardonnay et sémillon sont francs et vifs, le gewurztraminer réussit bien et d'autres cépages, durif, carignan, syrah et cabernet, paraissent prometteurs. Pourtant la région de Rutherglen reste celle des plus grands vins de dessert d'Australie. Ses muscats et tokays vinés sont toujours inégalés.

SOUTH GIPPSLAND

Voir Coastal Victoria

SUNRAYSIA

Sous-région de Murray River formée par les secteurs de Mildura, Robinvale, Merbein, Irymple et Karadoc. *Voir aussi* Murray River.

SWANN HILL

Voir Murray River

TASMANIE

La Tasmanie jouit du climat le plus tempéré de toute l'Australie. Les premières vignes ont été plantées dans cette île qui portait alors le nom de Terre de Van Dieman, et ce, en 1823 à Prospect Farm, près de Hobart, mais elles ont été abandonnées peu après. L'activité viticole a repris progressivement en Tasmanie dans les années 1950 et l'espoir d'une reconnaissance internationale est né à la fin des années 1980 quand la maison champenoise Louis Roederer s'associa avec Heemskerk pour produire un vin effervescent haut de gamme étiqueté Jansz; mais Roederer s'est retiré en 1994 quand la rumeur se répandit que le raisin refusait de mûrir. Les meilleurs vins de Tasmanie ont été jusqu'à maintenant du chardonnay très aromatique, du riesling et du pinot noir. On a même réussi à faire du bon cabernet sauvignon.

YARRA VALLEY

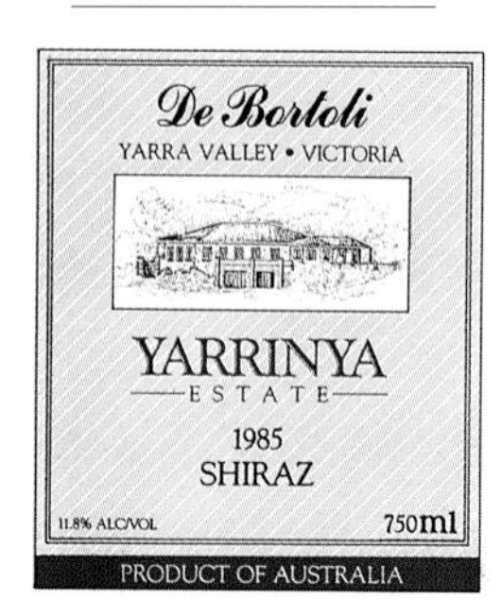

Les vignes cultivées sur le sol gris et rouge des vignobles créés récemment dans cette région bénéficient de l'enrichissement dû aux anciens élevages de moutons et d'un des climats les plus frais d'Australie. La saison de mûrissement est longue et les rendements faibles. Certains des viticulteurs les plus talentueux du pays ont su tirer parti de ces facteurs pour des chardonnays et cabernets sauvignons excellents, des rieslings acérés et des pinots noirs pleins d'intérêt.

LES PRODUCTEURS DE

VICTORIA ET DE TASMANIE

ALAMBIE WINE COMPANY

Mildura

✫

Les vins de cette entreprise sont étiquetés Castle Crossing, Milburn Park et Salisbury Estate.

✓ *chardonnay* (Show Reserve) • *mousseux* (Milburn Park Brut)

ALL SAINTS

Rutherglen

★✫Ⓥ

Repris en 1992 par Brown Brothers, All Saints est devenu son spécialiste de vins vinés.

✓ *madère* (Show Reserve) • *porto* (Vintage, Old Tawny) • *xérès* (Show Reserve Amontillado) • *mousseux* (Cabernet Sauvignon) • *tokay* (Show Reserve)

BAILEYS OF GLENROWAN

Glenrowan

★★

Fait maintenant partie du groupe Rothbury, mais continue à produire des vins de dessert riches et étonnants.

✓ *muscat viné* (Founder, Winemaker's Selection) • *syrah* (1920s Block) • *tokay viné* (Winemaker's Selection)

BALGOWNIE

Ballarat-Bendigo

❷

Balgownie appartient maintenant à Mildara-Blass. Après une période irrégulière au début de la décennie 1990, Balgownie semble réussir de nouveau les vins rouges, mais les blancs sont décevants.

✓ *cabernet sauvignon* (Estate) • *syrah* (Estate Hermitage)

BANNOCKBURN VINEYARDS

Geelong

★✫Ⓥ

L'expérience acquise par le vinificateur Gary Farr en Bourgogne, au domaine Dujac, se traduit dans la finesse des vins de Bannockburn, qui sont probablement mieux appréciés en Europe qu'en Australie.

✓ *cabernet-merlot* • *chardonnay* • *pinot noir* • *syrah*

BEST'S WINES

Great Western

★Ⓥ

Gamme étendue dont quelques joyaux comme un étonnant syrah et un délicieux riesling à l'arôme de citron vert avec des nuances de zeste.

✓ *shiraz* (Bin 0) • *riesling*

BLACKJACK VINEYARD

Bendigo

✫Ⓥ

Ce vignoble porte le surnom d'un marin américain qui abandonna son navire dans les années 1850 pour participer à la ruée vers l'or.

✓ *syrah*

BLUE PYRENEES

Avoca

✫

Le mousseux du vinificateur français Vincent Gere fut plutôt doux jusqu'au millésime 1990, puis il fut élaboré en sec. Il était autrefois vendu sous l'étiquette château-remy.

✓ *mousseux* (Vintage Reserve)

BROWN BROTHERS

Milawa

★✫Ⓥ

La taille de cette entreprise familiale est trompeuse, jusqu'à ce que vous parcouriez ses installations de « micro-vinification », plus vastes et mieux équipées que 70% des caves de vinification que je visite régulièrement. Les gros problèmes de la micro-vinification sont notamment la détermination de la taille minimale des cuves de fermentation et le contrôle de leur température. C'est pourquoi les brasseurs amateurs ne font que rarement une bonne bière et que la plupart des vins élaborés dans les stations de recherche sont fades et sans intérêt alors que les résultats de leurs travaux, appliqués à une plus grande échelle, sont souvent passionnants. Chez Brown Brothers, les cuves de micro-

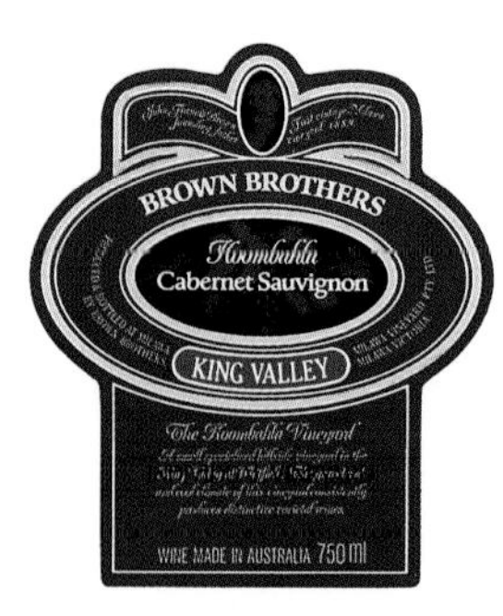

vinification sont disposées en batterie et donnent des vins aussi techniquement irréprochables que ceux des meilleures entreprises vinicoles. De fait, Brown Brothers est l'un des producteurs d'Australie les plus innovateurs. Les vignobles de Whitland sont frais et leurs vins délicats et nerveux; ceux de King Valley sont plus chauds, ce qui convient aux vins rouges et même le riesling, auquel on donne une certaine opulence pour plaire aux amateurs de chardonnay, est réussi, et ce, contre toute attente. Les vins d'assemblage sont souvent les meilleurs. Brown Brothers possède également All Saints.

✓ *cabernet sauvignon* (surtout Classic Vintage Release) • *chardonnay* (Family Reserve) • *colombard* • *durif* • *muscat viné* • *tokay viné* (Very Old) • *muscat* (Blanc, Late Harvest, Orange) • *porto* (Very Old, Vintage) • *riesling* (King Valley, Noble, Whitland) • *syrah* • *mousseux* (pinot chardonnay brut)

BULLER
Rutherglen

★

Ne vous intéressez qu'aux merveilleux vins vinés.

✓ *muscat viné* (Museum Release) • *tokay viné* (Museum Release)

CAMPBELLS WINERY
Rutherglen

★★

Spécialiste éblouissant des vins vinés, s'est diversifié avec la production d'admirables vins de cépage.

✓ *cabernet merlot* • *chardonnay* (Bobbie Burns) • *durif* (The Barkly) • *muscat viné* (surtout Merchant Prince) • *tokay viné* (surtout Isabella) • *pedro ximénez* • *sémillon* (Limited Release) • *syrah* (Bobbie Burns)

CHAMBERS
Rutherglen

★★

Bill Chambers est l'un des grands producteurs de vins vinés.

✓ *muscat viné* (surtout Old) • *tokay viné* (surtout Old)

CHÂTEAU TAHBILK
Goulburn Valley

✩

Plus vieux producteur de Victoria, élaborant des vins très traditionnels qui se bonifient toujours en bouteilles.

✓ *cabernet sauvignon* • *marsanne*

COFIELD
Rutherglen

★

Production limitée de mousseux rouges de grande qualité.

✓ *mousseux* (syrah)

COLDSTREAM HILLS
Yarra Valley

Doyen des écrivains spécialistes du vin d'Australie, James Halliday a cédé son domaine, réputé pour son beau pinot noir et son chardonnay classique, à Southcorp, mais il le dirige toujours. Halliday élabore également quelques vins sélectionnés éblouissants étiquetés à son nom. Son secret est la recherche obstinée de la longueur en bouche, de l'élégance et de la finesse plutôt que celle de la corpulence et de la puissance.

✓ *cabernet-merlot* • *cabernet sauvignon* (James Halliday) • *chardonnay* • *pinot noir*

CRAIGLEE
Macedon

✩

Célèbre pour son bâtiment de quatre étages du XIXe siècle en pierre bleuâtre. Entreprise ressuscitée en 1976 par Pat Carmody.

✓ *syrah*

CRAIGOW
Tasmanie

✩

Vins de qualité surprenante élaborés ici par Barry Edwards, un chirurgien qui pratique à Hobart.

✓ *pinot noir*

CRAWFORD RIVER
Western District

Domaine créé en 1982 par John Thomson qui s'est vite forgé une réputation pour son riesling, notamment botrytisé, mais dont le cabernet est maintenant plus homogène.

✓ *cabernet sauvignon*

DALWHINNIE
Pyrenees

★

Vins extrêmement riches et bien structurés, régulièrement produits par ce domaine qui jouxte Taltarni.

✓ *cabernet sauvignon* • *chardonnay* • *syrah*

DELATITE WINERY
Great Western

✩Ⓥ

Situé à Great Divide, Delatite a produit quelques vins d'un excellent rapport qualité/prix offrant toujours un fruit riche et épicé.

✓ *chardonnay* • *pinot noir* • *riesling*

DIAMOND VALLEY VINEYARDS
Yarra Valley

★✩

Le grand pinot noir de David Lance est réputé, mais il ne faut pas négliger ses autres vins.

✓ *chardonnay* • *pinot noir* • *sémillon-sauvignon*

DOMAINE CHANDON
Yarra Valley

★✩Ⓥ

L'entreprise australienne de Moët & Chandon a été créée après celle de Californie, mais elle l'a vite dépassée pour sa qualité, en grande partie grâce au talent de Tony Jordan. Ce dernier reconnaît toutefois qu'il a l'avantage de bénéficier des ressources de tout un continent, ce qui lui donne un choix plus étendu de matières premières de qualité. À l'exportation, les vins sont étiquetés « Green Point ».

✓ *mousseux* (Blanc de Blancs, Vintage Brut)

DROMANA ESTATE
Mornington Peninsula

★Ⓥ

Gary Crittenden produit de bons vins en progression, particulièrement sous l'étiquette « Schinus Molle ».

✓ *chardonnay* (Dromana) • *dolcetto* (Schinus Molle) • *nebbiolo* (Schinus Molle) • *riesling* (Schinus Molle) • *sauvignon* (Schinus Molle)

ELSEWHERE VINEYARD
Tasmanie

✩

Le pinot noir de Huon Valley, produit par Eric et Jette Phillips a remporté une médaille d'or au concours des vins de Tasmanie.

✓ *pinot noir*

EYTON ON YARRA
Yarra Valley

★✩

Les vins prometteurs que Tony Royal fait à Yarra Valley sont aussi opulents et élégants que l'on pourrait s'y attendre de cette région dans le vent.

✓ *cabernet-merlot* • *chardonnay* • *merlot* • *Sparkling* (pinot chardonnay)

FREYCINET
Tasmanie

★✩

Geoff Bull fait un cabernet sauvignon étonnamment bon et corpulent pour le climat froid de Tasmanie, mais ses chardonnay et pinot noir somptueux, admirablement vinifiés, sont d'une qualité encore supérieure.

✓ *cabernet sauvignon* • *chardonnay* • *pinot noir*

GARDEN GULLEY
Great Western

★

Le viticulteur Brian Fletcher, qui s'est formé chez Seppelt, dirige Garden Gulley, réputé pour ses vins effervescents.

✓ *mousseux* (Sparkling Burgundy)

GEHRIG
Rutherglen

★

Un des plus anciens vignobles de Victoria, qui appartient maintenant à Brian et Bernard Gehrig, réputé depuis longtemps pour ses vins vinés, mais le vin le plus remarquable est aujourd'hui un syrah élégant (non viné).

✓ *syrah*

GIACONDA
Wangaretta

★✩

Vins admirablement élaborés et très recherchés.

✓ *chardonnay* • *pinot noir*

HANGING ROCK
Macedon

★

La plus grande entreprise de la région dont les meilleurs vins sont des mousseux obtenus par seconde fermentation en bouteilles.

✓ *mousseux* (Brut)

HEEMSKERK
Tasmanie

★✩

Vers la fin des années 1980, la maison champenoise Louis Roederer s'est associée avec Heemskerk, mais a revendu sa participation en 1994, affirmant qu'un mûrissement suffisant du raisin était impossible. Selon ses anciens associés, ce n'était qu'un prétexte. Même si le climat de Tasmanie n'est pas le plus favorable, le raisin peut y mûrir, ce qu'a démontré le mousseux étiqueté « Jansz », produit ici par Roederer dès

le second millésime – le premier, 1989, avait souffert d'un défaut de vinification, mais les critiques n'en avaient pas moins été enthousiastes et tout le vin avait été vendu en trois mois. Roederer a cédé certainement ses parts en raison d'un besoin de liquidités pour ses investissements dans le Bordelais et au Portugal. Heemskerk appartient maintenant à Tamar Valley Wines, comme Rochecombe, acquis la même année.

✓ *chardonnay* • *Sparkling* (Jansz, depuis 1991)

HOLM OAK
Tasmanie

★

Nick Butler, spécialiste du vin rouge, qui joue parfois le rôle de viticulteur volant, fait un des meilleurs vins de cabernet sauvignon de Tasmanie.

✓ *cabernet sauvignon*

JASPER HILL VINEYARD
Bendigo

★

Vignoble surtout connu pour des vins de syrah, ou à base de syrah, amples, puissants et complexes.

✓ *syrah* (Georgia's Paddock) • *syrah-cabernet franc* (Emily's Paddock)

KARA KARA
Saint-Arnaud

★Ⓥ

Bien qu'il existe depuis 1997, je dois confesser que je ne connais Kara Kara que depuis peu de temps. Il semble faire de bonnes choses avec le sauvignon, seul ou en assemblage.

✓ *sauvignon* • *sauvignon-sémillon* (Fumé Blanc)

LILLYDALE VINEYARDS
Yarra Valley

★Ⓥ

Propriété de McWilliams, Lillydale produit un chardonnay riche et élégant, avantageux pour un vin de Yarra Valley. On m'a dit du bien de son gewurztraminer de ce vignoble, mais j'ai des doutes sur l'opinion des « Pays Neufs » et je compte vérifier personnellement.

✓ *chardonnay*

MARION'S VINEYARD
Tasmanie

★

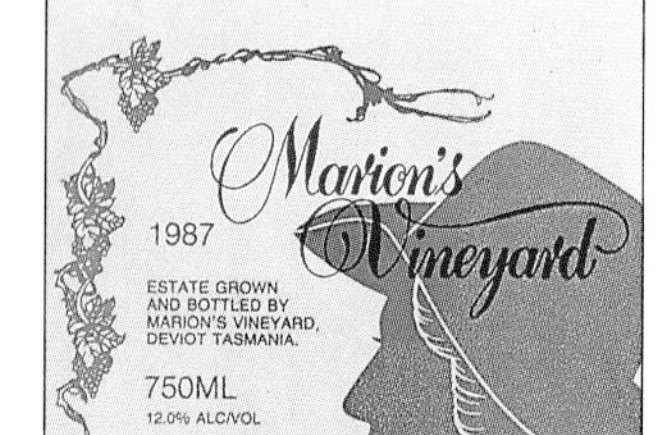

Mark et Marion Semmens ont créé cette entreprise à l'intérieur des terres, à Deviot, d'où l'on jouit d'une vue idyllique sur Tamar Valley.

✓ *cabernet sauvignon*

MEADOWBANK VINEYARD
Tasmanie

★

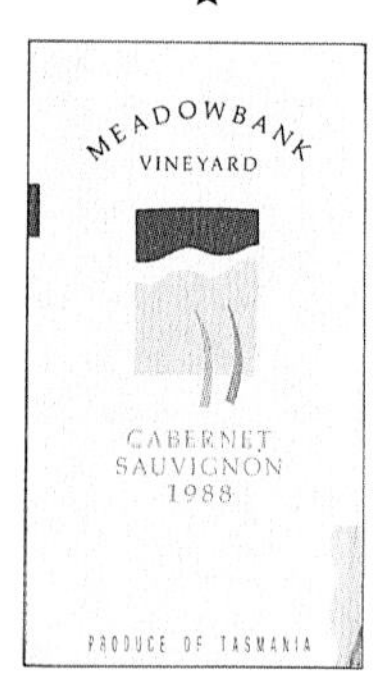

Greg O'Keefe produit un pinot noir classique à l'arôme de cerise juste au nord de Hobart.

✓ *pinot noir*

MERRICKS ESTATE
Mornington Peninsula

★☆

Un vin de syrah toujours étonnant !

✓ *syrah* • *cabernet sauvignon*

MILBURN PARK
Voir **Alambic Wine Company**

MILDARA-BLASS
Albert Park

Un des « quatre grands » d'Australie. Ce conglomérat fait des vins distribués sous les étiquettes suivantes : Alexanders, Balgownie, Benjamin Port, Black Opal, Eaglehawk, Andrew Garrett, Jamiesons Run, Kronendorf, Mildara Coonawarra, Tisdall, Wolf Blass et Yellowglen.

MITCHELTON VINTNERS
Goulburn Valley

★☆Ⓥ

Mitchelton a ajouté à ses marques, réputées pour un rapport qualité/prix parmi les plus favorables d'Australie, des vins d'assemblage dans le style du Rhône. Plus qu'un ou deux vins hors de prix de très haut de gamme pour qu'elle devienne imbattable.

✓ *marsanne* (Reserve) • *marsanne-viognier-roussanne* (III) • *merlot* (Chinaman's Ridge) • *syrah-mourvèdre-grenache* (III)

MOORILLA ESTATE
Tasmanie

★❷

Ce domaine, l'un des pionniers du vin de Tasmanie, a changé de propriétaire trente ans après sa création, mais propose toujours des chardonnays fabuleux et des rieslings émoustillants.

✓ *chardonnay* • *riesling* (y compris botrytisé) • *mousseux* (Vintage Brut)

MORRIS WINES
Rutherglen

★★Ⓥ

Mick Morris, une des personnalités marquantes du monde vinicole australien, possède des muscats et tokays vinés parmi les meilleurs de ce style – certains disent même que ce sont les plus grands. Morris Wines appartient maintenant à Orlando.

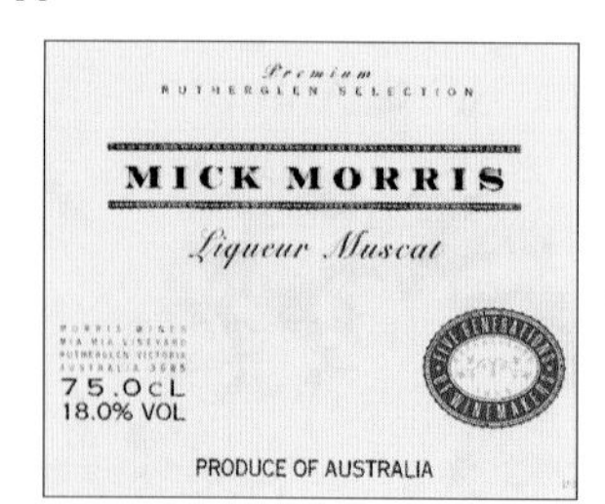

✓ *muscat viné* (en particulier Show Blend, Very Old) • *tokay viné* (en particulier Cellar Door, Old Premium, Show Blend)

MORNINGTON VINEYARD
Mornington Peninsula

★

Vignoble et entreprise vinicole récents, de taille modeste, qui produit un très bon chardonnay fumé-boisé.

✓ *chardonnay*

MOUNTAIN CREEK
Pyrenees

Un sauvignon riche, mûr et exotique peut être produit ici.

✓ *sauvignon*

MOUNT AVOCA VINEYARD
Avoca

☆

John et Matthew Barry, le père et le fils, font quelques vins admirablement fruités, mais ils se surpassent avec le sauvignon.

✓ *cabernet sauvignon* • *sauvignon* • *syrah*

MOUNT CHALAMBAR
Great Western

★Ⓥ

Vins du vignoble personnel de Trevor Mast, lequel possède aussi Mount Langhi Ghiran. Mount Chalambar produit des vins avec un goût et un arôme fruités intenses et une acidité nerveuse.

✓ *chardonnay* (Four Sisters) • *riesling* (Four Sisters)

MOUNT LANGHI GHIRAN
Great Western

★Ⓥ

On tire de ce vignoble des vins rouges de grande catégorie d'une richesse étonnante et extrêmement mûrs, particulièrement ceux de syrah.

✓ *merlot* • *syrah*

MOUNT MARY VINEYARD
Yarra Valley

★

Ce domaine ne produit qu'une petite quantité de vins rouges, mais d'une qualité exceptionnelle.

✓ *pinot noir* • *cabernet* (style bordeaux rouge)

MOUNT PRIOR VINEYARD
Rutherglen

Entreprise vinicole créée en 1860 et redynamisée en 1974, Mount Prior réussit le mieux les vins blancs.

✓ *chardonnay* • *muscat viné*

MURRINDINI
Murrindini

★☆Ⓥ

Vignoble minuscule situé entre Yarra Valley et Strathbogie Range. Son propriétaire, Hugh Cuthbertson, vinifie lui-même des vins d'une régularité et d'une qualité extraordinaires.

✓ *cabernet* (style bordeaux rouge) • *chardonnay*

OAKRIDGE ESTATE
Yarra Valley

☆

Il y a bien longtemps que je n'ai plus dégusté le cabernet sauvignon de Michael Zitslaff qui jouissait d'une réputation bien méritée, mais je me suis régalé récemment avec un chardonnay excellent.

✓ *chardonnay*

PARINGA ESTATE
Mornington Peninsula

★☆

Créé en 1985 par Lindsay McCall, ce domaine est l'une des étoiles montantes de la région.

✓ *pinot noir* • *syrah*

PASSING CLOUDS
Bendigo

★Ⓥ

Le nom de cette entreprise m'a rappelé que j'avais renoncé à fumer à l'âge de quatorze ans, après avoir été surpris par mon père avec une cigarette sortie d'un paquet de la marque Passing Cloud que j'avais acheté surtout parce que je le trouvais joli. J'ai eu grand plaisir à découvrir que Passing Cloud est aussi le nom d'un grand vin de syrah et cabernet.

✓ *syrah-cabernet*

PIPERS BROOK VINEYARD
Tasmanie

★☆Ⓥ

Ces vins continuent à être délicieux, élégants, d'une grande finesse et de première qualité. Les deuxièmes vins, sous l'étiquette « Ninth Island », sont plus chers que les grands vins de certaines entreprises.

✓ *pinot noir* • *chardonnay* • *riesling* • *sauvignon*

ROTHERHYTHE
Tasmanie

❷

Producteur irrégulier dont les vins, surtout le cabernet sauvignon, peuvent être très bons.

ST. HUBERTS
Yarra Valley

☆Ⓥ

Naguère, certains vins furent parfois exceptionnels. Leur qualité est aujourd'hui plus homogène. St. Huberts appartient maintenant à Rothbury. Les vins portent aussi l'étiquette « Rowan ».

✓ *cabernet sauvignon* • *chardonnay*

SALISBURY ESTATE
Voir **Alambic Wine Company**

SCOTCHMAN'S HILL
Geelong

★Ⓥ

Le vignoble domine la péninsule de Bellarine et bénéficie de la fraîcheur apportée par la brise marine. L'entreprise appartient à David et Vivienne Browne qui sont spécialisés dans les vins de style bourguignon.

✓ *chardonnay* • *pinot noir*

SEPPELT GREAT WESTERN
Great Western

★½ V

Seppelt produit des mousseux à petits prix, mais bien faits, aux arômes de citron vert et de lavande, des cuvées plus prestigieuses au rapport qualité/prix remarquable, la cuvée Salinger de grande qualité visant le marché haut de gamme ainsi que le « bourgogne » mousseux le plus opulent, le plus intense et le plus impérieux de toute l'Australie. Au niveau bas et moyen Seaview, la seconde marque, a un avantage certain sur la concurrence, mais l'une et l'autre font aussi des vins tranquilles et remarquables, pourtant sous-évalués. Seppelt fait partie du groupe vinicole géant Southcorp.

✓ *cabernet sauvignon* (Dorrien) • *chardonnay* (Partalunga) • *pinot noir* (Sunday Creek) • *mousseux* (Chardonnay, Blanc de Blancs, Pinot Rosé, Premier Cuvée et particulièrement Salinger, Shiraz, Show Reserve Burgundy)

SEVILLE ESTATE
Yarra Valley

★

Ce domaine, qui s'est fait connaître par une production minuscule d'un riesling botrytisé superbe, concentre maintenant son activité sur des vins de cépage haut de gamme qui trouvent plus facilement preneur.

✓ *chardonnay* • *pinot noir* • *syrah*

SORRENBERG
Beechworth

Domaine situé à l'est de Milawa. Son propriétaire, qui vinifie lui-même son vin depuis 1989 seulement, a bénéficié d'une réussite rapide.

✓ *cabernet sauvignon* • *chardonnay* • *sauvignon-sémillon*

STANTON & KILLEEN
Rutherglen

★½ V

Domaine créé dans la seconde moitié du XIXe siècle, produisant une gamme étendue de vins très parfumés.

✓ *cabernet-syrah* (Moodemere) • *muscat viné* • *tokay viné* • *porto* (Old Tawny) • *syrah* (Moodemere)

STONIER'S
Mornington Peninsula

★½

Cette entreprise, une des deux portant le nom de Merricks, a heureusement été rebaptisée à la fin de la décennie 1980 par son propriétaire Brian Stonier. Ses excellents vins sont élaborés par Tod Dexter de Elgee Park.

✓ *cabernet sauvignon* • *chardonnay* • *pinot noir*

SUMMERFIELD
Pyrenees

★½ V

Certains des meilleurs vins rouges de la région sont faits ici.

✓ *cabernet sauvignon* • *syrah*

TALTARNI VINEYARDS
Pyrenees

★½

Taltarni est dirigé par Dominique Portet qui élabore des vins aux antipodes de ceux de son frère Bernard, propriétaire en Californie du Clos du Val. Les vins blancs du premier sont coupants comme un rasoir et ses rouges musclés et sévères. Les vins de Taltarni sont toujours riches en extrait sec, mais si fermés qu'ils exigent du temps en bouteilles. Parfois, ils refusent de s'ouvrir, mais quand ils le sont, ils comptent parmi les meilleurs vins d'Australie. Taltarni signifie « terre rouge » en langue aborigène et le sol du vignoble est en effet riche en oxyde de fer.

✓ *cabernet sauvignon* • *merlot* • *sauvignon* (Fumé Blanc) • *syrah*

TARRAWARRA
Yarra Valley

Vins merveilleusement riches et complexes de style bourguignon, ni bon marché ni hors de prix mais difficiles à trouver. La seconde étiquette, Tunnel Hill, est superbe.

✓ *chardonnay* • *pinot noir*

TISDALL WINES
Goulburn Valley

V

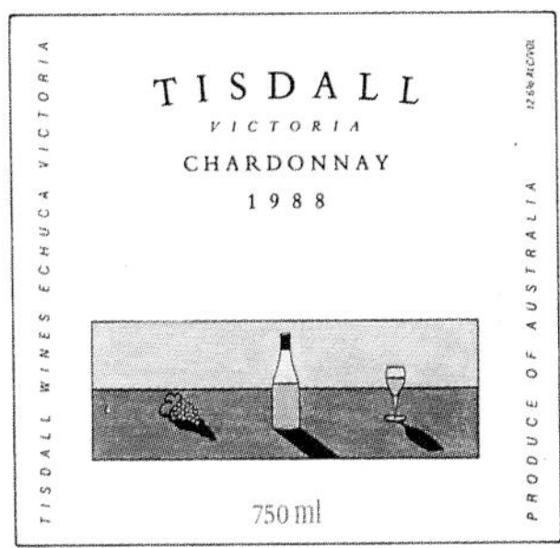

Naguère le plus grand indépendant de la région Goulburn Valley, maintenant dans le groupe géant Mildara-Blass, Tisdall continue à faire des vins bon marché qui présentent pourtant un bon rapport qualité/prix.

✓ *cabernet-merlot* • *chenin blanc*

VIRGIN HILLS VINEYARDS
Macedon

★★

Créée par Tom Lazar, un émigré hongrois restaurateur à Melbourne, cette entreprise qui appartient maintenant à Marcel Gilbert doit être la seule en Australie à ne produire qu'un seul vin. L'étiquette ne mentionne pas de cépage, mais il compte environ 75% de cabernet sauvignon complété par la syrah et un peu de merlot et de malbec. Lazar, qui n'avait aucune formation vinicole, se borna à lire un ouvrage spécialisé, créa un vignoble et vinifia lui-même son raisin. À sa retraite, Mark Sheppard assura l'élaboration du vin avec les mêmes méthodes et le vin est resté l'un des meilleurs du pays.

✓ *Virgin Hills*

WA-DE-LOCK VINEYARD
Gippsland

★½ V

Depuis qu'il a créé ce vignoble en 1989, Graeme Little, qui vinifie lui-même son raisin, a beaucoup progressé. Sa production, qui était de mauvaise qualité, compte maintenant quelques vins ayant beaucoup de classe.

✓ *cabernet-merlot* • *pinot noir*

WARRENMANG VINEYARD
Pyrenees

★ V

L'étiquette « Grand Pyrenees » ne mentionne pas de cépage, mais le vin est un assemblage de merlot, cabernet franc et syrah.

✓ *chardonnay* • *Grand Pyrenees* (rouge d'assemblage classique) • *syrah* • *cabernet sauvignon*

WATER WHEEL
Bendigo

★ V

Peter Cumming, propriétaire-vinificateur depuis 1972, produit des vins bien élaborés à un prix très raisonnable.

✓ *cabernet sauvignon* • *chardonnay*

WILD DUCK CREEK
Bendigo

★ V

Wild Duck Creek a été créée en 1980 par David et Diana Anderson qui font des vins rouges riches et pourtant élégants dont la réputation ne cesse de croître.

✓ *cabernets* (Alan's) • *syrah* (Springflat)

WILLOW CREEK
Mornington Peninsula

★

Créée en 1988, l'entreprise est logée dans un bâtiment historique d'où l'on jouit d'un panorama magnifique.

✓ *cabernet sauvignon* • *chardonnay* (Tulum)

YARRA BURN VINEYARDS
Yarra Junction

?

Reprise par BR Hardy, l'entreprise est en cours de restructuration. Tout commentaire serait donc prématuré.

YARRA EDGE
Yarra Valley

Bien que la création du vignoble remonte à 1982, c'est seulement à partir du millésime 1990 que les vins ont été étiquetés « Yarra Edge ».

✓ *cabernets*

YARRA RIDGE
Yarra Valley

½

Créé en 1982, le groupe vinicole Mildara-Blass contrôle Yarra Ridge, mais Rob Dolan continue à y élaborer des vins rouges élégants d'un style affirmé mais d'un abord facile.

✓ *cabernet sauvignon* • *syrah*

YARRA VALLEY HILLS
Yarra Valley

★½ V

Installé ici récemment (1993), Terry Hill a déjà élaboré quelques vins vraiment excellents et d'un prix relativement modeste.

✓ *pinot noir* • *riesling*

YARRA YERING
Yarra Valley

★½

Première des entreprises portant le nom de Yarra, créée en 1969 par le Dr Bailey Carrodus dont les vins rouges d'assemblage sont devenus légendaires.

✓ *chardonnay* • *dry red No.1* (assemblage à base de cabernet) • *dry red No.2* (assemblage à base de syrah) • *pinot noir*

YELLOWGLEN VINEYARDS
Ballarat

★½ V

Cette entreprise, créée en 1971 par l'Australien Ian Home et le Champenois Dominique Landragin, appartient maintenant au groupe Mildara-Blass. La qualité des vins de Yellowglen, qui paraissaient prometteurs il y a dix ans, a été considérablement améliorée, surtout depuis le début de la décennie.

✓ *mousseux* (Crémant, Pinot-Chardonnay, Vintage Brut, Vintage Victoria, « Y » Chardonnay-Pinot Noir Premium)

YERINGBERG
Yarra Valley

★

Créée en 1862 par Guillaume, baron de Pury, c'est la plus ancienne entreprise de Yarra Valley. Guillaume de Pury, petit-fils du créateur, qui l'a restaurée en 1969, produit des vins d'une qualité régulière et parfois véritablement exceptionnelle.

✓ *Dry Red* (style bordeaux rouge) • *pinot noir* • *marsanne*

AUSTRALIE MÉRIDIONALE

État dont la production est la plus abondante, l'Australie méridionale est la source de 60 % des vins du pays, y compris la majorité des vins bon marché de consommation courante. Cela ne l'empêche pas de produire certains des vins les meilleurs et les plus chers de toute l'Australie.

INSTALLATION DE REMUAGE DE KAISER STUHL, BAROSSA VALLEY
Les grandes gyropalettes de la coopérative de Barossa Valley, qui appartient maintenant au groupe vinicole géant Southcorp.

On fait remonter l'origine de cet immense jardin viticole aux premières vignes que planta un certain Barton Hack en 1837 à Launceston, dans le nord d'Adélaïde. George Stevenson l'imita une année plus tard, mais son vignoble fut arraché en 1840 pour céder la place à une urbanisation devenue galopante : les nombreux vignobles de la métropole ont disparu, submergés par une mer de béton, à l'exception d'une partie de Magill, le vignoble historique de Penfolds. La production vinicole de l'Australie méridionale est très variée : elle va des vins anonymes les moins chers, vendus en vrac, au Grange (naguère Grange Hermitage), le plus grand et le plus cher de tous les vins australiens.

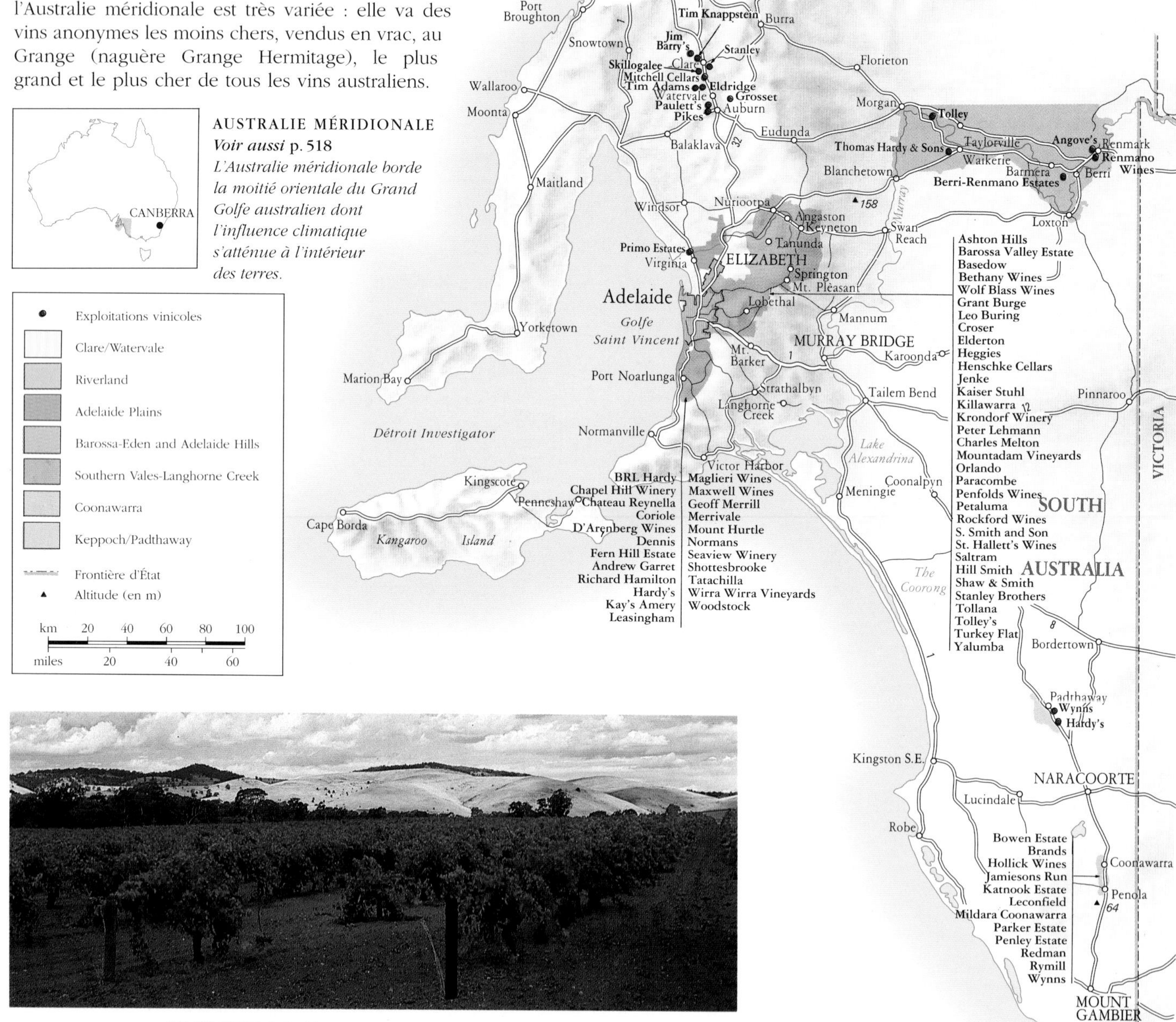

AUSTRALIE MÉRIDIONALE
Voir aussi p. 518
L'Australie méridionale borde la moitié orientale du Grand Golfe australien dont l'influence climatique s'atténue à l'intérieur des terres.

VIGNOBLE DE STEINGARTEN, BAROSSA VALLEY
Rangs de vigne très espacés du vignoble de Steingarten à Orlando. À l'arrière-plan, Eastern Barossa Ranges.

FACTEURS DU GOÛT ET DE LA QUALITÉ

EMPLACEMENT
L'État s'étend sur la partie centrale du sud de l'Australie. Il est bordé à l'est, au nord et à l'ouest par cinq des autres États de l'Australie continentale et au sud par la moitié orientale du Grand Golfe Australien.

CLIMAT
Le climat est très varié. Il est continental et brûlant dans le Riverland, région de production du vin en vrac, moins extrême mais encore chaud dans Barossa Valley, plus frais mais encore sec dans la région de Coonawarra. La brise marine réduit l'humidité dans les plaines autour d'Adélaïde, où la pluviosité annuelle est très faible, comme dans toute la région.

SITES
La vigne est cultivée sur tout type de terrains, de la plaine côtière des alentours d'Adélaïde et de la grande région plate de Riverland, à l'intérieur, aux divers sites de Barossa Valley où les vignobles se situent sur le plateau, à une altitude de 250 m et escaladent les pentes jusqu'à 600 m à Pewsey Vale.

SOLS
Les sols sont variés. Celui des régions d'Adélaïde et du Riverland est formé de limon sableux sur une terre rouge (*terra rossa*) couvrant un sous-sol de marne calcaire (le Riverland a souffert autrefois d'une salinité excessive). Dans Barossa Valley, le terrain est sableux, argileux ou calcaire sur un sous-sol de limon rouge-brun ou un socle calcaire. Dans la région de Coonawarra, une couche mince de calcaire désagrégé rendu rouge par des matières organiques et minérales couvre un épais sous-sol calcaire.

VITICULTURE ET VINIFICATION
Les méthodes varient beaucoup : il y a la production de vins en vrac par les usines à vin modernes d'où sort une quantité énorme de vins bien faits et bon marché, tirés du raisin cultivé dans les vignobles irrigués à rendement élevé du Riverland; il y a aussi la méthode des meilleures entreprises dont le raisin vient de vignobles à rendement limité et qui élèvent dans le chêne des vins de cépage, dans des régions traditionnelles comme Coonawarra, Barossa Valley et celles, plus récentes, de Padthaway et Keppoch qui produisent certains des plus grands vins d'Australie.

CÉPAGES
Cabernet sauvignon, chardonnay, crouchen, doradillo, frontignan, grenache, malbec, mataro, merlot, muscat d'alexandrie, palomino, pedro ximénez, pinot noir, riesling, sémillon, syrah, sauvignon, gewurztraminer et ugni blanc

VENDANGE DANS BAROSSA VALLEY
Plusieurs des meilleurs producteurs de vins de cépage ont des intérêts à Barossa Valley, où le raisin est de grande qualité.

LES RÉGIONS VINICOLES D'
AUSTRALIE MÉRIDIONALE

ADELAÏDE HILLS
Secteur mal défini des collines dominant la ville d'Adélaïde, des plaines d'Adélaïde et de McLaren Vale, qui fait partie d'une région beaucoup plus vaste englobant Barossa-Eden et Adelaïde Hills. Ses vignobles sont situés vers 450 m d'altitude et elle compte de nombreux terroirs. Chardonnay, riesling, pinot noir et mousseux par la méthode de seconde fermentation en bouteilles sont ici les vins classiques. Le cabernet franc et le merlot s'y plaisent mieux que le cabernet sauvignon.

ADELAÏDE METROPOLITAN AREA
Cette zone est tellement urbanisée qu'il n'y subsiste que peu de vignes. Celles qui restent appartiennent à la légendaire entreprise vinicole Magill de Penfolds. *Voir aussi* Adelaïde Plains.

ADELAÏDE PLAINS
Le terme « Adelaïde Plains » inclut maintenant le célèbre vignoble Magill qui fut à la base du fameux Grange Hermitage de Penfolds. Les vins issus du seul raisin de Magill sont aujourd'hui étiquetés Mabill Estate. Le cabernet sauvignon de Gordon Sunter n'a pas la même classe, mais c'est néanmoins un bon vin.

BAROSSA VALLEY
Formé d'une partie de Barossa-Eden et d'Adelaïde Hills, ce secteur est le plus ancien et le plus important d'Australie pour les vins de cépage de première qualité. Dans ce climat chaud et sec, la vigne est surtout cultivée sur terrain plat à une altitude de deux cent quarante à 300 m et donne des vins rouges solidement structurés, du meilleur style australien traditionnel. Il est donc surprenant que l'on y cultive ici davantage de cépages blancs, notamment le riesling, que de cépages rouges. Les vins blancs peuvent être corpulents ou délicats. Le raisin récolté plus haut, jusqu'à une altitude de 550 m, où le climat est nettement plus froid, engendre des vins frais et nerveux.

BAROSSA-EDEN AND ADELAÏDE HILLS REGION
Cette région englobe Barossa Valley, Keyneton, Springton, Eden Valley et Adelaïde Hills. *Voir aussi* sous ces noms.

CLARE VALLEY
Clare Valley, qui inclut la zone vinicole de Polish Hill et fait partie de la région de Clare-Watervale, est le secteur viticole le plus septentrional d'Australie méridionale et donc le plus chaud et le plus sec. Pourtant, un grand nombre de ses vignobles ne sont pas irrigués et, grâce à un rendement modéré, donnent des vins aux arômes très intenses, corpulents, parfois massifs. Le riesling est le cépage le plus important et les vins botrytisés sont riches et voluptueux. Le cabernet sauvignon (souvent associé au malbec ou à la syrah), le sémillon et le chardonnay donnent également de bons vins.

CLARE-WATERVALE
Située à quelque 65 km au nord de Barossa, cette région comprend les secteurs de Clare Valley et Watervale.

COONAWARRA
Ce secteur célèbre, situé le plus au sud de l'Australie méridionale, donne son nom à la région plus vaste de Coonawarra (*voir* la carte p. 532). Coonawarra, qui signifie « chèvre-feuille » dans la langue des arborigènes, sonne bien en anglais, ce qui s'est révélé utile pour la commercialisation des vins de cette région dans les pays anglo-saxons. Les vignobles de Coonawarra sont cultivés sur cette fameuse terre rouge (*terra rossa*) composée de fragments de calcaire désagrégé coloré par des matières organiques et minérales. La terre rouge, sur une épaisseur d'environ cinquante centimètres, bien drainée, est assise sur un mètre et demi de calcaire sous lequel se trouve une nappe phréatique haute. Cette particularité géologique et un climat particulièrement favorable – le secteur bénéficie des températures les plus basses de l'Australie continentale, soit 1 205 journées-degrés, que l'on peut comparer à 1 280 journées-degrés à Beaune – permettent à ce terroir de donner certains des vins de cabernet sauvignon les plus glorieux d'Australie, pour autant que l'on ne vendange pas prématurément, comme le font quelques-unes des plus grandes entreprises, ce qui donne évidemment des vins trop légers.

COONAWARRA REGION

La région englobe le secteur de Coonawarra proprement dit et ceux de Keppoch et Padthaway. *Voir* ces derniers noms.

EDEN VALLEY

Le climat et le sol d'Eden Valley, qui fait partie de la région de Barossa-Eden et Adelaïde Hills, sont similaires à ceux de Barossa Valley, région à laquelle on assimile souvent le secteur d'Eden Valley car il se trouve dans la chaîne de Barossa Range, pourtant certains le placent toujours dans Adelaïde Hills. Ewell Vineyard est l'entreprise la plus connue du secteur.

KEPPOCH

On avait prévu de construire la ville de Keppoch à quelque 16 km au nord de Padthaway, mais on n'en a jamais posé la première pierre! Le nom de Padthaway est aujourd'hui interchangeable avec celui de Keppoch, mais le premier figure plus souvent que le second sur les étiquettes. *Voir aussi* Padthaway.

KEYNETON

Keyneton fait partie de le région de Barossa-Eden et Adelaïde Hills, mais l'on considère en général qu'il appartient à Barossa Valley. *Voir aussi* ce nom.

LANGHORNE CREEK

Ce minuscule secteur vinicole se trouve à 40 km au sud-ouest d'Adélaïde et dans l'arrière-pays, au nord-ouest du lac Alexandrina. Il porte le nom d'Alfred Langhorne, un éleveur de bestiaux de Nouvelle-Galles du Sud qui s'y installa en 1841. Une faible pluviosité annuelle (350 mm) rend l'irrigation indispensable. Cette zone est réputée pour ses vins rouges corpulents et ses vins de dessert.

MCLAREN VALE

Le nom de ce secteur viticole, le plus important de la région Southern Vales-Langhorne Creek, est souvent utilisé comme synonyme de Southern Vales. Les collines verdoyantes de McLaren Vale s'étendent du sud d'Adélaide au sud de Morphett Vale. Bénéficiant d'une pluviosité annuelle respectable (560 mm) et comptant une grande variété de sols – sable, limon sableux, calcaire, terre rouge, alluvions riches et divers –, le secteur est favorable à la culture de nombreux cépages et donne une gamme étendue de vins de styles variés. C'est sans doute la raison pour laquelle il attire de nombreux talents et que les entreprises vinicoles changent souvent de propriétaires.
On y produit des vins rouges corpulents de syrah, cabernet sauvignon (souvent associé au merlot), des vins blancs de plus en plus frais et nerveux de chardonnay, sémillon, sauvignon et riesling, ainsi que des vins de dessert.

PADTHAWAY

Faisant partie de la région de Coonawarra, ce secteur est aussi connu sous le nom de Keppoch. Son développement a été assuré jusqu'à maintenant presque exclusivement par de grandes entreprises pratiquant un marketing agressif. Pour autant que des obstacles ne s'opposent pas à l'achat de terres par des entreprises plus modestes, celles-ci devraient s'y multiplier. Leur réussite devrait bénéficier indirectement aux grands groupes en mettant en évidence, avec des vins de grande qualité, la valeur potentielle de tout le secteur.

POLISH HILL RIVER

Dénomination utilisée par certaines entreprises de la région de Clare-Watervale.

RIVERLAND

Les secteurs vinicoles de Victoria, situés sur la Murray, se prolongent en Australie méridionale avec le Riverland. Cette vaste région irriguée représente l'équivalent dans cet État de celles, également irriguées, de Riverina en Nouvelle-Galles du Sud et de Mildura dans Victoria. Bien que l'on y produise une grande quantité de vin en vrac bon marché, on y trouve rarement un vin franchement mauvais. Les cépages qui s'y plaisent sont notamment le cabernet sauvignon, le malbec, le chardonnay et le riesling.

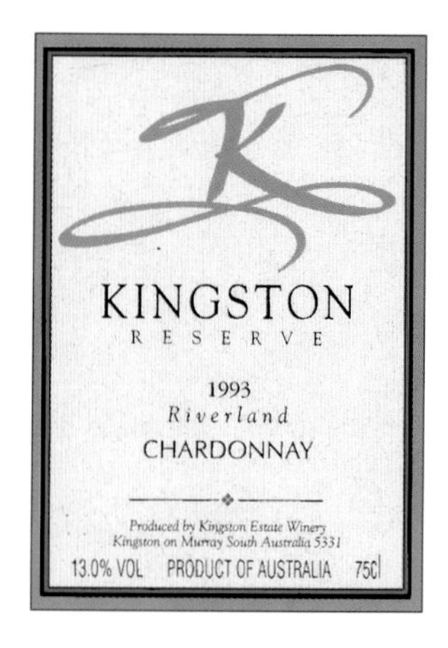

SOUTHERN VALES

Voir McLaren Vale

SOUTHERN VALES-LANGHORNE CREEK

Cette région comprend les secteurs de McLaren Vale et Langhorne Creek. *Voir aussi* ces noms.

SPRINGTON

Springton fait partie de la région de Barossa-Eden et Adelaïde Hills et se situe juste au sud d'Eden Valley et jouxte Adelaïde Hills auquel certains le classeraient plus volontiers... ce qui montre une fois de plus combien la mise en place d'un système d'appellation d'origine contrôlée à la française appliqué à toute l'Australie est nécessaire.

WATERVALE

Watervale est le plus petit des deux secteurs formant la région de Clare-Watervale. Situé au sud, il est surtout connu pour ses vins de syrah et de cabernet sauvignon (soit vins de cépage, soit vins d'assemblage). Les étiquettes Watervale de Lindeman's et Jim Barry ont du succès et Mount Horrocks fait un excellent riesling.

LES PRODUCTEURS D'

AUSTRALIE MÉRIDIONALE

TIM ADAMS

Clare Valley

★✫V

Le sémillon citronné de Tim Adams est probablement le plus bel exemple en Australie d'un vin de très grande qualité, pouvant être bu sans attendre.

✓ *sémillon* • *syrah* (Aberfeldy) • *The Fergus* (rouge d'assemblage classique)

ANGOVE'S

Riverland

★V

Entreprise créée à la fin du siècle dernier par une famille originaire de Cornouailles, elle produit des vins courants et des cuvées de bonne qualité à peine plus chères.

✓ *cabernet sauvignon* (Sarnia Farm) • *chardonnay* (Classic Reserve) • *colombard* • *riesling* • *syrah-cabernet* (Butterfly Ridge)

ASHTON HILLS

Adelaïde Hills

★✫V

Propriétaire-vinificateur, Stephen George a hissé sa production à un niveau de remarquable élégance depuis qu'il a créé cette entreprise vers 1990. Ses vins blancs sont toujours très nerveux, surtout le chardonnay à l'allure de chablis.

✓ *cabernet-merlot* • *chardonnay* • *riesling* • *vins effervescents* (Salmon Brut)

BAROSSA VALLEY ESTATE

Barossa Valley

✫

Appartient maintenant à BRL Hardy et continue à faire l'un des mousseux de syrah les plus amples et les plus boisés avec le raisin des vignes à faible rendement d'Elmor Roehr et Elmore Schulz (E & E)

✓ *syrah* (Black Pepper) • *vins effervescents* (E. & E. Sparkling Shiraz, Killawarra Vintage Brut)

JIM BARRY'S WINES

Clare Valley

★★V

Ce domaine est dirigé par Mark et Peter Barry, fils de Jim Barry. Leur syrah de prestige, The Amagh, est l'un des plus grands vins d'Australie et l'un des plus chers. Leur Mcrae Wood Shiraz est une affaire : il est presque aussi bon et ne coûte que le tiers du précédent. Presque tous les autres vins produits par le domaine Jim Barry sont vendus à un prix très avantageux.

✓ *chardonnay* (spécialement Personal Selection) • *porto* (Old Walnut Tawny, Sentimental Bloke) • *riesling* (Watervale) • *syrah* (en particulier The Amagh, McRae Wood)

BASEDOW WINES

Barossa Valley

★V

Vieille entreprise proposant des vins très avantageux qui devraient plaire aux amateurs de vins modernes.

✓ *cabernet sauvignon* • *sémillon* • *syrah chardonnay*

BERRI-RENMANO ESTATES

Riverland

✫V

Grande entreprise vinicole appartenant aujourd'hui à BR Hardy. Elle continue à produire des vins bas de gamme très bon marché de la marque Berri Estate. Les vins de qualité supérieure, un peu plus chers mais encore plus avantageux, sont vendus sous l'étiquette « Renmano Chairman's Selection ».

cabernet sauvignon (Chairman's Selection) • *porto* (Renmano Rumpole Tawny)

BETHANY WINES
Barossa Valley

☆

Vins rouges corpulents, charnus et parfois incroyablement sirupeux.

cabernet-merlot • *grenache* (Pressings) • *riesling* (Late Harvest Cut, Steinbruch)

WOLF BLASS WINES
Barossa Valley

☆Ⓥ

Domaine faisant maintenant partie de Midara-Blass, mais dont la gamme est toujours étendue et la politique de vente toujours agressive. La qualité des vins est en général indiquée par la couleur de l'étiquette, un classement que chacun comprend facilement, quoique ceux sous étiquette jaune ont tendance à être plus avantageux qu'agréables.

cabernet sauvignon-syrah (étiquette noire, étiquette grise) • *riesling* (étiquette or) • *syrah* (étiquette brune)

BOWEN ESTATE
Coonawarra

★☆Ⓥ

Le propriétaire, Doug Bowen, produit toujours quelques vins véritablement exceptionnels.

cabernet sauvignon • *cabernet sauvignon-merlot-cabernet franc* • *chardonnay* • *syrah*

BRANDS
Coonawarra

Depuis que McWilliams a acheté Brands, seul le cabernet sauvignon me donne autant de plaisir que naguère la plupart des vins de cette entreprise, bien que tous soient encore élaborés par Jim Brand.

cabernet sauvignon (Laira)

BR HARDY
McLaren Vale

Un des quatre plus gros producteurs d'Australie, BR Hardy possède Berri Estate, Château Reynella, Hardy's Houghton, Lauriston, Leasingham, Moondah Brook, Renmano, Stanley et, en France, Chais Baumanière et Philippe de Baudin.

GRANT BURGE
Barossa Valley

★★Ⓥ

C'est seulement en 1988 que Grant Burge a créé cette entreprise, mais les vins qu'il élabore lui-même ont déjà acquis une réputation de richesse, de qualité et de régularité.

cabernet-mourvèdre (Oakland) • *chardonnay* • *merlot* • *riesling* • *sémillon* (Old Vine) • *sémillon-syrah* (Oakland) • *syrah* (Old Vine mais surtout Mesbach) • *syrah-cabernet* (Oakland)

LEO BURING

★Ⓥ

Orlando a repris l'entreprise Leo Buring (qui a pris le nom de Richmond Grove), mais Southcorp a acheté le nom de Leo Buring. Bien qu'étant l'une des nombreuses marques de Southcorp, Leo Buring a conservé une identité propre et continue à proposer des vins d'un excellent rapport qualité/prix.

cabernet sauvignon (DR 150) • *riesling* (Eden Valley, Watervale)

CHAPEL HILL WINERY
McLaren Vale

★

Cette entreprise n'a pas de rapport avec les vins portant le même nom et qui sont faits en Hongrie sous direction australienne. Elle doit son nom à une ancienne chapelle perchée en haut du vignoble qui sert de locaux d'exploitation.

cabernet sauvignon • *chardonnay* • *syrah*

CHÂTEAU REYNELLA
McLaren Vale

★

Vieille entreprise reprise par BR Hardy, connue aussi sous le nom de Thomas Hardy's Reynella. Élaborés, conservés et étiquetés séparément, les vins sont toujours excellents.

cabernet-merlot (Basket Pressed) • *chardonnay* • *merlot* • *porto* (Vintage)

CORIOLE
McLaren Vale

★☆Ⓥ

Producteur sous-estimé de vins rouges imposants, dont le meilleur sangiovese fait dans les Pays Neufs.

cabernet sauvignon • *cabernet syrah* (Redstone) • *chardonnay* • *chenin blanc* • *Mary Kathleen* (style bordeaux rouge) • *sangiovese* • *syrah*

CROSE
***Voir* Petaluma**

D'ARENBERG WINES
McLaren Vale

☆

Chester Osborne élabore maintenant des vins plus souples et plus voluptueux qu'autrefois.

syrah • *riesling* (Noble)

DENNIS
McLaren Vale

Je n'ai pas dégusté ces vins mais quelqu'un en qui j'ai toute confiance m'a dit le plus grand bien du cabernet sauvignon et de la syrah.

ELDERTON
Barossa Valley

★★Ⓥ

Créé en 1984, Elderton est presque devenu une vedette dès le début de la décennie 1990 pour son cabernet sauvignon très impressionnant.

cabernet sauvignon • *cabernet-syrah-merlot* • *merlot* • *syrah* (spécialement Command) • *vins effervescents* (Pinot Pressings)

ELDRIDGE
Clare Valley

★Ⓥ

Tim Adams conseille cette entreprise pleine de promesses.

cabernet sauvignon • *riesling* (Watervale)

FERN HILL ESTATE
McLaren Flat

★

Créé en 1975, Fern Hill est donc considéré en Australie pour un assez vieux domaine. Les vins sont élaborés avec un grand savoir-faire par Grant Burge.

cabernet sauvignon

ANDREW GARRET
McLaren Vale

★☆Ⓥ

Le vin ordinaire bénéficie de la réputation des meilleures cuvées, elles-mêmes bon marché et présentant le meilleur rapport qualité/prix de la gamme. Andrew Garret fait maintenant partie de Mildara-Blass.

cabernet-merlot • *cabernet sauvignon* • *riesling* • *sémillon* (Wood Aged) • *syrah* (Black, Bold Style)

GROSSET
Clare Valley

★☆

Jeffrey Grosset élabore lui-même ses vins avec beaucoup de soin.

cabernet-merlot (Gaia) • *chardonnay* (Piccadilly) • *riesling* (Polish Hill)

RICHARD HAMILTON
McLaren Vale

★☆Ⓥ

Le chirurgien Richard Hamilton, qui possède aussi le domaine Leconfield, fait ici des vins exceptionnels. Il s'intéresse plus aujourd'hui aux vins rouges qu'aux blancs.

cabernet sauvignon (Hut Block) • *cabernet-merlot* • *chardonnay* • *grenache-syrah* (Burton Vineyard) • *syrah* (Old Vines)

HARDY'S
McLaren Vale

★☆Ⓥ

Cette importante entreprise est à l'origine du groupe BR Hardy (*Voir* ce nom) qui commercialise une grande gamme de vins de tout style et de toute qualité sous l'étiquette « Hardy », des vins de consommation courante bon marché produits en grande quantité aux vins haut de gamme présentant un excellent rapport qualité/prix. Le chardonnay Eileen Hardy, qui porte le nom de celle qui a dirigé le groupe pendant quarante ans, a la réputation d'être un des meilleurs vins d'Australie.

cabernet sauvignon (Coonawarra, Thomas Hardy) • *chardonnay* (Eileen Hardy) • *grenache* (Rankside) • *porto* (Show, Tall Ships Tawny)

HEGGIES
***Voir* Yalumba**

HENSCHKE CELLARS
Eden Valley

★★

Une des entreprises vinicoles les plus anciennes d'Australie, Henschke Cellars fait des vins qui sont devenus de plus en plus imposants au cours des dix dernières années, surtout les rouges, tout en réussissant à conserver une finesse étonnante.

cabernet sauvignon (Cyril Henschke) • *chardonnay* (en particulier Croft's) • *merlot-cabernet* (Abbott's Prayer Lenswood Vineyard) • *riesling* (surtout Green's Hill) • *sémillon* • *syrah* (Mount Edelstone, Hill of Grace)

HILL-SMITH
***Voir* Yalumba**

HOLLICK WINES

Coonawarra

★★♥

Vignoble créé en 1983 par Ian Hollick, un viticulteur. Avec l'aide d'un vinificateur de talent, Paul Tocaciu, il a produit quelques vins étonnamment francs, frais et bien définis, dont un assemblage de style bordeaux rouge, commercialisé simplement sous le nom de l'appellation coonawarra.

✓ *cabernet sauvignon* (Ravenswood) • *chardonnay* • *Coonawarra* (style bordeaux rouge) • *riesling* (Botrytis) • *vins effervescents* (Cornel Vintage Brut)

JAMIESONS RUN

Coonawarra

★☆♥

Une des marques les plus sous-estimées de l'écurie Mildara-Blass.

✓ *coonawarra* (style bordeaux rouge) • *chardonnay* • *sauvignon*

JENKE

Barossa Valley

☆♥

Entreprise récente qui produit des vins de cabernet franc comptant parmi les meilleurs d'Australie. Les vins blancs ont toutefois besoin d'être améliorés.

✓ *cabernet franc*

KAISER STUHL

***Voir* Barossa Valley Estate**

KATNOOK ESTATE

Coonawarra

★★

Produit des vins aux prix élevés, prodigieusement parfumés et d'une finesse remarquable. Ses vins moins chers – dont certains rouges sont toutefois d'une grande qualité – sont commercialisés sous l'étiquette « Riddoch » (à ne pas confondre avec le John Riddoch de Wynns).

✓ *cabernet sauvignon* • *merlot* • *riesling* • *sauvignon* • *riddoch* (The Cabernet Sauvignon, The Shiraz)

KAY'S AMERY

McLaren Vale

★☆♥

Kay's Amery se révèle une étoile montante dans le firmament du vin australien, notamment grâce à des vignes de syrah à rendement incroyablement bas, datant de 1892!

✓ *grenache* • *syrah* (Block 6)

KILLAWARRA

***Voir* Southcorp (p. 524)**

TIM KNAPPSTEIN

Clare Valley

★

Fait partie maintenant de Petaluma, mais toujours sous la houlette de Tim Knappstein, qui n'a pas remporté moins de cinq cents médailles avec les vins du domaine Leasingham élaborés pour le compte de la Stanley Wine Company.

✓ *cabernet sauvignon* • *merlot* • *sauvignon* (Fumé Blanc)

KRONDORF WINERY

Barossa Valley

★☆♥

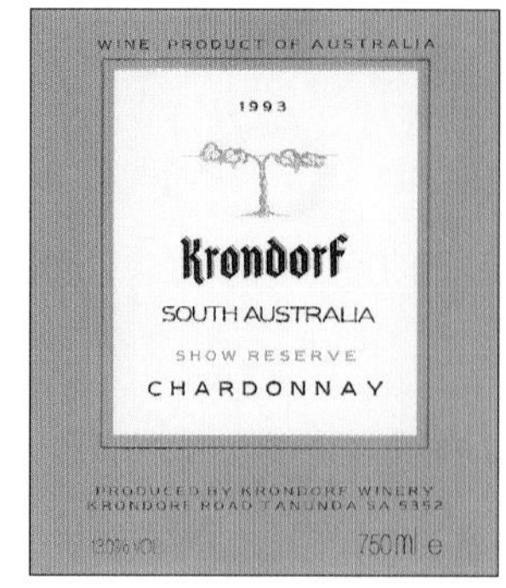

Marque appartenant au groupe Mildara-Blass. Gamme étendue de vins remarquablement bons offrant un excellent rapport qualité/prix.

✓ *cabernet-syrah* (Show Reserve) • *chardonnay* (en particulier Show Reserve) • *riesling* • *sémillon* (Wood Aged)

LEASINGHAM

McLaren Vale

★☆♥

Faisant partie du groupe BR Hardy, Leasingham fait de bons vins et de rapport qualité/prix exceptionnels.

✓ *cabernet-malbec* (Bin 56) • *cabernet sauvignon* (Classic Clare) • *syrah* (Bin 61, Classic Shiraz, Domaine)

LECONFIELD

Coonawarra

★☆♥

Propriété du chirurgien Richard Hamilton (*voir* ce nom). Les vins sont élaborés par son vinificateur, Ralph Fowler.

✓ *cabernet sauvignon* • *syrah*

PETER LEHMANN

Barossa Valley

★☆♥

Gros producteur de vins en général de très grande qualité, présentant un excellent rapport qualité/prix.

✓ *cabernet sauvignon* • *cabernet-malbec* (Cellar Collection) • *syrah* (surtout Cellar Collection Stonewall) • *riesling* (Cellar Collection) • *sémillon*

MAGLIERI WINES

McLaren Wines

★☆♥

Vins de bonne facture très avantageux qui ont enfin trouvé leur place sur le marché international de grande consommation.

✓ *sémillon* (Ingleburn) • *syrah*

MAXWELL WINES

McLaren Vale

★☆♥

On a soudain découvert que Maxwell Wines, créé en 1979 et jouissant d'une assez bonne réputation, contient un extraordinaire trésor vineux. On y produit quelques vins d'une richesse époustouflante et d'un prix raisonnable, notamment sous l'étiquette « Mount Bold ».

✓ *cabernet sauvignon* (Lime Cave) • *chardonnay* (en particulier Mount Bold) • *sémillon* • *syrah* (Ellen Street, Mount Bold, Reserve)

CHARLES MELTON

Barossa Valley

★☆♥

Tous les vins rouges de Charles Melton, surtout renommé pour son Nine Popes de style châteauneuf-du-pape, se situent tout en haut de l'échelle de qualité.

✓ *cabernet sauvignon* • *nine popes* (grenache-syrah) • *rose of virginia* (assemblage grenache-cabernet) • *syrah*

GEOFF MERRIL

***Voir* Mount Hurtle**

MERRIVALE

McLaren Vale

☆

Domaine créé en 1971, mais je viens seulement de découvrir les vins de Brian Light qui met à contribution avec talent le chêne américain.

✓ *syrah* (Tapestry)

MILDARA COONAWARRA

Coonawarra

★☆♥

Ces vins sont maintenant sous-estimés étant donné la taille en expansion constante de Mildara-Blass (*voir* la carte p. 528).

✓ *cabernet-malbec-merlot* (Alexanders) • *cabernet sauvignon* (en particulier Alexanders) • *riesling* • *syrah* (Hermitage)

MITCHELL

Clare Valley

★☆♥

Petite entreprise qui produit des vins de qualité classique, même avec le grenache à mon avis un peu commun.

✓ *cabernet sauvignon* • *grenache* (Growers) • *syrah* (Pepper Tree Vineyard) • *riesling*

MOUNT HURTLE

McLaren Vale

★★♥

La réputation internationale de Geoff Merril est telle que ses vins commercialisés sous l'étiquette « Mount Hurtle » se vendent parfois à la moitié du prix de ceux qui portent son nom, bien que leur qualité soit parfois la même. Certains vins de cette entreprise sont aussi distribués sous l'étiquette « Breakaway ».

✓ *cabernet-merlot* (Mount Hurtle) • *cabernet sauvignon* (Geoff Merril) • *chardonnay* (Geoff Merril) • *grenache* (Stratmer Vineyards – style rosé profond) • *grenache-syrah* (Mount Hurtle) • *sauvignon* (Mount Hurtle) • *sauvignon-sémillon* (Breakaway)

MOUNTADAM VINEYARD

Eden Valley

★☆

Vins riches et d'excellente qualité venant de vignobles appartenant à Alan Wynn, dont le père a fondé le domaine presque légendaire de Wynns Coonawarra (qui appartient maintenant au groupe Southcorp).

✓ *cabernet-merlot* (The Red) • *chardonnay* • *pinot noir* • *riesling*

NORMANS

McLaren Vale

☆

Entreprise autrefois familiale, société anonyme depuis 1994, qui continue à produire une gamme étendue de vins toujours excellents, notamment les rouges.

✓ *cabernet sauvignon* (Chais Clarendon) • *porto* (King William Tawny) • *syrah* (Chais Clairendon)

ORLANDO

Barossa Valley

☆♥

Orlando, une des quatre plus grandes entreprises vinicoles d'Australie, appartient au groupe Pernod-Ricard qui s'inquiète sans doute de la compétition des vins australiens sur les marchés anglo-saxons et possède maintenant Craigmoor, Gramps, Hunter Hill, Jacob's Creek, Montrose, Morris, Orlando, Richmond Grove, Wickham Hill et Windham Estate, contrôlant avec ces marques le quart de la production du pays. La plupart des vins sont bien faits et présentent un bon rapport qualité/prix, y compris ceux qui ne méritaient pas de figurer parmi les vins recommandés ci-dessous (exemples typiques : le mousseux rosé Carrington gouleyant et le sémillon-chardonnay Jacob's Creek fruité et nerveux).

✓ *cabernet sauvignon* (Jacaranda Ridge, St. Hugo) • *chardonnay* (RF) • *porto* (Liqueur) • *syrah* (Lawson's, Richmond Grove Limited Release) • *syrah-cabernet* (Jacob's Creek)

PARACOMBE

Adelaïde Hills

★♥

Paul Drogemuller (propriétaire-viticulteur-vinificateur) fait un des meilleurs vins de cabernet franc d'Australie.

✓ *cabernet franc*

PARKER ESTATE

Coonawarra

★☆

Entreprise ayant changé plusieurs fois de nom, ce qui n'empêche pas Ralph Fowler d'y élaborer des vins de très grande qualité. C'est lui qui vinifie aussi ceux de Richard Hamilton.

✓ *cabernet sauvignon*

PAULETT'S
Clare Valley

★★

Le propriétaire, Neil Paulett élabore lui-même des vins au style très pur.

✓ *riesling* (Polish Hill) • *sauvignon* (Polish Hill)

PENFOLDS WINES
Barossa Valley

★★☆Ⓥ

Le superbe Grange de Penfolds (autrefois Grange Hermitage) est le plus grand vin d'Australie, créé par le légendaire et regretté Max Schubert. Grâce à ce chef-d'œuvre unique, Penfolds est devenu une légende vivante. Le Grange est bien sûr un vin extrêmement cher – le prix d'un bordeaux 1er cru – mais il existe des vins de Penfolds beaucoup plus abordables qui sont incontestablement de petits chefs-d'œuvre, dont de nombreux vins d'un rapport qualité/prix étonnant comme les Bin 202, Rawson's Retreat, Koonunga Hill et Woodford Hill. Il y a aussi les vins primés d'un prix raisonnable de la gamme Organic. Certains vins sont devenus très chers (mais beaucoup moins que le Grange), par exemple le Bin 707 et le Magill. En matière de style, le Magill est encore plus Grange que le Grange lui-même. Penfolds Wines fait maintenant partie du groupe Southcorp.

✓ *cabernet sauvignon* (Bin 407, Coonawarra, mais spécialement le Bin 707) • *cabernet-syrah* (Bin 389) • *chardonnay* (Padthaway) • *porto* (Grandfather) • *sémillon* (Barrel fermented – « vinifié en fût ») • *syrah* (Coonawarra Bin 28, mais en particulier le Kalimna Bin 28, The Magill Estate et, bien sûr, le Grange) • *syrah-grenache-mourvèdre* (Old Vine)

PENLAY ESTATE
Coonawarra

★☆

Créé en 1988 par Kym Tolley (sa mère était chez Penfolds et son père chez Tolley, d'où le curieux nom de Penley), ce domaine penche du côté du style Penfolds, son propriétaire préférant nettement les vins rouges.

✓ *cabernet sauvignon* • *syrah-cabernet*

PETALUMA
Adelaïde Hills

★★☆Ⓥ

C'est le domaine de Brian Croser. Les premiers vinificateurs volants, à l'époque où ils ne parcouraient pas encore le monde mais conseillaient les entreprises vinicoles australiennes, furent Croser et son ami Tony Jordan. Brian Croser est un grand maître du riesling, merveilleusement mûr, sec, de style classique, vieillissant admirablement en bouteilles. Il est aussi dans les Pays Neufs un des meilleurs vinificateurs de vins effervescents (y compris aux États-Unis, *voir* Argyle, en Oregon, p. 483). Il produit aussi le meilleur merlot d'Australie. Sa grande force est d'être excellent sur toute la gamme. Si Petaluma n'a pas un Grange coté 20 sur 20, chacun de ses vins mérite au moins 19 sur 20. Les seconds vins, excellents, sont étiquetés « Bridgewater Mill ».

✓ *cabernet-merlot* (Coonawarra) • *chardonnay* • *merlot* • *riesling* (y compris botrytisé) • *mousseux* (Croser)

PIKES
Clare Valley

★☆

Vins rouges d'excellente qualité vinifiés par Neil Pike, autrefois chez Mitchell.

✓ *cabernet sauvignon* • *syrah*

PRIMO
Adelaïde Plains

☆

Le propriétaire de Primo, Joe Grilli, élabore lui-même ses vins. Certains sont bons, mais seul son riesling botrytisé mérite d'être véritablement qualifié de grand vin.

✓ *riesling* (Botrytis)

REDMAN
Coonawarra

Parmi les quatre vins rouges de Bruce Redman, le cabernet sort du lot.

✓ *cabernet sauvignon*

RENMANO WINES
***Voir* Berri-Renmano Estates**

ROCKFORD WINES
Barossa Valley

★

Certains trouveront un peu sirupeux les vins rouges de style très traditionnel issus de vignes à faible rendement, mais quiconque aime les « bourgognes » mousseux australiens merveilleusement excentriques adorera le Black Shiraz.

✓ *grenache* (Dry Country) • *syrah* (Basket Press) • *mousseux rouge* (Black Shiraz)

RYMILL
Coonawarra

★

Exploité par les descendants de John Riddoch, qui créa le premier vignoble de Coonawarra en 1861. Ses vins sont aussi commercialisés sous l'étiquette « The Riddoch Run ».

✓ *cabernet sauvignon* • *chardonnay* • *syrah*

ST. HALLETT'S WINES
Barossa Valley

★☆

Vieille entreprise faisant toujours des vins rouges très riches.

✓ *merlot* • *syrah* (Old Block – vignes centenaires à très petit rendement)

SALTRAM
Barossa Valley

★

Autrefois connu pour ses vins rouges, se concentre maintenant sur des vins blancs voluptueux parfois trop riches.

✓ *chardonnay* (Mamre Brook, Pinnacle) • *porto* (Mr. Pickwick's Particular) • *riesling* (Pinnacle) • *sémillon* (Classic)

SEAVIEW WINERY
McLaren Vale

★☆Ⓥ

Faisant maintenant partie de Southcorp, Seaview a l'avantage sur Seppelt, autre marque du groupe (mis à part les « bourgognes » mousseux Salinger, Shiraz et Show Reserve Burgundy, *voir* Victoria, p. 531) et jouit d'une réputation croissante pour ses vins tranquilles, particulièrement ceux sous la nouvelle étiquette « Seaview Edwards & Chaffey ».

✓ *cabernet sauvignon* (Edwards & Chaffey) • *chardonnay* • *riesling* • *syrah* (Edwards & Chaffey) • *mousseux* (pinot noir et chardonnay)

SHAW & SMITH
Adelaïde Hills

★☆Ⓥ

Entreprise en progression, créée en 1989 par Martin Shaw, bien connu pour ses activités de vinificateur volant, et Michael Hill-Smith, premier *Master of Wine* australien.

✓ *chardonnay* • *sauvignon*

SHOTTESBROOKE
McLaren Vale

★☆

Un merlot admirablement conçu par Nick Holmes, un des vinificateurs de Rosemount (Nouvelle-Galles du Sud).

✓ *merlot*

S. SMITH & SON
***Voir* Yalumba**

STANLEY BROTHERS
Barossa Valley

★

Petite entreprise créée au milieu des années 1980 qui produit un cabernet sauvignon riche et boisé.

✓ *cabernet sauvignon*

TATACHILLA
McLaren Vale

★Ⓥ

Vieille entreprise qui brille depuis un certain temps sous la houlette de Keith Smith, ancien directeur commercial de Wolf Blass.

✓ *chardonnay* • *grenache-syrah* (Keystone) • *syrah-cabernet* (Partners)

TOLLANA
Barossa Valley

★☆Ⓥ

Ne faisait autrefois que des vins issus de son seul vignoble. Faisant maintenant partie de Southcorp, ses vins sont toutefois toujours très bons et leur rapport qualité/prix est encore meilleur.

✓ *cabernet sauvignon* (Bin TR222) • *chardonnay* (Eden Valley) • *riesling* (Botrytis) • *sémillon* • *syrah* (Hermitage Bin TR16)

TOLLEY'S
Barossa Valley

La qualité des vins de cette grande entreprise indépendante n'est plus au même niveau qu'autrefois.

✓ *gewurztraminer* (Pedare)

TURKEY FLAT
Barossa Valley

★☆Ⓥ

Entreprise récente et ambitieuse produisant des vins rouges exceptionnellement riches, voluptueux et complexes.

✓ *grenache noir* • *syrah*

WIRRA WIRRA VINEYARDS
McLaren Vale

★

Le vigneron Greg Trott et le Dr Tony Jordan fontt des vins rouges excellents et élégants.

✓ *cabernet sauvignon* (The Angelus) • *grenache-syrah* (Original) • *syrah* (RSW)

WOODSTOCK
McLaren Vale

★Ⓥ

Créé en 1974 par Doug Collett. Son fils Scott élabore les vins avec talent.

✓ *cabernet sauvignon* • *sauvignon* • *sémillon* • *syrah* (The Stocks)

WYNNS
Coonawarra

★☆Ⓥ

Le John Riddoch est en principe ici le meilleur vin, mais aussi superbe soit-il, le cabernet sauvignon, décevant car trop mince dans les années 1980, est souvent devenu suprêmement élégant et toujours deux fois moins cher. Wynns fait aujourd'hui partie de Southcorp.

✓ *cabernet-cinsaut-merlot* • *cabernet sauvignon* • *chardonnay* • *cinsault* • *riesling*

YALUMBA
Barossa Valley

★☆Ⓥ

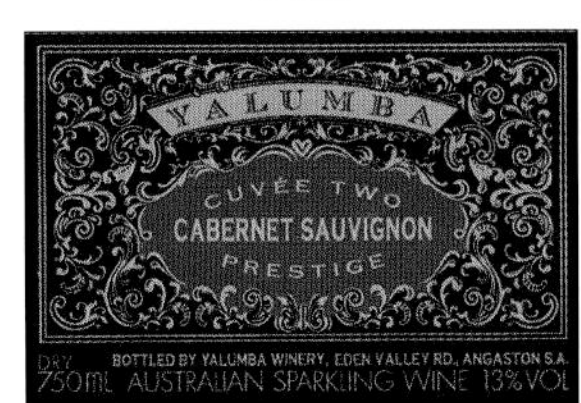

Nommée aussi S. Smith & Sons, cette grande entreprise produit une gamme étendue de vins de divers styles et qualités. La marque Yalumba est surtout utilisée pour les mousseux (le rosé est le plus connu). Il existe un mousseux sérieux étiqueté « Yalumba D » qui a commencé à prouver sa grande qualité à la fin des années 1980. Les vins faits de raisin cultivé en altitude dans un climat frais sont étiquetés « Heggies ». Yalumba possède aussi la marque néo-zélandaise Nautilus.

✓ *heggies-chardonnay* • *pinot noir* • *riesling* • *viognier* • *hill-smith cabernet-syrah* • *chardonnay* • *riesling* • *sauvignon* (surtout Air-Strip Block) • *yalumba-cabernet syrah* (The Signature) • *syrah* (The Octavius) • *mousseux* (Yalumba D)

AUSTRALIE OCCIDENTALE

Les vins dont on parle le plus aujourd'hui en Australie sont ceux de la région de Margaret River où le climat et le sol s'associent pour donner un raisin dont le mûrissement, le fruit et l'équilibre sont incomparables et où les producteurs sont des fanatiques qui se préoccupent avant tout de finesse et de qualité.

L'État d'Australie occidentale fut créé un peu avant celui de Victoria et le premier vignoble y fut planté en 1829, soit par Thomas Waters, soit par le capitaine John Septimus Roe qui, s'il fut le premier, ne faisait pas de vin car il ne cultivait que du raisin destiné à la table et au raisin sec. Waters en revanche acheta les huit hectares qui allaient devenir Olive Farm. Botaniste, ayant appris la technique vinicole auprès des Boers d'Afrique du Sud, il débarqua en Australie avec des semences et des boutures de nombreux cépages; quelques années plus tard, il faisait un vin qu'il échangeait contre d'autres marchandises. En 1835, le roi Guillaume IV fit don de plus de trois mille hectares de Swan Valley à un certain Henry Revett Bland qui ne tarda pas à les revendre à un trio d'officiers de l'armée des Indes, Lowis, Yule et Houghton. Mais ce dernier, qui était colonel, délégua son subordonné Yule pour gérer leur domaine commun. Ainsi, Houghton Wines, première entreprise vinicole commerciale d'Australie occidentale, porte le nom d'un homme qui n'a jamais mis les pieds dans le pays.

Un siècle plus tard, Swan Valley était toujours le centre d'une industrie vinicole qui a beaucoup progressé grâce à l'afflux d'immigrants européens connaissant bien la viticulture, particulièrement ceux

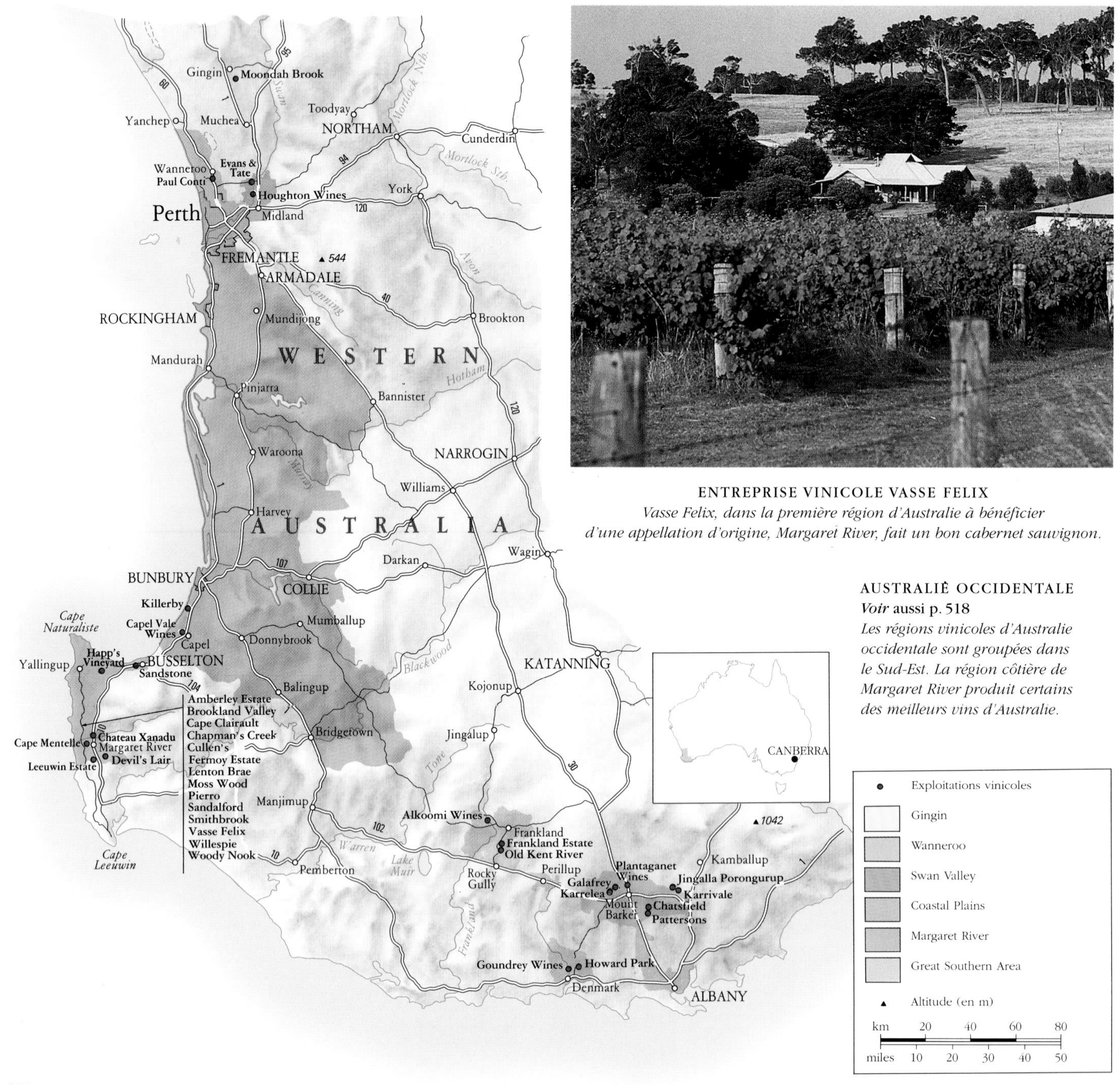

ENTREPRISE VINICOLE VASSE FELIX
Vasse Felix, dans la première région d'Australie à bénéficier d'une appellation d'origine, Margaret River, fait un bon cabernet sauvignon.

AUSTRALIE OCCIDENTALE
***Voir* aussi p. 518**
Les régions vinicoles d'Australie occidentale sont groupées dans le Sud-Est. La région côtière de Margaret River produit certains des meilleurs vins d'Australie.

venant de Dalmatie. Cette progression gagna ensuite la région de Mount Barker, puis le Frankland et enfin Margaret River qui ne sera certainement pas la dernière. Pour la plupart des amateurs de vin des pays anglo-saxons, Margaret River est la source des vins australiens récents les plus intéressants et donnant le plus de plaisir. Toutefois dans les régions vinicoles traditionnelles de l'est de l'Australie, on trouve encore des producteurs jaloux qui refusent de reconnaître leur qualité intrinsèque.

FACTEURS DU GOÛT ET DE LA QUALITÉ

EMPLACEMENT
Les régions viticoles sont Swan Valley, dans l'arrière-pays de Perth, l'immense étendue des Coastal Plains, surtout au sud de la ville, au sud-ouest la vallée de Margaret River, au sud les différents secteurs de Great Southern Area au nord et à l'ouest d'Albany.

CLIMAT
Le climat varie selon les régions. Dans Swan Valley, une des régions vinicoles les plus torrides au monde, l'été est long, brûlant et sec et l'hiver court et humide. À Margaret River, le climat est méditerranéen, avec des pluies plus abondantes et une température estivale tempérée par la brise océane. La température est plus basse dans le Great Southern Area qui reçoit un peu de pluie en été. Dans les zones côtières, la salinité peut poser des problèmes et les vents venant de l'océan apportent une forte humidité qui favorise le développement du botrytis.

SITES
La plupart des vignobles occupent les plaines côtières et le bassin des fleuves et des rivières. Certains se trouvent dans des secteurs plus accidentés comme les collines autour de Denmark et Mount Barker près d'Albany, dans le Great Southern Area.

SOLS
Les sols sont peu variés : ce sont surtout des terrains alluviaux profonds et bien drainés et des limons argilo-calcaires sur un socle argileux. On trouve toutefois dans la région côtière du Sud-Ouest un sol sableux gris-blanc, appelé « tuart », assis sur un socle calcaire, avec des zones graveleuses dans Margaret River.

VITICULTURE ET VINIFICATION
L'irrigation modérée par des dispositifs de goutte-à-goutte est très répandue pour compenser le manque de pluies estivales et le drainage naturel prononcé qui assèche le sol. En revanche, l'imperméabilité du sous-sol crée des problèmes de rétention d'eau en profondeur. Un grand espacement des souches, la mécanisation de la culture et de la vendange ainsi que la mise en œuvre des techniques de vinification les plus modernes caractérisent cette contrée où l'on s'est concentré depuis quelques années sur le développement des régions plus fraîches éloignées de Swan River.

CÉPAGES
Cabernet franc, cabernet sauvignon, chardonnay, chenin blanc, pinot noir, malbec, merlot, riesling, sauvignon, sémillon, syrah, verdelho et le zinfandel californien

VIGNOBLES DE SWAN VALLEY
Cette plaine se trouve dans l'une des régions vinicoles les plus chaudes du monde, la première d'Australie où l'on a planté de la vigne.

LES RÉGIONS VINICOLES D'
AUSTRALIE OCCIDENTALE

FRANKLAND
Petit secteur dans l'ouest de la région de Great Southern Area, le Frankland est surtout connu pour la grande entreprise Houghton de Frankland River. On y produit de bons cabernets sauvignons et des rieslings prometteurs.

GINGIN
Petite zone juste au nord de Perth et de la région de Southwest Coastal Plain.

GREAT SOUTHERN AREA
Région dont les principaux secteurs sont Mount Barker et Frankland, souvent appelés collectivement « Mount Barker/Frankland River ». C'est la plus fraîche des régions vinicoles d'Australie occidentale bien qu'elle bénéficie des mêmes influences climatiques que Margaret River, mais avec moins de pluie. Les vignobles sont dispersés dans une zone très vaste. Riesling, cabernet sauvignon, syrah, malbec, pinot noir et chardonnay en sont les principaux cépages. *Voir aussi* Frankland et Mount Barker.

MARGARET RIVER
Région préférée des amateurs de vin qui préfèrent l'élégance et la finesse à l'ampleur et à la puissance. Elle est devenue la première appellation d'origine officielle d'Australie en 1978, mais cette mesure n'a pas remporté le succès espéré et elle n'a pas été généralisée.
Les premières vignes ont été plantées dans Margaret River dès 1890, à Bunbury, mais c'est de

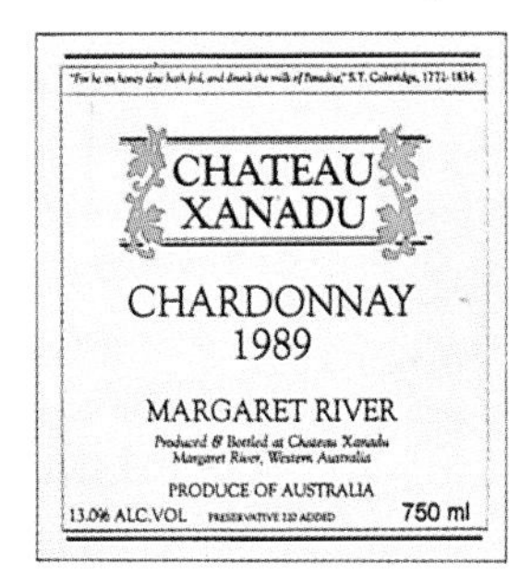

fait la création d'un vignoble à Vasse Felix par le Docteur Tom Cullity en 1967 qui donna le signal du développement de la région. Celui-ci ne s'est pas fait sans difficultés, dues notamment à l'oïdium, aux perroquets, au vent et surtout aux étés très secs. La menace de l'oïdium paraît maintenant écartée et l'on plante du tournesol dans le vignoble pour inciter les perroquets à ne plus dévorer le raisin, tandis que la culture du faux seigle protège la vigne des vents trop violents. De nombreux vignobles souffrent d'apoplexie provoquée non par la chaleur, mais par la sécheresse estivale, un mal exacerbé par le vent. Pourtant, le raisin de Margaret River est le meilleur de toute l'Australie. Les cépages qui réussissent le mieux sont le cabernet sauvignon, le chardonnay, le pinot noir et la syrah.

MOUNT BARKER
Mount Barker, qui fait partie de Great Southern Area, a été officiellement reconnu comme une appellation peu après Margaret River. Elle est réputée pour ses vins de cépage, notamment le

riesling et le cabernet sauvignon, mais d'autres cépages s'y plaisent également. Le seul facteur limitant le développement de l'appellation est que ces vins ne sont faits que par une poignée d'entreprises.

MOUNT BARKER/ FRANKLAND RIVER AREA

Voir Great Southern Area

SOUTHWEST COASTAL PLAIN

Les vignobles dispersés dans cette immense région sont cultivés sur le tuart – couche sableuse blanche ou légèrement grise reposant sur un sous-sol calcaire avec une nappe phréatique assez haute –, à l'exception de ceux de Capel Vale dont la terre noire est formée d'alluvions sableux fertiles. Le climat, modéré par les vents marins, ignore le gel et la grêle ou la pluie sont presque inconnues pendant l'époque des vendanges. Les cépages aromatiques réussissent particulièrement bien, mais chardonnay et syrah s'y plaisent aussi.

SWAN VALLEY

Swan Valley, dans les faubourgs orientaux de Perth, a la réputation d'être une des régions viticoles les plus brûlantes du monde. Cette réputation peu enviable et la réussite exceptionnelle de Margaret River ont incité de nombreux producteurs à déserter la région et le nombre de vignobles décroît. Ce qui fut le centre de l'activité vinicole de l'Australie occidentale est maintenant sur le déclin, même si les vins à l'ancienne très robustes ont été remplacés par des vins plus légers et plus frais.

WANNEROO

Petite zone vinicole située juste au nord de Perth, rattachée à la région de Southwest Coastal Plain. *Voir aussi* ce nom.

PEMBERTON
Chardonnay et pinot noir se plaisent à l'extrémité occidentale du Great Southern Area.

LES PRODUCTEURS D'

AUSTRALIE OCCIDENTALE

ALKOOMI WINES

Frankland

★✪

Éleveurs de moutons, Mervyn et Judy Lange produisent des vins frais, fruités et très aromatiques.

✓ *cabernet sauvignon* • *cabernet-syrah-merlot-malbec* (Classic Red) • *malbec* • *riesling* • *syrah*

AMBERLEY ESTATE

Margaret River

✰

L'ancien vinificateur de Brown Brothers fait ici son propre vin. Le vignoble compte quelque 40 ha.

✓ *sauvignon-sémillon* • *sémillon-sauvignon*

BROOKLAND VALLEY

Margaret River

✰

Petite entreprise qui a son propre restaurant, avec vue sur le vignoble.

✓ *chardonnay* • *sauvignon blanc*

CAPE CLAIRAULT

Margaret River

Ian et Ani Lewis ont agrandi leur vignoble, leur cave de vinification et leur salle de dégustation à laquelle ils ont ajouté un petit café.

✓ *cabernet sauvignon* • *sauvignon* • *sémillon*

CAPEL VALE WINES

Southwest Coastal Plain

★✰

Peter Pratten, radiologue à Bunbury, n'avait aucune expérience quand il décida de devenir vigneron. Pourtant ses vins, vifs et fruités, sont parmi les meilleurs d'Australie occidentale et valent largement leur prix.

✓ *cabernet sauvignon* • *merlot* • *riesling* • *syrah*

CAP MENTELLE

Margaret River

★★✰✪

Dans cet endroit, surnommé « l'Asile Mentelle » par ses habitants, David Hohnen est devenu une légende vivante. Il a créé en Nouvelle-Zélande un vignoble de renommée internationale et qui porte aussi le nom de Cap Mentelle. Mais il a cédé l'ensemble à Veuve Clicquot en gardant toutefois une participation et en continuant à assurer la marche de l'exploitation. C'est l'un des vinificateurs australiens les plus innovateurs, capable d'associer le meilleur de l'Ancien Monde et de l'Australie. Ses vins de Margaret River sont très, fins sans rien sacrifier du fruit exceptionnel du raisin de cette région. Ils se vendent aussi sous l'étiquette « Ironstone ».

✓ *cabernet-merlot* (Trinders) • *cabernet sauvignon* • *chardonnay* • *sémillon-sauvignon* • *sauvignon* • *syrah* • *zinfandel*

CHÂTEAU XANADU

Margaret River

★

Si les gens ordinaires pensent que les vignerons de Cape Mentelle sont un peu fous, ils sont persuadés que ceux du château Xanadu le sont entièrement. Imaginez que, dans un coin, on philosophe pour découvrir si le raisin est arrivé ici par miracle car personne n'a vu quiconque le transporter et que, dans un autre, des chants bizarres s'élèvent mystérieusement d'un nuage de fumée bleue et odorante, vous seriez loin du compte. Heureusement, la qualité exceptionnelle des vins de Xanadu est bien réelle.

✓ *cabernet* • *cabernet sauvignon* • *chardonnay* • *sauvignon*

CHAPMAN'S CREEK

Margaret River

?

Ancien rédacteur en chef et cofondateur du magazine *Decanter*, Tony a pris sa retraite ici en 1993. Avec un vignoble de 8 ha et 48000 bouteilles par an, il n'est aucunement le plus petit vigneron. Il m'a dit qu'il faisait surtout du chenin blanc – son premier millésime a aussitôt remporté une médaille –, mais qu'il allait devoir sa réputation au chardonnay et au cabernet, tandis que sa syrah était trop bonne pour qu'il la vende.

CHATSFIELD

Mount Barker

★✪

Né en Irlande, le Docteur Ken Lynch est bien connu pour ses vins d'un abord facile, notamment un riesling très mûr à l'arôme de pêche.

✓ *cabernet franc* (Soft Red) • *chardonnay* • *riesling* • *syrah*

PAUL CONTI

Wanneroo

Entreprise sans panache qui peut pourtant faire des vins d'une finesse surprenante.

✓ *frontignac* (Late Picked) • *syrah*

CULLENS

Margaret River

★★

Diana Cullens et sa fille Vanya font une superbe équipe de vignerons, mais ils ne vous accueilleront pas dans leur *guest house* si vous n'aimez pas les serpents.

✓ *cabernet-merlot* • *chardonnay* • *sauvignon*

DEVIL'S LAIR

Margaret River

★

Planté en 1981, Devil's Lair est, pour Margaret River, un vieux vignoble, mais je n'ai découvert ses vins qu'il y a peu de temps. Je n'ai dégusté que deux rouges, mais l'un comme l'autre étaient profonds, bien colorés, pourtant délicatement structurés et très prometteurs. C'est aussi l'avis de Southcorp puisque ce groupe a racheté Devil's Lair en 1997.

✓ *cabernet-merlot* • *cabernet sauvignon*

EVANS & TATE

Henley Brook

★

Cette entreprise, qui possède des vignobles dans les deux régions de Swan Valley et Margaret River, produit des vins époustouflants associant richesse et finesse.

✓ *cabernet-merlot* (Barrique 61) • *chardonnay* (Margaret River, Two Rivers) • *merlot* (Margaret River) • *sémillon* (Margaret River) • *sémillon-sauvignon* • *syrah* (Margaret River)

FERMOY ESTATE

Margaret River

Fermoy Estate produit un cabernet-merlot très élégant et un pinot noir dont la qualité est en progrès.

✓ *cabernet-merlot*

FRANKLAND ESTATE
Frankland

Le meilleur vin est ici un rouge d'assemblage (les deux cabernets, merlot et malbec) dédié au professeur Olmo, le célèbre hybridateur californien, non pour sa création de cépages comme le ruby cabernet, mais pour son rôle dans le choix des meilleurs sites de Frankland au début de l'essor vinicole de ce secteur.

✓ *Olmo's Reward* (style bordeaux rouge)

GALAFREY
Mount Barker

☆Ⓥ

Quiconque choisit de donner à une entreprise vinicole le nom d'une planète mythique où réside le dieu du temps devrait être enfermé dans un endroit obscur, de préférence avec un bonne réserve de vins de Galafrey.

✓ *cabernet sauvignon* • *riesling* • *syrah*

GOUNDREY WINES
Mount Barker

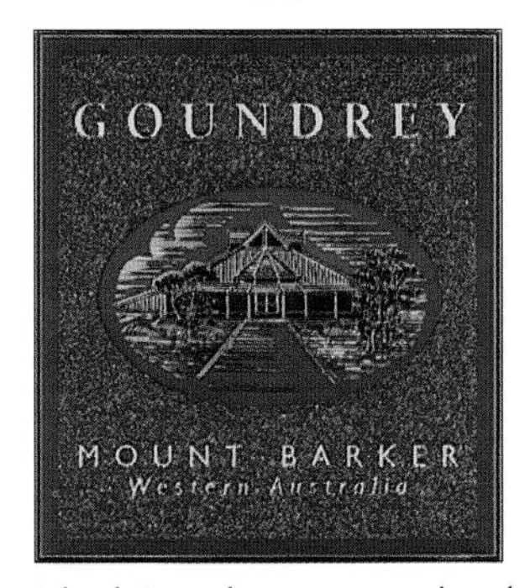

Michael Goundrey et son maître de chai Brenden Smith forment un couple de vinificateurs volants renommés qui ont élaboré dans le Midi de la France des vins éminents sous l'étiquette « French Wine made by Australians ». Je préfère de loin ceux qu'ils font dans leur pays.

✓ *cabernet sauvignon* (Langton) • *chardonnay* • *sauvignon* • *syrah*

HAPP'S VINEYARD
Margaret River

☆

Erland Happ élabore plusieurs vins que l'on boit tous avec plaisir mais il est évident qu'il met tout son cœur dans le merlot.

✓ *merlot*

HOUGHTON WINES
Swan Valley

★Ⓥ

La qualité des vins de Houghton Wines est souvent sous-estimée en raison de leur abondance et parce que l'entreprise appartient au groupe vinicole géant BR Hardy.

✓ *cabernet sauvignon* (Gold Reserve) • *chardonnay* (Gold Reserve) • *riesling* • *bourgogne blanc* (Show Reserve) • *verdelho* (Show Reserve)

HOWARD PARK
Mount Barker

Entreprise créée en 1986 par John Wade qui commercialise aussi ses vins sous l'étiquette « Madfish Bay ».

✓ *chardonnay* • *riesling*

JINGALLA PORONGURUP
Mount Barker

☆

Production de vins blancs nerveux et très fruités ainsi que d'un vin de syrah aux arômes marqués de poivre noir fraîchement moulu.

✓ *syrah* (Oak Matured) • *verdelho*

KARRELEA
Mount Barker

☆Ⓥ

John Pickles cultive ce petit vignoble dont il est viticulteur et propriétaire selon les principes biodynamiques. Cela expliquerait, peut-être ou peut-être pas, les notes épicées intéressantes de son sauvignon.

✓ *sauvignon*

KARRIVALE
Mount Barker

☆Ⓥ

John Wade élabore ici un riesling délicieusement frais aux arômes de zeste d'agrumes.

✓ *riesling*

KILLERBY
Southwest Coastal Plain

☆

Créé en 1973, Killerby vend la plupart de ses vins sous l'étiquette « April Classic ».

✓ *syrah*

LEEUWIN ESTATE
Margaret River

On n'a pas lésiné sur la dépense pour créer cette entreprise ultra-moderne qui exploite un excellent restaurant et possède un emplacement idyllique pour les concerts. Vins riches, élégants dans le style aujourd'hui à la mode.

✓ *cabernet sauvignon* • *chardonnay* • *pinot noir* • *riesling* • *sauvignon*

LENTON BRAE
Margaret River

?

Un seul vin dégusté – un cabernet sauvignon – une seule et unique fois, mais il était si complet et si complexe que je venais de découvrir un très grand cabernet de Margaret River, région bénie où j'ai pourtant eu l'occasion de déguster un nombre respectable de cabernets d'une qualité exceptionnelle.

✓ *cabernet sauvignon*

MOONDAH BROOK
Gingin (vignobles seuls)

★☆Ⓥ

Marque de grande valeur appartenant au géant BR Hardy. Les vins sont élaborés par Houghton Wines.

✓ *cabernet sauvignon* • *chardonnay* • *chenin blanc* • *verdelho*

MOSS WOOD
Margaret River

Une des meilleures entreprises de la région, la première à avoir su élaborer un pinot noir excellent.

✓ *cabernet sauvignon* • *chardonnay* • *pinot noir* • *sémillon*

OLD KENT RIVER
Frankland

Mark et Deborah Noack ont créé ce vignoble en 1985, mais ils n'ont commencé que récemment à commercialiser leur propre vin. Il valait la peine d'attendre si longtemps leur grand pinot noir richement aromatique.

✓ *pinot noir*

PATTERSONS
Mount Barker

?

Ces vins qui commencent à s'imposer sont faits par Arthur Patterson, qui créa le vignoble en 1982.

✓ *chardonnay*

PIERRO
Margaret River

★☆

Mike Perkin, un vrai génie des vins blancs, élabore le meilleur chardonnay de Margaret River.

✓ *chardonnay* • *guillotine red* (style bordeaux) • *sémillon-sauvignon*

PLANTAGENET WINES
Mount Barker

★☆

Entreprise qui porte le nom du comté où elle est située, Plantagenet fut la première à cultiver la vigne dans l'appellation Mount Barker. Elle est aujourd'hui au premier rang. John Wade lui a donné sa réputation et Gavin Berry contribue à la renforcer.

✓ *cabernet sauvignon* • *chardonnay* • *pinot noir* • *riesling* • *syrah*

SANDALFORD
Margaret River

☆

Entreprise vinicole historique, créée en 1840, que Bill Crappsley, l'ancien maître de chais d'Evans & Tate a beaucoup améliorée. Il n'y a aucun doute que le verdelho est sa plus grande réussite.

✓ *cabernet sauvignon* • *chardonnay* • *riesling* • *verdelho*

SANDSTONE
Margaret River

☆

Minuscule entreprise viticole créée en 1988 par Mike et Jan Davies, tous deux vinificateurs de talent. Leurs vins sont riches, boisés et francs mais capables de complexité.

✓ *cabernet sauvignon* • *sémillon*

SMITHBROOK
Margaret River

★☆

John Wade, qui paraît avoir le don d'ubiquité, élabore aujourd'hui un pinot noir bien boisé qui ne ressemble nullement à un bourgogne, bien que Smithbrook ait des intérêts communs avec le domaine beaunois de la Pousse d'Or, mais qui n'en est pas moins un vin somptueux.

✓ *pinot noir*

VASSE FELIX
Margaret River

★☆

Premier vignoble et première entreprise de l'époque moderne créée à Margaret River en 1967. Sa spécialité a toujours été les cabernets sauvignons de longue garde et c'est toujours le cas, bien que, après un changement de propriétaire, les vins soient devenus plus souples et plus facilement abordables dans leur jeunesse. Le nouveau blanc d'assemblage (*classic white*) convient bien aux repas. Des vins de Mount Barker en progrès sont commercialisés sous l'étiquette « Forest Hill », y compris un riesling qui mérite de vieillir.

✓ *cabernet sauvignon* (dont le Forest Hill) • *Classic White* • *riesling* (Forest Hill)

WILLESPIE
Margaret River

★

Kevin et Marian Squance élaborent un très joli cabernet aux arômes de mûre et de fumée, un sémillon merveilleusement frais et un verdelho assez bon pour concurrencer celui que fait Bill Crappsley à Sandalford.

✓ *cabernet sauvignon* • *sauvignon* • *sémillon* • *verdelho*

WOODY NOOK
Margaret River

☆

Neil Gallagher fait ici un très beau cabernet sauvignon d'une élégance remarquable dont le fruit et le tanin sont admirablement équilibrés.

✓ *cabernet sauvignon*

QUEENSLAND ET TERRITOIRE DU NORD

Ces deux régions couvrent près de la moitié de l'Australie mais ne comptent que 15 % de sa population, en grande partie concentrée à Brisbane, au sud-est, près de la frontière avec la Nouvelle-Galles du Sud. Le climat est torride, mais la principale région viticole se trouve dans la ceinture granitique où, grâce à l'altitude élevée, il est l'un des plus frais de l'Australie vinicole.

QUEENSLAND

Un des derniers endroits du monde où l'on s'attendrait à trouver un vignoble, le Queensland a pourtant une petite industrie vinicole remontant aux années 1850 et compte vingt et un producteurs. Curieusement, les étés sont plus froids que ceux de Riverland en Australie méridionale, et de Mudgeee et Hunter Valley en Nouvelle-Galles du Sud. Un temps relativement humide entre la véraison et la vendange favorise la pourriture du raisin.

TERRITOIRE DU NORD

Ce territoire paraît encore moins propice à la viniculture que le Queensland. Sa plus grande superficie est sèche et torride, le reste est formé de marécages infestés de crocodiles, au point que l'office régional du tourisme conseille à ceux qui se risquent dans cette charmante contrée de courir en zigzag quand ils sont poursuivis par ces aimables reptiles. Autre curiosité de cet accueillant territoire, il est illégal de boire une boisson alcoolisée en un lieu public dans un rayon de deux kilomètres autour d'un bar ayant une licence. Le machisme qui règne dans cette contrée reculée veut que l'on tienne pour efféminés ceux qui préfèrent le vin à la bière omniprésente que l'on considère plus rafraîchissante. On trouve pourtant à Alice Springs un vignoble qui ne possède, il est vrai, que trois hectares.

FACTEURS DU GOÛT ET DE LA QUALITÉ

EMPLACEMENT
Le Queensland est situé dans l'angle nord-est de l'Australie, au nord de la Nouvelle-Galles du Sud. Il est bordé à l'est par la mer de Corail et à l'ouest par le Territoire du Nord.

CLIMAT
La pluviosité moyenne annuelle n'est que de 510 mm à Roma, mais atteint 790 mm dans la ceinture granitique. La pluie, surtout abondante au moment des vendanges, ce qui n'est guère favorable, reste moins dangereuse que le gel et la grêle. La température est élevée, mais pas exagérée (la même qu'à Margaret River) grâce à l'effet modérateur de l'altitude. Le climat d'Alice est continental, très chaud et très sec.

SITES
Alice Springs (Territoire du Nord) et Stanthorpe (Queensland) sont à 600 m d'altitude, mais les vignobles qui les entourent sont cultivés entre 700 et 900 m, ce qui contribue à modérer quelque peu la forte chaleur estivale de ces deux régions. Les vignobles d'Alice Springs se trouvent en terrain plat alors que ceux de Stanthorpe sont en général cultivés à flanc de colline.

SOLS
Le sol de Stanthorpe est évidemment granitique puisque cette région vinicole se trouve dans le Granite Belt (ceinture granitique). La région d'Alice Springs, dans le Territoire du Nord, a la même terre rouge infertile que presque toute l'Australie centrale.

VITICULTURE ET VINIFICATION
L'irrigation est indispensable pour faire pousser la vigne autour d'Alice Springs. C'est aussi le cas de la région de Roma dans le Queensland. Les moyens techniques les plus modernes sont mis en œuvre pour combattre la chaleur et prévenir l'oxydation, permettant de produire des vins assez bons. Le Queensland a été miraculeusement protégé du phylloxéra et une quarantaine stricte est imposée lors de l'importation de boutures, freinant la diversification de la production vinicole.

CÉPAGES
Cabernet sauvignon, chardonnay, chenin blanc, emerald riesling, malbec, mataro, muscat, riesling, sémillon, servante, syrah, sylvaner, traminer.

STATION DE POMPAGE À ALICE SPRINGS
Le climat très chaud rend l'irrigation des terres rouges sableuses indispensable. Heureusement l'eau est abondante en profondeur.

LES RÉGIONS VINICOLES DU

QUEENSLAND ET DU TERRITOIRE DU NORD

ALICE SPRINGS

La seule entreprise viticole du Territoire du Nord est le Château Hornsby, à Alice Springs. Les cépages, cultivés sur la terre rouge sableuse, sont le cabernet sauvignon, le chardonnay, le riesling, le sémillon et la syrah. Ils sont irrigués par goutte à goutte (il y a beaucoup d'eau en profondeur) et vendangés en janvier.

GRANITE BELT

Dans la ceinture granitique, on cultive la vigne dans la région de Ballandean, sur un plateau granitique situé à 240 km à l'ouest de Brisbane. Étant donné son altitude élevée (entre 790 et 940 m), cette région bénéficie d'un climat assez tempéré convenant au raisin de cuve. De fait à Felsberg, qui se trouve à une altitude de 850 m, il arrive parfois que le raisin ait de la peine à mûrir suffisamment. La grande qualité de l'industrie des vins de cépage de la ceinture granitique fut une fois qualifiée de plus grand secret de tout le Queensland. Le cépage qui convient le mieux est le riesling, pourtant le vin le mieux réussi est paradoxalement le sylvaner de vendange tardive de Ballandean. Les autres cépages qui se plaisent dans cette région sont le cabernet sauvignon, le chardonnay, le sémillon et la syrah.

ROMA

Nulle région ne semble plus impropre à la viticulture que celle de Roma, au Queensland; pourtant on y cultive quelque 25 ha de vignes. Avec son climat chaud et sec, ce devrait être une région de vins vinés, c'est dire ma surprise quand j'ai été accueilli par le panneau « Welcome to Roma, Champagne Country ». En 1864, un certain Mitchell aurait été frappé en arrivant ici par la ressemblance des lieux avec la Champagne et il le proclama haut et fort. Il est clair qu'il n'avait jamais vu la Champagne, mais personne n'étant en mesure de le détromper, l'erreur s'est perpétuée.

LES PRODUCTEURS DU

QUEENSLAND ET DU TERRITOIRE DU NORD

BALLANDEAN

Granite Belt

★Ⓥ

L'entreprise viticole Ballandean, dans la région de la ceinture granitique du Queensland, a évolué depuis quelques années. Son propriétaire, Angelo Puglisi, est un authentique vigneron : il cultive lui-même son raisin et élabore lui-même ses vins. Son Liqueur Muscat a toujours été léger et excellent, et son sylvaner de vendange tardive vraiment spécial, mais ses vins de cépage ont manqué de fruit et de fraîcheur jusqu'au début des années 1990. Depuis il a produit des vins de cépage toujours meilleurs d'une année sur l'autre. Il ne s'agit pas de grands vins et ils n'ont pas la prétention de l'être, mais ils sont bien faits, bon marché, d'un abord facile et bien agréables à boire. Il faut souligner que Puglisi fait un vin qui mérite d'être qualifié de grand vin, son sylvaner de vendange tardive. Le millésime 1985 fut le plus beau vin de vendange tardive que Puglisi eût jamais fait jusqu'en 1991. Cette année-là, son raisin fut atteint par la pourriture noble et *botrytis* donna à son sylvaner non seulement la complexité, mais encore de la finesse et une grande élégance. Chaque millésime de ce vin a toujours montré une personnalité affirmée, mais depuis 1991, il paraît avoir toujours bénéficié d'au moins une touche de botrytis et chaque nouveau millésime s'est montré supérieur au précédent.

✓ *cabernet sauvignon* • *sauvignon* • *sémillon* • *liqueur muscat* • *sylvaner* (vendange tardive)

BASSETS ROMAVILLA WINERY

Roma

Le chenin blanc peut être frais avec des arômes de fruits tropicaux, mais la syrah est trop massive et riche en alcool, ce à quoi on pouvait s'attendre sous un climat aussi chaud. Roma devrait être une contrée de vins vinés et si le Very Old Port et le Very Old Liqueur Muscat sont en effet très riches et intenses, avec une finale imposante, il y a peu d'autres vins vinés dignes d'intérêt. Je pense que cette entreprise solitaire ne tire pas le meilleur parti possible d'un raisin convenant aux vins vinés et qu'elle a la main lourde avec l'anhydride sulfureux. J'ai aussi constaté qu'une proportion anormale de bouteilles avait le goût de bouchon.

BUNGAWARRA

Granite Belt

Créée vers 1920 par Angelo Barbagello, cette entreprise en sommeil a été ranimée en 1979 par Alan Dorr et Philip Christensen qui remportèrent une médaille d'or avec leur premier vin.

CHÂTEAU HORNSBY

Northern Territory

Dans le milieu vinicole australien, certains refusent de croire qu'il existe un vignoble à Alice Springs, mais j'ai rendu personnellement visite deux fois à Denis Hornsby et je peux affirmer que de la vigne y pousse. Contrairement à une rumeur répandue par d'autres sceptiques, les rangs de vigne ne sont pas disposés au fond de tranchées profondes afin de bénéficier d'un peu d'ombre, mais dans un vignoble parfaitement plat. Chaque année, Denis Hornsby fait son Early Red avec de la syrah cueillie le 1er janvier, une minute après minuit, mais il lui est arrivé de vendanger encore plus tôt. Avec des hivers inexistants dans le milieu des années 1966, son chardonnay a mûri un mois plus tôt que d'habitude et son millésime 1977 a en réalité été fait avec du raisin vendangé le 7 décembre 1996.

✓ *Early Red* • *porto* (Horny Tawny)

FELSBERG VINEYARDS-WINERY

Granite Belt

Le chardonnay n'a rien de spécial en tant de vin de cépage, mais il a le genre de structure qui en ferait un vin de base idéal pour un mousseux de qualité. Felsberg est très prometteur pour le traminer et son riesling 1991 est l'un des meilleurs d'Australie depuis des années.

✓ *riesling*

GRANITE CELLARS

Granite Belt

Rob Gray, qui est aussi un des associés de Rumbalara, a créé cette entreprise en 1992. Il y produit maintenant le meilleur cabernet du Queensland.

✓ *cabernet sauvignon*

IRONBARK RIDGE

Purga

Cette entreprise vinicole a été créée en 1994 avec le concours de Peter Scudamore-Smith, l'unique *master of wine* du Queensland, dans un endroit isolé situé entre Brisbane et la cordelière australienne, où Robert Le Grand avait déjà planté de la vigne en 1991. Le chardonnay du millésime 1991 s'est révélé prometteur, toutefois la moitié du raisin utilisé pour son élaboration avait été acheté dans d'autres régions.

KOMINOS WINES

Granite Belt

Le vin de syrah produit ici est très apprécié par les enthousiastes de la macération carbonique.

✓ *cabernet sauvignon* • *riesling*

MOUNT MAGNUS

Granite Belt

Vignoble le plus haut perché d'Australie.

✓ *syrah*

MOUNTVIEW

Granite Belt

★Ⓥ

J'ai découvert dans cette minuscule grange immaculée en bois de cèdre rouge un vin de syrah 1991 enthousiasmant, qui n'était que le second millésime élaboré ici, mais sans doute un des exemples les plus élégants et les moins chers de vin australien de syrah, avec un fruit voluptueux, tendre et crémeux.

✓ *syrah*

OLD CAVES WINERY

Granite Belt

Les vins de cépage haut de gamme sont vraiment très bons.

✓ *riesling* • *syrah*

ROBINSONS FAMILY

Ballandean

John Robinson s'est pris de passion pour le vin en séjournant dans la région beaujolaise puis il a étudié l'œnologie au Riverina College sous la houlette de Brian Croser.

✓ *cabernet-syrah*

RUMBALARA VINEYARDS

Fletcher

★

Chris Gray est le maître indiscuté du sémillon de Granite Belt soit non boisé soit vinifié en fût.

✓ *cabernet-sauvignon* • *sémillon*

STONE RIDGE VINEYARD

Granite Belt

Syrah prometteur mais pas au niveau.

WINEWOOD

Granite Belt

Ian et Jeanette Davis ont parfois la main lourde avec un chêne au goût de noix de coco.

✓ *syrah* • *syrah-marsanne*

✧ NOUVELLE-ZÉLANDE ✧

J'ai écrit il y a presque dix ans que le sauvignon de Nouvelle-Zélande « rivalise à armes égales avec les meilleurs vins des appellations sancerre et pouilly fumé » mais ce n'est plus vrai : le sauvignon de Nouvelle-Zélande surpasse maintenant tout vin de sauvignon produit en France. Quant aux vins de chardonnay et de sémillon, ils sont restés de premier ordre.

VIGNOBLE MISSION
Planté en 1851 à Hawkes Bay, c'est le plus ancien de Nouvelle-Zélande

Certains estiment que le sauvignon n'est même pas le meilleur cépage de Nouvelle-Zélande (les Néo-Zélandais eux-mêmes considèrent que le chardonnay est leur cépage le plus prestigieux car le prix des vins qu'on en tire est nettement plus élevé que celui des vins de sauvignon), mais la Nouvelle-Zélande est devenue la plus grande source au monde de sauvignon de très grande qualité et ceux qui le produisent auraient tort de l'ignorer.

LES DÉBUTS DE L'EXPORTATION

Les sociétés vinicoles néo-zélandaises Cooks et Montana commencèrent à exporter à la fin des années 1970 et, une dizaine d'années plus tard, de nombreuses entreprises diversifiaient une petite partie de production de chardonnay, chenin blanc, gewurztraminer, pinot gris, riesling et sémillon pour tenter de se faire connaître sur le marché international. Il y avait également plusieurs vins d'assemblage de gewurztraminer et de riesling – une nouveauté à l'époque – et même du furmint. Le style de ces vins était varié, sec, demi-sec, doux, vendange tardive. Certains étaient élevés dans le chêne, d'autres même fermentés en fût. On trouvait même des vins de glace faits à l'aide de congélateurs! Cabernet sauvignon, pinotage et pinot noir, boisés ou non, formaient la gamme des vins rouges. C'est en 1982 que j'ai dégusté pour la première fois un échantillon respectable de vins de Nouvelle-Zélande. La qualité moyenne était très élevée, les vins séduisants et intéressants, mais rien dans leur style n'était proprement néo-zélandais. On s'en étonnera aujourd'hui, mais lors de cette dégustation organisée par les Néo-Zélandais eux-mêmes, ceux-ci avaient jugé préférable de ne soumettre qu'un seul et unique sauvignon. On pensait à l'époque que le vin le plus prometteur devait être le pinot noir. Que les choses ont vite changé!

L'AVENIR DU VIN DE NOUVELLE-ZÉLANDE

Le nombre de producteurs a doublé depuis la fin des années 1980, mais l'industrie vinicole est toujours dominée par trois grandes sociétés : Montana (qui possède Deutz Marlborough), Corbans (qui contrôle Cooks et Robard & Butler) et Villa Maria (qui englobe Vidal et Esk Valley). Les quelque deux cents entre-

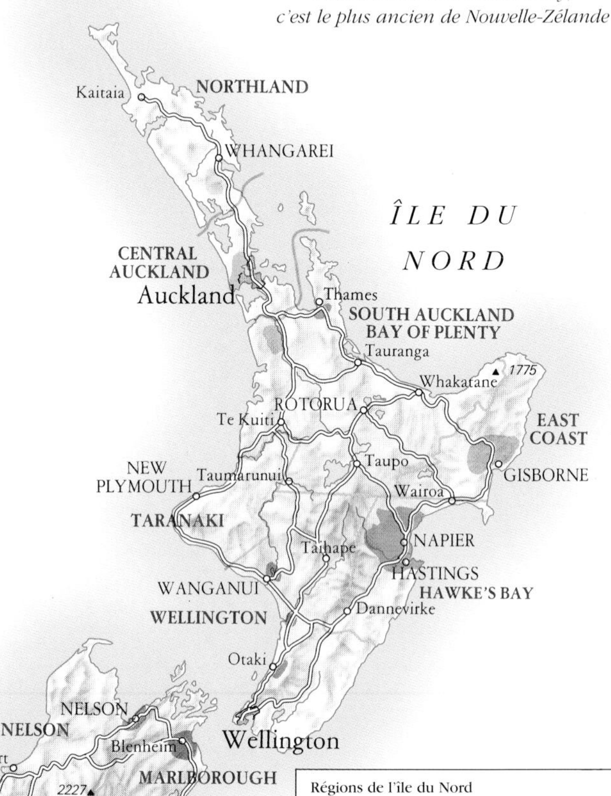

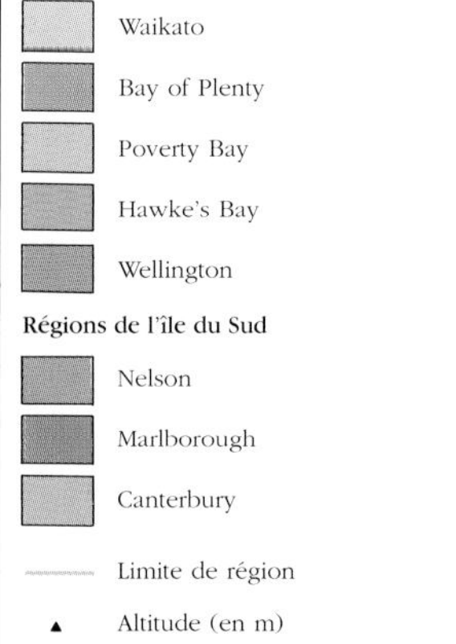

NOUVELLE-ZÉLANDE
Bien que la viticulture de l'île du Sud soit plus récente, elle bénéficie d'un climat un peu plus favorable que celle de l'île du Nord où la pluviosité est plus forte.

FACTEURS DU GOÛT ET DE LA QUALITÉ

EMPLACEMENT
À l'exception de l'île de Waiheke, toutes les régions viticoles de Nouvelle-Zélande se trouvent sur les deux grandes îles. Otago est la région la plus méridionale.

CLIMAT
L'île du Nord jouit d'un climat maritime tempéré analogue à celui du Bordelais, mais beaucoup plus pluvieux. L'automne est rarement sec : des pluies abondantes et une forte humidité peuvent endommager le raisin et provoquer sa pourriture. L'île du Sud est plus froide, mais plus ensoleillée et plus sèche. Marlborough est la région la plus chaude avec le plus fort ensoleillement; la pluviosité y est variable. Si l'on se réfère à la méthode californienne de sommation des températures (*voir* p. 448), les zones viticoles les plus importantes des deux îles sont en Région I.

SITES
La plupart des vignobles sont en terrain plat ou en pente douce rendant possible la mécanisation. Quelques-uns sont situés sur des pentes faisant face au nord, à Auckland et Te Kauwhata, qui bénéficient d'un meilleur drainage et d'un ensoleillement plus long et plus intense. On trouve des vignobles de coteau dans la région d'Otago, sur l'île du Sud.

SOLS
La plupart des sols sont argileux ou limoneux, souvent sableux ou graveleux, avec sous-sol volcanique à Hawke's Bay et autour de Canterbury.

VITICULTURE ET VINIFICATION
Les vendanges débutent en mars et avril, six mois avant celle de l'hémisphère nord. Bien que l'accent soit de plus en plus mis sur les cépages nobles comme le chardonnay, le sauvignon, le cabernet sauvignon et le pinot noir donnant des vins de grande qualité, le müller-thurgau domine encore pour les vins bon marché en bouteilles de 1,5 l et en cubitainers, rendus doucereux par addition de jus de raisin sucré stérilisé. La plupart des vinificateurs ont étudié l'œnologie en Australie et ont effectué au moins un stage en Europe. C'est l'association réussie des traditions et des techniques vinicoles de l'Ancien Monde et des Pays Neufs qui a contribué a donner aux vins de Nouvelle-Zélande un style original et une réputation qui ne cesse de croître.

CÉPAGES
Arnsburger, baco blanc, bacchus, baco noir, blauberger, breidecker, cabernet franc, cabernet sauvignon, chambourcin, chardonnay, chasselas, chenin blanc, durif, gamay, gamay teinturier, gewurztraminer, iona, isabella (albany surprise), malbec, merlot, meunier, montepulciano, müller-thurgau, muscat (divers, surtout Dr. Hogg) optima, palomino, petit verdot, pinotage, pinot blanc, pinot gris, pinot noir, refosco, riesling, sangiovese, sauvignon, sémillon, siebel, sylvaner, syrah, trousseau gris, zinfandel.

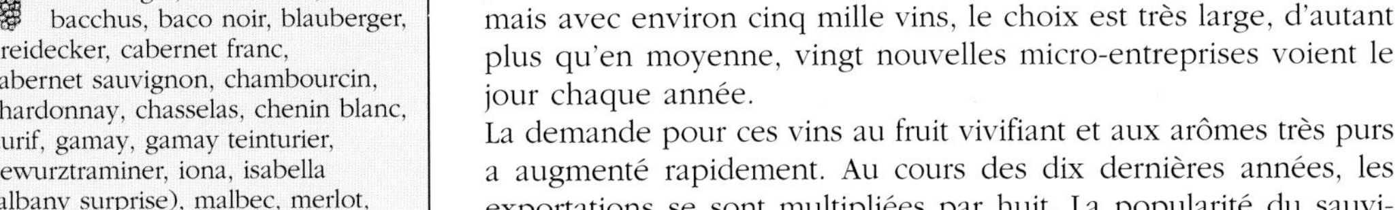

RÉCENTS MILLÉSIMES NÉO-ZÉLANDAIS

1996 Millésime le plus abondant de la décennie davantage grâce à l'entrée en production de nouveaux vignobles qu'à de forts rendements. Bonne qualité de tous les cépages dans toutes les régions.

1995 Après trois années relativement modestes, 1995 a été la plus prolifique jamais connue. Dans plusieurs régions, des pluies vers la fin des vendanges ont provoqué la dilution de certains vins. La pluie a épargné Gisborne, Hawke's Bay, Canterbury et Central Otago où quelques vins vraiment concentrés ont été élaborés, mais la plupart des autres devront être bus jeunes.

1994 Meilleure année depuis 1989 pour les rouges et les blancs de l'île du Nord, notamment à Martinborough où la qualité du raisin a été sensationnelle, Hawke's Bay, Gisborne, puis Auckland qui suit de près. Dans l'île du Sud, meilleurs vins à Marlborough et Nelson, surtout les blancs, mais ceux de Canterbury ont été les plus décevants.

1993 Année en général médiocre, pourtant quelques rouges et blancs étonnants, meilleurs même que les millésimes 1994 à Auckland. Résultats moyens ou variables ailleurs, en particulier pour les blancs de Martinborough et Canterbury.

1992 Blancs bons ou très bons dans l'île du Nord sauf à Martinborough. Rouges excellents seulement à Auckland. Vins généralement décevants dans l'île du Sud, à l'exception de quelques rouges exceptionnels à Canterbury.

CUVES DE COOPER CREEK, DANS L'ÎLE DU NORD
Cette entreprise de Huapi Valley produit des vins très élégants élaborés avec des méthodes traditionnelles et des techniques de pointe.

prises restantes ne comptent que pour 10% de la production, mais avec environ cinq mille vins, le choix est très large, d'autant plus qu'en moyenne, vingt nouvelles micro-entreprises voient le jour chaque année.

La demande pour ces vins au fruit vivifiant et aux arômes très purs a augmenté rapidement. Au cours des dix dernières années, les exportations se sont multipliées par huit. La popularité du sauvignon et du chardonnay va encore croître et celle des vins rouges comme le pinot noir et le cabernet d'assemblage fera de même. Le müller-thurgau naguère omniprésent est progressivement remplacé par les cépages nobles, mais il reste important pour les vins d'assemblage bon marché, en particulier ceux distribués en cubitainers. Le sémillon n'a pas en Nouvelle-Zélande l'importance qu'il a prise en Australie pour les vins de cépage, mais il est en expansion depuis dix ans, probablement pour assister le sauvignon. Certains producteurs vont le vendanger plus tôt car il est alors plus herbacé que le sauvignon. Une modeste adjonction de sémillon peut renforcer le caractère propre au sauvignon de Nouvelle-Zélande.

VIGNOBLE DE NEUDORF, DANS L'ÎLE DU SUD
On tire 24 000 bouteilles annuelles de ce vignoble de 4,5 ha situé dans l'appellation Nelson.

LES APPELLATIONS DE

NOUVELLE-ZÉLANDE

Note La Nouvelle-Zélande a institué en 1996 un système d'appellations attribuant aux régions et sous-régions le statut de *Certified Origin* (CO) dont il a été tenu compte ci-dessous.

ILE DU NORD

La plus importante des deux îles, comptant environ 70% de la population, est l'île du Nord. L'industrie vinicole de la Nouvelle-Zélande y est née et ne s'est pas intéressée à l'île du Sud avant 1973.

AUCKLAND (CO)

Sous-régions (CO) de l'appellation : Greater Auckland, Kumeu-Huapai, Henderson, Waikeke Island, Northland-Matakana

Dans les années 1960, une décennie avant la plantation des premières vignes à Marlborough, dans l'île du Sud, Auckland possédait plus de la moitié du vignoble néo-zélandais. Aujourd'hui, cette région en revendique moins de 4%. Elle reste pourtant le centre de l'industrie vinicole étant donné le grand nombre d'entreprises qui y sont encore installées. Celles-ci font venir du vin de presque toutes les régions et elles embouteillent plus de 90% de la production totale de la Nouvelle-Zélande. Si les vignobles d'Auckland sont insignifiants quant à la quantité, on en tire encore des vins qui comptent parmi les meilleurs du pays. La sous-région de Kumeu-Huapai s'est imposée depuis longtemps comme une source de vins de cépage de très grande qualité et celle de Waiheke Island, qui est beaucoup plus sèche et ensoleillée que les autres, est l'une des plus intéressantes de Nouvelle-Zélande pour les vins rouges. Une très petite quantité de cabernet-merlot est produite sur Great Barrier Island qui se trouve loin dans le Pacifique, bien au-delà de Waiheke Island. Certains pensent qu'un grand avenir attend Clevedon et Whitford, à l'est d'Auckland et de Northland. C'est là que les premières vignes de Nouvelle-Zélande furent plantées en 1819.

GISBORNE (CO)

La région de Gisborne, qui est synonyme de Poverty Bay, a été surnommée « *carafe country* » étant donné sa quantité impressionnante de müller-thurgau qui était à la base des vins de Nouvelle-Zélande commercialisés en cubitainers. Mais avec un rendement atteignant vingt-cinq tonnes par hectare, le müller-thurgau de Gisborne n'est plus rentable, même pour le vin au meilleur marché, et les producteurs importent aujourd'hui du vin en vrac d'Australie et d'Europe qui coûte deux fois moins cher. Par conséquent, les viticulteurs abandonnent progressivement le müller-thurgau et le remplacent par des cépages plus nobles qui, même si leur rendement est inférieur, leur rapportent davantage. Une grande proportion du raisin de Gisborne sera toujours achetée par des entreprises vinicoles extérieures à la région, mais plutôt pour des vins de cépage de qualité. Certains des vins faits à Gisborne même ayant remporté des médailles, on pense maintenant que la région pourrait être prometteuse. Le vin classique de l'appellation est le gewurztraminer des environs de Matawhero, qui jouit en Nouvelle-Zélande d'une réputation justifiée, mais le chardonnay est objectivement d'une classe supérieure, notamment celui de Villa Maria et de Robard & Butler. Aotea, Villa Maria et Coopers ont fait quelques bons sauvignons. En revanche, les vins rouges de l'appellation sont pour l'instant moins bons.

HAWKE'S BAY (CO)

Région vinicole la plus sèche du pays, elle est la deuxième par la taille et la rapidité de son développement derrière Marlborough, sur l'île du Sud. Toutefois on se tromperait en pensant que Hawke's Bay est inférieure à Marlborough pour la qualité. Elle est en effet plus prometteuse pour le cabernet sauvignon et les assemblages qui en sont dérivés, au moins aussi intéressante pour le chardonnay, et les vins d'une poignée de producteurs rivalisent même avec le meilleur sauvignon de Marlborough. Les débuts prometteurs de Stonecroft avec la syrah laissent penser que d'autres cépages du Rhône se plairaient ici. Le raisin de la région est celui qui est le plus convoité par les entreprises désirant la meilleure matière première pour l'élaboration de leurs vins de cépage multirégionaux.

WAITAKO (CO)

Située à l'intérieur des terres, sur la rive nord du lac Waikere, à environ 65 km au sud-ouest d'Auckland, cette appellation englobe le secteur de Te Kauwhata où un rendement plus bas et un climat plus chaud et plus humide conviennent à l'élaboration de vins botrytisés.

WELLINGTON (CO)

Sous-régions (CO) de l'appellation : *Martinborough, Te Horo, Wairarapa*

Wellington comprend deux secteurs vinicoles nettement distincts : Te Horo à l'ouest du mont Taraua, qui compte une seule entreprise, et à l'est Wairarapa, qui englobe Martinborough. Les vignobles côtiers de Te Horo, juste au sud de Otaki, se sont apparemment révélés excellents pour les montepulciano, pinotage, sangiovese, syrah et zinfandel. C'est pourquoi une coopérative de viticulteurs les agrandit. Martinborough, juste à l'est du lac Wairarapa, est beaucoup plus important. Il est étonnant que, dans la première édition de cet ouvrage, j'aie pu lui attribuer une importance mineure, car si le nombre de vignobles est réduit, la réputation de son pinot noir n'a fait que croître au cours des dix dernières années. Le secteur conviendrait au moins aussi bien à d'autres cépages, notamment quand on pourra importer des boutures de meilleure qualité. Son vol graveleux bien drainé, similaire à celui de Marlborough, est idéal pour la viticulture.

AUTRES RÉGIONS DE L'ÎLE DU NORD

Mis à part le vignoble expérimental de trois hectares créé par Kanuka Forest à Whakatane et quelques rangs de vigne autour de l'entreprise Morton à Katikati, la viticulture n'est pas prise au sérieux dans la région de Bay of Plenty, même si elle bénéficie officiellement d'une appellation. En revanche, dans celle de Galatea (CO), à quelque 80 km au sud de Whakatane, le domaine de Covel Estate, qui a commencé à se faire connaître, produit des vins de pinot noir, chardonnay, cabernet-merlot et riesling aux arômes intenses avec du raisin venant de son vignoble de cinq hectares.

ÎLE DU SUD

L'île du Sud est beaucoup moins peuplée. En raison de difficultés de communication, on n'y a pas cultivé la vigne avant 1973. Mais elle a démontré vite sa grande valeur pour la production de vins de cépage de qualité.

CANTERBURY (CO)

Sous-régions (CO) de l'appellation : *Banks Peninsula, Christchurch, Gibbston Valley, Waipara*

Bien que l'été puisse être ici aussi chaud qu'à Marlborough, l'automne est plus froid et la température moyenne plus basse. Avec 620 mm, la pluviosité annuelle est sensiblement moins forte qu'à Marlborough et la moitié de celle d'Auckland. La plupart des vignobles sont situés dans la plaine entourant Christchurch, troisième ville du pays, ou à Waipara, l'appellation côtière au nord. La qualité est irrégulière, mais la région s'est révélée prometteuse.

CENTRAL OTAGO (CO)

Sous-régions (CO) de l'appellation *: Queenstown, Gibbston Valley, Wanaka*

La région viticole la plus marginale de Nouvelle-Zélande a donné quelques excellents vins, mais on ne sait pas encore s'ils ont été si rares et espacés dans le temps à cause de la jeunesse des vignes ou du climat froid et alpin. Il y a dix ans, on comptait moins de sept hectares de vignes dans toute la région; aujourd'hui il y en a deux cent cinquante. Central Otago est la région vinicole la plus méridionale du monde, sensiblement plus froide que la Moselle. On n'imagine pas que le pinot noir puisse s'y plaire à moins que ce soit pour les mousseux et pourtant le pinot noir de Rippon Vineyard est le vin classique de la région le plus régulièrement digne d'éloges. Quand les vignes de Central Otago et de ses sous-régions auront pris de l'âge, il est probable que les meilleurs vins de ces appellations seront le riesling et ceux d'autres cépages aromatiques.

MARLBOROUGH (CO)

Sous-région (CO) de l'appellation : *Awatere Valley*

Les premières vignes ne furent plantées ici qu'en 1973, pourtant Marlborough est incontestablement la région vinicole de Nouvelle-Zélande la plus célèbre et le sauvignon son plus grand atout. Toute l'industrie vinicole du pays se développe très vite, mais nulle part aussi vite qu'à Marlborough dont les vins brillent maintenant dans le firmament du monde vinicole international. Cloudy Bay est le plus renommé mais il y a d'autres producteurs qui le valent bien. La collaboration entre le champagne Deutz et Montana a ouvert à Marlborough la porte du commerce international du vin effervescent, mais c'est Daniel Le Brun qui a élaboré les cuvées les plus sérieuses. Son sol sec et graveleux et son climat ensoleillé font de Marlborough un endroit également idéal pour le chardonnay et le sauvignon. Le cabernet peut aussi s'y plaire.

NELSON (CO)

Sous-régions (CO) de l'appellation : *Moutere Valley, Rabbit Island, Redwood Valley*

La région de Nelson, de l'autre côté du mont Richmond, autrefois réputée pour son houblon et son tabac, est dans l'ombre de Marlborough mais a beaucoup à offrir. Sa topographie, qui interdit la culture mécanisée à grande échelle, et son sol rocheux bien drainé en font la région idéale pour les petits producteurs. Avec un climat plus humide que Marlborough et plus sec qu'Auckland, Nelson est connue comme une des régions les plus ensoleillées de Nouvelle-Zélande, aux longs étés chauds et aux nuits automnales fraîches. Les cépages nobles, pinot noir, chardonnay et sauvignon, sont les plus prometteurs.

VINS ET CÉPAGES DE

NOUVELLE-ZÉLANDE

CABERNET ET MERLOT

Vins de cépage et assemblages

Il y a moins de dix ans, on voyait dans la Nouvelle-Zélande une contrée de vins blancs. Ses vins rouges avaient la réputation d'être maigres et acerbes, et on pensait que son climat était trop froid pour que du raisin à peau épaisse comme le cabernet sauvignon puisse mûrir. Pourtant, aujourd'hui, presque toutes les régions produisent des vins rouges riches et voluptueux d'une qualité indiscutable. Le cabernet sauvignon est le cépage rouge le plus abondant, mais la culture du merlot a augmenté de plus de 300%. Même le cabernet sauvignon de marques à grande diffusion comme Montana est opulent et épicé, avec une qualité et une personnalité à mon avis plus affirmées que celles d'un bordeaux une fois et demie plus cher, encore que celui de Cooks soit constamment décevant et que les vins de cabernet et de merlot les plus passionnants soient ceux des vignobles les plus prestigieux ou des petites entreprises.

2 à 5 ans (jusqu'à dix pour les vins exceptionnels)

Babich (Irongate cabernet-merlot) • *Church Road* (cabernet sauvignon) • *Cloudy Bay* (cabernet-merlot) • *Dashwood* (cabernet sauvignon) • *Delegat's (Proprietor's Reserve)* • *Esk Valley* (Reserve merlot-malbec-franc, The Terraces) • *Goldwater Estate* (cabernet-merlot, cabernet-merlot-franc) • *Heron's Flight* (cabernet sauvignon) • *Kumeu River* (cabernet-merlot) • *Matua Valley* (Ararimu cabernet-merlot, Dartmoor Smith Estate merlot) • *Morton Estate* (Black Label cabernet-merlot) • *C.J. Pask* (cabernet-merlot) • *St. Jérôme* (cabernet-merlot) • *Stonyridge* (Larose) • *Te Mata* (cabernet-merlot, Awatea cabernet-merlot, Coleraine cabernet-merlot) • *Vidal* (cabernet-merlot) • *Villa Maria* (Private Bin cabernet-merlot, Reserve cabernet sauvignon) • *Waimarama Estate* (cabernet sauvignon, Undercliffe cabernet-merlot)

CHARDONNAY

Ce cépage bourguignon à la mode a véritablement trouvé une seconde patrie en Nouvelle-Zélande où il a progressé de 250 ha à la fin des années 1980 à plus de 1400 ha dix ans plus tard, ce qui en fait le cépage le plus abondant du pays. Il donne en général ici un vin moins standard, plus expressif, se développant plus lentement en bouteille et de manière plus classique, qu'en Australie. Cela est dû non seulement au climat plus frais, mais aussi à la vendange manuelle, au pressurage du raisin entier, aux levures naturelles et à une utilisation plus modérée du chêne. Certains producteurs masquent pourtant l'élégance naturelle de ce vin en usant maladroitement de la fermentation malolactique et en abusant de l'élevage sur lies.

1 à 4 ans

Alta Rangi • *Babich* (Irongate) • *Cloudy Bay* • *Collards* (Hawke's Bay, Rothesay Vineyard) • *Corbans Marlborough* • *Delgats* (Proprietors Reserve) • *Hunter's* • *Kumeu River* • *Lawson's Dry Hills* • *Martinborough Vineyards* • *Matua Valley* (Ararimu) • *Montana* (Ormand Estate) • *Morton Estate* (Black Label) • *Neudorf* (Moutere) • *Nobilo* (Dixon Vineyard) • *Oyster Bay* • *C.J. Pask* • *Robard & Butler* (Gisborne) • *Te Mata* (Castle Hill, Elston) • *Vavasour* (Reserve) • *Villa Maria* (Reserve Barrique Fermented Gisborne)

PINOT NOIR

Le pinot noir se montre beaucoup plus exigeant que le cabernet sur le choix de l'emplacement et celui de la méthode de culture. On assure qu'il adore le terroir de Martinborough, mais il n'en apporte pas la preuve avec suffisamment de constance pour me convaincre que cette région pourra rivaliser un jour avec la Bourgogne. De plus, d'autres régions ont également réussi à faire de bons pinots. Les experts australiens aiment le style lourd choisi par Larry McKenna de Martinborough Vineyard, mais je préfère en général l'élégance et la pureté classique du style de celui d'Alta Rangi. Pourtant, Martinborough Vineyard peut produire le vin le plus élégant dans les petits millésimes. En 1993 par exemple, les deux producteurs firent des vins exceptionnels pour ce millésime généralement médiocre, mais celui de Martinborough avait de la finesse tandis que celui d'Alta Rangi, assez inexplicablement, était nettement plus corpulent.

1 à 4 ans

Alta Rangi • *Marinborough Vineyard* • *Neudorf* (Moutere) • *Omihi Hills*

SAUVIGNON

Le cépage que les vins de la Loire ont rendu célèbre est maintenant chez lui en Nouvelle-Zélande et il paraît préférer sa patrie d'adoption. Je trouve que d'être contraint de goûter ne serait-ce qu'une douzaine de vins de l'une ou l'autre des appellations de la Loire les plus réputées pour leur sauvignon est un cauchemar, tandis que déguster jusqu'à une cinquantaine de leurs cousins des antipodes est une des joies de l'existence. Le secret n'est pas seulement que le raisin mûrit parfaitement en Nouvelle-Zélande, il est aussi dans le fait que l'on ajoute au sauvignon une goutte de sémillon issu de raisin vendangé tôt, lequel est si herbacé qu'il a un caractère de sauvignon plus marqué que le sauvignon même. Ce procédé est parfaitement légal, la réglementation néo-zélandaise autorisant l'addition d'un autre cépage à concurrence de 15%, ce que les États-Unis et la plupart des autres pays importateurs admettent. Tout producteur de sauvignon devrait rechercher avant tout la vivacité et la mise en valeur des caractéristiques du cépage et c'est ce qui a été fait en Nouvelle-Zélande. Toutes les régions, en particulier Marlborough, ont le rare avantage d'obtenir un raisin dont le mûrissement approche la perfection, ce qui permet à nombre d'entreprises vinicoles d'élaborer des vins ultra-frais aux arômes intenses de groseille à maquereau, équilibrés par une acidité bien marquée. Toutefois, avec la venue de vins de chardonnay plus complexes atteignant un prix plus élevé, certains producteurs ont la tentation de faire un sauvignon moins fruité et plus subtil, mais il y a peu de chance qu'un tel vin finisse par dominer le marché, ce qui reviendrait à tuer la poule aux œufs d'or sur le marché international. Le sauvignon donne des vins très séduisants qui n'ont ni prétention ni capacité à la complexité et qui ne gagnent rien à être élevés dans le chêne ou à vieillir en bouteilles. C'est cette simplicité qui a été la clé de leur succès phénoménal : la surface complantée en sauvignon a été multipliée par cinq durant la dernière décennie. Le sauvigon de Cloudy Bay a été la figure de proue du sauvignon néo-zélandais et ceux qui estiment que c'est toujours le meilleur sont très nombreux. Quant à moi, si je trouve que c'est l'un des meilleurs, je pense que celui de Jackson Estate lui est supérieur et même d'une qualité plus régulière.

1 à 2 ans (pas davantage à moins que vous n'aimiez les nuances d'asperge et de petits pois en boîte qui se développent en bouteilles avec le temps, surtout dans les millésimes les plus mûrs)

Aorte • *Cloudy Bay* • *Delegat's* • *Esk Valley* • *Hunter's* • *Jackson Estate* • *Montana* • *Nautilus* • *Oyster Bay* • *Palliser Estate* • *Selaks* • *Stoneleigh* • *Te Mata (Castle Hill)* • *Villa Maria*

SAUVIGNON DANS LE VIGNOBLE DE CLOUDY BAY

Cloudy Bay élabore un des meilleurs sauvignons de Marlborough. Sa réputation a bénéficié à toute l'industrie vinicole de Nouvelle-Zélande.

VINS EFFERVESCENTS

Il fut un temps où les Lindauer Brut et Rosé de Montana, le plus gros producteur du pays, furent la figure de proue de l'industrie néo-zélandaise du mousseux. Ces vins épais, crémeux, se laissant boire facilement, n'étaient pas mauvais, mais il a fallu attendre la collaboration entre Montana et le champagne Deutz pour avoir un bon mousseux obtenu par seconde fermentation en bouteilles. Bien que leur mousseux ait été constamment amélioré, c'est le Champenois Daniel Le Brun qui a démontré la valeur de Marlborough pour la production de vins effervescents vraiment sérieux. Ses premiers vins ont été au mieux boursouflés et au pire problématiques, mais dès le millésime 1989, il a atteint une qualité qui n'a été égalée que par une poignée de producteurs, région champenoise mise à part. Le Pelorus de Cloudy Bay est un peu trop boisé pour les puristes, mais il s'améliore chaque année et c'est véritablement un des meilleurs mousseux des Pays Neufs. J'espère que nous allons voir un nombre croissant de mousseux de petits producteurs de Marlborough car cette région est capable de nous donner des vins effervescents d'une qualité comparable à celle d'un bon champagne. Sur l'île du Nord, Morton n'a cessé de produire un mousseux classique, mais je serais prêt, si quelqu'un tentait l'aventure, à miser sur Martinborough dont le raisin me semble idéal.

1 à 2 ans (après l'achat)

✓ *Daniel Le Brun* (vintage, blanc de blancs, rosé) • *Montana* (Deutz Marlborough) • *Morton Estate* • *Cloudy Bay* (Pelorus)

VINS BOTRYTISÉS

Il n'y a pas en Nouvelle-Zélande de région spécialisée en vins de dessert. Te Kauwhata est celle qui s'en approche le plus grâce, à sa forte humidité, mais la pourriture noble se manifeste irrégulièrement dans toutes les régions vinicoles du pays. Le riesling est sans aucun doute le premier cépage dans cette catégorie. Il donne des vins aux arômes les plus intenses, dont la douceur est équilibrée par une acidité vivifiante. Curieusement, le chardonnay figure maintenant au deuxième rang après que plusieurs producteurs aient imité Hunters qui a fait en 1987 un vin liquoreux avec du chardonnay accidentellement atteint par la pourriture noble. Crémeux avec un goût de pêche, il a enthousiasmé ceux qui ont eu la chance de le goûter. On attend encore du sémillon botrytisé, mais cela ne devrait pas tarder maintenant que des clones moins herbacés entrent en production.

1 à 15 ans

✓ *Corbans* (Botrytis Selected Rhine Riesling) • *Dry River* (Botrytized Chardonnay, Botrytized Riesling) • *Giesen* (Botrytized Riesling) • *The Million Vineyard* (Opou Riesling) • *Redwood Valley* (Botrytized Riesling) • *Rongopai* (Botrytized Chardonnay, Botrytized Riesling) • *Allan Scott* (Late-Harvest Riesling) • *Te Whare Ra* (Botrytis Bunch Selection) • *Villa Maria* (Noble Riesling Botrytis Selection)

BLANCS D'ASSEMBLAGE CLASSIQUE

Les producteurs néo-zélandais, qui aiment faire des expériences avec le chêne, la fermentation malolactique et l'élevage sur lie, ne devraient pas toucher à la pureté du sauvignon, mais appliquer ces techniques aux assemblages classiques de vins blancs, encore relativement rares en Nouvelle-Zélande mais incontestablement prometteurs. Le partenaire le plus évident du sauvignon est évidemment le sémillon, mais encore récemment, le seul sémillon cultivé ici déployait des arômes tellement agressifs qu'il ne pouvait servir aux assemblages, sinon à dose homéopathique, dans le sauvignon pour renforcer son caractère. Dans les assemblages classiques, pour lesquels un vin plutôt neutre est indispensable, le clone suisse traditionnel en Nouvelle-Zélande est beaucoup trop herbacé. Au fur et à mesure que les clones de sémillon plus classique entreront en production, le nombre de bons vins blancs d'assemblage augmentera, surtout si l'on fait appel à un sauvignon moins franchement aromatique (ceux d'Auckland, de Hawke's Bay, de Martinborough et du nord de Marlborough devraient convenir le mieux). L'assemblage chardonnay-sémillon, populaire en Australie, n'est pas courant en Nouvelle-Zélande où le chardonnay n'a pas besoin d'être relevé par un vin plus nerveux. En revanche la surprenante association du chenin blanc et du sémillon s'est révélée particulièrement heureuse.

1 à 3 ans

✓ *Kumeu River* (sauvignon-sémillon) • *Selaks* (sauvignon-sémillon) • *Villa Maria* (chenin blanc-chardonnay)

AUTRES STYLES DE VIN BLANC

Personne en Nouvelle-Zélande ne fait un chenin blanc vraiment excellent, mais celui de Collards, issu de raisin de Hawke's Bay, est bon autant que faire se peut. Aucun gewurztraminer de Nouvelle-Zélande ne m'a jamais impressionné, mais Matawhero, Rippon et Villa Maria tirent le meilleur parti possible du raisin médiocre à leur disposition et devraient en réussir d'excellents si jamais quelqu'un réussissait à faire entrer dans le pays un clone classique et épicé. Chifney, Coopers Creek et Vidal ont produit des gewurztraminers parfois au moins aussi bon que ceux déjà mentionnés. Si vous possédiez une imagination fertile, peut-être pourriez-vous vous convaincre qu'il y a un soupçon d'épice dans le meilleur gewurztraminer du pays, mais il faudrait une imagination débordante pour en percevoir ne serait-ce qu'une trace dans le pinot gris. Dry River fait peut-être le meilleur, un joli vin élégant, mais qui n'est pas un vrai pinot gris. Matua en produit également un bon, mais il n'est pas plus convaincant comme vin de cépage. Le style le plus sérieux de riesling sec, qui est relativement récent, est un phénomène dont on n'a pas encore la preuve formelle en Nouvelle-Zélande, bien que les rieslings de Dry River à Martinborough, Glenmark à Canterbury, Neudorf à Redwood Valley et Seifried Estate à Nelson se soient tous révélés assez prometteurs. Nelson, une appellation voisine de Marlborough, mais moins connue, est probablement celle qui convient le mieux à ce cépage. Avec des clones moins herbacés et agressifs de sémillon entrant en production, nous devrions bientôt voir un nombre accru de vins classiques de ce cépage qui, quand il est mûr, s'améliore grandement avec une vinification en fût. En attendant, Collards et Villa Maria ont produit les meilleurs à ce jour. Le viognier attend son tour.

AUTRES STYLES DE VIN ROUGE

Le vin de syrah de Stonecroft, dans l'appellation Hawke's Bay, est plus proche du style classique de la vallée du Rhône que celui d'Australie, qui est aussi un classique en son genre. Jeune, il est très âpre et fermé, mais l'âpreté est probablement due à la jeunesse des vignes et – contrairement au vin de syrah australien – le grand-hermitage et le grand-côte-rôtie sont aussi très fermés dans leur jeunesse ; aussi devrions-nous laisser au vin de syrah de Stonecroft quelques années pour s'assouplir en bouteilles. Ce vin bénéficierait également d'un raisin un peu plus mûr, du moins en attendant que les vignes aient cinq à dix ans de plus. Selon le journaliste néo-zélandais *Master of Wine*, Bob Campbell, « nous saurons que le vin de syrah est ici pour y rester quand nous commencerons à l'exporter en Australie ». Il y a du vrai dans ce qu'il a dit mais, à mon avis, quand tous ceux qui ont commencé à cultiver ce cépage commenceront à en tirer du vin, celui-ci plaira davantage aux Européens qu'aux Australiens. Ata Rangi et Te Kairanga se sont attelés au durif (la petite sirah de Californie). Les prochains cépages pourraient bien être le sangiovese et le nebbiolo.

VIGNOBLE D'ATA RANGI À MARTINBOROUGH

Vignoble impeccablement tenu de l'entreprise Ata Rangi, à l'arrière-plan, fait notamment un pinot noir renommé.

LES PRODUCTEURS DE

NOUVELLE-ZÉLANDE

THE ANTIPODEAN

Northland

La première tentative de révéler la valeur de la région de Matakana, en particulier pour les rouges, a tourné court à cause de l'irrégularité de la production. À surveiller.

AOTEA

Gisborne

Ⓥ

Ni vignoble ni entreprise vinicole, Aotea est une marque appartenant à Margaret Harvey, une Anglaise *Master of Wine*. *Aotea-roa* signifie « pays du grand nuage blanc » en maori. Bien que n'étant pas de la même classe que le sauvignon de Marlborough, celui d'Aotea est pourtant le meilleur vin produit à Gisborne jusqu'à aujourd'hui.

✓ *sauvignon blanc*

ATA RANGI

Martinborough

★☆Ⓥ

Clive Paton et Phyll Pattie sont renommés pour leur beau pinot noir, mais leur chardonnay est aussi l'un des meilleurs de Martinborough.

✓ *cabernet-merlot* (Célèbre) • *chardonnay* • *pinot noir*

BABICH

Henderson

❷

Le cabernet-merlot et le chardonnay étiquetés « Irongate » n'ont jamais été meilleurs qu'aujourd'hui, mais je ne trouve rien de passionnant au reste de la gamme. Les millésimes de pinot noir et de sauvignon du début des années 1990 ont été particulièrement médiocres.

✓ *cabernet-merlot* (Irongate) • *chardonnay* (Irongate)

BAZZARD ESTATE

Kumeu

☆❷

Jeune producteur de talent adepte de la culture « biologique » et dont le pinot noir mérite qu'on s'y intéresse.

✓ *pinot noir*

BENFIELD & DELAMARE

Martinborough

Au cœur de la contrée du pinot noir, ce domaine élabore un assemblage de style bordeaux dominé par le merlot toujours de grande qualité.

✓ *Red Wine* (« vin rouge »)

BLOOMFIELD VINEYARDS

Masterton

Autre spécialiste des vins rouges dont les assemblages de style bordelais pourraient avoir autant de succès que le pinot noir de Martinborough distribué sur le marché international.

BLUE ROCK

Martinborough

Le chardonnay et le sauvignon de Blue Rock, presque un nouveau venu, sont bons et le riesling est plus que prometteur.

✓ *chardonnay* • *sauvignon*

BROOKFIELDS VINEYARDS

Napier

☆

On fait ici un cabernet-merlot ferme, très aromatique et boisé ainsi qu'un agréable pinot gris.

✓ cabernet-merlot

DANIEL LE BRUN

Marlborough

★★❷

Les vins de Daniel Le Brun, l'ancien propriétaire, élaborés selon la méthode de la seconde fermentation en bouteilles, rivalisèrent non seulement avec le champagne, mais aussi avec le bon champagne, grâce au Blanc de Blancs 1989 et au Vintage Brut 1990. Étant donné que les vins de l'entreprise (élaborés en bouteilles jusqu'en 1995, en cuve en 1996) demanderont du temps pour vieillir puis être distribués, il nous fera attendre quelques années pour juger des conséquences sur la qualité des mousseux du changement de vinificateur de ce producteur qui compte parmi les six plus importants des Pays Neufs. Sa priorité : le Brut non millésimé, le plus exporté, mais le moins intéressant de la gamme.

✓ *mousseux* (Blanc de Blancs, Rosé, Vintage)

CHARD FARM

Central Otago

Chard Farm occupe un emplacement haut perché spectaculaire que l'on atteint par une route qui serpenteà flanc de montagne, à peine assez large pour une voiture. On y produit des vins délicats et le riesling mérite un intérêt particulier.

CHIFNEY WINES

Martinborough

Chifney Wines produit l'un des meilleurs gewurztraminers de Nouvelle-Zélande.

CHURCH ROAD

Taradale

★☆

Cette petite entreprise de Hawke's Bay utilisant des techniques de pointe, qui appartient à Montana, occupe la vieille *church winery* admirablement restaurée. Avec l'aide de la maison bordelaise Cordier, elle produit des vins associant le fruit exubérant des climats frais de Nouvelle-Zélande et la structure classique des vins de l'Ancien Monde.

✓ *cabernet sauvignon* • *chardonnay*

CLEARVIEW ESTATE

Hawke's Bay

★☆

Entreprise très récente destinée à devenir dans un proche avenir l'un des meilleurs producteurs de Nouvelle-Zélande, notamment avec ses sauvignons et chardonnays éblouissants, non boisés ou élevés dans le chêne, ces derniers étant alors étiquetés « Fumé Blanc ».

✓ *chardonnay* • *sauvignon* (y compris fumé blanc)

CLOUDY BAY

Marlborough

★★

Créé par David Hohnen, fondateur de Cape Mentelle (Australie occidentale). Le sauvignon qu'il produit ici est vite devenu une vedette de la viniculture néo-zélandaise, grâce au talent de vinificateur de son associé, Kevin Judd. La combinaison parfaite d'une grande qualité et d'un style nettement distinctif ont fait de Cloudy Bay l'entreprise de tout l'hémisphère sud dont la réputation grandit le plus rapidement. Hohnen et Judd ont réussi à donner l'image séduisante d'une petite entreprise traditionnelle, ce qui est une belle réussite de relations publiques étant donné qu'elle est en fait une des plus importantes de Marlborough. Ils y sont parvenus en organisant une distribution si large que les détaillants ont été obligés les rationner, ce qui a créé l'illusion d'une production limitée. Ne manquez pas de goûter leur étonnant pinot noir.

✓ *cabernet-merlot* • *chardonnay* • *pinot noir* • *sauvignon* • *vins effervescents* (Pelorus)

COLLARDS

Henderson

★☆❷

Fondée par l'horticulteur anglais J.W. Collard en 1910, cette entreprise est restée familiale. Les frères Bruce et Geoffrey Collard ont perpétué sur toute la gamme l'enviable réputation d'homogénéité dont ils ont hérité. Leurs vins ont un fruit exubérant, notamment leur très classique chardonnay qui déploie une belle complexité juvénile, issu du vignoble Rothesay que les deux frères possèdent à Waimauku, à l'ouest d'Auckland.

✓ *chardonnay* (Hawke's Bay, Rothesay Vineyard)

CONDER'S BEND

Marlborough

★

Conder's Bend a remporté une médaille pour chaque vin de chaque millésime depuis ses débuts, en 1991, jusqu'au moment où j'ai rédigé ce texte.

✓ *riesling* (Botrytis) • *sauvignon*

COOKS

(Groupe Corbans)

Cooks, qui fut autrefois la plus grande entreprise vinicole de Nouvelle-Zélande, n'est plus guère qu'une des marques – mais une grande – dans le portefeuille de Corbans. Toujours bon marché, les vins de Cooks furent autrefois invariablement bien faits, parfois exceptionnels, mais depuis la reprise de l'entreprise par Cooks en 1987, la qualité des vins de grande diffusion s'est graduellement affaiblie, seuls ceux étiquetés « Winemaker's Reserve » ayant maintenu la qualité de naguère.

✓ *chardonnay, cabernet sauvignon* (Winemaker's Reserve)

COOPERS CREEK
Huapai

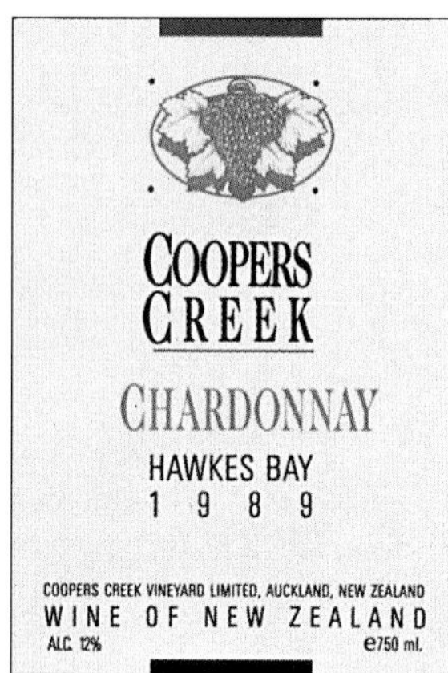

Avant tout spécialisé dans les vins blancs – parfois l'un des meilleurs gewurztraminers de toute la Nouvelle-Zélande –, Coopers Creek fait des chardonnays toujours bons, notamment le Swamp Reserve.

chardonnay (Swamp Reserve) • *riesling* (spécialement Botrytis et Late Harvest) • *sauvignon*

CORBANS
Entreprises à *Auckland, Gisborne, Napier, Blenheim*

★☆✪

Quand un Libanais nommé Assid Abraham Corban décida d'émigrer en Nouvelle-Zélande, il n'était qu'un maçon ordinaire. Il ne pouvait alors s'imaginer que le vin allait changer son destin. Dix ans après son arrivée et autant d'emplois, il planta un vignoble dans le région d'Henderson et découvrit qu'il était un vigneron-né. Après avoir racheté nombre d'entreprises dont notamment Cooks et Robard & Butler, Corbans est devenu aujourd'hui le deuxième groupe vinicole de Nouvelle-Zélande. Ses étiquettes régionales de qualité incluent Longridge à Hawke's Bay et Stoneleigh à Marlborough. Une gamme étendue de vins est aussi commercialisée sous diverses marques dont Chasseur, Liebstraum, Montel, St. Arnaud, Seven Oaks et Velluto. Il faut souligner que de nombreux vins précédemment vendus comme Private Bin sont maintenant étiquetés Cottage Block.

cabernet-merlot (Cottage Block) • *chardonnay* (particulièrement Cottage Block) • *merlot* (Cottage Block) • *pinot noir* (Private Bin) • *riesling* (Botrytized, Private Bin Botrytis Selected Noble) • *vins effervescents* (Amadeus Vintage)

COVELL ESTATE
Galatea

☆

Seule entreprise du secteur de Galatea (Bay of Plenty). Bob Covell, un adepte de la culture bio-dynamique dont la réputation s'affirme, fait des vins aux arômes intenses avec parfois des nuances boisées insistantes, mais qui vieillissent toujours bien.

cabernet-merlot • *chardonnay* • *pinot noir* • *riesling*

CROSSROADS
Napier

Depuis son premier millésime, 1990, cette entreprise s'est vite développée et a remporté un nombre impressionnant de médailles tout au long de son parcours.

DELEGAT'S
Henderson

★☆

La plupart des vins, souvent récompensés par des médailles, étant élaborés avec du raisin de Hawke's Bay, on s'attendrait à ce qu'ils aient un style plus brillant. Ils sont plus élégants que riches, mais ne manquent ni de profondeur ni de longueur. Delegat's vend également quelques bons vins de Marlborough étiquetés « Oyster Bay ».

chardonnay (Oyster Bay, Proprietors Reserve, Vicarage Road) • *sauvignon* (dont Oyster Bay)

DRY RIVER
Martinborough

★☆

Neil McCullum fait un pinot noir et un chardonnay très élégants, quoique le second ait parfois un goût de pêches surmûries en boîte (le millésime 1990 par exemple). Il est capable de produire un des rieslings secs de Nouvelle-Zélande les plus délicatement parfumés, mais sa vraie force est l'élaboration de vins botrytisés d'une richesse délicieusement décadente.

chardonnay (Botrytized) • *pinot noir* • *riesling* (Botrytized, Craighall Estate Dry)

ESK VALLEY
Napier

★

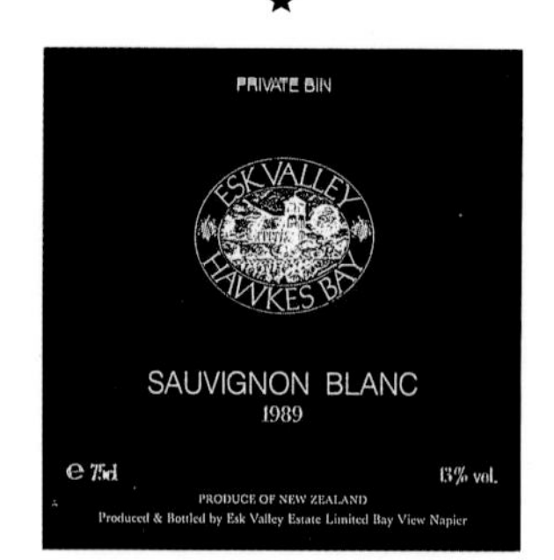

Ce n'était pas l'un de mes producteurs favoris avant la fin des années 1980, mais sa gamme de vins est devenue très impressionnante depuis sa reprise par Villa Maria.

sauvignon • *The Terraces* (style bordeaux rouge)

FORREST ESTATE
Marlborough

☆

Forrest Estate propose une gamme intéressante de bons vins, tout particulièrement le sauvignon classique et tendre, mais le riesling n'a rien d'exceptionnel.

sauvignon

FOXES ISLAND WINES
Marlborough

★

Ancien vinificateur de Hunter's, John Belsham a créé un service d'élaboration de vin à la demande nommé « Vintech ». Il est prêt à faire pour ainsi dire n'importe quel style de vin pour le compte de vignerons ne vinifiant pas eux-mêmes leur raisin, de grossistes, de détaillants ou de restaurants. Il est très doué et son entreprise a beaucoup de succès. Les vins dont l'étiquette porte l'inscription « Vintech » en petits caractères sont recherchés par les amateurs de vin. Belsham a commencé à produire sa propre gamme, en commençant par une quantité minuscule de chardonnay issu du d'un vignoble qu'il possède à Foxes Island, un banc de terre graveleuse qui fut autrefois une véritable île séparant deux cours d'eau, l'Opwa et le Wairau.

chardonnay

FRENCH FARM WINERY
Canterbury

La première vendange a eu lieu en 1994 seulement, mais l'on prévoit que la CO Banks Peninsula va produire du pinot noir et du chardonnay de très grande qualité.

GIBBSTON VALLEY
Central Otago

Gibbston produit sur un style idyllique des vins en progrès constants, surtout le pinot noir. Ceux de Marlborough sont étiquetés « Southern Selection ».

GIESEN WINE ESTATE
Christchurch

★☆✪

Avec ses 35 ha de vignobles, Giesen est la plus grande entreprise de Canterbury. Elle produit une gamme étendue de vins. Son voluptueux pinot noir est le plus intéressant du moment, mais les vins botrytisés excellent constamment.

chardonnay (Isabel Estate Reserve) • *pinot noir* • *riesling* (Botrytized)

GILLAN
Marlborough

Entreprise créée récemment, Gillan produit des vins blancs savoureux et admirablement nerveux.

sauvignon

GLENMARK
Canterbury

Le cabernet sauvignon est inconsistant, mais le chardonnay est bon. Glenmark élabore aussi un des meilleurs rieslings secs de Nouvelle-Zélande.

riesling

GOLDWATER ESTATE
Waiheke Island

★★

Il n'y a aucun doute : Kim et Jeanette Goldwater produisent l'un des plus grands vins rouges de Nouvelle-Zélande. Leur cabernet-merlot est un vin de style et de qualité classiques possédant la richesse, la finesse, la longévité et la capacité d'acquérir de la complexité qui lui permettent de rivaliser avec les meilleurs vins de Californie, d'Australie et de Bordeaux.

cabernet-merlot (parfois cabernet-merlot-franc) • *chardonnay*

GROVE MILL
Marlborough

★✪

Grove Mill a la réputation de faire le meilleur pinotage de Nouvelle-Zélande, mais son sauvignon scintillant est le vin qu'il faut acheter.

sauvignon

HERON'S FLIGHT
Matakana

★

Le cabernet sauvignon sensationnel que produit cette entreprise depuis le millésime 1991 a confirmé que Matakana est une appellation prometteuse.

cabernet sauvignon

HIGHFIELD ESTATE
Marlborough

☆

Cette entreprise anglo-néo-zélando-japonaise qui domine la vallée d'Omaka fait de bons vins blancs élégants. Le champagne Drappier a contribué aux progrès du vin effervescent riche, crémeux et vanillé vendu sous l'étiquette « Elstree ».

chardonnay • *sauvignon* • *vins effervescents* (Elstree)

HUNTER'S
Marlborough

★☆

Jane Hunter est une vigneronne très douée dont le vignoble est sans conteste un des grands crus de Marlborough. Ses vins, dignes de remporter toutes les médailles, lui ont valu le respect de ses voisins et son renom international.

chardonnay • *pinot noir* • *sauvignon* (y compris Oak Aged, « élevé dans le chêne »)

JACKSON ESTATE
Marlborough

★☆V

Depuis 1991, date de leur premier millésime, John et Warwick Stichbury ont produit chaque année ce que je tiens pour le plus grand sauvignon de Marlborough. Ce vin déploie un fruit vif, très intense, d'une finesse extraordinaire. Le chardonnay promet d'être aussi bon, bien que plus complexe et de style moins extraverti. Le pinot noir est délicieux, avec de belles nuances fruitées de fraise et de vanille. Pourtant ces vins ne furent conçus à l'origine que pour permettre à l'entreprise de survivre le temps nécessaire à la maîtrise des techniques d'élaboration d'un mousseux de très grande qualité par la méthode de seconde fermentation en bouteilles. Les œnophiles qui ont été séduits par les vins tranquilles des Stichbury vont certainement adorer accueillir avec enthousiasme le vin effervescent qui vient d'être lancé.

chardonnay • *pinot noir* • *riesling* (Botrytized) • *sauvignon* • *vin effervescent* (Brut Vintage)

KUMEU RIVER
Auckland

★☆

Après des études d'œnologie à Roseworthy College, Michael Brajkovich a suivi des stages en Californie, en Italie et en France. De retour en Nouvelle-Zélande, il a repris Kumeu River et vite acquis la réputation d'élaborer des vins de qualité au style original, comme par exemple son sauvignon Noble Dry. Quiconque a participé à une dégustation avec lui n'a pu qu'admirer l'étendue de ses connaissances et l'assurance de son jugement (il est devenu en 1989 le premier *master of wine* du pays). D'autres vins, d'un abord facile et d'un excellent rapport qualité/prix, sont étiquetés « Brajkovich ».

chardonnay • *merlot-cabernet* • *sauvignon-sémillon*

LAWSON'S DRY HILLS
Marlborough

☆

Cette entreprise peut produire des vins blancs aux arômes très intenses.

chardonnay • *sauvignon*

LINCOLN VINEYARDS
Henderson

☆

Bien que tous les critiques aient choisi le chardonnay ou le chenin blanc élevé dans le chêne, je préfère les rouges plus riches aux arômes de menthe et de cake aux fruits.

cabernet-merlot (Gome Vineyards, Vintage Selection)

MARTINBOROUGH VINEYARDS
Martinborough

★☆

Le pinot noir est généralement tenu pour un des meilleurs de Nouvelle-Zélande, mais je pense que les efforts de Larry McKenna, qui est d'origine australienne, pour lui donner plus de corpulence et de goût masquent trop souvent la finesse propre à ce cépage difficile. C'est particulièrement évident les années les plus chaudes et j'avoue que je préfère son pinot noir des millésimes moins bien classés, quand la nature modère le zèle du vinificateur. Son chardonnay, sous-évalué, est meilleur et plus régulier.

chardonnay • *pinot noir*

MATHAWHERO WINES
Gisborne

Afin de mettre en valeur le caractère du terroir, Denis Irwin bride délibérément le rendement de ses vignes, vendange le raisin à la main avec beaucoup de soin et n'utilise que des levures naturelles. Il obtient parfois des vins superbes, mais le résultat de ses efforts est trop souvent décevant, ce qui est désolant pour quelqu'un qui est visiblement passionné par son métier de vigneron. Le gewurztraminer est le vin dont la qualité est la plus régulière et nombreux sont ceux qui le jugent le meilleur de Nouvelle-Zélande.

MATUA VALLEY
Waimauku

★☆

Entreprise qui utilise les techniques les plus modernes et produit une gamme de bons vins, expressifs, au fruit exubérant, que l'on a grand plaisir à boire. L'étiquette « Ararimu », lancée récemment, est réservée aux vins de Matua Valley de très grande qualité et aux seuls grands millésimes. D'excellents vins de Marlborough sont vendus sous l'étiquette « Shingle Peak ».

cabernet-merlot (Ararimu) • *chardonnay* (Ararimu) • *cabernet sauvignon* (Dartmoor Smith Estate) • *chenin-chardonnay* (Judd Estate) • *merlot* (Dartmoor Smith Estate) • *sauvignon*

JOHN MELLARS
Great Barrier Island

On tire ici d'un vignoble d'un hectare ce qui est probablement le cabernet-merlot le plus rare au monde : 156 bouteilles destinées à la vente en 1993, mais leur nombre a au moins décuplé l'année suivante !

MERLEN WINES
Marlborough

★☆V

Almuth Lorenz a élaboré les premiers vins de Hunter il y a une quinzaine d'années avant de créer Merlen Wines, entreprise spécialisée en vins blancs, principalement tirés de cépages aromatiques. Les vins de cette vinificatrice de talent ont un style exubérant sans retenue.

chardonnay • *morio-muskat* • *riesling* • *sauvignon*

MILLS REEF
Marlborough

★V

L'énorme publicité faite au mousseux hyper-exubérant et hyper-boisé ne devrait pas empêcher les amateurs de vin de s'intéresser au sauvignon délicieux, riche et admirablement fruité ainsi qu'au riesling, l'un des rares de Nouvelle-Zélande ayant quelque finesse.

riesling • *sauvignon*

THE MILTON VINEYARDS
Gisborne

☆

Ce producteur adepte de la culture biodynamique est à juste titre célèbre pour son riesling Opou demi-sec, légèrement botrytisé. Il élabore aussi un élégant chardonnay vinifié en barrique et son chenin blanc est très apprécié dans la région.

chardonnay (Barrel Fermented)

MISSION VINEYARDS
Taradale

Bien que la Society of Mary fasse occasionnellement un joyau comme le chardonnay Jewelstone 1992, des vins sans éclat dominent la gamme Hawke's Bay de cette entreprise religieuse dont la création remonte au siècle dernier.

chardonnay (Jewelstone)

MONTANA
Entreprises à *Auckland, Gisborne, Marlborough*

★☆V

Plus gros producteur vinicole du pays, Montana exploite plus de 1000 ha de vignobles, ce qui est deux fois plus que tout autre groupe ou entreprise de Nouvelle-Zélande. La qualité et la régularité de ses vins, même ceux bas de gamme, sont étonnantes. C'est un exemple que chaque autre grande entreprise vinicole devrait s'efforcer de suivre.

cabernet sauvignon (Fairball, Marlborough) • *chardonnay* (Marlborough, Gisborne, Ormand Estate, Renwick Estate) • *sauvignon* (Stoneleigh) • *vins effervescents* (Deutz Marlborough Cuvée, Deutz Marlborough Blanc de Blancs, Montana Special Reserve)

MORTON ESTATE
Bay of Plenty

★☆

Bien que principalement spécialisé dans les vins blancs, Morton Estate produit un des plus étonnants assemblages cabernet-merlot de Nouvelle-Zélande et commercialise de temps à autre un excellent vin de cépage tiré du merlot. Sa figure de proue est le chardonnay, que ce soit le White Label Cuvée, un vin jeune à l'arôme d'ananas, ou le succulent Black Label, plus riche et plus mûr.

cabernet-merlot (Black Label) • *chardonnay* (en particulier le Black Label) • *sauvignon* (Black Label Fumé Blanc) • *vin effervescent* (méthode de la seconde fermentation en bouteilles)

MUIRLEA RISE
Marlborough

☆

Le premier pinot noir de ce minuscule petit vignoble de 2 ha a été réalisé en 1991, mais ce producteur s'est déjà révélé très prometteur.

pinot noir

NAUTILUS
Marlborough

☆

Cette marque appartient au groupe australien Yalumba. Bien qu'il y ait un vignoble et un bureau de vente, l'élaboration des vins est confiée à une entreprise locale. Le sauvignon, riche et mur, est très impressionnant et le chardonnay toujours généreux. Nautilus produit également deux vins effervescents bien distincts : le fruité Nautilus Estate Cuvée Brut et le Twin Islands, nettement herbacé.

sauvignon • *vins effervescents* (Nautilus Estate)

NEUDORF VINEYARDS
Nelson

Tim et Judy Finn font le meilleur couple de vins de style bourguignon du pays. Quelqu'un peut élaborer un meilleur chardonnay ou un pinot noir plus élégant, mais personne ne tire de ces deux cépages des vins d'une aussi grande qualité. Neudorf produit aussi l'un des meilleurs rieslings secs de Nouvelle-Zélande.

✓ *chardonnay* (Moutère) • *pinot noir* (Moutère) • *riesling* (Moutère)

NGATARAWA WINES
Hastings

☆

Cette entreprise de Hawke's Bay, soucieuse de la qualité, fait d'excellents vins rouges, mais à l'exception du Penny Noble Harvest, un riesling joliment botrytisé, les vins blancs sont si discrets que leur subtilité m'échappe.

✓ *cabernet-merlot* (Glazebrook) • *Penny Noble Harvest*

NGA WAKA VINEYARD
Martinborough

☆

Entreprise créée dans l'île du Nord en 1988 par Roger Parkinson, un Néo-Zélandais francophile, diplômé du collège Roseworthy. Ses vins sont intenses avec un fruit acidulé.

✓ *sauvignon*

NOBILO
Auckland

☆

La famille Nobilo est et accueillante et je recommande vivement de visiter leur entreprise, mais il vous faudra explorer une large gamme avant de trouver des vins délicieux comme le chardonnay Dixon Vineyard, riche, classique et complexe ou le sauvignon Marlborough, un peu moins conventionnel.

✓ *chardonnay* (Dixon Vineyard) • *sauvignon* (Marlborough)

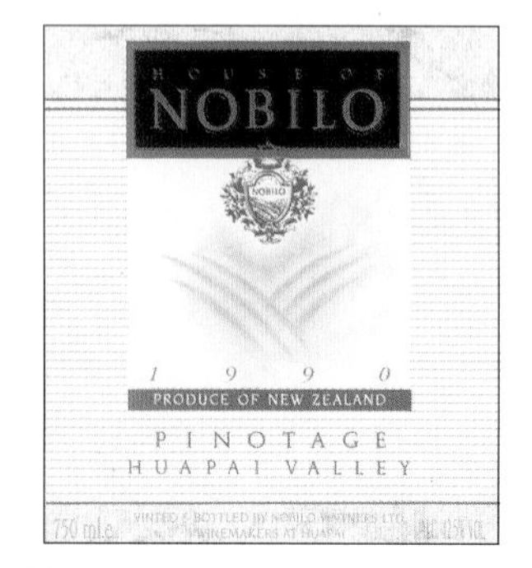

OKAHU ESTATE
Northland

Vignoble le plus septentrional de Nouvelle-Zélande, Okahu domine Ninety Mile Beach. Monty Knight y fait un cabernet-merlot acceptable et un vin blanc d'assemblage étiqueté « Ninety Mile White » à base de chardonnay, sémillon et arnsburger. Je serais curieux de goûter un vin issu du seul arnsburger, car ce cépage est un croisement *riesling x riesling* créé par le professeur Becker, alors directeur de l'institut de recherche de Geisenheim. Il était convaincu que l'arnsburger se révélerait un jour supérieur au vrai riesling.

OMIHI HILLS
Christchurch

☆

Entreprise de Waipara appartenant à Danny Schuster qui fait l'un des meilleurs pinots noirs de Nouvelle-Zélande, un très bon chardonnay et un pinot blanc intéressant.

✓ *chardonnay* • *pinot noir*

PALLISER ESTATE
Martinborough

☆V

Si le sauvignon est toujours réussi, le chardonnay est irrégulier – pour une raison inexplicable, il est presque toujours meilleur les années impaires. Les vins des autres cépages, sauf le riesling, n'ont pas encore une qualité et un style bien déterminés.

✓ *riesling* • *sauvignon*

C.J. PASK
Hastings

★★

Chris Pask fut viticulteur pendant sept ans avant de créer son propre établissement en 1989. Son vignoble de 35 ha occupe un emplacement graveleux privilégié dans le secteur de Gimblett Road à Hawke's Bay. Son raisin de grande qualité lui a permis de produire des vins superbes. Mais son atout principal est la présence de Kate Radburnd, vinificatrice exceptionnellement talentueuse venant de chez Vidal, qui a su tirer parti d'une matière première de premier ordre pour élaborer des vins riches et complexes déjà réputés, promis à un grand avenir sur le marché international.

✓ *cabernet-merlot* • *chardonnay*

PEGASUS BAY
Waipara

☆

Entreprise vinicole récente et déjà réputée, appartenant au professeur Ivan Donaldson, un neurologue connu pour ses écrits sur le vin.

✓ *cabernet-merlot* • *chardonnay* • *pinot noir*

PENINSULA ESTATE
Waiheke Island

Audacieux ou stupide, Doug Hamilton a incontestablement pris des risques en plantant son vignoble à base de cabernet sur une péninsule exposée sur trois côtés aux vents salés du Pacifique. La qualité était douteuse quand je me suis rendu sur place en 1992, mais le vin de 1993 avait évolué dans le bon sens. Un second vin étiqueté « Oneora Bay » lui permet de se concentrer maintenant sur l'amélioration du premier.

✓ *Peninsula Estate Blend* (style bordeaux rouge)

MARK RATTRAY
Waipara

☆

Ancien copropriétaire et vinificateur de Waipara Springs, Mark Rattray a créé cette nouvelle entreprise qui produit un bon pinot noir, quoique très charnu, et un chardonnay riche et élégant.

✓ *chardonnay* • *pinot noir*

DE REDCLIFFE ESTATES
Mangatawhiri Valley

☆

Cette entreprise de Waikato fait des vins rouges décevants, mais des blancs très aromatiques de bonne qualité, spécialement le riesling. De Redcliffe est l'un des établissements vinicoles les plus agréables à visiter, avec l'Hôtel du Vin, un restaurant, un tennis et une piscine réservés aux hôtes.

✓ *chardonnay* (Mangatawhiri) • *riesling*

REVINGTON
Gisborne

Ce vignoble a été créé par Ross Revington, un avocat qui est aussi viticulteur. Il fait depuis 1989 un chardonnay dont la qualité ne cesse d'être améliorée.

✓ *chardonnay*

RIPPON
Wanaka

☆

Contre l'avis de tous les experts, Lois et Rolfe Mills ont choisi une des régions les plus belles du monde pour planter leur vignoble en 1974 et prouver qu'ils avaient raison quand ils ont commercialisé leurs premiers vins en 1988. Le chardonnay et, peut-être, le riesling ou le gewurztraminer, semblent les plus prometteurs, mais c'est l'excellent pinot noir qui jouit pour l'instant de la meilleure réputation. Un mousseux est attendu.

✓ *pinot noir*

ROBARD & BUTLER
Auckland

★V

Une des nombreuses marques appartenant à Corbans. Son chardonnay de Gisborne est l'un des plus riches, des plus crémeux et des plus fumés de Nouvelle-Zélande. La qualité de la gamme des vins produits ici, dont un des rieslings du pays les plus distinctifs, est régulière. Même le gewurztraminer peut être intéressant.

✓ *chardonnay* (Gisborne) • *rhine riesling* (Amberley)

RONGOPAI
Te Kauwhata

Très bonne source de vins botrytisés, Rongopai vient de racheter l'ancienne station de recherches viticoles de Te Kauwhata.

✓ *chardonnay* (Botrytized) • *riesling* (Botrytized)

SACRED HILL
Hawke's Bay

?

Production d'un gewurztraminer étrangement épicé – pas déplaisant et méritant que l'on surveille son évolution.

ST. CLAIR
Marlborough

☆

Plusieurs vins pleins d'intérêt laissent à penser que ce producteur pourrait devenir dans un avenir proche un des meilleurs de Nouvelle-Zélande, notamment quand ses grands vignobles d'Awatere Valley seront en production.

✓ *sauvignon*

ST. HELENA WINE ESTATE
Christchurch

Il fut un temps où St. Helena était l'entreprise de Nouvelle-Zélande la plus réputée pour le pinot noir mais, bien qu'elle réussisse encore à en faire d'excellents, ils manquent de régularité. Le millésime 1995 s'est révélé être le meilleur produit depuis de nombreuses années.

ST. JÉRÔME
Henderson

★

Cette très petite entreprise élabore un vin d'assemblage de type bordelais de gros calibre.

✓ *cabernet-merlot*

SEIFRIED ESTATE
Nelson

★☆Ⓥ

Seifried, dont les vins sont connus sous le nom de « Redwood Valley » à l'exportation, réussit particulièrement bien les blancs, notamment un superbe riesling botrytisé et un des meilleurs rieslings secs de Nouvelle-Zélande.

✓ *chardonnay* (Old Coach Road) • *riesling* (Botrytis Dry Riesling)

SELAKS
Auckland

★☆Ⓥ

Selaks produit une gamme de vins élégants et de bonne qualité, dont les blancs sont les meilleurs, toutefois son vin effervescent, curieusement, n'est pas au même niveau.

✓ *chardonnay* (Birchwood, Founder's Reserve) • *sauvignon* • *sauvignon-sémillon*

ALLAN SCOTT WINES & ESTATES
Marlborough

☆

Allan Scott fut pendant des années responsable de la viticulture du groupe Corbans pour le compte duquel il a créé le vignoble de Stoneleigh. Ce n'est donc pas une coïncidence s'il a fondé sa propre entreprise dans le voisinage de celui-ci. Ses meilleurs vins se caractérisent par un fruit exubérant.

✓ *riesling* (Late Harvest) • *sauvignon*

STONECROFT
Hastings

☆

Stonecroft a produit un vin de syrah profond et concentré d'un style plus proche des vins du Rhône que de ceux d'Australie. Les premiers millésimes souffrent de la jeunesse des vignes et exigeraient de vieillir en bouteilles avant d'être commercialisés. Ce producteur est en progrès.

✓ *cabernet* • *syrah*

STONYRIDGE
Waiheke Island

★★

Sur l'île verdoyante de Waiheke, Stephen White élabore dans son entreprise rose pastel un vin rouge presque noir qu'il a nommé « Larose ». Il a étudié en Toscane, en Californie et dans le Bordelais, qui l'a beaucoup influencé. Le Larose, vin d'assemblage de style bordeaux toujours entièrement vendu en primeur.

✓ *Larose*

TE HORO VINEYARD
Te Horo

Naguère appelée « The Grape Republic », Te Horo Vineyard est la seule entreprise de vinification de cette sous-région de la CO Wellington, qui compte un certain nombre de vignobles dont les propriétaires ont formé une coopérative en vue de satisfaire ses besoins futurs et lui fournir des cépages cultivés à titre expérimental (dont le montepulciano, le sangiovese et le zinfandel). Te Horo Vineyard mérite que l'on s'y intéresse, notamment parce que si ses efforts portent leurs fruits, certains des viticulteurs décideront probablement de vinifier eux-mêmes leur raisin, faisant ainsi de Te Horo une région vinicole à part entière. L'entreprise distribue aussi des vins de Marlborough sous l'étiquette « Aurora ».

TE KAIRANGA
Martinborough

Te Kairanga produit depuis le millésime 1993 un impressionnant pinot noir avec un fruit crémeux et le bel arôme propre au cépage quand il est bien vinifié.

✓ *pinot noir*

TE MATA
Hawke's Bay

★★

Plus ancienne entreprise vinicole de Nouvelle-Zélande, Te Mata a été rachetée en 1978 par John Buck, un ancien négociant en vin venant d'Angleterre. Avec le concours du vinificateur Peter Cowley, il a produit deux des plus grands vins rouges du pays, Awatea et Coleraine. Les vins formant l'assemblage du Coleraine sont très fins et bien structurés, ceux de l'Awatea sont plus généreux. Le cabernet-merlot étiqueté « Te Mata » est d'un abord plus facile, encore que certains millésimes, comme par exemple celui de 1991, peuvent acquérir une complexité étonnante en bouteilles. Les blancs sont souvent négligés, à tort car ils sont toujours riches, avec un fruit élégant et une excellente acidité.

✓ *cabernet-merlot* (en particulier Awatea et Coleraine) • *chardonnay* (Castle Hill, Elston) • *sauvignon* (Castle Hill)

TE WHARE RA
Marlborough

Cette entreprise jouit d'une excellente réputation, justifiée, pour ses vins de dessert voluptueux.

✓ *Botrytis Bunch Selection*

TOTARA VINEYARDS
Thames

Cette entreprise de Waikato, qui appartient à un Chinois, produit, en plus de la Jade Cow (une liqueur de kiwi un peu écœurante), quelques vins de cépage délicieux.

TRINITY HILL
Hastings

❓

Il sera intéressant d'observer le développement de cette entreprise créée en 1996, entre autres par John Hancock, qui fut vinificateur et copropriétaire de Morton Estate. Ses premiers vins ont été faits avec du raisin acheté et vinifié ailleurs. À partir du millésime 1997, il viendra du vignoble de l'entreprise dont la gamme comprendra des vins de chardonnay, cabernet sauvignon et syrah. Les associés de John Hancock sont le propriétaire d'un restaurant de Londres, The Bleeding Heart, et un banquier d'Auckland.

VAVASOUR
Marlborough

★

Vavasour, qui est probablement le producteur néo-zélandais le plus sous-estimé sur les marchés d'exportation, a été un pionnier d'Awatere Valley, au sud de Blenheim, à une bonne demi-heure de route, qui est considéré comme une des sous-régions les plus prometteuses du pays. Ses vins rouges, comme ses blancs, sont bien structurés et déploient un fruit exubérant. Des vins excellents sont aussi vendus sous l'étiquette « Dashwood ».

✓ *cabernet sauvignon-franc* (Reserve) • *chardonnay* (Reserve) • *sauvignon* (Dashwood, Reserve)

VIDAL
Hastings

★☆Ⓥ

Vidal, entreprise créée par un Espagnol, appartient maintenant à George Fistonich, le fils d'un immigrant de Dalmatie qui possède Villa Maria. Elle produit avec régularité certains des vins rouges les plus intéressants de l'appellation Hawke's Bay mais ses blancs, qui sont gouleyants, manquent souvent de finesse. Vidal élabore également un des meilleurs gewurztraminers de toute la Nouvelle-Zélande.

✓ *cabernet-merlot* (Reserve) • *cabernet sauvignon* (Reserve) • *chardonnay* (Reserve)

VILLA MARIA
Auckland

★★Ⓥ

Probablement la meilleure entreprise polyvalente de Nouvelle-Zélande, Villa Maria produit une gamme étendue de vins qui sont tous superbement élaborés pour mettre en valeur le fruit et la finesse. Quand on utilise du chêne, il est toujours discret et bien intégré. Si la qualité est supérieure, la régularité est surnaturelle. George Fistonich, qui possède

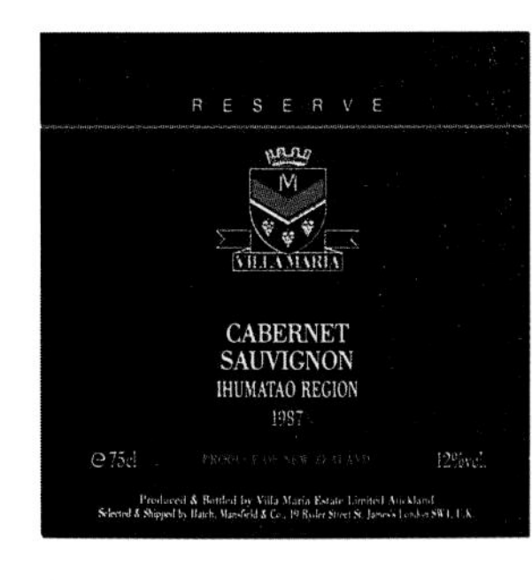

aussi Esk Valley et contrôle Vidal par l'intermédiaire de son fils, est à la tête du troisième groupe vinicole de Nouvelle-Zélande. Forest Flowers et St. Aubyns sont d'autres marques de Villa Maria.

✓ *cabernet-merlot* (Private Bin) • *cabernet sauvignon* (Reserve) • *chardonnay* (Reserve Barrique Fermented) • *chenin-chardonnay* • *riesling* (Noble Botrytis Selection) • *sauvignon*

VOSS ESTATE
Martinborough

Le premier millésime de Gary Voss a été celui de 1991, mais les vins ne sont faits exclusivement avec du raisin de son domaine que depuis 1994. Entretemps, il avait gagné nombre de médailles et il sera donc intéressant de voir s'il maintient ce niveau d'excellence.

WAIMARAMA ESTATE
Havelock North

★

Ce vignoble face au nord, situé au pied du pic de Te Mata, a donné des vins rouges exceptionnels dès le premier millésime, en 1991, ce qui fait de Havelock le producteur de Hawke's Bay dont la réputation s'est affirmée le plus rapidement.

✓ *cabernet-merlot* (Undercliffe) • *cabernet sauvignon*

WAIPARA SPRINGS
Waipara

Mark Rattray a quitté Saint-Helena pour devenir un des associés d'origine et le premier vinificateur de Waipara Springs. Il a quitté cette entreprise pour fonder la sienne un peu plus loin et il semble avoir laissé ici un héritage plus durable qu'à Saint-Helena.

✓ *pinot noir*

WAITAKERE ROAD VINEYARD
Kumeu

Petite entreprise peu connue dont les vins rouges sont prometteurs.

✓ *Harrier Rise*

WITHER HILLS
Henderson

Entreprise qui monte rapidement dans le firmament vinicole dont, curieusement, les vignobles sont situés à Marlborough, dans l'île du Sud, et le raisin vinifié à Henderson, sous-région de la CO Auckland, dans l'île du Nord.

✓ *chardonnay* • *sauvignon*

LES CHOIX DE L'AUTEUR

Mon choix des vins australiens n'est pas une liste complète des plus grands, mais certains en font partie. Les vins ci-dessous ont en commun d'être ceux que je préfère. J'ai fait deux choix successifs de vins néo-zélandais. Le premier était si sévère que j'eus presque honte, pourtant il ne comptait pas moins de 54 vins fabuleux. Pour ramener le nombre à 20, j'ai dû exclure des vins qui surpassent les meilleurs de nombre de pays vinicoles plus importants.

PRODUCTEUR	VIN	STYLE	DESCRIPTION	⊩
AUSTRALIE				
Grant Burge (*voir* p. 535) Ⓥ	Syrah Mesbach Barossa Valley	ROUGE	Je peux pardonner la tendance des Australiens à faire des vins trop boisés quand ils sont aussi superbes que celui-ci, un vin intense, compact, concentré, avec un fruit voluptueux et épicé.	3 à 7 ans
Cape Mentelle (*voir* p. 540) Ⓥ	Syrah	ROUGE	J'ai beaucoup hésité entre mes Cap Mentelle favoris et j'ai finalement retenu le vin de syrah car c'est l'interprétation australienne la plus élégante de ce cépage classique du Rhône. Ce vin a une grande complexité, beaucoup de finesse et un chêne bien intégré qui équilibre parfaitement le tanin.	3 à 10 ans
Coldstream Hills (*voir* p. 529)	Cabernet sauvignon James Halliday Coonawarra	ROUGE	Ce vin a été sélectionné par James Halliday, ancien propriétaire (et toujours vinificateur), qui le vend sous son nom et non pas sous celui du domaine. Comme on pouvait s'y attendre d'un vin portant le nom de ce grand homme, son élégance est prodigieuse. Halliday recherche la finesse et la longueur en bouche plutôt que la corpulence et la puissance. Discrètement boisé, ce vin est particulièrement superbe quand il accompagne le repas.	4 à 8 ans
Coldstream Hills (*voir* p. 529)	Pinot noir	ROUGE	Ce vin déploie un goût et un arôme riches et séduisants de cerise et de fruits rouges avec au final une note boisée et suffisamment de tanin pour qu'il puisse accompagner le repas.	2 à 4 ans
Cullens (*voir* p. 540)	Chardonnay	BLANC	Chardonnay très classique, avec un fruit exceptionnellement riche et exubérant, soutenu par une acidité vibrante.	2 à 4 ans
Lindeman's Wines (*voir* p. 524) Ⓥ	Syrah-cabernet Limestone Ridge	ROUGE	Une acidité superbe et une structure tannique permettent à ce vin fabuleusement riche et à l'arôme de cassis de se bonifier très longtemps. Complexe, il révèle d'abord des nuances marquées de chêne et de pain grillé qui cèdent la place à des notes délicates de vanille, café et fruits noirs avant d'acquérir les arômes splendides dus au séjour en bouteilles.	5 à 25 ans
Lindeman's Wines (*voir* p. 524) Ⓥ	Chardonnay Padthaway	BLANC	Ce vin au style outrageusement australien est tout simplement un des plus agréables chardonnays à la mode que l'on trouve sur le marché. Même son chêne omniprésent a de la classe.	2 à 5 ans
Morris Wines (*voir* p. 5) Ⓥ	Liqueur tokay Old Premium	VIN VINÉ	Chaque fois que je hume un verre d'un des vins de Mick Morris, je revois l'image de ce petit homme au visage parcheminé, éclairé par un large sourire; mais ses vins vinés légendaires doivent être pris au sérieux et son merveilleux tokay liquoreux, avec sa complexité miellée et son acidité rafraîchissante, est exactement le vin qu'on a envie de déguster en sa compagnie.	Jusqu'à l'ouverture de la bouteille
Penfolds Wines (*voir* p. 537) Ⓥ	Cabernet sauvignon Bin 407	ROUGE	Ce grand rouge de Penfolds est cher, mais il vaut largement son prix. Il a une finesse étonnante pour un vin au goût aussi puissant – je ne connais pas de grand vin aussi bien équilibré.	4 à 20 ans
Penfolds Wines (*voir* p. 537) Ⓥ	Syrah Magill Estate	ROUGE	Vin très cher, toutefois quatre fois moins que le Grange. Bien que ce dernier soit tenu pour le plus grand vin d'Australie, je ne serais pas étonné que ce syrah Magill Estate, plus ferme et plus franc, soit jugé le meilleur quand on fera dans vingt ans une dégustation à l'aveugle des millésimes des années 1980 de ces deux vins exceptionnels.	8 à 30 ans
Petaluma (*voir* p. 537) Ⓥ	Riesling	BLANC	Le plus remarquable riesling sec d'Australie, élaboré pour la garde. S'il déploie des parfums floraux plutôt simples dans sa jeunesse, quand le fruit devient plus intense après quatre ans en bouteilles, il acquiert un arôme riche et exquis de pétrole tandis qu'il conserve sa fraîcheur grâce son élégante acidité.	5 à 12 ans
Rosemount Estate (*voir* p. 5) Ⓥ	Chardonnay Orange Vineyard	BLANC	Ce chardonnay de très gros calibre est si riche et déploie des arômes si envahissants que sa dégustation critique est parfois difficile au début de son évolution. Mais en prenant de l'âge, il acquiert une complexité noisetée absolument sublime comparable à celle d'un grand bourgogne de la Côte de Beaune.	1 à 15 ans

PRODUCTEUR	VIN	STYLE	DESCRIPTION	
Rosemount Estate (*voir* p. 5) Ⓥ	Syrah Balmoral	ROUGE	J'ai hésité entre les syrahs Balmoral et McClaren Vale de Rosemount, producteur si prolifique que je pourrais remplir une page avec ses meilleurs vins. Ses syrahs ont un arôme intense de petits fruits et une texture soyeuse qui les distingue des syrahs australiens habituels. Ce vin est une pure merveille.	2 à 5 ans
NEW ZEALAND				
Ata Rangi (*voir* p. 549) Ⓥ	Pinot noir	ROUGE	Quelle que soit la richesse du millésime, ce vin est toujours élégant, avec de belles nuances crémeuses de cerise, le fruit propre au pinot noir, et des notes boisées très discrètes.	2 à 5 ans
Daniel le Brun (*voir* p. 549)	Blanc de blancs	SPARKLING	Depuis 1989, ce vin s'est hissé au niveau d'un bon champagne. Il a une richesse somptueuse, ce qui ne l'empêche pas d'être complexe, fruité avec des nuances de pain grillé, et très fin.	2 à 7 ans (maximum estimé)
Church Road (*voir* p. 549)	Cabernet sauvignon	ROUGE	Vin de haut de gamme qui déploie un fruit riche, fumé, et promet de devenir complexe. Sa finesse est étonnante.	3 à 8 ans
Cloudy Bay (*voir* p. 549)	Chardonnay	BLANC	À Cloudy Bay, le chardonnay vinifié en fût a toujours été un vin meilleur et plus sérieux que le si populaire sauvignon. Il est étonnamment ample mais pourtant admirablement équilibré.	2 à 6 ans
Cloudy Bay (*voir* p. 549)	Pinot noir	ROUGE	Dans ce vin, les nuances vives et délicieuses de cerise, qui expriment parfaitement le territoire de Marlborough, sont admirablement soutenues par un chêne crémeux bien intégré.	3 à 6 ans
Goldwater (*voir* p. 550)	Cabernet-merlot	ROUGE	Depuis 1990, les vins de Goldwater ont atteint une qualité qui ferait jeu égal dans une dégustation avec celle de bordeaux crus classés, même de grands millésimes. Malgré sa structure tannique classique et sa complexité graduelle, il n'a rien d'un bordeaux.	2 à 10 ans
Hunter's (*voir* p. 550)	Sauvignon élevé en fût	BLANC	J'adore ses nuances de zeste et de fruits tropicaux bien soutenues, mais jamais dominées par un chêne riche et délicieux qui acquiert en bouteilles des notes crémeuses de noix de coco.	2 à 3 ans
Jackson Estate (*voir* p. 551) Ⓥ	Sauvignon	BLANC	Ceux de Cloudy Bay et quelques autres peuvent s'en approcher, mais pas égaler ce sauvignon qui, année après année, est le plus vif, le plus intense et le plus fin.	1 à 2 ans
Kumeu River (*voir* p. 551)	Merlot-cabernet	ROUGE	Vinificateur génial et obstiné, Michael Brajkovich soutient le merlot avec un peu de cabernet pour obtenir une combinaison tendre et sensuelle de petits fruits complexes et d'odeur de fût.	3 à 6 ans
Martinborough (*voir* p. 551)	Chardonnay	BLANC	Mon choix pour ce vin qui mêle harmonieusement un fruit beurré et voluptueux, la complexité malolactique et la finesse de la vinification en fût, étonnera ceux qui préfèrent le fameux pinot noir de Larry McKennan, mais le chardonnay est toujours meilleur.	2 à 5 ans
Matua Valley (*voir* p. 551)	Chardonnay Ararimu	BLANC	Parmi les vins de Matua Valley, certains donneraient la palme au sauvignon. Quant à moi, j'ai hésité entre le cabernet sauvignon de Dartmoor Smith Estate aux admirables arômes de tabac avant de choisir le chardonnay Ararimu qui me paraît le plus prometteur.	2 à 5 ans
Neudorf (*voir* p. 551)	Pinot noir et chardonnay (moutère)	ROUGE/ BLANC	Quel que soit le millésime, ces deux vins ont toujours un fruit somptueux et expriment de façon exquise le caractère du cépage.	2 à 5 ans
Stoneridge (*voir* p. 553)	Larose	ROUGE	Assemblage classique de cabernet sauvignon et franc merlot, malbec et petit verdot, ce vin sombre, dense, tannique, est très fin et complexe avec des notes de menthe et de bois de cèdre.	4 à 10 ans
Te Mata (*voir* p. 553)	Cabernet-merlot Awatea et Coleraine	ROUGE	Le cabernet-merlot étiqueté « Te Mata » est parfois exceptionnel, mais le Coleraine, très fin et bien structuré, et l'Awatea, plus généreux sans toutefois manquer d'élégance, sont toujours d'une qualité qui les range parmi les meilleurs rouges du pays.	3 à 8 ans
Te Mata (*voir* p. 553)	Chardonnay Elston	BLANC	Si Te Mata est en tête pour ses vins rouges, ses vins blancs sont trop souvent sous-estimés. Pourtant ce chardonnay, opulent, ferme, bien fruité, avec une complexité riche en nuances fumées et de pain grillé, compte parmi les premiers du pays.	2 à 5 ans
Villa Maria (*voir* p. 553) Ⓥ	Reserve	ROUGE/ BLANC	Tous les Villa Maria de qualité Reserve sont fabuleux, du chardonnay mûr et élégant au riesling Noble Botrytis Selection fabuleusement concentré, du cabernet sauvignon d'une richesse et d'une complexité extravagantes au cabernet-merlot plus sèveux au goût de prune très marqué.	2 à 10 ans

✧ ASIE ✧

Dans les pays de l'est de l'Asie, le goût évolue vers des boissons moins sucrées et cela se traduit par la production de vins plus secs. C'est le seul point commun entre des pays vinicoles aussi différents que la Chine, le Japon et l'Inde.

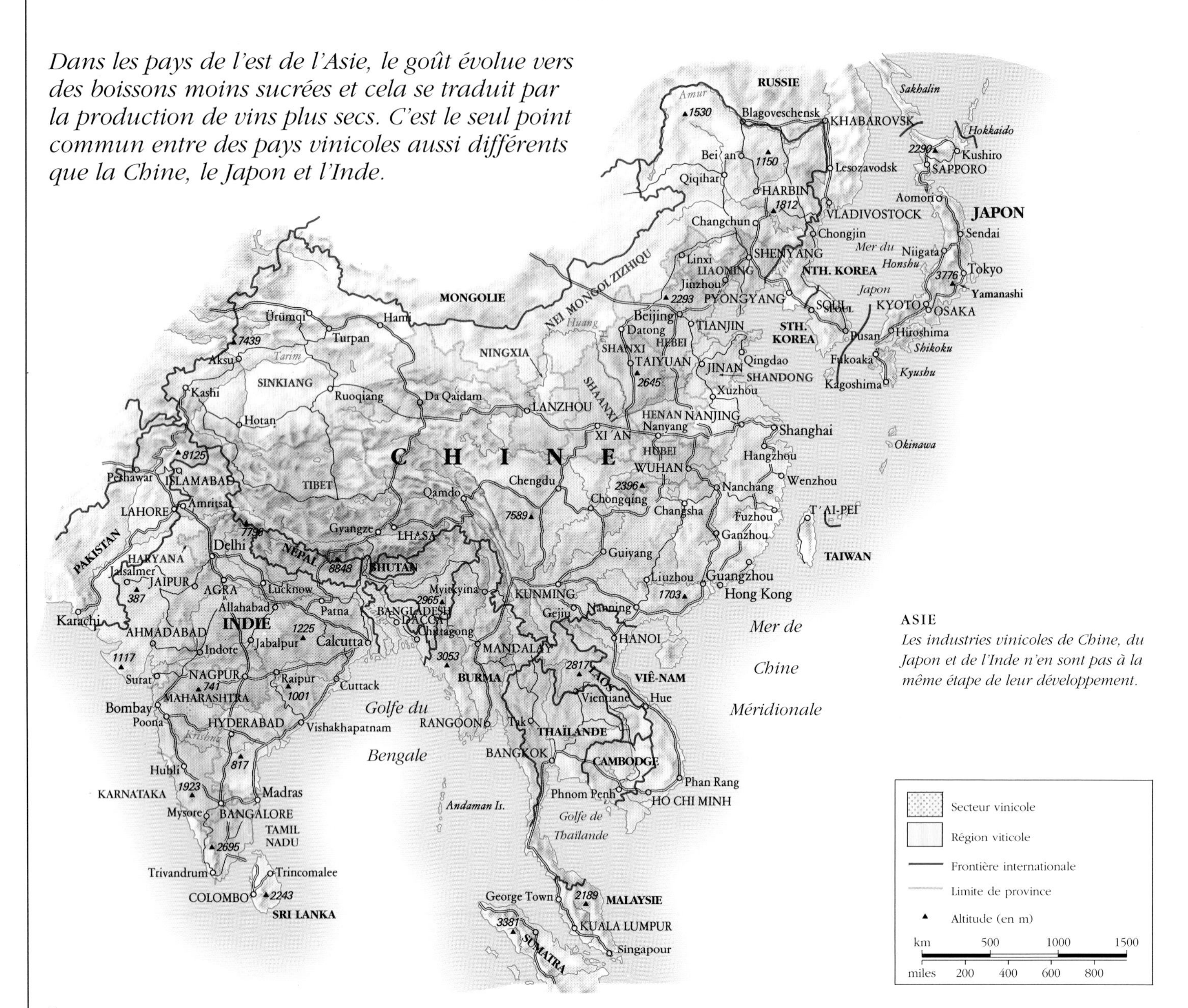

ASIE
Les industries vinicoles de Chine, du Japon et de l'Inde n'en sont pas à la même étape de leur développement.

Les principaux pays vinicoles d'Asie sont la Chine, l'Inde et le Japon. Le Viêt-nam a fait son apparition en 1997, quand Allied Domecq est devenu l'actionnaire majoritaire d'une nouvelle entreprise créée dans les environs de Phan Rang. Le raisin de bouche cardinal y est utilisé pour la production de vin destiné au marché intérieur. En Corée, une entreprise au moins s'intéresse aux mousseux.

CHINE

Principales régions vinicoles : *Hebei, Shandong* (dont les meilleurs secteurs sont Lao Shan et Da Za Shan) *et Xinjiang.*

Autres régions : celles du Nord-Est, où l'on fait du « vin de montagne » issu de l'espèce *Vitis amurensis*, et le Henan où la culture de la vigne est encore plus difficile.

On pense que la première présence de *Vitis vinifera* en Chine remonte à 128 av. J.-C., année où un général Chang en planta des semences dans le jardin du palais impérial de Chang-an (aujourd'hui Xian), dans la province du Chan-si (Shaanxi), à 1 000 km au sud de Pékin (Beijing), mais on n'a aucune preuve qu'on en fit du vin. En revanche on sait qu'en 674 ap. J.-C., un peuple turc, les Yagbu, fit don à l'empereur Tai-Tsung d'un cépage appelé « mamelle de jument » donnant des grappes violettes spectaculaires longues de soixante centimètres. Le vin qu'on en tirait a été décrit comme étant « de feu ». Pendant ses voyages, entre 1271 et 1294, Marco Polo a observé de nombreux vignobles à T'ai-yuan (Xian), capitale du Chan-si (Shaanxi). En 1373 le premier empereur de la dynastie Ming décréta que du vin devait être produit en Chine. À la fin du XIXe siècle, un négociant chinois nommé Zhang Bishi ramena d'Europe des boutures de dix cépages de *Vitis vinifera* et fonda en 1892 l'entreprise vinicole Zhang Yu à Yan-tai, dans la province du Chan-tong (Shandong). En 1910, un missionnaire créa la cave de vinification Shangy – qui porte maintenant le nom de Beijing Friendship – à Pékin (Beijing) et la société allemande Melchers une entreprise vinicole en 1914 à Ts'ing-tao (Quindao) sur la péninsule de Shandong. Il y a une vingtaine d'années, les autorités chinoises ont fait appel à la société Rémy Martin (connue dans le monde entier pour son cognac) pour fournir une assistance technique à la première entreprise vinicole franco-chinoise. Celle-ci produit le premier vin de style européen jamais fait en Chine. Commercialisé sous le nom de Dynasty, il est né dans une entreprise installée en 1980 à Tianjin, dans la province de Hebei. Le groupe français

FACTEURS DU GOÛT ET DE LA QUALITÉ

EMPLACEMENT
Les principales régions vinicoles d'Asie de trouvent en Inde (État de Maharashtra) dans le nord de la Chine et au Japon. Beijing (Pékin) se trouve à la même latitude que Madrid.

CLIMAT
Inde chaud toute l'année sans véritable hiver et un peu de pluie à l'époque de la croissance. L'altitude du Maharashtra rend le climat relativement frais.

Chine le climat de la région vinicole est classé humide et frais. Il est analogue à celui du Michigan, de l'Ontario, de l'Autriche et de la Hongrie où le climat continental est tempéré par la présence de grandes masses d'eau qui rendent les étés chauds et humides et les hivers très froids et secs.

Japon le pays souffre d'un climat extrême, avec un froid très vif en hiver provoqué par des vents sibériens, des pluies de mousson au printemps et en automne et des typhons en été. La température moyenne descend quand on va au nord vers Hokkaido.

SITES
Inde les vignobles du Maharashtra occupent en général les pentes douces orientées à l'est du mont Sahyadri, à une altitude d'environ 750 m.

Chine les plantations récentes sont situées sur des pentes bien drainées orientées au sud pour éviter les problèmes posés précédemment par le niveau élevé des nappes phréatiques.

Japon dans l'île de Honshu, principale région vinicole, les meilleurs vignobles occupent les pentes orientées au sud de la vallée des environs de Kofu.

SOLS
Inde les vignobles du Maharashtra sont sur des sols riches en calcaire.

Chine sols en général alluviaux.

Japon sols en général acides impropres à la viticulture, sauf autour de Kofu où ils sont graveleux et d'origine volcanique.

CULTURE ET VINIFICATION
Inde les vignes du Maharashtra sont conduites en taille haute selon le système Lenz Moser (*voir* p. 124) et des experts champenois ont introduit la méthode de seconde fermentation en bouteilles pour les mousseux.

Japon on s'intéresse de plus en plus à la culture des cépages nobles d'Europe, mais les précipitations abondantes constituent le plus grand problème. On protège souvent le raisin de la pluie en couvrant les grappes avec des disques de papier de paraffine afin d'éviter tant que faire se peut la pourriture. Cette méthode, qui exige une main-d'œuvre abondante, est très coûteuse.

Chine le pays ne possède pas une industrie vinicole cohérente, mais il est certain qu'elle se développera avec la présence accrue d'experts venus de l'étranger. Pour l'instant, mis à part les entreprises binationales et quelques-unes des plus grandes entreprises chinoises, la production consiste en vins de très mauvaise qualité, coupés avec de l'eau et additionnés d'alcool pour obtenir les gros volumes à bas prix que demande le marché intérieur. Même les producteurs soucieux de qualité doivent utiliser des cépages médiocres à haut rendement (certains donnent 150 hl/ha) et ont des problèmes de pourriture dus à la forte humidité estivale. Une des conséquences indirectes du retour en 1997 de Hong-Kong sous la souveraineté chinoise pourrait bien être de hisser au XXIe siècle la Chine au rang des grandes nations vinicoles.

CÉPAGES
Inde anab-e-shahi, arka shyam, arka-kanchan, arkavti, bangalore blue, cabernet sauvignon, chardonnay, karachi gulabi, pinot noir, ruby red, thompson seedless (sultana), ugni blanc

Chine beichun, cabernet sauvignon, cabernet franc, carignan, chardonnay, chasan, chenin blanc, mamelle de jument, cœur de coq (*syn.* longyan), gamay, gewurztraminer, marsanne, muscat à petits grains, muscat de hambourg, merlot, pinot noir, rkatsiteli, saperavi, sauvignon, sémillon, sylvaner, syrah, welschriesling

Japon campbell's early, cabernet sauvignon, chardonnay, delaware, koshu, merlot, müller-thurgau, muscat bailey, riesling, sémillon

Viêt-nam cardinal

Pernod-Ricard a créé avec Beijing Friendship la marque Dragon Seal dont le vin est de qualité bien supérieure à celle du Dynasty et qui a beaucoup plus de succès.

Le marché intérieur pour des vins de style européen, qui a commencé à se développer, est dominé par les « quatre grands » : Dynasty, Dragon Seal, Great Wall (Grande Muraille) – une entreprise d'État installée à Hebei –, Hudong à Quindao, qui appartient aussi à l'État mais dans laquelle Domecq a une participation de 40%. La Chine compte quelque trente-quatre entreprises vinicoles de taille respectable et un grand nombre de petites entreprises – au moins cent dans la seule province de Shandong. La plupart des vignobles appartiennent à l'État ou à des coopératives villageoises. Leur surface semble avoir été constamment sous-estimée et les statistiques ne cessent d'être réajustées. Les données officielles sont, au moment où je rédige ce texte, de 124000 ha, mais une estimation officieuse, sans doute plus réaliste, indique 174000 ha, le raisin de cuve comptant pour le quart de cette surface. Les deux cépages les plus importants, tant pour le raisin de table que pour la vinification, sont le muscat de hambourg et l'œil de dragon.

Le meilleur vin chinois est un cabernet sauvignon souple et fruité (Dragon Seal) dont je pourrais facilement boire une bouteille entière sans me lasser, et le chardonnay, tendre et beurré, n'est pas mal non plus. Les principaux autres vins sont le Tsingtao (de l'entreprise Huadong), le Grande Muraille (de Hebei), le Marco Polo (d'une société italienne de Yantai) et le Palais d'Été (Seagram). À moins que leur qualité augmente de manière spectaculaire, il vaudrait mieux que leurs producteurs se concentrent sur le marché chinois intérieur. Même si les Chinois boivent encore cinquante fois plus de bière que de vin, la consommation vinicole augmente de 15% chaque année, et avec le retour de Hong-Kong, l'avenir de la viniculture chinoise semble prometteur.

INDE

On a fait sporadiquement du vin dans quelques régions de l'Inde depuis plus de deux mille ans, mais on n'y produit aujourd'hui que très peu de vin. Le pays compte 12500 ha de vigne, mais la production vinicole est si minuscule qu'elle n'est même pas mentionnée dans les statistiques. Jusqu'au début des années 1970, tous les vins indiens étaient épais, sucrés et peu agréables. La plupart ne sont guère plus séduisants mais une entreprise indo-française, Vinedale, a été créée en 1972 et a commencé à commercialiser des vins rouges sous l'étiquette « She-eh-Shah ». Dix ans après, une autre collaboration indo-française a fait un véritable coup d'éclat. En 1982 un millionnaire de Bombay, Sham Gyougule, dont le Indage Group contrôle une chaîne d'hôtels et a des participations importantes dans l'industrie et les transports maritimes, demanda à la maison champenoise Piper-Heidsieck de lui apporter son assistance technique pour un projet de mousseux indien par la méthode de la seconde fermentation en bouteille. Piper-Heidsieck envoya en Inde un jeune œnologue, Raphaël Brisbois, qui travaillait alors dans une filiale, Champagne Technologie. Brisbois, choisit un site à Narayangaon, à l'ouest de Bombay et au nord de Puna, dans l'État du Maharashtra, où l'équivalent de quelque quarante millions de francs furent investis dans la construction d'une unité de production ultra-moderne.

Vendu sous l'étiquette « Omar Khayyam », ce vin était si bon que j'ai envisagé de l'utiliser pour le lancement de la première édition de cet ouvrage. Toutefois, avant de me décider, il fallait que je m'assure sur les lieux de production que le vin de base était bien du chardonnay et qu'il était présent à toutes les étapes de l'élaboration du vin effervescent. Cela se passait à l'époque où pour ainsi dire personne n'était capable de faire un mousseux acceptable dans les Pays Neufs. J'avais rendu visite plusieurs fois à des producteurs d'Australie et de Californie qui se plaignaient de ne pouvoir obtenir dans leur vin les arômes particuliers dus à l'autolyse des levures, même après un séjour de trois à cinq ans sur leurs lies. Or, un producteur indien prétendait y parvenir en moins d'un an. S'agissait-il d'une supercherie?

Après un atterrissage hasardeux en pleine mousson et le voyage en taxi le plus terrifiant que j'ai connu, je fus accueilli (en l'absence de Brisbois) par Abhay Kewadkar, qui avait fait un stage de six mois chez Piper-Heidsieck à Reims, avant de travailler avec Brisbois. Il m'emmena dans le vignoble, situé sur les pentes orientées à l'est de la montagne de Sahydri, dont le sol argilo-calcaire et l'altitude de 750 m sont particulièrement favorables à la culture de la vigne. J'identifiai le chardonnay, mais ce cépage ne comptait alors que pour 30% de l'assemblage, le reste étant de l'ugni blanc choisi pour augmenter l'acidité du vin de base. Depuis, la proportion de chardonnay a été augmentée et on utilise aussi un peu de pinot noir. J'ai ensuite goûté le vin à chaque étape de la production et me suis

assuré que la méthode d'élaboration était bien traditionnelle de bout en bout. Convaincu qu'il n'y avait pas de supercherie et que le vin de base n'était pas importé comme je l'avais craint, j'ai servi de l'Omar Khayyam en toute tranquillité d'esprit lors du lancement de mon livre.
J'ai rencontré Brisbois par la suite, quand il travaillait à Iron Horse, en Californie. Il m'avoua que sa première cuvée d'Omar Khayyan avait été faite entièrement avec du thompson seedless (le sultana des raisins secs) et non, contrairement à une opinion très répandue, presque entièrement avec de chardonnay. Cette confession de Brisbois révèle son grand talent pour l'élaboration des mousseux et la perfection des installations de Narayangaon. Si le mousseux de cette entreprise est aussi bon qu'autrefois, il n'a pas progressé comme ailleurs. Il me semble terne et monolithique en regard de l'élégance et de la finesse des mousseux « exotiques » d'aujourd'hui.

JAPON

Régions vinicoles de Honshu : *Aichi, Akita, Aomori, Hyogo, Iwati, Nagao* (où le meilleur secteur est la vallée de Kofu), *Nigata, Okayama, Osaka, Shimane, Yamagata, Yamanashi*
Régions vinicoles de Hokkaïdo : *Kushiro, Sapporo*
Régions vinicoles de Kyushu : *Fukuoka, Oita*
Les Portugais ont attesté au XVIe siècle l'existence du vin japonais, qui devait donc exister depuis longtemps déjà. Au XVIIe siècle, à l'instigation du shogunat de la famille Tokugawa, alors plus puissant que l'empereur lui-même, la production vinicole disparut presque complètement. À cette époque, tout ce qui était considéré chrétien ou occidental fut condamné. C'est seulement après la remise des pouvoirs civil et militaire à l'empereur par Yoshinobu, le dernier shogun, que la viniculture put reprendre son essor. La première entreprise vinicole commerciale du Japon fut créée en 1875 à l'ouest de Tokyo, dans la région de Yamanashi où se trouvent encore aujourd'hui 40% du vignoble japonais.
Étant donné son histoire, la consommation de vin n'était pas considérée comme normale dans la société japonaise, mais elle a augmenté depuis le début de son occidentalisation, après la dernière guerre. Elle a doublé dans les années 1980 et a encore doublé depuis. Cela a incité l'industrie vinicole à améliorer la qualité de sa production. Naguère notoire pour la mise en bouteilles de vin importé en vrac et sa commercialisation sous l'étiquette « produit japonais » (quand je me suis étonné que l'on puisse tolérer cette pratique, on m'a demandé quelle était l'origine d'une voiture anglaise et j'ai dû me taire!), l'industrie vinicole a adopté un code de bonne conduite selon lequel tous les vins importés doivent être étiquetés *yunyu san*, ceux vinifiés au Japon *kokunai san*, et tout mélange des deux clairement indiqué.
Bien que tous les producteurs ayant une certaine notoriété appliquent ce code, le *kokunai san* peut être encore à base de raisin, de jus de raisin ou de jus concentré importés. Il est cependant évident qu'un vin est authentiquement japonais quand on en connaît le prix, toujours très élevé. Un système officiel de garantie d'origine verra certainement le jour car certaines régions en ont déjà institué un.
Les plus grandes sociétés vinicoles du Japon sont Suntory (la cave de vinification est digne d'un décor pour un film de James Bond et son meilleur produit est un vin botrytisé extraordinairement bon, d'un prix si ridiculement élevé qu'il est plus cher que le meilleur millésime du Château d'Yquem), Mercian (appartenant à Sanacru), Polaire (la marque des vins de Sapporo, la brasserie japonaise géante) et Mann (succursale du fabricant de sauce soja Kikkoman). Certains de ses vins peuvent être vraiment bons, mais les meilleurs vins japonais authentiques sont ceux élaborés au Château Lumière, qui appartient à Toshihiko Tsukamoto. L'entreprise date de 1885 et ses vignobles s'étendaient sur 28 ha, jusqu'à la confiscation de 27 ha à l'époque où le général McArthur régnait sans partage. Depuis, Toshihiko Tsukamoto a porté le vignoble qui restait à 6 ha, avec du cabernet sauvignon, du cabernet franc, des boutures de merlot du Château Margaux, de riesling du Schloss Johannisberg et de syrah de Chapoutier, à Hermitage. Quand j'ai visité ce vignoble, il était jonché de grappes vertes éliminées pour maîtriser le rendement, une pratique dont on trouve l'écho dans l'assemblage de style bordeaux, incontestablement de très grande qualité. Le sémillon-sauvignon botrytisé (Kohkijuku) est également bon, mais inférieur au Suntory, et il vaut mieux éviter le blanc ordinaire.

AUTRES VINS D'ASIE

La plus grosse concentration de vignobles du Kazakhstan se trouve entre Chimkent et Alma Ata, sur les contreforts du mont Tien Shan, très près de la frontière chinoise, où 17000 ha de vignobles donnent un peu plus de 270000 hl de vin. On compte plus de 20 entreprises vinicoles dans l'État d'Asie centrale du Tadjikistan, situées principalement dans les régions de Leninabad, Ghissar et Vaksh. Les vignobles du Tadjikistan, d'une surface totale de 39000 ha, donnent près de 315000 hl de vin. Dans une autre république d'Asie centrale, l'Ouzbékistan, il y a de nombreuses entreprises dans les régions de Boukhara, Samarkand et Tachkent où 125000 ha de vignobles donnent un tout petit peu plus de 990000 hl de vin. Entre la Chine et le Kazakhstan, les vignobles du Kirghizistan ne comptent que 7000 ha donnant à peine plus de plus de 135000 hl de vin. On compte 16000 ha de vigne en Corée et 4000 ha au Pakistan, dont on tire principalement du raisin de table et des raisins secs.

UN VIGNOBLE DE LA RÉGION JAPONAISE DE YAMANASHI-KEN
Sur l'île de Honshu, les vignobles de Yamanashi, à l'ouest de Tokyo, sont cultivés en pergola pour combattre la pourriture due à l'humidité.

LE SERVICE DU VIN

On a l'habitude de servir le vin blanc rafraîchi et le vin rouge chambré, c'est-à-dire à la température de la pièce. Plus la température est élevée, plus les composés aromatiques volatils s'évaporent, c'est pourquoi, lorsqu'ils sont chambrés, les vins rouges les plus étoffés développent tout leur bouquet. À l'inverse, les basses températures ont notamment pour effet de retenir davantage de gaz carbonique, ce qui, en renforçant la vivacité et la fraîcheur du vin, tend à exalter en bouche la sensation de fruité. Aussi est-il essentiel de frapper un vin effervescent pour préserver ses bulles le plus longtemps possible. Mais l'usage répandu du réfrigérateur et du chauffage central a pour conséquence de servir le vin blanc trop froid et le vin rouge trop chaud.
La controverse tourne donc autour de la température de service. Un vin trop froid n'exprime aucun arôme et peut être plus difficile à déboucher si un enrobage de cire adhère au goulot de la bouteille. Un vin trop chaud, en revanche, s'affadit. Les quelques principes édictés ci-dessous suffiront amplement, car il est inutile de compliquer les choses en donnant des températures précises : on parlera donc simplement de rafraîchir un blanc ou un rosé et de chambrer un vin rouge.

TYPE DE VIN	TEMPÉRATURE DE SERVICE
Effervescent (rouge, blanc, rosé)	4,5–7 °C
Blanc	7–10 °C
Rosé et rouge léger	10–12,5 °C
Rouge moyennement étoffé	12,5–15,5 °C
Rouge très étoffé	15,5–18 °C

RAFRAÎCHIR ET CHAMBRER RAPIDEMENT

On peut très bien rafraîchir un vin au réfrigérateur une ou deux heures, mais guère plus longtemps, faute de quoi le bouchon risquerait d'adhérer au goulot. Une réfrigération longue est à proscrire, car ce processus absorbe l'humidité du bouchon, qui se rétracte, laissant passer l'air qui oxydera le vin.
Contrairement aux effets cumulatifs des grandes amplitudes de température, un séjour de 10 à 15 minutes dans le congélateur n'a jamais fait de mal au vin. La conviction que le vin « brûle » à très basse température n'est pas fondée, car le froid se répand uniformément dans la bouteille. Les housses réfrigérantes, laissées au congélateur, et que l'on glisse sur la bouteille avant le service, représentent une innovation utile. Contrairement au froid, la chaleur directe ne se diffuse pas uniformément dans une bouteille de vin; que celle-ci soit placée au coin du feu ou sous un robinet d'eau chaude, son contenu sera à la fois trop chaud et trop froid. La meilleure façon de chambrer rapidement un vin consiste à le passer au four à micro-ondes pendant 60 à 90 secondes à puissance moyenne.

DÉCANTER

Les vieux vins, notamment les rouges, contiennent au fond de la bouteille un dépôt naturel de matières, tanins et pigments. Les rouges et surtout les blancs présentent parfois des cristaux, dus à un précipité de tartrates. Bien que ces impuretés ne présentent absolument aucun danger, si leur présence est gênante, on les séparera du vin par la décantation en carafe.

PRÉPARER LA BOUTEILLE ET VERSER LE VIN

Plusieurs heures avant la décantation, mettez la bouteille en position verticale, ce qui permettra aux matières présentes sur la paroi de la bouteille de se déposer. Découpez la capsule au-dessus du bouchon pour constater éventuellement la présence de moisissure ou, s'il s'agit d'un vieux millésime, d'un fin dépôt noir; bien qu'aucune de ces matières n'ait pu atteindre le vin, évitez tout contact accidentel qui surviendrait au débouchage en essuyant le col de la bouteille et le bouchon au chiffon propre humide. Après avoir soigneusement ouvert la bouteille, passez un doigt à l'intérieur du col pour retirer toute particule de liège ou dépôt de cristaux éventuels et essuyez le bord au chiffon sec.
Soulevez doucement la bouteille d'une main et la carafe de l'autre en les plaçant au-dessus d'une source de lumière, torche électrique ou bougie, pour surveiller le mouvement du dépôt pendant le transvasement. Versez doucement et régulièrement en évitant que la bouteille ne sursaute et n'« avale » de l'air, faute de quoi les impuretés risqueraient de se répandre dans le vin.

FILTRER LES DÉPÔTS

Personnellement, je fais fi de la tradition en versant les dépôts dans un filtre à café très fin. Il s'agit évidemment de décanter un volume maximal pour n'avoir à en filtrer que le minimum, mais je n'ai jamais su distinguer entre un vin simplement décanté et un vin auquel on a ajouté le résultat de ce filtrage. À cet égard, aucun de mes amis ou confrères qui doutaient du bien-fondé de cette pratique n'ont dépassé 50% de bonnes réponses en dégustation à l'aveugle.

AÉRER LE VIN

Dès que l'on ouvre une bouteille de vin, celui-ci est exposé à l'air : il « respire ». Auparavant, le vin n'a réagi qu'avec la petite quantité d'air emprisonnée par le bouchon et l'oxygène qu'il contient naturellement. C'est au cours de cette lente oxydation qu'a lieu ce processus complexe de transformations chimiques que l'on appelle le vieillissement. Aérer le vin avant le service équivaut donc à une très brève période de maturation. Ce vieillissement artificiel du vin peut lui être ou non bénéfique, et cela tient à de nombreux facteurs, qui ne sont connus qu'en partie. On peut tout au plus avancer que l'aération profitera à un vin rouge jeune, étoffé et tannique.

OUVRIR UNE BOUTEILLE DE CHAMPAGNE

- Décalotter la capsule du bouchon. Très souvent une languette dépasse, qu'il suffit de tirer, faute de quoi il faudra rechercher l'anneau de la cage métallique pressé contre le goulot; tirer simplement sur celui-ci et la feuille de la capsule se déchirera juste au-dessous de la cage.
- En tenant la bouteille à 45 degrés, recouvrir fermement le bouchon d'une main pour l'empêcher de sauter inopinément et, de l'autre, détordre l'anneau de la cage pour que celle-ci offre suffisamment de jeu autour du goulot. Ne pas l'enlever, non seulement parce que c'est à ce moment-là que le bouchon risque de sauter, mais aussi parce qu'elle offre une bonne prise, ce qui est indispensable pour ouvrir la bouteille sans effort.
- Changer de main pour saisir le bouchon; elle doit recouvrir entièrement la calotte et la cage. En tenant de l'autre main la base de la bouteille, imprimer un mouvement de torsion, le bouchon dans un sens, la bouteille dans le sens opposé. Dès que l'on sent la pression agir sur le bouchon, le retenir tout en maintenant le mouvement de torsion et le libérer en l'accompagnant. Le vrai professionnel laisse sortir le bouchon avec un soupir et non avec un claquement explosif.

Maintenir fermement le bouchon et la cage en imprimant un mouvement de torsion

La bouteille et le bouchon doivent tourner en sens opposé

LES VINS ET LA TABLE

Il n'existe qu'une seule règle d'or pour choisir le vin qui accompagnera un plat : plus celui-ci est délicat, plus fin doit être le vin, et plus le mets est relevé, plus le vin doit être corsé. C'est aussi simple que cela.

Mais c'est une règle souple, qui s'adapte aux circonstances et aux goûts. Car chacun perçoit différemment les parfums et les saveurs et l'on peut être plus ou moins sensible à telle ou telle caractéristique d'un plat ou d'un vin, acidité, douceur, amertume, corps ou finesse. On aura intérêt à commencer par les combinaisons les plus classiques avant de se lancer dans des expériences plus hardies. Si l'on élabore un menu en suivant les indications ci-dessous, on veillera toujours à ce que les vins suivent une progression, en qualité et en corps. On servira le vin blanc avant le vin rouge, le sec avant le moelleux, le léger avant le corsé et le jeune avant le vieux. Il y a deux raisons à cela. Un retour en arrière qualitatif sera toujours remarqué, et, d'autre part, si l'on commence directement le repas par un vin fin sans avoir goûté à un vin de moindre qualité, on risque de passer à côté de certaines subtilités du meilleur cru. On aura également intérêt à faire se succéder les vins selon une certaine logique, ou en suivant un thème. Par exemple en s'en tenant aux vins d'une région, d'un pays, ou d'un même cépage. Un repas peut ainsi s'organiser autour du pinot noir ou du cabernet-sauvignon. Il n'est pas non plus interdit d'accompagner tout un repas d'un même style ou type de vin, notamment le champagne ou le sauternes. Plus précisément encore, la dégustation pourra porter sur différents millésimes d'un même producteur, ou comparer une même appellation provenant de plusieurs producteurs.

APÉRITIFS

Que l'on serve un plat unique ou un menu complet, il est d'usage de proposer un apéritif. Mais il ne convient pas d'improviser en la matière, car les plats les plus délicats étant servis en entrée, les papilles qui seraient saturées d'alcools forts risquent de se montrer inopérantes. On retiendra donc l'apéritif qui conviendra le mieux au repas, sans laisser le choix aux invités.

XÉRÈS

Le xérès *fino* est un apéritif traditionnel dont on a tendance à abuser. Si l'on sert un premier plat assez relevé, alors le xérès sera une admirable entrée en matière, d'autant plus s'il fait partie des ingrédients culinaires. Mais, la plupart du temps, même le plus léger *fino* sera encore trop fort et aromatique.

VINS D'APÉRITIF ET ALCOOLS

Les vins aromatisés tels que les vermouths (Cinzano, Martini, Noilly) risquent de pécher eux aussi par excès d'alcool et de goût. Les spiritueux, surtout non dilués, se montreront toujours trop agressifs pour savourer l'entrée.

VINS

Il est d'usage dans certains pays, notamment en France, de servir un vin moelleux en apéritif, par exemple du sauternes. Bien souvent, ce choix ne conviendra pas, mais il peut aussi se montrer judicieux. Les vins blancs légers, secs ou demi-secs, tranquilles ou effervescents, réunissent toutes les qualités demandées à un apéritif ; un rosé conviendra s'il est également servi comme premier vin, ou précède un rouge léger. On retiendra notamment le mâcon blanc ou le mâcon-villages, un bon muscadet, des alsaces légers tels que le pinot blanc ou le sylvaner, un rioja nouvelle tendance, les vins blancs secs aromatiques du Nord-Est italien, quelques vins anglais, des vins jeunes de Moselle (jusqu'aux *Spätlese*) ou du Rhin *(Kabinett)* ; enfin du chardonnay, sauvignon, chenin ou colombard de Californie, d'Australie, de Nouvelle-Zélande et d'Afrique du Sud. La liste est infinie. Si l'on a retenu un rosé, un vin de la même région ou du même cépage lui succédera mieux. L'apéritif par excellence, adapté à toutes les situations, est le champagne, qu'on pourra remplacer par un crémant de Bourgogne ou d'Alsace.

HORS-D'ŒUVRE
Le vin qui accompagne les hors-d'œuvre ou l'entrée doit être choisi en fonction de la suite du repas et des autres vins servis.

ENTRÉES ET HORS-D'ŒUVRE

Il a été d'usage de ne servir le vin qu'au premier plat. De nos jours, au contraire, la dégustation intervient à tous les moments du repas.

ARTICHAUT

Si l'on sert l'artichaut au beurre, un sauvignon de Loire léger, mais assez affirmé, est l'idéal ; il accompagnera aussi bien l'artichaut à la hollandaise, mais on retiendra aussi un rosé sec de Loire d'une bonne acidité, par exemple un coteaux-d'ancenis, un rosé d'Arbois ou encore un schilcher d'Australie.

Le petit prix : *cava brut*

ASPERGE

Un bon champagne ou un jeune muscat d'Alsace seront l'accompagnement rêvé. Un bourgogne blanc moyennement étoffé, un chardonnay de Californie ou d'Oregon conviendront également.

Le petit prix : *chardonnay Blanc de Blancs brut de Raimat*

AVOCAT

Si des vins d'une bonne acidité, tels que le champagne ou le chablis, conviendront parfaitement à cette entrée, un gewurztraminer, naturellement peu acide, constitue toutefois le meilleur choix.

Le petit prix : *muscadet*

BEURRE D'AIL

On retiendra le style qui convient à l'ingrédient principal ; ce sera de préférence un vin assez étoffé et affirmé, d'une bonne acidité.

CAVIAR

Le champagne est le partenaire le plus classique.

Le petit prix : *de l'eau minérale*

ESCARGOTS

Un modeste bourgogne de Côte-d'Or, en rouge ou en blanc.

Le petit prix : *Côtes-du-Roussillon*

ŒUFS, RIZ ET PÂTES

Le champagne est l'accompagnement idéal des plats à base d'œufs, dont la saveur et la consistance douces seront avivées par l'effervescence du vin. Omelettes, quiches, soufflés, œufs cocotte, en meurette, pochés ou brouillés s'apprécieront également avec un bon vin effervescent. Avec les mousses et les mousselines, chaudes ou froides, de poisson ou de volaille, on boira un vin légèrement moins étoffé et au moins aussi acide ou effervescent que celui qui accompagnerait leur ingrédient principal.
On pourra également servir des vins effervescents avec les plats à base de riz ou de pâtes,

notamment les plus savoureux, mais des vins rouges légers – pas trop fruités avec un grain de tanins – peuvent se révéler très efficaces. On accordera aussi le vin en fonction de la richesse des ingrédients.

✓ **Le petit prix** : *saumur brut et saumur rouge*

PÂTÉS, TERRINES

Qu'ils soient de poisson, de volaille ou de viande, pâtés en croûte et terrines doivent être accompagnés par le vin qui convient à l'ingrédient principal (*voir* à l'entrée concernée) Avec une terrine de légumes, on boira un vin blanc sec jeune et léger, tranquille ou effervescent, ou encore aromatique, de Loire, d'Alsace, d'Allemagne, d'Autriche, du nord-est de l'Italie ou de Nouvelle-Zélande. Un champagne d'un bon millésime ou un vieux sauternes s'accorderont à merveille avec le foie gras; un gewurztraminer ou un pinot gris d'Alsace seront également d'excellents partenaires.

✓ **Le petit prix** : *crémant d'alsace*

POTAGES

C'est le champagne ou tout autre vin effervescent fin qui conviendra le mieux pour accompagner potages, veloutés ou consommés, notamment les apprêts les plus délicats de la nouvelle cuisine. Ce partenaire paraît indispensable avec un mets froid, consommé en gelée ou soupe de légumes telle que la vichyssoise. La plupart des vins effervescents s'accorderont avec une bisque, mais un champagne rosé sera particulièrement bien venu. Avec des consommés riches, au gibier par exemple, les rouges corsés sont tout indiqués, bordeaux, côtes-du-rhône, bourgognes ou riojas. Le lambrusco apportera sa vivacité à un minestrone; son arôme de cerise se mariera également avec l'acidité d'un potage à la tomate.

✓ **Le petit prix** : *blanquette de Limoux*

SALADES

Pour accompagner une simple salade verte, il suffit d'un vin blanc sec léger tel que le muscadet; si l'amertume domine, on retiendra un vin plus affirmé tel qu'un petit sauvignon de Loire. Avec les hors-d'œuvre chauds, un champagne ferme sera le meilleur choix.

✓ **Le petit prix** : *cava brut*

VINAIGRETTE

Il est difficile d'accompagner les hors-d'œuvre à la vinaigrette. La sagesse recommande un xérès fino ou manzanilla, mais aussi de s'abstenir de vin. Il semble que le gewurztraminer soit un des très rares vins capables de tenir tête à la vinaigrette.

✓ **Le petit prix** : *un gewurztraminer de grande surface*

POISSON

La plupart des poissons et des fruits de mer s'accordent aux vins blancs secs, mais les rouges, les rosés, les vins doux ou effervescents peuvent convenir dans certaines circonstances.

FRUITS DE MER

Avec les coquillages et petits crustacés (crevettes, moules, coques, etc.), on servira un très bon muscadet, un bourgogne aligoté d'une bonne année, un sauvignon de Loire ou un vin de Moselle; avec les langoustines et les écrevisses un sancerre fin mais affirmé ou un pouilly-fumé; avec homard, langouste, huîtres et coquilles Saint-Jacques un chablis grand cru ou un bon champagne. Sur un plat à la crème, on prévoira un vin plus acide ou plus effervescent.

✓ **Le petit prix** : *crémant de Bourgogne*

MAQUEREAU

Un sauvigon de Loire modeste mais affirmé convient à ce poisson. Sur le maquereau fumé, on envisagera plutôt un sauvignon plus riche du Nouveau Monde.

✓ **Le petit prix** : *sauvignon de Touraine*

POISSON À CHAIR BLANCHE

Les poissons à chair blanche sont les plus délicats, et il serait dommage d'en écraser la saveur par un vin trop riche. La sole, la dorade ou le mulet s'harmoniseront parfaitement avec un jeune champagne blanc de blancs, un très bon muscadet, un savennières, un pinot blanc d'Alsace, un pinot grigio italien ou un vinho verde d'une sécheresse acidulée et légèrement perlant. Sur le barbue, le cabillaud, le colin, le loup et le turbot, on pourra servir les vins mentionnés ci-dessus, mais aussi des vins secs un peu plus riches.

✓ **Le petit prix** : *crémant d'Alsace*

POISSON DE RIVIÈRE

Un rosé corsé s'accommodera généralement au poisson de rivière, l'un comme l'autre exprimant un caractère un peu terreux, mais un sancerre conviendra aussi très bien. Le sancerre s'accordera également au brochet, de même qu'un graves blanc ou du champagne. Ce dernier ou un montrachet accompagneront le saumon ou la truite saumonée, grillés, pochés ou rôtis, mais un bon vin effervescent ou un autre bourgogne blanc pourront aussi être servis, de même qu'un grand chardonnay de Californie, d'Oregon, de Nouvelle-Zélande, d'Australie ou d'Afrique du Sud. Le riesling, d'Alsace ou d'Allemagne, s'impose sur la truite, notamment préparée au bleu.

✓ **Le petit prix** : *cava brut rosé*

FRUITS DE MER
On peut accompagner la paella de vins blancs divers, par exemple un bon muscadet, un sauvignon de Loire ou un vin de Moselle.

POISSON FUMÉ

Le fumé du poisson se marie avec le fumé du chêne. On servira donc autant que possible une version élevée en fût du vin que l'on aurait bu avec le même poisson non fumé. Le résultat n'est pas absolument garanti, car certains vins ne vieillissent pas sous bois.

✓ **Le petit prix** : *n'importe quel chardonnay de Ryman bon marché élevé en fût*

SARDINES

Le vinho verde est le vin idéal, surtout si l'on grille des sardines fraîches pêchées sur la côte portugaise.

✓ **Le petit prix** : *vinho verde*

SOUPE DE POISSONS, MATELOTE

Bien que le vin rouge et le poisson réagissent en général violemment en bouche; le problème ne se pose pas avec les matelotes, le plus souvent de lotte ou d'anguille, cuites elles-mêmes au vin rouge. Avec la bouillabaisse, on pourra servir un rosé corsé.

VIANDES

Qui ne connaît l'adage culinaire « viande rouge, vin rouge, viande blanche, vin blanc » ? On peut toutefois très bien le renverser en buvant du vin blanc sur une viande rouge et du vin rouge sur une viande blanche, pour autant que la règle d'or énoncée dans l'introduction soit respectée.

ABATS

Avec les rognons, on servira des vins étoffés et aromatiques tels qu'un châteauneuf-du-pape rouge ou blanc, ou un rioja. Tout dépendra cependant de l'apprêt; on accompagnera par exemple les rognons de veau, les plus délicats, d'un cru classé de médoc. On accordera le foie de veau avec un vin de syrah pas trop corsé, hermitage ou côte-rôtie d'un millésime moyen. Sur les foies de volaille, plus relevés, on boira un vin aux arômes plus pénétrants tel qu'un gigondas, un fitou ou un zinfandel. Les ris de veau pourront être servis avec un vin rouge ou un vin blanc sec ou demi-sec; s'ils sont en sauce, un saint-émilion ou un saint-julien conviendra très bien; grillés ou poêlés, on les dégustera avec un bon bourgogne blanc.

✓ **Le petit prix** : *un crémant de Bourgogne*

AGNEAU

Le bordeaux est l'accompagnement classique de l'agneau, mais le bourgogne convient également très bien, surtout lorsque la viande est présentée saignante ou rosée. Il est bien connu dans le milieu vinicole que l'agneau a le pouvoir d'exprimer toutes les nuances aromatiques des vins fins, et c'est pourquoi on le rencontre si souvent à la table des professionnels. La selle d'agneau au romarin semble réunir le plus de suffrages. Presque n'importe quel vin rouge sera le bienvenu, mais on peut préférer des vins un peu plus légers que ceux qui accompagnent le bœuf.

✓ **Le petit prix** : *un bourgogne rouge (de Buxy)*

BŒUF GRILLÉ

Comme pour l'agneau, le bordeaux accompagne traditionnellement le bœuf grillé ou rôti. Si la viande est servie froide, on retiendra un vin peut-être plus léger et plus vif. Un bon cabernet-sauvignon d'Australie, de Californie, du Chili, d'Italie,

LA VOLAILLE

C'est la façon d'accommoder la saveur délicate de la volaille qui doit déterminer le choix du vin d'accompagnement, surtout s'il s'agit d'un plat en sauce, car il peut se laisser dominer même par l'apprêt le plus neutre.

de Nouvelle-Zélande ou d'Afrique du Sud conviendrait également très bien, surtout sur une viande très grillée et saignante. À vrai dire, presque n'importe quel vin rouge de qualité, un peu corsé ou puissant, conviendra, de même que la plupart des vins blancs étoffés et aromatiques.

Le petit prix : *un cabernet-sauvignon bulgare*

BŒUF STROGANOFF

Un authentique bœuf stroganoff demande un rouge étoffé assez parfumé, mais robuste sans excès, montrant une certaine finesse, et de préférence déjà arrondi. On choisit par exemple un médoc modeste, un bon cahors ou un bergerac.

Le petit prix : *un cabernet-sauvignon-merlot bulgare (d'Oriahovica)*

CANARD

Les recettes de canard sont très diverses, mais on peut retenir parmi les meilleurs vins d'accompagnement les crus du Beaujolais, morgon et moulin-à-vent par exemple, un bon bourgogne rouge ou blanc, notamment de la Côte-de-Nuits, et un médoc évolué. Si la viande est servie froide, un cru de beaujolais plus léger tel que le fleurie conviendrait. Le canard à l'orange s'appréciera particulièrement bien avec des styles plus doux de bourgognes, en rouge ou en blanc, avec les côtes-du-rhône du Sud, notamment le châteauneuf-du-pape, un rioja ou un zinfandel.

Le petit prix : *quinta da Bacalhôa*

CHILI CON CARNE

S'il s'agit d'un bon chili, on fera mieux de s'abstenir de vin et de se désaltérer à la bière ou à l'eau très fraîches.

GIBIER

Sur le gibier à plume à peine faisandé, on choisira les mêmes vins que sur la volaille. Si le faisandage est plus poussé, on pourra boire un cru du Beaujolais, et, sur un gibier très faisandé, un bordeaux ou un bourgogne corsé. Le pomerol est d'usage avec le faisan. Quant au gibier à poil peu faisandé, on le traitera comme l'agneau, et comme le bœuf s'il a un peu plus attendu. La viande bien mortifiée demande les vins les plus puissants, hermitage, côte-rôtie, cornas, châteauneuf-du-pape, rioja, ou un vieux millésime de château Musar. Les amateurs de blanc retiendront un vieux côtes-du-rhône, un rioja ou un pinot gris d'Alsace vendange tardive (vinifié en sec).

Le petit prix : *un shiraz australien*

GOULASH

Un bon sang-de-taureau est tout indiqué, sinon tout vin rouge étoffé et aromatique d'Europe de l'Est conviendra.

Le petit prix : *un kadarka bulgare*

JAMBON

Le jambon peut réserver de mauvaises surprises avec certains vins rouges, surtout s'il n'est pas fumé, mais un jeune beaujolais, un gamay de Loire ou un chianti sont de toute confiance. Un vin effervescent constitue peut-être le meilleur choix, même s'il réagit parfois de façon inattendue.

Le petit prix : *cava brut*

MOUSSAKA

L'association avec un vin grec semble s'imposer. On choisira parmi les meilleurs, naousa, goumenissa ou côte-de-meliton. Les amateurs de blanc devront opter pour un vin qui ne soit ni trop charnu ni trop madérisé ; ce pourrait être par exemple un lac-des-roches de Boutari. Mais un rioja blanc conviendrait sans doute mieux.

Le petit prix : *un merlot bulgare*

OIE

On peut hésiter entre le chinon, le bourgueil, l'anjou rouge et, parfois, le chianti pour les rouges ; entre le vouvray (tranquille ou effervescent), le riesling (d'Alsace si possible, mais pas impérativement) et le champagne pour les blancs. Leur point commun est l'acidité, nécessaire sur cette volaille grasse. Si l'oie est servie avec une sauce aux fruits, on s'en tiendra au blanc ; un certain moelleux ne nuira pas.

Le petit prix : *un chenin blanc d'Afrique du Sud*

PLATS CHINOIS ET VIETNAMIENS

Sur les sauces au soja, aux huîtres, au gingembre ou au poivre vert, un riesling sec conviendra (Kabinett pour un riesling allemand). Sur les travers de porc, on boira un Spätlese ou équivalent, sur un plat à l'aigre-doux un Auslese ou équivalent. On accompagnera les plats plus épicés d'un gewurztraminer d'Alsace, si possible en vendange tardive. Le canard pourra s'accorder à un vouvray demi-sec, tranquille ou pétillant. Si des ingrédients délicats ou sans grande saveur tels que les châtaignes d'eau ou les pousses de bambou dominent, on choisira un blanc frais et léger dans le style du chardonnay australien. Un vin effervescent sec se mariera avec les rouleaux de printemps. Tous ces vins peuvent être remplacés par de l'eau glacée.

PLATS INDIENS

On pourra accompagner d'un rouge léger assez tannique un bon nombre de plats indiens tels que le poulet tikka, le korma, le pasanda, le tandoori, et même le rogan josh. Un tikka de légumes ou un curry de Madras passeront avec un vin frais et vif tel qu'un côtes-de-gascogne ou un sauvignon blanc léger de Nouvelle-Zélande. Le vindaloo réclame un vin plus fruité, par exemple un riesling.

Le petit prix : *de l'eau glacée*

PLATS THAÏLANDAIS

Il est difficile d'accompagner les plats thaïlandais, beaucoup plus épicés et aromatiques que la cuisine chinoise ou vietnamienne. On fera mieux de s'abstenir de vin sur les mets les plus incendiaires et de se contenter de bière, ou mieux, d'eau glacée. Les plats moins pimentés s'accommoderont d'un sauvignon blanc de Nouvelle-Zélande ou de champagne, lesquels conviendront aussi aux plats à base de lait de coco. Si des condiments acidulés tels que la citronnelle ou le citron vert dominent, essayez un sémillon de l'Hunter Valley.

Le petit prix : *de l'eau glacée*

VIANDES BLANCHES EN SAUCE

Ce type de plat se mariera parfaitement avec un jeune beaujolais, un rouge de Loire (bourgueil ou chinon), divers rouges du Sud-Ouest et des coteaux-du-languedoc, un pinot noir d'Alsace ou un chianti léger. Les amateurs de blanc choisiront un rioja nouvelle tendance, un mâcon blanc ou un tokay d'Alsace. Un chenin blanc ou un colombard bon marché de Californie ou d'Afrique du Sud conviendront aussi.

Le petit prix : *un coteaux-du-languedoc blanc*

VIANDES BRAISÉES, POT-AU-FEU

On se reportera au type de viande concernée pour y retenir le vin approprié. La présence d'une garniture de légumes importante peut inciter à choisir un vin plus léger que sur une viande grillée.

Le petit prix : *côtes-de-duras*

VIANDES ROUGES EN SAUCE

Ces plats demandent des vins rouges puissants du Bordelais, du Rhône ou de la Rioja. Le château Musar du Liban et le château Carras grec conviennent aussi parfaitement, de même que de nombreux vins italiens : barolos piémontais ; chianti, carmignano et montalcino toscans, montepulciano des Abruzzes et aglianico del vulture, sans parler de ces vins élevés en fûts de chêne qui fleurissent en Toscane et dans le Nord-Est. Plus l'apprêt sera riche, plus le vin d'accompagnement devra être capiteux et tannique

Le petit prix : *saint-joseph*

VOLAILLE ET VIANDES BLANCHES

Ces plats, si diversement accommodés, seront accompagnés d'une palette large de vins : des modestes mousseux aux vins blancs les plus variés, de moyennement étoffés à pleins ; des rouges légers du Beaujolais, de Champagne, d'Alsace et d'Allemagne jusqu'à la gamme entière des vins plus étoffés, voire quelques-uns plus puissants. Sur les grillades, les côtes et les escalopes, nature ou à la crème, on retiendra des vins effervescents ou d'une belle acidité. Le beaujolais devrait être le partenaire idéal ; il s'accordera bien au rôti de porc, surtout servi froid.

Le petit prix : *gamay de Touraine*

FROMAGES, PLATS AU FROMAGE

Il existe un courant qui décrie l'association tant vantée par d'autres du fromage et du vin. Je n'appartiens pas à cette école : bien des vins flattent la plupart des fromages, et seuls les plus fins ou les plus corsés des uns et des autres appellent une certaine circonspection avant le mariage.

CHÈVRES

Ces fromages demandent un vin blanc sec de caractère tel que le sancerre ou le riesling, mais un cru du Beaujolais, léger et ferme, conviendrait aussi.

Le petit prix : *sauvignon VDQS haut-poitou*

FONDUE AU FROMAGE

Sur ce type de plat, on peut boire une gamme assez large de vins, rouges légers, blancs secs ou effervescents, mais il convient de servir ceux du même terroir : un fendant du Valais avec une fondue suisse, un apremont ou un crépy avec la fondue savoyarde.

Le petit prix : *edelzwicker*

PÂTES MOLLES À SAVEUR DOUCE

Un beaujolais léger ou un pinot noir d'Alsace élégant (et non l'un de ces rouges profonds élevés en fût qui se font de plus en plus) accompagneront la plupart de ces fromages de saveur douce ou lactique, du type chaource ou neufchâtel ; mais des vins encore plus délicats, tels que les blancs parfumés du Nord-Est italien, ou un champagne rosé sec s'accorderont aux fromages double et triple crème tels que le brillat-savarin ou le lucullus.

Le petit prix : *blanquette de Limoux*

PÂTES MOLLES À SAVEUR RELEVÉE

Le munster demande un gewurztraminer puissant, et, pour faire passer un brie de Meaux fait à cœur, on n'hésitera pas à boire un champagne de vingt ans. Avec les fromages à pâte lavée (à l'eau salée ou au marc, tel que l'époisses), un bourgogne ou un bordeaux charpentés s'imposent.

Le petit prix : *un jeune côtes-du-rhône*

PÂTES PERSILLÉES

Un bon fromage persillé s'accordera de préférence avec un vin blanc moelleux ; de cette association résulte un contraste de saveurs qui rappelle celui des plats aigre-doux. De nombreux vins de dessert conviennent également, et, en dernier ressort, le choix sera une affaire de goût personnel. Il est néanmoins classique d'accompagner les bleus à saveur relevée, tels que le stilton ou le blue cheshire, de porto, tandis que les blancs moelleux s'imposent sur les fromages plus doux. Un barsac, un coteaux-du-layon, un Beerenauslese allemand ou un alsace sélection de grains nobles seront les partenaires du bleu de Bresse, du sassenage et du bleu danois. Sur des pâtes persillées de saveur plus affirmée, telles que le bleu des Causses, le bleu d'Auvergne, le roquefort ou le gorgonzola, on servira un sauternes, un gewurztraminer Trockenbeerenauslese d'Autriche ou un tokay.

Le petit prix : *un moscatel de Valence*

PÂTES PRESSÉES

Sur un vieux cheddar et autres fromages de Grande-Bretagne de saveur prononcée, on servira un vin rouge assez charpenté, bordeaux, châteauneuf-du-pape ou château Musar. Les vins italiens où domine le sangiovese mettront un vieux parmesan en valeur. Un pinot gris ou un gewurztraminer d'Alsace conviendront au gruyère, tandis que, sur l'emmental, un vin un peu plus acide tel qu'un sauvignon de Californie s'accordera mieux.

Le petit prix : *un vin de macération carbonique*

SOUFFLÉS AU FROMAGE

Un soufflé au fromage demande un bon vin effervescent, de préférence un champagne. Si l'apprêt est très riche, par exemple un soufflé au roquefort, le vin d'accompagnement doit être assez puissant ; un blanc de noirs comme le Bollinger vieilles-vignes serait superbe.

Le petit prix : *blanquette de Limoux*

DESSERTS

S'il est vrai que les vins de dessert peuvent se boire seuls, il n'y a aucune nécessité à cela, même si d'aucuns prétendent que les qualités les plus fines d'un grand vin liquoreux se laissent dominer par un plat sucré. Mais le problème ne se pose pas si l'on respecte la règle de l'accord entre le vin et la cuisine.

CRÈME BRÛLÉE

Pour accompagner une crème brûlée, il faut un vin moelleux et opulent. Les vins allemands ou autrichiens ont trop de vivacité ; en revanche, un sauternes ou un barsac serait un excellent choix, que ne pourraient surpasser qu'un pinot gris d'Alsace sélection de grains noble ou un madère malmsey.

Le petit prix : *coteaux-du-layon*

DESSERTS MERINGUÉS, ÎLE FLOTTANTE

Sur un dessert meringué tel que le vacherin ou la brioche polonaise, on choisira un moscato italien tranquille ou effervescent, un muscat canelli californien, un Beerenauslese de Moselle, un vouvray moelleux ou un bon sauternes. S'il entre dans le dessert des noix, des noisettes, de la noix de coco ou du macaron, le meilleur accompagnement sera un tokay essencia, un pinot gris d'Alsace sélection de grains nobles ou un madère malmsey. Les îles flottantes s'accommoderont de vins moins intenses, par exemple un pinot gris vendange tardive. Un *eiswein* sera le partenaire idéal de la tarte au citron meringuée, dessert qui demande une certaine opulence, de l'acidité et une douceur vibrante.

Le petit prix : *un moscatel d'Espagne ou du Portugal*

FRUITS

Une pêche fraîche, juteuse et rebondie, s'accordera à merveille à un riesling *Auslese* ou Beerenauslese du Rhin, ou un riesling vendange tardive de Californie ou d'Australie. De l'asti, un muscat canelli de Californie ou de la clairette-de-die iront également avec ce fruit, surtout s'il est servi avec des fruits rouges. Ces vins accompagneront à peu près tous les autres fruits frais, même rafraîchis. Un sauternes ou un barsac modérés, un coteaux-du-layon, un vouvray pétillant moelleux pourront également se boire sur une salade de fruits et sur les tartes aux fruits, de pomme, de poire ou de pêche. Sur des fraises nature, relevées d'un tour de moulin à poivre, un grüner veltliner ou un gewurztraminer Auslese d'Autriche sera une révélation. Un bordeaux ou un bourgogne accompagneront des framboises macérées dans le même vin ; en coulis, sans crème, ces fruits rouges pourront se boire avec un très bon vin de Moselle Auslese. Le strudel, la tarte Tatin et autres riches pâtisseries aux fruits demandent un tokay de Hongrie, un moscatel d'Espagne ou du Portugal ou un gewurztraminer Beerenauslese d'Autriche. Sur les desserts aux fruits noirs, on servira un sauternes étoffé, un bonnezeaux ou un quarts-de-chaume.

Le petit prix : *un moscato spumante*

GLACES, SORBETS

Lorsque la glace ou le sorbet accompagne un dessert, on doit prendre en compte l'ensemble des ingrédients pour choisir le vin d'accompagnement. Consommés seuls, ces entremets glacés peuvent la plupart du temps se passer de vin.

Le petit prix : *un moscatel de Valence*

PÂTISSERIE

On peut s'abstenir de vin sur la plupart des gâteaux et des pâtisseries, mais le tokay de Hongrie met en valeur les arômes de café et de vanille, et le vouvray pétillant doux ou un coteaux-du-layon s'accordent avec les charlottes et les bavarois aux fruits. Le moscatel se marie avec les amandes et les noix et il est le partenaire idéal des puddings. Il est beaucoup plus difficile d'accompagner le chocolat ; certains servent une gamme de vins allant du sauternes au champagne brut sur un fondant ou des profiterolles, mais je ne suis pas de ceux-là.

Le petit prix : *de l'eau glacée*

TARTES AUX FRUITS
Les vins moelleux, notamment le sauternes, conviennent bien à toutes les pâtisseries aux fruits.

RÉPERTOIRE DES ARÔMES

Un répertoire des arômes peut stimuler utilement l'esprit et les sens lorsque l'on rencontre dans un vin des goûts et des odeurs sur lesquels il est difficile de mettre un nom : reconnus intuitivement, ils s'échappent aussitôt sans avoir décliné leur identité, laissant un sentiment de dépit.
Même les plus chevronnés des dégustateurs ne sont pas à l'abri de telles déceptions, mais, si l'on y regarde de plus près, la raison nous dit que cette impression de reconnaissance doit répondre à une information réelle inscrite dans la mémoire, et il y a fort à parier qu'il s'agit d'un arôme familier, et non de quelque sensation rare, obscure et mystérieuse. De là, nous pouvons conclure que ce ne sont pas ni le parfum ni le goût qui nous échappent, mais simplement leurs noms. Rien d'étonnant à cela, quand on sait que notre cerveau est capable d'enregistrer un millier d'arômes : il n'est que de les faire surgir à la conscience. C'est pourquoi dans mes ouvrages consacrés à la dégustation figure toujours un de ces mémentos. S'il m'arrive de buter sur un arôme de fleur, de fruit, d'épice ou toute autre sensation olfactive ou gustative, je parcours mon répertoire et m'arrête sur le nom qui se trouvait littéralement sous mon nez ou sur le bout de ma langue. Cette nouvelle édition est donc l'occasion de faire profiter les lecteurs de cette expérience.

COMMENT UTILISER CE RÉPERTOIRE

Dès que l'on goûtera un vin où s'exprime un arôme fuyant, on devrait l'identifier rapidement en consultant la liste ci-dessous. Si l'on a intuitivement repéré la catégorie concernée de la série aromatique (florale, fruitée, épicée, etc.), on s'y reportera directement; dans le cas contraire, on suivra le répertoire dès son début. Le verre en main, faire tournoyer le vin, et humer. Si c'est un goût que l'on recherche, prendre une gorgée de vin tout en parcourant la liste jusqu'à ce que la reconnaissance se fasse.
Figurent dans ce glossaire des défauts du vin perceptibles au nez et en bouche (récapitulés dans le tableau de la page 567), parce qu'il est utile de les identifier dès que possible.

L'ORIGINE DES ARÔMES FAMILIERS DU VIN

Bien qu'il n'existe dans le vin aucun fruit (en dehors du raisin bien sûr), ni fleur, ni légume, ni herbe, ni épice, etc., il est très logique d'utiliser ces arômes pour décrire le vin. Le non-initié peut s'étonner par exemple qu'on parle du caractère beurré d'un vin; pourtant le diacétyle, utilisé pour donner à la margarine le goût du beurre, compte parmi les substances produites par la fermentation malolactique. Les vins contiennent ainsi à des degrés divers de très nombreux composants correspondant à des familles aromatiques très riches.

Certaines de ces substances évoquent des arômes différents selon leur taux de présence et leur association à d'autres éléments exerçant aussi leur influence; à l'inverse, plusieurs composants de nature différente peuvent exprimer un même arôme. Les quantités présentes sont parfois infimes; c'est ainsi que les substances responsables des arômes de petits pois ou de poivron vert se décèlent dans des proportions de 1 pour 100 milliards!

Que l'on ne se laisse pas entraîner dans la recherche de toutes ces séries aromatiques. Il est beaucoup plus important de se concentrer sur un ou deux critères descriptifs que d'accumuler des cocktails ou des pots-pourris organoleptiques. En lisant des comptes rendus de dégustation très élaborés (peu nombreux dans cet ouvrage, du moins je l'espère), on tentera d'imaginer le goût réel dont ces descriptions se font l'écho et s'il est vraiment possible de discerner ces éléments pris un à un.

Note : Que l'on perçoive les caractéristiques d'un vin comme une odeur ou comme un goût (*voir* p. 17), le phénomène est de même nature physiologique : il s'agit toujours d'arômes. Par ailleurs, les impressions tactiles en bouche sur la matière et la consistance du vin et les saveurs perçues sur la langue (le sucré, le salé, l'acide et l'amer) concourent au jugement. Lorsque les substances chimiques responsables d'un arôme donné ont été mises en évidence, elles sont indiquées à l'entrée intéressée en italique pour permettre de s'y arrêter ou, au contraire, de les passer. Mais ces substances ne sont pas nécessairement les seules actives : d'autres composés peuvent être en cause.

SÉRIE FLORALE

Les arômes floraux se rencontrent surtout dans les vins jeunes; ils peuvent exprimer l'essentiel d'un vin sans prétention ou se dévoiler parmi d'autres dans un vin plus complexe.

ACACIA
Arôme caractéristique de l'autolyse dans un vin effervescent juste après le dégorgement. On le rencontre aussi dans certains vins blancs (*paratolylméthylcétone*).

GÉRANIUM
Défaut courant du vin doux (*2-éthoxyhexa-3,5-diène*), mais aussi d'un asti trop vieux, l'odeur de feuille de géranium froissée est toujours caractéristique (également *glycyrrhizine* ou *hexanediénol*).

LAVANDE
La lavande s'exprime souvent avec le citron vert dans les vins australiens, notamment le riesling, le muscat ou les vins effervescents, parfois dans le riesling allemand, voire dans le vinho verde.

ROSE
Le parfum des pétales de rose se rencontre dans de nombreux vins, particulièrement les muscats fins ou un gewurztraminer retenu (*damascanone, diacétyle, géraniol, irone, nérol* ou *phényléthanol*).

SUREAU
Le sureau se décèle dans les vins issus de cépages parfumés; cet arôme n'est agréable que net et frais, et lorsque le raisin est mûr, faute de quoi il donne le pipi de chat caractéristique des vendanges vertes.

VIOLETTE
L'arôme de violette s'exprime souvent sur la finale des vins rouges fins de cabernet-sauvignon, notamment les bordeaux, et surtout les graves. Il pourrait s'agir d'un caractère plus tactile que volatil.

SÉRIE FRUITÉE

En général, les arômes fruités dénotent une plus grande maturité des raisins et du vin que la série florale, laquelle évolue souvent vers le fruit. Le fruité est renforcé par la douceur et l'acidité.

ABRICOT
Un arôme franc d'abricot ne marque pas tant la maturité des raisins que le vieillissement en bouteilles, contrairement à la pêche, qui exprime un fruité plus fin et succulent. L'abricot se manifeste souvent dans les blancs de Loire ou d'Allemagne (*4-décanolide*).

ANANAS
On rencontre l'arôme d'ananas dans le chardonnay, le chenin blanc et le sémillon très mûrs, surtout au Nouveau Monde, et dans presque tous les vins botrytisés. Il implique une bonne acidité (*caprylate d'éthyle*).

BANANE
L'arôme de banane caractérise les vins blancs fermentés à basse température et les rouges vinifiés par macération carbonique (*acétate d'amyle* ou *isoamylacétate*, appelé aussi « essence de banane » ou « essence de poire », dont l'excès donne l'arôme de solvant).

CASSIS
Caractéristique du cabernet classique, l'arôme de cassis se rencontre aussi dans les vins de syrah, surtout vieillis en bouteilles (*acétate d'éthyle, formiate d'éthyle*, divers acides et esters).

CERISE
L'arôme de griotte est un classique des pinots noirs de climats frais, tandis que la cerise noire se dévoile dans la complexité d'un grand cabernet ou de la syrah *(cyanhydrine de benzaldéhyde).*

CITRON
Pas aussi franc que l'odeur d'un citron coupé en deux, cet arôme s'exprime de manière simple et retenue, presque douce, dans nombre de vins blancs jeunes *(limonène* ou *citronellal).*

CITRON VERT
Arôme très caractéristique des bons sémillons et rieslings d'Australie ; dans ces derniers, le citron vert évolue souvent en bouteille vers la lavande *(limonène, citronellal* ou *linalol).*

FIGUE
Cet arôme préfigure souvent la complexité d'un jeune chardonnay ; il s'associe parfois à des notes de pomme ou de melon.

FRAISE
La fraise mûre et succulente est la marque du pinot noir classique des climats chauds ou d'un grand millésime. On rencontre aussi cet arôme dans le cabernet de Loire (*acétate d'éthyle, formiate d'éthyle,* divers acides et esters).

FRAMBOISE
La framboise s'exprime parfois dans le grenache, le cabernet de Loire, le pinot noir et la syrah, évoluant parfois en bouteille vers le cassis (*acétate d'éthyle, formiate d'éthyle,* divers acides et esters).

FRUITS SECS
L'arôme de raisins secs s'exprime surtout dans le recioto et l'amarone italiens, ainsi que dans le vin doux naturel de muscat.

GROSEILLE À MAQUEREAU
Il s'agit d'un arôme classique du sauvignon blanc très mûr, mais excessivement frais, vif et fringuant, habituel dans les vins blancs de Nouvelle-Zélande, notamment de Marlborough.

LITCHI
Le litchi frais, un arôme reconnu du gewurztraminer, se rencontre rarement, tandis que les litchis au sirop sont très présents dans les vins blancs précoces des petites années.

MELON
Caractéristique du chardonnay du Nouveau Monde vinifié à basse température, l'arôme de melon s'associe souvent aux notes de pomme ou de figue *(limonène, citronellal* ou *linalol).*

ORANGE
Un indice sûr dans une dégustation à l'aveugle est l'arôme d'orange présent dans le muscat, mais toujours absent dans le gewurztraminer. Il s'exprime aussi dans certains vins vinés et dans le ruby cabernet *(limonène, citronellal* ou *linalol).*

PAMPLEMOUSSE
L'arôme de pamplemousse s'exprime dans le jurançon sec et le gewurztraminer d'Alsace, dans le scheurebe et l'huxelrebe et dans les vins suisses d'Arvine (une combinaison de terpènes tels que le *linalol* ou le *citronellal*).

PÊCHE
Arôme présent dans le muscat et le riesling mûrs, dans le sauvignon blanc très mûr, dans le viognier, le champagne des Côtes-de-Sézanne, le chardonnay du Nouveau Monde et les vins botrytisés *(piperonal* ou *undécanolactone).*

POIRE
On rencontre l'arôme de poire dans les vins blancs fermentés à basse température et les rouges de macération carbonique (*acétate d'amyle* ou *isoamylacétate,* appelé aussi « essence de banane » ou « essence de poire », dont l'excès donne l'arôme de solvant).

POMME
La pomme est un arôme de vin blanc allant de la pomme verte *(acide malique)* dans les vins issus de raisins insuffisamment mûrs aux notes douces de pomme rouge dans les vins d'une plus grande maturité (où pourraient entrer une cinquantaine de substances connues mais non mises en évidence).

RAISIN
Rares sont les vins qui expriment un arôme franc de raisin, mais on le rencontre dans les vins allemands ordinaires, dans le jeune gewurztraminer et dans les vins de muscat ou de style muscat *(caprylate d'éthyle, heptanoate d'éthyle, pélargonate d'éthyle).*

TOMATE
On considère généralement la tomate comme un légume, mais il s'agit en réalité d'un fruit. Son arôme se rencontre rarement dans le vin, mais on trouve sa trace dans le sylvaner vieilli en bouteille et, avec une note d'orange sanguine, dans le ruby cabernet.

SÉRIE VÉGÉTALE ET HERBACÉE

À l'état de traces, les arômes végétaux et herbacés peuvent prendre part à la complexité d'un vin, mais, pris un à un, ils laissent rarement une sensation agréable ; la plupart manifestent en fait un défaut du vin.

AIL OU OIGNON
Un grave défaut du vin dû à la réaction entre l'éthanol et l'hydrogène sulfuré (un autre défaut du vin), formant un composé d'odeur fétide, l'*éthylmercaptan.*

ASPERGE
L'arôme d'asperge est commun dans le sauvignon blanc issu de raisins trop mûrs ou conservé trop longtemps en bouteilles. Seuls certains amateurs de vin apprécient ce style. L'asperge peut évoluer vers l'arôme de petit pois en conserve *(isobutyle* ou *segbutyle).*

BETTERAVE
Cet arôme à la fois terreux, fruité et végétal se rencontre dans certains vins rouges – essentiellement de pinot noir cultivé sur des sols inappropriés – gardés trop longtemps en bouteilles, ou de cabernet franc *(géosmine).*

CHAMPIGNON
Un arôme de champignon magnifiquement franc est la marque du pinot meunier dans un vieux champagne fin, mais, si l'odeur tire sur le moisi, il s'agit d'un défaut dû à un bois de barrique en mauvais état ou d'un vin bouchonné.

CHOU, CHOU-FLEUR
La présence de chou ou de chou-fleur révèle en général un chardonnay ou un vin de la famille des pinots. Certains affirment qu'un bourgogne évolué non filtré doit exprimer cet arôme, voire celui de ferme ou de fumier *(méthylmercaptan).*

ÉPLUCHURES DE POMME DE TERRE
Plus terreux et moins fruité que celui de la betterave, l'arôme d'épluchures de pommes de terre se manifeste dans une large gamme de vins rouges ; il peut s'agir d'une contamination du bois de barrique ou d'un vin bouchonné *(géosmine).*

FOIN
Tout comme le caractère herbacé de vins ternes et plats, cet arôme se décèle dans les mousseux légèrement oxydés dès avant la fermentation secondaire *(oxydes de linalol).*

FUMIER
Cet arôme constitue l'évolution extrême de l'odeur de « ferme », que d'aucuns – mais non l'auteur de ces lignes – considèrent comme l'une des caractéristiques d'un grand vin de pinot noir (*voir* p. 133 la citation d'Anthony Hanson). Certains vinificateurs du Nouveau Monde cherchent à reproduire cet arôme, bien qu'il s'agisse probablement d'une réduction de soufre, et sans doute d'un *mercaptan.*

HERBE COUPÉE
Cet arôme peut être agressif mais, s'il reste frais et léger, il devient la caractéristique agréable d'un sauvignon blanc issu de raisins volontairement récoltés très tôt, ou du sémillon *(méthoxy-pyrazine* ou *hexanediénol).*

PETITS POIS EN CONSERVE
L'arôme de petit pois en conserve est commun dans le sauvignon blanc issu de raisins trop mûrs ou conservé trop longtemps en bouteille. Contrairement à la plupart, certains amateurs de vin montrent beaucoup de goût pour ce style. L'arôme de petits pois en boîte peut dériver de celui de l'asperge *(isobutyle* ou *segbutyle).*

POIVRON
L'arôme de poivron se remarque dans un sauvignon légèrement herbacé, dans un cabernet de Loire ou un cabernet-sauvignon issu de vignes très vigoureuses. Ce caractère a posé un problème sérieux en Nouvelle-Zélande *(isobutyle* ou *segbutyle).*

SÉRIE ÉPICÉE

Ces arômes exprimeront soit le caractère du cépage soit la complexité d'un vin. Toutefois, dans les deux cas, plus le vin sera sec, plus ils seront présents, et plus le vin sera doux, plus il les masquera.

CANNELLE
L'arôme de cannelle est présent dans nombre de vins rouges complexes, notamment ceux provenant du Rhône. La cannelle se rencontre également dans les vins blancs élevés en fût, notamment ceux qui sont issus de raisins botrytisés *(aldéhyde cinnamique).*

CLOU DE GIROFLE
Le clou de girofle se décèle dans les vins parvenus à maturité ou vieillis dans le chêne neuf, qui acquiert cet arôme à la chauffe (*voir* p. 40). En outre, on le trouve également dans le gewurztraminer de certains terroirs alsaciens, notamment Soultzmatt et Bergbieten *(eugénol* ou *acide eugénique).*

ÉPICÉ
Nombre de vins expriment des notes épicées, plus exotiques que l'arôme poivré. Au terme de quelques années de bouteille, le caractère épicé du gewurztraminer doit presque brûler le palais.

EUCALYPTUS
L'eucalyptus s'exprime dans de nombreux vins australiens de cabernet-sauvignon et de syrah ; la présence de cet arôme pourrait s'expliquer par une chute de feuilles d'eucalyptus dans les hottes des vendangeurs.

FEUILLE DE CASSIS
Bien que surtout associé au sauvignon blanc, ce caractère herbacé se retrouve dans tout vin issu de raisins insuffisamment mûrs ou de vignes très vigoureuses. Sur la finale, cet arôme peut être vert et dur.

MENTHE
Si la menthe se décèle parfois dans les bordeaux, elle est surtout présente dans les rouges étoffés du Nouveau Monde, par exemple le cabernet de Californie (de la vallée de Napa notamment) et le syrah australien de Coonawarra.

PAIN D'ÉPICES
Présent dans le gewurztraminer du plus haut niveau, lorsque le caractère épicé de ce cépage s'est arrondi en bouteille avec la maturité.

POIVRE NOIR
Nombre de rouges présentent un caractère poivré dans leur jeunesse, mais la syrah évoque distinctement l'arôme du poivre noir concassé, tandis que, dans un grüner veltliner de classe, on reconnaît le poivre blanc.

RÉGLISSE
Cet arôme peut prendre part à la complexité d'un vin rouge, blanc ou viné d'une grande concentration, notamment ceux qui sont élaborés à partir de vendanges tardives ou de raisins séchés au soleil *(géraniol* ou *glycyrrhizine).*

AUTRES ARÔMES

Cette famille comprend notamment les arômes dits empyreumatiques de fumé, de grillé et de torréfié, ou arômes boisés et résineux, dus aux logements vinaires de chêne, ainsi que les arômes de pâtisserie, tous résultant de la maturation et du vieillissement du vin. D'autres caractères sont inclassables.

ALLUMETTE BRÛLÉE
La sensation d'allumette brûlée vient d'une bouffée nette et quelque peu suffocante provoquée par les vapeurs de soufre. Il ne s'agit pas d'un défaut dans un vin jeune ou mis en bouteille récemment; cet arôme se disperse en faisant tourner le vin dans le verre *(anhydride sulfureux).*

BEURRE FRAIS
Ce caractère, qui se manifeste le plus souvent dans le chardonnay, résulte du *diacétyle*, arôme de synthèse utilisé dans l'industrie alimentaire, mais présent à l'état naturel au cours de la fermentation malolactique (également *undécanolactone*). Cet arôme étant indésirable dans les vins effervescents classiques, on utilise des bactéries lactiques réduisant la production de *diacétyle.*

BONBON ANGLAIS
On rencontre cet arôme dans les vins blancs fermentés à basse température et les rouges de macération carbonique *(acétate d'amyle* ou *isoamylacétate,* appelé aussi « essence de banane » ou « essence de poire », dont l'excès donne l'arôme de vernis ou de solvant).

BRIOCHE
Cet arôme s'exprime dans les champagnes de qualité parvenus à maturité; caractéristique du pinot noir, il se manifeste en bouteille après le dégorgement, mais on le décèle également, avec des notes crémeuses, dans les champagnes de pur chardonnay *(acétal, acétoïne, dyacétyle, aldéhyde benzoïque, undécanolactone).*

CAFÉ
Marque d'un grand champagne, vieux de vingt ans, cinquante ans ou plus, l'arôme de café se rencontre aussi de plus en plus sur la finale de vins rouges américains bon marché, boisés avec des copeaux de chêne moyennement ou fortement brûlés.

CAOUTCHOUC BRÛLÉ
Il s'agit d'un défaut grave résultant de la réaction entre l'éthanol et l'hydrogène sulfuré (autre défaut), dont l'odeur nauséabonde est celle de l'*éthylmercaptan.*

CARAMEL, BUTTERSCOTCH
L'arôme de caramel peut se révéler soit en milieu de bouche dans un vin jeune élevé sous bois neuf ou, comme dans le porto tawny, sur la finale au terme d'une très longue garde en fût usagé. Le terme anglo-saxon de *butterscotch* (un caramel dur) définit une caractéristique des vins du Nouveau Monde, qui s'exprime dans les vins blancs de raisins très mûrs, aux notes de fruits exotiques, et vieillis en fûts de chêne neuf bien brûlé *(cyclotène, diacétyle, maltol, undécanolactone).*

CHOCOLAT, CACAO
Arôme caractéristique d'un jeune cabernet-sauvignon ou pinot noir, riches et doux, d'un taux alcoométrique élevé et peu acides. Il prend également part à la complexité d'un vin évolué.

CHOUCROUTE
Un vin qui a subi une fermentation malolactique excessive dégagera une odeur lactique de choucroute. Ce défaut paraît encore plus inacceptable que l'arôme de crème ou de lait aigre *(diacétyle* ou *acide lactique).*

CIRE BLANCHE
Le terme de cire blanche semble plus approprié que celui, couramment appliqué au sémillon, de lanoline, car cette dernière, évocatrice d'arôme, est en réalité inodore *(caproate, caprylate d'éthyle).*

CONFITURE
Si tout vin rouge est susceptible d'exprimer une note confiturée, le grenache évoque particulièrement la confiture de framboise, et le pinot noir la confiture de fraise. Ces arômes ne caractérisent pas de grands vins, mais plutôt des vins francs et gouleyants.

CUIR
Une note de cuir peut être la marque de vins complexes de classe, mais l'arôme de « selle cheval » décelé dans les syrahs de l'Hunter Valley n'était qu'un défaut dû au *méthylmercaptan.*

FOXÉ
Ce terme est employé pour décrire l'arôme typique, doucereux et parfumé, de certains cépages d'Amérique du Nord *(anthranilate de méthyle,* ou *acétophénone o-aminée).*

FROMAGE
Il peut arriver qu'un vin exprime un arôme franc de fromage (emmenthal ou bleu le plus souvent), mais une odeur forte manifestera un défaut de nature bactérienne *(butyrate d'éthyle).*

FUMÉ
La note de fumé décelée dans un vin pourrait être d'origine variétale, comme dans le cas de la syrah, mais également provenir d'un bâtonnage modéré pendant la fermentation en barrique, dénotant un vin qui n'aurait été ni clarifié, ni soutiré, ni filtré.

GOUDRON
Rappelant la réglisse avec une note de fumé, un arôme goudronné présent dans des vins rouges pleins de corps, tels que les barolos ou les côtes-du-rhône septentrionaux, pourrait être l'indice de vins qui n'auraient été ni clarifiés, ni soutirés, ni filtrés.

GRILLÉ
Les notes de grillé sont communément associées au chardonnay et au champagne évolué, notamment le blanc de blancs, mais elles peuvent s'exprimer dans nombre de vins. Il peut s'agir d'un arôme se développant lentement en bouteille ou d'une caractéristique immédiate du chêne neuf *(aldéhydes furanniques).* Les dernières recherches attribuent cette caractéristique du chardonnay à une réaction du soufre, défaut que beaucoup d'amateurs de vin considèrent comme une qualité.

LAIT OU CRÈME AIGRES
Un vin qui a subi une fermentation malolactique excessive dégagera un arôme de lait ou de crème aigres. Ce défaut peut s'aggraver en odeur de choucroute *(diacétyle* ou *acide lactique).*

MACARON
La note d'amande du macaron est caractéristique d'un vieux champagne de grande classe. Cet arôme, bien qu'apparenté à celui de la noix de coco, exprime plus de douceur et de complexité *(undécanolactone* ou *acide caprique).*

MADÉRISÉ
L'odeur oxydée d'un vin madérisé révèle un excès d'*acétaldéhyde,* qui peut se transformer en vinaigre s'il ne s'agit pas de véritable madère ou d'un autre vin viné, qui sont protégés par un taux d'alcool élevé.

MIE DE PAIN
Une note de mie de pain marque la seconde phase de l'autolyse, où l'arôme floral de fleur d'acacia acquiert plus de substance et un caractère crémeux *(diacétyle, undécanolactone, paratolylméthylcétone).*

MIEL
Presque tous les vins blancs fins développent des notes miellées avec l'âge, notamment les grands bourgognes, le riesling allemand classique et les vins botrytisés *(acide phényléthylique).*

NOISETTE
Le caractère noisetté d'un vin (arômes de noix, de noisette et d'amande) se manifeste dans les bourgognes évolués, dans le champagne blanc de blancs et dans les vins rouges italiens jeunes *(acétoïne, dyacétyle, undécanolactone).*

NOIX DE COCO
Cet arôme s'exprime dans le vieux champagne de classe. Dû à des lactones du bois, il s'affirme également avec plus de vigueur dans le chêne américain (il pourrait s'agir également d'*acide caprique*).

ŒUF DUR
Le soufre entre dans la composition du vin pour en empêcher l'oxydation, ce qu'il fait en se fixant à l'oxygène présent dans le vin, mais, s'il se fixe à l'hydrogène, il donne l'*hydrogène sulfuré,* dont l'odeur rappelle celle de l'œuf dur ou de l'œuf pourri.

PAPIER, CARTON
Ce caractère peut tout simplement résulter d'un emballage des verres en carton, mais aussi d'une filtration trop lourde, ou encore d'une maturation excessive en fût usagé.

PÉTROLE OU NAPHTE
Qui a eu l'occasion de siphonner de l'essence pourra témoigner que cet arôme n'a pas grand-chose à voir avec la note classique de pétrole exprimée par un riesling à maturité. Mais, si l'on aime ce riche arôme de zeste miellé qu'exprime un grand riesling, on reconnaîtra que les termes de pétrole ou de naphte figurent parmi les plus éloquents du vocabulaire de la dégustation (divers *terpènes*).

SILEX OU GALETS MOUILLÉS
Cette caractérisation subjective, qui s'applique au sauvignon blanc le plus fin, sera comprise par quiconque aura été poussé par la soif à sucer un galet pour empêcher le dessèchement de la bouche.

TERRE
Les vins peuvent présenter un caractère terreux que d'aucuns attribuent à tort au terroir; il s'agit pourtant d'un arôme indésirable qui n'exprime nullement l'origine d'un vin *(géosmine).*

VANILLE
Le chêne communique souvent au vin un arôme vanillé dû à la présence de vanilline, substance qui donne leur goût aux gousses de vanille (*lactones* également, ou *acide caprique*).

VERNIS, SOLVANT
Cet arôme très présent résulte d'une macération carbonique intense. Il caractérise le beaujolais nouveau de mauvaise qualité (*acétate d'amyle* ou *isoamylacétate*, appelé aussi « essence de banane » ou « essence de poire », qui donne également l'arôme dit de bonbon anglais).

LES DÉFAUTS DU VIN

DÉFAUT	CAUSE	REMÈDE
Particules de bouchon	Simple erreur de service : des particules de bouchon se sont détachées à l'ouverture de la bouteille.	Les repêcher et boire le vin. Si l'incident se reproduit, utiliser un tire-bouchon à lames.
Dépôt au fond de la bouteille	Des dépôts se forment dans tous les vins, mais la plupart sont bus avant leur précipitation.	Décanter la bouteille.
Dépôt sur la paroi de la bouteille	Formé par des vins corsés de climats chauds ou, les années exceptionnellement chaudes, par des vins de climats frais.	Même si le vin lui-même paraît limpide, il est plus prudent de le décanter.
Trouble, nuage	Si le nuage ne se dépose pas, il s'agit d'une casse métallique ou protéique.	Rapporter la bouteille. Le vinificateur amateur peut essayer la bentonite, qui clarifie le vin mais peut aussi aggraver une casse métallique.
Film en surface	Film gras dû au verre ou à la carafe mal rincés ou essuyés avec un chiffon non dégraissé.	Laver les verres à l'eau savonneuse et bien les rincer à l'eau claire. Les essuyer avec un linge exclusivement destiné à cet usage.
Petites bulles produites par un vin tranquille	Une fermentation secondaire ou malolactique accidentelles peuvent transformer un vin tranquille en vin effervescent.	Si le vin est devenu vraiment moussant, le rapporter. Sinon, aspirer le gaz sous vide grâce à un Vacu-vin.
Arômes :		
Ail ou oignon	Sauvignon blanc issu de raisins trop mûrs ou conservé trop longtemps en bouteille. ,	Ce n'est pas un défaut technique. Acheter un millésime plus récent.
Allumette brûlée (ou picotement du nez ou de la gorge)	Techniquement un défaut (méthylmercaptan), mais, pour beaucoup, ces arômes prennent part à la complexité du vin, notamment s'il s'agit d'un bourgogne.	Certains détaillants vous rembourseront, mais probablement pas ceux qui auront sélectionné ce style de vin « traditionnel ».
Asperge ou petits pois en conserve	Dû à des raisins insuffisamment mûrs ou à des vignes trop vigoureuses.	Non un défaut au sens strict, mais une vinification laissant à désirer. Jeter le vin si on ne peut se résoudre à le boire.
Bonbon anglais, colle, vernis, solvant	Résulte d'une fermentation à froid dans les vins blancs et d'une fermentation malolactique dans les vins rouges ; caractère d'un beaujolais nouveau de mauvaise qualité.	Ce n'est pas un défaut : boire le vin ou s'en débarrasser.
Caoutchouc brûlé ou mouffette	Bouffée nette de soufre à l'état libre, qui protège le vin, contrairement au soufre fixé, qui exprime des odeurs fortes.	Faire tourner le vin ou le transvaser vigoureusement en carafe et le reverser dans la bouteille pour dissiper l'arôme par aération.
Carton	Grave défaut dû à la réaction de l'éthanol et de l'hydrogène sulfureux, qui se manifeste par une odeur nauséabonde d'éthylmercaptan.	Rapporter le vin contre remboursement.
Champignon	Peut résulter d'un emballage des verres en carton, d'une mauvaise filtration ou d'un trop long séjour dans du bois usagé.	Si le goût de carton persiste dans un verre propre et transparent, rapporter le vin.
Chou, chou-fleur, ferme ou fumier	Un vin peut exprimer un arôme franc de fromage (emmenthal ou bleu le plus souvent), mais une odeur forte manifestera un défaut de nature bactérienne (butyrate d'éthyle).	Rapporter le vin contre remboursement.
Choucroute	Impur, mais pas à proprement parler un défaut.	Le vin ayant probablement été sélectionné pour son goût de terroir, un remboursement est peu probable.
Feuille de cassis	Le soufre empêche l'oxydation du vin en se fixant à l'oxygène ; s'il se fixe à l'hydrogène, il donne l'*hydrogène sulfuré*, qui est l'odeur des boules puantes.	En principe, un morceau de cuivre ou de laiton trempé dans le vin devrait précipiter l'arôme sous forme de dépôt brun très fin, mais il paraît plus efficace de demander le remboursement.
Fromage	Dans un vin doux, défaut dû à une réaction de l'acide sorbique avec des bactéries lactiques. Dans l'asti ou le muscat, dégradation avec l'âge du géraniol, qui donnait au vin son arôme de pêche.	Rapporter le vin contre remboursement.
Géranium	Oxydation indésirable dans un vin ordinaire, qui a été exposé à la lumière et/ou à la chaleur.	Rapporter le vin contre remboursement, sauf si l'on a gardé le vin dans de mauvaises conditions (*voir* p. 11).
Madérisation	Un arôme franc de champignon caractérise le pinot meunier d'un vieux champagne de qualité ; une odeur de moisi révèle une contamination.	En cas de contamination patente, rapporter le vin contre remboursement.
Moisi, renfermé	Vin bouchonné.	Humer le vin au bout d'une heure : s'il est bouchonné, le défaut ne fera qu'empirer, alors qu'une simple odeur de renfermé aura disparu.
Œuf dur ou pourri	Causé par les levure du genre brettanomyces et des bactéries malolactiques, ce défaut est redouté au Nouveau Monde, mais certaines caves d'Europe utilisent ces levures pour ajouter de la complexité au vin.	Donner le vin à quelqu'un qui le mérite.
Souris	Grave défaut dû à la réaction de l'éthanol et de l'hydrogène sulfureux, qui se manifeste par une odeur nauséabonde d'éthylmercaptan.	Rapporter le vin contre remboursement.
Terre	Odeur d'un vin qui a subi une fermentation malolactique excessive.	Rapporter le vin contre remboursement.
Vinaigre	Vin oxydé traduisant un excès d'acétaldéhyde, lequel transformerait en vinaigre un vin ordinaire ; mais le xérès et les autres vins vinés sont protégés par leur taux d'alcool élevé.	Rapporter le vin contre remboursement.
Xérès	Arôme caractéristique de l'acide acétique révélant un vin oxydé.	En faire de la vinaigrette.

GUIDE DES MILLÉSIMES

Cette table compare les références de plus de 850 millésimes pour 28 types de vins. Comme il en est de tout système de cotation des millésimes, celui-ci n'a qu'une valeur statistique : il indique ce qu'il est raisonnable d'attendre d'un vin d'une année donnée, et ne peut servir de guide d'achat. Aucune moyenne ne peut rendre compte des nombreuses exceptions que toute année comporte, à ceci près que plus la note est haute, moins on risque de se tromper : constance et qualité vont généralement de pair.

CLASSEMENT DES MILLÉSIMES

90-100*	D'excellent à exceptionnel
80-89	De bon à très bon
70-79	De moyen à bon
60-69	Décevant
40-59	Très mauvais
0-39	Désastreux

100* Aucune année ne peut être raisonnablement considérée comme parfaite, mais celles qui atteignent la note maximale sont incontestablement de grands millésimes.

Il faut garder à l'esprit que certains vins ne manifestent pas de qualités supérieures, ni mêmes particulières, dans les années dites grandes. Ces vins blancs, normalement légers et aromatiques, qui se boivent jeunes et frais avec leurs arômes de raisin (p. ex. le muscat d'Alsace, les QbA ou Kabinett allemands, etc.), se montrent sous leur meilleur jour dans les millésimes notés entre 70 et 85, voire moins.

MILLÉSIME	1996	1995	1994	1993	1992	1991	1990	1989	1988	1987	1986	1985	1984	1983	1982	1981	1980	1979	1978	1977	1976	1975
BORDEAUX – MÉDOC et GRAVES	95	90	85	82	78	78	90	95	88	78	90	92	75	88	98	82	78	85	90	45	80	90
BORDEAUX – ST-ÉMILION et POMEROL	90	90	85	85	78	75	92	95	88	75	85	92	65	85	98	82	75	85	80	45	80	90
BORDEAUX – SAUTERNES et BARSAC	90	95	79	60	65	60	92	95	95	60	90	85	60	100	70	70	80	80	65	50	85	90
BOURGOGNE – CÔTE-D'OR – rouge	97	90	70	80	85	82	95	92	98	70	78	100	70	88	80	75	60	75	85	40	88	20
BOURGOGNE – CÔTE-D'OR – blanc	97	92	80	80	95	70	98	95	92	80	92	90	80	88	86	85	72	80	88	50	80	80
BOURGOGNE – BEAUJOLAIS – rouge	90	85	90	85	92	85	90	90	85	78	85	90	70	90	72	74	55	60	90	55	90	50
CHAMPAGNE	95	90	–	–	70	–	100	89	90	–	80	95	–	90	92	90	70	90	80	–	90	90
ALSACE	91	90	90	85	80	75	90	95	90	78	75	90	65	100	80	89	60	85	40	33	10	92
LOIRE – moelleux	90	95	90	55	55	50	90	90	90	60	85	87	65	90	85	70	65	55	75	30	92	90
LOIRE – rouge	92	90	60	60	40	40	90	90	85	40	85	90	75	85	85	80	70	60	80	45	90	92
RHÔNE – NORD	85	92	75	65	75	85	96	95	95	88	86	95	70	98	92	75	78	81	100	50	85	72
RHÔNE – SUD	85	90	80	80	75	70	90	95	92	70	88	90	70	92	88	87	83	78	98	72	85	68
ALLEMAGNE – MOSEL-SAAR-RUWER	85	92	92	94	92	88	100	98	95	75	93	95	50	100	70	75	50	85	55	50	100	98
ALLEMAGNE – RHINE	84	90	85	90	90	80	95	95	90	78	93	95	50	98	73	75	50	88	55	50	98	100
ITALIE – BAROLO	91	90	88	85	75	80	93	95	95	88	82	95	55	90	95	80	60	85	100	40	80	70
ITALIE – CHIANTI	87	88	90	85	75	80	90	65	90	83	80	93	60	85	90	80	70	85	88	75	40	85
ESPAGNE – RIOJA	75	87	95	87	85	85	78	85	80	80	80	80	75	88	100	85	80	60	80	25	85	85
PORTUGAL – VINTAGE PORT	–	88	95	–	85	95	–	–	–	–	–	95	–	95	80	–	85	–	80	99	–	75
USA – CALIFORNIE – rouge	88	92	94	88	91	93	80	80	85	90	88	98	92	90	88	85	88	80	88	80	88	86
USA – CALIFORNIE – blanc	88	92	88	89	92	85	80	82	88	85	90	84	95	86	86	88	90	80	88	85	80	88
USA – PACIFIC NORTHWEST – rouge	90	88	88	87	89	85	85	85	85	85	86	96	50	95	84	88	88	80	88	80	88	90
USA – PACIFIC NORTHWEST – blanc	90	85	75	69	85	85	88	80	80	85	90	96	70	95	83	80	87	80	88	80	88	88
AUSTRALIE – HUNTER VALLEY – rouge	90	95	80	90	65	80	80	85	80	88	95	90	80	90	80	80	90	98	80	80	70	100
AUSTRALIE – HUNTER VALLEY – blanc	92	92	85	90	65	90	75	90	90	90	95	90	80	90	80	85	98	90	70	70	80	70
AUSTRALIE – BAROSSA VALLEY – rouge	90	95	90	90	75	90	90	85	85	80	88	95	95	70	90	85	80	92	70	80	90	80
AUSTRALIE – BAROSSA VALLEY – blanc	88	95	90	90	75	90	90	70	80	80	90	95	95	85	90	70	80	92	90	70	90	70
AUSTRALIE – MARGARET RIVER – rouge	90	95	95	85	85	85	90	85	88	88	88	90	80	80	90	85	80	80	70	90	45	30
AUSTRALIE – MARGARET RIVER – blanc	95	93	93	85	65	85	85	88	85	88	88	90	80	80	90	85	90	80	45	70	65	30

MILLÉSIMES MAL COTÉS

On doit les considérer avec la plus grande prudence, mais non les ignorer. Si les investisseurs ne retiennent que les vins les plus sûrs des grands millésimes, l'amateur de vin judicieux, lui, recherchera les exceptions des petites années, car, quel que soit le prestige d'un vin, il sera toujours meilleur marché dans les millésimes modestes.

MILLÉSIMES RAPPROCHÉS

À l'évidence, plus l'écart est réduit entre deux notes, moins la différence de qualité devrait être sensible, et les lecteurs pourraient considérer qu'un seul point de différence n'a que peu de signification. Certes, mais c'est aussi ce point d'écart qui permet de faire pencher la balance.

MILLÉSIMES NON COTÉS

Il paraît impossible de coter des millésimes non déclarés de portos et de champagnes parce que les rares vins existants s'avèrent être de réelles exceptions. Prenons l'année 1951 en Champagne, l'une des pires de son histoire : ceux qui se souviennent de cette vendange confirment à la quasi-unanimité qu'aucun vin millésimé ne vit le jour, et pourtant mes recherches en ont exhumé trois. Si je devais coter 1951 à partir des deux champagnes que j'ai goûtés (Clos des Goisses et Salon), ce serait l'un des plus beaux millésimes du siècle, ce qui n'aurait aucun sens. Les millésimes de porto posent un problème analogue : devrait-on juger 1922 sur les superbes taylors, sur la poignée des quelques autres, certes excellents, mais venant déjà loin derrière, ou sur la majorité des expéditeurs qui n'on pu déclarer le millésime, faute de qualité suffisante?

1974	1973	1972	1971	1970	1969	1968	1967	1966	1965	1964	1963	GRANDS MILLÉSIMES D'AVANT 1963	
60	80	40	83	90	62	25	65	92	20	80	15	1961, 1953, 1949, 1945, 1929, 1928, 1900	BORDEAUX – MÉDOC et GRAVES
60	78	40	83	87	60	25	70	90	20	87	15	1961, 1953, 1949, 1945, 1929, 1928, 1900	BORDEAUX – ST-ÉMILION et POMEROL
50	65	55	85	85	60	30	88	86	40	72	15	1962, 1959, 1955, 1949, 1947, 1945, 1937	BORDEAUX – SAUTERNES et BARSAC
70	65	85	90	80	98	10	75	89	10	87	20	1961, 1959, 1949, 1945, 1929, 1919, 1915	BOURGOGNE – CÔTE-D'OR – rouge
75	72	80	85	80	90	20	82	86	10	90	25	1962, 1928, 1921	BOURGOGNE – CÔTE-D'OR – blanc
55	82	70	85	75	88	45	70	80	55	75	55	1961, 1959, 1957, 1949, 1945, 1929	BOURGOGNE – BEAUJOLAIS – rouge
60	88	–	95	85	85	–	–	90	–	100	–	1959, 1947, 1945, 1928, 1921, 1914	CHAMPAGNE
50	85	40	90	84	90	40	70	90	30	80	35	1961, 1959, 1953, 1949 1945, 1937, 1921	ALSACE
20	85	10	90	84	90	10	65	85	–	85	–	1961, 1959, 1949, 1945, 1921	LOIRE – moelleux
85	80	10	85	85	90	10	70	88	10	85	10	1961	LOIRE – rouge
78	85	90	86	93	87	30	88	88	60	90	50	1961	RHÔNE – NORD
80	86	90	85	90	87	45	95	88	60	90	35	1961	RHÔNE – SUD
45	90	40	98	85	90	40	85	85	40	94	60	1959, 1953, 1949, 1945, 1921	ALLEMAGNE – MOSEL-SAAR-RUWER
40	88	40	100	85	92	40	88	85	40	94	60	1959, 1953, 1949, 1945, 1921	ALLEMAGNE – RHINE
83	50	20	90	85	80	82	88	70	75	90	30	1958, 1947, 1931, 1922	ITALIE – BAROLO
75	70	65	98	86	85	85	60	40	30	60	30	1947, 1931, 1928, 1911	ITALIE – CHIANTI
84	75	30	45	95	75	95	45	45	75	100	88	1962, 1942, 1934, 1924, 1920, 1916	ESPAGNE – RIOJA
–	–	78	–	98	–	–	75	85	–	–	100	1945, 1935, 1931, 1927, 1908	PORTUGAL – VINTAGE PORT
95	88	80	70	90	79	90	80	78	88	94	70	1951, 1946	USA – CALIFORNIE – rouge
90	88	65	85	92	78	80	90	78	89	92	72		USA – CALIFORNIE – blanc
88	–	–	–	–	–	–	–	–	–	–	–		USA – PACIFIC NORTHWEST – rouge
88	–	–	–	–	–	–	–	–	–	–	–		USA – PACIFIC NORTHWEST – blanc
45	80	45	25	70	80	45	80	80	100	75	50		AUSTRALIE – HUNTER VALLEY – rouge
80	88	80	20	80	80	80	92	–	–	–	–		AUSTRALIE – HUNTER VALLEY – blanc
20	20	–	–	–	–	–	–	–	–	–	–		AUSTRALIE – BAROSSA VALLEY – rouge
20	25	–	–	–	–	–	–	–	–	–	–		AUSTRALIE – BAROSSA VALLEY – blanc
45	–	–	–	–	–	–	–	–	–	–	–		AUSTRALIE – MARGARET RIVER – rouge
45	–	–	–	–	–	–	–	–	–	–	–		AUSTRALIE – MARGARET RIVER – blanc

GLOSSAIRE DE LA DÉGUSTATION ET DES TERMES TECHNIQUES

Les termes faisant l'objet d'explications plus complètes dans le corps de cet ouvrage sont accompagnés d'un renvoi à la page appropriée. Les termes cités dans une entrée du glossaire et composés en caractères **gras** font l'objet d'une entrée distincte.

Abréviations : (Afr. S.) Afrique du Sud; (All.) Allemagne; (Angl.) Angleterre; (Esp.) Espagne; (É.-U.) États-Unis; (Gr.) Grèce; (It.) Italie; (Port.) Portugal.

ABC (É.-U.). Abréviation d'*Anything But Cabernet* ou *Anything But Chardonnay*, « tout plutôt que du cabernet/chardonnay ». Cette expression ironique se justifiait à l'origine, lors de son lancement par Randall Grahm, du domaine Bonny Doon, en Californie. Grahm vendait alors du cabernet, mais le considérait comme une ornière dans laquelle s'enlisaient l'ensemble des producteurs californiens. Il souhaitait explorer le potentiel qualitatif d'autres cépages, en particulier ceux du Rhône, mais se heurtait à la demande de consommateurs avides de cabernet et de chardonnay. Les bouteilles de cabernet se vendaient comme des petits pains, alors que Grahm devait se mettre en quatre pour faire reconnaître les qualités de tout vin sortant des sentiers battus. Contraint de vendre du cabernet pour financer ses autres activités, il eut cette trouvaille linguistique, dont les gens raffolèrent à l'époque. Mais elle a été détournée depuis par un ramassis de snobs à rebours et de critiques myopes, fanatiques partis en croisade pour délivrer la planète de deux de ses plus nobles cépages.

ABV. Abréviation d'*alcool by volume*.

AC (Port., Gr.). Abréviation *d'Adega Cooperativa* au Portugal, de coopérative agricole en Grèce, ou d'autres mentions désignant une coopérative locale ou régionale dans ces pays.

Accessible. Signifie littéralement un vin d'un abord **facile**, sans trop de **tanin**, d'**acidité** ou d'**extrait** pouvant faire obstacle au plaisir de boire. J'emploie souvent ce terme pour qualifier un vin jeune de bonne qualité, destiné sans aucun doute à s'améliorer, mais déjà harmonieux et doté de tanins **souples** qui en facilitent l'appréciation.

Acerbe. Vin qui présente une acidité notable, ou des tanins particulièrement **âpres**.

Acéré. Proche d'**incisif** et de **mordant**.

Acétaldéhyde. C'est le principal **aldéhyde** de tous les vins, mais il est présent en quantités bien supérieures dans le xérès. Dans les vins non mutés, une faible proportion d'acétaldéhyde rehausse le **bouquet**, mais son excès est indésirable car il est source d'instabilité et entraîne une certaine **oxydation** (à mi-chemin d'une **oxydation** complète), en donnant une odeur de **xérès**.

Acétification. Production **d'acide acétique** dans le vin.

Acétobacter. Bactérie présente dans le vinaigre et responsable de l'**acétification**.

Acide acétique. Principal acide volatil rencontré dans le vin, en dehors de l'**acide carbonique**. Si sa présence en faibles quantités augmente l'attrait gustatif d'un vin, son excès donne un goût de vinaigre.

Acide carbonique (CO_2H_2). Désignation du **gaz carbonique** (CO_2) quand il est dissous dans l'eau (H_2O) que contient le vin. On le qualifie parfois d'**acide volatil**, mais il est indissociable du gaz à l'état dissout et ne peut donc être isolé.

Acide éthanoïque. Synonyme d'acide acétique.

Acide gras. Terme parfois utilisé pour désigner les **acides volatils**.

Acide lactique. Acide qui apparaît dans le vin lors de la **fermentation malolactique**.

Acide malique. Acide au goût très fort, qui persiste dans les raisins mûrs comme dans le vin, bien que son taux diminue au cours de la **fermentation**. La proportion d'acide malique présente dans un vin peut être jugée excessive, surtout dans un vin rouge, et il est souvent souhaitable de le dégrader en acide lactique, ce qui désacidifie et assouplit le vin. *Voir* Fermentation **malolactique**, p. 33.

Acide sorbique. Composé empêchant l'action des levures, présent dans les baies du sorbier. On en ajoute parfois dans les vins doux pour prévenir une refermentation, mais il peut donner une puissante odeur de géranium si le vin effectue ensuite sa fermentation **malolactique**.

Acide tartrique. Acide des raisins **mûrs**, dont le taux augmente à mesure que s'élève le taux de sucre des raisins au cours de la **véraison**.

Acides volatils. Parfois dits **acides gras**, ces acides sont capables de s'évaporer à basse température. Si un excès d'acidité volatile est toujours un signe d'instabilité, en faible proportion, cette acidité joue un rôle important dans le **goût** et l'**arôme** du vin. Les acides formique, butyrique et proprionique figurent parmi les acides volatils présents dans le vin, mais les plus importants sont les acides **acétique** et **carbonique**.

Acidité. Qualité essentielle pour la longévité et la vitalité d'un vin. Un excès d'acidité rendra le vin trop **mordant** (et non aigre, ce qui est un défaut), mais un manque d'acidité le fera sembler **plat**, terne et **court** en bouche. *Voir* **acidité totale** et **pH**.

Acidité active. Le vin est riche en acides organiques qui contiennent des ions hydrogène de charge positive, dont la concentration détermine l'**acidité totale** d'un vin. Le **pH** est la mesure des protons libres d'une solution donnée et représente l'acidité réelle du vin. Le pH d'un vin permet donc de mesurer son acidité active.

Acidité fixe. Résultat de la soustraction par laquelle on déduit l'acidité volatile de l'**acidité totale**.

Acidité totale. La valeur quantitative de l'**acidité** d'un vin se mesure d'habitude en grammes/litre d'acide sulfurique ou **tartrique**, car chacun des acides en jeu est d'une force différente de celle des autres.

Adega (Port.). Cave, chai ou entreprise vinicole. Terme figurant souvent dans la raison sociale d'une entreprise.

Aération. Certains vins, surtout rouges, ont besoin d'une oxygénation après l'ouverture de la bouteille pour déployer toute leur personnalité aromatique. Cela peut se faire par la décantation ou en faisant tourner le vin dans le verre.

Aérobie. Se dit de micro-organismes ne pouvant se développer qu'en présence d'air.

Agressif. Le contraire de **tendre** ou **souple**.

Agrumes. Terme décrivant des **arômes** et un **goût** d'une **complexité** bien supérieure à celle évoquée par l'adjectif **citronné**.

Albariza (Esp.). Sol blanc en surface et formé de dépôts de diatomées, que l'on trouve en Espagne dans la région de production du xérès. *Voir* Sud de l'Espagne, p. 366.

Alcool. L'alcool du vin est l'**alcool éthylique**, liquide incolore et inflammable. L'alcool joue un rôle essentiel dans le goût et le **corps** des produits alcoolisés. Un **vin sans alcool** est donc par nature difficile à améliorer.

Alcool éthylique. Principal alcool du vin. Parler de l'alcool d'un vin, c'est se référer implicitement à l'alcool éthylique.

Aldéhyde. Composé intermédiaire entre un **alcool** et un **acide**, formé pendant l'**oxydation** d'un alcool. L'**acétaldéhyde** est le plus important des aldéhydes couramment contenus dans le vin. Il apparaît lors de l'oxydation de l'alcool du vin qui se change en **acide acétique** (vinaigre). Une faible quantité d'acétaldéhyde augmente la **complexité** d'un vin, mais sa présence en excès donne au vin une odeur de **xérès**.

Altéré. Se dit d'un vin doté d'un arôme ou d'une saveur désagréable, résultant sans doute d'une vinification ou d'une mise en bouteilles défectueuse.

Amertume. 1) Aspect désagréable d'un vin médiocrement élaboré. 2) Conséquence normale d'un développement encore incomplet des saveurs d'un vin jeune qui, à maturité, devrait se révéler délicieux.

Ampélographe. Spécialiste de l'étude et de l'identification des différentes espèces de vignes et de cépages.

Anaérobie. Contraire d'**aérobie**. En l'absence d'air.

Anbaugebiet (All.). Région viticole d'Allemagne, comme la Rhénanie-Palatinat ou la Moselle-Sarre-Ruwer, divisée en secteurs ou **Bereich**. L'*Anbaugebiet* d'origine de tout vin *Qba* ou *Qmp* doit figurer sur l'étiquette.

Anhydride sulfureux. *Voir* SO_2.

Anthocyanes. L'un des deux principaux groupes de composés **phénoliques** présents dans le vin. Les anthocyanes sont des pigments localisés dans la peau des raisins.

Anti-oxydant. Tout produit chimique empêchant les raisins, le **moût** ou le vin de s'**oxyder**, comme l'**acide ascorbique** ou l'**anhydride sulfureux**.

AOC. L'appellation d'origine contrôlée représente le sommet de la pyramide qualitative des vins français, bien que l'on y trouve des vins de qualité très variable. Il est peut donc être préférable d'acheter un **vin de pays** coûteux plutôt qu'un vin d'AOC bon marché.

Apéritif. À l'origine, terme réservé à la description d'une boisson prescrite dans un but purement laxatif. Il désigne aujourd'hui n'importe quelle boisson consommée avant un repas pour stimuler l'appétit.

Apogée. Terme indiquant que le vin est parvenu à son plein développement. Pour les amateurs de vins frais et **vifs**, cet apogée se situera plus tôt – pour un même vin – que pour ceux qui préfèrent les vins **évolués**. Selon une règle empirique formulée par Clive **Coates**, un vin pourrait demeurer à son apogée pendant un laps de temps égal à celui qu'il a mis à l'atteindre.

Appellation d'origine contrôlée. Ce terme se réfère à un système national d'appellations vinicoles, géographiquement délimitées et soumises à un ensemble de règles de production.

Âpre. Qualifie généralement un vin doté d'un excès de **tanins**.

Aqueux. Renchérit sur **maigre** et **dilué**.

Aquifère. Formation géologique pouvant retenir l'eau, vers laquelle s'écoule la pluie des zones environnantes.

Aromatiques, cépages. Les cépages les plus aromatiques sont le gewurztraminer, le muscat, le riesling et le sauvignon. S'il existe des exceptions à la règle, les cépages aromatiques donnent en général les meilleurs résultats lorsqu'ils sont vinifiés à basse température, en **anaérobie** et bus tant qu'ils sont jeunes et **frais**.

Aromatisés, vins. Habituellement **mutés**, ces vins peuvent contenir jusqu'à cinquante substances aromatiques et leur gamme va du **vermouth** doux-amer au *retsina*. Parmi les divers fruits, herbes, fleurs et autres ingrédients utilisés, citons fraises, zestes d'orange, fleurs de sureau, armoise, quinine et résine de pin.

Arôme. À proprement parler, ce terme devrait être réservé aux parfums frais et fruités venant du raisin, plutôt qu'à la vinosité et à la complexité du **bouquet** résultant de l'**évolution** en bouteilles. Un emploi aussi restrictif n'étant pas toujours possible, arôme et bouquet sont souvent considérés comme synonymes.

Arrière-goût. Saveur et **arôme** persistant en bouche après que le vin ait été avalé. Peut avoir une connotation péjorative, contrairement à la **persistance**.

Ascorbique, acide. Plus connu sous le nom de vitamine C, l'acide ascorbique est un **anti-oxydant**, souvent utilisé en compagnie du soufre. Il a un effet plus rafraîchissant que ce dernier, qui tend à affaiblir les composants aromatiques du vin. Il permet aussi de réduire la quantité de soufre employée au cours de la vinification. Ne pas confondre avec l'**acide sorbique**.

Aseptique. Caractéristique de substances telles que l'**acide sorbique** ou l'**anhydride sulfureux**, qui peuvent éliminer les bactéries.

Assemblage. Mélange de vins d'une même qualité et d'une même origine, conforme aux règles de l'**appellation**. Ne pas confondre avec le **coupage**.

Atmosphère. Pression de référence valant 1 013 hectopascals. À l'intérieur d'une bouteille de champagne, la pression est en moyenne de 6 atmosphères.

Attaque. Un vin doté d'une bonne attaque a toutes les chances d'être **complet** et présente d'emblée en **bouche** toute la gamme de ses caractéristiques gustatives. Le terme s'applique plutôt aux vins jeunes et l'attaque d'un vin augure bien de son avenir.

Auslese (All.). Catégorie de vins allemands ***QmP***, très doux, issus de raisins de vendange tardive pouvant aussi comporter des grains **botrytisés**.

Austère. Terme utilisé pour décrire un vin manquant de **fruité** et dominé par l'âpreté ou la dureté de son **acidité** et/ou de ses **tanins**.

Autolyse. Dégradation enzymatique des cellules de **levure**, qui accroît les risques d'altération bactérienne; les effets de l'autolyse survenant lors de l'élevage d'un vin sur ses **lies** sont donc indésirables dans la plupart des cas, à l'exception des vins embouteillés **sur lies** (le muscadet surtout) et des vins effervescents.

Aveugle (à l'). Dégustation lors de laquelle le dégustateur évalue et note les vins en ignorant leur identité. Toutes les dégustations de concours se déroulent à l'aveugle.

Back-blend. (Angl.) Opération consistant à mélanger du jus de raisin frais à du vin fermenté, dans le but de donner à ce dernier une certaine douceur fraîche et fruitée, fréquente dans les vins allemands. Analogue à la pratique allemande de l'ajout de ***Süssreserve***.

Ban des vendanges. Date du début des vendanges dans les AOC, fixée dans chaque département par le commissaire de la République.

Barrique. Fût de 225 l à Bordeaux (228 l en Bourgogne, où on l'appelle pièce). Ailleurs qu'en France, ce terme désigne un petit fût de **chêne** de contenance variable et implique souvent un recours au bois neuf.

Baumé. Échelle de mesure utilisée pour indiquer le taux de sucre du **moût**.

Beerenauslese (All.). Catégorie de vins allemands ***QmP***, se situant au-dessus de l'***Auslese*** et au-dessous du ***Trockenbeerenauslese***. Issus de raisins **botrytisés**, ils ont plus de **finesse** et d'**élégance** que tout autre vin très doux, sauf peut-être l'***Eiswein*** (« vin de glace »).

Bentonite. Argile fine contenant un dérivé de cendres volcaniques aux propriétés colloïdales, qui provoque un précipité dans le vin et sert d'agent de clarification. *Voir* **Collage**, p. 20.

Bereich (All.). En Allemagne, secteur viticole regroupant des ***Grosslagen*** et s'inscrivant lui-même au sein d'un ensemble plus vaste, l'***Anbaugebiet***.

Beurré. Il s'agit normalement d'un caractère riche et **gras** tout à fait délectable que l'on rencontre dans les vins blancs, en particulier ceux qui ont effectué leur fermentation **malolactique**.

Biodynamie. Les vins produits selon les principes de la biodynamie sont issus de raisins cultivés sans engrais ni traitements chimiques, vinifiés avec des **levures** indigènes, en recourant le moins possible à la **filtration**, à l'**anhydride sulfureux** et à la **chaptalisation**.

Biologiques, vins. Terme générique désignant des vins élaborés en utilisant le minimum de SO_2, à partir de raisins cultivés sans engrais chimiques, pesticides, ni désherbants.

Biscuit. Agréable nuance du **bouquet** présente dans certains champagnes évolués, en particulier dans les assemblages dominés par le pinot noir (une dominante de chardonnay donne plutôt une note de pain grillé).

Blanc de blancs. Vin blanc issu exclusivement de raisins blancs. Ce terme est le plus souvent employé pour des vins effervescents.

Blanc de noirs. Vin blanc issu de raisins noirs. Ce terme est le plus souvent employé pour des vins effervescents. Dans le Nouveau Monde, ces vins présentent généralement une nuance rose qui leur donne l'apparence du rosé, mais un vrai blanc de noirs devrait être aussi « blanc » que possible, sans recourir à aucun artifice.

Blanc d'œuf. Traditionnel agent de clarification, qui permet d'éliminer les matières à charge électrique négative. *Voir* **Collage**.

Blush wine (Angl.). Vin rosé très pâle et généralement bon marché (pelure d'oignon, oeil-de-perdrix, gris...).

BOB (Angl.) Abréviation de *Buyer's Own Brand*.

Bodega (Esp.). Équivalent espagnol du portugais **Adega** (cave, chai, entreprise vinicole).

Bota (Esp.). Fût de xérès d'une capacité variant entre 600 et 650 litres.

Botrytis cinerea. Nom scientifique de la **pourriture noble**, la seule souhaitée par les vignerons, surtout dans les régions productrices de vins doux puisqu'on lui doit les plus grands vins doux du monde. *Voir* Sauternes p. 92.

Botrytis. Terme générique pour désigner la pourriture. Souvent synonyme de ***Botrytis cinerea***.

Botrytisés, raisins. Raisins atteints par le ***Botrytis cinerea***.

Bouche. Saveur ou goût d'un vin.

Bouchonné. Se dit d'un vin présentant une odeur et un goût de liège moisi, un bouchon défectueux ayant altéré un vin par ailleurs agréable. Les probabilités de tomber deux fois de suite sur des bouteilles bouchonnées du même vin devraient être très faibles, mais les scientifiques découvrent sans cesse de nouveaux composés dotés de ce « goût de bouchon » qui n'ont rien à voir le liège. Il est donc possible de tomber sur des séries entières de bouteilles affectées par cet arôme ou ce goût. Aucun détaillant ne devrait cependant mettre de tels vins en rayon.

Bouquet. Ce terme devrait être réservé à la combinaison d'odeurs résultant directement de l'évolution du vin en bouteille : on devrait parler d'« **arôme** » pour le raisin et de « bouquet » pour la bouteille. Un emploi aussi restrictif n'étant pas toujours possible, arôme et bouquet peuvent donc être considérés comme des synonymes.

Bouteille, élevage en, ou garde en. Temps passé en bouteille par le vin avant qu'il ne soit consommé. Un vin ayant suffisamment de « bouteille » a eu le temps d'**évoluer** et de mûrir convenablement. L'élevage en bouteilles rend le vin plus velouté et moelleux.

Brûlage. Opération consistant à chauffer un fût neuf sur le feu lors de sa fabrication, ce qui va influer sur les arômes du vin. Le brûlage peut être léger, moyen ou fort.

Brûlant. Synonyme de **cuit** dans un sens peu flatteur, se dit d'un vin trop riche en **alcool**.

Brut. Normalement réservé aux vins effervescents, ce terme désigne des vins tout à fait secs. Toutefois, même les vins les plus secs contiennent un peu de sucre résiduel.

Buyer's Own Brand. Abrégé en B.O.B., ce terme désigne une marque appartenant à l'acheteur – généralement un caviste, un négociant, une chaîne de supermarché ou un restaurant. La qualité de ces vins progresse, surtout dans la grande distribution britannique où le processus de sélection s'est beaucoup affiné depuis le début des années 1980.

CA (Esp.). Abréviation de *Cooperativa Agricola* ou d'autres raisons sociales désignant une coopérative locale ou régionale.

Cake. Terme subjectif pour décrire un vin dont la saveur ou les arômes rappellent les nuances de fruits secs et d'épices d'un cake aux fruits.

Cantina (It.). Cave.

Cantina sociale (It.). Coopérative viticole.

Caséine. Protéine du lait, parfois utilisée pour le **collage**. *Voir* Collage, p. 34.

Cèdre, bois de. Nuance purement subjective attribuée à un **bouquet** particulier, associé à l'évolution en bouteille d'un vin préalablement élevé ou fermenté sous bois, le plus souvent du **chêne**.

Centrifugation. Ce n'est pas réellement une **filtration**, mais un procédé utilisant la force centrifuge pour éliminer les particules indésirables en suspension dans le vin ou le moût. *Voir* Filtration, p. 34.

Cépage, vin de. Au sens français, vin issu exclusivement d'un seul cépage (ex. muscadet, vins d'Alsace, etc). Dans le Nouveau Monde, et notamment aux États-Unis, les *varietals* sont souvent des vins dans lesquels on trouve un cépage largement majoritaire.

Cépage. Variété de vigne. Certains vins sont désignés par le nom du cépage dont ils sont issus, comme les vins d'Alsace ou les vins dits « de cépage »

Cépages neutres. Ce terme s'applique à tous les cépages mineurs et difficiles à classer, qui donnent des vins insignifiants au goût neutre. Mais il recouvre aussi des cépages plus connus, comme le melon de bourgogne, l'aligoté, le pinot blanc, le pinot meunier, et même des cépages nobles, comme le chardonnay ou le sémillon. Contrairement aux **cépages aromatiques**, ceux-ci sont idéalement adaptés à l'**élevage sous bois**, la mise en bouteilles **sur lie** et l'élaboration de vins mousseux de qualité, parce que ces opérations soulignent leurs caractéristiques au lieu de les masquer.

Chai. Bâtiment dans lequel est entreposé du vin.

Chaleureux. Évoque le caractère d'un vin rouge plutôt savoureux et riche en **alcool**, ou, si ce terme accompagne l'évocation de nuances boisées (**cèdre, crème**), il peut se référer à un bon **élevage** sous bois.

Chapeau. Ensemble des pellicules (peaux), pépins et autres matières solides du raisin qui montent à la surface du **moût** pendant la **cuvaison**.

Chaptalisation. Adjonction de sucre dans le jus de raisin frais afin d'augmenter le potentiel alcoolique d'un vin. Il faut, en théorie, 1,7 kg de sucre par hectolitre de vin pour élever le titre alcoolique de 1%, mais les vins rouges en exigent, en réalité, 2 kg/hl pour tenir compte de l'évaporation au cours du **remontage**. Cette opération doit son nom à Antoine Chaptal, brillant chimiste et haut fonctionnaire sous Napoléon Ier. Ministre de l'Intérieur de 1800 à 1805, il fit découvrir aux vignerons les avantages d'un apport de sucre lors du pressurage.

Charmat, méthode. Procédé inventé en 1907 par Eugène Charmat et permettant de produire en vrac des vins effervescents bon marché, par une **seconde fermentation** en cuve hermétiquement fermée. Synonyme de **cuve close**.

Charme. Terme subjectif; un vin qui a du charme attire par sa séduction discrète.

Charnu. Décrit un vin ferme et fruité, corsé et riche en **extrait** au point qu'on a l'impression de pouvoir le mâcher. Les vins riches en **tanins** sont souvent charnus. On dit aussi qu'ils ont de la **mâche**.

Château. Si nombre de vins « mis en bouteilles au château » proviennent en effet de superbes édifices méritant bien ce nom, beaucoup sont issus de modestes villas, voire de simples **cuveries** bâties pour l'occasion ou même d'un hangar en tôle! Le terme a la même valeur légale que celle attachée à tout vin « mis en bouteilles au domaine ».

Chêne. De nombreux vins **fermentent** ou sont élevés en fûts, généralement des fûts de chêne. Ce chêne provient le plus souvent de France ou des États-Unis. En France, on n'utilise que du chêne français, mais celui-ci est également recherché partout dans le monde, notamment pour les meilleurs vins californiens. Le chêne américain est couramment utilisé en Espagne, en particulier dans la Rioja, et en Australie, bien que ces deux pays se tournent, eux aussi, de plus en plus vers le chêne français. Le chêne donne souvent un goût **vanillé** au vin, parce qu'il contient de la **vanilline**, également responsable de l'arôme des gousses de vanille. Le chêne français est considéré comme plus fin et plus élégant que le chêne américain, dont le caractère est plus affirmé. À mon avis, cette différence ne vient pas tant des qualités intrinsèques de ces deux types de chêne (bien que le chêne américain pousse plus vite et présente un grain plus gros que le chêne français, ce qui a son importance), mais du traditionnel séchage du chêne français à l'air libre pendant plusieurs années, ce qui le débarrasse de ses composés aromatiques les plus volatils. Le chêne américain, lui, est séché en étuve et scié (alors que le chêne français est fendu) : cela brise les fibres du bois et expose le vin au contact des éléments les plus volatils du chêne en un temps relativement bref. Si le chêne français était scié et séché en étuve, et le chêne américain fendu et séché à l'air libre, notre perception pourrait bien en être inversée. Le chêne américain est souvent soumis à une chauffe intensive lors de la fabrication d'un fût (le producteur peut demander un brûlage léger, moyen ou fort) et cela aussi influe sur le vin, en lui donnant des arômes de caramel, ou des nuances fumées ou épicées. L'arôme de « grillé » dû au chêne diffère de celui pouvant provenir du raisin. Curieusement, le chêne peut donner un arôme de **cèdre**, bien que cela se limite sans doute aux vins issus de cépages noirs à nuances épicées, qui fermentent et/ou sont élevés dans du bois d'un certain âge. Un violent arôme de **noix de coco** indique presque à coup sûr l'emploi de chêne américain. Les fûts de chêne coûtent très cher à l'achat et exigent plus de main-d'œuvre en cave. Devant un vin bon marché, mais fortement boisé, on doit conclure à l'utilisation de copeaux de chêne, déversés dans une vaste et étincelante cuve inox pleine de vin. C'est peut-être une tromperie, mais c'est légal et, si les gens aiment les vins au goût boisé sans pouvoir s'offrir autre chose qu'un vin ordinaire, où est le mal? *Voir* Acier inoxydable ou chêne, p. 33.

Chlorose. Maladie de la vigne due à un déséquilibre minéral (trop de calcaire actif, pas assez de fer ou de magnésium).

Chocolaté. Terme subjectif souvent utilisé pour décrire l'odeur et la saveur des vins à base de cabernet sauvignon ou de pinot noir. On évoque parfois la « boîte de chocolats » devant le **bouquet** d'un bordeaux déjà bien évolué. Le caractère fruité d'un vin peut devenir « chocolaté » dans les vins dont le **pH** dépasse 3,6.

Cigares, boîte de. Terme subjectif souvent employé à propos du **bouquet** complexe que l'on peut rencontrer dans des vins élevés en fût de **chêne**, en général des bordeaux rouges de bonne garde.

Citronné. Beaucoup de vins secs ou demi-secs présentent une **acidité** fruitée et picotante à la langue qui évoque le citron.

Clair. Qualifie un liquide devenu limpide après que les matières en suspension soient tombées au fond du contenant. En Champagne, le terme de vins clairs désigne les vins de base tranquilles encore non assemblés.

Clairet. Vin dont la robe se situe entre celles d'un rosé foncé et d'un rouge léger.

Claret (Angl.). Terme anglais désignant un bordeaux rouge et qui a la même origine étymologique que **clairet**.

Classico (It.). Terme officiellement réservé aux vins issus du cœur historique d'une **appellation**, presque toujours une petite zone de collines située au centre d'une **DOC**.

Classique. 1) Terme subjectif s'appliquant aux vins possédant les caractéristiques convenant à leur type et à leur origine. 2) Pour les Anglophones, ce terme a en outre une connotation de qualité manifeste : il exprime la **finesse** et le **style** propres aux vins de très haute qualité.

Climat. Terme bourguignon. Portion de terrain bien délimitée et dotée de son propre nom, située au sein d'un vignoble donné.

Clone. Variété de vigne ayant évolué par l'effet de la sélection, soit naturelle (comme dans le cas d'une vigne s'adaptant à l'environnement), soit artificielle, par l'intervention de l'homme. *Voir* Clones et clonage, p. 42.

Clos. Plus ou moins synonyme de **climat**, sauf que la parcelle concernée est entourée de murs, ou le fut à une époque antérieure.

Clou de girofle. Souvent présent dans le **bouquet** complexe d'un vin **fermenté** ou élevé sous bois, l'**arôme** de clou de girofle vient d'un acide dégagé par le brûlage des fûts de chêne.

CO_2. Formule chimique du **gaz carbonique**.

Coates, loi de maturité de. Clive Coates, *Master of Wine*, prétend qu'un vin reste à son **apogée** pendant un temps égal à celui qu'il a mis pour parvenir à ce stade de maturité. Cette loi varie à l'infini selon le vin et le consommateur. Si l'on trouve, par exemple, bon à boire un vin ayant atteint l'âge de cinq mois, années ou décennies, il demeurera dans les limites de ce profil gustatif jusqu'à l'âge de dix mois, années ou décennies. À y bien réfléchir, la « loi de maturité de Coates » a sa logique et, si mes recommandations quant à l'âge optimal de consommation échappent ici à son influence, je n'ai pas encore trouvé d'anomalie suffisamment grave pour déboulonner cette théorie.

Collage. On accélère souvent la clarification du vin ou du jus de raisin frais en utilisant des agents de collage, qui agissent par réaction électrolytique sur des matières de charge électrique opposée. *Voir* Collage, p. 34.

Colle de poisson. Agent de clarification fourni par la vessie natatoire de poissons d'eau douce et qu'on utilise pour clarifier les vins troubles peu tanniques. *Voir* **Collage**.

Commercial. Un vin commercial est conçu pour plaire au plus grand nombre. Les pires peuvent être fades et neutres, les meilleurs seront fruités, gouleyants et sans complication.

Compact, fruité. Ce terme évoque une bonne dose de fruit, alliée à un **équilibre** satisfaisant entre **tanins** (si le vin est rouge) et **acidité**, qui donne une impression de densité au nez et en bouche.

Complet. Désigne un vin doté de toutes les qualités requises (fruité, **tanin**, **acidité**, **profondeur**, **longueur**, etc.) pour donner en bouche une sensation de plénitude.

Complexité. Terme souvent galvaudé, se référant à la présence de multiples nuances aromatiques ou gustatives. Si de grands vins peuvent faire preuve d'une certaine complexité dès leur jeunesse, seule l'**évolution** en bouteille permet à un vin de développer pleinement son potentiel.

Confituré. Néologisme décrivant un vin rouge gras et richement fruité, mais un peu **mou**, dont les arômes ont un côté **cuit** et manquent d'élégance.

Corps. Terme désignant l'impression de densité en bouche donnée par la charpente tannique, le **moelleux**, le **fruité** et la richesse alcoolique d'un vin.

Correct. Décrit un vin qui, sans être forcément enthousiasmant, présente des caractéristiques conformes à son type et à son origine.

Coulure. Maladie de la vigne résultant de l'alternance, après l'éclosion des bourgeons (ou « débourrement »), de périodes chaudes et froides, sèches et humides. Si cela se termine par une chaleur excessive à la floraison, la sève s'élance au bout des rameaux sans s'arrêter aux **inflorescences**. Cela provoque un développement vigoureux du feuillage, mais prive le raisin d'éléments nutritifs essentiels. À peine formés, les grains se dessèchent et tombent sur le sol.

Coupage. 1) Mélange de plusieurs vins d'origine et de qualité variables pour obtenir un produit plus équilibré, aux caractéristiques stables. Les exemples peuvent aller de l'ajout d'une petite quantité de vin très acide dans un vin trop **mou**, jusqu'à celui d'un faible volume de vin rouge dans du vin blanc afin d'obtenir un rosé, comme c'est le cas pour le champagne rosé, mais cela s'applique surtout aux **vins de table**. La forme la plus grave de coupage consiste à **diluer** le vin avec de l'eau, ce qui est illégal. 2) Au sens figuré, dans l'association des mets et des vins, on peut utiliser un vin fortement acide pour « couper » l'effet **organoleptique** de gras donné par un mets grillé ou frit, ou un poisson gras, de même que l'effervescence d'un bon vin mousseux « coupe » la texture crémeuse de certaines soupes et sauces.

Cour de ferme. En France, terme subjectif suggérant un défaut de vinification. L'équivalent *farmyardy* est cependant utilisé par les Anglo-Saxons pour décrire un vin, souvent de chardonnay ou de pinot, qui a évolué au point de perdre de son fruité et de sa fraîcheur, en dépassant le stade de la rondeur et de certaines notes végétales agréables. Le vin reste toutefois sain et buvable et se trouve même, pour certains, à son apogée.

Court en bouche. Se dit d'un vin pouvant avoir un bon **nez** et un bon début de **bouche**, mais qui ne tient pas en **finale**, son goût s'évanouissant trop rapidement.

Crémant. À l'origine, ce terme désignait un vin de Champagne doté d'une pression inférieure à la norme et d'une **mousse** légère et crémeuse. Il a été abandonné par la Champagne à la suite d'une négociation menée avec les autres régions françaises productrices de vins effervescents. Ces dernières ont accepté de renoncer à l'emploi du terme ***Méthode Champenoise*** contre le droit exclusif d'utiliser ce vieux mot champenois pour créer leurs propres appellations, comme Crémant de Bourgogne, Crémant d'Alsace, etc.

Crème, crémeux. 1) Terme subjectif décrivant l'impression d'une saveur crémeuse, qui peut être liée au cépage ou à la méthode de vinification. J'ai tendance à utiliser ce mot en relation avec le fruité ou le boisé d'un vin. 2) Version plus subtile et atténuée du caractère **vanillé** d'un vin, sans doute marqué par les **lactones du bois** au cours de son élevage en petits fûts.

Creux. 1) Qualifie un vin manquant de réelle saveur en bouche. En français, cette définition se borne à une sensation de « vide » due à l'inconsistance d'un vin. Pour certains auteurs anglophones, elle se complète par la comparaison du goût du vin avec son **nez**, paru prometteur au départ. 2) Espace compris entre le vin et le sommet de la bouteille ou du fût (*voir* **Ouillage**). Une vieille bouteille dans laquelle le niveau du vin est descendu sous l'épaule a peu de chances d'être bonne.

Croisement. Mode de multiplication végétative de la vigne consistant à croiser deux ou plusieurs variétés de la même espèce (ex. *Vitis vinifera*). Un **hybride** résulte au contraire du croisement de deux ou plusieurs variétés appartenant à des espèces différentes.

Cru bourgeois. Classification bordelaise regroupant des châteaux du Médoc n'appartenant pas à la catégorie des **Crus classés**.

Cru classé. Terme désignant un vignoble d'AOC officiellement classé et, par extension, le vin qui en est issu.

Cru. Zone délimitée sur laquelle on produit un vin particulier.

Cryptogamique. Qualifie des maladies causées par des champignons, comme la pourriture grise.

CS (It.) Abréviation de *Cantina Sociale* et d'autres termes désignant une coopérative locale ou régionale.

Cuit. 1) Se dit d'un vin à fort degré alcoolique, qui donne la perception sensorielle de raisins vendangés par grande chaleur, qu'il s'agisse d'un pays à climat chaud ou d'une région tempérée frappée par une canicule exceptionnelle. On peut, dans une certaine mesure, contrôler ce phénomène par une vendange précoce, la vendange de nuit, la rapidité du transport au chai et le recours aux techniques modernes de fermentation à basse température. 2) Expression désuète pour désigner un vin **muté**.

Cultivar. Terme principalement employé en Afrique du Sud pour désigner une variété de vigne cultivée.

Cuvaison. Phase de la fermentation des vins rouges durant laquelle le jus est maintenu au contact des peaux et des pépins du raisin. *Voir* **Fermentation**.

Cuve close. Méthode d'élaboration de vins effervescents, au moyen d'une **seconde fermentation** en cuve. Synonyme de méthode **Charmat**.

Cuvée. Ce terme désignait à l'origine le vin issu d'une même cuve, mais il se réfère aujourd'hui à un assemblage ou produit donné, qui provient, selon les pratiques commerciales actuelles, de plusieurs cuves.

Cuverie, cuvier. Salle ou bâtiment abritant les cuves de fermentation.

CV. Abréviation de Coopérative de Vignerons et d'autres termes désignant une coopérative locale ou régionale.

Définition. Un vin qui a une bonne définition est non seulement un vin net et **équilibré**, mais il offre aussi une expression satisfaisante de son cépage ou de son origine.

Dégorgement. Étape de l'élaboration d'un vin effervescent effectuant une fermentation en bouteille, comme le champagne. Après la **fermentation**, les **levures** forment un dépôt, qui doit être retiré. Pour cela, on plonge le goulot de la bouteille dans un bain de saumure réfrigérant, le temps de congeler le dépôt pour qu'il adhère au goulot. On peut alors retourner la bouteille sans remettre les lies en suspension. Le bouchon temporaire qui a obturé la bouteille est retiré et la pression interne suffit à éjecter, ou dégorger, le dépôt, presque sans perdre de vin. Le niveau de la bouteille est ensuite complété et un bouchon de champagne traditionnel vient sceller la bouteille.

Degré Oechsle. Système d'évaluation du taux de sucre présent dans le raisin, pour les catégories de vins existant en Allemagne, en Autriche et en Suisse.

Délicat. Désigne des caractéristiques qualitatives discrètes, qui donnent du **charme** à un vin.

Demi-muid. Grand foudre ovale d'une contenance de 300 litres (600 l en Champagne).

Demi-sec. Ce type de vin a en fait une saveur nettement sucrée.

Densité de plantation. Les ceps plantés de manière rapprochée se font concurrence et donnent des raisins de meilleure qualité, en moins grande quantité par pied, que les vignes plus espacées. Le coût initial de plantation est plus élevé, la taille et les autres travaux viticoles exigent plus de main-d'œuvre, mais, si le vignoble est équilibré, la présence d'un plus grand nombre de ceps devrait aboutir à une même quantité totale de raisins par hectare, même si le rendement de chaque pied est moindre. Il est donc possible de maintenir la quantité, tout en augmentant la qualité de manière significative, bien qu'il existe un seuil de densité à atteindre avant que les bienfaits réels de l'opération ne se manifestent. Plus de la moitié des vignobles du Nouveau Monde comptent moins de 2 000 pieds/ha et une densité de 1 200 à 1 500 pieds/ha est très courante, alors qu'en Champagne, la loi impose un minimum de 1 666 pieds/ha, mais la moyenne atteint 7 000 à 8 000 pieds/ha et ce chiffre peut grimper à 11 000 pieds/ha. Avant l'arrivée du phylloxéra, il avoisinait 25 000 pieds/ha. Avant la mécanisation des vignobles de Californie, leur densité moyenne était deux fois supérieure : on a arraché un rang sur deux pour laisser passer les tracteurs. Quand Joseph Drouhin a créé son vignoble en Oregon, il a planté 7 450 pieds/ha et importé des tracteurs français, qui enjambent les vignes au lieu de passer entre elles. Les vignes à forte densité de plantation sont soudain entrées dans le vocabulaire américain, tandis que pour Joseph Drouhin, c'était une évidence.

Densité du moût. Quantité de sucre présente dans le raisin mûr, ou le moût.

Départ cave (prix). Les vins proposés en **primeur** s'achètent habituellement « départ cave ». À leur coût s'ajoutent ceux du transport et des taxes.

Dessèchement. Décrit un vin qui a séché, perdant de sa fraîcheur et de son fruité lors de l'élevage en bouteille. Il peut avoir gardé de l'agrément, mais les bouteilles qui restent devraient être bues rapidement.

Dilué. S'applique à un vin coupé d'eau (ou mélangé à un vin nettement inférieur), ce qui est en général illégal dans une appellation officielle. Plus couramment, cela indique un vin issu de vignes dont le rendement a été fortement exagéré, au détriment de la concentration des raisins.

Distinctif. Décrit le caractère positif d'un vin. Tous les grands vins ont quelque chose de distinctif jusqu'à un certain point, mais les vins ayant ce caractère distinctif ne sont pas tous grands pour autant.

DO (Esp.). Abréviation pour *Denominación de Origen*, l'équivalent espagnol de l'AOC française.

Doble pasta (Esp.) Qualifie des vins rouges ayant macéré avec une proportion de peaux de raisins double de la normale, lors de la fermentation du moût. *Voir* Comment lire les étiquettes de vins espagnols, p. 348.

DOC (It., Port. et Esp.). Abréviation de *Denominazione di Origine Controllata*, mais aussi de *Denominaçao de Origem Controlada*, équivalents italien et portugais de l'AOC française ; abréviation de *Denominación de Origen Calificada*, équivalent espagnol de la DOCG italienne.

DOCG (It.). Abréviation de *Denominazione di Origine Controllata e Garantita*, en théorie, la plus haute catégorie de vins classés en Italie. Dans l'idéal, elle devrait correspondre à un premier cru, ou un grand cru bourguignon, ou à un cru classé de Bordeaux. En réalité, elle souffre de concessions presque aussi graves que celles qui dévalorisent les DOC italiennes.

Doppelstück (All.). Très grand foudre ovale, d'une contenance de 2 400 litres.

Dosage. Ajout de vin sucré (dit « liqueur de dosage ») dans un vin effervescent après **dégorgement** ; le taux de sucre correspond à la terminologie en usage sur l'étiquette : **brut**, **demi-sec**, etc.

Doux. Vin qui présente un caractère sucré.

Dur. Indique une certaine sévérité, souvent due à un excès de **tanin** ou d'**acidité**.

Écart de température. Comparaison entre la plus haute température diurne et la plus basse température nocturne. Plus l'écart est grand, mieux le raisin conserve son acidité. Cela peut se produire dans des régions relativement froides, comme la Champagne, ou essentiellement chaudes, comme l'Idaho.

Éclat, éclatant. Qualité d'un vin **expressif**, issu de raisins **mûrs**, alliant **fruité**, **fraîcheur** et **vivacité**.

Écœurant. Décrit le côté sirupeux d'un vin doux médiocre, dont la **finale** est lourde et manque souvent de franchise.

Edelfäule (All.). Terme allemand synonyme de pourriture noble. *Voir* ***Botrytis cinerea***.

Edelkeur (Afr. S.). Terme sud-africain synonyme de pourriture noble. *Voir* ***Botrytis cinerea***.

Einzellage (All.). Vin monocru. La plus petite unité géographique autorisée par la législation viticole allemande.

Eiswein (All.). De conception allemande à l'origine, mais aujourd'hui présent dans le Nouveau Monde également, ce vin rare est dû à une tradition consistant à laisser des raisins sur le cep, dans l'espoir de les voir attaqués par le ***Botrytis cinerea***. Les raisins sont cueillis gelés et pressurés immédiatement. La glace remonte alors au sommet de la cuve et laisse un jus concentré, qui donne un vin dont la douceur, l'**acidité** et l'**extrait** s'harmonisent de manière unique.

Élégant. Terme subjectif s'appliquant à des vins possédant de la **finesse** et un certain **style**.

Élevage en bouteille. Phase indispensable à la maturation et à l'**évolution** du vin, surtout à partir d'un certain niveau de qualité.

Élevage sous bois. Temps passé par un vin en fût avant sa mise en bouteilles. Il varie beaucoup selon le style du vin.

Éleveur, élevage. Les deux termes s'appliquent à la fonction traditionnelle du **négociant** – originaire de France – qui consiste notamment à acheter des vins élaborés et à les élever jusqu'à ce qu'ils soient prêts pour la mise en bouteilles et la vente. Cette tâche comprend le **soutirage** des vins et leur **assemblage**, jusqu'à obtention d'un produit conforme aux critères de la maison de négoce.

Encépagement. Assortiment des cépages cultivés dans un vignoble.

Encre, encré. Se rapporte soit à une opacité particulière de la robe du vin, soit à sa saveur profonde, révélant une forte présence de **tanins** souples.

Enzymes de levure. Chaque enzyme de **levure** agit à la façon d'un catalyseur dans une réaction unique et a un rôle spécifique dans le processus de la **fermentation**.

Épicé. 1) Caractéristique de certains cépages, comme le gewurztraminer. 2) Terme subjectif qualifiant des **arômes** boisés complexes, présents dans le **bouquet** ou la **bouche** d'un vin ; ils proviennent de la **fermentation** ou de l'**élevage** sous bois et sont soulignés par l'évolution en bouteille. Parmi les traces d'épices habituellement détectés, de tendance « **crémeuse** », citons la cannelle et la noix de muscade

Équilibre. Harmonie entre l'acidité, l'**alcool**, le fruité, les **tanins** et les autres éléments naturels du vin. Quand on se trouve devant deux vins similaires, dont l'un inspire cependant une nette préférence, l'équilibre est très probablement l'un des deux facteurs déterminants dans ce choix (l'autre étant la **longueur en bouche**).

Esters. Composés d'odeur douce, contribuant à l'**arôme** et au **bouquet** d'un vin. Ils se forment pendant la **fermentation** et tout au long de l'**évolution**.

Estufagem (Port.). Procédé par lequel on fait chauffer le madère dans des fours dits *estufas*, avant de le refroidir. *Voir* madère, p. 383.

Étable. Forme extrême et très déplaisante de l'arôme de **cour de ferme**. C'est un signe d'altération du vin, sans doute par suite d'une vinification dans des conditions douteuses.

Éthanol. Synonyme d'**alcool éthylique**.

Évolué, évolution. Phase de maturation du vin qui commence durant l'**élevage en bouteille** et aboutit notamment à l'apparition des arômes tertiaires du **bouquet**.

Expressif. Qualifie un vin **généreux** à l'image de son cépage et de son **terroir**.

Extrait, ou extrait sec total. Matières solides exemptes de sucre qui donnent du **corps** à un vin. Ce terme s'applique à tous ses composants, des protéines aux vitamines en passant par les **tanins**, le **fer** et le calcium.

Facile à boire. Synonyme d'**accessible** jusqu'à un certain point, mais s'emploie plutôt pour un vin bon marché, tandis qu'accessible se dit souvent de vins plus fins.

Féminin. Terme subjectif utilisé pour décrire un vin dans lequel prédominent des qualités de délicatesse, plutôt que de densité ou de puissance. Vin d'une beauté, d'une grâce et d'une **finesse** frappantes, à la texture soyeuse et au style exquis.

Fer. Cet élément existe sous forme d'oligo-élément dans les raisins frais issus de sols renfermant des dépôts ferreux d'une certaine importance. Les vins provenant de tels emplacements peuvent contenir naturellement une très faible dose de fer, à peine perceptible en bouche. S'il y en a trop, la saveur devient celle d'un médicament. À plus de 7 mg/l pour les blancs ou 10 mg/l pour les rouges, le vin risque de devenir trouble. Les vins contenant de tels niveaux de fer doivent être clarifiés au moyen d'un collage bleu avant leur mise en bouteilles. *Voir* **Collage**.

Fermé. Se dit d'un vin dont les caractéristiques ne s'extériorisent ni au **nez** ni en **bouche**. Cela peut impliquer qu'il possède des qualités, pour l'instant cachées, mais devant se développer au cours de l'élevage en bouteille.

Ferme. Terme évoquant un certain **mordant**. Un vin ferme est un vin de bonne constitution, soutenu par son **acidité** et ses **tanins**.

Fermentation en fût. Certains vins blancs effectuent toujours leur fermentation en fût de chêne, selon la méthode traditionnelle : chêne neuf pour les grands bordeaux et bourgognes, comme pour les **vins de cépage** de première qualité ; tonneaux usagés pour les plus grands champagnes et les vins de qualité moyenne. Les fûts neufs donnent au vin des caractéristiques boisées. Plus ils vieillissent, plus ils favorisent l'**oxydation**. Les vins fermentés en fût possèdent des **arômes** plus complexes que ceux simplement élevés sous bois. *Voir* Acier inoxydable ou chêne p. 33.

Fermentation, arrêt naturel de la. Il est toujours difficile de faire repartir une fermentation qui s'est arrêtée et, même si l'on y parvient, le vin risque de prendre un goût bizarrement amer. Les causes les plus fréquentes d'un tel accident sont : une température ayant atteint, ou dépassé, 35 °C ; la mort des **levures** par manque d'éléments nutritifs ; un taux de sucre élevé, qui entraîne la mort des cellules de levure sous l'action de la **pression osmotique**.

Fermentation. Processus biochimique au cours duquel des enzymes sécrétés par les cellules de **levure** convertissent les molécules de sucre en deux parties presque égales d'**alcool** et de **gaz carbonique**. *Voir* Fermentation, p. 32.

Fermenté à basse température. Un vin fermenté à basse température se caractérisera par sa **fraîcheur** et offrira des arômes peu complexes de pomme, poire et banane.

Fermeté. Ce terme s'applique à un vin ferme et à la **finale** agréable, avec une légère dominante **acide** pour un vin blanc, ou **tannique** pour un vin rouge.

Feuillette. Petit fût bourguignon d'une capacité de 114 litres (132 l à Chablis).

Filtration de finition. Ultime et ultra-fine **filtration** d'un vin, généralement sur Kieselguhr ou **perlite**. La plupart des grands vins n'y sont pas soumis, parce que ce procédé risque d'appauvrir le goût du vin.

Filtration sur plaques. Procédé de filtrage utilisant une série de feuilles de cellulose, d'amiante ou de papier, au travers desquelles passe le vin.

Filtration tangentielle. Nouvelle méthode de microfiltration. Le vin circule rapidement en circuit fermé, ce qui évite le colmatage des membranes.

Filtration. Il existe trois méthodes fondamentales de filtration : la **filtration sur terre à diatomées** ou terre d'infusoires ou Kieselguhr, la **filtration sur plaques** et la **filtration sur membranes**. La **centrifugation** n'est pas réellement une filtration, mais répond au même objectif d'élimination des particules indésirables en suspension dans le vin ou le moût.

Finale. Se réfère à l'**arrière-goût** d'un vin et à sa **persistance** en bouche.

Finesse. Qualité difficile à décrire, qui distingue un vin fin d'un autre vin plus ordinaire. Elle est due à l'heureuse harmonie résultant des qualités intrinsèques du raisin et du **terroir**, unies à la compétence et à l'expérience d'un grand vinificateur.

Fins, vins. Vins de qualité, ne représentant qu'un faible pourcentage de tous les vins produits.

Flash-pasteurisation. Technique de stérilisation, à ne pas confondre avec la pasteurisation proprement dite. Elle implique l'exposition du vin à une température d'environ 80 °C durant 30 à 60 secondes. *Voir* Chaleur, p. 22.

Flor (Esp.). Voile de levures blanchâtre qui se forme naturellement à la surface de certains xérès durant leur élevage dans des fûts partiellement remplis. C'est la *flor* qui donne au xérès *fino* son caractère inimitable.

Flurbereinigung (All.). Méthode viticole consistant à planter les vignes en rangées verticales, qui suivent la courbe des coteaux au lieu de les longer en terrasses horizontales.

Foudre. Fût de grande capacité.

Foxé. Caractère particulier et très odoriférant de certaines variétés américaines de vigne, qui peut paraître d'une douceur écœurante au palais non accoutumé.

Frais, fraîcheur. Qualifie un vin net et gardant la **vivacité** de la jeunesse.

Franc, franchise. Se dit d'un vin dépourvu de nuances indésirables dans son **arôme** comme dans son goût. Synonyme de **net**.

French Paradox. En 1991, Morley Safer, présentateur de *60 Minutes* sur CBS, consacra une émission à un phénomène baptisé « le paradoxe français ». On y apprenait que les Français, consommateurs d'aliments riches en cholestérol, grands buveurs d'alcool et peu sportifs, avaient un taux de mortalité cardio-vasculaire très faible en comparaison des Américains, peuple soucieux de sa santé, cumulant une alimentation pauvre en cholestérol, davantage d'exercice physique et une consommation d'alcool relativement faible. Ce paradoxe était en partie expliqué par la « diète méditerranéenne », dans laquelle le lait joue un rôle insignifiant contrairement au vin, surtout le vin rouge. Aliment complet pour les enfants, le lait n'est pas un aliment naturel pour les adultes, qui ne peuvent le digérer correctement. Plus un adulte boit de lait (et les Américains en consomment énormément), plus le risque de maladie cardio-vasculaire est élevé, alors qu'il est prouvé que trois verres de vin par jour ont un effet protecteur dans ce domaine. *Voir* **Santé, Effets positifs du vin sur la**.

Frizzante (It.). Pétillant.

Frizzantino (It.). Très légèrement mousseux, ou perlant.

Fromage, odeur de. Caractéristique du **bouquet** d'un très vieux champagne, que l'on peut cependant rencontrer dans d'autres vins ayant eu un contact prolongé avec leurs **lies**, éventuellement ceux que l'on n'a pas **soutirés** ou **filtrés**. Ce phénomène est probablement dû à la production, pendant la **fermentation**, d'un peu d'acide butyrique pouvant se transformer en un **ester** appelé butyrate d'éthyle.

Fruit. Issu de raisins, le vin doit donc comporter 100% de fruits. Toutefois, sa saveur ne sera fruitée que si les raisins concourant à son élaboration présentent l'équilibre voulu entre maturité et **acidité**.

Füder (All.). Grand foudre ovale d'une contenance de 1 000 litres, plus courant en Moselle que dans les vignobles rhénans.

Fumé, arôme fumé, boisé fumé. Certains cépages ont un caractère fumé, notamment la syrah et le sauvignon. Cette nuance peut aussi provenir d'un brûlage intense du fût de **chêne**, ou se manifester dans un vin non **filtré**. Certains vinificateurs doués ne **soutirent** pas leurs vins et, parfois, ne les filtrent pas, leur passion les poussant à vouloir conserver au vin un maximum de personnalité, pour créer un vin particulier et **expressif**.

Fût. Tonneau, le plus souvent en **chêne**, servant à l'élevage, ou à la fermentation et à l'élevage du vin.

Garde, vin de. Vin capable de s'améliorer considérablement lorsqu'on lui permet de vieillir.

Gaz carbonique ou **CO_2.** Ce gaz se dégage du vin en cours de **fermentation**, lorsque le sucre se transforme en parties presque égales d'**alcool** et de CO_2. En temps normal, on laisse le gaz s'échapper, bien qu'il en reste une infime partie à l'état dissous (**acide carbonique**) dans tout vin, même tranquille, qui deviendrait sans cela terne, **plat** et sans vie. Si l'on empêche le gaz de s'échapper, le vin devient mousseux.

Gazéification. Introduction de **gaz carbonique** dans un vin avant la mise en bouteilles. Il suffit souvent d'une vanne placée dans le tuyau reliant la cuve à la chaîne d'embouteillage. *Voir* Gazéification, p. 38.

Gélatine. Agent de clarification à charge positive, servant à l'élimination dans le vin de matières en suspension à charge négative, notamment un excès de **tanins**. *Voir* **collage**.

Généreux, générosité. 1) Terme subjectif décrivant un vin très fruité en bouche, sans excès de tanin. Tous les vins devraient présenter une certaine générosité. Un vin qui en est dépourvu manque de **fruité** et a trop de **tanins** (s'il est rouge) ou d'**acidité** pour présenter un **équilibre** harmonieux. 2) Terme parfois lié au degré alcoolique d'un vin.

Générique. Se dit d'une appellation contrôlée de base et, par extension, de son vin, pour le situer par rapport à d'autres qui revendiquent une origine plus spécifique.

Genre. La famille botanique des Ampélidacées compte dix genres, dont l'un, *Vitis*, par le sous-genre *Euvites*, contient l'espèce *Vitis vinifera*, à laquelle appartiennent tous les cépages produisant des raisins dits de cuve.

Gouleyant. Le contraire d'**agressif**, renchérit sur **rond** et **souple**. Vin **facile à boire** et sans prétention.

Goutte, vin de. Jus s'écoulant librement avant le pressurage. Dans le cas du vin blanc, c'est le jus qui s'écoule du pressoir avant que le pressurage proprement dit n'ait commencé. Dans le cas du vin rouge, il s'agit du premier vin que l'on tire de la cuve en cours, ou en fin, de **fermentation**.

Grand cru. Ce terme prend tout son sens dans des régions comme la Bourgogne, où son utilisation est strictement contrôlée : le vin devrait être un grand vin, si la qualité du millésime le permet. Dans d'autres régions, où le contrôle est moins sévère, ce terme ne signifie rien.

Grand millésime, grande année. Ces termes s'appliquent généralement aux années marquées par des conditions climatiques exceptionnelles, donnant des vins plus riches et plus étoffés que d'habitude.

Grand vin. À Bordeaux, ce terme désigne le vin principal vendu sous l'étiquette du château, issu de l'assemblage des meilleures barriques. Les vins exclus de cette sélection vont dans un deuxième, troisième, voire quatrième vin, tous vendus sous des étiquettes différentes.

Grande marque. Dans le monde du vin, terme prenant un sens particulier en Champagne. *Voir* Syndicat des Grandes Marques, p. 170.

Gras. Se dit d'un vin **charnu**, plein, corsé, riche en alcool et en glycérine. Caractère très positif.

Greffage. Méthode de propagation de la vigne consistant à insérer un greffon taillé en forme de coin dans un **porte-greffe** porteur de son système radiculaire.

Greffe. Assemblage entre le **porte-greffe** et le scion du cep producteur.

Grossier. S'applique à un vin rouge un peu rugueux, pas nécessairement désagréable, mais certainement sans **finesse**.

Grosslage (All.). En Allemagne, zone viticole faisant partie d'un secteur plus vaste, le ***Bereich***.

Halbfbüder (All.). Foudre ovale d'une capacité de 500 litres, plus courant en Moselle que dans les vignobles rhénans.

Halbstück (All.). Foudre ovale d'une capacité de 600 litres.

Herbacé. Nuance végétale généralement associée à la présence d'un feuillage trop vigoureux sur le cep, ce qui peut entraîner un manque de maturité. Il peut aussi s'agir d'une caractéristique **variétale**, commune à de nombreux cépages. Enfin, ce caractère peut également résulter de techniques d'extraction trop agressives sur des vins rouges fermentant en cuve Inox.

Hogshead (Austr., N.-Z.) Tonneau d'une capacité de 300 à 315 litres, couramment utilisé en Australie et en Nouvelle-Zélande.

Honnête. Peut s'appliquer à tout vin – mais, le plus souvent, à un vin assez ordinaire – fidèle à son type et à son origine. Ce terme implique également que le vin ne semble pas avoir été **dilué** ou trafiqué. Ce n'est cependant pas un compliment, dans la mesure où ce qualificatif évoque un vin qui n'a rien de bien spécial.

Hybride. Croisement entre deux ou plusieurs cépages appartenant à plus d'une espèce.

Hydrogène sulfuré. La combinaison de l'hydrogène avec l'**anhydride** sulfureux dégage une odeur d'oeufs pourris. Si cela se produit avant la mise en bouteilles, on peut y remédier, à condition d'intervenir immédiatement. Si l'on permet au phénomène de se développer, l'hydrogène sulfuré peut se transformer en **mercaptans** et altérer le vin.

Incisif. Terme lié à l'**acidité** d'un vin, comme l'**amertume** l'est à ses **tanins**. Un vin n'ayant pas atteint sa maturité peut être incisif, mais ce terme est habituellement péjoratif dans le langage des dégustateurs professionnels. Une bonne acidité est généralement qualifiée de **mûre** et rehausse agréablement le fruité.

Inflorescence. Au printemps, la vigne développe des inflorescences, sortes de grappes en miniature dont les boutons floraux vont s'épanouir quelques semaines plus tard. Si la floraison est réussie, le bouton floral donnera un grain de raisin. L'inflorescence indique donc le volume potentiel de la vendange.

IPR (Port.). Abréviation de *Indicação de Proveniência Regulamentada*, une catégorie portugaise de qualité qui se situe entre DOC et VR.

Irrigation par goutte à goutte. Existe sous diverses formes. La plus sophistiquée consiste en un système informatisé, programmé en fonction des besoins généraux de la vigne et constamment modifié par un flux continu de données provenant de capteurs installés dans le sol. L'eau arrive littéralement au goutte-à-goutte grâce à un système complexe de conduits munis de vannes à débit variable.

Journées-degrés. *Voir* **Sommation des températures**.

Kabinett (All.). Premier échelon de la gamme des vins ***QmP*** d'Allemagne, se situant au-dessous des ***Spätlese*** et souvent plus secs que les ***QbA***.

L.D. Abréviation de *late disgorged*, « dégorgé tardivement », paradoxalement synonyme de « récemment dégorgé ». Désigne un vin effervescent d'un millésime déjà **évolué**, demeuré sur ses lies pendant une période prolongée. *Voir* **R.D.**

Lactones du bois. **Esters** issus du **chêne** neuf et pouvant communiquer au vin certaines caractéristiques « **crémeuses** ».

Lagar (Port.). Haut bac rectangulaire en ciment, dans lequel le raisin est foulé aux pieds.

Laid-back (E-U.) Terme en usage depuis l'apparition des vins californiens sur la scène internationale, au début des années 1980. Il désigne habituellement un vin sans prétention, **facile à boire** et sans complexe.

Landwein (All.). Équivalent de **vin de pays**.

Lessivage. Terme parfois employé pour décrire l'extraction délibérée des **tanins** du chêne neuf au moyen de vapeur, ou à propos de certaines caractéristiques du sol, comme le **pH**, qui peuvent être affectées par le lessivage, ou l'élimination, des carbonates par la pluie.

Levuré. Ce terme n'a rien de flatteur pour la plupart des vins, mais une telle nuance aromatique peut être souhaitable dans le **bouquet** d'un vin effervescent de bonne qualité, surtout lorsqu'il est jeune.

Levures. Champignons microscopiques d'une importance vitale pour la **vinification**. Les cellules de levure sécrètent un certain nombre d'**enzymes**, dont 22 sont indispensables pour mener à bien la **fermentation** alcoolique. *Voir* p. 32.

Lies. Sédiments qui s'accumulent au fond d'une cuve ou d'un fût durant la **fermentation** du vin. Un vin « sur lies » a été maintenu au contact de ses lies.

Lieudit. Terme couramment employé pour désigner des vins issus d'un vignoble spécifique, mais n'ayant pas le statut de **Grand Cru**.

Lime. Nuance caractéristique du sémillon et du riesling cultivés dans de nombreuses régions d'Australie.

Linalol. Composé présent dans certains cépages, en particulier le muscat et le riesling. Il contribue à l'arôme de pêche (ou de muguet) qui caractérise les vins à base de muscat.

Liqueur de tirage. Mélange de vin, de levures et de sucre, ajouté au vin tranquille de Champagne pour provoquer la prise de **mousse**.

Liquoreux. Terme s'appliquant souvent aux vins de dessert onctueux.

Longévité. La longévité potentielle d'un vin peut être due à une présence importante d'un ou plusieurs des éléments suivants : **tanins**, **acidité**, **alcool** et sucre.

Longueur, long en bouche. Se dit d'un vin dont la saveur **persiste** longtemps après absorption. Si, devant deux vins très semblables, on en préfère un sans savoir pourquoi, c'est sans doute parce qu'il est plus long en bouche.

Macération carbonique. Terme générique qui recouvre plusieurs techniques analogues de vinification sous pression de **gaz carbonique**. Ces vins – dont le beaujolais nouveau est l'archétype – se caractérisent par des **arômes** amyliques (bonbon anglais, chewing-gum, vernis à ongles). Si cette méthode de vinification ne concerne qu'une petite partie de l'assemblage, elle peut cependant souligner le fruité d'un vin et l'adoucir, sans pour autant lui donner de tels arômes. *Voir* Macération carbonique, p. 36.

Macération préfermentaire. Méthode de **macération** laissant le moût au contact des peaux de raisins avant **fermentation**, pour développer le caractère **variétal** du vin. Elle se déroule d'habitude à froid et s'emploie en principe pour des cépages blancs **aromatiques**, mais elle peut se faire à chaud, et même très chaud, pour des vins rouges.

Macération. Phase de la vinification en rouge durant laquelle le jus en train de **fermenter** est en contact avec les peaux de raisin. On utilise de plus en plus cette technique pour les vins blancs également, en procédant à une **macération pré-fermentaire**.

Mâche (vin ayant de la). Expression renchérissant sur **charnu**.

Madérisé. Les vins de Madère sont élaborés par le processus de l'***estufagem***, qui consiste à les chauffer lentement dans des fours avant de les rafraîchir. La madérisation est habituellement reconnue comme un défaut, sauf dans le cas des vins de style *rancio*. Un vin léger et normal au départ, qui a pris un caractère madérisé, sera souvent qualifié d'oxydé, alors que les symptômes sont différents : un vin madérisé présente un **nez** moins expressif, offre rarement des nuances rappelant le xérès (**acétaldéhyde**) et il est plus plat en **bouche**. L'entreposage à la lumière, ou un excès de chaleur, peuvent déclencher un phénomène de madérisation dans n'importe quel type de vin.

Maigre, mince. Se dit d'un vin qui manque de **corps** et de **fruit**.

Malique. Terme parfois utilisé pour décrire l'**arôme** et le goût de pomme verte, dus à la présence d'**acide malique**, qu'on trouve dans certains vins jeunes.

Malolactique. On qualifie parfois la fermentation malolactique **de fermentation secondaire**. Il s'agit en fait d'un processus biochimique, qui convertit l'**acide malique** (dur) des raisins immatures en **acide lactique** (plus souple) et en **gaz carbonique**. *Voir* Fermentation malolactique, p. 33.

Marc. 1) Résidu de pépins, rafles et pellicules de raisins résultant du pressurage et comportant une part de liquide. 2) Nom donné en Champagne à un chargement de 4 000 kg de raisins. 3) Eau-de-vie grossière obtenue par la distillation du résidu de peaux, pépins et rafles fourni par le pressurage.

Maturité. Se réfère aussi bien à l'**évolution** d'un vin en bouteille qu'à l'état du raisin **mûr**.

Membrane filtrante. Mince écran de matériau biologiquement inerte, perforé de pores microscopiques occupant 80 % de la membrane, utilisé pour filtrer le vin.

Mercaptan. Les **alcools éthylique** et méthylique réagissent avec l'**hydrogène sulfuré** en formant des mercaptans, composés à l'odeur fétide souvent impossibles à éliminer et qui anéantissent un vin. Les mercaptans peuvent sentir l'ail, l'oignon, le caoutchouc brûlé, le chou éventé, l'œuf pourri, la crotte de poule...

Méridional, style. Caractérise dans ce livre un vin du Midi de la France. Pour les vins rouges, il peut s'agir d'une mention positive désignant un vin **honnête**, **corsé** et savoureux, à nuance **poivrée**. Pour les vins blancs, le qualificatif est en principe péjoratif et visera plutôt un vin **mou**, ayant trop d'alcool et pas assez d'**acidité** ni de **fraîcheur**.

Méthode champenoise. Procédé dans lequel une effervescence se produit à la faveur d'une **seconde fermentation** en bouteille, la même bouteille dans laquelle le vin sera vendu (donc sans **transvasage**). Cette méthode est utilisée pour le champagne et d'autres vins effervescents de qualité. En vertu d'accords internationaux protégeant le champagne, l'utilisation de ce terme est désormais interdite dans de nombreux pays.

Méthode gaillacoise. Variante de la **méthode rurale** impliquant un **dégorgement**.

Méthode rurale. Précurseur de la **méthode champenoise**; elle ne comporte pas de **seconde fermentation**, ni de **dégorgement**. Le vin est mis en bouteilles avant la fin de la **fermentation** alcoolique et du **gaz carbonique** se dégage durant la poursuite de celle-ci en bouteille.

Microclimat. Ensemble de conditions climatiques et topographiques particulières à une zone donnée, grâce auxquelles un vignoble jouit d'une situation qui lui est propre.

Microporeux, filtre. Synonyme de membrane filtrante.

Microvinification. Technique souvent utilisée à des fins expérimentales. Elle comporte la **fermentation** séparée de moûts distincts, dans de petits fûts dépassant rarement la contenance d'une machine à laver. La fermentation a néanmoins sa dynamique propre, qui détermine la capacité minimale d'un fût; voilà pourquoi les vignerons amateurs obtiennent rarement un vin raffiné, et pourquoi la plupart des vins élaborés dans des instituts de recherche sont insignifiants.

Miel, nuance de. De nombreux vins développent une nuance de miel durant la garde, les vins doux en particulier et surtout ceux issus de raisins plus ou moins **botrytisés**. Pourtant, certains vins secs peuvent aussi acquérir ce caractère, l'exemple classique étant celui du riesling évolué.

Milieu de bouche. Terme subjectif désignant le milieu de la sensation gustative éprouvée en prenant une gorgée de vin. On peut ressentir une impression de **creux** si le vin est **maigre** et décevant, ou de **plénitude** s'il est ample et étoffé.

Millerandage. Trouble physiologique de la vigne qui se manifeste lors de la floraison, après un hiver froid ou humide. Cela rend la fécondation très difficile et peut empêcher le développement d'un grand nombre de baies. Elles restent petites et sans pépins, même si les autres grains de la grappe sont mûrs et de taille normale.

Millésime hors cote. Année ayant donné nombre de vins médiocres en raison de conditions climatiques défavorables : été peu ensoleillé n'ayant pas permis l'obtention de raisins mûrs; pluie ou chaleur humide pendant les vendanges, ayant entraîné de la pourriture. Il s'agit en général d'une année à éviter, mais il faut saisir toutes les occasions de goûter les vins sans a-priori, parce qu'il y a toujours de bons vins dans n'importe quel millésime, même le plus médiocre, à un prix avantageux parce qu'il reflète la mauvaise réputation du millésime.

Millésime léger. Un millésime léger donnera des vins relativement minces. Ce n'est ni une grande année, ni une mauvaise année.

Millésime. Année de récolte d'un vin. Un vin millésimé est issu à 100% de la récolte d'une année donnée (ou à 85% au minimum, selon la réglementation européenne). En dehors de ses caractéristiques organoleptiques et physiques propres, un vin reflète les conditions climatiques qui ont prévalu dans l'année.

Minéral. Certains vins ont un arrière-goût minéral, parfois désagréable. Le *vinho verde* a une arrière-bouche agréable, bien que presque métallique, quand il est issu de certains cépages.

Mistelle. Jus de raisin frais qu'on a **muté** à l'**alcool** avant que sa **fermentation** n'ait pu commencer.

Moelleux. 1) Vin **rond** et parvenu à son **apogée**. 2) Vin généreux de style **demi-sec**, terme usité dans la plupart des régions de France, excepté la Loire, où il désigne un vin **botrytisé** tout à fait doux.

Mordant. Vin présentant une pointe **acerbe** ou **acide**.

Mou. Le contraire de vif. Se dit d'un vin manquant d'acidité, terne, faible et **court** en bouche.

Mousse. Effervescence d'un vin mousseux, qui s'évalue surtout en bouche : un vin peut sembler plat dans un verre et vigoureux dans un autre, en raison d'une différence de surface. Une mousse de bonne qualité doit avoir des bulles fines et persistantes; la vigueur de l'effervescence dépend du style du vin.

Moût. Jus de raisin qui vient d'être exprimé, encore non fermenté ou en cours de **fermentation**.

Muid. Grand foudre ovale d'une contenance variable selon la région.

Mûr. Les raisins mûrissent et les vins évoluent, bien que le qualificatif de mûr puisse même s'appliquer à l'**acidité** d'un vin. Les dégustateurs doivent cependant veiller à ne pas confondre une certaine douceur résiduelle avec la maturité.

Mûre, acidité. Le principal **acide** d'un raisin mûr (**acide tartrique**) a un goût frais et fruité, même en grande quantité, alors que le principal acide d'un raisin vert (**acide malique**) a une saveur dure et désagréable.

Mutage. Adjonction d'**alcool** pur au vin ou au jus de raisin frais, soit avant la **fermentation** (cas des **vins de liqueur**), soit en cours de fermentation (cas des **vins doux naturels**). *Voir* Mutage, p. 38.

Muté. Le mutage au moyen d'alcool pur – habituellement une eau-de-vie très forte, de 77 à 98% – peut intervenir avant fermentation (ratafia de champagne ou pineau des Charentes), en cours de fermentation (porto et muscat de beaumes-de-venise), ou après fermentation (xérès).

Négociant-éleveur. Négociant ou maison achetant des vins élaborés pour assurer leur **élevage**. Ces vins sont alors assemblés et embouteillés sous l'étiquette du négociant.

Nerveux. Terme subjectif lié à la perception d'une **acidité** marquée. Se dit habituellement d'un vin blanc **ferme** et vigoureux, qui n'a pas encore atteint son équilibre.

Net. Terme appliqué à tout vin dont les **arômes** et la saveur sont exempts de toute nuance indésirable ou artificielle.

Nez. Odeur ou parfum du vin comprenant l'**arôme** et le **bouquet**.

Noix de coco (chêne sentant la). Des arômes de noix de coco sont produits par diverses lactones du bois que l'on rencontre le plus souvent dans le **chêne** américain.

Nuance. Note **subtile** concourant à la qualité d'un vin sans la dominer. Dans un vin fin, un **arôme** primaire prononcé, dû à la jeunesse du vin, peut se muer avec le temps en une nuance délicate, complémentaire de beaucoup d'autres dont l'ensemble confère au vin sa **complexité**.

Numéro de lot EU. Proposé par une directive de la C.E. en 1989, en vigueur dans tous les États-membres de la Communauté depuis 1992, ce numéro de lot doit figurer sur chaque bouteille de vin produite ou vendue dans l'U.E. Si un vin devait être retiré du marché pour une raison quelconque, ce code permet d'éviter tout gaspillage inutile en indiquant avec précision le lot concerné.

Œnologie. Science du vin et de la vinification.

Oïdium. Maladie cryptogamique de la vigne, qui se manifeste par une poussière grise et dessèche les raisins.

Oloroso (Esp.). Type de xérès, sec mais généralement édulcoré pour l'exportation.

Onctueux. Presque synonyme de voluptueux, mais décrit plus fréquemment un vin blanc doux qu'un vin rouge succulent et étoffé.

Opulent. Suggère un arôme **variétal** voluptueux, très ample, mais non **racoleur**.

Organoleptique. Qui peut être perçu par les sens, généralement l'odorat et le goût.

Ouillage. Remplissage d'un fût dont le vin s'est en partie évaporé, afin d'empêcher l'**oxydation**.

Oxydation, caractère marqué par l'. Vin dont l'évolution est manifeste au **nez** et en **bouche**. Cela englobe divers arômes allant du beurre, du biscuit et des épices, à la noix.

Oxydation, oxydé. Ces termes sont ambigus. Dès que les raisins ont été pressés ou foulés, l'oxydation entre en jeu : le moût ou le vin seront oxydés à un degré variable. L'oxydation représente une partie essentielle et inévitable de la **fermentation**; en conjugaison avec la **réduction**, elle permet au vin d'**évoluer** et de mûrir en bouteille. Tout vin est donc oxydé jusqu'à un certain point. Pour éviter tout malentendu, il vaut cependant mieux parler d'un vin évolué, car, même parmi les spécialistes, le terme oxydé a toujours une connotation péjorative. Il décrit un stade avancé et prématuré d'oxydation dans un vin présentant une odeur de **xérès**.

Oxydo-réduction. L'évolution du vin a été considérée à l'origine comme un processus d'**oxydation**, mais on a découvert par la suite qu'une substance du vin s'oxydait (s'oxygénait) pendant qu'une autre se **réduisait** (perdait de l'oxygène). C'est ce que l'on appelle l'oxydo-réduction. Sur le plan **organoleptique** cependant, le caractère d'un vin est marqué soit par l'**oxydation**, soit par la **réduction**. En présence d'air, un vin tend à s'oxyder; en milieu clos, privé d'oxygène, ses caractéristiques de réduction vont dominer.

Pain grillé 1) **Arôme** se développant lentement en bouteille. Il est souvent associé au chardonnay, mais peut être perçu dans des vins issus d'autres cépages, y compris des vins rouges. Ces nuances se perçoivent d'abord en **arrière-bouche**, sans intervenir au niveau du **nez**. 2) Arôme dû au bois et apparaissant rapidement.

Passerillage, passerillé. Les raisins non **botrytisés** laissés sur le cep sont exclus du métabolisme général du cep quand la sève se retire dans les racines. Sous l'action de la chaleur diurne et du froid nocturne, ces raisins se déshydratent et se concentrent. Le vin doux qui en est issu est très apprécié dans certaines régions. Un vin de raisins passerillés lors d'un automne chaud sera très différent d'un autre résultant d'un automne froid.

Passito (It.). Équivalent du **passerillé**. Les raisins *passiti* sont à demi-desséchés, soit dehors sur le cep, soit à l'intérieur sur des nattes ou accrochés dans une pièce chaude. Le processus concentre la pulpe des raisins et donne des vins forts en alcool, souvent doux.

Pasteurisation. Terme générique recouvrant diverses techniques de stabilisation et de stérilisation. *Voir* Chaleur, p. 22.

Pédologie. Science du sol.

Perlant. Vin très légèrement mousseux, moins qu'un vin **crémant** ou **pétillant**.

Perlite. Substance fine, pulvérulente, légère et lustrée, d'origine volcanique, dont les propriétés sont analogues à celles de la terre à **diatomées**.

Persistance, persistant. Se réfère à la **finale** d'un vin dont l'agrément se prolonge, une fois le vin avalé.

Pétillant, pétillement. Termes s'appliquant à un vin assez riche en **gaz carbonique** pour engendrer une légère effervescence.

Pétrole. Après des années de bouteille, les meilleurs rieslings acquièrent un bouquet vif et complexe, marqué d'une note baptisée « minérale » par certains dégustateurs, « pétrole » par d'autres. Cette nuance se rapproche du groupe des arômes d'**agrumes** et de **citron**, mais ceux-ci sont très variables, tandis que le « pétrole » du riesling est tout à fait caractéristique et unique en son genre. Un grand riesling évolué développe aussi une note de **miel**, ce qui enrichit encore sa personnalité aromatique.

pH. Abréviation courante en chimie pour désigner la concentration en ions hydrogène d'un liquide et servant à la mesure de l'alcalinité ou de l'**acidité active** de ce liquide. Le pH ne donne aucune indication sur l'**acidité totale** d'un vin, pas plus que le palais humain. Lorsque nous percevons l'acidité d'un vin en le dégustant, cette perception relève nettement plus du pH que de l'acidité totale.

Phénols, composés phénoliques. Composés rencontrés dans la peau, les pépins et les rafles du raisin. Les plus courants sont les **tanins** et les **anthocyanes**.

Phylloxéra. Puceron parasite de la vigne. Venu d'Amérique, il a contaminé pratiquement toutes les régions viticoles à la fin du XIXe siècle, détruisant nombre de vignobles. Pour les reconstituer, il a fallu – et il faut encore – **greffer** les vignes sur des **porte-greffes** américains résistant au phylloxéra.

Picotant. Qualificatif appliqué à un vin possédant un résidu de **gaz carbonique** bien moindre que dans un vin **pétillant**. Il peut être souhaitable dans certains vins blancs et rosés frais, mais il révèle l'existence d'une **seconde fermentation** indésirable dans les vins rouges. C'est pourtant une caractéristique délibérément provoquée dans certains vins rouges d'Afrique du Sud.

Pipa (Port.). La célèbre *pipa* du Douro est un fût d'une contenance de 550 litres.

Piquant. Qualificatif parfois appliqué à un vin blanc agréablement **vif**, doté d'un bon **fruité** à nuances d'agrumes et d'une **acidité** rafraîchissante.

Plat. 1) Caractéristique d'un vin mousseux ayant perdu toute sa mousse. 2) On utilise aussi ce terme à la place de **mou**, notamment lorsqu'il s'agit d'un manque d'acidité dans la **finale**.

Plein. Se dit souvent d'un vin corsé. Mais un vin peut être léger de corps, tout en ayant une saveur qui donne une impression de plénitude.

Pointe. Un vin peut avoir une pointe d'**amertume** ou de **tanins**. Ce terme implique d'ordinaire que le vin peut se développer.

Poivré. J'emploie ce qualificatif à propos de vins jeunes dont les divers composants sont encore bruts, manquent d'harmonie et se montrent parfois agressifs et picotants au **nez**. Mais il décrit aussi l'arôme et la saveur caractéristiques de vins du Midi de la France, notamment ceux à base de grenache. La syrah peut sentir le poivre noir fraîchement moulu, le poivre blanc caractérise un grand grüner veltliner. Les portos jeunes et les rouges légers de la Rioja peuvent aussi être très poivrés.

Porte-greffe. Partie inférieure d'un cep greffé, résistant d'habitude au **phylloxéra**. *Voir* Porte-greffe, p. 21.

Pourriture noble. Altération du raisin causée par le champignon ***Botrytis cinerea*** dans certaines conditions.

Premier cru. Ce terme n'a de signification réelle que dans les régions où il est strictement contrôlé, à savoir la Bourgogne et la Champagne.

Presse, vin de. Vin rouge foncé et **tannique**, extrait par **pressurage** du **chapeau** après écoulement du **vin de goutte**.

Pression osmotique. Quand deux solutions aqueuses sont séparées par une membrane semi-perméable, l'eau de la solution la moins concentrée passe dans l'autre, pour rétablir un équilibre de concentration. En matière de vinification, ce phénomène se rencontre le plus souvent quand les levures doivent travailler dans un moût exceptionnellement sucré. Comme une cellule de levure se compose à 65% d'eau, la pression osmotique force cette eau à s'en échapper. La cellule s'affaisse (phénomène appelé plasmolyse) et la levure se dessèche, puis meurt.

Pressurage, premier. Le premier pressurage, ou première presse, fournit le jus le plus clair, le plus net et le plus doux.

Primeur, vente en. Les grands vins, surtout à Bordeaux, sont proposés à la vente en primeur, c'est-à-dire durant l'année suivant la vendange, avant l'assemblage final et la mise en bouteilles. Les acheteurs expérimentés, qui ont pu déguster le vin, prennent un risque calculé, qui se reflète ultérieurement dans le prix du vin.

Profondeur. S'applique surtout à l'intensité du goût d'un vin et, en second lieu, à l'intérêt qu'il présente.

Puncheon. Ce type de fût, d'une contenance de 500 à 550 litres, est courant en Australie et en Nouvelle-Zélande.

PVPP (polyvinyle de pyrrolidol). Agent de **collage** utilisé pour éliminer les composants d'un vin blanc sensibles au brunissement.

QbA (All.). Abréviation de *Qualitätswein bestimmter Anbaugebiet*, en théorie, l'équivalent allemand de l'AOC française.

QmP (All.). Abréviation de *Qualitätswein mit Prädikat*. Ce terme est utilisé pour tout vin allemand de niveau supérieur à celui de ***QbA***, à partir du ***Kabinett***. La mention portée par un vin *QmP* dépend du niveau de maturité atteint par les raisins utilisés.

Qualité/prix, rapport. Il existe pour tous les vins, à 500 F comme à 50 F, et la décision d'achat dépend des possibilités financières de chacun. Ce type de réflexion a cependant ses limites et il serait démagogique de demander si le premier vin est dix fois meilleur que le deuxième.

Quinta (Port.). Domaine viticole.

R.D. Abréviation de « récemment dégorgé », terme se référant à l'élaboration du champagne. Ces initiales sont une marque déposée de Champagne Bollinger. *Voir* L.D.

R2. Souche de levure (*Saccharomyces cerevisiae race bayanus*) découverte par l'œnologue d'origine danoise Peter Vinding-Diers.

Racoleur. Se dit d'un **arôme** exagérément opulent pouvant plaire dans un vin bon marché, mais qui indique un manque évident de **finesse** dans une bouteille plus chère.

Rafle, goût de. 1) Caractéristique **variétale** du cabernet. 2) Désigne des vins issus de raisins non éraflés avant le pressurage. 3) Pourrait indiquer un vin **bouchonné**.

Raisin, arôme/saveur de. Nuance fruitée caractéristique de certains vins, en particulier des vins allemands et des vins à base de muscat, ou de cépages proches du muscat.

Rancio. Caractère d'un **vin doux naturel** élevé au moins deux ans en fûts de chêne, souvent exposés directement à la lumière du jour. La saveur particulière qui en résulte était très appréciée dans le Roussillon, en France.

Ratafia. Vin de liqueur obtenu par adjonction de **marc** à du moût de raisin frais. Le ratafia de Champagne est le plus connu.

Rêche. Terme plus péjoratif indiquant une sensation tactile désagréable, généralement due à la présence de tanins astringents.

Recioto. (It.). Vin fort et doux issu de raisin **passito**.

Réduction, réduit. Moins un vin a été exposé à l'air, plus il sera soumis à la réduction. Si différents soient-ils, le champagne, le muscadet **sur lie** et le beaujolais nouveau sont tous des exemples de vins aux arômes marqués par ce processus - du champagne longuement mûri sur lies à l'arôme **amylique** du beaujolais nouveau, en passant par le muscadet sur lie, où l'on peut sentir une très légère note de réduction. Le contraste entre madère et xérès, reflétant l'un la réduction, l'autre l'oxydation, est un bon exemple. Le terme de « réduit » a cependant un sens très péjoratif, dans la mesure où de nombreux dégustateurs y recourent pour décrire un grave défaut aromatique du vin.

Réfractomètre. Instrument d'optique utilisé dans les vignes pour mesurer le taux de sucre du raisin.

Remontage. Pompage du vin au cours de la **cuvaison** du vin rouge, pour le ramener au-dessus du **chapeau**.

Remplit bien la bouche. Se dit d'un vin ample et étoffé qui donne une agréable impression de plénitude. Très éloigné de **gouleyant**.

Remuage. Opération propre à la **méthode champenoise** d'élaboration : il s'agit de faire descendre le dépôt de sédiments dû à la **seconde fermentation** vers le goulot de la bouteille, avant de l'expulser au cours du **dégorgement**.

Rendement. Il y a deux manières de mesurer le rendement : par la quantité de raisins produite par une surface donnée, ou par le volume de vin issu des raisins récoltés sur cette surface. Dans les pays d'Europe, on compte le plus souvent en hectolitres de vin par hectare (hl/ha), parce que le volume de jus extrait des raisins est contrôlé par les systèmes d'**appellation** en vigueur dans ces pays. Dans le Nouveau Monde en revanche, c'est rarement le cas et l'on tend à parler en tonnes de raisin par acre. Les conversions exactes d'un système à l'autre sont parfois problématiques, surtout après une séance de dégustation chargée, quand même les notions de tonne ou de gallon deviennent floues. Voilà pourquoi je multiplie les tonnes, ou divise les hectolitres, par 20, ce qui donne une conversion approximative basée sur les taux moyens d'extraction pratiqués en Californie comme en Australie. À signaler que les vins blancs peuvent bénéficier de rendements supérieurs à ceux des vins rouges, alors que les vins doux devraient avoir les rendements les plus faibles; enfin, les vins mousseux peuvent supporter des rendements relativement élevés. Par exemple, le rendement moyen est de 25 hl/ha à Sauternes, 50 hl/ha à Bordeaux et d'environ 80 hl/ha en Champagne (où l'on compte en kilos de raisin/hectare).

Renforcé. Implique qu'un vin a été coupé avec un autre, plus étoffé ou plus alcoolisé. Le coupage peut avoir été légal, sinon il s'agit d'un vin trafiqué. Ce vin peut encore être tout à fait buvable, sans être pour autant correct.

Réserve, vins de. Vins tranquilles issus de vendanges antérieures, destinés à être assemblés avec les vins de l'année principale pour produire un champagne non millésimé équilibré.

Riche, richesse. Terme subjectif pour décrire un vin généreusement fruité, ample et étoffé.

Ripasso. (It.). Refermentation d'un vin sur les **lies** d'un vin ***recioto***.

Robuste. Forme atténuée du terme **agressif**, qu'on applique souvent à un vin déjà évolué : il est robuste de nature et non agressif comme il le serait dans sa jeunesse.

Rond, rondeur. Vin dans lequel tous les angles dus aux **tanins**, à l'**acidité**, à l'**extrait**, etc. se sont arrondis grâce à l'**évolution** en bouteille.

Rôti. Qualificatif décrivant le caractère de raisins ratatinés ou grillés du fait de la **pourriture noble**.

Rusticité. Certains vins sans **finesse** peuvent être agréablement rustiques, avec parfois un côté **terreux** qui leur donne du caractère.

Saccharomètre. Instrument de laboratoire servant à mesurer le taux de sucre d'un **moût**.

Saignée. Procédé consistant à extraire l'excédent liquide de la cuve de **fermentation** pour obtenir un vin rosé. Dans les régions viticoles particulièrement fraîches, la masse restante des pulpes de raisin peut servir à faire un vin rouge plus coloré que d'habitude, grâce au rapport plus élevé entre les matières solides et liquides du moût, qui libère davantage de pigments colorants.

Santé, effets positifs du vin sur la. Consommé avec modération, le vin favorise l'élimination du cholestérol et des graisses qui peuvent s'accumuler dans les artères, grâce aux puissantes propriétés antioxydantes de divers composés chimiques naturellement présents dans le vin par suite du contact avec les peaux de raisin. Les plus importants sont les polyphénols et une substance appelée resvératrol. L'essentiel du cholestérol voyage dans l'organisme grâce aux lipoprotéines à faible densité (LDL), qui bouchent les artères. Au contraire, les lipoprotéines à haute densité (HDL), loin d'obstruer les artères, entraînent le cholestérol vers le foie, où il est éliminé. Les antioxydants transforment les LDL en HDL, balayant littéralement le cholestérol et d'autres graisses. Avec l'alcool, ces antioxydants ont en outre un rôle anticoagulant en diminuant la capacité de coagulation du sang, ce qui réduit de moitié les risques d'attaque par rapport aux non-buveurs.

Sec. Ce terme, qui désigne un vin dépourvu de sucre résiduel, n'exclut pas le **fruité**. Les vins gorgés d'un fruité bien mûr peuvent paraître si **riches** qu'ils donnent parfois l'impression d'une certaine douceur.

Seconde fermentation. Au sens propre, il s'agit de la **fermentation** qui se déroule en bouteille dans la **méthode champenoise**. Mais on emploie parfois du terme, à tort, à propos de la fermentation **malolactique**.

Sekt (All.). Vin mousseux.

Sélection de grains nobles. Terminologie notamment utilisée en Alsace pour désigner un vin rare **botrytisé** et très doux.

Semi-macération carbonique. Adaptation de la méthode traditionnelle de fermentation dite **macération carbonique**, consistant à placer des grappes de raisins entiers dans une cuve qui est alors fermée et dont l'air est remplacé par du CO_2.

Serré. Se dit d'un vin **ferme**, riche en **extrait sec** et éventuellement en **tanins**, qui donnent l'impression d'être tendus comme un ressort. Un tel vin a, en principe, de bonnes possibilités d'évolution.

Skin-contact ou macération pelliculaire. La **macération** des peaux de raisin dans le **moût** ou le vin en fermentation permet l'extraction d'une certaine quantité de pigments colorants, de **tanins** et de divers composés aromatiques.

SO_2. Formule chimique de l'**anhydride sulfureux**, un antioxydant aux qualités antiseptiques utilisé en vinification. S'il ne doit pas être perceptible dans les produits finis, il arrive qu'on puisse le déceler dans un vin récemment mis en bouteilles : une bonne aération dans le verre, ou une vigoureuse décantation, y remédieront et quelques mois de bouteille devraient faire disparaître ce défaut. L'odeur âcre du soufre présent dans un vin devrait évoquer celle d'une allumette à peine éteinte. Si le vin sent l'œuf pourri, c'est que le soufre a été réduit à l'état d'**hydrogène sulfuré** et que ce vin a engendré des **mercaptans** impossibles à éliminer. *Voir* Utilisation du soufre, p. 32.

Solera. Système de renouvellement permanent d'un assemblage fixe, grâce à une petite proportion de vin nouveau (égale à celle retirée de la *solera*), pour obtenir un vin d'une qualité et d'un caractère constants. Certaines *soleras* ont été commencées au XIXe siècle et chaque bouteille de cet assemblage vendue aujourd'hui contient encore quelques gouttes du millésime d'origine. Si l'on se mettait à mesurer les molécules, on y trouverait des quantités infinitésimales de chacun de millésimes ajoutés, depuis l'année initiale jusqu'à celle précédant la mise en bouteilles.

Solide. Analogue à **ferme**, **robuste**.

Sommation des températures. Système de mesure des potentialités offertes par une région donnée pour la culture de la vigne, fondé sur l'évaluation des températures ambiantes, exprimées en journées-degrés. Le cycle végétatif de la vigne n'est activé qu'à partir d'une température dépassant 10 °C. La période pendant laquelle ces températures se maintiennent équivaut à la période de végétation de la vigne. Pour calculer un nombre de journées-degrés, on multiplie la part de la température moyenne diurne significative pour la croissance de la vigne – soit la moyenne diurne diminuée des 10 °C non valables – par le nombre de jours de la période de végétation. Par exemple, une période de végétation de 200 jours, à une température moyenne de 15 °C, donne un total de chaleur valant 1 000 journées-degrés : (15 -10) x 200 = 1 000.

Soufre fixe. Si l'on ajoute du SO_2 (anhydride sulfureux) au jus de raisin et au vin, c'est surtout pour prévenir l'oxydation, mais seul le soufre libre a cet effet. Au contact du vin, une partie du SO_2 se combine immédiatement avec l'oxygène et d'autres éléments, comme les sucres et les acides, et devient du soufre fixe. Il reste du soufre libre, capable de se combiner ultérieurement avec des molécules d'oxygène.

Soufre libre. Partie active du SO_2 contenu dans le vin. Le soufre libre se combine avec l'oxygène en excès.

Souple. Qualificatif décrivant un vin **facile à boire**, pas forcément **tendre**, mais donnant davantage qu'une impression de **rondeur**. Avec le temps, les **tanins** du vin s'assouplissent.

Sous-marque. Marque différente de la marque principale, attribuée à des vins qui sont généralement de moindre qualité.

Soutirage. Opération consistant à séparer un vin de ses **lies** en le transvasant dans un autre fût (ou une autre cuve). *Voir* Soutirage, p. 34.

Spätlese (All.). Un vin ***QmP*** supérieur aux ***Kabinett***, mais inférieur aux ***Auslesen***, assez doux et issu de raisins de vendanges tardives.

Spritz, spritzig (All.). **Pétillant**.

Spumante (It.). Vin **effervescent**.

Stage. Les propriétaires de domaines viticoles ont longtemps eu pour tradition d'envoyer leurs enfants en stage dans les grands châteaux bordelais. Aujourd'hui, les Bordelais envoient leurs enfants effectuer des stages similaires en Californie et en Australie.

Structure. La structure d'un vin dépend de l'équilibre entre les matières solides – **tanins**, **acidité**, sucre et **extrait sec** – et l'**alcool**, ainsi que de la manière dont ces éléments s'associent et sont perçus en bouche.

Stück (All.). Grand foudre ovale d'une capacité de 1 200 litres.

Style, vins de. Vins possédant toutes les qualités subjectives du **charme**, de l'**élégance** et de la **finesse**. Un vin peut « avoir le style » de sa région ou de sa catégorie, sans pour autant « avoir du style ». Cela échappe à toute définition.

Subtil. Ce qualificatif devrait désigner un caractère indéniable, quoiqu'estompé, mais il sert souvent de paravent aux snobs et aux soi-disant experts qui dégustent un vin à l'étiquette prestigieuse : ils savent que ce vin doit avoir quelque chose de spécial, mais, bien incapables de le définir, ils ont besoin d'un mot ambigu pour se tirer d'affaire.

Super-second. Terme apparu quand certains deuxièmes crus classés de Bordeaux, comme Châteaux Palmer et Cos d'Estournel, ont commencé à produire des vins d'une qualité voisine de celle d'un premier cru classé, à une époque où certains premiers crus n'étaient pas toujours à la hauteur. Le premier vin de ce type fut le palmer 1961, mais l'expression ne vit le jour qu'au début des années 1980.

Super-toscans. Expression forgée dans les années 1980 pour désigner des *vini da tavola* de Toscane rehaussés de cabernet sauvignon, infiniment meilleurs et bien plus chers que les vins toscans traditionnels de l'époque, à base de sangiovese. *Voir* La naissance des super-toscans, p. 327.

Sur le déclin. Se dit d'un vin qui a dépassé son apogée. Cela peut se produire relativement tôt et à un rythme plus rapide que la normale si l'année n'a pas été propice.

Sur lie. Cette expression s'applique aux vins – le plus souvent du muscadet – qu'on a laissé reposer sur leurs **lies** sans les **soutirer**, ni les **filtrer** avant leur mise en bouteilles, malgré les risques d'altération bactérienne que cette pratique entraîne. Dans le cas du muscadet, elle met en valeur le **fruit** du cépage relativement **neutre** qu'est le melon de bourgogne et donne au vin une nouvelle dimension, grâce à la complexité d'un goût de **levure** qui peut le rapprocher d'un petit bourgogne blanc. Le vin laissé sur lie n'a pas été exposé à l'air et il est saturé de **gaz carbonique** produit lors de la **fermentation**, ce qui lui donne une certaine **vivacité** et de la **fraîcheur**.

Süssreserve (All.). Jus de raisin frais, non fermenté, qu'on utilise couramment pour édulcorer les vins allemands jusqu'à la catégorie ***Spätlese*** inclue. On en ajoute aussi dans les ***Auslesen*** les moins coûteux. Cette pratique est de loin supérieure à la méthode d'édulcoration traditionnelle en France, qui recourt à du concentré de raisin. Le *Süssreserve* confère un caractère **frais** et fruité, souhaitable dans des vins demi-secs peu coûteux.

Tabac. Terme subjectif en matière de **bouquet** et de goût, qui s'applique souvent à des vins élevés sous bois. On retrouve parfois ces effluves dans certains bordeaux de grande classe.

Tafelwein (All.). **Vin de table.**

Talento (It.). Depuis mars 1996, les producteurs italiens de vins élaborés selon la **méthode classique** peuvent utiliser le nouveau terme de « talento », marque déposée par l'Instituto Talento Metodo Classico. Créé en 1975, celui-ci s'appelait alors Instituto Spumante Classico Italiano. *Talento* équivaudrait au terme espagnol *cava*, s'il ne lui manquait le statut de DOC – ce qui exigerait une délimitation de toutes les aires de production. En attendant, il faudra une bonne dose de talent pour faire de la plupart des *spumante brut* d'Italie une catégorie de vins mousseux de classe internationale.

Tanins fermes. De bons tanins mûrs, mais produisant un certain effet tactile sans pour autant sembler **durs**, **rêches** ou **austères**.

Tanins souples. Les **tanins** sont généralement perçus comme durs et astringents, mais ceux d'un raisin **mûr** sont souples, alors que ceux d'un raisin vert ne le seront jamais.

Tanins, tannique. Les tanins sont des polyphénols naturellement présents dans le vin et provenant de la peau du raisin, des pépins et des rafles. Ils peuvent aussi provenir des fûts, surtout des fûts neufs. Les tanins du raisin peuvent être **mûrs** ou **durs**, les premiers étant les plus recherchés. Pour un bon équilibre, cependant, les deux sont nécessaires à la **structure** du vin rouge, afin de lier les différentes saveurs. Les tanins durs ne sont pas solubles dans l'eau et garderont leur **agressivité** quel que soit l'âge du vin. Au contraire, les tanins mûrs sont solubles dans l'eau et **souples**, ou tout au plus **fermes** quand le vin est jeune, et ils s'adoucissent avec le temps. Leur rôle est vital dans la structure d'un bon vin rouge, utile dans l'association des mets et des vins.

Tartrates, cristaux de tartrate. Dépôts engendrés par l'**acide tartrique**, qui ressemblent à des cristaux de sucre au fond de la bouteille et dont la précipitation a parfois été provoquée par le froid. Mais ils peuvent aussi se déposer au fil du temps, bien que ce soit rare dans un vin tranquille ou mousseux resté plusieurs mois au contact de ses **lies**. Cela aboutit en effet à la création d'une substance appelée M32, qui empêche la précipitation du tartre. Un fin dépôt de cristaux étincelants peut par ailleurs se former sur la base du bouchon, si celui-ci a trempé dans une solution stérilisante de métabisulfate avant la mise en bouteilles. Ces deux types de dépôts sont tout à fait inoffensifs. *Voir* Stabilisation par le froid, p. 32.

Tastevin. Petite tasse d'argent bosselé que l'on utilisait pour la dégustation, surtout en Bourgogne.

TbA (All.). Abréviation courante de ***Trockenbeerenauslese***. Un des ***QmP***, produit à partir de raisins botrytisés sur le cep, vendangés grain par grain. Cela donne un vin doré à ambré, très doux, onctueux et très complexe, aussi différent d'un ***beerenauslese*** que celui-ci l'est d'un ***kabinett***.

TCA. Abréviation de trichloroanisole, le principal – mais non le seul – coupable du **goût de bouchon**. On trouve du TCA sur les douelles des fûts, comme dans le liège. *Voir* **Bouchon**.

Teinturier. Cépage noir à jus rouge, souvent utilisé autrefois pour renforcer la couleur d'un vin.

Tendre. Plus ou moins l'équivalent de **gouleyant**, voire de **souple** ; mais ce terme se réfère davantage à la perception du **fruit** d'un vin, tandis que le côté gouleyant évoque plus la **finale**. Cette caractéristique est souhaitable, mais son excès rend le vin **mou** et sans caractère.

Terpéniques, composés. Composés existant sous diverses formes (acides, alcools, etc.) et responsables de certains des arômes les plus puissants du vin, de la note florale du muscat au **pétrole** d'un beau riesling évolué. Dans un vin mousseux, le caractère terpénique peut indiquer la présence de riesling dans l'assemblage, mais il tient plus probablement à la conservation trop prolongée de tout ou partie des vins de base en cuve avant la **seconde fermentation**.

Terrasse. 1) Terrain plat entre deux coteaux, d'origine naturelle plutôt qu'artificielle. Exemple : la terrasse de Rutherford à Napa Valley. 2) Culture en terrasse : forme traditionnelle de viticulture sur des terrains à forte pente.

Terre à diatomées. Également connue sous le nom de Kieselguhr. Terre fine, pulvérulente, siliceuse, résultant de la décomposition d'algues dites diatomées fossilisées. *Voir* **Perlite**, **Filtration sur terre d'infusoires** et **Filtration de finition**.

Terreux. Décrit une impression de dessèchement ou de **rusticité** en bouche. Ce n'est pas forcément désagréable, mais les vins de qualité devraient en être exempts. Ce caractère est généralement dû à une forte présence de géosmine, qui peut être naturelle dans le raisin, mais dont l'excès peut donner au vin un goût **bouchonné**.

Terroir, goût de. Expression soulignant, dans un vin, la saveur particulière que lui communiquent certains sols, et non le goût du sol lui-même.

Terroir. Si ce terme évoque d'abord la terre, sa définition vinique met en jeu tout l'environnement d'un vignoble : sol cultivé, site, altitude, climat et tout autre facteur pouvant affecter la vie de la vigne, donc la qualité du raisin.

Tête de cuvée. Premier jus s'écoulant au cours du pressurage, le meilleur de la **cuvée**. C'est le plus facile à extraire et le plus équilibré en **acides**, sucres et composants minéraux.

Transvasage. Méthode selon laquelle les vins mousseux autres que ceux de **méthode champenoise** subissent une **seconde fermentation** en bouteille, avant d'être décantés, **filtrés** et remis en bouteilles sous pression pour conserver leur **mousse**.

Tries. Vendanges au cours desquelles les cueilleurs passent à de nombreuses reprises dans les vignes pour sélectionner les raisins **botrytisés** ou surmûris.

Trockenbeerenauslese (All.). *Voir* ***TbA***.

Typé. Terme voisin d'**honnête** dont on fait un usage abusif souvent malhonnête.

Typicité. Un vin d'une bonne typicité reflète fidèlement son cépage et son sol.

UC Davis (E.-U.). Abréviation désignant le département d'œnologie de l'université de Californie, à Davis.

UC. Abréviation d'Union coopérative ou d'autres raisons sociales désignant une coopérative locale ou régionale.

Uvaggio (It.). Assemblage de cépages.

Vanille, vanillé. Termes décrivant souvent le **nez**, et parfois la **bouche**, d'un vin élevé sous bois. C'est le plus caractéristique des arômes conférés par le bois. *Voir* **Chêne**.

Vanilline. **Aldéhyde** aromatique présent à l'état naturel dans les gousses de vanille comme dans le **chêne**.

Variétal. Désigne les caractéristiques d'un vin qui sont directement liées au **cépage** dont il est issu, ainsi que celles de ce cépage même.

VC (Esp.). Abréviation de *vino comarcal*, litt. « vin du lieu », terme analogue à **vin de pays**.

VDL. Abréviation de **vin de liqueur**, un vin **muté** à l'alcool avant le début de la **fermentation**.

VDLT (Esp.). Abréviation de *Vino de la Tierra*, litt. « vin de la terre », catégorie plus proche du **VDQS** que du **vin de pays** français.

VDN. Abréviation de **vin doux naturel**. C'est un vin **muté** en cours de **fermentation**, tel le muscat de beaumes-de-venise, muté lorsqu'il a atteint 5 à 8% d'**alcool**.

VDQS. Abréviation de **vin délimité de qualité supérieure**. Dans l'échelle des appellations contrôlées françaises, un VDQS est inférieur à un vin d'**AOC**, mais supérieur à un **vin de pays** et à un **vin de table**.

VdT (It.). Abréviation de ***vino da tavola***.

Végétal. Décrit souvent certains vins à base de gewurztraminer, scheurebe ou sauvignon.

Véraison. Stade de maturation des raisins, au cours duquel ils ne changent pas tant de taille que de couleur, surtout dans le cas de raisins noirs, et acquièrent plus de sucre et d'**acide tartrique**, tandis que leur taux d'**acide malique** diminue.

Vermouth. Vin aromatisé. Ce mot vient de l'allemand *wermut*, « absinthe », principal constituant de ce vin. Les premiers vermouths de consommation locale ont été élaborés en Allemagne au XVIe siècle. Le premier produit commercial, le Punt é Mes, a été créé par Antonio Carpano à Turin, en 1786. Le vermouth italien est le plus souvent rouge et doux, tandis qu'en France, il est en général blanc et sec. Le vermouth est issu de vins de base très neutres, âgés de deux ou trois ans, provenant des Pouilles et de la Sicile pour l'Italie, du Languedoc-Roussillon pour la France; ils sont coupés d'un extrait d'ingrédients aromatiques, puis édulcorés au sucre et **mutés** à l'alcool pur. Le vermouth de Chambéry, vin pâle finement aromatisé élaboré en Savoie, est le seul à avoir une **appellation** officielle.

Vert, vendanges en. Méthode consistant à éliminer un certain nombre de grappes durant l'été, tant que le raisin est encore vert, pour diminuer le rendement et favoriser la maturation des grappes restantes.

Vert. Vin jeune et acerbe, tel le *vinho verde*. Ce terme peut être péjoratif, ou qualifier simplement un vin jeune susceptible de s'améliorer.

Viertelstück (All.). Petit foudre ovale d'une capacité de 300 litres.

Vif. Un vin à la saveur nette et fraîche, doté d'une bonne **acidité** sensible en **finale**.

Vigoureux. Un vin qui a du **corps**, du fruit, de la matière et, en général, du degré.

Vigueur. Bien que ce terme puisse aisément s'appliquer à un vin, il est surtout employé à propos de la croissance de la vigne, en particulier de son feuillage. Pour que le raisin puisse mûrir convenablement, un cep a besoin d'environ 50 cm^2 de surface foliaire par gramme de fruit. Une vigne trop vigoureuse donnera des raisins au caractère **herbacé**, même s'ils sont théoriquement **mûrs**.

Vin de café. Catégorie de vin vendu en carafe dans les bistrots.

Vin de glace. Équivalent français de ***eiswein***.

Vin de liqueur. *Voir* VDL.

Vin de paille. Vin doux complexe obtenu à partir de raisins **passerillés**, qu'on a laissés se déshydrater sur la paille ou suspendus à des fils. *Voir* Jura et Savoie, p. 222.

Vin de pays. Dans l'échelle des appellations françaises, vin plutôt rustique se situant entre le **vin de table** et le **VDQS**. *Voir* Vin de pays, p. 246.

Vin de qualité produit dans une région délimitée. *Voir* VQPRD.

Vin de table. Terme souvent doté en français d'une connotation péjorative parce qu'en France, cette catégorie de vin est la dernière sur l'échelle qualitative. Dans d'autres pays, ce n'est pas forcément le cas, même si toute mention de cépage ou d'origine géographique est interdite sur l'étiquette de ce type de vin. Il s'agit le plus souvent d'un mélange de cépages de provenances variées, assemblés en vrac pour produire un vin d'un caractère, ou d'une absence de caractère, constant. En anglais, *table wine* désigne essentiellement les vins non mutés.

Vin délimité de qualité supérieure. *Voir* VDQS.

Vin doux naturel. *Voir* VDN.

Vin d'une nuit. Vin rosé ou clairet, dont le moût est resté au contact du **chapeau** l'espace d'une nuit.

Vin gris. Rosé très pâle et délicat.

Vin jaune. Ce célèbre vin du Jura doit son nom à sa couleur dorée, résultant d'une **oxydation** délibérée sous un voile de **levures** analogue à la ***flor*** du xérès. Mais, contrairement au **xérès**, le vin jaune n'est pas **muté**.

Vin nouveau. Vin destiné à être bu dans l'année suivant la vendange. Le beaujolais nouveau, ou primeur, en est le plus célèbre exemple.

Vin sans alcool. Se dit de vins dont la teneur en **alcool** a été très fortement réduite.

Vineux. 1) S'applique aux caractéristiques de base, notamment d'odeur et de saveur, communes à tous les vins et qui les distinguent des autres boissons alcoolisées. 2) Se dit parfois d'un vin riche en alcool et de saveur intense, voire un peu lourde.

Vinificateur volant. Ce phénomène est apparu en Australie : en raison de la taille du continent et de l'échelonnement des dates de vendanges, Brian Croser (aujourd'hui à Petaluma) et Tony Jordan (aujourd'hui à Green Point), deux consultants très demandés, devaient sauter dans des avions pour se rendre d'une vendange à l'autre. Tirant parti du succès des vins australiens sur le marché britannique, d'autres gourous du vin australiens allongèrent les distances et se mirent à sillonner le globe, du Sud de l'Italie à la Moldavie, généralement pour le compte de chaînes de supermarchés britanniques. Comme pour la généralisation du chardonnay et du cabernet, la critique spécialisée commença par saluer les vinificateurs volants, avant de s'en prendre à eux en les accusant de standardiser les vins partout où ils allaient. En vérité, avant l'émergence des cépages et des vinificateurs internationaux, les coopératives de ces pays n'auraient jamais imaginé pouvoir produire des vins capables de prendre place sur le marché mondial. Après avoir atteint un certain niveau en se basant sur des cépages connus et une technologie moderne, elles commencent à se tourner vers leurs racines, pour voir quels cépages autochtones auraient la possibilité de donner des vins plus expressifs. Peu d'œnologues totalisent plus d'heures de vol que Richard Geoffroy, de Moët & Chandon, mais le sobriquet de vinificateur volant désigne d'habitude les mercenaires de la profession, qui travaillent pour un supermarché, un fournisseur de supermarché, ou pour plus d'une entreprise. Les plus connus sont notamment Peter Bright, Nick Butler, Steve Donnelly, Michael Goundrey, Lynette Hudson, Jacques et François Lurton, Geoff Merril, Kym Milne, Hugh Ryman, Martin Shaw, Brenden Smith, Adrian Wing et John Worontschak. Les Professeurs Peynaud et Ribéreau-Gayon, sommités de l'œnologie bordelaise, ont tous deux échappé à ce qualificatif, bien que chacun d'eux ait été consultant pour plus de sociétés, dans plus de pays et pendant plus longtemps que l'ensemble de la troupe citée plus haut, peut-être parce que les mercenaires actuels ont une approche plus interventionniste de leur tâche que les consultants de l'époque précédente.

Vinification. Ensemble des opérations effectuées pour élaborer un vin, de la cueillette des raisins à la mise en bouteilles.

Vinimatic. Cuve fermée de **fermentation** intermittente, équipée de lames fixées à ses parois internes et fonctionnant comme une bétonneuse. Utilisé à l'origine pour extraire des peaux de raisin le maximum de couleur avec un minimum d'**oxydation**, cet appareil sert maintenant lors de la **macération préfermentaire**.

Vino da tavola (It.). La dernière catégorie dans l'échelle des appellations contrôlées italiennes, *voir* **vin de table**.

Vino de mesa (Esp.). *Voir* vin de table.

Vino novello (It.). *Voir* **vin nouveau**.

Vitis vinifera. Espèce englobant toutes les variétés de vigne porteuses de raisins de cuve.

Vivacité. Se rapporte généralement à la **fraîcheur** et au **fruité** éclatant de jeunesse d'un vin, dus à sa bonne **acidité** et parfois à une certaine teneur en **gaz carbonique**.

VQPRD. Abréviation de **Vin de qualité produit dans une région déterminée**.

VR. Abréviation de *Vinho regional*, le plus bas niveau dans le système portugais d'appellations, le VR peut se comparer au **vin de pays** en France.

Weissherbst (All.). Vin rosé de cépage, exclusivement issu de raisins noirs.

Winkler, échelle de. *Voir* **Sommation des températures**.

Xérès, odeur de. Odeur d'un vin parvenu à un stade avancé d'**oxydation**, indésirable dans d'autres vins que le xérès ou le vin jaune. Elle est due à un excès d'**acétaldéhyde**.

INDEX

B

C

F

H

I

J

K

L

M

N

P

R

S

T

U

V

X

Z

Crédits photographiques h = en haut, b = en bas, g = à gauche, d = à droite, c = au centre

Bildagentur Mauritius E. Gebhardt 265 d; Koch 285; Rossenbach 280. Cephas: Kevin Argue 499; Nigel Blythe 52, 292, 293, 302, 558; Andy Christodolo 260, 264, 503, 505, 520 b, 540, 548; Bruce Flemming 440; Kevin Judd 2, 547; Alain Proust 428; Mick Rock 1, 2, 5, 6, 22, 28 h, 29, 29, 29, 33, 33, 34, 38, 58 c, 61, 62, 63, 76, 86 bg 121 h, 121 b, 135 h, 135 b, 136, 138, 139, 144 b, 151, 155, 157, 159, 165 g, 167 hd, 169, 170, 181 b, 186, 207, 211, 246, 255, 258, 269, 290, 291 h, 291 b, 298 h, 300, 304, 306, 308, 318, 319, 320, 336, 338, 343, 346, 350 h, 359, 364, 366, 367, 371, 377, 388, 390, 391, 406 h, 406 b, 407, 408, 409, 411, 412, 420, 422, 475 h, 481, 487, 516, 522; Ted Stefanski 6, 449. Click Chicago: Peter Fronk 442 h, 480, 488; John Lawlor 444;Chuck O'Rear 447. Horizon: Milton Wordley 533. Imagebank: S. Barbosa 504. Impact: Pamla Toler 545 h, 545 b, Landscape Only: Charlie Waite 194, 327 h, 327 b,. Picture Index: Guy Gravett 192. Scope: Jean-Luc Barde 131, 152, 158, 227; Jacques Guillard 24, 180, 196 h, 198 h, Michel Guillard 4, 30 hd, 30 bg, 31 bg, 36 b, 37 g, 58 h, 58 b, 73, 77 h, 77 b, 81, 82 g, 82 d, 86 hd, 86 cd, 90 h, 91 hd, 92 h, 114 hd, 114 bg, 241; Jacques Sierpinski 233; Jean-Daniel Sudres 31 hd, . Susan Griggs Agency: Adam Woolfitt 400 h,. Visionbank: Michael Freeman 456; Colin Maher 66, 93. Zefa:Armstrong 463; F. Damm 37 d; Eigen 298 b; Fotostudio 401, 405; Harlicek 400 b; Justitz 395; W. H. Mueller 23 l; K.Oster 273; W. Rötzel 270; Haro Schumacher 424; Til 271. Jason Bell couv.1; Anthony Blake 113, 114 bg, 196 b, 199 h, 282. Anthony Blake / G. Buntro 350 b, Harry Baker 30 hg, Bernard Breuer 28 hg, 281 b, Michail Busselle 85. Martin Cameron 566. Champagne Bureau 30 bd, 31 hg, 164 h, 167 hg. Champagne Deutz 166 hd. Champagne Pommery 165 d. Château Haut-Brion 90 b. CIVC Epernay 164 h, 166 h. Stephanie Colasanti 383. Bruce Coleman / Herbet Kranwetter 378. Bruce Coleman / Sandro Prato 425 g. Andy Crawford 16, 16, 17, 17, 39, 40 b, 41, 559. Pedro Domecq 502. Patrick Eagar 23 d, 124 h, 193, 193, 538. Neil Fletcher p 563, 564. Food and Wine from France 31 bd, 198 b. French Government Tourist Office 222. Steve Gorton 265 g. Sonia Halliday 419. Sonia Halliday / F. H. C. Birch 21. Margaret Harvey 544. Hudson Picture Library 417. Denis Hughes-Gilbey 31 cd, 199 b. Dave King 564, 565. Krug 166 hg. Laurent Perrier 166 b, 166 b. Ian O'Leary 7, 18-19. David Murray p.561, p.562. David Murray/ Jules Felmes p.35, p.560. Piper's Brook Vineyard 525. Janet Price 6, 36 h, 86 bd, 103 h, 103 b, 124 b, 130, 132, 133, 144 h, 182, 210 h, 210 b, 507, 519, 520 h, 521, 526 h, 532 h, 532 b. Louis Roederer 167 bd. Kim Sayer 7. Sotheby's 9, 10, 11, 12, 13. Tom Stevenson 28 b, 40 h, 91 bg, 91 bd, 92 b, 181 h. Tony Stone 539. Tony Stone / Fritz Prenzl 542. J. C. Tordai 415. Trip 416. Jon Wyand 284, 311, 442 b, 458, 469, 475 b. Yapp Brothers 212. Illustrations: glossaire des cépages par Sandra Fernandez, toutes les autres illustrations par Kuo Kang Chen

Dorling Kindersley remercie Michael Schmidh, George Kah, Gustave Noeg Alan Corneretto, The Australian Wine Club, Tesco Stores Ltd., Direct Wine Shipment, Averys of Bristol Ltd., Enotria Winecellars Ltd, ainsi que tous ceux qui ont aimablement fourni des étiquettes; Tracy Timson, Mark Annison, et Tassy King pour leur collaboration artistique; Antonia Cunningham et Peter Jones pour leur collaboration éditoriale.

Remerciements de l'auteur

Je remercie tout d'abord mon agent, Michael Sissons. Si cette encyclopédie n'est pas mon premier livre, il s'agit du premier contrat signé depuis que j'ai rejoint l'agence de Michael, et c'est à ma plus grande honte que j'ai omis de mentionner son nom dans la première édition.

Les cartes constituent un élément important de ce livre, et elles n'auraient pu être mises à jour sans la collaboration précieuse de mon grand ami Michael Schmidt à la première édition, ainsi que celle de Peter Markley, de Lovell Johns, l'un des meilleurs cartographes au monde, qui a travaillé sur les deux éditions. J'exprime ma gratitude à John Noble, qui a réalisé l'index avec une grande compétence.

Je remercie également toutes les personnes avec qui j'ai été en contact dans le monde international du vin, notamment celles qui m'ont aidé à organiser mes voyages, ou qui m'ont envoyé des échantillons du monde entier, tout particulièrement Gerard et JoAnn Bentryn, Vicky Bishop, Eric Blondeau, Dick Boushey, Véronique Bramaud, Daniel Brennan, Myriam Broggi, Steve Burns, Larry Challacombe, Christine Coletta, Charles Cunningham, François Duhamel Marjorie Dundas Ruhf, Ricardo Ewertz, David Forbes, Monty Friendship, Christina Fuggit, Peter Gamble, Marie Hardie, Michael Hasslacher, le Pr George Hess, Bill Huisman, Mel Knox, Roxanne Langer, Kit Lindlar, Harry MacWatters, Jean-Laurent Maillard, Catherine Manac'h, Nico Manessis, Archie McClaren, David McCulloch, Lucy Meager, Fiona Morrison MW, Hazel Murphy, Christine Pascal, Michael Parry, Thomas Perry, Hugh Ryman, Jennifer Sanguiliano, Michael Schmidt, Peter Scudamore-Smith MW, Simon Siegl Con Simos, Tony Skuriat, Don Ziraldo et Larry Walker.

Aux éditions Dorling Kindersley, je tiens à remercier Christopher Davis qui a cru à mes engagements, et sans qui cette encyclopédie n'aurait pu voir le jour. J'exprime ma gratitude à Peter Kindersley pour son soutien enthousiaste. Que tous deux soient également remerciés pour avoir produit ce livre dans des conditions dont tout auteur rêve. Parmi les équipes de Dorling Kindersley, je tiens à mentionner les seniors du management Jackie Douglas et Peter Luff, Sean Moore et Tina Vaughan, Gwen Edmonds et Claire Legemah, ainsi que les brillantes équipes éditoriales et artistiques, parmi lesquelles le directeur de projet Heather Jones, qui a également travaillé chez un autre éditeur à mon livre sur le champagne alors que cette encyclopédie était encore dans les limbes, et cette nouvelle collaboration a été une très agréable surprise; Paul Docherty et Colette Connolly ont également apporté leur concours précieux dès le début de ce projet; je remercie également Jane Sarluis, Nichola Thomasson et Samantha Gray, ainsi qu'Antonia Cunningham, Peter Jones et Jo Marceau pour leur assistance éditoriale. Parmi les équipes artistiques, je tiens encore à mentionner Nicola Powling, Mark Johnson Davies, Rowena Alsey et Michelle Fiedler. La recherche iconographique a été réalisée par Victoria Walker. Fiona Allen s'est chargée de la promotion et Nicky Grimbly du marketing, mais il existe encore de très nombreuses personnes qui me restent inconnues dans le domaine de la production et des ventes, et dont j'apprécie le travail au plus haut point.